KB017093

民衆
엣센스
新日韓小辭典

民衆書林 編輯局 編

民衆書林

일 러 두기의 생활상 필요하

I 어휘

수록한 어휘는 현대어를 중심으로
고 생각되는 속어·방언·약어·외래

II

かな 표기법'(1986년 7

(1) 표제어

ㄱ. 표제자는 원칙적으로 ひら   에는 ―를 썼다.
월 1일 고시)에 따랐다.   어간과 어미와의 구별이 되
ㄴ. 외래어는 カタカナ로 표기다. 또, 形容動詞는 어간(語
〔보기〕 アーチ
ㄷ. 활용어는 원칙적으로   (幹)을 실었다.
는 것은 그 사이에 ―를
〔보기〕 きーる【切る   로서 표제어로 내세운 경우에는
あきらか【
ㄹ. 접두어·접미어를   다음과 같이 처리하는 낱말 약 2,000 어에는 ♯표, 중요 낱
〔보기〕 こー……   ―さ ……하였다.
ㅁ. 표제어 가운데   말 약 4,000 어에
〔보기〕 ♯かるー   *たから   표시하였다. 여기서 '정서법'이라 함은 한

(2) 표제어의 정서법   표기를 할 때, 현대의 가장 표준적인 표기
ㄱ. 【 】속에   자 또는
あらも그대로 기준이 되는 경우, 【 】속에 기준 이외
법을   어의 표기를 썼   【白】
ㄴ. 표기를 썼   つきし   의 범위에서 쓰는 기준 표기를 보일 수 없을 경우
상용 한자(기를 [ ]속에 나타내었다.
〔보기〕 し 표기 이외의 관용적인 다른 표기는 ( )로 둘러 첨기
기준적인
(添記)했   しゅう【編集】【編輯】
〔보기〕 기가 2가지 이상 인정될 때에는 【 】속에 병기하였다.
표준적つう【劇痛·激痛】
〔보기〕 이외의 표기가 쓰이지 않을 경우에는, 표제어의 かな로 그
대로 けち   보통인 표기법을 나타내었다.
〔보기〕 ♯しーい
는   제의 かたかな로 그대로 표준적인 표기법을 보였다. 또, 소
외   영은 이에 준했다.
ト
イター
ングル
의 외래어로서 로마자로 쓰는 것이 보통인 경우에는 [ ]속
서을 보여 주었다.
アイエルオー [ILO]
ピーティーエー [PTA]
법에 따라 표기가 달라질 때에는 다음과 같이 다루었다.
たいがい【大概】㊀名 …….㊁【たいがい】副 …….
제어의 정서법에 관해서는 일본 '상용 한자표(常用漢字表)'(1981
일 고시)에 따랐다.
がな'는 '개정 おくりがな 표기법'(1973년 6월 18일 고시)를 참고
나, おくりがな법은 시대에 따라 다르므로, 붙이지 않는 것이
의 관습으로 되어 있는 경우나 붙여도 좋고 안 붙여도 좋을 경

머 리 말

우리 민... 대한의 내용...

바 있다. 이번 ...대에 편리하도록 '최소한의 ...

는 것을 감안하... ...리즈를 간행하여 다대한 호...

정으로 휴대에 무... 작아 찾아보기에 불편한 ...

게 되었다. ...러한 불편을 덜어드려야겠...

...으로 판형을 키워 다시금 ...

이 '신일한소사전(新日... ...

숙하게 믿고 사용할 수 있...

의 의도였다. 아무쪼록 위약된 지면하에서 누구...

수 있기를 기원하는 마음 간절... ...을 만들고자 한 것이...

을 요약하면 다음과 같다. ...독자 제위에게 도움이...

...의 기본적인 편찬 방...

1. 학습과 일반 언어 생활에 필... 주로 하는 이 사전에는 고교·대... ...한 어휘...현대어... 어 생활에 필요한 어휘는 말할 것... ...학습에, ...일반 ... 모든 분야의 중요 어휘, 시사 신어..., 시대를 ...하는 ...아... 약 7만... 를 엄선하였다.

2. 발음 사전을 겸한 새로운 일어 사전... 외국어인 이상, 일본어의 습득에는 정본어가 어디까지... 선결임은 두말할 나위도 없다. 자칫 등한음을 아는 ... 를 철저하게 다룸으로써 이 사전의 특색을...쉬운 발음...

3. 정서법(正書法)에 의한 기본적인 표기의 영... 월 1일에 고시된 「상용 한자표(常用漢字表)」 ... 1981... 일에 고시된 「현대 かな 표기법」에 준거하여, ...6년... 기준이 되는 표기와, 이제까지 관용되어 오던 ... 알아볼 수 있도록 보여, 용자용어(用字用語)의...

4. 다양하고 적절한 용례와 간결·정확한 주석... 고 정확함을 기하였으며, 되도록 많은 기... 이해와 실용에 이바지하도록 고려하였다.

5. 성구·관용구의 풍부한 수록……오늘날 ... 접할 수 있는 성구·관용구는 현대 언... 영역이다. 이것들을 풍부히 수록함으로... 높였다.

1996년 4월 일...

우에는 그 부분을 ( )로 묶어서 나타내었다.

> 보기 **あみもの**【編(み)物】
> **うまれかわ-る**【生(ま)れ変(わ)る】

(3) 발음(發音) 표시

ㄱ. 표제어의 발음을 헤본식 또는 표준식이라 불리는 로마자 표기에 의해서 표시하였다.

ㄴ. 로마자의 표기법은 앞 면지에 실은 표에 따랐다.

ㄷ. 단, 지면을 절약하기 위하여, かな의 원음가(音價)대로 발음되는 경우에는 발음 표시를 생략하고, 촉음(促音), 요음(拗音), 장음(長音) 등 조금이라도 혼동될 우려가 있는 말에는 일일이 밝혀 실었다.

> 보기 **あさ**【朝】图
> **ねえさん**【姉さん】nē- 图
> **たいこうぼう**【太公望】-kōbō 图
> **という**〘と言う〙-yū 連語
> **ざっし**【雑誌】zasshi 图
> **りょうり**【料理】ryō- 图

(4) 품사(品詞)와 활용(活用)

ㄱ. 그 낱말의 품사 및 기타 문법상의 성질은 ☐☐ 안에 표시하였다.

ㄴ. 동사(動詞)는 활용의 종류와 자동사(自動詞)·타동사(他動詞)의 구별을 명시하였다.

> 보기 **ゆ-く**【行く】5自
> **い-きる**【生きる】上1自

ㄷ. 形容動詞적으로 쓰이는 것은 다음과 같이 표시하였다.

> 보기 **しずか**【静か】ダナ
> **せいしん**【生新】ダナ
> **ようよう**【洋洋】yōyō トタル

ㄹ. 한자(漢字)말 및 외래어로 이루어진 명사로서 'する'를 붙여 동사로도 쓸 수 있는 말, 또는 形容動詞적으로도 쓸 수 있는 말은 다음과 같은 형태로 그것을 분명히 밝혔다.

> 보기 **うんどう**【運動】-dō 图 ス自
> **けんこう**【健康】-kō 图 ダナ
> **いんせい**【陰性】图ナ
> **アピール** ─图ス自 ……… ─图ス他

ㅁ. 'と'를 수반하여 부사(副詞)로도 쓰이고 동사로도 쓰이는 말은 다음과 같이 나타내었다.

> 보기 **いきいき**【生き生き】トス自

ㅂ. 낱말과 낱말이 결합하여 관용적으로 쓰이는 것은 이 난(欄)에 連語로 표기하였다.

> 보기 **えたりかしこし**【得たり賢し】連語
> **うかぬかお**【浮かぬ顔】連語

III   표제어의 배열

(1) 표제어의 배열은 五十音(ごじゅうおん)순에 따랐다.

(2) 五十音순으로 순서를 정할 수 없을 경우에는 다음과 같은 원칙에 따라 배열했다.

ㄱ. 'ん'은 'を'의 뒤에 놓는다.

ㄴ. 청음(清音)·탁음(濁音)·반탁음(半濁音)의 차례로 배열한다.

> 보기 **こうとう**【高等】　　**ほんぶ**【本部】
> **こうどう**【行動】　　**ほんぶ**【本譜】
> **ごうとう**【強盗】　　**ぼんぷ**【凡夫】
> **ごうどう**【合同】　　**ポンプ**

ㄷ. 촉음(促音)을 나타내는 'っ', 拗音(ようおん)을 나타내는 'ゃ' 'ゅ' 'ょ'는 각각 'つ' 'や' 'ゆ' 'よ'의 뒤에 놓는다.

> 보기 **ねつき**【寝つき】　　**しよう**【私用】
> **ねっき**【熱気】　　　**しょう**【省】

ㄹ. 외래어를 표기할 때의 작은 글자 'ァ' 'ィ' 'ゥ' 'ェ' 'ォ'는 보통의 かな 뒤에 놓는다.

> 보기 **ふあん**【不安】
> **ファン**

ㅁ. 장음 부호 ─는 그 경우의 발음이 ア·イ·ウ·エ·オ의 발음 가운데 어느 것에 해당되는가에 따라서, 각 음을 나타내는 かな와 같은 것으로 친다. 즉

　ガーター는 ガアタア의 위치에 놓고,
　コーヒー는 コオヒイ의 위치에 놓인다.
　그리고, 보통의 かな 뒤에 배열한다.

> 보기 　きい【奇異】
> 　　　キー

(3) 표제어의 かな가 전혀 같을 경우에는 다음과 같이 배열하였다.

　ㄱ. 문법적 성질로 보아

　　활용하는 말……動詞(五段·上一·下一·変格의 순)·動詞型接尾語·形容詞·形容詞型接尾語·助動詞

　　활용하지 않는 말……名詞·代名詞·形容動詞語幹·副詞·接頭語·활용하지 않는 接尾語·連体詞·接続詞·感動詞·助詞

　ㄴ. 순 일본말·한자어(漢字語)·외래어의 차례.

(4) 중간 표제어(中間標題語)

　　다음과 같은 경우에는 표제어의 주석 뒤에 그 표제어가 포함된 복합어(複合語)를 五十音순에 의해 배열하였다. 이 경우 복합어의 표제어에 상당하는 부분은 ──로 생략하였다.

　ㄱ. 순 일본말로서 둘 이상의 낱말로 된 복합어가 다시 다른 말과 결합하여 복합어를 이룰 경우.

> 보기 　ちどり【千鳥】……　──あし【──足】……

　ㄴ. 한자어에서 한자(漢字) 두 자 이상으로 된 숙어가 다시 다른 말과 결합하여 복합어를 이룰 경우.

> 보기 　あんぜん【安全】……　──かみそり【──剃刀】……

　ㄷ. 외래어에서는 그 말과 다른 말이 결합하여 복합어를 이룬 경우.

> 보기 　ゴム……　──のき【──の木】……

IV　주석의 방식

(1) 주석은 대응어(對應語)를 찾아 옮겼으며, 간결 명료를 위주로 하였다.

(2) 한 어휘로서 품사를 달리할 때는 그 같은 품사라도 그 활용을 달리할 때는 이를 ──으로 나누어 해설하였다. 뜻이 여러 갈래로 나뉠 때는 ①②③……으로, 또 그것을 세분할 필요가 있을 때는 ㉠㉡㉢……으로 나타냈다.

(3) 주석 속의 일본말의 이해를 돕기 위한 우리말 설명은 (＝)로 구분하고, 주석 중의 우리말에 대한 추가 설명은 [　]로 묶었다.

(4) 그 말의 용법상의 차이에 대해서는 주석 끝의 (　)안에 다음과 같은 분류를 베풀었다.

　《새로운 말씨》《막된 말씨》《압축된 말씨》《공손한 말씨》《격식차린 말씨》

(5) 말의 문법적인 설명은 《　》안에 묶어서 주석 앞에 놓았다.

> 보기 　-さ〖形容詞·形容動詞의 語幹에 붙여 名詞를 만듦〗……함;…임.

(6) 그 표제자가 항상 일정한 성구(成句) 속에서만 볼 수 있는 것은 그 성구의 끝을 『　』로 묶어 표시하였다.

> 보기 　あおーぐ【仰ぐ】 5他 ①……　④『毒を～』독약을 (단숨에) 들이켜다.

(7) 뜻의 이해를 돕기 위해 필요한 경우에는 반대말을 보였다.

> 보기 　げんいん【原因】名 ㉜又直…… ↔結果︀…

(8) 다른 항목을 참고(參考)시키고자 할 경우에는 ⇨표를 붙여 그 항목을 나타내었다.

> 보기 　おんもん【諺文】ommon 名 언문. ⇨ハングル.

(9) 설명의 중복을 피하기 위해 보다 표준적인 표제어의 동의어에서 주석을 단 경우에는 ☞표를 붙여 그 항목을 지시하였다.

> 보기 　つゆ【梅雨】名 ☞ばい う.

(10) 용례 중 표제어에 해당되는 부분은 ～로 생략하여 나타내었다. 단, 활용어에서는 어간(語幹) 부분을 ～로 나타내고 '·'을 붙여 어미(語尾)를 붙였다. 다만, 어형(語形) 전체가 바뀐 경우에는 생략하지 않고 이것을 전부 고딕체로 표시하였다.

> 보기 　そうけん【送検】sō- 名 ㉜他 　¶書類ぉ～ 서류 송청.
> 　うーける【受ける】㈠〖下1他〗①……　②……　③받아들이다; 시인하다. ¶お～けします 받아들이겠습니다; 시인합니다／…….
> 　た〖助動〗①……　②……　¶勝負ょ～あっ～ 승부가 났다／…….
> 　　¶……この辺りは昔ぁは寂しかったろう 이 근처는 옛날에는 쓸쓸했을 테지.

(11) 용례와 주석 속에 나오는 한자 표기 일본말에는 일일이 작은 ひらがな로 읽는 법을 밝혔다.

(12) 외래어의 어원

　　외래어의 스펠링은 주석 끝에서 ▷ 다음에 보였다. 이 경우에, 영어 이외는 원국어명을 약기하여 밝혔다. 그 외래어가 본디 외국말과는 다른 꼴로 변형된 것이나 그 생략일 경우에도 이에 준했다.

　　[보기] **サイダー** 사이다 ; …… ▷cider.
　　　　　アルバイト 아르바이트 ; …… ▷도 Arbeit.
　　　　　コールテン 코르뎀 ; ……. ▷corded velveteen.
　　　　　エフエム [FM] 에프엠 ; ……. ▷frequency modulation.
또, 이른바 和製英語 따위에는 '일'자를 앞에 질러 표시했다.
　　　　　[보기] **モデルノロジー** [名] 고현학(考現學). ▷일 modernology.
(13) 필요에 따라 주석 끝에 [注意] [參考] 난을 두어, 표기상·발음상의 주의 사항,
어원·용법상의 참고 사항을 해설했다.
(14) **관용구(慣用句)와 속담(俗談)**
　　ㄱ. 그 표제어를 첫머리로 하는 관용구와 속담·격언 따위 성구(成句)를 한
　　데 몰아, 주석 끝에 표제어(標題語)에 준하여 고딕체 활자로 실었다. 다
　　만, 이 경우에는 로마자에 의한 발음 표시나 품사 명시 없이, 곧바로 풀
　　이해 놓았다.
　　　　　[보기] **いしばし** [石橋] [名] ……. **―をたたいて渡る** 주석….
　　ㄴ. 관용구에 대한 용례를 보일 때에는, 용례 중의 '～'는 본디 표제어만을
　　대용하는 것으로 한다.
　　　　　[보기] **むね** [胸] ……. **―に―物** …… ¶ ～に―物ある人 …….

V 부 록

구어(口語)의 부록으로는 동사 활용표, 형용사 활용표, 형용동사 활용표,
조동사 활용표를 실었다.

약 어 표

◇品詞◇		◇学術 専門 用語◇
感……感動詞	ナリ……文語ナリ活用	〔建〕……건축
形……形容詞	名ナ……口語의 '高貴'	〔經〕……경제
助……助詞	따위	〔蟲〕……곤충
係助……係助詞	副ナ……'ふかふか'	〔鑛〕……광산·광물
格助……格助詞	따위	〔軍〕……군사
間助……間投助詞	ト直……'生き生き'따위	〔劇〕……연극
終助……終助詞	◇외 래 어◇	〔氣〕……기상
接助……接續助詞	그……그리스어	〔論〕……논리
副助……副助詞	네……네덜란드어	〔農〕……농업
助動……助動詞	도……독일어	〔動〕……동물
接……接續詞	라……라틴어	〔理〕……물리
代……代名詞	러……러시아어	〔美〕……미술
副……副詞	미……미국어	〔法〕……법률
名……名詞	법……법어	〔佛〕……불교
連体……連体詞	스……스페인어	〔寫〕……사진
自……自動詞	영……영어	〔生〕……생물·생리
他……他動詞	이……이탈리아어	〔數〕……수학
自他……自動詞·他動詞	일……일제 영어	〔植〕……식물
接頭……接頭語	중……중국어	〔心〕……심리
接尾……接尾語	크……크메르어	〔野〕……야구
連語……連語	티……티벳어	〔裁〕……양재
◇活用◇	포……포르투갈어	〔魚〕……어류
5……口語五段活用	프……프랑스어	〔言〕……언어학
上1……上一段活用	핀……핀란드어	〔史〕……역사
下1……下一段活用	한……한국어	〔映〕……영화
カ変……カ行変格活用	히……히브리어	〔料〕……요리
サ変……サ行変格活用	힌……힌두어	〔樂〕……음악
ス……'する'와 결합하	◇용법◇	〔醫〕……의학
여 サ変動詞를 만듦	〈口〉……口語	〔印〕……인쇄
ク……文語ク活用	〈老〉……老人語	〔電〕……전기
シク……文語シク活用	〈方〉……方言	〔政〕……정치
ダナ……口語의 形容動	〈卑〉……卑語	〔鳥〕……조류
詞ナ活用	〈俗〉……俗語	〔宗〕……종교
ダラ……口語의 形容動	〈雅〉……雅語	〔地〕……지질·지리
詞中 連体形에「~	〈兒〉……幼兒語	〔天〕……천문
の」의 꼴이 있는 것	〈隱〉……隱語	〔貝〕……패류
トタル……文語タリ活用	〈女〉……女性語	〔漢醫〕……한의학
의 口語形	〈學〉……學生語	〔化〕……화학

기 호 표

〔 〕……표준적인 정서법 표기형		參考……표제자의 어원(語源)과 참 고 사항	
〖 〗……かな로 쓰는 것이 적당하다		▷……외래어의 어원	
〔 〕……기타 기준이 정해져 있지 않 은 표기형		☞……뜻이 같으니 그 항목에서 보라	
( )……예로부터 써 왔으나 적당치 않은 표기형, 주석의 보충 설명		⇨……그 항목을 참고하라	
		↔⇔……반의어(反意語)	
〔 〕……앞부분의 대체		·····접두어·접미어	
〖 〗……학술 전문 용어 및 주석 속 의 우리말의 보충 설명		＝……동의어(同義語)	
		──복합어에서 표제자의 대용	
〈 〉……사용 범위 및 용법의 '지시'		──관용구·속담에서 표제자의 대 용	
〔 〕……주석내의 문법적인 설명		～……용례에서 표제자의 대용	
( )……위상(位相) 표시 표기, 주석 의 생략 가능 부분		¶……용례의 시작	
		｜……용례의 구분	
(＝)……주석 속의 일본어의 우리말 보충 설명		⊖⊜⊜……품사가 2 개 이상 있어서 뜻이 다를 경우, 및 동사 의 자동사·타동사 분류	
〔 〕……五十音図의 かな의 발음 표 기		①②③……말뜻의 큰 분류	
注意……표기가 다른 한자어(漢字 語)·발음에 대한 설명		㋐㋑㋒……말뜻의 작은 분류	
		*＊……중요 단어 표시	

あ ア

①五十音図'あ行'의 첫째 음. [a] ②【字源】'安'의 초서체(かたかな 'ア'는 '阿'의 왼쪽).

ア 名 ①'アジア(=아시아)'의 준말. 中央~ 중앙 아시아. ②'アフリカ(=아프리카)'의 준말. 南~ 남아; 남아프리카. 注意 ①는 '亜', ②는 '阿'로도 썼음.

あ 感 아. ①사람을 부를 때 쓰는 말. ¶~,君, ちょっと아, 자네, 좀〔잠깐〕. ②갑자기 놀라거나 생각이 날 때 내는 소리: 아. ¶~,分かった아, 알았다. ③가볍게 긍정을 나타내는 말. ¶~,そうだよ응, 그렇단다.

***ああ** 〈口〉 저렇게; 저처럼; 저렇게. ¶~まで言わなくてもいいのに저렇게까지 말할 일은 아닌데. ——言えばこう言う 이러쿵저러쿵 변명하다.

ああ 感 ①긍정·승낙할 때에 내는 소리: 아. ¶~,いいですよ아 그랬어 습니까. ②말을 전넬 때에 내는 소리. ¶~,もしもし아, 여보세요.

***ああ** 【嗚呼・噫・嗟】 感 무엇에 감탄하고 내는 소리:오호라; 아. ¶~,情けない아, 처량하이. ▷arc.

アークとう 【アーク灯】 -tō 名 아크등.

アーケード 名 아케이드. ▷arcade.

アース 名 ス他 어드;접지. ▷earth.

ああだ ada 連語 저 같은 일·사정·모양이다. ¶~のこうのだの 이러니저러니하고.

アーチ 名 ①아치. ②〈歓迎의 ~ 환영아치. ③〈俗〉〈野〉홈런. ¶~をかける홈런을 치다. ▷arch.

アート 名 아트. ¶~デザイナー 아트디자이너 / ~ペーパー 아트 페이퍼. ▷art.

アーメン 感 名 아멘. ▷amen.

アール 名 아르(1 아르는 100 평방미터). ▷are.

アールエイちいんし [Rh 因子] 名 【醫】아르 에이치 인자. 參考 Rh factor의 역어.

あい 【藍】 名 ①【植】쪽. ¶青は~より出でて~より青し 청출어람(青出於藍). ②남빛. ——色 남빛.

***あい** 【愛】 名 사랑; 애정. ¶子に注ぐ~ 자식에게 쏟는 애정 / 神の~ 신의 사랑 / ~の告白 사랑의 고백. ——の巣 사랑의 보금자리.

アイ 名 아이; 눈. ¶カメラ~ 카메라로 대상물을 바라보는 눈 / バッティング~ 선구안(選球眼). ——バンク 名 아이뱅크; 안구〔각막〕은행. ▷eye bank. ——ライン 名 눈언저리에 그린 선. ▷eye line.

あい— 【相—】 ¶①함께; ~을 같이. ②〈動詞 등의 앞에 붙어〉서로; 더불어. ¶~互に (서로) 서로; ~対する 마주 대하다. ③〈動詞 앞에 붙어〉어조를 고르고 강조하는 말(편지에 많이 씀). ¶療養~なわず良いあ양의 보람같이 ——すみません (정말) 미안합니다.

—あい 【合い】①…전체의 모양(에서 받

은 종합적 인상). ¶色~ 색조. ②정도를 나타냄. ¶程~ (적당한) 정도. ③무릇 …라고 하는 것을 나타냄. ¶情け~ 정이라는 것.

あいあいがさ 【相合い傘】 名 한 우산을 남녀가 같이 받는 일. =相傘.

あいあわれむ 【相あわれむ】【相憐れむ】 서로 동정하다〔가엾이 여긴다〕.

アイアン 名 아이언. ①쇠; 철. ②〈골프〉 끝이 쇠로 된 클럽. ¶~・ウッド. ▷iron.

あいいく 【愛育】 名 ス他 애육.

あいいれない 【相いれない】【相容れない】 서로 용납되지 않다; ~와 서로 맞지 않다. ¶氷炭~ 빙탄 불상용; 기름과 물 / ~概念が 양립할 수 없는 개념.

あいうち 【相打ち(ち)・相討ち(ち)・相撃ち(ち)】 名 ①(무술에서) 쌍방이 동시에 상대방을 침; 맞손; 무승부. ②양패.

あいう—つ 【相打つ】【相撃つ】 5自 온 힘을 다하여 싸우다.

アイエムエフ [IMF] 名 아이엠에프; 국제 통화 기금. ▷International Monetary fund.

アイエルオー [ILO] 名 아이엘오; (국제 연합의) 국제 노동 기구. ▷International Labor Organization.

あいえん 【愛煙】 名 애연. ¶~家 애연가.

アイオーシー [IOC] 名 아이오시; 국제 올림픽 위원회. ▷International Olympic Committee.

あいか 【哀歌】 名 애가. =エレジー.

あいかぎ 【合いかぎ】【合鍵】 곁쇠; 여벌쇠.

***あいかわらず** 【相変(わ)らず】 連語 변함없이; 여전히. ¶~お元気ですか 별고 없이 건강하십니까.

あいかん 【哀感】 名 애감; 비애감.

あいかん 【哀歓】 名 애환; 슬픔과 기쁨. ¶~を共にする 애환을 같이하다. ▷訴え.

あいがん 【哀願】 名 ス自他 애원. =哀.

あいがん 【愛玩】 名 ス他 애완. ¶~動物 애완동물.

あいき 【愛機】 名 애기(애용하는 비행기·사진) 따위.

あいぎ 【合(い)着】【間着】 名 ①간절기(間服); 춘추복. =合い服. ②겉옷과 내부 사이에 입는 옷.

あいきどう 【合気道】 -dō 名 합기도.

あいきゃく 【相客】 -kyaku 名 ①한 방에 합숙하는 낯선 손님. ②동석하는 낯선 손님.

***あいきょう** 【愛嬌・愛敬】 -kyō 名 애교. ①귀여움. ¶~のある娘다 애교 있는 아가씨. ②익살기가 있음. ¶~に〜다 지금 것은 애교로 봐 주시오(실수를 했을 때 익살로 하는 말) / 森~の者다 원숭이. ③남의 환심을 사려고 붙임성있게 대함. ¶~を振りまく 애교부리다; 아양떨다. ④덤. ¶ご~に

ガムを差(さ)し上(あ)げます 덤으로 껌을 드립니다. 「~心(しん) 애향심.

あいきょう【愛郷】-kyō 名 애향. ¶

あいくぎ【合いくぎ】(合釘·間釘) 名 은혈못(양끝이 뾰족한 못).

あいくち〖合口·匕首〗名 비수.

あいくるし-い【愛くるしい】-shī 形 귀염성스럽다; 귀엽다. ¶~子供(こども) 귀여운 아이.

あいけい【愛敬】名 ス他 경애. =敬愛(けいあい). ¶~の念(ねん) 경애하는 마음.

あいけん【愛犬】名 애견. ¶~家(か) 애견가.

あいこ〖相子〗名 비김; 무승부. =引(ひ)き分(わ)け. ¶一勝一敗(いっしょういっぱい)で~だ 일승 일패로 비겼다.

あいこ【愛顧】名 ス他 애고. ¶お客様(きゃくさま)の御(ご)~にむくいて 손님의 애고에 보답하여. 「~ 동물 애호.

あいご【愛護】名 ス他 애호. ¶動物(どうぶつ)

あいこう【愛好】-kō 名 ス他 애호. ¶切手(きって)~者(しゃ) 우표 애호자 / 平和(へいわ)を~する 평화를 애호하다. ↔嫌悪(けんお).

あいこう【愛校】-kō 名 애교. ¶~心(しん) 애교심. 「(しん)〕 애국자〔심〕.

あいこく【愛国】名 애국. ¶~者(しゃ)〔心

あいことば【合いことば】(合言葉) 名 ①암호말; 변말. ¶~は山(やま)と川(かわ)だ 암호는 산과 강이다. ②표어. =モットー. ¶庶政刷新(しょせいさっしん)を~にする 서정 쇄신을 표어로 하다. 「처가.

あいさい【愛妻】名 애처. ¶~家(か) 애

***あいさつ**〖挨拶〗名 ス自 ①인사. ¶初対面(しょたいめん)の~ 초면 인사 / これはご~だね 거 무슨 말을 그렇게 하나; 그것이 고작 인산가 / せっかく知(し)らせたのに何(なん)の~もない 일껏 알려 줬는데도 아무(런) 인사도 없다. ②(의식·이취임·축의·감사 따위의) 인사말. ¶~状(じょう) 인사장 / 新任(しんにん)の~ 신임 인사말. ③중재(仲裁). ¶~人(にん) 중재인.

あいじ【愛児】名 애아; 귀여운〔사랑하는〕 자식. =いとしご.

あいしゃ【愛社】-sha 名 애사. ¶~精神(せいしん) 애사 정신.

あいしゅう【哀愁】-shū 名 애수. ¶一抹(いちまつ)の~ 한 가닥의 애수.

あいしょ【愛書】-sho 名 애서. ¶~家(か) 애서가.

あいしょう【相性】(合性) -shō 名 ①궁합(宮合)이 맞음. ②성격이 잘 맞음.

あいしょう【哀傷】-shō 名 애상; 남의 죽음을 슬퍼하고 가슴 아파함. ¶~の歌(うた) 만가(挽歌).

あいしょう[愛妾] -shō 名 애첩.

あいしょう【愛称】-shō 名 ①애칭. ②〈俗〉 별명.

あいしょう【愛唱】(愛誦) -shō 名 ス他 애창; 애송. ¶童謡(どうよう)を~する 동요를 애창하다.

あいじょう【愛情】-jō 名 애정.

あいじょう【愛嬢】-jō 名 사랑하는 딸(남의 딸을 이르는 말). =まなむすめ. ↔愛息(あいそく).

あいじるし【合い印】名 ①(전투에서) 자기 편임을 나타내는 표지. ②(合標) 바느질에서, 두 폭 이상의 천을 바로 맞추기 위한 맞춤표.

アイス 名 아이스; 얼음. ¶~コーヒー 냉커피 / ~クリーム 아이스크림 / ~ホッケー 아이스하키. ▷ice.

****あいず**【合図】名 ス自他 신호. ¶目(め)で~する 눈짓하다 / 先生(せんせい)が~をする 선생님이 귀띔〔신호〕하다.

****あい-する**【愛する】サ変他 ①사랑하다. ¶~人(ひと) 사랑하는 사람 / 子(こ)を~ 자식을 사랑하다. ②몹시 좋아하다; 즐기다. ¶酒(さけ)を~ 술을 좋아하다.

あいせき【哀惜】名 ス他 애석; 애도. ¶~の念(ねん)に堪(た)えない 애석한 마음을 금치 못하다.

あいせき【相席·合席】名 ス自 합석. ¶~でお願(ねが)いします 합석을 부탁합니다.

あいせき【愛惜】名 ス他 애석; 아끼고 사랑함. ¶故人(こじん)の~していた骨董品(こっとうひん) 고인이 아끼던 골동품.

あいせつ【哀切】ダナ 애절. ¶~な物語(ものがたり) 애절한 이야기.

あいせっ-する【相接する】-sessuru サ変自他 서로 (마주) 접하다; 상접(相接)하다.

あいせん【相先】名 맞바둑; 호선(互先). =たがいせん. 「Eisen.

アイゼン 名 (등산화의) 아이젠. ▷도

あいぜんみょうおう【愛染明王】-myōō 名〔佛〕애염 명왕(세 눈, 여섯 팔을 갖고 분노의 상(相)을 나타내며 애욕을 지배하는 신(神)).

あいそ【哀訴】名 ス自他 애소.

***あいそ**【愛想】名 ①붙임성. ¶~のよい人(ひと) 붙임성이 있는 사람. ②정나미. ¶お~ 간살 / ~がつきる 정다시다; 정(나미) 떨어지다. ③대접. ¶何(なん)のお~もございませんで 아무런 대접도 못 해 드려서. ④(요릿집에서의) 계산; 셈. ¶ねえさん, お~ 색시, 계산 얼마요(본디, 요정측에서 하는 말). **—もこそも尽(つ)き果(は)てる** 아주 정떨어지다. **—づかし**【—尽かし】名 ①상대하기 싫어져서 쌀쌀하게 굶. ②정나미 떨어지는 짓〔말·태도〕. ¶~を言(い)う 정나미 떨어지는 말을 하다. **—わらい**【—笑い】名 비나리치는〔간살부리는〕 웃음.

あいぞう【愛憎】-zō 名 애증.

あいそく【愛息】名 사랑하는 아들. ↔愛嬢(あいじょう). 「원소. ▷isotope.

アイソトープ 名〔理〕아이소토프; 동위

****あいだ**【間】名 ①사이; 틈(새); 간격; 중간. ¶柱(はしら)と柱の~ 기둥과 기둥 사이 / 木立(こだち)の~から山(やま)が見(み)える 나무 사이로 산이 보인다 / 爆発音(ばくはつおん)が~を置(お)いてひびく 폭발음이 간격을 두고〔간간이〕 울리다 / ~に入(はい)って丸(まる)く収(おさ)める 중간에 들어서 원만히 수습하다 / 彼(かれ)との~がしっくりしない 그와의 사이가 탐탁지 않다. ②동안; 간; …하는 한. ¶私(わたし)が生(い)きている~ 내가 살아 있는 한〔동안〕. ③『この~』 일전에; 지난 번.

あいたいずく【相対づく】名 둘이서 의논하여 결정함. ¶~で (본인들끼리) 직접; 합의에 의하여.

あいたい-する【相対する】サ変自 (양자가) 서로〔마주〕 대하다. ¶~山々(やまやま) 서로 마주보고 선 산들 / 両方(りょうほう)の意見(いけん)が~ 양편의 의견이 맞서다.

あいだがら【間柄】图 사이；관계。 嫁姑ぷぷゔの──ゔゔとの── 고부간(姑婦間) / 二人ぷぷの──はよくない 두 사람 사이는 종지 않다。

あいちゃく【愛着】-chaku 图自 애착。¶──を感ずる 애착을 느끼다。注意 옛날에는 ‘あいじゃく’。

あいちょう【哀調】-chō 图 애조。¶──を帯びた哀調ゔゔ 애조를 띤 민요。

あいちょう【愛鳥】-chō 图 애조。¶──週間ぷぷ 애조 주간(5월 10일부터 1주일)。

あいつ【彼奴】代《俗》 그놈。①저놈；그녀석。②《예의》 그것；저것。¶──を持ゔゔって来ゔてくれ 그놈을 갖다 다오。

あいつ──ぐ【相次ぐ】五自 연달다；잇따르다。¶強豪ぷゔゔ──いで敗れる 강호 잇따라 패하다。

あいづち【あいづち・相づち】【相槌・合槌】图『──を打ゔつ』 남의 말에 맞장구.

*あいて【相手】图 상대。¶話ぷゔの── 말상대 / ──のチーム 상대팀 / ──にしない 상대를 않다 / 結婚ゔゔの── 결혼 상대。──になる 상대가 되다。──かた【──方】图 상대방。──どる【──取る】五 상대하여 다투다；상대로 하다。──しだい【──次第】图 상대 나름.

*アイデア 图 아이디어。¶よい──が浮かぶ 좋은 아이디어가 떠오른다。▷idea.

アイデアー 아이디어.

アイディーカード【IDカード】aidī-아이디카드；신분 증명서。▷identification card.

あいでし【相弟子】图 같은 선생의 제자；동문(同門)。

あいとう【哀悼】-tō 图他 애도。¶つつしんで──の意ゔゔする 삼가 애도의 뜻을 표하다。

あいどく【愛読】-doku 图他 애독。¶──者ゔゔ 애독자 / ──書 애독하는 책。

あいともな──う【相伴う】五 상반하다；동반하다；서로 따르다。¶夫婦ぷぷ── 부부 동반하다 / 利害ゔゔが──一 이해가 서로 따르다。

あいともに【相共に】副 함께；더불어；다같이。=いっしょに。

アイドル 图 아이들。①우상(偶像)。②애인；연인。▷idol.

あいなめ【魚】 쥐노래미。「め。

*あいにく【生憎】副『ダナ』공교롭게 모양；형편이 불리하여 된 모양。¶お──さま 미안합니다 / ──な事に皆ぷぷ すだった 공교롭게도 모두 출가중이었다 / ──金ゔの持合ゔゔせがない 마침 가진 돈이 없다。

アイヌ 图 아이누《北海道ゔゔゔゔ・사할린・쿠릴 열도에 사는 털이 많은 민족；옛날에는 ‘えみし’‘えぞ’로 불리었음》。▷Ainu.

あいのこ【合(い)の子】【間の子】图①《卑》 튀기；잡종；혼혈아。參考 지금은 ‘混血児ゔゔゔゔゔ’(=혼혈아)’라고 함。②어중치；절치기；중간치。

あいのり【相乗り】图①（차 따위에）같이 탐；합승함。¶タクシーの── 택시 합승。②《俗》공동으로 기회를 이용함。¶一番組ゔゔゔ（두 회사 이상의 스폰서의）공동 제공 프로.

あいば【愛馬】图 애마。　「▷ivy.

アイビー 图【植】아이비；담쟁이덩굴。

あいびき【逢(い)引(き)・媾曳】图自 밀회；데이트；랑데부。

あいふ【合符】图（수화물의）짐표；물표。

あいぶ【愛撫】图他 애무。　「ぎ①.

あいふく【合(い)服】【間服】图 애복.

あいふだ【合(い)札】图①물표。②（후일의 증거로）한 쪽을 낸 조각 쪽；부절。=割ゔり符ゔ.

あいべや【相部屋】图①（여관 등에서）같은 방에 묵음；한 방을 씀。¶──に泊ゔまる 한 방에 동숙하다。②（씨름꾼이）같은 도장(道場) 소속임.

あいぼ【愛慕】图他 애모。¶──の情ゔゔ 애모의 정.

あいぼう【相棒】-bō 图 일・행동을 같이 하는 상대［동료, 짝］；본디, 가마 등을 맞메는 짝。¶あの二人ゔゔはいい──だ 저 두 사람은 잘 맞는 짝이다.

アイボリー 图 아이보리。①상아(象牙)。②상아빛。▷ivory.

あいま【合間】图 짬；참참。¶梅雨ゔゔの── 장마중에 잠깐 든 날씨 / 仕事ゔゔの──に一服ゔゔする 일하는 짬짬이 한 대 피우다.

*あいまい【曖昧】【ダナ】①모호；애매。¶──模糊ゔゔ 애매 모호 / ──な返事ゔゔ 모호［막연］한 대답。②（풍기상） 불미로움；좋지 못함。¶──宿ゔ 갈봇집 / ──屋ゔゔ 몸파는 집；갈봇집.

あいまつ【相待つ】五他『待ゔつ（=기다리다）』의 격식 차린 말씨.

あいまって【相まって】【相俟って】-matte 連語 서로 어울려서；（…와）더불어；함께。¶好天気ゔゔゔゔと──人出ゔゔが多かった 좋은 날씨와 더불어 인파가 많았다.

あいみたがい【相見互(い)】【相見互い】图 같은 처지를 서로 동정하고 도움；동병 상련；피차 일반。¶武士ゔゔは── 무사는 서로의 처지를 이해한다.

あいみ──る【相見る】上一 회견하다；서로 보다。¶──両雄ゔゔゔゔ 대좌하는 두 영웅.

あいもち【相持ち】图①같이 듦；맞듦；특히, 똑같이 부담함。②번갈아 듦。③서로 도움.

あいやく【相役】图 동료.

あいやど【相宿】图 동숙(同宿)；같은 여관 또는 같은 방에 묵음.

あいよう【愛用】-yō 图他 애용。=つかいつけ。¶──する 애용하다.

あいよく【愛欲】【愛慾】图 애욕。¶──におぼれる 애욕에 빠지다.

あいよめ【相嫁】图 동서《형제의 아내끼리의 호칭》。　「회로 애락.

あいらく【哀楽】图 애락。¶喜怒ゔゔ──

あいらし──い【愛らしい】-shi 形 귀엽다；사랑스럽다。¶──姿ゔゔ 귀여운 자태.

アイリス 图【植】아이리스。▷iris.

あいりん【愛林】图 애림。¶──週間ゔゔゔ 애림 주간.

あいろ【隘路】图 애로；장애。¶──を切り開ゔく 애로를 뚫고 나아가다.

アイロニー 图 아이러니。▷irony.

アイロン 图 아이론。①다리미。②머리 카락을 지지는［말리는］데 쓰는 기구。▷iron.

あいわ【哀話】图 애화.

＊あーう【合う】5回①합쳐지다; 만나다; 합류하다. ¶落"ち～ (지점·약속한 곳에서) 만나다. ②〈다른 動詞의 連用形을 받아서〉서로 …하다. ¶話し合う ～ 서로 이야기하다 / ほめ～ 서로 칭찬하다. ③맞다; 옳다. ¶服が からだに～ 옷이 몸에 꼭 맞는다 / 服がネクタイ 옷에 맞는〔어울리는〕넥타이 / 時計なが～っていない 시계가 맞지 않다 / 意見なが～ 의견이 일치하다 / 答えなが～ 답이 맞다. ④채산이〔수지가〕맞다. ¶～わない仕事 なだ수지가 맞는 일이다. ⑤(힘 등이) 절맞다; 맞잡이다. ¶手でに～敵 てきに 절맞은 적; 호〔맞〕적수.

あーう【会う】5回 만나다. ¶応接間 などの客なと～ 응접실에서 손님과 만나다 / 道で～ 길에서 마주치다 / どろぼうに～ 도둑을 만나다 / 雨に～ 비를 만나다. 注意 '遇う·逢う·遭う'로도 씀. ――は別れの始 はじめ 회자 정리(會者定離).

＊アウト图 아웃. ①밖; 바깥. ②(테니스·탁구에서) 공이 규정된 선 밖으로 나감. ↔セーフ. ③실격; 죽음(타자·러너가 공격 자격을 잃는 경우). ↔セーフ. ④(골프) 코스의 전반(前半). ↔イン. 参考 흔히 アウツ라고도 하며, 넓은 뜻에서는 실격·실패 등의 뜻으로도 씀. ▷out. ――コース 图〔野〕아웃코스. ↔イン コース. ▷out course. ――コーナー 图 아웃코너. ↔インコーナー. ▷outcorner. ――サイダー 图 아웃사이더; 국외자(局外者). ↔インサイダー. ▷outsider. ――サイド 图 아웃사이드; 바깥쪽. ↔インサイド. ▷outside. ――ドロップ 图〔野〕아웃드롭; インドロップ. ▷outdrop. ――プット -putto 图 ㄨ他 아웃풋; (컴퓨터의) 출력(出力). ↔インプット. ▷output. ――ライン 图 아웃라인; 윤곽; 개요〔outline〕. ▷outline. ――ロー 图 무법(자); 법망을 무시. ▷outlaw.

**アウ卜ドロ 图〔野〕'アウトドロップ'의 준말.

あえーぐ【喘ぐ】5回①헐떡이다; 숨차하다. ¶～ぎ～ぎ, 山なに登なる 헐떡거리면서 산에 오르다. ②괴로워하다; 허덕이다. ¶窮乏ぼうに～ 가난에 허덕이다.

あえず【敢えず】連語①(미처) 다하지 못하고; (채) 끝맺지 못하고. ¶取る ものも取り～ 챙길 것도 채 챙기지 못하고; 부랴부랴 / 言"いも～ 말도 채 못 끝내고. ②견디지〔참지〕못하고. ¶涙ぶせき～ 눈물을 참지 못하다.

＊あえて【敢えて】圖①감히; 굳이; 억지로. ¶～する 굳이 하다 / ～強攻策 きょうさく を取とる 굳이 강공책을 취하다. ②구태여; 그다지; 그리; 결코. ¶～悲なしむに及およばない 구태여 슬퍼할 것은 없다 / ～驚なく には当らない 그다지 놀랄 것은 없다.

あえない【敢え無い】圏①덧없다; 어이없다. ¶～最期ぶを とげる 허무한 최후를 마치다 / ～くも敗ぶれた 어이없이 패했다. ②기운이 탁 풀린 모양.

あえもの【和え物】(和 (え)物·韲物】图 무침.

あーえる【和える·韲える】下1他 (야채·생선·조개 따위를) 무치다; 버무리다. ¶酢"で～ 초에 무치다 / みそで～ 된장에 버무리다.

あえん【亜鉛】图①아연. ②〈俗〉함석. ¶～ぶきの屋根なぶ 함석 지붕. ――とっぱん【―(凸版 -toppan 图〔印〕아연 철판. ――ばん【―板】图 아연 (철)판.

＊あお【青】图①파랑(푸른) 색; 파랑; 청색. 参考 초록도 가리킴. ¶青毛なぶ(=청가라말)의 준말. 参考 혼히, 보통말을 가리키(는)말. ③청신호(교통 표지). ↔赤あ. 二接頭 ①〔名詞中略) ①푸른. ⑥청초한; 창해. ⑥새파랗게 젊은. ¶～女房 ぶ 젊은 아내. ⑥(나이가 젊어) 미숙한. ¶～二才ぶ 풋내기. ②〈形容詞에〉푸르스름한. ¶～白い顔ぶ 핼쑥한 얼굴. ――は藍あいより出"でて藍あい より青あし 청출어람(青出於藍).

あおあお【青青】トヌ回 청청; 파란 모양; 또, 온통 푸른 모양. ¶～とした草原なぶ 푸르고 푸른 초원.

あおあざ【青痣·青痣】图①시퍼런 멍. ②(피부의) 푸른 점.

あおあらし【青嵐】图〔雅〕신록 때에 약간 세게 부는 상쾌한 바람. =せいらん.

＊あおーい【青い·蒼い】圏①파랗다. ⑦(빛이) 푸르다. ¶～空なぶ 푸른 하늘. 参考 초록의 경우에도 씀. ⓒ(얼굴 빛이) 창백하다; 핼쑥하다. ¶～くなる 파랗게 질리다. ②(열매 따위가) 덜 익다; 퍼렇다; 미숙하다. ¶～ことを言なぶ 덜된〔유치한〕소리를 하다. ――とり【―鳥】图 파랑새.

あおい【葵】图〔植〕아욱과에 속하는 당아욱·접시꽃·동규(冬葵) 따위의 총칭. ¶무의의 아욱.

あおいきといき【青息吐息】图 몹시 난감한 상태; 또, 그 때의 탄식.

あおいろ【青色】图 청색; 푸른 색. ――しんこく【―申告】图 청색 신고 (우리 나라의 녹색(綠色) 신고).

あおうなばら【青海原】图〔雅〕창해. =大洋なぶ.

あおうみがめ【青海亀】图〔動〕바다거북; 푸른거북. 梅実.

あおうめ【青梅】图 청매; 덜 익어서 푸른.

あおえんどう【青えんどう】(青豌豆】-dō 图〔植〕완두(콩)의 한 품종; 그린피스(green peas). ¶비.

あおがい【青貝】图 온 몸이 파란 도래. =あおがいがい.

あおがい【青貝】图①자개의 재료가 되는 진주 광채를 띤 조개(금조개·전복 따위의 조가비). ②'青貝細工ぶ'(=자개 세공)'의 준말. ③전복의 안쪽을 간 것ぶ. 青녀구리.

あおがえる【青がえる】(青蛙】图〔動〕청개구리.

あおがきやま【青垣山】图 울타리처럼 둘러싼 푸른 산들.

あおかび【青かび】(青黴】图 푸른 곰팡이.

あおがり【青刈り】图 풋바심(비료나 사료용). ¶～大豆なぶ 풋대콩.

あおがれびょう【青枯れ病】-byō 图〔農〕(채소의) 풋마름병; 시들병.

あおき【青木】图①푸른 나무. =なま

き. ②常緑樹. ③【あおき】【植】식나무.　〔우러러〕보다.

あおぎ-みる【仰ぎ見る】[上1他]올려다 보다.

あおぎり【梧桐・青桐】图【植】청동:벽오동(碧梧桐).

*あお-ぐ【仰ぐ】[5他]우러러보다. ㋑위를 보다.￥天を~하늘을 우러러 보다.↔ふす.㋺존경[추앙]하다.￥師として~스승으로서 우러러보다. ②받들다;모시다.￥総裁※に~총재로 모시다. ③바라다.￥청하다.￥裁可※を~재가를 앙청하다.㋺의존하다.￥原料※を外地※に~원료를 외지에 의존하다. ④〔毒を~〕독약을(단숨에) 들이켜다.

*あお-ぐ【扇ぐ・煽ぐ】[5他]부채질하다;부치다.￥七輪※の火を~풍로불을부치다.

あおくさ【青草】图青초;푸른 풀;생초.

あおく-さ-い【青くさい・青臭い】形풋내나다.￥一人※풋내기;￥意見※※풋내나는 의견.

あおぐろ-い【青黒い】形검푸르다.

あおごけ【青ごけ】【青苔】图 푸른 이끼;청태.　　　　　　〔さのり〕=ち

あおさ【石蓴】图【植】파래.

あおさぎ【青鷺】图【鳥】왜가리.

あおざ-める【青ざめる】【蒼褪める】[下1自]새파래지다;(특히, 안색이)핼쑥해지다.

あおじ【青地】图푸른 바탕;푸른 바탕인 물건(피륙).

あおじゃしん【青写真】-jashin 图청사진.￥まだ～の段階※※아직 청사진(계획 구상)의 단계다.

あおじろ-い【青白い】【蒼白い】形파르께하다;특히, 얼굴 빛이 핏기가 없다;해쓱하다.

あおしんごう【青信号】-gō 图청신호.￥～を送る青신호를 보내다.↔赤信号※※.

あおすじ【青筋】图푸른 줄기;특히, 살갗 위로 비쳐 보이는 핏대.　**─を立**てる 핏대 올리다.

*あおぞら【青空】图파랗게 갠 하늘;창공.￥一教室※※야의 학습(장)／市場※※노천 시장／駐車※※의 옥외 주차.

あおた【青田】图청전;벼가 푸릇푸릇한 논.　**─売**り[─売り]图①(青田)선매(立稲先賣).②학생이 졸업 전에 특정 기업에 취업을 약속하는 일.￥青田買※い. **─がい**[─買い]图①도 선매(先買).②〈俗〉졸업 전의 학생과 임시 계약을 맺는 일.參考 와전되어 '青田刈※り'라고도 함.

あおだいしょう【青大将】-shō 图【動】구렁이.

あおだたみ【青畳】图거죽이 파르께한 새 畳[다다미].￥～のような海上※※파란 바다 위.

あおづけ【青漬(け)】图채소의 푸른 빛이 가시지 않도록 절인 것.

あおてんじょう【青天井】-jō 图파른 하늘;창공.￥青天※무제한;다락 없음.￥株価※※は～주가는 천정 부지(不知).

あおでんわ【青電話】图거리에 설치한 파랗게 칠한 공중 전화(근거리 시외 전화는 가능).　**=あかでんわ**.

あおな【青菜】图푸성귀;푸른 채소. **=なっぱ**.　**─に塩**※푸성귀에 소금을 뿌린 듯이, 풀죽은 모양.

あおに【青二才】图풋내기.

あおのり【青海苔】图【植】파래·싱겅이 무리의 바다 녹조류(綠藻類).

あおば【青葉】图①(새로 돋은) 푸른 잎.￥～のころ초록의 나뭇잎. ②초록색의 나뭇잎. **─ずく**[─木菟]图【鳥】솔부엉이.

あおばえ【青蠅・青蝿】图①금파리;쉬파리. ②귀찮게 달라붙는 사람.

あおはた【青旗】图①푸른 깃발. ②녹색기;안전 신호기. ↔赤旗※※.

あおば-む【青ばむ】[5自]푸르스름해지다;파래지다.　　　　　　〔빛남〕

あおびかり【青光(り)】图청록색(으로 빛남).

あおひとぐさ【青人草】【青生】图〈雅〉백성;민초(民草);창생.

あおびょうたん【青びょうたん】【青瓢箪】-byōtan 图①아직 익지 않은 푸른 호리병박. ②야위고 안색이 해쓱한 사람을 비웃는 말.

あおぶくれ【青膨れ】【青脹れ】图푸르퉁퉁한 모양;또, 그런 사람.￥一した顔※푸르죽죽한 얼굴.

あおみ【青味・青み】图①푸른 기;청색. ￥～をおびる푸른 기를 띠다. ②푸른 정도.￥海※が～をます바다가 더 파래지다. ③풋내(가 나);덜 익음.

あおみ【青味】图국·생선구이 등에 곁들이는 파란 채소.　〔란국류.

あおみ【青身】图〈고등어 따위의〉파란 살. ↔赤身※※.

あおみどり【青緑】图진초록;청록색.

あおみどろ【水綿・青緑・青味泥】图해감;수면(水綿).

*あおむ-く【仰向く】[5自](고개를 젖히거나 몸을 뉘어) 위를 향하다(보다).￥~いて空※を仰※ぐ고개를 젖혀 하늘을 보다. ↔うつむく.

あおむけ【仰向け】图뒤로 잦혀 위를 봄(잦향함).￥一にひっくりかえる벌렁 나자빠지다(뒤집히다). ↔うつぶせ.

あおむ-ける【仰向ける】[下1他]위를 향하게(보게) 하다;얼굴을 잦혀 위로 향하게(보게) 하다. ↔うつむける.

あおむし【青虫】图【蟲】나비나 나방의 애벌레;특히, 배추흰나비·검은줄흰나비의 애벌레.

*あおもの【青物】图①야채류의 총칭;푸성귀.￥一市場※야채 시장. ②껍질이 푸른 생선(고등어·정어리 등). **─や**[─屋]图청과물상(商). **=八百屋**※※.

あおやぎ【青やぎ】【青柳】图①〈雅〉파릇파릇하게 휘늘어진 버들. ②개량조개의 살.

あおり【煽り】图①(부채 따위의) 부침;특히, 센 바람으로 말미암은 동요·충격. ②여세에 의한 강한 충격;여파.￥パニックの~で破産※※した공황의 여파로 파산했다. ③선동. **─を食**※う 세찬 바람에 의한 충격·동요를 받다.￥爆風※の~をくう폭풍의 강타를 받다.

あおりた-てる【あおり立てる】【煽り立てる】[下1他]마구 부추기다(선동하다).

あ

*あお・る 【呷る】⑤他 (술 따위를) 단숨
에 들이키다. ¶酒綍を～ぐいぐいと술
을 꿀꺽꿀꺽 단숨에 들이켜다.

*あお・る 【煽る】 ᑐ ᑐ① 부채질하다. ¶
炭火綍を～ 숯불을 부치다 / 民衆
綍を～ 민중을 선동하다. ②열력이키게
하다. ¶風綍がカーテンを～ 바람이 커
튼을 펄럭이게 하다. ③(채찍질 따위
로) 급히 몰(아쉬)다. ¶彼綍が仕事綍
を～ので忙綍しい 그가 일을 마치게
하는 바람에 (더욱) 바쁘다. ④(자기에
게 유리하도록) 시세 파동을 일으키다.
二⑤自 바람을 받아 움직이다. ¶風綍
で戸綍が～っている 바람에 문이 덜컥
덕거린다.

あか 【赤】图①빨강. ②거무스름한
구두는 '赤綍いくつ' / 隣綍の家綍
の～大綍 옆집의 누렁이. ②적색 신
호; 빨갱이. ⇔青綍. ⑤정지·위험 신호.
⑥적자(赤字); 결손. ⇔黒綍. ⑥교정에
서 빨간 글씨로 바로잡은 것. ¶赤綍は
팔. ¶～ごはん 빨간 팥밥. ⑧～の他
人綍(造語)①(붉은색에 붙
어) ⑦빨간. ¶～小豆綍 붉은 팥. ⓒ
똑똑한; 완전한. ¶～恥綍 큰 창피. ⓒ
《붉은색을 가리키는 形容詞에 붙어》붉
은 빛을 띤. ¶～黒綍い 검붉다.

*あか 【垢】图①때. ¶心綍の～ 마음의
때; 더러워진 마음 / 浮世綍の～を落綍と
す 속세의 때를 씻어(떨어) 버리다. ②
물때. ＝みずあか.

あか 【淦】图 뱃바닥에 괸 물.

あか 【閼伽】图 알가(불전이나 묘 앞에
올리는 물).

あかあかと 【赤赤と】剾 새빨간 모양.
¶～した頬綍 새빨간 볼 / 夕日綍が～
さす 석양이 새빨갛게 비치다.

あかあかと 【明明と】剾 매우 밝은 모
양. ¶～火綍をともして 환하게 불을 켜
다.

あかあざ 【赤あざ・赤痣】图 붉은 반점.

*あか・い 【赤い】 ᑐ 붉다; 빨갛다. ¶～・
くなる (부끄러워) 얼굴이 붉어지다 /
빨갱이가 되다 / ～べべ 빨간 때때옷.
──赤物綍を着綍る 죄수가 되다; 감옥
에 들어가다.

あかいわし 【赤いわし・赤鰯】图①겨
(소금)에 절인 정어리; 또, 노량우을 말
린 것. 빨갛게 녹슨 칼.

あかがえる 【赤蛙】图〈動〉송장개구리.

あかがし 【赤樫】图〈植〉북가시나무.

あかがね 【銅·赤金】图〈雅〉동; 구
리. ＝どう. ¶～色綍 적동색; 구릿빛.

あかがみ 【赤紙】图①빨간 종이. ②
〈俗〉예전의 군대의 소집 영장; 또,
압류(押留)할 때 붙이는 종이.

あがき 【足掻き】图 발버둥질. ──が取綍
れない 옴짝할 수 없다. ¶心綍대로 움
직이지 못하다. (몸부림쳐도) 어찌
할 도리가 없다.

あかがり 【皸】图 (추위로) 손발의 살
갗이 틈.

あが・く 【足掻く】⑤自①발버둥치다;
몸부림치다. ＝もがく. ②애태우다; 조
애를 쓰다.

あかぐろ・い 【赤黒い】 ᑐ 검붉다.

あかゲット 【赤ゲット】 (赤毛布)
-getto 图①붉은 담요. ②東京綍 따위를
구경하러 올라온 明治綍 시대의 시골
뜨기; 촌놈. ＝おのぼりさん. ③〈俗〉
익숙하지 못한 해외 여행자. 'ゲット'
는 blanket에서.

あかご 【赤子】图〈雅〉갓난아기? '먹이.

あかざ 【藜】图〈植〉명아주. ──のあつ
もの 변변치 못한 음식의 비유.

あかし 【灯】图〈雅〉등불. ＝ともしび.
¶み～ 등명(燈明); 등불.

あかし 【証】图①증거; 증명; 특히, 결백
의 증거. ──身綍の～を立綍てる 자신의
결백함을 증명하다.

*あかじ 【赤字】图①적자; 결손. ¶～財
政綍 적자 재정 / ～に悩綍む 적자로 시
달리다. ⇔黒字綍. ②(교정에서) 빨간
빛깔로 바로잡은 글자. ──こうさい
【──公債】-kōsai 图 적자 공채.

あかじ 【赤地】图 빨간 바탕(의 천).

アカシア 图〈植〉아카시아. ①콩과의
상록 교목. ②〈俗〉☞はりえんじゅ.
▷acacia.

あかしお 【赤潮】图 적조.

あかじ・みる 【垢染みる】上一自 때가 끼
어 더러워지다; 찌들다.

*あかしんごう 【赤信号】-gō 图 적신호.
¶健康綍の～ 건강의 적신호 / ～にか
わる 붉은 신호로 바뀌다. ⇔青信号綍.

*あか・す 【明かす】⑤他①밝히다. ⑦
(숨긴 것·비밀 따위를) 털어 놓다. ⑦명
백히 하다. ¶秘密綍を～ 비밀을 밝히
다. ⓒ(証す)(결백 따위를) 증명(입
증)하다. ¶身綍の潔白綍を～ 자신의
결백함을 증명하다. ②(밤을) 새우다
(지새우다). ⑦(밤을) 자지 않고 지내
는 자는 경우나 밤샘하는 경우). ¶試
験勉強綍で夜綍を～ 시험 공부로
밤을 지새우다. ⓒ꼭뒤지르
다; 허를[역을] 찌르다.

あか・す 【飽かす】⑤他①물리게 하다;
싫증나게 (권태를 느끼게) 하다; 실컷
…하다. ¶彼綍の話綍は人綍を～さな
い 그의 이야기는 사람을 싫증나게 하
지 않는다. ②듬뿍 쓰다. ¶金綍に～·
して 돈을 듬뿍 들여서.

あかず 【飽かず】連語〈雅〉①싫증 나
지 않고; 끈기 있게. ¶～見入綍る 끈기
있게 들여다 보다. ②불만족하게; 부족
하게; 성이 차지 않아. ¶なお～思綍う
아직도 성이 차지 않아 하다.

あがた 【県】图〈雅〉①〈大化改新綍
이전의) 황실(皇室)의 직할 영지(領
地)(県主綍가 통치했음). ②지방관
의 임지(任地); 전하여, 지방관. ③시
골; 지방.

あかちゃ・ける 【赤茶ける】 akacha-
下一自①불그스름한 갈색으로 퇴색하
다. ¶～けたカーテン 불그스름하게
퇴색한 커튼. ②(살갗 따위가) 검붉게
타다.

*あかちゃん 【赤ちゃん】-chan 图①
〈俗〉아기('あかんぼう'의 애칭). ②세
상 물정을 모르는 사람. ＝坊綍.

あかチン 【赤チン】图〈俗〉머큐러크

あかつき【暁】 图 〈雅〉①새벽; 새벽녘. =夜明がけ. ②(장래 어떤 일이 실현되는) 때; (그) 때; (그) 날. 成功했의 ～には 성공하는 그 때〔날〕이면.

あがったり【上がったり】 agatta- (장사나 사업 등이) 말이 아님; 형편이 없음.

アカデミー 图 아카데미. ¶～賞½ 아카데미상(賞). ▷academy.

アカデミック -mikku ⑤ 아카데믹. ①학구적. ②관학적(官學的). ▷academic.

あかてん【赤点】 图 낙제점(붉은 글자로 쓰는 데서).

あかでんしゃ【赤電車】 -sha 图 (그 날의) 마지막 전차. =赤電診. 參考 그 바로 전의 것을 '青½電車'.

あかでんわ【赤電話】 图 붉은 칠을 한 공중 전화(시외 전화 통화료 취급도 받음). ⇨あおでんわ.

あかとんぼ【赤蜻蛉】 -tom- bo 图 〈蟲〉고추잠자리.

あかな-う【購う】 ⑤他〈雅〉구입하다; 사들이다. =買かい求める.

あかな-う【贖う】 ⑤他 ①죄를 씻기 위해서 금품을 내다. ②속죄하다. ¶死をもって罪?を～ 죽음으로써 속죄하다.

あかぬけ【あか抜け】【垢抜け】 区自 ①때가 빠져서 깨끗해짐. ②맷물을 벗음. ¶～した女診 〈세련된〉 여자.

あかぬ-ける【あか抜ける】【垢抜ける】 下一自 때가 벗다; 촌티가 없이 세련되어지다.

あかね【茜】 图①〈植〉꼭두서니. ②꼭두서니 뿌리로 염색한 붉은 색; 좀 검붉은 빛. =あかね色다.

あかはじ【赤恥】 图 큰 창피. ¶～をかく 개망신하다.

あかはた【赤旗】 图 적기. ①붉은 깃발. ⇨白旗芒. ②옛날의 平家당가의 기. ③공산당·적색 분자·노동자의 기. ④위험 정지 신호기; 붉은 기. ⇨白旗.

あかはだか【赤裸】 图 알몸뚱이; 전라(全裸).

あかぼう【赤帽】-bō 图①빨간 모자. ②포터(역의 짐꾼).

あかまつ【赤松】 图〈植〉소나무.

あかみ【赤み】【赤味】 图①붉은 기. ¶～がさす 붉은 기가 돌다. ②붉은 정도. ¶～を増ます 붉은 색을 더하다.

あかみ【赤身】 图①(비계 없는) 살코기. ⇨あぶらみ. ②다랑어·가다랑어처럼 붉은 생선의 살. ⇨白身½. ③재목의 중심에 있는 붉은 부분; 심재(心材). ⇨白太ぷた.

あかみそ【赤みそ】【赤味噌】 图 적갈색의 된장. ⇨白みそ.

あかむし【赤虫】 图①〈蟲〉모기붙이의 유충; 붉은 장구벌레. ②〔動〕⇨つつがむし.

あか-める【赤める】 下一他 붉히다. ¶顔を～ 얼굴을 붉히다.

あが-める【崇める】 下一他 우러러 받들다; 숭배하다.

あかもん【赤門】 图①붉게 칠한 문. ②〈俗〉東京さ 대학의 딴이름.

あからがお【赤ら顔】【赭ら顔】 图 불그레한 얼굴.

あからさま【明白】 ⑤ナ 명백함; 분명

함; 노골적. =おおっぴら. ¶～な買収行為訳から 노골적인 매수 행위.

あから-む【明らむ】 ⑤自 (동이 터서) 훤해지다. ¶東늘의空글が～ 동녘 하늘이 훤해지다.

あから-む【赤らむ】 ⑤自 불그스름[발그레]해지다; 붉어지다; 홍조(紅潮)를 띠다. ¶顔診が～ 얼굴이 붉어지다.

あから-める【赤らめる】 下一他 붉히다. ¶顔を～ 얼굴을 붉히다.

＊あかり【灯】 图 등불. =ともしび. ¶～をつける〔ともす〕 불을 켜다.

＊あかり【明かり】【明(か)り】 图①환한 빛; 밝은 빛. ¶星당～ 별빛 / ネオンの～ 네온의 불빛. ②결백한 증거. =あかし. ¶～を立てる〔결백함을〕입증하다.

＊あが-る【上がる】 ⑤自 ①오르다; 오른것. ⇨下さがる. ①(위치·정도·가치·가격 등이) 올라감. ¶値당が～ 값이 오름; 비싸짐. ⇨下さがる. ①매상(賣上)↗↗수익. ¶店잔의～が少ない 가게의 매상이 적다. ②수확. ¶田畑たから～ 논밭의 수확. ③(기술·기예 따위의) 늘; 진보; 숙달. ¶手ての～が速はやい 솜씨가 빨리 늘다. ④끝남. ⑦마침; 종료. ¶きょうは五時~だ 오늘은 다섯시면 끝난다. ⓒ다 됨; 완성; 된. 色로음. ¶この染めは色가～がよい 이 염색은 빛깔이 잘 빠졌다 (물이 곱게 들었다). ⑤(쌍륙·장기 등에서) 말이 발판으로 접어드는 일; 또, 그 곳. ¶三みが出て上っ～た 세 끗이 나와 끝나 오면 난다. ⑥(揚が!!り花정의) 준말. =上っ↗げ花½が! ⑦接尾 ①멈음; 그침. ¶雨あま~ 비가 그침〔갬〕. ②이전의 직업·신분·상태를 나타내는 말. ¶芸者じ~ 기생 출신.

あがりかまち【上がりかまち】【上がり框】 图 현관 등에서 안으로 올라서는 목의 문인방. =あがりがまち.

あがりぐち【上がり口】 图 층층대 또는 높은 곳으로 올라가는 입구; 봉당에서 마루 위로 올라가는 곳.

あがりこ-む【上がり込む】 ⑤自 (남의 집에) 마구 들어가다; 가서 들어앉다.

あがりさき【明(か)り先】 图 빛이 비쳐 (들어)오는 쪽.

あがりはな【上がりはな】【上がり端】 图①봉당에서 방 따위로 들어서는 곳; 초입; 입구. ②오르기 시작할 때. ¶～を買かう 오르기 시작할 때 사다.

あがりばな【上がり花】 图 (갓 끓인) 차. =出花자な! 参考.

あがりめ【上がり目】 图①물가 등이 오르려는 때. ⇨下さがりめ. ②기세·가락 등이 궤도에 오른 때. ⇨下さがりめ.

あがりめ【上がり目】 图 눈초리가 치켜올라간 눈. =つりめ. ⇨下さがり目.

あがりゆ【上がり湯】 图 목욕이 끝난 후 탕에서 나올 때 몸에 끼얹는 깨끗한 더운 물.

＊あが-る【上がる】 ⑤自 ①오르다. ⇨下さがる. ①(계단 등을) 올라가다 / 陸だに～ 물에 오르다; 상륙하다 / 足をふいて～ 발을 닦고 오르다 / 地位ちが～ 지위가 오르다 / 月給きが~↗ 월급이 오르다 / 利益ぬが～ 이익이 오르다 / 物価が~↗ 물가가 오르다 / 気勢かが～ 기세가 오르다. ②나오다. ¶ふろから～ (목욕)탕에서 나오다. ③입학(진

学)하다; 들어가다. ¶学校緽に～が 교에 들어가다. ④끝단계에 이르다. ㉠ (일·따위가) 끝나다. ¶仕事緽が～ 이 끝나다. ㉡(生産(雙六) 등에서 말이) 날밭에 들어서다. ¶一番緽に～ 첫째로 나다. ⑤그치다; 멈추다. ¶雨緽が～ 비가 그치다. ⑥(물고기·초목이)죽다; 마르다. ⑦흥분하다(여척착을잃다); 얼다. ¶舞台緽で～って버리는 무대에서 얼어버리다. ⑧(상태가)나아지다; 늘다. ¶腕緽が～ 솜씨가늘다. ⑨(얼마의 비용으로) 되다; 족하다; 먹히다. ¶思ったより安緽く～った 예상보다 싸게 먹혔다. ⑩(장사·사업이) 망하다. ¶商売緽が～りそうだ 장사가 망할 것 같다. ㉠되다; 진(盡)하다. ¶乳緽が～ 젖이 마르다 / 月経緽が～ 폐경이 되다. ¶勤緽く(=가다) 'たずねる(=방문하다)'의 겸손한 말. ¶夕方緽それをいただきに～ります 저녁때 그것을 받으러 찾아 뵙겠습니다 / 宮中緽に～ 궁중에 들어가다. ⑬(接尾語的으로) 어떤 동작이 끝났거나 극에 달했음을 나타냄. ¶刷緽り·인쇄가 다 되다 / のぼせ～ 몹시 흥분하다; 울컥하다. ──
⑤他 '食う(=먹다)·飲む(=마시다)·吸う(=피우다)'의 높임말. ¶なにを～りますか 무엇을 드시겠어요.
*あが-る【挙がる】⑤自 ①오르다; 올라가다. ¶文名緽が～ 문명이 오르다 / 手緽が～ 손이 올라가다 / 収入緽が～ 수입이 오르다. ②검거되다; 잡히다. ¶犯人緽が～ 범인이 잡히다.
あが-る【揚がる】⑤自 ①오르다. ¶国旗緽が～ 국기가 게양되다 / 名緽が～ 이름이 나다 / 歓声緽が～ 환성이 오르다. ②(기름에) 튀겨지다. ¶てんぷらが～ 튀김이 튀겨지다. [主意] ①은 '挙がる·上がる'로도 씀.
*あかる-い【明るい】⑱ 밝다. ¶～色緽 밝은 색 / ～顔緽 밝은[명랑한] 얼굴 / ～見通緽し 밝은 전망 / ～政治緽 밝은 정치 / 法律緽に～ 법률에 밝다. ↔暗緽い.
*あかる-み【明るみ】图 ①밝은 곳. ②공개된 곳; 드러난 곳; 세상. ¶話緽を～に出緽す 이야기를 공개하다.
あかる-む【明るむ】⑤自 밝아지다. ¶心緽が～ 마음이 밝아지다(가벼워지다). [은 벽돌.
あかれんが【赤煉瓦·赤レンガ】图 붉
あかんたい【亜寒帯】图【地】아한대. ¶～気候緽 아한대 기후.
あかんべ akambe 图 아랫눈까풀을 뒤집어 보이어 경멸·거부 등의 기분을 나타내는 짓.
*あかんぼう【赤ん坊】akambō 〈口〉 갓난아기. =赤子緽. ¶～をもっている 임신중이다 / 体緽のわりに～です 덩치고는 어린앱니다.
*あき【明き·空き】图 ①가을. ¶～の一日緽はつるべ落緽とし 가을 해는 우물에 두레박 떨어지듯(빨리 진다).
*あき【明き·空き】图 ①속이 빔. ¶が～ら 빈 電車緽 텅 빈 전차. ②빈자리; 틈새; 여백. ¶行緽と行緽との間緽の～を広緽くする 행간을 넓히다. ③빈자리; 결원. ¶席緽の～がない 빈 자리

가 없다. ④간격. ¶～を広緽く取緽る 간격을 넓게 잡다. ⑤사용치 않고 있음; 또, 그 물건. ¶傘緽の～があったら貸緽して 우산이 안 쓰고 있으면 빌려 주게. ⑥틈; 짬. ¶忙緽しくて～がない 바빠서 틈이 없다.
あき【飽き】【倦き·厭き】图 물림; 싫어짐; 싫증. ¶～がくる 싫증이 나다.
あきあき-する【飽き飽きする】【厭き厭きする】サ変自 아주 싫증이 나다; 물리다; 신물이 나다.
あきかぜ【秋風】图 ①가을 바람; 추풍. ②남녀간의 애정이 식음. ¶～が立つ ①가을 바람이 불기 시작하다. ②남녀간 애정이 식기 시작하다.
あきかん【空(き)缶】图 빈 통(깡통).
あきぐち【秋口】图 초가을.
あきご【秋蚕】【秋蚕】图 추잠; 가을 누에. =しゅうさん. ↔春緽ご.
あきさめ【秋雨】图 추우; 가을 비.
あきしょう【飽き性】【厭き性】-shō 图 이내 물리는(싫증을 느끼는) 성질.
あきす【空(き)巣】【明巣】图 ①빈 보금자리. ②빈 집. ¶あきすねらい(= 빈집털이)'의 준말.
あきぞら【秋空】图 가을 하늘.
あきたりない【飽き足りない】【慊(り)ない】連語 성에 차지 않다; 불만족하다; 시원찮다. ＝あきたらない. ¶いくら儲緽けても～ 아무리 돈을 벌어도 마음에 차지 않다. [(땅)·공터.
*あきち【明地·空地】图 공지; 빈 터.
あきっぽ-い【飽きっぽい】【厭きっぽい】akippoi ⑱〈俗〉싫증을 잘 내다; 이내 물리다.
あきない【商い】图 ①장사; 상업. ＝商売緽. ②매상고. ¶～が少緽ない 매상이 적다. [하다.
あきな-う【商う】⑤他 장사하다; 매매
あきなす【秋茄子】图 늦가을에 익는 가지. =秋緽なすび.
あきのななくさ【秋の七草】連語 가을에 꽃이 피는 대표적인 일곱 가지 풀(싸리·억새·칡·패랭이꽃·마타리·등골나물·도라지). ↔春緽の七草緽.
あきばれ【秋晴(れ)】图 가을의 쾌청한 날씨.
あきびより【秋日和】图 가을다운 좋은 날씨.
あきびん【空(き)瓶】图 빈 병.
あきべや【空(き)部屋·明部屋】图 빈 방. ＝あきま.
あきま【明(き)間·空(き)間】图 ①(빈)틈. ¶～がない 틈이 없다. ②빈 방. ¶～を貸緽す 빈 방을 세주다.
あきめ-く【秋めく】⑤自 가을다워지다. ↔春緽めく.
あきめくら【盲·盲目】①문맹자(文盲者). ②사리(事理)를 분별 못하는 사람.
あきや【明(き)家·空(き)家】图 빈 집.
あぎょう【あ行】agyō 图 아행; 五十音図緽에서 첫째 행(あ·い·う·え·お).
*あきらか【明らか】ダナ ①밝음; 환함. ¶月緽に～に星緽せ에 달은 환하고 별은 드문드문. ②분명함; 뚜렷함. ¶～に不利緽だ 분명히 불리하다 / 勝負緽は～だ 승부는 뻔하다.
あきらめ【諦め】图 체념; 단념. ¶～がいい 깨끗이 단념하다; 한계(분수)를

알다 / ～がつく 체념이 가다.

あきら-める〖諦める〗[下1他] 체념하다; 단념하다.

あ-きる【飽きる】(厭きる) [上1自] 싫증나다; 물리다. ¶～ほど食べる 물리도록〔실컷〕 먹다.

あきれかえ-る【あきれ返る】(呆れ返る) [5自] 아주 어이없어 하다; 질리다; 기가 막히다. =あきれはてる.

アキレスけん〖アキレス腱〗[名]〔生〕아킬레스건. ▷Achilles.

***あき-れる**〖呆れる·惘れる〗[下1自] 놀라다; 어이〔어처구니〕없다; 기가 막히다; 질리다. ¶～·れて物も言えない 어처구니없어 말도 못 하다.

あきんど〖商人〗[名] 상인; 장사치. =商人. ¶旅～ 도붓장수; 행상인.

あ-く【明く·開く】[5自] ①열리다. ¶とびらが～ 문이 열리다 / 幕が～ 막이 열리다((a)개막되다; (b)…이 시작되다) / 店が～ (a)개점하다; (b)영업을 (시작)하다. ↔しまる. ②면해 있다; 나 있다. ¶窓が南に～·いている 창문이 남쪽으로 나 있다. ③(구멍 따위가) 뚫리다; 나다. ¶穴が～ 구멍이 뚫리다. ↔ふさがる. ④기한이 다 되다〔차다〕. ¶年季が～ 고용 기한이 다 되다.

あ-く【空く】[5自] ①비다. ¶～·いた席がない 빈 자리가 없다 / 課長のポストが一つ～ 과장 자리가 하나 비다 / 手が～ 손〔틈〕이 비다〔나다〕/ 行間が～·いている 행간이 비어 있다. ②쓰이지 않다; 다 …하다. ¶本が～·いたら貸してくれ 책을 다 보면 빌려 주게.

あ-く【飽く】(厭く) [5自] 〈雅·方〉 ①만족하다. ②싫증나다; 지치다.

あく〖灰汁〗[名] ①잿물. ②(식물에 함유된) 떫은 액체; 떫은 맛. ¶ワラビの～を抜く 고사리의 떫은 맛을 빼내다〔우려내다〕. ③집요한 개성; 세련되지 않은 깐작스러운 개성적인 느낌. ¶～の抜けた人 (a)속기(俗氣)가 없는 사람; (b)멋진 사람.

***あく**【悪】[名] ①악. ¶～の道に走る 악의 길로 달리다. ②악한 놈.

アクアラング [名]〔商標名〕아콰렁; 수중 호흡기. =スキューバ. ▷Aqua Lung.

***あくい**【悪意】[名] 악의. ¶～に満ちた発言 악의에 찬 발언. ↔好意·善意.

あくうん【悪運】[名] 악운. ①못된 짓을 하여도 결과가 좋은 운. ¶～が強い 악운이 세다. ②불행한 운명; 불운.

あくえいきょう【悪影響】-kyō [名] 악영향.

あくえき【悪疫】[名] 악역; 악성 유행병.

あくえん【悪縁】[名] 악연. ¶～でつながる 뗄 수 없는 못된 인연으로 얽히다.

あくかんじょう【悪感情】-jō [名] 악감정; 불쾌한 감정; 악의. =あっかんじょう.

あくぎゃく【悪逆】-gyaku [名] 악역.

あくぎょう【悪行】-gyō [名] 악행; 못된 짓. ¶～の限りを尽くす 갖은 악행을 다하다. ↔善行.

あくごう【悪業】-gō [名]〔佛〕악업(전세에서 나쁜 짓을 한 업보). ↔善業.

あくさい【悪才】[名] 나쁜 일을 하는 재능; 못된 재주. ¶～に長ける 못된 재능이 뛰어나다.

あくじ【悪事】[名] 악행(惡行); 못된 짓. ¶～を働く 못된 짓을 하다. **—千里を走る** 악사 천리(못된 짓은 (숨기려 해도) 곧 세상에 널리 알려진다).

あくじき【悪食】[名][ス自] 악식. ①사람이 보통 먹을 수 없는 것을 먹는 일. =いかものぐい. ②나쁜 음식. =粗食.

あくしつ【悪疾】[名] 악질; 고질(痼疾).

***あくしつ**【悪質】[名ナ] ①악질. ¶～な犯罪 악질적인 범죄. ②품질이 나쁨. ↔良質.

***あくしゅ**【握手】-shu [名][ス自] ①악수. ¶～を交わす 서로 악수를 교환하다. ②협력; 화해; 연락이 닿음.

あくしゅ【悪手】-shu [名] (바둑·장기에서) 악수.

あくしゅう【悪臭】-shū [名] 악취. ¶～を放つ 악취를 풍기다.

あくしゅう【悪習】-shū [名] 악습. ¶～に染まる 악습에 물들다.

あくしゅみ【悪趣味】-shumi [名ナ] 악취미.

***あくじゅんかん**【悪循環】-junkan [名][ス自] 악순환. ¶物価と賃金の～ 물가와 임금의 악순환.

あくしょ【悪書】-sho [名] 악서. ¶～追放 악서 추방. ↔良書.

あくしょう【悪性】-shō [名ナ] 마음가짐이나 행실이 좋지 못함. ¶～者 난봉꾼. [參考] 'あくせい'는 딴말.

あくじょうけん【悪条件】-jōken [名] 악조건.

アクション -shon [名] 액션. ¶～ドラマ 액션 드라마; 활극(活劇). ▷action.

あくしん【悪心】[名] 악심; 악의. ¶～をいだく 악심을 품다. ↔善心.

あくせい【悪性】[名] 악성; 악질. ¶～インフレ 악성 인플레. [參考] 'あくしょう'는 딴말. ↔良性.

あくせい【悪政】[名] 악정; 나쁜 정치. ¶～に虐げられる 악정에 시달리다. ↔善政.

あくせい【悪声】[名] 악성. ①나쁜 평판. ¶～が立つ 나쁜 평판이 나다. ↔名声. ②나쁜 목소리. ↔美声.

あくせく〖齷齪·偓促〗[トス自] 아차. ①작은 일에 구애됨; 안달함; 애달아함. ②허덕거리며 열심히 일함. ¶～と働く 뼈빠지게〔고되게〕 일하다.

***アクセサリー** [名] 액세서리. ▷accessory.

アクセル [名] 액셀; (자동차 따위의) 가속 장치. ▷accelerator.

あくせん【悪銭】[名] 악전; 부정하게 얻은 돈. **—身につかず** 부정하게 얻은 재물은 오래가지 못한다.

あくせんくとう【悪戦苦闘】-tō [名][ス自] 악전 고투.

***アクセント** [名] 악센트. ¶襟の形に～を置く 옷깃 모양에 악센트를 두다. ▷accent.

あくた〖芥〗[名] 〈雅〉 먼지; 쓰레기. =ごみ·ちり.

あ

あくたい【悪態】图 욕지거리. =わるぐち. ¶～をつく 욕설을 퍼붓다.

あくだま【悪玉】图 ①악인(悪人). ②(연극에서) 악역. ↔善玉.

あくたれ【悪たれ】图 ①심한 장난. ¶～小僧ぶ 선머슴. ②억지쓰며 거칠게 굶; 또, 그 사람. ──ぐち【─口】 욕지거리; 욕설. =にくまれ口. ¶～をたたく 욕지거리를 퍼붓다.

あくてん【悪天】图 악천후.

あくどい【悪どい】形 ①(색이) 칙칙하다; 야하다; (맛이) 짙다. ¶～化粧‡ʸ 야한 화장. ②악랄하다; 악착같다. ¶～やり方 악랄한 수법.

あくとう【悪党】-tō 图 악당.

あくどう【悪童】-dō 图 악동.

あくとく【悪徳】图 악덕. ¶～記者 〔商人‡ʸ〕 악덕 기자〔상인〕. ↔美徳.

あくなき【飽く無き】連語 《連体詞的으로》만족할 줄 모르는.

あくにち【悪日】图 운이 나쁜 날; 수사나운 날. =凶日‡ʸ. ↔吉日‡ʸ.

あくにん【悪人】图 악인; 악한. =悪者‡ʸ. ↔善人‡ʸ.

あくぬき【あく抜き】〔灰汁抜き〕 ス他 (야채 따위의) 떫고 쓴 맛을 우려냄.

あぐ-ねる【倦ねる】下1自 ☞あぐむ

*あくび【欠・欠伸】图 하품. ¶～が出て る 하품이 나다.

あくひつ【悪筆】图 악필. ¶生ʸ'れつきの～ 생래(生来)의 악필. ↔達筆‡ʸ.

あくひょう【悪評】-hyō ス自 악평. ↔好評‡ʸ.

あくびょうどう【悪平等】-byōdō 图 악평등; 형식만의 그릇된 평등.

あくふう【悪風】-fū 图 악풍; 나쁜 풍습. ↔美風‡ʸ.

あくぶん【悪文】图 악문; 서투른〔난해한〕 문장. ↔名文‡ʸ.

あくへい【悪弊】图 악폐; 나쁜 폐단.

あくへき【悪癖】图 악벽; 못된 버릇; 악습.

*あくほう【悪法】-hō 图 악법; 나쁜 법률.

*あくま【悪魔】图 악마.

あくまで【飽くまで】副 어디까지나; 끝까지. ¶～(も)戦ぶかう 끝까지 싸우다.

あくむ【悪夢】图 악몽. ──からさめる 악몽에서 깨어나다.

あぐ-む【倦む】5自 《接尾語的으로》…하다 못하다; …하다 지치다. ¶考ぶ'え～ 생각다 못하다 / 待ʸ'ち～ 기다림에 지치다.

あくめい【悪名】图 악명. =汚名‡ʸ.

あくやく【悪役】图〔劇〕악역. =あくがた. 参考 어떤 일에서, 미움을 사는 입장의 사람을 이름.

あくゆう【悪友】-yū 图 악우; 나쁜 친구(반어적으로 친한 친구를 가리키는 경우도 있음). ↔良友‡ʸ. ¶用‡ʸ.

あくよう【悪用】-yō ス他 악용.

あぐら【趺坐・胡座】图 책상다리로 앉음. ──をかく 책상다리로 앉다. ②현상에 안주하여 태평스럽게 있다.

あくらつ【悪辣】タ+ 악랄. ¶～な手段‡ʸ 악랄한 수단.

あぐりあみ【あぐり網】〔揚繰網〕图 후

릿그물의 일종.

あくりょく【握力】-ryoku 图 악력. ──けい【─計】图 악력계.

アクリル 图〔化〕아크릴('アクリル樹脂‡ʸ(=아크릴 수지)・アクリル繊維‡ʸ(=아크릴 섬유)'의 준말). ▷acryl.

あくる【明くる】連体 다음의; 이듬…; 이튿…. ¶～朝ʸ 이튿날 아침 / 年‡ʸ 이듬해 / ～日‡ʸ 다음 날; 이튿날.

あくれい【悪例】图 악례; 나쁜 예. ¶～を残ʸす 악례를 남기다.

アクロバット -batto 图 아크로바트; 곡예사. ▷acrobat.

あけ【朱・緋】〔雅〕 주홍색; 붉은 빛. =朱‡ʸ. ──に染ʸまる 피투성이가 되다.

あけ【明け】图 ①날이 샘; 새벽녘. =夜明け. ¶～の明星‡ʸʸ 샛별. ②기간이 끝남; 또, 끝난 직후. ¶忌ʸ'み～ 상(喪). ▷↔暮ʸれ.

あげ【上げ】图 올림. ¶賃ʸ'～ 임금 인상.

あげ【揚げ】图 ①튀김. ②유부(油腐) ('あぶらあげ'의 준말).

あげあし【揚げ足】图 헛디딘 발(揚げ足). ¶～を取るʸ 남의 말꼬리나 실언을 잡고 늘어짐.

あげいし【上げ石】图 (바둑에서) 따낸 돌.

あげいた【上(げ)板・揚(げ)板】图 마루 밑에 물건을 넣을 수 있도록 널판으로 떼어 놓게 된 뚜껑 널판. =あげぶた.

*あけがた【明けがた・明け方】图 새벽녘; 동틀녘. =夜明け. ↔暮ʸれ方‡ʸ.

あけがらす【明けがらす】〔明(け)烏〕图 새벽녘에 우는 까마귀.

あげく【揚(げ)句・挙(げ)句】图 종말; 한 끝. ¶長ʸ'くわずらった～ 오랜 병에 시달린 끝에 (나머지). ──の果ʸ'て 'あげく'의 힘줌말.

*あけくれ【明け暮れ】㊀图 아침과 저녁; 나날. ㊁副 자나 깨나; 항상; 늘. ¶～子どものことを心配‡ʸしている 자나 깨나 자식 걱정을 하고 있다.

あけく-れる【明け暮れる】下1自 ①날이 새고 해가 지다; 세월이 흐르다. ②몰두하다. ¶読書‡ʸに～ 독서에 몰두하다.

*あげさげ【上げ下げ】图 ス自他 ①올렸다 내렸다 함. ②칭찬과 비난. ③(물가의) 오르내림. ④밀물과 썰물.

あげしお【上(げ)潮】图 밀물. =満‡ʸ潮. 参考 상승세의 시기라는 뜻으로도 쓰임. ↔引ʸ'き潮‡ʸ.

あげず【上げず】連語 간격을 두지 않고. ¶三日‡ʸに～やってくる 사흘이 멀다 하고 찾아오다.

あけすけ【明け透け】タ+ 숨기거나 가리지 않음; 노골적. ¶～に物ʸを言ʸう 노골적으로 말하다.

あげぞこ【上げ底・揚げ底】图 과자 따위 선물 상자의 높게 된 바닥.

あげだい【揚(げ)代】图 해웃값; 화대(花代). =玉代‡ʸ.

あけたて【開けたて】〔開けっ閉て〕图 ス他 여닫기; 개폐.

あけっぱなし【開けっ放し】〔明けっ放し〕 akeppa- 图 ①(문 따위를) 열어 놓은 채로 둠; 개방. ②노골적; 개방적. =あけすけ. ¶～の性格‡ʸ 개방적인 성격.

あけて【明けて】〔連語〕새해가 되어, ¶～二十五ぢゅうご歲さいの새해 들어 25 세.

あげて【擧げて】〔連語〕 모두；전부；모조리. 二こぞって, ¶國くにを～喜よろこぶ 거국적으로 기뻐하다.

あげなべ【揚げなべ】〔揚げ鍋〕图 튀김 냄비.

あけのみょうじょう【明けの明星】〔曉の明星〕-myōjō 图〈晝〉샛별. ↔宵よいの明星ほし.〔란나비〕

あげはちょう【揚げ羽蝶】-chō 图〈虫〕호랑나비.

*あけはな-す【開け放す】〔明け放す〕⑤他 (문·창 등을) 활짝 열어 놓다.

あけはな-れる【明け離れる】〔明け離れる〕下1自 날이 훤히 새다；날이 밝다. ¶夜よが～れて渡わたる.

あけはら-う【開け拂う】〔明け拂う〕⑤他 ①☞あけはなす. ②☞あけはらう.

あけび【木通・通草】图〈植〕으름덩굴.

あげひばり【揚げひばり】〔揚げ雲雀〕图종달새가 하늘 높이 떠오름；또, 그 종달새.

あけぼの【曙】图〈雅〕새벽；먼동；여명. ＝明あけがた.

あげまく【揚げ幕】图〈劇〕무대로 통하는 출입구에 드리우는 막. ＝切きり幕まく. ¶引ひく幕まく.

あけむつ【明け六つ】图 새벽 6시；또, 그때. ＝暮くれ六むつ.

あげもの【揚げ物】图 ①튀김 식품；튀김. ②〈俗〕장물(贓物).

あげや【揚げ屋】图 옛날에 창녀를〔기생을〕불러와 놀던 집；유곽；요정.

*あ-ける【明ける】下1自 ①(날이) 밝아지다. ¶夜よが～ 날이 새다. ②새해가 되다. ¶～けましておめでとうございます 새해 복 많이 받으십시오. ↔暮くれる. ③기간이 끝나다. ¶休やすみが～ 휴가가 끝나다.

*あ-ける【空ける】下1他 ①비우다. ¶たらいを～ 대야의 물을 비우다／部屋へやを～ 방을 비우다(a)내어두다(b)출타하고 없다). ②뚫다；내다. ¶穴あなを～ 구멍을 뚫다. ③틈을 내다；시간을 내다. ¶手てを～ 틈을 내다.

*あ-ける【開ける】下1他 ①窓まどを～ 창을 열다／店みせを～ 가게를 열다. ↔締しめる.

*あ-げる【上げる】下1他 ①올리다. ¶幕まくを～ 막을 올리다／帆ほを～ 돛을 올리다／手てを～ 손을 들다／氣球ききゅうを～ 기구를 올리다／髮かみを～ 머리를 올리다／氣勢きせいを～ 기세를 올리다／地位ちいを～ 지위를 올리다／値段ねだんを～ 값을 올리다／利益りえきを～ 이익을 올리다. ②(방으로) 모셔들이다. ¶お客きゃくさまをお～げしなさい 손님을 모셔 들여라. ③(소리를) 지르다. ¶聲こえを～ 소리를 지르다. ¶入學にゅうがくさせる 입학시키다. ¶娘むすめを學校がっこうに～ 딸을 학교에 보내다. ↔おろす；토하다. ¶船ふねに醉よって～ 뱃멀미로 토악질하다. ⑤추어올리다；치켜세우다. ¶～げたり下さげたりする 추었다 깎았다 하다. ⑦끝내다；마치다. ¶入門にゅうもん編へんを～ 입문편을 떼다. ⑧'くれてやる(=주다)' 'やる(=주다)'의 겸손한 말씨. ¶お禮れいを～ 감사(사례)를 드리다. ↔

いただく. ⑨〈動詞連用形+て'에 붙어〕'…てやる(=…해주다)'의 겸손한 말씨. ¶書かいて～ 써주다. ⑩〈申もうす〕따위 連用形에 붙어〕겸손의 뜻을 나타냄. ¶お祝いわいを申もうし～げます 축하의 말씀을 드립니다. ⑪〈接尾語的으로〕㋐목적을 달할 때까지…하다. ¶縛しばり～꽁꽁 묶다. ㋑…을 해내다, 다내다. ¶うたい～노래를 불러 내다.

*あ-げる【揚げる】下1他 ①높이 올리다. ¶國旗こっきを～ 국기를 게양하다. ②물으로 옮기다；양륙(揚陸)하다. ¶積つみ荷にを陸おかに～ 뱃짐을 양륙하다. ↔下おろす. ③기생·창녀를 부르다. ¶藝者げいしゃを～げて騷さわぐ 기생을 불러놓고 흥청거리다. ④기름에 튀기다. ¶てんぷらを～ 튀김질을 하다.

*あ-げる【擧げる】下1他 ①팔을 처들다. ¶軍配ぐんばいを～ 승자(勝者) 쪽에 손을 들다. ②(예식 등을) 거행하다. ¶式しきを～ 식을 올리다. ㋒(예로서) 들다. ¶一例いちれいを～ 한예를 들다. ④(얼다) ¶一男一女いちなんいちじょを～ 일남일녀를 두다／犯人はんにんを～ 범인을 검거하다. ⑤천거하다. ¶候補者こうほしゃに～ 후보자에 천거하다. ⑥손닦이다. ¶名なを～ 이름을 떨치다. ⑦(군사를) 일으키다. ¶兵へいを～ 거병하다. ⑧(전부를) 다하다. ¶國くにを～げて 거국적으로.

あけわた-す【明け渡す】⑤他 (건물·토지·성 등을) 내어주다；비워주다；명도하다. ¶家いえを～ 집을 내주다.

あけわた-る【明け渡る】⑤自 날이 훤히 새다(완전히 밝다).

*あご【顎・腭・頤】图 ①턱. ¶～ひも (모자의) 턱끈. ②아래턱의 바깥 부분. ¶～ひげ 턱수염. ¶～が落おちる 몹시 맛이 좋다. ¶～が干ほしあがる 생계를 잃다；구멍에 거미줄 치다. ¶～であしらう 거만한 태도로 남을 대하다. ¶～で使つかう (사람을) 턱으로 부리다. ¶～が出でる 몹시 지치다. ¶～を撫なでる 우쭐해하다. ¶～を外はずす 크게 웃다.

アコーデオン【樂】아코디언；손풍금. ▷accordion.

あこがれ【憧れ・憬れ】图 동경(憧憬).

*あこが-れる【憧れる・憬れる】下1自 동경하다；그리(워하)다. ¶歌手かしゅに～ 가수를 동경하다.

あこぎ【阿漕】ダナ 몹시 탐욕하고 뻔뻔스러움.

あこやがい【阿古屋貝】图 진주조개.

*あさ【朝】图 아침〔넓은 뜻으로는, 해돋이에서 정오까지〕. ¶～から晚ばんまで 아침부터 밤까지／～がはやい (a)아침에 일찍 일어나다(는 버릇이다)(b)아침 일찍 일어나야 할 일이 있다. ↔夕ゆう·宵よい·晩ばん.

あさ【麻】图 ①〈植〕삼. ②삼실；삼베.

あざ【字】图 町ちょう·村むら 가운데의 한 구획의 이름(우리 나라의 이(里)·동(洞)에 해당).〔斑〕

あざ【痣】图 피부의 반점；모반(母

*あさ-い【淺い】形 얕다. ¶(깊이·바닥이) 깊지 않다. ¶～海うみ 얕은 바다. ②(천박하다. ¶～考かんが색 생각. ㋑얕다；열다. ¶色いろが～ 색이 얕다〔열다〕. ㋑(시일이) 오래되지 않다. ¶

日が～ 일천(日淺)하다.

あさおき【朝起き】[名][ス自] 아침에 일찍 일어남. ↔朝寝. **—は三文の徳** 어떻든 부지런하면 이득이 있다.

あさがえり【朝帰り】[名][ス自] 외박, 특히, 유곽에서 자고 이튿날 아침에 집에 돌아옴.

あさがお〖朝顔〗[名]〔植〕나팔꽃.

あさがた【朝方】[名] 아침결. ↔夕方.

あさぎ【浅黄】[名] 연노랑.

あさぎ〖浅葱·浅黄〗[名] 엷은 남빛; 또는, 연두색; 옥색.

あさぎり【朝霧】[名] 아침 안개. ↔夕霧.

あさぐろ-い【浅黒い】[形] (살갗이) 거무스름하다. ¶～顔 거무스름한 얼굴.

あさげ【朝げ】(朝餉·朝食) [名] 〈雅〉 조반; 아침밥. =朝飯. ↔夕げ.

あざけり〖嘲り〗[名] 비웃음; 조소.

あざけ-る〖嘲る〗[5他] 조소하다; 비웃다.

あさごはん【朝御飯】[名] 아침밥.

あさざむ【朝寒】[名] (10월경의) 아침에 썰렁한 느낌; 아침 추위. =あささむ.

あさせ【浅瀬】[名] 얕은 여울. ¶～を渡る 얕은 여울을 건너다.

あさぢえ【浅知恵】(浅智慧) [名] 얕은 꾀; 잔꾀.

あさづけ【浅漬け】[名] 무를 소금과 누룩이나 겨에 달콤하게 절인 것. =べったらづけ.

あさって〖明後日〗asatte [名] 모레. =みょうごにち. ¶し～ 글피/やの～ 그글피. **—の方を向く 〈俗〉 엉뚱한 데를 보다.

あさっぱら【朝っぱら】asappa- [名] 〈俗〉 이른 아침. ¶～からけんかするな 식전부터 싸우지 마라.

あさつゆ【朝露】[名] 아침 이슬. ↔夜露.

あさで【浅手】(浅傷) [名] 가벼운 상처; 경상. =薄手. ¶～を負う 경상을 입다. ↔深手.

あざと-い [形] 〈俗〉 ①빈틈없다; 약빠르다. ②비열〔야비〕하다.

あざな〖字〗[名] ①자(字). ②아호. ③별명. ④☞あざ(字).

あさなあさな【朝な朝な】[副] 〈雅〉 아침마다. =毎朝. [注意] 'あさなさな'라고도 함. ↔夜な夜な.

あざな-う〖糾う〗[5他] (새끼를) 꼬다; 뒤섞어 얽다. =なう. ¶禍福は～·える縄のごとし 화와 복은 마치 꼬아 놓은 새끼와 같(이 번갈아 온)다.

あさなぎ【朝なぎ】(朝凪) [名] 아침 한때 바다가 잔잔한 일. ↔夕なぎ.

あさなゆうな【朝な夕な】-yūna [副] 〈雅〉 아침저녁; 밤낮; 늘. =朝夕.

あさなわ【麻縄】[名] 마승; 삼노; (삼으로 꼰) 참바.

あさぬの【麻布】[名] 마포; 삼베.

あさね【朝寝】[名][ス自] 아침잠; 늦잠. ↔朝起き. **——ぼう【——坊】**-bō [名ナ][ス自] 늦잠꾸러기; 늦잠을 잠.

*あさはか〖浅墓〗[ダナ] 소견이 얕은 모양; 천박함; 어리석음. ¶～な考え 천박한 소견.

*あさはん【朝飯】[名] 조반. [参考] 공손한 말로는 'あさごはん'. ↔夕飯.

*あさばん【朝晚】[一][名] 아침저녁; 조석. =朝夕. ¶～の冷えこみ 아침저녁의 쌀쌀함. [二][副] 자나깨나; 노상; 늘. =いつも.

*あさひ【朝日】(旭) [名] 아침 해; 또, 그 햇빛.

あさぶろ【朝ぶろ】(朝風呂) [名] 아침 목욕(물). =朝湯.

あさぼらけ【朝ぼらけ】(朝朗) [名] 〈雅〉 새벽녘; 여명. =あけぼの·よあけ.

*あさまし-い〖浅ましい·浅間敷い〗-shī [形] 한심스럽다; 딱하다. ①비열하다; 야비하다. ¶～行為 야비한 행위. ②비참하다. ¶～姿 비참한 모습.

あさみ【浅み】[名] 물이 얕은 곳. ↔深み.

あざみ〖薊〗[名]〔植〕엉겅퀴.

あさみどり【浅緑】[名] 연한 녹색; 연둣빛.

あざむ-く【欺く】[5他] ①속이다. ②무색케 하다; 착각시키다. ¶昼を～月光 대낮을 무색케 하는 달빛/鬼を～大男 귀신으로 착각할 만한 거한(巨漢).

あさめし【朝飯】[名] 조반; 아침밥('あさはん'의 약간 막된 말씨). **——まえ【——前】**[一][名] 조반 전. [二][ダナ] 아주 쉬움; 여반장(如反掌)임.

あさもや【朝もや】(朝靄) [名] 아침안개. ↔夕もや.

*あざやか【鮮やか】[ダナ] ①또렷함; 산뜻함; 선명함. ¶～な赤 산뜻한 빨강. ②멋지게 잘함; 훌륭함; 깨끗함. ¶～に答弁する 멋지게 답변하다.

あさやけ【朝焼け】[名] 아침놀. ↔夕焼け.

あさゆ【朝湯】[名] 〈老〉 아침 목욕(물). =朝ぶろ.

*あさゆう【朝夕】-yū [名][副] 조석; 아침저녁; 전하여, 늘; 항상. ¶～考えていたこと 늘〔밤낮〕 생각하고 있던 것.

あざらし〖海豹〗[名]〔動〕해표; 바다표범.

あさり〖浅蜊〗[名]〔貝〕모시조개.

あさ-る〖漁る〗[5他] 찾아 다니다〔헤매다〕; (식량·자료 따위를) 여기저기 구하러 다니다. ¶古本を～ 고본을 찾아 헤매다.

あざわら-う【あざ笑う】(嘲う·嘲笑う) [5自] 조소하다; 비웃다.

**あし【足】[名] ①발. ㉠(일반적인) 발. ¶～の裏 발바닥/～の甲 발등/～指 발가락/～を痛める 발을 다치다. ㉡(발)걸음. ¶～をゆるめる 발(걸음)을 늦추다/一～先に 한 발〔걸음〕 앞서. ㉢보조. ¶～をそろえて 발을〔보조를〕 맞춰. ②발길. ㉠발이 감. ¶九州まで～をのばす 九州까지 발길을 뻗치다〔가다〕. ㉡…하는 길; 나선 길. ¶その～で 나선 길에; 그 발길로. ㉢드나듦; 출입; 다님. ¶客の～がとだえる 손님의 발길이 끊어지다. ③【脚】㉠(사람의) 다리. ¶～がきかない 다리를 못 쓰다. ㉡(물건의) 다리; (버팀)다리. ¶机の～ 책상다리. ④발자취; (특히, 범인의) 종적; 꼬리; 단서. ⑤기슭. ¶山の～ 산기슭. ⑥【脚】흘수(吃水). ¶船の～ 배의 흘수. ⑦【脚】움직임; 지나감; 변화함. ¶雲～ 구름의 움직임. ⑧(떡·반죽의) 찰기; 끈기. =こし. ¶～が強い〔弱い〕 (떡이) 차지다〔메지다〕. ⑨

『お～』 돈；금전. ＝おかね. 注意 보통, かなで 써서 ‘お銭’로 썼음. **━がつく** 법인의 단서〔꼬리〕가 잡히다. **━が出る**；－を出す ①(지출을) 예산을 넘다；손해보다. ②탄로나다；마각이 드러나다. ②━が速い；━が速い ①발〔걸음〕이 빠르다. ②(음식이) 쉽게 상하다；잘 팔리다. **━が棒になる** 너무 오래 서 있거나 걸어서 다리가 뻣뻣해지다. **━を洗う〔抜く〕** 나쁜 일에서 손을 떼다. **━を奪らわれる** (사고·파업 등으로) 교통이 두절되다；발이 묶이다. **━を取とる** ①취해서 발이 허청거리다 ②길이 나빠지다. ☞ あしをうばわれる.

あし 【蘆·芦·葦·葭】 图 갈대. ＝よし.

＊あじ 【味】 图 ①맛. ¶ 苦労ろの～ 고생맛／読書どくの～ 독서의 맛〔재미〕. ¶ ～な 제법 신통한, ¶ ～な事ことをする 제법 신통한〔꾀바른〕 짓을 하다. **━も そっけもない** 아무 멋대가리도 없다. **━を占しめる** 맛을 들이다. **━をやる** 눈치를 채다.

あじ 【鯵】 图〔魚〕 전갱이.

アジ 图 아지(테이션)；선동(煽動). ▷ agitation.

アジア 【亜細亜】 图〔地〕 아시아.

あしあと 【足跡】 图 ①발자국；전하여, 행방；종적. ¶ ～をくらます 행방〔종적〕을 감추다. ②업적. ¶ 偉大だいな～ 위대한 발자취.

あしうら 【足裏】〔蹠〕 图 발바닥.

あしおと 【足音】〔跫音〕 图 발소리.

あしか 【海驢】 图〔動〕 강치.

あしがかり 【足掛り】 图 ①발판. 발 붙일 데；거점(據點). ②실마리. ¶ いとぐち；解決かへの～として 해결의 실마리로서／出世ゅっ への～をつかむ 출세할 연줄을 잡다.

あしかけ 【足掛け】 图 ①기간을 셀 때 1년과 한 달·하루가 채 못 되는 것을 한 나로 쳐서 계산하는 방법；햇수로. ¶ 日수로；일수로. ¶ 今年ことしで～三年ねんの 금년이면 햇수로 3년이다. ↔丸々·満々. ②(유도·씨름·기계 체조에서) 다리 걸기.

あじかげん 【味かげん】〔味加減〕 图 맛, 간(의 정도).

あしかせ 【足かせ】〔足枷〕 图 족가；차꼬, 전하여, 자유를 속박하는 것.

あしがた 【足型·足形】 图 신골.

あしがため 【足固め】〔足固め〕 图 又他 ①발·다리를 튼튼히 하기 위한 훈련. ＝足ならし. ②(사물의) 기반·기초를 튼튼히 함. ②〔脚堅め〕〔建〕 마루밑 기둥과 기둥 사이에 댄 튼튼한 가로나무. ＝(유도·레슬링에서) 굳히기의 하나.

あしからず 【悪しからず】 連語 (부디) 나쁘게 생각 말아 주시오. ¶ 出席ゅっせき できませんから、～〔ご了承りょうしょう下ください〕 출석 못하오니 양해해 주십시오.

あしがる 【足軽】 图 무가(武家)에서 평시에는 잡역에 종사하다가 전시에는 병졸이 되는 최하급의 무사.

＊あじきない 【味気ない】 形 맛이 없다；성겁다；재미없다；따분(시시)하다. ＝あじけない.

あしくせ 【足癖】 图 ①걸음걸이나 앉음새의 버릇. ②(씨름에서) 발재간.

あしくび 【足首】 图 발목.

あしくび 【足毛】〔葦毛〕 图 흰 바탕에 검정 따위의 색이 섞인 말의 털빛；또, 그런 말.

あしげ 【足げ】〔足蹴〕 图 발길질；전하여, 남에게 심한〔몹쓸〕 처사를 하는 일. ¶ 恩人ぉんを～にする 은인에게 몸쓸 짓을 하다. ¶ ～ない.

あじけない 【味気ない】 形 ⇒ あじきない

あしこし 【足腰】 图 다리와 허리. ¶ ～の立たたない病人びょうにん 걷지〔거동〕 못하는 환자. ¶ 国(水菊).

あじさい 【紫陽花】 图〔植〕 자양화；수국.

あしざまに 【悪し様に】 副 나쁘게, ¶ ～言う 나쁘게 말하다.

あしづく 【足繁く】 副 뻔질나게. ¶ ～通かよう 뻔질나게 다니다.

アシスタント 图 어시스턴트；조수；수조역. ▷ assistant.

＊あした 【明日】 〔口〕 내일；－あす. ¶ ～は晴れはれるだろう 내일은 갤게다.

あした 【朝】 图〔雅〕 ①아침. ＝あさ. ↔夕ゆう. ②다음날 아침.

あしだ 【足駄】 图 굽 높은 왜나막신. ＝高あしだ. ↔こまげた.

あしだい 【足代】 图〔俗〕 교통비；거마비.

あしだまり 【足だまり】〔足溜（ま）り〕 图 ①(행동 도중에) 잠시 머무르는 곳；전하여, (어떤 행동을 위한) 근거지；기지. ②발판. ＝足場あしば.

あしつき 【足つき】 图 걸음새；걸음걸이.

あじつけ 【味付(け)】 图 又他 (양념하여) 맛을 냄；맛을 낸 것.

あしてまとい 【足手まとい】〔足手纏い〕 图 거치적거림；또, 그것；주체. ＝あしでまとい.

アジト 图 아지트；(좌익 운동 등의) 비밀 지령(선동) 본부；(비합법 활동가의) 은신처. ▷ 일 agitating point.

あしどめ 【足止め】〔足止め〕 图 又他 금족(禁足). ¶ ～を食くう 금족을 당하다.

あしどり 【足どり·足取り】 图 ①(발)걸음；보조. ¶ 元気げんな～で歩あるく 기운 찬 발걸음으로 걷다. ②(범인 등의 도망친) 경로；발자취. ¶ ～を追おう 도주 경로를 찾다. ③(주식) 시세의 움직임. ¶ ～表ひょう 시세 변동표.

あしながばち 【足長蜂】 图〔蟲〕 쇠바더리(쌍살벌의 일종).

あしなみ 【足並(み)】 图 보조(步調)；발. ¶ ～をそろえる 발을〔보조를〕 맞추다；(b) 통일적 행동을 취하다.

あしならし 【足慣(ら)し】〔足慣(ら)し〕 图 又自 ①(병후 등의) 걷는 연습. ②시험삼아 해봄；전하여, 사전 준비.

＊あしば 【足場】 图 ①발판. ②발붙일 데；디딜 곳. ⓛ…하기 위한) 기반；토대. ⓒ～をかためる 발판〔기반〕을 굳히다. ⓒ(공사장 등의) 비계. ¶ ～丸太ろた 비계 장나무. ②발밑 (형편)；발내딛기. ⓒ ぬかるみで～が悪わるい 질척거려 발 내딛기가 망하다. ③교통편. ¶ 駅えきが近ちかく～がよい 역이 가까워 교통편이 좋다. 〔걸음이 빠름.

あしばや 【足早·足速】 ダ형 잰 걸음；〔발

あしはら 【葦原】 图 갈대밭. ¶ ～の中なつ国くに；～の瑞穂みずの国くに 일본의 옛 이름.

あしはらい【足払い】名 (유도에서) 다리후리기. ＝あしばらい.

あしびょうし【足拍子】-byōshi 名 발장단. ↔手拍子.

あしぶみ【足踏み】名 ス自 제자리걸음; 전하여, (일의) 답보 상태. ¶交渉は～状態だ 교섭은 답보 상태다.

アジプロ 名 아지 프로; 선동적 선전.

あしまかせ【足任せ】名 ①발길 가는〔내키는〕대로 걸음. ②걸을 수 있는 데까지 걸음.

あしまめ【足まめ】《足忠実》名 ダナ 부지런히 잘 돌아다님; 또, 그 사람. ¶～に通う 바지런히 다니다.

*あしもと【足もと·足元】《足下·足許》名 ①발밑. ②신변; 바로 곁; 눈앞. ¶社長の～から犯人が出た 범인은 사장 측근이었다. ③지반; 기반. ¶～を固める 기반을 굳히다〔다지다〕. ④(발)걸음. ¶～がふらつく 발걸음이 비틀〔휘청〕거리다. ━から鳥が(飛び)立つ ①자기 주변에 뜻밖의 일이 일어나다. ②느닷없이 일을 시작하다. ━につけこむ; ━を見る 상대의 약점을 이용하다〔틈타다〕. ━に火がつく 발등에 불이 붙다〔떨어지다〕. ━にも及ばない; ━へも寄りつけぬ 족탈불급(足脫不及)이다; 어림도 없다. ━の明るいうち ①날이 저물기 전에. ②자기의 비밀〔비행〕이 드러나기 전에; 때늦기 전에.

あしゆ【足湯】《脚湯》名 (피로를 풀기 위해) 무릎 아래를 뜨거운 물에 담그는 일. ¶～を使う 더운 물에 발을 담그다.

あしゆび【足指】名 발가락.

あしゅら［阿修羅］ashu- 名〔佛〕아수라(전투를 좋아하는 신(神)). ＝修羅.

あしよわ【足弱】名ナ 다리가 약해서 잘 걷지 못함; 또, 그런 사람(특히, 노인·어린이).

あしらい 名 대접; 대우; 접대; 취급.

*あしら-う 5他 ①응대하다; 대접〔접대〕하다; (적당히) 다루다. ¶鼻(の先)で～ 코방귀 뀌다. ②(요리·장식 따위를) 배합하다; 곁들이다. ¶肉に野菜を～ 고기에 야채를 곁들이다.

アジ-る 5他 선동하다; (부)추기다. 參考 'アジ'를 動詞화한 것.

あじろ［網代］名 ①겨울철에 물고기를 잡기 위하여 물 가운데에 둘러친 어살. ②회나무·대 따위의 오리를 엇결어 삿자리처럼 만든 것. ━ぎ［━木］名〈雅〉어살의 말뚝.

*あじわい【味わい】名 맛. ①맛의 깊이; 풍미. ②차차 알게 되는 재미〔묘미〕; 은근한 정취〔운치〕; 아취(雅趣). ＝趣.

*あじわ-う【味わう】5他 ①맛보다. ¶人生の悲哀を～ 인생의 비애를 맛보다. ②감상하다; 음미하다. ¶酒を～ 술을 음미하다 / 名文を～ 명문을 감상하다.

あしわざ【足技】《足業》名 (유도·씨름에서) 다리 재간.

*あす【明日】名 명일; 내일. ＝あした·みょうにち. ¶～あさって 내일이나 모레; 이삼일중 / ～に備える 내일〔장래〕에 대비하다. ━知らぬ身 내일을 기약할 수 없는 몸.

あずかりし-る【あずかり知る】《与り知る》5自 관련이 있다; 관지(關知)하다. 注意 대개 아래에 否定형이 따름. ¶この計画は私の～ところでない 이 계획은 내가 아는 바 없다.

*あずか-る【預(か)る】5他 ①맡다. ¶荷物を～ 짐을 맡다 / 三年生を～っている 3학년 담임을 맡고 있다. ②(…처리를) 떠맡다. ③(공개·결정을) 보류해 두다. ¶勝負を～ 승부의 판정을 보류하다.

あずか-る〖与る〗5自 ①관여〔참여〕하다; 관계하다. ¶相談に～ 의논에 참여하다. ②(호의·친절을) 받다. ¶おほめに～ 칭찬을 받다.

あずき【小豆】名〔植〕팥. ¶～飯 팥밥 / ～色 팥빛; 검붉은 빛깔 / ～がゆ 팥죽.

*あず-ける【預ける】下1他 맡기다. ¶子を～ 어린애를 맡기다 / けんかを～ 싸움의 중재를 맡기다.

あずさ〖梓〗名 ①〔植〕가래나무. ¶～弓 가래나무(로 만든) 활. ②판목(版木). ━に上す 상재하다(출판하다).

アスター 名〔植〕애스터. ＝えぞぎく. ▷aster.

あすなろ〖翌檜〗名〔植〕나한백(羅漢柏). ＝あすなろう.

アスパラガス 名〔植〕아스파라거스. ▷asparagus.

アスピリン 名〔商標名〕〔藥〕아스피린. ▷도 Aspirin.

アスファルト asufa- 名 아스팔트. ▷네 asphalt.

あずま［東·吾妻·吾嬬］名 일본 동부 지방의 옛이름(특히, 関東 지방·鎌倉·江戸를 일컬음). ＝あずまじ.

あずまおとこ［東男］名 동부 지방·関東 지방의 사나이. ━に京女 남자는 우람한 関東 사나이, 여자는 우아한 京都 여인.

あずまくだり［東下り］名 京都에서 동부 지방으로 가는 일.

あずまや【あずま屋】《東屋·四阿》名 정자. ＝亭.

**あせ【汗】名 ①땀. ¶～かき 땀을 많이 흘리는 사람 / ～の結晶 땀의 결정(노고의 성과) / ～をかく 땀을 흘리다 / ～にまみれる 땀투성이가 되다 / 手に～を握る 손에 땀을 쥐다 / ～を入れる 땀을 들이다. ②(표면에 서린) 물방울. ¶ビールびんが～をかく 맥주병에 물방울이 서리다.

あぜ〖畔·畦·畝〗名 논두렁; 밭두렁.

アセアン［ASEAN］名 아세안; 동남아시아 국가 연합. ▷Association of South East Asian Nations.

あぜくら［校倉］名 각재(角材)나 삼각재(三角材)를 짜 올려 방습이 되게 한 창고.

あせじ-みる【汗染みる】下1自 땀이 배(어 얼룩지)다.

あせしらず【汗知らず】名〔商標名〕땀띠약.

あせ-する【汗する】サ変自 땀을 내다〔흘리다〕. ¶額に～ 이마에 땀을 흘리다.

*あせだく【汗だく】名〈俗〉땀투성이.

¶～になって働<ruby>働</ruby>く 땀투성이가 되어서 일하다.

アセチレン【名】 아세틸렌. =アセチリン. ¶～灯<ruby>灯</ruby> 아세틸렌 등. ▷acetylene.

アセテート【名】 아세테이트. ▷acetate.

あせとり【汗取り】【名】 땀받이; 땀등거리.

アセトン【名】 아세톤. ▷acetone. リ리.

あせば-む【汗ばむ】⑤自 땀이 나다; 땀이 배다.

あせび【馬酔木】【名】 마취목. =あしび.

あせみず【汗水】【名】 (일을 해) 물처럼 흐르는 땀. 一を流<ruby>なが</ruby>す 땀 흘리며 열심히 일하다.

あせみずく【汗水漬く】【名】 땀투성이가 된 모양. =汗みどろ. ¶～になって 땀투성이가 되어.

あぜみち【畦道】【畔道・畦道】【名】 논두렁 길. ⇨ずく.

あせみどろ【汗みどろ】【名】 ⇨あせみずく.

あせも【汗疹・汗疣】【名】 땀띠.

あせり【焦り】【名】 초조감.

‡**あせ-る**【焦る】⑤自 안달나[애타]하다; 초조해하다. ¶～って自滅<ruby>じめつ</ruby>した 초조하게 굴어 자멸했다.

***あ-せる**【褪せる】下1自 ①바래다; 퇴색하다. ②약 (약)해지다.

あぜん【啞然】タ ル 아연. ¶意外<ruby>いがい</ruby>な出来事<ruby>できごと</ruby>に～とする 의외의 일에 아연해하다.

あそこ【彼処・彼所】代 저기; 거기; 저쪽; 그쪽. =あすこ.

あそば-す【遊ばす】⑤他 ①놀게 하다; 놀리다. ¶運動場<ruby>うんどうじょう</ruby>で～ 운동장에서 놀게 하다/地所<ruby>じしょ</ruby>を～ 땅을 놀리다. ②⑤する (=하다)의 높임말. 하시다. ¶何<ruby>なに</ruby>を～します 무엇을 하시죠. ⓛ動詞連用形・名詞 아래에 붙어〉경의(敬意)를 나타냄〔이때 動詞・名詞에는 'お・ご'를 붙임〕. ¶お読<ruby>よ</ruby>み～ 읽으시다/御覧<ruby>ごらん</ruby>～ 보시다.

あそばせことば【遊ばせ言葉】【名】 'ごめんあそばせ〈=용서하십시오〉' 'おいであそばせ〈=오십시오〉' 같이 '~あそばせ'를 붙여 공손하게 말하는 여자 말씨.

***あそび**【遊び】【名】 ①노는 일; 놀. ⑦놀이; 유흥. ¶～場<ruby>ば</ruby> 노는 곳; 놀이터/～相手<ruby>あいて</ruby> 놀이 상대/～を覚<ruby>おぼ</ruby>える 유흥〔주색〕에 눈뜨다; 방탕해지다. ⓛ장난. ¶～半分<ruby>はんぶん</ruby>に 반 장난으로/～に夢中<ruby>むちゅう</ruby>になる 장난에 팔리다. ⓔ일이 없음; 일을 안함; 놀. ¶～より～ 오늘을 논다/사용치 않음; 놀림. ¶～金<ruby>がね</ruby> 노는 돈; 사장(死藏)된 돈. ②여유. ¶ハンドルの～ 핸들의 여유/名人<ruby>めいじん</ruby>の芸<ruby>げい</ruby>には～がある 명인의 기예에는 여유가 있다.

あそびにん【遊び人】【名】 ①일정한 직업이 없이 빈들거리는 건달; 특히, 노름꾼. ②난봉쟁이; 방탕아.

あそびほう-ける【遊び惚ける】【遊び惚ける】-hōkeru下1自 노는 데(만) 정신이 팔리다.

あそびめ【遊び女】【雅】 유녀; 창녀; 노는 계집. =うかれめ.

‡**あそ-ぶ**【遊ぶ】⑤自 ①놀다. ¶～んでいる 놀고 있다〔장난하고 있다; 실직중이다〕/～んで暮<ruby>く</ruby>す 놀고 지내다/一日<ruby>いちにち</ruby>～ 하루 놀다〔쉬다〕/ボル

ト가～んでいる 나사 못이 헐렁거린다/機械<ruby>きかい</ruby>を～ばせておく 기계를 놀려 두다. ②〈'…に～'의 꼴로〉⑦유람하다. ¶フランスに～ 프랑스를 유람하다. ⓛ유학하다. ¶オハイオ大学<ruby>だいがく</ruby>に～ 오하이오 대학에 유학하다.

あだ【仇】【名】 원수. ¶～を討<ruby>う</ruby>つ 원수를 갚다/…を～に思<ruby>おも</ruby>う …을 원수로 여기다/…を 원망스럽게 생각하다/恩<ruby>おん</ruby>を～で返<ruby>かえ</ruby>す 은혜를 원수로 갚다.

あだ【徒】ダナ ①헛됨. ②쓸데없음; 부질없음. ¶～花<ruby>ばな</ruby> 수꽃/好意<ruby>こうい</ruby>が～になる (모처럼의) 호의가 헛되이 되다. ⓛ덧없음; 허무함. ¶～夢<ruby>ゆめ</ruby> 헛된〔허무한〕 꿈. ②대수롭지 않음. ¶～やおろそかにしない 소홀히 하지 않다. ③바람기. ¶～なおとこ 바람기 있는 남자.

あだ【婀娜】ダナ (여자가) 요염한 모양. ¶～な姿<ruby>すがた</ruby> 요염한 자태.

あたい【価】【名】 값; 가격.=ねだん.

あたい【値】【名】 ①값어치; 가치; …리 만함. ¶この本は一読<ruby>いちどく</ruby>の～がある 이 책은 일독할 가치가 있다. ②【数】 값; 수치(数値).

あたい-する【値する】サ変自〈흔히 '…に～'의 꼴로〉가치가 있다; …리 만하다; 상당하다. ¶一見<ruby>いっけん</ruby>に～ 한번 볼 만하다.

あた-う【能う】⑤自 할 수 있다; 가능하다. ¶～かぎりの援助<ruby>えんじょ</ruby> 가능한 한의 원조. 參考 흔히 '～わず'처럼 부정의 꼴로 쓰임. ¶感嘆<ruby>かんたん</ruby>して～わず 감탄하여 마지않다. 注意 終止形・連体形에서는 발음이 ato로 되는 수가 많으며, 그 때에는 현대 가나즈가이는 'あとう'가 됨.

あだうち【仇討ち】【仇討ち】ズ自 원수 갚음; 복수; 앙갚음. =かたきうち. ¶今度<ruby>こんど</ruby>の試合<ruby>しあい</ruby>で～をするぞ 이번 시합에서 설욕을 할 테다.

‡**あた-える**【与える】下1他 주다. ①주다; 수여하다. =やる. ¶便宜<ruby>べんぎ</ruby>を～ 편의를 (보아) 주다/博士号<ruby>はかせごう</ruby>を～ 박사 학위를 수여되다. ②내주다; 할당하다; 과하다. ¶課題<ruby>かだい</ruby>を～ 과제를 주다. ③입히다; 가하다. ¶損害<ruby>そんがい</ruby>を～ 손해를 주다.

あだおろそか【徒疎(か)】ダナ〈흔히 否定의 말을 수반하여〉경시하는 모양; 대수롭지 않게〔우습게〕 여기는 모양. =あだやおろそか. ¶弱<ruby>よわ</ruby>きといえども～にしてはいけない 약한 적일지라도 깔보아서는 안 된다. ⇨仇<ruby>あだ</ruby>.

あだかたき【仇敵】【名】 구적; 원수. =

あたかも【恰も・宛も】副 ①마치; 흡사. ¶～春<ruby>はる</ruby>のような마치 봄과 같다. ②마침. ¶時<ruby>とき</ruby>～スキーのシーズン 때는 마침 스키 시즌. 一よし 때마침; 마침 그 때; 공교롭게도.

あたくし【私】代〈女〉 나; 저.

あだごと【あだ事】【徒事】【名】 헛일; 쓸데없는 일.

あたし【私】代〈俗・女〉 나; 저.

アダジオ【名】【楽】 아다지오; 느리게. =アダージョ. ▷이 adagio.

あたたか【暖か・温か】ダナ 따뜻한 모양. ⇨あたたかい.

‡**あたたか-い**【暖かい・温かい】形 ①따

뜻하다. ¶~飯${}^{\circ}$ 따뜻한 밥 / ~家庭${}^{\circ}$ 따뜻한 가정 / ~く迎${}^{\circ}$え入${}^{\circ}$れる 따뜻이 맞이하다 / ~目${}^{\circ}$で見守${}^{\circ}$る 따뜻한 눈(동정의 눈)으로 지켜보다. ②懐${}^{\circ}$が~ 호주머니[경제] 사정이 좋다. ③~色${}^{\circ}$い 난색〔빨강·노랑 계통의 빛〕.

*あたたま-る【暖まる·温まる】됩自 따뜻해지다; 훈훈해지다. ¶心${}^{\circ}$~思${}^{\circ}$い 마음이 훈훈해지는 듯한 심정 / ふところが~ 주머니 사정이 좋아지다.

あたた-める【暖める·温める】됩他 ①따뜻하게 하다; 덥게 하다. ¶酒${}^{\circ}$を~ 술을 데우다. ②내놓지 않고 오랫동안 지니고 있다. ¶考${}^{\circ}$えを~め続${}^{\circ}$ける 계속 생각을 다듬어 나간다. ③새로이 하다; 되살리다. ¶旧交${}^{\circ}$${}^{\circ}$を~ (옛 친구와) 옛정을 새로이 하다. ④(俗) 슬그머니 후무리다.

アタック atakku 图ス他 공격; 도전. ▷attack.

あだ-っぽ-い【婀娜っぽい】adappoi 圏 (여자가) 요염하게 아리땁다; 성적 매력이 있다. =色${}^{\circ}$っぽい.

*あだな【あだ名】【渾名·綽名】 图 별명.
*あだ-な【あだ名】【徒名·仇名】图 염문(艶聞) =浮${}^{\circ}$き名${}^{\circ}$. ¶~を流${}^{\circ}$す 염문을 퍼뜨리다.

あたふた 圖 허둥지둥; 황망히. ¶~(と)家${}^{\circ}$にかけこむ 허둥지둥 집으로 뛰어들다.

アダプター 图 어댑터. ▷adapter.

*あたま【頭】图 ①촉각; 잠각. ¶~をかく 머리를 긁적이다. ⑥두발; 머리칼. ¶~を刈${}^{\circ}$る 머리를 깎다. ⑥두뇌. ¶~仕事${}^{\circ}$ 머리 쓰는 일 / ~がいい 머리가 좋다. ¶頭脳; 머리속; 염두. ¶~を悩${}^{\circ}$ます 머리(골치)를 썩이다; 머릿살이 아프다. ③생각. ¶~が古${}^{\circ}$い 구식이다. 완고하다 (상태). ¶~が少${}^{\circ}$し変${}^{\circ}$だ 머리가 좀 이상하다(돌았다). ②인원수. ¶~をそろえる 머릿수를 맞추다. ⑥우두머리; 두령; 두목. ④꼭대기 (부분). ¶くぎの~ 못대가리. ⑤처음; 시초. ¶~からちがっている 처음부터 틀려 있다. ¶~が上${}^{\circ}$から高飛車に出${}^{\circ}$て 맞설 수 없다. ¶~が痛${}^{\circ}$い 골치 아프다. 一隠${}^{\circ}$して尻${}^{\circ}$隠${}^{\circ}$さず 결점의 일부만 감추고 다 감춘 것으로 여기는 어리석음의 비유. ¶~が下${}^{\circ}$がる 머리가 수그러지다. ¶~が高${}^{\circ}$い 건방지다. 교만하다. =頭${}^{\circ}$が高い. ¶~が低${}^{\circ}$い 겸손하다. 고분고분하다. ¶~に来${}^{\circ}$る〈俗〉①(나쁜 술을 마시고) 머리가 띵하다. ②부아가 나다; 기분 나빠지다; (속이) 울컥울컥 치밀다. ¶~が上${}^{\circ}$がらない 꼼짝 못 하다. 一の上${}^{\circ}$のはえも追${}^{\circ}$えない 머리 위의 파리도 못 쫓다(제 하나의 처신도 못하다). 一の黒${}^{\circ}$いねずみ 머리검은 쥐; 인쥐. 一の天辺${}^{\circ}$${}^{\circ}$から足${}^{\circ}$のつまさきまで 머리끝에서 발끝까지; 모조리; 하나에서 열까지. 一をかかえる 머리를 싸쥐다; 고민하다. 一を下${}^{\circ}$げる 머리를 숙이다. 一を突${}^{\circ}$っこむ 관계(관여)하다; 손대다. 一をはねる 남의 이익의 일부를 가로채다. 一を丸${}^{\circ}$める 머리깎고 중이 되다.

あたまうち【頭打(ち)】图 ①시세가 막

흰 상태. ②사물이 한계에 도달해서 더이상 진전될 가망이 없는 상태.

あたまかず【頭数】图 인원수; 머릿수.
あたまかぶ【頭株】图 중심 인물; 두목; 간부. =かしらぶん.
あたまから【頭から】圖 처음부터; 전혀; 전적으로. ¶~相手${}^{\circ}$にしない 처음부터 상대를 말다.
あたまきん【頭金】图 계약금; 착수금.
あたまごなし【頭ごなし】图 무조건. ¶~に叱${}^{\circ}$る 정신 못 차리게 무조건 야단치다.
あたまでっかち【頭でっかち】-dekka-chi 图 ①머리만 유난히 큰 름; 또, 그 사람; 대갈 장군. ②(조직 따위에서) 상부가 불균형하게 큰 모양. ③말만 많고 행동이 따르지 않는 모양(사람).
あたまわり【頭割(り)】图 머릿수(인원수)대로 나눔.
アダム 图 (성서의) 아담. ▷Adam.
あだめ-く【婀娜めく】됩自 (여자가) 요염하게 되다.
あたら【可惜】圖 애석하게도; 아까이도. ¶~好機${}^{\circ}$を逸${}^{\circ}$した 아깝게도(모처럼의) 호기를 놓쳤다.

*あたらし-い【新しい】-shī 圏 새롭다. ①오래되지 않다; 갓(새로) 하다. ¶~洋服${}^{\circ}$ 새 양복 / ~本${}^{\circ}$ 갓나온(새) 책. ②싱싱하다. ¶~さかな 싱싱한 생선. ③현대적; 진보적. ¶~思想${}^{\circ}$ 새(진보적) 사상. ⇔古${}^{\circ}$い.

あたらずさわらず【当(た)らず障らず】連語 (마찰이나 말썽이 없도록) 조심하는 모양. ¶~の返事${}^{\circ}$をする (말길리를 안 잡히게) 조심조심 대답하다.
あたらない【当(た)らない】連語 〈'…に(は)~'의 형식으로〉…할 필요는 없다; …할 것까지는 없다. ¶弁解${}^{\circ}$${}^{\circ}$するに~ 변명할 것까지는 없다.

*あたり【当(た)り】图 ①촉감; 잠촉. ¶~のやわらかい 촉감이 부드럽다 / この酒${}^{\circ}$は~が柔${}^{\circ}$らかで 이 술은 맛이 순하다. ②사귀는 품; 붙임성. ¶~がいい 붙임성이 좋다. ③짚어 봄. ⑤짐작; 단서. ¶犯人${}^{\circ}$${}^{\circ}$から~がいいた 범인의 짐작이 가다. ⑥떠봄; 가늠해 봄. ¶~をつける 가늠을 해보다다. ④맞춤; 적중; 적중. ⑥제비에 뽑힘. ¶~くじ 당첨(当籤). ⑥〔野〕타격. ¶~がよい 잘 맞는다; 타격이 좋다. ⑤성공. ¶~映画${}^{\circ}$ 히트한 영화. ⑥풍작. ¶ミカンの一年${}^{\circ}$ 귤 풍년. ⑦(음식·담음 따위로 인한) 탈. ¶湿気${}^{\circ}$~ 더위먹음. ⑧(바둑에서) 단수(단수]. ⑨(날 시절에서) 입질. ⑩〈接尾語的으로〉~에 대해서; ~당. ¶反${}^{\circ}$~収量${}^{\circ}$ 단보당 수확량.

*あたり【辺り】图 ①그 곳; 근처; 부근; 주변; 언저리. ¶一面${}^{\circ}$${}^{\circ}$부근 일대에 / ~を見回${}^{\circ}$す 주변을 둘러보다 / 課長${}^{\circ}$${}^{\circ}$の~で処置${}^{\circ}$される 과장 정도에서 처리되다. ②〈接尾語的으로〉~같은 곳; …어디(에). ¶ロンドン~では 런던 같은 곳에서는 / 東京${}^{\circ}$~に 도쿄 어디에. ③쯤; 경(頃). ¶去年${}^{\circ}$~ 작년쯤. ③정도; 따위; 같은 사람. ¶彼${}^{\circ}$が適任${}^{\circ}$だ 그 사람 정도가 적임이다. 一を払${}^{\circ}$う (범접을 못 할 정도로) 위풍 당당하다.

あたりさわり【当(た)り障り】名 지장. ¶~のないように 지장이 없도록.
あたりちら-す【当(た)り散らす】5自 마구 화풀이하다.
あたりどし【当(た)り年】名 이익이나 수확이 많은 해;전하여, 일이 뜻대로 되는 해.
***あたりまえ**【当(た)り前】ダナ ①당연(當然);마땅함. ¶人間として~なこと 인간으로서 당연한 일. ②보통;예사;여느. ¶~の料理 보통 요리/~ならもう着くころだ 여느 때 같으면 벌써 도착할 시간이다.
あたりや【当(た)り屋】名 ①(미두·도박 등에서) 재수가 좋은 사람. ②〔野〕안타(安打)를 잘 치는 사람. ③인기를 얻은 가게. ④〈俗〉달리는 자동차에 일부러 부딪고 치료비를 강요하는 사람.
あたりやく【当(た)り役】名 (배우의) 특히 평이 좋은 배역.
****あた-る**【当(た)る】一 5自 ①맞다. ㉠명중하다;적중하다. ¶的に~ 과녁〔목표〕에 맞다. ㉡들어맞다. ¶予想が~ 예상이 (들어) 맞다. ㉢부딪다;들이치다. ¶雨が窓に~ 비가 창문에 들이치다/ボールが頭に~ 공이 머리에 맞다. ㉣받다;쬐다. ¶雨に~ 비에〔를〕 맞다. ㉤가당하다. ¶~·らない批評 당치 않은〔맞지 않는〕 비평. ㉥(제비가) 뽑히다;나오다. ¶くじが~ 당첨되다. ②당하다. ㉠대적〔대전〕하다;맞서다. ¶強敵に~ 강적과 맞서다. ㉡(벌 따위를) 받다;입다. ¶罰が~ 벌을 당하다〔받다〕; 버력입다. ㉢(어떤 경우·때를) 만나다. ㉣사리에 맞다;당연하다. ¶むきになるに(は)~·らない (무어) 화를 낼 것까지는 없다. ③대하다;상대하다. ¶弟につらく~ 동생에게 심하게 대하다〔굴다〕. ④성공하다;히트하다. ¶芝居が~ 연극이 성공을 거두다. ⑤쬐다. ㉠(볕이) 들다;볕을 받다. ¶日が~庭 볕이 드는 마당/日に~·って変色した洋服 햇볕에 쬐어 바랜 양복. ㉡불을 쬐다. ¶火に~ 불을 쬐다. ⑥해당하다. ㉠대응하다;…와 맞먹다;…꼴이 (되)다. ¶一つ十円に~ 하나 10엔 꼴이다/英語のdogに~日本語 영어의 dog에 해당〔대응〕하는 일본어. ㉡적용되다. ¶この規則は右の場合に~ 이 규칙은 이상과 같은 경우에 적용된다. ㉢(방향이) …쪽이(되)다. ¶駅の南に~ 정거장 남쪽에 해당하다. ⑦…이 되다. ¶失礼に~ 실례가 되다/私のおいに~ 나의 조카가 된다/誕生日は日曜日に~ 생일은 일요일이 된다. ⑧㉠접하다. ¶文明の風に~ 문명의 바람에 접하다. ㉡손에 닿다. ¶~を幸になぎ倒す 손에 닿는 것은 닥치는 대로 쓰러뜨리다. ⑨대조하다;맞쐬다. ¶原本に~ 원본과 대조하다. ⑩떠보다;알아보다. ¶意向を~·って見る 의향을 떠보다. ⑪즈음하다. ¶出発に~·って 출발에 즈음하여. ⑫지명되다;(소임·임무를) 맡다. ¶交渉の任に~ 교섭의 임무를 맡다. ⑬상하다. ¶~·ったリンゴ 상한 사과. ⑭(中る) 중독되다. ¶きのこに~ 버섯에 중독되다. 二 5他 ①갈다;빻다. ¶ゴマを~ 참깨를 빻다/墨を~ 먹을 갈다. ②깎다;면도하다. ¶ひげを~ 수염을 깎다.
—·って砕ける 좌우간 부딪쳐보다〔해보다〕. **—·らずといえども遠からず** (들어)맞지는 않았으나 비슷하기는 하다.
あたん【亜炭】名 아탄; 탄화도(炭化度)가 낮은 하등(下等) 석탄.
アチーブメントテスト 名 어치브먼트 테스트; 학력 검사. =アチーブ. ▷achievement test.
あちこち〘彼方此方〙代副 ①여기저기. ②《'~になる''~(に)する'의 형태로》엇갈리는 모양. ¶事が~になる 일이 엇갈리다.
あちら〘彼方〙一代 ①㉠저쪽;저기(방향). ¶~こちら 여기저기/~からだれか来る 저쪽에서 누가 온다. ㉡저것. ¶~をお求めになりますか 저쪽 것을 사시렵니까. ②저 사람;저 분;저 이. ¶~はどなたですか 저 분은 누구십니까. 二名 외국의 일컬음:그곳;저쪽. ¶~の生活様式 그곳의 생활 양식.
あっ à 感 앗. ¶~と言う間に 순식간에/~と言わせる 깜짝 놀라게 하다.
あつあつ〘熱熱〙ダナ 남녀가 열렬히 사랑하고 있는 모양. ¶~の仲 열렬히 사랑하는 사이.
****あつ-い**【熱い】形 뜨겁다. ①열도가 높다. ¶からだが~ 몸이 뜨겁다. ②열렬하다; 열중하다; 열심이다. ¶~涙 뜨거운 눈물 / お~仲 뜨거운 사이. ⇔冷たい. **—い戦争** 열전(熱戰).
****あつ-い**【暑い】形 덥다. ¶~夏 더운 여름. ↔寒い.
****あつ-い**【厚い】形 ①두껍다. ¶~板 두꺼운 판자. ②(篤い) 두텁다. ¶情が~ 정이 두텁다/~·くもてなす 후히 대접하다. ⇔薄い.
あつ-い〘篤い〙形 ①위독하다. ②(뜻이) 깊다;독실하다. ¶~友情 깊은 우정.
あつえん【圧延】名 スル他 압연. ¶~板 압연판.
***あっか**【悪化】akka 名 スル自 악화.
あっか【悪貨】akka 名 악화. **—は良貨を駆逐する** 악화는 양화를 구축한다.
***あつかい**【扱い】名 ①취급;다룸. ¶まるで罪人~だ 마치 죄인 취급이다. ②대우;접대. ¶客の~が悪い 손님 대우가 나쁘다. ③〈老〉중재. =仲裁. ④취급법. ¶機械の~が悪い 기계 취급법이 나쁘다.
****あつか-う**【扱う】5他 ①다루다. ㉠취급하다. ¶問題を軽く~ 문제를 가볍게 다루다/出席として~ 출석한 것으로 처리하다/当店で~品物 당점에서 취급하는 물건. ㉡돌보다. ¶病人を~ 환자를 돌보다. ㉢담당하다. ¶販売を~ 판매를 담당하다. ㉣대우하다;접대하다. =もてなす. ¶客を大切に~ 손님을 소중히 접대하다/部長として~ 부장으로서 대우하다. ②중재하다; 말리

다. ¶けんかを～ 싸움을 말리다.

*あつかまし・い【厚かましい・厚かましい】-shī 形 뻔뻔스럽다.

あつがみ【厚紙】图 두꺼운 종이; 특히, 판지.

あつかん【熱かん】(熱燗) akkan 图 술을 뜨겁게 데움; 또, 그런 술.

あっかん【圧巻】akkan 图 압권; 전체 가운데 가장 뛰어난 것.

あっかん【悪漢】akkan 图 악감; 불쾌감. 注意 '悪漢だる'과는 다름. 「음.

あっかん【悪漢】akkan 图 악한; 못된 あき【悪鬼】akki 图 악귀.

あつぎ【厚着】图 图 옷을 많이 껴입음. ↔薄着うす.

あつくるし・い【暑苦しい・熱苦しい】-shī 形 숨막힐 듯이 덥다.

あけ【呆気・飽気】akke 놀라서 기가 막힘. ¶～にとられる 어안이 벙벙하다; 어이없다. ━な・い 形 싱겁다; 맥이 빠지다. ¶～勝負にょ어이없게 끝난 승부.

あげしょう【厚化粧】-shō 图 图 짙은 화장. =濃化粧はき. ↔薄化粧.

あけらかんと【明け】圖 《俗》 어안이 벙벙하여; 어이없이. ¶～と見とれる 어안이 벙벙하여 보고만 있다.

あっこう【悪口】akkō 图 흉구덕, 욕함. =わるくち. ¶～雑言謎 갖은 욕.

あつさ【厚さ】图 두께.

*あつさ【暑さ】图 ①더위. ②여름철. ¶～に向かう 여름철로 접어들다. ↔寒むさ.

あっさく【圧搾】assa- 图 他 압착. ¶～空気氣 압착 공기.

*あっさり assa- 圖 ①담박하게; 산뜻하게; 시원스럽게. ¶～(と)した味あ 산뜻한 맛; 얇은 맛. ②간단하게; 깨끗이. ¶～(と)断ことわられた 깨끗이 거절당했다.

あっし【圧死】asshi 图 图 압사.

あつじ【厚地】图 두꺼운 천. ↔薄地うす.

*あっしゅく【圧縮】asshu- 图 他 압축. ¶～空気氣 압축 공기. ━がっきゅう【――学級】-gakkyū 图 과밀 학급; 콩나물 교실.

あっしょう【圧勝】asshō 图 图 압승. 「辛勝しょう.

*あっ・する【圧する】assu- サ変動 ①(세게) 내리누르다. ②(힘이나 권력으로) 누르다; 억누르다; 압도(위압)하다. ¶場にの場合を演壇えを 회장을 압도하는 연설 / 敵てを ～ 적을 압도하다.

あっせい【圧制】assei 图 압제.

*あっせん【斡旋】assen 图 他 알선; 주선. ¶就職いの～ 취직 알선 / 職権はを～に乗のり出ひす 직권으로 중재에 나서다.

あったか・い【暖かい・温かい】atta- 形 《口》 따뜻하다. =あたたかい.

あっち【彼方】atchi 代 저기; 저쪽; 저리. =あちら. ↔こっち.

あっちこっち【彼方此方】atchikotchi 代 ⇨あちこち.

あつで【厚手】图 (종이・도자기・천 등의) 바탕이 두꺼운 것. ↔薄手うす.

あってん【圧点】atten 图 (피부의) 압점(손끝・혀 따위에 많음).

*あっとう【圧倒】attō 图 他 압도. ¶

～的 に強づよい 압도적으로 세다.

アッパーカット appākatto 图 (권투에서) 어퍼컷. ⊳uppercut.

*あっぱく【圧迫】appa- 图 图 他 압박. ¶～を感かんずる 압박을 느끼다 / 敵陣てきじんを～する 적진을 압박하다. ━かん【――感】图 압박감.

あっぱれ【天晴・遇】appa- 一 图 图 매우 훌륭함; 눈부심. ¶～なふるまい 통쾌한(장한) 행동. 二 感 칭찬할 때 쓰는 말: 훌륭하다; 장하다; 잘 했어; 통쾌하다. ━でかした.

アップ appu 一 图 图 自他 업; 상승. ¶人件費じんけんの～ 인건비의 상승. ↔ダウン. ②업스타일(여자 머리형의 하나). ⊳up.

あっぷあっぷ appuappu 圖 ①물에 빠져 헤어나려고 발버둥이치는 모양: 허위적허위적. ②대단히 난처한 입장의 비유로도 씀. ¶経営いが～の状態じょうたい 경영이 허덕이는 상태다.

あっぷく【圧伏・圧服】appu- 图 图 他 압복; 눌러 복종시킴.

アップルパイ appuru- 图 애플 파이. ⊳ apple pie.

あつぼった・い【厚ぼったい】-bottai 形 두툼하다; 두텁고 무거운 느낌이다.

*あつまり【集まり】图 모임; 회합. ¶今日は～がある 오늘 모임이다.

*あつま・る【集まる】5自 모이다; 집중하다; 떼지어 모이다. ¶人びとの～ 사람이 모이는 곳 / 同情どうが～ 동정이 집중되다 / ～れ 집합(구령).

あつみ【厚み】图 두께. ¶～が有ある 두툼하다.

*あつ・める【集める】下1他 모으다; 집중시키다. ¶切手きを～ 우표를 모으다 / 同情どうを～ 동정을 모으다(받다) / 視線しせんを～ 시선을 모으다.

あつもの【羹】《雅》 (고기・야채를 넣은 뜨거운) 국. ━に懲こりてなます を吹ふく 뜨거운 국에 데어서 냉채를 후후 불다; 자라 보고 놀란 가슴 소댕 보고 놀란다. 「불잊꽃.

あつもりそう【敦盛草】-sō 图《植》개

あつゆ【熱湯】图 열탕; 뜨거운 목욕물. ↔ぬる湯ゆ.

*あつら・える【誂える】下1他 주문하다; 맞추다. ↔出来合でき.

あつらえむき【誂え向き】(誂え向き) ダ子 안성맞춤인 모양; 십상.

*あつら・える【誂える】下1他 주문하다; 맞추다. ¶洋服ようを～ 양복을 맞추다.

*あつりょく【圧力】-ryoku 图 압력. ¶政界はかいの～ 정계의 압력 / 釜かまの～ 압력솥. ━をかける 압력을 가하다. ━だんたい【――団体】图 압력 단체.

あつれき【軋轢】图 알력.

あて【当て】图 ①댐; 닿게 함; 또, 그 것. ②목표; 기대; 전망. ¶～がはずれ 기대가 어긋나다 / ～にならない 믿을 수 없다 / ～もなく歩あるく 목표도 없이 걷다. ③방법; 수단; 길. ¶さがす ～もない 찾을 길이 없다.

-あて【宛・充て】①…에 대한(할당・평균); 앞. ¶ひとり～三枚数枚 1인당 석 장. ②…앞. ¶A会社がいしゃ～に発送おくりする A회사 앞으로 발송하다.

あてがいぶち【宛行扶持】图 이쪽 생각대로 짐작해서 주는 금품;또, 그러한 금액의 방식. ¶～ではたらく 주는 대로 받고 일하다.

あてが・う【宛(て)がう・宛行う】⑤他 ①할당하다. ¶仕事を～ 일을 할당하다. ②주다. ¶子供たちに絵本をを～ 아이에게 그림책을 주다. ③꼭 대다. ¶受話器を耳に～ 수화기를 꼭 대다.

あてこす・る【あてこする・当てこする】⑤自 빗대어 욕하거나 빈정대다.

あてごと【当て事】图 기대하고 있는 일. ¶～がはずれる 기대하고 있던 일이 어긋나다.

あてこ・む【当て込む】⑤他 기대하다;꼭 믿다. ¶遺産をを～んで借金をする 유산을 믿고 빚을 내다.

あてさき【あて先/宛先】图 수신인의 주소 (성명);수신인. ¶～不明な 수신인의 주소 불명.

あてじ【あて字・当て字/宛字】图 〈ロ〉 취음자(取音字);차자(借字)('アジア'를「亜細亜」로 쓰는 따위).

あてずいりょう【当て推量】-ryō 图 억측;멋대로 짐작함.=あてずっぽう.

あですがた【あで姿】图 (여성의) 요염한 복장과 자태.

あてずっぽう-zuppō 图 〈俗〉 ☞ あてずいりょう.

あてつ・ける【当て付ける】下1他 ①들으라는 듯이 넌지시 빗대어 말하다. ¶～けがましい 빗대어 빈정대는 태도가 있다. ②(다정하다고) 자랑삼아 보여 주다. 「あ―んでく」

あてっこ【当てっこ】图 〈俗〉 atekko.

あてど【当て所】图 목표;목적지. ¶～(も)なく 정처 없이.

あてな【あて名/宛名】图 (편지·서류 등에 적는) 수신인명;주소 성명.

あてにげ【当て逃げ】图自 (자동차·배 따위가) 딴 자동차(배)를 받고 뺑소니치기.

あてはずれ【当て外れ】名・形 기대가 어긋남;짐작이 빗나감. ¶記録とは～だった 기록은 기대 밖이었다.

＊あてはま・る【あてはまる・当て嵌まる】⑤自 꼭 들어맞다;적합하다. ¶…という言葉がそのまま～ …란 말이 그대로 꼭 들어맞다.

＊あては・める【あてはめる・当て嵌める】下1他 꼭 들어맞추다;적용시키다. ¶規則をを～ 규칙을 적용시키다.

あてみ【当(て)身】图 (유도에서) 급소(急所) 찌르기. ¶～をくらわす 급소를 찔러 기절시키다.

あてもの【当て物】图 ①알아맞히기;수수께끼. ②현상;제비뽑기.

あでやか【艶やか】ダナ (여자가) 품위 있게 고운 모양.

＊あ・てる【当てる】 一下1他 ①맞히다. ⑦명중시키다. ¶矢をを当てる…화살을 과녁에 맞히다. ⓒ알아맞히다. ¶言いあ～ててごらん 알아맞혀 보게. ⓓ당첨하다;(제비 따위를)뽑게 하다. ②대다. ¶つぎを～ 헝겊을 대어 깁다. ③쬐다. ¶日に～ 햇볕에 쬐다. ④붙이다;달다. ¶漢字に訓を～ 한자에 훈을 달다(토를) 달다. ⑤재다. ¶物差しを～ 자를 대고 재다. ⑥깔고 앉다;대다. ¶ざぶとんをお～ください 방석을 까십쇼. ⑦(宛てる)…앞으로 보내다. ¶手紙を兄に当てる…てを兄に当てて 형에게 보내는 편지. ⑧눈길을 주다(돌리다);보다. ¶目をも～ 쳐다보지나 눈조차 불수 없다. ⑨(受動形으로)~てられる 중독시키다. ¶毒気に～・てられる 독기에 중독되다. ⓛ(남녀간의 정다운 것을) 보아냈다는 듯이 비뚜다. ⑩(유도에서) 급소를 찌르다. ⑪지명하다. ¶生徒を～てて答えさせる 학생을 지명하여 대답토록 하다. ⑫대응[적용]시키다. 一下1自 한몫 보다;성공하다. ¶株などで～ 주식에 한밑천 잡다.

＊あ－てる【充てる・当てる】下1他 ①충당하다;돌리다. ¶～당하다. ¶教育費をに～ 교육비에 돌리다. ②맡기다;시키다. ¶役をを～ 역을 맡기다.

あと【後】 一图 뒤. (1)(위치적으로)뒤쪽;후방. ¶～からついて来る 뒤에서 따라오다. (2)(시기적으로)나중;다음;후;이후. ¶～で実現しようとするけれど 2년 후에 실현될 예정이다. (3)뒷일(것). ¶～を頼む 뒷일을 부탁하다. (4)뒤의 사람;후임자;후계. ¶ぼくの～が君だ 내 후임이 너다. (5)사후(死後). ¶～を用はらう 사후의 명복을 빌다. (6)후사;후손;자손. ¶～が絶える 뒤가(손이) 끊기다. (7)그 외의 일;나머지 일. ¶～は想像にまかす 나머지 일은 상상에 맡긴다. 一副・前古. 一图 아직. ¶～三日で正月だ 앞으로 사흘이면 설이다. 一の雁が先になる 후배가 선배를 앞지름은 순서의 뒤바뀜. ¶ 一は野となれ山となれ 나중 일은 내 알 바 아니다. ¶～へ引く 후퇴하다. ②패배하다. 一を濁す 뒤끝을 얼버무리다. ¶一を引く ①끝나고도 영향(여운)이 남다. ②먹고도 또 먹고 싶다;미련이 남다.

＊あと【跡】图 ①유적(遺蹟). ¶古いお寺の～ 옛 절터. ②자국;흔적. ¶傷の～ 상처 자국 / 涙なの～ 눈물 흔적. ③발자국;자리. ¶足の～ 발자국. ④뒤. ¶人なの～ 따라가는 사람의 뒤를 밟다. ⑤필적. ¶水茎なの～ 필적;먹물 자국. ⑥대(代). ¶～を継つぐ 후사를 이음. 注意 ①은「址」、②～⑤는「迹」로도 씀;또, 상처 따위의 흔적은 본디「痕」로 썼음. 一を絶える ①인적(人跡)이 끊기다. ②후사가 끊기다. 一を追う ①뒤쫓다. ②죽은 이를 뒤따라 죽다. 一を くらます 종적을[자취를] 감추다. 一を濁す ①아주 없어지다. 一を濁さず 뒤처리를 하지 않고 떠나 추함을 남기다.

あど【アド】图 (能狂言なうげんから) 주인공의 상대역. ↔シテ.

あとあし【後足/後肢】图 (동물의) 뒷다리;뒷발. ↔前足なえ. 一で砂をかける 떠날 무렵에 폐를 끼치고 가다.

あ

あとあじ【後味】 图 뒷맛. ¶~が悪い (음식·일의) 뒷맛이 나쁘다.

あとあと【あとあと・後後】 图 훨씬 후날; 장래('あと'의 힘줌말). ¶~のことが心配だ 먼 훗날의 일이 걱정되다.

あとおし【後押し】 图 ス他 뒤에서 밂〔미는 사람〕; 전하여, 후원(함).

あとがき【後書(き)】 图 ①(책의) 뒷말; 발(跋). =あと書がき·前書まき. ②(편지의) 추신(追伸).

あとかた【跡形】 图 흔적; 자취. ¶~もない 흔적도 없다.

あとがま【後釜】 图 후임(자); 후처. ¶~にすわる 후임으로 앉다; 후처로 들어앉다.

あときん【後金】 图 후불금; 잔금(残金). ↔前金まえ.

あとくされ【後腐れ】 图 뒤탈; 후탈.

あとくち【後口】 图 ①뒷맛; 여운. ②(신청 등에서) 뒤에 온 차례〔사람〕. ¶~がつかえている 뒷사람이 기다리고 있다. ↔先口さき.

あどけな-い 形 순진하고 귀엽다; 천진난만하다.

あとさき【後先】 图 ①선후; 앞뒤; 전후. ¶~の考えもなく 앞뒤 생각도 없이. ②순서가 바뀜. ¶~を誤まる 앞뒤〔순서〕를 그르치다 / 話はが~になる 이야기의 전후가 뒤바뀌다〔되다〕.

あとじさり【後じさり(後退り)】 图 ス自 뒷걸음질치기. =あとずさり·あとずさり.

あとしまつ【後始末・跡始末】 图 ス自 뒤처리; 마무리. =あとかたづけ.

あとつぎ【跡継ぎ・後継(ぎ)】 图 집안의 대를 이음; 또, 그 사람. =あととり. ②(전임자·스승 등의) 후계자.

あととり【跡取り】 图 ⇨あとつぎ①.

アドバイス 图 ス他 어드바이스; 조언; 충고. ▷advice.

あとばら【後腹】 图 ①몃달앓이. ②뒷고생; 뒤탈. ③애 후의 소생. ⇨先腹さき.

あとばらい【後払(い)】 图 ス他 후불. ↔前払まえ·先払さき.

アドバルーン 图 애드벌룬; 광고 기구(気球). ▷─일 ad balloon.

あとまわし【後回し】【後廻し】 图 (순서를 바꾸어) 뒤로 미룸.

アトム 图 아톰; 원자(原子). ▷atom.

あとめ【跡目】 图 ①집의 대를 이음; 또, 상속인. ¶~相続ぞく 가독 상속 / ~を継ぐ 집의 대를 잇다. ②후계자.

あともどり【後戻り】 图 ス自 ①되돌아옴; 되짚어 옴. ②뒤로. 후퇴. ¶技術じゅつが~した 기술이 퇴보했다.

アトラクション -shon 图 어트랙션; 손님을 끌기 위해 주요연출물(主上演物) 외에 곁들이는 여흥. ▷attraction.

アトランダム ダナ 애트 랜덤. ①무질서; 닥치는 대로; 두서 없이. ②(통계에서) 무작위(無作為). ▷at random.

あとり【獦子鳥・花鶏】 图〔鳥〕되새.

アトリエ 图 아틀리에. ▷atelier.

アドリブ 애드 리브; 즉흥적인 대사나 연주. ▷ad lib.

アドレス 图 어드레스; 수신인의 주소·성명. ▷address.

あな【穴】【孔】 图 ①구멍. ¶ボタンの~ 단춧구멍 / ~を掘ほる 구멍을 파다. ②ⓣ빈 자리; 빈 자리. ¶三番打者ばんだの~を埋うめる 삼 번 타자의 빈자리를 메우다. ⓛ결손; 손실. ¶商売しょうばいで~があいた 장사가 서툴러서 결손이 났다. ⓒ결점; 약점. ¶法律りつの~を利用する 법률의 허점을 이용하다. ③굴; 짐승의 소굴; 전하여, 은신처. ¶たぬきの~ 너구리의 굴. ④(낚시나 놀이터 등) 일반에 알려진지 않은 장소나 사항. ⑤경마·경륜(競輪)에서, 뜻밖의 결과가 나는 경기 그 경기로 크게 버는 일. ──にでも入りたい (무안해서) 쥐구멍에라도 들어가고 싶다. ──のあくほど見みる 뚫어지게 보다. ──をあける ①구멍을 뚫다. ②적자를 내다.

アナーキスト 图 아나키스트; 무정부주의자. ▷anarchist.

アナーキズム 图 아나키즘; 무정부주의. ▷anarchism.

あなうめ【穴埋め】 图 ス他 구멍을 메움; 전하여, 결손을 보충함. ¶損失そんの~する 손실의 보충을 하다.

アナウンサー 图 아나운서. ▷announcer.

アナウンス 图 ス他 아나운스; 방송함.

あなかがり【穴かがり】【穴膳(り)】 图 ス自 단춧구멍을 감침.

あながち【強ち】 剾《아래에 否定의 말을 수반해서》=まんざら; 반드시; 꼭. ¶~そうとは限らない 그렇다고는 할 수 없다.

あなぐま【穴熊・獾】 图【動】오소리. =むじな.

あなぐら【穴蔵】【窖】 图 움; 움막.

アナクロニズム 图 아나크로니즘; 시대착오. ▷anachronism.

あなご【穴子】 图【魚】붕장어.

あなた【彼方】 代《雅》①저쪽; 저기. ↔こなた. ②이전(以前); 옛날.

あなた【貴方・貴下】 代 당신; 귀하. ~一方かた 당신네들. 注意 상대가 남자일 때는 '貴男', 여자일 때는 '貴女'로 씀.

あなたまかせ【あなた任せ】【貴方任せ】 图 ①남에게 의탁하여 그에게 맡겨 둠. ②일이 되어 가는 대로 버려 둠.

あなどり【侮り】 图 모욕. 「다.

*あなど-る【侮る】 5他 경시하다; 깔보다.

あなばち【穴蜂】 图【蟲】땅벌.

アナログ 图 아날로그. ▷analog. ──コンピューター -kompyūta 图 아날로그 컴퓨터. ▷ analog computer. ──どけい【─時計】 图 아날로그 시계. ↔ディジタル時計.

*あに【兄】 图 형; 오빠(시아주버니, 손위 처남, 매형 등도 가리킴).

あに【豈】 剾《古》《아래에 反語가 옴》어찌 …라마. ──図らんや 어찌 생각이나 했으랴.

あにうえ【兄上】 图 형님.

あにき【兄貴】 图《俗》①형(兄)의 경칭(敬称)〔애칭〕. ②(젊은이 또는 깡패들 사이에서) 선배; 형님.

あにでし【兄弟子】 图 동문(同門)의 선배. ↔弟弟子おとうと.

アニマル 图 동물; 짐승. ¶エコノミッ

ク～ 경제적 동물. ▷animal.

アニメーション -shon 名 애니메이션;
동화(動畫). ▷animation.

あによめ 【兄嫁】 名 형수.

あね 【姉】 名 ①언니; 누이. ②배우자
의 손위의 여자 형제(손위 시누이·시아
형·형수 등). ↔妹は.

あねご 【姉御】【姐御】 名 ①언니·누이
의 경칭. ②도박판이나 건달 따위의 두
목의 아내. ③여자 두목.

あねったい 【亜熱帯】 名 아열대.
¶～植物ど 아열대 식물.

あねにょうぼう 【姉女房】 -nyōbō 名 남
편보다 나이 많은 아내. 　 〔one.

アネモネ 名 【植】 아네모네. ▷anem-

あの 【彼の】 連体 저;그. ¶～山は越
えて宵ず 산 넘어 / ～時きは話ぎしたろう
그 때 얘기했지. 　 〔사실은.

あの 感 =あのう. ¶～実とは 저,

あのかた 【あのかた・あの方】【彼の方】
代 저분;그 분. 　 〔수 저런 수.

あのてこのて 【あの手この手】 名 이런

あのよ 【あの世】【彼の世】 名 저승;저
세;저 세상. ↔この世ょ.

アノラック -rakku 名 아노락(등산·스
키용). ▷anorak. 　 〔house.

*アパート 名 아파트. ▷米 apartment

あば・く 【暴く】【発く】 他五 ①파헤치
다. ¶墓は を～ 무덤을 파헤치다. ②폭
로하다. ¶悪事が を～ 못된 짓을 폭로
하다 / 過去を を～ 과거를 들춰내다.

あばずれ 【阿婆擦れ】 名 닳고 닳은〔굴
러먹은〕여자;또, 그런 태도. =すれっ
からし.

あばた 【痘痕】 名 마맛자국. 　 —もえ
くぼ (사랑하면) 마맛자국도 보조개
(로 보인다)〔제 눈에 안경〕.

あばよ 〔俗〕 感 안녕;안녕히.

あばらぼね 【あばら骨】【肋骨】 名 늑
골;갈빗대. =肋骨まっ.

あばらや 【あばら屋・あばら家】【荒屋・
荒家】 名 황폐한 집;쓰러져 가는 집
〔자기 집의 경사말로도 씀〕.

あばれもの 【暴れ者】 名 난폭한 사람.

*あば・れる 【暴れる】 自下一 ①난폭하게 굴
다;날뛰다;전하여, 용감하고 대담한
행동을 하다;설치다. ¶酒きに酔ょって
～ 술에 취해서 난폭하게 굴다 / 財界
びで大いに～ 재계에서 크게 활약하
다. 　 〔날뛰다;발악하다.

あばれんぼう 【暴れん坊】 -rembō 名 난폭한 사람.

アバンギャルド -gyarudo 名 아방가르
드;전위파(前衛派);전위 예술파. ▷
仏 avant-garde.

アバンゲール 名 아방게르;전전파(戰
前派). ↔アプレゲール. ▷仏 avant-
guerre.

アピール 어필. 二名 ス自 ①감명〔매
력〕을 줌. ¶セックス～ 섹스어필;성
적 매력 / 女性ひに～する 여성에게 어
필하다. ②심판에 항의하는 일. 三名
ス他 여론의 호소. ▷appeal.

あびきょうかん [阿鼻叫喚] -kyōkan 名
아비 규환.

あびさん 【亜砒酸】【亜砒酸】 名 【化】

*あび・せる 【浴びせる】 他下一 ①(…
를) 씌우다;끼얹다. ¶砲火ほを～ 포
火はう を～ 포화를 퍼붓다 / 非難ひ〔質
問じ〕を～ 비난〔질문〕을 퍼붓다.

(칼 따위로) 내리쳐서 베다.

あひる 【家鴨】 名 【鳥】 집오리.

*あ-びる 【浴びる】 上一他 ①(물 따위를)
뒤집어쓰다. ¶冷水れぃを～ 한 바탕 찬물을 뒤집어쓰다. ②쬐다.
¶日光にっこうを～ 햇볕을 쬐다. ③을
받다. ¶非難ひを～ 비난을 (흠뻑) 받
다 / 砲火はうを～ 포화를 받다.

あふ 【阿附】 名 ス自 아부.

あぶ 【虻】 名 【蟲】 등에.

あぶく 【泡】 名 【俗】 거품. =あわ.

あぶくぜに 【あぶく銭】【泡銭】 名 〔俗〕
부정하게 얻은 돈;악전(惡錢).

アブストラクト 名 앱스트랙트;추상
(적);추상 회화. ▷abstract.

アフターサービス 名 아프터서비스. ▷
일 after-service.

*あぶな-い 【危ない】 形 ①위험하다;
위태롭다. ¶～道路ろ 위험한 도로 /
命いの が～ 생명이 위태롭다. ②불안하
다;미덥지 않다. ¶～空模様ぼう 불
안한 날씨 / 成功はを～ものだ 성공
은 미덥지 않다. ③ あやうい ③.
　 —橋はを渡わる 위험을 무릅쓰고 하
다.

あぶなく 【危なく】 副 　 ▷あやうく.

あぶなげ 【危なげ】 ダナ 불안한〔위
태로운〕모양. ¶～な足どり 위태위
태한 발걸음.

アブノーマル ダナ 애브노멀;이상(異
常);변태적;병적(病的). ↔ノーマル.
▷abnormal.

あぶはちとらず 【あぶはち取らず】〔虻
蜂取らず〕 連語 이것저것 탐내다가 하
나도 얻지 못함;욕심부리다가 오히려
실패함.

*あぶら 【油】 名 ①기름. ¶～屋ゃ 기름
가게;기름 장수. ②머릿기름. ③활력소;
활기;활동의 원동력. ¶～が切きれて
元気じが&なくなる 원기나 활력소가 떨어져서 맥
이 나지 않는다. ——に水ぅ 서로 융화하
지 않는 것의 비유. ——を売うる 일을 하
는 중도에 딴전을 부려 시간을 보내다. ——を絞しぼる ①일꾼이 농
땡이부리다. ——を差さす ①기계에 기름
을 치다. ②기운을 돋구다. ——を絞しぼる
①호되게 야단치다. ②기름을 짜다.
——を注そぐ ①기름을 붓다. ②기세를
돋우다.(사람을) 치살리다.

*あぶら 【脂】【膏】 名 ①기름;굳기름;
지방(脂肪). ②(몸의) 기름기. ¶鼻は
の～ 코의 개기름. ——が乗のる ①기름
(살)이 오르다. ②신바람이 나서 일을
하다.

あぶらあせ 【脂汗】 名 비지땀;진땀. ¶～を流ながす 비지땀을 흘리다. 　 〔洋畫〕.

あぶらえ 【油絵】 名 유화(油畫);양화

あぶらぎ-る 【脂ぎる】 自五 ①기름기가
돌다;기름지다;특히, 비계가 많다.
¶～った顔かお 기름기이 흐르는 얼굴.

あぶらけ 【油気・脂気】 名 ①기름기. =
油あっけ. ¶脂気がのない髪み 기름
기가 없는 머리. ②기름져서 번드르르
한 모양. 　 〔ぶらあげ.

あぶらげ 【油揚】 名 유부(油腐). =あ

あぶらさし 【油差し】 名 ①(기계 따위에)
기름을 치는 도구;또, 그 사람.

あぶらじ-みる 【油染みる】 自上一 기름
에 찌들다;또, 기름때가 배다.

あぶらしょう 【脂性】 -shō 名 지방 체

질. ↔荒れ性_{しょう}。　　　「기름매미.

あぶらぜみ【油蟬】图【蟲】유지매미；

あぶらっこ-い【油っこい】【油っ濃い】
-rakkoi 形 기름기가 많다.

あぶらっこ-い【脂っこい】【脂っ濃い】
-rakkoi 形 ①기름기가 많고 느끼하여 느끼
한〕고기 요리. ②성질이 담박하지 못
하고 칸질김다.

あぶらでり【油照り】图 날씨가 흐리
면서도 바람 없이 푹푹 찌는 무더위.

あぶらな【油菜】图【植】평지.=なの
はな・なたね.

あぶらみ【脂身】【脂肉】图 비계；고기
의 비계가 많은 부분.

あぶらむし【油虫】图【蟲】①진디.＝
ありまき. ②바퀴.＝ごきぶり.

あぶりだし【炙り出し・焙
り出し】图 약품을 발라 불에 쬐면 그
림이나 글자가 나타나게 된 종이.

***あぶ-る**【炙る・焙る・燔る】5他（불
에）쬐어 굽다；말리다；덥게 하다. ¶
魚_{さかな}を～ 생선〔김〕을 굽다／手
_てを～ 손을 쬐다.

アプレゲール图 아프레게르；전후파
（戰後派）.＝アプレ. ↔アバンゲール.
▷프 après-guerre.

アフレコ图 아프레코（촬영한 다음 화
면에 대사・음향・음악 등을 녹음하는
일）.＝プレレコ. ▷ after-recording.

あぶれもの【あぶれ者】【溢れ者】图①
무법자；망나니. ②실업자.

***あぶ-れる**【溢れる】下1自 넘치다. ¶
若_{わか}さ〔才気_{さいき}〕に～ 젊음〔재기〕에 넘
치다／ビールがコップに～ 맥주가 컵
에 넘치다.

あぶ-れる【溢れる】下1自（일）일
자리를 얻지 못하다.（낚시 따위에
서）허탕치다.

アプローチ图 ス他 어프로치；（연구・
학습 대상에의）접근（接近）；또, 그 방
법. ▷approach.

あべこべ图【ダ】〈俗〉거꾸로；반대；
뒤바뀜. ¶形勢_{けいせい}が～になる 형세가
뒤바뀌다／全_{まった}く～の方向_{ほうこう} 전혀 반
대 방향.

アベック abekku 图〈俗〉아베크. ▷프 avec.

アベレージ图〈野〉애버리지. ①（野）타율
（打率）；타수；표준. ③（볼링에서）
평균 스코어. ▷average.

あへん【阿片・鴉片】图 아편. ──くつ
【──窟】图 아편굴.

あほう【阿呆・阿房】ahō 图_ダ 바보；천
치. ──どり【──鳥・信天翁】
图 신천옹（대형의 바닷새）.

あほく さ-い【阿呆臭い】形〈俗〉시시
하다；어이없다；기가 차다.＝ばかく さ
い.＝あほうく さい.

あほらし-い【阿呆らしい】形〈俗〉
바보 같다；어리석다.＝ばからしい.

あま【尼】图①여승；비구니. ②수녀
（修女）. ③〈俗〉여자를 욕하는 말.

あま【海女】图 해녀.

あま【亜麻】图 아마. ──いろ
【──色】图 아마포빛；황갈색.

アマ图アマチュア. ↔プロ.

あまあい【雨あい】【雨間】图 비가 잠
깐 갠 사이.＝あまま.

あまあし【雨足】【雨脚】图 빗발. ¶～

が激_{はげ}しい 빗발이 세다／～が白_{しろ}く見
える 빗발이 하얗게 보이다.

***あま-い**【甘い】形 ①달다. ¶～お菓
子_{かし} 단 과자. ②싱겁다；짜다. ¶
～みそ 싱거운 된장. ↔からい. 달콤
하다. ¶愛_{あい}のささやき 달콤한 사랑
의 속삭임. ③무르다. ⑦엄하지 않다.
¶子_こに～親_{おや} 자식에게 무른 부모. ⓒ
후하다. ¶点_{てん}が～ 점수가 후하다. ⓒ
（애정 따위에）빠지기 쉽다. ¶女_{おんな}に
～男_{おとこ} 여자에게 무른 사나이. ④무르
지지 못하다. ¶あの男_{おとこ}は人間_{にんげん}が
～ 저 사나이는 사람이 무르다〔야무지
지 못하다；호인이다〕. ⑤여리다. ¶～
（사람이）좀 모자라다. ¶～男_{おとこ} 좀 모
자라는 사나이. ⑥다루기 쉽다；얕잡아
보다. ¶考_{かんが}えが～ 생각이 낙관적이
다. ⑥（날이）무디다. ¶切_きれ味_{あじ}が～
날이 무디다. ⑦헐겁다. ¶ねじが～ 나
사가 헐겁다. ──汁_{しる}を吸_すう 단물을 빨
다（남의 이익을 자기 것으로 하다）.
──く見_みる ①（남을）얕보다；깔보다.
②（일을）낙관하다.

あま-える【甘える】下1自 응석부리
다；어리광부리다. ¶お言葉_{ことば}に～
えさせていただきます 고
마운 말씀대로 그렇게 하겠습니다.

あまがえる【雨蛙】图 청개구리.

あまがさ【雨傘】图 우산. ↔日傘_{ひがさ}.

あまガッパ【雨ガッパ】【雨合羽】-gappa
图 비옷；우장（雨裝）. ▷포 capa.

あまかわ【甘皮】图①（수목・과실의）
속껍질. ↔粗皮_{あらかわ}. ②손톱위의 부드러
운 살갗.

あまぐ【雨具】图 우비／雨裝.

あまくだり【天下り】【天降り】图 ス自
①강림（降臨）. ②관청・상관 등으로부
터의 강압（적 명령）. ¶～人事_{じんじ} 낙하
산 인사.

あまくち【甘口】图①（술・간장・된장
등의）단맛이 더함；또, 그런 것. ②단
맛을 좋아함；또, 그런 사람.＝甘党_{あまとう}
↔辛口_{からくち}. ③감언. ¶人_{ひと}の～に
乗_のる 남의 감언에 넘어가다.

あまぐつ【雨靴】图 비신.

あまぐも【雨雲】图 비구름.

あまぐり【甘ぐり】【甘栗】图 잘뭘；단
맛이 나게 뜨거운 왕모래에 볶은 밤.

あまごい【雨ごい】【雨乞い】图 기우（祈
雨）. ¶～の祭_{まつ}り 기우제.

あまざけ【甘酒】【醴】图 감주；단술.

あまざらし【甘ざらし】【雨曝し】图 비
를 맞게 내버려둠.

あまじお【甘塩】图①소금기가 적음；
싱거움.＝薄塩_{うすじお}. ②생선을 싱겁게 절
임；얼간.

あましたく【雨支度】图 비에 대한 준
비；비설거지.

***あま-す**【余す】5他 남게 하다；남기
다；남아 있다. ¶節約_{せつやく}して～ 절약
해서 남기다／～ところ幾日_{いくにち}もない
며칠 밖에 남았다. ──所_{しょ}なく 남김없
이；모조리.

あまずっぱ-い【甘酸っぱい】-zuppai 形
달콤새콤하다.

あまぞら【雨空】图 비가 올 듯한 하
늘；비, 비오는 날씨.

あまた【数多・許多】副〈雅〉무수히；허
다하게.＝たくさん.

あまだい【甘鯛】图〔魚〕옥돔.

あまだれ【雨垂れ】图 낙숫물. **―石をうがつ** 작은 힘이라도 끈기있게 계속하면 성공한다.

あまちゃ【甘茶】-cha 图 산수국 또는 돌외의 잎을 말려 달인 차〔관불회(灌佛會)에 불상에 끼얹음〕.

アマチュア〔-chua 图 아마추어；호사가(好事家).=アマ. ▷プロフェッショナル・プロ. ▷amateur.

あまっさえ【剰え】副 게다가；더군다나；그뿐만 아니라；그 위에.〔注意〕옛날에는「あまさえ」.

あまったる-い【甘ったるい】amatta-形 ①〔맛이〕달디달다；달콤하다. ②〔남녀간의 애정이〕달콤하다.

あまったれ-る【甘ったれる】amatta-下工 图〔俗〕어리광부리다.

あまでら【尼寺】图 ①여승방；신중절. ②〔가톨릭에서〕수녀원.

あまてらすおおみかみ【天照大御神】-ōmikami 图 (일본 신화의) 해의 여신(일본 황실의 조상이라 함).

あまど【雨戸】图 (풍우를 막기 위한) 빈지문.

あまどい【雨どい】【雨樋】图 물받이.

あまとう【甘党】-tō 图 (술을 싫어하고) 단 것을 즐기는 사람. ↔辛党².

あまな【甘菜】图〔植〕산자고.

あまにゆ【亜麻仁油】图 아마인유.

あまねく【普く・遍く・洽く・周く】副 널리；보편적으로；골고루. ¶―天下²²に知らせる 널리 천하에 알리다.

あまのがわ【天の川・天の河】【天漢²²】图 은하；은하수.

あまのじゃく【天の邪鬼】-jaku 图 ①심술꾸러기；심통사나운 사람.=あまんじゃく. ②〔佛〕인왕(仁王)의 상(像)이 밟고 있는 악귀.

あまみ【甘み】图 감미；단맛；단맛이 나는 것；특히, 과자. ¶―が足りない 단맛이 덜하다. ↔辛味²².

あまみず【雨水】图 ①빗물. ②비가 와서 괸 물.

あまもよう【雨もよう・雨模様】-yō 图 비가 올 듯한 날씨.=あめもよう.

あまもり【雨漏り】图自工 (지붕・천장에서) 비가 샘.

あまやか-す【甘やかす】他下 어하다；응석받이하다；응석받이로 기르다.

あまやどり【雨宿り】图自工 비를 그음.=あめやどり.

あまり【余り】 ㊀图 ①남은 것；나머지；여분；우수리. ¶―が出°る 우수리가 생기다；남짓하다；넘짓. ¶三十⁵⁰⁰⁵―の女⁰⁰ 삼십 남짓한 여자. ③…코나 머지. ¶悲しさの――슬픈 나머지 / 熱心²²²の―― 열심이 지나쳐. ㊁〔あまり〕副①너무；지나치어. ¶―ひどい 너무 심하다. ②〔否定に従って〕그다지. ¶―違わない 그다지 틀리지 않다. ㊂〔あまり〕ダ① 도가 지나침；너무함.=あんまり. ¶―の…のうれしさに 너무 기뻐서 / ～なことに 너무 심한 일에；너무해서.

あまりに【余りに・余りに】副 너무나；지나치게；몹시. ¶―も有名²²²な 너무나도 유명하다.

あまーる【余る】[五自]①남다. ¶二個²にー두 개 남다. ②어떤 수량을 넘다；넘치다. ¶三年²²²にー三年을 넘는 세월. ③…力²³³ 능력 이상이다；지나치다；넘치다；겹다；벅차다. ¶身³⁴に一光栄²²² 분에 넘치는 영광 / 手²³⁴に―仕事²³ 버거운〔벅찬〕일 / 力²³³に一힘에 겹다 / 目²³³に一차마 눈을 없을 만큼 심하다. ▷gam-.

アマルガム图〔化〕아말감. ▷amal-.

あまん-じる【甘んじる】上工 만족하다. ¶薄給²²²に一 박봉에 만족하다.=「んじる」.

あまん-ずる【甘んずる】サ変自 → あまん-じる.

あみ【網】图 ①그물. ¶―にかかった魚²³ 그물에 걸린 물고기 / ―を引く 그물을 당기다. ②망(網). ¶法²³³の―を くぐる 법망을 뚫다. ―を張²る①그물을 치다. ②수사망을 펴다.〔ナ.

あみ【糠蝦・糠蝦】图[動]보리새우；강.

あみあげ【編み上げ】图 목달이 구두；편상화.=あみあげぐつ.

あみうち【網打ち】图[ス他] 투망질；투망으로 고기를 잡음；또, 그 사람.

あみがさ【編み笠】图 삿갓.=かぶりがさ.

あみこ【網子】图 그물을 당기는 어부.

あみすき【網すき】【網結き²²²】图 그물을 뜨는 일；또, 그 사람.

アミダ【阿彌陀】图〔佛〕아미타；아미타불. ¶――あみだくじ. あみだかぶり. 一の光²²²も銭次第²² 매사에 금전의 위력이 크다.―かぶり[――被り]图 모자 따위를 뒤로 젖혀 씀.―くじ[――籤]图 공집기[제비에 적힌 금액대로 추렴을 내어 음식을 나눠 먹는 방식].

あみだ-す【編み出す】[五他]①짜기 시작하다. ②짜내다；고안해 내다.

あみだな【網棚】图 (기차・전차・배 등의) 그물 선반.

あみど【網戸】图 망창(網窓)；철망 따위를 친 창문.

あみど【編み戸】图 대나 나무 오리로 엮은 (사립)문.

アミノさん【アミノ酸】图〔化〕아미노산(酸). ▷amino.〔판.

あみはん【網版】图〔印〕망판；사진제판.

あみめ【網目】图 그물코.=網²³³の目².

あみめ【編目】图 그물코.

あみもと【網元】图 어선이나 그물을 갖고 많은 어부를 거느리는 사람；선주(船主).=網子²³².

あみもの【編み物】图 편물；뜨개질；또, 뜨개질한 것.

あーむ【編む】[五他]①엮다；걷다；뜨다. ②편찬하다. ¶辞書²³を一 사전을 짓다 찬하다. ③(계획을) 짜다. ¶旅行日程²²²²²²を一 여행 일정을 짜다.

あめ【天】图〔雅〕하늘.=てん・そら. ↔地²³.

あめ【雨】图①비；우천. ¶―があがる 비가 개다 / きょうは～だ 오늘은 우천이다. ②연달아 쏟아지는 모양. ¶―と降²³り来る弾丸²²²²²が빗발치듯 날아오는 탄환. ―降²³って地²固²²まる 비온 뒤에 땅이 굳는다.

あめ【飴】图 엿；조청. ―をなめさせる 엿먹이다 (a) 감언 이설로 남을 속

이다 ; (b)상대방을 기쁘게 하려고〔방 심시키려고〕일부러 져 주다〕.

あめあがり【雨上(がり)】名 비가 막 갠 뒤. =あまあがり.

あめあられ【雨あられ】【雨霰】名 ①비와 싸라기눈. ②총알이나 화살이 빗발 치듯 함. ¶～と降る弾丸鷲 빗발치듯 날아오는 탄알.

あめいろ【飴色】名 조청빛 ; 투명한 황색〔적갈색〕.

あめした【天が下】名 하늘 아래 ; 천하(天下). ¶～に隠れも無い 온 세상에 잘 알려져 있는.

あめかぜ【雨風】名 비바람. ¶～をしのぐ 비바람을 무릅쓰다(사회의 모진 풍파를 겪어냄의 비유).

あめがち【雨勝ち】名 비가 잦음. ¶～の日が続くう 궂은 날씨가 계속되다.

あめかんむり【雨冠】=kammuri 名 한자 부수의 하나 ; 비우('雲' '雪' 등의 冠의 이름). =あまかんむり.

あめだま【飴玉】【飴玉】名 눈깔사탕. あめつち【天地】名 천지 ; 전세계.

あめふらし【雨降(ら)し】動 군소.

アメリカ【—】名 아메리카 ; 미국. =米国鷲. ▷America. ━━がっしゅうこく【—合衆国】-gasshūkoku 名 미합중국. ━━じん【—人】名 미국 사람.

アメリカンインディアン -dian 名 아메리칸 인디언. ▷American Indian.

あめんぼ【水馬・水黽・飴坊】amem- 名 【蟲】소금쟁이.

あや【文・綾】名 ①무늬. ¶～をなす 무늬를 이루는. ②말에 드러나는 말 는)복잡한 짜임새〔줄거리〕. ¶事件 の～ 사건의 줄거리. ③(말)이나 문 장의)멋진 표현. ¶文章の～ 문장 의 멋진 수식.

あや【綾】名 ①사선(斜線)으로 교차된 줄무늬. ②가지가지 무늬를 바탕에 짜 넣은 비단의 하나 ; 능(綾).

あやうい【危うい】形 ①위태롭다. = あぶない. ¶命鷲が～ 생명이 위태롭 다. ②〈雅〉위험하다. ¶～君子ぶきに近寄ら鷲ず 군자는 위 험한 곳에 가까이 가지 않는다. 위 うしゃ=うち〔근소〕의 차로. ㉠'～く…と ころ(だ)'의 꼴로〉하마터면. ¶～く ひかれるところだった 하마터면 차에 치일 뻔했다. ㉡〈連用形나, '～ところ で', '～ところを'의 꼴로〉가까스로 ; 겨 우. ¶～く一命蠶をとりとめた 구사 일생을 건저 나／～ところを助かる 잔 신히 살아나다(모면하다). 参考 ㉡의 뜻으로 'あぶない'도 씀.

あやうく【あやうく・危うく】副 ☞あ やういう③.

あやおり【綾織(り)】【綾織(り)】名 ①능직물(綾織物). ②능직물을 짜는 일 ; 또, 그 사람.

***あやかる**【肖る】自五 행복한 사람을 닮아 또는 그의 영향으로 덕을 입다 ; 닮다. ¶あなたに～りたいものだ 너 처럼 행복했으면 싶다.

****あやしい**【怪しい】-shī 形 ①수상하 다 ; 괴이하다 ; 야릇하다. ¶～やつだ 수상한 놈이다／あの二人鷲は～ 저 두 사람은 수상하다(남녀간의 관계 따위

가). ②의심스럽다 ; 믿을 수 없다 ; 위 태롭다. ¶あすの天気鷲は～ 내일 날 씨는 의심스럽다. ③어설프다. ¶～英 語鷲で 어설픈 영어로.

***あやし-む**【怪しむ】五他 ①이상히〔수상 히〕여기다. ¶変な男鷲だと～ 이상 한 사나이라고 수상히 여기다.「다.

あやす五他 어린 아이를 어르다 ; 달래

あやつり【操り】名 ①조종. ②꼭두각 시(늘음)('操り芝居갈' '操り人形갈'의 준말).

***あやつ-る**【操る】五他 ①조종하다 ; 다 루다. ¶櫓を～ 노를 젓다. ②(인형 을)놀리다 ; 전하여, 뒤에서 조종하다. ¶人鷲をうまく～ 사람을 잘 조종하다. ③(말을 구사)하다. ¶英語鷲を上手 うず に～ 영어를 잘 하다.

あやとり【あや取り】【綾取り】名 실뜨 기(계집아이의 유희).

あやなす五他 잘 다루다(조종하다).

あやなす【綾なす・彩なす】連語《連体 詞的으로》아름다운 무늬를 이루는. ¶ まちを～ネオン 아름답게 거리를 비추 는 네온.

あやに【文に】副〈雅〉『目"も"』눈이 휘둥 그레질 만큼 아름답게.

***あやぶ-む**【危ぶむ】五他 위험스럽게 여기다 ; 위태로워하다 ; (실현을)의심 하다. ¶成功鷲を～ 성공을 의심하다. ¶～態度鷲 애매한 태도.

***あやふや** ダナ 불확실한 모양 ; 모호한 모양 ; 흐리터분한 모양 ; 전하여, 기대 할 수 없는 모양 ; 믿을 수 없는 모양. = あいまい. ¶～な態度鷲 애매한 태도.

あやまち【過ち】名 過失. ①실수. ¶大 髯きな～ 큰 실수(잘못). ②과오 ; 오류. ③(남녀 관계에서의)도덕적인 과실. ¶若が い者鷲どうしが～を犯す 젊은 사람끼리 잘못을 저지르다.

あやま-つ【過つ】五他 ①실수하다 ; 잘 못하다 ; 그르치다. ¶～たず命中鷲 した 실수없이 명중했다. ②(뜻하지 않 게)과오를 범하다.「실수.

***あやま-る**【誤る】【謬る・錯る】自他五 ①실패하다 ; 실수하다 ; 틀리다. ¶答 鷲が～ 답이 틀리다／人選鷲を～ 인선을 잘못하다. ②(남을)그르 치다. ¶後世鷲を～ 후세를 그르 칠 설이다. 注意 원래 自動詞.

***あやま-る**【謝る】五他 ①사죄하다 ; 사 과하다 ; 잘못을 빌다. ②항복하다 ; 난 처하여 사절하다. ¶その仕事鷲なら ～よ 그일이라면 사절한다.

あやめ【菖蒲】名【植】①붓꽃. ②창포 의 옛이름. ━━の節句鷲 5월 5일의 단 오절.

あやめ-る【殺める・危める】下一他 해를 가하다 ; 특히, 죽이다.

あゆ【鮎・香魚・年魚】名 은어.

あゆみ【歩み】名 ①걸음 ; 보조. ¶～を そろえる 보조를 맞추다. ②(사물의) 진행 ; 경과 ; 추이 ; 발걸음. ¶歴 史鷲の～ 역사의 흐름／研究鷲の～ 연구 행적(行蹟).

あゆみより【歩み寄り】名 (의논이나 교섭에서)서로 양보하여 접근함.

あゆみよ-る【歩み寄る】五自 서로 다

가서다; 전하여, 서로 양보하여 주장
을 일치시키다. =折れ合ゔ.

あゆ-む【歩む】⑤畠〔雅〕걷다. =歩む
く. ¶苦難ぐの道ぢを～ 고난의 길을
걷다.

あら【粗】⑧(1)(생선을 요리한 뒤의)
살이 붙은 뼈. (2)찌꺼기. (3)(사람의)
결점; 흠. ¶～をさがし出ぢす 흠을 찾
아내다; 헐뜯다.

あら⑧〔女〕어머(나). ¶～, しばらく
어머나, 오랫만이야. 注意'ああら'로
도 말함.   ▷Allah.

アラー 알라(이슬람교의 유일신).

あらあら【粗粗】⑪ 대강; 대충; 대략
=ざっと. ¶～申しあげます 대충 말
씀드립니다.

*****あらあらし-い**【荒荒しい】-shī 彫 몹
시 거칠다; 매우 난폭하다. ¶～振ふる
舞まい 난폭한 행동.

*****あら-い**【荒い】彫 거칠다. (1)거칠고 세
차다; 난폭하다. ¶波なが～ 파도가 거
칠다 / 気性ぢが～ 성품이 우락부락
하다. (2)난폭하고 절도가 없다. ¶金だ
づかいが～ 씀씀이가 헤프다.

*****あら-い**【粗い】彫 거칠다. (1)거칠고거칠
하다. ¶はだが～ 살결이 거칠다. (2)
성기다; 조잡하다; 엉성하다. ¶粗い／
～計画ぐ 대충 잡은[개략적인] 계획 /
細工なが～ 세공이 거칠다 / 粒だが～
알이 굵다. ↔細かい.

あらい-あ-げる【洗い上げる】[下]他 ①
씻어 내다; 다 빨다. ②속속들이 조사
해 내다. ¶身元ぢを～ 신원을 밝혀 내
다.   ▷洗い出す.

あらい-おと-す【洗い落(と)す】⑤他 씻
어 없애다.

あらい-こ【洗(い)粉】⑧ 가루 비누.

あらい-ざらい【洗い浚い】⑪ 깡그리; 전
부; 모두. ¶～打ち明ける 깡그리 털어
놓다.

あらい-ざらし【洗い晒し】⑧ 여러 번 빨
아 색이 바램; 또, 그렇게 된 것.

あらい-そ【荒い磯】【荒磯】⑧ 파도가 사
납게 밀어 닥치는 바닷가.

あらい-だし【洗い出し】⑧ ①회삼물(灰
三物)로 만든 벽이나 봉당이 마르기 전
에 물로 씻어 내어 표면에 잔돌이 드
러나게 한 것. ②벽돌 따위의 표면을
바르지 않고 바탕이 드러나게 한 것.
③삼나무 판자를 문질러 닦아서 나뭇
결을 나타내게 한 것. ④숨겨진 사실
을 밝혀 냄.

あらい-たて【洗い立て】⑧ 갓 빰; 이제
막 빨은; 또, 그러한 것.

あらい-た-てる【洗い立てる】[下]他 ①
잘 씻어다 빨아 내다; 빨아 내다. ②(남
의 신상이나 흠을) 들추어 내다.

あらい-はり【洗(い)張(り)】⑧他 옷
을 들뜯어 빨아 재양(載陽)되는 일.

あらい-もの【洗い物】⑧ ①씻을[씻은]
물건; 빨랫감. ②빨기; 특히, 빨래함.
¶台所ぢで～をする 부엌에서 설거
지[빨래]를 하다.

*****あら-う**【洗う】⑤他 ①씻다; 빨다; 세
탁하다. ¶波なが岸ぎを～ 물결이 해안
을 씻듯이 밀려 왔다 가다 / イモ(の子
ご)を～ような混雑なざ 복대기치는 혼
잡. ②자세히 들춰 조사하다. ¶身元
ぎを～ 신원을 자세히 조사하다.

あら-うみ【荒海】⑧ 파도가 사나운 바
다.   └거하다.

あらが-う【抗う・諍う】⑤他 다투다; 항

あらかじめ【予め】⑪ 미리; 사전에. =
前もって. ¶～相談なぢする 미리 의논
하다.

あらかせぎ【荒稼ぎ】⑧又自 ①막일;
막벌이. =荒仕事なぢ. ②우악스럽게
돈벌이를 함. ③수단을 가리지 않고 벎
(도박을 가리키는 경우도 있음). └투
기 따위로 일확 천금함.

あらかた【粗方】⑧⑪ 대강; 대체; 거
의 절반; 거지반. ¶～理解りした 대
강 이해했다/仕事なぢの～は終なった 대
충 일이 끝났다

あらがね【粗金】【鉱】⑧ ①조광(粗鑛).
②철; 무쇠.   └벽.

あらかべ【粗壁・荒壁】⑧ 초벽칠만 한

アラカルト⑧ 알 라 카르테; 일품 요리.
▷à la carte.

あらかわ【粗皮】⑧ ①(나무 등의) 겉
껍질. ↔甘皮なぢ. ②생가죽; 원피.

あらかん【阿羅漢】【佛】 아라한; 나
한. =羅漢なぢ.

あらぎも【荒肝】⑧ 담력; 두둑한 배짱.
━をひしぐ【抜く】 간담을 서늘케 하
다.   └修행(修行)

あらくれ【荒くれ】⑧ 우락부락함; 사
나움; 난폭함.   └나이.

あらくれ-もの【荒くれ者】⑧ 난폭한 사

あらけずり【荒削り・粗削り】⑧ ①
(나무 따위를) 거칠게 깎음; 건목침.
[二]形動 ①대범함; └な性格ぢ 대범
한 성격. ②조잡함; 거침. ¶～な作品
ぢ 조잡한 작품.

あらごと【荒事】⑧ (歌舞伎がぶで) 용
맹스러운 동작; 또, 그런 인물을 주인
공으로 한 연극.

あらごなし【荒ごなし・粗ごなし】⑧
又他 애벌로 대충 손을 댐(본디는, 애
벌 빻음).

あらさがし【あら捜し・粗探し・粗捜し】
⑧ 흠잡기; 트집잡기.

あらし【嵐】⑧ 광풍; 폭풍(우)(가정・사
회에서의 풍파나 비상 사태에도 비유
됨). ¶不景気なぢの～ 불경기의 폭풍.
━の前ぢの静けき 폭풍 전(야)의 (불
안한) 고요.

あらし-ごと【荒仕事】⑧ ①막일; 힘드
는 일; 중노동. ②〔俗〕강도나 살인.

あらし-める【有らしめる】[下]他 ①이
있게 하다. ¶私なぢを今日なぢに～めた恩
人なぢ 오늘의 나를 있게 한 은인.

あらじょたい【新所帯】【新世帯】-jotai
⑧ 새 살림; 신접살이. ¶～を持つ 새
살림을 차리다.

*****あら-す**【荒(ら)す】⑤他 ①황폐케 하
다. ②휩쓸다. ¶嵐あらが庭にわを～ 광풍
이 뜰을 휩쓸다. └파손하다; 망치다.
¶獸じぢが作物ぢぢを～ 짐승이 농작물을
망치다 / 不良なが店みせを～ 불량배가
가게를 분탕질하다. ③(피부를) 거칠
게 만들다. ③도둑질을 하다. ¶るす
宅なぢを～ 빈집을 털다.

あらず【非ず】《혼히 ～に[には, にも]
~の'의 형태로》 그렇지 않다; 아니
다. ¶きに～ 그렇지 않다.

あらず【有らず】連語 …이 없다. ¶戦

だい, 利ぃ~ 싸움이 불리하다.

*あらすじ【粗筋・荒筋】 图 대충의 줄거리 ; 개요. ¶計画의의 ~ 계획의 개요.

あらずもがな【有らずもがな】 連語 없느니만 못하다 ; 없어도 괜찮다. ¶~の発言원이 안 하느니만 못한 발언.

*あらせいとう【紫羅欄花】 -tō 图【植】 스톡(stock). = ストック.

*あらそい【争い】 图 다툼 ; 싸움 ; 분쟁. ¶主導権육으권 ~ 주도권 다툼 / ~の種 분쟁의 씨.

*あらそう【争う】 ⑤他 다투다. ①싸우다. ¶兄弟는이 ~ 형제끼리 다투다. ②경쟁하다. ¶先を ~ 앞을 다투다. ③대항하다. ¶決勝원으로 彼와 ~ことになった결승에서 그와 다투게[붙게] 되었다. ④시비를 가리다. ¶法廷원으로 ~ 법정에서 다투다[판가름하다]. ¶~・われない】「~・えない」 숨길래야 숨길 수 없다 ; 어찌 수 없다. ¶血筋옥은 ~は・われない 핏줄은 어찔 수 없다. ③『~・われぬ』 부정할〔움직일〕 수 없는. ¶~・われぬ証拠옥으 움직일 수 없는 증거. ④『~・って』 다투어.

*あらた【新た】 ダナ 새로움 ; 또, 새로 시작함 ; 새삼스러움. ¶人生원으な出発원으 인생의 새 출발.

あらたか【灼か】 ダナ (신불의 영검이나 약효가) 현저함 ; 영험. ¶靈験원으~な神 영검한 신령.

*あらだつ【荒立つ】 ⑤自 ①거칠어지다 ; 거칠기 시작하다. ¶言葉원이 ~ 말이 거칠어지다. ②사태가 거칠어져〔험악해져서, 얽혀서〕 표면화하다.

*あらだてる【荒立てる】 下一他 ①거칠게 하다. ¶声를 ~ 언성을 높이다. ②착잡하게 만들다 ; 더 시끄럽게 하다. ¶事件원을 ~ 사건을 복잡하게〔시끄럽게〕 만들다.

*あらたまる【改まる】 ⑤自 ①고쳐지다 ; 변경되다 ; 바뀌다 ; 새로워지다 ; 개선되다. ¶規則원이 ~ 규칙이 고쳐지다. ②정색하다 ; 격식을 차리다. ¶~った表現원의 격식을 차린 좀 딱딱한 표현.

*あらたまる【革まる】 ⑤自 병세 따위가 갑자기 악화되다 ; 위독해지다.

*あらためる【改める】 他 ①(이름을) 고침. ¶江戸원를 東京원으로 ~ 江戸의 (새로) 고친 이름 東京. ②일제 조사. ¶宗門원을 ~ 종문 일제 조사.

*あらためて【改めて】 副 ①딴 기회에. ¶~お知원らせします 다음 기회에 다시 알려 드리겠습니다. ②정색스럽게. ¶~言ぃうまでもない 다시 이를 것까지도 없다.

＊＊あらためる【改める】 下一他 ①(革める) 고치다 ; 변경하다 ; 개선하다 ; 새롭게 하다. ¶規則원을 ~ 규칙을 고치다. ②(検める) 조사하다 ; 검사하다. ¶切符원을 ~ 표를 조사하다.

あらづくり【粗造り】 图 조제(粗製) ; 전목. ¶~の建物원은 전목만 얼추 지은 건물.

あらっぽーい【荒っぽい】 arappoi 形 난폭하다 ; 거칠다. ¶~気性원 난폭한 성품. ¶粗っぽい】 조잡하다. ¶仕事원が~ 일이 거칠다.

あらて【新手】 图 ①새 잡이 ; 싸우지 않은

은 (원기 왕성한) 병사. ¶~をくりだす 새로운 병력을 투입하다. ②새 수단〔방법〕. ¶の詐欺원 새로운 수법의 사기. ↔古手로.　　　　〔숫돌〕

あらと【粗砥・荒砥】 图 거친 숫돌 ; 거친

あらなみ【荒波】 图 거센 파도. ¶世の~にもまれる 거친 세파에 시달리다.

あらなわ【荒縄・粗縄】 图 굵은 새끼 ; 밧줄 ; 동앗줄.

あらに【あら煮・粗煮】 图 (요리할 때 지의) 생선을 뼈째 채소 따위와 함께 끓인 요리.

あらぬ 連体 ①(엉뚱하게) 다른 ; 틀리는. ¶~かたを向ぁく (엉뚱하게) 다른 쪽을 향하다. ②터무니없는 ; 뜻밖의. ¶~うわさ 터무니없는 소문. 形【雅】 없다. ＝無ぁい. ¶身원も世원も ~ 悲しみ 살아도 소용 없다고 생각할 정도의 절망적인 슬픔.

アラビアすうじ【アラビア数字】 -sūji 图 아라비아 숫자. ↔Arabia.

あらひとがみ【現人神】 图 사람 모습으로 이승에 나타난 신. 参考 본디, 天皇육의 높임말.

あらぼとけ【新仏】 图 죽은 후 처음으로 우란분재(盂蘭盆齋)에 모시는 영혼.　　　　　　〔연이〔선물용〕.

あらまき【新巻(き)・荒巻(き)】 图 얼간

あらまき【荒巻(き)】 图 짚・갈대 또는 대껍질 따위로 싼 선물.

あらまし 副 대강 ; 대충. ¶~こんな具合원だ 대충 이런 형편이다. 图 ①대강 ; 줄거리 ; 개략. ¶事件원의 ~は 사건의 줄거리는.

あらまほし 連体【雅】 그랬으면 좋겠다.

あらむしゃ【荒武者】 -sha 图 ①예의와 멋을 모르는 우악한 무사. ②과격한〔무례한〕 사람. ¶角界육의 ~ 씨름계의 난폭자.

あらめ【荒布】 图【植】 대황(바닷말의 하나).

アラモード 图 아 라 모드 ; 현대식 ; 최신 유행형. ↔à la mode.

あらもの【荒物】 图 통・조리・비 종류의 (부엌용) 잡화류 ; 초물(草物). ¶~屋 초물전(廛). ↔小間物원.

あらゆる【有らゆる】 連体 모든 ; 일체(一切)의 ; 온갖. ¶~人원으 모든 사람.

あららげる【荒らげる】 下一他 거칠게 하다. ¶声를 ~ 거칠게 말하다. ↔和원らげる.

あらりょうじ【荒療治】 -ryōji 图 スル ①우악스럽게 치료함(특히 외과의). ②과감한 개혁 ; 단호한 처리. ③참혹한 살상(깨끗 사회의 개혁).

あられ【霰】 图 ①싸라기눈. ②【料】 주사위 모양으로 썲 ; 또, 그것. ③주사위 모양으로 썬 떡을 튀겨서 맛을 낸 과자. ＝あられもち.

あられもない 連語 보통으로는 있을 수 없다 ; 특히, 여자의 행동・태도로서 어울리지 않다. ¶~ふるまい 여자답지 않은 (망측한) 거동.

あらわ【露・顕】 ダナ ①숨겨지지 않고 드러남 ; 노출됨. ¶~な肌원는 노출된 살갗. ②공공연히 ; 노골. ¶~に言ぃう 노골적으로 말하다.

あらわし【荒わし【荒鷲】 图 ①사나운 독수리. ②군용 비행기나 그 승무원의 비유.

あらわ-す【表(わ)す】⑤他 ①あらわす；증명하다；표현하다. ¶～し方が／表現法／文章に～ 문장으로 나타내다／名が体を～ 이름은 실체를 상징한다. ②발휘하다. ¶うでまえを～ 수완을 발휘하다.

あらわ-す【現(わ)す】⑤他 드러내다. ①나타내다. ¶姿を～ 모습을 나타내다. ②顕(わ)す（선행(善行) 등을）널리 세상에 알리다. ¶名を～ 이름을 드러내다；유명해지다.

あらわ-す【著(わ)す】⑤他 저술하다. ¶本を～ 책을 저술하다.

あらわ-れる【現(わ)れる】〖表(わ)れる・顕(わ)れる〗下一自 나타나다；드러나다. ¶姿を～ 모습을 나타내다／世に～ (a)세상에 나타나다；태어나다；(b)세상에 드날리다；출세하다／悪事が～ 나쁜 일이 탄로나다. ↔隠れる.

あらんかぎり【有らん限り】連語 ☞あるかぎり.

あり【蟻】名〔蟲〕개미. ¶～の穴から堤もくずれる 사소한 실수가 큰일을 맞친다./～のはい出る隙もない 경계가 물샐 틈도 없다.

アリア 名〔樂〕아리아. ▷이 aria.

ありあけ【有り明け】名 ①먼동이 튼 뒤에도 서쪽 하늘에 달이 보임；또, 그런 새벽(음력 16일 이후의 현상). ②새벽；해돋이. ¶～あんどん【──行灯】名 머리맡 장등(밤새도록 불을 켜 두는 머리맡 등불).

ありあま-る【有り余る】⑤自 남아 돌아갈 만큼 많고, 남았다. ¶～財宝《力ある》남아 도는 재물〔힘〕.

ありあり副《흔히 'と'를 수반하여》뚜렷이；역력히；똑똑히. ¶～と…が見えた ～한 기색이 뚜렷이 보이다. ¶ろうばいの色が～と見えた 당황한 기색이 뚜렷이 보이다.

ありあわせ【有り合(わ)せ】名 마침 그 자리에 있음；또, 그 물건. =有り合い. ¶～ですます있는 것으로 때우다.

ありうべき【有り得べき】連体 있음직한；있을 수 있는；있을 법한. 参考 否定形은 '有り得べからざる'임.

ありう-る【有(り)得る】下二自 있을 수 있다. 参考 否定形은 '有り得ない'.

ありか【在(り)処】名 있는 곳；소재. ¶～をさがす 있는 곳을 찾다.

ありかた【在り方】名 본연의〔이상적인〕자세〔상태〕. ¶学者としての～ 학자(로서의) 본연의 자세.

ありがた-い【有り難い】形 감사하다；고맙다. ¶～ことば 고마운 말／～く思う 고맙게 여기다／～, 助かった 고마워라, 살았다.

ありがた-がる【有り難がる】⑤他 ①감사히 여기다；고맙게 생각하다. ②존중하다. ¶肩書きを～ 직함을 존중하다.

ありがたなみだ【有り難涙】名 감사의 눈물.

ありがためいわく【有り難迷惑】名·形動 고맙기는 하지만 도리어 난처함；달갑지 않은 친절.

ありがち【有り勝ち】名·形動 세상에 흔히 있음；있기 쉬움. ¶青年に～な失敗 청년에게 있기 쉬운 실패.

ありがとう【有り難う】-tō 感 고맙다；고마워；고맙소. =ありがたい. 参考 손윗사람에게는 '～ございます'로 씀.

ありがね【有(り)金】名〈俗〉시재돈, 가진 돈. ¶～をはたいて買う 가진 돈을 털어서 사다.

ありきたり【在り来(た)り】名·形 본래부터 흔히 있음；얼마든지 있음.

ありくい【蟻食(い)】名〔蟲〕개미핥기.

ありげ【有り気】ナリ《体言을 받아서》있음 직함. ¶用～な顔で 볼일이 있는 듯한 얼굴.

ありさま【有(り)様】名 모양；상태(흔히, 좋지 않은 상태가 예상될 때에 쓰임). ¶みじめな～ 비참한 상태／なんというー だ！이게 무슨 꼴이냐.

ありし【在りし】連体 이전의；지나간；생전의. ¶～ひ【──日】名 ①지난날. ②(고인의) 생전. ¶～むかし【──昔】名 ①지난 옛날. ②(고인이) 살아 있던 시절. ¶～よ【──世】名 ①(고인이) 살아 있던 시절. ②과거의 세상〔시대〕.

ありじごく【蟻地獄】名〔蟲〕개미귀신(명주잠자리의 유충).

ありだか【有(り)高・在(り)高】名 재고；현재의 수량.

ありづか【あり塚【蟻塚】】名 의총；개밋둑；의봉=蟻封. =ありの塔.

ありつ-く【有り付く】⑤自《俗》(우연히) 얻어 걸리다；(겨우) …을 얻게 되다. ¶職に～ 일자리가 얻어 걸리다(얻게 되다).

ありったけ【有りっ丈】arittake 名·副 있는 한；있는 대로；전부. ¶～の力を出す있는 힘을 다 내다.

ありてい【有(り)体】名 있는 그대로；사실대로；실제대로. =ありのまま. ¶～に言えば 있는 그대로 말하면.

ありとあらゆる連体 온갖；모든. =ありとある. ¶～知恵を絞る 온갖 지혜를 짜내다.

ありなし【有り無し】名 유무. ¶借金の～はわからない 빚의 유무는 모르겠다.

ありのとう【ありの塔【蟻の塔】】名 ①=ありづか. ②〔植〕개미탑.

ありのとわたり【蟻の渡り】名 ①개미의 행렬. ②回廊(回廊)(음부와 항문과의 사이).

ありのまま【有りの儘】名·副 있는 그대로(임)；실제대로；사실대로. =ありてい. ¶～に打ち明ける 사실대로 털어놓다. ▷alibi.

アリバイ 名 알리바이；현장 부재 증명.

ありふ-れる【有り触れる】下一自 어디에나 있다, 흔하다；신기하지 않다. 注意 흔히 'ありふれた'의 꼴로 씀. ¶～れた話 흔한 이야기.

あります連語 있습니다.

ありもしない連語 있지도 않다.

ありや arya 連語 'あれは(=저것은)'의 막된 말씨. ¶～困った 저건 곤란하군.

ありゅう【亜流】aryū 名 아류. =エピゴーネン.

ありゅうさんガス【亜硫酸ガス】aryū- 名〔化〕아황산 가스. =gas.

ありよう【有り様】-yō 名 ①모양；상태. =ありさま. ②있는 그대로；실정. =ありのまま. ¶～を言えば 실

정을 말하면. ③있을 까닭. ¶～がない 있을 리가 없다.

‡あ-る【ある・在る】⑤固 있다. ①존재하다. ¶神なは～のか 신은 있는가. ②살아 있다. ¶～りし日びの面影なは 살아 생전의 모습. ③위치하다. ¶東京なは…の西南なに～ 東京의 서남쪽에 있다. ④『…にある'의 꼴로』돌아가다；귀속하다. ¶責任なは彼なに～ 책임은 그에게 있다. ⓛ달려 있다；귀착하다. ¶問題なは向かうの出方なに～ 문제는 저쪽이 어떻게 나오느냐에 달려 있다. ⑤그 위치·처지에 있다. ¶逆境ななに～ 역경에 있다.

‡あ-る【ある・有る】⑤固 ①있다. ¶妻つが～ 아내가 있다／～事ごを 일없는 일을 마구 퍼뜨리다／ガスが～ 가스가 (설비되어) 있다／試験なが～ 시험이 있다／一度ない行いったことが～ 한번 가본 적일이 있다. 参考 口語なでは 사람이나 동물に 대해서는 보통은 'いる'를 씀. ②(높이·거리 따위가) 얼마쯤 되다. ¶長ながさが～キロ・橋に 길이가 1킬로되는 다리. ＝無ない.

‡あ-る⑤固 ①〈인용의 'と'를 받아〉㉠…라고 (말)하다. ¶君命なと～れば 군명이라면, …라고 써서 있다. ¶遺書ないには…と～った 유서에는 …라고 써 있다. ㉡やや…ってこう言いった 좀 딱딱다이렇게 말했다. ③〈他動詞 連用形＋'て'를 받아〉…한 상태가 되어 있다. ¶木なが植うえて～ 나무가 심어져 있다／もう済すんで～ 이미 끝났다. 参考 自動詞には'ている'를 사용함. ¶掛かかっている 것을 나타내는 말：…이다. ¶これは花なで～ 이것은 꽃이다. 参考 口語なでは는 반드시 'である'의 꼴로 쓰이어 'だ'의 꼴은 뜻. ¶「日'なる어느 날.

ある【或(る)】連体 어떤；어느.
*あるいは【或いは】-wa 腰 ①혹은；또는. ＝または·もしくは. ¶牛うし～馬うまか 소 또는 말. ②〈'…～…～'의 꼴로〉혹은…혹은…. ¶～赤ぁく～黒くろい 혹은 빨강고 혹은 검다. ③어떤 경우에는；혹. ＝もしかすると. ¶～そうかもしれない 어쩌면 그럴는지도 모른다.

アルカイック-ikku 形ナ 아르카이크；고풍(古風)스럽고 치졸(稚拙)함. ¶～芸術なな 아르카이크 예술. ▷프 archaïque.

あるかぎり【有る限り】連体 있는 한；있는 것 모두；모조리. ＝あらんかぎり·ありったけ. ¶～の力なを尽つくす 있는 힘을 다하다.

あるかなきか【有るか無きか】連語 있는지 없는가；있는둥 마는둥. ¶～の存在ざない 있으나 마나한 존재.

あるかなし【有るか無し】連語 있는지 없는지 모를 정도；매우 적은 정도. ¶～の分量なない 아주 적은 분량.

あるがまま【在るが儘】連語 있는 그대로. ¶～を見みせる 그대로인 것이다.

アルカリ 名 알칼리. ↔酸さん. ▷네 alkali.
——せい はんのう【——性反応】-nō 名 알칼리성 반응. ↔酸性ない反応.

‡あ-る-く【歩く】⑤固 ①걷다；산책하다. ¶～・かせる 걸리다；〔野〕사구(四球)로 걸리다. ②여기저기 돌아다니며 하다(딴 動詞의 連用形을 받음). ¶売うって～ 팔며 다니다／酒場ばを飲のみ～ 여러 술집을 돌아다니며 마시다.

アルコール 名 알코올；주정(酒精)《술의 대명사로도 쓰임》. ▷네 alcohol.
——ちゅうどく【——中毒】-chūdoku 名 알코올 중독. ＝アル中なゆう.

あるじ【主·主人】名 ①주인. ⑴가장(家長). ¶この家いえの～ 이 집 주인. ②고용주. ③임자；소유자. ¶ヨットの～ 요트의 임자.

アルト 名〔樂〕알토. ▷이 alto.

あるときばらい【有る時払い】名 (돈이 있을 때 치르는) 수시 지불.

*アルバイト 아르바이트. 日名 ①일. ①(학문상의) 노작(勞作)；연구；업적. ②(학위) 논문. 日名ス自〔學〕(학생의) 부업；또, 부업을 하는 학생. ▷도 Arbeit.

アルパカ 名〔動〕알파카. ①알파카의 털로 짠 모직물；또, 그 털실. ▷alpaca.

アルバム 名 앨범. ▷album.

アルピニスト 名 알피니스트；등산가. ▷도 Alpinist.

アルファ -fa 名 알파《그리스 자모의 첫째》. ①최초. ¶～からオメガまで 파에서 오메가까지《처음부터 끝까지》. ↔オメガ. ②그 이상의 얼마；어떤 미지의 값. ¶基本給ないう プラス～ 기본급플러스 알파. ③〔野〕9회말 공격이 끝나기 전에 승부가 결정되었을 때 그 득점에 붙이는 기호. ¶5ご―対たい3さん 5 알 파 페 3(지금은 'X엑えス対たい3'으로 씀). ⓛ(높이뛰기 따위에서) 일정한 높이를 뛰고 그 이상 높이 뛸 자격을 얻었음에 도그것을 그만둔 때 기록에 붙이는 말. ¶二にメートル～ 2미터 알파. ▷영 alpha, A, α. ——せん【——線】名 알파선；α선.

アルファベット -fabetto 名 ①알파벳. ②초보；첫걸음. ▷alphabet.

アルプス 名〔地〕(스위스의) 알프스《넓은 뜻으론, 日本なな アルプス도 가리킴》. ▷Alps.

あるべき 連体 마땅히 있어야 할；당연히 그러하여야 할. ¶～姿なが 그러하여야 할 모습. ↔あるまじき.

アルマイト 名〔商標名〕알루마이트；양은. ▷ 이 Alumite.

あるまじき【有る間敷】連体 있어서는 안 될；그래서는 안 될. ¶～振舞まい 있을 수 없는 행동. ↔あるべき.

アルミ 名 ☞アルミニウム. ¶～サッシ 알루미늄 새시.

*アルミニウム -nyūmu 名 알루미늄. ＝アルミ. ▷aluminium.

あれ【荒れ】名 거칠. ①(날씨·바다 따위가) 사나워짐；폭풍우；풍파. ¶海うみはひどい～だ 바다는 몹시 거칠다(물결이 사납다)／試合ないは大だいに～だ (a) 경기가 엎치락뒤치락하다；(b) 싸움이 일어나 경기가 중단되거나 하다. ②살갗이 거칠함.

あれ【彼】代 ①먼 것을 가리키는 말. ㉠저것. ¶～は何なだろうね 저것은 무

엿일까. ⓛ저기;거기. ¶~に見える
のは… 저기 보이는 것은…. ②그 일;
그것. ¶~から三年は 그로부터 3년.
③저 사람;그 사람(약간 손아래의 제
3자). ¶~はうそつきだ 저 놈은 거
짓말쟁이다.

あれ【吁】〔感〕①어렵소;아니;어머(나);
아이구머니. =あら·ありゃ·あれえ.

あれい【亜鈴】〔名〕⇨아령.

あれかし〔連語〕꼭 그랬으면 하고 바람
을 나타냄:있으라;지어다. ¶幸ゥ~
행복이 있을지어다;행복이 있으라.

あれきり〔副〕①그 때를 마지막으로;그
후. ¶~音ネを立たが없는 그 후 통 소식
이 없다. ②그뿐. ¶持もってる金なは~
だった 가진 돈은 모두 그것뿐이다.

あれく-るう【荒れ狂う】〔五自〕①미친 듯
이 날뛰다(설치다). ②(물결·바람이)
거칠게〔사나워〕치다;사납게 놀치다.

アレグレット -retto〔名〕〔樂〕알레그레
토. ▷이 allegretto.

アレグロ〔名〕〔樂〕알레그로. ▷이 alle-
gro.

*__**あれこれ**__【彼此·是是】〔名〕①이것저것.
②〔副詞的으로〕여러 가지로. ¶~
(と)考える 이것저것 생각하다.

あれしき【彼(れ)式】〔名〕〔俗〕겨우 그
까짓(그쯤). ¶~の事などで悲しむものか
그까짓 일로 슬퍼하느냐.

あれしょう【荒れ性】-shō〔名〕살갗이 거
칠어지기 쉬운 체질. =脂性ホタシᵒ.

あれち【荒れ地】〔名〕황무지;거친 땅.
¶~を耕クたがす 황무지를 일구다.

あれの【荒(れ)野】〔名〕황야. ▷あらの.

あれは-てる【荒れ果てる】〔下1自〕몹시
황폐해지다;몹시 거칠어지다. ¶~
てた人ひの心シを 몹시 거칠어진〔각박해
진〕인심.

あれほど【彼程】〔彼程〕〔副〕저렇게;
저처럼;그토록. ¶~注意意したの
に 그토록 주의했는데도.

あれもよう【荒れもよう·荒れ模様】-yō
〔名〕①(날씨가) 거칠어질 모양. ¶山や
は~だ 산은 날씨가 사나워질 모양이
다. ②기분이 나쁜 상태;또, 그러할
모양. ¶社長ネネクッは~な 사장은 저기압
이다. ③일이 시끄러운 모양. ¶~の
会議だ 분위기가 험악한 회의.

あれよあれよ〔連語〕갈팡질팡;우왕좌
왕. ¶~という間まに 갈팡질팡하는 사
이에.

*__**あ-れる**__【荒れる】〔下1自〕거칠어지다.
①난폭히 굴다;날뛰다;설치다. ¶馬ゥ
が~れだだゥ 말이 미쳐 날뛰다. ②
사나워지다;거세어지다;험악해지다.
¶天気テンャが~ 날씨가 사나워지다/会
議ギが~ 회의 분위기가 험악해지
다. ③황폐해지다. ¶~れた家ミ 황폐
해진 집. ④(피부가) 꺼칠하게 트다;
트다. ¶手ℹが~ 손이 거칠어지다. ⑤
난잡해지다;어지러워지다. ¶彼ヮの
生活タネッは近まるちごろ~れている 그의 생
활은 요즘 엉망이다.

アレルギー〔名〕알레르기. ¶~性☞体質
テ☜ 알레르기성 체질. ▷도 Allergie.

アレンジ〔文he他〕어레인지. ①배열;정
리. ②〔樂〕편곡. ▷arrange.

アロハ〔名〕'アロハシャツ'의 준말;알로
하 셔츠. ▷aloha.

*__**あわ**__【泡】【沫】〔名〕거품. =あぶく. ¶

ビールの~ 맥주 거품. **—を食ゥう** 몹
시 놀라 당황하다;질겁하다. **—を吹ふ
かせる** 남을 몹시 놀라게 하다;혼쭐
내다.

あわ【粟】〔名〕①〔植〕조;좁쌀. ②소름.
¶一読ドゥク膚ミに~を生ショクじる (한번)
읽으니 소름이 끼친다.

アワー〔名〕아워;시각. ¶ラッシュ~ 러
시 아워. ▷hour.

あわ-い【淡い】〔形〕①(맛·빛깔이) 진하
지 않다. ¶~味ゥを 담담한 맛. ↔濃こい.
②희미하다;어렴풋하다;덧없다. ¶
~光ゥの 희미한 빛/~望ゥみをかける
덧없는 희망을 걸다.

あわ-す【合わす】〔5他〕①☞あわせる.
↔離はす. ②짝지우다;결혼시키다. =
めあわす.

あわ-す【淡す·酔す】〔5他〕침담그다. =
あわせ【袷】〔名〕겹옷. ↔ひとえ·襦袢
かたれ☜.

あわせいと【合(わ)せ糸】〔名〕합사;겹
실.

あわせて【合(わ)せて】〔連語〕①합해서;
모두. ¶~一万円サネシ 모두 만 엔. ②
〔あわせて·併せて〕〔接続詞的으로〕겸
해서;아울러. ¶これも~願うこと 이것
도 아울러 부탁하다.

*__**あわ-せる**__【合(わ)せる】〔下1他〕①맞추
다. ⑦맞게 하다. ¶時計ト을 ~ 시계
를 맞추다. ⓛ맞추어 보다. ¶答たゥを
~ 답을 맞춰보다. ②합주(合奏)하다.
③합치다;모으다. ¶手てを~ 두 손을
모으다;여미다. ¶えりを~ 웃깃을
여미다. ③(약 따위를) 섞다. ¶薬ゥを
~ 약을 배합하다.

*__**あわ-せる**__【併せる·合(わ)せる】〔下1他〕
어우르다;합치다. ¶隣国グのを~ 이웃
나라를 병합하다.

*__**あわ-せる**__【会(わ)せる】〔下1他〕만나게
〔만나보게〕하다;대면시키다. **—顔ネゥ
がない** 대할 낮이 없다;면목이 없다.

*__**あわ-せる**__【遭わせる】〔下1他〕당하게 하
다. ¶痛いたい目ゥに~ 따끔한 맛을 보게
하다.

*__**あわただし-い**__【慌(ただ)しい】【遽し
い】-shī〔形〕어수선하다;총망하다;분
주하다. ¶~政局キネミゥ 어수선한 정국/
出発キゥゥパツの用意タウパで~ 출발 준비로 분
주하다.

あわだ-つ【泡立つ】〔5自〕거품이 일다.

あわだ-つ【あわ立つ·粟立つ】〔5自〕소
름이 끼치다. ¶　　　　 일으며 하다.

あわだ-てる【泡立てる】〔下1他〕거품이
일게 하다.

あわつぶ【あわ粒】【粟粒】〔名〕좁쌀(알).

あわてふため-く【慌てふためく】〔5自〕
매우 당황하다;절절매다. ¶　　　 이.

あわてもの【慌て者】〔名〕덜렁이;출랑
이.

*__**あわ-てる**__【慌てる】【周章てる】〔下1他〕
①(당놔서) 황급하다. =うろたえる.
¶少したゥしも~ずに 조금도 당황하지
않고. ②황급히 굴다;허둥대다. ¶~
ててかけつける 황급히 달려가다(오
다). ¶思シタゥ~ 짝사랑의 비유.

あわび【鮑·鰒】〔名〕〔貝〕전복. **—の片ジ**

あわもり【泡盛(り)】〔名〕琉球ストュ 특산
의 좁쌀 또는 쌀로 담근 (독한) 소주
의 한 가지.

あわや〔感〕아차. ¶~と思シゥ間まも
なく衝突ゥゥゥゥゥした 아차 하는 사이도 없이
충돌했다. 〔二〕〔副〕까딱하면 (…ㄹ뻔);

이제라도 ; 당장 ; 이젠 ; …이로구나. ¶
〜不時着ホォョと思ォモった瞬間ォォ…이
젠 불시착이로구나 생각하는 순간….
あわゆき 【淡雪】 图 엷게 깔린 눈.
あわよくば 副 잘 되면 ; 잘 하면 ; 기회
만 있으면. =うまく行ゅけば. ¶〜一
位ィ゙になりたい 기회만 있으면 일등을
하고 싶다.
* **あわれ** 【哀れ・哀れ】 图 ［ダナ］
불쌍함 ; 가련함. ¶〜な孤児コ 불쌍한
고아 / 〜を催ォォョす 가련한 생각이 들
다. ②초라함. ¶〜な身ォなり 초라한
옷차림. ③정취 ; 감개 ; 비애(悲哀). ¶
物ォの〜を解ォゥする人ォ 사물의 정취를
아는 사람.
あわれっぽい 【哀れっぽい】 (憐れっぽ
い) -reppoi 形 〈俗〉아주 처량하게 보
인다. ¶〜声ォ 처량한 목소리.
あわれみ 【哀れみ】 (憐れみ) 图 불쌍히
여김 ; 동정. ¶〜を請ォゥう 동정을 바라
다.
あわれ-む 【哀れむ】 (憐れむ) ⑤他 ①불
쌍히 여기다. ②〈雅〉사랑하다 ; 귀여워
하다. ¶子ォを〜心ォゥ 자식을 귀여워하
는 마음.
あをひとぐさ 【青人草】 图 〈雅〉백성 ;
창생 ; 민초 ; 국민. =国民ミッ.
あん 【餡】 图①팥소 ; 고물. =あんこ
①. ②图⇨くずあん.
* **あん** 【案】 图①안. ¶〜を立ォてる 안
을 세우다 / 〜を練ォる 안을 짜내다 /
〜を出ォす 안을 내다. ②예상 ; 생각.
¶〜に相違ィゥして 예상과 달리.
-あん [庵] ①문인・묵객의 아호(雅號)
나 그의 주거의 아호에 붙이는 말. ¶
芭蕉ォ゙ォ──芭蕉庵. ②요릿집・과자 가
게・메밀국수 가게의 옥호. ¶松月ゲッ
ォ──송월암.
あんあん 【暗暗】 图①어두움. ②비밀.
──リ〔──裏〕〔──裡〕图암암리 ; 남이
모르는 사이. ¶〜に調査ザォする 암암
리에 조사하다.
* **あんい** 【安易】 图 ［ダナ］ 안이. ¶〜な道ォ
を選ォぶ 안이한 길을 택하다 / 〜に考
カゥゥえる 안이하게 생각하다.
あんいつ 【安逸】 (安佚) 图 ［ダナ］ 안일.
¶〜をむさぼる 안일을 탐하다.
あんうつ 【暗鬱】 图 우울. ¶
〜な色調ォ゙ォ 어두운 색조.
あんうん 【暗雲】 图 검은 구름 ; 먹
구름. =黒雲クォ. ¶〜が立ォちこめる
먹구름이 감돌다.
あんえい 【暗影】 (暗翳) 图 암영 ; 어두운
그림자. ¶政局ォォ゙に〜を投ォげる 정
국에 어두운 그림자를 던지다.
あんか 【行火】 图 숯을 피워 담고 담요
등을 덮은 일종의 휴대용 화로 ; 각로
(脚爐).
あんか 【安価】 图 ［ナ］ 안가 ; 값쌈 ; 싼값 ;
염가 ; 전하여, 값싸고 피상적임. ¶〜な
同情ォ゙ォ 값싼 동정.
アンカー ［英］ 图①닻. ②(릴레이에
서) 마지막 주자(走者) 〔영자(泳者)〕.
▷anchor.
* **あんがい** 【案外】 图 ［ダナ］ 뜻밖에도 ; 예
상 외로. ¶〜な成績ォォ 예상 외의 성
적 / 〜楽ョゥ 생각보다 수월하다.
あんかん 【安閑】 ［タル］ 안한 ; 안이 ; 편
안하고 한가함. =気楽ォク. ¶〜として

はいられない 아무 일도 안하고〔팔장
을 끼고만〕있을 수는 없다.
あんき 【安気】 图 ［ダナ］ 근심이 없는 모
양. =のんき. ¶〜な身分ォ゙ン 근심 걱정
없는 신분.
あんき 【安危】 图 안위. ¶一国ォォの〜
にかかわる大事ォ゙ 일국의 안위에 관계
되는 큰일.
* **あんき** 【暗記】 (諳記) 图 ［他］ 암기 ; 욈.
あんぎゃ 【行脚】 -gya 图 ［ス自］ 〈중의〉행
각 ; 전하여, 도보 여행. ¶史跡ォォ〜 사
적 답사.
あんきょ 【暗渠】-kyo 图 암
거 ; 땅속에 낸 도랑.
あんぐ 【暗愚】 图 암우 ; 바보. =ばか.
あんぐう 【行宮】-gū 图 행궁. =行在所
ォォ゙サ.
アングラ 图 언더그라운드 ; 몇 사람의
애호가만을 대상으로 하는 전위 예술.
¶〜劇場ォ゙ォ 전위 소극장. ▷under-
ground.
あんぐり 副 멍청하니 입을 딱 벌린 모
양 ; 딱. =ぽかんと. ¶口ォを〜とあ
けて見ォとれる 입을 딱 벌린 채 넋을
잃고 바라보다.
アングル 图 앵글. ①모퉁이 ; 구석. ②
사진기로 물체를 찍는 각도. ¶カメラ
〜 카메라 앵글. ③フ자형의 철재(鐵
材). ▷angle.
アングロサクソン 图 앵글로 색슨. ▷
「Anglo-Saxon.
* **アンケート** 图 앙케트 ; 질문. ¶ラジ
オ〜 라디오 앙케트. ▷프 enquête.
あんけん 【案件】 图①안건 ; 의안(議
案). ②소송 사건.
あんこ 【餡こ・餡子】 图 〈俗〉①팥소. =
あん. ②속을 채우는 물건. ¶ふとん
の〜 이불 속.
あんご 【安居】 图 ［ス自］ 〈佛〉안거(중이
일정한 장소에서 수행하는 일 ; 음력 4
월 16일부터 3개월간). =夏安居ォ゙ォ.
あんこう 【鮟鱇】-kō 图 〔魚〕 안강 ; 아
귀. 「연히 일치됨.
あんごう 【暗合】-gō 图 ［ス自］ 암합 ; 우
* **あんごう** 【暗号】-gō 图 암호. ¶電
報ォ゙ 암호 전보.
アンコール 图 ［ス自］ 앙코르. ①재청. ②
재상연 ; 재방송. ¶ラジオの〜アワー
라디오의 재방송 시간. ▷프 encore.
あんこく 【暗黒】 图 ［ダナ］ 암흑. =くら
やみ. ¶〜街ォ 암흑가.
アンゴラ 图 앙고라 ; 앙고라토끼의 모
피 ; 또, 앙고라토끼의 털로 짠 모직물.
▷Angora. 「묻힌 찰떡.
あんころもち 【餡ころ餅】 图 팥고물을
あんざいしょ 【行在所】-sho 图 행재
소 ; 행궁. =行宮ォォ゙.
あんさつ 【暗殺】 图 ［ス他］ 암살.
あんざん 【安産】 图 ［ス自他］ 안산 ; 순산.
↔難産ォォ. 「↔筆算ォォ.
* **あんざん** 【暗算】 (諳算) 图 ［ス他］ 암산.
アンサンブル -samburu 图 앙상블. ▷프
ensemble.
あんじ 【案じ】 图 걱정 ; 생각. ¶〜顔ォ
근심스러운 얼굴.
* **あんじ** 【暗示】 图 ［ス他］ 암시. ¶〜にか
かりやすい 암시에 걸리기 쉽다.
あんしつ 【暗室】 图 암실.
あんじゃく 【暗弱】 -jaku 图 암약 ; 어
리석고 무기력함.

あんしゃちず【暗射地図】 ansha- 名 암사 지도；백지도(白地圖).

あんしゅ【按手】-shu 名〈宗〉안수 (기도).

あんしゅ【暗主】-shu 名〈宗〉안주；어리석은 군주. ↔明主ミミ.

あんじゅう【安住】-jū 名 ス自 안주. ¶現在ミ゙の地位ミに～する 현재의 지위에 안주하다.

あんしゅつ【案出】-shutsu 名 ス他 안출；고안해 냄.

あんしょう【暗唱・諳誦】-shō 名 ス他 암송.

あんしょう【暗礁】-shō 名 암초. ──に乗゚り上゜げる ①암초에 얹히다. ②뜻밖의 곤란으로 움직이지 않게 되다.

あんじょう -jō 副〈関西方〉잘；훌륭히. ＝上手ミに. ¶～やってくれますか 잘 해 주실까.

あんしょく【暗色】-shoku 名 암색；어두운 빛깔. ↔明色ぶ.

あん‐じる【案じる】上1他 ①걱정하다；근심하다；염려하다. ¶身ミの上ミ を～を 신상을 걱정하다. ②안출하다；생각해 내다；연구해 내다；생각해 내다. ¶一策ミを～ 생각해 내다.

*＊**あんしん【安心・安神】**名 ス自 안심. ¶～できない 안심할 수 없다.

あんず【杏・杏子】名〈植〉살구.

あん‐ずる【案ずる】サ変他〈老〉＝あんじる(案). ¶案ずるより生゙むが易ミゼし 막상 해 보면 생각보다 쉬운 법이니라. ──に 생각건대；생각한 바. ¶つらつら～ 곰곰 생각건대.

あんせい【安静】名 ダナ 안정. ¶絶対～ 절대 안정.

*＊**あんぜん【安全】**名 ダナ 안전. ¶～保障ミミ゙ 안전 보장. ¶～な遊゙び場ミ 안전한 놀이터. ↔危険ミ. ──かみそり【──剃刀】 안전 면도칼. ──き【──器】 안전기；두꺼비집. ──べん【──弁】 안전판.

あんぜん【暗然・黯然】トタル 암연；슬퍼 정신이 아득해지는 모양. ¶～とした面持ミゼ゙ち 암담한 표정.

あんそく【安息】名 ス自 안식. ──こう【──香】-kō 名 안식향. ──び【──日】 名 안식일(유대교·안식교에서는 토요일, 기독교에서는 일요일；전자는 '安息にち', 후자는 '安息じつ'라 함).

あんた 代 당신('あなた'보다 덜 높여 부르는 말).

あんだ【安打】名 ス自〈野〉안타. ¶ヒット.

アンダー 언더；아래. ¶～ウェア 언더웨어；속옷／～シャツ 언더셔츠；남자의 속내의. ▷under. ──グラウンド 名 ¶アングラ. ▷underground. ──ライン 名 언더라인；밑줄(을 침). ▷underline.

あんたい【安泰】名 ダナ 안태；평안하고 무사함. ¶地位ミが～だ 지위는 튼튼하다.

あんたん【暗澹】トタル ①어둠침침한 모양. ＝どんより. ¶～たる空模様ミミ゙ 어둠침침한 하늘. ②암담. ¶～たる気持ミ゙ち 암담한 기분. ▷dante.

アンダンテ 名〈樂〉안단테. ▷이 an-

あんち【安置】名 ス他 안치；(仏像ミミ゙を)～する 불상을 안치하다.

アンチ- 안티；반(反). ──ミリタリズム 반군국주의의. ▷anti-. ──ノック

-nokku 앤티노크(가솔린 기관의 노킹을 방지하기 위해 가솔린에 섞는 물질). ▷antiknock.

アンチック -chikku 앤티크；활자 자체(字體)의 일종；둥글둥글한 느낌을 주는 고딕 모양의 활자). ▷프 antique.

アンチテーゼ 名 안티테제；대립 명제(對立命題)；반립(反立). ↔テーゼ. ▷도 Antithese.

あんちゃく【安着】名 ス自 -chaku 안착.

あんちゃん【兄ちゃん】-chan 名 ②〈俗〉①형님(형이나 젊은 남자를 친하게 부르는 말). ②길거리의 불량배. ¶町ミゼの～ 거리의 불량배.

あんちゅう【暗中】-chū 名 ス自 암중；어둠 속. ──ひやく【──飛躍】 名 ス自 암중비약；암약. ＝暗躍ミミ. ──もさく【──模索】 名 ス自 암중 모색.

あんちょく【安直】-choku ダナ ①싸고 간편함；간단함. ¶～な手段ミミ 간편한 절차. ②〈俗〉싹싹함；소탈함. ¶～な医者ミ 싹싹한 의사.

あんちょこ -choko〈俗〉(교과서의) 자습서. ＝とらの巻ミ.

アンツーカー 名 앙투카；붉은 벽돌 가루 같은 흙；또, 그 흙을 깐 경기장. ▷프 en-tout-cas.

*＊**あんてい【安定】**名 ス自 안정. ¶～したすわり 안정된 놓임새／生活ミゼ゙の～ 생활의 안정. 注意 '～な'의 꼴도 쓰임. ──かん【──感】 名 안정감. ──しょ【──所】-sho 名 '公共ミゼ職業ミゼ安定所ミミゼ(＝公共職業安定所ミ)'의 준말. ──せいちょうりつ【──成長率】-chō-ritsu 名 안정 성장률. ──のうか【──農家】-nōka 名 안정 농가(대규모화(化)·기계화·낙농화(酪農化)에 의해 경영이 안정된 농가).

*＊**アンテナ** 名 안테나；공중선. ¶～を張ミ る (a)안테나를 설치하다；(b)정보를 수탐(搜探)하다. ▷antenna.

アンデパンダン〈美〉앙데팡당(보수 전통에 반대하여 1884년에 창립된 프랑스의 독립 미술 협회). ▷프 Indé-pendants.

あんてん【暗転】名 ス自 암전. 参考 사태가 나쁜 쪽으로 변화하는 뜻으로도 쓰임.

あんど【安堵】名 ス自 안도. ¶～の胸ミを撫ミでおろす 안도의 한숨을 쉬다.

あんとう【暗闘】-tō 名 ス自 암투. ¶反対派ミミゼ゙と～する 반대파와 암투하다. ──名〈劇〉(歌舞伎ミゼ゙에서) 어둠 속에서 무엇(無言)으로 서로 더듬어 찾는 동작을 하는 연출법(장면).

あんどん【行灯】名 ①사방등(四方燈)(원형 또는 네모진 나무나 대 틀에 종이를 바르고 안에 기름 접시를 놓아 불을 켬). ②화분의 나팔꽃의 덩굴을 올리는 둥근 테.

あんな 連体〈口〉저런. ¶あのような. ¶～に 저렇게；저토록／～正直ミゼ゙な人ミ 저렇게 정직한 사람／～では困ミ゙る 저래서는 곤란하다. ¶こんな·そんな.

*＊**あんない【案内】**名 ス他 ①안내. ¶水先ミゼ゙～ 배의 수로 안내；도선(導船)／校内ミゼ゙を～する 교내를 안내하다. ②(초대)통지. ¶～状ミゼ゙ 안내장／結婚ミゼ゙の～を出゚す 결혼 통지를 내다／ご

い

～を頂たきましたが 초대를 받았으니 다만. ③(중간에서) 말을 전달함. ¶社長しゃちょうに～を乞こう 사장에게 전달해 주길 바란다.

あんに【暗に】 圖 암암리에；넌지시；은근히；몰래. ¶～反対はんたいする 은근히 반대하다.

あんねい【安寧】 图 안녕. ¶社会しゃかいの～ 사회의 안녕 ／ ～秩序ちつじょ 안녕 질서.

あんのじょう【案の定】 -jō 图 생각한 대로；예측대로；아니나다를까(주로 副詞적으로 쓰임). ¶～やって来きた 생각한 대로 왔다.

あんのん【安穏】 图ダナ 안온.

あんば【鞍馬】 amba 图 안마(체조 경기의 한 종목；또, 그 기구).

*__あんばい__【塩梅·按排·按配】ambai 图① (음식의) 간；맛. ¶～を見みる 간을 보다. ②(사물의) 형편；방식；상태；특히, 건강 상태. ¶いい～に晴はれて来きた 꼭 알맞게 개기 시작했다／からだの～が悪わるくて寝ねている 건강 상태가 나빠서 누워 있다.

*__あんばい__【按配】【按排·按配】ambai 图 ス他 안배. ¶仕事しごとを～する 일을 안배하다.

アンパイア ampaia 图 엄파이어；(경기의) 심판. 「어둠상자.

あんばこ【暗箱】 amba- 图 (카메라의)

アンバランス amba- 图 언밸런스；불균형. ↔バランス. ▷unbalance.

あんパン【餡パン】ampan 图 팥(소를 넣은) 빵.

*__あんぴ__【安否】 ampi 图 안부. ¶～を気きづかう 안부를 걱정하다／～を問とう 안부를 묻다.

アンビション ambishon 图 앰비션；야심；야망；공명심. ▷ambition.

あんぶ【按舞】 ambu 图 ス自 안무. =ふりつけ.

あんぶ【鞍部】 ambu 图 안부(산마루가 움푹 들어간 곳). =コル.

アンプ ampu 图 앰프；증폭기(増幅器). =アンプリファイア. ▷amplifier.

アンプル ampu- 图 암풀(주사액 유리 병). ▷プ ampoule.

あんぶん【案分】【按分】ambun 图 ス他

~を頂だきましたが 초대를 받았으니

あん.ぶ.【安分】 ¶～比例ひれいに 안분 비례.

アンペア ampea 图【電】암페어(전류의 강도의 실용 단위). ▷ampere.

アンペラ ampe- 图 암페라. ①【植】방동사니과의 다년초, ②위의 줄기로 짠 거적(자루). =アンペラむしろ. ▷포 amparo.

あんぽ【安保】ampo 图 안보('安全保障あんぜんほしょう条約じょうやく'(=안전 보장 조약)'의 준말). 「질. =湿布しっぷ.

あんぽう【罨法】ampō 图 ス他 엄법；찜

あんぽんたん ampon- 图 俗 바보；멍청함；멍청이. =あほう.

あんま【按摩】 amma 一 图 ス他 안마. 二 俗 안마쟁이；장님.

*__あんまり__【余り】 amma- 一图 너무；지나치게；과히. ¶～大きおおきい 너무 크다／～甘あまくない 과히 달지 않다(아래에 否定을 수반함). 二 ダナ 俗 과도함；지나침. ¶そんな仕打しうちをするなんて～だ 그런 지나친 처사다／親おやを打うつとは～だ 부모를 치다니 해도 너무한다.

あんみつ【餡蜜】ammi- 图 삶은 완두콩에 팥죽을 친 단 식품.

*__あんみん__【安眠】 ammin 图 ス自 안면. ¶～妨害ぼうがい 안면 방해.

あんもく【暗黙】ammo- 图 암묵. ¶～のうちに 암묵리에. 「ammonia.

アンモニア ammonia 图 암모니아. ▷

あんや【暗夜】【闇夜】 图 암야；어두운 밤. =やみよ. ¶～のつぶて 어두운 밤의 돌팔매(불의의 습격·피격). 一こうろ【──行路】-kōro 图 암야 행로；어두운 밤길을 걸어감.

あんやく【暗躍】 图 ス自 암약. =暗中あんちゅう飛躍ひやく.

あんよ 图 ス自 兒 걸음마；발. ¶～はお上手じょうず 걸음마짝짝.

あんらく【安楽】 图 ダナ 안락. 一し【──死】 图 안락사.

あんりゅう【暗流】 -ryū 图 암류；겉에 나타나지 않은 흐름·동태. ¶政界せいかいの～ 정계의 암류. 「초록.

あんりょく【暗緑】 -ryoku 图 암록(暗緑)색. 一いろ【──色】-ryoku 图

あんるい【暗涙】 图 암루；남몰래(저도 모르게) 흘리는 눈물. ¶～にむせぶ 암루에 목메다.

い イ

①五十音図ごじゅうおんずの'あ行ぎょう''や行'의 둘째 음. [i] ②(字源) '以'의 초서체(かたかな'イ'는 伊의 변(邊)).

い【井】 图 雅 우물. =いど.

い【亥】 图 해；지지(地支)의 열 두째. 돼지.

い【夷】 图 오랑캐. 一をもって一を制せいす 이이 제이(以夷制夷).

い【威】 图 위세；위엄. ¶～を示しめす 위엄을 나타낸다. 一あって猛たけからず 위엄이 있으되 사납지 않다.

い【意】 图 ①마음；생각. ¶～をうかがう 의향을 묻다. ②내용；뜻. 一に介かいしない 개의하지 않다. 一にかなう 마음에 들다. 一に満みたない 마음에 차지(들지) 않다. 一を決けっする 결심하다. 一を体たいする 남의 의견이나 생각

을 따라 행동하다. 一を尽つくす 생각한 바를 모두 나타내다(이해시키다). 一を迎むかえる 영합하다；아첨하다.

い【異】 图 ①다름；특별. ¶～とするに足たりない 조금도 이상할 것 없다. ②다른 의견(견해). 二 ダナ 괴이(怪異)함. ¶縁えんは～なもの 인연은 기이한 것. 一を立たてる 이의(異議)를 제기하다.

い【胃】 图 위. =いぶくろ.

い【藺】 图 雅【植】골풀；등심초. =いぐさ·灯心草とうしんそう.

い【医】 图 의(술)；의사. ¶～は外科げか 의사／～を業ぎょうとする 의(사)를

엽으로 하다.

イ 图《樂》가; 장음계의 다조(調)의 라의 음; A음.

い 終助《문말(文末)에 붙여서》 문세(文勢)를 강조하는 데 쓰는 말. ¶何だ～; 뭐냐/そうか～ 그러냐.

いあい【居合(い)】图 앉아 있다가 재빨리 칼을 뽑아 적을 베는 검술. ──ぬき【──抜き】图 'いあい'를 구경시키는 곡예(曲藝).

いあかす【居明(か)す】 五他 일어나 있는 채로 밤을 새우다.

*****いあつ**【威圧】 图他 위압. ¶～的な態度 위압적인 태도.

いあてる【射当てる】下一他 ①(활・총 따위로) 쏴 맞히다. ②노린 것을 제것으로 삼다.

いあわせる【居合(わ)せる】 下一自 마침 그 자리에 있다. ¶たまたまその場に～せた 공교롭게 그 자리에 있었다.

いあん【慰安】图 スル 위안; 위로. ＝なぐさめ・なぐさみ.

*****いい**【良い・善い・好い】 Ⅰ 形 〈口〉좋다. ＝よい. ¶～値 좋은 값; 상당히 비싼 값/～ようにしてくれ 좋도록해 주게/～が図じゃない 그다지 보기 좋은 꼴은 아니다/ぜいたくも～とこだ 사치도 분수가 있다. 參考 反語로 '惡い(＝わるい)'의 뜻으로도 씀. ¶～さまだ 잘 좋다. ──面の皮 꼴이 말이 아니군; 꼴 좋다(자조적(自嘲的)으로, 또는 남을 조롱하여 씀).

いい【易易】下タル 쉬운(용이한) 모양. ¶～たるものだ 아주 쉬운 일이다.

いい【唯唯】下タル 유유; 예예하며 上종함. ──として 그저 시키는(하라는) 대로. ──だくだく【──諾諾】图下タル 유유 낙낙. ──として服する 유유 낙낙 복종함.

いいあい【言(い)合い】图 ①서로 말하는 일. ②말다툼; 말시비.

いいあう【言(い)合う】 五他 ① 서로 말하다. ¶口々に～ 여러 사람이 서로 같은 말을 하다. ②말다툼하다. ¶口喧嘩を～ 서로 욕하다.

いいあかす【言い明かす】 五自 이야기로 밤을 새우다.

いいあてる【言(い)当てる】【言い中てる】 い- 下一他 알아맞히다.

いいあやまる【言(い)誤る】 い- 五他 그릇(잘못) 말하다.

いいあらそう【言(い)争う】 い- 五他 말다툼하다; 언쟁하다.

*****いいあらわす**【言い表(わ)す】【言い現(わ)す】 い- 五他 말로 나타내다.

いいあわせる【言(い)合わせる・言合せる】 图 ①서로 의논하다. ②미리 합의해 두다; 미리 짜다. ¶～せたように 누가 시키나 한 듯이.

イーイーシー【EEC】 图 이이시; 유럽경제 공동체. ▷European Economic Community.

いいえ ie 感 아니(오). ＝いや・いえ. ¶～行きませんでした 아니오, 안 갔었습니다.

いいおき【言(い)置き】io- 图 ①말하여 둠. ②남긴 말; 유언.

いいおく【言(い)置く】io- 五他 말해 두다; 말을 남기다.

いいおくる【言(い)送る】io- 五他 ①(편지 따위로) 말을 전하다. ②차례로 말을 전하다.

いいおとす【言(い)落とす】io- 五他 깜빡 할 말을 빠뜨리다. ＝言い漏(も)らす.

いいおわる【言(い)終わる】io- 五自 끝까지 말을 다 하다.

いいがい【言(い)甲斐・言い詮】igai 图 말할 가치; 말할 보람. ¶～の無い (a) 말할 보람이 없는; (b) 하는 수 없는; (c) 한심한.

*****いいかえす**【言(い)返す】ika- 五自他 ①되물어서 말하다. ②말대답하다; 말대꾸하다; 말을 되받다.

いいかえる【言(い)変える】 ika- 下一他 (앞서의 말과는) 딴 말을 하다.

いいかえる【言(い)替える】【言(い)換える】 ika- 下一他 바꿔 말하다.

いいかお【いい顔】【好い顔】ikao 图 ①꽤 알려진 얼굴. ②좋은 얼굴(유쾌한 표정). ──になる 안면이 넓어져 잘 통하게 되다. ──をしない 기분 좋은(호의적인) 얼굴이 아니다.

いいがかり【言(い)掛かり】iga- 图 ①트집. ¶～を付ける. ②말을 내놓은 이상 그만둘 수 없음. ¶～上 말을 내놓은 이상. ──を付ける 트집을 잡다.

*****いいかける**【言(い)掛ける】【言い掛ける】ika- 下一他 말을 걸다; 이야기를 시작하다; 도중까지 말하다.

*****いいかげん**【いい加減】【好い加減】ika- ─連語 적당함; 알맞음. ¶～の湯 적당히 끓은 목간물. ¶～暑いね 꽤 더운데. ②이제 슬슬. ¶～いやになる 이제 싫증이 난다. 三 ダナ ①무책임한 모양; 엉터리. ¶～なことを言う 무책임한 말을 한다. ②미적지근함; 불철저함. ¶～なことでは 적당히 해서는 해결이 안 난다. ──にしろ (상대를 꾸짖어) 이제 그만(해) 둬.

いいかた【言(い)方】ika- 图 ①말씨; 말투. ②표현(하기); 표현법.

いいかねる【言(い)兼ねる】 ika- 下一他 말하기 거북하다(어렵다).

いいかわす【言(い)交わす】ika- 五他 ①말을 주고받다. ②언약하다; 특히, 결혼을 약속하다.

いいき【いい気】【好い気】iki ダナ 혼자 좋아하는 마음; 우쭐대는 마음. ¶～なものだ 태평이군; 혼자 우쭐하네. ──になる 우쭐해지다.

いいき【異域】图 이역; 외국. ＝異国. ──の鬼(おに)となる 이국땅의 고혼이 되다.

いいきかせる【言(い)聞かせる】iki- 下一他 타이르다; 훈계하다.

いいきみ【いい気味】【好い気味】iki- 图 통쾌함; 고소함. ¶それは～だ 고거 잘 됐다.

いいきる【言(い)切る】iki- 五他 ①단언하다; 잘라 말하다. ②말을 마치다. ¶説明を～・らぬうちに 설명을 (채) 마치기 전에.

いいぐさ【言い草】【言い種】igu- 图 ①한 말; 말투. ¶～が気にくわない 말투가 아니꼬땁하다. ②화제;

이야깃거리. ¶人ひとの～になる 남의 이야깃거리가 되다. ③변명; 핑계; 구실. ¶～がいいじゃないか 거 핑계가 그럴듯하지 않은가[얄밉다].

いいくさ-す【言(い)くさす】(言(い)腐す) iku- 5他 나쁘게 말하다; 헐뜯다.

いいくら-す【言(い)暮(ら)す】 iku- 5他 그 말만 되뇌며 날을 보내다.

いいくる-める【言いくるめる】(言い包める) iku- 下1他 구슬리다; 말로 구워삶다.

いいけ-す【言(い)消す】 ike- 5他 ①남의 말을 부인하다. ②한 말을 취소하다.

いいこ【いい子】(好い子) iko 名 착한 아이. 一になる 저만 남에게 잘 보이려고 하다.

いいこな-す【言いこなす】iko- 5他 교묘히 말하다; 잘 둘러대다.

いいこ-める【言い込める】(言い籠める) iko- 下1他 윽박질러[이치로 따져] 찍소리 못 하게 하다.

いいさ-す【言いさす】isa- 5他 말을 하다가 말다.

イージー【easy】 ダナ 이지. ¶～なやり方かた 안이한 방식. ▷easy. ――オーダー 名 이지오더; 반기성복(半既成服). ¶一 easy order. ――ゴーイング ダナ 이지고잉; 안이(安易). ▷easygoing.

いいしぶ-る【言い渋る】ishi- 5他 말을 멈칫거리다[망설이다].

いいじょう【言い条】ijō 名 ①할 말; 주장. ②〈雅〉'…とは～'의 형태로〉…라고는 하나;…하다고는 해도. ¶有あるとは― 있다고는 하나.

いいしれぬ【言い知れぬ】ishi- 連語 이루 표현할 수 없는. ¶～喜よろこび 이루 말할 수 없는 기쁨.

いいす-ぎる【言(い)過ぎる】isu- 上1他 말이 지나치다; 지나친 말을 하다.

イースター【easter】 名 이스터; 부활절(復活節). ▷Easter.

いいす-てる【言(い)捨てる】isu- 下1他 제 할 말만 해버리다.

イーゼル【easel】 名 이즐; 화가(畵架). ▷easel.

いいそこな-う【言い損なう】iso- 5他 ①잘못 말하다. ②말을 못하고 말다; 말할 것을 깜빡 잊다.

いいそび-れる【言いそびれる】(言い逸びれる) iso- 下1他 말을 꺼낼 기회를 놓치다.

いいだこ【飯蛸】ida- 名〔動〕꼴뚜기.

いいた-す【言(い)足す】ita- 5他 보충해서[보태어] 말하다.

いいだ-す【言(い)出す】ida- 5他 말을 꺼내다[시작하다].

いいた-てる【言(い)立てる】ita- 下1他 ①주장하다. ¶不賛成ふさんせいだと～ 불찬성이라고 주장하다. ②열거하여 말하다; 쳐들어 말하다. ¶人ひとのあらを～ 남의 흠을 들어 말하다. ③아뢰다; 여쭈다.

いいちがい【言(い)違い】ichi- 名 잘못 말함; 또, 그 말.

いいちら-す【言(い)散らす】ichi- 5他 말을 함부로 하다.

いいつか-る【言いつかる】(言い付かる) itsu- 5他 분부를[명령을] 받다.

いいつぎ【言(い)継ぎ】itsu- ①전설

(傳說);구전(口傳). ②전언(傳言); 전갈.

いいつく-す【言(い)尽く(く)す】itsu- 5他 죄다 말해 버리다.

いいつく-ろう【言(い)繕う】itsu- 5他 그럴 듯하게 꾸며 대다.

いいつけ【言いつけ】(言い付け) itsu- ①분부; 명령. ②일러바침; 고자질.

*いいつ-ける**【言いつける】(言い付ける) itsu- 下1他 ①분부[명령]하다. ¶買物かいものを～ 물건을 사오라고 시키다. ②고자질하다. ③늘 말하다.

いいつたえ【言(い)伝え】itsu- 名 ①전설;구전. ②전언(傳言);전갈.

いいつた-える【言(い)伝える】itsu- 下1他 ①구전하다. ②전언하다;말을 인편에 전하다.

いいつの-る【言(い)募る】itsu- 5他 말이 점점 더 격해지다.

いいとお-す【言(い)通す】itō- 5他 끝까지 우겨 나가다.

いいとし【いい年】(好い歳) ito- 名 ①세상 물정에 익숙하고 분별 있는 나이; 지긋한 나이. ¶～をして 나잇살이나 먹은 주제에. ②행복한 새해.

いいなお-す【言(い)直す】ina- 5他 고쳐 말하다; 다시[바꾸어] 말하다. ＝言いい改あらためる.

いいなか【いい仲】(好い仲) ina- 連語〈俗〉(남녀의) 그렇고 그런 사이; 사랑하는 사이.

いいな-す【言(い)做す】ina- 5他 ①그럴 듯하게 말하다. ②좋은 말로 중재(仲裁)를 붙이다. ¶ふたりの仲なかをうまく～ 둘 사이를 좋은 말로 화해시키다.

いいなずけ【許嫁・許婚】ina- 名 약혼.

いいならわ-す【言(い)習わす】ina- 5他 습관적으로 말하다.

いいなり【言いなり】(言い成り) ina- 名 말하는 대로;하라는 대로. ＝言いうなり. ¶人ひとの～になる 남이 하라는 대로 하다.

いいにく-い【言いにくい】(言い悪い) ini- 形 말하기 어렵다[거북하다]; 발음하기 어렵다. 「또, 그 말.

いいぬけ【言(い)抜け】inu- 名 발뺌; **いいね**【言(い)値】ine- 名 (팔 사람이) 부르는 값. ↔付つけ値ね.

いいのが-れる【言(い)逃れる】ino- 下1自 변명하여 발뺌하다.

いいのこ-す【言(い)残す】ino- 5他 ①말을 다 하지 않고 남겨 두다. ↔言いいつくす. ②(뒷일에 관한) 당부의 말을 남기다.

いいはな-つ【言(い)放つ】iha- 5他 ①단언하다; 공언(公言)하다. ②방언(放言)하다.

いいは-る【言(い)張る】iha- 5他 (주장을) 끝까지 버티다; 우겨대다.

イーピーばん【EP盤】名 이피판. ＝ドーナツ盤ばん. ▷extended playing record.

いいひと【いい人】(好い人) ihi- 連語 ①좋은 사람; 호인(好人). ②좋아하는 사람; 애인.

いいひらき【言(い)開き】ihi- 名 변명; 해명. ＝いいわけ. ¶～が立たたない 변명이 안 되다.

いいひろ-める【言(い)広める】 ihi-

下1他 말을 퍼뜨리다.

いいふく-める【言(い)含める】ifu- 下1他 알아듣게 말하다；말하여 깨닫게 하다.

いいふら-す【言いふらす】(言い触らす)Ifu- 五他 말을 퍼뜨리다.

いいふる-す【言(い)古す】(言(い)旧す)Ifu- 五他 익히 들어서 새로운 맛이 없게 하다.

いいぶん【言(い)分】ibun 名 ①주장하고 싶은 말. 『相手ぶの～を尊重びするする 상대의 주장을 존중하다. ②불평；이의(異議). =文句ぶん.

いいまか-す【言い負かす】ima- 五他 설복시키다；말로써 상대방을 꺾다.

いいまぎら-す【言い紛らす】五他 말머리를 슬쩍 돌리어 얼버무리다.

いいまく-る【言いまくる】(言い捲る)ima- 五他 혼자말 마구 떠벌려대다；기세좋게 떠들다.

いいまる-める【言い丸める】ima- 下1他 말로 교묘하게 속이다[구슬리다]. (방법)：말(주변).

いいまわし【言(い)回し】ima- 表現 표현.

いいめ【いい芽・いい目】(好い芽・好い目)ime 慣용. 一が出る 일이 잘 되다；운이 트이다.

いいもら-す【言(い)漏らす】(言(い)洩らす)imo- 五他 ①할 말을 빠뜨리다(깜빡 잊다). ②누설하다.

いいや iya 感 아니('いいえ'보다 스스럼 없는 말투). 『～, 僕ぼくはしらんよ 아니, 난 몰라.

いいやぶ-る【言(い)破る】iya- 五他 논파(論破)하다.

いいよう【言いよう】(言い様)iyō 표현(법)；말씨. 『何なにとも～がない 뭐라고 말할 수 없다／ものは～で角かが立たつ 말도 하기 나름으로 모가 난다.

いいよど-む【言いよどむ】(言(い)淀む)iyo- 五他 말이 막히다；말을 머뭇거리다.

いいよ-る【言(い)寄る】iyo- 五他 구애(求愛)하다. =くどく.

＊**いいわけ**【言(い)訳】iwa- 名 ①변명；핑계. ②사죄.

いいわたし【言(い)渡し】iwa- 알림；명령；선고.

いいわた-す【言(い)渡す】iwa- 五他 ①결정 사항·명령 따위를 시달하다. ②선고하다. 『一年ねんの刑けいを～ 일년형을 선고하다.

＊**いいん**【委員】名 위원.

＊**いいん**【医院】名 의원.

＊**いう**【言う・云う】(謂う)yū 一五他 ①말하다. 『～に足たらぬ 축에 말할 것도 못 되는／泣なき言ごとを～ 우는 소리를 뱉다／何だかんと～ 이러니저러니하다. ②《'…を…と～' 따위의 형으로》『～』이라고 (부르다). =名づける. 『特とくにこれに～長所ちょうも無ない 특히 이렇다 할 장점도 없이／足だを～・すと～ 굳이 손꼽을 것 없이. 三【いう】五自 ①소리가 나다. 『戸とががたがたと～ 문이 덜거덕거린다. ②『という』+体言, 'といった'+体言, 'といいます'+体言

의 형으로)'と'가 받는 내용을 다음에 오는 체언에 연결하는 말：…이라 한다. 『貧乏びんぼうと～ものは 가난이란 것은. ③'という'의 앞뒤에 동일한 체언을 가져와 …(이)란 …은(는) 모두. 『娘むすめと～娘 처녀란 처녀는 모두. ④〈상태를 나타내는 말 'といったらない'로 계속시켜〉정말이지 …하다. 『寒さむいと～・ったらない 정말이지 춥다.
──わぬが花はな 말을 하지 않는 것이 낫다. ──わぬは一に優まさる 잠자코 있어도 뜻이 강하면 자연히 상대방에 통하게 된다.

＊**いうまでもない**【言うまでもない】yū- 連語 말할 필요도 없다；물론이다.

＊**いえ**【家】名 ①집. 一を出でる (a)집을 나서다. (b)집을 나가다；가출하다. ②가정. 『結婚けっこんして～を持つ 결혼해서 가정을 갖다. ③집안；가문. 『古ふるい～ 오래된 집안；유서 깊은 집안.

いえ【遺詠】名 유영. ①고인이 남긴 시가(詩歌). ②사세(辭世)의 시가.

いえがまえ【家構え】名 집의 구조·형태. =やづくり.

＊**いえがら**【家がら】(家柄)名 ①집안；가문. ②명문. 『～の出で 명문 출신.

いえき【胃液】名 위액.

いえじ【家路】名 (집으로의) 귀로(歸路). 一をたどる 귀로에 오르다.

イエス 感 에스；예；긍. 응. =ノー. ▷yes. ──マン 名 예스맨. ▷yes man.

イエス キリスト 名 예수 그리스도.　　【家系】

いえすじ【家筋】名 일가의 혈통；가계.

いえつき【家付き】(家附き)名 ①건물이 딸려 있는 집. 『～の土地ち 건물이 딸린 토지. ②본디서 살고 있음；또, 그 사람. ──むすめ【～娘】名 데릴사위를 맞아들여야 할 딸；사위 양자를 맞을 딸.

＊**いえで**【家出】名 ス自 가출(家出).

いえども【雖も】(接続)《…と～의 형으로》…라 하더라도. 『こどもの意見けんと～ 어린아이의 의견이라고 지라도.

いえなみ【家並(み)】名 ①집이 즐비함；또, 그 모양새. =やなみ. 『通とおりに面めんした静しずかな～ 조용한 거리에 면한 집비한 집들. ②《흔히 '～の'의 형으로》집집마다. 『～に国旗きを かかげる 집집마다 국기를 달다.

いえなわ【家繩】(蟲)名 집파리.

いえばと【家鳩】(鳥)名 집비둘기.

いえもち【家持ち】名 ①집을 소유하고 있음；또, 집을 가진 사람. ②일가(一家)를 지탱하는 사람；가장. ③살림살이. 『～がよい 살림을 잘하다.

いえもと【家元】名 ①한 유파(流派)의 정통을 잇는 집；또, 그의 당주(當主). =宗家そうけ. 『踊おどりの～ 춤의 종가. ②본가(本家).　　【地】

いえやしき【家屋敷】名 집과 대지(垈地)

いえらく【言えらく】連語〈文〉말하기를. 『古人こじん～ 고인이 가로되.

い-える【癒える】下1自〈雅〉(병이) 낫다；(상처가) 아물다. 『病やまいが～ 병이 낫다.

イエロー 名 옐로. ▷yellow. ──ゾーン

い

いえん 图 전면(全面) 주차 금지 구역. ▷일 yellow zone.

いえん【以遠】图 이원；어떤 지점으로 부터 저쪽. ¶ソウル~は列車も不通だ 서울부터 저쪽은 열차 불통.

いえん【胃炎】图【醫】위염.

いおう【以往】图 이왕；그 뒤；이후. =以降ぶぅ.

*いおう**【硫黄】iō 图 황. ¶~華ゕ【化】화화／~泉ざ 유황천.

いおと-す【射落(と)す】图他 ①쏘아 떨어뜨리다. ②획득하는 것을 차지하다. ¶草ぶの~を結ゃぶ 초막을 짓다.

いおり【庵】图 암자；농막. =いお.

イオン 图 이온. ▷ion.

いおんびん【イ音便】iombin【文法】주로 활용어(活用語) 'き' 'ぎ' 'し'가 'い'로 변하는 음변화〔咲さ'いて'가 咲'きて'로 변하는 따위〕.

いか【烏賊】图【動】오징어.

*いか**【以下】图 이하；...이하しょぅ.

*いか**【異化】图 ｚ直他 이화. ¶~作用ぅ 이화 작용. ↔同化どぅ.

いが【毬・栗毬】图 가시 돋친 덧껍데기. ¶栗いの~ 밤송이.

いが【蛾蛾】图【蟲】웃음나방.

いかい【位階】图 위계. =位ぃ. ¶~勲等ひとぅ 위계 훈등.

いかい【遺戒・遺誡】图 유계；유언. 유훈(遺訓).

いがい【以外】图 이외；그 밖. ¶バス~の乗物のりは ない 버스 이외의 탈 것은 없다.

*いがい**【意外】ダナ 의외. ¶事ごとの~に驚ぎく 의외의 일에 놀라다.

いがい【遺骸】图 유해；유체(遺體). =なきがら・遺体たい. ¶~を手厚ぶく葬ぶる 유해를 후히 장사 지내다.

いがい【貽貝】图【貝】홍합.

いかいよう【胃かいよう】【胃潰瘍】-yō 图【醫】위궤양.

いかえ-す【射返す】图他 ①활을 쏘아 적을 물리치다. ②적이 쏜 화살로 되쏘다. ③적에 응사(應射)하다.

*いかが**【如何】图 ダナ【雅】①어떻게. ¶~いたしましょうか 어떻게 해야 할까요. ②어떻습니까. ¶もう一つ~ 하나 더 어떻습니까. ③~なものでしょうか ~なものでしょうか 어떻겠습니까. ④それは~かとおもわれます 그것은 어떨까 생각됩니다.

いかがわし-い【如何わしい】-shi 形 ①어떨까 생각되다；의심스럽다. ¶~人物だっ 수상쩍은 인물. ②(도덕상) 좋지 않다；저속하다. ¶~しばい 저속한 연극.

いかく【威嚇】图 ｚ他 위하；위협. ──しゃげき【射撃】图 위협 사격.

*いがく**【医学】图 의학. ¶~拡張 위확장.

いがくちょう【胃拡張】-chō 图 위확장.

いがぐり【毬栗】图 ①송이밤. ¶いがぐりあたま'の 準말[짧게 깎은 머리；몽구리.

いかけ【鋳掛け】图 땜질. ¶~屋ゃ 땜 장이.

いかさま【如何様】一图【老】 과연；정말. =いかにも・なるほど. ¶~もっともな話だっ 과연 지당한 말이다. 二图 가짜；모조품；부정(不正)；협잡；사기. ¶~賭博とば 사기 도박.

──**し**【──師】图 야바위꾼；사기꾼. ──**もの**【──物】图 (그럴 듯한) 가짜；위조품.

いか-す【行かす】图 5自【俗】①보내다；근사하다；상당히 좋다. ¶あの人ど、ちょっと~ね 저 사람, 좀 멋있네.

‡**いか-す**【生かす】【活かす】图 5他 살리다. ①소생시키다. ②살려 두다. ③활용하다；살려 쓰다. ¶廃物ぶを~ 폐물을 활용하다／味だを~ 맛을 살리다. ↔殺ころす.

いかすい【胃下垂】图【醫】위하수.

いかずち【雷】图【雅】 천둥；우레.

いかぞく【遺家族】图 유가족；특히, 전몰자의 유가족.

いかだ【筏】图 떼；뗏목.

いがた【鋳型】图 주형；거푸집. ──にはめたよう 틀에 박은 듯이.

いカタル【胃カタル】【胃加答児】图【醫】 위(胃) 카타르. ▷독 Katarrh.

いかつ-い【厳つい】形【老】 딱딱하다；위엄 있게 보이다. =ごつい. ¶~顔ぉ 딱딱하고 위엄 있는 얼굴.

いかな【如何な】連体【老】①어떠한；어떠한. ¶~男おでも 어떠한 사나이라도. ②그렇듯...한. ¶~勇者ゅうも 그렇게 용감한 사람도.

いかなご【玉筋魚】图【魚】까나리.

いかなる【如何なる】連体【雅】 어떠한. ¶~方法ほぅを講ずるべきか 어떠한 방법을 강구할 것인가.

*いかに**【如何に】圖 ①어떻게；어떤 방법으로. ¶~すればよいか 어떤 방법으로 하면 좋은가. ②〈假定을 수반하여〉아무리. ¶~強ぃくても 아무리 강해도, 강해질[된] 것인가. ¶これはそも~─이건 또 어째된 일인가.

いかにも【如何にも】圖 ①어떻게든(지)；어떻게 해서라도. ¶~なれ 어떻게든 돼라. ②아무리 생각해도, 아무리. ¶~おかしい 아무래도 이상하다. ③자못；정말이지. ¶~悲ぃしげな顔ぉ 자못 슬픈 듯한 얼굴. ④과연；확실히. ¶~そうだ 과연 그렇다.

いかばかり【如何許り】圖【老】 얼마나；아무리. =どれほど. ¶喜ょろこびは~だろう 얼마나 기쁠까／~努力ぁくしても 아무리 노력해도.

いかほど【如何程】〔如何程〕圖 ①얼마나；얼마쯤. ¶~差しあげましょうか 얼마나 드릴까요. ②아무리. ¶~努力ぁくしても 아무리 노력해도.

いがみあ-う【いがみ合う】【啀み合う】图 5自 서로 으르렁[으드등]거리다.

いが-む【啀む】图 5自 물려고 으르렁거리다；으드등거리다.

*いかめし-い**【厳しい】-shi 形 위엄이 있다；엄숙하다. ¶~顔ぉつき 위엄 있는 얼굴／~門構がま 당당한 대문.

いかもの【如何物】图 ①가짜；위조품. ¶~をつかまされる 가짜를 속아 사다. ②꺼림한 물건. ──ぐい【──食い】图 보통 사람이 먹지 않는 것을 겨 먹음；또, 그 사람.

いかよう【如何様】-yō ダナ【老】어떠한. =どんなふう・どのよう. ¶~にでも考がえられる 어떻게도 생각된다.

いから-す【怒らす】⑤他 ①성나게 하다. ②모나게 하다. ¶肩を～어깨를 으쓱 치키다 / 目を～ 눈을 부라리다.

いから-せる【怒らせる】下一他 ☞ いからす.

いがらっぽ-い -rappoi 彫 ☞ えがらっぽい.

いかり【怒り】图 분노; 노여움. ¶～にふれる 노여움을 사다.

いかり【錨・碇】图 닻. ¶～をおろす 닻을 내리다; 정박하다.

いかりがた【怒り肩】图 딱 바라지고 올라간 어깨; ↔なで肩.

いかりそう【錨草・碇草】-sō 图【植】삼지구엽초(三枝九葉草).

いか-る【怒る】⑤自 ①성내다; 화내다. =おこる. ¶烈火のごとく～ 열화같이 노하다. ②거세어지다. ¶～波 성난 파도. ③모나다; 모지다. ¶肩が～ 어깨가 딱 바라지고 치켜 올라가다.

いか-る【斑鳩】图【鳥】밀화부리; 고지새. =いかるが.

いか-れる【行かれる】⑤自【俗】 ①당하다; 앞질리다; 지다. ¶あいつに～れた 저놈에게 당하였다. ②빠지다; 열중하다. ¶ジャズに～れている 재즈에 미쳐 있다. ③돌다; 불량스러워지다. ④낡아서 소용없게 되다. ¶～れたテレビ 낡은 텔레비전.

いかん【如何・奈何】㊀図 여하. ¶事の～を問わず 일의 여하를 불문하고. ㊁副【雅】 어떻게; 어떠한지. ¶～ともしがたい 어쩔 수가 없다. ¶～となれば 連語 왜냐하면.

いかん【遺憾】图 유감. ¶～ながらお断りする 안 되었지만 사양한다. ――なく 유감없이; 충분히.

いかん【偉観】图 위관; 장관(壮観).

いかん【移管】图他 이관.

いかん【衣冠】图 ①의관. ②의관을 착용한 사람; 귀인.

いかん【依願】图――めんかん【―免官】图 의원 면관(免官).

いがん【胃がん】【胃癌】图【医】위암.

いかんせん【如何せん】図 여하하랴; 유감스럽게도. ¶～もはや力が尽きた 아무리 해도 이미 힘이 진하였다.

いき【息】图 숨. ①호흡; 숨소리. ¶～をする 숨을 쉬다 / ～を吐く 숨을 내쉬다. ②목숨. ¶～のあるうち 목숨이 붙어 있는 동안. ――が合う 호흡이 맞다. ――がかかる 입김이 닿다; (유력자의) 후원을 받다; 지배를 받다. ――が切れる ①숨이 차다. ②숨이 끊어지다; 죽다. ③끝이 막히다. ――を入れる 한숨 돌리다; 잠깐 쉬다. ――を殺す 숨소리를 죽이다. ――をつく ①크게 숨 쉬다. ②숨을 돌리다. ――をのむ 놀라서 숨을 죽이다. ――を引き取る 숨을 거두다; 죽다. ――を吹き返す 숨을 돌리다; 소생하다.

いき【粋】㊀图 세련되고 매력이 있음; 특히, 화류계 방면 풍류에 통달함. ㊁ナ형 세련되고 멋진 사람. ↔やぼ.

いき【生き・活き】图 ①생(生); 삶. ¶～証人 산 증인. ②싱싱함; 신선

함. ¶～のよい魚 싱싱한 생선. ③(바둑에서) 집을 내어 삶.

いき【域】图 단계; 정도; 경지. ¶さとりの～に達する 득도의 경지에 이르다.

いき【遺棄】图他 유기. ¶死体～.

*いき**【意気】图 의기(意気); 기개(気概); 기상(気象); 하고자 하는 마음가짐. ――天を突く 의기 충천하다. ――込み (어떤 일을 하려고) 분발함; 기세(気勢); 패기. ――ごむ (込む) 분발하다; 벼르다. ¶ぜひ勝とうと～ 꼭 이기려고 분발하다. ――込んで答える 힘차게 대답하다. ¶～に答える 힘찬 동작을 하다. ――しょうちん【―消沈】-shōchin 图自 의기소침. ――しょうてん【―衝天】-shōten 图 의기 충천. ――そそう【―沮喪】-sosō 图 의기 저상. ――とうごう【―投合】-tōgō 图自 의기 투합. ――ようよう【―揚揚】-yōyō ㊀タル 의기 양양.

いぎ【威儀】图 위의. ¶～を正す 위의를 갖추다.

*いぎ**【意義】图 의의; 뜻. ¶同じ～ 이의.

いぎ【異義】图 이의. ¶同音異義 동음이의.

いぎ【異議】图 이의. ¶～を申し立てる 이의를 제기하다.

*いきいき**【生き生き・生生き】图自 생생한 모양; 생기가 넘치는 모양. ¶～した魚 싱싱한 생선 / ～とした顔つき 생기가 도는 표정.

いきうつし【生き写し】图 빼쏨; 꼭 닮음. ¶母親に～ 어머니를 빼쏨.

いきうま【生き馬】图 살아 있는 말. ――の目を抜く 날쌔게 행동하다(눈 감으면 코 베어 먹는다). ⇨しりげをぬく.

いきうめ【生き埋め】图 생매장.

*いきおい**【勢い】㊀图 ①기세; 힘. ¶筆の～ 필세. ②세력; 위세. ¶～を振う 세력을 떨치다. ③기운; 바람; 서슬. ¶酒の～ 술기운. ④정세; 추세. ¶自然の～ 자연의 추세. ㊁副 당연한 결과로; 자연히. ¶～そういうことになる 당연한 결과로 그렇게 되다.

いきごむ【勢い込む】⑤自 기세를 올려 분발하다; 기세를 부리다. =意気こむ.

いきづく【勢い付く】⑤自 기세가 나다; 활기를 띠다.

*いきがい**【生きがい】【生き甲斐】图 사는 보람; 산 보람.

いきかえ-る【生き返る】⑤自 되살아나다; 소생하다.

いきか-ける【行きかける】【行き掛ける】下一自 ①가려고 하다. ②마침 지나려 하다.

いきかた【生き方】图 생활 태도; 생활[행동] 방식. ¶イージーな～ 안이한 생활 태도.

いきがみ【生き神】图 생불(生仏)(덕이 높은 사람에 비유됨).

いきぎも【生き胆】图 생간. ――を抜く 생간을 끄집어내다(전하여, 깜짝 놀라게 하다).

いきぎれ【息切れ】图自 ①숨이 참; 헐떡임. ¶～がする 숨이 차다. ②(도

い

중에서) 기력이 진해 계속하지 못함. ¶途中으로~する 중도에서 더 버티지 못하고 주저앉다.

いきぐるし-い【息苦しい】 -shī 厖 숨이 가쁘다；답답하다.

いきごと【いき事】〔粋事〕 图 (남녀간의) 정사(情事).

*****いきさつ【経緯】** 图 경위；복잡한 사정. ¶事件までの~ 사건의 경위. 〔옥.

いきじごく【生〔活〕地獄】 图 생〔산〕지옥.

いきしな【行きしな】 图 가는 길；가는 김.=ゆきしな.　〔물 박사.

いきじびき【生き字引】 图 산사전；만

いきすじ【いき筋】〔粋筋〕 图 ①화류계 방면. ②정사(情事)에 관계 있는 일.

いきせき-きる【息せき切る】〔息急き切る〕 5自 ①헐레벌떡이다；헐떡거리다. ¶~ってかけてきた 숨을 헐레벌떡거리며 달려왔다.

いきた-つ【行〔き〕立つ】 5自 되어나가다(흔히 생계가 되어나감을 이름).

いきた-ない【寝穢い】 厖 잠버릇나쁘다；잠꾸러기다. ↔めざとい.

いきち【生〔き〕血】 图 생혈；생피.=なまち. —を吸う；—をしぼる 생피를 빨다(고혈을 짜다).

いきづえ【息杖】 图 (도중에 쉴 때) 가마채 따위를 버티는 작대기. —を立てる 대폿값을 조르다；돈을 조르다(가마꾼들이 대폿값을 우려 내려고 息づえ를 받쳐 놓고 힘든 시늉을 한 데서).

いきづか-い【息遣い】 图 숨 쉬는 모양；숨결. ¶~があらい 숨결이 거칠다.

いきつぎ【息継ぎ】 图 ㅈ自 ①(노래 따위를 하는 도중에) 숨을 들이쉼. ②(일하는 도중의) 한숨 돌림. =いきぬき.

いきづ-く【息づく】〔息衝く〕 5自 ①괴롭게 숨을 쉬다；헐떡이다. ②한숨 쉬다；탄식하다.

いきづま-る【息詰〔ま〕る】 5自 (긴장하여) 숨이 막히다.

いきづら-い【いきづらい】〔生〔き〕辛い〕 厖 살기 괴롭다；생활이 어렵다.

いきどお-る【憤る】 -dōru 5自〈雅〉 분개하다；성내다；노하다. ↔よろこぶ.

いきながら-える【生きながらえる・生き長らえる】 下1自 생존하다；오래 살다；살아 남다. ¶妻より五年ねん~.えた 아내보다 5년 더 살았다.

*****いきなり【行き成り】** 剾 잡자기；돌연；느닷없이. ¶~引っぱられる 느닷없이 끌려가다(연행되다).

いきぬき【息抜き】 图 ㅈ自 ①(긴장을 풀고) 잠시 쉼；숨을 돌림. ②환기창〔換気窓〕；바람 구멍.

いきぬ-く【生〔き〕抜く】 5自 (어려움을 참고 견디며) 끝내 살아가다.

いきのこり【生き残り】 图 살아 남음；또, 그 사람.

いきのした【息の下】 图 끊어질 듯한 숨결 속. ¶苦しい~から 괴로운 숨결 속에서 부탁하다.

いきのね【息の根】 图 숨통；생명；목숨. —をとめる 숨통을 끊다；죽이다.

いきの-びる【生き延びる】 上1自 ①오래 살다；장수하다. ②살아 남다；목숨을 부지하다.

いきはじ【生〔き〕恥】 图 생시에 받는 수치. ¶~をさらして많은 수모를 당하다. ↔死しに恥に.

いきぼとけ【生〔き〕仏】 图 ①생불；산부처；부처님처럼 자애로운 사람. ②(俗) 산 사람.

いきま-く【息巻く】 5自 ①기세가 (서슬이) 대단하다；으르대다；땅땅거리다. ¶ただでは置かかぬと~ 그냥 안 둔다고 으르대다. ②노해서 씩씩거리다.

いきみ【生き身】 图 ①살아 있는 몸. =なまみ. ↔死しに身み. ②싱싱한 어육(魚肉).

いき-む【息む】 5自 (숨을 들이켜) 배에 힘을 주다. =いきばる.

*****いきもの【生き物】** 图 ①살아 있는 것；생물；특히, 동물. ②생명체같이 작용하는 것. ¶言葉ぱは~である 말은 생명체이다.

*****いきょう【異境】** ikyō 图 이경；이국 땅；타국. ↔故郷ね.. ¶~の空ぞ 이국의 하늘.

いきょう【異郷】 ikyō 图 이향；타향. ¶~に客となる또, 타국.

*****いきょう【異教】** ikyō 图 이교. —と—〔一徒〕 이교도.

いぎょう【異形】 igyō 图 이형；보통과 다른 괴이한 모습·형태. =異様なう.

いぎょう【偉業】 igyō 图 위업.

いぎょう【遺業】 igyō 图 유업.

いきょく【医局】 ikyo- 图 (병원의) 의국. ↔薬局きょ.

いきょく【委曲】 ikyo- 图 위곡；상세한 사정·일. =委細ない. —を尽くす 상세한 사정을 밝히다.

イギリス【英吉利】 图〔地〕영국. =英国. ¶~人と 영국인. ∨連邦ば 영연방. 注意「英吉利」로 씀은 음역. ▷포 Inglez.

いきりた-つ【いきり立つ】 5自 격분〔분격〕하다；흥분하다. ¶いきまく.

いきりょう【生〔き〕霊】 -ryō 图 상대에게 재앙을 내린다는 살아 있는 사람의 혼. ↔死霊れう.

いき-る【生きる】〔活きる〕 上1自 살다. ①생존하다. ¶~生命을 유지하다. ¶百ぴゃくまで~ 백 살까지 살다. ↔死しぬ. ◎생계를 유지하다. ¶人ぱは~ためにたべる 사람은 살기 위하여 먹는다. ②('…にいきる'의 꼴로) (…을 목적삼아, 또는, …가운데에) 살다. ¶思いで出に~ 추억 (속)에 살다. ③효과가 있다；보람 있다. ¶~生きた金をつかう 보람 있는 돈을 쓰다／塩加減かげんで味まが~ 간의 조절로 맛이 살다. ④('いきている'의 꼴로) 생동하다；생생하다. ¶文章ぶまが~きている 문장이 생생하다.

いきれ【熱れ・爛れ】 图 찌는 듯한 열기；훈김；후끈함；훗훗함. =ほてり. ¶人ぴ~ 사람을 훈김.

いきわかれ【生〔き〕別れ】 图 ㅈ自 생이별. ↔死しに別れれ.

いきわか-れる【生〔き〕別れる】 下1自 생이별하다.

*****い-く【行く・いく】〔往く〕** 5自〈口〉 =ゆく.

い-く【逝く】 5自 죽다. =死しぬ.

いく【畏懼】 图 ㅈ自 외구. ¶~の念ねん 두려워하는 마음.

い

いく-【幾】《名詞 또는 그에 준하는 말에 붙음》몇. ①얼마의. ¶～日も 며칠. ②(양의 많음을 나타내는 말에 붙음) 수…; 여러. ¶～百年 수백 년.

いくい【居食い】图 ㅈ自 좌식(坐食); 파먹음; 도식(徒食). ¶～の生活 がっ무위 도식의 생활.

いくえ【幾重】图 겹겹; 여러 겹. 첩첩(疊疊). ――にも 圖 겹겹이; 첩첩이; 몇 번이고; 거듭거듭.

いくえい【育英】图 육영. ――しきん【――資金】图 육영 자금.

いくさ【戦】图《雅》전쟁; 싸움. ＝たたかい. ――の庭 싸움터; 전장.

*いくじ【育児】图 ㅈ自 육아. ¶～法ほう육아법.

いくじ【意気地】图 고집; 기개. ――がない 기개가 없다; 무기력하다. ――なし【――無し】图 패기 없음; 또, 그 사람. ＝弱虫むし.

*いくせい【育成】图 ㅈ他 육성.

いくた【幾多】图 수많음; 수많이. 또한. ¶～の（の）辛苦しんくを重かさねる 수많은 고생을 거듭하다.

いくたび【幾度】图 ① ☞ いくど. ② 여러 번.

いくたり【幾人】图 몇 사람. ＝いくにん.

*いくつ【幾つ・幾つ】图 ①몇; 몇 개. ¶百円ひゃくえんで～ですか 백 엔에 몇 개입니까. ――で～ですか 몇 살입니까. ――もない 몇 안 되다; 그다지 많지 않다.

いくど【幾度】图 몇 번. ＝いくたび.

いくどうおん【異口同音】-dōon 图 이구동성.

いくとせ【幾とせ・幾年】图《雅》몇 년; 몇 해. ＝なんねん.

いくにち【幾日】图 며칠; 몇 날. ¶四月がっの～ですか 4월 며칠입니까.

いくにん【幾人】图 몇 사람.

いくばく【幾何・幾許】圖《雅》얼마나; 어느 정도. ¶～（か）の金かねの 얼마간의 돈. ――もなく【――も無く】連語 (그러나) 얼마 되지 않아서; 이윽고 가서.

いくばん【幾晩】图 며칠 밤. ＝幾夜よ.

いくび【猪首・猪頸】图 다붙어 굵고 짧은 목; 또, 그 사람; 자라목.

いくひさしく【幾久しく】連語《副詞적으로 쓰임》오래 오래; 언제까지나. ¶御愛顧あいこのほどを 언제까지나 애고해 주시옵기를….

*いくぶん【幾分】□圖 일부분. ¶～の一いち 몇 분의 1. □〖いくぶん〗圖 어느 정도; 좀(쫌). □조금; 약간. ¶～そういう傾向けいこうがある 약간 그런 경향이 있다.

いくほど【幾ほど・幾程】图 얼마; 어느 정도. ＝どれほど. ――もなく （시일이） 얼마 지나지 않아.

いくよ【幾夜】图 며칠 밤; 여러 날 밤.

*いくら【幾ら】〖いくら・幾等〗图 ① 얼마; 어느 정도(양·값을 한정하지 않고 쓰는 말). ¶この本ほんは～ですか 이 책은 얼마입니까. ②그리. ¶～も残のこっていない 그리[얼마] 남아 있지 않다. □〖幾ら〗圖《뒤에 'ても' 'でも' 등이 붙어》아무리. ¶～泣ないても 아무리 울어도.

イクラ 图 이크라; 연어나 송어의 알을

헤쳐서 소금물에 절인 식품. ▷러 ikra.

いくらか【幾らか】圖 조금; 다소; 얼마간. ¶～できる 얼마간 할 수 있다.

いくらなんでも【幾ら何でも】連語 아무리 사정이 있더라도. ¶～かわいそうだ 사정이야 어떻든 불쌍하다.

いくん【偉勲】图 위훈; 큰 공적. ¶～を立たてる 위훈을 세우다.

いくん【遺訓】图 유훈.

*いけ【池】图 ①못. ¶用水ようすい～ 용수지(池). ②연지(硯池).

いけ-【멸시하는 뜻으로 쓰는 강조하는 말】참으로; 매우; 지독히. ¶～ずうずうしい 매우 뻔뻔스럽다.

いけい【畏敬】图 ㅈ自他 외경; 경외. ¶私わたくしの～する人物じんぶつ 내가 경외하는 인물. 「『畏敬』위경련.

いけいれん【胃けいれん】图【胃痙攣】

いけうお【生け魚・活魚】图 활어; (식용으로) 물속에 가두어 살려 둔 물고기. ＝生いき魚うお. 「리.

いけがき【生け垣・生籬】图 산울타리.

いけしゃあしゃあ -shāshā 圖《俗》《보통, 'と'를 붙여》지독히 유들유들한 모양; 얄밉도록 태연한 모양.

いけす【生けす・生け州】【生簀】图 (식용의) 물고기를 가두어 살려 두는 곳; 활어조(活魚槽).

いけすかな-い【いけ好かない】肜 어쩐지 싫다; 지겹다.

いげた【井げた】【井桁】图 ①나무로 짠 '井'자형의 우물 난간. ②'井'자형[무늬].

いけづくり【生け作り・活け作り】图 ㅈ他【料】①싱싱한 붕어·도미 따위로 회를 쳐서 다시 본 모양새로 꾸민 요리. ②신선한 생선회.

いけどり【生（け）捕り】【生擒】图 생포; 사로잡음; 또, 사로잡은 것; 포로.

いけど-る【生（け）捕る】【生擒る】5他 생포하다; 사로잡다; 포로로 하다.

*いけない 連語 ①〔좋지 않다; 나쁘다. ⑦바람직하지 않다. ¶～子 こ 나쁜[못된] 아이. ②불가능하다. ¶それで～場合ばあいには 그래도 안 될 경우에는. ⓒ안됐다; 딱하다. ¶～かぜだって? 그것은…が 감기라고. 그것 안됐군. ⓔ고장의 뜻. ¶胃いが～ 위가 나쁘다. ⓕ금지·불가의 뜻, 'いたずらをしては' 장난을 해서는 못 쓴다. ⑦가망 없다. ¶病人びょうにんはもう～ 환자는 이젠 틀렸다. ④못 쓰게 되다. ¶この卵たまごはもう～ 이 달걀은 (상해서)이제 못 먹는다. ⑧(…않으면) 안 되다. ¶早はやく起おきなければ～ 일찍 일어나지 않으면 안 된다. ②～ます 이 뜻. ¶私わたくしはちっとも～んです 저는 술을 통 못합니다. ↔いける.

いけにえ【生け贄・牲・犠】图 희생물; 산제물. ¶政略結婚けっこんの～となる 정략 결혼의 제물이 되다.

いけばな【生け花・活け花】图 꽃꽂이; 또, 꽂힌 꽃꽂이의 꽃.

*い-ける【活ける】下1他 ①《老》살리다; 살게 하다. ＝いかす. ¶～けておけぬ奴やつ 살려둘 수 없는 것. ②(꽃병 따위에) 꽂다; 특히, 꽃꽂이하다. ¶花はなを～ 꽃꽂이하다.

い-ける【埋ける】下1他 (파)묻다. ①

い

화로 따위의 불이 꺼지지 않게 잿속에 묻다. ¶火鉢ばの火を～ 화로의 불을 재에 묻고 해서 땅 속에 묻다. ③매장하다.

い-ける〖行ける〗下一自〖俗〗①상당히 잘하다; 상당하다. ¶こいつは～ 이것 괜찮군〔(a)먹을 만하다; (b)제법 쓸만하다〕. ②술을 마실 줄 알다. ¶～口ぐ 술을 (꽤) 하는 편이다.

いける〖生ける〗連体 살아 있는. ―し かばね 산송장; 페인.

*‡**い-けん**〖意見〗［二名 의견. ［三名 ズ自〕 훈계함; 타이름. ¶子ニ～する 자식을 타이르다.

いけん〖異見〗名 이견; 다른 의견.

いけん〖違憲〗名 위헌. ↔合憲ほ.

いけん〖遺賢〗名 유현; 정부에 기용되지 않고 민간에 남아 있는 유능한 인재.

*‡**いげん**〖威厳〗名 위엄.

*‡**いご**〖以後〗名 이후; 금후. ¶～気をつけなさい 이후 주의하여라.

いご〖囲碁〗名 위기; 바둑. ＝碁ご.

いこい〖憩(い)・息い〗名 쉼; 휴식; しばしの～ 잠깐 동안의 휴식.

いこ-う〖憩う・息う〗五自 쉬다; 휴식하다.

いこう〖以降〗名 이후(以後). ▷動▷

いこう〖偉功〗ikō名 위공; 위훈(偉勲》.

いこう〖威光〗ikō名 위광; 권위; 위세; 위력. ¶人ひとの～を笠かに着きる 남을 등대고 자세(藉勢)하다.

*‡**いこう**〖意向・意嚮〗ikō名 의향. ＝うつりゆき.

いこう〖移行〗ikō名 ズ自〕 이행; 바뀜. ＝うつりゆき.

いこう〖移項〗ikō名 ズ他〕〖数〗 이항.

いこう〖衣桁〗ikō名 의항; 횃대; 옷걸이.

いこう〖遺構〗名 유고. ▷걸이.

イコール〖이퀄〗名 동호(等號)(＝); 전하여, 같음; 동등함. ▷equal.

いこく〖異国〗名 이국; 외국. ―てき〖—的〗ダナ 이국적.

いごこち〖居心地〗名 어떤 자리·집에서 느끼는 기분.

いこじ〖依怙地・意固地〗名 ダナ 옹고집; 외곬집. ¶～な人ひと 옹고집쟁이.

いこつ〖遺骨〗名 유골.

いこぼ-れる〖居こぼれる・居溢れる〗下一自 넘칠 듯 사람이 꽉 차다.

いこ-む〖鋳込む〗五他〕 금속을 녹여 거푸집에 붓다.

いこん〖遺恨〗名 유한. ¶～を抱いだく〔晴はらす〕 유한을 품다〔풀다〕.

いざ感 남을 권유하거나 때 또는 막상 일을 시작하려고 분발할 때에 쓰는 말: 자. ¶～行こう 자 가자. ―鎌倉ぐら 중대 사건이 일어나게 행동을 개시해야 할 경우. ―というとき 일단 유사시; 만일의 경우.

いさい〖偉才〗名 위재; 뛰어난 재능을 가진 사람. ＝偉材ざい.

*‡**いさい**〖委細〗名 자세한 사정〔내용〕. ―構かまわず 사정이야 어떻든.

いさい〖異才〗名 이재; 남달리 뛰어난 재능(을 가진 사람).

いさい〖異彩〗名 이채. ―を放はなつ 이채를 띠다; 현저하게 홀륭하다.

いざい〖偉材・異材〗名 위재; 뛰어난 인물. ▷「어」서 재촉함.

いざいそく〖居催促〗名 ズ他〕 늘어앉아 불

いさお〖功・勲〗名〖雅〗 공(훈). ＝いさおし. ¶～を立たてる 공을 세우다.

いさかい〖諍い〗名 ズ自〕〖老〗 말다툼; 언쟁. ＝口ぐちげんか・いさこざ.

いざかや〖居酒屋〗名 선술집; 목로 술집.

いさき〖伊佐木〗名〖魚〗 벤자리.

いさぎよ-い〖潔い〗形 미련 없이 깨끗하다. ¶～く謝あやまる 깨끗이 사과하다.

いさく〖遺作〗名 유작. ▷다.

いさご〖砂・沙・沙子〗名〖雅〗 모래.

いざこざ〖옥신각신〗名 분쟁(紛争); 다툼. ＝もめ事ごと・ごたごた. ¶～が絶たえない 분쟁이 끊이지 않다.

いささか〖些か・聊か〗副〖雅〗 조금; 약간; 적이. ＝わずか. ¶～驚おどろいた 적이 놀랐다.

いさと-い〖寝聡い〗形 잠귀 밝다; 잠을 쉽게 깨다. ＝めざとい.

いざな-う〖誘う〗五他〖雅〗 꾀다; 권하다; 꾀어내다. ＝さそう.

*‡**いさまし-い**〖勇ましい〗-shi 形 ①용감하다; 용맹스럽다. ¶～く戦たたかう 용감히 싸우다. ②시원시원하다; 활발하다. ¶～女性じょせい 활발한 여성.

いさみた-つ〖勇み立つ〗五自〕〔불끈〕기운이〔용기가〕나다; 투지가 샘솟다; 분발하다.

いさみはだ〖勇み肌〗名 호협한 기상; 억강 부약(抑強扶弱)의 협기(俠氣) 있는 기풍; 또, 그 사람.

いさ-む〖勇む〗五自 기운이 솟다; 용기가 용솟음치다. ¶～んで出発しゅっぱつする 용약 출발하다. ↔ひるむ.

いさめ〖諫め〗名 간하는 말; 간언.

いさ-める〖諫める〗下一他〔잘못을〕충고하다. ▷또, 그날 밤의 달.

いざよい〖十六夜〗名 음력 16일 밤.

いざり〖躄〗名〖卑〗①앉은뱅이짓. ②앉은뱅이. 参考 지금은「両足りょうの不自由ふじゆうな人ひと」라고 함.「화ょ·ぎょか」.

いざりび〖いざり火〗〖漁火〗名〖雅〗 어화.

いざりよ-る〖躄り寄る〗五自 무릎걸음〔앉은뱅이걸음〕으로 다가오다〔다가가다〕.

いざ-る〖躄る〗五自〕 ①앉은뱅이걸음을 하다. ②무릎걸음치다.

いさん〖胃酸〗名〖生〗 위산. ―かたしょう〖—過多症〗-shō〖医〗 위산과다증.

いさん〖違算〗名 ズ自〕 위산; 오산. ＝誤算ぐ.

*‡**いさん**〖遺産〗名 유산. ¶文化ぶんか～ 문화 유산 / ～相続ぞく 유산 상속.

*‡**いし**〖石〗名 ①돌. ¶～で作つくった家いえ 돌로 지은 집. ②가공한 돌; 보석. ¶指輪ゆびわの～ 반지의 보석 / ～を打うつ 바둑(돌)을 두다. ③(가위 바위 보의)바위. ―にかじりついても 무슨 일이 있어도; 어떤 고생을 하더라도. ―にくちすすぎ流ながれにまくらする 돌로 양치질하고 시냇물을 베개 삼다; 소석침류(漱石枕流)(억지가 센 사람). ―に立たつ矢や 돌에 박힌 화살; 사석 위호(射石為虎)(강한 의지로 하면 반드시 이룬다는 말). ―にまくらする 돌을 베개 삼다(산야(山野)에서 자다).

*‡**いし**〖意志・意思〗名 의지; 의사; 뜻. ¶～の強づよい人ひと 의지가 강한 사람 /

神炎の〜 신의 뜻.

*いし【意思】图 (법령에서) 의사. ¶〜
表示注》 의사 표시.

いし【縊死】图 ス自 액사. =首ぐり.

いし【遺子】图 유자. =遺児だ.

いし【遺志】图 유지.

いし【遺址】图 유지; 옛터. =遺跡だ.

いし【医師】图 의사.

いし【頤使・頤指】图 ス他 이사; 사람
을 턱으로 부림.

いじ【医事】图 의사.

*いじ【意地】图 ①고집. ¶〜を張はる
고집을 부리다 / 〜になって 오기가 나
서. ②물욕(物慾); 식욕(食慾). ¶食ぐ
い〜 먹을 욕심. 〜が悪わるい 심술궂
다. 〜にも 오기로라도. 〜のわるいこ
とには 공교롭게도. 〜を通す 고집을
관철하다. 〜きたない【〜汚い】图 图
게걸(탐욕)스럽다; 걸신들리다; 주접
스럽다. 〜ずく 억지로(세움). 〜ば
り【〜張り】ijippari 图 고집을 부
림; 악지; 억지; 고집통이. 〜わる
い【〜悪】图 심술궂음; 짓궂음; 심술
쟁이.

いじ【異字】图 이자; 다른 자. ¶〜同
音だ 동음 이자 / 〜同訓だ 글자는 달
라도 훈이 같음.

*いじ【維持】图 ス他 유지. ¶現状げんを
〜 현상 유지.

いじ【遺児】图 유아.

いしあたま【石頭】图 석두; 돌 대가리.

いじいじ 图 ス自 주눅이 들어 행동을
하지 못하는 모양; 주뼛주뼛; 어
릿어릿. ¶〜と答こたえる 어릿어릿하게
대답하다.

いしうす【石臼】【石臼】图 석구; 돌
절구; 돌확; 맷돌.

いしがき【石垣】图 돌담; 축벽(築壁).

いしがめ【石亀】图動 남생이.

いしがれい【石鰈】图魚 돌가자미.

いしき【居敷き・臀・尻】图 ①엉덩이.
②자리; 좌석.

*いしき【意識】图 ス他 의식. ¶不明
かん의식 불명. 〜てき【〜的】ダナ
의식적.

いしく【石工】图 석공; 석수.

いじく-る【弄くる】5他〔俗〕만지작
거리다; 주무르다. =いじる. ¶〜り
まわす 마구 주물러 대다.

いしくれ【石くれ】【石塊】图 돌멩이. =
石ころ.

いしけり【石けり】【石蹴り】图 ス自 오
랏말놀이〔앙감질로 돌을 차는 놀이〕.

いじ-ける 下1自 ①지러러지다. ¶〜
けた筆跡だ 힘없는(위축된) 필적. ②
주눅이 들다; 외축(畏縮)되다.

いしけん【石拳】图 가위바위보. =
じゃんけん.

いしころ【石ころ】【石塊】图〔口〕돌멩
이; 자갈; 잔돌. ¶〜道みち 자갈길.

いしずえ【礎】图 주춧돌; 초석; 기초.

いしだい【石鯛】图魚 돌돔.

いしだたみ【石畳】〔梵〕①납작한 돌
을 깐 곳. ②〈雅〉돌층계. ③바둑(판)
무늬. 市松模様じゅ.

いしつ【異質】图 이질. ¶〜の文化
ぶん이질의 문화. ↔同質どう.

いしつ【遺失】图 ス自 유실. ¶〜ぶつ

──────────

いしづき【石突き】图〔창자루·지팡이
따위의〕물미.

いしどうろう【石どうろう】【石灯籠】
-dōrō 图 석등롱; 석등; 장명등.

いしなげ【石投げ】图 투석; 돌던지기;
돌팔매.

いしばし【石橋】图 석교; 돌 다리.
¶〜をたたいて渡わたる 돌다리도 두드려
보고 건넌다.

いしぶみ【石文・碑】图〈雅〉
비; 석비; 비문. =石碑せき.

いしべきんきち【石部金吉】图 목석
(같은 사나이).

いしぼとけ【石仏】图 석불; 돌부처.
②말이 없고 무감동한 사람.

いじまし-い -shī 形〔俗〕①인색하다;
좀스럽다; 다랍다. ②도량이 좁다.

いしむろ【石室】图 석실; 돌 방. =岩屋
いわ.

いしめ【石目】图 돌결.

*いじ-める【苛める】下1他 괴롭히다;
들볶다; 구박〔학대〕하다; 못살게 굴
다. ¶嫁よめを〜 며느리를 구박하다.

いしもち【石持·石魚】图魚 석수
어; 조기. =くちぐち.

いしゃ【慰謝】【慰藉】isha ス他 위
자. 〜りょう【〜料】-ryō 图 위
자료.

*いしゃ【医者】isha 图 의사. =医師し.
¶〜の不養生 남의 건강을 돌볼 줄
아는 사가 오히려 섭생에 유의하지 않음(언
행이 일치하지 않음의 비유).

いじゃく【胃弱】ijaku 图 위약.

いしやま【石山】图 석산; 돌산.

いしゅ【意趣】ishu 图 ①배려; 생각.
②원한(怨恨); 유한(遺恨). 〜がえし
【〜返し】图 ス自 보복; 앙갚음. =仕
返しかえ.

いしゅ【異種】ishu 图 이종. ¶〜交
配はい 이종 교배. ↔同種どう.

いしゅう【異臭】ishū 图 이취; 이상한
〔고약한〕냄새. ¶〜を放はつ 고약한
냄새를 풍기다.

いしゅう【蝟集】ishū 图 ス自 위집; 운
집(雲集).

いじゅう【移住】ijū 图 ス自 이주.
〜みん【〜民】图 이주민.

いしゅく【畏縮】ishuku 图 ス自 외축;
두려워 움츠러듦.

いしゅく【委縮】【萎縮】ishuku 图 ス自
위축. 注意「委縮」은 대용 한자.

いしゅつ【移出】ishu- 图 ス他 이출;
반출. ¶〜品ひん 이출품. ↔移入にゅう.

いじゅつ【医術】iju- 图 의술.

いしゆみ【石弓】【弩】图 돌을 날리는
무기; 돌쇠뇌.

いしょ【遺書】isho 图 유서.

いしょう【意匠】ishō 图 의장. ①생각;
고안(考案). ¶〜を凝こらす 방방으로
궁리하다. ②디자인. 〜けん【〜権】의장
권 / 〜登録とう 의장 등록. ＊별명.

いしょう【異称】ishō 图 이칭; 딴이름.

*いしょう【衣装】【衣裳】ishō 图 의상.
〜かた【〜方】연극 등에서, 의
상 담당자. 〜ごのみ【〜好み】图 의
상에 까다로움; 또, 그런 사람.

*いじょう【以上】【已上】ijō 图 ①이상.
¶五歳ご〜 다섯 살 이상 / 〜の通とおり
이상과 같이. ↔以下いか. ②〈接続助詞적

い

으로》…한 이상. ¶かくなる～ 이렇게 된 이상.

いじょう【委讓】(依讓·移讓) ijō 名 ス他 위양. ¶権限～ 권한 위양.

**いじょう【異常】 ijō 名 ダナ 이상. ¶～性格 이상 성격. ↔正常.

いじょう【異状】 ijō 名 이상. ¶～なし 이상 없음.

いじょうふ【偉丈夫】 ijōfu 名 위장부; 대장부. ↔女丈夫.

*いしょく【委嘱】(依嘱) ishoku 名 ス他 위촉. ¶～を受けて 위촉을 받아서.

いしょく【異色】 ishoku 名 이색. ¶～の力作 이색적인 역작. **—ある存在** 이색적인 존재.

いしょく【移植】 ishoku 名 ス他 이식. ¶～手術 이식 수술. **—ごて**〖—鏝〗名 모종삽.

いしょく【衣食】 ishoku 名 의식. ¶～の道 생활 방도. **—足りて礼節を知る** 의식이 족해야 예절을 차릴 줄 안다. **—じゅう**【—住】-jū 名 의식주.

いじょく【居職】 ijoku 名 (재봉사 등처럼) 자기 집에 앉아서 일하는 직업; 앉은 일. ↔出職.

*いじらし-い -shī 形 애처롭다; 귀엽고 기특하다; 갸륵하다.

*いじ-る〖弄る〗5他 ①주무르다; 만지작거리다; 만지다. ②애완(愛玩)하다.

いしわた【石綿】名 석면; 돌솜.

いしん【威信】名 위신.

いしん【異心】名 이심; 두 마음; 딴 마음. =ふたごころ.

いしん【維新】名 유신.

いしん【遺臣】名 유신; 구신.

いじん【偉人】名 위인. **—でん**【—伝】名 위인전.

いじん【異人】名 ①이인. ㉠기이한 사람. ㉡다른 사람. ¶同名～ 동명 이인. ②외국 사람. ¶～館 서양 사람이 살고 있는 양옥.

いしんでんしん【以心伝心】名 이심전심.

*いす〖椅子〗名 ①의자. =こしかけ. ②관직 등의 직위. =ポスト.

いすう【異数】 isū 名 이례(異例). ¶～の昇進 이례의 승진.

いすか〖鶍·交喙〗名〔鳥〕잣새. **—のはし** 잣새의 부리(일이 어긋나서 뜻대로 아니 됨의 비유).

いすくま-る【居すくまる】(居竦まる) 5自 앉은 채 꼼짝 못 하게 되다; 그 곳에 못박이다. =居すくむ.

いすく-める【射すくめる】(射竦める) 下1他 활을 쏘아서 적(敵)을 꼼짝 못 하게 하다; 또, 날카롭게 주시하여 상대를 위압(威壓)하다.

いずくんぞ〖何んぞ·焉んぞ·安んぞ·悪んぞ〗副 어찌; 어찌하여. =どうして. **—知らん** ①어찌 알랴. ②그런데 사실은 어떤가; 천만 뜻밖에도.

いずこ〖何処〗代〈雅〉어디. =どこ. ¶～ともなく立ち去った 어디라 정처도 없이 떠나 버렸다.

いずまい【居ずまい·居住まい】名 앉은 자세. ¶～を正す 앉음새를 고치다.

*いずみ【泉】名 샘; 샘물. ¶～の水 샘물 / 話の～ 이야깃거리.

イスラムきょう【イスラム教】 -kyō 名〔宗〕이슬람교; 회교. ▷아랍 Islām.

いずれ〖何れ·孰れ〗代〈雅〉①부정칭(不定稱)의 지시 대명사. ㉠어느(것). ¶～の場合においても 어느 경우에 있어서나 / ～劣らぬ 어느 것도 못하지 않다. ㉡어디; 어느 쪽〔곳〕. ¶～においでになりますか 어디로 가십니까. ㉢어떠함. ¶真偽～にもせよ 진위야 어떻든. ②《副詞적으로》㉠아무래도; 어쨌든; 결국. =どうせ. ¶～わかることだ 결국 알려질 일이다. ㉡근간; 일간. ¶～また参ります 일간 또 찾아 뵙겠습니다. **—ともなく** 어디론지. **—にしても** 어느 쪽이든; 어쨌든. **—にせよ** ①어느 쪽이든. ②어떻든.

いずれは〖何れは·孰れは〗連語 ①어쨌든. ②언젠가는.

いすわ-る【居座る】(居坐る·居据る) 5自 눌러앉다. ①버티고 앉다. ②머물러 앉다. ¶会長は～ことになった 회장은 눌러앉기로 되었다.

いせい【威勢】名 ①위세. ¶～におされる 위세에 눌리다. ②기운; 힘. ¶～のよい若い衆 기운찬 젊은이.

いせい【以西】名 이서. ↔以東.

いせい【異性】名 이성. ¶～間の交際 이성간의 교제. ↔同性.

いせいしゃ【為政者】 -sha 名 위정자.

いせえび〖伊勢蝦·伊勢海老〗名〔動〕대하(大蝦); 왕새우.

いせき【移籍】名 ス他 이적. ¶居住地に～する 거주지로 이적하다.

*いせき【遺跡】(遺蹟) 名 유적.

いせつ【異説】名 이설. ¶～をとなえる 이설을 주장하다. ↔定説.

い-せる 下1他 (천을 실로) 꿰매어 줄이다.

いせん【緯線】名〔地〕위선; 위도선. ↔経線.

**いぜん【以前】名 이전. ①《接尾語적으로》그 전. ¶五十歳～の著作 오십 세 이전의 저작. ↔以後. ②아주 전; 옛날; 본디. ¶～に行った事がある 이전에 간 일이 있다.

いぜん【依然】副 トタル 의연; 여전. ¶旧態～ 구태 의연 / 雨は～としてやまない 비는 여전히 그치지 않는다.

いぜんけい［已然形］名〔文法〕문어의 동사·형용사·조동사의 활용형의 하나. 구어의 가정형에 해당함. 조사 'ば' 'ど' 'でも' 등을 붙여, 동작이 이미 그렇게 되어 있음을 나타냄('落つれば'의 '落つれ' 등).

いそ〖磯·礒〗名 (바다·호수의) 바위너설이 있는 물가; 둔치; 해변.

いそいそ 副 기쁜 일이 있어 동작이 들뜬 모양: 어깻바람이 나서; 허겁지겁; 부리나케; 부랴부랴. ¶～(と)帰りじたくをする 허겁지겁 돌아갈 채비를 하다.

いそう【移送】 isō 名 ス他 이송. ¶事件の～ 사건의 이송.

いそう【位相】 isō 名 위상. ¶月の～〔理〕달의 위상 / ～語〔言〕위상어 / ～幾何学〔數〕위상 기하학.

いそう【意想】isō 名 의상;생각.＝考え・思い。――がい【―外】名 의외;예상외.￥～の結末に 예상외의 결말.

いぞう【遺贈】izō 名 ㋜他 유증.

いそうろう【居候】isōrō 名 식객(食客).

＊**いそがし-い**【忙しい】-shi 形 ①바쁘다;겨를이 없다.②닥치어 들뜨다;분주살스럽다.￥年の瀬は何となく～ 세밑이 되면 어쩐지 들뜬다.

＊**いそが-せる**【急がせる】下1他 재촉하다;죄어치다.＝いそがす。

いそがわし-い【忙わしい】-shi 形 바쁘다;분주스럽다.

いそぎ【急ぎ】名 급함;화급.￥～の用 급한 볼일.

いそぎあし【急ぎ足】名 급한 걸음;빠른 걸음.

いそぎんちゃく【磯巾着】-chaku 名 〔動〕말미잘.

＊**いそ-ぐ**【急ぐ】五他 서두르다.￥～いで書く 급히 쓰다／道を～ 길을 재촉하다.――がば回れ 돌아 가라('급히 먹는 밥이 목이 멘다'와 같은 뜻).

いぞく【遺族】名 유족·유가족.

いそくさ-い【いそ臭い・磯臭い】形 바닷내가 나다.￥～匂 갯내.

いそじ【五十路·五十】〈雅〉 오십;쉰.

いそし-む【勤しむ】五自 부지런히 힘쓰다.＝はげむ。

いそづり【磯釣(り)・磯釣(り)】㋜自他 해안에서의 바다 낚시.

イソプレン名 이소프렌(합성 고무·수지의 주원료).▷isopren.

いそべ【磯辺】名〈雅〉 바위가 많은 바닷가;해변.＝いそばた。

いそめ【磯目・磯蚯蚓】名〔動〕갯지렁이.

いそん【依存】名 ㋜自 의존.＝いぞん。

いそん【異存】名〈老〉 반대의 의사;이의.（異議）＝不服.￥～はない 이의는 없다.

＊**いた**【板】名 ①판자;널(빤지)／또,판자 모양의 물건.￥鉄の～ 철판.「まないた(=도마)"いたまえ(=板前)"의 준말.￥～さん 요리사;숙수.②무대(舞臺).￥～につく 배우의 연기나 무대에 잘 조화되다;전하여,（그 직업·임무따위에）아주 제격이다;잘 어울리다.――にのせる 상연하다.

＊**いた-い**【痛い】形 ①아프다.②（마음이）쓰리다;뻐아프다.＝損失は～ 아픈 손실.③（약점(弱點)을 찔려서）뜨끔하다.￥～目に会わせる 혼꾸멍한 맛을 보다;혼내 주다.――ところを突く 아픈 데를 찌르다;약점을 찌르다.――くもかゆくもない 아프지도 않다.――くもない腹をさぐられる 엉뚱하게 의심을 받다.

いたい【異体】名 ①이체.￥～同体 동일하지 않은 몸.＝同体.②보통과 다른 체재·모양.＝いてい.￥～文字 이체 문자（표준 자체 이외의 자체）.――どうしん【―同心】-dōshin名 이체 동심.

いたい【遺体】名 유체;시체.＝なきがら·むくろ.

いだい【偉大】名ナ 위대.￥～な人物 위대한 인물.

いたいけダナ ①어리고 귀여운 모양.

②〔～な子供〕 티없는 어린이.②애처로운 모양.￥遺児の～な姿が 유아의 애처로운 모습.

いたいたし-い【痛々しい・傷々しい】-shi 形 애처럽다;딱하다.￥ひどい怪我で見るも～状態だった 심한 상처로 보기에도 딱한 상태였다.

いたえん【板椽】名 판자로 깐 마루;봉당.

いたがき【板垣】名 판자 울타리.

いたガラス【板ガラス】名 판유리.▷板glas.

いたがる【痛がる】五自 아파하다.

＊**いたく**【依託】名 ㋜他 의탁.￥～学生 의탁 학생.

＊**いたく**【委託】名 ㋜他 위탁.￥～売買 위탁 매매／～販売 위탁 판매.

いたく【痛く・甚く】副〈雅〉 대단히;몹시.＝大変に.￥～感心した 매우 감탄하였다.

いだく【抱く】五他〈雅〉（껴)안다.＝だく.￥自然の懐に～・かれる 자연의 품에 안기다.＝いだく【懐く】五他 (마음에) 품다.￥大志を～ 큰 뜻을 품다.

いたけだか【居丈高】ダナ 위압적(고압적)인 태도.￥～になって 고자세(高姿勢)로;딱딱거리며.

いたご【板子】名 배밑에 까는 뚜껑널.――一枚下は地獄は 배밑 널의 한 장이 바로 지옥(배 타는 일의 위험함의 비유).

いたしかた【致し方】名 'しかた·しよう'（=하는 수）의 겸사말.￥～なく 하는 수 없이／～ない 하는 수 없다.

いたしかゆし【痛しかゆし・痛し痒し】連語 (가려우면 긁으면 아프고 안 긁으면 가려운 것과 같이) 어떻게 해야 옳을지 진퇴 양난임;미묘함.

いたじき【板敷】名 마루;마루방.＝板の間.

＊**いた-す**【致す】五他 ①가져오다;일으키다.￥不徳による～のところ 부덕한 소치.②보내다.￥書を～ 편지를 보내다.③〔いたす〕'する(=하다)'의 겸사말.￥私たちが～場所で 제가 하겠습니다／変な音が～します 이상한 소리가 납니다.④〔いたす〕'補助動詞로서 'お(ご)…いたす'의 형으로〕겸양이나 정중함의 뜻을 나타냄.￥お願い～します 부탁 드리겠습니다.⑤〈생각 따위가〉미치게 하다.￥思いを～ 깊이 생각히 미치다.

＊**いたずら**【悪戯】名ナ （짓궂은）장난;못된 장난.￥～っ子〔小僧〕·坊主 장난꾸러기／～半分に 반 장난으로.

＊**いたずら**【徒】ダナ〈雅〉 쓸데없음；헛됨;무익함.￥～に一生を送る 헛되이 일생을 보내다.

いたぞうり【板草履】-zōri 名 바닥에 작은 널조각을 댄 짚신.＝やつわり·板付ぞうり.

いただき【頂】名 （산 따위의）꼭대기;정상(頂上).＝てっぺん.

いただき【頂き・戴き】名〈俗〉（승부에서）이기는 일.￥この試合は～だ 이 시합은 （내가）이겼다.

いただきもの【頂き物・戴き物】名 얻은 것('もらいもの(=얻은 물건)'의 공

い

손한 말씨)

＊いただ-く【頂く】〈戴く〉⑤他 ①(머리에) 이다 ; 얹다. ¶雪⁵⁵を～山々⁵⁵ꜝ 꼭대기에 눈이 덮인 산들／頭⁵⁵に霜⁵⁵を～ 백발이 되다. ②받들다 ; 모시다. ¶指導者⁵⁵⁵⁵として～ 지도자로서 모시다. ③'もらう(＝받다)'의 공손한 말씨. ¶おみやげを～ 선물을 받다／おことばを～ 말씀을 듣다. ④'たべる(＝먹다)''のむ(＝마시다)'의 공손한 말씨. ¶～ます まず 먹겠습니다. ⑤〔いただく(動詞連用形＋'て'에 붙어)'…してもらう(＝해주다 받다)'의 공손한 말씨. ¶紹介状⁵⁵⁵を書⁵いて～ 소개장을 써 받다.

いただ-ける【頂ける】〈戴ける〉下1自 ①받을 수 있다 ; 얻을 수 있다. ②괜찮다 ; 팬찮다. ¶この酒⁵⁵は～ 이 술은 꽤 좋다.

いたたまらない【居た堪らない】連語 더 이상 참고 있을 수 없다. ＝いたたまれない・いたたまれない. ¶～気持⁵⁵⁵ 더 이상 참고 있을 수 없는 기분.

いたち【鼬】名【動】족제비. **──の最後⁵⁵っぺ** 궁한 나머지 취하는 최후의 비상수단. **──の道⁵⁵** 남과의 왕래・교제가 두절(杜絶)됨(족제비는 한 번 지난 길은 두 번 다시 통과하는 일이 없다는 뜻에서).

いたちごっこ【鼬ごっこ】-gokko ①손등을 꼬집으면서 그 손을 교대로 포개어 가는 아이들의 놀이. ②개미 쳇바퀴를 돌 듯 하기. ¶物価⁵⁵と賃銀⁵⁵の～ 물가와 임금의 악순환.

いたって【至って】itatte 副 ①매우 ; 대단히. ¶～元気⁵⁵です 매우 건강합니다.

いたで【痛手・傷手】名 ①깊은 상처 ; 중상(重傷). ¶～を負⁵う 심한 상처를 입다. ②심한 타격(손해). ¶心⁵⁵⁵の～ 심적인 타격 ; 마음의 상처／～をこうむる 타격을 입다.

いだてん【韋駄天】名【佛】위타천(韋陀天)〔불법 수호신(守護神)의 하나 ; 잘 뛴다는 속전(俗傳)이 있음〕 전하여, 몹시 빨리 뛰는 사람. **──ばしり[──走り]** 몹시 빨리 달림.

いたどり【虎杖】名【植】 호장 ; 감제풀.

いたのま【板の間】名 마루방. ¶～稼⁵⁵ぎ 목욕탕・온천장 전문 들치기.

いたば【板場】名 ①요릿집에서, 도마를 놓는 곳 ; 주방. ＝洗⁵⁵い場⁵. ②조리사 ; 숙수. ＝いたまえ.

いたばさみ【板挟み】名 둘 사이에 끼여 꼼짝 못함 ; 딜레마. ¶～になる 사이에 끼어 난처하게 되다.

いたばり【板張(り)】名 ①판자를 댐 ; 판자가 쳐져 있음. ②재양(載陽) ; 재양침. ＝洗⁵⁵い張り.

いたびさし【板びさし】〈板庇〉名 판자 차양(遮陽).

いたぶき【板ふき】〈板葺き〉名 판자로 지붕을 이는 일 ; 또, 그 지붕.

いたぶ-る【痛振る】⑤他 〈俗〉공갈쳐 빼앗다 ; 등치다 ; 강요하다. ＝ゆする.

いたべい【板塀】名 판장 ; 판자울.

いたまえ【板前】名 (일본 요리의) 요리사 ; 숙수 ; 또, 주방.

いたまし-い【痛ましい・傷ましい】-shi 形 애처롭다 ; 가엾다 ; 참혹하다.

＊いたみ【痛み・傷み】名 ①아픔. ¶傷⁵⁵の～がひどい 상처가 몹시 아프다. ②슬픔 ; 쓰라림 ; 고민. ¶心⁵⁵の～ 마음의 고통. ③(과일 등이) 상함. ¶りんごに～がくる 사과가 상하다. ④파손 ; 손상. ¶荷物⁵⁵の～ 화물의 손상.

いたみ-いる【痛み入る・傷み入る】⑤自 황송하다. ¶ご親切⁵⁵で～ります 친절히 해주셔서 송구스럽습니다.

＊いた-む【痛む】⑤自 ①아프다. ¶傷⁵⁵が～ 상처가 아프다. ②고통・타격을 받다 ; 괴롭다. ¶心⁵⁵⁵が～ 마음이 괴롭다. ③파손되다. ¶～んだごはん 쉰 밥／荷⁵が～ 짐이 파손되다. ＝いたむ.

いた-む【悼む】⑤他 애도(哀悼)하다.

いため【板目】名 ①판자와 판자와의 이음매. ②(널빤지의) 엇결. ↔柾目⁵⁵.

いためつ-ける【痛めつける】下1他 혼내 주다 ; 골려 주다.

いた-める【痛める・傷める】下1他 ①아프게 하다. ㉠(육체적으로) 고통을 주다 ; 다치다 ; 상하다. ¶胃⁵⁵を～ 위를 상하다. ㉡(정신적인) 고통・타격을 주다(당하다). ¶心⁵⁵を～ 마음을 아파하다(아프게 하다). ②흉내다 ; (손)상하다 ; 파손하다. ¶果物⁵⁵を～ 과일을 상하게 하다／信用⁵⁵を～ 신용을 손상하다.

いた-める【鞣める】下1他 가죽을 아교물에 담갔다가 두들겨서 굳힌다.

＊いた-める【炒める・煠める】下1他 기름에 볶다 ; 지지다.

いたらぬ【至らぬ】連語 미흡한 ; 미치지 못하는 ; 모자라는. ＝いたらない. ¶～者⁵⁵ですが, よろしく 미흡한 사람입니다만, 잘 부탁드립니다.

いたり【至り】名 ①극히 …함 ; 지극(至極). ¶若気⁵⁵の～ 젊은 혈기의 소치.

イタリック-rikku名【印】이탤릭 ; 사체(斜體). ▷italic.

＊いた-る【至る】〈到る〉⑤自 ①이르다. ㉠도달하다. ¶今⁵⁵に～まで 지금에 이르기까지 ; 지금껏. ㉡닥치다 ; 찾아 오다. ¶悲喜⁵⁵こもごも～ 회비가 번갈아 닥치다. ③(마침내) …하게 하다. ¶大事⁵⁵に～らしめる 중대한 사태가 되게 하다. ④두루 미치다 ; 특히, 주의(注意)・대접이 충분히 미치다. ¶足跡⁵⁵の～らざる無⁵し 발자취가 미치지 않은 곳이 없다.

いたるところ【至る所・到る処】連語 도처에 ; 가는 곳마다. ¶人間⁵⁵に～青山⁵⁵有⁵⁵り 인간 도처 유청산.

いたれりつくせり【至れり尽(く)せり】連語 극진함(極盡함) ; 더할 나위 없음 ; 빈틈없음. ¶もてなしは全⁵⁵く～だ 대접은 정말 극진하다.

いたわし-い【労しい】-shi 形 가엾다 ; 딱하다 ; 애처롭다. ¶本⁵⁵当⁵⁵にお～ことです 정말 가엾은 일이군요.

＊いたわ-る【労る】⑤他 ①(노약자를 동정하여) 친절하게 돌보다. ¶年寄⁵⁵を～ 노인을 돌보다. ②(노고(勞苦)를)

위로하다.

いたん【異端】图 이단. ¶～者ﾞ 이단자 / ～の説ﾞ 이단설.

*いち【一】图 일. ①하나；첫째. ¶～の位ﾞ 첫째 자리 / 万﨣が～ 만일 / 東洋ﾞ～ 동양 최고. ②〔接頭語적으로〕하나의；어떤. ¶～婦人ﾞ 한 부인. ——から十ﾞまで 하나에서 열까지；일일이. ——も二ﾞもなく ①두말 없이；즉각. ②말할 필요도 없이. ——を聞ﾞいて十ﾞを知ﾞる 하나를 듣고 열을 알다；문일지십(聞一知十). ——を知ﾞって二ﾞを知ﾞらず 하나만 알고 둘은 모르다；어설프게 알다.

いち【市】图 ①저자；시장；장. ¶朝ﾞ～ 아침장. ②거리；시가(市街). ——が立ﾞつ 장이 서다. ——に虎ﾞを放ﾞつ 거리에 호랑이를 풀어놓다(위험함의 비유). ——を成ﾞす 성황을 이루다.

*いち【位置】图 ①위치. ②重要ﾞ位置. ¶重要ﾞな～を占ﾞめる 중요한 위치를 차지하다. ——づける【～付ける】下1他 차지할 위치(자리)를 부여하다.

いちあん【一案】图 그럴 듯한 안. ¶それも～だ 그것도 좋은 안이다.

いちい【櫟·水松】【植】 주목(朱木). ——あらㅋりㅋㅋㅋ.

いちい【一位】图 일위. ①수위(首位). ¶～を占ﾞめる 일위를 차지하다. ②일위의 위계(位階). ¶正ﾞ～ 정일품.

いちい【一意】图 ①한결 같은 마음；오로지 한 마음. ¶～もっぱら 연구에만 힘쓰다. ②〔단지〕 하나의 뜻. ——せんしん【～専心】图 일의 전심.

いちいたいすい【一衣帯水·一葦帯水】图 일의 대수. ¶～を隔ﾞてて 매우 가까운 사이를 두고.

いちいち【一一】圖 일일이；하나하나；빠짐없이. ¶～もっともだ 하나하나 다 옳은 말이다.

いちいん【一人】图 일인.

いちいんせい【一院制】图 (의회의) 일원제；단원제(単院制).

いちえん【一円】图 일원；어떤 장소 일대(一帯). ¶関東ﾞ～ 関東 일원. ②일엔(円).

*いちおう【一応·一往】 圖 ①우선；어떻든；일단；한 차례. ¶～そう結論ﾞできる 일단 그렇게 결론지을 수 있다. ②좀더. ¶～考ﾞえた 上ﾞで 좀더 생각해 보고.

いちがいに【一概に】圖 일률적으로；몰아；일반적으로. ¶～は言ﾞえぬか 일률적으로는 말할 수 없으나. 「き.

いちがつ【一月】图 정월；一月＝むつ

いちかばちか【一か八か】連語 흥하든 망하든；운을 하늘에 맡기고. ¶～やってみよう 흥하든 망하든 해보자.

いちがん【一丸】图 한 덩어리. ＝ひとかたまり. ¶～となって 한 덩어리가 되어서.

いちぎ【一義】图 ①일리(一理)；하나의 도리；그럴 듯한 이치. ②하나의 뜻. ③제일의(第一義)；근본 의의(意義). ——てき【～的】ダナ 일의적.

いちぎ【一議】图 ①단 한번의 상의. ②이론(異論). ——に及ﾞばず 의논할 〔이것 저것 말할〕 필요도 없다.

いちく【移築】图 ス他 이축.

いちぐう【一隅】-gū 图 일우；한구석. ¶～を照ﾞらす. ＝かたすみ.

いちぐん【一軍】图 일군. ①한 떼의 군사. ＝全軍ﾞ. ②【野】정규 선수로 조직된 팀. ↔二軍ﾞ.

いちぐん【一群】图 일군；한 무리；한 떼. ＝ひとむれ.

いちげい【一芸】图 한 가지 기술·예능. ¶～に秀ﾞでる 한 가지 재주에 뛰어나다.

いちげき【一撃】图 일격. ＝いっとう. ¶～を加ﾞえる 일격을 가하다.

いちげん【一元】图 일원. ①【数】하나의 미지수. ②二次方程式ﾞ. ¶～一次 방정식. ②한 가지 연호. ¶一世ﾞ～ 일세 일원. 图〔근본의 뜻〕하나임. ——ろん【～論】【哲】일원론.

いちげん【一言】图 일언. ＝ひとこと. ——をもってこれをおおう【一言以蔽之】하다. ——いっこう【—行】-ikkō 图 일언 일행. ——こじ【—居士】图 일언 거사；무슨 일에나 말참견 않고는 못 배기는 사람.

いちげんしき【一見識】图 일가견；상당한 식견.

いちこ【市子·巫女】图 무당；무녀(巫女). ＝みこ·あずさみこ·くちよせ.

いちご【苺】【植】 딸기.

いちご【一期】图【佛】일기；일생；생애. ¶五十歳ﾞを～として死ﾞぬ 50세를 일기로 죽다. ——まつ【—末】살아 있을 때나 죽은 뒤에나；영원히.

いちご【一語】图 한 마디 말. ＝ひとこと. ¶～～かみしめるように言ﾞう 한 마디 한 마디 꼭꼭 씹듯이(또박또박) 말하다.

いちごう【一合】-gō 图 ①한 홉. ②일합(싸울 때나 검술에서, 칼과 칼을 한번 마주침). ——め【—目】图 산꼭대기까지의 등산길을 열 구간으로 나눈 그 첫 한구간. 「ん.

いちこじん【一個人】图 ☞いっこじ

いちころ【—ころ】图〔俗〕단번에 맥없이 짐〔항복됨〕.

いちごん【一言】图 ス他〔老〕일언. ＝いちげん. ——のもとに 일언지하에；한 마디로. ——もない 한 마디 말도 할 지가 없다. ——はんく【—半句】图 일언 반구.

いちざ【一座】图 ①일좌. ＝満座ﾞ. ②일기(一基). ¶～の仏像ﾞ 한 기의 불상. ③한 자리；일장(一場). ¶～の説法ﾞ 일장의 설법. ②제일 좋은 상석(上席). ＝一席ﾞ·一座ﾞ. 〓 ス自〔演〕동좌(同座). ②연예인 일좌 동좌(同座). ¶～の仏像ﾞ 한 좌의 일단(에 가담함).

いちじ【一事】图 한 가지 일. ¶～不再理ﾞ 일사 부재리. ——が万事ﾞ 한 가지를 보면 딴 것도 미루어 알 수 있다.

*いちじ【一時】图 일시. ①한 때；한동안；잠시；순간. ¶～の出来心ﾞ 순간적인 나쁜 마음 / ～見合ﾞわせる 잠시 보류하다. ②같은 때；동시；일회. ¶～に 일시에；한꺼번에. ——きん【—金】图 일시금. ——しのぎ【—凌ぎ】图 임시 방편. ——てき【—的】ダナ 일시적；그때뿐인. ——のがれ

【─逃れ】图 일시(적) 모면. **──ばらい**【─払(い)】图 일시불. ↔分割払い

いちじ【一字】图 일자; 한 자. **──いちじ**【一字】图 한자 한 자. **──せんきん**【─千金】图 일자 천금; 글자마다 천금의 가치가 있음(훌륭한 글자·문장의 비유).

いちじ【一次】图 일차. ¶~試験ﾘﾝ 일차 시험 / ~関数ﾊﾞ 일차 함수. **──さんぎょう**【─産業】-gyō 图 일차 산업.

いちじく【無花果】图〔植〕 무화과 나무.

いちじつ【一日】图 ①초하루. =ついたち. ②(그 날) 하루. =いちにち. ¶~の如くﾞ 십 년을 하루같으로. ③어느 날. ¶春ﾙの~ 봄의 어느 날; 어느 봄날. **──の長**ﾘﾝ 일일지장; 남보다 조금 나음. **──せんしゅう**【─千秋】-shū 連語 일일 천추; 일일 여삼추(一日如三秋). ¶~の思ひ 일일 천추의 심정; いちにちせんしゅう.

いちじいっさい【一汁一菜】-jūissai 图 일즙 일채; 국과 나물 한 가지; 매우 검소한 식사.

いちじゅん【一旬】-jun 图 일순; 열흘 동안.

いちじゅん【一巡】-jun 図 일순; 한 바퀴 돎. =ひとまわり.

いちじょ【一助】-jo 图 일조; 열마간의 도움; 하나의 도움. ¶…の~になる …의 도움이〔일조가〕 되다.

いちじょう【一条】-jō 图 일조. ①한 줄기; 한 가닥. =ひとすじ. ②한 가지. ¶~の理ﾘ가 있는 한 가닥의 이치가 있다. ③한 조목. =ひとくだり. ④사건(의 자초 지종); 한 건(件). =一件ﾘﾝ.

いちじょう【一場】-jō 图 일장. ①그 자리; 한 자리. ¶~の訓示ﾘﾝ 일장 훈시. ②그 때뿐; 잠깐. ¶~の夢ﾕﾒ 일장 춘몽.

*いちじるし・い【著しい】-shī 形 현저하다; 두드러지다. ¶~・く不足ﾞする 두드러지게 부족하다.

いちじん【一陣】图 일진. ①바람이 한 바탕 붊. ②선진(先陣). **──の風**ﾞ 일진의〔한바탕 부는〕 바람.

いちず【一途】ﾃﾞﾅ 图外곬; 한결같은 모양. =ひたむき·ひとすじ. ¶~に思ひ込ﾞ込 む 외곬으로만 생각하다.

いちせいめん【一生面】图 한 가지 새로 개척한 방면(부문); 신기축(新機軸). =いっせいめん. ¶~を開ﾋﾞく 새로운 분야를 개척하다.

いちぜんめし【一膳飯】-zemmeshi 图한 그릇씩 퍼서 파는 밥. =盛ﾓり切의 밥; 죽은 사람에게 올리는 밥. =まくら飯. **──や**【─屋】图 간이식당(簡易) 식당.

いちぞく【一族】图 일족; 같은 겨레붙이. ¶~郎党ﾞ 일족의 무리들.

いちぞん【一存】图 자기 혼자만의 생각. ¶~ではきめかねる 혼자만의 생각으로는 결정하기 어렵다.

*いちだい【一代】图 일대. ①한 평생; 살아 있는 동안. ¶~の名誉ﾞ 평생의 명예. ②국왕·군주·호주 등의 그 지위에 있는 동안. ¶~で絶ﾞ한 대로 끊어지다. ③당대; 그 시대. ¶~の英雄ﾕ 당대의 영웅. ④초대(初代). ──

き【─記】图 일대기. 「大 사전.

いちだい【一大】图 일대. ¶~事件ﾞ 일대 사건.

いちだいじ【一大事】图 일대사; 중대사; 큰일. ¶国家ﾞの~ 국가의 일대사.

いちだん【一団】图 일단. ﾝ.A.

いちだん【一段】图 일단. ①한 계단; 한 단계. ②문장·이야기 등의 한 토막.

いちだん【一段】图圏 일층; 더욱. ¶~(と)よい眺ﾒめ더욱 좋은 전망이다.

いちだんらく【一段落】图区自 일단락. =ひときり. ¶仕事ﾞ~つく 일이 일단락되다.

*いちど【一度】图 한 번; 일회(一回). ¶~ならず 한 번만 아니고; 여러 번. **──に** 圖 일시에; 동시에; 단번에; 한꺼번에.

いちどう【一同】-dō 图 일동. ¶職員~ 직원 일동.

いちどう【一堂】-dō 图 일당. ①한 회당(會堂). ②같은 건물; 또, 같은 장소. ¶~に会ﾞする 일당에 모이다.

いちどきに【一時に】圖〔老〕 동시에〔한꺼번에〕. =いちどに.

いちどく【一読】ｽ他 일독; 한 번 읽음; 대강 읽음. ¶~する 한 번 읽을 만하다; 일독할 가치가 있다.

いちなん【一難】图 일난; 재난. **──去**ﾞってまた一難 일난거이우밀난(一難去而又一難); 갈수록 태산.

いちに【一二】图 일이. ①하나 둘; 한둘; 한 두; 약간. ¶~の例ﾚﾞをのぞく 한두 예를 제외하고. ②첫째 둘째; 제일 제이. ¶~を争ﾞ 일이등을 다투다.

*いちにち【一日】图 일일. ①하루. ②아침부터 저녁까지; 하루종일. ¶~君ﾞ을待ﾞっていた 하루종일 너를 기다리고 있었다. ③어느 날; 하루. ¶春ﾙの~ 어느 봄날. ④초하루. ──じゅう【─中】-jū 图 온종일; 하루종일. ──ましに【─増しに】連語 날이 갈수록; 날이 갈수록. ¶春ﾙ~らしくなる 날이 갈수록 봄다워지다.

いちにょ【一如】-nyo 图〔佛〕 일여. ¶物ﾝ心ﾝ~ 물심일여.

いちにん【一任】图区他 일임.

いちにん【一人】图 일인; 한 사람. **──ふたやく**【─二役】图 일인 이역. **──まえ**【─前】图①일인분; 한 사람 몫. ¶刺身ﾞ~ 생선회 일인분. ②어른; 또, 어른과 같은 권리·의무를 가짐. ¶~になる 어른이 되다. ③(능력·기술 따위가) 제구실을 할 수 있게 됨. ¶口ﾞだけは~ 입으로는 제법 사리 있는 말을.

いちにんしょう【一人称】-shō 图 일인칭. =自称ﾝ.

*いちねん【一年】图 일년. ①한 해. ②한 해 동안. ③원년(元年). ④일학년; 일 년생. ⑤어느 해. ──じゅう【─中】-jū 图 일년중; 일년 동안; 한 해 내내. ──せい【─生】图 일년생. ①일학년생. ②(식물의) 한해살이. ¶~植物ﾞ 일년생 식물. =一年草本ﾞ 일년생 초본. **──ぼうず**【─坊主】-bōzu 图 1학년임을 놀리는 말.

いちねん【一念】图 일념; 한결같이 굳게 먹은 마음. ¶母ﾊﾞの~ 어머니의 일념. **──ほっき**【─発起】-hokki

결심하고 불교 신앙의 길에 들어감;전하여, 어떤 일을 성취하려고 결심함.

いちのぜん【──のぜん】(一の膳) 图 정식 일본 요리의 상차림에서, 맨 처음에 나오는 상.

*いちば**【市場】图 시장; 저자; 장.＝マーケット. ¶靑物ﾓﾉの~ 야채[청과물] 시장. ──まち【──町】图 장거리; 시장을 중심으로 발달한 도시.

いちばい【一倍】图他 ①일배. ¶~半ﾊﾝ 반. ②두 배; 갑절. ¶人ﾋとはたらく 남보다 갑절 일하다.

いちはやく【逸早く・逸速く】副 재빨리; 잽싸게.＝すばやく. ¶~駆かけつける 재빨리 달려가다.

*いちばん**【一番】⊟图 ①일번; 첫째; 일등. ¶~打者しﾔ 일번 타자. ②상책(上策). ¶黙だまっているのが~だ 잠자코 있는 것이 상책[제일]이다. ③1회; 한번; 단판. ¶~勝負しﾖﾌ 단판 승부. ⊜[いちばん]图 가장; 제일; 제일. ¶~はじめ 제일[가장] 먼저. ⑤시험삼아; 우선; 한번. ¶むずかしいが~やるか 어렵지만 시험삼아(한번) 해볼까. ──どり【──鶏】图 첫닭(우는 소리). ──のり【──乗り】图(적진 따위에) 맨먼저 들어감; 또, 그 사람. ──やり【──槍】图(옛날 싸움터에서) 맨 먼저 적진에 창(槍)으로 치고 들어감; 또, 그 사람;전하여, 맨 먼저 공(功)을 세우는 일.

いちひめにたろう【一姫二太郎】-rō 图 처음에는 딸, 그 다음에 아들을 낳는 것이 이상적이라는 말.

いちびょうそくさい【一病息災】ichibyō- 图 너무 건강에 자신이 있는 사람보다도, 좀 병이 있는 사람이 자기 몸을 잘 돌보기 때문에 오히려 장수한다는 비유의 말.

いちぶ【一分】图 ①1분[전체의 10분의 1]. ②1분(1할의 10분의 1). ③1푼(한 치의 10분의 1). ④조금; 약간. ¶~のすきもない 조금의 틈도 없다. ──ちりん【──厘】图 일분 일 리; 아주 조금. ¶~狂くるいがない 조금도 틀리지 않는다.

*いちぶ**【一部】图 일부. ①일부분.＝全部ぶ. ②(서적·인쇄물 따위의) 한 부; 한 질. ──しじゅう【──始終】-jū 图 자초지종.

*いちぶぶん**【一部分】图 일부분.

いちぶん【一分】图 체면.¶男おﾄﾞﾅの~が立たたぬ 남자 체면이 서지 않는다.

いちべつ【一瞥】图他 일별; 한번 언뜻 봄. ¶~をくれる 슬쩍 보다.

いちべついらい【一別以来】图 한번 헤어진 이래.

いちぼう【一望】-bō 图他 일망. ¶~のもとに眺ながめられる 일망지하[한눈]에 바라보이다.

*いちまい**【一枚】图 ①(종이·판자·화폐 따위의) 한 장; 한 장; 한 개; 한 겹. ②논의 한 구획[필]; 논배미. ③한 사람(어떠한 역할을 할 수 있는 사람). ¶その計画けいﾏﾔには彼かれが~かんでいる 그 계획에는 그가 한 몫 끼고 있다. ──いわ【──岩】图 갈라진 데 없이 하나로 돼 있는 튼튼한 바위. ¶~の団

結けっ 굳건한 단결. ──かわ 图 남편보다 한 살 위인 아내(부부 금실이 좋다고 함). ──かんばん【──看板】-kamban 图 ①오직 한 가지 내세울 만한 것. ¶民主主義しﾕ ﾐを~とする 오직 민주주의를 표방하다. ②일단(一團)의 중심 인물.＝大立者だ... ⑤(俗) 단벌 옷.

いちまつ【一抹】图 일말; 한 가닥. ¶~の不安ふあん 일말의 불안.

いちまつもよう【市松模様】-yō 图 네모진 흑백 무늬를 번갈아 나열한 바둑판 무늬; 체크 무늬.＝石畳いしだたみ 元禄げﾝﾛ模様.

*いちみ**【一味】图 일미. ①한 동아리; 한패; 일당(一黨). ¶強盜ごﾄ の~ 강도의 일당. ②한 가지 맛. ¶~の清風せいﾌﾟﾝ (어디선지 불어 오는) 한 가닥의 청풍.──とうとう【──徒党】-totō 图 일미 도당; 한 동아리.

いちみゃく【一脈】-myaku 图 일맥. ──(相)通あい つうずる 图他 일맥 상통하다.

いちめい【一名】图 일명. ①한 사람.＝ひとり. ②별칭; 별명.

いちめい【一命】图 일명; 목숨; 생명. ¶~をなげうつ 목숨을 던지다.

*いちめん**【一面】图 ①한 쪽면. ¶~しかみない 한 쪽 면밖에 보지 않는다. ↔多面たﾒﾝ·全面ぜﾝﾒﾝ. ②(거울·거울을 세는 데) 하나. ③신문의 첫 페이지. ④(副詞的으로) ⑤전체; 온통; 일대. ¶~の火びの海うみ 온통 불바다. ⑥어느 면에는;반면. ¶~無限むげﾝの愛あいが感かﾝじられた 일면 무한한 사랑이 느껴졌다. ⑤…이지만 또한; 美うつくし しい…이면서도 한편으로 격렬함도 있다. ──てき【──的】ダﾃﾞ 일면적; 일방적. ¶~な見方かた 일방적인 견해. ──ぜんたい【──全体】图 전면(全面)에;온통. ¶~草くさがしげる 온통 풀이 우거지다.

いちめんしき【一面識】图 일면식.

いちもうさく【一毛作】-mōsaku 图 일모작.

いちもうだじん【一網打尽】-mōdajin 图 일망 타진.

いちもく【一目】图 일목. ⊟图 ①하나의 눈; 한쪽 눈. ②바둑의 한 눈; 바둑·장기의 한 점. ⊜他 한 번 봄; 일견(一見). ¶~一行ぎﾖﾌ 한 눈에 열 줄을 읽음(독서력이 우수함). ──ぱい~① (바둑에서, 두기 전에 하수가) 한 점 놓다. ②자기보다 실력이 나은 사람으로 인정하여 경의를 표하다. ──りょうぜん【──瞭然】-ryōzen 图 일목 요연.

いちもくさんに【一目散に】副 옆도 돌아보지 않고 곧장 달리는 모양; 쏜살같이.＝いっさんに. ¶~走にげる 쏜살같이 달리다.

*いちもつ**【一物】图 ①(마음에 품고 있는) 못된 흉계·속셈. ¶胸むなに~ある 마음 속에 흉계를 품다. ②한 물건. ¶~もない 아무 것도 없다. ③(俗) 그것; 그 물건; 금전; 남근(男根).

いちもん【一文】图 ①一貫文かんもんの1,000분의 1; 엽전 한 닢. ②일푼전; 한 푼. ③하나의 글자. ──なし【──無し】图 무일푼; 빈털터리.＝すってんてん

い

てん. ──ふつう【──不通】-futsū
일자 무식.

いちもん【一門】图 ①일문；일족；한
집안. =一族ꜝꜞ. ②(불교 등의) 같은
종파에 속하는 사람들. ③같은 스승 밑
에서 배우는 사람들；동문. (대표)
한 문.

いちもんいっとう【一問一答】-ittō
図直 일문 일답.

いちもんじ【一文字】图 ①하나의 글
자. ②한일자；일자형(一字形). ¶口
ꜝ를~に結ꜝꜞ 입을 한일자로 다물다.
③곧바로. 돌진함. ¶野郞ꜝꜞ~に横
切ꜝꜞる 들판을 곧바로 횡단하다. ④눈
자의 아래위에 붙이는 조붓한 헝겊.

いちや【一夜】图 ①일야；하룻밤. ─
明ꜝꜞれば 하룻밤이 새면 (날이 새면).
②어느날 밤. =ある晩ꜝꜞ. ──づくり
【一作り】图 ①하룻밤 사이에 만드는
일；또, 그렇게 만든 것. 〈俗〉임시
변통으로 급히 만드는 일；또, 그렇게
만든 것. ──づけ【一漬(け)】图 ①
담근 지 하룻밤만에 먹는 김치. =はや
づけ. ②벼락치기로 하는 일부.

*いちやく【一躍】図直 일약. 参考 副
詞的으로도 씀. ¶~(して)大ꜝꜞスター
になる 일약 대스타가 되다.

いちゃつ‐く icha‐ 国直 〈俗〉(남녀가)
농탕치다.

いちゃもん icha‐图 〈俗〉 구실；트집.
=言ꜝꜞいがかり. ¶~をつける 트집을
잡다.

いちゅう【意中】ichū 图 의중；마음속.
──の人ꜝꜞ 의중의 사람；애인.

いちょ【遺著】icho 图 유저.

いちよう【一葉】-yō 图 ①하나
의 잎사귀. ②(종이 따위의) 한 장. ③
조각배 한 척. ¶~の扁舟ꜝꜞ 일엽 편
주. ──落ꜝꜞちて天下ꜝꜞの秋ꜝꜞを知る 일
엽 지추(一葉知秋)(한 가지 일을 보고
장차의 일을 짐작할 수 있음을 이름).

いちよう【一樣】-yō ダナ ①한결같
음；그냥 보통임. ¶~の人物ꜝꜞではな
い 보통 인물이 아니다／全員ꜝꜞは~に
反對ꜝꜞした 전원은 한결같이 반대했
다. ②똑같음. ¶~に分配ꜝꜞする 똑같
이 분배하다.

いちょう【銀杏・公孫樹・鴨脚】ichō
[植] 은행나무. ──がえし【一返し】
图 여자의 속발(束髮)의 하나(뒤꼭지
에서 머리를 좌우로 갈라, 반
달 모양으로 둥글려서 은행잎 모양으
로 틀어 얹음).

*いちょう【胃腸】ichō** 图 위장.

いちょう【移調】ichō 国他〔樂〕이
조；조옮김.

いちょう【移牒】ichō 国直他 이첩.

いちようふくげん【一陽復元】ichiyō‐
图 일양 내복. ①봄이 돌아옴. ②차차
행운이 돌아오는 일.

いちよく【一翼】图 일익. ①하나의 날
개. ②하나의 역할. ¶~をになう 일
익을 담당하다.

いちらん【一覽】图 일람. 国直他 한번
쭉 훑어보다. 国他 일람표；편람(便覽).

**いちらんせいそうせいじ【一卵性双生
児】-sōseiji** 图 일란성 쌍생아.

いちり【一里】图 일리；약 3.93 km(한
국의 10리 리). ──づか【一塚】图 江

戸ꜝꜞ 시대에, 전국의 가도(街道)에 십
리마다 흙을 쌓아 올리고 팽나무·소나
무 따위를 심어서 이정(里程)의 안표
로 한 것.

いちり【一理】图 일리. ¶それも~あ
る 그것도 일리 있다.

いちり【一利】图 일리. ¶百害ꜝꜞあっ
て~なし 백해 무익함. ──いちがい
【一一害】图 일리 일해. =一得一失
いっとくꜝꜞ.

いちりつ【一律】图 ダナ 일률. ¶千編
せん~ 천편 일률／一割ꜝꜞ들 一律上ꜝꜞげ
する 값을 일률적으로 올리다.

いちりつ【市立】图 시립.

*いちりゅう【一流】-ryū** 图 ①일류；제
1 급. ②(기예(技藝) 등의) 한 유파(流
派). ③독특한 격식·방법. ¶彼ꜝꜞ~の
皮肉ꜝꜞ 그의 독특한 야유.

いちりょう【一両】-ryō 图 ①한 냥(옛
화폐의 단위；1 分ꜝꜞ의 4 배로 16冊ꜝꜞ에
해당). ②〈俗〉1 엔. ③1 량；(큰 차량
따위의) 한 대. ──一輛ꜝꜞ. ④〈日·
年方·人ꜝꜞ 따위가 아래에 붙어서〉 한두.
금명(今明). ──日ꜝꜞ 일이틀. ──人ꜝꜞ 한두 사람／
──日ꜝꜞ 일양일；금명일.

いちりん【一輪】图 일륜. ①꽃 한 송
이. ¶梅ꜝꜞ~ 매화 한 송이. ②바퀴 하
나. ③명월(明月). ¶~の明月ꜝꜞ 둥근
달；만월. ──ざし【一挿し】图 한두
송이 꽃을 꽂는 작은 꽃병.

いちる【一縷】图 일루；한 가닥. ──の
望ꜝꜞみ 일루의 희망.

いちるい【一類】图 ①같은 종류；같은
유. ②동족；한패.

いちれい【一礼】图 国直 한 번 (가볍
게) 인사를 함.

いちれん【一連】图 일련. ①(본디는一
聯) 관계 있는 일의 한 연결. ¶~の
事件ꜝꜞ 일련의 사건. ②〔高野紙ꜝꜞ
どう·かつおぶし 따위의 한 두룹. ③(본
디는 一嚶) 양지(洋紙)의 한 단위；전에는
전지 500장, 현재는 1,000장.

いちれんたくしょう【一蓮托生】-shō 图
일련 탁생(잘잘못에 불구하고 행동·운
명을 같이함).

いちろ【一路】图 일로. ①한 줄기 길.
¶真實ꜝꜞへ~ 진실 일로. ②副詞的으
로；곧장；딴 데 들르지 않고. ¶~邁
進ꜝꜞする 일로 매진하다.

いつ【五】图 〈雅〉오；다섯. ──いつつ.
¶~、七、なな 다섯, 여섯, 일곱.

いつ【何時】图 副 언제；어느 때. ¶
~きましたか 언제 왔습니까.

いつ【一·壱】图 ①일；하나；전하여,
동일；한 가지. ──つ. ¶心ꜝꜞを~に
して 마음을 하나로 해서, 전하여, 한
은. ¶~は樂しく ~は苦しい 한편
으론 즐겁고 한편으론 괴롭다.

いついつまで【何時何時まで】副 ①대
체 언제까지('いつまで'의 힘줌말). ②
~も 언제까지나；영원히. ③어느 날
어느 날까지.

いつう【胃痛】itsū 图 위통.

*いつか【何時か】**副 ①언젠가；전하여,
이전에. ¶~の夜ꜝꜞ 언젠가의 밤. ②조
만간에；언제가는. ¶~それを後悔ꜝꜞ
する時ꜝꜞがある 언젠가는 그것을 후회

いつか【五日】图 오일. ①닷새. ②초
닷새. ③5월 5일；단오절.

할 때가 있다. ③어느 사이에. =いつ
のまにか. ¶～秋になっていた 어느
사이에 가을이 되어 있었다.
**いっか【一下】ikka 图 일하; 한
번 떨어짐. ¶号令諦～ 호령이 한번
떨어지자(마자).
*いっか【一家】ikka 图 일가. ①한 세
대; 한 가족; 또, 한 가족 비슷한 단체.
②[학계・예술계에서의] 하나의 독자적
인 존재. ¶～をなす 일가를 이루다(독
자적인 학풍・유파를 이루다; 자식이 독
립하다). ――げん【―言】일가언.
いっか【一過】ikka 图自 일과. ¶台
風諺～ 태풍 일과. ――せい【―性】
[醫] 일과성.
いっか【一か・一箇・一個】ikka
图 일개. 한 개. ¶三分務の一諺 일과
삼분의 일 / 月諺１か月 일개월 / 所諺 일개
소; 한 곳; 한 군데.
いっかい【一介】ikkai 图 일개; 하나;
(보잘것 없는) 한 사람. ¶～の書生
諡に過ぎない 일개 서생에 불과하다.
*いっかい【一回】ikkai 图 일회. ①한
번. =ひとたび. [參考] 副詞的으로도
쓴. ¶～来てみてください 한 번 와
서 와 주십시오. ②[한 돌] ――き
【―忌】일주기 ②(=周忌) ; 소상. =
一周忌諡しゅう. ――ねん【一年忌諡ねん
*いっかい【一階】ikkai 图 일층; 단층.
いっかい【一塊】ikkai 图 한 덩어리. =
ひとかたまり.
いっかく【一角】ikkaku 图①일각. ㉠
(수학에서) 한 모서리; 한모퉁이;한모
퉁이 한 구석. ¶街諺の― 거리의 한
모퉁이 / 氷山諺の～ 빙산의 일각. ㉡
하나의 짐승. ②[いっかく【動】일각고
래. =ウニコール. ――じゅう【―獣】
-jū 图 일각수.
いっかく【一画】ikka- 图 ①일획; 글
자의 한 획. ¶一点諺も～한 획을 쯤다.
②[본디 一劃이므로] 토지의 한 구획(區
畫). ――いっかく【――画】-ikkaku
图 한 획 한 획.
いっかく【―郭】(一廓) ikka- 图 일곽;
한 둘레 안의 지역.
いっかくせんきん【一攫千金】(一擭千
金) ikkaku- 图 일확 천금. ¶～を夢
見諺する 일확 천금을 꿈꾸다.
いつかしら【何時かしら】㊀副 어느 결
에; 모르는 사이에. ¶～夜諺もふけた
어느 결에 밤도 깊었다. ㊁[連語] 언제
일까. ¶話諺したのは― 이야기한 것은
언제던가.
いっかつ【一喝】ikka- 图 일갈.
¶～して追諺い返諺す 일갈하여 되돌려
보내다.
いっかつ【一括】ikka- 图 他 일괄. ¶
～上程諺 일괄 상정.
いっかな ikkana 副〈老〉〈否定하는 말
앞에서〉 어떻든; 아무리 하여도('いか
な'의 힘줌말). ¶～承知諺しない 아무
리해도 승낙하지 않다.
いっかん【一環】ikkan 图 일환. ①쇠
사슬의 한 고리. ②전체에 관계되는 사
물 중의 일부분. ¶平和運動諺の
～として 평화 운동의 일환으로서.
いっかん【―貫】ikkan 图 일관. ①
무게의 단위. 한 관(3.75㎏). ②돈 일
천 文諺 또는 960文. ㊁图自他 처음

부터 끝까지 한 이치로〔방법으로〕 꿰
뚫음. ¶～した政策諺 일관된 정책.
いっき【一揆】ikki 图 [영주 등의 횡포
에 대항하여] 토착민들이 단결하여 일
으키는 일. ¶百姓諺～ 농민 봉기.
いっき【一季】ikki 图 [江戸 시대에 1
년 기한으로 고용살이하는 일.
いっき【一気】ikki 图 일기; 한번의 호
흡; 단숨. =ひといき. ――かせい
【―呵成】일기 가성(단숨에 글을
짓거나 일을 해치움). ¶～に 단숨
에; 일거에. ¶～に仕事諺をかたづける
단숨에 일을 해 치우다.
いっき【一騎】ikki 图 일기; 말에 탄
병사〔사람〕. ――うち【―打(ち)・
―討(ち)】图自 [말에 탄 사람끼리]
일대 일로 승부를 겨룸. ――とうせん
【―当千】-tōsen 图 일기 당천. ¶～の
強者諺いちちゅう 일기 당천의 용사.
いっきいちゆう【一喜一憂】ikki ichiyū
图自 일희 일우.
いっきく【一掬】ikkiku 图 일국; 한 움
큼; 한 줌. ¶～の同情諺 한 줌의 동
정.
*いっきゅう【一級】ikkyū 图 일급. ¶
～品諺 일급품의 / ～上諺の 한 급 위다.
いっきょ【一挙】ikkyo 图 일거; 단번
의 행동. ――いちどう【―一動】
―ichidō 图 일거 일동. ¶～に副 일거에; 한
거번에. ¶～に完成諺させた 일거에 완성
시켰다. ――りょうとく【―両得】-ryōtoku 图
일거 양득; 일석 이조.
いっきょう【一興】ikkyō 图 한 가지 재
미. ¶それも～だ 그것도 한 재미다.
いっきょしゅいっとうそく【一挙手一
投足】ikkyoshu ittō- 图 일거수 일투
족; 일동일동. ¶～の労諺を惜しむ 일
거수 일투족(사소한) 일거수 일투족하
다 / ～に注意諺する 일거수 일투족
〔일동 일동〕에 주의하다.
いつ く【居着く】(居付く)㊄自 ①자리
잡아 살다; 정주(定住)하다. ②[집에]
차분히 붙어 있다. ¶家諺に～・かない
子諺 집에 차분히 붙어 있지 않는 아이.
いつくしむ【慈しむ】㊄他〈雅〉 자비
를 베풀다. ①불쌍히 여기다. =あわれ
む. ②애지중지하다; 사랑하다. =かわ
いがる. ¶上諺は下諺を～・み, 下諺は上諺を
敬諺う 윗사람은 아랫사람을 사랑
하고 아랫사람은 윗사람을 존경한다.
いっけ【一家】ikke 图 ①〈老〉☞いっ
か. ②친족(親族). ③한 채의 집.
いっけい【一系】ikkei 图 일계; 한
통. ¶万世諺～ 만세 일계.
いっけい【一計】ikkei 图 일계; 한 계
책〔계획〕. ¶～を案諺ずる 한 계책을
생각해내다.
いっけつ【一決】ikketsu 图自 일결;
의론이 하나로 정해짐. ¶衆議諺～が
～する 중론이 하나로 결정되다.
いっけん【一件】ikken 图 일건. ①하
나의 일; 하나의 사건. ¶～の事故諺は
ない 한 건의 사고도 없다. ②그 건;
예(例)의 건. ¶～は片諺づいたかね 그
건은 처리되었나?
いっけん【一見】ikken ㊀图他 일견.
①한 번 봄. ②언뜻 봄. ¶～してわか
る 언뜻 보아야 알 수 있다. ㊁副 일견
한 바; 언뜻 보기에. ¶～役者諺のよ

うだ 언뜻 보기에 배우구 같다.

いっけんや【一軒家・一軒屋】ikkenya 图 ①외딴집. ②독채집.

いっこ【一戸】ikko 图 일호；한 집；한 가구. ¶ ～建㆑ての家㆑ 독채집／～を 構㆑える家㆑ 가구주가 되다.

*__いっこ__【一個・一箇】ikko 图 한 개.

いっこ【一顧】ikko 图他 일고. ¶ ～ の価値㆑もない 일고의 가치도 없다.

いっこう【一行】ikkō 图 일행. ①한 가지 행동. ¶ ～を共㆑にする 일언 일행. ②함께 행동[여행]하는 사람(들).

いっこう【一考】ikkō 图他 일고. ¶ ～ の余地㆑がある 일고의 여지가 있다.

*__いっこう__【一向】ikkō 副 ①〈아래에 부정을 수반하여〉조금도；전혀. ＝まるっきり. ¶ ～(に)勉強㆑しない 도무지 공부 안 한다／～に利㆑き目㆑がない 전혀 효험이 없다. ②매우；아주. ¶ ～平気㆑だ 아주 태연하다；아무렇지도 않다.

いっこく【一刻】ikkoku 图 일각；짧은 시각. ¶ ～を争㆑う 일각을 다투다.
――__せんきん__【千金】图 일각 천금.
――__せんしゅう__【千秋】-shū 图 일각 천추；일각 여삼추.

いっこく【一国】ikkoku 图 일국；한 나 라；온 나라. ¶ ～をあげて歓迎㆑する 거국적으로 환영하다. ――__いっじょう__【一城】の主㆑ 일국의 주인；남의 원조·간섭 없이 독립하고 있는 사람.

いっこく【一刻・一克】ikkoku ダナ 고 집이 세어 남의 말을 잘 듣지 않음. ¶ ～者㆑ 고집통이；옹고집쟁이.

いっこじん【一個人】ikko- 图 개인.

いっこん【一献】ikkon 图 ①한잔의 술. ②(간단한) 술 대접. ¶ ～差㆑し上㆑げ たい 술 한잔 대접하고 싶다.

いっさい【一再】issai 图 한두번〔차례〕.
――__ならず__ 한두번이 아니고 (여러 차례).

*__いっさい__【一切】issai 一 图 일체；모 두；전부. ＝全部㆑で. ¶ ～を任㆑せる 일 체를 맡기다. 二【いっさい】副〈아래 에 부정語가 따라서〉일절；전혀；전 연. ＝全㆑く・全然㆑. ¶ 酒㆑は一飲㆑ まない さいん 술은 입에도 대지 않는다.
――__がっさい__【一合切・一合財】-gas-sai 图 남김없이 전부.

いつざい【逸材】itsuzai 图 일재；뛰어난 재능〔인재〕. ¶ 隠㆑れた～ 숨은 인재.

いっさく【一策】issaku 图 일책. ¶ 窮 余㆑の㆑の～ 궁여지책.

いっさく【一昨】issaku〈'日ら·年ら' 따위의 앞에 붙어서〉'昨'(＝昨)'보다도 하나 앞임을 나타냄. ¶ ～日ら 그저께 ＝おととい／～年ら 재작년（＝おと とし）.

いっさくじつ【一昨日】issaku-'一昨 日㆑'보다도 하나 앞임을 나타냄. ¶ ～ 年ら 그끄러께（＝さきおととし）／～日 ら 그끄저께（＝さきおととい）.

いっさつ【一札】issa- 图 한 통의 문서·증서. ――__入㆑れる__ (각서·증서를) 한 통 써 내다.

いっさんかたんそ【一酸化炭素】issan-图 (化) 일산화 탄소.

いっさんに【一散に・逸散に】issanni 副 한눈팔 겨를 없이 곧장；쏜살같이. ＝い

ちもくさんに.

いっし【一子】isshi 图 한 자식；외아 들. ¶ ～をもうける 자식 하나를 얻다.
――__でん__【相伝】-sōden 图 자기 자식 한 사람에게만 비결을 전함.

いっし【一指】isshi 图 일지；손가락 하 나. ――__も触㆑れさせない__ ①손끝 하나도 닿지〔조금도 만지지〕못하게 하다. ② 조금도 불평을 못하게 하다.

いっし【一矢】isshi 图 일시；화살 한 개. ――__報㆑いる__ 화살을 되쏘다〔반 격하다〕.

いっし【一糸】isshi 图 일사；한 가닥 의 실. ――__乱㆑れず__ 일사 불란；질서 정 연. ――__もまとわない__ 실오라기 하나도 걸치지 않다.

いつしか【何時しか】副〈雅〉어느덧；어느 사이에；어느새；어느 사이에 언 제인지 모르게. ¶ ～年㆑も暮㆑れた 어느덧 (한) 해도 저물었 다.

*__いっしき__【一式】isshiki 图 일습. ＝ひと そろい. ¶ 家具㆑～ 가구 일습.

いっしつ【一失】isshitsu 图 일실. ¶ 千 慮㆑の――천려 일실. ↔－得㆑.

いっしどうじん【一視同仁】isshidō- 图 일시 동인.

いっしはんせん【一紙半銭】isshi- 图 일 지 반전；종이 한장과 돈 5푼. ¶ ～も おろそかにしない 아주 적은 것이라도 소홀히 하지 않다.

いっしゃせんり【一瀉千里】issha- 图 일 사 천리.

*__いっしゅ__【一種】isshu 一 图 일종. ¶ 洋酒㆑の～ 양주의 일종. 二 副 조금；뭔가；ちょっと·なにか. ¶ ～独特㆑ のかおり 뭔가 독특한 향기.

*__いっしゅう__【一周】isshū 图自他 일 주. ¶ 世界㆑を～ 세계 일주. ――__き__【―忌】图 일주기；소상. ――__ねん__【―年】图 일주년；한 돌.

いっしゅう【一週】isshū 图 일주；7일 간. ――__かん__【―間】图 일주간.

いっしゅう【一蹴】isshū 图他 일축. ¶ 抗議㆑を～する 항의를 일축하다.

いっしゅくいっぱん【一宿一飯】isshu-kuippan 图 일숙 일반（나그네가 하룻 밤 묵으며 신세지는 일）.

*__いっしゅん__【一瞬】isshun 图 일순；그 순간；일순간. ¶ ～ためらったがその瞬 간 주저했으나.

‡__いっしょ__【一緒】issho 图 ①함께 함；같이 함. ¶ よかったらご―しましょう 괜찮으시다면 동행하겠습니다. ②만 남. ¶ 途中㆑で～になる 도중에서 만 나다. ③동시；한꺼번. ¶ 三㆑か月分㆑ の手当㆑を～に受㆑け取㆑る 3 개월분 의 수당을 한꺼번에 받다. ④ㄱ별개의 것을 한데 합침. ¶ 手紙㆑と～に送㆑る 편지와 함께 부치다. ㄴ同居. ¶ ～に なる 부부가 되다. ⑤ㄱ같음. ¶ 君㆑の 意見㆑もぼくと～だ 네 의견도 나와 같다. ㄴ혼동；물어 취급함. ¶ あんな 連中㆑と～にされては困㆑る 저런 축 들과 같이 취급받아서는 곤란하다. ⑥ 合計. ¶ 全部㆑～でお幾㆑ら？ 모두 합쳐 얼마요.

いっしょ【一所】issho 图 ①한 곳. ② 같은 곳. ③하나가 됨. ――__けんめい__ 【―懸命】-kemmei ダナ 일을 열심

히 함. ──一生懸命_{けんめい}.

*いっしょう【一生】isshō 图 일생；평생. ¶～の失策_{しっさく} 일생의 실책 /～を棒_{ぼう}に振_ふる 일생을 그르치다〔망치다〕. ──けんめい【─懸命】-kemmei 图ダナ いっしょけんめい.

いっしょう【一笑】isshō 図名他 일소. ¶破顔_{はがん}～ 파안 일소. ──に付^ふする 일소에 부치다.

いっしょう【一将】isshō 図 일장；한 장수. ¶功^{こう}成^なりて万骨^{ばんこつ}枯^かる 일장 공성 만골고(一將功成萬骨枯).

いっしょうがい【一生涯】isshō- 图 한 평생. ＝一生^{いっしょう}.

いっしょく【一色】isshoku 图 일색. ¶緑^{みどり}～の野原^{のはら} 초록빛 일색의 들판 / 反対派^{はんたいは}～で埋^うまる 반대파 일색으로 가득 차다.

いっしょくそくはつ【一触即発】isshoku- 图 일촉 즉발.

*いっしん【一心】isshin 图 ①일심. ②《に를 붙여서, 副詞的으로》한 가지 일에 마음을 집중함；전념함. ¶～に本^{ほん}を読^よむ 열심히 책을 읽다. ──ふらん【─不乱】图ダナ 일심 불란.

いっしん【一新】isshin 图名他 일신. ¶昔^{むかし}の面目^{めんもく}を～する 옛날의 면목을 일신하다.

いっしん【一身】isshin 图 일신. ──じょう【─上】-jō 图 일신상.

いっしんいったい【一進一退】isshin ittai 图名自 일진 일퇴.

いっしんきょう【一神教】isshinkyō 图 일신교. ↔多神教^{たしんきょう}.

いっしんとう【一親等】isshintō 图 일촌；곧 본인과 부모, 본인과 자식간의 촌수. ＝一等親^{いっとうしん}.

いっすい【一炊】issui 图 밥을 한번 지음. ──の夢^{ゆめ} 일취지몽. ⇨かんたんのゆめ.

いっすい【一睡】issui 图 한 잠. ＝ひとねむり. ¶～もしない〔とらない〕한잠도 안자다.

いっする【逸する】issu- 曰▽変他 놓치다；잃다；빠뜨리다. ¶好機^{こうき}を～ 호기를 놓치다. 曰▽変自他 ①벗어나다；빗나가다. ¶常軌^{じょうき}を～ 상궤를 벗어나다. ②잊다；또, 없어지다.

いっすん【一寸】issun 图 ①한 치. ②짧은 거리〔距離〕. ¶～刻^{きざ}みに進^{すす}む 조심조심 좁은 걸음으로 나아가다. ③짧은 시간；잠깐. ──先^{さき}はやみ 앞은 어둠〔앞일을 조금도 예지(豫知)할 수 없음〕. ──の光陰^{こういん}軽^{かろ}んずべからず 一寸光陰 불가경(一寸光陰不可輕). ──の虫^{むし}にも五分^{ごぶ}の魂^{たましい} 지렁이도 밟으면 꿈틀한다. ──のがれ【──逃れ】图 일시 모면. ──ぼうし【──法師】-bōshi 图 난쟁이. ＝こびと・侏儒^{しゅじゅ}.

いっせ【一世】isse 图 ①〔佛〕일세；과거·현재·미래 삼세(三世)의 하나. ¶親子^{おやこ}は～の縁^{えん} 부모와 자식은 일세의 인연. ──いちだい【──一代】图 일생 일대. ①한평생. ②평생에 단 한번의 영광스러운〔자랑스러운〕연기〔행위〕.

いっせい【一世】issei 图 일세. ①일생. ②어느 시대；당대. ¶彼^{かれ}は～の

師表^{しひょう}として仰^{あお}がれた 그는 당대의 사표로서 존경을 받았다. ③일대(一代). ④같은 종류, 같은 이름의 왕·교황·황제 중 최초로 즉위하는 사람. ¶ナポレオン～ 나폴레옹 일세. ⑤호주(戸主). ⑥이민 등의 첫 대의 사람. ¶日系米人^{にっけいべいじん}～ 일본계 미국인 일세. ──を風靡^{ふうび}する 일세를 풍미하다.

いっせい【一斉】issei 图 일제. ¶～射撃^{しゃげき} 일제 사격. ──に 副 일제히.

いっせき【一夕】isseki 图 일석；하루 저녁. ¶一朝^{いっちょう}～ 일조 일석.

いっせき【一石】isseki 图 일석；하나의 돌. ──を投^{とう}ずる 파문을 일으키다. ──にちょう【──二鳥】-chō 图 일석 이조. ＝一挙両得^{いっきょりょうとく}.

いっせき【一席】isseki 图 (연설·연회 따위의) 1회；일장(一場). ¶～ぶつ 한바탕 연설하다 / ～弁^{べん}ずる 일장 연설을 하다. ──設^{もう}ける 한 자리를 마련하다〔연회를 마련하다〕.

いっせき【一隻】isseki 图 ①한 쌍 중의 한 쪽. ②배한 척. ──がん【──眼】图 ①일척안. ＝一眼^{いちがん}・隻眼^{せきがん}. ②독특한 식견. ¶～を備^{そな}える 독특한 식견을 갖추다.

いっせつ【一説】isse 图 일설.

いっせつな【一刹那】isse- 图 한 찰나；일순간.

いっせん【一戦】issen 图名自 일전. ¶～を交^{まじ}える 일전을 벌이다；한차례 교전하다.

いっせん【一線】issen 图 일선. ①한 가닥의 선. ②第一線^{だいいっせん}(＝제일선)의 준말. ──を画^{かく}する 일선을 긋다〔분명하게 구별을 짓다〕.

いっせん【一閃】issen 图名自 일섬. ①한번 번쩍임. ②白刃^{はくじん}～ 백인 일섬.

*いっそ isso 副 도리어；차라리. ＝むしろ·かえって. ¶～(のこと)死^しんでしまいたい 차라리 죽어버리고 싶다.

*いっそう【一層】issō 图 한층 더；더욱더. ＝さらに·ますます. ¶～努力^{どりょく}する 한층 더 노력하다.

いっそう【一掃】issō 图名他 일소. ¶不安^{ふあん}を～する 불안을 일소하다.

いっそく【一束】isso- 图 한 다발〔묶음〕. ＝ひとたば.

いっそくとび【一足飛び】isso- 图名自 ①차례를 밟지 않고 건너 뜀；일약. ②모두뛰기를 함.

いつぞや【何時ぞや】副 ①언젠가；언제였던가. ②요전에；전날에. ¶～は失礼^{しつれい}いたしました 일전에는 실례가 많았습니다.

*いったい【一帯】ittai 图 일대；일원. ¶その付近^{ふきん}～ 그 부근 일대.

*いったい【一体】ittai 图 일체. ①동체(同體). ¶夫婦^{ふうふ}が～となって働^{はたら}く 부부 일체가 되어 일하다. ②불상·조상(彫像) 등의 하나.

*いったい【一体】ittai 副 ①전반적으로；대체로；원래. ¶今年^{ことし}は～に寒^{さむ}い 금년은 대체로 춥다. ②의문의 뜻을 강하게 나타내는 말；도대체. ¶～どうした 도대체 어떻게 된 셈이냐. ──ぜんたい【──全体】副 'いったい'②의 힘줌말.

いつだつ【逸脱】图名自他 일탈；빗나

い

감; 벗어남.

いったん【一端】ittan 名 일단. ①한 쪽 끝. ②일부분. ¶感想(かんそう)の～を述(の)べる 감상의 일단을 말하다.

いったん【一反】(一段) ittan 名 ①(전의 토지(土地) 면적의) 1단(段)《300평; 약 991.7 m²》. ②전의 피륙 길이 단위의 하나; 한 필《약 10.6 m》.

*いったん『一旦』ittan 副 일단. ¶～事(こと)ある時(とき)には 일단 유사시에는.

⁑いっち【一致】itchi 名 スル自 일치. ¶～団結(だんけつ) 일치 단결.

いっちはんかい【一知半解】itchi- 名ナ 일지 반해; 수박 겉 핥기의 지식. =なまかじり・半可通(はんかつう). ¶～の徒(と) 반거들충이/～なことを言(い)う 어설픈 말을 하다.

いっちゅう［一籌］itchū 名 일주; 하나의 계책〔계획〕. ──を輸(ゆ)する 지다; 뒤지다; 꿀리다.

いっちょう【一丁】itchō ㊀名 ①㉠(괭이 따위의) 한 자루. ㉡(가마 따위의) 한 채. ㉢(두부의) 한 모. ②(음식점에서) 주문한 것의 하나. ¶～前(まえ) 일인분. ③《俗》(경기・내기 따위의) 한판. ¶将棋(しょうぎ)を～やろう 장기를 한 판 두자. ④(장정・인부의) 한 사람.

いっちょう【一丁】(一挺・一梃) itchō 名 일정; (먹・총・창 따위의) 한 자루.

いっちょう【一朝】itchō 일조. ㊀副 만약의 경우. =いったん. ¶～事(こと)あれば 일조 유사시(有事時)에는. ㊁名 하루〔어느〕 아침. ¶～にして 하루 아침에. ──いっせき【──一夕】-isseki 名 일조 일석; 짧은 시일.

いっちょういったん【一長一短】itchō ittan 名 일장 일단.

いっちょうら【一張羅】itchō- 名 ①단 한 벌의 좋은 옷; 단 한 벌의 나들이옷. ②단벌 옷.

いっちょくせん【一直線】itcho- 名 ①일직선. ②똑바로; 곧장. ¶～に帰(かえ)る 곧장 돌아가다.

⁑いつつ【五つ】名 ①다섯; 또, 다섯 살〔개, 째〕. ②옛 시각의 이름; 지금의 오전・오후 8시경.

いっつい【一対】ittsui 名 한 쌍(雙); 한 벌. ¶～の茶(ちゃ)わん 한 쌍의 공기.

いって【一手】itte 名 ①독차지해서 행함. ¶～販売(はんばい) 일수〔독점〕 판매; 총판(總販)/～に引(ひ)き受(う)ける 혼자 도맡다. ②장기・바둑에서, 한 수. =ひとて. ③한 가지 수〔방법〕. ¶押(お)しの～で勝(か)つ 밀고 나가는 한 가지 수로 이기다.

*いってい【一定】ittei 名 スル自他 일정. ¶～の様式(ようしき) 일정한 양식.

いっていじ【一丁字】itteiji 名 한 개의 글자. ¶目(め)に～もない 낫 놓고 기역 자도 모르다.

いってき［一擲］itteki 名 スル他 일척; 한번에 모두 던져버림. ──乾坤(けんこん)を賭(と)す 일척 도건곤(一擲賭乾坤); 건곤일척.

いってき【一滴】itteki 名 일적; 한 방울. =一(ひと)しずく.

いってつ【一徹】ittetsu 名ナ 외고집; 옹고집. =意地(いじ)っ張(ぱ)り. ¶～者(もの) 고집쟁이/老(お)いの～ 노인의 외고집.

いってん【一天】itten 名 창공; 온 하늘. ¶～にわかにかき曇(くも)る 온 하늘이 갑자기 흐려지다.

いってん【一転】itten 名 スル自 일전. ¶心機(しんき)～ 심기 일전.

*いってん【一点】itten 名 일점. ①한 점; 단 하나. ¶～差(さ) 일 점차. ②극히 적음. ¶～の非(ひ)の打(う)ちどころもない 조금도 흠잡을 데가 없다. ③(물품의) 하나. ④옛날의 1시〔두 시간〕를 4분의 1로 나눈 첫째. ──ばり【──張り】名 외곬; 그것(한 가지)만으로 관철하는 일. ¶誠実(せいじつ)～で成功(せいこう)した 오직 성실 하나로 성공했다.

いってんき【一転機】ittenki 名 일전기; 중요한 전환기. =いちてんき.

いっと【一途】itto 名 일로(一路). ①같은 길; 한 가지 길; 같은 방침. ②단지 그것만. ¶増加(ぞうか)の～をたどる 증가 일로를 걷다.

いっとう【一刀】ittō 名 한 자루의 칼; 한 칼. ¶～のもとに斬(き)り伏(ふ)せる 한 칼에 쓰러뜨리다. ──りょうだん【──両断】-ryōdan 名 スル他 일도 양단.

*いっとう【一等】ittō 名 ①일등. ¶～賞(しょう) 일등상. ②《副詞적으로》 가장. ¶これが～いい 이것이 가장 좋다. ──こく【──国】名 일등국.

いっとう【一統】ittō 名 ①총체; 일동. ¶御(ご)～様(さま) 여러분. ②일통; 통일.

いっとう【一頭】ittō 名 ①일두; (짐승의) 한 마리. ②머리 하나. ──地(ち)を抜(ぬ)く 여러 사람보다 한층 뛰어나다.

いっとうしん【一等親】ittō- 名 ☞いっしんとう.

いっとき【一時】ittoki 名 일시. ①옛 시간의 구분으로 지금의 2 시간. =ひととき. ②잠시. =いちじ・しばらく. ③동시. ¶～に集(あつ)まる 일시에 모이다. ──のがれ【──逃れ】名 일시 회피〔모면〕; 일시 발뺌. =いっすんのがれ.

いっとく【一得】ittoku 名 일득; 일리(一利); 한 이득; 한번의 이득. ¶～一失(いっしつ) 일득 일실.

いつとはなく『何時とは無く』-wanaku 名 어느 사이에; 언젠지도 모르게.

いつなんどき『何時何時』名 언제 어느 때('いつ'의 힘줌말).

いつに【一に】副 ①전혀; 오로지. =ひとえに・もっぱら. ¶今(いま)の成功(せいこう)は～あなたのおかげです 오늘의 성공은 오로지 귀하의 덕택입니다. ②다른 말로는; 또는; 혹은.

いつのま【いつの間】(何時の間) 名 어느덧; 어느 새. ¶～にか 어느 새에.

いっぱ【一派】ippa 名 일파. ¶～をたてる 한 파를 세우다.

いっぱい【一敗】ippai 名 スル自 일패. ──地(ち)にまみれる 일패 도지(塗地)하다; 재기 불능할 정도로 대패하다.

⁑いっぱい【一杯】ippai 名 ①일배; 한 잔; 한 그릇. ¶～やろう (술)한잔 하세. ②한 그릇에 한번만 담고 더 주지 않음. =もりきり. ¶～飯(めし) 한 공기(뿐인) 밥. ──食(く)う 감쪽같이 속다. ──食(く)わす 감쪽같이 속이다. =いっぱいはめる. ──きげん【──機嫌】名 술 한잔 마시고 얼근하게 취한 기분.

⁑いっぱい『一杯』ippai 副 ①그릇・장

소 따위에 가득 차 있는 모양; 가득. ¶
袋ぶ~に 자루 가득히 들다 / もう~です 이
젠 충분합니다. ②있는 한도를 다하는
모양. ⊙…껏. ¶時間じ~待°つ (허용
된〔약속된〕시간을〕끝까지 기다리다 /
精せ~ 정성껏 / 力ちか~ 힘껏. ⓛ온…
(온종일·온 한달 따위). ¶あす~ 내일
忙いそがしい 내일은 종일 바쁘다. ⓔ빠
듯하다; 빠듯하다. ¶アウトコーナー
~に決きまる〔野〕바깥쪽〔外角〕빠듯이
들어가서 스트라이크가 되다.

いっぱく【一泊】ippaku 名ス自 일
박. ¶~旅行りょ 일박 (이일의) 여행.

いっぱし【一端】ippa- 一名 남 못지
않음; 어엿함. ¶~の職人しょく 남 못지
않은 장색. 二副 ①남 못지 않게. ¶
~やってのける 남 못지 않게 해내다.
②제법 …인 체. ¶~おとなの
ような顔をしている 제법 어른인 체하
고 있다.

いっぱん【一半】ippan 名 ①일반; 반
쪽; 절반〔折半〕. =半分ぶん.

*いっぱん**【一般】ippan 名 ①일반. ¶
~に受うける映画えいが 일반에게 인기를
끄는 영화 / ~に熱帯ねったいの住民じゅうみんは
早熟そうじゅく 일반적으로 열대 주민은 조
숙하다. 〔特殊とくに 〕 ②같음; 매
한가지; 일반임. ¶過激かげきな点てんでは極左ごくさ
も極右うも 그 과격한 점에선 극좌
나 극우나 똑같다. ――かいけい【――会
計】名 일반 회계. ↔特別会計とくべつかいけい. ――
てき【――的】名ナ 일반적. ――ろ
ん【――論】名 일반론.

いっぴ【一臂】ippi 名 ①한쪽 팔.
②약간의 조력. ――の力ちからをかす 일비
지력을 제공하다〔조력하다〕.

いっぴき【一匹・一疋】ippiki 名 ①한
필. ⊙(짐승) 한 마리; (옛날에는 특
히) 말한 마리, ⓛ(비단의) 한 필. ②
한 사람의 부끄럽지 않은 존재. ¶男
おとこ~ 사나이 대장부. ――おおかみ
【――狼】-ōkami 《俗》 (조직·집단의
힘을 빌지 않고) 혼자서〔독력으로〕행동
하는 사람; 독불 장군.

いっぴつ【一筆】ippi- 일필. ①같은
필적. ②필을 휘지〔一筆揮之〕; 붓을 떼
지 않고 단숨에 쓰는 일. =ひとふで.
¶~画が 일필화. ②짧고 간단한 문장·
편지; 또, 간단히 씀. ¶~差し上げ
ます 몇 자 올립니다.

いっぴん【一品】ippin 名 ①한
물건. ②아주 뛰어난 물건; 절품. ¶天
下げか~ 천하 일품. ――りょうり
【――料理】-ryōri 名 일품 요리.

いっぴん【逸品】ippin 名 (미술품·골동
품 등의) 일품; 절품.

いっぷう【一風】ippū 《副詞적으
로》 성질·태도·방법 따위가 어딘지 남다른 느
낌. ¶~変わった人ひと 어딘가 남다른 데
가 있는 사람.

いっぷく【一服】ippuku 一名ス他 ①차를 한
번 마심. ¶~どうぞ (차를) 한잔 드
십시오. ②한번에 먹을 양의 가루약
(특히, 독약을 가리킬 때가 있음). 二
名ス自他 담배를 한 대 피움〔담배를
잠깐 쉼. ¶ここで~しよう 여기서 잠
깐 쉬자. ――盛もる 독약을 먹이다.

いっぷく【一幅】ippuku 名 일폭; 한 폭.
¶~の絵え 한 폭의 그림.

いっぷ-す【鋳潰す】(鋳潰す) 5他
금속 기물을 녹여서 지금(地金)을 만
들다. =つぶす.

いっぺん【一片】ippen 名 일편. ①한
장; 한 조각. ¶~の肉にく 고기 한 점 /
~のはがき 한 장의 엽서. ②약간; 조
금. ¶~の誠意せい 일말의 성의.

いっぺん【一辺】ippen 名 일변. ①한
쪽. ②하나의 변.

いっぺん【一変】ippen 名ス自他 일
변. ¶形勢けいが~して 형세가 일변하
여.

*いっぺん**【一ぺん・一遍】ippen 名 ①
일회; 한 번. ¶~にこっきり 꼭[딱] 한
번만. ②〔~に〕의 꼴로〕 일시〔동시〕
에. ¶~にかたづける 한꺼번에 해 치
우다. ③《副助詞적으로》 한결 같은 모
양; …하기만 하는 모양. ¶正直しょう~の
男 시종 한결같이 정직하기만 한 사나이.

いっぺんとう【一辺倒】ippentō 名 일변
도; 한 쪽으로만 기욺. ¶強硬きょう~ 강
경 일변도.

いっぽ【一歩】ippo 일보; 한 걸음;
한 단계. ¶~前進ぜん 일보 전진.

いっぽう【一法】ippō 名 한 (방)법.

いっぽう【一報】ippō 名ス他 일보; (간
단히) 알림.

*いっぽう**【一方】ippō 名 일방. ①한
방면; 한 방향. ¶天ての~にらんで
하늘 끝을 쏘아보는 ②한 쪽; 한편. =
かたほう. ¶~の肩かたが乱視らんしで片
눈이 난시다 / ほめる~悪口わるくちを言いう
칭찬하는 한편 욕을 하다. ↔両方りょう③
③오로지 그 경향뿐임; 일 함. ¶人
口じんこうはふえる~だ 인구는 증가 일로이
다. ――てき【――的】名ナ 일방적.

*いっぽん**【一本】ippon 名 ①(부채·
창 따위의) 한 자루. ②나무 한 그루.
③유도·검술에서 상대에 이겼다고 인
정할 수 있는 하나의 기술. ¶~やら
れた 한 대 맞았다. ④작은 술병으로
의 한 병〔銚子ちょうし~본의 준말〕. ¶~つ
ける (술을) 한 병 데우다. ④(견습 과
정을 지난) 일정한 기준에 달한 기생.
↔半玉はんぎょく). ――参まいる ①검도에서, 상
대편을 한 대 치다. ――まいるぞ 한
대 받아라. ②상대편에게 당하다. ¶
これは~まいった 이거야 한 대 맞았다.
――ぎ【――気】名ナ 성질이 순진하고
외곬임; 결곡함. ――しょうぶ【――勝
負】-shōbu 名 단판 승부. ――だち
【――立ち】名ス自 ①나무 따위가 외따
로서 있음. ②독력〔獨力〕으로 해 나
감; 독립. ¶~の生活せいかつ 독립 생활.
――ぢょうし【――調子】-jōshi 名 단순
하고 변화가 없음; 단조〔單調〕. ――ば
し【――橋】외나무다리. =まるきば
し.

いつまで【何時迄】副 언제까지. ¶~も
언제까지나; 영원히 / ~待°っても 언
제까지 기다려도.

*いつも**【何時も】一副 언제나; 늘; 여
느 때. ②여느 때; 보통시. =ふだん. ¶~の
とおり 언제나처럼, ~と違ちがう 여느
때와 다르다 / ~のように 여느 때처
럼; 보통 때와 같이; 언제나처럼.

いつらく【逸楽】i- 일락; 건전치 못한
쾌락. ¶~にふける 일락에 빠지다.

いつわ【逸話】⑧ 일화.
いつわり【偽り】【詐り】⑧ 거짓(말).
──ごと【──言】⑧ 거짓말；허언.
*いつわ-る【偽る】【詐る】⑤他 ①거짓말하다. ②속이다. ¶身分誌を～ 신분을 속이다.
いて【射手】⑧ 사수；궁수(弓手).
イディオム idio-⑧ 이디엄；관용어；숙어. ☞idiom. 『ologie.
イデオロギー 이데올로기. ☞ Ide-
いてき【夷狄】⑧ 이적. ①오랑캐；미개인；야만인. ②(고대 중국인의 입장에서 본) 외국인.
いでたち【出で立ち】⑧ ①여행을 떠남；출발. ②몸차림；복장. 『ものものしい～だ 어마어마한 몸차림이다.
いてつ-く【凍てつく】⑤自 얼어 붙다.
い-てる【凍てる】下一自 얼다；얼 것같이 춥게 느껴지다. ¶～てた道だ 언길.
*いてん【移転】⑧ㇲ自他 이전. ①이사. ②권리의 양도.
*いでん【遺伝】⑧ㇲ自 유전. ¶隔世誌～ 격세 유전 /～性誌 유전성. ──し
──子】 유전자；유전 인자.
*いと【糸】⑧ ①실. 『毛系─ 털실. 모사. ②실 모양의 것. 『くもの～ 거미줄. ③거문고・三味線芝誌 따위의 줄；전하여, 거문고・三味線. 『～に乗のて歌うう 현악기의 반주에 맞추어 노래하다. ──を引く ①계속되어 끊이지 않다. ②뒤에서 조종하다.
いと【意図】⑧ㇲ他 의도. 『敵誌の～をくじく 적의 의도를 겪다.
*いど【井戸】⑧ 우물. ──がえ【──替え】⑧ㇲ自 우물 치기. ＝いどざらい. ──ぐるま【──車】⑧ 우물 두레박의 도르래. ──ばた【──端】⑧ 우물가. 『～会議誌 우물가의 숙덕공론；우물가에서 여자들이 물을 긷거나 빨래를 하면서 주고받는 잡담.
いど【緯度】⑧地 위도. ⇔経度誌.
いと-う【厭う】⑤他 ①싫어하다. ¶遠路誌を～わず 먼 길을 마다 않고. ②아끼다；소중히 하다. 『せっかくのからだをお～い下診きい 모처럼 몸조심하십시오.
いとう【以東】itō⑧ 이동. ⇔以西誌.
いどう【異同】idō⑧ 이동；다름.
いどう【異動】idō⑧ㇲ自 이동(직위 따위의) 이동. 『人事誌～ 인사 이동.
*いどう【移動】idō⑧ㇲ自他 이동. 이동. 『～診療所誌苡 이동 진료소 /民族誌の大~ 민족의 대이동. ──せいこう
きあつ【──性高気圧】-kōkiatsu
【氣】이동성 고기압. 『~いせい. い.
いとおし-い itōshī形〈雅〉☞いとし
いとおし-む itō-⑤他 ①가엾게 여기다；애처로워하다；불쌍히 여기다. ②귀여워하다；사랑하다. 『一人子どもを～외늬믈귀여워하다. ③아끼다；소중히 하다. 『わが身を～ 제 몸을 소중히 하다.
いときりば【糸切り歯】⑧ 송곳니.
いとく【遺徳】⑧ 유덕. 『故人誌の～ 고인의 유덕. 『地.
いとくず【糸くず】【糸屑】⑧ 실보무라
いとぐち【糸ぐち・糸口】【緒】⑧ 실마

리；단서. 『争ぶいの～ 싸움의 발단 /解決誌の～ 해결의 실마리.
いとくり【糸繰り】⑧ㇲ自 ①실을 자음；또, 그 사람(특히, 여자). ②얼레. ──ぐるま【──車】⑧ 물레. ＝いとぐるま.
いとけな-い【幼い・稚い】形〈雅〉 어리다；순진하다.
*いとこ【従兄弟・従姉妹】⑧ 사촌(四寸) (형제・자매)；종형제；종자매. ──ちがい【──違い】⑧ 오촌；(외)당숙(모).
*いどころ【居どころ・居所】⑧ ①있는 곳；처소. 『虫誌の～が悪るい 기분이 나쁘다. ②영업이. 처소.
いとし-い【愛しい】-shī形〈雅〉 ①몹시 귀엽다；사랑스럽다；＝かわいい. 『～子こ 귀여운 자식 /お～なる 사랑하는 이. ②가엾다；불쌍하다.
いとし-がる【愛しがる】⑤他〈雅〉 ①귀여워하다；사랑해하다. ＝かわいがる. ②가엾게(불쌍히) 여기다.
いとしご【いとし子】【愛し子】⑧ 귀여워하는(소중한) 자식.
いとしば【糸芝】⑧【植】금잔디.
いとぞこ【糸底】⑧ (찻잔 따위의) 실굽. ＝いとどこ・いとじり.
いとたけ【糸竹】⑧ 사죽. ①거문고 등의 현악기와 피리 등의 관악기의 총칭. ②음악；음곡(音曲). 『～の道ら 음악의 길.
いとなみ【営み】⑧ ①(하는) 일；노동；근무；영위. 『日びの～ 매일매일의 일 /性誌の～ 생식행위. ②준비；차림. 『冬誌の～ 겨울살이 준비.
*いとな-む【営む】⑤他 ①일하다；영위하다. 『生活診を～ 생활을 하다 /事業誌을 ～ 사업을 경영하다.
いとのこ【糸の子】【糸鋸】⑧ 실톱('糸どのこぎり'의 준말).
いとひめ【糸姫】⑧〈俗〉 직녀(織女)；제사(製糸) 공장의 여공(女工)(미칭).
いとへん【糸偏】⑧ ①한자 부수(部首)의 하나：실사변('紙'・'絲' 등의 '糸'의 이름). ②〈俗〉섬유；섬유 공업[제품]. 『~景気誌 섬유제품의 경기.
いとま【暇】⑧〈雅〉 ①틈；짬. ＝ひま. ②쉼；휴가；말미. 『～を願誌う 휴가를 청하다. ③해고시킴；또, 이혼함. 『～を出すす 해고하다；아내를 내보내다. ④작별함；결근. 『もうお～いたします 이제 가야겠습니다. ──を告つげる 작별을 고하다；작별 인사를 하다. ──をやる ①해고하다. ②처와의 이혼하다.
いとまき【糸巻き】⑧ 실패.
いとまごい【暇乞い・暇請】⑧ㇲ自 ①작별(인사)함；작별을 고(告)함. 『～に行ゆく 작별 인사하러 가다. ②휴가를 청함；청가.
いとまゆ【糸まゆ】【糸眉】⑧ 실눈썹.
いとみみず【糸みみず】【糸蚯蚓】⑧【動】실지렁이.
*いど-む【挑む】一⑤自 ①도전하다；정복하려고 덤벼들다. 『強敵誌に～ 강적에게 도전하다. ②(이성에게) 집적거리다. 『女誌に～ 여자에게 집적거리다. 二他 ①(싸움을) 걸다；돋우다. 『戦たいを～ 도전하다.

いとめ【糸目】 名 ①가는 실;선(線). ②(연의) 벌이줄. ③한 관(貫)의 고치에서 자아내는 명주실의 무게. 그릇에 새긴 실금. **―もよう【―模様】** 名 가느다란 실금 무늬. ⑤**いとめ【動】** 실낳 치렁이. **―金에にいとめをつけない。**

いと-める【射止める】 下一他 ①쏘아서 잡다;쏘아 죽이다. ②맞히어서 자기 것으로 하다. ③**賞品を―** 상품을 따다/**相手の心を~** 상대의 환심을 사다.

いとも【最も】 副 〈雅〉매우;참으로;특히. =大変が;はなはだ. ¶~おごそかに 매우 엄숙하게.

いとやなぎ【糸柳】 名 〔植〕수양버들('しだれやなぎ의 딴이름.

いとわし-い【厭わしい】 -shi 形 싫다;꺼림칙하다;번거롭다;귀찮다.

いな【否】 名 아니. ―元 명 ①불찬성. ¶~も 応もなく 가타부타할 것 없이;싫든 좋든. 二感 아니;아뇨. 『孔子は 中国ばかりか…~世界の偉人じである 공자는 중국, 아니 세계의 위인이다.

いな【異な】 連体 묘한;이상한;야릇한. 『これは~ことを仰せられる 이거 이상한 말씀하네그려.

いない【以内】 名 이내. ↔以外.

いなおりごうとう【居直り強盗】 -gōtō 名 좀도둑이 현장을 들키자 강도로 변하는 일;또, 그 강도;사후 강도. =居直り.

いなお-る【居直る】 五自 ①앉은 자세를 바로잡다;바로 앉다. ②갑자기 위압적인 태도로 변하다.

‡**いなか【田舎】** 名 시골. ①지방. ¶~育ちな 시골에서 자람. ②전원. ③향리(郷里); 고향. **―くさ-い【―臭い】** 形 촌스럽다. =やぼったい;泥くさい. **―る** 一自 시골 티가 나다. **―まわり【―回り】** 名 五自 시골로만 돌아다님. ¶~の芝居 지방 순회극. **―もの【―者】** 名 시골 사람;촌사람;(비유적으로) 촌뜨기. **―や【―家】** 名 시골집;또, 보잘것없는 집.

いなかけ【稲掛(け)・稲架(け)】 名 (벼 벼를 걸어 말리는) 벗가리.

いながらに【居ながらに】 副 ①(집에) 있는 채로;아무 데도 가지 않고. ¶~して天下の形勢なを知る ひ만히 앉아서도 천하의 형세를 알다. ②앉은 채로;자기 몸을 움직이지 않고. ¶~(して)人を使う 앉은 채로;꼼짝 않고 남을 부리다.

いなが-れる【居流れる】 下一自 많은 사람이 차례로 죽 늘어앉다;열좌(列坐)하다.

いなご【稲子・蝗】 名〔蟲〕메뚜기.

いなさ 名 ①동남풍. ②샛바람;동풍.

いなずま【稲妻】 名 번갯불;벼가 자란 모양;벼농사의 작황.

いな-す【往なす・去なす】 五他 ①돌려보내다;다른 데로 보내다. ②상대방의 공세를 가볍게 받아넘기다. ¶質問を~ 질문을 가볍게 받아넘기다.

いなずま【稲妻・電】 名〔雅〕번개. =いなびかり.

いなせ【鯔背】 ナ形 (젊은이가) 멋 있고 호협하며 걸기 있는 모양. =いき.

いなだ【稲田】 名 논.

いなな-く【嘶く】 五自 (말이 높은 소리로) 울다.

いなばのしろうさぎ【因幡の白兎】 名 大国主ままの命とは=신화 시대의 出雲まの주신(主神)의 전설에 나오는 토끼.

いなびかり【稲光】 名 ☞いなずま.

いなほ【稲穂】 名〔雅〕벼 이삭. =いなぼ.

いな-む【否む・辞む】 五他 ①거절하다;사절하다. ②부정(否定)하다. ¶~ことはできない 부정할 수는 없다.

いなむら【稲むら・稲叢】 名 벗가리.

いなめない【否めない】 連語 부정할 수 없다. ¶~事実 부정할 수 없는 사실. =否《거절》할 수 없는.

いなや【否や】 連語 ①가부. ¶~の返事ぶを聞く 가부의 답을 묻는다. ②불승낙(不承諾);이의(異議). ③~は言わせない 싫다고는 하게 하다.

いなや【否や】 連語 ①…ゃ…~に…~と…の꼴로) ①곧…하자마자. 『聞くや~飛び出した 듣자마자 뛰어 나갔다. ②…인지 아닌지, 『対策ぶあり や~ 대책이 있는지 없는지.

いな-らぶ【居並ぶ】 五自 죽 늘어앉다.

いなり【稲荷】 名 ①곡식을 맡은 신;또, 그 신을 모신 신사(神社). ②여우의 딴이름. =あぶらげ. ③유부. **―ずし【―寿司・稲荷寿司】** 名 [부 초밥.

いなん【以南】 名 이남.↔以北.

イニシアチブ 名 이니셔티브;주도권. ☞initiative. **―をとる** 주도권을 잡다;앞장서다.

イニシアル 名 이니셜;머릿글자;두문자(頭文字);특히, (성명의) 첫 글자. ☞initial.

いにしえ【古】 名〔雅〕옛날;왕시(往時). =むかし. **―ぶり【―風】** 名 고풍;옛 풍속.

いにゅう【移入】 inyū 名 ㄷ他 이입;국내의 타지역(地域)으로부터 물건을 들여옴.↔移出.

‡**いにん【委任】** 名 ㄷ他 위임. ¶~状을 위임장.

いぬ【戌】 名 술;개;지지(地支)의 열한째(방위로는 서북서, 시각으로는 오후 8시 또는 오후 7시에서 9시 사이).

‡**いぬ【犬・狗】** 名 ①〔動〕개. ②앞잡이;첩자;충실한 노예. ¶警察なの~ 경찰의 앞잡이. ③〈名詞 앞에 붙여서〉 ㉠쓸모 있는 어떤 식물과 모양이 비슷하나, 대개는 인간 생활에 직접 유용하지 않은 것. ㉡~たで《植》개여뀌. ㉢하찮은 것;헛된 것. ¶~死に 개죽음. **―と猿** 견원지간(사이가 나쁜 사람의 비유). **―もあるけば棒にあたる** ①주제넘게 굴면 봉변을 당한다. ②나돌아 다니려면 뜻하지 않은 행운을 만난다. **―も食わぬ** 개도 안 먹을 만큼 하찮다《나쁘다》.

いぬい【乾・戌亥】 名〈老〉술해방(方);서북(西北);건방(乾方).

いぬかき【犬かき・犬掻き】 名 개헤엄. =いぬおよぎ.

いぬき【居抜(き)】 名 상점이나 공장 등을 팔 때, 상품이나 설비를 껴서 팖.

いぬくぎ【犬くぎ】(犬釘) 名 철도 레일을 고정시키기 위하여 박는 큰 못.
いぬくぐり【犬くぐり】(犬潜り) 名 개구멍.
いぬざむらい【犬侍】名 비겁한 무사를 욕하는 말. =腰抜け武士.
いぬじに【犬死(に)】名 ス自 개죽음.
いぬたで〖犬蓼〗名〔植〕개여뀌.
いぬのふぐり〖犬の陰嚢〗名〔植〕개불알풀. =ひょうたんぐさ.
*いね【稲】名 벼. ¶~刈り 벼베기.
*いねむり【居眠(り)】(居睡(り)) 名 ス自 앉아 졺; 말뚝잠. =いねぶり. ¶~運転 졸면서 하는 운전.
いねむ-る【居眠る】5自 앉은 채 졸다.
いのいちばん【いの一番】名 맨 처음; 맨 먼저. =まっさき. ¶~にかけつける 맨 먼저 달려가다.
いのこり【居残り】名 ス自 ①잔류. ②잔업. =いのこり仕事.
いのこ-る【居残る】5自 잔류하다. ①남이 돌아간 뒤에 남다. ②잔업하다.
いのしし〖猪〗名〔動〕멧돼지.
いのししむしゃ【いのしし武者】(猪武者) -sha 名 무턱대고 돌진하기만 하는 무사; 무모한 사람.
**いのち【命】名 ①목숨; 생명. ¶~を拾う 목숨을 건지다. ②(수)명. =寿命. ¶~が縮む 수명이 줄어들다; 감수하다. ③가장 귀중한 것; 생명. ¶~と頼む 생명같이 의지하다. —あっての物種 우선 살고 봐야 한다; 목숨이 제일이다. —に懸けても 죽는 한이 있어도. —の親 목숨을 건져 준 사람. —の際 생사의 갈림길; 임종 때. —の綱 목숨을 이을 수단; 단 하나의 의지할 곳. —を削る 수명을 줄일 정도로 고생〔노력〕하다. —を投げ出す 목숨을 내던지다; 필사적으로 노력하다.
いのちがけ【命懸け】名ナ 목숨을 걺; 죽을 각오를 함; 결사; 필사(必死).
いのちからがら【命からがら】(命辛辛) 連語《副詞적으로》겨우 목숨은 잃지 않고; 간신히. =かろうじて. ¶~の目にあう (죽지 않을 만큼) 혼쭐이 나다.
いのちごい【命ごい】(命乞い) 名 ス自 ①살려 달라고 빎. ②장수하려고 신불에 빎.
いのちしらず【命知らず】名ナ 죽음을 두려워하지 않음; 또, 그런 사람.
いのちづな【命綱】名 구명삭(救命索).
いのちとり【命取り】名 ①생명에 관계됨; 목숨을 앗길 우려가 있음; 또, 그런 일〔것〕. ¶酒が~になった 술이 목숨을 재촉한 결과가 되었다. ②큰 실패·실각의 원인.
いのちびろい【命拾い】名 ス自 목숨을 건짐; 구사 일생으로 살아남.
いのちみょうが【命みょうが】(命冥加) -myōga 名ナ (신불의 가호로) 죽을 목숨을 신기하게 건짐; 뜻밖의 행운으로 재난을 면함. ¶~な奴 재수 좋은 놈 / ~が尽きる 목숨이 다하다.
いのなかのかわず【井の中のかわず】(井の中の蛙) 連語 '井の中のかわず大海を知らず(=우물 안 개구리 대해(가) 넓은 줄을 모른다)'의 준말.
いのふ【胃のふ】(胃の腑) 名〈老〉위. =胃袋.
*いのり【祈り】(禱り) 名 기도; 기원. ¶~を捧げる 기도를 올리다.
*いの-る【祈る】(禱る) 5他 빌다. ①신불에 기도하다; 기원하다. ②진심으로 바라다; 희망하다. ¶御成功を~·ります 성공하시기를 빕니다.
いはい［位牌］名 위패. ¶先祖の~を祭る 조상의 위패를 모시다.
いはい【違背】名 ス自 위배; 위반.
いばしょ【居場所】-sho 名 있는 곳; 앉을 곳; 거처. =いどころ.
いばしんえん【意馬心猿】名〔佛〕의마심원(욕정(欲情)을 억제하지 못함의 비유).
いはつ【衣鉢】名 의발(가사(袈裟)와 바리때; 전하여, 스승에게서 받는 불도의 오의(奥義)). =えはつ.
いはつ【遺髪】名 유발.
いばら〖茨·荊·棘〗名〔植〕가시나무(가시가 있는 관목류의 총칭). =うばら. —の道 가시밭 길.
いばり〖尿〗名〈雅〉오줌; 소변. =小便.
**いば-る【威張る】5自 뽐내다; 거만하게 굴다. ¶あまり~な 너무 뻐기지 마라.
**いはん【違反】名 ス自 위반. ¶駐車~ 주차 위반 / 約束~ 약속 위반.
いび［萎靡］名 ス自 위미; 쇠미; 쇠하여 느른해짐. ¶~沈滞 위미 침체.
いびき〖鼾〗名 코고는 소리. ¶~をかく 코를 골다.
いひつ【遺筆】名 유필.
いびつ〖歪〗名ナ 비뚤어진〔찌그러진〕 모양; 특히 원형(圓形)의 찌그러진 것. ¶~な箱 찌그러진 상자.
いひょう【意表】ihyō 名 의표; 뜻밖. —に出る 예상 밖의 행동을 하다. —を突く 의표를 찌르다; 엉뚱한 짓을 하여 깜짝 놀라게 하다.
いびょう【胃病】ibyō 名 위(장)병.
いび-る 5他 들볶다; 괴롭히다; 구박하다. =いじめる. ¶嫁を~ 며느리를 구박하다.
いひん【遺品】名 ①유품. =かたみ. ②분실물; 유실물(遺失物).
いふ［畏怖］名 ス他 외포. ¶~の念をいだく 두려워하다; 공포심을 품다.
いふ【異父】名 이부. =たねちがい.
イブ 名 이브. ①전야제(前夜祭). ②'クリスマスイブ'의 준말; 성야(聖夜). 注意 'イーブ'라고도 함. ▷eve.
イブ 名 이브(아담의 아내). ▷Eve.
いふう【威風】ifū 名 위풍. —どうどう【—堂堂】-dōdō トタル 위풍 당당.
いふう【遺風】ifū 名 유풍. ¶いにしえの~を慕う 옛 유풍을 그리워하다.
いぶかし-い〖訝しい〗-shī 形 의심〔의아〕스럽다; 수상쩍다. =疑わしい. ¶彼の言動に~節がある 그의 언동에 수상한 데가 있다.
いぶかしげ〖訝しげ〗ダナ 의아스러움; 수상함. ¶~な態度 의아스러운 듯한 태도.
いぶか-る〖訝かる〗5他 수상하게 여기다; 의심하다; 의아해하다.
いぶき【息吹】名 ①〈雅〉숨; 숨결; 호흡. =息. ¶春の~ (a)봄의 징조;

(b)봄 소식 ; (c)봄기운. ②기분 ; 기풍 ; 생기. ¶清새한 ～ 청신한 기풍.

いふく【異腹】图 =腹ちがい. ¶～の兄= 이복형. =同腹母.

いふく【衣服】图 의복 ; 옷. =着物の.

いぶくろ【胃袋】图 밥통 ; 위(胃).

いぶし【燻】图①그을림 ; 특히, 황을 태워 쇠붙이를 그을림. =銀えいぶし. ②모깃불.

いぶ・す【燻す】他⑤①물건을 태워서 연기를 내다 ; 연기를 많이 나게 태우다. =くすべる. ¶穴ぁのきつねを～し出す 굴 속의 여우를 연기로 몰아 내다. ②모깃불을 피우다. ③쇠붙이를 황으로 그을리다. ¶銀ぎの器具ぐを～ 은제 기구를 (황으로) 그을리다.

いぶつ【異物】图 이물. ¶飲のみ込こん だ～を吐はき出す 삼켜 버린 이물을 토해 내다 / ～嗜好たき의 기이한 물건을 좋아함.

いぶつ【遺物】图①유물. ¶前世紀ぜんせ의～ 전세기의 유물. ②유품 ; 고인이 남긴 것. =遺品. ③유실물.

イブニング图 이브닝 ; '이브닝코ート'イブニングドレス'의 준말. ▷evening. ——コート 이브닝 코트. ▷evening coat. ——ドレス 이브닝드레스 ; 여성 야회복. =ローブデコルテ. ▷evening dress.

いぶ・る【燻る】自⑤ 연기가 나고 그을다. =くすぶる. ¶蚊かやりが～ 모깃불이 타서 연기가 나다.

いぶん【異聞】图 이문 ; 신기한(색다른) 이야기.

いぶん【遺文】图 유문 ; 유고(遺稿).

いぶんし【異分子】图 이분자 ; 이단자.

いへき【胃壁】图【生】위벽.

いへん【異変】图 이변. ¶一大だ～ 일대 이변.

いへん【韋編】图 위편 ; 서책(을 맨 가죽 끈). ——三みたび絶つ 위편 삼절《책을 맨 가죽 끈이 세 번이나 끊어질 만큼 열심히 독서하다》. =韋編三絶ぜつ.

いぼ【疣】图①사마귀. ②물건 표면에 있는 조그마한 돌기물. ¶呼び鈴りんの～ 초인종의 단추.

いぼ【異母】图 이모 ; 이복. =腹違はらいい. ¶～兄弟きた 배다른 형제.

いほう【異邦】ihō 图 타국 ; 외국. ——じん【——人】图 이방인.

いほう【違法】ihō 图 위법. ¶～行為こい 위법 행위. =適法さ.

いほく【以北】图 이북.

いぼく【遺墨】图 유묵 ; 고인의 필적.

いぼじ【疣痔】图【医】수치질 ; 치핵. =痔核かく.

いぼたのき【水蠟の木】图【植】수랍목(水蠟木) ; 쥐똥나무. =いぼた.

いぼたのむし【水蠟の虫】图【蟲】쥐똥나무벌레.

いぼたろう【水蠟樹蠟】-rō 图 백랍(白蠟). =いぼた. ——むし【——虫】【蟲】백랍벌레.

いぼん【異凡】图 이본.

＊**いま**【今】⊟图①지금 ; 이제 ; 현재. ¶～と言いう 바로 지금 ; 지금 곧. ¶～のところ 지금 현재 ; 현재로는. ⑤《接頭語적으로》현재의 ; 당대의 ; 현대의. ¶～弁慶けい 현대판 弁慶.

⊟副①지금 ; 이제. ¶～書かいているところ 지금 쓰고 있는 중이다. ②방금 ; 막. ¶～来きたばかりだ 방금(막) 왔다. ③《いま》㉠곧 ; 바로. ¶～行ゆくよ 곧(바로) 가겠다. ㉡조금 더 ; 더욱더. ¶～一度いちど やってみたらどうだ 한번 더 해보면 어때. ——か——かと 《마음 졸이며》이제나 저제나 하고. ——と成なっては 이제 와서 보면. ——の——まで①《소홀하게도》여태껏. ②지금까지 그토록. ——に限かぎり 죽을 때 ; 최후 ; 임종(臨終). ——は昔むかし 생각하면 옛날의 일 ; 옛날(옛날에). ——を時めく 현재 번창하고 있는 ; 때를 만나 유명해진.

いま【居間】图 거실(居室) ; 거처방.

いまいまし・い【忌忌しい】-shī 形 분하다 ; 화가 치밀다 ; 지긋지긋하다.

＊**いまごろ**【今頃】⊟图①이제쯤은 ; ～は家いえにおるだろう 지금쯤은 집에 있겠지. ②이맘때. ¶きのうの～ 어제 이맘때. ③근자 ; 요즈음. ¶～の青年せ 요즘 청년. ⊟副 이제. ¶～どこへ行ゆくんだ 이제 (늦었는데) 어디 간다는 거냐.

＊**いまさら**【今更】⊟副①《副詞적으로》이제 와서. ¶何なを言いうか 이제 와서 무슨 소리냐. ②새삼스러움. ¶～のことではない 새삼스러운 일이 아니다. ——ながら【——乍ら】副 새삼스러운 말갈지만.

いましがた【今し方】图 방금 ; 이제 막. =いまさき・たったいま. ¶～帰かえって行った 방금 돌아갔다.

いましめ【戒め・警め】图①㉠훈계 ; 교훈. ¶親おやの～をよく守る 부모의 교훈을 잘 지키다. ㉡금제(禁制) ; 제지(制止). ㉢응징 ; 징계. =こらしめ. ¶～として罰ばつをあたえる 징계로서 벌을 주다. ②경계 ; 방비. ¶～を厳重げんに する 경계를 엄중히 하다.

いましめ【縛め】图 포박(捕縛) ; 포승(捕縄). ¶～を解とく 포승을...

＊**いまし・める**【戒める・警める・誡める】下1他①㉠훈계하다 ; 미리 잡도리하다 ; 경고하다. ㉡自분ぶを～ 자제(自制)하다. ㉠금하다 ; 제지하다. ¶子供この いたずらを～ 아이들의 장난치는 것을 금하다《야단치다》. ㉢다시 과오를 범하지 않도록 징계하다. ②경계·수비를 강화하다. ¶戸とを厳重げんに～ 문단속을 단단히 하다.

いまし・める【縛める】下1他《雅》구속하다 ; 포박(捕縛)하다.

＊**いましも**【今しも】副 바로 지금 ; 지금 막. ¶～出発しゅつしようとする 時きに 막 출발하려고 할 때에.

いまこし【今少し】副 좀더.

＊**いまだ**【未だ】副 아직 ; 이때까지. =まだ. ¶～志こうを得えて 뜻을 이루지(얻지) 못하다. ——かつて【——曾て】副 일찍이 ; 전에. ¶～無ない 일찍이 없다. ——に【——以だに】副 아직껏 ; 아직까지도. ¶独身どくの 아직 독신이다. ↔すでに.

いまだに【未だに】副 아직껏 ; 아직까지도. ¶独身どくの 아직 독신이다. ↔すでに.

いまちのつき【居待(ち)の月】图 음력 18일의 달. =いまち・いまちづき.

いまどき【今どき】(今時)〈名〉〈老〉① 요즈음; 요새 세상; 현금(現今). =この ごろ. ¶～そんな考 [tu]は古いお 새 세상에 그런 생각은 남았다. ② 이 맘때; 지금쯤; 이제(와서). ¶～来 [tu] て も, もう遅いか今頃 來 [tu] てみたって 이미 늦다.

*いまに【今に】〈副〉① 곧; 조만간; 이제. ¶～燃 [tu] え出 [tu] すぞ 이제 타기 시작할 것이다. ② 머지않아; 언젠가. =いつ か. ¶～成功 [tu] して見 [tu] せる 언젠가 성 공하여 보이겠다. 〔도.

いまに【今に】〈連語〉 아직껏; 현재까지 [도.

いまにして【今にして】〈連語〉이제와서; 이제와서. ¶～思 [tu] えば 지금에 와서 생각하니.

いまにも【今にも】〈連語〉〔副詞的으로〕이제 곧; 막; 조금 있으면. ¶～雨 [tu] が 降 [tu] り出 [tu] しそうだ 당장에라도 비가 올 것 같다.

いまのところ【今の所】〈連語〉지금 단 계(에서)는; 지금으로서는.

いまひとつ【今一つ】〈副〉① 하나 더; 또 하나. ¶～いかがですか 하나 더 어떠하 겠습니까. ② 조금만 더 하면 되는데 뭔 가 하나. ¶～努力 [tu] がたりない (조 금만 더하면 될 터인데) 노력이 좀 부 족하다.

いまふう【今風】-fū〈名〉당세풍; 현대의 풍속; 또, 요즘(의) 유행.

いままで【今迄】(今迄)-made〈副〉지금까지; 여태껏; 종래. ¶～ずっと지금까지 쭉 (계속해왔다). 〔대통이다.

いまめかし・い【今めかしい】-shi〈形〉현

いまもって【今もって】(今以て)-motte 〈副〉〈老〉지금까지도; 아직도. =いまだ に.

いまや【今や】이제 곧; 이제는. ¶～あ わや. あわや; 이제나저제나 하고 [안타깝게 기다리는 판이다.

いまや【今や】〈連語〉① 지금이야말로; 당장; 바야흐로. =今 [tu] こそ. ② 이제 는; 이미. =今 [tu] では. ¶～時代遅 [tu] れとなった今は 벌써 시대에 뒤지 게 되었다.

いまよう【今様】-yō〈名〉현대; 현대〔식 체〕풍. =いまふう.

いまわ【今際】최후; 임종(臨終). ¶～これまでと覚悟 [tu] を決 [tu] める (사 것으로) 이제는 마지막이라고 각오를 (단단히) 하다. ―の際 [tu] 임종 무렵; 마 지막 고비. =死 [tu] にぎわ.

いまわし・い【忌(ま)わしい】-shī〈形〉① 꺼림칙하다; 염기(厭忌)하다. =いと わしい. ¶～病気 [tu] 꺼림칙한 병. ② 불길하다; 나쁘다. ¶～夢 [tu] 의 불길한 꿈.

****いみ**【意味】〈名〉〈スル〉의미; 뜻. ① 말의 뜻. ② (표현이나 행동의) 의도(意圖); 까닭. =わけ. ¶どういう～で言った のか 무슨 까닭으로. ③ 가치; 보람. ¶全 [tu] く～の ない仕事 [tu] だ 전혀 보람 없는 일이 지. ④ 취지. ¶この～において 이런 의미에서. ―しんちょう【――深長】-chō〈ダノ〉의미 심장. ―づける【――付ける】〔下1他〕 가치〔뜻〕있게 하다.

いみあけ【忌(み)明け】〈名〉복(服)을 벗음; 탈상(脫喪). 〔어라며.

いみきら・う【忌み嫌う】[5他] 몹시 싫

いみことば【忌みことば】(忌み言葉・忌

詞)〈名〉기하는 말〔梨 [tu] (=배)'없다' 는 뜻의 '無 [tu] し'와 음이 같음〕를 あり のみ (='있음의 열매'의 뜻)라고 하는 따위).

いみじくも〈副〉썩 좋게; 적절히; 교묘하 게; 용하게. ¶～言 [tu] い表 [tu] わしている 매우 적절한 말로 표현하고 있다.

イミテーション -shon〈名〉이미테이션. ① 모방; 흉내. ② 모조품. ▷imitation.

いみな【忌み名】(諱)〈名〉휘. ① 시호(諡 號). ② 죽은 사람의 생전의 이름. ③ 신분이 높은 사람의 실명(實名).

いみび【忌(み)日】(斎日)〈名〉① 음양가 (陰陽家)에서, 재난이 있다고 기(忌) 하는 날. ② 부정(不淨)을 피하고 조심 하는 날. ③ 기일; 고인의 제삿날.

いみん【移民】〈名〉〈スル〉이민.

い・む【忌む】(斎む)[5他] ① 꺼리다; 기 (忌)하다. ¶～べき風習 [tu] 기(忌)할 〔버려야 할〕 풍습. ② 미워하고 싫어하 다; 꺼리고 싫어하다. ¶小人 [tu] は君 子 [tu] を～ 소인은 군자를 싫어한다〔꺼 린다〕.

いむ【医務】〈名〉의무. ―しつ【――室】 〈名〉의무실; 양호실. =衛生室 [tu].

いめい【依命】〈名〉〈スル〉명령에 따름.

いめい【遺命】〈名〉〈スル直他〉유명; 임종 때 명령함; 또, 그 명령.

イメージ〈名〉이미지; 심상(心像). =イ マージュ. ¶～が浮 [tu] かぶ 이미지가 떠 오르다. ▷image.

***いも**【芋】(藷・薯)〈名〉감자·고구마·토란 등의 총칭. ―の煮 [tu] えたもご存 [tu] じな い 세상 물정에 어두운 사람의 비유. ―を洗 [tu] うよう 많은 사람이 모여서 복 작거리는 모양.

****いもうと**【妹】imō-〈名〉① 누이동생. ② 처제; 시누이동생. ⇔姉 [tu]. 〔부.

いもうとむこ【妹婿】imō-〈名〉 매제; 매

いもざし【芋刺し】〈名〉 고구마를 꼬챙이로 꿰듯 사람을 창(槍)으로 찌르는 일. ¶～にする 창으로 찔러 죽이다.

いもちびょう【いもち病】(稲熱病)-byō 〈名〉 도열병. =いもち.

いもづる【芋づる】(芋蔓)〈名〉 토란 또는 고구마 덩굴. ―しき【――式】〈名〉 한 가지 일로 여러 가지 일이 튀어나오는 일. ¶～に検挙 [tu] する 잇달아 연달아 검거하다.

いもの【鋳物】〈名〉 주물. ¶～工場 [tu] 주물 공장 /～の釜 [tu] 주물 가마. ⇔打 [tu] ち物. ―し【――師】〈名〉 주물공.

いもむし【芋虫】〈名〉 나비·나방 따위의 유충으로, 몸에 털이 없는 것의 총칭; 특히, 박가시나방의 유충. ⇔あおむし.

いもめいげつ【芋名月】〈名〉 음력 8월 15 일, 곧 추석날의 달(토란을 제사 상에 올리므로).

いもり【井守・蠑螈】〈名〉〈動〉 영원(도롱 뇽의 일종). =あかはら.

いもん【慰問】〈名〉〈スル〉 위문. =見舞 [tu] い. ¶～品 [tu] 위문품. ―ぶくろ【――袋】〈名〉 위문대.

***いや**【厭】(飫)〈ダノ〉① 싫음; 바라지 않고 싶지 않음; 싫음. =きらい. ¶～なやつ 지겨운〔싫은〕놈 /～になる 싫어지다. ⇔好 [tu] き. ② ¶'～に'의 꼴로〕 대단히;

몹시；되게；묘하게；이상하게. ¶～に暑い日だ 지독히 더운 날이다/～にそらぞらしい態度 이상하게 부자연스러운 태도. **―というほど** 실컷；몹시；대단히.

‡**いや**『否』㊀感 ①싫어. ②아냐；아니오. ¶～, そうではないよ 아냐, 그렇지 않아/～どう致しまして 아니오, 천만에요；아니오, 괜찮습니다. ㊁接 아니 (좀더 정확히 말하면). ¶日本, ～世界の名作だ 일본, 아니 세계의 명작이다. **―でも応でも** 싫든 좋든；어떻든.

いや 感 야. ①놀람·탄식을 나타내는 소리. ¶～驚いたのなんの 아이고 정말 얼마나 놀랐는지. ②성원(聲援) 따위를 할 때 내는 소리. ¶～がんばれ 야 기운을 내라. 参考 길게 'いやあ'라고도 함.

*__いやいや__【嫌嫌】(厭厭) ㊀副 싫으나 할 수 없이；마지못해서. ＝仕方なく·いやいやながら. ¶～勉強する 마지못해 억지로 공부하다. ㊁名 (아기가) 싫다고 도리질함. ¶～をする 싫다고 도리질하다.

*__いやいや__『否否』感 아니아니；아니오 결코('いや'의 힘줌말). ＝いえいえ. ¶～そんなわけではない 아니오 결코 그런 뜻은 아니오.

いやおう『否応』iyaō 名 가부(可否) (간의 대답). ¶～もない 이의(異議)가 없다. **―なしに** ①좋아하든 말든；다짜고짜로；억지로. ¶～なしに承知させる 억지로 승낙케 하다. ②마지못해；하는 수 없이. ¶～なしに仕事を始めた 마지못해 일을 시작했다.

いやがうえに【いやが上に】(弥が上に) 連語 더구나；점점；더욱더. ＝ますます. ¶人気は～も高まった 인기는 더욱더 올라갔다.

いやがおうでも【いやが応でも】(否が応でも) -ōdemo 連語 가부간에；여하튼.

いやがらせ【嫌がらせ】(厭がらせ) 名 일부러 남이 싫어하는 짓을 굳이 함；또, 그런 언행；짓궂은 말〔짓〕.

いやが-る【嫌がる】(厭がる) 5他 싫어하다.

いやき【嫌気】(厭気) 名 ①☞いやけ. ②〔經〕 시세가 뜻대로 안 되어 인기가 떨어짐. 「ちょくやく.

いやく【意訳】名 ス自他 의역. ↔直訳

いやく【違約】名 ス自 위약. **―きん**【―金】名 위약금. 「약품.

いやく【医薬】名 의약. ¶～品 (의)

いやけ【嫌気】名 싫은 마음；싫증. ＝いやき. ¶～がさす 싫증이 나다.

いやさか『彌栄』名 이전보다 더욱 번창함.

*__いやし-い__【卑しい】(賤しい·鄙しい) -shī 形 ①천하다. ¶～職業 천한 직업/～生まれ 미천한 태생. ↔尊い. ②지나치게 욕심부리다；천하게 굴다；츱츱하다. ¶食べ物に～ 먹는 데 츱츱하다. ③초라하다；너절하다. ¶～身なり 너절한 옷차림.

いやしくも『苟も』副 ①적어도. ＝かりそめにも. ¶～学生とあろうものが 적어도 학생인 자로서. ②만약；만일. ¶～そんな事をすれば 만약에 그런 짓을 하면.

いやし-める【卑しめる】(賤しめる) 下1他 경멸하다；깔보다；멸시하다.

いやしんぼう【卑しん坊】-shimbō 名 걸귀；음식을 탐내는 사람. ＝くいしんぼう.

いや-す『癒す·医す』5他 〈雅〉(상처·병 따위를) 고치다；(고민 따위를) 풀

*__いやに__ 副 ☞いや(嫌)②. ㄴ다.

いやはや 感 어처구니가 없어 놀라서 내는 말：어허 참；거참. ¶～全く驚き入った 어허 참 정말 놀랐는 걸.

いやましに『彌增しに』副 점점 더；더욱더.

*__いやみ__【嫌味】(厭味) 名ナ 일부러 남에게 불쾌감을 주는 말이나 행동을 함. ＝いやがらせ. ¶～を並べる 싫은 소리를 늘어놓다.

*__いやらし-い__【嫌らしい】(厭らしい) -shī 形 ①(어울리지 않아) 불쾌한 느낌이 들다；징그럽다；망측하다. ②치사하다；비루하다. ¶上役に色目を使う～やつ 상관에게 알랑거리는 비루한 녀석. ③추잡하다. ¶女に向かって～事を言う 여자에게 추잡한 말을 하다. ④기분 나쁘다；메스껍다. ¶～目付き 메스꺼운 눈초리. 「ing.

イヤリング 名 이어링；귀고리. ▷ear-

いゆう［畏友］iyū 名 외우. ①존경하는 벗. ②친구에 대한 높임말.

‡**いよいよ**『愈·愈愈』副 ①점점；더욱더. ＝ますます. ¶風が～はげしくなる 바람이 점점 거세어지다. ②드디어；결국. ＝とうとう·ついに. ¶～ぼくの番だ 드디어 내 차례다. ③확실히；정말. ¶～それに違いない 정말 그것임에 틀림없다. ④바야흐로 일이 벌어지려 할 때. ¶～という時の準備だ 여차할 때를 위한 준비다.

いよう【威容】iyō 名 위용. ¶軍隊の～を示す 군대의 위용을 보이다.

いよう【偉容】iyō 名 위용. ¶～をそなえる 위용을 갖추다.

*__いよう__【異様】iyō ダナ 색다른 모양；이상한 모양. ¶～な音 이상한 소리/～な服装 색다른 복장.

*__いよく__【意欲】(意慾) 名 의욕. ¶～をもやす 의욕을 불태우다.

*__いらい__【以来】名 이래；이후. ¶～ますます 그후 더욱더.

‡**いらい**【依頼】名 ス他自 의뢰；부탁. ¶～者 의뢰인/一つ御～したい事があります 하나 부탁 드릴 것이 있습니다. **―しん**【―心】名 의뢰심.

*__いらいら__『苛苛』副 ①안달복달하는〔초조한〕 모양. ¶町の騒音に～する 거리의 소음으로 짜증이 나다. ②가시가 피부에 스칠 때의 느낌：까칫까칫；따끔따끔. ＝ちくちく. ¶のどが～する 목이 따끔거리다.

いらか『甍』名 기와 지붕；지붕을 인 기와. ¶～の波 즐비한 기와집.

いらくさ『刺草·蕁麻』名〔植〕 쐐기풀 (줄기는 실·직물의 원료가 됨).

イラストレーション -shon 名 일러스트레이션；삽화；설명도(圖). ＝イラスト. ▷illustration.

いらだたし-い『苛立たしい』-shī 形 초조하다. ¶～気持ち 초조한 마음；애

타는 마음.

いらだ-つ【苛立つ】⑤自 초조하다; 애가 타다. ¶事業_じがはかばかしくなくて~ 사업이 부진하여 애가 타다.

いらだ-てる【苛立てる】下一他 초조하게 하다; 애태우다. ¶病人^{びょう}の気を~ な 환자의 신경을 건드리지 마라.

*いらっしゃい** irasshai 一連語 'いらっしゃる'의 명령형인 'いらっしゃいませ'의 준말; 오십시오. 二感 'いらっしゃいませ'의 준말; 잘 오셨습니다; 어서 오십시오; 반갑습니다 〔사람이 왔을 때, 환영하는 인사말〕. ¶やあ~ や 〔아이구, 잘 오셨다.

*いらっしゃ-る** irassharu ⑤自 ⑤'来^くる(=오다)'行^ゆく(=가다)'居^ゐる(=있다)'의 공대말. ⑥〔動詞連用形 + 'て'에 붙여서〕'ている(=하고 있다)'의 공대말. ¶…하고 계시다. ¶お休^{やす}みになって~ 쉬고〔주무시고〕계시다. ⓒである(=이다)'의 공대말 …이시다. ¶お金持^{かねも}ちで~ 부자이시다.

いらぬ【要らぬ】連体 필요 없는; 쓸데없는. =いらない. よけいな. ¶~お世話^{せわ}だ 쓸데없는 참견이다.

いらむし【刺虫】名 쐐기(いらが(=노랑)쐐기나방)'의 유충〕.

*いり**【入り】名 ①수입(收入). ¶~が多^{おお}い 수입이 많다. ↔出^で. ②손님〔고객〕의 수; 입장자의 수. ¶客^{きゃく}の~が悪^{わる}い 손님이 많지 않다. ③容積(容積); 들이. ¶一升^{いっしょう}~の とくり 한 되들이 술병. ④〔해나 달이〕짐; 지는 시각. ¶日^ひの~ 해가 짐; 해지는 시각. ¶日の~ 기간〔계절〕의 첫날. ¶彼岸^{ひがん}の~ 춘분(春分)의 첫날〔추분(秋分)철〕의 첫날. ↔あけ.

*いり**【要り】名【入用·入費】용이; 비용. ¶~がかさむ 비용이 늘다.

いりあい【入り会い·入会】名 ⑥ 일정 지역의 주민이 일정한 산림·임야·어장 따위를 공동으로 이용하여 수익을 얻는 일. ——けん【——権】名 입회권.

いりあい【入相】名【雅】저녁무렵; 해질녘. ¶~の鐘^{かね} 만종(晩鐘).

いりうみ【入り海】名 육지 깊숙이 들어간 바다〔만(灣)·내해(內海)〕.

いりえ【入り江】名 후미.

*いりぐち**【入り口】名①입구. =はいりぐち。↔出口^{でぐち}. ②처음; 첫머리; 단서. ¶~でつまずく 초장에서 차질이 생기다〔春^{はる}の~ 봄의 문턱(이른 봄).

*いりく-む**【入り組む】⑤自 얽혀 뒤잡히다; 뒤얽히다. ¶話^{はなし}が~んでいる 이야기가 뒤얽혀 있다.

いりこ【海参·熬海鼠】名 건(乾)해삼.

いりこ【入り粉·炒り粉】名①쌀가루를 볶은 것(과자의 원료). ②보리 미숫가루. =むぎこがし.

いりこ【炒子·熬子】名 쪄서 말린 잔멸치. =煮干^{にぼ}し·いりぼし.

いりこさく【入り小作】名 딴 마을에서 들어와서 소작함; 또, 그 사람. =いりさく. ↔出小作^{でこさく}.

いりこ-む【入り込む】⑤自 ①(억지로) 들어가다; 밀어 젖히고 들어가다. ②숨어 들어가다; 잠입(潛入)하다. ¶敵陣^{てきぢん}に~ 적진에 잠입하다.

イリジウム -jūmu 名【鑛】이리듐. ▷iridium.

いりしお【入り潮】名【入り汐】名 ① 썰물. =引き潮^{しお}. ↔出潮^{でしお}. ②밀물. =満ち潮.

いりひ【入り日】名 지는 해; 석양; 낙일(落日). =夕日^{ゆうひ}·落日^{らくじつ}. ↔~影^{かげ} 석양볕.

いりびた-る【入り浸る】⑤自 ①물속에 죽 잠겨 있다. ②남의 집〔다른 곳〕에 들어박혀 있다. ¶めかけの家^{いえ}に~ 첩의 집에 들어박혀 있다.

いりふね【入り船】名 항구에 들어와 있는 배; 입항선. ↔出船^{でふね}.

いりまじ-る【入り交じる】【入り雑じる】⑤自 뒤섞이다; 섞이다; 혼잡하다. ¶いろいろの問題^{もんだい}が~ 여러 가지 문제가 뒤섞이다.

いりまめ【炒り豆】名【炒豆·煎豆】名①볶은 콩. ②볶은 콩과 볶은 쌀에 설탕을 넣어 섞은 식품. =まめいり.

*いりみだ-れる**【入り乱れる】下一自 혼잡하다; 뒤섞이다; 뒤범벅이 되다. ¶~れて戦^{たたか}う 혼전을 벌이다.

いりむこ【入り婿】名 ス入 데릴사위 (가 됨).

いりもや【入り母屋】名【建】팔작집의 지붕(우마배지붕으로 위가 아래를 사방으로 경사지게 한 지붕.

いりゅう【遺留】iryū 名 スセ他 유류. ¶~物件^{ぶっけん}が~ 유류 물건. ——ひん【——品】名 유류품(遺棄物).

いりよう【入り用】 -yō 名 ①필요함; 소용됨. =にゅうよう. ②필요한 비용; 드는 비용. =入費^{にゅうひ}.

いりょう【衣料】iryō 名 의료; 의복의 재료. ——ひん【——品】名 의료품.

いりょう【医療】iryō 名 의료. ¶~機關^{きかん} 의료 기관 / ~器械^{きかい} 의료 기계 / ~費^ひ 의료비.

*いりょく**【威力】iryo- 名 위력. ¶金^{かね}の~ 돈의 위력.

*い-る**【入る】⑤自〈雅〉①들다; 들어가다. ①〔안에〕들어가다. ¶今日^{きょう}からつゆに~ 오늘부터 장마(철)에 들다〔접어들다 / 佳境^{かきょう}に~ 가경에 들다(점입 가경하다). ⓛ들어오다. ¶手^てに~ (a)입수되다; 자기 것이 되다; (b)익숙해지다; 숙달하다. ⓒ(마음)에 맞다. ¶気^きに~ 마음에 들다. ②(안)에 차다; 담기다. ¶実^みが~ 열매가 들다(열매가 여물다). ②(어떤 상태가) 되다; …에 이르다. ¶ひび が~ 금이 가다; 틈이 생기다. (b) 친하던 사이가 버성기게 되다; 사이가 틀어지다 / 身^みが~ (흥미가 나서) 일의를 보이다 / 夜^よが~・って 밤이 되어. ③(해·달이) ~ 달이 지다. ¶月^{つき}が~ 달이 지다. ④〔動詞의 連用形을 받아서〕①몹시〔매우〕…하다. ¶恐^{おそ}れ~ 몹시 두려워(황공해) 하다 / 痛^{いた}み~ 죄송하게 여기다. ⓛ그 동작으로 들어가 아주 그 상태가 됨을 나타냄; …해 버리다. ¶寝^ね~ 잠들어버리다.

*い-る**【射る】上一他 ①쏘다. ¶矢^やを~ 화살을 쏘다. ②맞히다; 쏘아 맞히다; 정곡을 찌르다. ③쏘아 보다. ¶眼光^{がんこう}人^{ひと}を~ 날카로운 안광

으로 사람을 쏘아보다.

＊いる【居る】[上一自] ①있다 (a) 살고 있다 ; (b) 머무르고 있다). ¶ずっと東京₌₅₅₋に～ 쭉 동경에 있다 / いなくなる 없어지다. ②앉다. ↔立ッつ. ③[いる動詞連用形＋'て'를 받아서] ㉠[自動詞の경우에限함] …되어 있다. ¶窓₌が あいて～ 창문이 열려 있다. ㉡…을 하고 있다. ¶見ッて～うちに보고 있는 동안에 / 鳥₌が飛ッんで～ 새가 날고 있다. ¶居ッても立ッってもいられない 안절부절 못 하다.

＊いーる【煎る・炒る・熬る】[5他] ①볶다. ②(달걀·두부 따위를) 지지다.

＊いーる【要る】（入る）[5自] 필요하다 ; 소용되다. ¶お金₌が～ 돈이 필요하다 / 返事₌₋は…•らない 회답은 필요 없다.

いる【鋳る】[上一他] 주조하다 ; 지어붓다. ¶かまを～ 솥을 부어 만들다.

＊いるい【衣類】[名] 의류.

いるか【海豚】[動] 해돈 ; 돌고래.

いるす【居留守】[名] 집에 있으면서 일부러 없는 것같이 꾸밈. ¶～をつかう 집에 있으면서 없다고 따돌리다.

いれあーげる【入れ揚げる】[下一他] 좋아하는 일〔사람〕에 돈을 쳐들이다. ¶女₌₌に～ 여자에게 돈을 탕진하다.

いれい【慰霊】[名] 위령(慰霊). ――さい【―祭】[名] 위령제.

いれい【異例】[名] 이례 ; 전례가 없음.

いれい【威令】[名] 위령, 위력이 있는 명령 ; 위력과 명령. ¶部下₌₋に～が行ッわれる 위령이 부하에게 권위가 서다.

＊いれかえ【入れ替え・入れ換え】[名] [ス他] 교체(함) ; 갈아 넣음. ¶中味₌₌を～をする 속을 갈아 넣다. ㉡놓을 장소를 바꿈 ; (특히, 철도 차량의) 입환. ¶～作業₌₌₋ 입환 작업 / ～線₌₌ 입환선. ㉢서로 엇갈림. ¶～模様₌₌ 서로 엇갈린 무늬.

いれかーえる【入れ替える・入れ換える】[下一他] ①갈아 넣다 ; 바꿔 넣다. ¶箱₌の中味₌₌を～ 상자 속의 것을 바꿔 넣다. ②놓는 장소를 바꾸다.

いれかわり【入れ替(わ)り・入れ換(わ)り】・入れ代(わ)り】[名] 교대, 교체 ; 교체 ; 대체. =入りかわり. ――たちかわり【――立ち替(わ)り】[連語] 연달아서 나고 듦. ¶～客₌が尋₌ねて来ッる 연달아 손님들이 찾아 오다.

＊いれかわーる【入れ替わ(る)・入れ換(わ)る・入れ代(わ)る】[5自] 교대 [교체]하다. ¶前任者₌₌と～ 전임자와 교대하다. =いりかわる.

いれげ【入れ毛】[名] 다리 (꼭지) ; 딴머리.

いれこ【入れ子・入(れ)籠】[名] ①크기의 차례대로 포개어 넣을 수 있게 만든 그릇이나 상자. ②아들이 죽은 뒤에 양자를 맞아들임 ; 또, 그 양자.

いれずみ【入れ墨】（文身・刺青）[名] 문신(文身). ――もの【――者】[名] 전과자 (前科者).

いれぢえ【入(れ)知恵・入(れ)智慧】[名] [ス他] 남에게 꾀를 일러 줌 ; 훈수.

いれちがーう【入れ違う】[5自] ①잘못 (해서 다른 곳에) 넣다. ②엇갈리다. = かけちがう. ¶～って会₌えなかった

엇갈려서 만나지 못했다.

いれば【入れ歯】[名] 의치(義歯).

いれぼくろ【入れぼくろ】（入れ黒子）[名] (얼굴 따위에) 그리거나 붙인 점.

いれめ【入れ目】[名] 해 박은 눈 ; 의안(義眼). 「기 ; 그릇.

＊いれもの【入(れ)物】（容器）[名] 용

＊いーれる【入れる】[下一他] ①넣다. ¶子₌₌を学校₌₌に～ 자식을 학교에 넣다 / 手₌₌に～ 손에 넣다 〔입수하다〕 ; 제것으로 하다 / 利息₌₌を～れて五万円 이자 합쳐 오만 엔 / スイッチを～ 스위치를 넣다 / 綿₌₌を～ 솜을 넣다 / 間₌₌に人₌₌を～れて交渉₌₌する 중간에 사람을 넣어 교섭하다 / 指輪₌₌に宝石₌₌を～ 반지에 보석을 박다. ②듣다. ¶耳₌₌に～ (a) 귀에 담다 ; (b) 들려주다. ③두다 ; 놓다. ¶疑₌いを～ 의심을 두다〔갖다〕. ④들이다. ¶力₌₌を～ 힘을 들이다 / 客間₌₌に～ 객실에 들이다 / 外米₌₌を～ 외미를 사들이다 ; (b) 외미를 섞어 밥을 짓다 / 新₌₌しく人₌₌を～ 새로 사람을 들이다 〔쓰다〕. ⑤보내다. ¶明日₌₌工場₌₌に～れます 내일 공장에 보내겠습니다. ⑥(손을) 대다 ; 손질하다. ¶文章₌₌に手₌₌を～ 문장에 손을 대다 〔가필하다〕 / メスを～ 메스를 대다 (a) 수술하다 ; (b) 원인을 파 헤치다. ⑦(전화를) 걸다. ¶九州₌₌に電話₌₌を～ 구주에 전화를 걸다. ⑧ 「口₌₌をば」～ 말참견을 하다. ⑨「身₌₌を」… 에 정력을 쏟다 ; 몰두〔전념〕하다. ⑩「月₌₌を～ (남의 일을) 자기 일처럼 보다. ⑪「茶₌₌を～ 차를 달이다 ; 차를 내다. ⑫「そろばんを～ 주판을 놓다.

＊いーれる【容れる】[下一他] ①받아들이다 ; 포용하다. ¶人₌₌を～ 度量₌₌ 남을 포용하는 도량 / 世₌₌に～れられない 세상에 받아들여지지 않다. ↔退₌ける. ②수용하다. ¶二千人₌₌（を）～講堂₌₌ 2천 명을 수용하는 강당.

＊いろ【色】[名] ①색 ; 빛 ; 빛깔 ; 색채(色彩). ¶～を塗ッる 색칠하다 / ～も香₌₌りもある 빛깔도 향기도 있다 / ～が白₌₌い 살빛이 희다. ㉡색(색채)다운 색 ; 빛깔. ¶名実相伴₌₌（名実相伴）하다. ㉡외색 ; 낯빛. ¶驚₌₌きの～ 놀란 빛 / ～も変₌₌えない 안색도 바꾸지 않다. ②모습 ; 기색. ¶秋₌₌の～ 가을 빛 / 負₌₌け～ 진 기색. ㉡가락 ; 음률. ¶音₌₌の～ 소리의 맵시. ㉢종류. ¶～とりどりの多様₌₌각색 가지각색. ②화장 ; 분. ¶あくどい～の 야한 화장의. ㉡정사 ; 연애 ; 색정(色情). ¶～を好₌₌む 호색 / ～を売ッる 색을 팔다. ㉡애인 ; 정부(情婦). ¶～をこしらえる 애인을 만들다. ――を失₌₌う 실색하다 ; (놀라서) 얼굴빛이 변하다. ――を替₌₌え品₌₌を～ 온갖 수단을 다 쓰다. ――を正₌₌す 정색하다. ――を付₌₌ける 이악하다 ; (대접상 상대에게 약간의 이익을 주다 / 경품을 붙이거나 조건을 유리하게 주다). ――をなす (화내어) 안색이 변하다.

いろあい【色合(い)】（色相）[名] 색조 (色調), 빛깔의 조화 ; ～の 옷의 색상.

いろあげ【色揚(げ)】[名] 바랜 것을 다시 염색함.

いろいと【色糸】 図 색실.

‡**いろいろ**【色色・種種】 図副〔ダナ〕 여러 가지〔많은〕종류; 가지각색. ¶ 人々は ～だ 사람은 가지각색이다.

*いろう【慰労】 irō 図 スセ 위로. ¶～会 위로회 / ～金 위로금.

いろう【遺漏】 irō 図 유루. ¶ 万々一無きを万事に遺漏〔실수〕없기를.

いろえ【色絵】 図 채색화; 색칠한 그림. ↔墨絵.

いろえんぴつ【色鉛筆】 -empitsu 図 색 연필.

いろおとこ【色男】 図 ①(여자에게 인기 있는) 미남자. ②정부(情夫).

いろおんな【色女】 図 ①색정적인 여자. 〈俗〉 정부(情婦). ②미인; 미녀.

いろか【色香】 図 ①빛깔과 향기. ¶ ～も高い 빛 곱고 향기 높다〔짙어서 겸비하다〕. ②여자의 아리따운 모습. ¶ ～に迷う 미색(美色)에 혹하다.

いろがみ【色紙】 図 색종이.

いろきちがい【色気違い】(い)【色狂】 図 색광.

*いろけ【色気】 図 ①색깔의 배합; 색조. =いろあい. ②멋; 풍치(風致); 재미. =ふぜい. ③무엇을 ～하고 싶은 마음을 더하다. ④성적 매력. ¶ ～がある 성적 매력이 있다. ⑤이성을 끎. ¶ ～がつく 처녀티가 나다; 성에 눈뜨기 시작하다. ④사물에 대해서 관심·욕망을 가짐. ¶ ～を見せる 관심을 보이다. ⑦여자의 존재=女っけ. ¶ ～抜きの会合です 여자가 끼지 않은 회합.

いろけし【色消し】 図 ①모처럼의 재미·흥미·정취를 없앰; ～な話題 등미 없는 화제. ②【理】 색수차를 없앰. ～レンズ 색지움 렌즈 〔색수차를 없앤 렌즈〕.

いろこい【色恋】 図 색정이나 연애. ¶ ～に身をやつす 연애에 몰두하다.

いろごと【色事】 図 ①정사(情事). ②연극에서의 정사의 연기. =ぬれごと.

いろごのみ【色好み】 図 호색; 또, 호색한(漢); 색골.

いろざと【色里】 図 유곽. =いろまち.

いろじかけ【色仕掛(け)】 図 미인계(美人計).

いろじろ【色白】 名ノ 살갗이 힘.

いろずり【色刷(り)】 図 スセ 색채 인쇄. =カラー印刷など.

いろづく【色づく】【色付く】 五自 ①물이 들다; (열매 따위가 익어서) 색을 띠게 되다. ¶ かきが～ 감이 빨갛게 익기 시작하다. ②여자〔처녀〕티가 나다.

いろづけ【色付け】【色付け】 図 スセ ①채색(彩色) / 착색(着色). ②焼き物の～ 도자기의 채색, 굽기 전에 속의 빛을 아름답게 하는 일. ③특별 서비스(값을 싸게 하거나 덤을 주거나 하기).

いろっぽい【色っぽい】 iroppoi 形 요염하다; 성적 매력이 있다.

いろつや【色つや】【色艶】 図 ①(얼굴 빛이나 살갗의) 윤기. ②재미; 정감(情感). ¶ あの人の話には～がある 저 사람 이야기에는 정감이 흐른다.

*いろどり【色取り·彩り】 図 スセ自 ①채색. ②색의 배합. ③【料理】 料理の～がよい 요리의 배색이 좋다.

---

③구색을 갖추어 아름다움이나 재미를 더함. ¶ 会に～をそえる 모임에 흥취를 더하다.

いろど-る【色どる·彩る】 五他 ①색칠하다; 채색하다. ②화장하다; 얼굴을 단장하다. ¶ 花で食卓を～ 꽃으로 식탁을 장식하다.

いろなおし【色直し】 図 スセ ①결혼식이 끝난 뒤 신부가 다른 옷으로 갈아입음. ②다시 염색함. =そめなおし.

いろぬき【色抜き】 図 ①탈색(脱色). ②연회 따위에서 여자가 까지 않음.

いろは【伊呂波】 ①いろは歌의 47자의 첫 세 글자(알파벳 ABC에 상당). ②いろは歌 47 자의 총칭. ③초보; 입문; ABC. ──うた【─歌】 図 平仮名47자를 한 자도 중복하지 않고 의미 있게 배열한 7, 5조(調)의 노래. ──ガルタ〔─歌留多─加留多〕 図 いろは 47자와 '京さ'로 句구(文句)가 시작되는 48장의 읽는 패와 그에 해당한 48장의 그림패로 된 놀이 딱지. =포 carta.

いろまち【色町】 図 유곽. =いろざと.

いろめ【色目】 図 ①색조(色調). ¶ 着物の～がよい 옷 빛깔이 좋다. ②윙 크; 추파; 결눈. ¶ ～をつかう 추파를 던지다; 결눈을 주다.

いろめがね【色眼鏡】 図 색안경. ¶ ～で見る 색안경을 쓰고 보다〔선입관·편견을 가지고 보다〕.

いろめきた-つ【色めき立つ】 五自 ①긴장한 빛이 나타나다; 활기를 띠다. ¶ 人事異動のうわさで～ 인사 이동의 소문으로 술렁이다.

いろめ-く【色めく】 五自 ①제철이 되어 아름다운 빛을을 띠다. ¶ 秋になって山々が～ 가을이 되어 산들이 아름답게 물들다. ②긴장한 빛이 나타나다; 활기 띠다; 술렁거리다. ③요염해지다.

いろもの【色物】 図 (흰색과 검정색 이외의) 색이 든 옷감; 색옷.

いろよい【色よい】【色好い】 連語〔보통, 連体修飾語로서〕이 쪽이 희망한〔바라는〕대로의; 호의적인. ¶ ～な返事 호의적인 대답; 듣기 좋은 대답.

いろり【囲炉裏】 図 농가 따위에서 마룻 바닥을 사각형으로 도려 파고 방한용·취사용으로 불을 피우는 장치.

いろわけ【色分け】 図 スセ ①채색을 달리하여 구분함. ②地図를 国別로 ～する 지도를 나라별로 색별(色別)하다. ②분류. 〔이의를 제기하다.

いろん【異論】 図 이론. ~をとなえる

いろんな【色んな】 連体 〈口〉 여러가지; 가지각색의. =다양(各)하다.

‡**いわ**【岩】【磐·巌·石】 図 바위. 「화감.

いわ【違和】 図 スセ 위화; 축하 행사; 또, 축하 선물. ¶ 結婚のお～を贈る 결혼 축하 선물을 보내다.

‡**いわう**【祝う】 五他 ①축하하다; 축복하다. ¶ 雑煮を～ 떡국을 먹고 설을 축하하다. ②축복의 선물을 하다. ¶ 知人の栄転にたいに～ 친지의 영전에 도미를 보내어 축하하다. ③행

インターナショナル -shonaru 名 인터내
셔널. ①국제적；국제간. ②사회주의
운동의 국제 조직. ③만국 노동자의 노
래. ▷international.

インターホン 名 인터폰. ▷interphone.

インターン 名 (의사·미용사·공인 회계
사 등의) 인턴. ▷intern.

いんたい [引退] 名 ズ自 은퇴. ¶～声
明ばを은퇴 성명 / 現役ば を～する 현역
을 물러나다.

いんたい [隠退] 名 ズ自 은퇴.

いんたいぞう [隠退蔵] -zō 名 ズ他 은
퇴장；은닉하거나 퇴장해 둠. ¶～物資
ピ 은퇴장 물자.

いんたく [隠宅] 名 은택. ①은거하는
처소. ②숨어사는 집. =かくれが.

インダストリー 名 인더스트리；산업；
공업. ▷industry.

インタビュー -byū 名 ズ自 인터뷰. =イ
ンタービュー. ▷interview.

いんち [印地] 名 인치. 「容疑者
ばさ～をして取り調べる 용의자를
인치해서 문초하다.

インチ [時] 名 인치(기호 in). ▷inch.

いんちき [名 ズ自 〈俗〉①협잡；부
정；속임. ¶～をする 속이는 수
임수를 쓰다. ②가짜(물건). =にせ物
ば. 「～時計ば 가짜 시계.

いんちきくさ-い 形 협잡(挾雜) 같다；
속임수 같아 보이다.

インディアン -dian 名 인디언. =インデ
アン. ①인도 사람. ②アメリカンイン
ディアン'의 준말；아메리카 인디언.
▷Indian.

インデックス -dekkusu 名 인덱스；색
인(索引)；찾아보기. ②지수(指數)；
지표(指標). ▷index. 「の 준말）.

インテリ 인텔리('インテリゲンチア'

インテリア 名 인테리어；실내 장식.
interior. ——デザイン 名 인테리어 디
자인；실내 설계；실내 장식. ▷interior
design.

インテリゲンチア 名 인텔리겐차. =イ
ンテリ. ▷러 intelligentsiya.

いんでんき [陰電気] 名 ズ自 【理】음전기.
↔陽電気ば.

いんとう [咽頭] -tō 名 【生】인두. ¶
～結核ば 인두 결핵.

いんとう [淫蕩] -tō 名ナ 음탕.

いんどう [引導] -dō 名 ズ自 인도. ①【佛】
중이 죽은 사람의 관 앞에서 설법하는
일. ②가르쳐 이끎；길을 안내함. 一を
ひき ——を渡す 사자(死者)에게 설법
하다；전하여, 마지막 선언을 하여 체
념시키다.

いんとく [陰徳] 名 음덕. ——あれば陽
報ばあり 음덕을 쌓아두면 자주 또는
자손에게 반드시 응보가 돌아온다.

いんとく [隠匿] 名 ズ他 은닉. ¶～物
資ば 은닉 물자.

イントネーション -shon 名 인토네이
션；억양. ▷intonation.

いんとん [隠遁] 名 ズ自 은둔. =遁世
とん. ¶～生活ば 은둔 생활. ——じゃ
[一者] -ja 名 은둔자. =隠士ば.

いんない [院内] 名 원내. ¶～活動ば
원내 활동. ↔院外ば. ——こうしょう
だんたい [——交渉団体] -kōshōdantai
名 원내 교섭 단체.

いんに [陰に] 連語 음으로；남몰래；비
밀히；뒤에서. ②밖에 나타
내지 않고 안에 가두다. ②음침하게 느
껴진다. ——陽に 음으로 양으로.

いんにく [印肉] 名 인주(印朱). =朱
肉ば.

いんにんじちょう [隠忍自重] -chō
名ズ他 은인 자중.

いんねん [因縁] 名 ①인연. ¶これも
何ばかの～だ 이것도 무슨 인연이다 /
彼ばとの～のは浅きくない 그와의 인연은
얕지 않다(깊다). ②이유；유래；내력.
¶いわれ～を尋ねる 까닭과 유래를
[고사 내력을고] 묻다. ——をつける 생트
집을 잡다. ——ずく [②] 인연으로 생
긴 일. ②【仏】인연이 있음.

いんのう [陰嚢] -nō 名 【生】음낭. =ふ
ぐり.

いんばい [淫売] imbai 名 ズ自 매음；
또, 매춘부. ¶～婦ば 매춘부.

いんばん [印判] imban 名 도장. =はん
こ. ¶～を捺すば 도장을 찍다. ¶書かき
判ば. 「고 문란하다.

いんび [淫靡] imbi 名ナ 음미；음탕하

いんび [隠微] imbi 名ナ 은미；겉에
잘 드러나지 않아 알 수 없음.

いんぶ [陰部] imbu 名 음부. 「자.

いんぷ [淫婦] impu 名ナ 음부；음탕한 여

インフォメーション -foméshon 名 인포
메이션. =インフォーメーション. ①
통지；정보；보도. ②지식；견문. ③접
수처；안내소. ▷information.

インフルエンザ 名 인플루엔자. ▷
influenza.

インフレ 名 'インフレーション'의 준
말. ↔デフレ.

*インフレーション -shon 名 인플레이
션. =インフレ. ↔デフレーション. ▷
inflation.

インプレッション -resshon 名 임프레
션. ¶ファースト～ 첫 인상. ▷im-
pression. 「文ば.

いんぶん [韻文] imbun 名 운문. ↔散

いんぺい [隠蔽] impei 名ズ他 은폐.

インボイス imboi- 名 【商】인보이스；
(상품의) 송장(送狀). ▷invoice.

*いんぼう [陰謀·隠謀] imbō 名 음모.
¶～をたくらむ 음모를 꾸미다.

インポテンツ impo- 名 【醫】임포텐츠；
음위(陰痿). =インポ. ▷도 Impotenz.

いんぽん [院本] impon ☞まるほん
(丸本)②.

いんぽん [淫奔] impon 名ナ 음분；(여
자의) 음란한 행동.

いんめつ [隠滅·堙滅·湮滅] imme- 名
ズ自他 인멸. ¶証拠ばう～ 증거 인멸.

いんもう [陰毛] immō 名ナ 음모；거웃.

いんもつ [音物] immo- 名 ①선물；선
사. =贈物ば. ②뇌물. =わいろ.

いんゆ [引喩] 名ナ 인유；다른 예를 끌어
비유함. ¶～法ば 인유법.

いんゆ [隠喩] 名 은유；암유. =暗喩
ば. ↔直喩ば.

*いんよう [引用] -yō 名ズ他 인용. ¶
～符ば 인용 부호 / ～文ば 인용문.

いんよう [陰陽] -yō 名 음양. ①역학
(易學)에서의 음양. =おんよう·おん
みょう. ¶～五行説ばう 음양 오행설.
②【理】양극과 음극.

いんよう【飲用】 -yō 〚ス他〛 음용; 음료. ¶～水ぷ 음료수.

いんらん【淫乱】 〚名〛 음란. =淫奔炊.

いんりつ【韻律】 〚名〛 운율. = 리즘.

いんりょう【飲料】 -ryō 〚名〛 음료. =飲物ぷ. ¶～水ぷ 음료수.

いんりょく【引力】 -ryoku 〚名〛 인력. ¶

万有ぷう～ 만유 인력.

いんれい【引例】 〚名〛 인례; 인용한 예.

いんれき【陰暦】 〚名〛 음력. ↔陽暦ぽ.

いんろう【印籠】 -rō 〚名〛 약 따위를 넣어 허리에 차는 타원형의 작은 합. = 薬籠ぷ. 〚参考〛 본디, 도장이나 인주(印朱)를 넣었던 용기.

う ウ

①五十音図ぷう 'あ行ぷ'의 셋째 음; 또, 'わ行'의 셋째음. [u] ②〚字源〛'宇'의 초서체(かたかな 'ウ'는 '宇'의 윗 부분).

う o 〚助動〛《五段活用動詞, 形容詞の未然形語尾'かろ', 形容動詞の 未然形語尾'だろ'及 'ます''です'의 꼴의 활용을 하는 助動詞와 'ます'の未然形에 붙을(五段型 이외의 動詞 등에는 'よう'가 붙음)》①말하는 사람의 의사·권유의 뜻을 나타내는 말: … I겠다 ; …하자. さあ行ぅ こ〜 자, 가자 / さあ上ぁげましょ〜 하나 드리겠소. ②말하는 사람의 추측을 나타내는 말: …I겠지 ; …I 것이다. ¶あすは晴れるだろ〜 내일은 개겠지 / お忙がしい事でしょ〜 바쁘시겠지요. ③완곡한 말씨를 나타내는 말: …I겠지. ¶こう結論ぽして よかろ〜 이렇게 결론지어도 좋겠지 / よかろ〜はずが無ない 좋을 리가 없다. ④당연히 그럴듯한 뜻을 나타내는 말: …I 것이다. ¶あろ〜事ぽ 아니 할 일인가. ⑤반어(反語)의 말씨를 나타내는 말: …I것이냐. ¶そうすべきでなかろ〜か 그렇게 해야 할 것이 아닐까 / だれが喜ぽばぽ〜 누가 기뻐할소냐(아무도 기뻐하지 않는다).

う【卯】 〚名〛 묘; 토끼(지지(地支)의 넷째 ; 방위로는 동(東), 시각으로는 오전 6시, 또는 오전 5시-7시 사이).

う【鵜】 〚名〛〚鳥〛 가마우지. **─のまねをするからす水ぷにおぼれる** 뱁새가 황새 따라가다가는 가랑이가 찢어진다.

うい【憂い】 〚雅〛 괴롭다. ¶旅ぷは～もの, つらいもの의 나うねじ音을 피로운 것, 쓰라린 것.

うい【有為】 〚仏〛 유위 ; 인연에 의하여 생기는 이 세상 일체의 현상. ¶～転変なん 유위 전변 ; 세상일이 변하기 쉬워 덧없는 일. =無為ぷ. 〚注意〛 ゆうい(有為)는 딴말. **─の奥山おん** 무상한 이 세상(벗어나기가 힘듦을 깊은 산에 비유한 말).

うい【雨衣】 〚名〛 우의 ; 비옷.

うい─【初】 〚名詞 위에〛 초… ; 처음의 ; 첫. ¶～孫ぷ 첫 손자 / ～産ぷ 초산.

ウイーク wi- 〚名〛 위크. ¶week. **─エンド** 〚名〛 위크엔드 ; 주말(週末). ▷week end. **─デー** 〚名〛 위크데이 ; 평일 ; 주일(週日). ▷weekday.

ウイークリー wi- 〚名〛 위클리 ; 주간지(紙) ; 주간지(誌). ▷weekly.

ういういしい【初初しい】 -shi 〚形〛(때묻지 않아) 싱싱하고 청순하다 ; 앳되고 숫접다. ¶～花嫁姿ぽぽぽ 앳되고 청순한 새색시의 모습.

ヴィヴィッド bibiddo 〚ダナ〛 비빗 ; 생생함 ; 역력함 ; 박진(迫眞)함. =ビビ

ト. ¶～な描写ぽ 박진〔生生〕한 묘사. ▷vivid. 「풀.

ういきょう【茴香】 -kyō 〚名〛〚植〛 회향

ういざん【初産】 〚名〛 초산. =はつざん. ¶～の子ぷ 첫아기.

ういじん【初陣】 〚名〛 첫 출진(出陣). ¶～を飾るぷ 첫 출진을 장식하다.

ウイスキー wi- 〚名〛 위스키. ▷whisky. whiskey.

ういた【浮いた】 〚連体〛 남녀 관계·정사(情事)에 관한. ¶～うわさ (남녀 관계에 대한) 소문 ; 염문.

ウイット witto 〚名〛 위트 ; 기지 ; 임기 응변의 재치. ¶～に富むぷ 재치가 있다. ▷wit.

ウイドー wi- 〚名〛 위도 ; 과부 ; 미망인. =やもめ. ¶ゴルフ～ 골프 위도(골프광(狂)의 아내). ▷widow.

ういまご【初孫】 〚名〛 첫 손자(손녀).

ウイルス wi- 〚名〛〚生〛 비루스 ; 바이러스. =ビールス. ▷라 virus.

ういろう【外郎】 -rō 〚名〛 ①江戸え 시대에 小田原ぽど·京都ぽ에서 팔던 은단 비슷한 담약(痰藥). ②위의 약과 빛깔이 비슷한 막대 모양의 시루떡.

ウインク win- 〚名〛〚ス自〛 윙크. ▷wink.

ウインター win- 〚名〛 윈터 ; 겨울. ¶～スポーツ 윈터 스포츠. ▷winter.

ウインチ win- 〚名〛 윈치 ; 자아틀 ; 권양기(巻揚機). ▷winch.

ウインドー win- 〚名〛 윈도. ①창문. ②진열창('ショーウインドー'의 준말). ▷window.

ウーマン 〚名〛 우먼 ; 여자. ¶～パワー 우먼 파워. ▷woman. **─リブ** (여성자신에 의한) 여성 해방 운동. ▷ women's liberation.

ウール 〚名〛 울. ①양털. ②털실. ③모직물. ¶～マーク 울 마크. ▷wool.

ウーロンちゃ【ウーロン茶】【烏竜茶】 -cha 〚名〛 오룡차 ; 중국·대만산(産) 홍차의 한 가지.

うん 感 ①감동하거나 피로할 때에 내는 소리 : 으응. ②부정의 뜻을 나타내는 말 : 아니. ¶～, そうではないよ 아니, 그렇지 않아. ③대답을 망설일 때의 말 : 으응. ¶～, そうだなあ 으응, 그렇지.

うえ【上】 〚名〛 ①위. ①三つ〜의 兄ぽ 세살 위의 형 / 湖ぽの〜 호수 위 / 腕前ぽがずっと〜だ 솜씨가 훨씬 위다. ↔下ぽ. ②사람 또는 일에 관한 것. ¶酒ぽの〜の失敗ぽ 술김에 저지른 실수. ③어떤 일과 다른 일과를 관련시켜서

하는 말. ㋑…에 더하여. ¶しかられ
た～に罰金までとられた 야단 맞은
데다가 벌금까지 물었다. ㋺…한 후.
…한 뒤. …한 결과. ¶お目にかかっ
た～でお話しします 만나 뵌 뒤에 말
씀드리겠습니다. ㋩¶〈"～は"의 꼴로〉
…한 이상(바)에는. ¶かくなる～は 그
렇게 된 바에는 / まかせる～は (기왕)
맡길 바에는. ㊁接尾 손위 사람을 가리
킬 때 덧붙이는 말. ㊀父～ 아버님 /
姉さ～ 누님. **──には──がある** 기는 높
은 위에 나는 놈 있다. **──を下に**も 벌쩍
집힌 모양 ; 몹시 허둥대는 모양. ¶
～を下への大騒ぎ 법석을 부림 ; 야
단 법석.

うえ【飢え・餓え】[名] 굶주림 ; 허기. ¶
～をしのぐ 굶주림을 견디어 내다.

ウエーター wē-[名] 웨이터 ; 사환. ↔ウ
エートレス. ▷waiter.

ウエート wē-[名] 웨이트 ; 무게. ①중
량 ; 체중. ②〔ヘビー～ 헤비급(級)〕
중요도 ; 중점. ¶…に～を置く …에
중점을 두다. ▷weight.

ウエートレス wē-[名] 웨이트리스 ; 여
급. ↔ウエーター. ▷waitress.

ウエーブ wē-[名] 웨이브. ①[自他] 머
리털을 곱슬곱슬하게 함 ; 또, 곱슬곱
슬한 모양. ②[自]전파 ; 음
파. ¶マイクロ～ 초단파. ▷wave.

うえき【植木】[名] 정원수. ¶─屋
(a)정원사 ; (b)정원수를 파는 가게〔사
람〕/庭に～を植える 뜰에 정원수
를 심다. ¶盆栽(盆栽) 화분에 심어
기르는 나무. ¶─鉢┊ 화분.

うえこみ【植(え)込み・植込】[名]뜰 따
위에 나무를 많이 심은 곳. ¶～の陰
に隠れる 정원수 숲 속에 숨다. ②
써감추 따위를 흠숙게 심는 일. ②

うえこ‐む【植(え)込む】[5他] 초목을 뜰
에 심다.

うえさま【上様】[名]①귀인의 존칭 ; 특
히, 天皇♀·将軍など. ②영수증 따위
에 상대방의 이름 대신 쓰는 말 : 귀하.

うえした【上下】[名]①상하 ; 위아래. ②
거꾸로. ¶～になる 거꾸로 되다 /
～にする 거꾸로 하다.

うえじに【飢え死に・飢死・餓死に(餓死に)】
[名][自]굶어 죽음 ; 아사.

ウエスタン we-[名]웨스턴. ①미국의 서
부의 (음악). ②[劇]서부극. ¶マカ
ロニ～ 이탈리아에서 제작한 서부
극. ▷Western.

ウエスト we-[名][裁]웨이스트 ; 옷의
허리 ; 또, 그 둘레. ¶～ライン 허리
통의 곡선. ▷waist. ¶─[사람』름.

うえつがた【上つ方】[名][雅]지체 높은
사람.

うえつけ【植(え)付け】[名][他]심기 ;
식부(植付). ②이식(移植)②모내기.
¶～のすんだ田 모내기가 끝난 논.

うえつ‐ける【植(え)付ける】[下1他] 심
다. ①이식하다. ②부어〔불어〕넣다. ¶
悪感情 を～ 나쁜 감정을 품게
하다.

ウエット wetto[ダナ]웨트 ; 정에 약하고
감상적인 모양. ↔ドライ. ▷wet.

ウエディング wedingu[名] 웨딩 ; 결혼
(식). ①결혼식. ¶～ドレス 웨딩 드레스 / ～マ
ーチ 웨딩 마치. ▷wedding.

ウエハース we-[名]웨이퍼스 (달고 바삭

바삭하게 구운 양과자). =ウエファー
ス. ▷wafers.

‡うーえる【植える】[下1他] ①㋑(초목·씨
따위를) 심다. ㋺木を～ 나무를 심
다. ㋩(사상 따위를) 불어넣다. ¶道
德觀念♀┊を～ 도덕 관념을 불어넣
다. ②(작은 것을) 끼워 넣다. =はめ
込む. ¶活字(活字)を～ 식자(植字)하
다. ③培養(培養)하다 ; 접종하다. ¶
種痘┊を～ 우두를 접종하다(놓다).

‡う‐える【飢える・餓える】[下1他] ①굶주
리다. ¶～えた人々♀々 굶주린 사람
들 / 知識┊に～ 지식에 굶주리다.

うえん【有緣】[名]연이 있음. ①(불도에) 연이
있음. ②일반적으로, 서로 어떠
한 인연이 있음. ↔無緣え. ¶─[모양.

うえん【迂遠】[ダナ]우원 ; 길이 돌아가 먼

うお【魚】[名]물고기. ──を座
【天】물고기자리 / 水を離れた♀┊
だ 물 밖에 난 (물)고기다(꼼짝 못할
형편이다). ──ごころあれば水心┊┊
あり 오는 정이 있어야 가는 정이 있
다. 水が 썩 가까운 사이 ; 수어지교
(水魚之交). ──の目には水見┊えず
등잔 밑이 어둡다.

うおいちば【魚市場】[名] 어시장.

うおうさおう【右往左往】uōsaō[名][自]
우왕좌왕. =うおうざおう.

ウォーキートーキー wō-[名]워키토키.
▷walkie-talkie.

ウオーターポロ wō-[名] 워터폴로 ; 수구
(水球). ▷water polo.

ウオーミングアップ wōminguappu[名]
[自]워밍업 ; (경기 전의) 준비 운동.
▷warming-up.

ウオールがい【ウォール街】 wōru-[名]
월가. ①뉴욕의 증권 거래소가 있는
곳. ②미국의 금융계 ; 또, 금융 시장.
▷Wall Street.

うおがし【魚河岸】[名]산지(産地)에서
보내온 어물을 경매하는 시장 ; 어물 시
장. =かし.

ウオツカ wo-[名]보드카 ; 화주(火酒). =
ウオトカ. ▷ vodka.

うおつり【魚釣り】[名] 낚시질.

うおのめ【魚の目】[名] 티눈. ¶～ができ
た 티눈이 생겼다.

うおへん【魚偏】[名]한자의 부수의 하
나 : 고기어변[鮮』 鯨』 등의 '魚'의 이
름). ¶─[한 잎.

ウォン won[名] 원(한국의 통화 단위).

うおんびん【ウ音便】[名][文法]
주로 〈く` ` く` ひ` び` み`의 음이 'う'
로 변하는 음편('お暑くございます'
가 'お暑うございます'로 되는 따위).

うか【羽化】[名][自]우화 ; 번데기가 성
충이 됨. **──とうせん【──登仙】**-tōsen
[名][自]우화 등선.

うか【鵜飼い・鵜飼】[名]가마우지
를 길들여, 여름밤에 횃불을 켜 놓고
은어 따위 물고기를 잡게 하는 일(을
직업으로 하는 사람). =鵜匠┊┊.

うかい【迂回】[名][自]우회. ¶～道路
うろ 우회(도)로 / ～して行く 우회하
여 가다. ¶─[水が 양치물통.

うがい【嗽・含嗽】[名][自]양치질. ¶

‡うからか [副]①아무 생각 없이 행동하
는(지내는) 모양 ; 헛되이. ¶～と日り
暮す 헛되이 날을 보내다. ②얼떨결

에;무슴코[결에]. ¶~と相手の手 に乗る 얼떨결에 상대에게 속아 넘어가다. ③멍청하니 있는 모양. ¶~す ると人にだまされる 멍청하게 굴면 남에게 속는다.

うかがい【伺(い)】 图 ①신불(神佛)의 탁선(託宣)을 바람. ¶～を立てる (a)상대방의 의향을 묻다; (b)신불에게 기원하다. ②상급 관청이나 상사의 지시·설명을 바람. ¶進退の～ 진퇴(를) 품의(함). ③'お～'의 겸어(말). ¶あすお～いたします 내일 방문하겠습니다.

***うかがう**【伺う】 目他 ⑤ ①'聞く(=듣다)·問う(=묻다)·たずねる(=묻다)'의 겸사말. ¶お話を～ 말씀을 듣다 / 御機嫌を～ 문안드리다. 目 ⑤自 '訪れる(=방문하다)'의 겸사말.

***うかがう**【窺う】 ⑤他 엿보다;살피다. ¶顔色を～ 안색을 살피다 / 好機を～ 호기를 노리다[엿보다].

うかさ─れる【浮かされる】 下一自 ①마음이 뜨다. ②고열 등으로 의식이 호릿해지다. ¶熱に～れてうわ言を言う 열에 떠어서 헛소리를 한다.

***うかす**【浮かす】 ⑤他 띄우다. ¶船を～ 배를 띄우다 ↔沈める. ②시간·경비를 남도록 짜내다. ¶旅費を三万円～ 여비를 3만엔 남도록 절약하다[짜내다].

うがちすぎ【うがち過ぎ】【穿(ち)過ぎ】 图 너무 파고들어 도리어 진상과는 어긋나짐.

うかつ【迂闊】 图ダナ 우활. ①물정에 어둡음. ¶世事に～な男 세상 물정에 어두운 사내. ②주의가 부족하고 명청한 모양. ¶～な事をする 명청한 짓을 하다.

うがつ【穿つ】 ⑤他 ①雅 (구멍을) 뚫다;꿰뚫다. ¶穴を～ 구멍을 뚫다. ②(老) 신다;입다. =はく. ¶靴を～ 구두를 신다. 二 ⑤自 핵심을 찌르다;진상을 정확히 지적하다. ¶～ったことをいう 핵심을 찌르는 소리를 하다.

うかぬかお【浮かぬ顔】 連語 우울한(근심스러운) 얼굴.

うかば─れる【浮かばれる】 下一自 ①죽은 사람의 혼이 성불(成佛)하다. ¶これで仏も～ことになる 이것으로 고인도 성불하시겠지. ②체면이 서다.

***うかびあが─る**【浮かび上がる】 ⑤自 ①떠오르다. ¶捜査線上に～ 수사 선상에 떠오르다. ②불우한 처지에서 출세하다. ¶貧困のどん底から～ 가난의 구렁텅이에서 헤어나다.

***うか─ぶ**【浮ぶ】 ⑤自 ①뜨다. ¶空に～雲 하늘에 뜬 구름 ↔沈む. ②떠오르다. (표면에) 나타나다;생각나다. ¶涙が～ 눈물이 어리다 / 容疑者が～ 용의자(가) 떠오르다.

うかぶせ【浮(か)ぶ瀬】 連語 신분·처지 따위가 좋아지는 기회;셈평 펴일 때. ¶～がない 셈평 펴일 때가[날이] 없다.

***うか─べる**【浮(か)べる】 下一他 ①띄우다. ¶舟を～ 배를 띄우다 ↔沈める. ②떠올리다;생각해 내다. ¶母

の面影を～ 어머니의 모습을 떠올리다. ③(표면에) 나타내다. ¶喜びを顔に～ 기쁨을 얼굴에 나타내다.

***うか─る**【受かる】 ⑤自 〈口〉 합격되다. =パスする.

うかれだ─す【浮(か)れ出す】 ⑤自 신이 나기[들뜨기] 시작하다.

うかれちょうし【浮(か)れ調子】 -chō-shi 图 들뜬 기분.

うかれ─でる【浮(か)れ出る】 下一自 마음이 들떠서 밖으로 나오다. ¶花見客が～ 꽃놀이꾼이 들떠서 나오다.

うかれめ【浮(か)れ女】 图 〈雅〉 노는 계집;논다니.

うか─れる【浮(か)れる】 下一自 신이 나다;마음이 들뜨다. ¶～れて散歩< 들떠서 나돌아다니다.

うがん【右岸】 图 우안. ↔左岸.

うかんむり【ウ冠】 ukammu- 图 한자 부수의 하나; 갓머리('家''完' 따위의 '宀').

うき【浮き】 图 ①뜸;뜨는 일. ②(낚 시 찌로도) 낚시찌, 부표. ③うきぶくろ.

うき【雨季·雨期】 图 우계;우기. ↔乾季.

***うきあが─る**【浮き上がる】 ⑤自 ①떠오르다. ¶水上に～ 물 위에 떠오르다. ②(사이가) 들뜨다. ¶土台が～ 토대가 뜨다다. ③표면에 드러나다; 뚜렷해지다. ④고립되다;유리(遊離) 하다. ¶部下から～っている 부하로부터 유리되어 있다. ⑤불우한 처지에서 벗어나다;출세하다. ¶下積みから～ 밑바닥에서 벗어나 출세하다.

うきあし【浮き足】 图 ①움직이려고 뒤축에 들린 발. ¶～で歩く 뜬발로 걷다. ②막 도망치려는 태도. =逃げ腰. ¶～になる 막 도망치려 하다.
──だ─つ【──立つ】 ⑤自 도망치려 하다;침착성을 잃다.

うきうき【浮き浮き】 副 신이 나서 마음이 들뜬 모양. ¶気も～と海に行く 신이 나서 바다에 가다.

うきがし【浮(き)貸し】 图又他 부대(浮貸);(은행원 등이) 고객이 맡긴 돈을 기장하지 않고 부정 대출하는 일.

うきかわたけ【浮(き)河竹】 图 (부평초 같은) 유녀(遊女)의 신세.

うき【浮(き)木】 图 ①부목(浮木). ②뗏목·배의 따이름. ──の亀 좀처럼 만날 수 없음의 비유;얻기 어려운 기회. =盲亀の浮木.

うきくさ【浮(き)草】 图 ①수면에 떠있는 물의 총칭. ②[萍] [植] 개구리밥;부평초. ③불안정한 상태. ¶～の身 부평초 같은 신세. ──かぎょう 【──稼業】-gyō 图 떠돌이 직업(생활); 또, 그 사람 (유랑 연예인·도붓장수 따위).

うきぐも【浮(き)雲】 图 부운. ①뜬구름. ②불안정한 것의 비유. ¶～の生活 불안정한 생활

うきごし【浮(き)腰】 图 ①여차하면 도망치려고 엉거주춤함. ¶まけて～になる 져서 도망치려고 하다. ②방침이 서지 않아 갈피를 잡지 못함. ③(유도에서) 메치기(기술)의 하나.

***うきしずみ**【浮き沈み】 图又自 부침;흥망 성쇠. ¶～の激しい世の中 부

침이 심한 세상.

うきす【浮(き)巣】图 ①물 위에 뜨게 만든 둥지. ②주소가 일정하지 않음.

うきだ-す【浮(き)出す】⑤自 ①떠오르다. ②(무늬 따위가) 도드라지다. ¶ 뜨기 시작하다.

うきた-つ【浮(き)立つ】⑤自 (마음이)

うきドック【浮きドック】-dokku 图 부양식 독. ↔乾ドック. ▷dock.

うきな【浮き名】图 남녀 관계에 관한 소문;염문. ¶~を流﹅す 염문이 자자하게 되다.

うきはし【浮(き)橋】图 부교;주교(舟─). ['播']:배다리.

うきぶくろ【浮(き)袋】【浮(き)囊】图 ①부낭(浮囊);부대(浮袋);튜브. '救命用﹅﹅'~ 구명 튜브. ②('鰾'도)(물고기의) 부레.=ふえ.

うきぼり【浮(き)彫り】图又自 ①부조;돋을새김;또, 그 작품.=レリーフ. ¶~細工﹅ 돋을새김 세공. ↔丸彫﹅り(사물을) 부각시킴.

うきみ【憂(き)身】图 괴로운 신세. ─をやつす 몸을 돌보지 않고 열중〔몰두〕하다.

うきみ【浮(き)身】图 (수영에서) 전신의 힘을 빼고 번듯이 누워 몸을 물위에 뜨기.

うきめ【憂き目】图 쓰라림;괴로운 체험. ─を見﹅る 쓰라림을 맛보다.

うきよ【浮(き)世】图 ①덧없는 세상. ②이 세상;속세. ─の情﹅け 인간끼리의 (애)정. ─の波﹅ 인생의 부침(浮沈). ─世風. ─の習﹅い 세상에 흔히 있는 일. ──え【──絵】图 江戸﹅시대에 생겨난 풍속화. ─ぞうし【──草子】·─草紙】-zōshi 图 江戸 시대의 소설. ──ぶろ【──風呂】图 江戸 시대의 대중 목욕탕.

＊**う-く**【浮く】⑤自 ①뜨다. ¶からだが~ 몸이 뜨다. ↔沈﹅む;들뜨다. ②마음이 들뜨다. ¶~·かぬ顔﹅ 우울한 얼굴;심각한 표정. ↔沈む. ⑮(기초가) 흔들리다. ⓒ(토대가) 土台﹅﹅が~ 토대(가 기초)가 흔들거리다. ⓒ경박하다. ¶~·いたうわさ (남녀 관계에 대한) 든 소문. ③(밖으로) 나타나다. ¶脂﹅が顔﹅に~ 개기름이 끼다. ④남는 것〔여분〕이 생기다. ¶費用﹅が千円﹅残﹅る 비용이 천 엔 남다. ⑤근거가 없다. ¶宙﹅に~·いた理論﹅﹅ 근거 없는 이론.

うぐい【鯎·石斑魚】【鰔】图 황어.

うぐいす【鶯】①图〔鳥〕휘파람새. =春告鳥﹅﹅﹅. ──鳴﹅かせたこともある①(지금은 별 것 아니나) 한때 전성 시대에 있었다. ②(지금은 나이 들었지만) 처녀 때에는 아주 예뻤다. ②(지금은 나이 들었지만) 처녀 때에는 아주 예뻤다.

うぐいすいろ【うぐいす色】【鶯色】图 고동색이 섞인 연두빛.

うぐいすばり【うぐいす張り】【鶯張り】图〔建〕마루청 까는 한 방법으로〔밟으면 삐걱거려 휘파람새 울음 같은 소리가 남〕;또, 그런 마루.

ウクレレ图 우쿨렐레;기타 비슷한 네 줄의 현악기. ▷ukulele.

うけ【受(け)】图 ①받음;받는 것. ¶郵便﹅﹅の~ (대문의) 편지통. ②평판;인기. ¶~が悪﹅い 평판이 나쁘다. ③받치는 물건;받이. ¶軸﹅~ 축받이. ④

승낙함. ¶お~する 승낙하다.

うけ【請(け)】图 '請﹅け人﹅﹅'의 준말;보증인. ¶~に立﹅つ 보증 서다.

うけ【筌】图 통발;물고기 잡는 도구.=ど.

うけ【有卦】图 유쾌;행운. ──に入﹅る 행운을 만나다;운이 트이다.

うけあ-う【請(け)合う·受(け)合う】⑤他 책임지고 맡다. ¶大丈夫﹅﹅﹅だと─ 틀림없다고 보증하다.

うけい【右傾】图又自 우경;우익화. ↔左傾﹅.

＊**うけい-れる**【受(け)入れる·受(け)容れる】下1他 받아들이다. ①맞아들이다. ¶難民﹅﹅を~ 난민을 받아들이다. ②수납하다. ¶原料﹅﹅を~ 원료를 수납하다. ③남의 말을 승낙하다. ¶忠告﹅﹅を~ 충고를 받아들이다.

うけうり【受(け)売り】【請(け)売り】图 ①남의 말을 자기 생각인 것처럼 받아 옮김. ②공장이나 도매상에서 받아 팖.

＊**うけおい**【請負】图 청부;도급(都給). ¶~仕事﹅﹅ 청부〔도급〕일. /~人﹅ 청부업인. /~師﹅ 청부(도급)업자.

うけお-う【請(け)負う】⑤他 청부〔도급〕맡다.

うけぐち【受(け)口】③접어구(接受口). ②아래턱이 위턱보다 더 내민 입모양.=うけくち.

うけこた-え【受(け)答え】图又自 응답. ¶~がうまい 말을 잘 받아 넘기다.

うけざら【受(け)皿】图 받칠 접시.

うけしょ【請(け)書】-sho 图 승낙서.

うけだ-す【請(け)出す】⑤他 ①(전당 잡힌 것을) 돈을 치르고 되찾다. ②(창녀의) 몸값을 처리해 주고 빼내다.

うけだち【受(け)太刀】图 ①(검술에서) 공격을 막는 칼〔솜씨〕. ②수세.

＊**うけたまわ-る**【承る】⑤他 ①'聞﹅く'의 겸사말. ¶御意見﹅﹅﹅を~·りたい 고견을 듣고자 합니다. ②'引﹅き受﹅ける'의 겸사말. ¶御用﹅命﹅を~ 하명을 받다. ③'承諾﹅﹅する'의 겸사말. ¶委細﹅﹅~·りました 모두 잘 알았습니다. ④'伝﹅え聞﹅く(=전해 듣다)'의 겸사말. ¶~ところによりますと 듣자옵건대. ▷다:〔の:받다〕.

うけつけ【受(け)付(け)】图 ①접수. ②접수처〔계〕. ¶~にすわる 접수를 맡아보다.

＊**うけつ-ける**【受(け)付ける】下1他 받아들이다. ①접수하다. ②받아들이다. ¶抗議﹅﹅を全然﹅﹅·けない 항의를 전연 받아들이지 않다. ¶~窓口﹅﹅﹅ 접수 창구. ②(동작·작용 따위를) 받아들이다. ¶薬﹅も~·けない 약도 잘 받지 않는다.

うけと-める【受(け)止める】下1他 ①받아내다;(공격을) 막아내다. ¶速球﹅﹅を~ 속구를 받아내다/攻撃﹅﹅を~ 공격을 막아내다. ②인식하다.

＊**うけとり**【受取】图 ①수취함;받음. ¶~に行﹅く 받으러 가다. ②【受取】영수증. ──にん【受取人】图 받는 사람;수취인. ↔差出﹅人﹅﹅.

＊**うけと-る**【受(け)取る】⑤他 ①받다. ¶ボールを~ 공을 받다. ②(그대로)

う

이해하다；받아들이다. ¶お世辞(せじ)をまともに～ 겉치레말을 곧이듣다.

うけなが-す【受(け)流す】5他 ①(공격 따위를)(건성으로 적당히) 받아넘기다. ¶鋭(するど)い切先(きっさき)を～ 예봉을 (살짝) 피하다. ②받은 술잔을 마시지 않고 얼버무려 잔을 비우다.

うけにん【請(け)人】名 보증인.

うけはらい【受け払い】名 수불(受拂)；수납과 지불.

うけはん【請(け)判】名 보증인(印).

うけみ【受(け)身】名 ①소극적인입장；수세；수동(受動). ②〖文法〗 수동태. ③(유도에서) 낙법(落法).

うけもち【受(け)持ち·受持】名 담당함；담당한 일；담임；담당자. ¶～の先生(せんせい) 담임 선생.

*うけも-つ【受(け)持つ】5他 맡다；담당〔담임〕하다. ¶二年生(にねんせい)を～ 2학년을 맡다.

うけもどし【請け戻し】名 ス他 돈을 갚고 전당 잡힌 것을 찾아냄.

**う-ける【受ける】㊀ 下1他 ①받다. ¶ボール〔注文(ちゅうもん)〕を～ 공〔주문〕을 받다／敬礼(けいれい)〔命令(めいれい)〕を～ 경례를〔명령을〕 받다. ②이어받다. ¶親(おや)の後(あと)を～ 어버이의 뒤를 이어받다. ③받아들이다. ¶お～·けします 받아들이겠습니다；시인합니다／真(ま)に～ 곧이듣다. ④당하다；듣다. ¶おしかりを～ 꾸지람을 듣다. ⑤치르다. ¶試験(しけん)を～ 시험을 치르다. ⑥누리다；향유하다. ¶生(せい)を～ 생〔삶〕을 누리다. ⑦향하다. ¶南(みなみ)を～·けて建(た)てられた家(いえ) 남향으로 세워진 집. ⑧(피해 등을) 입다；보다. ¶損害(そんがい)を～ 손해를 보다. ㊁ 下1自 (연극 등에서) 호평을 받다；인기를 모으다. ¶大(おお)いに～·けた 크게 호평을 받았다.

う-ける【請ける】下1他 ①(돈을 치르고) 되찾다. ②맡다；인수하다.

うけわたし【受(け)渡し】名 ス他 ①수도；수수(受授)；주고받음. ②〖商〗 대금과 거래물의 상환 인도(相換引渡).

うげん［右舷］名 우현；오른쪽 뱃전.

うご【雨後】名 우후；비온 뒤. ―のたけのこ 우후 죽순.

うごうのしゅう［烏合の衆］ugōnoshū 連語 오합지졸.

**うごか-す【動かす】5他 움직이(게 하)다. ¶体(からだ)を～ 몸을 움직이다／～·せぬ事実(じじつ) 움직일 수 없는 사실／机(つくえ)を～ 책상을 옮기다／心(こころ)を～ 마음을 감동시키다／風(かぜ)が枝(えだ)を～ 바람이 가지를 흔들다／機械(きかい)を～ 기계를 가동시키다.

うこぎ〖五加·五加木〗名〖植〗 오갈피나무.

*うごき【動き】名 ①움직임. ¶すばやい～を見(み)せる 재빠른 움직임을 보이다. ②동향；변화. ¶政局(せいきょく)の～ 정국의 동향. ―が取(と)れない ①움직일 수 없다. ②진퇴유곡이다.

**うご-く【動く】5自 ①움직이다. ¶そこ～な 움직이지〔꼼짝〕 마라. ②옮겨지다. ¶停留所(ていりゅうじょ)が～ 정류장이 딴데로 옮겨지다. ③(기계 등이) 작동하다；돌다. ¶機械(きかい)が～ 기계가 가동하다. ④(마음·물체가) 흔들리다. ¶金(かね)に心(こころ)が～ 돈에 마음이 흔들리다／歯(は)が～ 이가 흔들리다. ⑤활동하다. ¶友人(ゆうじん)のために～ 친구를 위해 활동하다. ⑥변하다. ¶世(よ)の中(なか)が～ 세상이 변하다. ⑦『～·かない』 확실〔확고〕하다. ¶～·かぬ証拠(しょうこ) 확고한 증거.

うこさべん［右顧左眄］名 ス自 우고좌면；좌우 고면.

うごめか-す〖蠢かす〗5他 꿈틀거리게 하다；벌름거리다. ¶鼻(はな)を～ 코를 벌름거리다(우쭐대는 뜻으로도 씀).

うごめ-く〖蠢く〗5自 꿈틀거리다；준동하다. ¶うじ虫(むし)が～ 구더기가 꿈실거리다.

うこん〖鬱金〗名 ①〖植〗 울금；심황. ②샛노랑；울금색.

うさ【憂さ】名 괴로움；근심；울적함. ¶酒(さけ)で～を晴(は)らす 술로 시름을 풀다.

*うさぎ〖兎·兔〗名 토끼. ¶～跳(と)び 토끼뜀뛰기.

うさばらし【憂さ晴らし】名 ス自 (근심 등을 잊기 위한) 기분 전환；또, 그 수단. ¶～に酒(さけ)を飲(の)む 시름을 잊기〔달래기〕 위하여 술을 마시다.

うさん〖胡散〗名ナ 수상함. ¶～なやつ 수상한 놈. ―くさ-い〖―臭い〗形 어쩐지 수상쩍다.

*うし【牛】名 소. ―にひかれて善光寺(ぜんこうじ)参(まい)り 동무 따라 강남 간다. ―の歩(あゆ)み 소 걸음(일의 진행 속도가 더딤의 비유). ―のよだれ 소가 흘리는 침(가늘고 길게 지속됨의 비유). ―は―づれ馬(うま)は馬づれ 유유 상종.

うし［丑］名 축；소；지지(地支)의 둘째(방위로는, 북북동, 시각으로는 오전 2시 또는 오전 1시부터 3시 사이).

うじ【氏】씨. ㊀名 ①성(姓). ＝名字(みょうじ). ②가문；문벌. ③씨족. ㊁接尾 〈雅〉 성에 붙이는 높임말：…씨. ¶宮本(みやもと)～ 宮本씨. 注意 현재는 'し'. ―の上(かみ) 씨족의 장. ―より育(そだ)ち 가문보다 가정 교육〔환경〕(이 중요함).

うじ〖蛆〗名〖蟲〗구더기. ＝うじむし. ¶男所帯(おとこじょたい)に～がわく 홀아비 살림에 이가 서 말.

うじうじ 副 결심을 하지 못하고 멈칫대는 모양：우물쭈물；꾸물꾸물. ＝ぐずぐず. ¶男(おとこ)のくせに～する 사내답지 못하게 우물쭈물한다.

うしお〖潮〗名 〈雅〉 바닷물；조수.

うしおい【牛追(い)】名 (짐바리) 소를 모는 사람；소몰이. ＝牛方(うしかた).

うしかい【牛飼(い)】名 소를 치는〔부리는〕 사람. ＝牛方(うしかた).

うしかた【牛方】名 ①☞うしおい. ↔馬方(うまかた). ②☞うしかい.

うじがみ【氏神】名 ①그 고장의 수호신. ②씨족신(神).

うじこ【氏子】名 같은 씨족신을 모시는 일족.

うしころし【牛殺し】名 ①소 도축(자). ②〖植〗 윤노리나무.

うじすじょう【氏素性·氏素姓】-jō 名 가문；문벌；집안과 내력.

うしとら［丑寅·艮］名 〈老〉 간방(艮方)；북동(귀문(鬼門)에 해당).

*うしな-う【失う】5他 잃다. ①잃어버리다. ¶金(かね)を～ 돈을 잃다／心(こころ)を～ 정신 나가다；평정을 잃다／職(しょく)を～ 실직하다. ②사별하다；여의다. ¶父(ちち)を～ 아버지를 여의다. ③놓치다. ¶機会(きかい)を～ 기회를 놓치다.

うしのひ【丑の日】图 축일;특히, 여름철 복중의 축일과 소한(小寒)·대한 사이의 축일.

うしへん【牛偏】图 한자 부수의 하나;소우변('牧·特' 등의 '牛'의 명칭).

うしみつ【丑三つ·丑満】图 축시를 넷으로 나눈 셋째 시각;오전 2시부터 2시 반;야밤중.¶草木も眠むる一時も초목도 잠자는(괴괴한) 야밤중.

うじむし【蛆虫】(蛆虫)图 ①(蛆)우지(蛆);(신분이 낮은) 사람을 매도(罵倒)하는 말;구더기 같은 놈.

うじゃうじゃ ujauja 圖 작은 벌레 따위가 무리져 움직이는 모양;우글우글.

うじょう【有情】ujō 图 ①애증심(愛憎心)이 있음.⇔無情むじょ①.②중생;일체의 사람과 동물.⇔非情ひじょ.

＊うしろ【後ろ】图 ①뒤(쪽).¶一を向むく 뒤를 돌아보다.②등.③뒷모습.¶一を見みせる 뒷모습을 지켜 보다.⇔前まえ.——を見せる ①등을 보이다(도망치기 시작하다).②약점을 비이다.¶縁えんを一 인연이 약하다.

うしろあし【後ろ足】图 뒷발.⇔前足まえあし.——を踏ふむ 주저하여 나아가지 않다.〔=足踏みむ.②반대.

うしろあわせ【後ろ合(わ)せ】图 등을 맞댐.②반대.

うしろおし【後ろ押し】图 뒤를 밂;후원.=あとおし.

うしろがみ【後ろ髪】图『一を引ひかれる』뒷머리를 잡아당기는 것 같다(미련이 남아서 떨쳐버릴 수 없다).

うしろきず【後ろ傷·後ろ疵】图 도망칠 때 입은 칼의 상처.⇔向むこう傷.

うしろぐら－い【後ろ暗い】圏 떳떳치 못하다;뒤가 구리다(켕기다).

うしろすがた【後ろ姿】图 뒷모습.

うしろだて【後ろ盾·後ろ楯】图 후원자;후원자.

うしろで【後ろ手】图 ①뒷짐.¶一に しばる 뒷짐 결박하다.②뒤쪽;등쪽.

うしろはちまき【後ろ鉢巻(き)】图 뒤에서 매어 머리띠.¶一鉢巻をする.

うしろみごろ【後ろ身ごろ】图 의복의 뒷길.⇔前身まえみごろ.

うしろむき【後ろ向き】图 ①등을 돌림.②(발전·진보 따위에) 역행함.⇔前向まえむき.

うしろめた－い【後ろめたい】圏 버젓(떳떳)하지 못하다;뒤가 켕기다.¶一思おもい 떳떳하지 못한(거리낌적한) 생각.

うしろゆび【後ろ指】图 뒷손가락질.——を指さされる 뒷손가락질을 받다.

うす【臼】图 ①절구.②맷돌.

うす【薄】[名詞 앞에 붙어서] 얇은.¶一紙がみ 얇은 종이.②[名詞·形容詞에 붙어서] (색·맛 따위가) 얇은;연한.¶一味あじ 얇은 맛.⑤적은;약간.¶一明あかり 희미한 빛.⑥어쩐지.

-うす【薄】[名詞나 形容動詞적 말을 만듦] 정도가 적음;그다지 …이 없음.¶見込みが一 회망이 적음.

＊うず【渦】图 ①소용돌이(비유적으로도 씀).=うずまき.¶争あらそいの一に巻まき込こまれる 분쟁의 소용돌이에 휘말리다.②소용돌이 무늬.

うすあかり【薄明(かり)】图 박명.¶희미한 빛;희미하게 밝음.②(해돋이 전·해가 진 후의) 어스름.

＊うす－い【薄い】圏 ①얇다.¶一紙がみ

얇은 종이.⇔厚あつい.②㋑(색·맛이) 담박하다;연하다.⇔濃こい.㋺적다;약하다.¶一塩水しおみず 싱거운 소금물.⇔濃こい.㋩옅다;약하다.¶利りが一 이문이 박하다.㋤성기다.¶一ひげ 성긴 수염.⇔濃こい.㋦관계가 약하다.¶縁えんが一 인연이 멀다.

うすうす【薄薄】圖 어렴풋이;희미하게.¶一気づく 어렴풋이 눈치채다.

うすうす [工ス自] 종이 쑤시는 모양;근질근질.②『遊あそびに出たくて一(と)する』놀러 나가고 싶어서 좀이 쑤시다.

うすがみ【薄紙】图 얇은 종이.——をはぐよう 병이 조금씩 차도가 있는 모양.

うすかわ【薄皮】图 ①얇은 막(膜)(가죽).②껍질.③희고 고운 피부.¶一のむけた女も 살결이 곱고 흰 여자.④薄皮まんじゅう(=피가 얇은 만두)'의 준말.

うすぎ【薄着】图 [ス自] (추울 때에도) 옷을 얇게 입음.⇔厚着あつぎ.

うすぎたな－い【薄汚い】圏 어쩐지 더럽다;추레하다.

うすきみわる－い【薄気味悪い】圏 웬지 기분이 나쁘다;섬뜩하다.「끼다.

うず－く【疼く】[五自] 쑤시다;동통을 느끼다.

うすくち【薄口】图 ①(두께·빛깔·맛 따위가) 얇은(심심한) 것.②얇은 종이 / 一のしょうゆ 묽은 간장.

＊うずくま－る【蹲る·踞る】[五自] 웅크리다;쭈그리고 앉다;(짐승이) 앞발을 구부리고 배를 바닥에 깔다.

うすぐもり【薄曇(り)】图 약간 흐림;또, 그런 날씨.

＊うすぐら－い【薄暗い】圏 좀 어둡다;어스레하여 어둑어둑하다.

うすげしょう【薄化粧】-shō 图 [ス自] 엷은 화장.⇔厚化粧あつげしょう.

うすごおり【薄氷】-gōri 图 박빙;살얼음.

うすじ【薄地】图 얇게 만든 옷감이나 천.「=甘塩あまじお.

うすじお【薄塩】图 얄간;싱거운 간.

うずしお【渦潮】图 소용돌이치는 조수.

うすだか－い【堆い】圏 쌓여서 높다;산더미 같다.¶一本ほんの山やま 산같이 쌓인 책더미.

うすっぺら【薄っぺら】usuppe- [ダリ] ①얄팍함.②(인품이나 견식이) 경박함.

うすで【薄手】㊀[名] ①얇게만든 물건(널·종이·도자기 따위).¶一の生地きじ 얇은 옷감.⇔厚手あつで.②천박함.¶一な思想しそう 천박한 사상.㊁[名] 경상;가벼운 상처.¶一を負おう 경상을 입다.⇔深手ふかで.

うすのろ【薄のろ】【薄鈍】[名自] 지능(知能)이 좀 낮고 둔함;또, 그러한 사람;얼간이;멍텅구리.「深手ふかで.

うすばかげろう【薄羽蜉蝣·薄羽蜻蛉】-rō 图〔蟲〕명주잠자리.参考 유충은 'アリジゴク'.

うすび【薄日】【薄陽】图 약한 햇살.

うすべに【薄紅】图 ①분홍.②엷게 바른 연지.「자리.

うすべり【薄べり】【薄縁】图 휘갑친 돗자리.

＊うずま－く【渦巻く】[五自] ①소용돌이치다.¶一パン 소라 빵.②소용돌이치는 형상.

うずま－く【渦巻く】[五自] 소용돌이치다.「이」 엎어지다.

うすま－る【薄まる】[五自] (빛깔·맛 등

＊うずま－る【埋まる】[五自] ①(파) 묻히

다. ¶花束淡に~ 꽃다발에 (파)묻히다. ②〈장소가〉꽉 차다. ¶人¾で~ 사람으로 꽉 차다.

うずみひ【埋み樋】图 땅속에 파묻어 물을 끄는 홈통. ↔かけひ.

うずみび【うずみ火】【埋み火】图〈잿속에〉 묻어 둔 숯불; 잿불. =いけ炭⁵.

うすめ【薄め】图〈두께·빛깔·맛 따위가〉비교적 엷음【엷음】. ¶~のコーヒー 좀 묽은 커피 / ~に切⁴る 좀 얇게 썰다.
　　　　　　　　　　　　【실눈을 뜨다.

うすめ【薄目】图 실눈. ¶~を開ける

*__うす-める__【薄める】[下1他]〈물 따위를 타서 빛깔·맛을〉엷게 하다. ¶水²を割⁴って~ 물을 타서 엷게 하다.

*__うず-める__【埋める】[下1他]①묻다. ¶土²に~ 땅속에 묻다. ②메우다; 채우다. ¶花²で~ 꽃으로 뒤덮다 / 赤字⁴を~ 적자를 메우다.

うすもよう【薄模様】-yō 연보랏빛으로 물들인 무늬.

うずも-れる【埋もれる】[下1自]〈파〉묻히다. ¶~れた人材⁶ 묻혀 있는 인재 / 人波⁶に~ 인파에 파묻히다.

うすゆき【薄雪】图 박설; 자국눈.

うすよご-れる【薄汚れる】[下1自] 좀 더러워지다; 께죄죄하게 더러워지다.

うすら-【薄ら】〈名詞·形容詞に 쓰여서〉①얇은; 엷은. ¶~衣¹ 얇은 옷. ②희미한. ¶~明¹かり 박명(薄明). ③어쩐지; 좀. ¶~寒¹い 좀 춥다;(좀) 으스스하다.　　　　　【ミ허술한 침대.

うずら【鶉】图[鳥] 메추라기. 一の床

うすら-ぐ【薄らぐ】[五自] 조금씩 엷어〔줄어〕지다; 덜해지다. ¶痛¹みが~ 아픔이 덜해지다 / 危険¹が~ 위험이 줄어들다.　　　　　　【다; 으스스하다.

うすらさむ-い【薄ら寒い】[ヲ] 으스스 춥

うす-れる【薄れる】[下1自]〈농도가〉 엷어〔묽어〕지다;〈정도가〉약해〔엷어〕지다. =うすらぐ. ¶霧²が~ 안개가 사락 걷히다 / 視力¹が~ 시력이 약해지다 / 関心¹が~ 관심이 적어지다 / 公私¹のけじめが~ 공사의 구별이 희미해지다.

うすわらい【薄笑い】图 남을 비웃는 듯한 웃음;엷은 웃음.

うせつ【右折】图[ヌ自] 우회전. ↔左折
　　　　　　　　　　　　　　　　【실물.

うせもの【うせ物】【失せ物】图〈老〉 분

う-せる【失せる】[下1自]①없어지다; 사라지다. ¶机²の上¹の本¹が~ 책상 위의 책이 없어지다. ②〈老〉죽다. ③가다〔떠나다〕의 막된 말씨. ¶出⁴て ~・せろ 나가 없어져라.

*__うそ__【嘘】图 거짓말. ¶~発見器⁶ 거짓말 탐지기. ~をつく 거짓말을 하다. ②틀림; 잘못. ¶~字¹ 틀린 글자. ¶『…は~だ』의 형으로】부적당함;손해임. 一から出⁴た誠⁶ 거짓말이 뜻밖에 사실이 됨. 一で固⁴める 전부 거짓말만으로 꾸며대다. 一も方便¹²¹ 거짓말도 하나의 방편. 一をつけ 거짓말 작작해. 参考 여성어는 'うそ(を)…おっしゃい'.

うそ【鷽】图[鳥] 피리새.

うそ-〈形容詞に 쓰여서〉좀; 어쩐지. ¶~寒¹い 좀 춥다; 으스스하다.

うそうそ图 불안해서 주위를 두리번거

리거나 돌아다니는 모양:두리번두리번. ¶~(と)あたりを見¹まわす 두리번번리번 주위를 둘러보다.

うぞむぞう【有象無象】uzōmuzō 图 유상 무상. ①[佛] 삼라 만상. ②어중이떠중이.　　　　　　　　【오자(誤字).

うそじ【うそ字】【嘘字】图 틀린 글자;

*__うそつき__【嘘つき】图 거짓말쟁이.

うそっぱち【嘘っぱち】usoppa-图〈俗〉'うそ'의 힘줌말. ¶とんだ~だ 말도 안 되는 거짓말이다.

うそのかわ【うその皮】【嘘の皮】图〈俗〉새빨간 거짓말. ¶~をひんむく 거짓말을 폭로하다.

うそはっぴゃく【うそ八百】【嘘八百】-happyaku 거짓말투성이. ¶~を並⁴べる 온갖 거짓말을 늘어놓다.

うそぶ-く【嘯く】[五自]①모르는 체하다. ②큰소리치다; 호언 장담하다. ③〈猛 獸 위파람 불다. ④(큰 짐승이) 으르렁대다. ⑤시(詩)를 읊다.

*__うた__【歌】图①노래. ②〔와か(和歌)〕.

うたあわせ【歌合(わ)せ】图 平安시대에, 두 파로 갈라 단가(短歌)를 지어, 그 우열을 겨루는 놀이.

うたい【謡】图 能楽¹²에 맞추어 부르는 가사. =謡曲¹³.

うたいあ-げる【歌い上げる】[下1他]①소리높이 노래하다. ②〈감동한 것 등을〉시·노래로 나타내다. ¶情熱²³을 ~ 정감을 노래하다.

うだいじん【右大臣】图[史] 大臣대신 の一으로 버금가는 太政官²³의 장관 (우의정에 상당). 【부르는 사람.

うたいて【歌い手】图 가수; 노래를 잘

うたいもの【謡物】图 말에 곡조를 붙여 노래하는 것의 총칭〔催馬楽⁶⁶·今様⁶⁶·謡曲⁶³·長唄⁶⁶ 따위〕. =語⁴り物⁶.

うた-う【歌う·唄う】[五他]①唄う·唱う〕노래부르다. ¶歌²を~ 노래를 부르다. ②〈詠う〕시가를 짓다;읊다. ¶海²を~った詩⁴ 바다를 읊은 시.

うた-う【謡う】图 能楽¹²의 노랫말을 가락을 붙여 노래하다.

*__うた-う__【謳う】[五他]①구가(謳歌)하다; 칭송하다. ¶天子¹の徳⁴を~ 천자의 덕을 구가하다. ②강조해서 말하다; 주장하다. ¶効能⁶⁶을 ~ 효능을 강조해서 말하다 / 条文²³に~って ある 조문에 명시되어 있다.

うたがい【疑い】图①의심. ¶~なく 의심할 여지없이 / ~をさしはさむ(いだく) 의심을 품다. ②〔혐의(嫌疑)〕의 문겸. ¶~がかけられる 혐의를 받다.

うたが-う【疑う】[五他] 의심하다. ¶目⁴を~ 눈을 의심하다 / ~余地⁴がない 의심할 여지가 없다 / 事⁴の成否⁶⁶를 ~ 일의 성부를 걱정하다.

うたかた【泡沫】图〈雅〉물거품. ¶~の恋⁴ 〈물거품 같은〉덧없는 사랑.

うたがるた【歌がるた】【歌加留多】图 小倉²百人一首¹¹⁴⁴(=옛날의 100인의 和歌로 함)의 和歌로 만들어 카드; 또, 그것으로 하는 놀이.

*__うたがわ-しい__【疑わしい】-shi 图 의심스럽다. ¶成功⁶³するかどうか~ 성공 여부가 의심스럽다 / 行動⁶을 ~ 수상쩍은 행동.

う

うたげ【宴】 <名> 〈雅〉 연회(宴會) ; 잔치. ¶婚礼ᙢの~ 혼례 잔치.

うたごかいはじめ【歌御会始(め)】 정월 중순에 궁중에서 열리는, 그 해 최초의 어전에서의 和歌 발표회.

うたごころ【歌心】 <名> 시정(詩情) ; 시심. ①和歌를 읊고 싶어하는 마음 ; 和歌에 대한 취향(기분). ②和歌의 뜻.

うたた【転】 <副> 〈文〉①몹시 마음이 움직이는 모양 ; 사뭇. ¶~感慨ᙢにたえない 사뭇 감개가 무량하다. ②더욱더 ; 점점. ③한층 더.

うたたね【うたた寝】【転寝】 <名> <ス自> (잠자리가 아닌 데서 자는) 선잠 ; 앉은 잠. =かりね.

うだつ【梲】 <名> 『~が上ᙢがらない』를 눌러 있어 역경에서 헤어나지 못하다 〔출세를 못하다〕.

うたびと【歌人】 <名> ①和歌를 잘 짓는 〔읊는〕 사람. ②歌人 ; 가수.

うたまくら【歌まくら】【歌枕】 <名> ①和歌의 소재가 된 명승지. ②和歌를 만드는 자료가 되는 枕詞ᙢᙢ·명소(名所)·노래 제목 등을 모아 만든 책.

うたものがたり【歌物語】 <名> 和歌를 중심으로 한 짧은 이야기를 모은 것〔平安ᙢᙢ 시대 설화(說話)의 한 양식〕.

うたよみ【歌詠み】 <名> 和歌를 〔잘〕 짓는 사람 ; 가인(歌人).

うだ──る【茹る】 <自下一> ①삶아지다. ②심한 더위로 나른해지다. ¶~ような暑ᙢさ 사신이 녹는 듯한 더위.

うたわ──れる【謳われる】 <自下一> ①〔좋은〕 평을 받다. ¶強豪ᙢᙢと~ 강호라는 평을 받다 / 令名ᙢᙢを~ 이름을 떨치다. ②명문화되다. ¶憲法ᙢᙢに~れている 헌법에 명문화되어 있다.

うち【内】 <名> ①(中) 안(쪽) ; 내부 ; 속. ㉠옥내. ¶寒ᙢいから~で遊ᙢぶ 추우니까 〔집〕안에서 놀자. ㉡마음속. ¶~の怒ᙢりを表ᙢわさない 마음속의 노여움을 나타내지 않다. ㉢범위내. ¶この~から選ᙢぶ 이 안에서 뽑다. ㉣이내. ¶三日ᙢの~に終ᙢる 사흘 내에 끝나다. ㉤이전(에). ¶暗ᙢくならない~に 어둡기 전에. ②(中) 사이 ; 동안. ¶見ᙢている~に 보고 있는 동안에. ¶うち【家】①집 ; 가정 ; 집안. ¶~を建ᙢてる 집을 짓다 / ~を持ᙢつ 가정을 갖다. ②자기 남편이나 아내·가족. ¶~の人ᙢ 우리집 양반〔자기 남편〕. ③よそ. 【自〕 (자기의) 동료·조직·단체 등 ; 우리. ¶~の学校ᙢ 우리 학교.

うち- 〔うち·打ち〕 《動詞 앞에서》①동작이 가벼움을 나타냄 ; 좀〔가볍게〕…하다. ¶見ᙢる 훌끗 보다. ②음조(音調)를 고르게 하거나 뜻을 세게 하는 말. ¶しおれる 완전히 시들다 ; 기가 폭 죽다 / 切ᙢる 중단하다.

うちあげ【打(ち)上げ】 <名> ①쏘아 올림 ; 발사. ¶ロケットの~計画ᙢᙢ의 발사 계획. ②흥행의 끝 ; 끝막음 ; 또, 일의 마감을 축하하는 연회. ──はなび【打上花火】 하늘 높이 쏘아 올리는 불꽃. =仕掛ᙢ花火.

うちあけばなし【打(ち)明け話】 <名> 숨김 없이 털어 놓는 이야기.

うちあ──ける【打(ち)明ける】 <他下一> (비

밀·고민 등을) 숨김 없이 이야기하다 ; 고백하다.

***うちあ──げる**【打(ち)上げる】 <他下一> ①打ᙢ揚ᙢげる 처 올리다 ; 쏘아 올리다. ¶花火ᙢを~ 불꽃을 쏘아 올리다. ②(씨름·연극 등) 흥행·일 등을 끝마치다. ③(바둑에서) 상대의 죽은 돌을 따내다. <自下一> (파도가 육지로) 밀어닥치다.

うちあわせ【打ち合(わ)せ·打合せ】 <名> 협의.

うちあわ──せる【打(ち)合(わ)せる·打合せる】 <他下一> ①타합하다. ②맞부딪치다. ¶~「갑」; 슉격.

うちいり【討ち入り·討入】 <名> 쳐들어가기.

うちいわい【内祝(い)】 <名> 집안끼리의 축하 행사 ; 또, 그 때 돌리는 선물.

うちうち【うちうち·内内·内密】 <名> 내밀(内密) ; 집안끼리 함. =内輪ᙢᙢ. ¶~で式ᙢを挙ᙢげる 집안끼리 식을 올리다.

うちうみ【内海】 <名> 내해. =入ᙢり海ᙢᙢ. ↔外海ᙢᙢ.

うちおと──す【打ち落(と)す】 <他五> ①쳐서〔두들겨〕 떨어뜨리다. ¶首ᙢを~ 목을 베어 떨어뜨리다 / 柿ᙢを~ 감을 두들겨 따다. ②撃ち落(と)す 쏘아 떨어뜨리다.

うちおとり【内劣り】 <名> <ス自> 겉보기보다 내용이 못함.

うちかえ──す【打(ち)返す】 <他五> ①반격(反擊)하다 ; 되받아치다. ②(논밭을) 갈아 뒤집다. ③(헌 솜을) 타다. <自五> (물러갔던 파도가) 다시 밀려오다. ¶~「안주머니.

うちかくし【内隠し】 <名> 〈老〉 양복의 안주머니.

うちかけ【打(ち)掛け】【裲襠】 <名> 떨틀두른 옷에 걸쳐 입는 긴 옷〔옛날, 무가부인의 예복 ; 지금은 결혼식에 입음〕.

うちかさな──る【打(ち)重なる】 <自五> (몇 겹으로) 겹치다. ¶~不運ᙢᙢ 겹치는 불운.

うちか──つ【打ち勝つ·打ち克つ】 <自五> ①(강한 상대를) 이기다〔'勝ᙢつ'의 힘줌말〕. ②(어려운 등을) 이겨내다. ¶困難ᙢᙢに~ 곤란을 극복해 내다.

うちかぶと【内かぶと】【内兜·内冑】 <名> ①투구의 안쪽 ; 갑옷 〔内情〕 ; 특히, 약점. ──を見透ᙢかす (남의) 약점〔실정〕을 간파하다.

***うちがわ**【内側】 <名> 안쪽 ; 내면. ↔外側ᙢᙢ.

うちき【内気】 <名·形動> 내향성(内向性) 기질〔성격〕 ; 암떰.

うちきず【打ち傷】 <名> 타박상.

うちぎり【打(ち)切り】 <名> 그만둠 ; 중단. ¶中途ᙢᙢで~にする 중도에서 그만두다.

***うちき──る**【打(ち)切る】 <他五> ①중단하다. ¶交渉ᙢᙢを~ 교섭을 중단하다. ②〔切ᙢる〕의 힘줌말 ; 세차게 자르다.

うちきん【内金】 <名> 내입금(内入金) ; 대금 일부의 선불금〔매매·계약에서의 계약금 따위〕. =手ᙢつけ.

うちく──だく【打(ち)砕く】 <他五> ①'砕ᙢく'의 힘줌말 ; 때려〔처〕 부수다. ②곱게 빻다. ③알기 쉽게 말하다.

うちくび【打(ち)首】 <名> 참수(斬首). ──にする 참형에 처하다.

うちけし【打(ち)消し·打消】 <名> ①부정(否定)하는 일. ②〔文法〕 부정.

*うちけ-す【打(ち)消す】⑤他 부정하다. ¶うわさを～ 소문을 부인하다.

うちげんかん【内玄関】图〈□〉가족들이 사용하는 현관; 안 현관. ＝ないげんかん. ↔表玄関{おもてげんかん}.

うちこ【打(ち)粉】图 ①칼을 손질할 때 쓰는 숫돌 가루. ②땀띠약. ③반죽이 통에 붙지 않도록 뿌리는 가루. ＝とりこ.

*うちこ-む【打(ち)込む】□他 ①박아 넣다. ¶くぎを～ 못을 박아 넣다. ②다져 넣다. ¶コンクリートを型{かた}に～ 콘크리트를 틀에 다져 넣다. ③【擊(ち)込む】목표에 맞도록 총포를 쏘다. ④(검도에서) 쳐들어가다; 내리치다. ⑤(바둑에서) 상대의 세력권 안에 뛰어들다. □自 열중하다〔몰두하다〕. ¶教育{きょういく}に～ 교육에 열중하다.

うちころ-す【打(ち)殺す】⑤他 ①때려 죽이다. ②【擊(ち)殺す】(총으로) 쏘아 죽이다.

うちこわ-す【打(ち)壊す】【打(ち)毀す】때려 부수다.

うちしお-れる【打ちしおれる】【打ち萎れる】□自 (좌절감 등으로) 아주 풀이 죽다.

うちじに【打ち死に・討死】□自 (무사가) 적과 싸우다가 죽음; 전사.

うちす-える【打(ち)据える】□他 ①⟨古⟩때려 눕히다. ②고정시켜 두다.

うちたお-す【打(ち)倒す】⑤他 때려 눕히다. ②강한 자를 꺾다; 타도하다.

うちだし【打(ち)出し】图 ①쳐서 냄. ②(종이나 얇은 금속판을 안에서 두들겨서) 바깥으로 도드라지게 한 무늬. ③(씨름·연극에서) 그날 흥행의 종막. ＝はね. ¶～太鼓{たいこ} 종연(終演)을 알리는 북.

うちだ-す【打(ち)出す】⑤他 ①쳐서 내다. ②종이나 얇은 금속판을 안에서 두드려서 무늬를 겉으로 도드라지게 나오게 하다. ③방침을 강력히 내세우다. ¶方針{ほうしん}を～ 방침을 강력히 내세우다. ④치기 시작하다. ⑤하루의 흥행을 끝내는 북을 치다. ＝はねる.

うちた-てる【打(ち)立てる】【打(ち)樹てる】□他 ①수립하다; 세우다. ¶基礎{きそ}を～ 기초를 확립하다. ②박아세우다.

うちつけ【打ち付け】ダナ〈雅〉①갑작스러움. ＝だしぬけ. ②노골적임.

うちつ-ける【打(ち)付ける】□他 ①부딪치다. ¶頭{あたま}を～ 머리를 부딪치다. ②(못 따위를) 세게 박다. ¶表札{ひょうさつ}を～ 문패를 때려 박다.

うちつづ-く【打(ち)続く】⑤自 ⟨俗⟩계속되다. ¶～長雨{ながあめ} 계속되는 장마.

うちづら【内面】图 집안 사람을 대하는 태도. ¶～のきつい人{ひと} 집안에서는 엄한 사람. ↔外面{そとづら}.

うちつ-れる【打(ち)連れる】□自 동반하여 가다; 같이 가다.

うちでし【内弟子】图 스승 집에서 침식하고 일을 도우면서 그 기예를 배우는 제자. ¶～をとる 내제자를 두다.

うちでのこづち【打(ち)出の小づち】【打(ち)出の小槌】图 요술 방망이(원하는 물건의 이름을 부르면서 치면 그것이 나온다는 전설상의 방망이).

*うちと-ける【打(ち)解ける】□自 마음을 터놓다; 허물없이 사귀다. ¶～けて話{はな}す 허물없이 이야기하다.

うちどめ【打(ち)止め・打(ち)留め】图흥행·상연의 끝. ＝打出{うちだ}し.

うちと-める【打(ち)止める・打(ち)留める】□他 ①박아서 고정시키다. ②흥행을 끝내다. ¶～で 축척{ちく}이다.

うちと-める【討(ち)止める】□他 칼로 죽이다. ＝しとめる.

うちと-める【擊(ち)止める】□他 쏘아 죽이다. ＝しとめる.

うちと-る【討(ち)取る】【擊(ち)取る・打(ち)取る】⑤他 ①(무기로 적을) 죽이다; (칼로) 처죽이다. ②(경기에서) 강적을 물리치다.

うちぬ-く【打(ち)抜く】【打(ち)貫く】⑤他 ①구멍을 뚫다; 특히, 어떤 본을 대고 그 윤곽대로 구멍을 뚫다. ②꿰뚫다. ¶山{やま}を～ 산을 꿰뚫다.

うちぬ-く【擊(ち)抜く】⑤他 ①쏘아 꿰뚫다. ②(마지막 총알까지) 철저하게 쏴대다.

うちのめ-す【打ちのめす】⑤他 ①때려 눕히다. ②재기 불능토록 타격을 주다.

うちのり【内のり】【内法】图 용기(容器)의 안치수; 안목. ↔外{そと}のり.

うちはた-す【討ち果たす】⑤他 (원수 따위를 무기로 써서) 죽이다.

うちばらい【内払い】图 ⟶自 대금이나 빚의 일부를 미리 지불함. ＝内渡{うちわた}し.

うちぶ【内歩】图 할증금. ↔外歩{そとぶ}.

うちぶところ【内懐】图 ①옷 앞섶을 여며서 입었을 때, 살갗에 가까운 부분. ②속마음; 내심; 내막. ¶～を見透{みす}かされる 내막〔내심〕이 드러나다; 약점이 드러나다.

うちべり【内減り】【内耗り】图 곡식을 절구로 찧었을 때, 처음보다 좀 줄어듦; 또, 그 양. ↔内減{うちべ}り.

うちべんけい【内弁慶】图 집안에서만 큰 소리침; 또, 그런 사람; 횟대밑 사내. ＝かげべんけい.

うちポケット【内ポケット】-ketto 图양복 안쪽의 포켓. ↔pocket.

うちぼり【内堀】【内濠】图 성 안에 있는 호(濠). ↔外堀{そとぼり}.

うちまく【内幕】图 내막. ＝ないまく. ¶～をあばく 내막을 폭로하다.

うちまご【内孫】图 친손자. ↔外孫{そとまご}.

うちまた【内また】【内股】图 ①⟶ うちもも. ②안짱다리의 걸음걸이. ＝うちまた. ──ごうやく 《⟨膏薬⟩ -gō-yaku》 줏대없이 이쪽저쪽에 붙음; 또, 그런 사람.

うちみ【内身】图 타박상(打撲傷).

うちみず【打(ち)水】图 ⟶自 (먼지가 일지 않도록, 또는 더위를 막기 위해서) 길이나 뜰에 물을 뿌림; 또, 그 물.

うち-みる【うち見る】【打(ち)見る】□自 얼핏 보다; 얼핏 보다. ¶～みたところ 얼핏 본 바.

うちもの【打(ち)物】图 두드려 만든 금속 기구(특히, 칼을 말함). ¶～師{し} 대장장이; 도공(刀工). ↔鋳物{いもの}.

うちもも【打(ち)もも】【内股・内腿】图 안쪽 허벅지; 샅. ＝うちまた.

うちやぶ-る【打(ち)破る】【討(ち)破る・擊(ち)破る】⑤他 ①완전히 깨다

〔ふさだ〕타파하다. ②(적을) 쳐부수다; 격파하다.

うちゆ【内湯】图 ①(주택·여관 등의) 옥내 목욕탕. =内ぶろ. ↔外湯ぞ. ②집 안에 끌어들인 온천.

うちゆう【宇宙】uchū 图 ①우주; 천지. ¶~開発ガ우주 개발 / ~中継ガ우주 중계 / ~産業ゼ우주 산업 / ~の神秘ピ우주의 신비. ──じん【──塵】图〔天〕우주진. ──ステーション -shon 图〔──船〕우주 정거장. ──せん【──船】图 우주선.

うちゆう【雨中】uchū 图 우중; 빗속. ¶~の行進ミ우중의 행진 / ~にもかかわらず 우중임에도 불구하고.

うちょうてん【有頂天】uchō- 一图¹ 하도 기뻐서 어찌할 바를 모름. ¶合格ビして─になる합격하여 기뻐 날뛰다. 二图〔佛〕유정천; 형상 있는 세계의 제일 높은 곳.

うちよーせる【打(ち)寄せる】三①目 려오다; 밀어닥치다. ¶波ゼが─ 파도가 밀려오다.

*うちわ【うちわ・内輪】图 ①가정내; 집안. =うちうち. ¶~だけの集まりッ 집 안끼리의 모임. ②(실제보다) 적음. ¶~に見積いる 줄잡아 어림잡다(견적하다). ──もめ【──揉め】图 집안 싸움; 내분(内紛). =うちわげんか.

*うちわ【団扇】图 ①부채. ②씨름의 '軍配ガ'의 준말; 심판이 쓰는 부채. ──を揚あげる 이긴 것으로 판정하다. ¶~書ゼ 명세서.

うちわけ【内訳】图 내역; 명세(明細).

うちわた【打(ち)綿】图①무명활로 탄 솜. ②(특히, 활로 탄) 헌솜.

うちわたし【内渡し】图 图 내입금을 지불함; 또, 그 돈. =うちばらい.

うーつ【打つ】一⑤他 ①때리다. ①ヒットを─ 히트를 치다. ①베다. ○首びを─ 목을 치다. ②펴서 벌여 놓다. ¶幕まを─ 장막을 치다. ②¶先手ゼを─ 선수를 치다. ③두드려 박다. ¶くぎを─ 못을 박다. ¶刀なを─ 칼을 벼리다. ④(논밭을) 일구다. ¶田たを─ 논을 갈다. ⑤발신하다. ¶電報ぼを─ 전보를 치다. ⑦달리던 지다. ¶つぶてを─ 팔매질하다. ⑧(틀에) 넣어 찍다. ¶コンクリートを─ 콘크리트를 치다. ⑨공격하다. ¶不意いを─ 기습하다. ⑩부딪(쳐)다. ¶倒だれて頭ぎを─ 넘어져서 머리를 부딪치다. ⑪새겨 넣다. ¶銘ゼを─ 명(銘)을 새겨 넣다. ⑫내걸다; 게시하다. ¶高札ゼを─ 방(榜)을 내걸다. ⑬(물을) 뿌리다. ¶水なを─ったような静ぎ물을 끼얹은 듯한 고요. ⑭(장기·바둑 따위를) 두다. ¶碁ゼを─ 바둑을 두다. ¶(어떤 행위를) 하다. ¶逃げげを─ 도망치다 / ばくちを─ 도박을 하다 / もんどりを─ 재주 넘기다 / 芝居ばを─ (a)흥행하다; (b)계략을 꾸미다. ⑯큰 감동을 주다. ¶胸びを─ような言葉ゼば심금을 울리는 듯한 말. ⑰(솜 따위를) 틀다; 타다. ¶古綿なを─ 헌 솜을 타다. ⑱얇게 펴려) 펴다. ¶金箔なを─ 금박을 얇게 두드려 펴다. ⑲도박하다. ¶なわを─ 오라를 지우다. ⑳(주사 따위를) 놓다.

¶注射ゼゼを─ 주사를 놓다. ㉑지급하다. ¶手金びを─ 착수금을 치르다. ㉒¶なだれを─』(사태가 나듯) 우르르 무너지다. ㉓표시하다; 써넣다. ¶点でを─ 점을 찍다 / 番号ゼを─ 번호를 매기다. ⑤회 ①안에서 유동하는 것이 느껴지다; 치다; 뛰다. ¶脈ゼが─ 맥박이 뛰다. ──一ぱつ一丸ゼと成がる 합쳐 한 덩어리가 되다. ──て響びく 곧 반응을 보이다.

うーつ【討つ】⑤他 ①베어 죽이다. ②토벌하다.

うーつ【撃つ】⑤他 ①공격하다. ②총포를 쏘다. ③목표에 맞히다. ¶えものを─ 사냥감을 맞히다.

うつうつ【鬱鬱】☑タル 울울. ①침울한 모양. ¶~と日びを送がる 울울하게 세월을 보내다. ②초목이 무성む한 모양.

*うっかり ukka- 副 무심코; 멍청히; 깜박. ¶~者ゼ 멍청이 / ~約束ゼを忘われた 깜박 약속을 잊었다.

うつぎ【空木・卯木】图〔植〕병꽃나무.

うづき【卯月】图〈雅〉음력 4월; 사월(巳月).

うつくしーい【美しい】-shi 形 아름답다; 곱다. ¶~花びな 아름다운 꽃 / ~友情ゼッ 아름다운 우정.

うつけ【空け・虚け・蘫け】图¹ 멍청함. =まぬけ. ¶~者ゼ 멍청이; 얼뜨기.

うっけつ【鬱血】ukke- ☑自〔醫〕

*うつし【写し】图 ①(사진을 위한) 大写し 대사; 클로즈업. ②(그림·문서 등을) 베낌; (조각 등을) 모뜸; 또, 그것. ③사본; 부본. ¶~を取とる 부본을 뜨다.

うつしえ【写し絵】图 ①그림자놀이. = かげえ. ②환등.

うつしえ【映し絵】图 ①베낀 그림. ②사진; 붓으로 그린 그림.

うつしえ【移し絵】图 판박이 그림.

うつーす【移す】⑤他 ①옮기다; 都心ゼ(机ゼ)を─ 서울[책상]을 옮기다 / 実行ゼに─ 실행에 옮기다 / 病気ゼを─ 병을 옮기다. ②¶心びを─ 변심하다. ③¶時ぎを─ 시간을 허비하다. ④(물감이나 냄새를) 배게 하다. ¶色びを─ 물들게 하다. ──時ぎを移さず 때를 놓치지 않고. ④(물감이나 냄새를) 배게 하다.

うつーす【映す】⑤他 ①(거울·물 위 따위에 모습을) 비추다. ¶姿だを鏡がに─ 모습을 거울에 비추다. ②(영화·슬라이드 따위를) 영사(映寫)하다.

うつーす【写す】⑤他 ①①베끼다; 모사하다. ¶ノートを─ 노트를 베끼다 / 似顔ゼを─ 얼굴을 비슷하게 모사하다(초상화를 그리다). ①그리다; 묘사하다. ②(사진을) 찍다. ¶写真ゼを─ 사진을 찍다.

うつすら【薄ら】ussu- 副 어렴풋이; 희미하게; 아주 엷게. ¶~耳ゼにして いる 어렴풋이 듣고 있다 / ~(と)化粧ゼする 엷게 화장하다.

うーつ─する【鬱する】ussu- ☑変自 답답하다; 울적하다.

うっせき【鬱積】usse- 图 ☑自 울적; 불평 불만이 겹쳐 쌓임.

うっそう【鬱蒼】ussō ☑タル 울창. ¶~たる森林ゼ 울창한 삼림.

うったえ【訴え】 uttae 图 호소 ; 소송.

＊**うったーえる【訴える】** utta- **下1他** ① 소송하다〔고소〕하다. ②호소하다. ¶苦痛_{ふう}を〜 고통을 호소하다 / 父親_{ちちおや}に不平_{ふへい}を〜 부친에게 불평을 하소연하다 / 世論_{せろん}に〜 여론에 호소하다.

うっちゃらかーす【打遣らかす】 utcha- **5他**〔俗〕팽개쳐 둔.

＊**うっちゃーる【打遣る・打棄る】** utcha- **5他**〔俗・口〕①던져 버리다 ; 내던지다. ②(해야 할 일을) 내동댕이치다. ③(씨름에서) 씨름판 가에까지 밀려갔던 씨름꾼이 자기 몸을 뒤로 젖히, 상대방을 씨름판 밖으로 내동댕이치다. ④막판에 형세를 역전시키다. ¶危_{あぶ}ない所_{ところ}で〜 위기에서 역전하다.

うつつ【現】 utsutsu 图①현실 ; 생시. ¶夢_{ゆめ}か〜か 꿈이냐 생시냐. ②제정신 ; 제 정신. ③비몽사몽간(間). **━を抜_ぬか**す (너무 열중해서) 제정신을 잃다. **━を抜_ぬく**〔法〕.

うで【打つ手】 图 취해야 할 수단〔법〕.

うって【討っ手】 utte 图①자객(刺客). ¶〜を差_さし向_むける 자객을 보내다. ②토벌꾼(들) ; 추격자(들).

うってがえし【打って返し】 utte- 图 (바둑에서) 환격(還撃).

うってかわーる【打って変わる】 utte- **連語** 돌변하다.

うってつけ【打って付け〔打って附け〕】 utte- **名+** 안성맞춤. ¶君_{きみ}にこの仕事_{しごと}とがある 네게 딱 들어맞는 일이 있다.

うってーでる【打って出る】 utte- **下1自**①(입자로 따위를 하여) 자진해서 나가다. ¶選挙_{せんきょ}に〜 선거에 출마하다. ②(존재를 인정받아) 화려하게 나서다. ¶文壇_{ぶんだん}に〜 문단에 진출하다.

ウッド uddo 图 우드. ②(골프에서) 끝이 나무로 된 클럽. ↔アイアン. ▷wood.

＊**うっとうーしーい【鬱陶しい】** uttōshī **形**① 음울하다 ; 찌무룩하여 마음이 개운치 않다. ¶〜天気_{てんき} 찌무룩한 날씨. ② 성가시다 ; 귀찮다.

＊**うっとり** utto- **副** 황홀하여 멍한 모양. ¶美人_{びじん}を見_みて〜する 미인을 보고 넋을 잃다.

うばい【梁】 图〔雅〕 들보 ; =はり. **━のちりを動_{うご}かす** 가동 양진(歌動梁塵)하다〔노래를 썩 잘함의 비유〕.

＊**うつぶーせる【俯せる】** **下1他**①엎드리다 ; 고개를 숙이다. ②엎어 놓다. ¶コップを〜 컵을 엎어 놓다.

うっぷん【鬱憤】 uppun 图 울분. ¶〜を晴_はらす 울분을 풀다.

うつぼ【靫・空穂】 图 전동(箭筒) ; 허리에 차는 화살통.

うつぼ【鱓】 图〔魚〕곰치.

うつむきかげん【うつむき加減〔俯き加減〕】 图 약간 머리를 숙인 모양.

＊**うつむーく【俯く】** **5自** 아래쪽으로 기울다 ; 머리를 숙이다. ¶花_{はな}が〜 꽃이 (시들어) 고개를 숙이다. ↔あおむく.

うつむーける【俯ける】 **下1他** 아래로 숙이다〔기울이다〕. ¶顔_{かお}を〜 고개를 숙이다. ↔あおむける.

うつらうつら **副** 졸려서 깜빡깜빡 조는 모양 : 꾸벅꾸벅. =うとうと.

うつり【移り】 图①옮김 ; 변천. ②‘お〜’의 꼴로〕선물에 대한 간단한 답례품(성냥 따위).

うつり【写り】 图 사진의 찍힘새.

うつり【映り】 图①배색(配色) ; 배합. ¶この着物_{きもの}の〜 이 옷은 배색이 좋다. ②비침 ; 영상(映像). ¶テレビの〜がいい 텔레비전의 영상이 좋다. ――아서 남은 향내.

うつりが【移り香】 图 잔향(残香) ; 옮는 향내.

うつりかわーる【移り変(わ)る〔遷り変(わ)る〕】 **5自** 세월따라 변해가다 ; 변천하다. ――음. =浮気_{うわき}.

うつりぎ【移り気】 **名+** 변덕 ; 들뜬 마음.

うつりばし【移りばし〔移り箸〕】 图 (반찬과 밥을 번갈아 먹지 않고) 반찬만 이것저것 먹는 일(예법에 어긋남).

＊**うつーる【移る】** **5自**①옮겨지다 ; 이동하다. ¶都_{みやこ}が〜 수도가 옮겨지다. ②(마음 따위가) 변하다. ¶心_{こころ}が〜 마음이 변하다 / 情_{じょう}が〜 정이 들다. ③時_{とき}が〜 (a)시간이 경과하다 ; (b)시대가 변하다. ④지위가 바뀌다. ⑤전염(감염)되다. ¶皮膚病_{ひふびょう}が〜 피부병이 옮다. ⑥냄새·빛이 옮다. ¶薬_{くすり}のにおいが〜 약냄새가 옮다.

＊**うつーる【写る】** **5自**①(속이) 비쳐 보이다. ②찍히다. ¶よく〜カメラ 잘 찍히는 카메라.

＊**うつーる【映る】** **5自**①비치다. ¶水_{みず}に〜影_{かげ} 물에 비치는 그림자. ②배합〔색채(色)〕이 잘 되다 ; 잘 어울리다. ¶よく〜ネクタイ 잘 어울리는 넥타이.

うつろ【空・虚・洞】 **名+**①속이 텅빔 ; 또, 그런 곳. ¶空_{うつ}ぽ진 구멍〔명한〕모양. ¶〜な目_め 얼빠진 눈.

うつわ【器】 图①그릇. ¶容器(容器). ②도구 ; 기구. ③인물 ; 재능 ; …감. ¶大臣_{だいじん}の〜 장관 감.

＊**うで【腕】** 图①팔 ; 완력. ¶〜ずく 완력〔주먹〕 다짐. ③솜씨. ④(물건을 지탱하는) 가로대. ¶〜木_き=の자의 팔걸이. **━が上_あがる** 솜씨가 늘다. **━が鳴_なる** (솜씨를 보이고 싶어서) 좀이 쑤시다. **━に覚_{おぼ}えがある** 솜씨에 자신이 있다. **━に磨_{みが}きをかける** 기량을 닦다(연마하다). **━に縒_よりをかける** 크게 분발하다 ; 열심히 노력하다. **━をこまぬく** 팔짱을 끼다 ; (수수) 방관하다. **━を振_ふる** 솜씨를 발휘하다.

うでぎ【腕木】 图 완목 ; (기둥 따위에 옆으로 댄) 가로대.

うできき【腕利き】 图 솜씨·능력이 뛰어남 ; 또, 그 사람. ¶評判_{ひょうばん}の〜 소문난 실력가(민완가). ¶〔껌〕.

うでぐみ【腕組み】 图 **ス自** 팔짱(을 낌).

うでくらべ【腕比べ〔腕競べ〕】 图 **ス自** 솜씨나 완력을 서로 겨룸. ¶ス自〔랑.

うでじまん【腕自慢】 图 솜씨(껌)의 자랑.

うでずく【腕ずく〔腕尽く〕】 图①완력 다짐으로 함. ¶〜なら負_まけない 완력이라면 지지 않겠다. ②온갖 솜씨를 다부림. ¶름.

うでずもう【腕相撲】 -mō 图 **ス自** 팔씨름.

うでぞろい【腕ぞろい〔腕揃い〕】 图 솜씨가(완력이) 뛰어난 사람만이 (모여) 있음.

うでだて【腕だて〔腕立て〕】 图 **ス自** 완력을 믿고 남과 다툼. ¶〜無用_{むよう} 완

력 행사 금지. ¶'팔굽히기'.

うでたてふせ 【腕立て伏せ】 图 엎드려

うでだめし 【腕試し】 图 区自 (완력·솜씨·실력을) 시험해 봄.

うでっこき 【腕っこき】 〔=腕っ扱き〕 udekko-　완력이나 기능이 각별히 뛰어난 사람. =うでこき.

うでっぷし 【腕っ節·腕っ節】 udeppu-　图 완력. ¶~が強い 완력이 세다. =うでぶし.

うでどけい 【腕時計】 图 팔뚝〔손목〕시【계.

うてな 【台】 图 ①〈雅〉 전망이 좋은 높은 전각(殿閣). ②물건을 얹어 놓는 대. ¶はすの~ 연대(蓮臺).

*****うでまえ 【うでまえ·腕前】** 图 솜씨;기량(技術). =てなみ. ¶すぐれた~ 뛰어난 솜씨.

うでわ 【腕輪】 图 팔찌. ¶~を はめる 팔찌를 끼다.

うてん 【雨天】 图 우천. ¶~順延じゅん우천 순연. ↔晴天せい.

うど 【独活·土当帰】 图 〈植〉 땅두릅. ¶~の大木たい 덩치만 크고 쓸모없는 것이나 사람의 비유.

*****うと-い 【疎い】** 形 ①소원하다;서먹하다. ↔したしい. ②(사정에) 어둡다. ¶世事じに~ 세상 일에 어둡다.

うどく 【善知鳥】 utō 图 〈鳥〉 흰수염바다오리.

*****うとうと** 圖 깜빡깜빡 조는 모양:꾸벅꾸벅. =うつらうつら. ¶~している間に 꾸벅꾸벅 졸고 있는 사이.

うとうと-しい 【疎疎しい】 -shi 形 서먹서먹하다;냉담하다. =よそよそしい. ¶~態度 냉담한 태도.

うとまし-い 【疎ましい】 -shi 形 (매우) 싫다;지겹다. =いとわしい. ¶見るのも~ 꼴도 보기 싫다.

うと-む 【疎む】 5他 (꺼려) 멀리하다.

うどん 【饂飩】 图 (일본의) 가락국수.

うどんげ 【優曇華】 图 ①〈佛〉 우담화(상상의 식물). ②풀잠자리의 알.

うどんこ 【うどん粉】 〔=饂飩粉〕 图 밀가루. 〔=とむ.

うとん-ずる 【疎んずる】 サ变動 ☞う トム.

ウナ 图 〔至急電報ちでん〕 (=지급 전보)'의 약호. ¶~電 지급 전보.

うながす 【促す】 5他 재촉〔독촉〕하다.

うなぎ 【鰻】 图 〈魚〉 뱀장어. ¶—の寝床とこ 좁고 길쭉한 방이나 집의 비유.

うなぎのぼり 【うなぎ登り·鰻登り·鰻上り】 图 (물가 등이) 자꾸 올라감. ¶~の出世しゅっ 빠른 출세 / 物価かぶが~に上がる 물가가 자꾸 뛰어 오르다.

うなさ-れる 【魘される】 区自 가위눌리다. ¶悪夢むくに~ 악몽에 시달리다.

うなじ 【項】 图 〈雅〉 목덜미.

*****うなず-く 【頷く·肯く·首肯く·項突く】** 5自 수긍하다;(고개를) 끄덕이다. ¶軽けくう~ 가볍게 고개를 끄덕이다.

うなだ-れる 【項垂れる】 区自 (실망·슬픔 따위로) 고개를 숙이다〔떨구다〕.

うなどん 【鰻丼】 图 〈料〉 장어덮밥('うなぎどんぶり'의 준말). 〔다.

うなばら 【海原】 图 〈雅〉 넓고 넓은 바

*****うな-る 【唸る】** 5自 ①신음하다;끙끙거리다. =うめく. ②윙윙 소리를 내다〔가 나다〕. ¶モーターが~ 모터가 윙

왕거리다. ③(동물이) 으르렁거리다. ④쥐어짜는 소리로 노래하다. ⑤감탄하다. ¶見物人はんぶつを감탄시키다;구경꾼을 감탄시키다. ⑥(힘이 넘쳐) 근질근질하다. ¶腕うでが~ 팔이 근질근질하다;좀이 쑤시다. ⑦(돈이) 많다. ¶金かねが~程ある 돈이 엄청나게 많다.

うに 【海胆】 图 〈動〉 성게.

うに 【雲丹】 图 성게 알젓.

うぬぼれ 【己惚れ·自惚れ】 图 자만;자부(심).

*****うぬぼ-れる 【己惚れる·自惚れる】** 下1自 (실력 이상으로) 자부(自負)하다;자만하다. ¶少し学問がくを した~ 학문깨나 좀 했다고 우쭐해하다.

うね 【畝·畦】 图 밭이랑;또, 그와 비슷한 모양의 것. ¶波なみの~ 물결;놀.

うねうね 圖 (혼히 'と'를 수반하여) 높고 낮게, 구불구불 길게 이어지는 모양. ¶~(と)続つづく山脈さん 구불구불 이어지는 산맥 / ~と波打うつ海原うなら 넘실넘실 파도치는 넓은 바다.

うね-る 5自 ①꾸불꾸불하다. ②파도가 물결치다;넘실거리다. ¶波なみが~ 물결이 넘실거리다;놀이 치다. 〔산 등성이가〕 기복(起伏)하다.

うのけ 【うの毛】 〔=兎の毛〕 图 ①토끼털. ②아주 미소함. ¶—で突ついたほど 아주 작은 것의 비유. ¶~で突いたほどの すきもない 바늘끝만한 빈틈도 없다.

うのはな 【うの花】 〔=卯の花〕 图 ①〈植〉 병꽃나무의 꽃. ②おから (=비지)의 딴이름.

うのみ 【鵜呑み】 图 통째로 삼킴;전하여, 잘 이해하지 못하고 그냥 받아들임. =まるのみ. ¶人じんの話はなを~にする 남의 말을 그대로 믿다.

うのめたかのめ 【うの目たかの目】 〔=鵜の目鷹の目〕 連語 열심히 무엇을 찾는 모양. ¶~で捜さがす 눈을 까뒤집고 찾다.

うは 【右派】 图 우파. ↔左派さ. 〔다.

うば 【姥·乳母】 图 유모. ¶~車ぐる 유모차.

うば 【姥·嫗】 图 ①노파;늙은 여자. ②노파를 본뜬 能面のうの 하나.

*****うば-う 【奪う】** 5他 ①빼앗다. ¶財布ふを~ 지갑을 빼앗다〔빼앗아 돈을 ~われる 돈 때문에 발이 묶이다. ②(마음을) 사로잡다. ¶目めを~美うつくし さ 눈을 사로잡는〔끄는〕 아름다움 / 雪ゆきの色いろを~白しろさ 눈빛을 무색하게 하는 흰 빛. ③없애다. ¶熱ねつを~ 열을 없애다.

うばざくら 【うば桜·姥桜】 图 〈植〉 피안벚나무의 한 가지. ②아직 아름다움을 지니고 있는 중년 여성. ③〈俗〉 한물 지난 미인.

うぶ 【初·初心】 图名 ①순진함;세정에 때묻지 않음. ¶~な学生がくの 순진한 학생. ②남녀 관계에 경험이 없음. ¶~な娘むすめ 숫(순진한)처녀.

うぶ- 【産】 〈名詞 위에 붙어〕 갓 낳은 때〔그대로의〕;배내의. ¶~声ごえ 갓난아이의 첫 울음 소리;고고(呱呱).

うぶぎ 【産着·産衣】 图 배내옷.

うぶげ 【産毛】 图 ①솜털(産毛);배냇머리. ②(얼굴 따위의) 솜털.

うぶゆ【産湯】图 갓난아이를 목욕시킴; 또, 그 더운 물. 〔〜[승낙]하다.

うべな-う【宜う・諾う】⑤他〔雅〕동의하다.

うま【午】图 오; 지지(地支)의 일곱째; 말(방위로는 남; 시각으로는 낮 12시; 또, 오전 11시부터 오후 1시 사이).

*うま【馬】图 ①(動) 말. ②아래쪽이 벌어진 네 발 달린 발판(미장이 등이 씀). =脚立台. ③(일본 장기에서)「桂馬或・成角或」의 약칭. ④つけ馬の준말(기생집・요릿집에서, 술값을 받으려고 손님 집까지 따라가는 사람). ¶〜を引いて帰る술값 받을 사람을 데리고 (집에) 돌아오다. 一が合う마음이 맞다. 一の耳に念仏암소 귀에 경읽기(牛耳讀經). 一は一つれ유유상종(類類相從).

*うま-い【旨い・甘い・美味い】形①맛있다. =おいしい. ②손해가 안 되는 모양. ¶一話(a)나쁘지 않은 듯; (b)돈벌이가 되는 일; (c)달콤한 말〔일〕/自分只だけ一事を行かけば一年で遊べる일이 잘되면 1년 놀고 먹을 수 있다. ⇔まずい. 一汁を吸う애쓰지 않고 혼자 재미를 본다.

*うま-い【上手い・巧い】形①잘하다; 훌륭하다. ¶なかなかスキーが〜스키솜씨가 뛰어나다. ②一事を言"う"(a)겉치레로(아부해서) 말하다; (b)일러주다(좋은) 말을 하다.

うまいち【馬市】图 말시장.

うまうまと【甘甘と】副 교묘하게; 보기 좋게. =まんまと. ¶〜だます 감쪽같이 속이다.

うまおい【馬追(い)】图 ①마바리를 몲; 또, 마바리꾼. ②(방목한) 말을 몰아들임; 또, 그 사람. ③うまおいむし의 준말; 베짱이.

うまかた【馬方】图 마부; 마바리꾼.

*うま-く【旨く】副 먹음직하게; 솜씨 좋게. ¶〜だます 교묘하게〔감쪽같이〕속이다. 一行かく 일이 잘 돼가다/〜してやられた 보기좋게 당했다.

うまごやし【苜蓿・馬肥やし】图(植)거여목. 〔(맛)좋은 술.

うまざけ【旨酒・味酒・美酒】图 맛좋은 술.

うまずたゆまず【倦まず弛まず】副 조금도 게을리 하지도 않고; 꾸준히.

うまずめ【産まず女】【石女・不生女】图석녀; 돌계집.

うまづら【馬面】图 말상; 긴 얼굴.

うまに【うま煮】【甘煮・旨煮】图 고기나 야채를 달게 조린 요리.

うまのあし【馬の足・馬の脚】图①(연극에서) 말의 다리 노릇을 하는 역할. ②하급 배우; 시원찮은 배우.

うまのせ【馬の背】图①말의 등. ②산등성이, 능선과 같은 소나기 따위가 어느 한 지역에만 내리다.

うまのほね【馬の骨】图 내력을 잘 모르는 시시한 자(者). ¶どこの〜だか わからない 어디서 굴러먹던 말뼈다귀 인지 모르겠다.

うまのり【馬乗り】图①승마; 말타기; 또, 말타는 사람. ②一遊び(아이들의) 말타기 놀이. ③말 탈 것같이 양 다리로 짧게 앉음. ¶〜になる 깔고 앉다.

うまばえ【馬ばえ】【馬蠅】图〔蟲〕 말파리.

うまへん【馬偏】图 한자 부수의 하나; 말마변(験・駅 등의 '馬'의 이름).

うまみ【うま味】【旨味・甘味】图 맛이 좋다는 느낌.

うまみ【うま味・うま味】【上手味・巧味】图 ①솜씨가 좋다는 느낌. ¶一의 表現솜씨 멋있는 표현. ②재미; 전하여, 상업상의 이익. ¶〜のある商売 재미보는 장사.

うまや【駅】图 (옛날의) 역참. =宿場

うまや【馬屋】【厩・廐】图 마구간.

*うま-る【埋(ま)る】⑤自 うずもれる. =埋もれる. ¶道路只が〜메워지다; 막히다 /空席或が〜った 공석이 메워짐 / 穴只が〜 구멍이 막히다. ⓒ벌충되다. ¶欠損只がやっと 一겨우 벌충되었다.

*うまれ【生まれ】图①탄생; 출생. ¶三月〜 3월생. ②가문; 출신. ¶〜がよくない 가문이 좋지 않다. ③출생지; 출생한 고장. ¶〜は大阪或です 태생은 大阪입니다. 一もつかぬ 타고난 천성・모습이 아닌.

うまれお-ちる【生まれ落ちる】上一自 태어나다. ¶〜ちて以来只 [このかた] 태어난 이래.

うまれかわ-る【生(ま)れ変(わ)る】⑤自 ①(다른 모습으로) 다시 태어나다. ①환생(幻生)하다. ②(성격이나 내용 따위가) 싹 달라지다. ¶〜って真人間只になる (사람됨이) 일변해서 참사람이 되다.

うまれこきょう【生(れ)故郷】-kyō图 출생지; (태어난) 고향.

うまれつき【生(ま)れつき・生(ま)れ付き】㊀图 타고난 것; 천성. ¶〜の性質只 타고난 성질. ㊁副 선천적으로; 천성으로. =生来或. ¶〜口只が悪い 천성으로 입이 험하다〔걸다〕.

うまれながら【生(ま)れながら】⑤〔생(ま)れ乍ら〕副 태어날 때부터. ¶〜の大将只 타고난 장수(감).

*うま-れる【生まれる・産(ま)れる】下一自①태어나다. ⇔死ぬ. ②(없던 것이) 새로 생기다. ¶新或しい会社只が〜 새 회사가 생기다.

*うみ【海】图①(또)바다. ⇔陸只. ②호수. ③넓게 퍼져 있는 것. ¶一面或火只の〜 온통 불바다. ⑤연지(硯池). ⇔陸只.

*うみ【膿】图 농; 고름. ⑥전하여, (조직・단체의) 악폐. ¶〜を出す(a)고름을 짜내다; (b)철저하게 개혁하여 악폐를 제거하다.

うみ【生み・産み】图 낳음; 낳기. ¶一の母只생모. 一の苦しみ산고; 진통 (비유적으로도 씀).

うみおと-す【生み落(と)す・産み落(と)す】⑤他 (아이・새끼・알 따위를) 낳다. 一たまごを〜 알을 낳다.

うみがめ【海がめ】【海龜・海亀】图〔動〕 바다거북의 총칭.

うみせんやません【海千山千】图 산전수전을 다 겪어 교활함; 또, 그 사람. ¶〜のやり手 산전 수전을 다 겪은 구렁이; 백전 노장.

うみだ-す【生(み)出す・産(み)出す】

[5他]낳다. ¶利息쑛을 ~ 이자를 낳다. ②새로 만들어 내다. ¶よい方法뿡을 ~ 좋은 방법을 생각해 내다.

うみづき 【産み月】 名 산월;(해)산달.

うみつ・ける 【生(み)付ける・産(み)付ける】 [下1他](어떤 모양이나 성질로) 낳다. ¶やくさに ~・けた覚쁗えはない (너를) 불량배로 낳지는 않았다. ②(알을) 슬다.

うみつばめ 【海燕】 名 [鳥] 바다제비.

うみづり 【海釣り】 名 바다 낚시. ↔川釣쎺り.

うみなり 【海鳴り】 名 [自] 해명(폭풍우가 불어 올 전조(前兆)로서 바다가 명동(鳴動)하는 일).

うみねこ 【海猫】 名 [鳥] 괭이갈매기.

うみのおや 【生みの親・産みの親】 名 친부모. ¶~より育떯ての親 낳은 정보다 기른 정.

うみのさち 【海の幸】 名 바다에서 나는 것; 해산물. =うみさち. ¶~と山쁗の幸 바다와 산에서 잡은 것; 산해의 진미.

うみびらき 【海開き】 名 [自] 해수욕장의 개장. ↔山開쁗き.

うみへび 【海蛇】 名 ①[動] 바다뱀. ②[魚] 곰치.

うみぼうず 【海坊主】 -bōzu 名 ①뱃길에 나타난다는 허깨비. ②アオウミガメ(=푸른바다거북)'의 별명.

うみやま 【海山】 名 바다와 산. ¶~のシーズン 산과 바다의 계절(여름) / ~の恩뫟 바다처럼 깊고 산처럼 높은 은혜. 「熟쁗れる.

う・む 【熟む】 [5自](과일이) 익다.

う・む 【膿む】 [5自] 곪다.

う・む 【生む・産む】 [5他] ①(아이・새끼・알을) 낳다. ②(없던 것을) 만들어 내다. ¶うわさがうわさを ~ 소문이 소문을 낳다.

う・む 【倦む】 [5他] 싫증나다; 지치다. ¶生活칺에 ~ 생활에 지치다.

うむ 【有無】 名 유무. ¶~相通늍ずる 유무 상통하다. —を言쁗わせず (싫든 좋든) 우격으로; 불문 곡직하고.

*うめ 【梅】 名 매화나무; 또, 매실. 一にうぐいす 잘 조화되는 비유.

うめあわせ 【埋め合(わ)せ・埋合せ】 名 벌충; 보충. ¶~がつく 벌충이

*うめあわ・せる 【埋め合(わ)せる・埋合せる】 [下1他] 메우다; 벌충하다; 보충하다. ¶赤字쌍を ~ 적자를 메우다.

うめ-く 【呻く】 [5自] 신음하다. ¶病床칺에(서) 신음하다. ¶힘들여 시가(詩歌)를 지어내다(읊다).

うめくさ 【埋め草・埋め種】 名 (잡지 등에서) 여백을 메우는 짧은 기사.

うめしゅ 【梅酒】 -shu 名 매실주.

うめたて 【埋め立て・埋立て】 名[他] 매립. ¶~地쁗(工事) 매립지(공사).

*うめた・てる 【埋め立てる・埋立てる】 [下1他] 메우다; 매립(埋築)하다.

うめぼし 【梅干(し)】 名 매실장아찌(매실을 말려서 차조기의 잎을 넣고 소금에 절인 식품). —ばばあ 【——婆】 -baba 名 쭈그렁 할멈[노파].

*う-める 【埋める】 [下1他] ①묻다; 메우다; 채우다; 벌충(보충)하다. ¶骨쁗を

~ 뼈를 묻다 / 穴쁗을(赤字혾을)을 ~ 구멍을(적자를) 메우다. ②뜨거운 물에 찬물을 타서 미지근하게 하다. ¶湯쁗を ~ 뜨거운 물에 찬물을 타다. 「털.

うもう 【羽毛】 umō 名 우모; 깃털; 새

うもれぎ 【埋もれ木】 名 ①매목; 흙속에 묻혀 탄화된 나무의 화석. ②세상에서 버림을 당한 처지의 비유. ¶一に花쁗が咲쁗く 불우했던 사람에게 뜻밖에 행운이 돌아오다. 「もれる.

う-もれる 【埋もれる】 [下1自] ☞うず

うやうやし・い 【恭しい】 -shī 形 공손하다; 정중하다. ¶~くおじぎをする 공손히 인사하다.

*うやま・う 【敬う】 [5他] 존경(공경)하다. ¶~べき人쁗 존경해야 할 사람.

うやむや 【有耶無耶】 [ダナ] 유야무야; 호지부지. ¶~な態度をとる 애매한 태도를 취하다 / 責任쁗을 ~にする 책임을 호지부지 해버리다.

うゆう 【烏有】 uyū 名 오유; 전혀 없음. —に帰쁗す 오유로 돌아가다; 화재로 몽땅 타버리다.

うようよ 副 작은 벌레 같은 것이 들끓는 모양; 우글우글; 득시글득시글.

うよきょくせつ 【紆余曲折】 uyokyo- 名 [自] 우여 곡절. ①꾸불꾸불함. ②복잡한 사정으로 여러 가지로 변화함. ¶~を経쁗てやっと解決칿되는 우여 곡절을 겪고 겨우 해결되다.

うよく 【右翼】 名 우익. ①오른쪽 날개. ②보수적・국수적 단체. ③[野] 우측 외야. ④우측 대열. ↔左翼쁗. 「해변.

うら 【浦】 名 ①후미; =いりえ. ②[雅]

*うら 【裏】 名 ①뒤; 뒷면; 뒤쪽. ¶ページの~ 페이지 뒷면 / 足쁗の~ 발바닥. ②(옷의) 안(감). ③겉과 반대되는 일. ¶~を言쁗う 본심을 감추고 반대되는 말을 한다. ②이면; 뒷면. ¶財界쁗의~ 재계의 이면 / [野] 말(末). ¶一回칿의 ~ 일회 말. ⑤뒷면으로 통한 것. ¶~から頼칿みこむ 뒷문으로 청탁하다. ⇔表쁗. 一には—がある 이면에는 이면이 있다(내막이 복잡하다). —をかく (상대방의) 의표(意表)를 찌르다; 꼭.

うら=【心】 【形容詞 앞에 붙어】 어쩐지. ¶~がなしい 왠지 슬프다.

うらうち 【裏打ち】 名 [他] ①옷에 안을 댐. ②배접; 종이나 가죽 뒷면에 다른 종이나 천을 덧붙여 튼튼하게 함. ③뒷받침. =うらづけ. ¶実験칿して ~ をする 실험으로 뒷받침하다.

うらうらと 副 화창하게. ¶~した春쁗の日쁗ざし 화창한 봄별.

*うらおもて 【裏表】 名 ①안팎; 안과 겉. ¶紙쁗の~ 종이의 앞뒤. ②표리. ¶~のない人間칿 표리없는 사람; 정직한 사람. ③뒤바뀜. ¶シャツを~に着쁗る 셔츠를 뒤집어 입다.

*うらがえ・す 【裏返す】 [5他] 뒤집다. ¶~して言쁗えば 뒤집어 말하면.

*うらがえ・る 【裏返る】 [5自] ①뒤집히다. ②배반하다; 적과 내통하다. =裏切칿る.

*うらがき 【裏書】 名 [自他] ①(수표・증권 따위의) 배서(背書); 이서. ¶手形칾의~ 어음의 배서. ②서화(書画)따

위의 뒤에 감정 결과나 그 내력·주석 등을 씀. ③입증; 뒷받침. ¶犯行을 ～する証拠 범행을 뒷받침하는 증거.

うらかぜ【浦風】图〈雅〉갯바람.
うらかた【裏方】图①귀인의 아내. ②일반적으로, 남의 아내에 대한 높임말. ③표면에 나서지 않고 무대 뒤에서 일하는 사람. ↔表方.
うらがなし-い【うら悲しい】(心悲い) -shī 形 어쩐지 슬프다; 서글프다.
うらが-れる【うら枯れる】【末枯れる】下1自 (겨울이 가까워져서) 초목의 끝이 마르다.
うらがわ【裏側】图 뒤쪽; 안쪽; 이면.
うらき【うら木】【末木】图〈雅〉나무 끝; 우듬지. =こずえ. ↔本木.
うらきど【裏木戸】图①뒷 출입구로 통하는 나무 쪽문. ↔大戸. ②흥행장의 뒷문.
うらぎり【裏切(り)】图 배반; 내통. ¶～者의 배반자.
*うらぎ-る【裏切る】5他①배반하다; 적과 내통하다. ②(예상에) 어긋나다. ¶期待を～ 기대에 어긋나다.
うらぐち【裏口】图①뒷문. ¶～から逃げる 뒷문으로 도망치다. ↔表口. ②뒷구멍; 부정한 수단. ¶～入学 뒷구멍(부정) 입학.
うらうい【裏うい】【裏野】图〈印〉패션 뒤쪽을 사용하는 굵은 선. ↔表けい.
うらげい【裏芸】图 연예인들의 숨은 재주〔장기〕. =隠し芸. ↔表芸.
うらごえ【裏声】图 가성〔假聲〕(남자의) 기교적으로 내는 소리; 요즘 따위). ↔地声.
うらごし【裏ごし】【裏漉し】图 체 →(고운) 체; 또, 그것으로 거르는 일.
うらさく【裏作】图〈農〉이작〔그루갈이. =あと作.
うらさびし-い【うら寂しい】(心寂しい) -shī 形 어쩐지 쓸쓸하다.
うらじ【裏地】图 (의복의) 안감.
うらしまたろう【浦島太郎】-rō 图 거북을 살려 준 덕으로 용궁에 가서 즐겁게 지내다가 돌아와 보니, 많은 세월이 지났다는 동화의 주인공.
うらじろ【裏白】图①종이·헝겊(으로 만든 것)의 안쪽이나 바닥이 흼. ②〔植〕풀고사리.
*うらづけ【裏付(け)】图ス他①뒷받침; 확실한 증거. ¶理論上의～がない=이론적인 뒷받침이 없다. ②(옷에) 안을 대어 튼튼하게 함. =うらうち.
うらづ-ける【裏付ける】下1他①안을 대다; 배접하다. ②뒷받침하다. ¶犯行を～ 범행을 뒷받침하다.
うらて【裏手】图 뒤편; 배후. ↔敵の～に回る을 ~ 범행을 뒷받침하다.
うらどおり【裏通り】-dōri 图 뒷거리; 뒷골목. ↔表通り.
うらない【占い】【卜い】图 점; 점쟁이. ¶～師 점쟁이.
*うらな-う【占う】【卜う】5他 점치다. ¶運勢を～ 운수를 점치다.
うらながや【裏長屋】图 뒷골목에 지은 長屋.
うらなり【末成り·末生り】图①철늦게 덩굴 끝에 달린 호박 따위 식물의 열

매; 끝물; 늦깎이. ↔本成なり. ②안색이 나쁘고 허약한 사람(조롱하는 말).
ウラニウム-nyūmu 图 우라늄. ☞ウラン. ▷uranium.
うらにほん【裏日本】图 本州중에서 서 동해에 면한 지방. ↔表日本.
うらにわ【裏庭】图 뒤뜰.
うらはずかし-い【心恥(ず)かしい】-shī 形 어쩐지 부끄럽다; 쑥스럽다.
うらばなし【裏話】图 비화〔祕話〕; 뒷이야기.
うらはら【裏腹】图 거꾸로; 정반대; 모순됨. ¶～なことを言う 모순된 말을 하다.
うらばんぐみ【裏番組】图 어떤 인기 프로에 대항하여 같은 시간에 내보내는 다른 방송국의 프로.
うらぶ-れる下1自 영락하여 초라해짐.
うらぼん【うら盆】【盂蘭盆】图 우란분재(음력 7월 보름에 조상의 영혼을 제사지내는 불교 행사); 백중맞이. =ぼん·うら盆え.
うらまち【裏町】图 뒷골목의 (초라한) 거리.
*うらみ【恨み】【怨み】图 원한; 앙심. ¶～をいだく 원한을 품다. ～を晴らす 원한을 풀다. ──骨髓に徹する 원한이 뼈에 사무치다. ──を飲む 원한을 꾹 참다.
うらみ【憾み】图 유감; 흠. ¶急ぎ過ぎた～がある 너무 서둔 감이 있다.
うらみち【裏道】图①뒷(골목) 길. ②샛길. =抜け道え·間道え. ③〈俗〉부정한 방법〔수단〕. ④그늘진 생활. ¶人生の～ 인생의 뒤안길.
うらみっこ【恨みっこ】【怨みっこ】-mikko 서로가 원망함. ¶～なしにしよう 서로 원망하지 말기로 하자.
うらみつらみ【恨みつらみ】【怨みつらみ】원통하고 쓰라린 일. ¶～の数々を並べたてる 온갖 원통하고 쓰라린 말을 늘어놓다.
*うら-む【恨む】【怨む】5他 원망하다; 분하게 여기다. ¶天を～ 하늘을 원망하다.
うら-む【憾む】5他 유감스럽게 여기다; 애석해 하다; 후회하다. ¶人의死を～ 아무의 죽음을 애석해하다.
うらむらくは【恨むらくは】【怨むらくは·憾むらくは】-wa 連語 원망스럽게도; 유감스럽게도; 애석하게도.
うらめ【裏目】图 기대·예상의 반대쪽 결과. ──に出る 예상이 들어지다.
*うらめし-い【恨めしい】【怨めしい】-shī 形①원망스럽다. ②유감(恨)스럽다. ¶まにあわなかったから~ 제 때에 대지 못한 것이 한스럽다.
うらもん【裏門】图 뒷문. ↔表門.
*うらやまし-い【羨ましい】-shī 形 부럽다; 샘이 나다. ¶君의幸運なが~ 자네의 행운이 부럽네.
*うらや-む【羨む】5自 부러워하다; 샘내다.
うらら【麗ら】ダナ①화창한 모양. ¶~な春の日 화창한 봄날. ②명랑한 모양. ¶~な声 명랑한 목소리.
うらわかい【うら若い】【末若い】形 젊디젊다; 어젊다. ¶~女性 아직(매우) 젊은 여성.
ウラン图 우란; 우라늄. ▷도 Uran.
うり【売り】图 팔기(좁은 뜻으로는,

시세 하락을 예상하고 팔기). ↔買か̈い.

うり 【瓜】 图 【植】 참외·오이 등 박과 식물의 열매의 총칭；특히, 참외. **─の つるになすびはならぬ** 오이 덩굴에 가지 날까(그 아비에 그 아들；피는 못 속인다). **─二なつ** 빼쏜 듯이 닮음.

うりあげ 【売(り)上げ·売上】 图 매상(고). **─きん** 【売上金】 图 매상금. **─だか** 【売上高】 图 매상고.

うりいえ 【売(り)家】 图 팔 집；방매가.

うりいそ-ぐ 【売(り)急ぐ】 他 서둘러 팔다. ¶株かぶを~ 주식을 서둘러 팔다. 〔─석.〕

うりおしみ 【売(り)惜しみ】 图 ㅈ他 매고 삼.

うりかい 【売(り)買い】 图 ㅈ他 매매；매고 삼.

うりかけ 【売(り)掛け】 图 외상으로 팔기；또, 그 대금. ↔買か̈い·かけ. **─きん** 【売掛金】 图 외상 매출금.

うりかた 【売り方】 图 ①파는 방법. ②파는 쪽(의 사람). =売かう手て. ↔買か̈い方た̈. 〔─기. ↔買か̈い気き̈〕

うりき 【売(り)気】 图 팔려는 기미；매기.

*うりき-れる 【売(り)切れる】 自 다 팔리다；매진되다.

うりぐい 【売(り)食い】 图 ㅈ自 수입이 없어 가재 도구를 팔아 살아감. ¶~で 生活せ̈いかつする 그날그날 팔고나 삶.

うりくち 【売(り)口】 图 팔 곳；판로. =売う̈り先さ̈き.

うりこ 【売(り)子】 图 ①(역·기차 안에서의) 판매원. ¶新聞し̈んぶん~ 신문팔이(소년). ②백화점 따위의 여자 점원.

うりごえ 【売(り)声】 图 (행상인 등이) 팔려고 외치는 소리.

うりことば 【売りことば】〖売り言葉〗 图 싸움을 거는〔트집잡는〕 말. ¶~に 買か̈いことば 오는 말에 가는 말(폭언에 폭언으로 응함).

*うりこ-む 【売(り)込む】 他 ①(잘 권유·선전해서) 팔(려고) 하다. ②(이익을 노리고 정보 따위를) 팔아 먹다. ¶特種と̈くしゅを~ 특종을 팔아먹다. ¶~が高た̈かい 평판을 얻다. ¶にくまんじゅうで~·んだ店み̈せ 고기 만두로 이름난 가게.

うりざねがお 【うりざね顔】〖瓜実顔〗 图 오똑한 코에 외색같이 희고 갸름한 얼굴(미인형이라 했음).

うりさば-く 【売りさばく】〖売り捌く〗 他 요령있게 팔아치우다；(널리) 팔다. ¶滞貨た̈いかを~ 체화를 팔아 치우다.

うりだし 【売(り)出し】 图 ①팔기 시작함. ②매출；방매. ¶歳末さ̈いまつ大だ̈い─ 연말 대매출. ③갑자기 인기가 높아짐. ¶今い̈ま──のスター 지금 한창 팔리고 있는 스타.

*うりだ-す 【売(り)出す】 他 ①팔기 시작하다. ②(선전·할인 혹은 경품을 붙여) 대대적으로 팔다；매출하다. ③유명해지다. ¶スターとして~ 스타로서 유명해지다.

うりたた-く 【売(り)叩く】 他 ①싸게 팔다. ②(상품이나 주식 따위의 시세를 하락시키기 위해서) 마구 싼값으로 팔다.

うりたて 【売(り)立て·売立】 图 ㅈ他 소장품을 팔음(입찰·경매 따위로) 단번에 팔

아 치움.

うりだめ 【売(り)溜め】〖売り溜め〗 图 ㅈ他 매상금을 모아 둠；또, 그 돈(売う̈りだめ金き̈んの 준말).

うりつ-ける 【売りつける·売り付ける】 他 강매(強費)하다.

うりつなぎ 【売りつなぎ】〖売り繋ぎ〗 图 ㅈ他 ①(주식 거래에서) 시세가 내릴 것을 예상하고 시장에 팔려고 내놓아 둠. ↔買か̈いつなぎ. ②가재(家財)를 팔아 생활을 이어 나감.

うりて 【売(り)手】 图 매주(賣主)；파는(사람). ↔買か̈い(い)手て.

うりとば-す 【売(り)飛ばす】 他 ①마구 팔아 치우다. ②(무자비하게) 팔아먹다；멀리 팔아 버리다.

うりぬし 【売(り)主】 图 매주；물건을 파는 사람. =うりて. ↔買か̈い(い)主ぬ̈し.

うりね 【売値】 图 파는 값；매가(賣價). ↔買값値ね̈ん·元値も̈とね.

うりば 【売(り)場】 图 ①파는 곳；판매장；매표소. ¶切符き̈っぷ~ 매표소. ②팔 시기；팔 때じ̈. 〔~이 버리다.〕

うりはら-う 【売(り)払う】 他 전부 팔아 버리다.

うりもの 【売(り)物】 图 ①팔 것；매물. ②자랑하여 내세우는 것；흥미·관심거리. ¶장기(長技). =十八番じ̈ゅうはちばん.

うりや 【売(り)家】 图 방매가(放賣家)；팔 집. =売う̈りいえ.

うりょう 【雨量】 uryō 우량；강수량.

うりわた-す 【売(り)渡す】 他 매도하다；팔아 넘기다. ↔買か̈い受う̈ける.

‡う-る 【売る】 他 ①팔다. ②매도하다. ¶安や̈く~ 싸게 팔다. ↔買か̈う. ⓑ배반하다. ¶友と̈もを~ 친구를 팔다(배반하다). ⓒ세상에 알려지게 하다. ¶名な̈を~ 이름을 팔다(날리다). ⓓ걸다. ¶けんかを~ 싸움을 걸다 / こびを~ 아양을 떨다.

う-る 【得る】 他 ①☞える(得). ②〖接尾詞的으로〗…(할) 수 있다. ¶有あ̈り~ 있을 수 있다.

うる 【粳】 图 (벼·조 등의) 찰기가 적은 것；메. ¶~米ま̈い 멥쌀. ↔もち(糯).

うるう 【閏】 urū 윤. ¶~月づ̈き 윤달 / ~年ど̈し 윤년 / ~秒び̈ょう 윤초.

うるおい 【潤い·濕い】 图 ①(알맞은) 습기；축축함. =しめり. ¶~を帯お̈びた空気く̈うき 습기 있는 공기. ②정취；정서；정감. ¶~のある生活せ̈いかつ 정취 있는(정서적인) 생활. ③(물질적인) 혜택；보배；이익. =恵め̈ぐみ. ¶家計か̈けいの~になる 가계에 도움이 되다.

うるお-う 【潤う·濕う】 自 ①습기를 띠다；축축해지다. ②풍부(윤택)해지다；혜택〔이익〕을 얻다. ¶生活せ̈いかつが~ 살림이 펴이다 / ふところが~ 주머니가 넉넉해지다. ③마음이 따뜻해지다.

うるお-す 【潤す·濕す】 他 ①축축하게 하다；축이다；적시다. ¶のどを~ 목을 축이다. ②윤택하게 하다；혜택〔이익〕을 주다. ¶貧民ひ̈んみんに米こ̈めを~ 빈민에게 쌀을 혜택

‡うるさ-い 〖煩い·五月蝿い〗 形 시끄럽다；번거롭다；귀찮다. ¶くちうるさとう 귀찮게 따라다니다 / ~おやじ 잔소리 많은 영감〔아버지〕 / 車く̈るまの音お̈とが~ 차소리가 시끄럽다 / 味あ̈じに~一人ひ̈とり

맛에 까다로운 사람.

うるさがた【うるさ型】【煩さ型】图 잔소리꾼.=やかましや.

うるし【漆】图 ①【植】옻나무. ②옻.

うるしかぶれ【漆かぶれ】【漆瘡】图 옻이 오름.=うるしまけ.

うるしぬり【漆塗(り)】图 ①그릇에 옻칠을 함; 또, 그 사람. ②칠기(漆器).

うるち【粳】图 멥쌀.=うる米. ↔もちごめ.

うる-む【潤む】⑤自 물기를 띠다; 물기가 어리어 흐릿해지다; 울먹이다. ¶めがわが~ 안경에 김이 서리다/目が~ 눈물이 글썽글썽하다/声゚が~ 목소리가 울먹이다.

うるめいわし【潤目鰯】图【魚】눈물정어리.

うるもち【粳餅】图 찹쌀에 멥쌀을 섞어 만든 떡.

うるわし-い【麗しい】【美しい】 -shi 圈 ①곱다; 아름답다. ¶~女性ိ゚아름다운 여성. ②(기분이) 좋다; (날씨가) 좋다(맑다). ¶~天気゚좋은(맑은) 날씨/御機嫌္がが~심기가 좋으시다. ③사랑할 만하다; 마음이 따스해지다. ¶~友情゚゚゚흐뭇한 우정.

うれあし【売れ足】图 팔리는 속도; 팔림새. ¶~が速ိ゚い 팔림새가 빠르다.

うれい【憂い・愁い】【患い】图 근심; 걱정; 슬픔. ¶~を帯ိびた顔 근심을 띤 얼굴. ¶~に沈む 수심에 잠기다.

うれ-える【憂える】【患える】下1他 걱정(근심)하다; 마음을 태우다. ¶国゚の前途ိ゚を~ 나라의 전도를 근심하다.

うれ-える【愁える】下1他 슬픔에 잠기다. ¶こどもの死ိを~母親္ိが 자식의 죽음을 슬퍼하는 어머니.

うれくち【売れ口】图 ①팔릴 곳; 판로; 살 사람. =買゚手゚. ¶~をさがす 팔릴 곳을 찾다. ②전하여, 시집갈 곳; 취직처.

うれし-い【嬉しい】-shi 形 ①기쁘다. ¶~知ိらせ 기쁜 소식. ↔悲ိしい. ②고맙다; 황송하다. ─を あげる 즐거운 비명을 올리다. ─ 悲鳴゚

うれしがらせ【嬉しがらせ】图 남을 기쁘게 하는 언행이나 태도. ¶~を言゚う 기뻐할 말을 하다.

うれしが-る【嬉しがる】⑤自 기뻐하다.

うれしなき【うれし泣き】【嬉し泣き】图자꾸 너무 기뻐함. ¶~に泣゚く 너무 기뻐서 울다.

うれしなみだ【うれし涙】【嬉し涙】图너무 기뻐 흘리는 눈물. ¶~を流゚す 너무 기뻐서 눈물을 흘리다.

うれだか【売れ高】图 팔다고.=うり.

うれだ-す【売れ出す】⑤自 ①팔리기 시작하다. ②유명해지기 시작하다.

うれっこ【売れっ子】urekko 图 인기 있는 사람; (인기 직업에서) 잘 팔리는 사람. =はやりっこ. ¶~のタレント 한창 인기 있는 탤런트.

うれのこり【売れ残り】图 ①팔다 남은 물건. ②(俗) 시집 못간 노처녀.

うれゆき【売(れ)行き】图 팔리는 상태; 팔림새. ¶~が思ိわしくない 팔림새가 신통치 않다.

う-れる【熟れる】下1自 (과일 따위가) 익다. ¶かきが~ 감이 익다.

*__う-れる__【売れる】下1自 ①(잘) 팔리다(나가다); 전하여, (처녀가) 결혼하다.

다. ¶~品物ိ゚゚ (잘) 팔리는 물건. ¶飛゚ぶように~ 불티나게 팔리다. ②널리 알려지다. ¶名゚が~ 이름이 널리 알려지다. ③팔릴 수 있다. =買゚える.

うれわし-い【憂わしい】-shi 形 우려되다; 근심되다; 걱정스럽다.

うろ【烏鷺】图 오로. ①(까마귀와 백로. ②흑과 백. ③碁゚(=바둑)'의 딴이름. ──の争゚い 바둑 시합.

うろ【雨露】图 우로. ①비와 이슬. ②큰 은혜. ─は 넓고 큰 은혜. ─をしのぐ 비와 이슬을 피하다.

*__うろうろ__圖 ①우왕 좌왕하는 모양; 어정버정. ¶~と歩ိきまわる 어정버정 돌아다니다. ②당황하는 모양; 허둥지둥. ¶あわてて~する 당황해서 허둥지둥하다. ─ 「습푸레한 기억.

うろおぼえ【うろ覚え】【空覚え】图

うろこ【鱗】图 ①비늘. ─雲゚゚ 비늘구름. ②魚゚゚゚の~を落゚す 물고기 비늘을 벗기다. ②(일본 옷 따위의) 삼각형 무늬.

うろた-える【狼狽える】下1自 당황하다; 허둥대다; 갈팡질팡하다. ¶不意ိに~ 뜻밖의 일에 당황하다.

うろちょろ -choro 圖 (귀찮을 정도로) 졸랑졸랑 돌아다니는 모양; 눈앞에서 어정대는 모양; 졸랑졸랑; 어정버정.

うろつ-く【彷徨く】⑤自 헤매다; 방황하다. ¶当゚てどもなく町゚を~ 정처 없이 거리를 헤매다.

うろぬ-く【うろ抜く】【疎抜く】⑤他 솎다. ─まびくよりおろぬく. ─ 大根゚゚を~무를 솎아 내다.

うろん【胡乱】图 수상(괴이)쩍음. =うさん. ¶~な男゚゚ 수상쩍은 사나이.

うわ-【上】①위치가 위·겉임을 나타냄. ¶~皮゚겉껍질. ─あご゚위턱. ②가치·정도가 높음을 나타냄. ¶~値゚비싼 값. ③실내 따위에서 사용하는 물건. ¶~履゚き 실내화. ④표면적임. ¶~っつら゚외관.

うわがき【上書き】图 ×自他 우편물·화물의 수취인의 주소·성명(을 씀). =表書゚き. ¶手紙゚゚の~をする 편지의 겉봉을 쓰다.　　「(특히, 표면).

うわがわ【上側】图 위쪽; 상측(上側).

うわき【浮気】图 ×自 ①바람기가 있음. ¶~者゚ 바람둥이. ②마음이 들떠 변하기 쉬움. ¶~で何゚にでも手゚を出゚す 변덕스러워서 무엇에나 손을 댄다.

*__うわぎ__【上着】【上衣】图 ①겉옷. ↔下着゚゚. ②상의; 윗도리; 저고리.

うわぐすり【上薬】【釉薬・釉】图 유약(釉薬); 잿물. ¶~をかける 유약을 칠하다.　　　「き.

うわぐつ【上靴】图 실내화. =上ိ ば

うわごと【うわごと・うわ言】【譫言・囈語】图 ①헛소리. ②실없는 말; 잠꼬대.=たわごと.

*__うわさ__【噂】图 ×他 ①어떤 사람이나 일에 대한 말; 뒷공론. ¶人゚゚の~をする 남의 이야기를 하다. ②소문. ¶~話゚゚ 소문 (에 오른 이야기) /~が立゚つ 소문이 나다 /…の~が高゚い … 라는 소문이 자자하다. ─をすれば影゚(がさす) 호랑이도 제 말하면 온다.

うわしき【上敷(き)】图 위에 까는 물건; 특히, 다다미에 씌우는 돗자리.=

うわすべり【上滑り】(上辷り) 图団 ①표면이 미끄러움. ②피상적임 ; 경박함. ¶~の解釈綫 피상적인 해석 / ~な行動綫 경망스러운 행동.

うわずみ【上澄み】图 액체 침전물의 윗부분에 생기는 맑은 물 ; 웃물.

うわず-る【上ずる】(上擦る) 国団 ①(흥분하여) 목소리가 높고 들뜨게 되다. ②상기(上氣)하다 ; 흥분하다. ¶~った顔綫 상기된 얼굴.

うわぜい【上背】图 (몸의) 키 ; 신장(남보다도 크다는 뜻을 포함할 때 말함). ¶~がある 신장이 크다.

うわちょうし【上調子】-chôshi 弢㔾 침착하지 못하고 경솔함 ; 경조 부박(輕佻浮薄)함. =うわっちょうし. ¶~な青年綫 경조 부박한 청년.

うわつく【浮つく】(上付く) 国団 (기분이) 들뜨다 ; 들썽거리다. ¶~いた気持綫 들뜬 마음.

うわっちょうし【上っ調子】 uwatchô- 图㔾 'うわちょうし'의 힘줌말.

うわっぱり【上っ張り】 uwappa- 겉옷 ; 덧옷(사무복·작업복 따위).

うわづみ【上積み】图 ①위쪽에 짐을 쌓음 ; 또, 그 짐 ; 윗짐. ↔底積줬み. ②가외로 돈을 더 얹음. ¶三千円繆に~する 3천 엔을 더 보태다.

うわつら【上面】图 표면 ; 겉 ; 외관, 피상적인 것. =うわっつら. ¶~だけ見てはわからない 겉만 보고서는 모른다.

うわて【うわて・上手】图 ①〈雅〉위쪽 ; 특히, 많은 것이 있는 곳이나 바람이 불어오는 쪽 ; 강의 상류=かみて. ↔下手綫. ②(기예·학문 등이) 남보다 더 뛰어남 ; 또, 그 사람. ¶一枚綫~だ 한 수 위다 / ~に出る 고자세로 나오다. ③(씨름에서) 상대방이 내민 팔 위로 샅바를 잡는 일 ; 또, 그 손. ↔下手綫.

うわに【上荷】图 ①차나 배에 실은 짐. ②위쪽에 쌓은 짐 ; 윗짐.

うわぬり【上塗(り)】图 図自他 ①덧칠 ; 특히, 마무리칠 ; 미장(美粧) 칠. =下塗綫り. ②못된 짓 따위를 다시 거듭함. ¶~を一겹치는 창피.

うわね【上値】图 지금까지의 (시세보다) 고가임 ; 비싼 금. =高価综だ. ¶~を張はる 시세보다 비싸다. ↔下値综.

うわのそら【うわの空・上の空】图㔾 건성 ; 마음이 들뜸. ¶~で聞綫く 건성으로 듣다.

うわのり【上乗り】图 図自 (짐 따위의) 위에 올라타고 감 ; 또, 그 사람.

うわば【上葉】图 초목의 위쪽의 잎. ↔下葉综.

うわば【上歯】图 윗니. ↔下歯综.

うわばき【上履(き)】图 실내화. ↔下履综き.

うわばみ【蟒・蟒蛇】图 ①〈動〉이무기 ; 큰 뱀. =おろち. ②술고래.

うわばり【上張り】(上貼り) 图 図自他 (도배에서) 마무리로 덧바름 ; 또, 그 종이나 천. =下張综り.

うわべ【上辺】图 표면 ; 외관. ¶~を飾綫る 겉을 꾸미다 / ~はまじめそうな人綫 보기에 착실해 보이는 사람.

うわまえ【上前】图 ①겉섶. ↔下前综. ②남에게 줄 돈의 일부분. —をはねる (맡은 물건이나 남의 이익 중에서) 일부를 가로채다.

うわまわ-る【上回る】(上廻る) 国団 상회하다 ; 웃돌다. ¶目標綫を~る 목표를 상회하다. ↔下回综る.

うわむき【上向き】图 ①위를 향함. =あおむき. ↔~に寝寢る 바로 누워 자다. ②표면 ; 겉쪽. =うわべ. ③시세·물가의 오름세. ¶物価综は~だ 물가는 오름세이다. ↔下向綫き.

うわめ【うわ目・上目】图 ①눈을 치뜸. ¶~を使つう 눈을 치떠 보다. ↔下目综た. ②포장된 채 무게를 닮. =皆掛綫け. ③(수량의) 초과 ; 초과량. ¶千円綫より~だ 천 엔을 웃돈다. —づかい 【—使い】눈을 치떠뜸. ¶~で人を見る 남을 치떠 보다.

うわや【上屋・上家】图 ①(정거장·부두 등에 만든) 간단한 가건물. ②건물 위에 덧달아 만든 가건물. ③세관 구내 창고.

うわやく【上役】图 상사 ; 상관. ¶~の気嫌综をとる 상사의 기분을 맞추다 ; 상사에 아첨하다(빌붙다). ↔下役综た.

＊**うん**【運】图 운 ; 운명 ; 운수. ¶~がむく 운이 트이다 / ~の尽つきは 운이 다함. —を天꼇に任綫せる 운을 하늘에 맡기다.

うん 國 ①승낙·긍정 등을 표시하는 말 ; 웅('はい(=네)'의 막된 말씨). ¶~ うだ 웅 그래(응 그러하다). ②기결했을 때, 또는 몹시 놀랐을 때의 소리 ; 웅 ; 끙. ¶~とうめく声꼇 끙하고 신음하는 소리. ③힘을 쓸 때 내는 소리 : 끙.

＊**うんえい**【運営】图 図他 운영. ¶国会综の~ 국회의 운영.

うんえん【雲煙】(雲烟) 图 운연. ①구름과 연기. ②산수화의 한 화법(으로 그려진 명화). —過眼綫 운연 과안 ; 구름이나 연기가 이내 형적이 없어지듯, 사물에 깊이 집착하지 아니함.

うんか【浮塵子】图 〈蟲〉멸구과(科) 곤충의 총칭(벼의 해충).

うんか【雲霞】图 운하. ①구름과 놀. ②대단히 많은 사람이 모인 모양. ¶~の如綫き大軍쯨 구름처럼 많은 군.

うんが【運河】图 운하.

うんかい【雲海】图 ①(비행기나 산 위에서 내려다 보이는) 구름바다. ②구름이 잔뜩 낀 바다(하늘).

うんき【温気】图 온기 ; 따뜻한 기운 ; 또, 무더움.

うんきゅう【運休】-kyū 图 図自 운휴 ; 운전·운행을 쉼.

うんきゅう【雲級】-kyū 图 図 〈氣〉운급(구름의 모양·성질로 본 분류 ; 적운(積雲)·층운(層雲) 등 10 종류).

うんこ【糞】图 똥 ; 대변(본디 어린이말).

うんこう【運行】-kō 图 図自 운행. ¶~時間綫 운행 시간.

うんこう【運航】-kō 图 図自 운항.

＊**うんざり** 団自 진절머리가 남 ; 지긋지긋함. ¶お説教综综に~する 잔소리에 넌덜내다.

うんさん【雲散】图 図自 운산 ; 구름같

이 흩어져 사라짐. ¶心配につごとが～霧消ひしょうする 걱정거리가 깨끗이 사라지다.

うんざん【運算】图 ㉱他 운산.

うんしゅうみかん【温州蜜柑·雲州蜜柑】unshū- 图【植】온주귤(일본귤의 대표적인 한 품종). 「②궁중.

うんじょう【雲上】图 -jō ①구름 위.

うんしん【運針】图 (재봉에서) 바늘 쓰는 법;꿰매는 법.

うんすい【雲水】图 운수. ①구름과 물. ②운수승(雲水僧)=行脚僧あんぎゃそう.

うんせい【運勢】图 운세; 운수. ¶～を占うらなう 운수를 점치다.

*うんそう**【運送】-sō 图 ㉱他 운송. ¶～業 운송업. 「(험함.

うんだめし【運試し】图 ㉱自 운수를 시험해 봄.

うんちく【薀蓄·蘊蓄】图 충분히 연구해서 간직한 깊은 지식. ──を傾かたむける 있는 지식을 다 기울이다.

うんちゃん【運ちゃん】-chan 图 운전수(멸시 또는 친밀감을 가지고 부르는 말).

うんちん【運賃】图 운임. ¶～の値上ねあげ 운임 인상.

うんでい【雲泥】图 운니;구름과 진흙;천하여, 대단한 차이. ──の差ちがい 운니지차;천양지차.

*うんてん**【運転】图 ㉱自他 ①운전. ¶～手 운전수/～がうまい 운전을 잘하다. ②(돈의) 회전;활용. ¶～資金しきん 운전 자금.

うんと 副〈俗〉정도·분량이 많은 모양;매우; 썩. ¶～しかられた 몹시 꾸지람 들었다/～遊ぼう 실컷 놀겠다.

*うんどう**【運動】-dō 图 ㉱自 운동. ¶～神経しんけい 운동 신경/～員いん 운동원/物体ぶったいの～ 물체의 운동/選挙せんきょ～ 선거 운동. ──かい【──会】图 운동회. ──ぐつ【──靴】图 운동화. ──じょう【──場】-jō 图 운동장. ──ば. ──ひ【──費】图 운동비.

うんともすんとも 運語 전연 대꾸가 없는 모양. ¶～言いわない (쓰다 달다) 전연 말이 없다.

うんぬん【云々】㊀图 운운(인용한 말의 뒤를 생략할 때 쓰는 말).=しかじか. ㊁会しんの運営うんえい～の事ことはあと回まわしにして 회의 운영 운운하는 일은 뒤로 돌리고. 图 ㉱他 이러쿵저러쿵함. ¶効能こうのうを～する 효능을 이러쿵저러쿵하다.

うんぱん【運搬】umpan 图 ㉱他 운반.

うんぴつ【運筆】umpi- 图 운필;붓을 놀리는 법. =筆ふでづかい.

うんまかせ【運任せ】umma- 图 일의 성패를 운명에 맡김.

うんむ【雲霧】ummu 图 운무;구름과 안개. ¶～が立たち込こめる 운무가 자욱이 끼다.

*うんめい**【運命】ummei 图 운명. ¶～のいたずら 운명의 장난. ──ろん【──論】图 운명론;숙명론(宿命論).

うんも【雲母】ummo 图【鑛】운모;돌비늘.=うんぱ·きら(ら).

うんゆ【運輸】图 운수.=運送うんそう. ¶～業 운수업. ──しょう【──省】-shō 图 운수성(우리 나라의 교통부에 해당함). ──しょう【──相】-shō 图 운수상;운수 대신.

うんよう【運用】-yō 图 ㉱他 운용. ¶法ほうの～ 법의 운용.

うんりょう【雲量】-ryō 图 운량;구름이 하늘을 덮고 있는 비율.

え　エ

①五十音図ごじゅうおんず 'あ行ぎょう'와 'や行ぎょう'의 넷째 음. [e] ②〔字源〕'衣'의 초서체(かたかな 'エ'는 '江'의 오른쪽 부분).

え[枝]图〈雅〉가지.=えだ. ¶松まつが～ 소나무 가지.

*え**[柄]图 자루;손잡이. ¶ひしゃくの～ 국자 자루. ──のない所ところに柄えをすげる 무리하게 핑계를 대다.

え[江]图 (바다·호수 따위의) 작은 후미. =入いり江え. 「えさ.

え[餌]图〈雅〉미끼;모이;먹이.

え【絵·画】图 그림(넓은 뜻으로는 영화·텔레비전 따위의 화면도 가리킴). ¶古ふるい～ 오래 된 그림(영화)/～がはっきりしない 화면이 깨끗하지 못하다. ──にかいたもち 그림의 떡.

-え【重】〈수를 나타내는 순 일본말에〉겹. ¶八やえ 여덟 겹/二ふたえ 두 겹.

え 感 ①대답하는 소리:네;에. ¶～, そうです네, 그렇습니다. ②의아해서 물을 때의 소리:네;에. ¶～, なんですって 네, 뭐라고요. ③놀랐을 때의 소리:어. ¶～, それは一大事いちだいじだよ, 이거 큰일이군.

エア 图 에어. ①공기. ¶～コン 에어컨;공기 조절 (장치)/タイヤに～を入いれる 타이어에 바람을 넣다. ②〈말의 성분으로서〉항공. ▷air. ──カーテン 图 에어 커튼(송·냉방 장치가 있는 건물 입구에 외기(外氣)의 유입을 막기 위해 위에서 아래로 흐르는 공기의 벽). ▷air curtain. ──クリーナー 图 에어 클리너(공기 정화 장치). ▷air cleaner. ──ターミナル 图 에어 터미널;공항 빌딩. ▷일 air terminal. ──ポート 图 에어포트;공항. ▷airport. ──ポケット-ketto 图 에어 포켓. ▷air pocket. ──メール 图 에어 메일;항공 우편. ▷air mail. ──ライン 图 에어라인;정기 항공로(선을 가진 회사). ▷airline.

えあわせ【絵合(わ)せ】图 (좌우로 편을 갈라서 하는) 그림딱지 맞추기 놀이.

えい【鱝·鱏】图【魚】가오리. [い].

えい【栄】图 영예;영광;명예. ¶当選とうせんの～をになう 당선의 영광을 안다. 「국의 수상.

えい【英】图 영국, 「英みち, 영

えい【纓】图 ①갓·관(冠)의 뒤쪽에 다는 꼬리 모양의 장식. ②갓끈.

えい 感 ①힘을 쓸 때 따위에 내는 소

리. ¶～と切りつける 에잇(얏)하고
베어치다. ②강한 감동을 나타내는 소
리. ¶～しくじった 에잇 실패다 /
～っちまえ (a)에잇 해치워라 / (b)
에이 주어버려라.

えいい【営為】 图 영위. =いとなみ.
えいい【営意】 图 영광스러운 지
위. ¶～につく 영위에 오르다.
えいい【鋭意】 图 예의. [참고] 흔히 副
詞적으로 쓰임. ¶～研究に努める
예의 연구에 힘쓰다.
えいいん【影印】【景印】 图 ス自 영인.
──ぼん【──本】 图 영인본.
えいいん【営】 图 タ自 영위 ; 부지런
히 노력하는 모양. ¶～として働く
부지런히 일하다.
えいえいおう【──おう】 感 여럿이 힘을 내어 가
락을 맞추는 소리 : 어이여차.
えいえん【永遠】 图 영원. ¶～の平和
영원한 평화. [지은 和歌.
えいか【詠歌】 图 和歌를 지음 ; 또는
*えいが【映画】 图 영화. =キネマ・シネ
マ. ¶～館 영화관 / ～をとる 영화를
찍다 / ～化する 영화화하다.
えいが【栄華】 图 영화. ¶～を極める
더없는 영화를 누리다. ¶～の夢 영
화는 꿈결같이 덧없으며 오래 못감.
えいかく【鋭角】 图 예각. ↔鈍角.
¶～的な才能 예리한 재능.
えいかん【栄冠】 图 영관 ; 예예. ¶勝
利に輝く～をかちとる 승리의 영관을
차지하다.
えいき【英気】 图 영기 ; 뛰어난 재기
(才気). ¶～を養う 영기를 기르다.
えいき【鋭気】 图 예기. ¶～に満ち
た行動 예기에 찬 행동.
えいきごう【嬰記号】 -gō 图 [楽] 변기
기호 ; 올림표(#). =シャープ. ↔変記
号(♭).
*えいきゅう【永久】 -kyū 图 영구. ¶～不久 영구 불변. ──し
──歯 图 영구치. ↔乳歯.
えいきょ【盈虚】 -kyo 图 영허. ①달의
참과 이지러짐. ②흥망 성쇠.
えいきょう【影響】 -kyō 图 ス自 영향.
¶～力 영향력 / 大きな～を与える
큰 영향을 끼치다.
えいぎょう【営業】 -gyō 图 ス自他 영
업. ¶～停止 영업 정지 / 風俗～
유흥업 / ～税 영업세.
えいぎん【詠吟】 图 ス他 영음 ; 시음(詩
吟) ; 시가를 소리내어 읊음. ¶～
えいけつ【永訣】 图 ス自 영결. =死別
えいけつ【英傑】 图 영걸 ; 영웅 호걸.
えいこ【栄枯】 图 영고. ¶～盛衰 영
고 성쇠.
*えいご【英語】 图 영어. ¶～を話す国
어를 국어로 하는 국민 / ～を話す
어를 하다.
えいご【穎悟】 图 영오 ; 매우 영리함.
えいこう【曳航】 -kō 图 ス他 예항.
¶故障した船を港まで～する
고장 난 배를 항구까지 끌고 가다.
えいこう【栄光】 -kō 图 영광 ; 예예.
영. ¶勝利の～に輝く 승리의
영광에 빛나다. ②서광(瑞光).
えいごう【永劫】 -gō 图 영겁 ; 매우
긴 세월. ¶未来～ 미래 영겁 / ～不
変 영겁 불변.

えいこうだん【曳光弾】 -kōdan 图 예
광탄.
えいこく【英国】 图 영국. =イギリス.
えいこん【英魂】 图 영혼. =英霊.
えいさい【英才】【穎才】 图 영재. ¶～
教育 영재 교육. =鈍才.
えいさくぶん【英作文】 图 영작문. =
英作文.
えいし【衛視】 图 국회(国会)의 경비
직원('守衛'의 고친 이름).
えいし【英姿】 图 영자 ; 훌륭한 모습.
えいし【英詩】 图 영시.
えいし【英資】 图 영자 ; 뛰어난 자질.
えいじ【英字】 图 영자. ¶～新聞 영
자 신문. ［どりご］
えいじ【嬰児】 图 영아 ; 젖먹이. =み
えいじつ【永日】 图 영일 ; (낮이 긴) 봄
날.
えいじはっぽう【永字八法】 -happō
图 영자 팔법('永'자에 모두 포함되어 있는
모든 한자에 공통되는 여덟 가지 기본
적인 운필법(運筆法)).
えいしゃ【映写】 -sha 图 ス他 영사.
¶～機 영사기(幕).
えいしゅ【営主】 图 영주 ; =兵舍
えいしゅ【英主】 图 영주 ; 뛰어난
군주. ［위수령］
えいじゅ【衛成】 -ju 图 위수. ¶～令
えいじゅう【永住】 -jū 图 ス自 영주.
¶～権 영주권. ［뛰어난 사람.
えいしゅん【英俊】 -shun 图 영준 ; 특히
えいしょ【英書】 -sho 图 영서.
えいしょう【詠唱】 -shō 图 영창.
图 ☞アリア. 曰 图 곡조를 붙여
노래를 부름. ［칭호.
えいしょう【栄称】 -shō 图 영예로운
えいしょく【栄職】 -shoku 图 영직 ; 영
예로운 직위.
えいじょく【栄辱】 -joku 图 영욕.
えい・じる【映じる】 上一他 ☞えいずる
(映).
えい・じる【詠じる】 上一他 ☞えいずる
(詠).
えいしん【栄進】 图 ス自 영진.
えいしん【詠進】 图 ス他 시가를 지어서
궁중·신사(神社) 등에 바침.
えい・ずる【映ずる】 サ変他 ①비치다.
¶月影が水面に～ずる 달그림자가 수
면에 비치다. ②(눈에) 비치다. ¶外
人の目に～じた日本 외국인의 눈
에 비친 일본.
えい・ずる【詠ずる】 サ変他 읊다. ¶感
慨を歌に～ 감개를 단가(短歌)로
읊다.
えいせい【永世】 图 영세 ; 영구. =永
代. ¶～中立国 영세 중립국.
えいせい【永生】 图 영생. ①오래 삶 ;
장수. ②영원한 생명.
えいせい【永逝】 图 영서. =永眠.
えいせい【衛星】 图 위성. ¶人工～
인공 위성 / 地球の～ 지구의 위성.
──こく【──国】 图 위성국.──せん
【──船】 图 위성선 ; 우주선.──ちゅう
けい【──中継】 -chūkei 图 위성 중계.
──とし【──都市】 图 위성 도시.
*えいせい【衛生】 图 위생. ¶公衆～
공중 위생 / 環境～ 환경 위생.
──てき【──的】 ダ ナ 위생적.
えいぜん【営繕】 图 ス他 영선 ; 건축물
의 신축과 수리. ¶～費 영선비.

え

えいそう【営倉】 -sō 图 영창.

えいそう【詠草】 -sō 图 지은 和歌의 (의 초고).

えいぞう【映像】 -zō 图 영상. ¶父親の～ 아버지의 영상. ──にんげん【──人間】 영상 인간; 텔레비전 등의 영상에 의해서 육성되는 인간. ↔活字型人間. 「～物」 영조물.

えいぞう【営造】 -zō 图 区他 영조. ¶～物」 영조물.

えいぞく【永続】 图 区自 영속.

えいたい【永代】 图 영세.

えいたつ【栄達】 图 区自 영달. ¶一身上の～をはかる 일신의 영달을 꾀하다.

えいたん【詠嘆(詠歎)】 图 区自 영탄.

えいだん【英断】 图 영단. ¶～をくだす 영단을 내리다.

*__えいち__【英知(叡智・叡知)】 图 영지; 뛰어난 지혜. ¶～を集める 예지를 모으다. ──てき【──的】 ダナ 예지적. ¶～人間 예지적 인간.

えいてん【栄典】 图 영전. ¶경사스런 의식. ②공훈이 있는 사람에게 주는 작위(爵位)나 훈장. ¶～制度 영전 제도.

えいてん【栄転】 图 区自 영전. ↔左遷.

エイト【eight】 图 에이트. ①여덟. ②8인이 젓는 경조(競漕)용 보트(의 선수). ③럭비에서 8인째의 스크럼. ▷eight.

えいトン【英トン】【英噸】 图 영국 톤 (1,016.1 kg ; 2,240 lbs.). ＝ロングトン・長トン▷ton. 「営内생활」

えいない【営内】 图 영내; 병영내. ↔

えいねん【永年】 图 영년; 오랜 햇수. ＝ながねん. ¶～勤続을한 사람 장기 근속. 「『～家』 영농가.

えいのう【営農】 -nō 图 区自 영농.

えいはつ【映発】 图 区自 색이나 빛의 대조가 잘됨. ¶紅葉が湖水に～する 단풍이 호수에 잘 조화되다.

えいびん【鋭敏】 ダナ 예민. ¶～な神経은 예민한 신경. ↔遅鈍

えいぶん【英文】 图 영문. ¶～和訳은 영문 일역 / ～科 영문과.

えいぶん【叡聞】 图 예문; 임금이 들음. ¶～に達する 임금이 듣게 되다.

えいぶんがく【英文学】 图 영문학. ¶～科 영문학과.

えいへい【衛兵】 图 위병; 별.

えいべつ【永別】 图 区自 영별; 영이별.

えいほう【泳法】 -hō 图 (水) 영법.

えいほう【鋭鋒】 -hō 图 예봉. ¶敵の～を挫く 적의 예봉을 꺾다.

えいまい【英邁】 图 区自 영매. ＝英明の. ¶～な国王냥 영매한 국왕.

えいみん【永眠】 图 영면; 죽음. ¶～の地영면한 땅. 「ほまれ.

えいめい【英名】 图 영명; 뛰어난 명성.

えいめい【英明】 图 영명. ＝英邁の.

えいもん【営門】 图 영문; 병영의 문.

えいや 感 에이야. ＝えい・えいえい.

えいやく【英訳】 图 他 영역. ¶和文을～ 일문(日文) 영역.

*__えいゆう__【英雄】 -yū 图 영웅. ¶～主義 영웅주의 / ～崇拝나 영웅 숭배.

えいよ【栄誉】 图 영예; 명예. ¶～ほまれ. ¶優勝등の～に輝く 우승의 영예에 빛나다.

*__えいよう__【栄養】 -yō 图 영양. ¶～が

いい 영양이 좋다 / ～を取る 영양을 섭취하다. 注意 '営養'로 씀은 잘못. ──か【──価】 图 영양가. ──しっちょう【──失調】 -shitchō 图 영양 실조. ──しょく【──食】 -shoku 图 영양식. ──そ【──素】 图 영양소.

えいよう【栄耀】 -yō 图 영요; 호사를 부림; 영광. ¶～栄華このまま 영요 영화는 마음 먹기에 달렸다.

えいらん【叡覧】 图 예람; 임금이 보심. ¶～に供する영람 하다.

えいり【絵入り】 图 (책이나 신문 따위에) 삽화가 들어 있음.

えいり【営利】 图 영리. ¶～事業음 영리 사업 / ～法人냥 영리 법인. ──てき【──的】 ダナ 영리적.

えいり【鋭利】 图 예리. ¶～な刃物은 예리한 칼붙이(판단).

えいりん【映倫】 图 영륜【『映画』倫理規定음や管理委員会の略음)(＝영화 윤리 규정 관리 위원회'의 준말).

えいりん【営林】 图 영림; 산림을 경영·관리함. ¶～署음 영림서.

えいれい【英霊】 图 영령. ＝英魂냥.

えいれんぽう【英連邦】 -rempō 图 영연방.

えいわ【英和】 图 영일; 영어와 일어. ──じてん【──辞典】 图 영일 사전.

えいん【会陰】 图 (生) 회음; 음부와 항문과의 사이. ＝ありのとわたり.

ええ 感 ①상대의 말에 긍정·승낙의 뜻을 나타냄: 네; 예. ¶～, そうです예, 그렇습니다. ②(막연한) 대답의 말: 음… 예. ¶～, かしこまりました음… 예, 알았습니다. ③다음 말이 잘 안 나올 때 내는 소리. ¶柿と栗と、～, それから松茸가 감과 밤과, 에에, 그리고 송이버섯. ④기합을 넣거나 내는 태도를 결정할 때 내는 소리. ¶～, どうにでもなれ 에라 될대로 돼라. ＝えい.

エーエム【a.m.】 图 에이 엠; 오전. ▷ 라 ante meridiem.

エーエム【AM】 图 에이 엠; 전파의 진폭 변조(振幅變調). ↔エフエム. ▷ amplitude modulation. ──ほうそう【──放送】 -hōsō 图 에이 엠 방송.

エーカー【acre】 图 에이커〔야드 파운드법의 면적 단위〕. ▷acre.

エークラス【A クラス】 图 에이 클래스; 에이급(A級); 제1급. ▷일 A class.

エーごばん【A 5 判】 图 에이 5 판〔세로 21 cm, 가로 14.8 cm의 책의 크기; 보통 월간 잡지의 크기로, 국판(菊判)보다 약간 작음〕. ＝A5판냥.

エージ【age】 图 에이지; 시대(時代). ¶アトミック～ 원자 시대. ▷age.

エース【ace】 图 에이스. ①(주사위·카드 등의) 한 끗; 1. ②(테니스에서) 서브로 얻는 한 점. ③제일인자. ④야구의 주전(主戰) 투수. ▷ace.

エーディー【AD】 图 ēdī 图 에이 디; 서력 기원. ▷라 Anno Domini.

エーテル【Äther】 图 〔理·化〕 에테르. ▷도 Äther.

エーデルワイス【Edelweiss】 图 에델바이스. ▷도 Edelweiss.

ええと ēto 图 말이나 생각이 미처 나지 않아 좀 생각할 때 내는 소리: 저어; 거시키. ＝えっと. ¶きょうは、～, たし

か水曜日<ruby>よう<rt></rt></ruby>ですね オ늘은, 저어, 분 명 수요일이지요.

エーばん [A 判] 图 에이 판(일본 표준 규격에 의한 종이·책 등의 마무리 치수의 한 계열(A0판은 1,189mm×841 mm의 크기). [참고] 보통의 월간 잡지 는 A5판, 묘고 A6판. ↔B^{はん}판.

エービーシー [ABC] 图 에이 비시. ①영어의 자모. ¶~順^{じゅん} 에이 비 시순. ②초보:입문. ¶ダンスの~ 댄스 초보.

エープリルフール 图 에이프릴 풀:만 우절. =四月^{しがつ}ばか. ▷April fool.

エール 图 엘;(운동 경기 따위에서) 상 대편에게 보내는 성원(聲援)(응원가). ¶~を交換^{こうかん}する 성원을 교환하다; 서로 상대편을 응원하다. ▷yell.

エークろくばん [A 6 判] 图 에이 6판(책 크기의 일종; A5판 반의 크기); 묘고 판(文庫判). = A 6ろく.

エーワン 图 에이 원;제1급;최상급. ▷A one; A1. 「면 얼굴.

えがお 【笑顔】 图 웃는 얼굴; 웃음을

えかき 【絵かき(絵描き·画描き)】 图 화 가. 「다.

えがきだ-す 【描き出す】 [5他] 그려내

*__えが-く__ 【描く(画く)】 [5他] ①그림을 그리다. ¶風景^{ふうけい}を~ 풍경을 그리다. ②묘사하다; 표현하다. ¶情景^{じょうけい}を~ 정경을 그리다 / 勝利^{しょうり}を 胸^{むね}に~ 승리를 마음에 그리다.

えがた-い 【得難い】 形 얻기(구하기) 어렵다; 희귀하다; 귀중하다. ¶~品^{ひん} 누기어려운 물건.

えがら 【絵柄】 图 (공예물 따위의) 그 림이나 도안; 또, 거기에서 느끼는 인상. ¶~がよい 그림이 좋다.

えがら-い 形 아릿하다; 맵싸하다. =え がらっぽい. ¶~味^{あじ}がする 아릿한 맛 이 나다.

えき 【役】 图 전역; 전쟁. 「이 나다.

えき 【易】 图. ¶「易経^{えききょう}」의 준말. ②산가지와 점대를 써서 길 흉을 점치는 법. 「の~ 과일즙.

*__えき__ 【液】 图 액; 즙. ¶果物^{くだもの}

えき 【益】 图 ①벌이;이익. ↔損^{そん}. ② 효과. ¶言^いっても~がない 말해도 소 용없다. ③유익함. ↔害^{がい}.

*__**えき**__ 【駅】 图 ①역; 정거장. ¶~で待^まつ 역에서 기다리다. ②역참(驛站).

えきいん 【駅員】 图 역원; 역무원.

えきうり 【駅売り】 图 역 구내에서 물 건을 팖; 또, 그 사람. ¶~の弁当^{べんとう} 역에서 파는 도시락.

えきか 【液化】 图 [자타] 액화. ¶~ガ ス 액화 가스. ↔気化^{きか}.

えきが 【腋芽】 图 액아; 곁눈 측아(側芽). 「소.

えきぎゅう 【役牛】 图 역우;일 「소.

えききょう 【易経】 -kyō 图 역경;주역.

えきざい 【液剤】 图 액제;물약.

エキサイティング -tingu [ナ] 익사이 팅;손에 땀을 쥐게 함;조마조마하게 함. ¶~な情景^{じょうけい} 익사이팅한 정경. ▷exciting.

エキサイト 图 [자타] 익사이트;흥분. ¶~ゲーム 백열전. ▷excite.

エキシビション -shon 图 에시비션;전 람회;전시회;학예회;모범 경기. =エ キジビション. ▷exhibition. ──ゲーム 图 에시비션 게임;공개(모범) 경기.

▷exhibition game.

えきしゃ 【易者】 -sha 图 역자;점쟁 이. =八卦見^{はっけみ}. ¶大道^{だいどう}の~ 길거리 의 점쟁이.

えきしゃ 【駅舎】 -sha 图 역사;정거장 에서 잡일을 하는 사람.

えきしゅ 【駅手】 图 역부;정거장에서 잡일을 하는 사람.

えきじゅう 【液汁】 -jū 图 액즙. =しる.

えきじょう 【液状】 -jō 图 액상;액체 상태.

エキス 图 엑스. ①약이나 음식의 유효 성분을 빼낸 즙을 농축한 것. =精^{せい}. ② 정수(精粹). =粋^{すい}. ▷ extract.

エキストラ 图 엑스트라. ①임시로 고용 한 단역 배우. ②임시;가외. ③호외; 중간호. ▷extra.

エキスパート 图 엑스퍼트;전문가;노 련가. =くろうと;ベテラン. ▷expert.

えき-する 【役する】 [サ変] ①징용(徵 用)하다. ②노동시키다;사역하다. ¶ 牛馬^{ぎゅうば}を~ 마소를 부리다. ③쓰 다. =使^{つか}う. ¶心^{こころ}を~ことが多^{おお}し 마 음을 쓰는 일이 많으다.

えき-する 【益する】 [サ変] 이익을 주 다;유익하다. ¶世^よに~事業^{じぎょう} 세상 에 유익한 사업. =毒^{どく}する.

えきせいかくめい 【易姓革命】 图 역성 혁명.

エキセントリック -rikku [ナ] 엑센트 릭;색다름;이상함. ¶~な行動^{こうどう} 괴 상한 행동. ▷eccentric.

エキゾチック -chikku [ナ] 이그조틱; 이국적(異國的);이국풍. ▷exotic.

‡__**えきたい**__ 【液体】 图 액체. ¶~空気^{くうき} 액체 공기 / ~酸素^{さんそ} 액체 산소 / ~ 燃料^{ねんりょう} 액체 연료. =気体^{きたい};固体^{こたい}.

えきちく 【役畜】 图 역축;사역용 가축.

えきちゅう 【益虫】 -chū 图 익충. ↔害 虫^{がいちゅう}.

えきちょう 【益鳥】 -chō 图 익조. ↔害 鳥^{がいちょう}.

えきちょう 【駅長】 -chō 图 역장.

えきてい 【駅逓】 图 ①역체;다음 역참 으로 중계해서 보냄. ②郵便局^{ゆうびんきょく}(=우 편)의 구칭.

えきでん 【駅伝】 图 역마. ①역참으로 전송(傳送)함. ①駅伝^{えきでん}競走^{きょうそう}(=역전 경주)의 준말.

えきとう 【駅頭】 -tō 图 역두;역전. ¶ ~の別^{わか}れ 역두의 이별.

えきばしゃ 【駅馬車】 -sha 图 역마차.

えきびょう 【疫病】 -byō 图 역병;돌림 병;전염병. 「칭).

えきふ 【駅夫】 图 역부('駅手^{えきしゅ}'의 구

えきべん 【液便】 图 액변;물똥.

えきべん 【駅弁】 图 철도 역에서 파는 도시락('駅売弁当^{えきうりべんとう}'의 준말). ──だいがく 【──大学】 图 (俗) 지방 의 신제(新制) 대학을 비꼬는 말.

えきまえ 【駅前】 图 역전.

えきむ 【役務】 图 역무;노동력을 요하 는 작업. ¶~賠償^{ばいしょう} 역무 배상.

えきり 【疫痢】 图 역리;이질.

えきろ 【駅路】 图 역로;역참이 있는 길. =街道^{かいどう}.

エグ 图 ☞ エッグ.

えぐ-い 形 (맛이) 떫다. ¶青^{あお}いずい きは~ 날 토란을 떫다.

エクジスタンシアリズム 图 엑지스텐셜 리즘;실존주의. ▷existentialism.

え

エクスクラメーション マーク -shon mā- 엑스클러메이션 마크；감탄 부호；느낌표(！). ▷exclamation mark.

エクスタシー 图 엑스터시；망아(忘我)의 경지；황홀；법열(法悅). ▷ecstasy.

えくぼ【笑くぼ】【笑窪・靨】图 보조개. ¶あばたも～ 제 마음에 들면 마땅치 않은 것도 좋게만 보임.

*__えぐ-る__【抉る】 [5]他 에다. ①도려내다. ②상대방의 약점을 날카롭게 지적하다；찌르다. ¶問題┊┊の核心┊┊を～／肺腑┊┊を～ 폐부를 찌르다.

エクレア 에클레어(초콜릿을 바른 갸름한 슈크림). ▷フ éclair.

えぐれ-る【抉れる】 [下 I]自 ①도려낼 [엘] 수 있다. ②도려낸 듯해지다.

えげつな-い 图 ①너무 지나치다；야비하다. ②지독하다；박정하다. ¶─男┊┊ 매정한 사나이.

*__エゴ__【egoist】图 에고；자아(自我)；자기(自己).

エゴイスト 图 에고이스트；이기주의자. ▷egoist.

*__エゴイズム__ 图 에고이즘；이기주의. ▷egoism.

えこう【回向】【廻向】图 회향；발원을 드려주는 이의 명복을 빎.

えごえご 图 뒤룩뒤룩. ¶─して歩く┊┊ 뒤룩뒤룩거리며 걷다.

エコー 图 에코；메아리. ＝山びこ. ▷echo.

えごころ【絵心】图 ①그림(회화)의 재능；또, 그림의 감상력·기호. ¶─がある┊┊ 그림에 조예가 있다. ②그림을 그리려는 마음.

えこじ【依怙地】图 외고집；옹고집. ＝かたいじ. ¶─に依怙地┊┊ 옹고집 사나이.

えことば【絵ことば】【絵言葉・絵詞】 图 그림 두루마리에 써 넣은 글.

えごのき 图 【植】 때죽나무.

エコノミー 图 이코노미；경제. ▷economy. 「무의 원료).

えごのり【恵胡海苔】图 【植】 석화(우

えこひいき【依怙贔屓】图 図他 편파；어느 쪽만 편듦；편애；편파；역성. ¶─のある審判┊┊ 편파적인 심판.

えごま【荏胡麻】图 【植】 들깨.

えごよみ【絵暦】图 ①그림 달력. ②글자를 모르는 사람을 위하여 그림으로 연중 행사 등을 나타낸 옛날 달력. ＝めくらごよみ.

*__えさ__【餌】图 ①모이；먹이；사료. ＝え. ②미끼. ¶景品┊┊を～に客┊┊を釣る┊┊ 경품을 미끼로 손님을 끌다. ③(낚시·사람의 양식)먹이；먹이. ¶─が悪い┊┊ 음식이 나빠서.

えさがし【絵探し・絵捜し】图 図自 그림찾기(놀이).

えし【壊死】图 図自 【醫】 회사；조직의 국부적인 죽음. ＝えそ.

えし【絵師・画師】图 【雅】 화가. ＝えかき.

えじき【餌食】图 먹이；희생물；밥；봉. ¶─となる┊┊ 희생이 되다／悪人┊┊にされる┊┊ 악인의 제물(희생)이 되다.

エジプト【地】 이집트. ▷ Egypt.
──もじ【──文字】图 이집트 문자.

*__えしゃく__【会釈】 esha- 图 図自他 ①(고 덕이며) 가볍게 인사함. ＝おじぎ. ②헤아려 줌；사정. ＝思いやり. ▷遠慮┊┊もなく ⇨えんりょ.

えしゃじょうり【会者定離】 eshajōri 图 회자 정리.

エス [S] 【學】 에스；여학생의 동성애(의 대상). ▷sister.

えず【絵図】图 ①그림. ②(주택·정원 등의) 평면도.

エスエスティー [SST] -tī 图 에스 에스 티；초음속 제트 여객기(음속의 2-3배). ▷supersonic transport.

エスエフ [SF] 图 에스 에프；공상 과학 소설. ▷science fiction.

エスオーエス [SOS] 图 에스 오 에스；(선박의) 조난 신호；또, 구조 신호；위험 상태. ¶大雪┊┊で交通機関┊┊が～だ 폭설로 교통 기관이 SOS 상태다.

えすがた【絵姿】图 화상(畫像)；그림으로 나타낸 사람의 모습. ＝絵像┊┊.

エスカルゴ【動】 에스카르고；식용 달팽이(프랑스 요리(料理)에 씀). ▷フ escargot.

*__エスカレーター__ 图 에스컬레이터；자동 계단. ▷bi escalator.

エスカレート 图 図自 에스컬레이트；(분쟁 따위가) 단계적으로 확대되어 감. ▷bi escalate.

エスキモー 图 에스키모. ▷Eskimo.

エスコート 图 図他 에스코트；(흔히, 여성의) 호위；호송. ▷escort.

エスばん [S判] 图 에스판；셔츠·블라우스 등의 규격 중의 작은 것. ↔エム判┊┊・エル判┊┊. ▷small size.

エスピーばん [SP 盤] 에스피 판；1분간 78회전하는 레코드. ▷standard playing.

エスプリ 图 에스프리. ①정신；정수(精髓). ②기지；재치. ▷フ esprit.

エスペラント 图 에스페라토(1887년 폴란드의 자멘호프가 창시한 국제어). ▷Esperanto.

えせ【似非・似而非】【名前 위에서》 사이비；＝まやかし. ¶─学者┊┊ 사이비 학자.

えそ【壊疽】图【醫】 괴저；인체 조직의 일부분이 생활력을 잃어 죽은 상태로 되는 증세. ¶脱疽┊┊ ＝えし. 폐괴저.

えぞ【蝦夷】图 ①【關東┊┊】 이북에 살던 일본의 선주(先住) 민족(지금의 아이누 족의 옛 이름). ②北海道┊┊の 옛 이름.

えぞう【絵像】【画像】 ezō 图 화상(畫像)；그림으로 그린 모습. ＝えすがた.

えぞうし【絵草紙・絵双紙】 ezō- 图 江戸┊┊ 시대에 회한한 사건 등을 그림으로 그려, 한두 장의 종이에 인쇄한 흥미 본위의 그림. ＝かわらばん. ¶─のように 장마다 그림이 들어 있는 목판본의 소책자┊┊靑本┊┊·黄表紙┊┊ 따위】. ＝にしきえ(錦絵).

えぞぎく【蝦夷菊・翠菊】图【植】 과꽃.

えぞまつ【蝦夷松】图【植】 가문비나무.

えそらごと【絵そらごと】【絵空事】图 ①상상화(想像畫). ②새빨간 거짓；허풍.

*__えだ__【枝】图 ①가지. ②갈래. ¶─道┊┊ 갈랫길；갈림길. ③幹┊┊.

えたい【得体】图 정체；본성. ¶─が知れない 정체를 알 수 없다.

えだうち【枝打ち】图 図自他 가지치기.

えだずみ【枝炭】图 지탄；진달래나 상수리나무의 가지를 구워 만든 숯(다도

（茶道)에서 숯불로 씀）.

えだにく【枝肉】图 지육(소나 돼지의 머리·내장 따위를 발라내고 남은 뼈에 붙은 고기）. ▷도 Áthanol.

エタノール 图 에탄올 ; 에틸알코올. ▷

えだは【枝葉】图 지엽. ①가지와 잎. ②사물의 중요하지 않은 부분. ¶～の問題의 지엽적인 문제나. ⇔根幹.

えだぶり【枝ぶり】【枝振り】图 가지모양 ; 가지가 뻗은 모양.

えだまめ【枝豆】图 （가지채로 꺾은 풋콩.

えだみち【枝道】图 ①샛길. ②사물이 본 줄기에서 벗어남. ¶話が～にそれる 이야기가 옆길로 새다.

えたり【得たり】連語 잘 됐다 ; 옳다 됐다(뜻대로 되어 힘이 나서 하는 말）. ¶～がお 의 양양한 얼굴 ／ ～とばかり 옳지 됐다는 듯이.

えたりかしこし【得たり賢し】連語 얼씨구나, 잘 됐다 / 그것 참, 고맙다.

えたりやおう【得たりや応】-yao 連語 뜻대로 되었을 때, 또는 승낙할 때 등에 하는 말 ; 좋아 ; 됐어. ¶～と立たう 됐다(얼씨구나) 하며 일어서다.

エタン图【化】에탄. ▷도 Áthan.

*　**エチケット** -ketto 图 에티켓 ; 예절 ; 예의 범절. ▷etiquette.

えちごじし【越後獅子】图 新潟県의 사자 춤(정초에 어린이들이 사자 탈에 갈을 쓰고 머리에 나막신을 신고 춤을 추면서 돈을 탐）. ＝角兵衛獅子.

エチュード echū-图 에튀드. ①【樂】기악 연습용의 악곡 ; 연습곡. ②【美】습작(習作) ; 시작(試作). ▷프 étude.

エチル图【化】에틸. ──**アルコール**图【化】에틸알코올 ; 주정(酒精). ▷도 Áthylalkohol

エチレン图【化】에틸렌. ▷도 Áthy-len.

えつ【悦】图 기뻐함. ¶～を覚える 기쁨을 느끼다. ──**に入**る 은근히 기뻐하다 ; 흡족해하다.

えっ【謁】图 알현. ¶～を賜る 접견을 허락해 주시다.

えつ【閲】图 검열 ; 교열. ¶～を受ける 검열을 받다 / ～を請う 교열을 청하다.

えっきょう【越境】ekkyō 图 国 월경. ¶～入学 월경 입학 ; 학군제(學區制)를 벗어난 입학.

えづ‐く【餌付く】图 国 새·짐승이 길들어서, 주는 먹이를 먹게 되다.

エッグ eggu 图 에그 ; 달걀. ¶～フライ 에그 프라이. ▷egg.

エックス【X】ekku-图 엑스 ; 미지수의 기호 ; 미지(未知)의 것. ──**きゃく**【──脚】-kyaku 图 X형 다리 ; 밭장다리. ──**Ｏ脚**── ──**せん**【──線】图 엑스 광선. ＝レントゲン(線).

えづけ【餌付け】图 야생 동물에게 먹이를 주어서 인간에 길들게 함.

えっ‐する【閲する】essu- 国 変他 ①조사하다 ; 검열하다. ②읽다 ; 보다 ; 열람하다. ③지내다 ; 경과하다. ¶多くの年月を～ 많은 세월을 보내다.

えっ‐する【謁する】essu- サ変自 알현하다 ; (지체높은 사람을) 뵙다.

エッセイ essei 图 에세이 ; 수필 ; 소론(小論). ＝エッセー. ▷essay.

エッセンス essen-图 엣센스. ①본질적 요소 ; 진수(眞髓). ②식물체에서 빼낸 식욕·향료의 정유(精油). ¶レモン～ 레몬 엣센스. ▷essence.

エッチ【H】etchi 一图 연필 심의 경도(硬度)를 나타내는 부호. ¶～B도 에이 치비. ▷ hard. 二〔ズチ〕〈俗〉변태. ¶～な話を 음란한 이야기. ▷일 hentai (変態).

えっちゅうふんどし【越中ふんどし】【越中褌】etchū-图 길이 1미터 가량의 폭이 좁은 천 끝에 끈을 단 T자 모양의 들보.

えっちらおっちら etchira otchi-图 무거운 짐을 지거나 지쳐서 괴로운 듯이 힘들여 걷는 모양 ; 기신기신. ¶～(と)坂をのぼる 기신기신 비탈(길)을 오르다.

エッチング etchin-图 에칭 ; 부식(腐蝕) 동판화. ▷etching.

えっとう【越冬】ettō 图 国 월동. ¶～資金 월동 자금. ¶뚫어 읽음].

えつどく【閲読】图 国 열독 ; 내용을 읽음.

えつねん【越年】图 国 월년 ; 해를 넘김. ¶～資金 월년 자금. 注意 'おつねん'은 노인어(老人語).

えっぺい【閲兵】eppei 图 国 열병 ; 사열. ¶～式 열병식.

えつぼ【笑つぼ】【笑壺】图 웃음이 함빡 넘치는 모양. ──**に入**る 뜻대로 되어 흐뭇한 표정으로 웃다. ＝ほくそえむ.

えつらく【悦楽】图 国 열락 ; 기뻐하고 즐거워함. ¶～に浸る 열락에 빠지다.

えつらん【閲覧】图 国 열람. ¶～室 열람실.

えつれき【閲歴】图 열력 ; 경력 ; 이력.

えて【得手】图 가장 능한 재주 ; 장기 ; 특기. ──**に帆****をあげる** 신바람이 나다. ──**かって**【──勝手】-katte 图 자기 위주(멋대로)의 행위나 생각. ¶～なふるまいを慎む 방자한 행동을 삼가다 / ～ばかり 제멋대로 지껄이다.

えて【得て】圖 ①자칫하면. ＝えてして·とかく. ¶末っ子は～甘やかされて育つ 막내는 자칫 응석받이로 자란다. ②¶～近づくべからず 도저히 가까이할 수가 없다.

エディター edi-图 에디터 ; 편집인 ; 주필. ▷editor.

えてして【得てして】圖 자칫(까딱)하면. ＝えて·とかく. ¶過信は～失敗を招く 과신은 자칫 실패를 가져오다.

エデン 图 에덴. ¶～の園 에덴 동산. ▷그 Eden.

えと【干支】图 간지 ; 육십 갑자.

えと【穢土】图 에토 ; 이승 ; 현세. ⇔浄土.

えど【江戸】图 '東京'의 옛 이름(德川幕府의 소재지). ──**の敵****を長崎****で討****つ** 엉뚱한 곳에서, 또 엉뚱한 일로 복수하다. ──**じだい**【──時代】图 德川幕府 시대 ; 德川씨가 江戸에 幕府를 세워 통치하던 시대. ──**づめ**【──詰(め)】图 근세, 大名

え

だいが 영지를 떠나 江戸에 살면서 복무한 일 ; 또, 大名의 가신(家臣)이 江戸에 있는 주택에 근무하던 일. ↔国詰ゔめ. ━━ばくふ【━━幕府】 1603년 徳川家康ゔが 江戸에 창시한 무인(武人)정권. =徳川ゔ幕府ゔ. ━━まえ【━━前】 图①江戸식. ¶━━の料理ゔ 江戸식 요리. ②江戸식이란 뜻에서 잡히는 어개류(魚介類). ━━むらさき【━━紫】 图 남빛이 도는 보랏빛.

えとき【絵解き】 图丒他①그림 풀이 ; 그림으로 설명을 보충함 ; 또, 그 설명문. ②수수께끼를 풀어 밝힘. ¶事件ゔの━━ 사건의 해명.

えとく【会得】 图丒他 터득.

えどっこ【江戸っ子】 edokko 图 江戸에서 나서 자란 사람 ; 東京ゔ 내기. ¶生えっ粋ゔの━━ 순 東京 토박이.

エトランゼ 에트랑제 ; 낯선 사람 ; 이방인 ; 외국인. ▷图 étranger.

えどーる【絵取る】 丒他①채색하다. ②개칠(改漆)하다.　　「衣」

えな【胞衣】 图丒生 포의 ; 태의胎.

えない【得ない】 連語 할 수 없다. ¶止ゔむを━━ 부득이하다 / せざるを━━ 하지 않을 수 없다.

エナメル 에나멜. ¶━━革ゔ 에나멜 가죽 ; 칠피(漆皮) / ━━靴ゔ 에나멜 구두. ▷enamel.

えにし【縁】 图 인연. =えん・ゆかり. ¶不思議ゔな━━で結ばれた二人ゔ이 상한 인연으로 맺어진 두 사람.

エニシダ【金雀児】 图【植】금작화. ≒hiniesta.

エヌエイチケー【NHK】 图 엔에이치케이 ; 일본 방송 협회. ▷일 Nippon Hōsō Kyōkai.

エヌジー【NG】 图 엔지 ; (영화에서) 촬영 실패작 ; 그래서 생긴 못쓰는 필름. (방송·텔레비전에서) 실수·녹화의 실패하는 일. ¶━━を出ゔす 엔지를 내다.

エネルギー 图 에네르기 ; 에너지. ▷도 Energie. ━━不滅ゔの法則ゔ 에너지 불멸의 법칙.

エネルギッシュ -gisshu ダナ 에너르기시 ; 정력적. ▷도 energisch.

えのあぶら【荏の油】 图 들기름 ; 들깨 기름.

えのき【榎】 图【植】팽나무. 「나무.

えのぐ【絵の具】 图 그림 물감 ; 채료(彩料). ¶━━を塗ゔる 그림 물감을 칠하다.

えのころぐさ【狗尾草】 图【植】강아지 풀 ; ¶エノコ草. =ねこジャラシ.

えはがき【絵はがき】【絵葉書·絵端書】 图 그림엽서.

えばおり【絵羽織】 图 큼직한 그림 무늬가 있는 여자용 덧옷(외출복). =えば(おり).

えばもよう【絵羽模様】 -yō 图 (일본 옷에서) 솔기에 걸쳐서 있는 큼직한 그림 무늬.

えび【蝦·海老】 图【動】새우. ━━で鯛たを釣ゔる 새우로 잉어를 낚다(적은 밑천으로 큰 이익을 얻다).

えびす【夷·戎·蛮·狄】 图①아이누족. =えぞ. ②오랑캐 ; 미개인. ③거친 사람 ; (関東ゔ지방의) 사나운 무사.

えびす【恵比寿·恵比須】 图 칠복신(七

福神)의 하나(상가(商家)의 수호신(守護神)으로서, 오른손에 낚싯대, 왼손에 도미를 들고 있음). ━━がお【━━顔】(恵比須ゔ顔) 싱글벙글하는 얼굴. ¶借ゔりる時ゔの━━返ゔす時ゔのえんま顔얼굴 빌 때는 웃는 얼굴, 갚을 땐 성난 얼굴(앉아 주고 서서 받는다).

エピソード 에피소드 ; 삽화(挿話) ; 일화(逸話). ▷episode.

えびちゃ【えび茶】（海老茶·葡萄茶）-cha 图 거무스름한 적갈색. 「초.

えびね【海老根·蝦根】 图【植】새우난.

エピローグ 에필로그. ▷プロローグ. ▷epilogue.

えふ【衛府】 图 奈良ゔ·平安ゔ시대에, 궁중을 경비하던 여섯 관청의 총칭 ; 또, 그 관청에 근무하던 무사.

エフアイ【FI】图①【映·TV】용명(溶明). ②(방송에서) 소리가 점점 커지는 일. ⇔エフオー. ▷fade in.

エフエム【FM】图 에프엠 ; 주파수 변조(變調). ↔エーエム. ▷frequency modulation. ━━ほうそう【━━放送】 -hōsō 图 에프엠 방송.

エフオー【FO】图 에프오. ①【映·TV】용암(溶暗). ②(방송에서) 소리가 점점 작아지는 일. ⇔エフアイ. ▷fade out.

えふで【絵筆】 图 그림 붓 ; 화필.

えぶり【柄振り·朳】 图 고무래.

エプロン 에이프런. ①앞치마. =前ゔかけ. ②(공항에서) 승객이 오르내리며, 짐을 싣고 부리는 장소. =スポット. ③(골프장에서) 그린 주변의 경사지대. ▷apron. ━━ステージ 에이프런 스테이지 ; 돌출 무대(극장에서 관객석 가운데까지 쑥 내민 무대의 일부). ▷apron stage.

エペ 图 에페 ; 펜싱 종목의 하나. ▷프 épée.

えへん 感 에헴(헛기침 소리).

えほう【恵方】(吉方) ehō 图 길방(음양도(陰陽道)에서, 그 해의 간지에 따라 길한 방위라고 정해진 방향).

えぼし【烏帽子】 图 옛날에 公家ゔ나 무사가 쓰던 건(巾)의 일종(지금은 신관(神官) 등이 씀).

エポック epokku 图 에폭 ; 새 시대 ; 중요한 시기. ▷epoch. ━━メーキング ダナ 에폭메이킹 ; 새 시대를 열 ; 획기적. ▷epoch-making.

エボナイト 에보나이트(만년필·전기 기구의 절연체 따위에 사용). ▷ebonite.

エホバ 에호바 ; 여호와. ▷Jehovah.

えほん【絵本】 图①그림책. ¶━━を見ゔる 그림책을 보다. ②ゔえぞうし(絵草紙). ③연극의 내용을 그림으로 나타내고 옆에 배역과 배우 이름을 기입한 책. =絵本番付ゔばん.

えま【絵馬】 图 발원(發願)을 할 때나, 소원이 이루어진 사례로 말 대신 신사(神社)나 절에 봉납하는 말 그림 액자.

えまき【絵巻】 图 그림 두루마리(설명의 글이 곁들여 있음). =絵巻物ゔもの.

えみ【笑み】 图①웃음 ; 미소. =ほほえみ. ¶顔がゔに━━を浮ゔべる 얼굴에 미소를 띠다. ②꽃이 핌. ③부풀어 벌어짐. ¶いがぐりの━━ 밤송이가 벌어짐.

えみし【蝦夷】图 ☞えぞ.

えみわ・れる【笑み割れる】〖下一自〗（밤송이·석류 열매 따위가）익어서 저절로 벌어지다.

え-む【笑む】〖五自〗①미소짓다；방긋이 웃다. ②꽃이 피다；봉오리가 벌어지다. ¶花たの～のころ 꽃이 필 때. ③열매가 익어 터지다（벌어지다）.

エムばん【M判】图 엠판；셔츠·블라우스 등의 규격 중 중치의 것.⇔エス判·エル判. ▷middle size.

エムピーばん【MP盤】图 엠피판(1분간에 33 1/3 회전하는 장시간 연주의 레코드). ▷middle playing record.

エメラルド 图 에메랄드. =緑玉ぎょ·翠玉すい. ▷emerald.

えもいわれぬ【えも言われぬ】〖連語〗《連体接続으로》무엇이라 말할 수 없이（좋은）.=えもいえぬ. ¶～景色けしきだ 말할 수 없이 아름다운 경치다.

えもじ【絵文字】图 그림 글자.

えもの【得物】图①（자신 있게 다루는）무기. ②가장 능숙한 재주.

えもの【獲物】图①（어렵（漁獵）에서）잡은 것；잡을 것；사냥감. ②전리품（戦利品）；빼앗은 것.

えもん【衣紋·衣文】图①의관（衣冠）을 단정히 갖춤；또, 그 방식. ②옷깃.ーをつくろう 옷깃을 잘 여미다；옷매무새를 고치다.ー―かけ【―掛け】图①(복판에 끈이 하나 있는) 횃대. ②(머릿병풍 뼈대 모양의) 옷걸이. =衣桁いこう.

えもんふ【衛門府】图 예전 대궐의 여러 문의 경비를 맡았던 관청（左さ衛門府와 右う衛門府로 나뉨）.

えら【鰓·腮·顋】图①아가미. ②《俗》하관（下顎）.

エラー 图 에러；잘못；실패；실책. ▷error.

**えら-い【偉い·豪い】胺①훌륭하다；비범하다；（잘）나다. ¶ほんとに一人ひとりだ 정말이지 훌륭한（난）사람이다. ②지위·신분이 높다. ¶ー人ひとりのお越こし 높으신 분의 행차. ③대단하다；심하다. ¶ー예상외의 일；ー事件じけん 엄청난 사건 / ～ことになった 큰일 났다.⑤심하다；지독하다. ¶～寒さむ 무척 추위.

えらが-る【偉がる·豪がる】〖五自〗 뽐내다；（잘）난 체하다.

**えら-ぶ【選ぶ·択ぶ】〖五他〗①고르다.㋐뽑다；가리다. ㋑아내（며느리）를 고르다 / 代議士だいぎしに～ばれる 국회 의원으로 뽑히다 / 目的もくてきのためには手段しゅだんを～ばない 목적을 위해서는 수단을 가리지 않다. ㋒택하다. ¶コースを～コースを택하다. ②（낫게）편찬하다. ③다르다. ¶…と～所ところが無ない …와 조금도 다를 바가 없다；같다.

えらぶつ【偉物·豪物】图《俗》훌륭한 인물；뛰어난 사람.

えらぶ-る【偉ぶる】〖五自〗 젠체하다；（잘）난 체하다.

*えり【襟·衿】图①옷깃；동정；칼라. ②목덜미.ーにつく 목덜미에 붙다(권세에 아부하다).ーを正ただす 옷깃을 여미다；자세를 바로하다.

エリア 图 에어리어；지역；구역. ▷area.

えりあか【襟垢】图 옷깃의 때.

えりあし【襟足】图 목덜미의 머리털이 난 어름.

エリート 图 엘리트；선량（選良）；뽑힌 사람. ¶ー社員しゃいん 엘리트 사원 / ～意識いしき 엘리트 의식. ▷프 élite.

えりがみ【襟髪·襟上】图 목덜미의 머리털.

えりくび【襟首】图 목덜미. =くびすじ·うなじ.

えりぐり【襟刳り】【襟刳（り）】图 목둘레를 판 의복의 선.

えりごのみ【えり好み】【選り好み】图 좋아하는 것만을 골라 취함；가리기. =よりごのみ·えりぎらい. ¶～がはげしい 몹시 가린다（까다롭다） / 食たべ物ものに～する 음식을 가리다.

えりしょう【襟章】-shō图 금장；옷깃에 다는 휘장（徽章）.

えりすぐ-る【選りすぐる】〖五他〗 여럿 중에서 좋은 것만을 골라《가려》내다.

えりぬき【えり抜き】【選り抜き】图 뽑아 냄；가려 냄；선발함；추려 냄. =よりぬき. ¶～の選手せんしゅ 엄선된 선수.

えりぬ-く【えり抜く】【選り抜く】〖五他〗 골라 뽑다；가려 내다. =よりぬく.

えりまき【襟巻（き）】图 목도리. =くびまき·マフラー.

えりもと【襟もと·襟元·衿元】图 옷깃 언저리；목 언저리. ¶～をかき合あわせる 옷깃을 여미다.

えりわ-ける【えり分ける】【選り分ける】〖下一〗 골라 내다；가려 내다；추려 내다. =よりわける.

え-る【彫る】〖五他〗《雅》①도려 내다；손에 넣다. ②새기다；조각하다. ③군데 군데 파서 금은·보석을 박다.

**え-る【得る】〖下一他〗①얻다；획득하다；손에 넣다. ¶知識ちしきを～ 지식을 얻다 / 病やまいを～ 병을 얻다 / 貴意きいを～たい 당신의 승낙을 얻고자 합니다. ②이해하다；깨닫다. ¶その意いを～ぬ 그 뜻을 모른다. ㋑《動詞의 連用形에 붙어서》…（할）수 있다. ¶ありえない 있을 수 없다.《参考》㋑의 경우, 終止形·連体形은 흔히 'うる'로 됨. ¶ありうること 있을 수 있는 일 / 考かんがえうる限かぎり手てをつくす 생각할 수 있는 온갖 손을 다 쓰다.

え-る【選る】〖五他〗 고르다；뽑다；추리다；선택하다. =よる.

える【獲る】〖下一他〗①사냥해서 동물을 잡다. ②쟁취하다.

エルエスアイ【LSI】图 엘 에스 아이；고밀도 집적 회로. ▷large scale integration.

エルエスげんゆ【LS原油】图 엘에스 원유；저황（低黃）원유. ▷low sulfur crude oil.

エルエヌジー【LNG】图 엘엔지；액화 천연 가스. ▷liquefied natural gas.

エルシー【LC】图《經》엘시；신용장. ▷letter of credit.

エルばん【L判】图 엘판；셔츠·블라우스 따위의 규격 중 대형의 것.⇔エス判はん·エム判はん. ▷large size.

エルピーガス【LPガス】图《化》엘피 가스；액화 석유 가스；프로판 가스. =LPGエルピー. ▷liquefied petroleum gas.

え

エルピーばん【LP盤】 图 엘피판(1분간에 33 1/3 회전하는 장시간 연주의 레코드). ＝LP_{レコード}. ▷long playing record.

エレガント [ダナ] 엘리건트; 우아함; 고상함. ▷elegant.

エレクトロニクス 图 엘렉트로닉스; 전자 공학; 전자 기술. ▷electronics.

エレクトロン 图【理】엘렉트론. ①전자. ▷electron. ②엘렉트론 메탈; 초경(超輕)합금(가볍고 강하기 때문에 항공기·자동차 따위의 재료로 쓰임). ▷electron metal.

エレジー 图 엘레지; 비가(悲歌). ＝哀歌^{ぅた}. ▷elegy.

*****エレベーター** 图 엘리베이터; 승강기. ＝リフト. ▷回 elevator.

エレメント 图 엘리먼트. ①요소; 성분. ②요인. ③【化】원소. ▷element.

エロ [ダナ] '에로틱(＝호색적·선정적)'의 준말; 에로. ¶~な話^{はなし}음란한 이야기 / ~本^{ほん} 외설한 내용의 책. 參考 '에로티시즘'의 뜻으로도 쓰임. ▷erotic.

エロチシズム 图 에로티시즘; 관능적 연애; 색정; 호색. ▷eroticism.

エロチック -chikku [ダナ] 에로틱; 선정적; 호색적. ＝エロ. ▷erotic.

‡えん【円】 图 ①둥긂; 동근 것; 원. ¶~の面積^{めんせき}원의 면적 / 鳥^{とり}が~を描^{えが}いて飛^とぶ새가 원을 그리며 날다. ②엔(일본의 화폐 단위).

えん【宴】 图 연회; 잔치. ¶花^{はな}の~꽃놀이(잔치) / ~を張^はる잔치를 베풀다.

*****えん**【縁】 图 ①인연; 연분. ¶そうなる運命。~不思議^{ふしぎ}な~이상한 인연. ②사물과의 관계·연결. ¶~がない인연이 없다. ③숙명적인 인연. ¶前世^{ぜんせ}の~전세의 인연. ④부모 자식·부부의 관계. ¶~を切^きる인연을 끊다; 이혼하다. ⑤계기; 기회. ¶これをご~によろしく이것을 계기로 잘 부탁드립니다. ＝縁側^{えんがわ}. ⑥툇마루. ¶~に出^でる툇마루에 나오다. ──は異^いなもの味^{あじ}なもの남녀 특히 부부의 인연이란 도시 어떻게 맺어지는가 이상하고도 재미있는 것이다.

えん【冤】 图 억울한 죄. ¶~をそそぐ억울한 죄를 씻다.

えん【塩】 图【化】염. 「맹장염.

-えん【炎】 …염; 염증. ¶盲腸^{もうちょう}~

えんいん【延引】 图 ス自 (일이) 질질 끌어 늦어짐; 지연. ＝えんにん.

えんいん【援引】 图 ス他 원인(자기 설의 보강을 위해) 증거로서 인용함.

えんいん【遠因】 图 원인. ↔近因^{きんいん}.

えんう【煙雨】 图 연우; 이슬비. ＝きり さめ.

えんえい【遠泳】 图 ス自 원영; 먼 거리를 헤엄침.

*****えんえき**【演繹】 图 ス他 연역. ¶~法^{ほう}연역법. ↔帰納^{きのう}. ──てき【──的】 [ダナ] 연역적. ↔帰納的^{きのうてき}.

えんえん【延延】 副 [トタル] (이야기나 길이) 언제 끝날지도 모르게 길게 계속되는 모양; 질질 끄는 모양; 장장. ¶~十時間^{じかん}に及^{およ}ぶ会議^{かいぎ}장장 열 시간이나 계속되는 회의.

えんえん【炎炎】【焔焔】 [トタル] 활활 타

오르는 모양. ¶~と燃^もえる활활 타오르다. ¶~たる猛火^{もうか}맹렬히 타오른 맹렬한 불길.

えんえん【蜿蜒・蜒蜒・蜿蜿】 [トタル] 완연; 길게 꾸불꾸불 계속되는 모양. ¶~長蛇^{ちょうだ}の列^{れつ}꾸불꾸불 끝없이 계속된 장사진.

えんお【厭悪】 图 ス他 염오. ＝嫌悪^{けんお}.

えんおう【冤枉】 en'ō 图 원왕; 억울한 죄. ¶~をそそぐ억울함을 씻다.

えんおう【鴛鴦】 en'ō 图 원앙(새). ──は おしどり. ──の契^{ちぎ}り 부부의 약속[인연]. ¶~の契りを結^{むす}ぶ부부의 인연을 맺다(부부가 되다). ──の仲^{なか} 부부의 금실이 좋음.

えんか【円価】 图 円값의 화폐 가치. ¶~の変動^{へんどう}엔화 가치의 변동.

えんか【円貨】 图 (일본의) 円화폐; 円화 단위의 화폐. 「えんげ.

えんか【嚥下】 图 ス他 연하; 삼킴. ＝

えんか【塩化】 图 ス自【化】염화. ──ぎん【──銀】 图 염화은. ──ナトリウム -ryūmu 图 염화 나트륨(식염(食塩)의 일컬음). ▷Natrium. ──ビニール 图 염화 비닐(아세틸렌과 염화수소가 화합하여 된 기체. 비닐은 이것을 가공한 것임). ＝塩化^{えんか}ビニル. ▷vinyl. ──ぶつ【──物】 图 염화물. ──マグネシウム -shūmu 图 염화 마그네슘. ▷magnesium.

えんか【煙火】 图 ①봉화불. ＝のろし. ②불꽃; ＝花火^{はなび}. ③밥짓는 불. ＝炊煙^{すいえん}.

えんか【燕窩】 图 연와. ①제비집. ②(중국 요리에서) 연소. ＝燕巣^{えんそう}.

えんか【演歌】【艶歌】 图 'なにわ節^{ぶし}' 투의 애조를 띤 유행가.

えんか【縁家】 图 ①사돈집. ②연고가 있는 집. 「かもり.

えんかい【宴会】 图 연회; 잔치. ＝うたげ・さ.

えんかい【沿海】 图 연해. ¶~都市^{とし}연해 도시 / ~漁業^{ぎょぎょう}연해 어업.

えんかい【遠海】 图 원해. ↔近海^{きんかい}. ──ぎょ【──魚】 -gyo 图【魚】원해어(가다랑어·다랑어·꽁치 따위).

えんがい【円蓋】 图 원개; 둥근 뚜껑(지붕). ＝ドーム.

えんがい【塩害】 图 염해; 논밭에 바닷물이 침수하거나 염분이 많은 바람 때문에 농작물이 받는 피해.

えんがい【煙害】 图 연해; 연기(매연) 피해.

えんがい【掩蓋】 图 엄개. ①씌우개; 덮개. ②【軍】진지·참호 등의 지붕.

えんかいしょく【鉛灰色】-shoku 图 연회색; 납빛 비슷한 회색. 「わり.

えんかく【沿革】 图 연혁; 변천. ＝うつりか

えんかく【遠隔】 图 원격; 멀리 떨어져 있음. ¶~の地^ち원격지. ──せいぎょ【──制御】-gyo 图 ス他 원격 제어[조종]. ＝リモートコントロール. ──そうさ【──操作】-sōsa 图 ス他 원격 조작. ＝遠隔制御^{えんかくせいぎょ}. ──ゆうどう【──誘導】-yūdō 图 ス他 원격 유도; 쏘아 올린 로켓의 궤도나 자세를 지구에서 전파로 컨트롤하는 일.

えんかつ【円滑】 图 원활. ¶~に取^とり運^{はこ}ぶ원활히 진행되다(시키다) / 二人^{ふたり}の仲^{なか}は~に行^いかない두 사람

사이는 원활하지 못하다.

えんがわ【縁がわ·縁側】图 툇마루. = えん·えんさき. ¶～に腰をかける 툇마루에 걸터앉다.

えんかわせ【円為替】图 円ⁿ의 환시세; 엔화와 외국 화폐와의 비교 가격.

えんかん【塩乾·塩干】图 염건(塩乾); 생선을 소금에 절이거나 말림. = しおぼし. ¶—加工品ⁿ품 염건 가공품.
—ぎょ【—魚】-gyo 염건어.

えんかん【烟管】图 연관; 담뱃대. = キセル.　　「파이프.

えんかん【鉛管】图 연관; 납으로 만든

*__えんがん__【沿岸】图 연안. ¶～貿易ⁿ연안 무역／～地方ⁿ연안 지방.
—ぎょぎょう【—漁業】-gyogyō 연안 어업. ↔遠洋ⁿ漁業.

えんき【塩基】图 【化】 염기. —せい【—性】염기성; 알칼리성. ↔酸性ⁿ染料ⁿ염기성 염료. ↔酸性ⁿ.

*__えんき__【延期】图ㅈ他 연기. ¶無期ⁿ～ 무기 연기.　　　　「함.

えんき【厭忌】图 염기; 꺼리고 싫어함.

えんき【遠忌】图 【佛】3주기(周忌) 이후의 기일(忌日). 注意 真宗ⁿ에서는 'えんき', 다른 종파에서는 'おんき'라고 함.

*__えんぎ__【演技】图ㅈ他 연기. —派ⁿ연기파／すぐれた～を見ⁿせる 뛰어난 연기를 보여주다.

*__えんぎ__【縁起】图 ①기원; 유래. 특히, 신사·절의 유래. ②길흉의 조짐; (재)수; 운수. ¶～が悪ⁿい 재수가 나쁘다〔없다〕; 불길하다／～を直ⁿす 불길한〔불행〕을 없애다. ／～でもない 가당치도 않다; 재수 없는〔불길한〕소리 마라. —を祝ⁿう 재수 있기를 빌다. —をかつぐ 무슨 일에 길흉의 조짐을 들먹여(장차 재수가 어떨까) 마음 조린다. —だな【—棚】연예인의 집이나 요릿집·가게 등에서 재수 있기를 빌기 위하여 신을 모신 단(壇). —なおし【—直し】图ㅈ自 조짐이 나쁜 것을 좋아지도록 빌어서 고침. ↔験直ⁿし. —もの【—物】①길조(재수)를 비는 (뜻에 장식하는) 물건. ②신사나 절에 가는 사람을 상대로 파는 물건. —ゆらい【—由来】유래를 적은 책 (따위).

えんぎょう【塩業】-gyō 图 염업; 소금의 제조·가공 사업.

*__えんきょく__【婉曲】-kyoku グナ 완곡. ¶～な表現ⁿ완곡한 표현／依頼ⁿを～に断ⁿる 부탁을 완곡히 거절하다. ↔露骨ⁿ.

えんきょり【遠距離】-kyori 원거리. ¶—砲ⁿ장거리포. ↔近距離ⁿ.

えんきり【縁切り】图ㅈ自 (부부·부모와 자식·형제·주종 관계 등의) 절연; 의절(좋은 뜻에서는 부부의 이혼을 가리킴). ¶—状ⁿ절연장.

えんきん【遠近】图 원근. ¶～感ⁿ원근감. —ほう【—法】-hō 图 【美】 원근법.

えんぐみ【縁組(み)】图ㅈ自 ①양자 결연. ②결혼; 혼인.

えんぐん【援軍】图 원군. ¶～が到着ⁿ원군이 도착하다.

えんげ【嚥下】图ㅈ他 ☞えんか.

えんけい【円形】图 원형. ¶～動物ⁿ원형 동물／～劇場ⁿ원형 극장.

えんけい【遠景】图 원경. ↔近景ⁿ.

*__えんげい__【演芸】图 연예. ¶～界ⁿ연예계.　　　　「(가정 원예).

*__えんげい__【園芸】图 원예. ¶家庭ⁿ～

エンゲージリング 인게이지링; 약혼반지. ▷engagement ring.

*__えんげき__【演劇】图 연극. = 芝居ⁿ. ¶～を見ⁿに行ⁿく 연극을 보러 가다.

えんげつとう【偃月刀】-tō 图 언월도 (반달 모양의 옛 중국 칼).

エンゲルけいすう【エンゲル係数】-sū 图 【經】 엥겔 계수(생활비 가운데서 음식비가 차지하는 비율을 나타내는 숫자). ▷Engel.

えんげん【淵源】图ㅈ自 연원; 기원; 근원. ¶教育ⁿの—교육의 연원.

えんこ【—】图ㅈ自 ①〈兒〉 (어린 아이가) 털썩 주저앉음; 퍼더버림. ②〈俗〉 (전차·자동차 등이) 고장 나서 움직이지 못함.

えんこ【円弧】图 원호; 호. = 弧ⁿ. ¶～を描ⁿいて飛ⁿぶ 원호를 그리며 날아(가)다.

えんご【掩護】图ㅈ他 엄호. ¶～射撃ⁿ

えんご【援護】图ㅈ他 원호. ¶～の手をさしのべる 원호의 손길을 뻗치다.

えんご【縁語】图 의미상 연관성 있는 말을 함께 수식하는 (和歌ⁿ의) 표현; 또, 그 말.

えんこう【円光】-kō 图 원광; 부처나 보살의 머리 뒤에서 비치는 빛; 후광. = 後光ⁿ.　　　「きる.

えんこう【猿猴】-kō 图 원후; 원숭이.

えんこうきんこう【遠交近攻】enkōkin-kō 图 원교 근공. ¶～の政策ⁿ원교 근공 정책.

えんごく【遠国】图 ①원국; 먼 나라. ②예전에 도읍에서 멀리 떨어진 지방. ↔近国ⁿ.

えんこん【怨恨】图 원한. = うらみ. ¶～をいだく 원한을 품다.

えんざ【円座】【円坐】图 ①얇고 둥근 짚방석(골풀·삿갓사초 등으로도 결음) = わろうだ. ②둥글게 둘러앉음. = 車座ⁿ.

えんざ【縁座】【縁坐】图ㅈ自 연좌; 일가 (친척)의 범죄로 말미암아 같은 처벌을 당함. = 連座ⁿ.

えんざい【冤罪】图 원죄; 억울한 죄. = ぬれぎぬ. ¶～をこうむる 원죄를 쓰다.

エンサイクロペディア -dia 图 엔사이클로피디어. ①백과 사전〔전서〕. ②박식한 사람. ▷encyclopedia.

えんさき【縁先】图 툇마루 끝. ¶～に腰をかける 툇마루 끝에 걸터앉다.

えんさだめ【縁定め】图 정혼(定婚).

えんさん【塩酸】图 염산.

えんざん【演算】图 연산. = 運算.

えんざん【鉛槧】图 문필에 종사함.
—に付ⁿする 인쇄에 부치다.

え

えんし【遠視】图【醫】원시(안). ↔近視$^{き\ん}$. ──がん【──眼】图 원시안.↔近視眼$^{き\ん し}$.

えんし【臙脂・燕脂】图 연지;거무스름한 적색.

えんじ【衍字】图 연자;어구(語句) 중에 잘못 들어간 글자.

えんじ【園児】图 원아.

えんじつてん【遠日点】图【天】원일점(행성(行星)이나 혜성이 궤도상에서 태양에 가장 먼 점).↔近日点$^{き\ん じ}$.

エンジニア 엔지니어;기사;기술자. ▷engineer.

えんしゃ【遠写】-sha 图 즈他 원사;멀리서 적음.↔近写$^{き\ん}$.

えんじゃ【縁者】-ja 图〈老〉친척;일가. =親類$^{る\ん}$.

えんじゃく【燕雀】-jaku 图 연작;제비와 참새;작은 새;전하여, 소인물.↔鴻鵠$^{こ\ん こく}$. ──いずくんぞ鴻鵠$^{こ\ん こく}$の志^{こころざし}を知^{し}らん(や) 연작이 어찌 홍곡의 뜻을 알랴(소인물이 큰인물의 뜻을 알리가 없다).〔엔차라〕

えんしゃっかん【円借款】-shakkan 图 엔차관.

えんじゅ【槐】-ju 图【植】회화나무.

えんしゅう【円周】-shū 图 원주;원둘레. ──りつ【──率】图 원주율.

*えんしゅう【演習】-shū 图 즈自 연습. 〔水防^{すいぼう}〕~ 수방 연습／文学的^{てき}~ 문학연습〔세미나〕. 参考 타동사적으로 쓰이는 때도 있음.

*えんじゅく【円熟】-juku 图 즈自 원숙. ¶~期 원숙기／~味^{あじ} 원숙미／~した人格$^{か\くく}$ 원숙한 인격.

えんしゅつ【演出】-shutsu 图 즈他 연출. ¶~家 연출가.

えんしょ【炎暑】-sho 图 염서;혹서.

えんしょ【艶書】-sho 图 염서;연애 편지. =恋文$^{ぶ\ん}$.

*えんじょ【援助】-jo 图 즈他 원조. ¶~国 원조국／~資金$^{し き\ん}$ 원조 자금／経済的^{てき}~ 경제적 원조／~の手^{て}をさしのべる 원조의 손길을 뻗치다.

エンジョイ -joi 图 즈他 엔조이;즐김;향락. ¶青春$^{しゅ\ん}$〔休日^{じつ}〕を~する 청춘〔휴일〕을 즐기다. ▷enjoy.

えんしょう【延焼】-shō 图 즈自 연소;불길이 번져서 탐.=類焼^{しょう}. ¶~をくいとめる 연소를 막다.

えんしょう【炎症】-shō 图 염증. ¶~を起^{お}こす 염증을 일으키다.

えんしょう【煙硝・焔硝】-shō 图 연초;연기 나는 화약;질산 칼륨.

えんしょう【艶笑】-shō 图 (이야기 따위에) 색정과 익살이 들어 있음. ¶~文学$^{が\く}$ 해학 연애 문학.

えんしょう【遠称】-shō 图【文法】원칭('あれ'あちら'あそこ'あの'등).↔近称$^{き\ん}$・中称^{ちゅう}・不定称^{ふていしょう}.

えんじょう【炎上】-jō 图 즈自 염상;(특히, 누각이나 큰 건물이) 타오름.

えん-じる【演じる】上1他 =えんずる【演】.

えんしん【円心】-shin 图【數】원심;원의 중심.

えんしん【遠心】-shin 图 원심.↔求心^{きゅう}. ──ぶんりき【──分離機】-ri-ki 원심 분리기. ──りょく【──力】-ryoku 图【理】원심력. ──力^{りょく}が働^{はたら}く 원심력이 작용하다.↔求心力$^{きゅうし\んりょく}$〔함〕.

えんじん【厭人】图 염인;사람을 싫어함.

えんじん【円陣】图 원진. ①원형으로 진을 침〔친 전투 대형〕. ②(많은 사람이 모여) 원형으로 줄지어 섬〔선 것〕. ¶~を組^{く}む 원진을 짜다.

えんじん【猿人】图 원인;처음으로 서서 걷고 손으로 도구를 사용한 원시인.

*エンジン 엔진. ▷engine. ──がかかる 발동이 걸리다. ①일을 시작하다〔시작할 마음이 나다〕. ②기운이 나다.

えんず【燕巣】图 (중국 요리에서) 연소. =えんそう・燕窩$^{えん か}$.

えんすい【塩水】图 염수;소금물.=しおみず.↔淡水$^{た\んすい}$. ──こ【──湖】图 염수호;함수호(鹹水湖).↔淡水湖$^{た\んすい こ}$.

えんすい【円すい】【円錐】图【數】원추;원뿔.

えんすい【鉛錘】图 연추;납으로 된 추.

えんずい【延髄】图【生】연수;숨골.

エンスト〈俗〉엔진 고장;엔진이 고장으로 움직이지 않음. ▷engine stop.

えん-ずる【怨ずる】サ変自 원망하다.

えん-ずる【演ずる】サ変自 하다;행하다;(무대에서) 연기를 하다. ¶失策^{しっさく}を~ 실책을 범하다／主役^{しゅやく}を~ 주역을 맡아 하다.

えんせい【厭世】图 염세. ¶~観$^{か\ん}$ 염세관／~家^{か} 염세가／~主義$^{しゅ ぎ}$ 염세주의.

えんせい【延性】图【理】연성. ¶~に富^{と}む 연성이 풍부하다.

えんせい【遠征】图 즈自 원정. ¶~軍$^{ぐ\ん}$ 원정군.

えんせき【縁戚】图 친척;일가.=親類$^{る\い}$.

えんせき【宴席】图 연석. ¶~を設^{もう}ける 연석을 마련하다.

えんせき【遠戚】图 원척;먼 친척.

*えんぜつ【演説】图 즈自 연설. ¶選挙$^{せ\んきょ}$~ 선거 연설.

エンゼル 에인젤;천사. ▷angel.

えんせん【沿線】图 연선. ¶~のけしき 연선의 경치.

えんせん【厭戦】图 염전;전쟁을 싫어함. ¶~思想^{しそう} 염전 사상.↔好戦$^{こう せ\ん}$.

えんぜん【嫣然】トタル (여자의) 정숙한 모양. ¶淑女^{しゅくじょ}が~と笑^{わら}う 숙녀가 얌전히 웃다〔꾹.

えんぜん【宛然】トタル 완연;마치;~塩蔵^{えんぞう}【化】염소.

えんそ【塩素】图【化】염소.

えんそ【遠祖】图 원조;고조(高祖) 이전의 먼 조상.

えんそう【演奏】-sō 图 즈他 연주. ¶~会^{かい} 연주회.

えんそう【燕巣】-sō 图 ☞えんず.

えんぞう【塩蔵】-zō 图 즈他 염장;소금에 절여서 저장함. ¶~食品$^{しょくひ\ん}$ 염장 식품.

*えんそく【遠足】图 소풍. ¶家族$^{か ぞく}$揃^{そろ}って~に出^{で}かける 가족이 다 소풍을 나가다.

えんそくこ【遠塞湖】图【地】언색호;화산 폭발이나 지진 따위로 강이나 골짜기가 막혀서 된 호수.

エンターテーナー 엔터테이너;연예인. ▷entertainer.

えんたい【延滞】图 즈自 연체. ¶~料^{りょう} 연체료／~利子$^{り し}$ 연체 이자.

えんだい【演台】图 연대;연탁(演卓).

えんだい【演題】图 연제.

えんだい【縁台】图 대오리・나무오리로 짠 긴 걸상(여름에 집 밖에서 쓰이는 평상(平床)의 일종). ―涼み台にする.

えんだい【遠大】图形動 원대. ¶～な計画をたてる 원대한 계획을 세우다.

えんだか【円高】图 엔고(엔의 대외 가치가 높아지는 일)=円高강세. ↔円安. ――さえき【――差益】图 엔고 차익(엔고에 의하여 얻은 기업의 이윤).

えんたく【円卓】图 원탁; 둥근 탁자. ――かいぎ【――会議】图 원탁 회의.

えんタク【円タク】图 택시. ▷taxi.

エンタシス【建】엔타시스; 기둥 중간의 배가 약간 나오도록 한 건축 양식. ▷entasis.

えんだん【演壇】图 연단. ¶～に立つ 연단에 서다.

えんだん【縁談】图 혼담. ¶～がまとまる 혼담이 이루어지다. 一点ポン.

えんちてん【遠地点】图 원지점. ↔近地点.

えんちゃく【延着】-chaku 图 ス自 연착. ¶列車が～する 열차가 연착하다.

えんちゅう【円柱】-chū 图 원주. ①〔数〕둥근 기둥=円壔쑟・円筒쑟. ②둥근 기둥. ――けい【――形】图 원주형; 원기둥꼴.

＊えんちょう【延長】-chō 图 ス他 연장. ¶～戦 연장전 / 会議を～する 회의를 연장하다 / 彼の遊足쑟は教室쑟での～だ 소풍도 교실[학습]의 연장이다. ↔短縮쑟쑟.

えんちょう【園長】-chō 图 (유치원・동물원 등의) 원장.

えんちょうこくえ【円頂黒衣】enchō-图 원정 흑의; 중.

えんちょく【鉛直】-choku〔ダ形〕연직. ¶～面 연직면 / ～線 연직선.

えんづく【縁付く】〔縁付く〕5回 시집 가다; 장가 가다. ¶娘は農家쑟에に～いた 딸은 농가로 시집 갔다.

えんづける【縁づける】〔縁付ける〕下1他 시집 보내다; 출가시키다; 장가 보내다. ¶娘を～ 딸을 시집 보내다.

えんつづき【縁続き】图 친척이나 인척.

えんてい【園丁】图 정원사; 정원사.=庭師쑟.

えんてい【堰堤】图 언제; 제언; 댐. =ダム.

えんてん【円転】图 원전; 원활하게 돎. ――かつだつ【――滑脱】图ナ形 원전 활탈; 말이나 일을 처리하는 데 모나지 않고 거리끼는 데가 없음.

えんてん【炎天】图 염천. ¶～下의 ゲーム 염천하의 게임.

えんでん【塩田】图 염전; 염밭.

エンド 图 엔드; 끝; 종말; 종국. ¶ハッピー～ 해피 엔드. ▷end.

えんとう【円壔】-tō 图 원도. ☞えんちゅう(円柱).

えんとう【円筒】-tō 图 원통. ①둥근 통. ②☞えんちゅう(円柱)①.

えんとう【遠島】-tō 图 ①원도; 낙도 (落島). ②江戸쑟 시대에, 육지에서 멀리 떨어진 섬으로 귀양 보내던 형벌의 한 가지.=島流쑟し.

えんどう【沿道】-dō 图 연도; 길가. ¶～の人家쑟 연도의 인가.

えんどう【豌豆】-dō 图【植】완두(콩).

えんどおい【縁遠い】-dōi 图 ①인연이 멀다. ①관계가 멀다. ¶大衆쑟に～ 学問쑟의 話쑟 대중에게 인연이 먼 학문 이야기. ②(특히, 여자가) 결혼할 기회를 좀처럼 못 찾다. ¶～娘 결혼의 기회를 못 만난 처녀. 「중독.

えんどく【鉛毒】图 연독; 납의 독; 납

えんとして【宛として】圖 마치; 꼭.=さながら. ¶花は～雲쑟のごとくであった 꽃은 마치 구름과 같이 보였다.

＊えんとつ【煙突】图 ①굴뚝. ②〈俗〉(손님을 태운) 택시가 요금 미터를 겪지 않고 세운 채로 달리는 일.

エントリー 图 ス自 엔트리(경기 따위의) 출장 신청; 참가 등록. ▷entry.

えんにち【縁日】图 신불(神佛)을 공양하고 재를 올리는 날; 잿날. ¶～商人쑟 신사・사찰 참예인(參詣人)을 상대로 노점 따위를 벌이는 상인.

えんにょう【延繞】-nyō 图 한자 부수 (部首)의 하나; 민책받침('延' '建' 등의 '廴'의 이름). =いんにょう.

えんねつ【炎熱】图 염열; 염서(炎暑). ↔酷寒쑟쑟.

えんなん【延納】-nō 图 ス他 연납; 기일이 지나서 납부함.

えんのした【縁の下】〔椽の下〕图 (뜻) 마루 밑. =ゆか下쑟. ――の力持쑟ち 표면에 나서지 않고 그늘에서 남을 위해 진력함; 또, 그 사람.

えんばく【燕麦】emba- 图【植】연맥; 귀리. =オートむぎ.

エンバシー emba- 图 대사관(저). ▷embassy.

えんぱつ【延発】empa- 图 ス自 연발; 출발 예정 기일[시각]이 지연됨.

えんばん【円盤】emban 图 ①접시 모양으로 납작하고 둥근 것. ¶空쑟をとぶ～ 비행접시. ②원반. ③축음기판; 음반; 레코드. ――なげ【――投げ】图 원반던지기; 투원반.

えんばん【鉛版】emban 图 ①(印)연판; 지형(紙型)에 납의 합금을 녹여 부어 만든 인쇄판.=ステロタイプ. ②활판 (活版).

えんび【燕臂】empi 图 원비; (원숭이같이) 긴 팔. ¶～をのばす 긴 팔을[팔을 길게] 뻗치다.

＊えんぴつ【鉛筆】empi- 图 연필. ¶色쑟～ 색연필 / ～を削る쑟 연필을 깎다.

えんびふく【えんび服】〔燕尾服〕embi- 图 연미복.

えんぶ【円舞】embu 图 ス自 원무. ¶～曲쑟 원무곡; 왈츠.

えんぶ【演武】embu 图 연무; 무술을 연습함. ¶～台쑟 연무대.

えんぶ【演舞】embu 图 ス自 연무. ①춤을 연습함. ②춤을 추어 여러 사람에게 보임. ¶～場쑟 연무장.

えんぷ【怨府】empu 图 원부; 사람들의 원한이 쏠리는 곳.

えんぷく【艶福】empu- 图 염복. ¶～家쑟 염복가; 염복이 있는 사람.

えんぶん【塩分】embun 图 염분. =塩気쑟쑟. ¶～を多量쑟に含む쑟 염분을 다량 함유하다.

えんぶん【衍文】embun 图 연문; 문장 속에 잘못 끼인 불필요한 글[문구].

お

えんぶん【艶文】embun 염문；염서；연애 편지.=恋文慾.ラブレター.

えんぶん【艶聞】embun 염문.[参考] 대개 남자에 관해서 씀.

えんぶん【鉛分】embun 연분；남성.

えんぷん【鉛粉】empun 연분.

えんぺい【掩蔽】empei 图区他 ①엄폐.덮어 가림. ¶～壕號 엄폐호. ②〔天〕성식(星蝕).

えんぺい【援兵】empei 图 원병.=援軍

えんぺん【縁辺】empen 图 ①연고(縁故). ②좋은 변으로는 인척 관계를 가리킴. ¶～者慾です 인척입니다／～をたよる 연고를 믿고 가다. ③가장자리.

えんぼう【遠望】embō 图区他 원망；먼 곳을 바라봄. ¶～がきく 멀리 볼 수 있다.

えんぼう【遠謀】embō 图 원모；먼 장래의 일을 생각함；또,그 계획. ¶深慮跑ー 심려 원모.

えんぽう【遠方】embō 图 원방；먼 곳.

えんぽん【円本】empon 图 정가가 한 권에 1엔 균일인 전집·총서본.

えんま【閻魔】emma 图 염마；염라 대왕.──おう【──王】-ō 图 염마왕.

──こおろぎ【──蟋蟀】-kōrogi 图 왕귀뚜라미.──ちょう【──帳】-chō 图 ①염라 대왕이 죽은 사람의 생전의 행실을 적어 두는 장부；또,죽은 사람의 성명을 기록하여 두는 장부. ②〔學〕교무〔교사〕수첩〔학생의 성적 기타를 기록함〕；또,경찰관 등의 수첩.

えんまく【煙幕】emmaku 图 연막.──を張る 연막을 치다. ②교묘한 말로 상대방이 참뜻을 알지 못하게 하다.

*えんまん【円満】emman 〔一图〕원만. ¶～な人柄認 원만한 인품／～に解決繰する 원만히 해결하다. 〔二图動〕①신불(神佛)의 공덕 등이 충분하여 빠짐이나 모자람이 없음. ¶仏果然ー 불과 원만.

えんむ【煙霧】emmu 图 연무. ①ロス모그. ②연기와 안개.

えんむすび【縁結び】emmu- 图 연결(結緣)；결혼.=縁組髭. ①연분을 맺어주는 신.=出雲惣の神髭. ②〔俗〕결혼 중매를 서는 사람.

えんめい【延命】emmei 图区自 연명. ¶～の策號 연명책／内閣幾の～を図る 내각의 연명을 꾀하다.

えんめつ【煙滅】emme- 图区自他 '湮滅殼'의 잘못.

えんもく【演目】emmo- 图 상연 목록；상연(연주) 종목.

えんやす【円安】图 (환 시세에서) 일본의 엔(円)시세가 외국 통화에 비하여 쌈；엔화 약세(弱勢).↔円高殼.

えんやら 國 무거운 물건을 끌어 올리거나 잡아당길 때 내는 소리：이영차. ¶～や 이영차차／～やっと 이영차차.

えんゆ【縁由】enyu 图 ①연유；관계. ②〔法〕법률 행위나 의사 표시를 하는 동기.[注意] 'えんゆう'라고도 함.

えんゆうかい【園遊会】en'yū- 图 원유회.가든 파티.

えんよう【援用】en'yō 图区他 원용.

えんよう【遠洋】en'yō 图 원양；원해. ¶～漁業敎 원양 어업／～航海殼 원양 항해.=近海殼.

えんよう【艶容】en'yō 图 염용；요염한 얼굴·자태.

えんらい【遠来】enrai 图 원래；멀리서 옴. ¶～の客號 원래의 객.

えんらい【遠雷】enrai 图 원뢰；멀리서 울리는 천둥소리. ¶砲声懿が～のようにとどろく 포성이 은은히 울리다.

えんりょ【遠慮】-ryo 图区自他 ①원려；멀리 앞(일)을 내다봄.思慮殼. ②겸손. ¶あまり～する 너무 사양(삼손)하다. ¶招待號を～をする 초대를 사양(사절)하다. ③삼감.꺼림；거리낌；기탄. ¶～のない間柄號 스스럼없는 사이. ②거리낌함；망설임.──会釈殼もなく 예절〔체면〕이고 인사고 없이；거리낌없이.──がち【──勝ち】动 몹시 망설이는〔조심하는〕모양.──ぶかい【──深い】形 몹시 조심스럽다.

えんるい【縁類】图 결혼이나 양자 결연으로 맺은 관계.=親類誕.

えんるいせん【塩類泉】图 염류천(염류를 다량으로 함유하는 온천；위장병에 효능이 있음).

えんれい【艶麗】en'yō 图动 염려；요염하고 아리따움.

えんろ【沿路】enro 图 연로.=沿道殼.

えんろ【遠路】enro 图 원로；먼 길. ¶はるばる（わざわざ）遠い 길을 일부러／～御苦労殼でした 원로에 수고하셨습니다.

お オ

①五十音図쇼음의 'あ行慾'의 다섯째 음.[o] ②[字源]'於'의 초서체(かたかな 'オ'는 於의 초서체의 왼쪽 부분).

*お【尾】图①꼬리；또,그와 비슷한 것. ¶すい星慾の～ 살별의 꼬리. ②〔雅〕산 기슭이 길게 뻗은 곳.↔峰殼.──をつける 꼬리에 꼬리를 달다（과장되게 말하다）.──を引く 꼬리를 끌다（무엇이 끝난 다음에도 길게 그 영향이 남다）.──を振ぶる 꼬리를 흔드는 것의 명령·의향에 따름의 비유〕.

お【緒】图①끈；신발의 끈；들메끈. ¶げたの～をすげる 왜나막신의 끈을 달다. ②악기의 줄；현(弦). ¶

琴髭の～ 거문고 줄. ④사물이 길게 이어진 것. ¶玉髭の～ 생명；목숨.

お【雄】图①〔본디 牡로〕수컷；수.=おす.↔牛慾 수소；황소.↔雌髭. ②씩씩한 모양. ¶～たけび 우렁찬 외침〔소리〕.

お-【小】①작은；가느다란. ¶～舟髭 작은 배. ②조금；약간. ¶～暗い 좀 어둡다. ③〔雅〕어조(語調)를 고르기 위하여 붙이는 말. ¶～田號 논.

お-【御】①〔体言·形容詞·形容動詞에,

또는 動詞 連用形에 'になる' 'なさる' '遊ばす' 등이 접한 꼴 앞에 붙여〕존경·공손·친숙의 기분을 나타내는 말. ¶～人形はぎょう／인형. ¶～手紙がみ／편지；서신. ¶～出でかけになる 외출하시다. ／～見えになりました 오셨습니다. 注意 한어(漢語)에는 보통 'ご'가 붙으나, 일상 자주 쓰이는 한어에는 'お茶ちゃ(=차)' 'お電話でんわ(=전화)' 등과 같이 'お'가 붙기도 함. ②(口語의 動詞 連用形 앞에 붙여, 또는 말을 끊음〕부드러운) 명령을 나타내는 말. ¶さあ～食くべ 자, 먹어라. ③상대방에 대한 동정이나 위로의 기분을 나타내거나 표현을 부드럽게 하는 말('お…でした' 'お…でしょう'를 名詞語화할 때 쓰임). ¶～疲つかれさま 수고하셨습니다. ④〔주로 여자 이름 위에 붙여〕존경이나 친근의 기분을 나타내는 말. ¶～富とみ(さん) 富양(孃).

おあいそ【お愛想／御愛想】 名 ①(요릿집의) 계산서. ②간살. ＝おせじ. ¶～を言いべ べ 따르를 붙이다. ⇨愛想あいそう.

おあいにくさま【御生憎様】 感 미안하게 되었습니다. ¶品切ぎれ로 ～이 되어 미안하게 됐습니다／～, ぼくは行かないよ 미안하지만 나는 안 가겠어.

おあし【御足】 名 ①'足あし(=발)'의 공손한 말씨. ②(お銭)(俗)'돈. ＝おかね.

オアシス 名 오아시스. ▷oasis.

おあずけ【お預け】 名 ①개 따위의 앞에 먹을 것을 놓고, 먹으라 할 때까지 먹지 못하게 함. ②(약속·예정뿐이고) 당분간 실시가 보류됨；연기됨. ¶～を食くう 보류되다；후일로 미루어지다.

＊おい【甥】 名 조카；생질. ↔めい.

おい【老い】 名 ①늙음. ¶～を忘わすれる 늙음을 잊다. ②늙은이. ¶～も若わかきも 젊은이도 늙은이도. 一の一徹いってつ 노인의 매우 완고함을 이름. 一の繰くり言ごと べ 노인의 푸념. 一のひが耳みみ 노인이 잘못 듣거나 곡해하여 듣다나 하는 일.

おい 感 친한 사이나 아랫사람을 부를 때 쓰는 말：여봐；이봐. ¶～, 出かけようか 여봐, 나가 볼까.

おいうち【追い打ち・追い討ち・追い撃ち】 名 ①추격(追撃). ②궁지에 몰린 상대에게 재차 타격을 줌. 一をかける 추격하다.

おいえ【お家／御家】 名 ①귀인의 또는 남의 집의 높임말：귀택. ②주인집. ③(騒動そうどう 大名だいみょう 등의) 집안에서 일어나는 상속 문제 따위의 내분. 一げい〔一芸〕 名 ①한 집안에 전하는 독특한 기예. ②자기가 잘하는 재주；장기(長技). ＝おはこ. 一流りゅう〔一流〕-ryū 名 서체의 하나；江戸えど 時대의 공문서에 쓰인 서체.

おいおい【追い追い】 副 차차；점차；머지않아. ¶～暖あたたかくなる 점차 따뜻해지다／～お分わかりになります 차차 [머지않아] 아시게 됩니다.

おいかえ-す【追い返す】 5他 쫓아 보내다；되돌려보내다. ¶敵てきを～ 적을 물리치다／使つかいの者ものを～ 심부름꾼을 되돌려보내다.

＊おいかけ-る【追いかける】【追い掛ける】 下1他 ①뒤쫓아 가다. ②뒤를 이어 달아나 딴 일이 일어나다. ¶手紙がみを～けて出だす 편지를 뒤미쳐[잇달아] 내다.

おいかぜ【追い風】 名 동쪽에서 불어 오는 바람；순풍. ＝おいて. ¶～にのって 순풍을 타고. ↔向むかい風かぜ.

おいかわ【追川】【魚】 피라미. ＝はや.

おいき【老い木】 名 노목；고목. 노쇠한 것. ¶若木わかぎ～. 一に花はな 쇠했던 것이 다시 세력을 되찾음의 비유.

おいく-ちる【老い朽ちる】 上1自 ①나이를 먹어 쓸모 없이 되다. ②나무 따위가 오래 되어 썩어 빠져 썩다.

おいごえ【追(い)肥】 名 추비；뒷거름. ＝追肥ついひ.

おいこ-す【追(い)越す】 5他 앞지르다；추월하다. ¶外国がいこくの技術ぎじゅつを～ 외국 기술을 앞지르다.

おいこみ【追(い)込み】 名 ①몰아침；몰아넣음；막판에 총력을 집중시킴. ②選挙戦せんきょせんが～にはいる 선거전이 막판에 접어들다. ②(극장 등에서 지정석을 만들지 않고 많은 사람을 마구 몰아넣음. ③(印) (행을 바꾸지 않고) 잇대어 식자(植字)함. 一を かける 마지막 총력을 쏟다；막판에 휘몰아치다.

おいこ-む【追(い)込む】 自 ①힘껏 늘다. ¶めっきり～ 와짝 늘다.

おいこ-む【追(い)込む】 5他 ①몰아넣다. ¶鶏にわとりを小屋こやに～ 닭을 닭장에 몰아넣다. ②곤경에 빠뜨리다. ¶窮地きゅうちに～ 궁지에 몰아넣다. ③병·병독을 내공(内攻)시키다. ④(印) 행을 바꾸지 않고 잇대어 식자(植字)함.

おいさき【生い先】 名 앞날；장래. ＝ゆくすえ. ¶～がたのもしい 장래가 믿음직하다.

おいさき【老い先】 名 (노인의) 여생. ¶～が短みじかい 여생이 얼마 안 남다.

＊おいし-い【美味しい】 oishii 形 맛있다；맛좋다. ＝うまい. ¶～く食たべる 맛있게 먹다. ↔まずい.

おいしげ-る【生い茂る】 自 (초목이) 무성하다；우거지다.

おいすが-る【追いすがる】【追い縋る】 5自 ①뒤따라가 매달리다. ②다랑귀 뛰다.

おいせん【追(い)銭】 名 추가금；가욋돈. ¶ぬすびとに追おいせん.

おいそれと 副 《否定을 따위 뒤따라서》 쉽사리는〔간단히는, 호락호락〕(…못 한다〔안 된다〕). ¶～金かねは出だせない 그렇게 쉽사리 돈은 못 내겠다. ¶いたずら.

おいた 名《兒・女》(어린이의) 장난. ¶～いたずら.

＊おいだ-す【追い出す】 5他 내쫓다；몰아내다. ＝追おい払はらう.

おいたち【生い立ち】 名 성장함；자라남；또, 그 내력. ¶～を語かたる 성장 과정을 이야기하다.

おいた-てる【追(い)立てる】 下1他 몰아〔내쫓다；몰아치다. ¶間借まがり人にんを～ 셋방에 든 사람을 쫓다／仕事しごとに～てられる 일에 몰리다.

お

おいちら・す【追い散らす】⑤他 쫓아 흩어지게 하다. ¶やじうまを～ 군중을 쫓아 버리다.

‡**おいつ・く**【追いつく・追（い）付く】⑤自 (뒤쫓아) 따라 붙다. ①따라 잡다. ¶おくれて出発%したがすぐ～ 늦게 출발했으나 곧 뒤따라 붙다. ②달하다. ¶外国%の水準%%に～ 외국 수준에 미치다(따라 붙다).

おいつ・める【追いつめる・追（い）詰める】①他 막다른 곳까지[궁지에] 몰아넣다. ¶袋小路%%に～めて捕%える 막다른 골목에 몰아넣고서 잡다.

おいて【追い風】名 ☞おいかぜ.

おいて【措いて】連語〈…を～〉의 형으로〉제외하고; 제쳐 놓고. ¶彼%を～適任者%%はない 그를 제쳐 놓고 적임자는 없다.

‡**おいて**【於いて】連語〈…に～〉의 꼴로〉…에서; …에 있어서. ¶人物%%に～かれに劣%る 인물에서 그만 못하다.

おいで【御出で】名 ①「出る（=나오다）」「行く（=가다）」「来る（=오다）」「いる（=있다）」「おる（=있다）」의 높임말. ¶～になる 오시다; 계시다; 가시다 / 今%…ですか 지금 계십니까 / ～なすった 오셨군. ②「出ろ（=나오라）」「来%い（=오라）」「行け（=가라）」'いろ（=있거라）」등의 친근한 말씨. ¶こっちへ～ 이리로 오너라 / しばらくじっとして～ 잠깐 가만히 있어.

おいてきぼり【置いてきぼり】名 같이 안 데리고 감[따돌림. ☞おいてけぼり]. ¶～をくう 따돌림을 당하다.

***おいぬ・く**【追（い）抜く】⑤他 앞지르다; 추월하다. ＝追%い越す. ¶ゴール寸前%%で～ 골 직전에서 앞지르다. ¶(힘・能力%%상) 상대보다 더 나아지다. ¶先輩%%を～ 선배를 앞지르다.

おいはぎ【追いはぎ】(追剝) 名 노상 강도. ¶～に遭%う 노상 강도를 만나다.

おいばね【追（い）羽根】名 계집아이의 설놀이의 하나[두 사람 이상이 한 개의 羽子板%%を서로 침].

おいばら【追（い）腹】名 신하가 주군을 따라 할복함(割腹). ＝殉死%%%.

***おいはら・う**【追（い）払う】⑤他 쫓아버리다; 내쫓다. ¶はえを～ 파리를 쫓아 버리다. 「～られる」.

おいぼれ【老いぼれ】(老耄) 名 늙정이.

おいぼ・れる【老いぼれる】（老い耄れる）①自 고비 늙다; 노쇠하다. ¶めっきり～れた 와짝 늙어 버렸다.

おいまく・る【追いまくる】（追い捲る）⑤他 ①쫓아(흩어)버리다. ②줄곧 뒤쫓다. ¶仕事%%に～られる 일에 쫓기다.

おいまわ・す【追（い）回す】（追い廻す）⑤他 ①쫓아다니다; (뒤를) 쫓아 [성가시게] 따라다니다. ¶女%%のしりを～ 여자 꽁무니를 쫓아다니다. ②쉴 새 없이 일을 시키다; 혹사하다. ¶仕事%%に～される 일에 혹사당하다.

おいめ【負い目】名 ①(갚아야 할) 부채. ②이행해야 할 부담; 책임. ③열등 감. ＝引%け目%.

おいや・る【追（い）やる】(追（い）遣る) ⑤他 쫓아 보내다.

おいら【俺等】代〈俗〉우리(들). ＝おいれ(たち).

おいらく【老いらく】名〈雅〉늘그막; 노년. ¶～の恋% 늘그막의 사랑.

おいらん【花魁】名 유곽에서, 언니뻘의 창녀; 전하여, 창녀. ━そう【―草】-sō 名〔植〕풀협죽도.

お・いる【老いる】①①自 노쇠하다; 노령이 되다. ¶ますます盛%%노익장. ━いては子%に従%え 늙으면 자식을 따르는 것이 낫다는 말.

オイル名 오일. ①기름. ¶～シャンプ 오일 샴푸 / サラダ～ 샐러드 기름. ②석유. ③유화의 그림 물감. ☞oil.

おいわい【お祝（い）】名 축하(행사); 또, 축하 선물.

おいわけぶし【追分（け）節】名 민요의 하나(애조를 띤 마부 노래).

*お・う【負う】①⑤他 ①지다. ⑦짊어지다; 업다. ¶赤%ん坊%を～ 아기를 업다. ①(떠)맡다. ¶責任%%を～ 책임을 지다. ②입다. ⑦힘입다. ¶先輩%%に～ところ%が大%きい 선배에 힘입은 바가 크다. ①다치다; 해를 입다. ¶傷%を～ 상처를 입다. ②⑤自 (이름 등에) 걸맞다; 알맞다. ¶名%に(し)～ 이름에 맞먹다; 유명하다. ━子に教%えられる 업어 키운 자식에게 (도리어) 배운다. ━た子%より抱%いた子% 가까운 쪽을 먼저 하거나 더 소중히 여기는 것이 인정%이다.

‡お・う【追う】（逐う）⑤他 ①쫓다. ⑦(뒤) 따르다. ¶母%のあとを～ 어머니의 뒤를 쫓다 / 流行%を～ 유행을 따르다. ①(순서・전례를) 따르다. ¶先例%%に～ 선례를 따르다. ②추구하다. ¶理想%%を～ 이상을 추구하다. ②쫓다. ⑦물리치다; 쫓아 내다. ¶先を～ 파리를 쫓다 / 公職%%を～われる 공직에서 쫓겨나다. ①뒤쫓다. ¶泥棒%%を～ 도둑을 뒤쫓다. ②몰다. ¶牛%を～ 소를 몰다.

おう【応】ō 승낙. ¶いやも～もない 여부가 없다; 싫고 좋고 없다.

*おう【王】ō 名 ①임금; 군주. ¶～の位%%につく 왕위에 오르다. ②親王%%가 아닌 황족. ③그 방면의 제1인자. ¶百獣%%の～ 백수의 왕. ④장기 짝의 하나; 궁(宮).

おう【嫗】ō 名 늙은 여자; 노파.

おう【翁】ō 응. ①名 ②남자 노인에 대한 경칭. ¶～の遺業%% 늙은ゃ 옹의 유업을 계승하다. ①接尾 남자 노인의 이름에 붙이는 경칭. ¶沙%～ 사옹(세익스피어).

おうい【王位】ōi 名 왕위. 「印」.

おういん【押印】ōin 名⊼自他 날인(捺印).

おういん【押韻】ōin 名⊼自 압운.

‡**おうえん**【応援】ōen 名⊼他 응원. ¶～歌% 응원가 / ～団% 응원단 / ～にかけつける 응원하러 달려가다.

おうおう【往往】ōō ⊤タル왕왕; 때때로. ¶～失敗%%することがある 왕왕 실패하는 일이 있다. ━にして 副『往往%%に』.

おうおう【怏怏】ōō ⊤タル양양; 불만이고 불평스러운 모양. ¶～として楽%し

まず 앙앙불락하다.

おうか【桜花】 ōka 名 앵화;벚꽃. ¶~爛漫らん 앵화 난만.

おうか【欧化】 ōka 名 ㅈ自他 유럽화.

おうか【謳歌】 ōka 名 ㅈ他 구가. ¶青春せいしゅんを~する 청춘을 구가하다.

おうが【横臥】 ōga 名 ㅈ自他 옆으로;모로 누움. ¶~仰臥ぎょうが ［횡격막.

おうかくまく【横隔膜】 ōka- 名 ［生］

おうかん【往還】 ōkan 一名 〈老〉한길;가도. 二名 왕래;왕복.

おうかん【王冠】 ōkan 名 ①임금의 관. ②영예의 관. ③(쇠붙이의) 병마개.

おうぎ【扇】 ōgi 名 쥘부채. =せんす.

おうぎ【奥義】 ōgi 名 오의;학문·예능·무술 등의 가장 중요한 사항.=おくぎ. ¶~をきわめる 오의를 깊이 탐구하여 터득하다. ［쥘.

おうきゅう【王宮】 ōkyū 名 왕궁.

おうきゅう【応急】 ōkyū 名 응급. ¶~(の)処置しょち 응급 조치/~手当て 응급 치료.

おうけ【王家】 ōke 名 왕가. ¶~の出で 왕가의 출신.

おうこう【王侯】 ōkō 名 왕과 제후. ¶~将相しょうしょう いずくんぞ種しゅあらや や 왕후 장상이 씨가 따로 있나.

おうこう【横行】 ōkō 名 ㅈ自 횡행. ①멋대로 다님. ¶~闊歩かっぽ 횡행 활보. ②(악이) 활개침［설침］. ¶無頼ぶらいの徒が~する 무뢰한들이 설치다.

おうこく【王国】 ōko- 名 왕국. ¶製鉄~ 제철 왕국.

おうごん【黄金】 ōgon 名 ①황금.돈.=金きん.こがね. ¶~万能ばんのう 황금 만능. ②☞ おおばん(大判)②. ──じだい【─時代】 名 황금 시대. ──ぶんかつ【─分割】 名 황금 분할(가로 세로 1:1.618의 비율).

おうざ【王座】 ōza 名 왕좌.

***おうさま【王様】** ōsa- 一名 〈口〉임금님;왕. ¶消費者しょうひしゃは~だ 소비자는 왕이다. ［사.

おうし【横死】 ōshi 名 ㅈ自 횡사;변

おうし【雄牛】 ōushi 名 수소;황소.

おうじ【往時】 ōji 名 왕시;옛날;지난날. ¶~をしのぶ 지난 날을 회상하다.

おうじ【王事】 ōji 名 왕사.①왕실에 관한 일.②임금 또는 왕자의 사업.

おうじ【王子】 ōji 名 ①왕의 아들.②황족의 남자. ［아들.

おうじ【皇子】 ōji 名 황자;天皇てんのう의

おうしつ【王室】 ōshi- 名 왕실.

おうじつ【往日】 ōji- 名 옛날;지난날.

おうしゃ【応射】 ōsha 名 ㅈ自 응사;마주 쏨.

おうじゃ【王者】 ōja 名 왕자.①임금;제왕.②王道 おうどうで(王道)로써 나라를 다스리는 사람.↔覇者はしゃ.③제일인자. 柔道じゅうどう④ー유도의 왕자 등을 ‘おうじゃ’라고도 함.

おうしゅ【応手】 ōshu 名 (바둑·장기의) 응수;전략, 대응책.

おうじゅ【応需】 ōju 名 (광고 따위에서) 요구(수요)에 응할 준비가 되어 있음. ¶入院にゅういん~ 입원 시설 있음.

おうしゅう【応酬】 ōshū 名 ㅈ自 응수.

①(말 따위를) 주고받음. ¶負まけずに~する 지지 않고 응수(대꾸)하다. ②응답.③(술잔을) 주고받음.

おうしゅう【押収】 ōshū 名 ㅈ他 압수.

おうしゅう【欧州】【欧洲】 ōshū 名 ［地］구주;유럽.

おうじょ【王女】 ōjo 名 왕녀;공주. ①왕의 딸.②왕족의 여자.

おうじょ【皇女】 ōjo 名 황녀;天皇てんのう의 ［딸.

おうしょう【応召】 ōshō 名 응소(특히, 예비역 장병의).

おうしょう【王将】 ōshō 名 (장기에서) 궁(宮). =玉将ぎょくしょう.

おうじょう【往生】 ōjō 名 ㅈ自 ①［佛］극락 왕생.②죽음. ¶さっきと~しろ〈俗〉썩 죽어 없어져라. ③〈俗〉체념. ¶とうとう~させた 드디어 꼼짝 못 하게 만들었다 / ~際ぎわが悪い 깨끗이 체념 못 하다.④〈俗〉손들음.=閉口へいこう. ¶それには~した 그것에는 손 들었다.

おうじょう【王城】 ōjō 名 왕성. ①왕궁. ②왕도(王都).=都みやこ.

おうしょく【黄色】 ōshoku 名 황색.

おうしょっき【黄蜀葵】 ōshokki 名 ［植］황촉규;닥풀. =トロロアオイ.

おう─じる【応じる】 ōji- ㅅ自直 ☞ おうずる.

おうしん【往信】 ōshin 名 왕신;답장을 바라고 내는 통신. ↔返信へんしん.

***おうしん【往診】** ōshin 名 ㅈ自 왕진. ¶~料りょう 왕진료. =宅診たくしん.

おうす【御薄】 o-usu 名 〈女〉묽은 차(茶)(‘薄茶うすちゃ’의 공손한 말씨).

おうすい【王水】 ōsui 名 ［化］왕수.

***おう─ずる【応ずる】** ōzu- ㅅ变直 ①응하다. ㉠답하다. ¶問いに~ 물음에 답하다. ㉡받아들이다;승낙하다. ¶招待しょうたいに~ 초대에 응하다. ㉢따르다;…에 (걸)맞다 …에 ~. ¶分ぶんに~じて 분수에 맞게 /物価ぶっかの変動へんどうに~じた対策たいさく 물가 변동에 따른 대책.②조화하다〔호응〕하다. ¶響ひびきに~ 소리와 조화하다.

おうせ【逢瀬】 ōse 名 남녀가 비밀히 만나는 일(기회). ¶密会みっかい 밀회(密會). ¶~を楽たのしむ 밀회를 즐기다.

おうせい【旺盛】 ōsei ダナ 왕성. ¶食欲しょくよく~ 식욕 왕성.

おうせい【王政】 ōsei 名 왕정. ¶~復古ふっこ 왕정 복고.

***おうせつ【応接】** ōse- 名 ㅈ自 응접;접대.=応対たい. ¶~にいとまなし 일이 연달아 생겨서 몹시 바쁘다. ──ま【─間】 名 응접실.=応接室しつ.

おうせん【応戦】 ōsen 名 ㅈ自 응전.

おうせん【横線】 ōsen 名 횡선;가로줄. ¶~小切手こぎって 횡선 수표. ↔縦線じゅうせん.

おうそう【押送】 ōsō 名 ㅈ他 압송.

おうた【御歌】 ōta 名 ①天皇てんのうが 지은 和歌わか=御製ぎょせい. ②황후·황태후·황족이 지은 和歌. ──どころ【─所】 名 궁내청(宮内廳)에 속하여 황족의 和歌에 관한 사무를 맡아 보던 곳.

おうだ【殴打】 ōda 名 ㅈ他 구타.

***おうたい【応対】** ōtai 名 ㅈ自 응대;응접. ¶面会人めんかいにんに一々いちいち~する 면회인을 일일이 응대하다.

おうたい【横隊】 ōtai 名 횡대. ↔縦隊じゅうたい

お

おうだく【応諾】ōda- 图スᴛ 응낙；수락；승낙.

‡**おうだん**【横断】ōdan 图スᴛ 횡단. ¶～道路ᵈᵃ 횡단 도로；교차로. ──橋ᵏ᷁ 육교(陸橋)；～歩道ᵈᵒ 횡단 보도.

おうだん【黄疸】ōdan 图 황달.

おうちゃく【横着】ōchaku 图ᴅᴺ スᴌ ①뻔뻔스러움；교활함. ¶～者ᵐ᷁ 철면피；교활한 놈／～千万ᵇᵃⁿ 뻔뻔하기 짝이 없음. ②태만함；빈들거림. ¶～をきめこむ 일을 태만히 하다.

おうちょう【王朝】ōchō 图 왕조. ──じだい【──時代】图 왕조 시대(일본에서, 王朝가 직접 정치를 하던 시대；또, 특히 平安ᵃⁿ 시대의 총칭). ↔武家ᵏᵉ時代.

おうて【王手】ōte 图〔장기에서의〕장군. ¶～をかける 장군을 부르다.

おうてん【横転】ōten 图スᴌ 횡전. ①뒹굴；전도(転倒). ¶自動車ᵈᵒ᷁が～する 자동차가 뒹굴다. ②좌우로 회전함.

おうと【王都】ōto 图 왕도.

おうと【嘔吐】ōto 图 구토；토함. ──を催ᵒᵗᵒ᷁す 구역질나다；또, 몹시 불쾌감을 느끼다.

おうとう【応答】ōtō 图スᴌ 응답. ¶質疑ᵍⁱᵍ～ 질의 응답.

おうとう【桜桃】ōto 图 ①버찌. =サくらんぼ(う). ②〔植〕앵두；앵두나무.

おうとう【黄桃】ōtō 图 황도.

おうどう【横道】ōdō 图 ①사도(邪道)；도리에 어긋남. =正道ᵈᵒ᷁. ②부정(不正)인 줄 알면서 행함.

おうどう【王道】ōdō 图 왕도. ①제왕이 덕으로써 나라를 다스리는 일. ↔覇道ᵈᵒ᷁. ②쉬운 길；편한 방법. ¶学問ᵐᵒⁿに～し 学問ᵍᵃⁿに無ʰᵃ᷁し 학문에 지름길은 없다.

おうどう【黄銅】ōdō 图 황동；놋쇠.

おうとつ【凹凸】ōtotsu 图 요철；오목함과 불룩함. =でこぼこ. ¶～のひどい道ᵐⁱ 몹시 울퉁불퉁한 길.

おうな【媼・嫗】ōna〈雅〉노파；할미. ↔おきな.

おうねつびょう【黄熱病】ōnetsubyō 图 〔열대 지방의〕황열병.

おうねん【往年】ōnen 图 왕년；지난 날. ¶～のおもかげ 왕년의 모습.

おうのう【懊悩】ōnō 图スᴌ 오뇌；고민. ¶～の極ᵏⁱ᷁み 극단의 고민.

おうばい【黄梅】ōbai 图〔植〕영춘화(迎春花).

おうはん【凹版】ōhan 图 요판. ¶～印刷ᵃᵗ᷁ 요판 인쇄. ↔凸版ᵗᵒᵗᵗ᷁•平版ᵖᵉ᷁.

おうばんぶるまい【椀飯振舞】ōban- 图スᴌ ①진수 성찬. ②江戸ᵈᵒ 시대에, 민간에서 정초에 친척을 초대하여 베푼 잔치. 参考「椀飯」은 공기에 담아 대접하는 밥. ¶～をする 후하게 대접하다.

おうひ【王妃】ōhi 图 왕비. └ 냅.

おうふう【横風】ōfū ᴅᴺ ①으스댐；건방짐. ②=おうへい.

‡**おうふく**【往復】ōfu- 图スᴌ ①왕복. ↔片道ᵐⁱ᷁. ②왕래. ¶手紙ᵍᵃ᷁の～をする 편지 왕래를 하다. ③〔往復切符ᵖᵘ᷁〕(=왕복용)의 준말. ──はがき【──葉書】图 왕복 엽서.

おうぶん【応分】ōbun 图 응분；분수에 맞음. =分相応ᵒᵘᵒ᷁. ↔過分ᵏᵃᵇᵘⁿ.

おうぶん【欧文】ōbun 图 구문. ¶～で 마저. ②유럽의 문장. =和文ᵇᵘⁿ•邦文

──みゃく【──脈】-myaku 图 유럽 문장을 직역한 듯한 식의 문맥.

おうへい【横柄】ōhei ᴅᴺ 건방짐. =尊大ᵈᵃⁱ. ¶～にふるまう 건방지게 굴다／～に構ᵏᵃᵐ᷁える 거만한 태도를 취하다. 「미국.

おうべい【欧米】ōbei 图 구미；유럽과

***おうぼ**【応募】ōbo 图スᴌ 응모. ¶～作品ᵗᵉⁿ 응모 작품.

おうほう【応報】ōhō 图 과보(果報). ¶～はむくい. ¶因果ᵍᵃ᷁～ 인과응보.

おうぼう【横暴】ōbō 图ᴅᴺ 횡포. ¶～をきわめる 온갖 횡포를 다하다.

おうまがとき【逢魔が時】ōma-〈雅〉땅거미(질 때).

おうむ【鸚鵡】ōmu 图〔鳥〕앵무새. ──がえし【──返し】图 남이 한 말을 그대로 내뱉음(되됨).

おうめい【王命】ōmei 图 왕명. ¶～に逆ᵍ᷁らう 왕명을 거스르다.

おうめん【凹面】ōmen 图 오목한 면. ↔凸面ᵗᵉᵗ᷁. ──きょう【──鏡】-kyō 图 오목거울.

‡**おうよう**【応用】ōyō 图スᴛ 응용. ¶～問題ᵈᵃⁱ 응용 문제／～がきかない 두름성(응용력)이 없다／～化学ᵍᵃⁿ 응용화학.

おうよう【鷹揚】ōyō ᴅᴺ 의젓함；대범함；너그러움. =おおよう. ¶～な歩ᵃʳᵘ᷁き方 의젓한 걸음걸이.

***おうらい**【往来】ōrai 图スᴌ 왕래. =ゆきき. ¶人ᵖⁱᵗᵒ᷁の～がはげしい 사람의 왕래가 빈번하다. ¶道로로；길. ¶～で遊ᵃˢᵒ᷁んではいけない 길에서 놀면 안 된다. ──どめ【──止(め)】图 통행 금지.

おうりょう【横領】ōryō 图スᴌ 횡령.

おうりん【黄燐】ōrin【黄燐】ōrin 图 황린.

おうレンズ【凹レンズ】ōren- 图 오목렌즈. ↔凸ᵗᵉᵗ᷁レンズ. ▷lens.

おうろ【往路】ōro 图 왕로；가는 길；또, 갈 때. ↔復路ᵏᵘ᷁•帰路ᵏⁱ᷁. 「음.

おえつ【嗚咽】图スᴌ 오열；흐느껴 욺.

おえらがた【御偉方】图 높으신 분네들(야유조를 띤 말).

‡**お-える**【終える】下1他 마치다；종결짓다. ¶学校ᵏᵒ᷁を～ 학교를 마치다（졸업하다）／一生ᵒ᷁を～ 일생을 마치다；죽다. 参考「会期ᵏⁱ᷁が～•えた(＝회기가 끝났다)」와 같이 自動詞적으로도 일찍 쓸 때도 있음.

おお-【大】ō 〔名詞에 붙어〕①(외형상)큰；넓은；많은. ↔小ᵏᵒ-. ¶～空ᵃ᷁ 넓은 하늘／～川ᵏᵃ᷁ 큰 강／～人数ᵘᵘ᷁ 많은 사람. ↔小ᵏᵒ-•小ᵘᵉ-. ②(정도가)큰；대단한；몹시. ¶～いそぎ 몹시 서두름／～けが 큰 부상／～負ᵐᵃ᷁け 대패. ③대충.¶～づもりで計算ᵘ᷁する 대충 계산하다. ④서열•연령이 위의. ¶～奥様ᵘᵃᵐᵃ 대빵 마님.

おお ō 감 ①감동•놀람 또는 말을 시작할 때 내는 말：아；어. ②막된 대답：어；응.

おおあざ【大字】ōa- 图 일본의 말단 행정 구획의 하나(町ᵐᵃᵗ᷁•村ᵐᵘ᷁ 아래). ↔

小字體.

おおあじ【大味】ōa- 名 음식 맛이 덤덤하여 감칠맛이 없음; 또, 아기자기한 맛이 없음. ¶～な魚ː 덤덤한 생선 / ～な表現ʰ 아기자기한 맛이 없는 표현. ↔小味ː.

おおあせ【大汗】ōa- 名 몹시 나는 땀. ¶～をかく 땀을 몹시 흘리다(혼이 나다).

おおあたり【大当(た)り】ōa- 名 크게 적중함; 대성공(함); 히트(힘).

おおあな【大穴】ōa- 名 ①큰 구멍; 전하여, 큰 손해. ¶～をあける 큰 손해를 보다. ②경마 등에서, 예상이 크게 뒤집힘. ¶～をねらう 예상 외의 결과를 노리다.

‡**おおーい**【多い】ōi 形 많다. ¶人口ʰが～ 인구가 많다. ↔少ːない.

おおい【覆い】【被い】ōi 씌움; 씌우개; 덮개. ¶日～ 차양.

おおいかぶーせる【覆いかぶせる】【覆い被せる】ōi- 下1他 ①덮어 씌우다. ②상대에게 말할 틈을 주지 않고 계속 말하다.

‡**おおいに**【大いに】ōini 副 대단히; 크게; 매우; 많이. ¶～騷ːぐ 크게 떠들다 / ～飲ºもう 실컷 마시자 / ～けっこう 매우 좋다.

おおいり【大入り】ōiri 名 (흥행장 따위에서) 입장객이 많음. ¶～満員ʰ 대만원. ↔不入り.

‡**おおーう**【覆う】【被う・蓋う・蔽う・掩う】ōu 5他 ①덮다. 씌우다. ¶屋根ʰを～ 지붕을 덮다. ②가리다; 막다. ¶目ºを～惨状 눈뜨고 차마 볼 수 없는 참상 / 秘密ʰのベールに～われる 비밀의 베일로 가리워지다. ③싸 감추다; 숨기다. ¶非ºを～ 비위(非違)를 감추다. ④널리 퍼지다; 뒤덮다. ¶会場ʰ を～活気ʰ 회장을 뒤덮은 활기.

おおうけ【大受(け)】ōu- 名 크게 호평을 받음(히트함); 대호평.

おおうちがり【大内刈(り)】ōu- 名 (유도에서) 안다리후리기.

おおうつし【大写し】ōu- 又他 (映) 대사(大寫); 클로즈업. 「매출.

おおうりだし【大売(り)出し】ōu- 名 대매출.

オーエル【OL】女子 사무원. ▷office lady.

おおおく【大奥】ōo- 名 (江戸 ː성에서) 将軍ʰ 부인이 있던 곳.

おおおじ【大叔父・大伯父】ōo- 名 양친의 백숙부(종조부). 注意 조부모의 형은(오빠는) '大伯父', 동생은 '大叔父'라고 썼음.

おおおば【大叔母・大伯母】ōo- 名 양친의 백숙모·고모·이모·왕고모 등. 注意 조부모의 누이는 '大伯母', 누이동생은 '大叔母'라고 썼음.

おおがい【大貝】(頁) ōgai 名 한자 부수의 하나: 머리혈[頁]('頭'·'順' 따위의 '頁').

おおがかり【大がかり】【大掛(かり)】ōga- ダナ (구모가) 크게 벌임. ¶～の工事ʰ 대규모 공사.

おおかぜ【大風】ōka- 名 대풍; 큰 바람. ¶その後ꜜ 큰 소동 뒤의 고요.

‡**おおかた**【大方】ōka- 名 ①대부분; 대강. ¶～を言ːったにすぎない 대강의

이야기했을 뿐이다. ②일반 사회〔사람〕. =たいほう. ¶～の読者ʰ 일반 독자 / ～の教示ːを乞ːう 여러분의 교시를 바란다.

おおかた【大方】ōka- 副 대충; 대개; 거의; 대체로; 아마. ¶～知ːらないだろう 아마 모를거야. ──ならず 예사가 아니다; 대단하다.

おおがた【大形】ōga- 名 대형; 모양·무늬가 큰 것. ¶～の鳥ꜛ 대형의 새; 몸집이 큰 새. ↔小形ꜛ.

おおがた【大型】ōga- 名 대형; 큰 형. ¶～のバス 대형 버스. ↔小型ꜛ. ──かぶ【──株】 대형주(철강·전력 따위 자본금이 많은 회사의 주).

おおかみ【狼】ōkami 名 動 이리.

おおがら【大がら・大柄】ōga- 名 ①몸집이나 형상 등이 보통보다 큼. ¶その子供ꜜ 몸집이 큰 어린이. ②무늬나 모양이 큼. ¶～の生地ꜛ 큰 무늬가 있는 옷감. ↔小柄ꜛ.

おおかれすくなかれ【多かれ少なかれ】ōka- 連語〔副詞적으로〕많든 적든(간에). ¶～皆ꜛが被害ːを蒙ːった 다소간에 모두 피해를 입었다.

‡**おおきーい**【大きい】ōkī 形 크다. ①(형상이) 크다. ¶背丈ꜜが～ 키가 크다. ②(수량·나이가) 많다. ¶五ːは三より～ 5는 3보다 크다. ③(정도가) 심하다. ¶打撃ꜜが～ 타격이 크다 / 得ꜛる所ꜛが～ 얻는 바가 많다. ③(직위가) 높다. ¶人物ꜜが～ 인물이 크다. ⑤중대하다. ¶問題ꜜが～. ⑥(범위가) 넓다. ¶～考ꜛえ 국량이 넓은 생각. ⑦(단위가) 크다. ¶～金ꜛ 돈. ⑧허세를 떨다. ¶～事ꜛを言ꜛう 큰소리치다. ↔小ꜜさい.

おおきく【大きく】ōki- 副 크게.

おおきど【大木戸・大城戸】ōki- 名 ①정문; 또는 대성문. ②江戸ꜜ시대에 각 도시의 출입구에 만든 관문.

おおきな【大きな】ōki- 連体 큰. ¶～問題ꜜ 큰 문제 / ～開ꜛきがある 큰 차이가 있다 / ～事ꜛを言ꜛう 큰소리치다. ¶～お世話ꜜ 쓸데없는 참견〔간섭〕. ──顔ꜛをする 젠체하다; 혼자 내 체하다.

おおきに【大きに】ōki- 一 副〔文〕매우; 대단히. ¶～迷惑ꜜだ 아주 성가시다〔귀찮다〕. 二 感〔関西ꜜ지방에서〕 '大きにありがとう(=대단히 고맙습니다)'의 준말.

おおぎょう【大仰・大形】ōgyō ダナ 허풍을 침; 과대. ¶大げさ. ¶～な身振りꜛ 과장된 몸짓.

おおぎり【大切り】ōgiri 名 ①크게 토막침; 큰 토막; 큰 조각. ②끝; 마지막. ③大喜利ꜛ(연극에서) 그 날의 마지막 흥행.

‡**おおーく**【多く】ōku 一 名 많음; 많은 것. ¶～を望ꜛまない 많은 것을 바라지 않는다. 二 副 ①대개는; 대체로; 보통은; 흔히. ¶～は〔=そう言ꜛわない 보통은 그렇게 말하지는 않는다. ②많이. ¶本ꜛを～読ꜛむ 책을 많이 읽다.

おおぐち【大口】ōgu- 名 ①입을 크게 벌림; 큰 입. ¶～をあける 입을 크게 벌리다. ②큰 언약; 장담. ③거액(거래). ¶～の寄付ꜛ 거액의 기부. ↔小口ꜜ. ──をたたく 호언 장담하다; 큰

소리치다.　　　　　　　　　　「도；많아 봤다.
おおくとも【多くとも】ōku- 副 많아

おおぐみ【大組(み)】ōgu- 名【印】대판
《교정이 끝난 가조판을 1페이지 크기
로 조판함》 또, 그 판.

おおくらしょう【大蔵省】ōkurashō 名
대장성(우리 나라의 재무부에 해당).

オーケー【OK】오케이. 一名【商】오케
이.　ￜオーライ. 三 ㅈ他 동의(승
낙.　ￜ~を得る 승낙을 얻다.

***おおげさ**【大袈裟・大仰】ōge- ダナ(大袈裟)
ōge- ダナ 과장(誇張)；허풍을 떪. 一大
仰ぎ. ￜ~な身振りや 과장된 몸짓／
~な装飾や 야단스러운 장식.

オーケストラ 名 오케스트라；관현악
(단).　ￜorchestra.

おおごしょ【大御所】ōgosho 名 ①대가
(大家)；중진(重鎭). ￜ文壇だんの~ 문
단의 중진. ②은퇴한 将軍といや・親王
しんのう; 또, 그 거처의 높임말.

おおごと【大事】ōgo- 名 큰일；중대사.
ￜそれは~だ 그건 큰일이다.

おおざけ【大酒】ōza- 名 대주；많은 술.
ￜ~飲のみ 대주가.

***おおざっぱ**【大雑把・大雑把】ōzappa
ダナ ①대략적임；엉성함. 一大 おおまか.
ￜ~な考かんがえかた 엉성한 사고 방식.
②대충；얼추. ￜ~に言いえば 대충 말
하면. ③대범함. ￜ~な性格せい 대범한
성격.

おおざと【邑】ōza- 名 한자 부수의 하
나：우부방('部'・'都' 따위의 'β').

おおさや【大鞘】ōsaya 名 【經】시세의 차액이 심함.

おおさわぎ【大騒ぎ】ōsa- 名 ㅈ自 큰 소
동.　ￜ上を下への~ 야단 법석.

おおじ【大路】ōji 名【雅】대로；한
길. 一大通おおどり. ￜ都とへ~ 장안(長安)
의 큰길. ↔小路こうじ.

おおし-い【雄雄しい・雄々しい】(男男
しい) ōshi- 形 사나이답고 용감하다；씩
씩하다；장하다. ￜ~行動どうを 씩씩한
행동. ↔めめしい.　　　　　　「小潮こしお.

おおしお【大潮】ōshio 名(한) 사리. ↔

おおじか【大鹿・麞】ōshi- 名 고라니
；큰사슴.

おおじかけ【大仕掛け(け)】ōji- ダナ 짜
임새가 큼；대규모. 一おおがかり. ￜ
~な計画けいの 대규모의 계획.

おおじだい【大時代】ōji- 名ㅓ 몹시 예
스러움；구식. ￜ~な言いい方かた 아주
구식의 말.

おおすじ【大筋】ōsu- 名 ①대강(의 줄
거리).　一あらすじ. ￜ計画けいの~ 계
획의 대강. ②요점；골자. ￜ意見けんの
~ 의견의 요점.

おおずもう【大相撲】ōzumō 名 ①일본
씨름 협회가 흥행하는 직업 씨름꾼의
씨름 대회. ②(씨름에서) 좀처럼 승부
가 나지 않는 열띤 대전.

おおせ【仰せ】ōse 名 ①분부；명령.
ￜ~に従う 분부에 따르다. ②말씀.
ￜありがたい~をいただく 고마운 말
씀을 듣잡다(받잡다).

‡**おおぜい**【大勢】ōzei 名 많은
사람；여럿. ￜ一集まる 많이 모이
다／~で出掛かける 여럿이서 나가다.

おおぜき【大関】ōze- 名 ①직업 씨름
꾼의 등급의 하나(横綱よこづなの 다음, 関

脇せきわきの 위). ②같은 무리 중 제일 뛰
어난 사람.

おおせつ-ける【仰せつける・仰せ付け
る】ōse- 分他【말씀】하시다.

おおせられる【仰せられる】ōse- 連語
말씀(言)하시다.

おお-せる【果せる・遂せる】ōse- 下1他
《動詞 連用形に付く》 ~을 다하다；완
수하다. ￜ重大じゅうな任務にんをし~ 중
대한 임무를 완수하다／いつまでも隠
かくし~ものではない 언제까지고 숨겨
넘길 수는 없다.

おおそうじ【大掃除】ōsōji 名 ①대청소.
②(조직체의) 대대적인 내부 숙청.

***オーソドックス** -dokkusu ダナ 오서
독스；정통파；정통적. ￜ~な方法ほうや
정통적인 방법. ￜorthodox.

おおぞら【大空】ōzo- 名 넓은 하늘(하
늘의 미칭(美称)).

オーソリティー -ti 名 오소리티；(그 방
면의) 권위；권위자；대가. 一author-
ity.

オーダー 名 오더. ￜ~をうけ
る 주문을 받다. ②순서；질서. ③【野】
타순(打順). ④주문(注文)；유행. ￜ~
メード 名 맞
춤(물건). ↔レディーメード. ￜ일
order-made.

おおだい【大台】ōdai 名 ①(증권 시장
에서) 백 엔 대(臺). ￜ百円だいの~割
われ 100엔 선이 깨짐(100엔 대이하가
됨). ②전하여, 금액·수량의 큰 한계
[단위]；대；선. ￜ一兆円だいの~
を넘える 1조 엔 대를 넘다.

おおだいこ【大太鼓】ōdai- 名 큰북. ↔
小太鼓こだいこ.

おおたちまわり【大立(ち)回り】ōta- 名
①(연극 등에서) 활극. ②난투 싸움.

おおだてもの【大立(て)者】ōda- 名 가
장 뛰어난 배우；전하여, 중진(重鎭)；
거물. ￜ政界せいの~ 정계의 거물.

おおだんな【大旦那】ōdan-
名 ①성인의 자식 남편이 있는 집의 주
인；나이가 많은 쪽의 주인. ￜ若だんな
な. ②【佛】절의 유력한 시주(施主).

おおづかみ【大づかみ】【大摑み】ōzu-
名 ㅈ他 손에 가득 쥠. 二 ダナ 대충
파악함. ￜ~に言いえば 대충 말하면.

*__おおっぴら__【おおっぴら・大っぴら】
ōppi- ダナ 까놓고 서슴지 않는 모양；
공공연한 모양. ￜ~に休やすむ 공공연하
게(숨어라 하는)…

おおづめ【大詰(め)】ōzu- 名 연극의 마
지막 장면；전하여, 끝장；막판；대단
원. ￜいよいよ~に近ちかづく 마침내 대
단원에 가까워지다.

おおて【大手】ōde 名 ①(城)의 정면
출입구. ②적의 정면으로 쳐들어가는
군대. ↔からめ手て. ③(거래소에서)
거액의 거래자；큰손. 一大手筋おおてすじ.

おおで【大手】ōde 名 활개；어깨로부터
손끝까지. ￜ小手こて. ￜ~を広ひろげる 두팔
을 크게 벌리다. 一を振る 활개를 치
다；전하여, 남을 꺼리지 않다.

おおでき【大出来】ōde- 名ㅓ
훌륭하게 됨；썩 잘됨. ￜ彼かれにしては
~だ 그로서는 썩 잘한 것이다.

オート 图 오토; '자동(식)'의 뜻. auto. ──バイ 오토바이. ▷미 autobike. ──マチック -chikku グナ 오토매틱. ①자동 권총. ②자동(식) 문. ～ドア 자동식 문. ▷ automatic. ──メーション -shon 图 오토메이션; 자동 조작(제어)(장치). ▷ automation. ──レース 오토바이〔자동차〕경주. ▷일 autorace.

おおどうぐ【大道具】ōdō- 图【劇】무대 장치. ──がた【─方】图【劇】장치 담당자.

*おおどおり【大通り】ōdō- 图 (시내의) 넓은 길; 큰 거리.

おおどか【大どか】グナ 성질이 누긋하고 융통이지 않는 모양. ¶～な性格な 대범한 성격.

おおとかげ【大蜥蜴】ōto- 图【動】도마뱀.

おおどころ【大所】ōdo- 图 ①유력자; 대가(大家). ¶繊維業なの～ 섬유 업계의 유력자. ②커다란 집; 자산가.

おおとり【大鳥】(鵬・鳳・鴻) ōtori 图 몸이 큰 새.

オーナー 图 오너; 임자; 소유주. owner. ──ドライバー 图 오너드라이버. ▷owner driver.

おおな【大名】ōna- 图 ‘～を振ふるう' 사업체(조직체)의 규모를 과감하게 정리하다.

おおなみ【大波】ōna- 图 큰 파도. ¶経済変動なの～に見舞はわれる 경제 변동의 큰 물결에 휩싸이다.

おおにゅうどう【大入道】ōnyūdō 图 중대가리의 몸집이 큰 남자; 그런 모양의 도깨비.

*オーバー 一 图 ᠍自他 ①초과함. ¶予算なを～する 예산을 초과하다. ②…위를 넘음. ¶～ネット 오버 네트; ～ハンド 오버 핸드. 二 グナ 과장됨. ¶～な表現なゃ 과장된 표현. 三 '오버코트'의 준말. ▷ over. ──ケア 图 (부모의) 과보호. ▷ overcare. ──コート 图 오버코트; 외투. ▷ overcoat. ──タイム 图 오버타임. ①시간외 노동; 초과 근무. ②경기에서, 규정 시간이나 횟수를 넘김. ▷ overtime. ──ラップ -rappu 图 두 화면의 이 된 화면이 겹쳐지면서 먼저 화면이 서서히 사라지는 촬영법.) ▷overlap. ──ローン 图 오버론; 대출(貸出) 초과. ▷일 overloan. ──ワーク 图 오버워크; 과중 노동; 규정 외의 일. ▷overwork.

おおばこ【車前草・大葉子】ōba- 图【植】차전초; 질경이. ▷お(ん)ばこ.

*おおはば【大幅】(大巾) ōha- 图 ①대폭. 二 (피륙에서) 보통 폭의 천. ↔小幅は. 二 グナ 수량 등의 변동이 큰 모양. ¶～な異動な 대폭적인 이동.

おおはらい【大はらい】(大祓) ōha- 图 큰 액막이; 많은 사람의 죄·부정(不淨)을 씻어버리기 위하여, 궁중이나 신사에서 행하는 종교 의식. ＝おはらい.

おおばん【大判】ōban 图 ①대판; 보통보다 넓은 지면(紙面). ②타원형의 큰 금화·은화(小判な 열 개에 해당함).

おおばん【大鷭】ōban 图【鳥】큰물닭.

オービー [OB] 图 오비; 졸업생; 선배. ▷old boy.

おおびけ【大引け】ōbi- 图 (거래소에서) 마지막장; 막장; 또, 그 때의 시세.

おおひろま【大広間】ōhi- 图 ①(회합 따위를 위한) 썩 넓은 방. ②옛날에 성에서 大名な 등이 열석하던 곳.

おおふう【大風・横風】ōfū 图 グナ ①〈老〉거만. ＝おうへい. ¶～な態度なで 거만한 태도. ②마음이 느긋하고 여유가 있음; 활달.

オープニング 图 오프닝. (1)(첫) 공개. ¶～ショー 공개 쇼. (2)시작; 개시. ▷ opening.

おおぶね【大船】ōbu- 큰 배. ──に乗のったよう 아주 든든해 안심하는 모양.

おおぶり【大降り】ōbu- 图 (눈·비 등이) 많이 쏟아짐; 큰비; 큰눈. ¶雨あが～になる 비가 많이 오기 시작하다. ↔小降こり. 〔↔小降り〕

おおぶり【大振り】ōbu- 图 크게 흔듬.

おおぶり【大振り・大風】ōbu- グナ (모양·부피가) 보다 큰. ＝おおがた. ↔小ぶり.

おおぶろしき【大風呂敷】ōbu- 图 ①큰 보자기. ②허풍침; 흥감. ──を広ひろげる 허풍떨다.

*オープン 오픈. ▷oven. 一 图 自他 ①뚜껑이 없음. ──カー 오픈 카; 무개차. ②공개. ¶～でやろう 공개적으로 하자. ③비공식. ¶～戦なせ 비공식 경기. ④(수영의) 자유형. ⑤개방적. ¶～な態度なせ 개방적인 태도. 二 图 自他 개점; 개업; 개장. ¶海水浴場なせつ～ 해수욕장의 개장. ▷open. ──ゲーム 图 오픈 게임; 공식 경기 외의 공개 경기. ▷ open game. ──セット -setto 图 오픈 세트; 야외촬영 장치. ▷ open set.

おおべや【大部屋】ōbe- 图 ①큰 방. ②(극장 따위의 분장실에서) 하급 배우들이 함께 쓰는 큰방; 전하여, 하급 배우. ③(병원의) 보통 입원실; 공동 입원실.

オーボエ 图【樂】오보에. ▷이 oboe.

おおまか【大まか・大まか】ōma- 图 グナ ①손이 큼; 협협함; 대범함. ¶金かに～ど 돈 쓰는 것이 협협하다. ②대략적임; 대충. ¶～に見積もるもる 대충 어림잡다. ↔細さか.

おおまた【大また】(大股) ōma- 두 다리를 크게 벌림. ¶～に歩るく 성큼성큼 걷다. ↔小さまた.

おおまわり【大回り】(大廻り) ōma- 图 멀리 돌아감(우회(迂廻)함).

おおまんどころ【大政所】ōman- 图 섭정(攝政)・関白なの 어머니의 높임말.

おおみ【大身】ōmi 图 날이 길고 큼. ¶～のやり 날이 길고 큰 창(槍).

おおみえ【大見え】(大見得) ōmie 图 '～を切きる' 짐짓 과시하는 태도를 보이다; 허세부리다.

おおみず【大水】ōmi- 图 홍수; 큰물.

*おおみそか【大みそか】(大晦日) ōmi- 图 섣달 그믐날. ▷みそか.

おおみだし【大見出し】 ōmi-名 신문·잡지 따위의 큰 표제. ⇔小見出えだし.

おおみやびと【大宮人】 ōmi-名〈雅〉궁중에서 일하는 벼슬아치. ＝公家くげ.

おおみよ【大み代】(大御代) ōmi-名 天皇てんのうが 다스리는 세상.

オーム【理】 음 ; 전기 저항의 실용적 단위. ▷ohm.

おおむかし【大昔】 ōmu-名 아주 오래 옛날 ; 태고.

おおむぎ【大麦】 ōmu-名【植】대맥 ; 보리.

おおむこう【大向(こ)う】 ōmukō名 ① 무대 정면 뒤쪽에 있는 입석. 又또는 관람석. ¶~をうならせる 관람객의 갈채를 받다 ; 대중의 인기를 얻다.

おおむね【概ね·大概·大旨】 ōmu-副 대체(로) ; 대개 ; 대강. ¶~良好りょうこう대체로 양호하다.

おおむらさき【大紫】 ōmu-名【蟲】왕오색나비(일본의 나라 나비).

*おおめ**【大目】** ōme 名 ① 큰 눈. ② 대충 어림잡음 ; 전하여, 관대함 ; 너그러움. ──に見る 너그러이 봐주다.

おおめ【多め】(多目) ōme [ダ･ナ] 좀 많은 정도·느낌. 少すこし~に計はかる 좀 넉넉하게 달다. ⇔少すくなめ.

おおめだま【大目玉】 ōme-名 ① 왕방울 눈. ② 몹시 꾸중함. ¶~をくらす 호되게 야단치다.

おおもじ【大文字】 ōmo-名 ① (로마자의) 대문자. ② 큰 글자. ⇔小文字こもじ.

おおもて【おおもて·大持て(大持て)】 ōmo-名〈俗〉대인기 ; 대환영. ¶~に持もてる 대단한 우대를 받다 ; 굉장한 인기를 끌다.　　　『근본.

おおもと【大元·大本】 ōmo-名 대본.

*おおもの**【大物】** ōmo-名 ① 큰 물건. ¶~をつり上あげる 큰 것을 낚아 올리다. ② 거물. ¶財界ざいかいの~ 재계의 거물. ⇔小物こもの. ──ぐい【食い】(씨름·바둑·장기 등에서)자기보다 훨씬 실력이 나은 상대를 물이겨, 또는, 그 사람.　　　『인. ──やぬし.

おおや【大家·大屋】 ōya 名 셋집 주.

おおやけ【公】 oya-名 ① 조정 ; 정부 ; 국가 ; 관청. ¶~の職しょくにつく 공적에 취임하다. ② 공유 ; 공적. ¶~の立場たちば 공적인 입장. ⇔私し. ③ 공공연. 일반에 알려짐. ¶事件じけんが~になる 사건이 일반에 알려지다. ──にする 공표하다 ; 일반에게 알리다. ──ごと【公事】 공공에 관한 일 ; 공적인 일. ⇔私事しじ.

おおよう【大様】 ōyō [ダ･ナ] 대범한 모양 ; 의젓함. ＝鷹揚おうよう. ¶~な人柄ひとがら 대범한 人柄ひとがら/人柄ひとがらが~に見みえる 인품이 의젓해 보인다.

*おおよそ**【大凡】** ōyo- 一名 대강 ; 대략 ; 대요. ¶~の準備じゅんびができる 대강의 준비. 二副 대체로 ; 약. ＝およそ. ¶~メートルで 약 5미터.

オーライ 오라이(좋다 ; 알았다. ▷all right.

おおらか ōra- [ダ･ナ] 너글너글한 모양 ; 대범한 모양. ¶~な心こころの持主もちぬし 너글너글한 마음씨를 가진 사람.

オール【名】 오어 ; 보트의 노(櫓). ▷oar.

オール【名】 올. ¶─日本にっぽん 전일본. ▷all. ──ウエーブ -wēbu 올 웨이브 ;

전파(全波) 수신기. ▷all-wave (receiver). ──スターせん【──スター戦】 all-star. ▷all-star. ──ナイト 올나이트 ; 철야 ; 종야(終夜). ▷all-night.

オールドミス 名 올드 미스 ; 노처녀. ▷ old miss.

オーレオマイシン 名【藥·商標名】 오레오마이신. ▷Aureomycin.

オーロラ 名 오로라 ; 극광(極光). ＝극.

おおわざもの【大業物】 ōwa-名 석 잘.

おおわらい【大笑い】 ōwa-名 [자] ① 큰 소리로 웃음. 又 (비)웃음. ② 뭇사람의 웃음거리.

おおわらわ【おおわらわ·大わらわ】(大童) ōwa-[ダ·ナ] 힘껏 노력·분투하는 모양. ¶~になって働はたらく 정신 없이 일하다.　　　　　『(丘陵).

*おか**【丘·岡】** 名 언덕 ; 작은 산 ; 구릉

おか【陸】 名 ① 육지 ; 뭍. ⇔海うみ. ② 욕조(浴槽) 밖의 몸을 씻는 곳. ③ 벼루의 먹 가는 바닥. ⇔海うみ. ¶~に上あがった河童かっぱ 환경이 바뀌어 자기 본디의 힘을 쓰지 못하는 자를 욕함.

おが【大鋸】 名 큰 톱. ──くず【─屑】 톱밥.

*おかあさん**【お母さん】** okā- 名〈口〉어머니('母はは'의 높임말). 參考 남에게 자기 모친을 말할 때는 '母はは'라고 하는 것이 보통.

おかいこぐるみ【御蠶包み】 名 온통 비단으로 휘감음 ; 호화로운 생활을 함 ; 호사스럽게 자람.

おかえし【お返し】(御返し) 名 ① 답례 ; 답례품. ② 회신(回信). ③ 거스름돈. ④ 보복.

おかえりなさい【お帰りなさい】 [連語] 외출한 사람이 돌아왔을 때 하는 인사말 ; (아랫사람에게) 어서 오너라 ; (윗사람에게) 안녕히 다녀오십니까 ; 이제 돌아오십니까.

おかかえ【お抱え】(御抱え) 名 ① 사람을 고용함 ; 또, 그 사람. ¶~の運転手うんてんしゅ 고용하는 운전사. ② 정부의 어용. ¶~の学者がくしゃ 어용 학자.

おかがみ【お鏡】(御鏡) 名「鏡かがみもち」의 공손한 말씨.

おかき【お欠き】(御欠き) 名「かきもち」의 공손한 말씨.

おかぐら【お神楽】(御神楽) 名 ①「かぐら」의 공손한 말씨. ②〈俗〉단층집을 2층으로 중축함 ; 또, 그 집.

おかくれ【お隠れ】(御隠れ) 名『~になる』'死ぬ'의 높임말 ; 돌아가시다.

*おかげ**【おかげ·お陰】(御陰·御蔭)** 名 덕택 ; 은혜 ; 탓. ¶神かみの~ 신의 은총 / いつの~でひどい目めに会あって 저 녀석 때문에 혼났다. ──さま【おかげ의 공손한 말씨(御蔭様).

おがさわらりゅう【小笠原流】 -ryū 名 ① 예의 범절의 한 유파(流派)(室町むろまち 시대에 생긴 것으로서 현재에도 널리 행하여짐) ; 전하여, 딱딱한 예절 규범. ② 궁술·승마·병법(兵法)의 한 유파.

*おかしーい**【可笑しい】** -shi 形 ① 우습다 ; 유쾌하다. ¶~くてたまらない 우스워 죽겠다. ② 이상하다. ¶ようすが~ 태도가 이상하다. ③ 수상하다. ¶~そぶりを見みせる 수상한 거동

을 보이다.

おかしな 【可笑しな】[連体] 우스운 ; 이상한. ¶~事件½—이상한 사건.

おかじょうき 【陸蒸気】 -jōki [名] 기차 (明治½ 시대 초기에 쓰인 말).

おかしらつき 【尾頭付(き)】[名] 머리와 꼬리가 달려 있는 통째의 생선(보통 구워서 제사나 경사 때에 씀).

* **おか-す** 【犯す】[5他] ①범하다. ㉠어기다. ¶法½を~ 법을 어기다 / 罪½を~ 죄를 범하다. ㉡여자를 능욕하다. ¶暴力½で~ 폭력으로 여자를 욕보이다. ②거역하다 ; 감히 하다. ¶面目½も~ (처벌을 각오하고) 감히 직간하다.

* **おか-す** 【侵す】[5他] ①침범하다. ¶国境½を~ 국경을 침범하다. ②침해하다.

* **おか-す** 【冒す】[5他] ①무릅쓰다. ¶嵐½を~して進½む 폭풍우를 무릅쓰고 나아가다. ②(종교·도덕을) 더럽히다 ; 모독하다. ¶神聖½を~ 신성을 모독하다. ③병균 등이 침범하다. ¶肺炎½に~される 폐렴에 걸리다.

* **おかず** 【御数】[名] 반찬 ; 부식.

おかっぱ 【お河童·御河童】okappa [名] 계집아이의 단발 머리.

おかっぴき 【岡っ引き】okappi- [名] 江戸½ 시대의 탐정. =めあかしば.

おかづり 【陸釣(り)】[名][ス自他] 뭍에서 낚시질함. ↔沖釣½り.

おかどちがい 【お門違い·御門違い】[名] 번지 수가 다름 ; 전하여, 착각. ¶私½に賴½むなんて~だ 나에게 부탁하다니 번지 수가 틀렸다 / ~もはなはだしい 착각도 이만저만이 아니다.

おかぶ 【お株·御株】[名] 어떤 사람이 가장 잘하는 장기(長技). =おはこ. ¶~を うばう 남의 장기를 가로채다.

おかぼれ 【傍惚れ·岡惚れ】[名][ス自][俗] (남의 애인)을 짝사랑함.

おかま 【お釜】[名] ①かま(=솥)'의 공손한 말씨. ¶~を起½こす 재산이 일다 ; 돈을 벌다 / ~が割½れる (a)살림이 깨지다 ; (b)부부가 이별하다. ②[俗] 궁둥이. ③남색 ; 비역. ④연동(孌童) ; 면. ⑤하녀의 딴이름.

おかまい 【御構い】[名] ①江戸½ 시대의 추방형(追放刑). ②손님 접대. ¶~もできません 대접이 변변찮습니다. ③엄두에 둠 ; 꺼림. ¶人½の事½は~無½しに 남이야 어찌되건(아랑곳 없이) / どうで~なく 조금도 꺼림(걱정) 마시고 마음껏 하십시오.

おかみ 【お上】【御上】[名] ①[雅] 天皇 ½. 조정. ②[古] 정부 ; 관청. ③주군 ½ (主君). ¶「의」 여주인.

おかみ 【御女将】[名] 요릿집·여관 따위의.

おかみ 【御内儀】[名] 남의 아내(주로, 상인(商人)의 아내).

おがみたお-す 【拝み倒す】[5他] 사정사정해서 억지로 승낙케 하다.

‡ **おが-む** 【拝む】[5他] ①손모아 절하다 ; (합장) 배례(拝禮)하다. ②간절히 바라다 ; 빌다. ¶一心½に脱½いでくれ, ~ 한 번 힘써 주게, 비네. ③뵙다 ; 보다. ¶お顔½を~ 얼굴을 뵙다.

おかめ 【お亀·阿亀】[名] ①둥근 얼굴에 광대뼈가 불거지고 코가 납작한 여자 ; 또, 그런 얼굴의 탈(추녀(醜女)의 대 표적인 얼굴). ②여자를 욕하는 말. ③ 'おかめそば'의 준말 ; 생선묵·송이·두 부 껍질·김을 넣은 메밀국수 장국.

おかめ 【お目·傍目·岡目】[名] 옆에서 봄. ——はちもく 【——八目】[連語] 제3 자가 오히려 사물의 시비 곡직을 잘 안다 ¶〔달 통.〕

おかもち 【岡持ち】[名] 요리 배.

おかやき 【おか焼き·傍焼き·岡焼き】[名][ス自] 관계없이 남의 사이 좋음을 질투함.

おかゆ 【おか湯·陸湯】[名] 목욕을 끝내고 나올 때의 몸을 헹구는 깨끗한 온수 (溫水). =あがりゆ. ¶〔きらず.〕

おから 【雪花菜】[名] 비지. =うのはな·きらず.

おがら 【麻幹】[名] 겨릅 ; 겨릅대.

おかわり 【お代(わり)】[名][ス自他] 같은 음식을 (한 그릇) 더 청하여 먹음 ; 또, 그 음식.

おかわり 【お変(わり)】[名] 이상 ; 별고 ('変(わ)り'의 공손한 말씨). ¶~は ありませんか 별고없으십니까.

おかん 【悪寒】[名] 오한.

おかんむり 【お冠】okammu- [名][俗] 지르퉁함 ; 화가 남. ¶大変½な~だ 굉장히 저기압이다.

* **おき** 【沖】[名] 난바다 ; 물가에서 멀리 떨어진 바다.

おき 【燠·熾】[名] ①빨갛게 핀 숯불 ; 잉걸불. ②(장작 등이) 타다 남아 든숯 같이 된 것.

-**おき** 【置き】[名] (数量을 나타내는 말에 붙어서) 일정한 간격을 두고 일이 거듭됨을 나타냄 : 간격 ; 걸러. ¶一日½に~ 하루 걸러.

おぎ 【荻】[名][植] 물억새.

おきあい 【沖合(い)】[名] 난바다 쪽. ——漁業½ 근해 어업.

おきあがりこぼし 【起(き)上がり小法師】[名] 오뚝이 ; 부도옹(不倒翁). =お きあがりこぼうし.

おきあが-る 【起(き)上がる】[5自] 일어 나다 ; 일어서다. ↔横½たわる.

おきあみ 【沖醬蝦】[名][魚] 크릴(krill).

おきいし 【置(き)石】[名] ①정원석. ② 처마 밑에 깔아 놓은 돌. ③(접바둑에서) 하수(下手)가 미리 돌을 놓음 ; 또, 그 돌. ⇨おきご.

おきか-える 【置(き)換える】[下1他] ① 옮겨 놓다. ②(딴 것과) 바꿔 놓다.

おきご 【置(き)碁】[名] 접바둑.

おきごたつ 【置(き)炬燵】【置き炬燵】[名] 옮겨 놓을 수 있는 고타쓰. ¶「가버림.〕

おきざり 【置(き)去り】[名] 내버려 두고 내버림.

おきづり 【沖釣(り)】[名][ス自他] (앞바다 에서 하는) 바다 낚시. ↔いそづり.

おきて 【掟】[名] ①규정 ; 규칙 ; 관례. ¶~をきだめる 규정을 정하다. ②관습. ¶世間½の~ 세상의 관례. ②법제 ; 법률·율법. ¶神½の~に そむく 하느님의 율법을 어기다.

おきてがみ 【置(き)手紙】[名] (용건 따 위를) 써 놓고 (나)가는 편지. ¶~を して家½を出½る 편지를 써 놓고 집을 나오다.

おきどけい 【置(き)時計】[名] 탁상 시계.

おきどころ 【置(き)所·置処】[名] ①두는 장소 ; 둘 곳. ¶身½の~もない 몸둘 곳이 없다. ②놓아 둔 장소 ; 둔곳. ¶~を忘½れる 둔 곳을 잇다.

おきな〖翁〗名 ①〈雅〉영감; 노인의 높임말; 또, 노인의 자기 겸칭. ↔媼. ②노인의 탈(을 쓰고 춤추는 경사스러운 能楽의 곡).

おぎない【補い】名 보충함; 보충한 것; 벌충. =埋め合わせ.

*おぎな-う【補う】5他 (부족을) 보충하다. ¶欠員を～ 결원을 보충하다.

おきなお-る【起き直る】5自 일어나서 바로〔고쳐〕 앉다.

おきなかし【沖仲仕】名 본선(本船)과 거룻배 사이에서, 짐을 부리고 싣는 인부. 「꽃. ②국화.

おきなぐさ〖翁草〗名〔植〕①일본할미

おきにいり【お気に入り】名 마음에 듦; 또, 그 사람〔것〕.

おきぬけ【起き抜け】名 (잠자리에서) 막 일어남. =おきがけ.

おきのどくさま【おきのどく様·お気の毒様】感 폐를 끼쳤을 때, 또는 미안하게 생각할 때 하는 말: 안됐습니다; 미안합니다. 「き(熾)①.

おきび【おき火】(燠火·熾火) 名 ☞お

おきびき【置(き)引き】名 ス自他 대합실 등에서, 남의 짐을 자기 것과 바꿔치기해서 훔쳐 감; 또, 그 사람.

おきふし【起き伏し】(起き臥し) 一 名 ス自 기동; 전하여, 나날(의 생활). =起臥. ¶～も儘ならない 기동도 제대로 못 하다. 二 副〈雅〉자나깨나; 항상; 늘.

おきまり【お決(ま)り】名 상투; 언제나 그러함. ¶～の文句 상투적인 말/～の手 상투 수단.

おきみやげ【置(き)土産】名 떠날 때 남겨 놓고 가는 선물.

おきもの【置物】名 ①객실·床の間 등에 두는 장식물. ②허수아비; (허울뿐인) 꼭두각시; 이름뿐인 사람.

おきや【置屋】名 포주집.

おきゃん〖御俠〗okyan 名·ナ 말괄량이; 왈가닥. =おてんば.

**お-きる【起きる】上1自 일어나다. ①바로〔일어〕서다. ¶むっくと～ 벌떡 일어서다. ②기상하다. ¶六時に～ 여섯 시에 일어나다. ③눈을 뜨다; 뜬눈으로 있다. ¶～·きて待つ 뜬눈으로 기다리다. ④생기다. ¶事件が～ 사건이 일어나다.

お-きる〖熾きる〗上1自 숯불이 벌겋게 피다. ¶炭がなかなか～·きない 숯이 잘 피지 않는다.

おきわす-れる【置(き)忘れる】下1他 (물건을) 둔 곳을 잊다; 또, 가지고 오는 것을 잊다.

お-く〖措く〗5他 ①(중도에) 그치다; 그만두다. ¶おせっかいは～·いてもらおう 참견일랑 그만둬 주게. ②빼놓다; 제쳐놓다. ¶何はさて～·き 만사를 제쳐놓고.

**お-く【置く】一 5他 ①두다. ㉠놓다. ¶箸を～ 젓가락을 놓다《식사를 중단하다〔끝내다〕》. ㉡고용하다. ¶お手伝いを～ 가정부를 두다. ㉢묵게 하다. ¶下宿人を～ 하숙인을 두다《하숙을 치다》. ㉣설치하다. ¶事務所を～ 사무소를 두다. ㉤남겨 두다. ¶留守番を～·いて出かける 집 볼 사람을 두고 외출하다. ㉥(마음에) 두다; 간직하다. ¶念頭に～ 염두에 두다. ㉦(어떤 상태하에) 놓이게 하다. ¶支配下に～ 지배하에 두다. ㉧사이를 떼다. ¶距離を～ 거리를 두다. ㉨딴 데에 힘이 분산되지 않도록 하다. ¶力点が～·かれる 역점이 두어지다. ②거르다. ¶三日～·いて 사흘 걸러. ③셈하다; 점치다. ¶そろばんを～ 주판을 놓다. ④(전당) 잡히다. ¶質に～ 전당 잡히다. ⑤그냥 두다. ¶ただでは～·かんぞ 그냥 두지는 않을 테다. ⑥《動詞連用形(에 助詞 'て'가 붙은 형태 등)을 받아서》…하여 두다. ¶宿題をして～ 숙제를 해놓다. ⑦칠하다; 입히다. ¶金箔を～ 금박을 입히다. 二 5自 (이슬·서리가) 앉다; 맺히다. ¶露が～ 이슬이 앉다.

お-く〖擱く〗5他 쓰기를 중지하다〔끝내다〕. ¶筆を～ 붓을 놓다.

**おく【奥】名 ①깊숙한 곳. ↔表. ㉠안; 속. ¶山～ 산속. ㉡(가족이 사는) 안 채. ¶～に通す 안채〔내실〕로 안내하다. ②끝머리. ¶手紙の～に 편지의 끝머리에. ③귀인의 부인. ④비장; 비밀. ¶～の手 비장의 수법.

*おく【億】名 ①억. ②수가 많음. ¶～万長者 억만 장자.

おくいん【奥印】名 서류 끝에 찍는 관청이나 개인의 도장; 또, 책의 발행자 이름 밑에 찍는 도장.

おくがい【屋外】名 옥외. ↔屋内.

おくがき【奥書】名 ①간기(刊記). =奥付. ②관청에서, 기재 사항이 틀림없음을 증명함; 또, 그 글.

おくがた【奥方】名 신분이 높은 사람의 아내; 마님.

おくぎ【奥義】名 ☞おうぎ(奥義).

おくさま【奥様】名 ①남의 아내의 높임말. ②안주인; 마님《고용인의 입장에서》.

おくさん【奥さん】(奥様) 名 'おくさま' 보다 정도가 낮은 높임말.

おくしゃ【屋舎】-sha 名 건축물; 가옥.

*おくじょう【屋上】-jō 名 옥상. —屋を架す 옥상 가옥(架屋)하다; 부질없는 일을 거듭하다.

おくじょちゅう【奥女中】-jochū 名 江戸 시대에 귀인·귀부인의 시중을 들던 시녀.

おく-する［臆する］サ変自 겁내다; 주눅들다. ¶～色もなく 겁내는 기색도 없이.

おくせつ【憶説】(臆説) 名 억설; 가설. ¶～にすぎない 억설에 지나지 않다. 注意 '憶説'로 쓰는 대용 한자.

おくそく【憶測】(臆測) 名 ス他 억측. ¶～が乱れ飛ぶ 억측이 분분하다. 注意 '憶測'로 쓰는 대용 한자.

おくそこ【奥底】名 ①깊은 속. ¶～の知れない 깊이를 헤아릴 수 없는. ②속마음; 본심. ¶人には知らせたくない～ 남에게는 알리고 싶지 않은 속마음. 「▷프 octave.

オクターブ 名〔楽〕옥타브; 8도 음정.

おくだん【憶断】(臆断) 名 ス他 억단; 억측에 의한 판단. 注意 '憶断'으로 쓰는 대용 한자. 「▷octane.

オクタンか【オクタン価】名 옥탄가.

おくづけ【奥付(け)】 图 판권장(版權張);간기(刊記). ¶扉誌から~まで 속표지에서부터 판권장까지.

おくて【おくて・奥手】 图 ①⑤늦벼. ⑥늦게 익는 품종. ②늦됨. 注意 벼의 경우 보통、「晩稲」. ↔わせ.

おくない【屋内】 图 옥내;집의 안.

おくに【御国】 图 ①나라의 경칭. ②고향;향리. ¶~を自慢誌 제 고장 자랑. ③남의 출신지의 높임말. ④지방;시골. ¶~なまり 방언;사투리. ⑤江戸嘗時代에、大名뚌의 영지(領地). ——いり【入り】 图 영의 행차.

おくのいん【奥の院】 图 본당 안쪽에 있어、본존(本尊)·영상(靈像)을 모신 건물.

おくのて【奥の手】 图 ①오의(奥義);비법(祕法). ②비장의 솜씨;최후 수단.

おくば【奥歯】 图 어금니. ——に物誌がはさまる 생각하는 바를 분명히 말하지 않고 어물거림의 비유;솔직하지 못하다.

おくび【噯気】 图 트림.＝げっぷ. ——も出さない 조금도 입 밖에 내지 않다;내색을 않다.

＊＊おくびょう【臆病】-byō 图子 겁이 많음. ¶~者뚌 겁쟁이. ¶~神誌がつく 몹시 겁을 먹다. ¶~風誌を吹きっか 겁을 내다. 注意 「憶病」으로 씀은 대용 한자.

おくふかい【奥深い】 厖 ①뜻이 심오하다. ¶~真理셸 심오한 진리. 注意 '~ぶかい'라고도 함.

おく-まる【奥まる】 固 후미지다. ¶~った所셸にある家 후미진 곳에 있는 집.

おくみ【衽・袵】 图 (옷의) 섶.

おくむき【奥向き】 图 ①집의 안쪽. ②가사(家事);가계(家計).

おくめん【臆面】 图 기가 죽은 모양;주눅 들린 얼굴. ——もなく 염치도 없이;뻔뻔스럽게;넉살좋게.

おくやま【奥山】 图 깊은 산중;심산.

おくゆかし-い【奥ゆかしい・奥床しい】-shī 厖 그윽하고 고상하다;틀수하다. ¶~住まい 그윽하고 으늑한 거처. ¶~態度誌 응숭 깊은 태도.

＊おくゆき【奥行(き)】 图①⑤ (건물 등의) 앞쪽에서 뒤끝까지의 거리·길이. ¶~の深い建物 안 길이가 긴 건물. ↔間口誌. ②(지식·생각·성격 등의) 깊이.

おくゆるし【奥許し】 图 스승으로부터 기예의 오의(奥義)를 전수(傳授)받음.

おくら【御蔵・御倉】 图(俗) 발표하려던 것을) 발표 않고 내버려 둠. ¶~にする 발표를 보류하다. ——に火がつく 빨리 하라고 웃고 있다가 정작 자기 발등에 불이 떨어져서.

おく-らせる【遅らせる・後らせる】丅1他 늦추다. ¶時計誌を一時間誌~ 시계를 한 시간 늦추다. ↔進誌める.

おぐらひゃくにんいっしゅ【小倉百人一首】-hyakunin isshu 天智꽈天皇으로부터 順徳誌天皇까지의 백 명의 가인(歌人)의 和歌誌를 한 수(首)씩 골라 모은 것(근세 이후에 かるた로서 일반화됨).

おくり【送り】 图 ①보냄. ⑤(…앞으로) 보내어 줌. ¶~先誌 보내는 곳 /

~主誌 보내는 사람 /~バント【野】 내기 번트. ⑥전송;배웅;장송(葬送). ¶野辺誌の~ 송장을 장지(葬地)로 보냄 /~に行く에 배웅하러 가다. ②사물을 차례로 밀어 음으로 옮김.

おくりがな【送(り)仮名】 图 ①한자로 된 말을 분명히 읽기 위하여 한자 밑에 받치는 仮名誌(「送뚌る」의'る' 따위). ②한문을 훈독하기 위하여、한자의 오른쪽 아래에 다는 仮名. =捨りがな.

おくりこ-む【送(り)込む】丅5他 데려다 주다;보내다. ¶宿屋誌へ~ 여관으로 데려다 주다.

おくりじょう【送(り)状】-jō 图 ①운송 장(運送状). ②출하장(出荷状).

おくりな【おくり名・贈り名】 图 시호(諡號).

おくりび【送(り)火】 图【佛】 ①우란분(盂蘭盆) 마지막 날 저승에 돌아가는 선조의 혼백을 보내기 위해 피우는 불. ↔迎誌え火. ②출상(出喪) 때문에서 피우는 불. =後火誌.

おくりもの【贈(り)物】 图 선물.

＊＊おく-る【送る】5他 ①보내다. ⑤부치다. ¶荷誌を送り出す 짐을 부치다 /万円셸~ 매달 만 엔 보내다. ↔受誌ける. ⑥파견하다. ¶軍隊誌を~ 군대를 보내다. ⑧데려다 주다;배웅하다;떠나 보내다. ¶客誌を玄関誌まで~ 손님을 현관까지 배웅하다 /友誌を~ 친구를 떠나 보내다. ↔迎誌える. ②차례로 옮겨 보내다. ¶前列誌へ一字셸~ 앞줄로 한 자 보내다. ②지내다. ¶ぶらぶら日誌を~ 빈둥빈둥 날을 보내다. ②좁히다. ¶ひざを~ 자리를 좁혀서 앉다. ③送りがなを付다.

＊おく-る【贈る】5他 ①선물을 보내다;선사(贈與)하다. ¶賛사나 박수를 보내다. ②추서하다;추증(追贈)하다.

＊おくれ【後れ】 图 ①뒤짐. ②장비;주눅. ¶~は気誌おくれ. ——をとる (남보다) 뒤지다(못하다).

＊おくれ【遅れ】 图 늦음;늦은 정도. ¶一月誌の~ 한 달 늦음.

おくれげ【後れ毛】 图 (여자의) 살쩍;귀밑머리.

おくればせ【遅ればせ・後ればせ】【遅れ馳せ・後れ馳せ】 图 뒤늦게 뛰어듦;뒤늦음. ¶~ながら 뒤늦게나마.

＊おく-れる【後れる】丅1固 ①뒤(떨어)지다. ¶流行誌に~ 유행에 뒤지다. ②여의다. ¶妻誌に~ 아내를 여의다. ↔先立誌つ. ③〔怯れる〕주눅들다;기가 죽다. ——は臆誌する.

＊＊おく-れる【遅れる】丅1固 늦다. ①(일정한) 시간보다 늦다. ¶学校誌に~ 학교에 늦다. ②⑤(보통·예정보다) 더 디다. ¶開発誌が~ 개발이 더디다(늦다). ⑥못되다;뒤지다. ¶知恵誌の~ れた子 지능이 뒤진 아이;지진아.

おけ【桶】 图 통;나무통. ¶~で水誌を汲む 통으로 물을 긷다.

おけつ【悪血】 图 악혈;어혈.

おけら【朮・蒼朮・白朮】 图【植】 삽주.

おけら【螻蛄】 图 ①【蟲】 땅강아지. ②(俗) 빈털터리.

＊おける【於ける】連語 〈'…に~'의 형으로 쓰〉①…에 있어서의;…에서의. ¶国会

ここに―発言ḯ 국회에서의 발언. ②…에 대한 (관계). ¶作家ゞの,人生ậに―は 작가의 인생에 대한 관계.

おこ〔烏滸·尾籠·痴〕名 〈雅〉 어리석음;바보. ¶─のさた 바보짓.

おこえがかり〔お声掛り〕名 윗사람·세력 있는 사람의 (특별) 분부·주선·소개·추천. ¶社長ゞの─で昇進ụする 사장의 입김으로 승진하다.

おこがましい〔烏滸がましい·尾籠がましい·痴がましい〕-shii 形 ①우습다;어리석다. ¶─話ᵇ 우스운(바보 같은) 이야기다. ②주제넘다;건방지다. ¶─まねをするな 주제넘게 굴지 마라. ③화(부아)가 나다. ¶口に出して─ 말하는 것조차 부아가 난다.

おこげ〔お焦げ〕名 〈女〉 누룽지.

おこし〔粔籹〕名 밥풀튀과.

おこし〔お越し〕名 행차(行次). ¶─をお待ᵇちしています 행차하시기를 기다리고 있습니다.

おこ-す〔起(こ)す〕5他 ①일으키다. ⑦일으켜 세우다. ¶からだを─ 몸을 일으키다. ◦倒ᵒす. ⑦(発ᵗす)(일 따위를) 벌이다;…을 시작하다;발생시키다. ¶筆ᵈを─ 쓰기 시작하다 /反対運動ᵈを─ 반대 운동을 일으키다 /電気ᵈを─ 전기를 일으키다. ⑦(개인이) 어떤 상태를 보이다. ¶腹痛ᵈを─ 복통을 일으키다;야단에─을 자포자기하다. ②깨우다. ¶朝早ᵇく─ 아침 일찍 깨우다. ③(밭을) 일구다. ¶畑ᵈを─ 밭을 일구다. ¶面めゝを─ 얼굴을 들다.

おこ-す〔興す〕5他 일으키다;흥하게 하다. ¶国ᵈを─ 나라를 일으키다.

おこ-す〔熾す·燠す〕5他 불을 피우다;불같이 세게 하다.

おこぜ〔膧·虎魚〕名〔魚〕쑤기미.

おごそか〔厳か〕ダナ 엄숙함. ¶─な儀式ᵈ 엄숙한 의식.

おこそずきん〔御高祖頭巾〕눈만 내놓고 머리와 얼굴 전체를 가리는 방한용 얼굴가리개.

おこた-る〔怠る〕5他 ①태만히 하다. ¶仕事ᵈを─ 일을 게을리 하다. ②방심하다;소홀히 하다. ¶注意ゞを─ 주의를 소홀히 하다.

おこない〔行(な)い〕名 ①행실;행동;몸가짐. ¶─を慎ᵇむ 행동을 삼가다. ②불공;근행(勤行);불도 수행.

おこな-う〔行(な)う〕5他 ①(일을) 하다;행하다. ¶卒業式ᵈを─ 졸업식을 거행하다. ②〔雅〕불도를 닦다.

おこなわ-れる〔行(な)われる〕下1自 ①행하여지다. ②실시(거행)되다. ¶調査ᵈが─ 조사가 실시되다. ③쓰이다;유행되다. ¶世間ᵈに─ 세상에 널리 행하여지다.

おこめり〔海髪〕名〔植〕강리(江籬).

おこもり〔御籠り〕名 〈女〉 거지.

おこもり〔御籠り〕名 신불을 기원하기 위하여 신사(神社)나 절에 일정 기간 머묾. 参籠ᵈ.

おこり〔起(こ)り〕名 ①시초.②기원;유래.③원인;발단. ¶事ᵈ〔けんか〕の─ 일〔싸움〕의 발단.

おこり〔瘧り〕名 ①사치. ¶─をきわめる 온갖 사치를 다하다. ②한턱 냄.

──

¶君ᵈの─だ 네가 한턱 낼 차례다.

おごり〔傲り·驕り〕名 교만함;방자함.

おこりじょうご〔怒り上戸〕-jōgo 名 술 취하면 성을 냄;또, 그런 사람.

おこりっぽい〔怒りっぽい〕-rippoi 形 걸핏하면 성을 내는 성질이다.

おこ-る〔怒る〕5自 ①성내다;화내다. ¶まっかになって─ 불같이 노하다. ②꾸짖다;꾸지람하다. ¶父ᵇに─られた 아버지한테 꾸중을 들었다.

おこ-る〔起こる〕5自 일어나다;발생하다. ¶戦争ゞ〔事件ᵈ〕が─ 전쟁〔사건〕이 일어나다.

おこ-る〔興る〕5自 흥하다;일어나다. ¶国ᵈが─時ᵈ 나라가 흥할 때.

おこ-る〔熾る·燠る〕5自 (불이 붙어) 활활 피어 오르다. ¶まっかに─ 시뻘겋게 피어 오르다.

おこ-る〔奢る〕㊀5自 사치하다. ¶口にが─っている 입이 사치스럽다. ㊁他 한턱 내다. ¶酒ᵈを─ 술을 한턱 냄.

おご-る〔驕る·傲る〕5自 거만하다;교만하다. ──れる者久しからず 교만한 자는 오래 가지 않는다.

おこわ〔御強〕名 〈女〉 지에밥.

おき〔筬〕名〔베틀의〕바디.

おざ〔お座〕名〔~がさめる〕좌흥(座興)이 깨지다.

おさい〔御菜〕名 반찬. ──おかず.

おさえ〔押(さ)え·抑え〕名 ①누름. ②(문진(文鎮) 등) 지질러 놓는 물건. ③지배(력);(군대의) 후위;후진. ☰しんがり. ④다짐(함);확인. ¶─がきく 잘 통솔되다;잘 휘어 잡다.

おさえつ-ける〔押(さ)えつける·抑えつける〕下1他 꽉 누르다;억누르다. ¶反対ᵈを─ 반대를 억누르다.

おさ-える〔押(さ)える·抑える〕〔圧える〕㊀他 ①(막)누르다. ⑦(손·무거운 것 따위로) 누르다. ¶傷口ᵈを─ 상처를 누르다. ②억압(진압)하다. ⑦(暴動ᵈを─ 폭동을 진압하다. ㊁억제하다;막다. ¶価格ᵈを─ 가격을 억제하다. ②(敵 따위를) 막다. ㊂침입하다. ¶侵入軍ᵈを─ 침입군을 막다. ㊁참다. ¶怒りᵈを─ 노여움을 참다. ㊁압류하다. ¶財産ᵈを─ 재산을 압류〔몰수〕하다. ③확보하다. ¶三人分ᵈさんにんᵇは─·えておく 3인분은 확보해 두다. ④잡다. ⑦잡다;붙들다. ¶証拠ᵈ〔犯人ᵇᵈ〕を─ 증거를〔범인을〕잡다. ㊁(핵심을) 파악하다;찌르다. ¶急所ᵈを─ 급소를 찌르다.

おさおさ副《否定의 말을 수반하여》거의;대체로;전혀. ¶─おとらない 전혀 손색이 없다.

おさがり〔お下がり〕名 ①제퇴선(祭退膳). ②잔치에서 남은 음식. ③〔윗사람의〕후(퇴)물림. ◦お古ᵇ. ¶兄にんᵇの─ 형님의 후물림.

おさき〔お先〕名 ¶─き(=먼저)'의 높임말〔공손한 말〕. ¶─に失礼ᵇいたします 먼저 실례합니다. ②전도;전도. ──まっくら 앞일을 전혀 내다볼 수 없음.

おさきぼう〔お先棒〕-bō 名 ¶─をかつぐ 〔경솔하게〕남의 앞잡이가 되다.

おさげ〔お下げ〕①(소녀의) 땋아 늘인 머리. ②양끝을 늘어뜨리는 여자의 띠

お

매는 법.

おざしき【お座敷】图『〜がかかる』기생·연예인 등이 손님의 술자리에 불리(어 가)다 ; 전하여, 남으로부터 부름을 받다. 「공손한 말.

おさつ【お札】图『紙幣ℓ。(=지폐)』의

おさと【お里】图①친정 ; 생가. ¶〜に帰るℓ 친정으로 돌아가다(오다). ②(남에게 별로 알리고 싶지 않은) 내력 ; 신분. 一が知れる 신분이 드러나다.

****おさない**【幼い】圈①어리다. ②미숙하다 ; 유치하다. ¶やり方かたが〜 방법이 유치하다. 「(모습).

おさながお【幼顔】图 어릴 적의 얼굴

おさなご【幼子】【幼児】图 어린 아이 ; 유아. 「심.

おさなごころ【幼心】图 어린 마음 ; 동

おさなともだち【幼友達】图 소꿉 동무

おさななじみ【幼なじみ】【幼馴染(み)】图 어렸을 때(부터) 친하게 사귄 사이 ; 또, 그 사람.

おざなり【おざなり·お座なり】【御座成り】图ダ圈 당장치기 ; 일시 모면. ¶〜なあいさつ 겉치레 인사 /〜にする 임시 변통으로 하다 ; 되는 대로 하다.

おさまり【収(ま)り·納(ま)り】图①수습. ¶〜が付かない 수습이 되지 않다. ②영수(領收) ; 수납. ¶税金ぜんの〜が悪い 세금 납입 실적이 나쁘다.

****おさま-る**【収まる】国①수습되다. ¶夫婦かの仲なが〜 부부 사이가(다시) 원만해지다 / 争あらそいが〜 분쟁이 수습되다. ②(제자리에) 들어가다. ¶元かのさやに〜 원상태로 돌아가다. ③들어맞다 ; 잘 들어가다. ¶箱はこの中なかにうまく〜 상자 속에 잘 들어가다. ④자리잡다 ; 안정되다. ¶社長しゃちょうのいすに〜 사장자리에 앉다.

****おさま-る**【納まる】国①납입되다 ; 수납되다. ¶税金ぜんが〜 세금이 걷히다 / 製品ぜんが得意先とくいに〜 제품이 단골집에 납품되다. ②끝나다. ¶けんかが〜 싸움이 끝나다. ③납득〔양해〕되다.

****おさま-る**【治まる】国①다스려지다 ; 평화로워지다. ¶国内こくが〜 국내가 안정되다. ②가라앉다. ⓛ잠잠해지다. ¶風かぜが〜 바람이 자다. ⓛ진정되다. ¶痛いたみが〜 통증이 가라앉다.

****おさま-る**【修まる】国①닦아지다 ; (품행이) 바르게 되다. ¶身持もちが〜 몸가짐이 좋아지다.

おさむい【お寒い】圈〈俗〉 빈약하다. ¶〜予算さん 빈약한 예산.

おさめ【納め】图 끝맺음 ; 마지막. ¶〜の舞台ぶたいげいこ 마지막 무대(연습).

****おさ-める**【収める】下1他①거두다 ; 얻다 ; 손에 넣다. ¶成功こうを〜 성공을 거두다. ②본디 자리로 돌아가다. ¶矛まを〜 창을 거두다 ; 전쟁을 끝내다. ③정리해서 넣다(담다). ¶全集しゅうに〜 전집에 담다.

****おさ-める**【納める】下1他①바치다 ; 납입〔납품〕하다. ¶税きんを〜 세를 바치다(납부하다) /注文ちゅうもんの品しなを〜 주문품을 납품하다. ②넣어 두다. ¶倉くらに〜 창고에 넣다. ③간직하다 ; 가슴 속에 간직해 두다. ⓛ接尾詞的 끝내다. ¶歌うたい〜 노래를 마치다.

****おさ-める**【治める】下1他①다스리다 ; 지배하다 ; 통치하다. ¶国くにを〜 나라를 다스리다. ②가라앉히다 ; 진정시키다. ¶丸まるく〜 원만히 수습하다 / 心こころを〜 마음을 가라앉히다.

****おさ-める**【修める】下1他①(학문을) 닦다 ; 수양하다. ¶学業ぎょうを〜 학업을 닦다 / 身みを〜 수신(修身)하다.

おさらい【お浚い】名スル他①복습. ②가르친 기예를 연습〔실연〕시키는 일 ; 또, 그 연습. =温習ゆう.

おさらば㊀感 안녕('さらば'의 공손한 말). ㊁图 작별함 ; 이별함. ¶〜だ=おやつ.

おさんじ【お三時】图〈女〉 오후의 간식.

おさんどん【お三どん】图〈俗〉①식모 ; 부엌데기. ②부엌일을 함.

****おし**【啞】图〈卑〉벙어리. 參考 지금은 '口くちのきけない人ひと'라고 홈.

おし【押し】【圧し】图①누름. ②누르는 것 ; 누름돌. ◎おもし. ⓛつけもの의〜 김칫돌. ⓛ남을 누르는 힘 ; 영향력. ¶〜がきく 영향력이 있다.

おし【押し】图①밂. ¶〜も押おされもせぬ 확고 부동함 ; 요지 부동함. ②억지 ; 어거지. ¶〜が強つよい 억지가 세다. ㊁接頭『動詞 앞에 붙어』무리하게도〔굳이〕…하다. ¶〜隠かくす 굳이 숨기다. ⓛ語勢를 강하게 하는 말. ¶〜当あてる 꽉 누르다.

おじ【小父】图아저씨. →おば.

おじ【伯父】【叔父】图숙부 ; 백부 ; 외숙부 ; 고모부 ; 이모부. 注意 부모의 손위는 '伯父', 손아래는 '叔父'로 씀 ; 또, 이모·고모의 남편의 경우도 같음. ②【小父】부모와 같은 연배의 남자 ; 아저씨.

おしあいへしあい【押し合いへし合い】連語 밀치락달치락. 「다.

おしあ-う【押し合う】国 서로 밀

おしあげポンプ【押し上げポンプ】-pompu 图 밀펌프. ▷pump.

****おし-い**【惜しい】oshí圈①아깝다. ¶売るのは〜 팔기는 아깝다 /人ひとを失うした 아까운 사람을 잃었다. ②섭섭하다 ; 애석하다. ¶なごりが〜 이별이 아쉽다. ③분하다. ¶〜ことをした 분하게(원통하게) 되었다.

おじいさん【oji-】图①【お祖父様】할아버지(조부를 높이거나 친하게 부르는 말). ②【お爺様】할아범 ; 영감님(남자 노인의 높임말 ; 또, 친하게 부르는 말). →おばあさん.

おしいただ-く【押し頂く】【押し戴く】国①삼가 받다. ¶卒業そつぎょう証書しょを〜 졸업 증서를 삼가 받다. ②받들어 섬기다. ¶主君しゅくんとして〜 주군으로서 받들어 모시다.

おしい-る【押し入る】国国 강제로〔억지로〕 들어가다. ¶強盗ごうが〜 강도가 침입하다.

****おしいれ**【押し入れ】图 반침.

おしうり【押し売り·押売】图 강매 ; 또, 강매하는 사람. ——ようよう——無〔-yo 图 강매 사절.

****おしえ**【教え】图 가르침. ①교육 ; 교훈. ¶いい〜になる 좋은 교훈이 되다. ②교종 ; 종지(宗旨). ¶仏ほとけの〜 부처님의 가르침. ③【の庭】〈雅〉학교.

おしえご【教え子】图 제자.

****おし-える**【教える】下1他 가르치다. ¶数学すうがくを〜 수학을 가르치다 / 秘密

お

ねっと〜 비밀을 가르쳐[알려] 주다 /人_{ひと}の生_いきる道_{みち}を〜 사람이 살아가는 길을 가르치다[깨우치다].

おしおき【お仕置】图 ⇨ しおき

おしかえ-す【押(し)返す】⑤他 ①되밀(치)다 ; 되물리치다. ¶敵_{てき}の攻撃_{こうげき}を〜 적의 공격을 물리치다. ②되돌아오게[가게] 하다. ③반대로 하다.

おしかく-す【押(し)隠す】⑤他 (애써) 감추다 ; 숨기다. ¶心_{こころ}の動揺_{どうよう}を〜 마음의 동요를 애써 감추다.

おしかけにょうぼう【押しかけ女房】 **【押し掛け女房】**图 남자한테 매달려 억지로 아내가 된 여자.

おしか-ける【押しかける】【押し掛ける】① 밀어닥치다 ; (여럿이) 우르르 몰려가다(오다). ¶新婚_{しんこん}の家庭_{かてい}へ〜 갓결혼지도 않은 신혼 가정에 우르르 몰려가다.

おしき【折敷】图 네모난 쟁반.

＊**おじぎ【御辞儀】**图 ⑤自 ①(머리 숙여) 절함 ; 인사함. ②사퇴 ; 사양. ¶〜なし にいただきます 사양 않고 먹겠습니다. ―をする ①인사[절]하다. ②항복하다. 〔초. 〜は=ネムリギる.〕

おじぎそう【含羞草】-sō 图〔植〕 함수초.

おしきり【押(し)切り】图 ①꽉 눌러 자름. ②작두. ―**ちょう【押切帳】**-chō 图 돈을 지급함에 상대방에게 영수인을 찍게 하는 장부. ＝判取帳_{はんとりちょう}.

おしき-る【押(し)切る】⑤他 ①꽉 눌러서 자르다. ②강행하다 ; 무릅쓰다. ¶反対_{はんたい}を〜 반대를 무릅쓰고 강행하다 / 常識_{じょうしき}に〜られる 상식에 밀려다.

おしくも【惜しくも】副 아깝게도.

おしくらべ【押(し)競】图 ⇨ 밀어내기 놀이('おしくらべ'의 준말).

おしげ【惜しげ】【惜し気】图 애석하게 여기는 기색. ¶〜もなく 아낌없이 ; 아까워하는 기색도 없이.

おじけ【怖じ気】图 공포심 ; 무서운 생각. =おぞけ. ¶〜がつく 무서운 생각이 들다 ; 축기 들다. ―**だ-つ【―立つ】**⑤自 겁나하다. ―**づ-く【―付く】**⑤自 무서운 생각이 들다.

おじ-ける【怖じける】① 축기[縮氣] 들다 ; 무서워하다. =ひるむ.

おしこみ【押(し)込み】图 ①반칙. ②押入_{おしいれ}. ②(가택) 침입) 강도('押し込み強盗_{ごうとう}'의 준말). ¶〜を働_{はたら}く 강도질을 하다.

おしこ-む【押(し)込む】⊟⑤自 ①밀고[비집고] 들어가다. ②강도질하러 들어가다. ⑤他 (좁은 곳에) 억지로 밀어[들어]넣다 ; 처담다. ¶のどに〜 목구멍에 밀어넣다(억지로 삼키다).

＊**おしこ-める【押(し)込める】**① 억지로 집어넣다[가두다]. ¶ポケットに金_{かね}を〜 호주머니에 돈을 쑤셔넣다. ②가두다 ; 감금하다.

おしころ-す【押(し)殺す】【圧(し)殺す】他 ①눌러 죽이다 ; 또, 표정·감정 따위를 눌러 나타내지 않다. ¶笑_{わら}いを〜 웃음을 눌러 참다.

＊**おじさん【小父さん】**图 아저씨(아이들이 (중년)남자를 친밀하게 부르는 말).

おしすす-める【押し進める】① 밀고 나아가다.

おしすす-める【推し進める】① 밀고 나아가다 ; 추진하다. ⇨ 천하다.

おしすす-める【推し進める】① 추

おしせま-る【押し迫る】⑤自 박두하다 ; 다가오다.

おしたじ【御下地】图〔女〕①간장. =しょうゆ. ②국물. 参考'したじ'의 공손한 말씨.

おしだし【押(し)出し】图 ①밀어냄. ¶〜絵_えの具_ぐ 튜브(에 든) 그림물감. ②씨름 수의 하나(상대를 씨름판 밖으로 밀어냄). ③여러 사람 앞에 나섰을 때의 외양 ; 풍채. ¶〜が立派_{りっぱ}だ 풍채가 당당하다. ④〔野〕밀어내기.

おしだま-る【押(し)黙る】⑤自 입을 열지 않고 침묵을 지키다.

おしちや【お七夜】图 (출생 후) 첫 이렛날 밤 ; 또, 그 날의 잔치.

おしつけがましい【押しつけがましい】【押し付けがましい】-shī 形 마치 강요하듯 하다. ¶〜親切_{しんせつ} 억지로 내세우는 듯한 친절 ; 달갑지 않은 친절.

＊**おしつ-ける【押しつける】【押し付ける】**①他 ①억누르다 ; 꽉 누르다. ②강제로 시키다 ; 강요하다 ; 억지로 떠맡기다. ¶いやな仕事_{しごと}を〜 싫은 일을 억지로 떠맡기다 / 責任_{せきにん}を〜 책임을 넘겨 씌우다.

おしっこ oshikko 图〔兒〕쉬 ; 오줌.

おしつま-る【押し詰まる】⑤自 ①박두하다. ②연말[세밑]이 다가오다.

おしつ-める【押し詰める】①他 ①꽉 눌러 담다 ; 쑤셔[처]넣다. ②밀어 붙이다 ; 몰아 넣다. ¶土壇場_{どたんば}に〜 막다른 곳으로 몰아넣다. ③압축하다 ; 요약하다. ¶〜めて言_いえば 요약해서 말한다면.

おして【押して】副 굳이 ; 강제로 ; 무리하게. ¶反対_{はんたい}が多_{おお}いのに〜実行_{じっこう}する 반대가 많은데도 굳이 실행하다.

おしてしるべし【推して知るべし】連語 미루어 짐작할 수 있다. ¶あとは〜だ 뒤는 자명(自明)한 일이다.

＊**おしとお-す【押(し)通す】**-tōsu ⑤自他 ①억지로 통과시키다. ②끝까지 밀고 나가다. ¶反対_{はんたい}を一本槍_{いっぽんやり}やりで〜 오로지 반대만으로 밀고 나가다.

おしどり【鴛鴦】图 ①〔鳥〕원앙새. ②의가 좋아 항상 함께 있는 부부. ¶弁護士_{べんごし}の〜入選_{にゅうせん}) 부부 변호사[입선] /〜夫婦_{ふうふ} 원앙 부부.

おしなべて【押し並べて】副 대체로 ; 모두 ; 한결같이. ¶ことしの稲作_{いなさく}は〜悪_{わる}い 금년 벼농사는 대체로 흉작이다 /人_{ひと}々_{びと}は〜自由_{じゆう}を叫_{さけ}ぶ 누구나 예외 없이 자유를 부르짖다.

おしのいって【押(し)の一手】-itte 連語 (목적 달성을 위해) 억지로 밀어 붙임. ¶〜で行_ゆくよりしかたがない 밀어붙이는 수밖에 없다.

おしの-ける【押しのける】【押し退ける】他 밀어 젖히다. ¶人_{ひと}を〜・けて 남을 밀어 젖히고.

おしのび【お忍び】【御忍び】图 미행(微行) ; 潜行(潜行).

おしば【押(し)葉】图 석엽(腊葉) ; (표본 등으로 쓰려고) 책갈피 등에 끼워 말린 잎·꽃. ¶〜にする ⇨ 추량하다.

＊**おしはか-る【推(し)量る】**⑤他 헤아리

お

*おしはか−る【推(し)測る】[5他] 추측하다.

おしひろ−める【押し広める】[下1他] ①널리 퍼뜨리다. ¶仏教Ꭻ᷾を〜불교를 널리 퍼지게 하다. ②범위를 넓히다. ¶考ᎫᎫえ方ᎫᎫを〜 범위를 넓혀서 생각하다.

おしべ【雄蕊・雄蘂】(植) 수술；수꽃술. =ゆうずい. ↔雌ᎫᎫしべ.

おしボタン【押しボタン】(押し釦) 名 누름단추. ᎫᎫ포 botão.

おしぼり【お絞り】名 (손님에게 내놓는)

*おしまい【御仕舞い】名 ①끝；마지막('しまい'의 공손한 말씨). =おわり. ¶そんなことでは〜だ 그래서는 끝장이다. ②화장；몸치장.

おしまく−る【押し捲る】[5他] 밀어 대다；(押(し)捲る) 상대를 압도하다. ¶弁舌ᎫᎫᎫで〜 변설로 상대를 압도하다.

おしみなく【惜しみなく】[連語] 아낌없이.

*おし−む【惜しむ】[5他] ①아끼다. ¶時間ᎫᎫを〜 시간을 아끼다／骨ᎫᎫを〜 노력하기를 싫어하다. ②애석히 여기다；아쉬워하다. ¶別れを〜 작별을 아쉬워하다.〔리.

おしむぎ【押(し)麦】名 압맥；납작보리

おしむらくは【惜しむらくは】-wa [連語] 아깝게도；애석하게도；유감스럽게도.

*おしめ【襁褓】名 기저귀. =おむつ. ¶〜をする〔当てる〕 기저귀를 채우다.

おしめり【お湿り】名〈女〉(마른 땅을 알맞게 축여주는 정도의) 가랑비.

おしもんどう【押(し)問答】-dō [ス自] 입씨름；승강이(질).

おしゃか【御釈迦】oshaka 名〈俗〉파치；불량품；소용없게 된 상태. ¶〜になる 파치가 나다(잘못 만들다) ／〜にする 잘못 만들다；못쓰게 만들다.

おしゃかさま【御釈迦様】osha- 名 부처님. ──でもご存ᎫᎫじない 전혀 생각 밖의 일이어서 아무도 모른다.

おしゃく【お酌】(御酌) oshaku 名 ①'しゃく(=술따르기)'의 공손한 말씨. ②동기(童妓). ③작부(酌婦).

*おしゃべり【お喋り】osha- [ス自] ①지껄임；수다스러움；또, 그러한 사람. ②잡담.

おしゃま oshama 名[ダナ] 깜찍함；되바라짐；또, 그러한 계집아이.

おじゃま【お邪魔】oja- 名[ス自] 방해；실례('邪魔'의 공손한 말씨). ¶〜いたしました 실례했습니다(방문하고 나올 때 하는 인사말).

おしゃ−る【押しやる】(押し遣る) [5他] ①밀어서 저쪽으로 보내다. ②밀어 젖히다；퇴박하다. ¶杯ᎫᎫを〜って飲ᎫᎫまない 술잔을 밀어 내고 마시지 않다.

*おしゃれ【お洒落】oshare 名 멋〔모양〕을 냄；또, 멋쟁이. ¶男ᎫᎫᎫのくせに〜をする 사나이 주제에 (너무) 모양을 내다.

おじゃん ojan 名〈俗〉모처럼의 계획 따위가 깨짐. ¶〜になった (계획 따위가) 다 틀어졌다.

おしょう【和尚】oshō 名 화상；스님. 전하여, 절의 주지.

おじょうさま【お嬢様】ojō- 名 ①영애(令愛)；따님. ②아가씨. ③고생을 모

르고 자란 여자. ¶〜育ᎫᎫち 호강으로 자란 아가씨. 参考 口語形은 おじょうさん.

おしょく【汚職】(瀆職) osho- 名 오직；독직(瀆職). ¶〜事件ᎫᎫ 독직 사건. 参考 '瀆職'의 고친 말.〔치；참피.

おじょく【汚辱】ojo- [ス自] 오욕；수

*おしよ−せる【押し寄せる】[ト1自] 몰려 들다；밀어 닥치다. 〔二(他)敵ᎫᎫの大軍ᎫᎫが 몰려 드는 적의 대군. 〔二(他) 가까이 두다；밀어 놓다.

お−じる【怖じる】[上1自]〈雅〉무서워하다〔두려워〕하다；겁내다.

*おしろい【白粉】名 분. ¶練ᎫᎫり〜 크림 모양으로 된 분／〜をつける 분을 바르다. ──ばな【─花】名(植) 분꽃.

おしわ−ける【押し分ける】[下1他] (좌우로) 밀어 헤치다. ¶人ᎫᎫごみを〜け て進ᎫᎫむ 군중을 헤치고 나아가다.

おしんこ【お新香】名 야채를 소금·겨에 절인 반찬. =香ᎫᎫの物ᎫᎫ·つけもの.

*お−す【押す】[5他] ①밀다. ¶車ᎫᎫを〜 수레를 밀다. ↔引ᎫᎫく. ②것다. ¶櫓ᎫᎫを〜 노를 것다. ③(圧す) 누르다. ①내리누르다. ¶おもしを載ᎫᎫせて〜 누름돌을 얹어 누르다. (ㄴ)(남을) 압도하다. ¶相手ᎫᎫᎫの勢ᎫᎫᎫいに〜される 상대의 기세에 눌리다. ④(捺す) 찍다；누르다. ¶はんこを〜 도장을 누르다. ⑤바다；붙이다. ¶はくを〜 박(箔)을 붙이다. ⑥'…を〜して'의 꼴로 무릅쓰고. ¶病ᎫᎫを〜 출석하다；する 병을 무릅쓰고 출석하다. ⑦念ᎫᎫを〜 다짐하다. ⑧駄目ᎫᎫを〜 못을〔쐐기를〕 박다.

お−す【推す】[5他] ①미루어 알다；어리다. ¶この事ᎫᎫから〜と 이 일로 미루어 보면. (ㄱ)추대하다. ¶会長ᎫᎫᎫに〜 회장으로 밀다. ②추천하다. ¶田中君ᎫᎫᎫを委員ᎫᎫᎫに〜 田中군을 위원으로 추천하다.

おす【雄】(牡) 名 수컷. ↔雌ᎫᎫす.

*おすい【汚水】名 오수；더러운 물. ¶〜処理場ᎫᎫᎫ 오수 처리장.

おずおず【怖ず怖ず】副〈雅〉주뼛주뼛；머뭇머뭇. =こわごわ. ¶〜と尋ᎫᎫねてみる 몹시 조심스럽게 물어보다.

おすそわけ【おすそ分け】(御裾分(け)) 名[ス他] 남에게 얻은 물건·이익을 다시 남에게 나누어 줌；또, 그 나누어 준 것. ¶ほんの〜です 약소합니다.

おすなおすな【押すな押すな】[連語] 사람이 많이 붐벼 혼잡한 상태：밀치락달치락. ¶〜の騒ᎫᎫᎫぎ 밀치락달치락하는 소동／〜の盛況ᎫᎫᎫ 대만원의 성황.

おすべらかし【御垂髪】名 여자의 머리 모양의 한 가지；앞머리를 좌우로 부풀게 하고 머리채를 뒤로 늘어뜨림 (지금은 황족의 정장 때의 머리).

おすまし【お澄(ま)し】名 ①새침함；또, 그 사람. ②〈女〉맑은 장국.

おすみつき【お墨付(き)】名 ①흑색 도장이 찍힌 문서(幕府나·大名ᎫᎫᎫ 등이 증명으로 신하에게 주었음). ②권위자의 보증(서).

*おせじ【お世辞】(御世辞)** 名 간살부리는 말；겉발림말；겉치레의 말('世辞'의 공손한 말씨). ¶〜たらたら 간살이 넘

치게/そんな事では〜にも言えない 그
런 일은 빈말이라도 할 수 없다.
おせち【お節】【御節】名 정월이나 명절
등에 쓰는 특별 요리. =お節供で.
おせっかい【御節介】osekkai 名 ダナ 쓸
데없는 참견 ; 또, 그런 사람. ¶いら
ぬ〜はやめてくれ 쓸데없는 참견은 그
만두게. ¶〜をやく 대거 오엽.
*おせん【汚染】名 ス他 오염. ¶大気
おぜんだて【お膳立て】【御膳立て】名
①밥상을 차림. ②준비 ; 채비. ¶会議
の〜をする 회의 준비를 하다.
*おそ-い【遅い】形 늦다. ①느리다 ; 더
디다. =のろい. ¶仕事が〜 일이 느
리다. ↔速い. ②(晩い)(시간이) 늦
다. ¶帰りが〜 돌아오는〔귀가〕시간
이 늦다. ↔早い. ③(제시간에) 대지
못하다. ¶後悔してももう〜 후회
해도 이미 늦(었)다. ↔早い.
*おそ-う【襲う】他 ①습격하다 ; 덮치
다. ¶ばくち宿を〜 도박장을 덮치
다. ②(남의 집을) 느닷없이 방문하다.
¶物を〜 있어 받다 ; 계승하다. ¶三代
目代々の家系を〜 3대째의 가계를
잇다.
おそうそうさま【御草草様】osōsō-
변변치 못했습니다(손님을 대접한 후
주인측의 인사말). =おそまつさま.
おそうまれ【遅生(ま)れ】名 (취학 아
동이) 4월 2일부터 12월 말일 사이에
태어남 ; 또, 그 사람. ↔早生まれ.
おそかれはやかれ【遅かれ早かれ】連語
조만간(에) ; 언젠가는. ¶〜わかる悪
事だ 조만간 알려질 못된 짓.
おそくとも【遅くとも】名 늦어도. ¶
そくも〜あさってには届くだろう
늦어도 모레는 닿을 것이다.
おぜけ【怖気】名⇒おじけ.
おそざき【遅咲き】名 철늦게 핌 ; 늦핌.
¶〜の梅の철늦게 핀 매화.
おそぢえ【遅知恵】【遅智慧】名 ①지능
발달이 늦음. ¶〜の子供は 지진아〔遅
進児〕. ②뒤늦어 쓸모없는 꾀 ; 늦꾀.
おそなえ【お供え】名 ①'お供えもち'의
준말 ; 설에 공물(供物)로 쓰는 둥그런
찰떡. =かがみもち. ②そなえもの〔=
제물〕の높임말. ↔早場店で.
おそば【遅場】名 벼가 늦되는 고장.
おそばん【遅番】名 늦게 근무하는 차
례〔당번〕. ↔早番で.
おそまき【遅蒔き】【遅蒔き】名 ①(農)
철늦은 파종 ; 늦게 뿌림. ②뒤늦게〔때늦
게〕함. ¶〜ながら 뒤늦게나마.
おぞまし-い【悍ましい】-shi 形 싫은 생
각이 들다. =うましい.
おそまつさま【御粗末様】慣 ⇒おそう
そうさま.
*おそらく【恐らく】副 아마 ; 어쩌면 ; 필
시. ¶〜雨が降るだろう 아마 비가
올 것이다.
おそるおそる【恐る恐る】副 두려워하
면서 ; 흠칫흠칫 ; 주뼛주뼛. ¶〜前へ
出る 조심조심〔주뼛주뼛〕앞으로 나
오다.
おそるべき【恐るべき】連語 무서운.
①두렵; 가공(可恐)할. ¶〜破壊力
で 가공할 파괴력. ②대단한 ; 지독
한. ¶〜暑さ 지독한 더위.
おそれ【恐れ】【怖れ】名 두려움. ①두

려워〔무서워〕하는 마음. ¶〜をいだく
공포심을 품다. ②(畏れ) 외경의 마
음. =畏敬い. ¶〜をなす 무서워하다.
おそれ【恐れ・虞】名 염려 ; 우려.
¶大雨災の〜がある 큰 비가 올 우려
가 있다.
おそれい-る【恐れ入る】【畏れ入る】
⑤自 ①황송해하다 ; 죄송〔송구〕스러워
하다. ¶わざわざのおはこびで〜り
ます 일부러 왕림하여 주시어 황송합
니다. ②(역량·실력에) 두손 들다〔항
복하다〕 ; 놀라다. ¶〜りました 두손
들었습니다. ③(〈〜った'의 꼴로〕기
막히다 ; 어이〔어처구니〕없다. ¶〜っ
た話だ 어이없는 이야기이다. ④사
과하다〔謝〕.
おそれおお-い【恐れ多い】【畏(れ)多
い】-ōi 形 ①송구하다 ; 황공하다. ¶
〜お言葉を頂いて 황공한 말씀을 듣
다. ②매우 고맙다.
おそれげ【恐れ気】名 겁내는〔두려운〕
기색. ¶〜もなく 겁도 없이.
おそれながら【恐れながら】【畏れなが
ら】連語 죄송합니다만 ; 실례입니다
만.
**おそ-れる【恐れる】下1自 두려워하다.
①怖れる〕겁내다 ; 무서워하다. ¶死
を〜 죽음을 두려워하다. ②(걱정하다
 ; 우려하다. ¶母の身の上
を〜 어머니의 신상을 걱정하다. ③
(畏れる・懼れる) 경외(敬畏)하다. ¶
神を〜・れないしわざ 신을 두려워하
지 않는 행위.
**おそろし-い【恐ろしい】【怖ろしい】
-shi 形 두렵다 ; 무섭다. ①겁나다.
¶〜話をきく 무서운 이야기를 듣
다. ②걱정〔염려〕스럽다. ¶末が〜 장
래가 두렵다. ③심하다 ; 대단하다. ¶
〜勢い 무서운 기세. ¶〜腕前 대
단한 솜씨.
おそわ-る【教わる】⑤他 가르침을 받
다.
おそわ-れる【襲われる】下1自 ①습격
당하다. ②느닷없는 방문을 받다.
おそわ-れる【魘われる】下1自 가위눌
리다. =うなされる.
おそん【汚損】名 ス自他 오손.
オゾン【化】名 오존. =ozone.
おだ【お駄】¶〜を上げる〈俗〉 멋대로 기
염을 토하다.
おたあさま【お袋様】otā- 名 (궁중
에서) 어머니의 높임말 : 어마마마. =
おたたさま. ↔おもう様.
おたいこ【お太鼓】名 'おたいこむす
び'의 준말 ; 여자옷의 띠를 매는 법의
한 가지〔뒤를 불룩 모양으로 불룩하게
맴〕. ——をたたく (그럴 듯한 말로) 알
랑거리다〔비위를 맞추다〕.
おだいもく【お題目】名 ① ⇒だいも
く②. ②〈俗〉주장(의 요점). ¶〜に
終わる 주장으로 그치다.
おたいら【お平ら】名〈주로 '〜に'의 꼴
로〉 편하게 앉으라고 권하는 말. ¶ど
うぞ、〜に 부디 편히 앉으십시오.
おたがいさま【お互い様】名 피차 일
반. ¶苦しいのは〜です 괴로운 것은
피차 일반입니다.
おたかく【お高く】副¶〜とまる 도도
하게 굴다 ; 고자세를 취하다.
おたく【お宅】宅. 一名 상대방 집의 높

임말. 🈩【代】〈俗〉당신；남편；귀하(貴下). ¶～の考ᵃᵘらえ 댁의 생각.

おたけび【雄たけび】【雄叫び】图 우렁찬 외침 (소리). ¶～をあげる 우렁차게 외치다.

おたずねもの【お尋ね者】图 지명 수배된 범인 (용의자).

おたち【お立ち】图 ①떠나심〔'出発ᵖᵘᵘᵘ'〈=출발〉의 높임말〕. ¶いつ～になりますか 언제 떠나십니까. ②(가려고) 일어남；자리를 뜸〈손님의 돌아감의 높임말〉. ¶もう～ですか 벌써 가십니까.

おだて【煽て】图 ¶～に乗ᵒる 치살림〔아첨〕에 넘어가다；옷춤추다.

****おだ-てる**【煽てる】[下1他] ①치켜세우다；추어 주다. ¶～てて一杯ᵖᵖᵖᵘ おごらせる 치켜올려서 한 잔 내게 하다. ②부추기다；충동〔선동〕하다.

おたな【御店】图 (점원 입장에서 본) 주인집. ──もの【──者】图

おたふく【お多福】【阿多福・於多福】图 ⇨ おかめ(亀). ──かぜ【──風邪】图【醫】유행성 이하선염(耳下腺炎)；항아리 손님.

おだぶつ【御陀仏】图〈俗〉사람이 죽음；전하여，(사물의) 잠침. ¶～になる a) 잠치다. b) 죽다.

おだまき【苧環】图 ①베실꾸리. ②생과자(生菓子)의 일종. ③【貝】실꾸리고둥. ¶～ばな 매발톱꽃.

おたまじゃくし【お玉じゃくし】【御玉杓子・蝌蚪】-jakushi 图 ①올챙이 모양의 자루 달린 국자. ②【動】올챙이. ③〈俗〉악보의 음표 '♩♪' 따위의 속칭；콩나물 대가리.

おためごかし【御為ごかし】图ナ 남을 위하는 체하며 자기 실속을 차림. ¶～の意見ᵐ 위하는 체하면서 제 잇속만 차리는 의견.

****おだやか**【穏やか】[ダナ] ①온화함；평온함；온건함. ¶～な気候ᵃ 온화한 기후. ¶～な意見ᵐ 온건한 의견. ¶～な海ᵈ 잔잔한 바다. ②침착하고 조용함；공손함. ¶～な人柄ᵈᵈᵃ〔もの言``い〕 온후한 인품〔말씨〕.

おだわらちょうちん【小田原ちょうちん】【小田原提灯】-jōchin 图 접도등(摺燈).

おだわらひょうじょう【小田原評定】-hyōjō 图 끝말만 하고 결론은 못 짓는 의논.

おち【落ち】图 ①빠짐；빠뜨림；누락；실수. ¶配当ᵖᵘᵘ～〔經〕배당락(落)／帳簿ᵖᵘᵘ～のないように 장부에 누락이 없도록／～のないように 실수가 없도록. ②도망침. ━落ᵘᵘᵘ낙향(落鄉). ③(뺀) 종말；결말. ¶笑ᵃわれるのが～だ 웃음거리가 되는 것이 고작이다〔뺀하다〕. ④(만담 등에서) 사람을 웃기고 그 이야기를 매듭짓는 부분. ≡さげ.

おちあ-う【落(ち)合う】[5自] (약속한 곳에서) 만나다；합류하다. ¶駅ᵈᵈで～ 역에서 서로 만나다.

おちい-る【陥る】[5自] ①빠지다. ⑤빠져들다. ¶穴ᵃᵃに～ 구멍에 빠지다. ⑥좋지 않은 상태로 되다. ¶混乱ᵖᵖᵖᵖに～ 혼란에 빠지다. ②계략에 걸리다. ¶策略ᵖᵘᵘに～ 책략에 빠지다. ②함락되다；떨어지다. ¶城ᵘᵘが～ 성이 함락되다.

おちうお【落(ち)魚】图【魚】①산란하러 강을 내려가는 물고기〔은어〕. ②길은 강・바다로 옮겨 가는 물고기. ③죽은 물고기.

おちうど【落人】图 사람 눈을 피해〔싸움에 지고〕 도망가는 사람.

おちおち【落ち落ち】副〈뒤에 否定語를 수반하여서〕조용히；마음 놓고. ¶～眠ᵈᵈれない 마음 놓고 잘 수 없다.

おちこち【遠近・彼此】图〈雅〉여기저기.━あちらこちら.

おちこ-む【落(ち)込む】[5自] ①빠지다. ⑤危険ᵈᵈᵈに～ 위험에 빠지다. ②움푹 패다；쑥 들어가다. ¶目ᵈが～ 눈자위가 우묵해지다. ③갑자기 떨어지다. ¶消費ᵈᵈが～ 소비가 떨어지다.

****おちつき**【落(ち)着き】【落(ち)付き】图 ①침착한 태도〔모양〕. ¶～がない 침착성이 없다. ②기물(器物)의 놓임새. ¶～が悪ᵈᵘい机ᵈ 안정감이 없는 책상.

おちつきはら-う【落(ち)着き払う】[5自] 매우 침착한 모양을 보이다；태연자약하다.

****おちつ-く**【落(ち)着く】【落(ち)付く】[5自] ①자리잡다；안정되다. ¶郷里ᵈᵈに～ 고향에 정착하다／教師ᵈᵈᵈᵈに～ 교사로 자리잡다. ②묵다；머물다. ¶宿屋ᵈᵈᵈに～ 여관에 묵다〔들다〕. ②가라앉다. 침착하다. ¶～いた態度ᵈ 침착한 태도. ⑤진정되다；안정되다. ¶さわぎが～ 소동이 가라앉다. ③(주위와) 조화되다；차분하다. ¶～いた色ᵈ 차분한 빛깔／その色ᵈでは～かない 그 색깔로는 조화되지 않는다. ④타결을 보다；도달〔귀결〕하다. ¶～所ᵈᵈは一ᵒᵘつ 귀결점은 하나.

おちど【落(ち)度】【越度】图 잘못；과실. ¶こちらに～がある 이쪽에 잘못이 있다.

おちの-びる【落(ち)延びる】[上1自] (무사히) 멀리 달아나다.

おちば【落ち葉】图 ①낙엽. ②'おちばいろ'의 준말；황적색을 띤 갈색；고동색.

****おちぶ-れる**【落ちぶれる】【落魄れる・零落れる】[下1自] 영락(零落)하다.

おちほ【落(ち)穂】图 낙수；이삭. ¶～拾ᵈᵈい 이삭줍기.

おちむしゃ【落(ち)武者】-sha 图 싸움에 지고 도망치는 무사. ¶～は薄ᵈᵈの穂ᵖᵘᵘにおじる 자라 보고 놀란 가슴 소댕 보고 놀란다.

おちめ【落ちめ・落ち目】图 내리막길에 들어선 운명〔상태〕. ¶家運ᵈᵈが～になる 가운이 기울어지다.

おちゃ【お茶】ocha 图 ①(엽)차〔'茶ᵈᵈ'의 공손한 말〕. ②다과회 ／～を入ᵈᵈれる 차를 달여 내다. ②일하는 도중에 잠깐 쉼. ¶～にする 일하는 도중에 잠시 쉬다. ≡だ다도(茶道). ━を濁ᵈす 어물어물〔적당히〕해서 그 자리를 넘기다. ━をひく 기생을 못 치고, 손님이 없어 한가하다.

おちゃっぴい【お茶っぴい】ochappī 图 장난기가 많고 수다스러움；또, 그런 계집애.

おちゃのこ【お茶の子】ocha- 图 ①차

マい時に食べる菓子。②
簡単な時;手軽さ=朝飯前しゃし。　―さ
いせい〈俗〉손쉬운[간단한] 모양.

おちゃらかす ocha- [5他] 희롱(조롱)
하다;놀리다.

おちゆく【落ち行く】[5自] ①도망가
다. ¶~先 도망 가는 곳.②낙착하
다;귀착하다.③영락되어 가다.

おちょうしもの【お調子者】-图
①추키면 우쭐(좋아)하는 사람.②
적당히 비위만 맞추는 사람.

おちょぼぐち【おちょぼ口】 ocho- 图 작
게 오므린 (귀여운) 입.

おーちる【落ちる・墜ちる】[上1自] ①떨
어지다.㋑(위에서 아래로) 낙하하다.
¶木から~ 나무에서 떨어지다.㋺떨
어져 나가다.¶ボタンが~ 단추가 떨
어지다.㋩불합격하다.¶入試に~
입시에 떨어지다.②(전만) 못되다가;
줄다.¶速力が~ 속력이 떨어지
다 / 成績が~ 성적이 떨어지다 / 品
~ 품질이 떨어지다.②㋺패이다;
또, (책략 따위에) 걸리다.¶わなに
~ 함정에 빠지다 / 川に~ 강(물)에
빠지다.③(해‧달이) 지다.¶日が~
해가 지다.④(돈 따위가) 쓰이다;
소비되다.¶観光地に~‧ちた金
 관광지에 뿌려진 돈.⑤함락되다.¶
城が~ 성이 떨어지다.⑥(…손에)
넘어가다 ¶人手に~ 남의 손에
넘어가다.¶人手に~ 누락
되다.¶名簿から~ 명부에서 빠지
다.㋺바래다.¶色が~ 색이 바래다
[빠지다].⑧물러 도망하다.¶都へ~
= 서울을 몰래 도망쳐 빠져나가다.⑨
(堕ちる) 야비해지다.¶話が~ 이
야기가 야비해지다.⑩가무러치다.⑪
眠りに~ 잠에 떨어지다.⑫膔に~
~‧ちない 납득이 안 가다.

おつ【乙】[一图]①을.㋑제2위.㋺사
물의 이름 대신 쓰이는 말.¶甲は
~に対し 갑을 을에 대해.㋩[楽] 일
본 음악에서 甲よりも一段 낮은 음.
[一ダ] ①멋짐;특이함.¶~な味
특이한 (멋진) 맛 / ~な気分 약간
에로틱한 기분.②(~に'의 꼴로) 묘
하게;이상하게;별스레.¶~に澄ま
す 별스레 새침떼다.

おつ ok‧op‧os‧ot 완전히;정말.¶~
たまげる 혼비 백산하다.

おつ【おっ‧押っ】 ok‧op‧os‧ot 〈俗〉
세차게[갑자기] 무엇을 함을 나타냄.
¶~ぽり出す 내팽개치다.

おつ【おっ‧追っ】 ok‧op‧os‧ot 〈俗〉
쫓다의 뜻을 강조하거나 늘려말을 강하
게 하는 말.¶~ぱらう 쫓아 버리다.

おっかない okka- 形〈俗〉무섭다;두
렵다.¶~顔をする 무서운 얼굴을
하다.

おっかなびっくり okkana bikkuri 圖
〈俗〉벌벌 떨면서;흠칫거리며.¶~
触ってみる 흠칫흠칫 만져보다.

おっかぶせる okka- [下1他] ①뒤집어
씌우다.¶袋を~ 자루를 덮어 씌우
다 / 責任を人に~ 책임을 남에게
뒤집어 씌우다.②(~せて'~せる
ように' 등의 꼴로) ㋑고압적인 태도로
나오다.¶~せるような態度 고압
적인 태도.㋺남의 행위가 끝나기가 무

섭게 그것을 부정(否定)하는 짓[말]을
하다.㋩~せて言う 단호하게 말하
다.¶~‧せて言う'의 꼴로 ㉤단호하게 말하
다.¶行員.=おとも.

おつぎ【お付き】图(귀인의) 시종;수
행원.=おとも.

おつぎ【お次】图①다음;다음 분 '次
(の人)'의 높임말.②열방('次の間'의 공
손한 말).¶~にとおしなさい 옆방으
로 모셔라.

おっくう【億劫】okkū [ナ] 귀찮음;마
음이 내키지 않음.¶外出するの
も~だ 외출하는 것도 귀찮다.

おつくり【お作り】图①(女) 화장.=
化粧.②생선회.=さしみ.

おつけ【お付け】图 국;특히,된장국.

おつげ【お告(げ)】图(御神仏)의 계시;탁선(託宣).

おっこちる【落っこちる】 okkochiru
[上1自]〈俗〉떨어지다;불합격이 되다.

おっさん ossan 〈俗〉아저씨(중년
남자를 친근하게 부르는 말).

おっしゃる【仰る・仰有る】 ossharu
[5自] 말씀하시다('言う'=は말하다)'의
높임말.¶先生が~いました 선
생님이 말씀하셨습니다.

おっちょこちょい otchokochoi [ナ]
〈俗〉경박함;또, 그런 사람;덜렁쇠;
촐랑이.

おっつかっつ ottsukattsu [ナ] 비등비등
한 모양;비슷비슷한 모양.¶成績
は~の 성적은 거의 비슷하다.

おっつく【追っ着く・追っ付く】 ottsu-
[5自]〈俗〉따라 붙다[잡다].

おっつけ【追っ付け】 ottsu- 圖 머지않
아.¶~帰るだろう 곧 돌아오겠지.

おって【追っ手】 otte 추격자;추
격대.¶~がかかる 추격자(대)가 뒤
따르다 / ~をかける 뒤쫓(게 하)다.

おって【おって‧追って(追って) otte
[一圖]추후에;곧;차차.¶~通知
する 추후 통지한다.[二(追而
㊀'다음 사항을 첨가해서 쓴다)'의
뜻:추계(追啓).―がき【追って書
(追而書(き)】图 추신(追伸).

***おっと【夫‧良人】** otto 图 남편.↔妻

おっとせい【膃肭臍】 otto- 图 [動] 물
개;해구(海狗).

おつとめ【お勤め】图①직업;근무('勤
め'의 공손한 말씨).②(의무라고 하
기에) 형식적으로 그렇게 함.¶~です
る 부득이 (형식적으로, 억지로) 하다.
③중이 일과로서 해야 할 독경(讀経).
④상인이 고객에게 봉사하다.

***おっとり** otto- 圖 대범하고 까다롭지 않
은 모양.¶~した人柄 누긋한 대
범한 인품.↔こせこせ.

おっとりがたな【押っ取り刀】 otto-
급한 경우 칼을 허리에 찰 틈도 없이
손에 든 채로 달려 가는 일.¶~でか
けつける 허겁지겁 달려가다.

おつに【乙に】圖 ☞おつ(乙)[二]②.

おっぱい oppai 图〈俗〉젖(젖꼭지).

おっぱらう【追(っ)払う】 oppa-
[5他]〈俗〉쫓아 버리다;몰아 내다.

**おっぽりだす【おっぽり出す】（押っ放
り出す）** oppo- [5他]〈俗〉내던지다;내
동댕이치다.

おつむ 图〈兒‧女〉머리('おつむり'의
준말).

おつもり【御積もり】图 (주석(酒席)에

서의) 마지막 술잔 ; 필배 ; 종배.

*おつゆ【御汁】图 국 ; 국물('汁물의 공손한 말씨).

おつり【御釣(り)】图 거스름돈('釣錢길의 공손한 말씨). ¶~が来る 거스름돈이 있다(아주 충분하다).

おてあげ【お手上げ】图 ①어쩔 도리가 없음 ; 손듦. ②파산.

おでき【お出来】〔腫物〕图 부스럼 ; 종기('できもの'의 공손한 말씨).

*おでこ〔俗〕图 이마가 나옴 ; 또, 그러한 사람.

おてつき【お手付き】图①〔俗〕주인의 자기가 부리는 하녀 등과 육체 관계를 맺음 ; 또, 그 여자. ②〔歌かるた(=노래따놀이)에서〕잘못하여 딴 패에 손을 댐.

おてつだい【お手伝い】图 '女中'의 (=식모)의 고친 이름. ＝お手伝いさん.

おてて【お手】图〈兒〉손.¶~をつ ないで 손에 손을 맞잡고.

おてのうち【お手の内】〔御手の中〕图 솜씨 ; 수완.

おてのすじ【お手の筋】图〔俗〕잘 알아맞힘.¶どうだ~だろう 어때 귀신같이 맞히지.

おてのもの【お手のもの】〔御手の物〕图〔자신 만만한 것〕특기.¶算盤なら僕の~だ 주판이라면 나의 장기다.

おてまえ【お手前】〔御手前〕图〔点前〕 다도(茶道)의 예법 ; 또, 그 솜씨. □代 당신 ; 그대〔무사나 동배 사이에서 상대를 부른 말〕.

おでまし【お出まし】〔御出座し〕图 행차.¶~の支度な 행차 채비.

おてもと【お手元と・お手元】〔御手許〕图〔잔치·요릿집 등에서〕손님의 수저 또는 작은 접시 따위의 공손한 말.

おてもり【お手盛(り)】图 자기에게 유리하도록 꾸밈.¶~の案かん 자기에게 좋도록 짠 안건.

おてやわらかに【お手柔らかに】連語 관대하게.¶どうぞ~ 잘 부탁합니다〔경기에 앞서 흔히 쓰는 인사말〕.

おてらさま【お寺様】图 스님〔주지 또는에 대한 높임말〕.

おてん【汚点】图 오점.¶~を残のす 오점을 남기다.

おでん【御田】图 꼬치 요리〔안주〕.

おてんき【お天気】〔御天気〕图①일기 ; 날씨. ②맑은〔좋은〕날씨. ③〔俗〕기분.¶~をうかがう 기분을 살피다.──や〔─屋〕기분파 ; 변덕쟁이.

おてんとさま【おてんと様】〔御天道様〕图〈口〉태양. ＝おてんとうさま.

おてんば【御転婆】otemba 图 ダナ 말괄량이 ; 왈가닥.

*おと【音】图①소리. ¶鐘かねの~ 종소리. ②소문 ; 평판.──に聞きく ①소문에 듣다 ; 유명하다.〔아버지〕

*おとうさん【お父さん】图〈口〉아버지. ＝お父さん otō- 图〈口〉.

*おとうと【弟】otōto 图①남동생 ; 아우. ②〔손아래〕처남 ; 매제.

おとうとでし【弟子】otō- 图 같은 선생에게 나중에 들어온 남자 제자.

おとうとぶん【弟分】otō- 图 동생뻘되는 사람.

おとおし【お通し】otō- 图〔요릿집에서〕주문한 요리가 나오기 전에 내는

*おどおど副 두렵거나, 자신이 없어서 침착하지 못한 모양 ; 흠칫흠칫 ; 주뼛주뼛.──(と)した態度なで 태도는 태도.

おとがい【頤】图〈雅〉아래턱.──が落おちる ①맛이 대단히 좋다. ②매우 우습다.──をたたく 욕을 하다 ; 잘 지껄이다.

*おどかす【脅かす】〔威かす・嚇かす〕⑤他 ①으르다 ; 위협하다 ; 협박하다. ②깜짝 놀래다.¶あんまり~な よ 너무 놀래지 하지 마라.

おとぎ【御伽】图①말상대 ; 말벗. ②〔귀인에게〕수청을 듦 ; 또, 그 여자 ; 첩. ③'おとぎばなし'의 준말.¶~の国くに 동화의 나라.──ぞうし〔─草子・─草紙〕-zōshi 图 室町ちまち 시대에 성행한 동화풍의 소설.──ばなし〔─話・─噺〕옛날 이야기 ; 동화.

おとくい【お得意】图①'得意'의 높임말.¶~の芸げい 가장 자신 있는 재주. ②단골 ; 고객.¶~先さき 단골〔거래〕처.

おどける【戯ける】下I圓 재롱떨다 ; 익살맞은 짓을 하다.

*おとこ【男】图①사나이. ①사나이다움 ; 대장부. ¶~を磨みがく 대장부로서의 수양을 쌓다 / ~になる 남자다운〔남자가 되다. ①흔히 'よい'와 함께〕잘 생김. ¶~がよくて金持かねもちで 잘 생기고 돈도 많고. ②〔남편 이외의〕사내 ; 샛서방 ; 정부.¶~がで きる 딴 남자가 생기다. ②〔남자의〕면목 ; 체면.¶~を売うる 훌륭한 남자라는 평판을 받다. ③머슴.¶~が廃すたる 사나이 체면이 떨어지다.¶~が立たつ 남자로서의 체면이 서다.

おとこいっぴき【男一匹】-ippiki 图 사내 대장부.

おとこえし【男郎花】图〔植〕뚝갈.

おとこぎ【男気】〔俠気〕图 협기(俠氣) ; 의협심.

おとこぐるい【男狂い】图〔여자가〕남자에 미침 ; 또, 그 여자 ; 탕녀.

おとこけ【男気】图 남자가 있는 기색.

おとこごころ【男心】图①남자의 마음 ; 사나이다운 마음. ↔女心おんな. ②남자의 바람기.¶~と秋あきの空そら 남자의 마음과 가을 하늘〔은 변하기 쉽다.

おとこざか【男坂】图 신사나 절에 들어가는 두 개의 비탈길 중 더 가파른 쪽의 길. ↔女坂おんな.〔때.

おとこざかり【男盛り】图 남자의 한창

おとこじょたい【男所帯】-jotai 图 홀아비〔남자뿐의〕살림.

おとこずき【男好き】名子①남자의 기호에 맞음 ; 남성이 좋아함.¶~のする顔かお 남자가 좋아하는 얼굴. ②〔여자가〕남자를 밝힘. ↔女好おんなずき.

おとこで【男手】图①남자의 힘〔손〕.¶~で育そだてた子こ 홀아비손으로 기른 자식. ②남자의 필적. ↔女手おんなで.

おとこなき【男泣き】名自下〔좀처럼 울지 않을〕남자가 복받쳐 우는 울음.¶~に泣なく 사나이 격정에 못이겨 울다.

おとこのこ【男の子】图①사내 아이. ②〈女〉젊은 남자. ↔女おんなの子こ

おとこばら【男腹】图 아들만 낳는 여자. ↔女腹おんなばら.

おとこぶり【男振り】【男振り】图 ①남자다운 풍채·용모. ¶堂々^{どうどう}とした~ 대장부다운 당당한 풍채. ②남자로서의 면목〔명예, 체면〕. ¶~をあげる 남자로서의 면목〔체면〕을 세우다.

おとこまえ【男前】图 ☞おとこぶり.

おとこまさり【男勝り】图 남자 이상 억척스럽고 굳건함; 또, 그런 여자.

おとこみょうり【男冥利】-myōri 图 남자로 태어난 행복·기쁨. ¶~に尽^つき る 남자로 태어나 더없이 행복하다.

おとこむき【男向き】图 남자가 쓰기에 적합함; 또, 그 물건; 남자용.

おとこもじ【男文字】图 ①한자(漢字); 수클. ②남자의 필적.

おとこもち【男持(ち)】图 남자용 휴대품. ¶~の傘^{かさ} 남자용 우산.

おとこやく【男役】图 ①연극 등에서 남배우가 남자역을 함; 또, 그 여배우. ②남자가 연기하는 역. ⇔女役^{おんなやく}.

おとこやもめ【男鰥】图 홀아비. ¶~にうじがわき, 女^{おんな}やもめに 花^{はな}が咲^さく 홀아비는 이가 서 말, 과부는 은이 서 말. 〔담다.

おとこらしい【男らしい】-shi 形 사내

おとさた【音沙汰】【音沙汰】图 소식; 편지; 연락. ¶なんの~もない 아무런 소식도 없다.

おとし【落(と)し】图 ①떨어뜨림; 흘림. ②덫. ③落し穴^{あな}의 준말. ④나무 화로의 재를 담는 곳(구리나 생철로 만듦). ⑤문 뻐대에 붙여, 문을 잠근 뒤 밖에서 열 수 없도록 문지방구멍에 박는 장치. ⑥이야기의 매듭.

おどし【威し・嚇し】图 ①위협; 협박; 으름. ¶~文句^{もんく} 으름장 / ~に乗^のる 위협에 굴복하다. ②허수아비. =かかし.

おとしあな【落(と)し穴】图 ①함정. ②남을 해치려는 계략; 모략. ¶~にかかる 모략에 걸리다.

おとしい‐れる【陥れる】【落(と)し入れる】下一他 ①빠뜨리다. ¶危機^{きき}に~ 위기에 빠뜨리다〔몰아넣다〕/ 人^{ひと}を~ 사람을 궁지에 빠뜨리다. ②함락시키다. ¶城^{しろ}を~ 성을 함락시키다.

おとしがみ【落(と)し紙】图 수지; 뒤지; 화장지. =ちりがみ.

おとしだね【落(と)しだね】【落(と)し胤】图 귀인의 본처 아닌 여자에게 낳게 한 아이. ⇔落胤^{らくいん}·落^おとし子^ご.

おとしだま【お年玉】图 새해 선물; 세뱃돈.

おどしつける【脅しつける】【威し付ける・嚇し付ける】下一他 몹시 위협하다; 으르대다.

おとしばなし【落(と)し話】【落(と)し噺】图 '落語^{らくご}'의 풀어쓴 말씨.

おとしめる【貶める】下一他 ①깎아내리다; 명예를 손상하다. ¶本校^{ほんこう}の名^なを~行為^{こうい} 본교의 이름을 더럽히는 행위. ②얕보다; 멸시하다. =さげすむ. 〔遺物〕.

おとしもの【落(と)し物】图 분실물.

おと‐す【落(と)す】⑤他 ①떨어뜨리다. ㋐(아래로) 떨구다. ¶飛^とぶ鳥^{とり}も~勢^{いきお}い 나는 새도 떨어뜨릴 만한 세력〔기세〕/ ボールを~ 공을 놓치다 / コップを~ 컵을 떨어뜨리다. (ㄴ)

(붙은 것을) 떨다. ¶ふけを~ 비듬을 떨다. ㋐(값을) 내리다. ¶物価^{ぶっか}を~ 물가를 떨어뜨리다〔내리다〕. ¶成績^{せいせき}が悪^{わる}いので~ 성적이 나빠서 낙제〔불합격〕시키다. ②잃어버리다; 분실하다. ¶万年筆^{まんねんひつ}を~ 만년필을 분실하다. ②(정도 따위를) 낮추다; 줄이다. ¶速力^{そくりょく}を~ 속력을 줄이다 / 声^{こえ}を~ 소리를 낮추다 / 品質^{ひんしつ}を~ 품질을 떨어뜨리다. ㋐(명예·신용 따위를) 깎다; 실추하다. ¶信用^{しんよう}を~ 신용을 떨어뜨리다. ㋑(돈을) 쓰다〔뿌리다〕. ¶観光客^{かんこうきゃく}が~して行^いく 金^{かね} 관광객들이 떨어뜨리고 가는 돈. ㋒(지위 등을) 낮추다; 강등〔좌천〕시키다. ¶地位^{ちい}を~ 지위를 떨어뜨리다. ②(命^{いのち}を~) (목숨을) 잃다; 죽다. ③떨어뜨리다. ㋐누락하다; 빼다. ¶名簿^{めいぼ}から名前^{なまえ}を~ 명부에서 이름을 빼다. ㋑(모략·술수에) 걸려 들게 하다. ¶わなに~ 함정에 빠뜨리다. ④함락시키다; 점령하다. ¶城^{しろ}を~ 성을 함락시키다. ⑤전락(轉落)하다. ¶卑^{いや}しい職業^{しょくぎょう}に身^みを~ 천한 직업으로 전락하다. ⑥(이야기를) 상스럽게 하다. ¶話^{はなし}を~ 천한〔외설된〕이야기를 하다. ⑦도망〔도피〕시키다. ¶九州^{きゅうしゅう}へ~ 無事^{ぶじ}に~ 九州로 무사히 달아나게 하다. ⑧(묻은 것을) 씻다; 없애다; 지우다. ¶あかを~ 때를 밀다〔씻다〕/ しみを~ 얼룩을 빼다〔없애다〕. ⑨손에 넣다; (경매에서) 손에 들어오게 하다; 낙찰하다. ¶高値^{たかね}で~ 비싼 값으로 손에 넣다 / 入札^{にゅうさつ}で~ 입찰에서 낙찰하다. ⑩까무러뜨리다; 기절시키다. ¶締^しめて~ 목졸라 기절시키다. ⑪(재치 있게) 마무리하다. ¶話^{はなし}をうまく~ ('落語^{らくご}(=만담)' 등에서) 이야기를 재치 있게 끝맺음하다. ⑫깨뜨려 넣다. ¶卵^{たまご}を~ 달걀을 깨어 넣다. ⑬『気^きを力^{ちから}を~』 낙심하다; 실망하다.

*おど‐す【脅す・威す・嚇す】⑤他 으르다; 위협〔협박〕하다. ¶~して金^{かね}を奪^{うば}う 위협하여 돈을 빼앗다.

おとずれ【訪れ】图〈雅〉방문; 소식; 편지. ¶春^{はる}の~ 봄 소식.

おとず‐れる【訪れる】下一自〈雅〉①방문하다; 찾아오다. ¶春^{はる}が~ 봄이 오다.

おとつい【一昨日】图 ☞おととい.

*おととい【一昨日】图 그저께. ¶来^こい 두 번 다시 오지 말라(사람을 내쫓을 때 하는 말).

*おととし【一昨年】图 그러께; 재작년.

*おとな【大人】【乙名】图 어른; 성인. ①(おとな) ㋐'~だ' '~に'의 꼴로) 어른스러움. ②(숙녀함. ¶彼^{かれ}は年^{とし}の割^わりに~だ 그는 나이에 비해 숙성하다. (ㄴ)(아이가) 얌전함; 얌전함. ㋑(坊^{ぼう}やは~だ 아가는 의젓하다〔착하다〕.

おとなげない【大人げない】【大人気ない】形 어른답지 못하다; 유치하다.

おとなしい【大人しい】-shi 形 ①온순하다; 얌전하다. ¶~娘^{むすめ} 얌전한(온순)한 처녀. ②화려하지 않다. ¶~柄^{がら}の着物^{きもの} 수수한 무늬의 옷.

おとなしやか【大人しやか】ダナ 온순

하고 정숙(貞淑)함〔점잖음〕. ¶～にふ
るまう 점잖게 행동하다.

おとな-びる【大人びる】□王自 어른다
워지다 ; 점잖아지다.

おとひめ【乙姫·弟姫】图 용녀(龍女) ;
용궁에 산다는 미녀(美女). 〔녀.

おとめ【乙女·少女】图①소녀. ②처

おとも【お供·お伴】图ㄆ自 수행함 ;
또, 그 사람. ¶～いたします 모시고
가겠습니다.

おとり【囮】图①새나 짐승을 꾀어 들
이기 위하여 매어 놓은, 같은 종류의
새나 짐승. ②(사람을) 꾀어 들이기 위
하여 쓰는 수단 ; 후림수 ; 미끼. ¶景
品꺾을 ～ にする 경품을 미끼로 쓰다.

***おどり**【踊り】图 춤.

***おどり**【躍り】图①뜀. ②(가
슴이) 뜀.

おどりあがる【躍り上がる】囯自
(놀라거나 기뻐서) 펄쩍 뛰어오르다.
¶～って喜ぶ 펄쩍 뛰어 기뻐하다.

おどりかかる【躍りかかる】【躍り】掛
(か)る·躍り·懸(か)る】囯自 (세차
기세로) 덤벼들다 ; 달려들다.

おどりこ【踊(り)子】图①무희(舞
姫). ②舞을 직업으로 하는 여자 ; 땐서. ¶──草〕-sō〔植〕광대
수염.

おどりじ【踊(り)字】图 첩자(疊字) ;
같은 글자가 겹칠 때, 아래 글자를 생
략한 것을 표시하는 부호(々 따위).

おとりそうさ【おとり捜査】囮捜査
-sōsa 图 함정 수사.

おどりば【踊(り)場】图①무도장(舞踏
場). ②(계단의) 층계참.

***おと-る**【劣る】囯自 (딴 것만) 못하다 ;
뒤떨어지다. ¶実力½½が～ 실력이 뒤
떨어지다.

***おど-る**【踊る】囯自①춤추다. ②(흔
히 受動의 꼴로) 남의 장단에 춤추다〔놀아나
행동하다〕; 남의 장단에 춤추다〔놀아나
다〕. ¶黑幕くに～らされる 막후 인
물의 앞잡이가 되어서 날뛰다.

***おどる**【躍る】囯自①뛰다. ㉠뛰어 오
르다. ¶馬うまが～ 말이 뛰어오르다. ㉡
몸이 동요하다. ¶車くるまが～ 차가 몹시
흔들리다. ㉢두근거리다. ¶胸むねが～
가슴이 뛰다. ②고르지 못하다 ; 들쭉날
쭉하다. ¶字じが～っている 글자가
들쑥날쭉하다.

おどろ【棘】图 덤불 ; 수풀 ; 전하여, 엉
클어져 있음. ¶～の髮かみ 엉클어진 머
리.

***おとろ-える**【衰える】下一自 (기세가)
쇠 (약) 해지다 ; 쇠퇴하다. ¶国½が～
나라가 쇠퇴하다.

おどろかす【驚かす】囨他 놀라게 하
다.　　　　〔다.

おどろき【驚き·愕き】图①놀람. ¶～
の余あまり 놀란 나머지. ②〈俗〉놀랄
〔놀라운〕일. ¶これは～ 이거 정말
놀랄 일인데.

おどろきい-る【驚き入る】囯自 몹시
놀라다.

***おどろ-く**【驚く·愕く·駭く】囯自 놀
라다. ¶～べき 놀랄 만한 ; 놀라운.
──なかれ 놀라지 마라. ──べし 놀랍게
도.

おないどし【おない年·同い年】图
〈口〉동갑 ; 같은 나이.

***おなか**【御中·御腹】图 배. ¶～をこわ

す 배탈이 나다 / ～が大さきくなる 배
가 불러오다 ; 임신하다.

おなが【尾長】图〔鳥〕물까치. ──ど
り〔──鳥〕긴꼬리닭 ; 장미계(長尾
鶏). ＝長尾鶏るちょう.

おながれ【お流れ】图①손윗 사람이
마시다 남긴〔따라 주는〕술. ②손윗 사
람이 쓰던 것을 물려받음 ; 또, 그 물건.
③유회(流會) ; 예정한 일이 중지됨.
¶会かいに～になる 유회하다.

おなぐさみ【お慰み】图 (그 때뿐인 가
벼운) 재미 ; 즐거움. ¶うまくいった
ら～ 잘 되면 좋고(농담이나 가볍게 비
꼬는 뜻).

おなご【女子·女】图〈老·方〉①계집애 ;
소녀. ②여자 ; 여성. ③하녀.

***おなじ**【同じ】□連体 〔チテ〕'같음·동일'
의 뜻. ¶～日ひ 같은 날 / 収入½½³と
支出½が～になる 수입과 지출이 같
게 되다 / 今いも昔むかしも～だ 지금이나
에나 같다. □圓 〔'なら'와 호응하여〕
어차피 ; 이왕에 ; 어차피. ＝どうせ. ¶～行むく
なら早はいい方ほうがいい 기왕 가려면 빨리
떠나는 것이 좋다. ──一穴けのむじな 한
패거리의 악당. ──かまの飯½を食くう
한 솥의 밥을 먹다(같이 생활하다).

おなじく【同じく】接 동(同). ¶卒業
生まいご の甲こ、乙おつ 졸업생 갑, 동, 을.

おなじみ【御馴染み】图 잘 앎 ; 잘 아는
사람('なじみ'의 공손한 말). ¶みなさ
ま～の 여러분이 잘 아시는.

おなべ【お鍋】图〈俗〉하녀 ; 가정부.

おなら 图〈俗〉방귀. ＝へ.

おなり【お成り·御成り】图 (황족(皇
族)이나 将軍½½³의) 행차.

おなんど【御納戸】图①귀인의 옷가
지·도구 따위를 넣어 두는 방. ②☞
おなんどいろ. ──いろ〔──色〕图 회
색을 띤 남빛.

***おに**【鬼】图①귀신. ②도깨비. ③죽
은 사람의 영혼 ; 신. ¶護国こくの～と
なる 호국의 신이 되다. ②냉혹 무자
비한 사람. ¶心½を～にする 마음을
모질게 먹다. ③빚쟁이 ; 채귀(債鬼).
④어떤 일에 몹시 열중하는 사람. ¶
仕事½の～ 오직 일에만 열중하는 사
람. ⑤술래. ⑥接頭語적으로 다른 名
詞에 붙어〕가늠과 같은. ⑦세고 무서
움. ¶～武者½½ 몹시 난폭하고 센무
사. ㉠무자비함. ¶～ばばあ 마귀 할
멈. ㉡대형의. ¶～ぐも 왕거미. ──が
出でるか蛇½が出でるか 무엇이 일어날
지 어떻게 될지 예측을 할 수 없음을
이름. ──に金棒かな 범에 날개. ──のい
ぬ間まの洗濯½ 무서운〔어려운〕사람
이 없을 때 실컷 저희고 싶은 대로 함.
──の霍乱½½½ 평소 건강한 사람이 병났
을 때의 비유. ──の首くびを取とったよう
큰 공이라도 세운 듯이 의기 양양함의
비유. ──の目めにも涙½½ 비정한 사람
에게도 때로는 눈물이 있다. ──も十
八½, 番茶½も出花½½ 아무리 호박같은
여자라도 시집갈 나이가 되면 예뻐진
다는 비유.　　　　〔귀.

おにあざみ【鬼薊】图〔植〕도깨비엉

おにがしま【鬼が島】图 옛날, 도깨비
가 살고 있었다는 상상의 섬.

おにがわら【鬼がわら·鬼瓦】图 귀와 ;
용마루 끝을 이는, 귀신 모양의 하가

달린 큰 기와.

おにぎり【御握り】图〈女〉주먹밥. ＝おむすび・にぎりめし.

おにご【鬼子】图①부모를 닮지 않은 못된 아이. ②이가 난 채 태어난 아이.

おにごっこ【鬼ごっこ】-gokko 图술래잡기.

おにば【鬼歯】图버드러진 덧니.

おにばば【鬼婆】(鬼婆々)图 마귀 할멈.

おにび【鬼火】图①도깨비불. ②출관(出棺)할 때 문 앞에 피워 놓는 불.

おにまし【御似増し】图〈女〉부모와 닮음. 〜でいらっしゃる 부모를 닮으셨다. 「러운 존재가 되다.

おにもつ【お荷物】图『〜になる』짐스

おにやらい【鬼やらい】图鬼やらい(い)・追儺】☞ついな.

おにやんま【鬼やんま・鬼蜻蜒・馬大頭】-yamma 图【蟲】장수잠자리.

おにゆり【鬼百合】图【植】참나리.

おぬし【御主】代〈老・方〉너. ＝おまえ・そなた.

おね【尾根】图산등성이；능선. 〜を伝いに歩く 산등성이를 타고 걷다.

おねしょ【お寝小】-sho 图〈兒・女〉야뇨(夜尿)『〜をする』오줌싸개. ＝おねしょうべん.

おねば【御粘】图〈女〉밥물；곡식수『(穀精水).

おねり【御練り】图

‡**おのおの**【おのおの・各】【各々】图副각각；각자；각각의 사람. 代여러분.

おのずから【自ら】副저절로；자연히.

おのずと【自(ず)と】副☞おのずから.

ののく【戦く】5自부르르〔와들와들〕떨다. 전율하다. 『恐怖のあまり〜무서운 나머지 부르르 떨다.

おのぼりさん【お上りさん】图서울로 구경하러 온 시골 사람.

おのれ【己(れ)】㊀图그 자신；자기 자신. 『〜の本分 자기 자신이 할 본분. ㊁代①나；②너；자네. ㊂感 성낼 때 내는 소리；이놈；너.

おは【尾羽】图새의 꽁지와 깃. 〜うち枯からす 영락하여 초라해지다.

*‡**おば**【伯母・叔母】图큰어머니・작은어머니・외숙모・고모・이모의 총칭. 〔注意〕부모를 기준으로 한위가 '伯母', 아래가 '叔母'로 씀.

*‡**おばあさん**【お祖母さん】obā- ㊀图할머님；조모님('祖母さん'의 경칭). ②【お婆さん】할머니(여자 노인의 경칭).

オパール【鑛】오팔；단백석(蛋白石). 【opal.

おはぎ【お萩】图〈女〉멥쌀과 찹쌀을 섞어 쪄서 가볍게 친 다음 동그랗게 빚어 팥소나 콩가루 등을 묻힌 떡. ＝ぼたもち.

おはぐろ【お歯黒】(鉄漿)图①이를 검게 물들이는 것. ＝かねつけ. ②이를 물들이는 흑갈색의 액체. **──とんぼ**【──蜻蛉】-tombo 图【蟲】검물잠자리.

おばけ【お化け】图〈口〉도깨비；요괴(妖怪). **──化けもの**图【お化け物】①化する物. **──屋敷**【──屋敷】图도깨비 나오는 집.

おはこ【十八番】图①가장 능한 것；장기；특기. 『〜の踊おどりを見みせる 장기의 춤을 추어 보이다. ②버릇.

おはこび【御運び】图행차；왕림('来くること(＝음)・行くこと(＝감)'의 높

임말). 『わざわざ〜をいただきまして 일부러〔이렇게〕왕림해 주셔서.

*‡**おばさん**【小母さん】图 아주머니(부인네를 높이어 정답게 부르는 말).

おはじき【御弾き】图 납작한 유리 구슬・조가비 따위를 손가락으로 튕기며 노는 계집아이들의 놀이；또, 그 구슬・잔돌 따위.

おはち【お鉢】(御鉢)图 ①밥통. ＝おひつ. ②화산(火山)의 화구(火口)；특히'富士山ふじさん'의 팬 구멍. **一が回まわる**순번이 돌아오다.

おはつ【お初】图①처음(임)；처음 것；맏물. 『〜にお目めにかかる 처음 만나뵙다／〜を食たべる 맏물을 먹다. ②새 옷；진솔. 『この服〜ね 이거 새 옷이군.

おはな【お花】图꽃꽂이. ＝いけばな.

おばな【尾花】图【植】참억새；또, 그 꽃.

おばな【雄花】图【植】수꽃. ↔めばな.

おはなし【お話】图①말씀('話はなし'의 공손한 말). 『全まったく〜にならない 전혀 말이 안 된다. **──ちゅう**【──中】-chū 图 말씀 도중；(전화에서) 통화중.

おはなばたけ【お花畑】(御花畠)图 고산(高山) 식물이 만발한 꽃밭.

おはよう【おはよう・お早う】ohayō 感아침의 인사말：안녕히 주무셨습니까；안녕하십니까. 『先生せんせい〜ございます 선생님 안녕하십니까.

おはらい【お払い】图①'(支)払い(＝지불)'의 높임말. 『〜をすます 지불을 끝내다. ②넝마나 못 쓰게 된 물건을 팔아 없앰. **──ばこ**【──箱】①(고용인을) 해고하는 일. 『〜になる 해고당하다. ②쓸데없는 것을 버리는 일.

おはらい【御祓】图①신사(神社)에서 행하는 액막이 행사；불제(祓除). ②신사 또는 伊勢いせ 신궁의 액막이 부적.

おはらめ【大原女】图图教의 大原おおはら 마을에서 땔나무・화초・목공품(木工品)따위를 머리에 이고 京都 시내로 나오는 여자들.

おはり【お針】图①〈女〉바느질；재봉. ②침모(針母). ＝お針子ばりこ.

おび【帯】图①띠. ②帯紙おびがみ・帯組おびぐみ의 준말. **一に短みじかし, たすきに長ながし** 넘고처지다.

おびいわい【帯祝】图 임신 5개월째에, 복대(腹帯)를 할 때의 축하.

おびーえる【怯える・脅える】下1自①무서워하다；겁내다；놀라다. 『不安ふあんに〜 불안에 떨다. ②가위 눌리다.

おびがみ【帯紙】图①띠. ②포장하는 데 쓰는 종이 오라기. ②(책표지에 두르는) 가는 종이 띠；책 띠.

おびかわ【帯皮・帯革】图①혁대；가죽띠. ＝バンド. ②띠쇠. ＝ベルト.

おびだーす【おびき出す】(誘き出す)5他 꾀어내다(유인해) 내다.

おびよーせる【おびき寄せる】(誘き寄せる)下1他유인하다；꾀어들이다.

おひざもと【おひざもと・おひざ元】(御膝下)图①귀인의 곁；지척(侍側). ②〈老〉서울；수도(首都).

おひたし【御浸し】图 시금치・야채 등

을 데친 음식 ; 나물. =ひたしもの.

おびただし-い【夥しい】 -shi 形 엄청나다. ①(수량이) 매우 많다. ¶～人出で 엄청난 사람 (물결). ②(정도가) 심하다. ¶～損害ぇ 막심한(엄청난) 손해. 「はた.

おひつ【御櫃】 名 밥통. =めしびつ・お

おびどめ【帯止(め)・帯留(め)】 名 (일본 여자 옷에서) 양끝을 장식으로 물리도록 된, 띠위를 누르는 끈 ; 또, 그 끈에 꿰어, 띠의 정면에 나는 장식품.

おひとよし【お人よし】【お人好し】 名 호인(好人).

おびドラマ【帯ドラマ】 名 연속 드라마 (방송국) ; 일일 연속극. ▷drama.

おひねり【御捻り】 名 돈을 종이에 싸서 비튼 것(신불에 바치거나 놀음차로 줌). =紙花はな

おびのこ【帯の鋸】 名 띠톱('おびのこぎり'의 준말).

おびばんぐみ【帯番組】 名 (라디오·텔레비전에서) 연속 프로.

おびふう【帯封】 -fū 名 (신문·잡지 등을 우송할 때) 두르는 봉띠.

おひや【お冷(や)】 名 냉수 ; 찬물. =ひやみず.

おびやか-す【脅かす】 5他 위협(협박)하다. ¶庶民ぶんの生活ぶんを～ 서민의 생활을 위협하다 / ピストルで人ぶを～ 권총으로 남을 위협하다.

おひゃくど【お百度】 ohya- '百度参ぃり'의 준말 ; 소원 성취를 빌어 신사나 절에 가서 일정한 거리를 백 번 왕래하며 기도하는 일. **━を踏ふむ** ①백 번 왕래하여 신불에게 빌다. ②여러 번 찾아가서 부탁하다.

おひらき【お開き】 名 (회합·연회 등의) 끝 ; 폐회. ¶～にする 폐회하다.

おひる【お昼】 名 ①낮. ②점심. =ひるめし. ¶～にする 점심을 먹다.

*__**おび-る【帯びる】**__ 上1他 ㉠띠다. ㉠…기가 있다 ; 머금다. ¶雨ぁを～びた雲ぐ 비를 머금은 구름 / 赤味ぁを～ 붉은 기를 띠다. ㉡(책임 등을) 지니다 ; 맡다. ¶任務にぇを～ 임무를 맡다. ②(佩びる) 차다. ¶刀かたを～ 칼을 차다.

おひれ【尾ひれ】【尾鰭】 名 (물고기의) 꼬리와 지느러미. **━がつく** 과장(誇張)되다. **━をつける** 과장하다.

おびれ【尾ひれ】【尾鰭】 名 꼬리지느러미. 「로)의 공손한 말.

おひろめ【御披露目】 名 '披露ひろ(=피로연)'의 공손한 말.

オフ 名 오프. (전동·기계 따위의) 스위치가 꺼져 있음. ↔オン. ▷off. **━レコード** 오프리코드 ; 신문기자 등의 기록·보도에서 제외할 사항. ＝ザレコ ▷off the record. **━リミッツ** -rimittsu 名 軍 오프리미츠 ; 출입 금지 (지대). ▷off limits.

オフィシャル ofisha- 	ダナ 오피셜 ; 공적·공식. ¶～ゲーム 공식 경기. ▷official.

オフィス ofi- 名 오피스 ; 사무소 ; 회사 ; 관청. ▷office. **━レディー** -redi 名 	☞ オーエル. ▷일 office lady.

おぶ-う【負ぶう】 5他 口 (아기를) 업다. 「차. 目목욕물.

おぶう obū 名 兒·女 ①더운 물. ②

おふくろ【御袋】 名 俗 어머니. 注意 (성년 남자가) 자기 어머니를 남에게 대하여 말할 때에 씀. ↔おやじ.

おふくわけ【お福分け】 名 自四 받은 선물을 남에게 나누어 주는 일. =おすそわけ.

オブザーバー 名 옵서버. ▷observer.

おぶさ-る【負ぶさる】 5自 ①업히다. ②의지하다 ; 얹히다. ¶先輩ぱいに～ 선배에게 의지하다.

オブジェ obuje 名 오브제. (현위 미술에서) 환상적·상징적 효과를 내기 위해서 쓰이는 여러 가지 물체 ; 또, 그 작품. ②꽃꽂이에서, 꽃 이외의 재료(에 의한 작품). ▷프 objet.

おふせ【お布施】 名 '布施ふせ(=보시)'의 공손한 말. 「offset.

オフセット -setto 名 印 오프셋. ▷

おふだ【お札】 名 부적(符籍).

おぶつ【汚物】 名 오물. ¶～処理ぃ 오물 처리.

おふれ【御触れ】 名 ①관청의 공고(公告). ②'お触れ書ぃき'의 준말 ; 江戸え시대에 幕府ばくから·大名だいぅ로부터 일반인에게 공포한 문서.

おべっか obekka 名 俗 아부 ; 아첨 ; 알랑거림. ¶～を使つかう 아첨하다 ; 알랑거리다 / ～に乗のらない 아첨에 넘어가지 않다.

おへやさま【お部屋様】 名 大名だいぅ 등 신분이 높은 사람의 첩(높임말).

オペラ 名 오페라 ; 가극. ¶～グラス 관극용의 쌍안경 / ～コミック 희(喜)가극. ▷opera.

オベリスク 名 오벨리스크 (고대 이집트의 유물(遺物)로, 네모나고 높으며 끝이 뽀족한 돌 기념비). ▷obelisk.

オペレーター 名 오퍼레이터 ; 기계 조작에 종사하는 사람(전화 교환수·컴퓨터 조작자 등). ▷operator.

オペレッタ -retta 名 오페레타 ; 희극적인 소가극 ; 경가극. ▷이 operetta.

おべんちゃら -chara 名 俗 간살을 부림 ; 또, 그 말·사람.

おぼえ【覚え】 名 ①기억. ¶～がよい 기억이 좋다 ; 이해가 빠르다. ㉡…한 적 ; 경험 ; 자각. ¶身ぇに～がある …한 기억(일)이 있다. ②자신. ¶腕うでに～がある 솜씨 (능력)에 자신이 있다. ③신임 ; 총애. ¶社長ちょうの～がめでたい 사장의 신임이 두텁다. ④'覚え書ぃき'의 준말.

おぼえがき【覚え書き・覚書】 名 ①메모 ; 비망록. ¶～を取とる 메모하다. ②각서 ; 약식·비공식 외교 문서.

おぼえず【覚えず】 副 모르는 사이에 ; 무의식중에.

おぼ-える【覚える】 下1他 ①(자연히) 느끼다. ¶寒さぇを～ 추위를 느끼다. ②(憶える) 기억하다. ¶よく～・えていない 잘 기억하고 있지 않다. ③배우다. ㉠익히다. ¶こつを～ 요령을 익히다. ㉡경험하여 알게 되다(습관이 되다). ¶酒さけを～ 술맛을 알게 되다.

おぼこ 名 ①순진함 ; 숫됨 ; 또, 그러한 사람 ; 숫보기. =うぶ. ②おぼこ娘ぅめ(=숫처녀)'의 준말.

おぼし-い【思しい】 -shi 形 〈…と～ 의 꼴로〉생각되다 ; 보이다. ¶犯人にん

と～男が 범의 인으로 생각되는 사나이.

おぼしめし【思召し】图 마음. ①존의(尊意); 뜻; 생각(높임말). ¶～通り에 당신 뜻대로; 마음대로 / 格別きゃの～でお許ゃしをえた 각별한 호의로 허가를 얻었다. ②보수·기부 따위를 상대의 호의에 맡김. ¶寄付きの金額ぎは～で結構けです 기부의 금액은 (약간의) 성의만으로 좋습니다. ③〈俗〉 이성에 대한 관심(장난삼아 하는 말).

おぼしめ-す【思召す】⑤他〔雅〕'思おもう'의 높임말; 생각하시다. ¶この問題もについてどうお思おもいですか 이 문제에 대하여 어떻게 생각하십니까.

オポチュニスト opochu-ト; 편의(기회)주의자. ▷opportunist.

おぼつかな-い【覚束無い】形 ①안정되지 않다. ¶～足取りで 불안한 발걸음으로. ②잘 될 것 같지 않다; 미덥지 못하다. ¶合格ごうはとても～합격은 아무래도 어려울 것 같아.

おほれじに【おぼれ死(に)】〔溺れ死に〕图 익사. =溺死でき.

*おぼ-れる【溺れる】下一自 ①빠지다. 水すいに～물에 빠지다 / 酒色しょくに～주색에 빠지다. ¶～者ものはわらをもつかむ 물에 빠진 자는 짚이라도 잡는다.

おぼろ【朧】①〔图〕몽롱한(희미한) 모양; 어슴푸레함; 아련함. ¶月つがが～にかかすり 달이 어슴푸레해지다 / 記憶おくが～になる 기억이 희미해지다. □图 ☞そぼろ②.

おぼろげ【朧げ】形動 몽롱한 모양; 어슴푸레한[어렴풋한, 아련한] 모양. ¶～な記憶おく 아련한 기억. □〔副〕.

おぼろづき【朧月】〔朧月〕图 으스름달.

おぼん【お盆】图 ①'盆ぼの 공손한 말씨. ②'うらぼんえ'의 준말; 우란분재(齋); 백중맞이(음력 7월 보름).

おまいり【お参り】〔御詣〕图 신불을 참배하러 감. 〔임말.

おまえ【お前】图 신불·귀인의 앞의 높임; 어전. □〔임말.

おまえ【お前】代 너; 자네. ¶～さん 임자로 자네 / ～にやるよ 네게 주겠다.

*おまけ【お負け】图 ①값을 깎음. 〔五百円びゃく～します 5백 엔 깎아 드리겠습니다. ②경품. 〔～に鉛筆えをくれた 덤으로 연필을 주더라.

おまけに【お負けに】連語〔接続詞的으로〕 그 위에; 게다가. ¶～雨あまで降ふり出だした 게다가 비까지 오기시 작했다.

おまじり【御交じり・御混じり】图 (밥알이 섞인) 되직한 미음.

おまちどおさま【お待(ち)遠様】〔お待(ち)遠様〕-dō-sama〔隠〕 오래 기다리셨습니다; 늦어 죄송합니다〔기다리게 해서 죄송하다는 뜻의 인사말〕. ¶どうも～. 오래 기다리시게 해서 미안합니다.

おまつりさわぎ【お祭(り)騒ぎ】图 ①축제 때의 법석. ②몹시 시끌법석댐; 야단 법석. 〔符〕.

おまもり【お守り】图 부적; 호부(護).

おまる【御虎子】图 변기; 요강.

おまわり【お巡り】图 〈俗〉 순경; 경관. =おまわりさん.

おまんま【御飯】omamma 图 〈俗〉 밥.

おみおつけ【御味御付け】图 된장국('みそしる'의 공손한 말씨).

おみき【お神酒】图 ①제수(祭需); 신불(神佛) 앞에 올리는 술. 주〈俗〉 술.

おみくじ【御神籤・御神鬮】 신의(神意)에 의하여 길흉을 점치는 제비.

おみこし【御神輿】☞みこし(神輿). ¶～が重おもくて 좀처럼 일어나 착수하지 않다. ━を上あげる ①겨우 일어나다. ②겨우 착수하다.

おみそれ【お見それ】【お見逸れ】图 ス他 ①알아보지 못함(겸손한 말씨). ¶～いたしました 알아뵙지 못했습니다. ②미처 몰랐음; 알아모시지 못함(칭찬하는 말씨). ¶おみごとな腕前うでまえ, ～いたしました 홀륭하신 솜씨, 미처 알아모시지 못했습니다.

オミット omitto 图 ス他 ①제외함; 생략함; 무시함. ▷omit.

おみなえし【女郎花】〔植〕여랑화; 마타리(가을철의 일곱 풀의 하나).

おむすび【御結び】图〈女〉 주먹밥('むすび'의 공손한 말씨). =にぎりめし.

おむつ【御襁褓】图 기저귀. =おしめ. ¶～をあてる 기저귀를 채우다.

オムニバス 图 옴니버스; 몇 개의 단편을 모아서 하나의 작품으로 한 것. ¶～映画えが 옴니버스 영화. 〔参考〕본디의 뜻은 合乗ごの 자동차. ▷omnibus.

おめ【お目】图 'め(=눈)'의 높임말. ━にかかる 만나 뵙다. ¶初はじめて～にかかります 처음 뵙겠습니다. ━にかける 보여드리다. ━にかなう (윗사람의) 눈에 들다. ━に止とまる 주목(인정)을 받다의 겸사말.

おめい【汚名】图 오명. ¶～をすすぐ 오명을 씻다.

おめおめ 副 부끄러울 텐데 그렇지도 않은 모양: 뻔뻔스럽게; 염치없이; 순순히. ━のめのめ. ¶～と引ひき下さがるわけにはいかない 이대로 순순히 물러날 수는 없다 / ～と生いきていられようか 이대로 낯두껍게(비굴하게) 살 수 있겠는가(죽고 싶다).

おめかし 图 화장을 하고, 모양을 냄; 멋부림. =おしゃれ.

おめがね【お眼鏡】图 감식·판정 따위의 뜻을 나타내는 높임말. ━にかなう (판정의 결과) 좋다고 인정되다; 마음에 드시다.

おめし【お召(し)】图 ①부르심; 타심; 입으심; 잡수심(높임말). ②'お召めし物もの'의 준말. ③'おめしちりめん'의 준말. ━ちりめん【━縮緬】图 고급 비단의 일종. 숙사(熟絲)로 짠, 표면에 오글오글한 비단. ━もの【━物】图 남의 의류의 높임말. ━れっしゃ【━列車】=ressha 图 天皇てんろ・황족이 타는 특별 열차.

おめずおくせず【怖めず臆せず】連語 조금도 두려워함이 없이; 당당히.

おめだま【お目玉】图 꾸중; 야단; 사살. ━をくう 꾸중을 듣다; 야단맞다.

おめでた【御目出度・御芽出度】图 (결혼·임신·출산 등의) 경사(慶事).

おめでた-い【御目出度い・御芽出度い】形 ①경사스럽다('めでたい'의 공손한 말). ②〈俗〉 (지나치게) 호인이다; 〈좀〉 모자라다. ¶彼かれは少々しょ～그 는 좀 모자라다.

おめでとう【御目出度う・御芽出度う】

-tō 國 축하(경축)합니다('おめでと うございます'의 준말; 경사나 신년(新年) 따위를 축하하는 인사말).

おめみえ 【お目見え】【御目見得】 图 ス自 ①귀인〔손윗사람〕을 (처음으로) 만나 뵘. ②(시험조로) 임시 고용됨. ③그 고장에 처음 온 배우가 첫 무대에 섬; 또, 그 연극. ④(御目見)江戸 시대에, 将軍을 뵐 수 있는 신분.

おも 【面】图 ①얼굴(모습). ¶～が 얼굴이 갸름하다. ②〈雅〉표면. ¶池の ～못의 표면.

*おも 【主】【重】 グナ 주됨. ①주요(중요)함. ¶～な議題 주요 의제. ②중심을 이룸. ¶～な傾向 주된 경향/子ども를 ～にして考える 아이를 중심으로 생각하다.

**おも-い 【重い】 形 무겁다. ①무게가 나가다. ¶水より ～ 물보다 무겁다. ②언동이 가볍지 않다. ¶口が～ 입이 무겁다. ③동작이 굼뜨다; 또, 께느른하다. ¶足どりが～ 발걸음이 무겁다/まぶたが～ 눈이 개개풀어지다; 졸리다. ④(기분이) 개운치 않다. ¶頭が～ 머리가 무겁다. ⑤중하다. ¶重大하다. ¶責任が～ 책임이 무겁다. (정도가) 심하다. ¶～病気 중한 병. ⑥(지위·신분이) 높다. ¶～地位. 높은 지위. ⇔軽い.

**おも-い 【思い】图 ①생각. ㉠마음. ¶～にふける 생각에 잠기다. ㉡애정; 사랑. ¶～の人 사랑하는 여자; 첩. ㉢뜻; 계획; 예정; 소원. ¶～がかなう 소원(뜻)이 이루어지다. ②걱정; 시름. ¶～に沈む 시름에 잠기다. ㉠예상; 짐작. ¶～のほか 예상 밖; 뜻밖. ②점착심; 집념; 원한. ¶～が積もる 원한이 쌓이다/人の～のは恐ろしい 사람의 집념은 무섭다. ③느낌; 기분; 경험. ¶身を切られる～ 살을 에는 듯한 느낌/つらい~する 쓰라린 경험을 하다. ──が届く 이쪽 마음이 상대방에게 통하다. ──が晴れない 마음이 개운치 않다. ──半ばに過ぎる ①(나머지는) 충분히 짐작이 가다; 마음에 짚이다. ②짐작했던 이상이어서 대단히 깊게 무량하다. ──も寄らない 생각할 수도 없다; 뜻밖이다. ──をはせる (거리·시간적으로) 먼 것에 대해 생각하다; 상상하다. ──を晴らす ①원한을 풀다. ②소원(뜻)을 이루다.

おもいあが-る 【思い上がる】5自 우쭐해 하다; 잘난 체하다.

おもいあた-る 【思いあたる·思い当(た)る】5自 마음에 짚이다; 짐작이 가다. ¶～所が〔節が〕짚이는 데가 있다.

おもいあま-る 【思い余る】5自 생각다 못하다; 어찌해야 좋을지 갈팡질팡하다.

おもいいれ 【思い入れ】图 ①깊이 생각함. ②(劇) 말없이 생각이나 감정을 나타내는 몸짓.

おもいうか-べる 【思い浮(か)べる】下1他 마음속에 그려내다(떠올리다).

おもいおこ-す 【思い起(こ)す】5他 상기하다; 생각해 내다.

おもいおもい 【思い思い】副 제각각; 각자의 생각(대로). ¶～の服装 제각각의 복장.

おもいかえ-す 【思い返す】5他 ①(지난 일·결정한 일을) 다시 생각하다. ②고쳐 생각하다; 생각을 바꾸다.

おもいがけな-い 【思いがけない】【思い掛けない·思い懸けない】形 생각해 본 일도 없다; 뜻밖이다. ¶～人に会うった 뜻밖의 사람을 만났다.

おもい-きって 【思い切って】-kitte 連語 《副詞的으로》①결단을 내려서; 눈 딱 감고. ¶～金を出すて 큰마음 먹고 돈을 내다/~打ち明ける 눈 딱 감고 털어놓다. ②마음껏. ¶～遊んで見よう 마음껏 놀아보자.

おもいきや 【思いきや】連語 《'…と'를 받아》(…라) 생각했더니 (실은) ; 뜻밖에도. ¶行ったとは～ 간 줄 알았더니.

おもいきり 【思い切り】─ 图 체념; 단념. =あきらめ. ¶～が悪い 선뜻 단념 못하다. ─副 마음껏; 실컷; 충분히. ¶～走った 마음껏 달렸다.

おもいき-る 【思い切る】5他 ①단념하다. ¶出世を～ 출세를 단념하다. ②('～った'의 꼴로) 대담하다. ¶～ったデザイン 대담한 디자인.

おもいこ-む 【思い込む】5自 ①깊이〔단단히〕마음먹다; 굳게 결심하다. ¶いったん～んだら 한번 마음먹으면. ②꼭 (그렇다고) 믿다; 믿어버리다. ¶てっきり, そうだと～ 틀림없이 그럴 것이라고 믿다.

おもいし-る 【思い知る】5他 깨닫다; 통감하다. ¶人生のはかなさを～ 인생의 허무함을 깨닫다.

おもいすごし 【思い過(ご)し】图 지나친 생각; 쓸데없는 걱정.

おもいだ-す 【思い出す】5他 생각해 내다; 상기(회상)하다.

おもいた-つ 【思い立つ】5自 ①무슨 일을 하려는 생각을 일으키다; 생각나다; 결심하다. ¶～ったらすぐ実行に移す 생각나면 곧 실행에 옮기다. ②계획하다. ¶外国旅行を～ 외국 여행을 계획하다.

おもいちがい 【思い違い】图 잘못 생각; 착각; 오해.

おもいつき 【思いつき】【思い付き】图 문득 생각이 남. ①(좋은 의미로는) 착상; 고안. ②(나쁜 의미로는) 즉흥적인 착상; 변덕. ¶～にすぎない 변덕〔일시적 생각〕에 지나지 않다.

おもいつ-める 【思いつめる·思い詰める】下1他 외곬으로만 깊이 생각하다; 골똘히 생각하다(걱정하다).

おもいで 【思い出】【想い出】图 추억; 추상. ¶初恋の～ 첫사랑의 추억.

おもいどおり 【思い通り】-dōri 連語 생각(했던) 대로; 뜻대로. ¶～に運ぶ 뜻(계획)대로 되어가다.

おもいとどま-る 【思いとどまる】【思い止まる】5他 단념하다. =思い止さる. 「(다시)」 생각하다.

おもいなお-す 【思い直す】5他 고쳐

おもいなし 【思い做し】─ 图 추단; 추측해서 판단함. ─副 그러려니 하고 보니. ¶～か, やせたよう

だ そうりゃらて 思って そうじ，よ言い わ
れた。

おもいのこ-す【思い残す】5他 みれんを
残す。¶～ことはない みれんは残す。

おもいのほか【思いの外】副 いがいに；
思いがけず；予想と 異なり。

おもいもう-ける【思い設ける】-mō-
keru 下一他 あらかじめ 予想して おく；よき
する。¶～けぬ災難弥を えきちせぬ
災難。

おもいやり【思い遣り】〈思い遣り〉 名
同情心；同情心；配慮。¶～のある人
弥 同情心の ある 사람。

おもいや-る【思い遣る】〈思い遣る〉
5他 ①(遠くに あるもの)생각이 미치
다。¶行く末弥が～られる 장래가 염
려된다。②상상하다；추측하다；헤아
리다。¶さぞかしと～ 오죽하랴 하고
추측하다。③동정하다；배려하다。¶
彼弥の立場弥も～って下弥さい 그의
입장도 생각해 주시오。

おもいわずら-う【思い煩う】5自 고
민하다；괴로워하다。

‡**おも-う**【思う】5他 ①생각하다。㉠
(일반적인 뜻으로) 생각하다。㉡国弥の
ためを～ 나라의 이익을 생각하다。㉢
예상하다；헤아리다；상상하다。¶～
った通弥りに 생각했던 대로／親弥の心
弥を～ 부모의 마음을 헤아리다
느끼다。¶悲弥しく～ 슬프게 생각하
다。㉣바라다。¶～ようにならない 생
각(뜻)대로 되지 않다。㉤회상하다。¶
昔弥のことを～ 옛날을 생각하
다。¶災害地弥弥の惨事弥を～ 재해
지의 참사를 생각하다。②걱정하
다；염려하다。¶やろうと～ 하려고 생각
한다。¶そうり(위 하)が～ 사랑하다。¶わ
が～人弥 나의 사랑하는 사람／親弥が
～子弥 부모를 생각하는 자식。㉫(…と
～の꼴로)～と(하다고) 생각하다。¶
雨弥が降弥ると～ 비가 오리라고 생각
한다。¶…かと～と(…と는 생각
으면(했더니)곧。¶立弥っていると～
～とすわる 서있나 싶으면 곧 앉는다。
¶一念弥力弥岩弥をも通弥す 정성이 지극하
면 바위라도 뚫는다。

おもうさま【思う様】omō-様 (궁중
에서) 아버지의 높임말：아바마마；
おたあさま。

おもうさま【思う様】〈思う様〉副 마
음껏；실컷。¶～遊弥ぶ 마음껏 놀다。

おもうぞんぶん【思う存分】-zonbun
副 마음껏；실컷。¶～たべる 실컷 먹
다。

おもうつぼ【思う壺】〈思う壺〉 名 예
기(생각)한 바。¶～にはまる 예기한
대로 되다。

おもうに【思うに】〈惟うに〉副 생각건
대。

おもおも-しい【重重しい】-shī 形 ①엄
숙하고 무게가 있다。¶～雰囲気弥弥 엄
숙한 분위기。②정중하다。¶～扱弥い
정중한 대우。⇔軽々しい。

‡**おもかげ**【面影】(佛) 名 ①(기억에 남
아 있는 옛날의)모습；모양(形貌)。¶
なき母弥の─ 돌아가신 어머니 모습。
②(닮은)면모(面貌)；모습。¶父弥に
似弥た─ 아버지를 닮은 모습。

おもかじ【面舵】〈面舵〉 名 ①뱃머리
를 오른쪽으로 돌릴 때의 키잡이。②

우현(右舷)。⇔取弥りかじ。

おもがわり【面変(わ)り】名 ス自 변
모；모습이 달라짐。

おもき【重き】名 중점；무게；중요시。
¶～をおく 중점을 두다；중요시하다。

おもくるし-い【重苦しい】-shī 形 짓눌
리는 것같이 답답하다。¶～ふんいき
무거운 분위기。

‡**おもさ**【重さ】名 ①무게。¶～を計弥る
무게를 달다。②(理) 중력(重力)의
크기。　　　　　「얼굴 생김새。

おもざし【面差し】〈面差し〉 名 용모；
おもし【重石】名 ①눌러 놓는 물건。②
누름돌。¶つけ物弥の～ 김칫돌。③(사
람을) 누르는 힘。④(저울) 추。

‡**おもしろ-い**【面白い】形 ①우습다。¶
～顔弥つき 우습게 생긴 얼굴。②재미
있다；흥미있다；즐겁다；유쾌하다。¶
～く遊弥ぶ 재미있게 놀다／～くな
い顔弥弥ばかりしている 불쾌한 얼굴만
하고 있다／旅行弥弥はとても～かった
여행은 대단히 재미있었다／～男弥だ
재미있는(어딘가 남다른 데가 있는)남
자다。③좋다。¶～くない評判弥 좋
잖은 평판。

おもしろおかし-い【面白可笑しい】-shī
形 재미있고도 우습다。

おもしろずく【面白尽く】名 장난삼아
함；흥미 본위。¶～でやったのだが 장
난삼아서 했는데。

おもしろはんぶん【おもしろ半分】〈面
白半分〉-hambun 名 진반 농반；반농
반진。

おもしろみ【面白み】名 재미。　　　「スト。

おもた-い【重たい】形 무겁다；무거워
하다。¶まぶたが～ 눈꺼풀이 개개풀리
다(졸리다)／～石弥 묵직한 돌／気分
弥が～ 기분이 무겁다。

おもだか【沢瀉】名〔植〕벗풀；택사。

おもだち【面立ち】〈面立ち〉名 얼굴；
용모；얼굴 생김새。

おもだ-つ【重立つ・主立つ】5自 중심
이 되다；주되다。¶～った人弥 중심
이 되는 사람。

‡**おもちゃ**【玩具】-cha 名 ①장난감；
완구。＝がんぐ。②노리개。─にする
노리개로 삼다。

***おもて**【表】名①표면。㉠거죽；겉。¶
紙弥の～ 종이의 거죽(표면)／～の意
味弥 표면의 의미；드러난 의미。㉡(사람
눈에)보이는 곳。¶～に立弥て 표면에
나서다／～に出弥る 표면화하다。㉢정
면(의 것)。¶～門弥 정문；앞문。⇔裏
弥。㉣공식；공적；정식；공공연。¶～
向弥きの用件弥〔표면상의〕용건。
㉤입구 가까이 있는 방。¶～のへや
바깥 방。㉥(집 안에서) 손님을 영접하
는 곳。¶～座敷弥 객실。⇔奥弥。③집
앞；집의 바깥。¶～で人弥の声弥がする
집 앞에서 사람 소리가 나다。㉤畳弥의
겉돗자리。⑤(野)초(初)。¶二回弥の～
～ 2회 초(初)。⇔裏弥。─を飾弥る 겉을
꾸미다；겉치레하다。

おもて【面】名〈雅〉①안면(顔
面)。¶～を上弥げる 얼굴을 들다。②
가면；탈。③표면；외면。¶水弥の～ 물
의 표면。¶─も振弥らず 한눈도 팔지 않
고。─を犯弥す 상대방의 마음을 개의
치 않고 하다。¶～を犯弥していさめる

노염을 살 작으을 하고 간(諫)하다.
―を起こす ①체면(면목)을 세우다.
②고개를 들다. **―を伏せる** ①체면
(면목)을 잃다. ②고개를 숙이다.

おもで【重手】【重傷】⊠ 중상.

おもてがえ【表替え】【表換え】·表更
(え) ⊠直他 畳の겉돗자리를 새
것으로 갈아 댐.

おもてがき【表書き】⊠直他 겉봉에 쓰
うわがき. ↔裏書がき.

おもてかた【表方】⊠ (극장 같은 곳에
서) 관람자에 관한 사무를 보는 사람
들(사무원·안내원 등). ↔裏方がた.

おもてがまえ【表構え】⊠ 집 정면의
꾸밈새〔구조〕.

おもてかんばん【表看板】-kamban
⊠①극장의 정면에 거는 간판. ②세상에
내보이는 표면상의 명목. ¶~は宿屋
びだが 표면적으로는 여관이지만.

おもてぐち【表口】⊠ 정면 출입구. ↔
裏口くち.

おもてけい【表けい】【表罫】⊠【印】가
는 괘〔罫〕;세괘(細罫). ↔裏けい.

おもてげんかん【表玄関】⊠ 집 정면의
정식 현관. ↔內ない玄関.

おもてさく【表作】⊠ 앞갈이;그루갈
이한 땅의 처음에 경작하는 주된 농작
물. ↔裏作さく.

おもてざた【表ざた】【表沙汰】⊠①세
상에 공공연하게 알려짐. ¶事ごとが~に
なる 일이 표면화되다. ②소송 사건.

おもてだか【表高】⊠ 江戸えど 시대에,
무가(武家)의 공식적인 녹봉(祿俸).

おもてだ―つ【表立つ】⊠立つ
표면화하다. ¶~・たないようにする
표면화하지 않도록 하다.

おもてどおり【表通り】-dōri ⊠한길;
큰길. ↔裏通とおり. ②집 바깥의 길.

おもてにほん【表日本】⊠ 일본 열도
중 태평양에 면한 지방. ↔裏にほん.

おもてむき【表向き】⊠①공공연함;
정식임. ¶~になる 공공연하게 되다 /
~に許可きょされたわけではないが 정
식으로 허가된 것은 아니나. ②(실제
는 어떻든) 표면상. ¶~の理由りゆう 표
면상의 이유. ③政府·관계 당국;또,
관청에 관한 일;특히, 재판 소송 등.

おもてもん【表門】⊠ 정문. ↔裏門もん.

おもと【万年青】⊠【植】만년청.

おもと【御許】⊠ 앞(여자의 편지에서
결봉 이름 밑 열에 쓰는 말).

おもなが【面長】⊠ 얼굴이 길쭉함.

おもに【重荷】⊠ 무거운 짐;전하여,
부담. **―をおろす** 무거운 짐을 내리
다;책임있는 일·지위에서 해방되다.

おもに【主に】⊠ 주로. ¶~青年ねんが
集まる 주로 청년이 모인다.

おもね―る【阿る】⊠自 아첨(아부)하
다;알랑거리다. ¶世にこ~ 세상에 아부
하다(인기 전술을 쓰다).

おもはゆい【面はゆい】【面映ゆい】⊠
낮간지럽다;부끄럽다;열없다. ¶ほ
められたのでいささか~ 칭찬받아서
약간 부끄럽다.

おもみ【重み】⊠ 무게. ①중량. ↔軽
かろみ. ②중요. ¶~のあることばで 무게
있는 말. ③침착함. ¶~のある行動
무게 있는 행동. ④관록. ¶~がつ
く 관록이 붙다.

おもむき【趣】⊠①정취;멋. ¶~
のある庭で 정취 있는 뜰. ②모양;느낌;
분위기. ¶こっけいな~がある 우습광
스러운 느낌이 있다 / ~を異ことにする
모양을 달리하다. ③의도;취지;내용.
¶お話はなしの~ 말씀의 취지(내용).
④…라는 말. ¶ご壮健そうけんの~──건강하
다는 말씀.

おもむ―く【赴く】【趣く】⊠自①향하
여 가다. ¶遭難そうなん現場げんに~ 조난 현
장으로 향하다. ②(어떠한 경향·상태
로) 향하다. ¶病気びょうも快方ほうに~
병도 차차 나아진다.

おもむろに【徐ろに】⊠ 서서히;천천
히. ¶~立たち上がる 천천히 일어나
다.

おももち【面持(ち)】⊠ 표정;안색.
¶不安ふあんそうな~ 불안한 듯한 표정.

おもや【母家·母屋】⊠①건물 중앙의
주요 부분;몸채. ↔ひさし. ②(부속
건물에 대하여) 주인 등이 사는 주요
건물;안채. ↔離にseparate れ.

おもやつれ【面やつれ】【面窶れ】⊠
直(심로(心勞)나 피로로) 얼굴이 야
윔.

おもゆ【重湯】⊠ 미음.┌위어 보임.

おもらい【御貰い】⊠ 거지. ↔こじき.

おもり【御守り】⊠直他 아기를 돌보
는(사람);애보기. ↔子守もり.

おもり【重り·錘】⊠①추;분동(分銅).
②낚싯봉.   ┌갈;안면.

おもわ【面輪】⊠〈雅〉(앞에서 본)

おもわく【おもわく·思わく】【思惑】⊠
①생각;의도(意圖);예상. ¶~がはずれる
예상이 빗나감. ②평판;인기. ¶世間
けんの~ 세간의 평판. ③시세 등락(騰
落)의 예측. ¶~買がい 시세가 오를 것
을 예상하고 증권 등을 사는 일.

おもわし―い【思わしい】-shī ⊠좋다
고 생각하다;바람직하다. ¶~景気けいが
~・くない 경기가 좋지 못하다. ②추
측할 수 있다;생각되다. ¶兄弟きょうに
~二人ふたり 형제로 보이는 두 사람.

おもわず【思わず】連副 영겁결에;무
의식 중에. ¶~頭をたまを下さげる 무의식
중에 머리를 숙이다.   ┌굴을 잊음.

おもわすれ【面忘れ】⊠直他(남의) 얼

**おもわせぶり【思わせぶり】【思わせ振
り】**グナ 변죽 울림;암시하는 말이
나 태도. ¶~を言いう 변죽 울리다.

おもん―ずる【重んずる】他⊠変他〈雅〉
중요시하다;존중하다. ↔軽かろんずる.

おもんぱかる【慮る】 omompa-
⊠他①잘(깊이) 생각하다. ¶よくよく
って事ことを行おこなう 두루 잘 생각해서
일을 행하다. ②(세세히) 배려하다. ¶
細こまかい点てんまで~ 세세한 데까지 마음
을 쓰다. ③일을 꾀하다(꾸미다).

おや【親】⊠①어버이;부모. ¶~に
死しに別わかれる 부모를 여의다. ②つ
(祖)선조(先祖). ⓒ代々だい 조상 대
대. ⓒ사물의 근본. ¶里芋さといも の~ 토
란의 어미 줄기. ¶~会社しゃ (母)회사 / トランプの~
트럼프 놀이의 손. ④주되는 것. ¶全
のに대한 큰 것. ¶~子こ ⑤계수(契
主). **―の心こ子しらず** 부모가 자
식 걱정을 하는 것도 모르고 자식은
멋대로 행동한다. **―のすねかじり** 부
모의 부양을 받음;또, 그런 자식.

お

一の光は**七光**ひかり 부모의 성망(聲望)이 높으면 자식은 여러모로 그 음덕(蔭德)을 입을 수 있다.

おや 國 뜻밖의 일에 부딪쳤을 때에 발하는 소리 : 아니 ; 어머나 ; 이런 ; 저런.

おやがかり 【親掛り】 图 부모에게 부양되고 있음 ; 또, 그 자식. ¶まだ ～の身₄です 아직 부모의 신세를 지고 있는 몸입니다.

おやかた 【親方】 图①우두머리. ㉠같은 업(業)의 장인(匠人)·제자들을 가르치고 생활을 보살펴 주며 감독하는 사람. ㉡공사판 인부들의 감독. ②배우·장인 따위의 높임말.

おやかぶ 【親株】 图 ①(經) (신주(新株)에 대한) 구주(舊株). ②원(元)주. ↔子株.

おやがわり 【親代り】 图 친부모 대신 양육하는 일 ; 또, 그 사람.

***おやこ** 【親子】 图 ①부모와 자식. ¶～は争がわれないものだ 부모와 자식은 어쩔 수 없는 법이다(피는 못 속인다). 母娘·父子·母子 따위로도 씀. ¶おやこどんぶり(=닭고기 계란 덮밥)의 준말. ③근원이 되는 것과 그것에서 갈라져 나온 것. ¶～電話 한 선으로 같이쓰는 두 대 이상의 전화.

おやこうこう 【親孝行】 -kōkō 图 [ナ]ㅈ自 효도(하는 사람). ↔親不孝かう.

おやごころ 【親心】 图 (자식을 사랑하는) 부모의 마음.

おやじ 【親父】 图 ①(성인 남자가 무간한 자리에서) 자기 아버지를 일컫는 말. ↔おふくろ. ②【親爺·親仁】직장의 책임자·가게 주인·노인 등을 (친근하게) 일컫는 말. ¶たばこ屋⁴の～ 담뱃가게 영감. ↔おかみ.

おやしお 【親潮】 图 일본 동해안을 남쪽으로 흐르는 한류 ; 쿠릴 해류.

おやしらず 【親知らず】 图 ①친부모의 얼굴을 모름 ; 또, 그런 처지. ②おやしらずば(=사랑니)'의 준말.

おやすい 【お安い】 彫 ①쉽다 ; 간단하다. ¶～ご用₄だ 쉬운 일이다. ¶～くない 남녀가 특별한 관계에 있다(놀리는 말).

おやすみ 【お休み】 图 ①'寝る(=자다)' '休む(=쉬다)'의 공손한 말씨. ¶～になる 주무시다. ②잘 때의 인사말. ¶～なさい 안녕히 주무세요 ; 잘 자거라. ③'休業₄う(=휴업)' '欠勤キ゚ん(=결근)'의 공손한 말씨.

おやだま 【親玉】 图 ①(俗) 중심 인물 ; 우두머리 ; 두목. ②염주 중에서 가장 큰 알.

おやつ 【お八つ·御八つ】 图 오후의 간식(間食). ＝お三時₄.

おやばか 【親馬鹿】 图 자식이 귀여운 나머지 어리석은 짓을 하거나 남의 눈에 어리석게 보임 ; 또, 그런 부모.

おやふこう 【親不孝】 -kō 图 [ナ]ㅈ自 불효. ↔親孝行かう.

おやふね 【親船】 图 ①모선(母船) ; 본선.
━━に乗₄ったよう 마음 든든함의 비유.

おやぶん 【親分】 图 ①부모처럼 의지하

고 있는 사람. ②두목 ; 우두머리. ＝ボス. ↔子分ぶん.   「붉은 살.

おやぼね 【親骨】 图 결살 ; 부채 양쪽의

おやま 【女形】 图 ①(歌舞伎ぶで서) 여자역을 하는 남자 배우. ②여자 모양의 꼭두각시.

おやまさり 【親勝り】 图 부모보다 잘남 ; 또, 그런 자식.

おやみだし 【親見出し】 图 (기사의) 주되는 표제. ↔子見出しだ゚.

おやもじ 【親文字】 图 ①(로마자의) 머리 글자. ②(한자 자전에서) 숙어의 근본이 되는 표제 글자. ③(활자의) 자모(字母).

おやもと 【親もと·親元】 图 부모슬하 ; 부모가 계신 곳.

おやゆずり 【親譲り】 图 대물림 ; 부모로부터 물려 받음 ; 또, 그것. ¶～の財産₄ 부모에게서 물려 받은 재산 / ～の気性ᵏ゚₄ 부모를 닮은 성격.

おやゆび 【親指·拇】 图 엄지 손가락 ; 엄지 발가락.

‡およぐ 【泳ぐ·游ぐ】 ⑤自 ①헤엄치다. ¶海ᵘで～ 바다에서 헤엄치다 / 世₄の中を～ 세상을 헤엄쳐 나가다. ②(틈바구니를) 헤집고 나아가다. ¶人ᵘごみの中を～ 인파를 헤치고 나아가다. ③(씨름 따위에서) 앞으로 기우뚱하며 비틀거리다. ¶はたかれて～ 얻어 맞아 비틀거리다.

‡およそ 【凡そ】 ㈠图 대강 ; 대충 ; 대개 ; 대략. ¶～の話⁴はおおよその大강의 이야기를 말한다. ㈡副 ①무릇 ; 일반적으로. ¶～人というものは 무릇 사람이라는 것은. ②전연 ; 도무지 ; 아주. ¶～興味₄がない 전혀 흥미가 없다.

およばずながら 【及ばずながら·及ばず乍ら】 連語 미흡하나마 ; 불충분하나마. ¶～お手伝いを致しましょう 미흡하나마 도와 드리겠습니다.

およばない 【及ばない】 連語 ①못 당하다 ; 못 미치다. ¶英語ᵍ゚では とても彼かれに～ 영어에서는 도저히 그를 못 당한다. ②돌이킬 수 없다. ¶後悔ᵏゐして も～ 후회해도 소용없다. ③（〈…に(は)～の꼴로〉…할 것까지는 없다. ¶恥₄じる(には)～ 부끄러워할 필요는 없다.   「초대 받음.

およばれ 【お呼ばれ】 图 (식사 따위)

***および** 【及び】 腰 및. ¶国語ᵍ゚·社会ᵏゐ·体育ᵏゐ 국어·사회 및 체육.

およびごし 【及び腰】 图 엉거주춤한 자세·태도.

***およぶ** 【及ぶ】 ⑤自 ①미치다. ㉠달하다. ¶十万人ᵘゐ₄にも一人出ᵈゐに 십만명에 달하는 인파(人波). ㉡(…상태·범위·단계에) 이르다. ¶この場₄に～んで 이 마당에 와서(이르러) / 害₄が身₄に～ 해가 몸에 미치다. ②(보통 否定を 수반하여) 미치다. ㉠견주다 ; 필적하다. ¶私ᵃたなどの～所でないと와 따위가 견줄 바가 못된다. ㉡할 수 있다. ¶私ᵃ゚には～仕事ᵍ゚ではない 내가 할 수 있는 일이 못된다. ㉢이루어지다 ; 실현되다. ¶～ばねば恋ᵏゐ(=願ᵍゐ₄)이룰 수 없는 사랑(소원). ②돌이킬 수 있다. ¶今更誌゚゚゚って も～ばね事₄ 이제 와서 말해도 소용없는 일. ③(다른 動詞의 連用形에 붙어서) 그 동작

を강조하는 데 씀. ¶聞˚き~·듣다.

*およぼ-す【及ぼす】 ⑤他 미치(게 하)다. ¶影響˚を~· 영향을 미치다.

オランウータン 图【動】오랑 우탄; 성성이. ▷マ orang utan.

オランダ 【和蘭·和蘭陀·阿蘭陀】 图【地】홀란드; 네덜란드. ▷포 Olanda.

おり【折(り)】 图 ①겪음; 겪은 것. ②도시락; 나무 상자(에 담은 것). ¶~につめる 도시락[나무 상자]에 담다. ─接置 ①나무 도시락을 세는 말. ②菓子˚~· 과자 담은 상자. ③겹쳐서 〔접어〕 겹친 것을 세는 말. ¶半紙ばん~· 반지 한 권.

おり【折】 图 때. ①그때; 그 무렵. ¶出˚でまた ~· 외출한 때에. ②기회; 틈. ¶~を見˚て 기회를 보아. ─もあ ろうに 하필이면 이(러)·그(런) 때에. ─も─ 바로 그때.

おり【檻】 图 우리; 감방.

おり【澱】 图 침전물; 앙금. 「오리.

おり【汚吏】 图 오리. ¶食官ぎん~· 탐관 오리.

おりあい【折(り)合い·折合】 图 ①타협; 매듭을 지음. ¶~がつく 타협이 되다. ②인간 관계; 사이. ¶夫婦ふ˚の~· 부부의 사이.

*おりあ-う【折(り)合う】 ⑤自 해결[매듭]지다; 타협하다[되다].

おりあしく【折あしく·折悪しく】 連語 공교롭게; (바람직하지 않게도) 때마침. ¶~不在˚と·でして 공교롭게도 부재중이라서.

おりいって【折(り)入って】-itte 《副詞的으로》 특별히; 긴히. ¶~頼˚み みたいことがある 특별히〔긴히〕 부탁할 일이 있다.

オリーブ 图 올리브; 감람나무. ▷olive.

おりえり【折り襟】 图 밖으로 꺾어 넘기도록 만든 옷깃. ↔つめえり.

オリエンテーション -shon 图 오리엔테이션; 진로·방침의 결정; 신입생(사원)의 교육. ▷orientation.

オリエント 图 오리엔트; 동양; 동방. ②중근동(中近東). ▷Orient.

おりおり【折折】 图 그때그때. ①계季きの花˚々 사철 따라 피는 꽃. ─副 때때로; 이따금. ¶~顔˚を見˚せる 이 따금 얼굴을 보이다〔나타나다〕.

オリオンざ【オリオン座】图【天】오리온자리. ▷Orion.

*おりかえ-し【折(り)返し】 图 ①되접어 반대편으로 겪음; 또, 그렇게 한 것. ¶えりの ~· 옷깃의 되접어 겪은 곳. ②반환 (지점); 되짚어[되돌아] 감[음]. ¶~点˚で 반환점. ③시가(詩歌)의 각 절(節) 끝의 후렴. ④《副詞的으로》즉시; 곧; 되짚어. ¶ご返事˚を くだ さい 받으시는 대로 곧 회답 주십시오.

おりかえ-す【折(り)返す】 ⑤他 ①되접어 겪다. ¶えりを ~· 옷깃을 되접어 겪다. ②되짚어하다. ¶~·して歌うう 되풀이해서 노래하다. ─ ⑤自 되짚어 오다〔가다〕. ¶終点˚か·ら ~· 종점에서 되짚어 오다〔가다〕.

おりかさな-る【折(り)重なる】 ⑤自 차례차례 겹쳐지다; 포개어지다. ¶~·って 겹쳐지는 겹쳐 넘어지다.

おりがし【折(り)菓子】 图 얇은 나무 상자에 담은 과자.

おりかばん【折りかばん】〔折(り)鞄〕 图 물로 접게 한 손가방.

おりがみ【折(り)紙】 图 ①(칼·미술품 등의) 감정서; 전하여, 보증. ¶~をつ ける 보증하다. ②종이접기 놀이; 또, 그 (색)종이. ─つき【──つき·──付 き】 图 감정 보증의 딱지가 붙은 것; 전하여, 세간의 평판. ¶~の店˚ 정평 있는 가게.

おりから【折から】 連語 ①마침(바로) 그때; 때마침. ¶~の雨˚で 때마침 오 는 비로. ②《接続助詞的으로》…하였으 니; …때이므로. ¶寒˚い~· 추운 때이 므로.

おりくち【降(り)口】【下(り)口】 图 출구 통로; 내리는 곳.

おりこみ【折(り)込み·折込】 图 (신문·잡지 등에) 부록이나 광고를 접어 서 끼워 넣는 일; 또, 그 물건.

おりこ-む【織(り)込む】 ⑤他 ①(다른 실을) 섞어 넣어 짜다. ②(한 사물 중 에 다른 사물을) 집어 넣다. ¶コスト に~· 원가 계산에 넣다.

オリジナル 오리지널. ─ [ダ] 독창적; 고유의. ─ 图 (복제품에 대한) 원물; 원작(原作); 원문·원화; 원형·원곡(原曲). ▷original.

おりしも【折しも】 副 (때)마침; 바로 그때. 「~巻尺ぜ˚ぃ.

おりじゃく【折(り)尺】-jaku 图 접자.

おりたがみ【折紙】 图 무가(武家)에서 부리는 하인. ¶~根性じ˚ょ 자신의 일을 남에게 미루려고 하는 교활한 근성.

おりたた-む【折(り)畳む】 ⑤他 접어 작게 하다; (접어) 개다; 개키다. ¶着 物˚を ~· 옷을 개키다.

おりた-つ【降り立つ·下り立つ】 ⑤自 내려서다.

おりづめ【折(り)詰め·折詰】 图 나무 상자[도시락]에 음식물을 담음; 또, 그 음식.

おりづる【折りづる】【折(り)鶴】 图 종 이(로 접은) 학.

おりな-す【織(り)成す】 ⑤他 ①실로 짜 서 (무늬 등을) 만들어 내다. ②여러 요소로 구성하다. ¶スター가 夢˚の 舞台ぶ˚ょ 스타가 만들어내는 꿈의 무대.

おりばこ【折(り)箱】 图 도시락; 나무 상자.

おりひめ【織(り)姫】 图 ①베 짜는 아 가씨; 직녀; 전하여, 직물 공장 여공 (女工)의 애칭. ②직녀성(織女星).

おりふし【折節】 图 ①그때그때. ¶四 季き˚の眺˚め 사철 그때그때의 경치. ②계절. ¶~の移˚り変˚わり 계절의 바뀜. ③바로 그때. ─图副 ①~があっ た 바로 그때 신호가 있었다. ④《副 詞的으로》때때로; 가끔. ¶~も~は 見˚かけるが 지금도 간혹 보지만.

おりほん【折(り)本】 图 접책(글씨본·경문 책 따위에 많음). ↔とじ本.

おりめ【折(り)目】 图 ①접은 금(자 국). ¶~をつける (접은) 금을 내다; 전하여, 단정히 하다. ②(사물의) 단 락; 구분. ②예절. ¶~正˚しい 예절 바르다.

おりめ【織(り)目】 图 (직물의) 발. ¶ ~があらい 발이 거칠다.

おりもの【下り物】 图 ①대하(帶下). ②

お

후산(後産). ③월경.

***おりもの**【織物】图 직물. ¶～を織る
직물을 짜다.

おりよく【折よく】【折好く】副 때마침
(잘) ; 제격좋게. ¶～来合わせる 때
마침 와 있어서 만나다. ↔折あしく.

*お**お・りる**【下りる】上1自 ①내리다. ⑦
(아래로) 내려오다〔가다〕. ¶山を～ 산
에서 내려오다〔가다〕. ↔ 막이 내리
다 ; 전하여, 사건 등이 끝나다. ↔のぼ
る・上がる. ⑭(이슬・서리 등이) 내리
다. ⑤(관청 등으로부터) 결정・지시가
나오다. ¶許可が～ 허가가 내리다.
⑧(체내에서) 밖으로 나오다. ¶回虫
が～ 회충이 나오다. ②물러나다.
¶会長の席を～ 회장 자리를 물러
나다 / ご前を～ 어전에서 물러나다.
③(자물쇠가) 채워지다 ; 잠기다. ¶か
ぎが～ 자물쇠가 걸리다〔잠기다〕.
注意 '降りる'로도 씀. 注意 ②는 他
動詞적임.

*お**お・りる**【降りる】上1自 ①(탈것・역
등에서) 내리다. ¶バスを～ 버스를 내
리다. ↔乗る. ②(승부 따위에서) 참
가할 권리를 포기하다 ; 전하여, 일
위를 도중에서 포기하다. ¶下りる
로 씀. 注意 ②는 他動詞적임.

オリンピック orimpikku 图 올림픽. ¶
～競技 올림픽 경기. ▷Olympic.

*お**お・る**【居る】五自 ①(본디 '居る'로도)
있다('いる'의 약간 文語적인 말임).
¶だれか～か 누구 있나. ②(動詞の連
用形이나 'て'에 붙어서) …하고 있다.
¶無事にくらして～ります 무사히
지내고 있습니다. 参考 'おります'는
'います'보다 약간 공손한 느낌을 줌.

*お**お・る**【折る】五他 ①접다. ¶紙折
でつるを～ 종이를 접어 학을 만든
다. ②굽히다. ¶腰を～ 허리를 굽히
다〔인사하다〕/指を～って数える
손(가락)을 꼽아 세다 / 我が を～
주장〔고집〕을 굽히다. ③꺾다 ; 부러뜨
리다. ¶木の枝を～ 나뭇가지를 꺾
다 / 鉛筆のしんを～ 연필의 심을 부
러뜨리다.

*お**お・る**【織る】五他 ①짜다. ¶絹を～
비단을 짜다. ②(여러 가지를 효과적
으로) 짜맞추어 만들다.

オルガン 图 오르간 ; 풍금. ▷organ.

オルゴール 图 오르골 ; 음악 상자. ▷b
orgel.

おれ【己・俺】代 나(주로 남자가 동료
또는 아랫사람에게 씀).

*おれい**【お礼】【御礼】图 사례(의 말) ;
사례의 선물. ¶～を述べる 감사의
말을 하다. ━まいり【━参り】
圆自 ①소원 성취의 사례로 신불에 참
배함. ②(俗) 석방된 깡패 등이 자기
를 고발한 사람의 집에 가서 보복하
는 일.

おれまが・る【折れ曲(が)る】五自 꺾
여지다 ; 구부러지다.

おれめ【折れ目・折れ目】图 꺾어진 데 ;
접힌 곳(에 생긴 금). ＝おれくち.

*お**お・れる**【折れる】下1自 ①접히다. ¶
紙の端れて～ 종이 끝이 접히다. ②꺾
어지다. ⑦부러지다. ¶針が～ 바늘
이 부러지다. ⑭(기세가) 꺾이다 ;
죽다. ¶我が～ 고집이 꺾이다. ⑤

(주장・의견 등을) 굽히다 ; 타협〔양보〕
하다. ¶組合側が が～れて出てる
조합측이 타협적으로 나오다. ③(방향
을) 꺾어 가다 ; 돌아가다. ¶左右に～
왼쪽으로 꺾어 가다.

オレンジ 图 ①오렌지. ②오렌지색. ¶
～ジュース 오렌지 주스. ▷orange.

おろおろ 副 ①불안하거나 놀라서, 어
쩔 줄을 몰라 당황하는 모양. ¶父
の死を聞いて～する 아버지의 부
음을 듣고 갈팡질팡하다. ②때로 소리
리를 떠는 모양. ¶～(と)泣く 소리
를 떨며 울다.

おろか【疎か】名ダ ①소홀함 ; 적당히
(되는 대로) 함. ¶～にする 소홀히 하
다. ②『…は～の』의 꼴로』 …은 말할
것〔나위〕도 없고 ; …은 고사하고.
¶人は～は、ねずみ一匹さえもいな
は고사하고 쥐 한마리도 없다.

おろか【愚か】名ダ 어리석음 ; 바보스
러움 ; 모자람. ¶～者め 바보 ; 멍텅구
리 / ～なふるまい 어리석은 행동.

おろし【卸】名 도매. ¶～屋 도매상.

おろし【下ろし・降ろし】名 ①내림 ; (짐을) 부
림. ¶積み～ (짐을) 싣고 부림. ②
(무 등 야채를) 강판에 갊 ; 또, 그것.
③신품을 쓰기 시작함. ¶仕立て～
옷을 새로 맞추어 입음 ; 또, 그 옷.

おろし【颪】名 산에서 불어오는 바람 ;
재넘이.

おろしあえ【下ろし和え】【下(ろ)し和
え】名【料】강판에 간 무를 섞어
조미한 요리.

おろしうり【卸売(り)】名 ス 도매.
↔小売り.

おろしがね【下(ろ)し金】【卸金】名 강
판.

おろしだいこん【下ろし大根】名 ①무
즙.

*お**おろ・す**【下ろす】一五他 ①내리다.
⑦(降ろす로도) 아래로 옮기다 ; 내려
뜨리다. ¶幕を～ 막을 내리다 ; 전하
여, 사건을 끝내다 / 看板を～ 간판
을 내리다(떼다) / 大戸を～ 가게를
〔가게문을〕 닫다 / 胸をなで～ 가슴
을 쓸어내리다(안도의 한숨을 쉬다) /
腰を～ 앉다. ↔上げる. ⑭뻗어 내리
다. ¶木が根を～ 나무가 뿌리를 내
리다. ②(체내에서) 밖으로 나오게 하
다. ⑦(기생충을) 구제하다. ¶虫を
～ 회충을 구제하다. ⑭낙태시키다.
¶子どもを～ 아이를 떼다. ⑤(날붙이
로) 자르거나 하여 없애다. ⑦밀어 깎
다. ¶髪を～ 머리를 밀다(깎다). ⑭
치다. ¶枝を～ 가지를 치다. ④(신
불(神佛)・귀인 등에게 바친 물건을) 물
리다. ¶供物を～ 공양물을 물리다.
↔上げる. ⑤어육(魚肉)을 베어 가르
다. ¶三枚に～ (생선에 칼을 대어)
뼈와 양쪽 살로 가르다. ⑥(돈 따위를)
찾(아 내)다. ¶貯金を～ 저금을 찾
다. ⑦강판에 갊. ⑧새것을 쓰기 시
작하다. ¶したばかりの服 갓 맞
취 입은 양복. ⑨『接尾語적으로』 새로
하다. ¶書き～ (소설 등을) 새로 쓰
다. ━二五自 (바람이 높은 곳에서) 내
리 불다. ¶山を～風 산에서 불어 내
리는 바람 ; 재넘이.

*お**おろ・す**【降ろす】五他 ①내리다. ⑦
『下ろす로도』 (아래로) 내려뜨리다 ;

내려놓다. ¶たなから~ 선반에서 내려놓다. (ㄴ)(탈것에서) 내려놓다. ¶終点てんで~ 종점에서 내리게 하다. ↔乗のせる. (ㄷ)(下ろす로도) 내리다. ¶錠ぢょうを~ 자물쇠를 채우다(잠그다). ¶露つゆが~ 맺혀서(그만두어) 하다. ¶主役しゅやくから~ 주역을 그만두게 하다.

おろ-す【卸す】 ⑤他 도매하다.

おろそか【疎か】 ダナ 소홀함 ; 등한함. ¶手入れ~だ 손질이 소홀하다.

おろち【大蛇】 名 큰 뱀 ; 이무기.

おろぬ-く【疎抜く】 ⑤他 솎다. =まびく.

おわい【汚穢】 名 오예. ①더러운 물건. ②대소변. ¶~をくみ取とる 변소를 치다.

おわび【お詫び】 名 사죄(의 말).

‡**おわ-り【終り】** 名 ①끝 ; 마지막. ¶一ひとまず~とする 일단 끝낸 것으로 하다. ↔初はじめ. ②임종(臨終).

おわりね【終り値】 名 (증권 거래소에서의) 종가(終價).

おわりはつもの【終りはつ物】 名 (계절 끝에 성숙되어) 맏물같이 귀중히 여기는 야채·과일 등 ; 끝물.

‡**おわ-る【終わる】** ⑤自 ①一 끝나다. ¶会期かいきが~ 회기가 끝나다 /飲のみ~ 술을 다 마시다. 一他 끝내다. (俗) 끝내다. ¶講演こうえんを~・ります 강연을 끝내겠습니다. ↔始はじまる.

*****おん【恩】** 名 은혜. ¶師しの~ 스승의 은혜. ↔あだ. 一に着きせる 공치사하다 ; 생색내다. 一に着きる 은혜를 입어 고맙다고 생각하다. 一をあだで返かえす 은혜를 원수로 돌리다. 一を売うる 감사를 받으려고 일부러 친절히 하다.

*****おん【音】** 名 ①음 ; 소리. ¶~が低ひくい 소리가 낮다. ②음색. ¶~が鈍にぶい ~ 둔한 음색. ③자음(字音). ¶~で読よむ 음으로 읽다. ↔訓くん.

オン 名 온 ; 스위치가 켜져 있음. ▷on.
——**エア** 名 온에어 ; (라디오 등에서) 방송중(中)임. ▷on air.
——**ザロック** -rokku 名 온더록 ; 얼음에 위스키 따위를 부어 마시는 일 ; 또, 그런 음료. on the rocks. ——**パレード** 名 온퍼레이드 ; ①(대행진). ②총출연. ▷on parade.

おん-【御】 接頭 お(御). ¶~身み 옥체(玉體). 参考 'お'보다 존경·공손의 뜻이 강하며, 또 약간 격식 차린 말씨.

おんあい【恩愛】 名 은애. ①남에게 자비를 베풀고 사랑함. ②친자 사이·부부간 등의 애정. ¶~のきずなで 애로 맺어진 유대. 注意 'おんない'라고도 함.

おんいき【音域】 名【樂】음역.

おんいんへんか【音韻変化】 名 음운 변화. ('アウ·オウ'가 'オー'로, 'あは(粟)·かは(川)' 따위의 f가 w로 바뀐 것 따위).

おんえん【恩怨】 名 은원 ; 은혜와 원한.

おんが【温雅】 名ダナ 온아 ; 온화하고 점잖음.

おんかい【音階】 名【樂】음계. ¶長ちょう~ 장음계.

おんがえし【恩返し】 名ス自 은혜를 갚음 ; 보은.

‡**おんがく【音楽】** 名 음악. ¶~家か 음악가 /~会かい 음악회.

おんかん【音感】 名 음감.

おんがん【温顔】 名 온안. ¶~をほころばす 온화한 얼굴에 웃음을 띠다.

おんぎ【恩義·恩誼】 名 은의. ¶~に報いむくいる 은의에 보답하다.

おんぎ【音義】 名 음의. ①음(音)과 뜻. ¶法華経ほけきょう~ 법화경의 음의. ②음 하나하나가 갖는 뜻.

おんきせがまし-い【恩着せがましい】 -shi 形 자못 은혜라도 베푸는(생색을 내는) 듯이 굴다.

おんきゅう【恩給】 -kyū 名 (구법에서, 공무원의) 연금(年金). 参考 지금은 '共済年金きょうさいねんきん'(=공제 연금).

おんきゅう【温灸】 -kyū 名 온구(원통형의 기구에 뜸쑥을 넣고 찜질하는 요법).

おんきょう【音響】 -kyō 名 음향. ¶~効果こうか 음향 효과 /~信号しんごう 〔선박의 고동 따위〕 음향 신호.

おんぎょく【音曲】 -gyoku 名 일본식 음악·가곡의 총칭 ; 특히, 三味線しゃみせん에 맞추어 부르는 속곡(俗曲).

おんくん【音訓】 名 음훈 ; 한자의 중국 발음을 기초로 한 읽기와 한자의 뜻에 맞게 읽는(일본말을 맞춘 訓)것.

おんけい【恩恵】 名 은혜. ¶自然しぜんの~に浴よくする 자연의 은혜를 입다.

おんけつどうぶつ【温血動物】 -dōbutsu 名 온혈 동물('定温ていおん動物'의 구칭).

おんけん【穏健】 名ダナ 온건. ¶~な人物じんぶつ 온건한 인물. ↔過激かげき.

おんこ【恩顧】 名 은고. ¶~を被こうむる 은고를 입다.

おんこう【温厚】 -kō 名ダナ 온후. ¶~篤実とくじつ 온후 독실. 〔信. 〕

おんこちしん【温故知新】 名 온고지신.

おんさ【音叉】 名【理】음차 ; 소리굽쇠.

おんし【恩師】 名 은사. 〔師. 〕

おんし【恩賜】 名 은사 ; 天皇てんのう로부터 받음 ; 또, 그 물건.

おんしつ【音質】 名 음질.

‡**おんしつ【温室】** 名 온실. ¶~栽培さいばい 온실 재배. —**そだち【—育ち】** 온실 속에서 자란 귀염둥이 ; 세상 풍파에 견디어 내지 못함 ; 또, 그러한 사람.

おんしゃ【恩赦】 -sha 名 은사 ; 특별 사면(赦免). ¶~に浴よくする 은사를 입다. 〔수 ; 환. 〕

おんしゅう【怨讐·怨讐】 -shū 名 원수.

おんしゅう【怨讐·怨讐】 -shū 名 원수 ; 원한과 원수. 一の彼方かなた 은혜나 원한을 초월한 세계.

おんしゅう【温習】 -shū 名 온습 ; 복습. ¶~さらい. 一会かい 온습회 ; 특히 (무용 따위 기예의) 연습의 성과를 발표하는 모임.

おんじゅん【温順】 -jun 名ダナ 온순.

おんしょう【恩賞】 -shō 名 은상 ; 공을 기리어 상을 줌 ; 또, 그 상.

おんしょう【温床】 -shō 名 온상. ¶悪あくの~ 악의 온상.

おんじょう【温情】 -jō 名 온정. ¶~主義しゅぎ 온정주의.

おんじょう【音声】 -jō 名 ①음성. =おんせい. ②(아악(雅楽)에서) 관현(管絃)의 소리. 〔ねいろ. 〕

おんしょく【音色】 -shoku 名 음색. =ねいろ.

おんしょく【温色】 -shoku 名 온색. ①

온화한 얼굴 빛. ②난색(暖色). ↔寒色淡が. 또, 그러한 사람.

おんしらず【恩知らず】图 배은 망덕;

おんしん【音信】图 区直 图 조식. ─**いんしん**. ¶~**不通**? 음신 불통.

****おんじん**【恩人】图 은인. ¶命%の～ 생명의 은인.

オンス 图 온스. ①무게의 단위(파운드의 16 분의 1, 약 28.35 g). ②부피의 단위(갈론의 160 분의 1). ▷ounce.

おんせい【音声】图 음성.=こえ. ¶~学 음성학.

おんせつ【音節】图 음절. ─**もじ**【──文字】 음절 문자(일본의 仮名처럼 한 음절을 한 글자로 나타내는 글자).

****おんせん**【温泉】图①온천. ②온천장.

おんそ【音素】图【言】음소.

おんぞうし【御曹司・御曹子】-zōshi 图①公家%の, 아직 가독(家督) 상속을 받지 아니한 아들. ②명문의 자제〔장남〕.

おんそく【音速】图 음속.

おんぞん【温存】图 区他 온존. ①소중하게 보존함. ②(좋지 않은 것을) 고치지 않고 그대로 둠. ¶悪習╚が～する 악습을 온존하다.

おんたい【温帯】图【地】온대. ¶~地方涯% 온대 지방/~気候5% 온대 기후/~林% 온대림.

おんたく【恩沢】图 은택;은혜. ¶~を施%す 은택을 베풀다.

おんだん【温暖】图 图 온난. ─**ぜんせん**【──前線】图【氣】온난 전선.

おんち【音痴】图①음치. ②〈俗〉특정한 감각이 둔함. ¶方向猦~ 방향 감각이 둔함;또, 그 사람.

おんちゅう【御中】-chū 图 귀중(貴中) (우편물을 받을 단체·회사 등의 이름아래에 붙이는 말).

おんちょう【恩寵】-chō 图 은총. ¶神勢の～を受?ける 신의 은총을 받다.

おんちょう【音調】-chō 图①음조의 고저. ②시나 노래의 리듬(칠오조(七五調) 따위). ③음의 고저;악센트나 인토네이션.

おんてい【音程】图【樂】음정. ¶~が狂%う 음정이 틀리다.

おんてき【怨敵】图 원적;원한의 적. =かたき. ─**たいさん**【──退散】图원한 있는 적의 항복·퇴산 따위를 비는 말.

おんてん【音転】图【言】음전;음이 변화함;어떤 음이 다른 음으로 바뀜(え う(酔)→よう 따위).

おんてん【恩典】图 은전;혜택. ¶~に浴₃する 은전(혜택)을 입다.

おんてん【温点】图【生】(피부의) 온점. ↔冷点次₃.

おんど【音頭】图①여러 사람이 노래에 맞추어 춤을 춤;또, 그 곡잱ᄆ. ②선창;선도;앞장. ③아악(雅樂)에서 관악기를 불기 시작하는 사람. ─**を取₃る** 图 선도를 하다. ②선창을 하다;앞장을 서다. ─**とり**【──取り】图 채잡이;선창자;선도자.

****おんど**【温度】图 온도. ¶体感尜~ 체감 온도/絶対尜~ 절대 온도/~感

覚尜 온도 감각. ─**けい**【──計】图 온도계. =寒暖計尜% . ¶~ 물.

おんとう【温湯】-tō 图 온탕;따뜻한 물.

おんとう【穏当】-tō 图【ダナ】온당. ¶~を欠%く 온당치 못하다/~に事₃を取りさばく 온당하게 일을 처리하다.

おんどく【音読】图 区他 음독. ①소리내어 읽음. ↔黙読尜₃. ②한자를 자음 (字音)으로 읽음. ↔訓読½.

おんどり【おん鳥】【雄鳥】图 새의 수컷;특히, 수탉. 〔注意〕닭의 경우는 '雄鶏'로도 씀. ↔めんどり.

オンドル【温突】图 온돌. ¶~の部屋 온돌방. ▷온돌.

*****おんな**【女】图①여자. ¶~になる(a)(성숙한) 여자가 되다; (b)여자가 처녀성을 잃다/~が上%がる 더욱 더여자다워〔아름다워〕지다. ②애인;정부(情婦);첩. ¶~ができる 애인이 〔정부가〕생기다/~を囲╚う 첩을 두다. ③하녀;가정부. ¶~は愛怀\け~さん. ─**男½は三人½½寄%ればかしましい** 여자 셋이 모이면 새 접시를 뒤집어 놓는다(여자들이 모이면 말이 많고 시끄럽다는 말). ─**のくさったよう** 미적지근한 남자의 비유. ─**は氏½がなくして玉½の輿½** 천한 여자라도 예쁘면 시집을 잘 가서 덕을 탄다.

おんなぐせ【女癖】图 여자에게 지분거리는 버릇. ¶~が悪%い 여자에 대한버릇이 나쁘다.

おんなぐるい【女狂い】图 (남자가) 여자에 미침. ¶~をする 여자에 미치다.

おんなけ【女気】图 여자가 있음으로써 이루어지는 분위기;여자가 있는 기색. ↔男気╚₃.

おんなごころ【女心】图 여심;여자(다운) 마음. ¶~と秋%の空® 여자의 마음은 가을 하늘처럼 변하기 쉬움의 비유. ↔男心½½₃.

おんなこども【女こども・女子供】图여자나 어린아이;아녀자(경시하는 말씨). ¶~とばかにするな 아녀자라고 업신여기지 마라.

おんなざか【女坂】图 (신사나 절 경내의) 두 개의 비탈길 가운데 경사가 가파르지 않은 쪽. ↔男坂½½₃.

おんなざかり【女盛り】图여자로서 한창인 때. ↔男盛½₃りり.

おんなじ【同じ】連体〈口〉☞おなじ.

おんなずき【女好き】图①(남자가)여자를 바침;또, 그런 남자. ②여자가 좋아하는 형. ¶~のする타입의 여자들이 좋아하는 형. ↔男好寭₃き.

おんなだてらに【女だてらに】連語【副詞的으로】여자답지도 않게;여자주제에. ¶~大酒½₃を飲%む 여자 주제에 술을 많이 마시다.

おんなたらし【女たらし】【女誑し】图여자를 농락함;또, 그런 사람;난봉(꾼);탕아;색마.

おんなで【女手】图①여자의 힘;여자의 일손. ¶~一つ₃で育½てる 여자 손하나로 키우다. ②여자의 필적. ↔男手½½₃.

おんなでいり【女出入り】图 여자 관계의 말생거리.

おんなのこ【女の子】图①계집아이. ②젊은 여자;아가씨;처녀;소녀. ¶

会社ホャ;の～ 회사의 아가씨(여사원). ⇔男ホャ;の子ニ.

おんなばら【女腹】 图 여자애만 낳는 여자. ⇔男腹ホャ;ばら.

おんなぶり【女ぶり】【女振り】 图 여자 다운 (아름다운) 모습. ↔男ホェ;ぶり.

おんなへん【女偏】 图 한자 부수의 하나;제집녀 변(始ヒ;'妙ピョ;' 등의 '女'의 이름).

おんなむき【女向き】 图 여자가 쓰기에 적합함;또, 그 물건;여자용.

おんなもじ【女文字】 图①여자 글씨;여자의 필적. ②히라가나의 일컬음. ↔男文字ホェ;.

おんなもち【女持(ち)】 图 여자용. ¶～の時計ピい 여자용 시계. ↔男持ホェ;ち.

おんなもの【女物】 图 여자용품. ↔男物ホェ;.

おんなやく【女役】 图①여자가 연기하는 역. ②여자역을 하는 남자 배우. =女ホェ;がた・おやま.⇒男役ホェ;.

おんならしい【女らしい】 -shi 形 여자답다. ¶～物腰ホェ; 여자다운 태도〔말씨〕. ↔男ホェ;らしい.

おんねん【怨念】 图 원념;원한.

おんのじ【御の字】 图①특별한 것;극상품(極上品). ②(俗)(예상보다) 괜찮음;감지덕지함. ¶半日ホェ;で五千円ホェ;なら～ですよ 한나절에 5천 엔이라면 감지덕지죠.

おんぱ【音波】 图 음파. 「ド.

おんばん【音盤】 图 음반;레코

おんびき【音引(き)】 ombi- 图①(자전에서) 한자(漢字)를 그 음으로 찾음. ↔画引ホェ;き.

おんぴょうもじ【音標文字】 ompyō- 图①표음 문자. ②발음 부호.

おんびん【音便】 ombin 图 음이 연속될 때 발음하기 쉬운 다른 음으로 변하는 현상(특히, イ音便・ウ音便・促ホェ;音便・撥ホェ;音便을 일컬음).

おんびん【穏便】 ombin 夕ナ 온당하고 원만함;모나지 않음. ¶～な取ホ;り計ホェ;らい 모나지 않은 조처.

おんぶ【負んぶ】 ombu 图ス他 〈兒〉 어부바;업음. ¶赤ホェ;ん坊ポ;を～する 아기를 업다. ――だっこ 갈수록 양냥 〔업어주면 안아 달라다는 뜻〕.

おんぷ【音符】 ompu 图 음부. ①글자의 보조 기호〔탁음(濁音) 부호・반(半)탁음 부호・장음 부호 따위〕.②형성(形

声)에 의한 한자의 구성 부분으로 음을 나타내는 부분('河'에 있어서 '可'가 위). ③〔樂〕음표;장단・고저를 나타내는 기호. ¶四分ホェ;～ 4분 음표.

おんぷ【音譜】 ompu 图 음보;악보.

おんぷうだんぼう【温風暖房】 ompū dambō 图 온풍 난방.

おんぼう【隠亡・御亡・隠坊】 ombō 图〈卑〉화장터에서 시체의 화장을 직업으로 하는 사람.

おんぼろ ombo- 图〈俗〉몹시 낡아 있음;매우 남루함. ¶～バス 털터리한 버스. ¶～の着物ホェ;の 누더기 옷.

おんみ【御身】 ommi 一图 옥체;존체(尊體)('身ホ;'의 높임말). ¶～お大切ホェ;に 옥체 보중하시기를. 二图(雅) 당신. =あなた.

おんみつ【隠密】 ommi- 一夕ナ 은밀. ¶～の計画ポ;く 은밀한 계획. 二图(江戸ホェ;시대의) 밀정;간자.

オンモン【諺文】 ommun 图 ☞ おんもん. ▷한 언문.

おんめい【音名】 ommei 图〔樂〕음명. ↔階名ホェ;.

おんもん【諺文】 ommon 图 언문. ⇒ハングル. ▷한 언문.

おんやく【音訳】 图ス他 음역;한자음(漢字音)을 (때로는 훈(訓)을) 빌려서 외래어의 발음을 나타낸 것('倶楽部ホェ;(=클럽・구락부) 따위).

おんよう【温容】 on'yō 图 온용;온화한 얼굴 모습.

おんようどう【陰陽道】 -yōdō 图 음양도.

おんよみ【音読み】 图ス他 ☞ おんどく. ↔訓読ホェ;み.

オンライン 온라인. ▷on-line.

オンリー 온리. 다만. ¶～ワン 오직 하나. 二接尾 …뿐;…만. ¶勉強ホェ;～ (오로지) 공부만. ▷only.

おんりつ【音律】 图 음률. =いんりつ.

おんりょう【怨霊】 -ryō 图 원령;원한을 품고 죽은 사람의 넋. ¶～に取ホ;りつかれる 원령이 붙다.

おんりょう【音量】 -ryō 图 음량.

おんる【遠流】 图 원배(遠配);멀리 귀양 보냄. ↔近流ホェ;.

おんわ【温和】 图 온화. 二夕ナ (성질이) 온순하고 부드러움. ¶～な性質ホェ; 온화한 성질. 二图 (기후가) 따뜻하고 고름. ¶～な気候ホェ; 온화한 기후.

おんわ【穏和】 夕ナ 온화. ¶～な表現ホェ; 온화한 표현〔말씨〕.

か カ

①五十音図ホェ;ゥ 'か行'ゥ;'의 첫째 음. [ka]②字源;'加'의 초서체(かたかな 'カ'는 '加'의 왼쪽).

か【可】 图 가. ①좋음;또, 좋다고 평가함. ②가함. ¶分割ホェ;払ホェ;いも～ 분할불도 가함. ――もなく不可ホ;もなし 가 도 없고 불가도 없다(특히 좋은 것도 없고 나쁜 것도 없다;곧, 평범함).

*か【蚊】 图 모기(유충은 ぼうふら). ――の鳴ホ;くような声ホェ; 모기 소리만한 목소리(가냘픈 목소리). ――の涙ホェ; 새발

의 피(극히 적은 것의 비유).

か【香】 图 향기;냄새. =かおり. ¶磯ホ;の～ 바다 냄새.

*か【課】 图 과. ①관청・회사 등의 사무 조직상의 소구분. ¶会計ホェ;～ 회계과. ②교재의 작은 한 구분. ¶第一ホェ;～ 제 1과.

か【彼】 代①(雅) 저;저것;저이. =か

れ・あれ。②《何き》와 함께 써서 막연히 무엇을 가리키는 말. ¶何きや～や 이러니저러니.

か- 《形容詞에 씌워서》 어조(語調)를 고르게, 또 강하게 하는 말. ¶～弱い 연약하다.

-か 《순수 일본말로 된 数詞와 합쳐서 体言을 만듦》날수 및 날짜를 세는 말. ¶ふつ～かる 이틀 걸린다.

-か 【化】…화 ; …이 되다 ; …로 하다. ¶通俗化— 통속화.

-か 【荷】…짐 《짊어지는 물건의 수량》 ¶いね三～ 벼 석 짐.

-か 【家】…가. ¶政治き～ 정치가.

-か 【箇】…개. ¶六き～年きも 육개년.

-か 【処】《動詞連用形에 붙어서 体言을 만듦》 곳 ; 데. ¶ありか 있는 곳.

か 〓《終助》①《体言·連体形에 붙음. 단, 形容動詞型 活用에서는 어간에》의문·질문·반문·반어·힐난 및 영탄(詠嘆) 등을 나타내는 말. ¶これがなんだろう— 이것이 무엇일까《의문》/そんなことがありえよう— 그런 일이 있을 수 있을까《반어》/まだ分からないか— 아직 모른단 말인가《힐난》/彼きも死んだ— 그도 죽었는가《반문》②「う」「よう」나 否定에 붙여서》 권유·의뢰를 나타내는 말. ¶行ききましょう— 가실까요/あなたは行ききませんか— 당신은 안 가시럽니까/貸きしてくれませんか— 빌려 주시지 않겠습니까.③다짐하는 기분을 나타내는 말. ¶しっかりやれよいい— 잘 해라, 알았지.④남의 말이나 속담·노래의 문구 따위를 되새기면서, 그 뜻이나 사실을 혼자 확인하는 뜻을 나타내는 말. ¶もう十二時きゅう—、お暇きしよう 벌써 열두 시인가, 그만 가야지.

か 〓《副助》①《흔히 疑問의 말에 붙여서》특정한 사물에 한정할 수 없음을 나타내는 말. ¶何年きか前きの出来事き 몇 핸가 전의 일.②불확실한 추측(推定)을 나타내는 말. ¶気きのせいか— 기분 탓인지.③열거하는 중에서, 어느 하나를 선택하는 뜻을 나타내는 말. ¶生き—死き— 삶이冷 죽음이나.④《'どころ''ばかり'와 결합해》뿐더러 ; 커녕.¶ほめるどころか 칭찬은 커녕.⑤「…とすぐ(=…하자 곧)'의 뜻을 나타내는 말. ¶試合きが始きまると言きわらないうちに雨きが降きりだした 시합이 시작되자마자 비가 내리기 시작했다.

が 【我】 图 자기 생각이나 주장 ; 자기 본위의 생각 ; 아집. —が強きい 고집이 세다. —を折きる 아집을 꺾다. —を通きす 자기 주장을 우겨나가다. —を張きる 고집부리다.

*が 【蛾】图【蟲】 나방.

が 〓《格助》①주어를 나타내는 말 : …이 ; …가. ¶雨き—降きる 비가 온다 / 本きに—有きる 책이 있다. 参考 文語에서는 종속구(從屬句) 가운데의 주격에 한함. 口語에서, 体言을 받아위 를 생략하고 강력하게 잘라 말하면 힐문(詰問)·경멸의 뜻이 됨. ¶大きばか者き—바보 같은 놈이. ②욕망·가능·호불호(好不好)·교졸(巧拙) 등의 대상을 나타내는 말 : 이 ; 가 ; 을 ; 를. ¶本き—欲きしい本을 갖고 싶다 / 君き

~好ききだ 네가 좋다 ; 너를 좋아하고 싶다. ③《水き~のみたい 물을 마시고 싶다. ③《文語적·慣用的》 소유·소속·소재·관계·원인·분량·정도 등을 나타내는 말 : 의. ¶わ～国き 우리 나라. 参考 사람이나 人称代名詞 아래에 붙을 때는, 'の(=의)'와는 달리 친근감 또는 경멸의 뜻을 나타냄. ④名詞를 겹쳐 사이에 넣어서》 뜻을 강조하는 말. ¶みな~みんな 모두가 다. ⑤《아래의 'でも'와 호응(呼應)하여》 ¶五~十きでも 五가. ⑥「ごとし'まにまに'나 形式名詞에 연결되어, 그 수식격(修飾格)을 나타내는 말. ¶飛きぶ~ごとく走きる 나는 듯이 달린다.

が 〓《接助》《終止形에 붙어》①그 앞뒤의 글을 접속시키는 말《역접(逆接)·순접(順接)》두루 쓰임. ¶食きべてみたった~、体きが弱きい《공부는》잘하지만 몸이 약하다.②《위의 용법의 'が' 다음을 표현하지 않고 끊어서》상대방의 반응. 반대, 또는 감동, 희망을 나타내는 말. ¶あしたも晴きれてくれるといい~ 내일도 날이 개어 주었으면 좋으련만. ③「う」うよう」や「ま‐い」의 형으로》그어느 쪽이라도 좋다는 뜻.¶行きこう~行きくまいか~かまわない 가든 안 가든 상관없다.

が 〓《終助》하지만. ¶顔きは美きっしい~、心きは曲きっている 얼굴은 곱다. 그런데 마음이 비뚤어졌다.

カー 图 카 ; (자동)차. ¶マイ～ 마이카 ; 자가용차 / レンタ～ 렌터카. ▷car.

かあかあ kāka 까옥까옥. 〓副 까마귀 우는 소리. 〓图《兒》까마귀.

カーキいろ【カーキ色】 카키색 ; 다 갈색. ▷khaki.

かあさん【母さん】kā— 图「お母きさん(=어머니)'의 막된 말씨 ; 엄마. 参考 자기 아내를 가리킬 때에도 쓰임. ¶父きさん.

ガーゼ 图 가제. ▷도 Gaze. 「ter.

ガーター 图 가터 ; 양말 대님. ▷gar-

ガーター 图 기사(騎士)에게 주는 영국의 최고 훈장. ▷Garter.

かあちゃん【母ちゃん】kāchan《俗·兒》엄마. ▷까마귀.

-かぎょう【…ヶ業】【農業】-nōgyō《俗》주부(主婦) 농업 ; 여자가 중심이 되어 하는 농사.

かあつ【加圧】图 图压 가압.

*カーテン 图 커튼 ; 휘장 ; 장막. ¶鉄きの～ 철의 장막 / ～を引きく《おろす》 커튼을 치다《내리다》 ▷curtain.

ガーデン 图 가든 ; 뜰 ; 정원. ▷garden.

*カード 图 카드. ①명함 모양으로 자른 두꺼운 종이 쪽지 ; 전표(傳票). ¶～箱き~ 카드 상자. ②트럼프. ¶~遊きび 카드놀이. ③《야구 따위 경기의》 대전 편성. ▷card. —パンチ 图 카드 펀치 ; 카드 천공기. —card punch.

*ガード 图 가드. ①호위 ; 수위. ¶ボディ～ 보디 가드. ②《농구 등의》 후위(後衛). ③《권투에서》 방어. ▷guard.

ガードル 图 거들 ; 양말 대님이 붙은 짧은 코르셋. ▷girdle.

カーニバル 图 カニバル；祝祭日；謝肉祭。▷carnival.

カーネーション -shon 图【植】カーネーション。▷carnation.

カーバイド 图【化】①カーバイド；炭化カルシウム。②炭化物の総称。▷carbide.

カーブ カーブ。㊀图⑴曲線。㊁ヌ自⑴（道・線路など）曲がる；曲がった所。⑵（野球・卓球など）曲球(曲球)；また、曲がった球。▷curve.

カーペット -petto 图 カーペット；敷物；じゅうたん。▷carpet.

ガーベラ 图【植】ガーベラ。▷gerbera.

カーボン 图 カボン。⑴【化】炭素(炭素)。②炭酸紙；複写紙。＝カーボンペーパー。⑵電気用炭素棒(棒)。▷carbon.

カール 图 カール。髪を巻き曲がるようにして巻くこと；また、その巻いた髪。▷curl.

ガール 图 少女；処女；特に、ある職業に従事している若い女子。¶エレベーター〜 エレベーター ガール／バス〜 バス ガール。▷girl. ¶〜 スカウト 图 ガール スカウト；少女団(員)。▷Girl Scouts. ¶〜 フレンド 图 ガール フレンド。↔ボーイフレンド。▷girl friend.

かい【回】图 回；回数。¶〜をかさねる 回を重ねる。

かい【快】图 気分が良いこと；愉快なこと。¶〜をむさぼる 快楽を貪る。

かい【怪】图 奇怪なこと；怪しいこと。¶深夜(深夜)の〜 深夜の怪異。

かい【櫂】图 櫂。＝オール。

かい 图 ⑴貝。⑵貝がら。⑶貝殻。＝ほらがい。④貝の身。＝あおがい。¶〜をのむ ひそめるさまをいう。——を吹く 大ボラを吹く。

かい【効・甲斐】图 効果；効き目。¶苦心(苦心)した〜がない 努力のしがいがない。

かい【階】图 ⑴（建物の）階。＝フロア。㊁图…階；建物の階層などを数える語。¶五(五)〜 5階。

かい【隗】¶〜より始めよ 「隗より始めよ」の意で、物事は言い出した者から始めよという意。

かい【戒】图 戒；戒律。¶〜を破る 戒を破る。

かい【会】图 ①集まり。¶お祝い(祝い)の〜 祝賀会。②団体。

かい【解】图 解；解答。¶〜を求(求)めよ 解答を求めよ。

かい【下位】图 下位；低い方。¶〜打者(打者)下位打者。↔上位(上位)。

かい【下意】图 下の意。¶〜上達(上達)下意上達。↔上意(上意)。

かい【掻】¶〜撫(撫)で 掻き撫で。

-かい【海】…海。¶南極(南極)〜 南極海。

-かい【界】…界；社会。¶映画(映画)〜 映画界。

かい【終助】①軽く疑問したり確認したりする気持ちを表す語。¶見た(見た)〜 見たか。②反語を表す語。¶そんなことがある〜 そんなことがあるものか。

がい【害】图 害。¶〜を与(与)える 害を与える。

がい【概】图 気概(気概)。

がい【我意】图 自分の意志を曲げないこと；我意。＝我が。¶あくまで〜を通す 最後まで自分の意見を押し通す。

-がい【画意】图 画の意；絵の意味。

-がい【外】…外；外。¶領域(領域)〜 領域外(外)。

-がい【街】…街。¶住宅(住宅)〜 住宅街。

かいあく【改悪】图 ヌ他 改悪。↔改善(改善)。

がいあく【害悪】图 害悪；害；悪いこと。¶〜を及(及)ぼす 害悪を及ぼす。

かいあげ【買(買)い上(上)げ】图 買い上げ。¶〜米(米) 政府（買収）米。↔お客様が物を買う行為に対する尊敬語。

かいあ-げる【買(買)い上(上)げる】㊦①㊀他①買い上げる；政府が民間から買い求める。②お客様が買うのを売る方に高めて言う語。

かいあさ-る【買(買)いあさる】⑤他 ここかしこで（買い）探し回り（買）い集める。

かいあつ【外圧】图 外圧；外部圧力。

かいい【介意】图 ヌ他 介意。¶すこしも〜しない 少しも介意しない。

かいい【怪異】㊀图 怪異；怪異なこと。㊁图 怪異な事件(事件)怪異な事件。㊂图 妖怪(妖怪)；鬼火。

かいい【会意】图 会意；六書(六書)の一つ。二個以上の漢字を意味などで結合して新しい一字を作って意を表す漢字の構成法（「日」と「月」を合わせて「明」とする類）。

がいい【害意】图 害意；害する心。

かいいき【海域】图 海域。¶カリブ〜 カリブ海域。

かいいぬ【飼(飼)い犬(犬)】图 家に飼って飼う犬。↔のらいぬ。——に手(手)をかまれる 面倒を見た人から逆に害をこうむる。

かいい-れる【買(買)い入(入)れる】㊦①㊀他 買い入れる；仕入れる（消費者の立場では使わない）。

かいいん【改印】图 ヌ自 改印。¶〜届 改印届。

かいいん【会員】图 会員。

かいいん【海員】图 海員；（船長以外の）船員。

かいいん【開院】图 ヌ自他 開院。①医会が開かれる。②病院・議会などを開業する；また、その日の業務を開始する。↔閉院(閉院)。

がいいん【外因】图 外因；外部から生ずる原因。↔内因(内因)。

かいう-ける【買(買)い受(受)ける】㊦①㊀他 買い受ける；値を払って物を入手する。↔売り渡す。

かいうん【海運】图 海運。↔陸運(陸運)。

かいうん【開運】图 開運；運が向くこと。¶〜のお守り(守り) 運を開くようにするお守り。

かいかく【改易】图 江戸(江戸)時代武士に科した刑（身分を平民に下ろし家禄(家禄)・邸宅を没収する）。

かいえん【開演】图 ヌ自他 開演；演劇・演奏・演説などを始める。↔終演(終演)。

かいえん【開園】图 ヌ自他 開園；動物園・植物園・幼稚園などを開く；また、その日の業務を開始する。↔閉園(閉園)。

かいえん【海淵】图【地】海淵；海溝(海溝)の中で特に深い所。

がいえん【外延】图【論】外延。↔内包(内包)。

がいえん【外苑】图 外苑；宮殿・神宮(神宮)の広々とした外の庭園。↔内苑(内苑)。

かいおうせい【海王星】-ōsei 图〔天〕해왕성.

かいおき【買(い)置き】图 ㋜他 사서 비치함; 또, 그 비치한 물건.=ストック.

かいおけ【飼いおけ】〔飼い桶〕图 구유.

かいおん【怪音】图 괴음; 괴상한 소리.

かいか【怪火】图 괴화. ①원인 모를 불이나 화재.②이상한 불;도깨비불.

かいか【開化】图 ㋜自 개화. ¶文明ホミ～ 문명 개화.

かいか【開花】图 ㋜自 개화. ①꽃이 핌. ¶～期 개화기. ②성과로서 나타남; 결실함. ¶努力ワメ、ツ～이 결실을 보다(성과가 나타나다).

かいか【階下】图 아래층.

かいが【絵画】图 회화;그림.絵.¶～的 회화적.

かいが【凱歌】图 개가. ──をあげる〔奏×する〕개가를 올리다;승리하다.

かいがい【外貨】图 외화.①외국의 화폐.──獲得ホミ゙ 외화 획득.¶～邦貨゙ハ ②수입품.¶～の排斥ホミ 외화 배척.

かいがい【海外】图 외화.=邦画ホミ.

ガイガーけいすうかん【ガイガー計数管】-sūkan〔ガイガー計数器〕ガイガーミューラー計数管バハハ.▷도 Geiger.

*__かいかい__【開会】图 ㋜自他 개회.¶～式ホ 개회식.↔閉会.

*__がいかい__【海外】图 해외.──旅行バキ 해외 여행.¶国内ハ・海内ボハ.

がいかい【外海】图 외해.=そとうみ.↔内海バハ.

がいかい【外界】图 외계.¶～の温度ホ 외계의 온도.↔内界バハ.

かいがいしい【甲斐甲斐しい】-shī 形 ①바지런하다;몸을 아끼지 않고 충실하다.¶～働バハキ 바지런한 활동.②생동감이 있다;활발하다.¶～いでたち 발랄한 옷차림.

かいかく【介殻】图 개각;조가비.=貝殻ボハ.

*__かいかく__【改革】图 ㋜他 개혁.

かいかく【外角】图 외각.¶〔数〕다각형의 한 변과 그 이웃 변의 연장이 이루는 각.¶〔野〕홈플레이트의 중심에서 타자에게 먼 쪽(의 귀퉁이).=アウトコーナー.↔内角バハ.

がいかく【外郭〔外廓〕】图 외곽.¶～団体バハ 외곽 단체.

がいかく【外殻】图 외각;걸껍데기.

かいかけ【買(い)掛け】图 외상 매입(買入);또, 그 대금.↔売掛バハけ.

かいかた【買い方】图 ①사는 편.=買バハ手ハ.②사는 방법·태도.

*__かいかつ__【快活】图 ㋜㋤ハ 쾌활.

かいかつ【開豁】图 ㋤ハ 개활.①도랑이 넓고 활달한 모양.②눈앞이(시야가) 활짝 트인 모양.

がいかつ【概括】图 ㋜他 개괄.¶～的ホ 개괄적.

かいかぶ‐る【買いかぶる】〔買被る〕5他 ①(실질 이상으로) 평가(신용)하다.¶人柄ボハを──사람됨을 너무 믿다.②실제보다 비싼 값으로 사다.

かいがら【貝殻】图 패각;조가비.──むし〔──虫〕〔蟲〕패각충;개각충(介殻ボハ).

かいかん【快感】图 쾌감.

かいかん【怪漢】图 괴한.

かいかん【会館】图 회관.¶市民ボハ～ 시민 회관.

かいかん【開館】图 ㋜自 개관.↔閉館ボハ.

*__かいがん__【海岸】图 해안.──せん【──線】图 해안선;또, 해안 철도 선로.

かいがん【開眼】图 ㋜自 개안;눈을 뜨게 함.=ー手術ボバハ 개안 수술.

がいかん【外患】图 외환.¶内憂バハ～내우 외환.

がいかん【外観】图 외관.=外見ボハ.¶～は立派゙バハ 그 외관은 훌륭하다.

がいかん【概観】图 ㋜他 개관.=概括バハ.

かいき【買い気】图 매기;살 생각.¶～がない 매기가 없다.↔売ハリ気ホ.

かいき【回帰】图 ㋜自 회귀;일주하여 돌아옴.──せん【──線】图 회귀선.¶南ホゥ～ 남회귀선.──ねつ【──熱】图 회귀열.=再帰熱ボバハ.

かいき【快気】图 ㋜自 ①상쾌한 기분.②쾌차(快差).¶～祝バハ 쾌유 축하.

かいき【怪奇】图 괴기.=グロテスク.¶～小説゙バハ 괴기 소설.

かいき【会期】图 회기.¶～を延長ボバハする 회기를 연장하다.

かいき【会規】图 회규.=会則バハ.

かいき【海気】图 해기;해변의 공기.

かいき【皆既】图 개기.¶～食バハ(＝개기식)의 준말.¶～月食ババハ 개기 월식／～日食ババハ 개기 일식.

かいき【開基】图 ㋜自他 개기.①일·사업 등을 시작함.②특히, 사원(寺院)의 창립;또, 그 시작한 승(僧).=開山ボバハ.

-__かいき__【回忌】〔年回忌ボバハ〕(＝주기(周忌))의 준말;죽은 뒤 해마다 돌아오는 기일(忌日)(반드시 한(漢)숫자 밑에 쓰임).

*__かいぎ__【会議】图 회의.㊀㋜自 모여서 의논함;그 모임.¶編集ボバハ～ 편집 회의.㊁ 평의(評議)하는 기관.¶日本学術ババハ～ 일본 학술 회의.

かいぎ【海技】图 해기;해원(海員)으로서 필요한 기술.¶～免状ババハ 해원 면장.

かいぎ【懐疑】图 ㋜自他 회의.¶～の念ハ 회의의 염／～的ホ 회의적.──ろん【──論】图〔哲〕회의론.

がいき【外気】图 외기;바깥 공기.¶～に触れ゙ハる 바깥 공기를 쐬다.

かいぎゃく【諧謔】-gyaku 图 해학;익살.=ユーモア.¶～小説゙バハ 해학 소설／～をもてあそぶ 해학을 농하다.

がいきゃく【外客】-kyaku 图 ①외국 손님(관광객).②외국인 바이어.

かいきゅう【懐旧】-kyū 图 회구;회고.¶～談ハ 회고담.

*__かいきゅう__【階級】-kyū 图 계급.¶～章ハゥ 계급장／知識ハゥ～ 지식 계급／～制度ババハ 계급 제도.──とうそう【──闘争】-tōsō 图 계급 투쟁.

かいきょ【快挙】-kyo 图 쾌거.¶宇宙ハゥ征服ハゥ゙バハ～ 우주 정복의 쾌거.

かいきょ【開渠】-kyo 图 개거(위를 덮지 않은 수로(水路)나 도랑).↔暗渠ハゥ゙ハ.

かいきょう【回教】-kyō 图〔宗〕회교.=イスラム教.

かいきょう【懐郷】-kyō 图 회향.¶

～病びょう 회향병.
かいきょう【海峡】-kyō 名 해협.
*かいぎょう**【開業】-gyō 名 개업. ─名 ス他 사업을 새로 시작함. ＝開店てん. ¶～費ひ 개업비. ─名 ス自 영업하고 있음. ─中ちゅう 개업 중. ＝閉業へいぎょう.
　──い 【──医】名 개업의.
かいぎょう【改行】-gyō 名 ス自 원고나 인쇄에서 행(行)을 바꿈.
がいきょう【概況】-kyō 名 개황; 대강의 상황. 「天気てんきの～ 일기 개황.
かいきょく【開局】-kyoku 名 ス自他 개국.
がいきょく【外局】-kyoku 名 외국(중앙 관청에 직속하면서도 독립 관청 같은 성격을 면 기관). ↔内局ないきょく.
かいき-る【買い切る】⑤他 ①몽땅 사버리다; 특히, 입장권 따위를 매점(買占)하다; 전세 내다. ¶バスを～ 버스를 전세 내다. ②매절(買切)하다.
かいきん【解禁】名 ス他 해금.
かいきん【皆勤】名 ス自 개근. 「ん.
がいきん【外勤】名 ス自 외근. ↔内勤ないき
かいきんシャツ【開襟シャツ】【開衿シャツ】名 개금 셔츠; 노타이 셔츠. ＝オープンシャツ. ↔shirt.
かいく【化育】名 ス他 화육; 천지 자연이 만물을 만들어 기름.
がいく【街区】名 가구; 번지를 정리하기 위하여 작게 나눈 시가지의 구획.
がいく【街衢】名 가구; 거리. ＝ちまた.まち. 「질.
かいぐい【買い食い】名 ス他 군것
かいくぐ-る『掻い潜る』⑤他 재빨리 빠져 나가다. ¶警察けいさつの目めを～ 경찰의 눈을 살쩍 빠져나가다.
かいぐさ【飼い草】名 꼴. ＝かいば.
かいぐすり【買い薬】名 매약(賣藥)을 사서 씀; 또, 그 약. ¶～で直なおした매약으로 고쳤다.
かいく-る【掻い繰る】⑤他 (고삐 따위를) 양손으로 번갈아 잡아 당기다.
かいくん【回訓】名 ス自 회훈; (본국 정부로부터의) 회답 훈령. ↔請訓せいくん.
*かいぐん**【海軍】名 해군. ↔陸軍りくぐん.空軍くうぐん. ──しょう 【──省】-shō 名 해군성. 「기.
がいけい【塊茎】名【植】괴경; 덩이줄기.
＊**かいけい**【会計】名 ス他 회계. ¶特別べつな── 특별 회계／お～〈俗〉계산.여관 따위에서의) 대금 지불; 셈.
　──ねんど 【──年度】名 회계 연도.
がいけい【外形】名 외형. ↔内容ないよう.
かいけいのはじ【会稽の恥】連語 회계지치; 뼈에 사무쳐 잊을 수 없는 치욕.
　──をそそぐ〔すすぐ〕 뼈에 사무친 치욕을 씻다.
かいけつ【怪傑】名 괴걸. 뛰어난 호걸.
＊**かいけつ**【解決】名 ス自他 해결. ¶～策さく 해결책.
かいけつびょう【壊血病】-byō 名【醫】괴혈병.
かいけん【改憲】名 ス自 개헌.
かいけん【懐剣】名 비수(匕首); 단도(주로, 여성 호신용). ＝ふところがたな.
かいけん【会見】名 ス自 회견.
がいけん【改元】名 ス他 개원; 연호(年號)를 고침.
かいげん【開眼】名 ス自 개안. ①〔佛〕불도의 진리를 깨달음; 전하여, 일반적

으로 예도(藝道)의 높은 경지를 알게 됨. ②불상.불화가 완성되어 처음으로 하는 공양. ──くよう 【──供養】-yō 名 かいげん(開眼)②.
がいけん【外見】名 외견; 외관; 걸보기. ＝外観がいかん.
かいげんれい【戒厳令】名 계엄령.
かいこ【蚕】名 누에. ＝こ.おこ.
かいこ【回顧】名 ス他 회고; 회상.
かいこ【懐古】名 ス自 회고; 구구(懷舊). ¶～趣味しゅみ 회고 취미／王朝ちょう時代じだいを～する 왕조 시대를 회고하다. 参考 回顧かいこ와는 달리, 자기와는 무관함.
かいこ【解雇】名 ス他 해고. ↔雇用こよう.
かいご【介護】名 ス他 개호; 간호('介添えぞえ看護かんご'의 준말).
かいご【悔悟】名 ス自他 회오; 뉘우침. ¶～の情じょう著いちじるしい 회오의 정이 뚜렷하다.
かいご【改悟】名 ス自他 개오. ＝改悛かいしゅん.
がいご【外語】名 〔略〕①외어; 외국어. ②'外国語学校がいこくごがっこう(＝外国語 学교)'의 준말.
かいこう【回航】【廻航】-kō 名 회항. 一名 ス他 배를 어느 항구로 항해시킴. 二名 ス自 순항(巡航); 여기저기 항해함.
かいこう【改稿】-kō 名 ス自他 개고; 원고를 고침.
かいこう【開港】-kō 名 ス自他 개항. ──じょう 【──場】-jō 名 개항장; 개항된 항구.
かいこう【海港】-kō 名 해항; 바다에 면한 항구. ↔河港かこう.
かいこう【海溝】-kō 名 해구.
かいこう【邂逅】-kō 名 ス自 해후. ＝めぐりあい.
かいこう【開口】-kō 名 개구; 입을 벌림; 말함; 또, 말이나 문장의 첫머리; 모두(冒頭). ¶～一番いちばん 입을 열자마자; 개구(開口) 벽두에.
かいこう【開講】名 ス自他 개강. ¶～式しき 개강식. ↔閉講へいこう.
かいこう【開校】-kō 名 ス自 개교. ↔閉校へいこう. 「集会しゅうごう.
*かいごう**【会合】-gō 名 ス自 회합. ＝
かいごう【改号】-gō 名 ス自他 개호; 칭호를 고침; 또, 고친 칭호.
＊**がいこう**【外交】-kō 名 외교. ¶～家か 외교가／～官かん 외교관／保険ほけんの～員いん 보험 외교원. ──じれい 【──辞令】外交辞令; 외교상 듣기 좋게 말하는 언사; 전(轉)하여, 빈말; 걸치레 말. ＝おせじ.
がいこう【外寇】-kō 名 외구.
がいこう【外港】-kō 名 외항. ¶～のない首都とに 외항이 없는 수도. ↔内港ないこう.
がいこう【外向】-kō 名 외향. ¶～性せい 외향성／～的てき 외향적. ↔内向ないこう.
がいこう【外合】-gō 名〔天〕외합. ↔内合ないごう.
かいこが【蚕が】【蚕蛾】名 누에나방.
がいこきゅう【外呼吸】-kyū 名〔生〕외호흡. ↔内呼吸ないこきゅう.
かいこく【回国】【廻国】名 ス自他 회국; 여러 나라를〔지방을〕 돌아다님. ¶～巡礼じゅんれい 여러 지방을〔나라를〕 순례(巡禮)하는

일[사람].

かいこく【戒告】【誡告】图地 계고. ①경고함. ②[法]공무원에 대한 징계 처분의 하나 ; 견책. ③행정법상의 의무 이행을 독촉하는 통지.　国法.

かいこく【海国】图 해국 ; 해양국. ＝島国.

かいこく【開国】图自 개국. ①외국과 교제·통상을 시작함. ↔鎖国. ②건국.

‡**がいこく**【外国】图 외국. ↔内国. ──かわせ【一為替】图 외국환(換) ; 외환. ──ご【一語】图 외국어. ──さい【一債】图 외국채. ＝外債. ──じん【一人】图 외국인.

がいこつ【骸骨】图 해골. ──を請う 대신(大臣)이 임금에게 사직(辞職)을 원하다 ; 걸해(乞骸)하다.

かいことば【買いことば】【買い言葉】图 응수하는 욕설. ¶売りことばに──오는 말에 가는 말.

かいこ-む【買い込む】⑤地 사들이다. ¶値上がりを見越して──값이 오를 것을 내다보고 사들이다.

かいこ-む【かい込む】【掻い込む】⑤地 ①퍼넣다. ¶水をを──물을 퍼넣다. ②겨드랑이에 끼다. ¶槍をを──창을 겨드랑이에 끼다.

かいごろし【飼い殺し】图图地 ①쓸모없게 된 가축이지만 죽을 때까지 길러 줌. ②쓸모없는 사람을 해고하지 않고 평생 고용해 둠. ③본인의 재능을 충분히 발휘할 기회를 주지 않고 고용해 둠.　［리.

かいこん【塊根】图[植] 괴근 ; 덩이뿌리.

かいこん【悔恨】图图自 회한. ¶──の情 회한의 정.

かいこん【開墾】图地 개간.

かいさい【快哉】图 쾌재. ¶──を叫ぶ 쾌재를 부르다.　「開催지.

‡**かいさい**【開催】图地 개최. ¶──中

‡**かいざい**【介在】图自 개재. ¶困難が──する 곤란이 개재하다.

がいさい【外債】图[経] 외채 ; 외국채. ＝外国債. ↔内債.

がいざい【外在】图自 외재. ¶──的な基準 외재적 기준. ↔内在.

かいさく【改作】图地 개작.

かいさく【開削】【開鑿】图地 개착.　注意'開削'로 씀은 대용 한자.

かいさ-える【買い支える】下1地 (매물이 많아 시세가 떨어질 때) 매입을 촉진하여 급격한 시세 변동을 막다.

‡**かいさつ**【改札】图自地 개찰. ¶──口 개찰구.

かいさつ【開札】图自 개찰 ; 입찰(入札)·투표의 결과를 조사함.

かいさん【海産】图 해산. ¶──物 해산물. ↔陸産.

‡**かいさん**【解散】图自地 해산. ¶国会をを──국회 해산／会社のの──회사의 해산／六時にに──6시 해산.

かいさん【開山】图自 개산. ①사원·종파(宗派)를 처음으로 창립함 ; 또, 그 창시자 ; 개조(開祖). ＝開基. ②일반적으로, 사물의 창시자 ; 권위자 ; 제일인자.

がいさん【概算】图图地 개산 ; 어림 (셈). ↔精算.　「괴이한 죽음.

かいし【怪死】图自 괴사 ; 원인 모를

かいし【懐紙】图 ①접어서 품에 지니는 종이(과자를 나눌 때나 술잔을 씻을 때 씀). ＝ふところがみ. ②和歌·連歌 등을 정식으로 쓸 때 쓰는 종이.

‡**かいし**【開始】图图地 개시. ↔終了.　「근래의 역사.

かいし【快事】图 쾌사. ¶近来の

がいし【外史】图 외사 ; 정사(正史) 이외의 역사 ; 야사(野史).

がいし【外紙】图 외지 ; 외국의 신문. ¶──の報道 외지의 보도.

がいし【外資】图 외자. ¶──導入 외자 도입.

がいし【がい子】【碍子】图[電] 애자.　「똥딴지.

がいじ【外耳】图[生] 외이. ↔内耳.

かいしき【皆色·皆式】副 모두 ; 몽땅. ＝みな·すべて.

かいしき【開式】图 개식 ; 의식(儀式)을 시작함. ¶──の辞 개회사. ↔閉式.

がいじ【外字紙】图 (국내 발행의) 외자지 ; 외국어 신문.

がいして【概して】副 대체로 ; 일반적으로. ＝大体に. ¶──良好だ 대체로 양호하다.

かいしめ【買い占め】图 매점.

かいし-める【買い占める】下1地 매점하다.

‡**かいしゃ**【会社】-sha 图 회사. ¶──員 회사원／~設立 회사 설립.

かいしゃ【膾炙】-sha 图图自 회자. ¶人口にに──する 구설수에 오르다.

がいしゃ【外車】图 외국산 자동차 ; 외제차. ＝国産車.

かいしゃく【介錯】-shaku 图图他 ①시중을 듦 ; 또, 그 사람. ②할복(割腹)하는 사람의 목을 침 ; 또, 그 사람.

‡**かいしゃく**【解釈】图图地 해석. ¶変わった──だ 색다른 해석이다.

かいしゅ【魁首】-shu 图 괴수.　「다.

がいしゅ【外需】-ju 图 외수 ; 외국으로부터의 수요(需要). ↔内需.

かいしゅう【会衆】-shū 图 회중 ; 회합에 모인 사람들.

かいしゅう【回収】-shū 图地 회수. ¶資本のの──자본의 회수／廃品をを──폐품 수집／宇宙船のの──우주선의 회수.

かいしゅう【改修】-shū 图地 개수 ; 수리. ¶──工事 개수 공사.

かいしゅう【改宗】-shū 图地 개종.

かいじゅう【怪獣】-jū 图 괴수.

かいじゅう【懐柔】-jū 图地 회유. ¶──策 회유책.　「해.

かいじゅう【晦渋】-jū 图图 회삽 ; 난

がいしゅういっしょく【鎧袖一触】-shū isshoku 图地 개수 일촉 ; 쉽게 상대를 물리침.

がいじゅうないごう【外柔内剛】-jūnaigō 图 외유 내강.

‡**がいしゅつ**【外出】gaishu- 图自地 외출. ¶──着 외출복／──先 외출한 곳.

がいしゅっけつ【外出血】-shukketsu 图 외출혈. ↔内出血.

かいしゅん【回春】-shun 图 회춘. ¶──の喜び 회춘의 기쁨.

かいしゅん【改悛·悔悛】-shun 图自地

개전.=改心ぷ. ¶~の情じゃが著ぷしるし
い 개전의 정이 현저하다.
かいしょ【会所】-sho 图 ①회소；집회
소. ¶碁ﾞ~ 기원(棋院). ②江戸ﾞ시
대의 상업 거래소；또, 동네의 공무 담
당자의 집회소.
かいしょ【楷書】-sho 图 해서. =真書
しん. ↔行書ﾞ；草書しょ.
かいじょ【解除】-jo 图自他 해제. ¶
警報ﾞ~ 경보 해제／~条件ﾞﾞ 해제
조건／武装ﾞﾞ~ 무장 해제. 「도서.
がいしょ【外書】-sho 图 외서；외국
かいしょう【甲斐性】(がひ性) 图
주변머리；두름성；변변함. ──なし
【─無し】图 무기력함；또, 그런 사
람. =意気地じくﾞなし.
かいしょう【回章】(廻章)-shō 图〈老〉
회장. ①회람 문서. =回状じょ. ②도ﾞ
장. 「승. ↔辛勝しょ.
かいしょう【快勝】-shō 图图 쾌승.
かいしょう【改称】-shō 图图他 개칭.
かいしょう【会商】-shō 图图他 회
상；외교 교섭；회담. ¶日英にﾞﾞ~ 영일
회담.
かいしょう【海嘯】-jo 图〔地〕해소.
かいしょう【海相】-shō 图 해상(海軍
大臣だいぷﾞﾞ(=해군 대신)의 준말).
かいしょう【解消】-shō 图图自他 해
소. ¶発展的はてんﾞﾞ~ 발전적 해소.
かいじょう【回状】(廻状)-jō 图 ☞か
いしょう(回章).
*かいじょう**【海上】-jō 图 해상. ──ほ
けん【─保険】图 해상 보험. 「리진 모양.
かいじょう【塊状】-jō 图 괴상；덩어
かいじょう【階上】-jō 图 계상；계단
위；2층 이상의 위；위층. ↔階下じﾞ.
*かいじょう**【会場】-jō 图 회장. ──げ
いじゅつ【──芸術】-jutsu 图 회장 예
술(전람회 출품을 목적으로 하는 예술
작품).
かいじょう【開場】-jō 图图自他 개장.
¶六時にﾞﾞﾞﾞ~、七時にﾞﾞﾞﾞ開演にﾞﾞﾞ 6시 개장,
7시 상연 개시. ↔閉場へﾞﾞ.
かいじょう【開城】-jō 图图他 개성；항
복하고 성을 적에게 내어줌.
がいしょう【外傷】-shō 图 외상.=内
傷なﾞﾞ.
がいしょう【外商】图 외상.②
외국 상인·상사. ②(백화점 따위에서)
직접 가게로 오지 않는 손님에게 물건
을 파는 일. 「장관.
がいしょう【外相】-shō 图 외무
がいしょう【街娼】-shō 图 가창；거리
의 창녀. 「店商).
がいしょう【街商】-shō 图 노점상(露
がいじょう【街上】-jō 图 가상；길거
리；길 바닥.
かいしょく【会食】-shoku 图图自 회식.
かいしょく【海食】(海蝕)-shoku 图图
해식. ¶~洞どﾞ 해식동.
かいしょく【解職】-shoku 图图他 해직.
=免職めﾞﾞ.
がいしょく【外食】-shoku 图图自 외식.
かいしん【回診】图图自他 회진.
かいしん【戒心】图图自 계심；조심；
경계함. =用心じﾞﾞ.
かいしん【戒慎】图图自 계신；반성하
여 삼감. ¶~の要を有りﾞﾞ 반성하여 삼

갈 필요가 있음.
かいしん【会心】图 회심；마음에 듬
〔맞음〕. ──の笑えみ 회심의 미소.
かいしん【改心】图图自 개심.
かいしん【改新】图图自他 개신；경신
(更新)；혁신(革新). ¶制度どﾞを~す
る 제도를 개신하다.
かいじん【灰燼】图自 ──に帰きす
①흔적도 없이 다 타버리다. ②이제까
지의 고생이 아주 헛일이 되다.
かいじん【怪人】图 괴인.
かいじん【海神】图 해신；바다의 신.
=わたつみ.
がいしん【書心】图 해심. =害毒がﾞﾞ.
¶~をいだく 해할 마음을 품다.
がいしん【外心】图 외심. ①딴 마음；
두 마음. ②〔数〕외접원(外接圓)의 중
심. ↔内心じﾞﾞ. 「신부.
がいしん【外信】图 외신. ¶~部ﾞ 외
*がいじん**【外人】图图 외국인. ¶
~部隊ﾞﾞ 외인 부대. =邦人ﾞﾞﾞ.
がいじん【凱陣】图图自 개선. =凱旋
がﾞﾞ.
かいず【海図】图 해도.
*かいすい**【海水】图 해수；바닷물.
──ぎ【─着】图 해수욕복. =水着
みﾞﾞ. ──よく【─浴】图 해수욕. 「場
ﾞﾞ 해수욕장.
かいすう【回数】-sū 图 횟수. ──けん
【─券】图 회수권.
がいすう【概数】-sū 图 개수；어림수.
*かい─する**【介する】サ変他 ①개재(介
在)하다；끼우다；사이에 세우다. ¶
人じﾞを~して 사람을 사이에 세우고.
②마음에 두다. ¶意いﾞに~しない 개
의치 않다.
かい─する【会する】㊀サ変自 모이
다.=集まる. 회합하다. ¶一堂じﾞﾞ
に~ 일당에 모이다. ②만나다；마주
치다. ¶一点じﾞﾞに~ 한 점에서 만나
다／旧友きﾞﾞﾞに~ 옛 친구를 만나다.
㊁サ変他 (사람을) 모으다. =集める.
¶同志どﾞﾞを~ 동지를 모으다.
かい─する【解する】㊀サ変他 ①풀다；해
석하다. ②알다；이해하다. ¶風流じﾞﾞﾞ
を~ 풍류를 이해하다.
*がい─する**【書する】サ変他 ①상하게
하다；해치다. ¶健康をﾞﾞ~ 건강을
해치다. ②방해하다. ¶進歩しﾞﾞを~ 진
보를 방해하다. ¶人じﾞﾞを~ 사람을 죽이다.
かいせい【回生】图图自他 회생. ¶起死
きﾞﾞ~ 기사 회생.
かいせい【快晴】图 쾌청.
*かいせい**【改正】图图他 개정. ¶法律
ほﾞﾞの~ 법률의 개정.
かいせい【改姓】图图自 개성；성을 바
꿈. ¶~届とﾞﾞけ 개성 신고.
がいせい【外征】图图自 외정；외국으
로 출정함.
がいせい【慨世】图 개세. ¶~の言ﾞ
세상을 개탄하는 말.
がいせい【蓋世】图 개세. ¶~の英雄
えﾞﾞ 개세의 영웅.
かいせき【懐石】图 다도(茶道)에서 차
(茶)를 대접하기 전에 내는 간단한 요
리. ──りょうり【──料理】-ryōri 图
요리를 만드는 대로 한 가지씩 손님에
게 내어 놓는 懐石かﾞﾞ식의 고급 요리.
かいせき【会席】图 ①회석；모임. ②

連歌炒・俳諧炒 따위를 짓는 자리. ③
'会席料理炒拾拾'의 준말. ──りょうり
【─料理】-ryōri 名 회석 요리.
かいせき 【怪石】名 괴석. ¶奇岩ぬ〜 기
암 괴석.
かいせき 【解析】 해석. 一名 ㅈ他 사물
을 세분(細分)하여 조직적·논리적으로
조사함. 二 名 【數】'解析学炒(=해석
학)'의 준말. ⇔代数学炒. ──きかがく
【─幾何学】名 해석 기
하학.
がいせき 【外戚】名 외척.
*かいせつ 【解説】 名 ㅈ他 해설.
かいせつ 【開設】 名 ㅈ他 개설.
がいせつ 【劃切】名 개절; 아주 적절
함. ¶〜なたとえ 적절한 비유.
がいせつ 【外接】(外切)名 【數】 외
접. ⇔内接炒.
がいせつ 【概説】名 ㅈ他 개설. ¶詳説炒.
かいせん 【回旋】(廻旋)名 ㅈ他 회선;
선회. ──きょく【─曲】-kyoku 名
ロンド.
かいせん 【回船】(廻船)名 회선;운송
선;회조선. ¶〜問屋炒 운송선 업자.
かいせん 【回線】名 (전신·전화의) 회선.
かいせん 【改選】名 ㅈ他 개선. ¶선.
かいせん 【会戦】名 회전(大병력
끼리의 전투).
かいせん 【海戦】名 해전. ¶陸戦炒.
かいせん 【開戦】名 ㅈ自 개전. ¶終戦炒.
かいせん 【疥癬】名 개선; 음; =皮癬
炒. ──むし【─虫】-chū 名 개선
충;음벌레. =ひぜんだに.
*かいぜん 【改善】名 ㅈ他 개선. ¶生活
炒〜 생활 개선. ⇔改悪炒.
がいせん 【凱旋】名 ㅈ自 개선. ¶〜将
軍炒 개선 장군. ──もん【─門】名 개선문.
がいせん 【外線】名 외선. ①바깥쪽의
선. ②옥외의 전선. ③(관청·회사 등
에서) 외부로 통하는 전화. ⇔内線炒.
──こうじ【─工事】-kōji 名 (전기·
전화 등의) 외선 공사.
がいぜん 【概然】タル 개연. ①분화
하는 모양. ②분발하는 모양.
がいぜんせい 【蓋然性】名 개연성(이것
을 수량화한 것이 확률임). プロバビ
リティ. ⇔必然炒性. 「편함.
かいそ 【改組】名 ㅈ他 개조; 조직을 개
かいそ 【開祖】名 ㅈ他 개조. ①한 유파(流
派)의 창시자. ②사원(寺院)의 창립
자. =開山炒.
かいそう 【回送】(廻送)-sō 名 ㅈ他 회
송. ¶〜車炒 회송차 / 手紙炒を〜する
편지를 회송하다.
かいそう 【回漕】(廻漕)-sō 名 ㅈ他 회
조;배에 의한 운송. ¶〜船炒 회조선.
かいそう 【回想】-sō 名 ㅈ他 회상.
かいそう 【改装】-sō 名 ㅈ他 개장. ¶
店内炒〜 가게의 내부 개장.
かいそう 【改葬】-sō 名 ㅈ他 개장;이
장(移葬). 「례식에 참례함.
かいそう 【会葬】-sō 名 ㅈ自 회장;장
かいそう 【海星】-sō 名 불가사리.
かいそう 【海藻】-sō 名 해조.
かいそう 【壊走】(潰走)-sō 名 ㅈ自 궤
주. =敗走炒. 【注意】'壊走'로 씀은 대용

한자.
かいそう 【快走】-sō 名 ㅈ自 쾌주.
かいそう 【怪僧】-sō 名 ㅈ自 괴승.
かいそう 【階層】(界層)-sō 名 계층.
¶知識炒〜 지식 계층.
かいぞう 【改造】名 ㅈ他 개조. ¶
内部炒〜 내부 개조.
かいぞう 【解像】-zō 名 ㅈ他 【理】 해
상;렌즈가 세밀한 부분까지 똑똑히 형
태를 비추는 일. ¶〜力炒 해상력.
がいそう 【咳嗽】-sō 名 ㅈ自 해소;기
침. =せき.
がいそう 【外装】-sō 名 외장;겉 포장;
외부 설비(장치). ⇔内装炒.
かいぞえ 【介添(え)】 一名 ㅈ自 시중
듦; 또, 그 사람. 一名 ㅈ自(役) 시중
드는 사람. 二名 혼행(婚行) 때, 친정
집에서 새색시를 따라가는 하녀. =介
添女中炒炒.
かいそく 【快足】名 쾌족. ①매우 빠
름. ¶〜艇炒 쾌속정. ②열차의 특
정역만 서고 빨리 달림; 또, 그 열차.
かいそく 【会則】名 회칙.
かいぞく 【海賊】名 해적. ¶〜船炒 해
적선. ⇔山賊炒. ──ばん【─版】名
해적판.
がいそく 【概則】名 개칙. ⇔細則炒.
がいそふ 【外祖父】名 외조부;외할아
버지. 「니.
がいそぼ 【外祖母】名 외조모;외할머
かいぞめ 【買(い)初め】名 ㅈ他 (정월
초에 틀날에) 새해 들어 처음으로 물건
을 삼.
かいそん 【海損】名 해손;해상 사고에
의하여 생긴 배나 화물의 손해.
かいそん 【買(い)損】名 손해 보고 삼.
=かいぞん. ⇔買炒い得炒.
がいそん 【外孫】名 외손. =そとまご.
⇔内孫炒.
かいたい 【懐胎】名 ㅈ自 회태;임신.
=妊娠炒・懐妊炒.
かいたい 【拐帯】名 ㅈ自 괴대; 위탁
받은 금품을 가지고 달아남. =持ち
逃げ炒.
かいたい 【解体】 一名 ㅈ自他 해체. ¶
機械炒を〜する 기계를 해체하다 / 組
織炒が〜した 조직이 해체되었다. 二
名 ㅈ他〈老〉해부(解剖).
かいたい 【解怠】名 ㅈ自 해태;게으름.
かいだい 【海内】名 ㅈ他①해내;국내.
②천하. 「바꿈.
かいだい 【改題】名 ㅈ他 개제;제목을
かいだい 【解題】名 ㅈ他 해제. ¶名著
炒〜 명저 해제.
*かいたく 【開拓】名 ㅈ他 개척. ¶〜者炒
개척자 /〜精神炒 개척 정신 / 販路炒
を〜する 판로를 개척하다.
かいだく 【快諾】名 ㅈ他 쾌락.
かいだし 【買(い)出し】名 ㅈ他①(상품을)
시장·도매상 등에 가서 삼. ②소비자
가 식량 생산지까지 직접 가서 삼.
──す 【─す】【買い出す】(掻い出す)名 ㅈ他⑤
퍼내다. =くみだす. ¶舟底炒の水炒を
〜 배 밑바닥의 물을 퍼내다.
かいたたく 【買いたたく】(買い叩く)
名 ㅈ他⑤ 값을 후려 때려서 사다.
かいたて 【買いたて】(買い立て)名 산지 얼마 안
됨;갓 산 물건. 「임.
かいたて 【買(い)立て】名 마구 사들

かいた-てる【買(い)立てる】[下1他] 마구 사들이다.

かいだめ【買いだめ】(買い溜め)[名][ス他] 매점(買占).

かいだ-める【買いだめる】(買い溜める)[下1他] 매점하다; 사재다.

かいたん【塊炭】[名] 괴탄. ↔粉炭ふん.

かいだん【怪談】[名] 괴담.

*****かいだん【会談】**[名][ス自] 회담. ¶巨頭きょ～ 거두 회담. ②단계; 순서.

*****かいだん【階段】**[名] 계단. ¶1층노래.

*****かいだん【解団】**[名][ス自] 해단. ¶～式しき 해단식. ↔結団けつ.

がいたん【慨嘆】(慨歎)[名][ス他] 개탄.

かいだんじ【快男子】[名] 쾌남아. =快男児なんじ.

ガイダンス[名] 가이던스; 학생의 개성·능력에 따른, 학습·진로 등에 대한 지도. ▷guidance.

がいち【外地】[名] 외지; 특히, 2차 대전 패전 전의 지배 지역. ↔内地ない.

かいちく【改築】[名][ス他] 개축. 「2층」.

かいちゅう【回虫】(蛔虫)[名] -chū 회충. [動]

かいちゅう【改鋳】[名] -chū [名ス他] 개주. ¶金貨きんの～ 금화의 개주.

かいちゅう【海中】[名] -chū [名] 해중; 바다 속. ¶～撮影さつ 해중 촬영 / ～に没ぼつす 바다 속으로 가라앉다. =こうちゅう

【──公園】-kōen [名] 해중 공원.

かいちゅう【懐中】[名] -chū [名ス他] 회중; 호주머니 속; 포켓이나 품속에 지니고 있음. ¶～無一物むいちもつ 빈털터리 / ～が乏ともしい 호주머니가 달랑달랑하다. **──でんとう【──電灯】**-tō [名] 회중 전등. **──どけい【──時計】**-kei [名] 회중 시계. **──もの【──物】**[名] 회중물; 회중품.

がいちゅう【外注】(外註)[名] -chū [名ス他] 외주; 외부(외국)에 주문함. 「虫ちゅう」

*****がいちゅう【害虫】**[名] -chū [名] 해충. ↔益虫えきちゅう

かいちょう【会長】[名] -chō [名] 회장.

かいちょう【回腸】(廻腸)[名] -chō [名] [生] 회장.

かいちょう【海鳥】[名] -chō [名] 해조.

かいちょう【快調】[名] -chō [名ダナ] 쾌조; 호조. ¶仕事しごとが～に運はこぶ 일이 쾌조로 진행되다.

かいちょう【諧調】[名] -chō [名][楽] 해조; 조화가 잘된 음가락.

かいちょう【開帳】(開張)[名] -chō [名ス他] ①감실(龕室)을 열어 평소에 보이지 않는 불상(佛像)을 공개함. ②(俗) 노름판을 엶(법률 용어로서는 '開張').

がいちょう【害鳥】[名] -chō [名] 해조. ↔益鳥えきちょう.

かいちょうおん【海潮音】-chōon [名] 해조음.

かいつう【開通】[名] 개통.

*****かいつう【開通】**-tsū [名][ス自] 개통.

かいづか【貝塚】[名] 패총; 조개무지.

かいくろ-う【かい繕う】(掻い繕う)[5他] (복장·머리 따위를) 매만져 고치다; 단정히 하다.

かいつけ【買いつけ】(買い付け)[名] 늘 대놓고 삼. ¶～の店みせ 단골 가게.

かいつけ【買い付け】[名] 매입(買入). (업자가 생산지에 가서) 대량으로 사들임. ¶小麦こむぎの～が進すすむ 밀의 매입이 진행되다.

かいつなぎ【買いつなぎ】(買い繋ぎ)

[名] (주식에서) 시세가 오를 것을 예상하고 하는 사 동. ↔売うりつなぎ

かいつぶり【鳰·鸊鷉】[名][鳥] 농병아리. =におつむり.

かいつま-む【搔い摘まむ】[5他] (요점만) 간추리다; 요약(槪括)하다. ¶～·んで話はなす 간추려 이야기하다.

かいて【買(い)手】[名] 사는 사람[쪽]; 살 사람; 작자. =買かいぬし. ↔売うり手て. **──じじょう【──市場】**-jō [名] (거래에서) 매수 시장(사는 쪽이 유리한 시장. ↔売手市場ばう)

*****かいてい【改定】**[名][ス他] 개정.

*****かいてい【改訂】**[名][ス他] 개정. ¶～版ばん 개정판.

かいてい【海底】[名] 해저; 바다 밑. ¶～資源しげん 해저 자원 / ～トンネル 해저 터널.

かいてい【開廷】[名][ス自他] 개정. ↔閉廷へい

かいてい【階梯】[名] ①계제; 계단. ②초보; 첫걸음; 입문(서).

*****かいてき【快適】**[名ダナ] 쾌적. ¶～な温度おんど 쾌적한 온도.

がいてき【外的】[名ダナ] 외적. ¶～条件じょうけん 외적 조건 / ～欲望よくぼう 외적〔육체적〕 욕망. ↔内的ない.

がいてき【外敵】[名] 외적.

かいてん【回天】(廻天)[名] 회천; 천하의 형세를 일변시킴; 퇴세(頹勢)를 회복함.

*****かいてん【回転】(廻転)**[名][ス自他] 회전. ¶頭あたまの～が速はやい 두뇌의 회전이 빠르다. **──いす【──椅子】**-isu [名] 회전의자. **──きょうぎ【──競技】**-kyōgi [名] (스키에서) 회전 경기. =スラローム. **──しきん【──資金】**[名] 회전 자금; 운전 자금. **──じく【──軸】**[名] 회전축. **──てんぼうだい【──展望台】**-bōdai [名] 회전 전망대.

*****かいてん【開店】**[名] 개점. ㊀店みせびらき [名] ¶～祝いわい 개업 축하. ㊁[名][ス自] 가게문을 열어 그날의 영업을 시작함. ¶午前ごぜん9時じ開店 오전 9시 개점. ↔閉店へい. **──きゅうぎょう【──休業】**-kyūgyō [名] 개점 휴업.

かいでん【皆伝】[名][ス他] (예도(藝道)·무도(武道) 따위의) 스승으로부터 모든 비법(祕法)을 이어받음.

がいでん【外電】[名] 외신; 외전. ¶～によれば 외신에 의하면.

ガイド ㊀[名][ス自] 가이드; 안내(자). ¶観光かんこう～ 관광 안내 / バス～ 관광버스의 안내양. ㊁[名] ガイドブック. ▷guide. **──ブック**-bukku [名] 가이드북; (특히, 관광·등산 따위의) 안내서. =手引てびき. ▷guide-book.

かいとう【回答】[名] -tō [名ス自] 회답.

かいとう【快刀】[名] -tō [名] 쾌도. **──乱麻らんまを断たつ** 쾌도 난마를 끊다.

かいとう【解党】[名] -tō [名][ス自他] 해당; 당(黨)을 해체함. ↔結党けつ.

*****かいとう【解答】**[名] -tō [名][ス自] 해답. ¶～を求もとめる 해답을 구하다.

かいとう【会頭】[名] -tō [名] (상공 회의소 따위의) 회장. [参考] 회장보다 상위의 명예직의 뜻으로도 쓰임.

かいとう【怪盗】[名] -tō [名] 괴도.

かいどう【会同】[名] -dō [名][ス自] 회동.

かいどう【会堂】[名] -dō [名] 회당; (기독교

의) 교회당.
かいどう【怪童】-dō 名 괴동; 몸이 크고 힘이 센 (사내) 아이.
かいどう〖海棠〗-dō 名〔植〕해당화.
かいどう【海道】-dō 名 ①바다에 연한 가도(街道). ②특히, 東海道(とうかいどう)의 일컬음. ──くだり【──下り】名 京都에서 東海道를 따라 東国(とうごく)에 여행하는 일.
*かいどう【街道】-dō 名 가도.
*がいとう[外套] -tō 名 외투. =オーバー(コート).
がいとう【外灯】-tō 名 외등.
がいとう【街灯】-tō 名 가등; 가로등.
*がいとう【街頭】-tō 名 가두; 길거리. ¶ ~演説(えんぜつ)〔録音(ろくおん)〕 가두 연설〔녹음〕.
*がいとう【該当】-tō 名 ス自 해당. ¶ ~事項(じこう) 해당 사항.
かいどく【買(い)得·買(い)徳】名 싸게 사서 (이)득을 봄. ↔買(か)い損(ぞん).
かいどく【解読】名 ス他 해독. ¶ 暗号(あんごう)を~する 암호를 해독하다.
かいどく【回読】名 ス他 회독; 윤독(輪讀).
がいどく【害毒】名 해독. ¶ ~を世(よ)に流(なが)す 세상에 해독을 끼치다.
かいどり【飼(い)鳥】名 집에서 기르는 새; 사육조(鳥).
かいと-る【買(い)取る】5他 사서 차지하다; 매입(買入)하다.
かいな〖腕〗名 〈雅〉 팔. =うで.
かいな-い〖甲斐ない〗形 ①보람없다. ②무기력하다.
かいなで〖掻い撫で〗名 수박 겉핥기. ¶ ~の学問(がくもん) 수박 겉핥기식의 학문.
かいなら-す【飼(い)慣らす】5他 ① (사육하여) 길들이다. ②은혜를 베풀거나 하여 마음대로 부릴 수 있게 하다. ¶ ~·した手下(てした) 잘 길들여진 부하.
かいなん【海難】名 해난. ¶ ~救助(きゅうじょ) 해난 구조 / ~事故(じこ) 해난 사고.
かいにゅう【介入】-nyū 名 ス自 개입.
かいにん【懐妊】名 ス自 회임; 임신.
かいにん【解任】名 ス他 해임; 면직. ──けん【──権】名 해임권. =リコール.
かいにんそう〖海人草〗-sō 名〔植〕해인초. =マクリ.
かいぬし【飼(い)主】名 사육주; (가축·가금(家禽)을) 기르는 사람.
かいぬし【買(い)主】名 매주; 사는 사람. ↔売(う)り主(ぬし).
かいね【買値】名 매가; 산〔사는〕 값; 매입〔구입〕 원가. ↔売値(うりね).
**がいねん【概念】名 개념. ¶ ~をつかむ 개념을 파악하다. ──てき【──的】ダナ 개념적.
かいのくち【貝の口】名 남자용의 角帯(かくおび)나 여자의 반폭 띠를 매는 방법.
かいば【飼(い)葉】名 꼴; 여물. =まぐさ. ¶ ~おけ 구유.
かいば【海馬】名 해마.
かいはい【改廃】名 ス他 (법률·제도 따위의) 개폐.
がいはく【外泊】名 ス自 외박.
がいはく【該博】名ナ 해박. ¶ ~な知識(ちしき) 해박한 지식.
かいばしら【貝柱】名 ①조개 관자. ②가리비 따위의 조개 관자를 삶아서 말린 것(식용). =はしら.
*かいはつ【開発】名 ス他 개발. ¶ 電源(でんげん)~ 전원 개발 / 新製品(しんせいひん)の~ 신제품의 개발.
かいばつ【海抜】名 해발; 표고(標高).
かいばなし【飼(い)放し】名 방목(放牧).
かいはん【改版】名 ス他 개판.
かいはん【開板·開版】名 ス他 개판(특히, 목판본(木版本)에 대하여 이름).
かいはん【解版】名 ス他 (활자판의) 해판.
かいひ【回避】名 ス他 회피. ¶ 責任(せきにん)~ 책임 회피.
*かいひ【会費】名 회비.
がいひ【外皮】名 외피(좁은 뜻으로는 피부를 뜻함). ↔内皮(ないひ).
かいびゃく［開闢］-byaku 名 개벽. ¶ 天地(てんち)~以来(いらい) 천지 개벽 이래.
かいひょう〖海豹〗-hyō 名 해표. =あざらし.
かいひょう【界標】-hyō 名 계표; 토지 따위의 경계표.
かいひょう【開票】-hyō 名 ス他 개표.
かいひょう【解氷】-hyō 名 ス自 해빙; 얼음이 풀림.
がいひょう【概評】-hyō 名 ス他 개평. ↔細評(さいひょう).
かいひん【海浜】名 해변; 바닷가. =うみべ·はまべ.
がいひん【外賓】名 외빈; 외국 손님.
かいふ【回付】(回附·廻附) 名 ス他 회부. =送付(そうふ).
かいふ【開府】名『江戸(えど)~』江戸에 幕府(ばくふ)가 설치되어 江戸부(府)가 열린 일. 参考 '府'는 관청의 뜻.
*がいぶ【外部】名 외부. ¶ ~の者(もの) 외부 사람. ↔内部(ないぶ).
かいふう【海風】-fū 名 해풍. ①바닷바람. ②해연풍(海軟風). ↔陸風(りくふう).
かいふう【開封】-fū ㊀名 ス他 개봉; (편지 등의) 봉한 것을 뜯음. ㊁名 봉하지 않는 우편물. =ひらき封(ふう).
**かいふく【回復】(恢復) 名 ス自他 회복. ¶ 失地(しっち)~ 실지 회복 / 景気(けいき)が~する 경기가 회복되다.
かいふく【快復】名 ス自 쾌복; 쾌유; 쾌차.
かいふく【開腹】名 ス自〔醫〕개복. ¶ ~手術(しゅじゅつ) 개복 수술.
かいぶし【蚊いぶし】(蚊燻し) 名 모깃불. =かやり·かやり火(び).
かいぶつ【怪物】名 괴물.
かいぶん【回文】(廻文) 名 회문. ① 〈老〉 회장(回章). =回覧状(かいらんじょう). ②내리 읽으나 치읽으나 같은 말이 되는 문구(보기: 'たけやぶやけた'). =かいもん.
かいぶん【怪聞】名 괴문; 괴상한 소문.
がいぶん【外聞】名 외문; 세상 소문; 평판; 또, 그 결과로서의 체면. ¶ ~にかかわる 체면〔명예〕에 관계되다 / ~をはばかる 소문(이) 날까 꺼리다. ─が悪(わる)い 소문나면 난처하다.
かいぶんしょ【怪文書】-sho 名 괴문서.
がいぶんぴつ【外分泌】-bumpitsu 名〔生〕외분비. =がいぶんぴ. ↔内(ない)分泌(ぶんぴつ).
かいへい【皆兵】名 개병. ¶ 国民(こくみん)~制度(せいど) 국민 개병 제도.
かいへい【開平】名 ス他〔數〕개평; 제곱근풀이.
*かいへい【開閉】名 ス他 개폐. ¶ 自動(じどう)~ 자동 개폐. ──き【──器】名 개

폐기. =スイッチ. ──き【──機】图 개
폐기; 차단기(遮斷機).
かいへん【貝偏】图 한자 부수의 하나:
조개패변(財·貯 등의 'り'의 이름).
かいへん【改編】图 ス他 개편.
かいへん【改変】图 ス他 개변. =変更.
かいへん【海辺】图 해변; 바닷가. =う
みべ.
がいへん【外編】(外篇)图 (책의) 외
편. ──ないへん内編.
*かいほう【介抱】图 ス他 병구완.
かいほう【回報】(廻報) -hō 图
①(문서에 의한 정식) 회답. =返事.
②〈口〉 회장(回章). =回覧状.
かいほう【快方】-hō 图 (병의) 차도.
¶──に向かう 차도가 있다.
かいほう【快報】-hō 图 쾌보. =吉報.
¶──に接する 쾌보에 접하다.
*かいほう【会報】-hō 图 회보.
*かいほう【解放】-hō 图 ス他 해방. ¶
奴隷から～ 노예 해방.
*かいほう【開放】-hō 图 ス他 개방. ¶
門戸かいこ~ 문호 개방 / ～厳禁げんきん
엄금. ↔閉鎖. ──てき【──的】ダナ
개방적. ¶～な性格せいかく 개방적인 성격.
かいほう【開方・開法】图 〖数〗개방;
근법.
かいほう【海報】-bō 图 해방; 바다(해
안)의 방비.
*かいほう【解剖】-bō 图 ス他 해부. ¶
～学がく 해부학 / 事件じけんを～する 사건
을 해부하다.
がいほう【外報】-hō 图 외보; 외신(外
信). ──ぶ【──部】图 외신부.
がいぼう【外貌】-bō 图 외모; 외관.
¶～を飾かざる 외모를 꾸미다.
かいぼり【掻い掘り】(掻い掘り)图 도
랑이나 못 따위의 물을 퍼내고 그 속
에 있는 물고기를 잡는 일.
かいまい【回米】(廻米)图 생산지에서
시장으로 보내진 쌀.
がいまい【外米】图 외미. ↔内地米ないちまい.
かいまき【かい巻き】(掻い巻き)图 솜
을 둔 잠옷. =どてら.
かいまく【開幕】图 ス自他 개막. ¶宇
宙時代うちゅうじだいの～ 우주 시대의 개막. ↔
閉幕へいまく.
かいまーみる【かいま見る】(垣間見る)
上一他 틈으로 살짝 (엿)보다.
かいみょう【戒名】-myō 图 〖佛〗계명.
①불문(佛門)에 입문한 사람에게 주는
이름. =法号ほうごう. ②법호(法號); 중이
죽은 사람에게 지어 주는 이름. =法名
ほうみょう.
かいむ【会務】图 회무.
かいむ【皆無】图 图 개무; 전무. =絶
無ぜつむ. ¶可能性かのうせいは～だ 가능성은 전
무하다.
かいむ【海務】图 해무. ¶～省しょう 외무
省 / ～省しょう 외무성. ↔内務ないむ.
かいめい【改名】图 ス自 개명. ¶～届
とどけ 개명 신고.
かいめい【階名】图 〖樂〗계명. ↔音名おんめい.
かいめい【解明】图 ス他 해명. ¶疑惑ぎわく
を～する 의혹을 해명하다.
かいめい【開明】图 개명; 문명 개화.
かいめつ【壊滅】(潰滅)图 ス自他 궤
멸. 注意 '壊滅'로 쓰인 대용 한자.
かいめん【海綿】图 ①해면. =スポン
ジ. ②海綿動物かいめんどうぶつ(=해면 동물)'의
준말.

かいめん【海面】图 해면; 해상.
かいめんかっせいざい【界面活性剤】
-kasseizai 图 〖化〗계면 활성제. =表
面ひょうめん活性剤.
がいめん【外面】图 외면. ①겉; 표
면. =うわべ. ②외모; 외관. ↔内面ないめん.
──てき【──的】ダナ 외면적. ¶
～な考察こうさつ 외면적인 고찰.
かいもく【皆目】圓《다음에 否定을 수
반하여》 전혀; 전연; 도무지. =全ぜん
く. ¶～わからない 전혀 모른다.
かいもど-す【買い戻す】5他 (판 것
을) 되사다. ¶土地とちを～ 땅을 되사다.
かいもと-める【買い求める】下一他
돈을 치르고 입수하다(손에 넣다).
*かいもの【買い物】㊀图 물건
을 삼; 산(산)물건; 쇼핑. ¶～に行い
く 장보러(쇼핑하러) 가다. ㊁图 사서
이득이 된(될) 물건. ¶これはなかな
かの～だった 이것은 참 잘 산 물건이
다.
かいもん【開門】图 ス自 개문. ↔閉門へいもん
がいや【外野】图 ①〖野〗외야. ②野
手しゅの준말. ③외야석(席). ④〈俗〉국
외자; 제삼자. ──しゅ【──手】-shu
图【野】외야수. ↔内野手ないやしゅ.
かいやく【改訳】图 ス他 개역.
かいやく【解約】图 ス他 해약. ¶～
金きん 해약금.
かいゆ【快癒】图 图 쾌유.
かいゆう【回遊】(廻遊)-yū 图 ス自 회
유. ①유람; 여러 곳을 돌아다니며 놂.
¶～切符きっぷ 유람표. ②(回遊) 어류가
떼를 지어 계절적으로 이동함. ¶～魚
ぎょ 유어(游魚).
かいゆう【会友】-yū 图 회우. ①회원
상호간의 호칭. ②회원은 아니나 회와
관계가 깊은 사람에게 주는 이름·자격.
がいゆう【外遊】-yū 图 ス自 외유. 외유.
かいよう【海洋】-yō 图 해양. ¶～
学がく 해양학. ↔大陸たいりく. ──せいきこう
【──性気候】-kō 图 해양성 기후. ↔大
陸性たいりくせい気候.
かいよう【潰瘍】-yō 图 〖醫〗궤양. ¶
胃い～ 위궤양.
かいよう【海容】-yō 图 海用. 해용. ¶
～薬やく 외용약. ↔内用ないよう.
がいよう【外洋】-yō 图 외양; 외해(外
海). ↔内海ないかい.
がいよう【概要】-yō 图 개요. =あらま
し.
かいらい【傀儡】图 괴뢰. ①꼭두각
시. =あやつり人形にんぎょう. ②얼잡이; 끄
나풀. ¶～政権せいけん 괴뢰 정권. ──し
【──師】图 ①괴뢰사; 꼭두각시 놀리는
사람. =人形使にんぎょうつかい. ②배후에서
조종하는 사람; 막후의 모사(謀士). =
黒幕くろまく.
がいらい【外来】图 외래. ¶～者しゃ 외
래자 / ～の文化ぶんか 외래 문화. ──かん
じゃ【──患者】-ja 图 외래 환자.
──ご【──語】图 외래어.
かいらく【快楽】图 쾌락. =けらく. ¶
人生じんせいの～ 인생의 쾌락 / ～主義しゅぎ 쾌
락주의.
*かいらん【回覧】(廻覧)㊀图 ス他 회
람. ¶～板ばん 회람판. ㊁图 ス自他 유람.
かいらん【壊乱】(潰乱)图 ス自他 괴란. ¶風
俗ふうぞく~ 풍속 괴란.
かいり[乖離]图 ス自 괴리. ¶国民こくみん

と為政者いせいしゃの～ 국민과 위정자의 괴리. 「＝ビーバー.

かいり〖海狸〗名〔動〕해리；바다삵.

かいり【海里】(浬) 名 해리(1해리는 1,852 m).

かいり【解離】名 ス自他〔理〕해리.

かいりき【怪力】名 괴력. ＝かいりょく. ¶～の持もち主ぬし 괴력의 소유자.

かいりく【海陸】名 해륙. ＝水陸すいりく.

かいりつ【介立】名 ス自 ①혼자서 일을 함. ＝ひとり立だち. ②개립；둘 사이에 섬.

かいりつ【戒律】名〔佛〕계율.

がいりゃく【概略】-ryaku 名 개략.

かいりゅう【回流】(廻流) -ryū 名 ス自 회류；돌아서 흐름；또, 그 흐름.

かいりゅう【海流】-ryū 名 해류. ──びん【──瓶】名 해류병.

かいりゅう【開立】-ryū 名 ス他〔數〕개립；세제곱근풀이. ＝かいりつ.

*かいりょう【改良】-ryō 名 ス他 개량. ¶品種ひんしゅ～ 품종 개량. ↔改悪かいあく. ──しゅ【──種】-shu 名 개량종. ↔原種げんしゅ.

かいりょう【飼(い)料】-ryō 名 ①사료. ＝しりょう. ②사육비. 「りき.

かいりょく【怪力】-ryoku 名 ☞かい

がいりょく【外力】-ryoku 名 외력；외부의 힘. ↔内力ないりょく.

がいりん【外輪】名 외륜. ①바깥쪽 바퀴. ＝そとわ. ②바퀴의 바깥쪽에 댄 쇠 덮개. ⇔内輪ないりん. ③바깥 둘레. ──ざん【──山】名〔地〕외륜산；복성 화산(複成火山)의 최초의 분화구의 벽. ↔内輪山ないりんざん. ──せん【──船】名 외륜선.

かいれい【回礼】名 ス自 회례. ＝お礼回れいまわり. 參考 좁은 뜻으로는 세배하러 돌아다님을 뜻함.

かいれき【改暦】名 개력. ①역법(曆法)을 고침. ②신년；새해.

かいろ【懐炉】名 회로. ¶～灰ばい 회로용의 (특수한) 재.

かいろ【回路】名〔理〕회로. ¶集積しゅうせき～ 집적 회로；아이시(IC).

かいろ【海路】名 해로；뱃길. ＝ふなじ. ↔陸路りくろ·空路くうろ.

がいろ【街路】名 가로. ¶～灯とう 가로등. ──じゅ【──樹】-ju 名 가로수.

かいろう【回廊】(廻廊) -rō 名 회랑；꺾여져 있는 긴 복도.

かいろう[偕老] -rō 名 해로. ──どうけつ[──同穴] -dōketsu 名 해로 동혈. ①부부가 금슬 좋게 살다가, 늙어 죽어서는 한 무덤에 묻히는 일. ②【かいろうどうけつ】〔動〕오웨니바다수세미(해면 동물의 하나).

がいろく【街録】名 '街頭録音がいとうろくおん(＝가두 녹음)'의 준말.

がいろん【概論】名 ス他 개론.

*かいわ【会話】名 ス自 회화. ¶英えい～ 영어 회화. ──ぶん【──文】名 회화문(보통 「 」 등의 부호를 붙임). ↔地じの文ぶん. 「대. ＝あたり.

かいわい〖界隈〗名 근처； 부근； 일

がいわくせい【外惑星】名 외행성. ＝外遊星がいゆうせい. ↔内惑星ないわくせい.

かいわり【貝割(り)】(穎割(り)) 名 자엽(子葉)；떡잎. ＝かいわれ. ¶～葉ば 떡잎.

かいわん【怪腕】名 아주 뛰어난 수완〔완력〕. ＝すごうで. ¶～を振ふるう 뛰어난 수완을 부리다.

かいん【下院】名 하원. ↔上院じょういん.

かいん【過飲】名 ス他 과음. ＝のみす

かいん【課員】名 과원. しぎ.

がいん【画因】名 화인；그림의 동기.

か-う〖支う〗5他 지탱하다；받치다；버티다. ¶しんばり棒ぼうを～ 버팀대로 버티다.

**か-う【買う】5他 ①사다. ㉠구입하다. ¶株かぶを～ 주를 사다. ㉡자초(自招)하다；(건드려) 초래하다. ¶恨うらみを～ 원한을 사다 / 顰蹙ひんしゅくを～ 빈축을 사다. ㉢비위 맞추다. ¶歓心かんしんを～ 환심을 사다. ㉣도맡다；(자진해서) 떠맡다. ¶けんかを～って出でる 싸움을 맡고 나서다. ㉤인정하다；(높이) 평가하다. ¶実力じつりょくを～ 실력을 높이 평가하다. ②불러서 놀다. ¶芸者げいしゃを～ 기생을 부르다. ⇔売うる.

**か-う【飼う】5他 기르다；치다；사육(飼育)하다. ¶豚ぶたを～ 돼지를 치다.

カウボーイ 名 카우보이；목동. ▷미 cowboy. 「가운이 기울다.

かうん【家運】名 가운. ¶～が傾かたむく

ガウン 名 가운. ▷gown.

カウンセラー 名 카운셀러(카운셀링을 담당하는 사람). ▷counsellor.

カウンセリング 名 카운셀링；상담 지도；신상 상담. ▷counselling.

カウンター 名 카운터. ①계산대. ＝帳場ちょうば. ②계수기(器). ③계산계(係). ④(바나 술집의) 조리대 바로 앞의 술청. ⑤(권투에서) 적의 공격을 피해 되받아 치기. ¶～パンチ 카운터 펀치. ▷counter.

カウント 名 ス他 카운트. ①계산；셈. ②경기의 득점 (계산)(야구에서는 스트라이크와 볼의 수；권투에서는 녹다운했을 경우의 초(秒)를 세는 수). ③방사능 입자(粒子)를 가이거 계수관으로 측정한 수. ▷count. ──アウト 名 (권투에서) 카운트 아웃. ▷count out.

かえ【代え·替え·換え】名 ①대치；대체；교환. ②대리(代理)；대치할 것. ③(교환의) 비율. ¶一俵いっぴょう千円せんえん～で買かう 한 가마에 천 엔꼴로 사다.

かえうた【替(え)歌】名 곡조는 같고 가사만 바꾼 노래. ↔元歌もとうた.

かえぎ【替(え)着】名 갈아입을 옷；여벌 옷.

かえことば【代(え)ことば】(代(え)詞) 名 ①변말；암호. ②대명사.

かえし【返し】(反し) 名 ①반환；돌려줌. ②답례. ¶お～の贈おくり物もの 답례의 선물. ③〈雅〉☞かえしうた. ④바람·지진 등이 한 번 멎었다가 다시 일어남. ⑤거스름 돈. ¶十円じゅうえんのお～ 10엔의 거스름 돈.

かえしうた【返し歌】名〈雅〉①답가(答歌). ＝返歌へんか. ②장가(長歌)의 끝에 곁들이는 단가(短歌). ＝反歌はんか.

かえしぬい【返し縫い】名 박음질. ＝返かえし針ばり.

かえしわざ【返し業】名 (유도 등에서) 상대가 걸어온 수를 되받아 역이용하는 수. 「화하다.

かえ-す〖孵す〗5他 (알을) 까다；부

かえ-す [反す] ⑤他 ①(뒤집다·거꾸로 하다; 젖히다. ¶手のひらを〜 손바닥을 뒤집다 / 着物ぎを〜・して干はす 옷을 뒤집어 말리다 / 花瓶びを〜・して水ずを流ながす 꽃병을 거꾸로해서 물을 쏟다. ②한자(漢字)의 반절(反切)을 하다. ③《動詞連用形에 붙어》되풀이하다; 다시 하다; 반복하다. ¶小説はうを読よみ〜 소설을 다시 읽다.

かえ-す [返す] ⑤他 ①(되)돌리다. ㉠(본디 위치·상태로) 돌리다; 해놓다. ¶白紙はくに〜 백지로 돌리다 / もとに〜 본디대로 되돌려 놓다(해놓다). ㉡돌리다; 돌려 주다. ¶本はを〜 책을 돌리다. ㉢돌려 보내다. ¶贈り物ものを〜 선물을 돌려 보내다. ¶갚다; 대갚음하다. ¶金かねを〜 돈을 갚다 / 恩恩をんを仇あだで〜 은혜를 원수로 갚다 / なぐり〜 되받아 치다. ②(먹은 것을) 토하다; 게우다. 〓三自 되돌아 오다(가다). ¶寄よせては〜波なみ 밀려왔다 밀려가는 물결. ──ときのえんま顔がお 꾼 돈을 갚을 때 짓는 언짢은 얼굴. ↔借かりるときの地蔵顔じぞう.

かえ-す [帰す·還す] ⑤他 돌아가게 하다. ¶嫁よめを親元もとに〜 며느리[아내]를 친정으로 돌려보내다.

かえすがえす [返す返す] 副 ①(거듭)되풀이하여. 〓〜頼たのむ 거듭 부탁하다. ②아무리 생각해도. ¶〜(も)残念ざんだ 아무리 생각해도 분하다.

かえズボン [替(え)ズボン] 名 상의와 따로 맞춘 바지; 여벌 바지. 〓プ jupon.

かえだま [替(え)玉] 名 (진짜 대신 쓰는) 가짜; 대역(代役). ¶〜受験じゅ 대리 수험. 〓지.

かえち [替(え)地] 名 〓三自 환토; 환지.

かえって [却って·返って·反って·却而] -ette 도리어; 오히려; 반대로. ¶もうかるどころか〜大損だんした 벌기는커녕 도리어 큰 손해다.

かえで [楓] 名 〔植〕 단풍나무. =もみじ.

かえな [替(え)名] 名 別名; 이명(異名).

かえば [替(え)刃] 名 갈아 끼우는 면도날. =剃そり刃ば.

かえり [帰り·回り·還り] 名 돌아옴; 돌아올 때; 귀로; 돌아오는 길. ¶〜がおそい 돌아오는게 늦다. ↔行ゆき.

-かえり [回り] 〔雅〕 횟수를 나타내는 말. =たび·たび. ¶三〜 세 번.

かえりうち [返(り)討ち] 名 원수를 갚으려다가 되레 (죽음을) 당함; 안고 지는 일. ¶復讐戦ふくしゅうの〜に会あう 복수전에서 되레 당함.

かえりがけ [帰りがけ] 名 돌아오는 길; 돌아올 때. =かえりしな. ¶〜に立よる 돌아오는 길에 들르다.

かえりぐるま [帰り車] 名 돌아가는 빈차(주로 택시).

かえりざき [返(り)咲き] 名 ①제철 아닌 때에 꽃이 핌(특히, 봄 꽃이 가을에 다시 피는 일). =くるいざき. ②재봉춘(再逢春); 복귀. =カムバック. ¶政界せいへの〜 정계 복귀.

かえりじたく [帰り支度] 名 돌아갈 채비[준비].

かえりしんざん [帰り新参·返り新参] 名 (그만둔 사람이) 다시 돌아와서 일함; 또, 그 사람.

かえりちゅう [返(り)忠] -chū 名 叉自 배반; 내통. =うらぎり.

かえりてん [返(り)点] 名 일본에서, 한문을 훈독할 때 한자 왼쪽에 붙여 아래에서 위로 올려 읽는 차례를 보이는 기호(レ·一·二, 上·下, 甲·乙, 天·地 따위).

かえりみち [帰り道] 〔帰り路〕 名 귀로; 돌아오는[가는] 길.

かえり-みる [省みる] 上一他 돌이켜보다; 반성하다. ¶わが身みを〜 자신을 돌아보다.

かえり-みる [顧みる] 上一他 돌아보다. ①뒤돌아보다. ¶うしろを〜 뒤돌아보다. ②회고하다; 돌이켜 보다. ③돌보다; 마음에 두다. ¶家庭かを〜・みる暇ひまが가정을 돌볼 겨를이 없다. ──みて他たを言いう 이야기 따위를 얼버무리다.

かえりよみ [返り読み] 名 한문을 훈독할 때, 일본 말의 순서에 따라 읽는 법(목적어·보어를 먼저 읽고, 술어를 나중에 읽음).

かえ-る [返る·還る] 五自 ①(본디 상태로) (되)돌아오다(가다). ¶もとに〜 본디 상태로 돌아오다 / 我われに〜 제정신으로 돌아오다. ②(본디 있던 곳으로) 되돌아오다. =もどる. ¶忘わすれ物ものが〜 잃었던 물건이 다시 돌아오다. ③《動詞連用形에 붙어서》 완전히 〔아주〕 …되다. ¶静しずまり〜 아주 조용해지다.

かえ-る [帰る·回る·還る] 五自 돌아가다(오다). ¶家いえに〜 집으로 돌아가다 / 客きゃくが〜 손님이 돌아가다. ──らぬ旅たび 돌아오지 못할 여행(죽음).

かえ-る [返る] 五自 젖혀지다. ¶裾すそが〜 옷자락이 젖혀지다 / ボートが〜 보트가 뒤집히다.

かえ-る [孵る] 五自 부화 하다; (알이) 깨다.

かえ-る [変える] 下一他 바꾸다. ①변하다; 변화시키다. ¶顔色かんを〜 얼굴빛을 변하다. ②고치다; 변경시키다; 갈다. ¶予定ていを〜 예정을 바꾸다. ③(장소를) 옮기다. ¶所ところを〜 장소를〔사는 데를〕 옮기다. ④《接尾語的으로》고치다; 새로 하다. ¶書かき〜 고쳐 (다시) 쓰다.

かえ-る [代える] 下一他 대신하다; 대리케 하다. ¶書面しょをもってあいさつに〜 서면으로써 인사를 대신한다.

かえ-る [替える·換える] 下一他 ①바꾸다; 교환하다. ¶物ものを金かねに〜 물건을 돈으로 바꾸다 / 職業ぎょうを〜 직업을 바꾸다. ②갈다. ¶畳たたみの表おもてを〜 다다미 겉을 갈다.

かえる [蛙] 名 〔動〕 개구리. =かわず. ¶〜の子こは〜 개구리 새끼는 개구리(부전 자전 父傳子傳). ──の面つらに水みず 개구리 낯에 물 붓기(어떤 처사를 당하여도 태연함).

かえるおよぎ [蛙泳ぎ·蛙泳ぎ] 名 개구리헤엄; 평영(平泳). =ひらおよぎ.

かえるまた [蛙股·蟇股] 名 박공(膊栱)

위에 장식으로 붙인 개구리 뒷다리 형상의 조각(彫刻).

かえん【火炎】【火焔】 图 화염；불길．불꽃．=ほのお．¶～放射器‹ガ› 화염 방사기．──びん【─瓶】 图 화염병．

がえん【賀宴】 图 하연；축하연．

がえん-ずる【肯んずる】 サ変他 수긍하다；승낙하다．=がえんじる．=がんじる．

‡かお【顔】 图 ①얼굴．⑦낯．¶～に免じて 낯(얼굴)을 보아／～を洗う 낯을 씻다；세수하다．¶失望した～ 실망한 얼굴．⑥顔色 표정；기색；눈치．¶新しい～ 새(로운) 얼굴．⑤(구성원으로서의) 사람 수；면면(面面)．¶ひととおり～がそろう 대충 멤버가 모이다．⑤안면；잘 알려진 이름·명성．¶～で買う 안면으로 사다．⑤표면；겉．⑧체면；면목；낯．¶～が立つ 낯(체면)이 서다．②『大きな～をする 젠(난) 체하다；뽐내다．『大きな～をする 젠(난) 체하다；뽐내다．④(接尾語的으로)~한 모양；~체함；짐짓 ~행세함；~체．¶知らん～ 모르는 체함．¶～が合わされない 얼굴을 대할 수 없다．──が売れる 얼굴이 팔리다(유명해진다)．──がきく 얼굴이 통하다；얼굴이 알려져 잘 통하다．──がさす 창피한 꼴이 되다．──が広い 얼굴이 넓다；잘 알려지다；발이 넓다．──から火が出る (부끄러워서) 얼굴이 화끈해지다．──にかかわる 체면에 관계되다．──に泥を塗る 얼굴에 똥칠하다．──に紅葉を散らす 얼굴이 홍당무가 되다．──を貸す (부탁을 받고) 남의 앞에 나가다．──を出す 얼굴을 내밀다．──をつぶす 체면을 손상하다；체면을 잃다．──を直す 지워진 화장을 고치다．

かおあわせ【顔合(わ)せ】 图 ス自 ①(첫) 대면；또，(첫) 회합．¶新任両委員との～ 신구 양위원의 첫 회합．②소속이 다른 배우가 공연(共演)하는 일．③(씨름 따위의) 대전(對戰)．

かおいろ【顔色】 图 안색；얼굴빛．¶～が悪い 안색이 나쁘다／～をかえる 얼굴빛을 변하다／～をうかがう〔見る〕 안색을 살피다(눈치를 보다)．

かおう【花押】【華押】kaō 图 화압；수결(手決)．=書判なな．

かおかたち【顔形】【顔貌】 图 용모．

＊かおく【家屋】 图 가옥．=家へ．

かおぞろい【顔ぞろい】 图 ス自 (모일 사람이) 다 모임；멤버가 짜임；특히，뛰어난 사람들이 다 모임．

かおだし【顔出し】 图 ス自 회합 같은 데에 (잠깐) 출석함；인사하러 감．

かおだち【顔だち】【顔立ち】 图 얼굴 생김새；용모．

＊かおつき【顔つき】【顔付き】 图 ①얼굴 생김새．=かおだち．参考 좋은 뜻에는 잘 안 씀．②표정；얼굴빛．=かおいろ．

かおづくり【顔作り】 ㊀ 图 얼굴 생김새，=かおかたち．㊁ 图 ス自 화장(化粧)．

かおつなぎ【顔つなぎ】【顔繋ぎ】 图 ス自 ①(관계를 유지하기 위해) 방문

하거나 출석함．②(모르는 사람을) 소개함；대면시켜 줌．¶僕ガが～をした 내가 소개해 주었다．

かおなじみ【顔なじみ】【顔馴染み】 图 서로 잘 앎；낯익은 사이；친지(親知)．

かおぶれ【顔ぶれ】【顔触れ】 图 (사업이나 모임에) 참가하는 사람들；면면(面面)．¶～がそろう 멤버가 다 모이다．

かおまけ【顔負け】 图 ス自 무색해짐．¶おとなも～ 어른도 무색해질 정도의．

かおみしり【顔見知り】 图 안면이 있음；아는 사이；지면(知面)．¶～の犯行た하 안면 있는 사람의 범행．

かおみせ【顔見せ】 图 첫선을 보임．①(많은 사람에게) 처음으로 얼굴을 보임．②【顔見世】 배우들이 모두 나와서 관객에게 얼굴을 보임．=かおぶれ．

かおむけ【顔向け】 图 ス自 대면(對面)；대할 낯．¶～ができない 대할 낯이 없다．

かおやく【顔役】 图 (그 지방·사회에서) 세력·명성을 갖고 있는 사람？유력자(특히，협객·노름꾼에 대하여 일컬는 수가 많음)．

かおよごし【顔汚し】 图 체면 손상；또，그러한 짓을 하는 사람．=つらよごし．¶師匠ににの～ 스승의 체면을 깎음；또，그런 제자．

かおよせ【顔寄せ】 图 ①회합；모임．②연극에서，제목·배역 등이 끝난 후 관계자 전원의 첫 모임．=顔合ごわせ．

かおり【薫り·香り】 图 향기；좋은 냄새．¶～の高い花ゲ 향기 높은 꽃．

かおりたかい【薫り高い·香り高い】 刑 ①향기 높다．②(가락이) 고상하다；격조 높다．¶～墨染めが 은 냄새가 풍기다．

かお-る【香る】 五自 향기가 나다；좋은 냄새가 나다．

かお-る【薫る·馨る】 五自 상쾌하게 느껴지다．¶風～五月ご 훈풍의 오월．〔發音. =なまり．〕

かおん【訛音】 图 와음；바르지 못한 음．

かか【呵呵】 图 가가；깔깔거림．=あはは．¶～大笑むむ 가가 대소．

がか【画家】 图 화가．=えかき．

がか【画架】 图 화가；이젤．=イーゼル．

がが【峨峨】 トタル 아아；(산 같은 것이) 험하게 우뚝 솟아 있는 모양．

かかあ【嬶·嚊】-kā 图〈俗〉아내；마누라．¶～天下ゴ 내주장；엄처 시하．

かかい【歌会】图 和歌모임을 짓고 서로 발표·비평하는 모임．=うたかい．

かがい【加害】 图 가해．¶～者ば 가해자．↔被害た．

かがい【花街】 图〈婉曲〉유곽；화류계．

かがい【課外】 图 과외．¶～活動たゴ 과외의 활동．

がかい【瓦解】 图 ス自 와해．

がかい【画会】 图 ①화회；그림 전시회．②그림을 그리고 서로 비평하는 모임．

ががいも【蘿藦】 图〔植〕박주가리．

かかえ【抱え】 ㊀ 图 ①고용；데리고 있음．¶お～の運転手ぬぬ 데리고 있는 운전사．②기한을 정해서 고용하는 기생·창녀．↔自前ゴ．㊁接尾 아름．¶一ゴ～ 한 아름．

かかえこ-む【抱え込む】⑤他 ①(양손으로) 껴안다；안다；부둥키다. =だきこむ. ②(많은 것을) 도맡다；떠맡다. ＝しょいこむ. ¶借金ਕ਼を～ 빚을 떠맡다.

*かか-える【抱える】下1他 ①(껴)안다. ⑦팔에 안다；부둥켜 들다. ¶荷物ੜを～ 짐을 안다. ⑥끼다. ¶書物ੜみを小ੜわきに～·えて 책 몇권을 겨드랑에 끼고. ⑥(팔로) 쥐다. ¶頭ੜを～(두 팔로) 머리를 감싸다) 다. ②(돌볼 일을) 책임지다；떠맡다. ¶妻子ੜを～ 처자를 거느리다[돌보다]. ③고용하다.

*かかく【価格】图 가격. ＝あたい・ねだん. ¶販売価-판매 가격. ¶~がら.

かかく【家格】图 가문；문벌. ＝いえがら.

かかく【花客・華客】图 단골 손님.

かかく【過客】图 과객. ①내객(來客). ②길손；나그네. ＝たびびと.

かがく【下顎】图 하악；아래 턱. ＝したあご. ↔上顎ੜੜ. ──一つ[──骨]图 하악골；아래턱뼈.

*かがく【化学】图 화학. ¶~者ੜ 화학자／生ੜ~ 생화학(生物 화학). ──き ごう【──記号】图 화학 기호. ──げんそ【──元素】图 화학 원소. ──こうぎょう【──工業】-kōgyō 图 화학 공업. ──きよう【──作用】-yō 图 화학 작용. ──せんい【──繊維】图 화학 섬유. ＝かせんい. ──はんのう【──反応】-nō 图 화학 반응. ──ひ りょう【──肥料】-ryō 图 화학 비료. ──へいき【──兵器】图 화학 병기. ──へんか【──変化】图 ス 화학 변화. ↔物理ੜ変化. ──りょうほう【──療法】-ryōhō 图 화학 요법. ＝物理ੜ療法ੜ.

かがく【科学】图 과학. ¶~館ੜ 과학관／~者ੜ 과학자. ──ぎじゅつ【──技術】-jutsu 图 과학 기술. ──ばんのう【──万能】-nō 图 과학 만능. ¶~主義ੜ 과학 만능주의.

かがく【歌学】图 和歌ੜ에 관한 학문.

かがく【価額】图 가액；값.

ががく【雅楽】图 아악. [参考] 본디, 속악(俗樂)에 대해서 바른 음악의 뜻.

かがくてき【科学的】[ナナ] 과학적. ¶~に考ੜえる 과학적으로 생각하다.

*かか-げる【掲げる】下1他 ①내걸다. ⑦달다；게양하다. ¶旗ੜを～ 기를 달다[올리다]. ⑥내세우다；싣다. ¶巻頭ੜに～ 권두에 싣다／見出ੜしに～ 표제로 내세우다. ②들다；언급하다. ¶第三条ੜに～ 제3조에 언급하다. ③걷어 올리다. ¶カーテンを～ 커튼을 걷어 올리다.

かかし【案山子】图 ①허수아비. ＝かがし. ②외견상 훌륭하나 무능한 사람；굴통이. ¶~かけ出ੜし.

かか-す【欠かす】⑤他 빠뜨리다；거르다；빼다. ¶一日ੜも体操ੜを～·さない 하루도 체조를 거르지 않다.

かか-らう【拘う】⑤自 ①(귀찮은 일 등에) 관련되다；관계되다. ¶裁判ੜに～ 재판(송사)에 관련되다. ②구애되다. ＝こだわる.

かか-せる【掻かせる】下1他 긁게 하다；(창피 등을) 당하게 하다. ¶恥ੜを

～ 창피를 당하게 하다.

かが-せる【嗅がせる】下1他 냄새 맡게 하다. ¶においだけ～ 냄새만 맡게 하다.

かかでも【書かでも】[連語] 「～の事ੜ」(굳이) 쓰지 않아도 좋은 일.

かかと【踵】图 ①발뒤꿈치. ＝きびす・くびす. ②신뒤축. ¶~の高ੜい靴ੜ 굽 높은 구두. [注意] 「かがと」라고도 함.

かが-まる【屈まる】⑤自 (허리 따위가) 구부러지다；움츠리다. ＝かがむ.

*かがみ【鏡】图 ①거울. ②(본디 鑑・鑿로도) 모범；귀감(龜鑑). ¶武人ੜの～ 무인의 귀감／人ੜの～となる 남의 모범이 되다. ③술통 뚜껑. ¶~をぬく 술통 뚜껑을 열다[따다]. ④거울 같음. ①번쩍번쩍 빛나는 모양. ②반드럽고 물결 일지 않는 모양.

かがみびらき【鏡開き】图 설에 床ੜの間ੜ에 차려 두었던 鏡ੜもち를 내려놓고 죽쑤어 먹는 일(정월 11일[옛날에는 20일]에 행함). ＝鏡割ੜੜ.

かがみもち【鏡餅】图 신불에게 바치거나, 설에 床ੜの間ੜ에 차려 두는 둥글납작한 대소(大小) 두 개의 포갠 떡. ＝おかがみ・おそなえ.

*かが-む【屈む】⑤自 ①구부러지다；굽다. ¶腰ੜが～·んだ老人ੜ 허리가 굽은 노인. ②(몸을) 구부리다；굽히다. ¶低ੜい門ੜを身ੜを～て通ੜり抜ੜける 낮은 문에 몸을 굽혀 빠져나가다. ③웅크리다. ＝しゃがむ. ¶道ੜばたに～ 길가에 웅크리다.

かが-める【屈める】下1他 구부리다；굽히다. ¶腰ੜを～ 허리를 구부리다.

*かがやかし-い【輝かしい】【耀かしい】-shī 彫 빛나다；훌륭하다. ¶~成果ੜ 빛나는 성과.

かがやか-す【輝かす】【耀かす】⑤他 빛내다. ¶目ੜを～ 눈을 빛내다／国威ੜを～ 국위를 빛내다.

*かがや-く【輝く】【耀く】⑤自 (눈부시게) 빛나다. ¶希望ੜに～ 희망에 빛나다／星ੜが～ 별이 빛나다.

かがり【篝】图 (낚시의) 미늘. ＝あご.

かかり【係(り)】图 ①[係] 담당；계(係)；계원. ¶~を決ੜめる 담당을 결정하다. ②관계；관련. ¶なんのゆかりも～もない 무슨 인연도 관계도 없다. ③[文法] 걸림；또, 「かかり助詞ੜ」의 준말. ↔結ੜび.

*かかり【掛り】图 ①비용；씀씀이. ¶~がかさむ 비용이 많이 들다. ②공격；(바둑에서) 걸침. ③초(初)；초입. ¶来月ੜの～ 내월초. ④구조；규모；모양새. ¶髪ੜの～ 머리 모양. ⑤정박(碇泊). ⑥부양·받음. ¶親ੜの～にあるうちは 부모 슬하에 있을 동안에는. 「을 실로 꿰매다]

かがり【縢り】图 (제본할 때) 접지한 책.

-がかり【係】图 ①(일반적인) …계(원)；담당(자). ¶出納ੜ~ 출납계(원). ②[掛] (흔히 철도 관계에서) …계(원)；담당(자). ¶発送ੜ~.

-がかり【掛(か)り】①주로 사람 수나 숫자를 나타내는 말에) 어떤 일을 하는 데 그만 한 수(数)가 필요함을 나타내는 말. ¶五人ੜ~でする 다섯 사람이 하다／三日ੜੜ~の旅行ੜੜ 사흘간

에 걸친 여행. ②…비슷함;…조(調). ¶芝居～ 연극조. ③신세를 짐;부양을 받음. ¶親～ 부모의 신세를 지고 있는 처지. ④…하는 길;…하는 김. ¶通り～に寄った 지나는 길〔김〕에 들렀다. ⑤공격. ¶車～ 몇 패가 차례로 공격하는 일. 「말려듦.

かかりあい【掛(か)り合い】图 관계;

かかりあ-う【掛(か)り合う】5自 ①관계〔상관〕하다. ②연루(連累)되다.

かかりいん【係員】图 계원;담당자.

かかりかん【係官】图 담당관.

かかりきり【掛(か)り切り】图 그 일에만 매달림. =かかりっきり.

かかりご【掛(か)り子】图 ①남에게 양육되는 아이. ②노후의 의지로 삼는 아이. =かかりっこ.

かかりじょし【係(り)助詞】-joshi 图〔文法〕술어(述語)의 활용어에 관계를 미치는 문어(文語)의 조사《ぞ·なむ·や·か·こそ 따위》. =係助詞.

かかりちょう【係長】-chō 图 계장.

かかりつけ【掛(か)りつけ】《掛(か)り付け》图 언제나 그 의사의 진찰·치료를 받는 일.

かがりび【かがり火】《篝火》图 화톳불. =かがり.

かかりまけ【掛(か)り負け】图 든 비용에 비해 이익이 (별로) 오르지 않음.

かかりむすび【係結び】图〔文法〕글 중에 係り助詞가 사용되었을 때, 그것이 문말(文末)의 진술에 영향을 주는 호응(呼應) 관계;특히, 문어(文語)에서, 문말의 활용형이 連体形·已然形으로 끝날 때를 이름《'月ぞ出づる' '月こそ出づれ' 따위》.

かかりゆ【掛(か)り湯】图 목욕할 때, 몸을 다 씻고 난 다음에 끼얹는 깨끗한 더운 물. =あがりゆ·おかゆ.

‡**かか-る**【係る】5自 ①《본디 繫る로도》①관계되다;관련되다. ¶名誉に～ 명예에 관계되다. ②(…의) 손으로 되다;제작되다. ③(문법에서) 다음 말에 걸리다. ↔受ける.

‡**かか-る**【懸(か)る】5自 걸리다. ¶月が中天に～ 달이 중천에 걸리다〔뜨다〕/首魁の首に千金が～ 수괴의 목에 천금이 걸리다.

‡**かか-る**【掛(か)る】5自 ①걸리다. ㉠《흔히 '～·っている'의 꼴로》(매)달리다;늘어져 있다. ¶風鈴が軒に～·っている 풍경이 처마에 달려 있다. ㉡(요리가) 불 위에 올려 놓이다. ¶なべがガスに～·っている 냄비가 가스불 위에 얹혀져 있다. ㉢(사람 눈에 띄게) 내걺을 당하다. ¶額が～·ったお堂 액자가 걸려 있는 집. ㉣기대어 버티어지다. ¶木の幹にはしごが～·っている 나무 줄기에 사다리가 걸려 있다. ㉤(술수·암수에) 걸려 들다;빠지다;잡히다. ¶計略に～ 계략에 걸리다. ㉥방해물에 붙다. ¶たこが電線に～ 연이 전깃줄에 걸리다. ㉦《懸(か)る로도》(마음에) 거리끼다. ¶気に～ 마음에 걸리다;걱정이 되다. ㉧(자물쇠·단추 등이) 채워지다;잠기다. ¶かぎが～·った部屋 (자물쇠가) 잠긴 방. ㉨(날짜·시간·비용 등이) 소요되다;들다. ¶十日～ 열흘 걸리다/費用が～ 비용이 들다. ㉩상대하다;맞서다. ¶彼に～·っちゃかなわない 그에게 걸리면 못 당한다. ㉪…에 닿다;(뾰족한 것에) 찔리다. ¶舟べりに手が～·って助かる 뱃전에 손이 걸려 살아나다. ㉫계약된 상태에 있다. ¶この建物には保険が～·っている 이 건물에는 보험이 붙어 있다. ㉬《架(か)る로도》가설되다;놓이다;통하다. ¶橋が～ 다리가 놓이다. ㉭《懸(か)る로도》중요한 갈림길이 되다;(부담·책임 등이) 짊어지워지다. ¶今度の事業に運命が～ 이번 사업에 운명이 걸리다. ㉮작용이 미치다;힘이 가해지다. ¶ブレーキが～ 브레이크가 걸리다. ㉯때가〔기한이〕다 되다. ¶時効に～ 시효에 걸리다. ㉰(무지개가) 뜨다. ㉱(말·유혹 등을) 걸어 오다. ¶電話が～ 전화가 걸려 오다. ㉲발동·시동이 되다. ¶エンジンが～ 엔진에 시동이 걸리다. ㉳(의심 등을) 받다;지목받다. ¶疑いが～ 혐의를 받다. ㉴(줄 따위가) 쳐져 있다. ¶くもの巣が～·った天井 거미줄이 걸려 있는〔늘어진〕천장. ㉵(마술·기합 따위가) 가해지다. ¶気合が～ 기합이 걸리다. ㉶먹혀 들다. ¶足わざがうまく～ 발재간이 잘 걸리다〔먹혀 들다〕. ②덤비다;대들다;공격하다. ¶さあ～·って来い 자 덤벼들어라. ③『舟が～』배가 정박(碇泊)하다. ④한층 세련되다. ¶芸に磨きが～ 예능이 더 한층 세련되어지다. ⑤공이 들다;필요로 하다. ¶手が～仕事 손이 가는 일. ⑥『お目に～』(만나)뵙다. ⑦(저울에) 달리다. ¶はかりに～ 저울에 달리다. ⑧오르다. ㉠상정되다. ¶議題が会議に～ 의제가 회의에 오르다. ㉡화제가 되다. ¶人の口に～ 남의 입에 오르다. ㉢상연되다. ¶芝居が～ 연극이 상연되다. ⑨《懸(か)る로도》(의사에게) 보이다;진찰을 받다. ¶医者に～ 의사의 진찰을〔치료를〕받다. ⑩관계하다;종사하다;…하고 있다. ¶当社の経営に～ホテル 당사가 경영하는 호텔. ⑪다루어지다. ㉠처리되다. ¶計算機に～ 계산기에 처리되다. ㉡판가름하다. ¶裁判に～ 재판을 받(게 되)다. ⑫부과되다;과해지다. ¶税金が～ 세금이 부과되다. ⑬『～·って』오로지;전적으로. ¶成否は～·って,きみらの努力にある 성(공여)부는 오로지 너희들의 노력(여하)에 있다. ⑭의지하다. ㉠기대다. ¶まだ親に～身 아직 부모 슬하에 있는 몸. ㉡부담지워지다. ¶一家の生計は父親に～ 집안 생계는 아버지에 의지되고 있다. ⑮튀다;뒤집어 쓰다. ¶ズボンにどろ水が～ 바지에 흙탕물이 튀다. ⑯(기미를) 띠게 되다. ¶赤に少し青が～ 빨강에 약간 푸른 기를 띠다. ⑰(누 따위의) 끼침을 당하다. ¶迷惑が～ 폐가 되다. ⑱(힘 따위가) 더 붙다;오르다. ¶馬力が～ 마력이 붙다;능률이 더 오르다. ⑲접어들다;…에 이르다〔다다르다〕. ¶汽車が鉄橋に～ 기차가 철교에 이르다. ⑳『かさに～』강압적

태도로 나오다. ㉑붙다；교배〔흘레〕하다. ¶スピッツにテリアが~っている 스피츠에 테리어가 붙어 있다. ㉒(끈 따위가)行李₍ど₎に~끈이 동여진 고리짝. ㉓둘러쳐지다；세워지다. ¶小屋ぉ~ 엉성한 막사가〔가설 극장 따위가〕서다. ㉔(구름 따위가)덮여 끼다. ¶一面ぁ~にかすみが~ 온통 안개가 끼다. ㉕(…말이)나돌다；물랑에 오르다. ¶次期₍ど₎大統領₍だいとうりょう₎の声₍こえ₎が~ 차기 대통령이〔될 것이라는〕이야기가 나돌다. ㉖도구나 기계 등이 작용을 미치다. ¶よくアイロンが~った服₍ふく₎ 다리미질이 잘 된다. ㉗착수〔시작〕하다. ¶著述ちょじゅつに~ 저술을 시작하다. ㉘(일 따위에)붙다；매달리다. ¶製作ちぃに~りきりだ 제작에만 매달려 있다. ㉙막히다. ¶鼻ぱに~った声 콧소리；코멘 소리. ㉚(懸₍か₎かる로도)〈雅〉近〔神〕이 들리다；지퍼다. ㉛(動詞의 連用形, 助動詞'(き)せる' '(ら)れる'의 連用形에 붙어)'~(마)침' …하다. ¶そこへ自動車ど₍₎が通りか~った その때에 자동차가 막 지나쳤다. ㉜바야흐로 …하게 되다. ¶死₍し₎に~(막) 죽어가다.

*かかる【架かる】⑤自 가설되다；놓이다. ¶橋₍は₎が~ 다리가 놓이다.

*かかる【罹る】⑤自 (병・재난 따위에)걸리다. ¶病気をに~ 병에 걸리다.

かかる【斯る】連体〈雅〉이러한；이런. ¶~重大ば₍だい₎な時期をに 이러한 중대한 시기에. 「사또다.

かがる【縢る】⑤他 (실・끈 따위로) ~がかる《五段活用의 動詞를 만듦》①…비슷하게 되다. ¶芝居ぱ~った動作ぁ 신파조의 동작. ②…의 빛을 띠게 되다. ¶青みぁ~った生地ぁ 푸른 빛을 띤 바탕.

*かかわらず【拘らず】連語 'に(も)'를 받아서 관계 없이；…에도 불구하고；무릅쓰고. ¶病気をうにも~ 병인데도 불구하고/ 晴雨ぜ₍う₎に~決行ゖ₍っこう₎する 청우(날씨)에 관계없이 결행하다.

かかわり【係わり】图 관계；상관. ¶深いぁ~を持つ 깊은 관계를 갖다.

*かかわ─る【係わる】⑤自 ①본디 関わるとも도)관계되다；관계가 있다；상관하다. ¶命ぁうに~ことだ 목숨에 관계되는 일이다. ②(본디 拘わるとも도)구애되다；…こだわる. ¶つまらないことに~な 쓸데 없는 일에 구애되지 마라. 「과감한 도루.

かかん【果敢】ダナ 과감. ¶~な盗塁 かかん【花冠】图【植】화관；꽃부리. ¶~はなびく. 「ぎし.

かがん【河岸】图 하안；강안. ＝かわ

かがんぼ【大蚊】图-gambo 각다귀 모기. ＝かとんぼ.

かき【垣】【堵・牆】图 울타리；담. ＝かきね. ¶~を造₍つく₎る 울타리를 만들다；담을 쌓다；전하여, 차별 대우하다.

かき【柿・杮】图【植】감(나무).

かき【牡蠣】图 굴(조개)；모려. ＝ぼれい.

かき【夏季】图 하계；여름철. ↔冬季

かき【夏期】图 하기；여름의 기간.

かき【火器】图 ①불을 담는 그릇. ＝火入ひれ. ②총포류(銃砲類)의 총칭.

かき【火気】图 ①화기；불 기(운). ＝火ぴのけ. ¶~厳禁ぱん 화기 엄금. ②화력. ¶~が強い 화력이 세다.

かき【花卉】图 화훼；화초. ＝草花ぱな.

かき【花期】图 화기；꽃을 볼 수 있는 그릇. ＝はないれ. 「(기간).

かき【下記】图 하기；아래 적히는 시기. ↔上記ざ₍き₎の

かき-【掻き】《(흔히 他動的인 뜻의)動詞에 붙여서》어세(語勢)를 세게 하는 데 씀. ¶~寄ょせる 긁어 모으다.

*かぎ【鉤】图 ①갈고랑이. ②갈고리 형태의 것. ↔さお. ③인용어(引用語)를 싸는 갈고리 모양의 괄호(「」).

*かぎ【鍵】图 열쇠. ＝キー. ¶問題ぱんを解く~ 문제를 푸는 열쇠.

がき【餓鬼】图 ①〈佛〉아귀. ¶~道₍どう₎에 빠진 망령(亡靈). ②연고자가 없는 망령；'餓鬼道'라는(＝ㄱ₍우₎도리)의 준말. ③〈俗〉어린 아이를 낮추어서 욕하는 말；개구쟁이. ¶このーめ이 개구쟁이 놈아. ─だいしょう〔──大將〕-shō 골목 대장.

かきあげ【かき揚げ】图(掻き揚げ)튀김의 하나(잘게 썬 조갯살・새우・야채 등의 재료를 밀가루 반죽에 버무려 튀긴 것).

かきあ─げる【かき揚げる】图(掻き揚げる)下1他 (흩어진 머리카락을) 그러올리다.

かきあ─げる【書き上げる】下1他 ①다 쓰다. ¶論文ぶんを~ 논문을 다 쓰다. ②조목조목 들어서 쓰다. ¶罪状ぜ₍じょう₎を~ 죄상을 낱낱이 들어서 쓰다.

かきあつめる【かき集める】下1他(掻き集める) ①긁어모으다. ②닥치는 대로 그러모으다. ¶資金ぁんを~ 자금을 그러모으다.

かぎあ─てる【嗅ぎ当てる】下1他 ①물건의 냄새를 맡아 알아맞추다；비유적으로, 알아〔찾아〕내다.

かぎあな【かぎ穴】(鍵穴・鍵孔)图 열쇠 구멍. ¶늘 뜨게질.

かぎあみ【かぎ編み】(鉤編み)图 코바

*かきあらわ─す【書き表わす】⑤他 글로 써서 나타내다.

かきあらわ─す【書き著(わ)す】⑤他 저작하다；책을 세상에 내다.

かきあわ─せる【かき合(わ)せる】(掻き合(わ)せる)下1他 여미다. ＝つくろう. ¶えりを~ 옷깃을 여미다.

かきいれ【書(き)入れ】图 ①(보태서)써 넣음；기입；또, 그 문자. ②【書入れ時ぢ】의 준말. ③매상・이익・흥미 따위에 대한 기대. ¶今週こっ~の試合ぁ 금주의 기대가 큰 시합. ──どき〔──時〕图 대목 때.

かき い─れる【書(き)入れる】下1他 써 넣다；기입하다.

かきいろ【かき色】(柿色)图 ①익은 감빛. ②적갈색. ③암갈색；고동색.

*かきおき【書(き)置き】(書き置)图 ①(용건 따위를)써서 뒤에 남김；또, 그 편지. ＝おきてがみ. ②유서；유언장(遺言狀). 「내다.

かきおく─る【書き送る】⑤他 써서 보

かきおこ-す【かき起(こ)す】【掻き起(こ)す】⑤他 쑤석거려서 일으키다；뒤섞어서 일으키다. ¶炭火$\stackrel{ぴ}{ひ}$を～ 숯불을 쑤석거려서 불을 일으키다.

かきおこ-す【書き起(こ)す】⑤他 쓰기 시작하다.

かきおと-す【書き落(と)す】⑤他 빠뜨리고 쓰다. ＝かきもらす.

かきおろし【書(き)下ろし】图 새로 씀；새로 쓴 작품(특히, 신문·잡지 따위에 싣지 않고 직접 단행본으로 출판된 것 또는 직접 상연된 것).

かきか-える【書き換える・書換える・書(き)替え】⊠他 고쳐 씀；개서(改書). ¶名義$\stackrel{ぎ}{ぎ}$の～ 명의 개서.

かきか-える【書き換える・書換える・書(き)替える】⊡他 고쳐(다시) 쓰다.

*****かきかた**【書き方】图 쓰기. ①쓰는 법；서식. ¶こういう～では誤解$\stackrel{かい}{かい}$を招く 이런 식으로써서는 오해를 산다. ②붓 놀리는 법；글씨 쓰는 기술. ③습자(習字)('習字$\stackrel{じゅう}{じゅう}$'의 구칭). ｜기.

かきがら【かき殻】【牡蠣殻】图 굴껍데

かきき-える【かき消える】【搔き消える】⊡自 (흔적도 없이) 사라지다；지워지다.

かきき-る【かき切る】【搔き切る】⑤他 (배·목 등을) 과감히 베다. 注意 힘줌말은 'かっきる'.

かきく-だす【書き下す】⑤他 ①(위에서 아래로) 내리 쓰다. ②붓 가는 대로 쓰다. ¶一気$\stackrel{き}{き}$に～ 단숨에 써 내려가다. ③순 한문을 仮名$\stackrel{がな}{がな}$가 섞인 문장으로 고쳐 쓰다.

かきく-どく【搔き口説く】⑤他 'くどく'의 힘줌말.

かきく-もる【かき曇る】【搔き曇る】⑤自 'くもる'의 힘줌말；갑자기 흐려지다.

かきく-れる【搔き暮れる・搔き昏れる・搔き暗れる】⊡自 ①¶涙$\stackrel{なみ}{なみ}$に～ 눈물로 세월을 보내다. ②아주 어두워지다.

かきけ-す【かき消す】【搔き消す】⑤他 'けす'의 힘줌말；(써져 있던 것을) 싹 지우다.

かきごし【垣越し】图 ①울타리 너머. ②울타리를 넘어서 옴. ¶～の松$\stackrel{まつ}{まつ}$을 울타리를 넘어온 소나무.

かきことば【書きことば】【書き言葉】图 글말；문장어(文章語). ↔話$\stackrel{はな}{はな}$しことば.

かきこみ【書(き)込み】图 (책·서류 따위의 공간에) 써 넣음；또, 그 써 넣은 글자.

かきこ-む【かき込む】【搔き込む】⑤他 ①그러모으다. ②급히 먹다. ＝かっこむ. ¶飯$\stackrel{めし}{めし}$を～ 밥을 급히 먹다.

かきざき【かき裂き】【鉤裂き】⊠自 (천 따위가) 무엇에 걸려서 갈고리 모양으로 찢어짐；또, 그 찢어진 곳.

かきさ-す【書きさす】【書き止す】⑤他 (가) 말다. ¶～・しの原稿$\stackrel{こう}{こう}$를 쓰다가 만 원고. 「끝은 숍；갈무」.

かきしぶ【かき渋】【柿渋】图 날감의

かきじゅうじ【かぎ十字】【鉤十字】图 갈고리 십자(卍).

*****かきしる-す**【書き記す】【書き誌す】⑤他 적다；쓰다.

かきすて【かき捨て】【搔き捨て】图 ¶『旅$\stackrel{たび}{たび}$の恥$\stackrel{はじ}{はじ}$は～』여행중엔 그 곳에 아는 사람이 없으므로 창피한 일이라도 크게 부끄럽지 않다.

かきす-てる【書(き)捨てる】⊡他 ①써 놓기만 하고 내버려두다. ②아무렇게나 쓰다.

かきそ-える【書(き)添える】⊡他 더 써넣다；첨서(添記)하다.

かきそこな-う【書(き)損なう】⑤他 잘못 쓰다.

かきぞめ【書(き)初め・書初】图 ⊠自 신춘 휘호(新春揮毫).

かきそんじ【書(き)損じ】图 ⊠自 틀리게(잘못) 씀；또, 그렇게 쓴 것.

かきだし【書(き)出し】图 ①글의 첫머리；서두；모두(冒頭). ¶小説$\stackrel{せつ}{せつ}$の～ 소설의 서두. ②계산서；청구서.

かきだ-す【かき出す】【搔き出す】⑤他 (손 따위로) 긁어내다；퍼내다. ＝かい出す. ¶ボートの水$\stackrel{みず}{みず}$を～ 보트의 물을 퍼내다／灰$\stackrel{はい}{はい}$を～ 재를 긁어내다.

かきだ-す【書き出す】⑤他 ①쓰기 시작하다. ②(필요한 것을) 뽑아 쓰다. ¶問題点$\stackrel{てん}{てん}$を～ 문제점을 뽑아 쓰다. ③써서 내다. ¶勘定$\stackrel{じょう}{じょう}$を～ 계산서를 써서 내다.

かぎだ-す【かぎ出す】【嗅ぎ出す】⑤他 ①(냄새를) 맡아서 알아 내다；전하여, 탐지하다；찾아내다. ¶秘密$\stackrel{みつ}{みつ}$を～ 비밀을 탐지해 내다. 「음.

かきたて【書きたて】图 이제 막 써낸

かきた-てる【かき立てる】【搔き立てる】⊡他 ①마구 저어서 거품이 일게 하다. ②(심지를) 돋우다. ¶灯心$\stackrel{しん}{しん}$を～ 심지를 돋우다. ③북돋우다. ¶気力$\stackrel{りょく}{りょく}$を～ 기력을 복돋우다.

かきた-てる【書き立てる】⊡他 ①하나하나 들어서[조목조목] 쓰다. ¶項目$\stackrel{もく}{もく}$を一つ一つ～ 항목을 하나하나 들어서 쓰다. ②눈에 띄게[떠들썩하게] 써내다. ¶新聞$\stackrel{ぶん}{ぶん}$に～ 신문에 크게 다루다.

かぎタバコ【嗅ぎ煙草】图 코담배. ▷포 tabaco.

かきちら-す【書(き)散らす】⑤他 ①휘갈겨 쓰다；마구 쓰다. ②여기저기 써두다.

かきつく-す【書(き)尽くす】⑤他 충분히 써서 나타내다；죄다 써버리다.

*****かきつけ**【書(き)付け・書付】图 문서；증서；계산서.

かきつ-く【書(き)つく】⊡自 늘 써서 익숙하다.

かきつ-ける【書(き)付ける】⊡他 써 두다；기록해 두다.

かぎつ-ける【嗅ぎ付ける】⊡他 ①냄새를 맡아서 찾아내다. ②(우연한 일로) 탐지해 내다. ¶秘密$\stackrel{みつ}{みつ}$を～ 비밀을 탐지해 내다.

かぎっこ【かぎ子】【鍵っ子】图 (俗) 부모가 맞벌이하는 집안의 아이(열쇠를 차고 다니는 데서).

かぎ-って【かぎって・限って】連語 ⇨かぎる/□①.

かきつばた【燕子花・杜若】图[植] 제비붓꽃；연자화(燕子花).

かきつら-ねる【書(き)連ねる】⊡他 죽 써 늘어놓다；길게 쓰다.

かきて【書き手】图①쓰는〔쓴〕사람；필자(筆者). ↔読み手て. ②문장가；명필. ¶当代だ一流りゅうの─당대 일류의 명필〔문장가〕.

*****かきとめ【書留】**图 등기 우편('書留郵便どうびん'의 준말).

かきと-める【書き留める】下1他 (잊지 않도록) 써 두다.

*****かきとり【書き取り】**图①베껴 씀；또, 그 글. ②받아쓰기. ¶～試験しけん받아쓰기 시험.

かきと-る【書き取る】5他 받아쓰다；(문장·어구를) 베껴 쓰다.

かきなお-す【書き直す】5他 고쳐〔다시〕쓰다；개서(改書)하다.

かきな-ぐる【書き殴る・書き撲る】5他 휘갈겨 쓰다.

かきなら-す【書き鳴らす・掻き鳴らす】5他 (거문고 따위를 손톱으로) 타다；켜다.

*****かきぬき【書き抜き】**ス他①발췌＝抜かき書がき. ②특히, 연극에서 각 배우의 대사만을 뽑아 적은 것.

かきぬ-く【書き抜く】5他①발췌하다. ②끝까지 쓰다.

かきね【垣根】图①울타리.＝かき. ②담, 담 밀. ─ごし【─越し】图 담을 격함；담을 사이에 둠.＝垣根ねごし. ¶～に隣となり合あって住すむ 담을 사이에 두고 이웃해 살다.

かきの-ける【掻き退ける】下1他 좌우로 밀어내다；밀어젖히다.

かきの-こす【書き残す】5他①(쓸 것을) 다 쓰지 않고 남겨 두다. ②써서 남기다〔전하다〕.

かきのし【書きのし・書き熨斗】图 선물의 포장지 따위에 'のし(=색종이로 접은 축하의 표지)'를 붙이는 대신에 약식으로 'のし'라고 흘려 쓴 것.

かぎのて【鉤の手】图 ㄱ자 모양으로〔대체로 직각〕꼬부라짐；또, 그런 모양의 것. (2)(길) 직각 찰떡.

かぎばな【かぎ鼻】【鉤鼻】图 매부리코.＝わしばな.

かぎばり【かぎ針・鉤針】图 코바늘. ¶～編あみ 코바늘 뜨개질；또, 그 뜬 것.

かきぶり【書きぶり・書き振り】图①글(씨) 쓰는 품. ②필적；문체(文體).

かきまぜき【かき混ぜ機】图 교반기(攪拌器), 또는 攪拌機ばき(かくはん).

かきま-ぜる【かき混ぜる・掻き混ぜる・掻き交ぜる】下1他 (휘저어서) 뒤섞다.

*****かきまわ-す【かき回す・掻き廻す】**5他①휘젓다；어지르다. ¶さじで～숟가락으로 휘젓다／部屋へやの中なかを～방안을 어지르다. ②〈俗〉(자기 생각대로) 휘두르다.

かきみだ-す【かき乱す・掻き乱す】5他 휘저어 어지럽히다；교란시키다.

かきむ-しる【掻き毟る】5他 막 쥐어뜯다；긁어대다. ¶髪かみの毛けを～머리털을 쥐어뜯다.

かきもち【掻き餅・欠き餅】图①설에 쓰는 鏡かがみもち를 손으로 잘게 뜯은 것. ②얇게 썰어서 말린 찰떡.

かきもの【書き物】图①쓴 것；문서；기록. ②글씨나 문장을 씀. ¶～をし

ている 글을 쓰고 있다.

かきもら-す【書（き）漏らす】5他 빠뜨리고 쓰다.

かきゃくせん【貨客船】kyaka- 图 화객선.

かぎゃくはんのう【可逆反応】-gyaku- hannō 图〔理〕가역 반응.

かきゅう【下級】-kyū 图 하급. ¶～生せい 하급생.＝下級かきゅう.

かきゅう【火急】-kyū 名ィ화급. ¶～の用よう 화급한 용무.

かぎゅう【蝸牛】-kyū 图〔動〕와우；달팽이.＝カタツムリ. ──かくじょう【─角上】-jō 图 와우각상(아주 좁은 세상의 비유). ¶～の争あらそい 와우각상의 싸움.

かきゅうてき【加及的】kakyū- 副 가급적. ¶～すみやかに 가급적 신속히.

かきょ【科挙】-kyo 图 과거.

かきょう【佳境】-kyō 图 가경. ¶話はなはいよいよ～に入はいる 이야기는 점입(漸入) 가경하다.

かきょう【架橋】-kyō ス自 가교.

かきょう【華僑】-kyō 图 화僑(か). 華人じん.

かぎょう【か行】-gyō 图 か행；五十音図ごじゅうおんずの둘째 줄. ──へんかくかつよう【─変格活用】-yō 图〔文法〕동사의 변격 활용의 하나〔文語는 'こ·き·く·くる·くれ·こ(よ)'로 활용하는 'く(来)', 口語는 'こ·き·く·くる·くれ·こい'로 활용하는 'く(来)る'의 자기간 낱말임〕.

かぎょう【家業】-gyō 图 가업. ¶～を継つぐ 가업을 잇다.

かぎょう【稼業】-gyō 图 장사；생업. ¶～に精せいを出だす 생업에 힘쓰다. 參考 자조적(自嘲的)으로 흔히 씀.

かぎょう【課業】-gyō 图 과업.

かきょく【歌曲】-kyoku 图①노래；노래의 가락. ②가곡. ▷─리-드.

かきよ-せる【かき寄せる・掻き寄せる】下1他 긁어 모으다〔당기다〕.

*****かぎり【限り】**图①한. ②끝；한계. ¶～無なく多おおい 한없이 많다／横幕まくの─を尽つくす 갖은〔온갖〕횡포를 다하다. ③한도；…껏. ¶力ちからの─を努つとめる 힘껏 노력하다. ④〔従属句의 끝 따위에 쓰이어〕동안；…의 범위내. ¶あやまらない～許ゆるさない 사과하지 않는 한 용서하지 않는다／この─では 이런 경우에서만은／君きみの言いい分ぶんも正ただしいに관한 한 에선 자네의 말도 옳다. ⑤마지막；최후. ¶きょうを～と奮戦ふんせんする 오늘을 마지막으로 분전하다. ⑥〔때 따위를 나타내는 名詞에 붙어〕뿐；까지；만. ¶その場ばの話はなし 그 자리에서만의 이야기／申もし込こみは今月末こんげつまつ～신청은 이 달말까지. ──で(は)ない 그 범위에 들지 않는다. ¶非常ひじょうの場合ばあいにはこの─でない 비상시에는 차한(此限)에 한하지 않는다.

かぎりな-い【限りない】形 무한하다；한(끝)없다. ¶～喜よろこび 무한한 기쁨.

＊＊かぎ-る【限る】5他 ①경계·범위를 짓다. ¶へいで周囲いを～ 담으로 주위를 경계짓다. ②제한하다；한(定)하다. ¶ふたりに～ 두 사람으로 제한하다／入場者にゅうじょうしゃは成人せいじんに～ 입장자는 성인에 한한다. 一ス自①〈…

に〜って'の꼴로》…만은；…에 한해서；…따라. ¶彼女に〜ってそんな事はしない 그이에 한해서 그런 일은 하지 않는다. ¶〈…に〜'의 꼴로》…밖에 없다. ¶旅行なら秋に〜 여행은 가을이 제일이다. ③〈否定이 따른 전제로서》꼭 …하다고는 할 수 없다；…만이 아니다. ¶金持ちが幸福だとは…らない 부자가 꼭 행복하다고는 할 수 없다／できるのは君だけに〜らない 할 수 있는 것은 너만이 아니다.

かきわ・ける【かき分ける】【掻き分ける】⑤他 좌우로 밀어 헤치다.

かきわ・ける【書き分ける】⑤他 나누어 쓰다；구별하여 쓰다.

かきわり【欠き割り】图 전청어(乾靑魚)；관목(貫目)(짜개 발리어 말린 비웃). =みがきにしん.

かきわり【書き割り】图 연극에서, 무대 배경의 한 가지(집·풍경 따위의 그림).

かきん【家禽】图 가금, 그린 그림.

かきん【過勤】图'超過勤務する'의 준말(초과 근무).

か・く【欠く】⑤他 ①결하다；없다；…이 부족하다. ¶礼を〜 결례하다／資格を〜 자격이 없다. ⓑ빠트리다. ¶〜ことのできない条件 빠트릴 수 없는 조건. ②게을리하다；소홀히하다. ③注意を〜 주의를 소홀히하다. ③상하다；부수다. ¶茶碗を〜 찻잔을 깨트리다.

か・く【掻く】⑤他 ①긁다；할퀴다. ¶頭を〜(겸연쩍어) 머리를 긁다. ②(칼로) 깎다. ¶かつおぶしを〜 가다랑어 포를 칼로 깎다. ③파헤치다. ¶田を〜 논을 갈다. ⓑ헤집다. ¶砂を〜 모래를 헤집다. ④(현악기를) 켜다；퉁기다. ¶ギターを〜き鳴らす 기타를 퉁기다. ⑤(갈퀴로) 긁어 당기다. ⑥빗질하다. ¶髪を〜 머리를 빗다. ⑦(긁어서) 모으다. ¶雪を〜 눈을 치다. ⑧(손 따위로) 밀어젖히다；헤치다. ¶オールで水を〜いて進む 노로 물을 헤치고 나아가다. ⑨자르다；치다. ¶首を〜 목을 자르다. ⑩위椎다. ¶汗をか〜 땀을 내다(흘리다). ⑫'瘉を〜' 매독에 걸리다. ⑬'いびきを〜' 코를 골다. ¶'あぐらを〜' 책상다리를 하다. ⑮'恥を〜' 창피를 당하다. ⑯'べそを〜' 울상을 하다.

か・く【書く】⑤他 (글씨·글을) 쓰다. ¶本だを〜 책을 쓰다／字を〜 글씨를 쓰다／詩を〜 시를 짓다. ↔読よむ.

か・く【描く·画く】⑤他 (그림을) 그리다. =えがく.

か・く【舁く】⑤他 (두 사람 이상이) 메다. =かつぐ. ¶かごを〜 가마를 메다.

かく【格】图 격. ①가치·지위 따위의 단계. ¶〜が上がる 격이 올라가다／〜に合わない 격에 맞지 않다. ②〖言〗말의 문장에서의 문법적 관계. ¶名詞との〜 명사의 격.

かく【核】图 ①사물의 중심. ②'核兵器き(=핵무기き)'의 준말.

かく【角】图 ①일본 장기 말의 하나 '角行ぎ의 준말). ②모난 것. ¶〜に

切きる 네모지게 자르다. ③〖數〗각；각도.

かく【斯く·是く】副【雅】이와 같이；이렇게. ¶〜言う私わは 이렇게 말하는 나는.

か・ぐ【嗅ぐ】⑤他 ①냄새 맡다. ②탐지하다. ¶犯人はを〜·ぎつける 범인을 탐지해 내다.

かぐ【家具】图 가구. ¶〜屋 가구점.

がく【学】图 학문. ¶〜のある人が 학문이 있는 사람／〜を修おさめる 학문을 닦다.

がく【萼】图【植】악；꽃받침. =うてな. ¶〜り.

がく【楽】图 음악. ¶〜の音が 음악 소리.

がく【額】图 액. ①액수；금액. ¶損害愁の〜 손해액. ②편액；액자.

かくあげ【格上げ】⑦図 격상；승격. ↔格下ぎげ. ¶〜になる.

かく-い【角い】形【俗】네모지다；모.

かくい【各位】图 각위；여러분. ¶〜会員ゃ会員 각위.

かくい【隔意】图 격의. ¶〜なく話す 격의 없이 이야기하다.

がくい【学位】图 학위. ¶〜論文ぶ 학위 논문.

かくいつ【画一·劃一】图 획일. ──てき【──的】ダナ 획일적. ¶〜な教育ぶ 획일적인 교육.

かくいどり【蚊食(い)鳥】图【動】박쥐의 딴이름. ¶〜자. =真人がふ.

かくいん【各員】图 각원；각각；각.

かくいん【客員】图 객원. =きゃくいん. ¶〜教授じゃ 객원 교수.

かくいん【閣員】图 각원（閣僚）.

がくいん【学院】图 학원(학교의 딴이름).

かくう【架空】-kū 图 가공. □㊀ 图 공중에 걸침. ¶〜ケーブル 가공 케이블. □㊁名 상상으로 만듦. ¶〜の人物ぶ 가공 인물.

かぐう【仮寓】-gū 图自 가우；우거(寓居). =かりずまい.

がくえん【学園】图 학원；학교(특히, 초급에서 상급 과정에 이르는 몇 개 학교를 갖춘 사립 학교를 가리킴).

かくおち【角落ち】图 (장기에서) 차 두는 편에서 '角'(=장기말의 하나)'를 메고 두는 일.

かくおび【角帯】图 (일본옷에 매는) 겹으로 된 딱딱하고 폭이 좁은 남자용 허리띠.

がくおん【楽音】图 악음；진동이 규칙적인 듣기 좋은 소리. ↔騷音愁.

かくかい【角界】图 씨름계.

かくがい【格外】图 격외. ¶〜の品な 격외품；등외품.

かくがい【閣外】图 각외；내각의 외부. ↔閣内がに.

がくがい【学外】图 학외. ↔学内がに.

かくかく【斯く斯く】副 이렇게 이렇게；이러이러；여차여차. しかじか. ¶〜の次第な,で 이러이러한 사정으로.

がくがく【諤諤】タル 악악；거리낌 없이 바른 말을 논술하는 모양. ¶〜たる正論ぶ 거리낌없는 정론.

がくがく副 ①근들근들. ¶入いれ歯は が〜になる 의치가 근들근들하여지다.

②부들부들；오들오들. ¶~(と)震ふえる 오들오들 떨다.

かくかくさん【核拡散】 图 핵확산(‘核兵器㐘拡散’의=핵무기)'의 준말).

かくかぞく【核家族】 图 핵가족.

かくがた【角形】 图 (사)각형；비모.

かくがり【角刈(り)】 图 바싹 치켜 깎아서 머리 모양이 네모지게 하는 남자의 머리 깎는 방식.

かくぎ【閣議】 图 각료회의. ¶~をする 각의를 열다.

かくぎ【閣議】 图 각의. ¶定例~ 정례 각의.

がくぎょう【学業】-gyō 图 학업. ¶~成績 학업 성적.

かくきょり【角距離】-kyori 图 각거리.

かくきん【核禁】 图 핵금；핵무기의 제조・사용의 금지.

かくぐう【客寓】-gū 图 객우. ①손으로서 머묾；또, 그 집. ②여행중의 임시 숙소.

かくクラブ【核クラブ】 图 핵클럽(핵무기를 보유한 나라들). ▷Club.

がくげい【学芸】 图 학예. ¶~欄을 가진 예난/-部 학예부/~会 학예회.

がくげき【楽劇】 图 악극.

かくげつ【隔月】 图 매월；매달. ¶~配本 격월 배본.

かくげつ【隔月】 图 격월. ¶~配本 격월 배본.

かくげん【格言】 图 격언. =金言.

かくげん【確言】 图 [自他] 확언.

かくご【覚悟】 图 체념하고 마음을 정함. ¶~はできたか 각오는 되었느냐. ②깨달음.

かくさ【格差】 图 격차. ¶賃金㐘~ 임금 격차.

かくさ【較差】 图 こうさ(較差). 注意 'かくさ'는 관용음.

かくざい【角材】 图 각재；오리목. ↔丸材㐘.

がくさい【楽才】 图 악재；음악적 재능.

がくさい【学才】 图 학재.

かくさく【画策】 图[ス自] 획책(주로 나쁜 뜻으로 씀). ¶舞台裏㐘㐘～でする 이면에서 획책하다.

かくさげ【格下げ】 图[ス他] 격하. ↔格上㐘げ.

かくざとう【角砂糖】-tō 图 각설탕.

がくさい【額皿】 图 (세우거나 벽에 거는) 장식 접시.

かくさん【拡散】 图[ス自] 확산. ¶~現象㐘을 확산 현상／核兵器㐘㐘の～ 핵무기의 확산.

かくさん【核酸】 图[化] 핵산.

がくさん【学参】 图 ‘学習㐘㐘参考書㐘㐘㐘(＝学習 참고서)'의 준말.

かくし【隠し】 图 ①숨김. ¶真相㐘㐘~ 진상 은폐. ②(옷) 포켓；호주머니.

かくし【各紙】 图 각지；각 신문. ¶夕刊㐘㐘~ 석간 각지.

かくし【各誌】 图 각지；각 잡지. 「し.

かくし【客死】 图[ス自] 객사. =きゃく

かくじ【客地】 图 객지；객사(客中)의 생각；여정(旅情).

かくじ【各自】 图 각자.

かぐし【家具師】 图 가구장이；가구상.

がくし【学士】 图 학사. ¶法㐘~ 법학사. ——いん【—院】 图 학사원(우리 나라의 학술원에 상당.

がくし【学資】 图 학자；학비.

がくし【楽士】 图 악사.

がくし【楽師】 图 악사；(아악(雅楽)의) 악인(楽人).

がくじ【学事】 图 학사；학교・학문에 관한 일. ¶~報告㐘 학사 보고.

かくしえ【隠し絵】 图 숨은 그림.

かくしおーせる【隠しおおせる】-ōseru [下1他] 끝까지 드러내지 않다.

かくしき【格式】 图 격식. ¶~を重んずる 격식을 존중하다. ——ば-る【—張る】[5自] (너무) 격식을 차리다；딱딱하게 굴다.

がくしき【学識】 图 학식.

かくしくぎ【隠しくぎ】【隠し釘】 图 은정(隠釘)；은혈못.

かくしげい【隠し芸】 图 여기(余技)；남몰래 익힌 재주나 솜씨.

かくしご【隠し子】 图 사생아.

かくしごと【隠し事】 图 비밀로 하고 있는 일；비밀 (사항). =秘事㐘.

かくじだいてき【画期的】【劃時代的】 [ダナ] 획시대적；획기적.

かくしだて【隠し立て】 图[ス他] 어디까지나 (일부러) 숨김. ¶少しも~をするつもりはない 조금도 숨길 생각은 없다.

かくしつ【確執】 图[ス自] 확집；서로 자기 의견만 주장함；또, 그것으로 일어나는 불화.

かくしつ【核質】 图 (세포의) 핵질.

かくしつ【角質】 图[生] 각질. =ケラチン.

かくじつ【隔日】 图 격일. 「チン.

かくじつ【確実】 图[ダナ] 확실. ¶~な方法㐘 확실한 방법[정보]. 「実験.

かくじっけん【核実験】-jikken 图 핵

かくして【斯くして】[連語] 이렇게 하여. ¶~大戦은 始㐘まった 이리하여 대전은 시작되었다. 「部).

かくしどころ【隠し所】 图 음부(陰

かくしぬい【隠し縫い】 图 공그르기.

かくしゃ【客舎】-sha 图 객사. =きゃくしゃ. 「(건물).

がくしゃ【学舎】-sha 图 학사；학교

がくしゃ【学者】-sha 图 학자. ——はだ【—肌】 图 학자 기질. ——ぶ-る[5自] 학자연하다.

かくしゃく【矍鑠】-shaku [トタル] 확삭；늙어도 기력이 정정함.

かくしゅ【各種】-shu 图 각종. ¶~各様㐘을 각종 각양, ——がっこう【—学校】-gakkō 图 각종 학교.

かくしゅ【馘首】-shu 图[ス他] 괵수. ①목을 침[벰]. ②해고(解雇).

かくしゅ【鶴首】-shu 图 학수 (고대). ¶~して待㐘つ 학수 고대하다.

かくしゅう【客愁】-shū 图 객수；여수(旅愁).

かくしゅう【隔週】-shū 图 격주.

かくじゅう【拡充】-jū 图[ス他] 확충. ¶軍備㐘~ 군비 확충.

がくしゅう【学習】-shū 图[ス他] 학습. ——かんじ【—漢字】 图 학습 한자(教育漢字㐘㐘㐘에 새로이 115자를 더한 것).

がくじゅつ【学術】-jutsu 图 학술. ¶~雑誌㐘㐘 학술 잡지. ——かいぎ【—会議】 图 학술 회의(일본의 최고 학술 자문 기관). 「여러 곳.

かくしょ【各所】【各処】-sho 图 각처；

かくしょう【各省】-shō 图 각성 ; 여러 성(우리 나라의 각부(各部)에 해당).

かくしょう【確証】-shō 图 확증. ¶～をにぎる 확증을 잡다.

がくしょう【学匠】-shō 图 ① 학자. ② 【佛】 불도를 닦아 스승될 자격이 있는 중.

がくしょう【楽匠】-shō 图 악장 ; 대음악가 ; 대작곡가 ; 뛰어난 지휘자.

がくしょう【楽章】-shō 图 악장. ¶第一～ 제일 악장.

がくしょく【学殖】-shoku 图 깊은 학식 ; 학문의 소양.

かくじょし【格助詞】-joshi 图 【文法】 격조사('花が咲く (=꽃이 피다)', '枝を折る (=가지를 꺾다)'의 'が'・'を'따위).

かくしん【隔心】图 격심 ; 격의(隔意).

***かくしん**【核心】图 핵심. ¶～を突く 핵심을 찌르다.

***かくしん**【確信】图 자他 확신. ── はん【──犯】图 확신범.

***かくしん**【革新】图 자他 혁신. ¶～的 がの 혁신적. ↔保守 じゅ.

かくじん【各人】图 각인 ; 각자. ¶～各説 がん 각인 각설.

がくじん【楽人】图 악인 ; 악사.

***かく-す**【隠す】【匿す・蔵す】⑤他 감추다 ; 숨기다. ¶金かを～ 돈을 감추다 / 名なを～ 이름을 숨기다. [추 ; 감출.

かくすい【角錐】【角錐】图 【数】각추.

かくすう【画数】【劃数】-sū 图 (한자의) 획수. ¶～順 じゅん 획수순.

かく-する【画する】【劃する】 サ変他 ① 선을 긋다. ¶一線 いっを～ 뚜렷한 선을 긋다. ② 구획하다 ; 경계를 짓다. ¶一時期 じきを～ 한 시기를 구획하다. ③ 계획하다. ¶倒閣 とうを～ 도각을 꾀하다.

かくせい【郭清】【廓清】图 자他 확청 ; 숙청. 注意 'がくせい'郭清로 씀은 대용 한자.

かくせい【覚醒】图 자自他 각성. ¶～剤 ざい 각성제 / …の～を促 がわす 의 각성을 촉구하다.

かくせい【隔世】图 격세. ¶～遺伝 でん 격세 유전 / ～の感 かんがある 격세지감이 있다. [학제 개편.

がくせい【学制】图 학제. ¶～改編 かん

***がくせい**【学生】图 학생 ; 특히, 대학생. ¶～時代 だい 학생 시절.

がくせい【楽聖】图 악성. ¶～ベートーベン 악성 비토벤.

かくせいき【拡声器】图 확성기.

がくせき【学籍】图 학적. ──ぼ【──簿】图 학적부.「指導要録 どうしょう (=지도 요록)'의 구칭].

かくせつ【確説】图 확설 ; 확실한 설.

かくぜつ【隔絶】图 자自 격절 ; 사이가 동떨어짐. ¶世間 せんから～した所 とこ 세상에서 동떨어진 곳.

***がくせつ**【学説】图 학설.

がくせつ【楽節】图 【楽】 악절. ¶小 しょう～ 소악절 ; 작은구절.

かくぜん【画然】【劃然】 卜ダル 획연. ¶～と区別 ぐつする 명백히 구별하다.

かくぜん【確然】卜ダル 확연. ¶～たる証拠 しょう 확실한 증거.

がくぜん【愕然】卜ダル 악연 ; 깜짝 놀라는 모양. ¶～として色 いろをうしなう 악연 실색하다.

かくせんせき[角閃石] 图 【鑛】각섬석.

かくそう【各層】-sō 图 각층 ; 여러 층. ¶各界 かく～ 각계 각층.

がくそう【学僧】-sō 图 학승.

がくそう【学窓】-sō 图 학창. ¶～の思 おもい出 で 학창(시절)의 추억.

がくそう【楽想】-sō 图 악상.

がくそく【学則】图 학칙.

かくそくど【角速度】图 【理】각속도.

がくそつ【学卒】图 '大学 がく卒業 ぎょう (=대학 졸업)'의 준말.

かくそで【角そで】【角袖】图 ① 네모난 소매. ② 일본 옷. ③ '角袖巡査 じゅん (=사복 형사)'의 준말.

かくたい【客体】图 ☞ きゃくたい.

***かくだい**【拡大】【廓大】图 자他 확대. ¶～鏡 きょう 확대경 / ～解釈 かい 확대 해석 / ～勢力 りょくを～する 세력을 확대하다 / ～規模 が~する 규모가 확대되다. ↔縮小 しょう. [악대.

がくたい【楽隊】图 악대. ¶軍～ ぐん 군악대.

かくたる【確たる】連体 틀림없는, 확실한. ¶～証拠 しょう 확고한 증거.

かくたん【喀痰・咯痰】图 자他 객담 ; 담을 뱉음 ; 또, 그 담. ¶～検査 けん 객담 검사.

かくだん【格段】ダナ 각별 ; 현격(懸隔). ¶～の計 はからい 각별한 조처.

がくだん【楽団】图 악단. ¶管弦 げん～ 관현 악단.

がくだん【楽壇】图 악단[악계].

かくだんとう【核弾頭】-tō 图 핵탄두. [국적.

かくち【各地】图 각지. ¶全国 ぜん～ 전

かくち【隔地】图 격지. ¶～遠方 ほう 격지 = 遠方 ほう.

かくちく【角逐】图 자自 각축. =せり合い.

かくちゅう【角柱】-chū 图 ① 【数】 각기둥. ② 네모진 기둥.

***かくちょう**【拡張】-chō 图 자他 확장. ¶領土 りょうを～ 영토 확장. ↔縮小 しょう.

かくちょう【格調】-chō 图 격조. ¶～が高 たか い 격조가 높다.

がくちょう【学長】-chō 图 학장(단과 대학의 장).

がくちょう【楽長】-chō 图 악장.

かくつう【角通】-tsū 图 씨름 세계의 사정에 정통한 사람. =すもう通 つう.

かくづけ【格づけ】【格付け】图 자他 격(格)을 매김 ; 등급・순위를 정함.

かくて『斯くて』腰 이리하여 ; 이래서 ; 그래서. = こうして.

かくてい【画定】【劃定】图 자他 획정. ¶境界 きょうを～ 경계 획정.

***かくてい**【確定】图 자自他 확정. ¶期日 じつが～ 기일이 확정되다 / 範囲 はんを～する 범위를 확정하다. ── しん【──申告】图 확정 신고. ── てき【──的】ダナ 확정적. ── こく【──申告】图 확정 신고. ── てき【──的】ダナ 확정적. ── きょ【──根拠 きょ】 학문적 근거.

がくてき【学的】ダナ 학적 ; 학문적.

カクテル 图 ① 칵테일. ¶～パーティ 칵테일 파티. ② (생굴・게 따위에 소스를 친 전채(前菜)) 요리. ③ (식전에 내놓는) 푸루츠 칵테일. ④ 이종(異種)의 것이 혼합된 상태. ▷미 cocktail.

がくてん【楽典】 图 【楽】 악전.

かくど【客土】 ㊀图 ㋜自 【農】 객토.
=いれつち. ㊁图 객지.

かくど【確度】 图 확실도.

*かくど【角度】 图 각도. ¶～を測る 각도를 재다／～を変えて話す 각도를 [방향을] 바꾸어서 말하다. ¶ノ.

かくど【嚇怒・赫怒】 图 ㋜自 혁노 ; 격노.

かくと【学徒】 图 학도. ¶～動員どう 학도 동원／工こう～ 공학도.

がくと【学都】 图 학원 도시.

かくとう【客冬】 -tō 图 객동 ; 지난 겨울.

かくとう【格闘・挌闘】 -tō 图 ㋜自 격투. =とっくみあい.

かくとう【確答】 -tō 图 ㋜自 확답. ¶～を避けるた 확답을 피하다. ¶タン.

かくとう【角灯】 -tō 图 각등. =ランプ.

*がくどう【学童】 图 학동 ; 소학교 아동. ¶～服ふ 소학교 아동복.

*かくとく【獲得】 图 ㋪他 획득. ¶資金しきん～ 자금 획득.

かくとく【学徳】 图 학덕. ¶～兼備けん 학덕 겸비.

*かくとした【確とした】 連体 【口】 확실한 ; 틀림없는. ¶～証拠しょうこ 확실한 증거. ¶フ. ↔不確かくふ.

かくない【閣内】 图 각내 ; 내각의 내부. ↔外がい.

かくない【学内】 图 대학의 내부. ↔学外がい.

*かくにん【確認】 图 ㋜他 확인. ¶意志いしの～ 의지의 확인. ¶ハ.

かくねん【客年】 图 객년 ; 지난 해.

かくねん【隔年】 图 격년 ; 한 해 거름.

*がくねん【学年】 图 학년. ¶～末すえ 試験しけん 학년말 시험／わたしの～は彼かれの年齢 より 위의 학년이다. ¶レン.

かくねんりょう【核燃料】 -ryō 图 핵연료.

かくのうこ【格納庫】 -nōko 图 격납고.

かくのごとく【斯くの如く】 連語 이와 같이. =このように.

かくは【各派】 图 각파.

がくは【学派】 图 학파.

かくはいぜつ【核廃絶】 핵무기의 폐기(廃棄). ¶～を訴うったえる 핵무기의 폐기를 호소하다.

かくばくはつ【核爆発】 图 핵폭발. ¶～実験 핵폭발 실험.

がくばつ【学閥】 图 학벌. ¶～の弊へい 학벌의 폐해.

かくば・る【角ばる・角張る】 五自 ①네모지다. ¶～った顔かお 모난 얼굴. ②긴장하다 ; 딱딱해지다. ¶～った あい さつ 딱딱한 인사. ③모나다. ¶話はなしが～ 이야기에 모가 나다.

かくはん【各般】 图 각반 ; 제반. ¶～の事情じょう 제반 사정.

かくはん【撹拌】 图 ㋜他 교반 ; 휘저어 섞음. ¶～機き 교반기. 注意 「こうはん」의 관용음.

かくはんのう【核反応】 -nō 图 핵반응. ¶～ろ 노.

がくひ【学費】 图 학비.

かくびき【画引き】 图 확인 ; 한자를 획수를 따라 찾는 일. ↔音引おんびき.

かくひつ【擱筆】 图 ㋜自 각필 ; 붓을 놓음. ↔起筆きひつ.

がくふ【学府】 图 학부. ¶最高さいこう～ 최고 학부.

がくふ【楽譜】 图 악보. =音譜おんぷ.

*がくぶ【学部】 图 (종합 대학의) 학부 ; 단과 대학. ¶～は文ぶん・理り～・医い

――～がある 학부는 문학부・이학부・의학부가 있다.

がくふう【学風】 -fū 图 학풍. ¶アカデミックな～ 아카데믹한 학풍.

かくぶそう【核武装】 -sō 图 핵무장. ¶～禁止きんし 핵무장 금지. ¶ブ문얼음.

かくぶち【額縁】 图 ①액자 ; 사진틀.

かくぶっしつ【核物質】 图 핵물질.

かくぶつりがく【核物理学】 图 핵물리학. ¶核融合かくゆうごう

かくぶんれつ【核分裂】 图 핵분열. ↔核融合ゆうごう.

かくへいき【核兵器】 图 핵무기.

かくべえじし【角兵衛獅子】 kakubē- 图 ①명공(名工) '角兵衛'가 만들었다는 사자탈. ②えちごじし.

かくへき【隔壁】 图 격벽 ; 칸막이 벽.

*かくべつ【格別】 副 ㋙ ①각별(各別) ; 유달 남 ; 특별함. =格段だん. ¶～の待遇たいぐう 각별한 대우. ②어쨌든 (간에) ; 또 몰라도. ¶知らなかったら～だが 몰랐다면 또 몰라도.

*かくほ【確保】 图 ㋜他 확보. ¶人材じんを～する 인재를 확보하다.

かくほう【確報】 -hō 图 확보 ; 확실한 보도(소식).

かくほう【角帽】 -bō 图 각모 ; 사각모 ; 전하여, 대학생.

がくほう【学報】 -hō 图 학보. ¶제모.

かくぼう【学帽】 -bō 图 학모 ; 학교의 모자.

かくぼうじょうやく【核防条約】 -bōjō-yaku 图 핵무기 확산 방지 조약.

かくまう【匿う】 五他 몰래 숨겨(감취)두다 ; 은닉하다.

かくまく【角膜】 图 【生】 각막. ¶～移植いしょく 각막 이식／～炎えん 각막염.

かくまで【斯く迄】 連語 이렇게까지 ; 이토록.

がくむ【学務】 图 학무. ¶～課か 학무과.

*かくめい【革命】 图 혁명. ¶～的てき 혁명적／～家か 혁명가／産業さんぎょう～ 산업 혁명.

がくめい【学名】 图 학명. ①학술상 식물에 붙이는 세계 공통의 명칭. ②학자로서의 명성・평판.

がくめん【額面】 图 ①편액(扁額). ②액면. ¶～価格かかく 액면 가격／～通どおり には 受うけ取とれない 액면대로는 받아들일 수 없다.

かくもん【学問】 图 ㋜自 학문. ¶耳みみ～ 귀동냥으로 배움／～の世界せかい 학문의 세계／～的てき 학문적.

がくや【楽屋】 图 ①분장실(扮装室). ②막내 ; 이면. ¶～話ばなし 내막 얘기. ③아악(雅楽)에서 악사가 연주하는 곳.

――うら【――裏】 图 내막 ; 내정. ¶政界せいかいの～ 정계의 내막／～をあばく 내막을 폭로하다.

――おち【――落ち】 图 일부 관계자만 알고 다른 사람은 모르는 일.

――すずめ【――雀】 图 분장실에 드나들어 연극계의 소식에 밝은 사람 ; 연극통. =芝居通しばいつう.

かくやく【確約】 图 ㋜自 확약.

かくやす【格安】 ㋙ 품질에 비해서 값이 쌈. ¶～品ひん 품질에 비해서 값이 싼 물품.

がくゆう【学友】 图 학우.

かくゆうごう【核融合】 -yūgō 图 【理】 핵융합. ↔核分裂ぶんれつ.

かくよう【各様】 -yō 图 각양 ; 각색.

『各人蝶~ 작인 각색.　　　　　『品.
がくようひん【学用品】-yōhin 图 학용
かぐら【神楽】图 ①신(神)에게 제사
지낼 때 연주하는 무악(舞楽). ②연극
의 반주 음악의 하나.
かくらん【攪乱】图他 교란.　　　注意
'こうらん'의 관용음.
かくらん【霍乱】图〈老〉①일사병(日
射病). ②곽란(급성 장(腸) 카타르).
*****かくり**【隔離】图 zェ他動 격리.　『~病
舍譬?り 격리 병동(病棟).　　　　　『적.
がくり【学理】图 학리.　『~的詩 학리
がくり【劃り】圖 =がっくり.
*****かくりつ**【確率】图 확률.=プロバビ
リティー.
*****かくりつ**【確立】图 zェ他動 확립.
がくりょう【閣僚】-ryō 图 각료.=閣
買歩~.
がくりょう【学寮】-ryō 图 ①학교 기
숙사. ②사찰(寺刹)에서 중이 수학하
는 곳.
*****がくりょく**【学力】-ryoku 图 학력.
=がくりき. 『~検査襲? 학력 검사/基
礎誉~ 기초 학력.
かくれあそび【隠れ遊び】图 zェ自 ①
숨바꼭질. ②(부모 등이 모르게) 몰래
유흥을 함.
がくれい【学齢】图 학령. ①국민 학교
에 취학할 연령(만 6세). 『~に達する
학령에 달하다. ②의무 교육 기간.
かくれが【隠れ家】图 〈세상을 등지
고〉숨어 사는 집.
かくれが【隠れ処】〈隠れ処〉图 숨은
장소; 은신처.
*****がくれき**【学歴】图 학력. 『~を詐称
?する 학력을 사칭하다.↔職歴.
かくれきがん【角れき岩】〈角礫岩〉图
각력암.
かくれざと【隠れ里】图 ①외딴(외진)
마을; 벽촌. ②(관허(官許)가 아닌) 유
곽.=いろまち.　　　　　　　　　　『れが.
かくれみ【隠れ身】图 숨은 데.=隠~
かくれみち【隠れ道】图 샛길.
かくれもない【隠れもない】連体 널리
알려진;공공연한. 『~事実穀? 잘 알
려진 사실.
*****かく-れる**【隠れる】下1自 ①숨다. 『
月が雲間譬に~ 달이 구름 속에 숨
다/人目珍みに~ 인파 속에 숨다/
~れた人材災? 숨은 인재를 찾
다.↔現誉れる. ②(고귀한 분이) 죽
다. 『お~れになる 돌아가시다.
かくれんぼう【隠れん坊】〈隠れん坊〉图
-rembō 숨바꼭질.=かくれんぼ.
か-ぐろ-い【か黒い】形 검다.　　『臘.
かくろう【客臘】-rō 图 객랍; 구랍(舊
がくろん【各論】图 각론.↔総論誉?.
か-ぐわし-い【香しい·芳しい·馨しい】
-shi 形 향기롭다. 『~花誉の香饗り 향
기로운 꽃향기.
がくわり【学割】图 '学生割引饗荷?(=
학생 할인)'의 준말.
かくん【家君】图 가군; 가친(家親).
かくん【家訓】图 가훈; 가헌(家憲).
=庭訓茅.

는 모양:탁;폭(삭). 『気持勞?が~参
る 기분이 탁 꺾이다.
かけ【掛け】图 ①걸; 거는 것. 『洋服
誉~ 양복걸이. ②의상? 『掛売誉り·掛
買饗い'의 준말). ③ ~かけね【掛け
値'. ④~かけしき【掛け金】. ⑤'掛う
けそば(=메밀국수 장국)' '掛うどん
(=국수 장국)'의 준말. ⑥떼를 매기
시작하는 쪽의 끝.　　　　　　　　　『독.
*****かけ**【賭】图 내기. 『~碁ぎ 내기 바
かけ【欠け】图 ①(달의) 이지러짐. 『
月努の満~ち~ 달의 차고 이지러짐. ②
빠짐;모자람. 『~た 깨진 것;또, 그
조각;파편.=かけら.
-かけ【掛け】图《動詞連用形, 助動詞
'(ま)せる' '(ふ)れる'의 連用形에《掛
ける'의 용법을 体言하는것:동작의
일시 중단.=さ止し(止). 『書べき~の
手紙誉 쓰다 만 편지.
*****かげ**【影】图 ①그림자. =かげぼうし.
『湖水?に映る山誉の~ 호수에 비치
는 산 그림자. ②자취;형적;모습;형
체. 『~を隠ぶす 자취를 감추다. ③환
영(幻影)?곡두. ④(해·달·별·등불의)
빛. 『月?~ 달빛. ⑤~薄がい ①맥없
이 풀죽은 모양. ②존재가 희미하다.
③죽음이 임박해 보인다. ─の形誉に
添ぎうよう 그림자가 형체를 따라 다니
듯. ─も形ながも(見えない) 자취(형
적)도 없다.
かげ【陰】〈蔭·翳〉图 ①그늘. ⓐ햇볕·
불빛에 가려진 곳. ⓑ(그림의) 음영(陰
影). 『絵誉に~をつける 그림에 음영
을 넣다. ②뒤. ⓒ드러나지 않는 데.
ⓓ배후. 『~の人物誉? 배후의 인물.
─で糸を引ぐく 배후에서 조종하다.
─になりひなたになり 음으로 양으
로;남이 알게 모르게(에서 줌). ─の
声誉? ①은밀한 소리. ②퀴즈 프로에서
시청자에게만 들리게 답을 알리는 소
리.②이면(裏面)의 해설자. ─ひなた
なく 표리없이.
-がけ【崖·厓】 낭떠러지; 벼랑; 절
-がけ【がけ·掛け】①(한자의 수사(数
詞)에 붙여서)~할(割). 『定価誉?の
八誉~でう 정가의 팔 할로 팔다. ②
《動詞의 連用形에 붙여서》~하는 김;
~하는 길. 『帰ぎりに~寄ぎってゆく
돌아가는 길에 들러주게. ③(몸에 착
용하는 물건 이름에 붙여》~바람.
바람. 『ゆかた~ ゆかた 바람. ④《인
원수를 나타내는 말에 붙여서》 ⓐ그
인원수로 걸터앉을 수 있음을 나타내
는 말:『~앉을 수 있은 다. 『三人誉?
~のいす 세 사람이 앉을 수 있는 의
자. ⓑ(…이) 덤빔. 『五人誉?~(=경기
따위에서) 다섯 사람이 덤빔. ⑤~곱.
『三つ~ 세곱/二誉つ~の大ぼぎ 두
배의 크기. ⑥《懸けり》~을 겂. 『
命誉の~の仕事誉? 목숨을 건 일.
かけあい【掛(け)合い】图 ①담판; 교
섭; 흥정. 『~に行ぃく 교섭하러 가
다. ②두 사람 이상이 번갈아 함. 『
~漫才誉? 만담.
*****かけあ-う**【掛(け)合う】5他 ①담판
[교섭]하다; 흥정하다. 『賃金誉の値
上げぎを~ 임금 인상을 교섭하다. ②
번갈아 가며 하다. 『なぞを~ 수수께
끼를 서로 내다.

*かけあし【駆(け)足・駈(け)足】 图ス自 ①뛰어감；구보. ②말을 달리게 함.

かけあわ-せる【掛(け)合わせる・掛合せる】下1他 ①곱셈하다. ②붙이다；교배시키다.

かけい【筧・懸樋】图 ☞かけひ.

かけい【家兄】图 가형；자기의 형.

かけい【家系】图 가계.

*かけい【家計】图 가계；생계. ¶～簿=がけいぼ.

かけい【火刑】图 화형. [一刑] ㄱ간주부.

かけい【花茎】图 화경；꽃대；꽃줄기.

がけい【雅兄】代 (편지 따위에) 자형. =あなた.

かけうどん【掛うどん】【掛け饂飩】图 (밀)국수장국；가락국수. =かけ.

かけうま【賭馬】图 경마말.

かけうり【掛(け)売り・掛売】图ス他 외상 판매. =かけ・貸売がしうり. ↔買掛かいかけ.

かけえ【掛(け)絵】图 그림 족자.

かげえ【影絵】【影画】图 ①그림자 그림；그림자 놀이. ②실루엣；=シルエット.

かけおち【掛(け)落ち・掛落ち】图ス自 사랑의 도피；눈맞은 남녀가 몰래 다른 곳으로 달아남.

かけおち【欠け落ち】图ス自 ①타락으로 도망하여 숨음. ②실종.

かけがい【掛(け)買い】图ス他 외상 매입(買入). =かけ. ↔掛売かけうり.

かけがえ【掛(け)替え】图 여벌；예비품；대신. =かわり・ひかえ. ―のない 둘도 없는；매우 소중한. ¶～のないわが子=둘도 없는 내자식.

かけか-える【掛け替える】下1他 다시 걸다；고쳐 걸다.

かけがね【掛(け)がね】【掛け金】图 (문 잠그는) 고리；빗장；걸쇠. =かきがね.

かけかまい【掛(け)構い】图 관계；상관. ¶～ない 관계 없다. 參考 뒤에 반드시 否定하는 말이 옴.

かけがみ【懸(け)紙】图 선물 포장지(흔히, 노시・水引みず 등이 인쇄되어 있음).

かげき【歌劇】图 가극. =オペラ.

かげき【過激】图 과격. ¶～な思想ㄴ 과격한 사상／～派ㄹ 과격파.

かけきん【掛(け)金】图 ①부금(賦金). ②외상값.

かげぐち【陰口】图 뒤에서 하는 험담. ¶～をたたく 뒷전에서 험담하다.

かけくらべ【駆(け)くらべ】【駈け比べ・駈け競べ】图ス自 달음박질；경주. =かけっこ.

かけご【掛け碁】【賭碁】图 내기 바둑.

かけごえ【掛(け)声】图 ①(남을) 부르는 소리；특히, 연극・경기 등에서 성원하는 소리. ②기운을 돋우거나 장단을 맞추기 위하여 지르는 소리；맞춤소리. ③(요란한) 제스처；구호. ¶～に終おわる 그저 구호로 그치다.

かけごと【かけ事】【賭事】图 내기；도박；노름.

かけことば【掛詞・懸詞】图 수사법(修辞法)의 하나；한 말에 둘 이상의 뜻을 갖게 한 것.

かけこみ【駆(け)込み・駈込み】图ス自 뛰어듦；또, 제 시간에 늦게 닿

으려고 허둥거리는 일. ¶～申請しんせい 마감 시간 직전에 하는 신청. ―うったえ【―訴え】-uttae 图〔史〕江戸 시대에 町役人ちょうやくにん 등 하급 관리를 거치지 않고 상급 관원에게 직접 호소하는 일. ――でら【―寺】남편과 헤어지기 위해 도망온 여자를 숨겨 주는 특권을 가졌던 절. =えんきり寺でら.

かけこ-む【駆(け)込む・駈(け)込む】五自 뛰어들다.

かけざお【掛けざお】【掛竿】图 ①횃대. ②족자걸이.

かけさき【掛(け)先】图 외상을 준 상대방；외상처. 「「リ算.」

かけざん【掛(け)算】图 곱셈. =割わり.

かけじ【掛(け)字・懸(け)字】图 글씨 족자(簇子). 「=掛物かけもの.」

かけじく【掛(け)軸】图 족자(簇子).

かけす【懸巣】图〔鳥〕어치. =かしどり.

かけず【掛(け)図】图 괘도. ㄴり.

かけすて【掛(け)捨て】图ス自 보험 등의 부금 붓기를 중도에 끊음. =かけずて.

かけずりまわ-る【駆けずり回る】【駈けずり回る】五自 여기저기 뛰어다니다. ¶金かねのくめんに～ 돈 마련을 위해 여기저기 뛰어다니다.

かげぜん【陰ぜん】【陰膳】图 객지에 나간 사람의 무사함을 빌어 집에 있는 사람이 조석으로 차려 놓는 밥상.

かけそば【掛けそば】【掛け蕎麦】图 메밀 국수 장국. =(そば)かけ. ↔もりそば.

かけだおれ【掛(け)倒れ】图 ①(외상값의) 회수 불능. ②비용만 많고 이익이 없음. ③부은 부금만 손해 남.

かけだし【駆(け)出し】【駈(け)出し】图 ①첫 발；첫 시작. ②신출내기；신참. =しんまい. ¶～の記者きしゃ 신출내기 기자.

かけだ-す【駆(け)出す】【駈(け)出す】五自 ①뛰기(달리기) 시작하다. ②(밖으로) 뛰어(달려) 나가다. 「땅.

かげち【陰地】【蔭地】图 음지；그늘진

かけちが-う【掛け違う】五自 엇갈리다；行ゆき違う・くいちがう. ¶話はなしが～ 이야기가 약간 엇갈리다.

*かけつ【可決】图ス他 가결. ↔否決ひけつ.

-かげつ【か月・箇月】【個月】… 개월. ¶三さん～ 3개월.

かけつけさんばい【駆けつけ三杯】【駈け付け三杯】-sambai 图 후래자(後来者) 삼배.

かけつ-ける【駆けつける】【駈け付け る】下1自 급히 달려(뛰어)오다(가)다. ¶発車はっしゃ前まぎわに～けた 막 발차할 찰나에 당도했다.

かけっこ【駆けっこ】【駈けっこ】-kekko 图ス自 달리기；경주. =かけくらべ.

かけて【連語】①걸쳐서. =わたって. ¶秋あきから冬ふゆに～ 가을부터 겨울에 걸쳐서. ②관하여；대하여. =関かんして. ③法律ほうりつに～は 법률에 관하여는. ③맹세로. ¶神かみに～ 신에 맹세코. ④걸고. ¶命いのちに～ 목숨을 걸고.

かけどけい【掛(け)時計】图 괘종(掛鐘)；벽시계. 「値 수금(원).

かけとり【掛(け)取り・掛取】图 외상

かげながら【陰ながら】【除乍ら】 副 보이지 않는 곳에서(나마); 멀리서(나마); 남몰래. ¶~無事を祈る 멀리서나마(마음속으로) 무사함을 빈다.

かけぬ・ける【駆(け)抜ける】【駈(け)抜ける】 下一自 뛰어서 앞지르다.② 달리어 빠져나가다.

かけね【掛(け)値】 图 에누리. ①값을 더 부름. ¶~なしの五百円がん 에누리 없는 오백 엔. ②과장(誇張). ¶~なしの話 과장 없는 이야기.

かけはし【掛(け)橋・懸(け)橋・桟】 图 ①〈雅〉사다리. ②〈雅〉가교(假橋). ③(본디,『桟』로도)〈험한 벼랑 같은 곳의〉잔교(棧橋). ④〈老〉매개; 중매. =橋渡はしし.

かけはな・れる【懸け離れる】 下一自 ①멀리 떨어지다. 동떨어지다. ¶現実に~현실과 동떨어지다. ②〈관계가〉소원해지다. ③〈차가 크게 나다.

かけひ【筧・懸樋】 图 지상(地上)에 걸쳐 놓고 물을 끄는 홈통. =かけい. ↔うずみひ.

かけひき【駆(け)引き・駆引】【駈(け)引き・駈引】 图 又自 ①(싸움터에서) 기회를 보아 병사를 진퇴시킴. ②(매매·교섭 따위에서) 임기 응변의 술책; 홍정(술); 상술. ¶~の多おい人 임기 응변의 술책이 많은 사람.

かげひなた【陰日向】 图 ①음지와 양지. ②(언행에 나타나는) 표리. =うらおもて. ¶~のある人 표리 부동한 사람. 一になって 표리 다르게 (돕다).

かけぶとん【掛(け)布団】【掛(け)蒲団】 图 이불. ↔敷しきぶとん.

かけへだた・る【懸け隔たる】 五自 ①멀리 떨어지다. ②큰 차이가 나다.

かげべんけい【陰弁慶】 图 집안에서만 큰소리 침; 또, 그런 사람. =内うち弁慶.

かげぼうし【影法師】 -bôshi 图 사람의 그림자.

かげぼし【陰干し】【陰乾し】 图 음건(陰乾); 그늘에서 말림. ↔日ひ干し.

かげま【陰間】 图 면; 연동(懸童); 남창(男娼).

かけまわ・る【駆(け)回る】【駈(け)廻る】 五自 ①(이리저리) 뛰어다니다; 싸다니다. ②〈資金きんを集めに~ 자금을 모으기 위하여 이리 뛰고 저리 뛰다.

かげみ【影身】 ¶~に(つき)添そう 그림자처럼 따라 다니다.

かげむしゃ【影武者】 -sha 图 ①(적을 속이기 위하여 대장처럼) 가장하여 놓은 무사. ②배후 조종자. =黒幕くろまく.

かけめ【掛(け)目】 图 저울에 단 무게. =量目めう.

かけめ【欠け目】 图 ①부족한 근량(斤量); 칭량(減量). ②결점. ③(바둑에서) 옥집.

かけめぐ・る【駆(け)巡る】【駈(け)巡る】 五自 (여기저기) 뛰어 돌아다니다. =駆け回る.

*　**かけもち**【掛(け)持ち・掛持】 图 又他 두 가지 이상의 일을 담당함; 겸임.

かけもど・る【駆(け)戻る】【駈(け)戻る】 五自 뛰어 (제자리에) 돌아가다(돌아오다). 「子】=掛軸かぢく.

かけもの【掛(け)物】 图〈口〉족자(簇

かけもの【かけ物】【賭物】 图 내기에 거는 금품.

かけや【掛(け)矢】 图 (말뚝을 박는) 큰 나무메.

かけよ・る【駆け寄る】【駈け寄る】 五他 달려들다.

かけら【欠片】 图 (부서진) 조각; 단편. ¶良心の~のーもない 한 조각의 양심도 없다.

かげり【陰り・翳り・蔭り】 图 ①해가 기울어 어두워짐. ②그늘(이 있는 모양). ¶彼女じょの顔がおには~がある 그녀 얼굴에는 (어두운) 그늘이 있다.

かけ・る【翔る】 五自〈높이 빠르게〉날다; 비상(飛翔)하다.

‡　**か-ける**【懸ける】 下一他 걸다. ①늘어뜨리다; 달다. ②내던지다. ¶命いのちに~けても 목숨을 걸고서라도. ③(상으로서) 약속하다.

‡　**か-ける**【掛ける】 下一他 ①걸다. 걸쳐놓다; 달다. ¶窓まどにカーテンを~ 창에 커튼을 치다. ⑥(자물쇠·단추 등을) 채우다; 잠그다. ¶かぎを~ 자물쇠를 채우다. ⑥(懸けるロ도) 매달아 보이다; 내달다; 내걸다. ¶獄門にくに~ 효수하다. ⑥올리다; 달다. ¶帆ほを~ 돛을 올리다. ⑥(갈고리·뾰족한 것을) 걸다; 찌르다. ¶手でかぎを~ 갈고리를 걸다. ⑥상정하다; (議題ぎを会議ぎに~) 회의에 올리다. ⑥의탁하다; 기대하다. ¶期待きを~ 기대를 걸다. ¶待時まちに~ 기대를 걸다. ⑥(…하기 위해) 기계 따위에 올리다(걸다). ⑥말소리를 보내다. ¶口くちを~ (a) 말을 걸다; (b)재촉하다. ¶声こえを~ (a) 말을 걸다 (b)소리치다; 부르다. ⑥선수를 써서 치다. ¶攻撃こうを~ 공격을 걸(어오)다 / ストを~ 스트라이크를 감행하다. ⑥(계약을 맺고) …에 들다. ¶保険けんを~ 보험에 들다. ⑥기계를 움직여 작용시키다. ¶ブレーキを~ 브레이크를 걸다. ⑥소리를 내다. ¶気きを~ 기합을 걸다(넣다). ⑥(상금 따위 소중한 것을 값(對價)을 내다. ¶判かを縄る 판가름 나게 하다. ¶裁判ばんに~ 재판에 걸다. ⑥(뾰족한 것에) 걸쳐 놓다. ¶くぎに~ 못에 걸다. ⑥(懸けるロ도) 작용이 미치게 하다. ¶麻酔ずいを~ 마취를 걸다. ⑥(~·-けての의 꼴로) …에 걸고; 맹세코. ¶神かみ~・けて 신에 맹세코. ②걸리게(걸려들게) 하다; 빠뜨리다. ③걸치다. ⑥(架けるロ도) 놓다; 가설하다. ¶橋はしを~ 다리를 놓다. ⑥(손 따위를) 대다; 얹다. ¶月つきに手てを~ 어깨에 손을 얹다. ⑥(懸けるロ도) 걸쳐(기대어) 놓다; 버티어 놓다. ¶きおを~ 장대를 걸쳐 놓다. ⑥입다. ¶エプロンを~ 행주치마를 걸치다. ⑥두르다. ¶たすきを~ 띠를 두르다. ⑥쓰다. ¶眼鏡がねを~ 안경을 쓰다. ⑥(이불 따위를) 덮다; 씌우다. ¶カバーを~ 커버를 씌우다. ⑥(懸けるロ도) (불 위에) 올려 놓다. ⑥(…から)…に~けて (…에서)…에 걸쳐서. ¶京都きょうから大阪ざかに~・けて 京都에서 大阪에 걸쳐서. ④앉다; 걸터앉다. ¶腰こしを~ (걸터) 앉다. ⑤

치다. ㉠《架ける로도》(열기설기) 만들다; 꾸미다. ¶くもが巣を～ 거미가 거미줄을 치다. ㉡줄을 긋다. ¶墨繩^{すみなわ}を～ 먹줄을 치다. ㉢체질하다. ¶ふるいに～ 체질하다; 걸러[가려]내다. ⑤뿌리다; (음식 따위에) 곁들이다. ¶塩^{しお}を～ 소금을 치다. ⑥(걱정·번거로움·수고를) 끼치다. ¶迷惑^{めいわく}を～ 폐를 끼치다. ⑦뒤집어 쓰다. ¶水^{みず}を～ 뿌리다; 끼얹다; 뒤집어 쓰다. ㉠어지러이 …하다. ¶矢^やを射^い～ 활을 어지러이 쏘아대다. ⑧…과정을 거치다; …을 받다. ¶検査^{けんさ}に～ 검사를 받다. ⑨(돈·시간·수고 등을) 들이다. ¶時間^{じかん}を～ 시간을 들이다. ⑩(신불에게) 빌다; 발원(發願)하다. ⑪(불을) 지르다; 놓다. ¶火^ひを～ 불을 지르다. ⑫《懸ける로도》진찰을 받다. ¶医者^{いしゃ}に～ 의사의 진찰을 받다. ⑬과하다; 매기다. ¶税金^{ぜいきん}を～ 세금을 과하다. ⑭입히다. ¶砂糖^{さとう}を～けた菓子^{かし} 설탕을 입힌 과자. ⑮내다. ㉠문제를 내어 대답을 구하다. ¶なぞを～ 수수께끼를 내다; (b)암시하다. (작용·힘·기세 따위를) 더하다; 가하다. ¶圧力^{あつりょく}を～ 압력을 가하다. ⑯에누리하다; 값에 덧붙이다. ¶仕入値^{しいれね}に五割^{ごわり}～けて売^うる 매입 가격에 5할을 에누리해서[덧붙여] 팔다. ⑰곱하다. ¶三^{さん}に七^{しち}を～ 3에 7을 곱하다. ¶スピッツにテリヤを～ 스피츠에 테리어를 붙이다. ⑲섞다. ¶青^{あお}に少^{すこ}し赤^{あか}を～ 파랑에 빨강을 조금 섞다. ⑳(무게를) 달다. ¶はかりに～ 저울에 달다. ㉑(기계가 돌아가게) 틀다. ¶ラジオを～ 라디오를 틀다. ㉒(기계나 도구를 써서) …질하다. ¶ブラシを～ 솔질하다. ㉓《懸ける로도》(시선·마음 등이) 그 곳에 머물게 하다. ¶お目^めに～ 보여 드리다／気^きに心^{こころ}に～ 마음에 두다; 유의(留意)하다; 걱정하다. ㉔상연(上演)하다; 올리다. ¶懸ける로도》(정을) 베풀다. ¶情け^{なさけ}を～ 인정(동정)을 베풀다. ㉖시도하다. ¶ちょっかいを～ 잘 될지 어떨지 시험적으로 해보다. ㉗口^{くち}に～ㆍ입에 올리다; 을 말하다. ㉘手^てに～ ～제손으로 (직접) 다루다[…하]; 제손으로 죽이다. 注意《懸ける로도로 씀. ㉙思^{おも}いを～ 사모하다. ㉚…に～けては …으로 말하면; …에 관해서는 (있어서는). ¶自信^{じしん}に～一倍^{いちばい}も強^{つよ}い 자신에 관해선 남달리 강하다. ㉛마음을 …에 ～ 마음을 빼앗기다; 말끔히 잊게 하다. ㉜《動詞連用形, 助動詞「(さ)せる」「(ら)れる」の連用形に接속》…하기 시작하다. ¶観客^{かんきゃく}が席^{せき}を立^たち～ 관객이 자리를 뜨기 시작하다. ㉠아직(미처) 못 끝내다; …하다 말다. ¶建^たて～けた家^{いえ} 짓다 만 집. ㉡…하려 하다. ¶倒^{たお}れ～けている垣^{かき} 쓰러져 가는 담.

＊か－ける【架ける】[下1自] 걸쳐 놓다. ¶橋^{はし}を～ 다리를 놓다.

＊か－ける【欠ける】[下1自] ①이지러지다. ㉠귀떨어지다; 흠지다. ¶茶^{ちゃ}わんが～ 공기의 이가 빠지다. ㉡《虧ける로도》(만월이) 이울다. ¶月^{つき}が～ 달이 이지러지다. ②결여하다. ¶必要^{ひつよう}な条文^{じょうぶん}が～ 필요한 조문이 빠지다. ③부족하다. ¶常識^{じょうしき}が～ 상식이 부족하다. ⇔満^みちる.

＊か－ける【駆ける・駈ける】[下1自] (사람·말 등이) 전속력으로 달리다(뛰다).

＊か－ける【賭ける】[下1他] 걸다. ①내기를 하다; 태우다. ②소중한 것을 (對價로) 하다. ¶命^{いのち}を～ 목숨을 걸다. 注意「懸ける」로도 씀.

かげ－る【陰る・翳る】[5自] ①그늘지다; 흐려지다; (해가) 가리다. ¶日^ひの～った道^{みち} 그늘진 길. ②(해가) 기울다; 저물어 가다. ¶冬^{ふゆ}には早^{はや}く日^ひが～ 겨울에는 빨리 해가 기운다. ③비유적으로, 표정이 어두워지다; 또, 상태가 나빠지다. ¶景気^{けいき}が～ 경기가 침체되다／不安^{ふあん}で顔^{かお}が～ 불안으로 안색이 흐려지다.

かげろう【蜉蝣】-rō [名] ①《蟲》잠자리. ②《蟲》하루살이. ③단명(短命)함[덧없음]의 비유.

かげろう【陽炎】-rō [名] 아지랑이.

かけわた－す【掛(け)渡す】[5他] 건너지르다; 놓다. ¶橋^{はし}を～ 다리를 놓다.

かけん【家憲】[名] 가헌; 가훈(家訓).

かげん【下弦】[名] 하현. ⇔上弦^{じょうげん}.

かげん【下限】[名] 하한. ⇔上限^{じょうげん}.

＊かげん【加減】㊀[名]⊠他 ①가감; 더함과 덜함. ②가늠봄; 조절함; 또, 그 정도. ¶温度^{おんど}を～する 온도를 조절하다. ㊁[名] ①《数》가감; 덧셈과 뺄셈. ¶～乗除^{じょうじょ} 가감승제. ②건강 상태. ¶からだの～が良^よい 건강 상태가 좋다; 또, 그 상태·정도. ¶～をみる 상태·정도를 (살펴)보다. ㊂[接尾]《動詞 連用形, 상태를 나타내는 名詞에》①정도; 형편; 여부(與否). ¶腹^{はら}のへり～で 배가 고픈 정도로. ②좀…한 기미; 좀…듯 싶음. ¶こごみ～の姿^{すがた}で 구부정한 자세. ③알맞은 정도. ¶湯^ゆが飲^のみ～だ 끓인 물이 기분좋게 따끈하다. ――もの【――物】[名] 알맞게 조정하기 힘든 사물.

かげん【過言】[名] 과언. ⇒かごん.

かげん【寡言】[名] 과언. ¶～の人^{じん} 말이 적은 사람. ⇔饒舌^{じょうぜつ}.

がげん【雅言】[名] 아언; 아어. ①우아한 말. ②和歌^{わか} 따위에 쓰던 平安^{へいあん} 시대의 말.

＊かこ【過去】[名] 과거. ¶～にさかのぼる 과거로 거슬러 올라가다. ⇔現在^{げんざい}·未来^{みらい}. ――ちょう【――帳】-chō [名]《佛》과거장. =鬼籍^{きせき}.

＊かご【籠】[名] 바구니. ¶花^{はな}～ 꽃바구니. ¶～を編^あむ 바구니를 짜다.

かご【駕籠】[名] 가마. ¶～をかく 가마를 메다.

かご【加護】[名]⊠他 가호. ¶神^{かみ}の～を祈^{いの}る 신의 가호를 빌다.

かご【華語】[名] 화어; 중국어.

かご【訛語】[名] 와어; 사투리. 「말.

かご【歌語】[名] 和歌^{わか}에서 잘 쓰이는

かご【過誤】[名] 과오; 잘못. =誤謬^{ごびゅう}. ¶～を犯^{おか}す 과오를 범하다.

がご【雅語】[名] 아어. =がげん. ⇔俗語^{ぞくご}.

かこい【囲い】[名] ①둘레; 두름; 또, 둘러싸는 것. ②울타리; 담. ③둘레; 주위. ④(집안에 마련한) 다실(茶室).

=数寄屋(すきや). ⑤(야채 따위의) 저장. ¶～ができる 저장할 수 있다. ⑥囲いの者**(もの)**의 준말.

かこいまい【囲い米】图 저장미.

かこいもの【囲い物】图 철 지난 후에 팔거나 먹는 채소나 과일.

かこいもの【囲い者】图 딴 살림을 내 준 첩; =囲い女**(め)**.

*__かこう__【囲う】⑤他 ①둘러싸다. ②숨겨 두다. =かくまう. ¶容疑者**(ようぎしゃ)を～** = 용의자를 숨겨 두다. ③(첩을) 두다. ¶女**(め)を～** = 첩을 두다. ④저장하여 두다.

かこう【下向】-kō 图 ㋜自 하향; (경기 가) 쇠퇴해 감. ¶～気味**(ぎみ)** 하향세.

かこう【下降】-kō 图 ㋜自 하강; 내려옴. ↔上昇**(じょうしょう)**.

*__かこう__【加工】-kō 图 ㋜他 가공. ¶～品**(ひん)** 가공품／～牛乳**(ぎゅうにゅう)** 가공 우유.

かこう【河口】-kō 图 하구. =かわぐち.

かこう【河港】-kō 图 하항. ⇒海港**(かいこう)**.

かこう【火口】-kō 图 ①(화산의) 분화구. ②아궁이. ―きゅう【―丘】-kyū 图【地】화구구. ――湖**(こ)**【―湖】图【地】화구호.

かこう【花梗】-kō 图【植】화경; 꽃자루; =花柄**(かへい)**.

かこう【華甲】图 화갑; 환갑; 회갑 (＝還暦**(かんれき)**의 딴이름).

*__かこう__【化合】-gō 图 ㋜自【化】화합. ―ぶつ【―物】图 화합물. ↔混合物**(こんごうぶつ)**.

がこう【画工】-kō 图 화공. =えかき.

がごう【雅号】-kō 图 아호.

かこうがん【花こう岩】(花崗岩)kakō-图【鉱】화강암. =御影石**(みかげいし)**.

かこうち【可耕地】kakō-图 가경지; 경작 가능한 땅.

かこくろ【籠絡炉】图 가마로.

かこく【苛酷】〔ダ〕가혹. ¶～な条件**(じょうけん)** 가혹한 조건. 「혹함.

かこく【過酷】图 과혹; 지나치게 가혹. *__かこーつ__【託つ・喞つ】⑤他 ①핑계(구실)삼다. 탓으로 하다. =かこつける. ②탄식(원망)하여 말하다; 탓(한탄)하다; 푸념하다. ¶身**(み)の不遇(ふぐう)を～** 일신의 불우함을 푸념하다.

*__かこつ―ける__【託ける】下一他 핑계대다; 구실삼다. ¶病気**(びょうき)に～けて欠席(けっせき)する** 병을 핑계삼아 결석하다.

かこぬけ【かご抜け】(籠脱け)图 ㋜自 ①바구니를 빠져나가는 곡예(曲藝). ☞かごぬけさぎ. ――さぎ【―詐欺】图 앞문에서 금품(金品)을 받아낸 다음 뒷문으로 빠져 도망치는 사기.

かごのとり【かごの鳥】(籠の鳥)图 농중조(특허, 창녀의 뜻으로도 쓰임).

かこみ【囲み】图 ①에워쌈. ②포위(망). ¶～を破**(やぶ)る** 포위망을 뚫다. ③주위; 둘레. ☞かこみきじ.

かこみきじ【囲み記事】图 (신문 따위의) 칼럼 기사. =かこみ④.

‡__かこーむ__【囲む】⑤他 ①두르다; 둘러(에워)싸다. ¶山**(やま)に～まれた町(まち)** 산에 둘러싸인 동네／敵**(てき)を～** 적을 포위하다. ②바둑을 두다. ¶一局**(いっきょく)～** (바둑을) 한 판 두다.

かごめ 눈 가린 술래의 주위를 여럿

이 노래 부르며 돌다가, 노래가 끝났을 때 술래가 등 뒤의 사람 이름을 맞히는 어린이의 놀이. =かごめかごめ.

かごめ【かご目】(籠目)图 ①바구니를 결은 눈. ②바구니 눈 같은 무늬.

かこん【禍根】图 화근. ¶～を除**(のぞ)く** 화근을 없애다.

かごん【過言】图〈老〉과언. =かげん. ¶…といっても～ではない …이라 해도 과언은 아니다.

*__かさ__【笠】图 ①삿갓. ¶みのと～ ―도롱이와 삿갓. ②갓 모양의 것. ¶電灯**(でんとう)の～** 전등 갓. ―に着**(き)る** 권력이나 세력을 믿고(등에 업고) 뻐기다; 매서하다. ―の台**(だい)が飛(と)ぶ** 목이 날아가다 ((a)참수되다 (b)면직되다).

*__かさ__【傘】图 우산; 양산. ¶～をすぼめる 우산을 접다.

かさ【嵩】图 부피; 분량. ¶荷物**(にもつ)の～** 짐의 부피. ―にかかる 위압적 태도로 나오다.

かさ【暈】图【天】무리.

かさ【毬】图 (소나무 등의) 구과(毬果). ¶松**(まつ)～** 솔방울. 「창병; 매독.

かさ【瘡】图 ①부스럼; 종기. ②〈俗〉매독.

かさあげ【かさ上げ】(嵩上げ)图 ㋜他 둑 따위를 더 높이 쌓아 올림(비유적으로도 씀). ¶家族手当**(かぞくてあて)の～** 가족 수당의 인상. 「도; 풍속.

かざあし【風足】(風脚)图 바람의 속

かざあな【風穴】(風穴)图 ①바람 구멍. ¶どてっ腹**(ぱら)に～をあけるぞ** 배때기에 바람 구멍을 내줄 테다. ②풍혈(風穴). =ふうけつ.

かさい【家裁】图 '家庭裁判所**(かていさいばんしょ)**(＝가정 법원)'의 준말.

かさい【果菜】图 과채(가지·호박 등).

*__かさい__【火災】图 화재; 불. =ほけん. ――保険【―保険】图 화재 보험.

がさい【家財】图 ①살림살이; 가구. ¶～道具**(どうぐ)** 가재 도구. ②가산(家産). 「재능.

がさい【画才】图 화재; 그림을 그리는

がざい【画材】图 화재. ①그림의 소재(素材). ②화구(畫具). ¶～商**(しょう)** 화구상.　　　「폭.

かざおもて【風面】图 바람이 불어오는

かざおれ【風折れ】图 나무 따위가 바람에 부러지는 일.

かさかさ〔ダ〕①말라서 물기가 없는 모양; 윤기가 없이 느껴지는 모양: 꺼칠꺼칠. ¶皮膚**(ひふ)が～になる** 피부가 꺼칠해지다. ②낙엽 같은 마른 것에 닿았을 때 나는 소리: 바삭바삭. ¶枯葉**(かれは)が～と音(おと)を立(た)てる** 마른 잎이 바삭바삭 소리를 내다.

がさがさ副〔ダ〕①표면이 말라서 매끄럽지 않은 모양: 가슬가슬. ¶～した手**(て)** 가슬가슬한 손. ②성질이 부드럽지 못하고 거친 모양: 거슬거슬. ¶～した人**(ひと)** 거슬거슬한 사람.

かざかみ【風上】图 바람이 불어 오는 쪽. ↔風下**(かざしも)**. ―に(も)置**(お)けない** (성질이나 행실이 비열하여) 자리를 같이 할 수 없다.

かざきり【風切り】图 ①배 위에 세워 바람의 방향을 보는 기(旗). ②칼낏.　　　「의 각자로.

かさく【佳作】图 가작. ¶選外**(せんがい)～** 선

かさく【仮作】图 ス他 진실이 아닌 것을 꾸밈;허구. ¶—物語ぱᄂᄂ 픽션.
かさく【家作】图①집을 지음;또, 그 집. ②셋집. =貸家ᄂᄂ.
かさく【寡作】图 과작. ↔多作ᄂ.
かざぐるま【風車】图①팔랑개비. ②풍차. =ふうしゃ.
かざけ【風邪気】图 감기 기운. =かぜけ.
かさご【笠子】图〔魚〕쑤염뱅이.
かざごえ【風邪声】图 감기 든 목소리;코먹은 소리;선 소리. =かぜごえ.
かさこそ圖 마른 나뭇잎 따위가 스치며 나는 소리;바스락바스락.
がさこそ圖'かさこそ'보다 큰 소리의 형용. ②휘저으며 무엇을 찾는 모양;부스럭부스럭. =ごそごそ.
かささぎ【鵲】图〔鳥〕까치. —の橋ぱ 오작교.
かざしも【風下】图 바람이 불어 가는 쪽. ↔風上ᄌᄌ. —にいる①남을 흉내내다. ②남의 영향〔세력〕 아래 있다.
かざ-す【翳す】⑤他①(위에)받다;치다;덮어 가리다. ¶扇ᄀᄀを—부채로 이마를 가리다. ②(火気ᄀᄀに手ᄀᄀを~ 화로에 손을 쬐다.
かざ-す【挿頭す】⑤他 (갓이나 머리에) 꽃 따위를) 꽂다.
かさだか【嵩高】ダナ①(부피가 나감(큼). ②얕보고 거만하게 굶. ¶~に言ᄀᄀう 거만하게 말하다.
がさつダナ 동작・태도가 거칠고 막된 모양. ¶~な男ぱぱ 덜렁대는 사내다.
がさつ-く⑤自①버석거리다;와삭거리다. ②덜렁대다;수선거리다. ¶~・いた奴ᄀᄀ 덜렁대는 놈.
かざとおし【風通し】-tōshi 图 통풍;환기. =かぜとおし. ¶~がいい 통풍이 잘 되다.
かさな-る【重なる】⑤自 포개지다;겹치다. ¶不幸ᄀᄀが~ 불행이 겹치다.
かさね【重ね】㊀图①겹침;겹친 것. ㊀(본디는 襲) 袍ᄀᄀ 밑에 덧입는 옷. ②옷을 껴입음. =かさねぎ. ㊁接尾 찬합이나 옷 따위, 겹치거나 포갠 것을 세는 말. ¶ふた—두 벌.
かさねがさね【重ね重ね】圖①자주;잇따라;부디;거듭거듭. ②잇따른 불행 /~おわび申ᄀᄀし上ᄀᄀます 거듭 사과드립니다. ②더욱더.
かさねて【重ねて】連語 재차;거듭(해서);다시 한 번.
かさ-ねる【重ねる】下一他①포개다;쌓아 올리다. ¶本ᄀᄀを五冊ᄀᄀ~ 책을 다섯 권 쌓다. ②겹치다;거듭하다;되풀이하다. ¶同ᄀᄀじ失敗ᄀᄀを~ 같은 실패를 거듭하다.
かさば-る【嵩張る】⑤自 부피가 커지다〔늘다〕. =かさむ.
かさぶた【瘡蓋・痂】图 (부스럼) 딱지.
かざまち【風待ち】图 ス自 돛배가 출범하려고 순풍을 기다림. =かざまち.
かざまど【風窓】图①통풍 창. ②마루 밑의 바람 구멍.
かざみ【風見】图 바람개비;풍향계(風向計). =風信器ᄀᄀ. ¶~鶏ᄀᄀ 닭 모양의 풍향계.
がざみ【蝤蛑】图〔動〕꽃게. =わたり
かさ-む【嵩む】⑤自 부피가 커지다;많

아지다. =かさばる. ¶荷物ᄀᄀが~ 짐의 부피가 커지다 / 費用ᄀᄀが~ 비용이 많아지다.
かざむき【風向き】图①풍향;바람 방향. ②대체의 경향;형세. ¶~が変ᄀᄀる 형세가 바뀌다. ③기분;상태. —が悪ᄀᄀい①기분이 언짢다. ②형세가 불리하다.
かざよけ【風よけ】【風除け】图 바람막이;방풍(防風). =かざよけ.
かざり【飾り】图 꾸밈. ①장식(품). ②허식(虚飾). ¶~のない人ぱ 허식이 없는 사람. ③(실질이 없는) 허울만의 것. ¶会長ᄀᄀといっても~だ 회장이라지만 허울뿐이다.
かざりけ【飾り気】图 겉보기로 꾸미려는 마음;겉꾸밈. ¶~のない態度ᄀᄀ 꾸밈없는 태도.
かざりた-てる【飾り立てる】下一他 화려하게 꾸미다;성장(盛装)하다.
かざりつ-ける【飾り付ける】下一他 꾸며 놓다;장식하다.
かざりもの【飾り物】图①장식(품). ②이름뿐인 것이나 사람. ¶~の社長ᄀᄀ 이름만 사장이야.
かざ-る【飾る】⑤他①장식하다. ㊀꾸미다. ¶部屋ᄀᄀを~ 방을 꾸미다. ㊁의 있게 하다. ¶有終ᄀᄀの美ᄀᄀを~ 유종의 미를 거두다. ㊂늘어놓다. ¶品物ᄀᄀを~ 상품을 진열하다. ②빛내다.
かさん【加算】图 ス他 가산. ①더하여 셈함. ¶利子ᄀᄀを~する 이자를 가산하다. ②덧셈;더하기. =足ᄀᄀし算ᄀᄀ. ↔減算ᄀᄀ. —ぜい【—税】图 가산세.
かさん【家産】图 가산;身代ᄀᄀ. ¶~を傾ᄀᄀける 가산을 기울이다.
かざん【火山】图〔地〕화산. —がん【—岩】图 화산암. —たい【—帯】图 화산대.
がさん【画賛】【画讃】图 화찬(그림 위나 여백에 써 넣는 문장이나 글귀).
かさんかすいそ【過酸化水素】图〔化〕과산화 수소.
かし【樫・橿】图〔植〕①떡갈나무. ②'あかがし(=붉가시나무)'의 딴이름.
かし【貸し】图①꾸어 줌;빌려 줌;또, 빌려 준 금품. ②베푼 은혜・이익. ③'貸方ᄀᄀ(=대변)'의 준말. ↔借ᄀᄀり.
かし【河岸】图①하안;강안;특히 배를 대는 물가. =かわぎし. ②강가에 서는 시장;특히, 어시장. ③(무엇을 하는) 장소. —をかえる 장소〔자리〕를 옮기다.
かし【下肢】图 하지;다리;동물의 뒷다리.
かし【下賜】图 ス他 하사.
かし【仮死】图〔医〕가사.
かし【可視】图 가시. ¶~光線ᄀᄀ 가시광선.
かし【歌詞】图 가사. ↔楽曲.
かし【瑕疵】图 하자;결점;흠.
かし【菓子】图 과자. ¶洋菓子ᄀᄀ 양과자 / 水菓子ᄀᄀ 과일.
カし【力氏】图 화씨. 注意 본디 '華氏ᄀᄀ'로 썼음. ↔セ氏ᄀᄀ.
かじ【楫・梶】【舵】图〔雅〕(배의) 노. =か
かじ【舵】图①(배의) 키. ②(글라이더의) 조종간;(비행기의) 방향타. —を取ᄀᄀる①키를 잡다. ②일을 잘 조종하다. ③사람을 바르게 이끌다.

かじ【梶】图 (수레, 특히 인력거의) 채 ('かじ棒'의 준말).

かじ【鍛冶】图 대장 일;대장장이. ¶刀工ः~ 도공(刀工). ──や【─屋】图 ①대장간;대장장이. ②〈俗〉배척(못을 뽑는 쇠지렛대).

*かじ【家事】图 가사;집안 일;가정 사정. ¶~の都合ॢ॰により 가정 형편에 의하여.

‡かじ【火事】图〈口〉화재;불. =火災ॢ॰. ¶山ॢ॰~ 산불 / ~場ॢ॰ 화재 현장 / ~を起こす 화재를 일으키다. ──どろ【─泥】图〈俗〉화재의 혼잡을 틈탄 도둑('火事場ॢ॰や泥棒ॢ॰'의 준말).

かじ【加持】图ズ自〈佛〉가지;주문을 외며 부처의 도움·보호를 빌어, 병이나 재앙을 면함. 「=うえじに.

がし【餓死】图ズ自 아사;굶어 죽음.

-がし〈活用語の命令形や形に付いて〉요구·희망의 뜻을 강조하는 말;……란 듯이. ¶出ॢ॰て行ॢ॰け〜に 나가라는 듯이.

かじか【鰍】图〈魚〉둑중개.

かじか【河鹿】图〈動〉기생개구리('かじかがえる'의 준말).

かしかた【貸(し)方】图 ①빌려 주는 쪽〔사람〕. ②빌려 주는 방법·태도. ③〔簿〕貸方 (복식 부기의) 대변(貸邊). ↔借ॢ॰り方ॢ॰.

かしがまし・い【囂しい】-shii 彫〈雅〉시끄럽다;소란(요란)하다.

かじか・む【悴む】五自 (추워서 손발이) 곱다. ¶指ॢ॰が~ 손가락이 곱다.

かしかり【貸し借り】图 대차. ¶~無ॢ॰し 대차 없음. 「=貸借ॢ॰.

かしかん【下士官】图〔軍〕하사관.

かじき【梶木·旗魚】图〈魚〉청새치. =まかじき·かじきまぐろ.

*かしきり【貸し切り·貸切】图 전세(專貸);대절. ¶~バス 전세 버스.

かしきん【貸金】图 대(출)금;빌려 준 돈. =借金ॢ॰.

かし・ぐ【傾ぐ】五自 기울다;기울어지다. =かたむく. ¶家ॢ॰が~ 집이 기울어지다. 「じつ.

かし・ぐ【炊ぐ·爨ぐ】五他 밥짓다; (밥을)짓다.

かじく【花軸】图〈植〉화축;꽃대.

かし・げる【傾げる】下1他 기울이다;갸웃하다. ¶首ॢ॰を~ 고개를 갸웃하다.

かしこ【畏·恐】 이만 실례합니다(여자가 편지 끝에 쓰는 말). =かしく.

かしこ【彼処】代〈雅〉저기. =あそこ.

‡かしこ・い【賢い】彫 현명하다;영리하다;어질다. 参考 반어적으로는 '抜ॢ॰け目ॢ॰が無ॢ॰い(=빈틈없다)'의 뜻으로도 쓰임. ¶ずる賢ॢ॰い 교활하다.

かしこ・い【畏くも】 連語 황공하옵게도;황송스럽게도.

かしこし【貸(し)越し】图ズ他〔經〕대월. ──きん【貸越金】图 대월금.

*かしこま・る【畏まる】五自 ①황공하여 삼가다. =송구해 하다. ¶~って聞ॢ॰く 송구해 하면서 듣다. ②정좌하다;딱딱하게 앉다. ¶その場ॢ॰に~ 그 자리에 단정히 앉다. ③삼가 명령을 받들다. ¶はい, ~りました 예, 분부대로 하겠습니다;예, 알겠습니다.

かしつ【貸(し)室】图 셋방. =貸間ॢ॰.

かしず・く【傅く】□五自 ①시중들다;

섬기다. ¶姑ॢ॰に~·いてくらす 시어머니를 모시고 살다. ②시집가다.

かしだおれ【貸(し)倒れ】图 대손(貸損);외상값이나 빚돈을 떼임.

かしだし【貸(し)出し】图 대출. ¶図書ॢ॰の~ 도서의 대출. ──きん【貸出金】图 대출금. 「다.

*かしだ・す【貸(し)出す】五他 대출하다.

かしちん【貸賃】图 세;임대료. =損料ॢ॰. ↔借ॢ॰り賃ॢ॰.

*かしつ【過失】图 과실. ↔故意ॢ॰. ──ちしざい【─致死罪】图 과실 치사죄.

かじつ【佳日】图 가일;좋은 날.

かじつ【果実】图 과실;열매;과일. ¶法定ॢ॰~ 법정 과실.

かじつ【過日】图 과일;지난 날;일전.

がしつ【画室】图 화실;아틀리에.

かしつけ【貸(し)付け】图 대부(금);빌려 줌. ──きん【貸付金】图 대부금. ──しんたく【貸付信託】图 대부 신탁.

かじとり【舵取り·梶取り·楫取り】图 ①조타(操舵);키잡이;조타수(手). ②한 단체의 지도자;리더.

かじのき【梶の木】图〈植〉꾸지나무.

かしビル【貸しビル】图 대여 빌딩;세(貸)빌딩.

かじぼう【かじ棒·梶棒·楫棒】-bō 图 ①수레, 특히 인력거의 채. ②키의 손잡이. =かじの柄ॢ॰.

かしほん【貸本】图 대본;세책(貸册). ¶~屋ॢ॰ 세책 집.

かしま【貸間】图〈老〉셋방.

かしまし・い【姦しい·囂しい】-shii 彫 시끄럽다;떠들썩하다. ¶女ॢ॰が三人ॢ॰よれば~ 여자 셋이 모이면 시끄럽다.

ガジマル ☞ガジュマル.

かしもと【貸元】图 ①돈을 빌려 주는 사람;전주(錢主). =金主ॢ॰. ②노름꾼의 두목. =胴元ॢ॰.

かしや【貸家】图 셋집. ¶~ずまい 셋집살이. ↔借家ॢ॰.

かしゃ【仮借】-sha 图 가차(한자(漢字)의 육서(六書)의 하나;그 글자 본래의 뜻과는 관계없이 음만을 빌려와 다른 뜻으로 쓰는 일;'成吉思汗ॢ॰' 따위).

かしゃ【貨車】-sha 图 화차. ↔客車ॢ॰. ──わたし【─渡し】图ズ他 화차 인도(물건을 화차에 실으면 매주(買主)에게 인도한 것으로 되는 거래).

かしゃ【華奢】-sha 图 화사;화려하고 사치함.

かしゃく【仮借】-shaku 图 =仮責ॢ॰. ズ他 가차. ①빎. ②(사정을) 봐줌;용서(함). ¶~なくとがめる 가차없이 나무라다. 二图 ☞かしゃ(仮借).

かしゃく【呵責】-shaku 图 가책. ¶良心ॢ॰の~ 양심의 가책.

かしゅ【火酒】-shu 图 화주;독주.

かしゅ【火手】-shu 图〔汽罐의〕화부(火夫). 注意 '火夫ॢ॰'의 고친 이름. 「~ 오페라 가수.

*かしゅ【歌手】-shu 图 가수. ¶オペラ

かじゅ【果樹】-ju 图 과수;과일 나무. ¶~園ॢ॰ 과수원.

がしゅ【雅趣】-shu 图 아취;아치(雅致). ¶~に富ॢ॰んだ庭園ॢ॰ 아취가 풍

부한 정원. 「하.

がじゅ【賀寿】gaju 图 하수; 장수의 축

カジュアルウェア -juaruwea 图 캐주얼
웨어; 평상복. ▷casual wear.

かしゅう【歌集】-shū 图 가집. ①和歌
를 모은 책. ②가곡을 모아 편집한
책. 「ス.

かじゅう【果汁】-jū 图 과즙. =ジュー

かじゅう【加重】-jū 图 가중. ¶
負担%が〜される 부담이 가중되다.

かじゅう【過重】-jū 图 · 自 과중. ¶〜な
責任% 과중한 책임.

がしゅう【我執】-shū 图 아집. ¶〜を
すてる 아집을 버리다.

がしゅう【画集】-shū 图 화집.

ガジュマル【榕樹】gaju 图【植】《沖縄
方》 용수(榕樹)《뽕나무과》. =ようじ
ゅ・ガジマル.

がしゅん【賀春】-shun 图 하정(賀正)
(연하장 따위에 쓰는 말). 「적.

かしょ【歌書】-sho 图 和歌와 和歌에 관한 서

かしょ【箇所】〖個所〗-sho 图 개소; 군
데. ¶いたんだ〜 상한 데.

-かしょ【か所・ヶ所】-sho …개소; 장
소를 세는 말. ¶三シ〜 세 곳.

かじょ【加除】-jo 图 ス他 가제; 보탬과
뺌. ¶名簿%の〜 명부의 가제.

かじょ【花序】-jo 图【植】화서; 꽃차
례. 「명.

かしょう【仮称】-shō 图 ス他 가칭; 가

かしょう【歌唱】-shō 图 ス他 가창;
노래(부름). ¶〜指導% 노래 지도.

かしょう【河床】-shō 图 하상; 하천의
바닥. =かわどこ. 「やけど.

かしょう【火傷】-shō 图 · 自 화상. =

かしょう【過小】-shō 图 과소. ↔過大. ¶
評価%を〜 과소 평가. 「多し.

かしょう【過少】-shō 图 과소. ↔過多%.

かしょう【過賞】〖過称〗-shō 图 ス他
과상; 과찬; 지나치게 칭찬함. =ほめ
すぎ.

かしょう【嘉賞】-shō 图 ス他 가상; 아
랫 사람이 한 일을 윗사람이 칭찬함.

がしょう【華商】-shō 图 화상; 화교.

かじょう【箇条】〖個条〗-jō 图 개조; 낱
낱의 조목. ——がき【——書(き)】-ki 图
목별로 씀; 또, 그런 것.

かじょう【下情】-jō 图 하정; (서민이
아닌 사람이 본) 민중의 실정.

かじょう【渦状】-jō 图 와상; 소용돌이
모양. =うずまきがた.

かじょう【過剰】-jō 图 ス自 과잉. ¶〜人
口% 과잉 인구 / 〜防衛% 과잉 방위.

-かじょう【か条】-jō …개조(조항을 세
는 말). ¶五シ〜 5 개조.

がしょう【臥床】-shō 图 와상. 一图 잠자
리. 一图 · 自 병석에 누움(좁은 뜻으로는, 병에 걸린 경
우를 말함).

がしょう【画商】-shō 图 화상.

がしょう【賀正】-shō 图 하정(연하장
에 쓰는 말). =がせい/賀春%.

がじょう【牙城】-jō 图 아성. ¶敵%の
〜に迫%る 적의 아성에 육박하다.

がじょう【賀状】-jō 图 하장; 축하의
편지; 특히, 연하장(年賀状).

がじょう【華燭】-jō 图 화촉. 一の
典% 화촉지전; 결혼식.

かしょく【過食】-shoku 图 ス自他 과식.

かしら【頭】图①머리. ¶〜を下%げる
머리를 숙이다. ②두목; 우두머리(좁
은 뜻으로는, 장인(匠人)의 우두머
리). ③제일 위나 처음〔에 있는
것〕. ¶〜文字 머리글자. 一に霜%を
置%く 백발이 되다. 一を下%ろす 머리
를 깎고 중이 되다; 출가(出家)하다.

かしら【か知ら】 終助《体言·連体形에
붙어서. 단, 形容動詞型 활용에서는 語
幹에 붙어서》①의심이나 수상쩍음을
나타내는 말: …리로〔지〕 몰라; …一
(한)지 ; 일까. ¶この水%、きれい一
이 물, 깨끗한지 모르겠어 / 本当%%に
どうしたの〜 정말 어떻게 된 일일까. ②
'くれない' 따위의 다음에 붙었을 때는
완곡한 부탁·희망을 나타내는 말이기도
함. ¶協力%してくれない〜 협력해
줄 수는 없을까.

-かしら【頭】①…하자마자; …한 순
간. ¶出会%い〜 만나자마자. ②가장
…한 사람. ¶〜…가장 출세한
사람. ③(월일이나 시각의) 첫머리.
¶月%〜 월초.

かしらだっ·つ【頭だつ·頭立つ】[五自] 남
의 위에 서다; 장(長)이 되다.

かしらもじ【頭文字】图 두문자; 머리
글자. =かしらじ.

かしらん 終助 ⇒ かしら 終助.

かじりつ·く【齧り付く】[五自]①물고
늘어지다; 물어뜯다. ②매달리다; 열
중하다; 달라붙다. ¶机%に〜 책상에
달라붙다(열심히 공부하다).

かしりょう【貸(し)料】-ryō 图 임대
료; 세.

***かじ·る**【齧る】[五他]①갉(아먹)다. ¶
ねずみが壁%を〜 쥐가 벽을 갉다. ②
그저 조금 알다. ¶英語%を〜 영어를
조금 알다. 「고기.

かしわ【黄鶏】图①황계(黄鶏). ②닭

かしわ【柏·槲】图 떡갈나무.

かしわで【かしわ手】【柏手·拍手】图 신
(神)을 배례(拝禮)할 때 양손을 마주
쳐서 소리 내는 일.

かしわもち【柏餅】图①떡 갈나무 잎에
싼 팥소의 찰떡. ②《俗》이불을 접어
서 그 사이에 자락은 깔고 한 자락은 덮고 자
는 일. 「曰).

かしん【佳辰·嘉辰】图 가신; 길일(吉

かしん【家臣】图 가신; 집안에서 일보
는 신하. =家来%; 家人%.

かしん【花信】图 화신; 꽃소식. =花%
だより.

かしん【過信】图 ス他 과신.

かしん【佳人】图 가인; 미녀. =美女
%. ¶〜薄命% 가인 박명.

かじん【歌人】图 和歌의 작가; (수준
이상의) 和歌을 짓는 사람.

かじん【家人】图 가인; 한집안 사람;
가족. 「图 와신상담.

がしんしょうたん 【臥薪嘗胆】-shōtan

***か·す**【貸す】[五他] 빌려 주다. ¶이용
케 하다. ¶本%を〜 책을 빌려 주다.
②조력하다; 도와 주다; …하여 주다.
¶手%を〜 도와 주다 / 耳%を〜·さない
들으려고 하지 않다. =借%りる.

か·す【仮す】[五他]①일시적으로 주다.
¶時%を〜 잠시 시간을 주다. ②용서
하다. ¶罪%を〜 죄를 용서하다.

***か·す**【滓】图①앙금. ¶〜がたまる 앙

금이 앉다. ②찌꺼기; 찌끼. ¶人間の～인간의 찌꺼기.

かす〖粕·糟〗名 술지게미. ＝酒かす.

＊＊**かず**【数】名 ①수. ＝すう. ¶～をかぞえる 수를 세다. ②여러 가지; 수가 많음; 다수. ¶～ある作品 수많은 작품. ③특별히 세어 내세울 만한 가치 있는 것. ¶…の～に入る …축에 들다/物の～ではない 문제 밖이다〔되지도 않다〕. ④많이〔흔히〕 있는 것. ¶～もの 흔히 있는 것. **—のほか** 정원〔정수〕외. **—をこなす** 많은 것〔일〕을 처리하다; 많은 경험을 쌓다. **—を知らず** 무수하다.

＊＊**ガス**〖瓦斯〗名 ①가스. ¶～灯 가스등/～をつける 가스불을 켜다. ②'ガス糸·ガス織り'의 준말. ③(해상의) 짙은 안개. ④가솔린. ⑤'毒ガス'의 준말. ⑥〈俗〉 방귀. ▷gas. **——いと**【——糸】名 가스 실; 주란사 실. **——おり**【——織り】名 주란사. **——タンク** 名 가스 탱크. ▷gas tank.

かすい【下垂】名 ス自 하수; (아래로) 늘어짐. ¶胃～〖醫〗 위하수.

かすい【仮睡】名 ス自 가수; 선잠.

かすいぶんかい【加水分解】名 ス自他 가수 분해.

＊＊**かすか**〖幽か·微か〗ダナ 희미함; 미약함; 미미함; 살짝. ¶～に見える 희미하게 보이다/～な音 희미한 소리/～に触れる 살짝 스치다.

かすがい〖鎹〗名 ①걸쇠. ＝かけがね. ②꺾쇠; 거멀장. ¶子は夫婦の～ 자식은 부부간의 꺾쇠.

かすかす 名 ①〈俗〉 절박한 모양: 아슬아슬; 가까스로; 간신히; 겨우. ¶～で間に合った 가까스로 시간에 댔다. ②과일 등이 물기·맛없는 모양: 타박타박. ¶～の梨 타박타박한 배.

かずかず〖数数〗㊀名 수가 많음; 다수. ¶～の作品 많은 작품. ㊁副 갖가지; 여러 가지. ¶～とりそろえる 갖가지를 갖추다.

かず-ける〖被ける〗下1他 ①(죄 따위를) 씌우다; 전가하다. ¶罪を人に～ 죄를 남에게 뒤집어 씌우다. ②핑계하다. ＝かこつける. ¶病気に～·けて欠席する 병을 핑계로 결석하다.

かすじる【かす汁】《粕汁·糟汁》名 술지게미를 넣은 된장국.

カステラ 名 카스텔라. ▷포 Castella.

カスト 名 카스트; 인도의 세습적 계급제도. ＝カースト. ▷caste.

かすとり〖粕取·糟取〗名 ①지게미로 만든 막소주. ②고구마를 원료로 급조(急造)해 지게미만 걸러 낸 막술. ③전하여, 저속한 것; 불량품. ¶～雑誌 저속한 잡지.

かずならぬ【数ならぬ】連語《連体詞적으로》 내세울 만한 가치가 없는; 하찮은. ¶～身 하찮은 몸.

かずのこ【数の子】名 말린 청어알《자손의 번영을 빌어, 설에 많이 먹음》.

＊**かすみ**〖霞〗名 ①안개《특히, 봄안개》. ¶～がかかる 안개가 끼다. ②안개 비슷한 것. ¶花霞 꽃안개. ③'かすみあみ'의 준말. ④《본디 翳》 눈이 흐림. ¶目に～がかかる 눈이 침침해지다.

かすみあみ【かすみ網】《霞網》名 새 그물. ＝かすみ.

かすみめ【かすみ目】《翳み目·霞目》名 침침한 눈; 시력이 희미한 눈.

＊**かす-む**〖霞む〗5自 ①안개가 끼다. ②희미하게 보이다. ¶煙で～ 연기로 흐릿하다. ③《본디 翳む》 눈이 침침해지다. ¶目が～ 눈이 침침하다.

かす-める〖掠める〗下1他 ①훔치다; 빼앗다. ¶品物を～ 물건을 훔치다. ②(눈을) 속이다. ¶親の目を～ 부모의 눈을 속이다. ③스치다. ＝かする.

かずら〖葛·蔓〗名 덩굴풀. ¶つた～ 담쟁이덩굴.

かずら〖鬘〗名 ①〈雅〉 옛날에 담쟁이덩굴 따위를 머리 장식으로 한 것. ②☞かつら(鬘).

かすり〖絣·飛白〗名 붓으로 살짝 스친 것 같은 잔 무늬(가 있는 천).

かすりきず【かすり傷】《掠り傷·擦傷》名 찰과상; 찰상.

＊**かす-る**〖掠る·擦る〗5他 ①스치다. ¶春風が頬を～ 봄바람이 볼을 스치다. ②슬쩍 가로채다; 후무리다. ③비백서체(飛白書體)로 쓰다.

か-する【化する】㊀サ変自 ①화하다; 변하다. ¶暴徒と～ 폭도로 화하다. ②동화하다; 감화하다. ③둔갑하다. ㊁サ変他 ①화하게 하다; 변하게 하다. ②감화시키다.

か-する【嫁する】㊀サ変自他 ①시집가다; 출가하다. ＝とつぐ. ②시집 보내다. ＝とつがせる. ㊁サ変他 전가하다. ¶責任を～ 책임을 전가하다.

か-する【架する】サ変他 걸쳐 놓다; 구축하다. ¶橋を～ 다리를 놓다/屋上, 屋を～ 옥상 가옥(架屋).

か-する【科する】サ変他 과하다. ¶罰金を～ 벌금을 과하다.

＊**か-する**【課する】サ変他 과하다. ①부과하다. ¶税を～ 세금을 부과하다. ②(일거리를 주어) 시키다. ¶宿題を～ 숙제를 내주다.

＊**かす-れる**〖掠れる·擦れる〗下1自 ①(가볍게) 긁히다. ②(먹이 적어서 붓자국에) 흰 잔 줄이 생기다. ③(목이) 쉬다 ¶声が～ 목이 쉬다. ④물건이 동이 나다.

かせ〖枷〗名 ①옛 형구인 칼·고랑·차꼬 따위의 총칭; 가쇄(枷鎖). ¶手～ 고랑. ②방해물; 귀찮은 것. ¶子は三界の首～ 자식은 삼계의 애물.

＊**かぜ**【風邪】名 감기; 고뿔. ＝感冒. ¶～を引く 감기 들다.

＊＊**かぜ**【風】名 ①(부는) 바람. ¶～が吹く 바람이 불다. ②(계기·동기로서의) 바람; (사물의) 형세; 형편. ¶どういう～の吹き回しか 무슨 바람이 불었는지. ③(바람처럼) 막연한 것. ¶～のたより 풍편(風便). ③《接尾語적으로》 태도; 모양; 특히, 우쭐대는 티. ¶学者～を吹かす 학자티를 내다. **—枝を鳴らさず** 세상이 평화로움의 비유. **—薫る** 훈풍이 불다. **—に柳** 바람에 버들《적절히 응대하여 거스르지 않는 모양》. **—を切る** 바람을 가르다《기세좋게 나아가는 모양》. **—を食らう** 허둥지둥 도망치다.

かぜあたり【風当(た)り】名 ①바람반

이. ②비난；공격；바람. ¶世間ᵈⁿの
～が強い 세상의 비난이 심하다.
かせい【仮性】图【醫】가성. ¶～コレ
ラ 가성 콜레라. ↔真性ᵏⁿ.
かせい【加勢】图[ス自] 가세；도움；
조력. ¶弱いお味方ᵏᵗ に～する 약한 편에
가세하다. 〔二图 원병（援兵）；원군（援
軍）. ¶～を求める 원병을 청하다.
かせい【歌聖】图和歌의 명인；詩歌에 뛰어난
사람.
かせい【火勢】图화세；불기운. └사람.
かせい【火星】图【天】화성.
かせい【家政】图가정；집안 살림. ¶
～科ᵏ 가정과／～婦ᵘ 가정부.
かせい【苛性】图가성；피부나 동물의
세포 조직을 썩이는 성질. ──ソーダ
【──曹達】图가성 소다；수산화 나트
륨. ▷soda.
かせい【苛政】图가정；학정（虐政）.
かぜい【課税】图[ス自] 과세；세금을 부
과함；또, 그 부과된 세금.
かぜい【寡勢】图적은 군세（인
수）. └岩ᵏ 암석.
かせいがん【火成岩】图화성암. ↔水成
かせき【化石】图[ス自] ①화석；돌로 되
변하는；돌이 됨. ¶～したような表情
ᵏᵘ 화석（돌）처럼 굳은 표정. ──て
き【──的】[ダナ] 화석과 같은 모양.
かせぎ【稼ぎ】图①벌이（함）；일함；얻
일；생업（生業）. ¶～ぐち 벌이할 곳；
일자리. ③（かせぎ高ᵈ（＝벌이한 금
액）의 준말.）└「かせぎ」.
かぜぎみ【風邪気味】图감기 기운. ＝
かせ・ぐ【稼ぐ】[5自] 벌다. ¶ひどく
～いだ 많이 벌었군／時ᵏを～ 시간을
벌다.
かぜぐさ【風草】图【植】 않크령.
かぜぐすり【風邪薬】图감기약. ＝かぜ
ぐすり. └「き」의 딴이름.
かぜしりぐさ【風知草】图【植】「かぜく
さ」의 딴이름.
かせつ【佳節・嘉節】图가절；경축일.
かせつ【仮説】图가설. ¶～を立てる
가설을 세우다.
かせつ【仮設】图가설. ①일시
적으로 세움〔설치함〕. ¶～電話ᵏ 가
설〔임시로 단〕 전화. ②【數・論】가정
（假定）；전제（前提）. ¶～終結ᵏᵗ .
かせつ【架設】图[ス他] 가설.
カセット-setto 图 카세트. ▷cassette.
かぜのかみ【風の神】图①풍신；바람
의 신. ②감기를 퍼뜨리는 신.
かぜのたより【風の便り】图풍편（風
便）；풍문. ＝風聞ᵏᵘ. └「ち」.
かぜまち【風待ち】图[ス自] ☞かざまち
かせん【化繊】图화섬（「化学繊維ᵏ ᵏ
（＝화학 섬유）」의 준말）.
かせん【歌仙】图①和歌의 명인（名
人）. ②36 귀로 된 俳諧いが 連歌ᵏⁿ の
한 형식.
かせん【河川】图=かわ. ──し
き【──敷】图하천 부지（敷地）.
かせん【架線】图[ス自] 가선. ¶～工
事ᵏᵘ 가선 공사.
かせん【寡占】图【經】과점. 「て.
かぜん【果然】副 과연；역시. ＝はたし
がぜん【俄然】副 아연；갑자기. ¶～攻
勢ᵏᵘに出る 갑자기 공세로 나오다.
がせんし【画仙紙】【画箋紙】图화선지.
かそ【過疎】图 과소. ↔過密ᵏᵘ.
かそう【下層】-sō 图하층. ¶～社会

きᵏ 하층 사회. ↔上層ᵈⁿ.
かそう【仮想】-sō 图[ス他] 가상. ¶
～敵国ᵏ ᵏ 가상 적국.
かそう【仮装】-sō 图[ス他] 가장. ¶
～行列ᵏᵘ 가장 행렬.
かそう【家相】-sō 图가상（집의 위치・
방향・구조 따위의 길흉）.
かそう【仮葬】-sō 图가（매）장.
かそう【火葬】-sō 图[ス他] 화장. ＝荼
毘ᵇ. ──場ᵈ 화장터. ↔土葬ᵈᵘ.
がぞう【画像】-zō 图图①초상화.
¶自ᵇ～ 자화상. ②텔레비전의 영상.
かぞえ【数え】图「数え年ᵈⁿ」의 준말. ¶
～で二十歳ᵈᵗ 달력 나이로 스무살. ↔
満ᵐ.
かぞえあげる【数え上げる】[下1他] 낱
나하나 세다；열거하다. ＝か
ぞえたてる. ¶欠点ᵏⁿを～ 결점을 열
거하다. └래.
かぞえうた【数え歌】图 수자 풀이 노
かぞえどし【数え年】图 달력 나이（난
해를 한 살로 쳐서 세는 나이）.
かぞ・える【数える・算える】[下1他] ①
세다；셈〔계산〕하다. ¶ざっと～えて
…となる 대충 세어 …가 되다. ②열
거하다. ¶罪状ᵏᵘを～ 죄상을 열거하
다. ──ほど 극히 조금. ¶～ほどしか
ない 아주 조금밖에 안 되다〔없다〕.
かそく【加速】图[ス自他] 가속. ↔減速
ᵏᵘ. ──ど【──度】图가속도.
かぞく【家族】图가족. ──けいかく
【──計画】图가족 계획.
かぞく【華族】图華族；작위를 가진 사
람과 그 가족（2차 대전 후에 폐지）.
かそせい【可塑性】图【理】가소성.
カトリック-rikku 图☞カトリック.
ガソリン-rin 图가솔린；휘발유. ▷gaso-
line. ──カー 图가솔린 차. ▷gasoline
car. ──スタンド 图가솔린 스탠드；주
유소. └의 gasoline＋stand.
かた【型】图①본；골；거푸집. ¶
～紙ᵈ 본 종이. ②형. □무도（武道）・
에도（藝道）또는 운동 따위에서 규범
이 되는 일정한 형식；품. □전통적인
형식；틀. ¶～の とおり 형식대로. □
전형（典型）이 되는 형식；유형（類型）；
타이프. ¶同ᵈᵘじ～の車ᵏᵘ 같은 형의
차. ──にはまる 틀에 박히다.
かた【形】图①모양；형상. ¶洋服ᵏᵘ
の～がくずれる 양복의 모양〔형〕이 망
그러짐. ②무늬. ¶無地ᵈⁿに～を置おく 무늬
를 놓다. ③형적；자국. ¶手ᵗの～ 손
자국. ──かた【形】图②. ⑤저당；담
보. ¶借金ᵏⁿの～ 빚의 담보. ⑥혼
히 複合語ᵏᵘ 중에서〉꼴. ¶この～の形ᵏᵗ
ᵇ 초승달형. ──のごとく 형식대로；관
례대로.
かた【方】□图①쪽；편. □방향；방
위. ¶東ᵈⁿの～ 동쪽. □〔양립되는〕
둘의 하나. ¶借ᵏり・貸ᵏし・～ 차변
대변／父方ᵏⁿ 아버지쪽／買ᵏい～ 매
주（買主）. ②방법；수단；손. ¶せん
～無ᵏ< 하는 수 없다. ③즈음；시대.
¶過ᵏ ぎし～ 지나간 시대. ④분（남
에 대한 경칭）. □ □接尾 ①〈動詞連用形에 붙어서〉방법；
방식. ¶数ᵏえ～ 세는 법. ②〈動詞連
用形 또는 サ変動詞의 語幹에 붙어서〉
□…하는 일. ¶撃うち・～やめ 사격 중

지 / 調査{チョウサ}를 ~를 依賴{イライ}する 조사를 의뢰하다. 〔九〕…하는 사람 ; 담당계 원. =係{カカリ}. 〖会計係{カイケイ}— 회계계 원.〗 … 의 집〔代〕. 〖石田一郎{イチロウ}씨 방 岸清{きしきよし}. 〕 ‖石田一郎{イチロウ}님~. 岸清{きしきよし}. ‖사람의 수 를 세는 공대말. ‖おひと─ 한 분.

かた【潟】 图 ①사구(砂丘) 따위로 외 해(外海)와 분리되어 생긴 호수나 늪. ‖新潟{にいがた}─개펄. ②ひがた.

‖**かた**【肩】 ☐图 ①어깨. ‖~をたたく 어 깨를 치다 / ~にパットをいれる (의복 의) 어깨에 심을 넣다. ②(기물(器物) 이나 산·길 따위의) 어깨와 비슷한 위 치(높낮이)의 위쪽. ‖カードの右{みぎ}~ 카 드의 오른쪽 귀퉁이 / 山{やま}の~ 산꼭대 기 바로 밑의 평평한 곳. ‖~が軽{かる}くな る 어깨가 가벼워지다. **─で息{いき}をする** 괴로운 듯이 어깨로 숨을 쉬다 ; 숨가빠하 다. **─で風{かぜ}を切{き}る** 어깻바람을 내다. **─の荷{に}が下{お}りる** 어깻짐이 내려지 다 ; 한시름 놓다. **─を怒{いか}らす** 어깨를 젖히고 뽐내다. **─を入{い}れる** ①본격적 으로 거들다 ; 응원하다. ②열의를 갖고 하다 ; 힘을 쏟다. **─を貸{か}す** 힘을 빌려 주다. ①무거운 짐을 같이 겨주다. ② 도와주다. **─を並{なら}べる** 어깨를 나란히 하다 ; 어깨를 겨루다. **─を抜{ぬ}く** 부 담·책임을 면하여 편하게 하다. **─を持{も}つ** 편들다 ; 두둔하다.

かた【片】 ☐图 둘 중의 한쪽. ‖~や 横綱{よこづな}~や大関{おおぜき} 한쪽은 横綱, 한 쪽은 大関. ☐頭 ①(두 개 한쌍인 것 중의) 한쪽 ; 짝. ‖~足{あし}の〔方〕 발 / ~恋{こい} 짝사랑. ②한쪽에 치우침. ‖ ~田舎{いなか} 벽촌(僻村). ③불완전함. ‖ ~言{こと} 말의 일부분 ; 불완전한 말. ④근 소함. ‖~時{とき} 잠시. ⑤완고함. ‖ ~意地{いじ} 외〔옹〕고집.

かた【方·片】 뒷結 결말 ; 처리. **─がつく** 〔결말이나 처리가〕. ②정리가 되다.

かた【過多】 图 과다. ↔過少{かしょう}.

がた 图〔俗〕‖~が来{く}る〔①(기계 따위가 낡아서) 덜거덕거리게 되다. ② (늙어서) 몸이 부실해지다.

‖**がた**【方】《名詞에 붙어서》①경의를 나타내는 복수~님들~분들. ‖あ なた~ 여러분들. ②같은 소속(패)임 을 나타냄 ; ~側(側), 敵{てき}~ 敵{てき}~ 적의 편. ③무렵 ; 녘. ‖夜明{よあ}け~ 새 벽녘. ④대체의 정도를 가리킴 ; ~가 량 ; ~쯤 ; ~만큼. ☐割{わり}~ 高{たか}くな る 2할쯤 비싸지다.

‖**かた-い**【堅い·固い】 圏〔硬いˡˡˡˡʳˢˢ〕① 단단하다 ; 딱딱하다 ; 굳다. 硬{かた}. ↔やわらか い. ‖石{いし}は木{き}より~ 돌은 나무보다 단단하다. ‖굳다. ‖貞 操{ていそう}の~女{おんな} 정조가 굳은 여자. ‖ ~とりて굳은〔견고한〕요 새. ②엄하다. ‖~く禁{きん}ずる 엄하게 금하다. 参考라. 副詞的으로 쓰임. ↔ゆるい. ‖힘주어 ~하다. ‖~握 手{あくしゅ}をかわする 굳은 악수를 교환하다 / ~く抱{だ}きしめる 꼭 껴안다. ‖(성질 이) 올곧기만 하다 ; 재미〔흥미〕가 없 다. ‖~話{はなし}はそのへんにして 딱딱 한 얘기는 그쯤 해 두고. ④(생각이) 굳다 ; 융통성이 없다. ‖頭{あたま}が~ 머 리가〔생각이〕완고하다. ②견실〔견실〕 하다. ‖~男{おとこ} 견실한 사나이 / ~商

売{う}り~ 견실한 사업. ☒『~・くなる』너 무 긴장해서 행동이 어색해지다〔말이〕. ‖そう~・くなるな 그리 긴장하지 말 거라. ②확실하다 ; 흔들리지 않다. ‖ 合格{ごうかく}は~ 합격은 확실하다. ④(유동 체가) 되다. ‖~かゆ 된 죽. ⑤(신발 이) 꼭 끼다 ; 째다. ‖この靴{くつ}は~ 이 구두는 꼭 낀다. ⑤질기다. ‖この牛 肉{ぎゅうにく}は~ 이 쇠고기는 질기다.

かた-い【硬い】 圏 딱딱하다. ①단단하 다. ‖~石{いし} 단단한 돌. もろい. ② (문장이) 생경(生硬)하다. ‖~読{よ}み みもの (흥미 없는) 딱딱한 읽을거리. ③꺼끄럽다. ‖~表情{ひょうじょう} 딱딱한 표 정.

かた-い【難い·難い】 圏 어렵다 ; 힘 들다. ‖解{かい}するに~くない 이해하 기 어렵지 않다. ↔やすい.

かだい【課題】 图 과제. ‖~作文{さくぶん} 과 제 작문 / 当面{とうめん}の~ 당면한 과제.

かだい【過大】 图 과대. ‖~評価{ひょうか} 과대 평가. →過小{かしょう}.

‖**-がた-い**【難い】《動詞連用形에 붙어서 形容詞를 만듦》~하기 어렵다 ; (좀처 럼)…할 수 없다. ‖動{うご}かし~事実{じじつ} 움직일 수 없는 사실. ↔やすい.

がだい【画題】 图 화제.

かたいじ【片意地】 图 외고집 ; 옹고 집. 强情{ごうじょう}. ‖~を張{は}る 옹고집을 부리다.

かたいっぽう【片一方】 -ippō 图〔口〕 (둘 중의) 한쪽. =かたほう. 「석.

かたいなか【片田舎】 图 벽촌 ; 시골 구

かたいれ【肩入れ】 图 ②自 ①도움 ; 조 력함 ; 편듦. ②힘을 쏟음 ; 진력.

かたうで【片腕】 图 ①한쪽 팔. 外腕. ②가장 신임하는 조력자·보좌 인 ; 오른팔.

かたうらみ【片恨み】 图 일방적인 원망.

がたおち【がた落ち】 图 ②自〔俗〕① (값·인기 따위가) 뚝 떨어짐 ; 폭락. ‖ 売上{うりあげ}げが~になる 매상액이 뚝 떨어 지다. ②(솜씨 등이) 훨씬 못함〔떨어 짐〕. ‖腕{うで}が~だ 솜씨는 형편없다.

かたおもい【片思い】 图 짝사랑. =片 恋{かたこい}. 「「부모. ↔二親{ふたおや}.

かたおや【片親】 图 편부모 ; 한쪽

かたがき【肩書(き)】 图〔名함 등의 성 명 오른쪽 위에 직함 따위를 쓰는 일. ②지위·신분·칭호 따위. ‖~がものを いう 직함으로 행세하다.

かたかけ【肩掛(け)】 图 어깨걸이 ; 숄.

かたかた【片方】 图〔老〕 한쪽. =かた ほう.

かたかた 副 단단하고 작은 것이 맞닿 는 소리 ; 달그락달그락.

かたがた【方々】 图 제현(諸賢) ; 여러 분. ‖御来場{ごらいじょう}の~ 내림(來臨)하 신 여러분.

かたがた【旁】 ☐腰 겸하여 ; 아울러. ☐ ── 겸하여 ; 아울러 ; ~ついでに. ‖~御礼{おんれい}申{もう}し上{あ}げます 아울러 감사의 말씀을 드립니다. ☐ 接尾 ──하는 김에 ; 겸 ; をてら. ‖涼 すみ~買物{かいもの}をする 바람도 쐴 겸 쇼핑 한다.

がたがた ☐ 副 ①심하게 떠는 모양 ; 덜 덜 ; 후들후들. ‖からだが ~する 몸이 덜덜 떨리다. ‖②단단하고 큰 것이 부딪쳐서 나는 소리 ; 덜커덩덜

커덩. ③《俗》투덜거리는 모양. ¶～言ういうな 투덜대지 마라. 二名 짜임새가 엉성하거나 부서져 가는 모양; 어근버근. ¶～のおんぼろ自動車じどうしゃ 다된 털터리 자동차.

かたかな 【片仮名】 名 'かな'의 하나(대부분 한자의 일부분을 따서 만든 것으로, 외래어의 표기나 전보문 따위에 쓰임). ↔平仮名ひらがな.

かたがみ 【型紙】 名 형지; 본을 뜬 종이.

かたがわり 【肩代わり・肩替わり】 名 自他 (빚・부담・계약 등) 남을 대신해서 떠맡음; 인수함.

****かたき** 【敵・仇】 名 ①경쟁 상대자. ②원수. =あだ. ¶親しんの―부모의 원수. ―を討うつ【取とる】 원수를 갚다. ―はち ―学자 기질.

かたぎ 【気質】 名 기질; 기풍. =かたぎ.

かたぎ 【堅気】 名 ①고지식하고 조신한 성질. ②(유흥・투기・건달이 아닌) 건실한 직업(에 종사하는 사람). ¶―の女じょ 여염집 여자. ―になる 깡패〔건달〕 생활을 청산하고 착실해지다.

かたぎ 【形木・模】 名 ①(날염捺染 등에 쓰이는) 무늬를 새긴 판자. ②판목. =갈나무.

*=**かたぎ** 【堅木】 名 ①단단한 나무. ②떡갈나무.

=**がたき** 【敵】 《体言에 붙어서》 …하는 경쟁 상대. ¶恋こい～ 연적.

かたきうち 【敵討(ち)】 名 自 복수; 원수를 갚음. =あだうち.

かたく 【家宅】 名 가택. =すまい. ¶捜索そうさく 가택 수색.

かたく 【火宅】 名 《佛》 화택; 이승. =娑婆しゃば.

かたく 【片口】 名 ①한 쪽에 만 귀가 있는 바리때(병). ②한쪽 (사람만의) 말. =片言かたこと.

かたくちいわし 【片口鰯】 名 《魚》 멸치. =しこいわし.

かたくな 【頑な】 ナダ 완고함; 마음이 비뚤어지고 고집이 세다. =強情ごうじょう. ¶～に拒こばむ 완강히 거부하다.

かたくり 【片栗】 名 《植》 얼레지. ¶―粉こ 얼레지가루; 녹말.

かたくるし-い 【堅苦しい】 形 -shi 形 너무 엄격하고 딱딱하다(딱딱하다). ¶―話はなし 딱딱한 이야기.

かたぐるま 【肩車】 名 ①목말. ②(유도에서) 어깨로 메어치기.

かた-げる 【傾げる】 下1他 기울이다. =かしげる. ¶首くびを～ 고개를 갸웃하다.

かた-げる 【担げる・肩げる】 下1他 어깨에 메다. =かつぐ.

かたおもい 【片思】 名 ☞かたおもい.

かたごし 【肩越し】 名 어깨너머. ¶～に かたごしに.

かたこと 【片言】 名 ①(어린이・외국인 등의) 서투른 말씨; 떠듬떠듬 하는 말씨. ¶～まじりの英語えいご 떠듬거리는 영어. 한 마디의 말; 편언. =へんげん. ¶―まじりの英語えいご②.

かたこり 【肩凝り】 名 어깨가 뻐근함.

かたさき 【肩先】 名 어깻죽지. =肩口かたぐち.

かたしき 【型式】 名 형식; 모델. =モデル.

かたじけな-い 【添(い)・辱い】 形 ①(호의가) 고맙다; 송구스럽다; 황공하다. ¶～御好意ごこうい 고마우신 호의.

かたじけなく-する 【添(な)くする】 サ変他 …을 받아〔입어〕 대단히 고맙다; 고맙게도 …하여 주시다. ¶ご愛顧あいこを― 각별하신 애호를 고맙게 여기다.

かたず 【固唾】 名 『～をのむ (긴장해서) 마른 침을 삼키다.

かたすかし 【肩透(か)し】 名 자他 ①(씨름에서) 상대가 힘을 주고 나오는 것을, 몸을 홱 빼면서 상대의 어깻죽지를 쳐 고꾸라뜨림. ②상대의 공격의 화살을 어긋나게 하여 노력을 헛되게 만듦. ¶～を食くう 허탕치다; 골탕을 먹다.

かたすみ 【片隅】 名 한 쪽 구석.

かたずみ 【堅炭】 名 참숯; 백탄(白炭).

かたて 【片袖】 名 ①한쪽 소매. ②쪽소매 책상. =片袖机かたそでづくえ.

かたてま 【片便り】 名 편지를 내어도 답장이 없는 일.

****かたち** 【形】 名 ①(본디, 象로도) 모양. ⑦형상; 꼴; 형체. ¶―がくずれる 모양이 망그러지다/影かげも～も見みえない 그림자도 형체도 안 보이다. ⓛ자세. ¶―を正ただす 자세를 바로잡다. ②(사물의) 형식; 형태; 꼴. ¶ほんの―だけですが가 그저 형식뿐입니다만(보잘 것 없는 것입니다만)/わびを入いれた～ 사과를 한 꼴이다. ③(본디, 容로도) 용모. ¶顔かお～ 용모.

かたちづく-る 【形作る】 五他 만들다; 구성〔형성〕하다.

かたちんば 【片ちんば】【片跛】 -chimba 二名《卑》 절름발이; 짝짝이. ¶この靴くつは―だ 이 구두는 짝짝이다.

かたつ 【下達】 名 자他 하달. ¶上意じょうい～ 상의 하달. ↔上達じょうたつ.

****かたづ-く** 【片付く】 五自 ①정돈〔정리〕되다. ¶机つくえの上うえが～ 책상 위가 정리되다. ②처리되다. ⑦정돈〔정리〕나다; 매듭지어지다. ⓛ《俗》 방해자가 제거되다〔없어지다〕. ⓒ嫁とつぐ (딸이) 시집가다. ¶娘むすめが～ 딸이 출가하다.

****かたづ-ける** 【片付ける】 下1他 ①정돈〔정리〕하다. ¶机つくえの上うえを～ 책상 위를 정돈하다. ②결말〔해결〕을 내다; 끝내다. ¶宿題しゅくだいを～ 숙제를 해 치우다. ③《俗》 방해자를 처치하다〔죽이다〕. ④《嫁とつぐ》 시집 보내다. ¶娘むすめを～ 딸을 출가시키다.

がたっと -tatto 副 ①갑자기 나쁘게 변하는 모양; 갑자기; 뚝(＇がたりと＇의 힘센 말).

かたっぱし 【片っぱし・片っ端】 名 한쪽 끝. 参考 'かたはし'의 힘줌말. ―から 닥치는 대로 (모조리).

かたつむり 【蝸牛】 名 動 달팽이.

****かたて** 【片手】 名 ①한 (쪽) 손. ↔両手りょうて②(수의) 다섯 (의 상대). ③《俗》 '다섯'의 변말. ―おち 【―落ち】 名《卑》 한쪽으로 치우침; 공평하지 못함; 편파(偏頗).

かたてま 【片手間】 名 (본업의) 여가; 짬; 틈. ¶商売しょうばいの～に勉強べんきょうする 장사하는 틈틈이 공부하는.

かたどおり 【型どおり】【型通り】 -dōri

名 판에 박은 듯함.

かたとき【片時】名 한시 ; 잠시. ¶～も忘れない 한시도 잊지 않다.

かたど-る【象る・模る・形どる】⑤自他 본뜨다 ; 모방하다 ; 나타내다. ¶…に～って作る …을 본떠 만들다.

***かたな【刀】**名①외날의 칼. =剣ぴの②큰 칼. =太刀たち③도검류(刀剣類)의 총칭. **──にかけても**〔무사(武士)가〕 칼을 써서라도 ; 힘으로라도. **──のさびとなる** 칼에 맞아 죽다.

-がたな-い〔かたい〕「刀工」

かたなかじ【刀かじ】(刀鍛冶)名 도공.

かたなし【形なし・形無し】名 형편(면목)이 없이 됨 ; 잡침. ¶大だいの男おとこも～だ 대장부도 체통을 잃게 되었다.

かたのごとく【型のごとく】(型の如く)運語 틀〔판〕에 박은 듯이 ; 형식대로.

かたばかり【形ばかり】(形計り)名 형식만의 것 ; 명색뿐임 ; 극히 조금. ¶～のお礼れい 명색뿐인 사례.

かたはし【片端】名①한쪽 끝〔가〕. ②일부분 ; 약간한 것. ¶話はなしの～を聞きく 이야기의 일단만 겉들으.

かただ【片肌】(片膚)名¶～を脱ぬぐ①한쪽 어깨만을 벗다. ②발벗고 나서〔서 도와 주〕다.

かたはば【肩幅】名 어깨폭. ¶～が広ひろい 어깨통이 넓다.

かたばみ【酢漿草】名〔植〕괭이밥.

かたはらいたい【片腹痛い・傍痛い】形 가소롭다 ; 우습다. ¶身みの程ほどを知しらずそんなことをするとは── 분수도 모르고 그런 짓을 하다니 가소롭다.

かたパン【堅パン】(堅麺麭)名 건빵. ▷pão.

かたびさし【片びさし】(片庇)名①한쪽에만 있는 차양. ②허술한 지붕〔의 집〕.

かたひじ【肩ひじ】(肩肘)名¶～を張はる 따따하게 긴장하다 ; 어깨를 세우다.

がたぴし 下三自 단단한 것이 맞닿거나 부딪쳐 나는 소리 ; 삐꺽삐꺽 ; 탁 ; 덜커덕. 参考 비유적으로도 씀. ¶～している 흔들흔들하는 회사.

かたびら【帷子】名①(집이나 베로 지은) 홑옷. ②예전에, 장막·휘장 따위로 사용한 홑천. ¶四よ이의 ～ 이 넋을 싸던

かたぶつ【堅物】名 고지식하고 융통성

かたぎとり【堅太り・固太り】=固肥こりり ス自他 단단하게 살이 찜 ; 또, 그런 사람.　▷떨어짐 ; 격감.

がたべり【がた減り】名〈俗〉폭 줆 ; 뚝

かたへん【片偏】名 한자 부수의 하나 ; 모방변(旅·族 따위의 '方'의 이름).

かたへん【片偏】名 한자 부수의 하나 ; 조각편변(版·牒 따위의 '片'의 이름).

かたほ【片帆】名 (바람을 잘 받도록) 돛을 한쪽으로 기울여 올림 ; 또, 그 돛. ↔真帆まほ.　▷両帆りょう

***かたほう【片方】-hō**名 한쪽 ; 한편 ; 한 사람. **──をかつぐ** 협력하다. ¶「役

かたぼうえき【片貿易】-bōeki 名 편무역.

かたまえ【片前】名 싱글(단추가 외줄인 양복 저고리). ↔両前りょう

***かたまり【固まり・塊り】**名①덩어리 ; 뭉치. ¶脂肪しぼうの～ 비곗덩어리 ; 欲よくの～ 욕심 덩어리〔사람〕. ②집단 ;

一旦. ¶学生がくせいの～ 학생의 집단.

***かたま-る【固まる】(堅まる)**⑤自①굳(어지)다. ㉠딱딱〔단단〕해지다 ; 엉기어 굳어지다. ¶雨ぷり降ふって地ぢ～ 비온 뒤에 땅이 굳어진다. ㉡확고해지다. ¶意見いけんが～ 의견이 굳어지다. ㉢진보(進步)가 멈추다 ; 변화가 없다. ¶考かんがえ方かたが～ってしまった 생각하는 방식이 굳어져 버렸다. ②안정되다. ¶病気びょうきが～ 병의 증세가 안정되다. ③덩어리지다 ; 뭉치다 ; 모이다. ¶二, 三人さんにん～ずつ～って 두세 사람씩 모여서. ④(마음이 어떤 일에만) 쏠리다〔팔리다〕. ……에 미치다. ¶競馬けいばにに～ 경마에 미치다〔팔리다〕.

***かたみ【形見】**名 기념물. (특히, 죽은 사람이나 이별한 사람의) 유물 ; 유품. ¶若わかき日ひの～ 젊은 날의 기념물.

かたみ【片身】名①몸의 반 ; 특히, 등뼈를 중심으로 갈른 생선의 반쪽. ②(옷의) 길의 반쪽. =片身かたみづ ろ.

かたみ【肩身】名 면목 ; 체면. ¶～が狭せまい 떳떳하지 못하다 ; 부끄럽게 느껴지다. **──が広ひろい** 떳떳하다 ; 자랑스럽다.

かたみち【片道】(片路)名 편도 ; 한쪽 ; 일방. ¶～通行つうこう 일방 통행／～乗車券けん 편도 승차권. ↔往復おうふく.

かたむき【傾き】名①기욺 ; 기울기 ; 경사. ②경향.

***かたむ-く【傾く】**⑤自 기울다. ①한쪽으로 쏠리다. ㉠비스듬해지다. ¶柱はしらが～ 기둥이 기울다. ㉡(해·달이) 지려고 기울다. ¶日ひが西にしに～ 해가 서쪽으로 기울다. ㉢쇠하다. ¶家運かうんが～ 가운이 치우쳐지다. ②(사상·마음이) 한쪽으로 치우쳐지다. ③그런 경향을 띠다. ¶ぜいたくに～ 사치에 기울다.

***かたむ-ける【傾ける】**下1他 기울이다. ①기울어지게 하다. ¶杯さかずきを～ 술잔을 기울이다. ②쇠하게 하다. ¶国くにを～ 나라를 망하게 하다. ③집중(集中)하다 ; 쏟다. ¶全力ぜんりょくを～ 전력을 기울이다.

かため【片目】名①한 쪽 눈. ②애꾸눈 ; 외눈. =めっかち.

-がため【固め】굳힘 ; 굳히기. ¶証拠しょうこ～ 증거 굳히기 ; 증거를 굳힘.

***かた-める【固める】(堅める)**下1他①굳히다. ㉠단단하게 하다 ; 다지다. ¶土つちを踏ふみ～ 흙을 밟아 다지다. ㉡확고히 하다 ; 튼튼히 하다. ¶基礎きそを～ 기초를 단단히 하다. ②뭉치다 ; 덩어리로 하다. ¶雪ゆきを～ 눈을 뭉치다. ③…으로만 하다. ¶嘘うそを～ 순 거짓말로만 (사태를) 얼버무리다. ④꼭 쥐다. ¶こぶしを～ 주먹을 쥐다. ⑤(한군데에) 모으다. ¶荷物にもつを～めて おけ 짐을 한데 모아 놓아라. ⑥방비〔경비〕를 단단히 하다. ¶城門じょうもんを～ 성문을 굳게 지키다. ⑦안정시키다. ¶身みを～ 생활이 자리잡히게 하다(a) 결혼하여 살림을 차리다 ; (b) 일정한 직업을 잡다.

かたやぶり【型破り】名자 관행을 깸 ; 색다름 ; 파격적임. ¶～な行動こうどう 파격적인 행동.

かたよ-せる【片寄せる】下1他 한 쪽으

로 모으다〔치우다〕.

かたより【片寄り·偏り】图 치우침.

＊**かたよ-る**【片寄る·偏る】⑤自 ①(한쪽으로) 치우치다；기울다. ②불공평하다. ¶ ～った判定ैを する 불공평한 판정을 하다.

かたら-う【語らう】⑤他 ①이야기를 주고받다. ②꾀다. ¶友達ैを～って旅行ैする 친구를 꾀어 함께 여행하다. ③남녀가 약속하다；연약하다.

かたり【騙り】图 편취(騙取)；사기(꾼).

かたり 剾 단단한 물체가 부딪치거나 떨어질 때 나는 소리：달그락.

がたり 剾 'かたり'보다 거센 말：쿵.

かたりあ-う【語り合う】⑤他 ①서로 이야기를 주고받다. ②논하다.

かたりあか-す【語り明かす】⑤他 이야기로 밤을 새우다；밤새 이야기하다.

かたりぐさ【語り草】【語り種】图 (훗날 사람들의) 이야깃거리；화제.

かたりつた-える【語り伝える】下一他 이야기하여 (세상 또는 후세에) 전하다. ＝かたりつぐ.

かたりて【語り手】图 말하는 사람；이야기꾼. ☞聞き手て.

かたりべ【語部】图【史】(역사책이 없었던) 상고 시대에 조정에 출사하면서, 전설이나 고사(故事)를 외어서 이야기하는 것을 소임으로 한 씨족(氏族).

かたりもの【語り物】图 곡조를 붙여 악기에 맞추어 낭창(朗唱)하는 이야기나 읽을거리 (浄瑠璃조즈·浪花節なに 따위). ↔謡物うたい.

＊**かた-る**【語る】⑤他 ①이야기하다. ②가락을 붙여 이야기하다.

かた-る【騙る】⑤他 ①편취(騙取)하다. ②사칭하다. ¶他人ैたの名なを～ 남의 이름을 사칭하다. 「Katarrh.

カタル【加答児】图【醫】카타르.

＊**カタログ**【型録】图 카탈로그；상품 목록；영업 안내. ▷catalog(ue).

かたわ【片端·片輪·不具】图〈卑〉 불구자；병신. ¶～になる 불구자가 되다. ━ダナ불균형；비정상. 「구석.

かたわき【片脇】【片隅】图 한 옆；한 구석. ↔片側がた.

＊**かたわら**【傍ら】图 ━图 ①옆；가. ②곁. 剾 …함과 동시에；(…하는) 한편. ¶仕事ैごの～勉強ैょうする 일하는 한편 공부하다. ━に人ैと無なきが如しごと 방약 무인(傍若無人).

かたわれ【片割れ】图 ①깨어진 한 조각；짜개. ②갖추어진 것의 일부분. 〈俗〉한패 중의 (그다지 중요하지 않은) 한 사람.

かたん【荷担·加担】图スル 가담하다.

かだん【果断】图ナ 과단. 「의 사회. ¶～な処置ैょち 과단성 있는 조치. 「의 사회.

かだん【歌壇】图 가단；가인(歌人)의 사회.

かだん【花壇】图 화단；꽃밭.

がだん【画壇】图 화단；화가들의 사회.

カタンいと【カタン糸】图 코튼사(絲)；재봉실. ▷cotton.

がたんと 剾 ①차례·성적·값 등이 갑자기 떨어지는 모양：뚝. ¶生産額ैく가～落ैちる 생산량이 뚝 떨어지다. ②단단한 것이 부딪쳐 소리를 내는 모양：쾅；꽝.

かち【勝ち】图 이김；승리. ↔負まけ.

━に乗のる 이긴 여세를 몰다.

＊**かち**【価値】图 가치；값. ＝ねうち. ¶交換ैか～ 교환 가치 ／観ैん～ 가치관. ━はんだん【━判断】图 가치 판단.

-がち【勝ち】《本言·動詞 連用形에 붙어서》 그러한 경향(傾向)·상태가 많음을 나타냄. ¶曇くもり～の天気てんき 흐린 때가 많은 날씨.

＊**かちあ-う**【かち合う】【搗(ち)合う】⑤自 ①충돌하다. ②부딪치다. ㉡일치하지 않다. ㉢겹치다. ¶日曜日ैび と祝日しゅくが～ 일요일과 경축일이 겹치다.

かち-える【勝(ち)得る】【獲(ち)得る】下一他 쟁취하다. ¶成功せいこうを～ 성공을 거두다.

かちかち 剾 ①단단한 물건이 가볍게 부딪치는 소리：딱딱；똑똑；재깍재깍 (시계 따위). ②拍子木ひょうしを鳴なる 딱딱이 소리가 딱딱 나다. ━ダナ ①대단히 단단한 모양. ¶～に凍こる 꽁꽁 얼다. ②성격이 까다롭고 융통성이 없는 모양. ¶石頭いしで～の男おとこ 돌대가리의 융통성이 없는 남자. ③몹시 긴장한 모양. ¶壇だんの上うえで～になる 단상에서 얼어버리다.

がちがち ━图 ①단단한 물건이 부딪치는 소리：딱딱. ②寒さむくて歯はが～と鳴なる 추워서 이가 딱딱 마친다. ②곧 중하는 모양. ¶～に勉強ैょうする 열심히 공부하다. ━ダナ ①물건이 단단한 모양. ②탐욕으로 뭉쳐 있는 모양.

かちき【勝(ち)気】图ナ 지기 싫어하는 성질；기승(氣勝)；오기(傲氣).

＊**かちく**【家畜】图 가축.

かちぐり【搗栗·勝栗】图 황밤；황률.

かちこ-す【勝(ち)越す】⑤自 이긴 횟수가 진 횟수보다 많아지다.

かちどき【勝(ち)鬨·勝鬨·閧】图 승리의 함성；개가(凱歌). ¶～をあげる 승리의 함성을 올리다.

かちと-る【かち取る】【勝(ち)取る·克ち取る】⑤他 쟁취하다；거두다. ¶優勝ैょうを～ 우승을 쟁취하다.

かちぬき【勝(ち)抜き】图 질 때까지 상대를 바꾸어 승부를 겨룸；토너먼트.

かちぬ-く【勝(ち)抜く】⑤自 ①(어떻게든) 이겨 내다. ②내리 이기다.

かちほこ-る【勝(ち)誇る】⑤自 이겨서 의기 양양하다；우쭐하다.

かちまけ【勝(ち)負け】图 승부；승패.

かちみ【勝(ち)味】☞かちめ.

かちめ【勝(ち)目】图 이길 가망；승산. ＝かちみ. ¶～がうすい〔ない〕 승산이 적다〔없다〕.

かちゃかちゃ 剾 금속성 물건이 부딪쳐서 나는 약한 소리：짤그랑 짤그랑.

がちゃがちゃ gachagacha ━剾 쇠붙이가 부딪쳐서 나는 센 소리：짤가닥짤가닥. ¶鍵かぎの束たば～ 열쇠꾸러미가 짤가닥거리다. ━图〈俗〉【蟲】☞くつわむし.

がちゃつ-く gacha- ⑤自 ①짤그랑거리다. ②분쟁(紛爭)이 생기다.

がちゃり gacha- 작고 단단한 것이 닿아서 나는 소리：짤가닥. ¶～とかぎを かける 짤가닥 열쇠를 잠그다.

がちゃん -chan 剾 단단한 것이 부딪치거나 깨어질 때 나는 소리：쨍그랑；쨀카

당.　　　　　　　　　　「온 집안 식구.
かちゅう【家中】-chū〈老〉집안;
かちゅう【渦中】-chū 图 와중. ①소용돌이 속. ②사건·분쟁 속.
かちゅう【火中】-chū ㊀ 화중;불 속. ㊁㊦他 불에 넣어 태워버림. —**にする** 불 속에 넣다;태워버리다. —**のくりを拾う** 불 속의 밤을 줍다《남의 이익을 위해 위험을 무릅쓰다》.
かちょう【家長】-chō 图 (구 민법에서) 가장;호주.　　　　「や.
かちょう【蚊帳】-chō 图 모기장. =か
がちょう【画調】-chō 图 화조;(사진·그림 따위) 화면 전체에서 느껴지는 특색.
がちょう【鵞鳥】-chō 图 거위.
かちょうふうげつ【花鳥風月】kachófū-gétsu 图 화조 풍월. ①자연의 경치.②풍류.
かちん 단단한 물건이 부딪쳐 나는 소리;쨀그랑. —**と来る** 상대의 언동이 몹시 신경을 건드리다.

‡**かつ**【勝つ・捷つ】⑤他①이기다. ㋠승리하다. ¶戦争に~ 전쟁에 이기다. ㋑(克)극복하다. ¶おのれに~ 자기를 이기다;극기(克己)하다. ⇔負ける. ②(다른 것보다) 더 …하다;그 경향이 세다. ¶赤みの~った顔 붉은 기가 많은 얼굴 / 理性の~った人 이성이 강한 사람. ③부담하기 힘 겹다. ¶荷が~ 짐이 너무 무겁다;힘에 부치다. —**ったかぶとの緒を締めよ** 이겼다고 방심하지 마라.
かつ【活】图①삶;살림. ¶死中に~を求める 죽음 속에서 살길을 구하다. ②기절한 사람을 소생시키다. —**を入れる**①기절한 사람의 급소를 찔러서 주물러서 숨을 돌리게 하다. ②자극을 주어 활기를 불어 넣다.
かつ【渇】图①목마름. ¶~をおぼえる 갈증을 느끼다. ②갈망. —**をいやす**①갈증을 풀다. ②소망을 이루다.
カツ ☞ 카츠레츠. ¶豚~ 포크 커틀릿.
かつ【且つ】副接①㊀동시에;또한. ¶必要かつ十分な条件 필요하고도 충분한 조건. ㊁한편(으로는). ¶~飲み~歌う 한편 마시며 한편 노래하다. ㊂그 위에, 또한. ¶~また / 働き~学ぶ 일하고 (그 위에) 또 배우다.
かつ【喝】感【佛】선종(禪宗)에서 미망(迷妄)이나 잘못을 꾸짖을 때 지르는 고함.
=**かつ**【月】…월. ¶二~ 이월.
かつあい【割愛】图ㅈ他 할애;아까운 것을 내주거나 생략함. ¶説明を~する 설명을 생략하다 / とくに一冊ずつだけ~しよう 특별히 한 권만 할애하지.
かつえる【餓える・飢える】下㊀图 굶주리다. ①허기지다;공복을 느끼다. ②결핍을 느끼다;갈망하다. ¶親の愛に~ 어버이의 사랑에 굶주리다.
かつお【鰹・松魚】图【魚】가다랑어.
かつおぎ【かつお木】〖鰹木〗图 신사(神社)나 궁전의 마룻대 위에 직각으로 늘어놓은 통나무형 장식.
かつおぶし【かつお節】〖鰹節〗图 가다랑어의 등을 갈라 쪄서 말린 포.
かっか【閣下】kakka 图 각하.

***がっか**【学科】gakka 图 학과. ¶英文~ 영문학과 / ~試験 학과 시험.
かっかい【角界】kakkai ☞かくか い.
かっかい【各界】kakkai 图 각계.
***がっかい**【学会】gakkai 图 학회. 参考 좁은 뜻으로는 연구 단체가 행하는 연구 발표회·강연회 따위를 가리킴.
***がっかい**【学界】gakkai 图 학계. ¶~代表 학계 대표.
かっかく【赫赫】kakka- トタル 혁혁. ①빛나는 모양. ②공적이 뚜렷한 모양. ¶~たる功績 / ~たる혁혁한 공적.
かっかざん【活火山】kakka- 图 활화산.
かっかつ副①정도에 이를까 말까 한 상태를 나타내는 말;띌랑띌랑. ¶千円しか~しかない 겨우 천엔 정도밖에 없다. ②그럭저럭;겨우;간신히;빠듯이. ¶その日その日を~に暮らしている 그날 그날을 간신히 살아가고 있다 / ~まにあった 가까스로 제 시간에 대었다.
がつがつ副 걸신들린 모양;걸근걸근. ¶ごちそうを~食う 음식을 걸신들린 듯 먹다 / 金銭に~するな 금전을 너무 탐하지 마라.
***がっかり** gakkari 副①실망·낙담하는 모양. ¶…を聞いて~する …을 듣고 실망(낙심)하다. ②피곤해서 맥이 풀리는 모양.
かつがん【活眼】图 활안;사물의 본질을 꿰뚫어보고 제 식별하는 안식.
がっかん【学監】gakkan 图 학감.
***かっき**【客気】kakki 图 객기;혈기.
***かっき**【活気】kakki 图 활기. —**を帯びる** 활기를 띠다.
***がっき**【学期】gakki 图 학기.
***がっき**【楽器】gakki 图 악기.
かっきてき【画期的】〖劃期的〗kakki-テキ 획기적. ¶~な改革 획기적인 개혁.
かつぎや【担ぎ屋】图①미신가(迷信家). ②남을 속이고 좋아하는 사람. ③(俗)생산지에서 직접 식량·채소 따위를 날라다가 파는 장사꾼(행상).
がっきゅう【学究】gakkyū 图 학구. ¶~肌の人 학구적인 사람.　　「반.
がっきゅう【学級】gakkyū 图 학급;
かっきょ【割拠】kakkyo 图ㅈ自 할거. ¶群雄~ 군웅 할거.
かつぎょ【活魚】-gyo 图 활어;활선어(活鮮魚).
かっきょう【活況】kakkyō 图 활황.
がっきょく【楽曲】gakkyo- 图 악곡.
かっきり kakki- 副①구별이 분명한 모양;획연(劃然)히;딱. ¶~と二つに分ける 딱 둘로 나누다. ②시간·수량 등에 우수리가 없는 모양;딱;꼭. =きっかり. ¶~五時だ 정각(딱) 다섯 시다.　　　　「정근(精勤).
かっきん【恪勤】kakkin 图ㅈ自 각근.
***かつ·ぐ**【担ぐ】⑤他①메다;짊어지다. ②(떠)받들다;추대하다. ¶会長

かいちょう に ~ 회장으로 추대하다. ③속이다. ¶うまく~がれた 감쪽같이 속았다. ④(미신에) 사로잡히다. ¶縁起ぎ を~ 무슨 일에나 길흉을 몹시 가리다 ; 미신을 몹시 믿다.

がく 【学区】 gakku 图 학구.

かっくう 【滑空】 kakkū 图 ㅈ自 활공. ¶~機き 활공기 ; 글라이더.

がっくり gakku- 副 갑자기 부러지거나, 기가 꺾이거나, 맥이 풀리는 모양 : 푹 ; 탁 ; 덜컥('がくり'의 힘준말). ¶~(と)首くびをたれる 푹 고개를 떨구다.

かっけ 【脚気】 kakke 图 〔医〕 각기.

かつげき 【活劇】 kakke 图 활극. ¶街頭がい で~を演ずる 길거리에서 활극을 벌이다. 〔객혈 ; 객혈.

かっけつ 【喀血・咯血】 kakke- 图ㅈ自

かっこ kakko 图 〈兒〉 나막신. =げた.

かっこ 【各個】 kakko 图 각개 ; 각자.

*かっこ 【かっこ・括弧】 kakko 图他 괄호. ¶~付つきで '이른바'의 뜻으로 칼호를 붙여 쓰다.

かっこ 【確乎】 kakko トタル 확고. ¶~たる決心けっしん 확고한 결심 / ~不動ふどう 확고 부동.

‡かっこう 【格好・恰好】 kakkō 一图 ①모습 ; 꼴. ②모양 ; 볼품. ¶~を気きにする 모양에 신경을 쓰다. ③세련치레. ¶~のいい事ことを言いう 번드레한 말을 하다. ¶~のいい品物しなもの (a)(크기・형・빛깔등이) 꼴 알맞은 물건 ; (b)(비교적) 값싼 물건. 三接尾 《주로 중년 이상된 사람의 나이를 나타내는 숫자 밑에 붙어서》…쯤 ; 대(代). ¶四十しじゅう~の男おとこ 나이 40 쯤 되는 남자. ─がつく 그럭저럭 모양이 잡히다[갖추어지다] ; 그런대로 수습이 되다.

かっこう 【滑降】 kakkō 图ㅈ自 활강.

かっこう 【郭公】 kakkō 图 〔鳥〕 곽공 ; 뻐꾸기.

‡がっこう 【学校】 gakkō 图 학교. ¶~に通かよう 학교에 다니다 / 苦学くがくして~を終おえる 고학으로 학업을 마치다. ──きょういく 【─教育】 -kyōiku 图 학교 교육.

かっこく 【各国】 kakkoku 图 각국 ; 각(여러) 나라. 〔뼈.

がっこつ 【顎骨】 gakkotsu 图 악골 ; 턱

かっさい 【喝采】 kassai 图ㅈ自 갈채. ¶拍手はくしゅ~ 박수 갈채 / ~を博はくする 갈채를 받다.

がっさい 【合切・合財】 gassai 图 무엇이든 남기지 않고 모두. ¶一切いっさい~ 모조리 ; 몽땅. ──ぶくろ 【─袋】 图 자지레한 휴대품을 넣는 자루. 〔합.

がっさく 【合作】 gassa- 图ㅈ他自

がっさつ 【活殺】 gassatsu 图 활살 ; 생살 (生殺). ──の權けん 생살 여탈권.

がっさん 【合算】 gassan 图ㅈ自 합산 ; 합계(合計).

*かつじ 【活字】 图 활자. ──たい 【─体】 图 활자체.

かっしゃ 【活写】 kassha 图他 활사 ; 생생하게 베낌[나타냄]. 〔래.

かっしゃ 【滑車】 kassha 图 활차 ; 도르

かっしゃかい 【活社会】 kassha- 图 실제 사회 ; 실사회.

がっしゅうこく 【合衆国】 gasshū- 图 합중국(특히, 미국).

がっしゅく 【合宿】 gasshu- 图ㅈ自 합숙.

かつじょう 【割譲】 -jō 图他 할양 ; 토지 또는 물건을 쪼개서 양도함.

*がっしょう 【合唱】 gasshō 图ㅈ他 합창. ¶混声こんせい~ 혼성 합창. ↔独唱どくしょう.

がっしょう 【合掌】 gasshō 图ㅈ自 ①합장(배례). ②〔建〕 재목에 못을 안 쓰고 합각(合閣)으로 어긋매낌.

がっしょうれんこう 【合従連衡】 gasshōrenkō 图 합종 연횡(중국의 전국 시대에 6개국이 연합하여 강국인 진(秦)에 대항하던 정책(合従)과, 진과 단독 동맹을 꾀하던 정책(連衡) ; 권력을 둘러싼 각 파벌의 이합 집산에 비유됨).

かっしょく 【褐色】 kasshō- 图 갈색.

がっしり gasshiri 副 ①튼튼하고 실팍한 모양. ¶~(と)した肩かた 딱 벌어진 어깨 / ~した建物たてもの 튼튼한 건물. ②탄탄하게 꽉 짜여 있는 모양.

かっすい 【渇水】 kassui 图ㅈ自 갈수. ¶~期き 갈수기.

かっ-する 【渇する】 kassu- サ変自 ①목이 마르다. ②물이 마르다. ③결핍하다. ──しても盗泉とうせんの水みずは飲のまず 목이 말라도 도천(盗泉)의 물은 마시지 않는다(아무리 곤궁하더라도 자기 명예를 더럽히는 짓은 아니라다).

がっ-する 【合する】 gassu- 一图ㅈ自 ①합쳐지다. ②二つの流ながれが~ 두 강물이 합치다. 〔意見 ②일치하다. 三他意けんが~ 의견이 일치하다. 三サ変他 합하다. ¶全部ぜんぶを~ 전부를 합치다.

かっせい 【活性】 kassei 图 〔化〕 활성. ¶~ビタミン 활성 비타민. 〔돌.

かっせき 【滑石】 kasse- 图 활석 ; 곱

かっせん 【合戦】 kassen 图ㅈ自 전투 ; 접전(接戦). =会戦かいせん.

かつぜん 【豁然】 katsuzen トタル 활연. ①환하게 트인 모양. ②돌연히 깨닫는 모양. ¶~と悟さとる 활연히 깨닫다.

かつぜん 【戞然・戛然】 katsuzen トタル 알연 ; 딱딱한 것이 부딪는 소리 ; 또, 그 모양.

かっそう 【滑走】 kassō 图ㅈ自 활주. ¶~路ろ 활주로.

がっそう 【合奏】 gassō 图ㅈ他 합주. ↔独奏どくそう.

カッター kattā 图 커터. ①서양식의 외 범선. ②(기선 따위에 싣는) 대형 보트. ③재단기 ; 절단기. ▷cutter.

かったい 【癩】 kattai 图 〔医〕 문둥병. = らい病びょう. ──のかさうらみ(저보다 조금이나도 나은 것을 부러워함의 비유). 담장이를 부러워한다(저보다 조금이라도 나은 것을 부러워함의 비유).

がったい 【合体】 gattai 图ㅈ自 합체. ¶公武こうぶ~ 〔史〕 江戸えど 말기에, 조정과 막부ばくふ의 화합 협력으로 국사를 처리함이 최선이라고 한 일파의 주장.

かったつ 【活達・豁達・闊達】 katta- ─ダナ 활달. ¶~な人物じんぶつ 활달한 인물.

かったる-い kattaru- 形 〈俗〉 ①나른하다. ¶足あしが~ 다리가 나른하다. ②시원찮다 ; 답답하고 느릿느릿하다.

かったん 【褐炭】 kattan 图 갈탄.

がっち 【合致】 gatchi 图ㅈ自 합치.

かっちゅう 【甲冑】 katchū 图 갑주.

かっちり katchiri 副 ①사물이 꼭 맞는 모양 ; 딱. ②빈틈이 없는 모양 ; 꼭.

がっちり gatchiri 副〈俗〉①튼튼한 모양. ¶からだが～している 몸이 딱 벌어져 튼튼하다. ②빈틈이 없고 단단한 모양. ¶～と(と)スクラムを組む 단단히 스크럼을 짜다. ③(성격이) 거세고 고집이 센 모양. ④야무진 모양: 빈틈없는 모양(주로, 금전면에). ¶～屋² (금전 관계에) 빈틈없는 사람.

がつつく gattsuku 5自 ①〈俗〉걸신들리다: 걸근거리다. ②〈學〉공부만을 이파다.

*__かつて__ 【嘗て·曾て】 副 ①일찍이: 예전부터: 전에. ¶～そういう経験ぎをした 일찍이 그런 경험을 했다. ②〈否定하는 말을 수반하여〉전혀: 전연. ¶いまだ～病気びょうをしたことがない 아직 한번도 않은 적이 없다.

__かって__ 【勝手】 名①편리함. ¶～の悪いへや (쓰기에) 불편한 방. ②부엌. ¶～道具 부엌 세간. ③생계: 가계. ¶～が苦しい 생계가 곤란하다. ④모양: 상황: 사정. 一が違ちがう (기대한 것과) 사정이 다르다.

*__かって__ 【勝手】 名〈ダナ〉 시먹음: 제멋대로 함. ¶～にふるまう 제멋대로 행동하다/～なやつ 시먹은〔방탕진〕놈/～にしろ 네 멋대로 해라. ──しだい〔─次第〕〈ダナ〉제멋대로 함. ¶何なをやろうと～だ 무엇을 하든 마음대로다.

がってん 【合点】 gatten 名又自〈老〉승낙: 수긍함. ¶～が いかない 못 알았다.

かっと katto 副①불길이 맹렬한 모양: 확확. ②몹시 내리쬐는 모양. ¶～日が照っって暑あつい 해가 쨍쨍 비치며. ③갑자기 화를 내는 모양: 발끈: 울컥. ¶～なって人をなぐる 발끈해서 사람을 때리다. ④눈이나 입을 갑자기 크게 뜨거나 벌리는 모양: 딱. ¶両眼りょうがんを～と見開ひらく 두 눈을 딱 부릅뜨다.

*__カット__ katto 名又他 컷. ①절단: 잘라냄. ¶検閲けんえつで～される 검열에서 컷당하다. ②생략함. ③(테니스·탁구 등에서) 공을 깎아침. ④(여자 머리를) 잘라 고르는 일. ⑤(양재의) 재단하는 일. 二名 컷. ①작은 삽화. ②〔映〕영화의 한장면. 一一グラス 컷 글라스(조각이나 세공을 가한 유리 (그릇)). ▷cut glass.

ガット 〔GATT〕 gatto 名 가트: 관세 무역(에 관한) 일반 협정. ▷General Agreement on Tariffs and Trade.

かっとう 【葛藤】 kattō 名 갈등: 一もつれ. ¶心こころの～ 마음의 갈등.

*__かつどう__ 【活動】 -dō 名又自 활동. ¶めざましい～ 눈부신 활동. 二名〈老〉「活動写真とけの＝(활동 사진)」의 준말. ──てき〔─的〕ダナ 활동적.

かつは 【かつは·且つは】 -wa 副 한편으로는: 그 위에. ¶～おどろき～喜よろこぶ 한편 놀라고 한편 기뻐하다.

かっぱ 【喝破】 kappa 名又自他 갈파.

かっぱ 【河童】 kappa 名①물 속에 산다는 어린애 모양을 한 상상의 동물. ②〈俗〉헤엄 잘 치는 사람. 一の川流ながれ 원숭이도 나무에서 떨어짐. ──の屁 식은 죽 먹기(아주 쉬운 일).

カッパ 【合羽】 kappa 名 가빠. ①소매 없는 비옷. 一あまガッパ. ②짐·가마

따위에 비막이로 덮는 동유지(桐油紙). ▷포 capa.

*__かっぱつ__ 【活潑】〈活潑〉 kappa- 名〈ダナ〉활발. ¶～な少年だ 활발한 소년.

かっぱらい 【掻っ払い】 kappa- 名 날치기(군).

かっぱらう 【掻っ払う】 kappa- 5他 ①날치기하다. ②열으로 휘둘러 치다. ¶向むこうずねを～ 정강이를 옆으로 후리다.

かっぱん 【活版】 kappan 名 활판. ──ずり〔─刷り〕名又他 활판 인쇄(물).

がっぴ 【月日】 gappi 名 월일. ¶生年せいねん～ 생년 월일.

かっぷ 【割賦】 kappu 名 할부. ¶～販売はんばい 할부 판매.

カップ kappu 名 컵. ①손잡이 달린 찻잔. ②상배(賞杯). ¶優勝ゆうしょう～ 우승 컵. ③=コップ. ▷cup.

かっぷく 【恰腹】 kappu- 名 할복. =切腹せっぷく.

かっぷく 【恰幅】 kappu- 名 풍채: 허위대. ¶～がいい 풍채가 좋다.

カップル kappu- 名 커플: 한 쌍: 특히, 남녀 한 쌍: 부부. ▷couple.

*__がっぺい__ 【合併】 gappei 名又自他 합병. =併合ごう. ¶町村ちょうそん～ 읍면(邑面)합병. 一～症~しょう 합병증.

かっぺん 【活弁】〈活辯〉 kappu- 名 '活動弁士かつどうべんし'의 준말: 무성 영화의 변사.

かっぽ 【活歩·闊歩·濶歩】 kappo 名 又自 활보. ¶大路おおじを～する 대로를 활보하다. 「원.

かつぼう 【渴望】 -bō 名又他 갈망: 소

かっぽう 【割烹】 kappō 名〔料〕할팽: (일본식의) 음식의 조리: 요리. ──ぎ〔─着〕 名 일 때 있는 앞치마.

かつぼう 【合邦】 gappō 名又他 합방.

がっぽん 【合本】 gappon 名又他 합본.

かつまた 【且つ又】 副 그 위에: 또: 더구나. ¶智ちあり勇ゆうあり～徳とくもある 지혜롭고 용기 있고, 또한 덕(망)도 있다.

かつもく 【刮目】 名又自 괄목. ¶～に価あたいする 괄목할 만하다.

*__かつやく__ 【活躍】 名又自 활약. 「근.

かつやくきん 【活約筋】 名〔生〕괄약근.

*__かつよう__ 【活用】 -yō 名又又他〔文法〕용언(用言)·조동사의 어미 변화. ──けい〔─形〕名〔文法〕활용형(未然みぜん·連用れんよう·終止しゅうし·連体れんたい·仮定かてい·命令めいれいの6가지). (문어에서는 已然いぜん·命令めいれいの6가지). ──ご〔─語〕名〔文法〕활용어(用言과 助動詞의 총칭).

かつようじゅ 【闊葉樹·濶葉樹】 -yōju 名 활엽수('広葉樹こうようじゅ'의 구칭). ←針葉しんよう樹.

かつら 【桂】 名①〔植〕계수나무(일본 특산). ②(달 속의) 계수나무. 一を折おる 시험에 급제하다.

かつら 【鬘】 名①다리. =かもじ. ②가발(假髪). 注意 'かずら'라고도 함.

かつりょく 【活力】 -ryoku 名 활력. =エネルギー. ¶～素そ 활력소.

かつれい 【割礼】 名〔宗〕할례.

カツレツ 【料】 名 커틀렛. =カツ. ¶ビーフ～ 비프 커틀렛. ▷cutlet.

かつろ 【活路】 名 활로. ¶～を求もとめ

る 활로를 찾다.

かて【糧】图 양식. ①식량. ②활동의 근원. ¶心ぷの～ 마음의 양식.

*__かてい__【仮定】图図自他 가정. ──けい【──形】图【文法】가정형(접속 조사 'ば'를 수반하여 가정의 뜻을 나타냄).

*__かてい__【家庭】图 가정. ──さいばんしょ【──裁判所】-sho 图 가정 재판소 《우리 나라의 가정 법원》. ──そうぎ【──争議】-sōgi 图《俗》가정 쟁의; 곧, 부부 싸움. ──てき【──的】图図 가정적. 「교육 과정.

かてい【課程】图 과정. ──**かてい**【過程】图 과정. =プロセス. ¶研究ぷぷの～ 연구 과정.

カテゴリー【哲】カテゴリ; 범주(範疇). ▷도 Kategorie.

かててくわえて【かてて加えて】《様てて加えて》連語《副詞的으로》설상가상으로; 그 위에; 엎친 데 덮쳐서.

-がてら《접미》가는 길에; …을 겸하여. ¶散歩ぷ～ 산책을 겸하여.

かでん【家伝】图 가전; 전가(傳家). ¶～の秘法ぷ 전가의 비법.

かでん【瓜田】图『瓜の履ぷ』과전리하(瓜田之履)《혐의받을 짓은 피하는 것이 좋음》.

かでん【荷電】图図自【理】하전. =電荷ぷ. 「傳).

かでん【訛伝】图図自 와전; 오전(誤~がいく 납득이 가다.

がてんがいく【合点】图図自 수긍; 납득. ¶~がいく 납득이 가다.

がでんいんすい【我田引水】图 아전인수.

かと【過渡】图 과도. ¶～政府ぷ 과도 정부. ──**き**【──期】图 과도기.

かど【廉】图 ①조목(條目); 조리(條理). ②점(點); 이유. ¶病気ぷぷの～により許ぷす 병을 이유로 용서하다.

＊かど【角】图 ①모난 귀퉁이; 모. ③길 모퉁이. ¶～のたばこ屋ぷ 길 모퉁이의 담배 가게. ②모(남); 규각(圭角). ¶～が立たつ 모가 나다. ¶～が取とれる 원만해지다.

かど【門】图 ①〈雅〉문. =もん. ②집 앞. ③집안; 일족(一族). ¶笑ぷう～には福ぷ來ぷる소문 笑門萬福來)다.──を広ぷげる 집안을 번영하게 하다.

かど【過度】图図ナ 과도. ¶～の労働ぷ 과도한 노동.

*__かとう__【下等】-tō 图図 하등. ¶～品ぷ 하등품. ──動物ぷ 하등 동물. ↔高等こ〜・上等ぷ.

かとう【過当】-tō 图図 과당. ¶～競争ぷ 과당 경쟁.

かどう【稼動】-dō 图図自 가동; 기계가 움직임; 기계를 움직임. ──台数ぷ 가동 대수.

かどう【稼働】-dō 图図自他 가동. ¶～人口ぷぷ 가동 인구.

かどう【歌道】-dō 图 和歌ぷ를 짓거나 연구하는 일.

かどう【花道・華道】-dō 图 화도; 꽃꽂이의 도(道). 「정치.

かとうせいじ【寡頭政治】katō- 图 과두**かとおもうと**【かと思うと】連語《接続詞的으로》그런가 했더니.

かとおもって【かと思って】-omotte

連語 …ㄴ가고 생각하여.

かどかどし-い【角角しい】-shī 圏 ①모가 많다. ②성질이 원만치 않다.

かとく【家督】图 가독; 그 집의 상속인; 장남; (일본 구(舊)민법에서) 호주의 지위. 「간.

かどぐち【門口】图 집의 출입구; 문**かどだ-つ**【角立つ】図自 모나다; 원활(원만)치 않다. ¶話ぷが～ 말이 모가 나다.

かどだ-てる【角立てる】下1他 모나게 하다. ¶話ぷを～ 말을 모나게 하다.

かどで【門出】《首途》图図自 집(길)을 떠남; 출발. ¶人生ぷぷの～ 인생의 출발.

かどなみ【門並(み)】图 ①집집마다. =軒並ぷ. ②《副詞的으로》한집마다 모두; 전부.

かどば-る【角張る】図自 모나지다. ①모나다; 딱딱하다. ¶~・った話ぷ 딱딱한 이야기.

かどばん【角番】图 ①(장기 따위에서) 마지막 승패가 결정나는 판《대국》. ②승패(운명)의 기로. ¶人生ぷぷの～に立たつ 인생의 갈림길에 서다.

かどまつ【門松】图 새해에 문 앞에 세우는 장식 소나무《정식으로는 대나무를 곁들이고, 약식으로는 솔가지 하나에 인색할 만 됨).

カドミウム-myūmu 图【化】카드뮴. ▷cadmium. ──**ちゅうどく**【──中毒】-chūdoku 图 카드뮴 중독.

かとりせんこう【蚊取(り)線香】-kō 图 모기향.

カトリック-rikku 图 가톨릭; 천주교(도). =カソリック. ↔プロテスタント. ▷네 Katholiek.

カトレア【植】カトレーヤ《열대 원산인 양란의 일종》. ▷cattleya.

かどわか-す【拐す・勾かす】5他 유괴하다; 호리다.

かとんぼ【蚊蜻蛉】-tombo 图 ①【蟲】꾸정모기. ②〈俗〉거위 껑충.

*__かな__【仮名】《仮字》图 한자(漢字)의 일부를 따서 만든 일본 고유의 표음 문자(보통, 片かな와 平ひらがな를 일컬음). ──**づかい**【──遣(い)】图 말을 かな로 표기하는 법. ¶歴史的ぷ《現代ぷぷ》～ 역사적(현대) かな 표기법.

かな-【金】①쇠붙이의. ¶～火ぷばし 부젓가락. ②《稀》의. ¶～気ぷ분; 쇠붙.

かな【終助】〈雅〉《体言이나 活用語의 連体形에 붙어서》영탄(詠嘆)의 뜻을 나타냄: …도다; …구나. ¶すばらしい～わが青春ぷ 멋지구나 내 청춘. **注意** 옛날에는 '哉'로 썼음.

かな【終助】말하는 가벼운 의문을 나타냄 …일까. ¶そう～ 그럴까.

がな【連語】어떤 일을 영탄을 나타내는 데 쓰는 말: …겠는데. ¶そんな事ぷならすぐできる～(あ) 그런 일이라면 곧 되겠는데.¶翼ぷがあれば飛ぷんで行ぷくんだ～(あ) 날개가 있다면 날아 가겠는데. **参考** 특히, 사실과 반대되는 일의 실현을 바랄 때에 씀.

かなあみ【金網】图 철망.

かない【家内】图 ①가내. ¶～工業ぷぷ 가내 공업. ②가족. ¶～安全ぷん 가내 안전. ③(자기의) 처; 아내.

かない【科内】[名] 과내.
かない【課内】[名] 과내.
⁑かな-う〖適う·協う〗[5自] 들어맞다; (꼭) 맞다. ¶理に～ 이치에 맞다.
⁑かな-う〖叶う〗[5自] 희망대로 되다; 이루어지다; 할 수 있다. ¶～·わぬ恋 이룰 수 없는 사랑.
⁑かな-う〖敵う〗[5自] ①필적(匹敵)하다; 대적하다; 당해 내다. ¶数学では彼に～·わない 수학으로는 그를 따를 수 없다. ②『～·わない』견딜 수 없다; 참을 수 없다. ¶暑くて～·わない 더워서 못 견디겠다.
かなえ〖鼎〗[名] ①(고대 중국의) 세발솥. ②왕위·권위의 상징. **—の軽重を問う** 통치자를 경시하고 천하를 뺏으려 하다; 전하여, 남의 실력을 의심하여 그 지위를 뒤집어 엎으려 하다.
*かな-える〖適える〗[下1他] 들어맞추다; 일치시키다. ¶条件を～ 조건을 충족시키다.
*かな-える〖叶える〗[下1他] 뜻대로 되게 하다; 이루어 주다; 들어 주다. ¶望みを～ 소망을 이루어 주다.
かながしら〖金頭〗[名]〔魚〕달강어.
かなきりごえ【金切(り)声】[名] (여자의) 새된 목소리; 째지는 소리. ¶～を立てる 새된 소리를 지르다. 「식.
*かなぐ【金具】[名] (기구 따위의) 쇠장
かなくぎ【金くぎ】(金釘) [名] 쇠못.
—りゅう【—流】-ryū [名] 서툰 글씨를 (한 유파(流派)처럼 불러서) 조롱하는 말. 「기.
かなくず【金くず】(金屑) [名] 쇠부스러
かなぐつわ【金ぐつわ】(金轡) [名] 쇠재갈. =かねぐつわ. ¶～をはめる (a) 쇠재갈을 물리다; (b)입막음으로 뇌물을 주다.
かなぐりす-てる【かなぐり捨てる】[下1他] 홱 벗어 던지다; 벗어 팽개치다. ¶上着を～·てて 저고리를 홱 벗어 던지고 / 地位も体面も～ 지위도 체면도 모두 내팽개치다.
かなけ【金け】(金気·鉄気) [名] ①철분; 또, 쇳내. ②(새 솥·냄비 따위에 뜨는) 녹; 쇳녹; 쇳물.
*かなし-い【悲しい】(哀しい) -shī [形] ①슬프다. ¶～物語 슬픈 이야기. ↔うれしい. ②애처롭다. ¶～歌 애처로운 노래.
かなしき【金敷】(鉄敷) [名] 모루.
かなしばり【金縛り】[名] ①(쇠사슬·철사로) 단단히 묶음. ②〈俗〉돈으로 자유를 속박함.
かなしみ【悲しみ】(哀しみ) [名] 슬픔; 비애. ¶～に沈む 슬픔에 잠기다. ↔よろこび.
*かなし-む【悲しむ】(哀しむ) [5他] 슬퍼하다; 마음 아파하다. ¶彼のために～べき事だ 그를 위해 슬퍼해야 할 일이다. ↔喜ぶ.
かなた〖彼方〗[代] 저쪽; 저편; 저기.
かなだらい【金だらい】(金盥) [名] 쇠〔놋〕대야.
*かなづち【金づち】(金槌) [名] ①쇠망치. ②〈俗〉헤엄을 조금도 못 침; 또, 그런 사람. **—あたま【—頭】** [名] 돌대가리.
かなつぼ【金つぼ】(金壺) [名] 쇠 단지.
—まなこ【—眼】 [名] 옴팡눈.
かなつんぼ〖金聾〗-tsumbo [名] 찰귀머거리. 「지렛대.
かなてこ【金てこ】(金梃·鉄梃) [名] 쇠
かな-でる【奏でる】[下1他] (바이올린 따위를) 타다; 켜다; 뜯다. ¶琴を～ 거문고를 타다. 「なしき.
かなとこ【金床】(鉄床·鉄砧) [名] ☞か
かなぶん〖金蚉〗[名]〔蟲〕풍이.
かなへび〖金蛇〗[名]〔動〕장지뱀.
かなぼう【金棒】(鉄棒) -bō [名] ①쇠몽둥이; 철장(鐵杖). ②위쪽에 쇠고리를 단 철장(순라군이 가짐). ③(기계 체조에 쓰는) 철봉. =てつぼう.
かなめ〖要〗[名] ①(부채의) 사북. ②가장 중요한 부분; 요점. ¶肝心～の所だ 가장 요긴한 대목이다.
かなもの【金物】[名] 철물. ¶～屋 철물전.
かなやま【金山】[名] 광산(鑛山).
⁑かならず【必ず】[副] 반드시; 꼭. =きっと. ¶～雨が降る 반드시 비가 온다.
かならずしも【必ずしも】[連語] 《아래에 否定의 말이 따라서》반드시〔꼭〕…인 것은 (아니다). ¶～成功するとは限らない 반드시 성공한다고는 할 수 없다.
かならずや【必ずや】[連語] 《아래에 추측의 말이 따라서》필시; 반드시. ¶努力するから～成功するだろう 노력하니까 필시 성공할 테지.
⁑かなり〖可成·可也〗[副] [ダナ] 제법; 상당히; 꽤. ¶～の金額 꽤 많은 돈 / ～上手だ 꽤〔제법〕잘한다.
カナリア〖金糸雀〗[名]〔鳥〕카나리아 (애완용). ▷스 canaria, 네 kanarie.
かなわ【金輪】(鉄輪) [名] ①쇠고리. ②삼발이. =五徳.
かなん【火難】[名] 화난; 화재. ¶～の相 화난을 입을 상.
かに〖蟹〗[名]〔動〕게. **—は甲羅に似せて穴を掘る** 게는 구멍을 파도 게딱지처럼 판다(사람은 누구나 자기 분수에 맞는 언동밖에 못 한다).
かにく【果肉】[名] 과육; 과일의 살.
かにこうせん [蟹工船] -kōsen [名] 게 공모선(工母船).
かにばば〖蟹屎〗[名] 배내똥; 태변(胎便). =かにくそ.
がにまた〖蟹股〗[名] 〈俗〉안짱다리.
*かにゅう【加入】-nyū [名][ス自] 가입. ¶保険に～する 보험에 가입하다. ↔脱退.
カヌー [名] 카누. ▷canoe.
⁑かね【金】(鉄) [名] ①금속; 특히, 쇠; 또, 쇠로 만든 물건. ¶～のわらじでさがし歩く 끈질기게 진기한 것을 찾아 헤매다. ②금전; 돈. ③쇳돌. ¶～山 광산. **—がうなる** 돈이 흠씬 많다. **—が敵** 돈이 원수(돈 때문에 불행해짐). **—がものを言う** 돈이 말한다(돈의 힘으로 만사가 결정된다). **—に飽かす** 돈을 아끼지 않고 쓰다. **—に糸目をつけない** 아낌없이 돈을 쓰다. **—になる** 돈이 되다; 벌이가 되다. **—に目がくらむ** 돈에 눈이 어두워지다. **—の切れ目が縁の切れ目** 돈 떨어지면 정분도 끊어진다.

──のなる木 돈이 생기는 근원; 재원(財源). **──は天下の回りもの** 돈은 돌고 도는 것. **──を食う**〔費用〕이 (많이) 들다. **──を寝**〔`ね`〕`かす** 돈을 굴리지 않고 쟁여 두다. **──を回す** 돈을 융통하다. **──を転がす** 돈을 굴리다.

*かね **【鉦】** 图 징; 꽹과리.

*かね **【鐘】** 图①종. =つりがね. ¶ ~をつく 종을 치다. ②종소리. ¶入相`いりあい`の~ 저녁종(소리); 만종(晚鐘).

かね **【矩】** 图①곱자 곡척 'かね尺`じゃく`'의 압축된 말씨). →くじら尺. ②직선; 직각.

かね **連語** ──이냐. ¶本当`ほんとう`か~ 정말이냐 -がね …후보자. ¶むこ~ 사윗감.

かねあい **【兼(ね)合い】** 图 균형; 절당음. =つりあい. ¶千番`せんばん`に一番`いちばん`の~ 천에 하나 번 성공할까 말까 한 어려운 일. ¶【財布`さいふ`】

かねいれ **【金入れ】** 图 (돈)지갑. =

かねがし **【金貸(し)】** 图 돈놀이 (꾼); 대금업(자).

かねぐら **【金蔵】【金庫】** 图①금고; 돈이나 보물을 넣어 두는 창고. ②돈구멍; 돈줄.

かねぐり **【金繰り】** 图 돈의 융통; 돈 마련. ¶~がつかない 돈 마련이 되지 않는다.

かねじゃく **【金尺】【曲尺・矩尺】** -jaku ② ①곱자. 자=かねざし. ②곡척(曲尺=鯨尺`くじらじゃく`의 여덟 치를 한 자로 함). =かね. ⇒くじらじゃく.

かねずく **【金ずく】【金尽】** 图 돈의 힘으로 일을 처리함.

かねそな─える **【兼ね備える】** 下1他 겸비하다; 함께 갖추다.

かねだか **【金高】** 图〈口〉금액; 돈머리. =きんがく・金額`きんがく`.

かねつ **【加熱】** 图 他 가열.

かねつ **【火熱】** 图 화열; 불의 열.

かねつ **【過熱】** 图 自他 과열. ¶~蒸気`じょうき`が過熱の原因`げんいん`である 과열 증기〔=過`か`火`か`熱`ねつ`〕로 말미암은 불이 난 원인은 난로의 과열이었다.

かねづかい **【金使い・金遣い】** 图 돈 쓰는 방법;정도. ¶~があらい 돈 씀씀이가 거칠다.

かねづまり **【金詰(ま)り】** 图 돈의 융통이 막힘; 돈가물.

かねづる **【金づる】【金蔓】** 图 돈줄을 대주는 사람. ¶~をつかむ 돈줄을 잡다.

かねて **【予て】** 副 미리; 전부터. ¶~の計画`けいかく` 전부터의 계획.

かねて **【兼ねて】** 服 겸하여; 또.

かねない **【兼ねない】** 連語《動詞連用形に付》(그 전제하에서는) …할 듯하다; …할지도 모른다; …않는다고 말할 수 없다. ¶あの男`おとこ`ならやり~ 저 사내라면 할지도 모른다.

かねばなれ **【金離れ】** 图 돈 쓰는 솜씨. ¶~がいい 돈을 잘 쓰다.

かねへん **【金偏】** 图①한자 부수의 하나; 쇠금변(`銀` `鋼` 따위의 '`金`'의 이름). ②〈俗〉금속에 관계가 있는 산업. ¶~景気`けいき` 금속・광산업 등의 경기.

かねまわり **【金回り】** 图①돈의 유통; 금융. ②주머니 형편;수입 형편;재정 상태. ¶~がいい 주머니 사정이 좋다.

かねめ **【金め・金目】** 图 금전으로 환산한 가치;값. ¶~がかさむ;값짐. ¶~のもの 값나가는 물건.

かねもうけ **【金もうけ】【金儲け】** -mo-ke **ス他** 돈벌이.

かねもち **【金持(ち)】** 图 부자; 재산가. **──けんかせず** 부자는 싸움을 안 한다.

かねもと **【金元】** 图 전주(錢主);자본주.

か**ね─る** **【兼ねる】** 下1他①경하다. ¶首相`しゅしょう`が外相`がいしょう`を~ 수상이 외상을 겸하다. ②《動詞連用形に付けられて》(사정이 있어서) 그렇게 하기 어렵다. ¶承知`しょうち`し~ 승낙하기 어렵다 / 申し~・ねます만が말씀 올리기 죄송합니다만. **参考**'ちょっと, わかりかねます'=잘 모르겠습니다)'와 같이 공손한 否定의 말씨로 쓰일 때가 많음.

かねん **【可燃】** 图 가연. ¶~物`ぶつ` 가연물. ¶~性`せい` 가연성. ↔不燃`ふねん`.

-かねん **【か年・箇年】** ──개년. ¶五`ご`~計画`けいかく` 5개년 계획.

かの **【彼の】** **連体** 저;그. ──の; あの. ¶~人`ひと` 저〔그〕사람 / ~有名`ゆうめい`な事件`じけん` 그 유명한 사건.

かのう **【化膿】** -nō **ス自** 화농.

*かのう **【可能】** 图 ②가능. ↔不可能`ふかのう`. **──せい【──性】** 가능성. ¶~がない 가능성이 없다. **──どうし【──動詞】** 图【文法】가능 동사 ('読`よ`める'(=읽을 수 있다)'와 같이 동작・작용이 가능한 상태를 나타내는 動詞).

かのう **【嘉納】** -nō 图 嘉納.

かのう **【画囊】** -nō 图 화낭; 그림 도구를 넣는 주머니.

かのこ **【鹿の子】** 图①사슴 새끼. ②'かのこまだら' 'かのこしぼり' 'かのこもち'의 준말. **──しぼり【──絞り】** 图 갈색 바탕에 군데군데 하얀 무늬를 넣은 홀치기 염색. **──まだら【──斑】** 图 사슴털같이 갈색 바탕에 회 반점이 있는 것. **──もち【──餅】** 图 찰떡을 으깬 팥소로 싸고 겉에 삶은 팥을 묻힌 과자.

かのじょ **【彼女】** -jo **代**①그 여자;그녀;저 여자. ↔彼`かれ`. ②《名詞的으로》〈俗〉(어느 남자의)애인; 아내. ¶君`きみ`の~ 자네 애인. ↔彼氏`かれし`.

かのなみだほど **【蚊の涙ほど】** **連語** 모기 눈물만큼; 쥐꼬리만큼. ¶~の退職金`たいしょくきん` 쥐꼬리만한 퇴직금.

*カバー **커버.** 一图①덮개; 뚜껑. ②책가위. ③덧신; 덧양말; 덧버선. 二**ス他**①손실이나 부족을 보충함. ¶損失`そんしつ`を~する 손실을 보충하다. ②【野】야수(野手)의 수비 동작을 다른 야수가 지원함. ▷cover.

かばいだて **【庇い立て】** 图 **ス他** 감싸 줌.

かばいろ **【かば色】【樺色・蒲色】** 图 주황색.

*かば─う **【庇う】** 5他 감싸다; 비호하다. ¶だれも~ってくれない 아무도 비호해 주지 않는다.

がばがば **ス自**①액체가 몹시 흔들리거나 세게 흐르는 소리: 쿨렁쿨렁; 콸

활. ¶～と)水が流れる 콸콸 물이 흐르다. ②옷·신발 따위가 너무 큰 모양; 헐렁헐렁; 훌렁훌렁. ¶～のレーンコート 헐렁헐렁한 레인코트.

かはく【科白】图 대사. =せりふ. 參考 넓은 뜻으론, 배우의 동작도 말함.

がはく【画伯】图 화백. ¶横山妚─横山 화백.　　「는 모기떼.

かばしら【蚊柱】图 떼를 지어 날고 있는

かばつ【科罰】图 과벌; 처벌.

かばと 副 갑자기 일어나거나 엎드리는 모양; 벌떡; 폭. =がばっと. ¶～と起き上がる 벌떡 일어나다／～泣き伏す 폭 엎드려 울다.

かばね【姓】图 大和호·奈良호 시대에 세족의 존비(尊卑)를 나타내기 위한 계급적 칭호(「臣뚫·連봉·宿禰즏」 등).

かばね【屍·尸】图 시체; 송장.

かばやき【かば焼(き)】【蒲焼(き)】【料】(뱀)장어구이.

かばり【蚊針】【蚊鉤】图 제물낚시.

かはん【河畔】图 하반; 강가. =かわばた.

かはん【過半】图 과반; 절반 이상. ¶～を占める 과반을 차지하다.

かはん【過般】图 과반; 지난 번. ¶～お願いいたした件ぎ 지난 번 부탁드린

かばん【鞄】图 가방. ¶～に詰める 가방에 잔뜩 넣다.

がばん【画板】图 화판.

かはんしん【下半身】图 하반신. =しもはんしん. ↔上半身.

かはんすう【過半数】-sū 图 과반수.

かばんもち【かばん持ち】图 ①비서. ②상사의 비위를 맞추며 따라붙는 사람.

かひ【可否】图 가부. ①찬부. ②가불가(可不可); 좋음과 나쁨. =よしあし.

かひ【歌碑】图 과비.

かひ【歌碑】图 그 사람의 和歌를 새긴 비(碑).

*かび【黴】图【植】곰팡이.

かび【華美】图【ダナ】화미; 화려.

かびくさ-い【かび臭い】【黴臭い】圈 ①곰팡내 나다. ②케케묵다. ¶～話じ 케케묵은(진부한) 이야기.

かひつ【加筆】图他サ 가필. ¶原稿깫に～する 원고에 가필하다.

がびょう【画びょう】【画鋲】-byō 图 압정(押釘).

かびる【黴びる】上一 곰팡이 피다.

*かびん【花瓶】图 화병; 꽃병.

かびん【過敏】图ナ 과민. ¶神経ぬ～신경 과민.

かふ【下付·下附】图他サ 하부; 관청에서 내려 줌. ¶免許状ぎぬの～ 면허장의 하부.

かふ【家父】图 가부; 가친. ↔家母봉.

かふ【寡婦】图 과부. =やもめ.

かふ【火夫】图 화부(「火手た」의 구칭).

*かぶ【株】㊀图 ①그루터기. =切りぎ株二. ②그루; 포기. ¶菊읙の～をわける 국화의 포기를 나누다. ③주(株式ぎ욱=주식)「의 준말」. ¶～の暴落밟 주가의 폭락. ㊁⑦남에게 대하여 차지하는 어떤 지위나

신분. ¶親分祗몫の男뽁 우두머리 격인 사나이. ㉡〔'お'를 붙여서〕장기(長技). ¶お～を取る왑〔奪ぼう〕남의 장기를 가로채 자기가 하다. ⑤한정된 영업 따위의 특권. ㊂接尾 …주. 一루. ¶もくれん三〜ぬ 목련 세 그루. ②주권의 수(數)에 붙이는 말. ¶二千どぬ〜 2천 주. 一が上がる 주가가 오르다; 전하여, 평판이 좋아지다.

かぶ【蕪】图【植】순무=かぶら.

かぶ【下部】图 하부. ¶～組織쌊 하부 조직. ↔上部늋.

かぶ【歌舞】图ス自 가무. ¶～音曲왑 가무 음곡.

かふ【画布】图 화포. =カンバス.

かふう【家風】-fū 图 가풍.　　「風」.

かふう【歌風】-fū 图 和歌깞의 작품(作

がふう【画風】-fū 图 화풍. ¶ターナーの〜 터너의 화풍.

カフェイン -fein 图【化】카페인. ▷도 Kaffein.

カフェー -fē 图 카페. ①지금의 카바레(昭和릏 초기의 말). ②커피점(店). =カフエー. ▷프 café.

かぶか【株価】图 주가.

がぶがぶ 副 액체를 많이 기운차게 마시는 모양; 벌떡벌떡. ¶水욹を〜と)のむ 물을 벌떡벌떡 마시다.

かぶき【歌舞伎】图 江戸ぬ 시대에 발달한 일본의 전통적 민중 연극('かぶき芝居쳐'의 준말).

かふきゅう【過不及】-kyū 图 과불급; 과부족. ¶～なく 과부족 없이; 적당

かぶきん【株金】图 주금. 「히.

かふく【禍福】图 화복. 一はあざなえる縄쳤のごとし 인생의 화복은 새끼처럼 꼬여 변천한다.

かふくぶ【下腹部】图 하복부.

かぶけん【株券】图 주권. =株式꽢.

かぶさ-る【被さる】自五 ①덮이다. ¶黒雲왑が頭上젅に～ 먹구름이 머리 위에 덮이다. ②(책임·부담 따위가) 덮어 씌워지다; 자기에게 돌아 오다(미치다). ¶責任젅が〜 책임이 지워지다.

*かぶしき【株式】图 주식. ¶～売買밟 주식 매매. 一がいしゃ【──会社】-sha 图 주식 회사.

カフス 图 (와이셔츠·여성복의) 커프스. ¶～ボタン 커프스 단추. ▷cuffs.

*かぶ-せる【被せる】下一 ①덮다. 씌우다. ¶ふたを〜 뚜껑을 덮다. ②(위에서) 끼얹다. ¶水욹を〜 물을 끼얹다. ③뒤집어 씌우다; 덮어 씌우다; 전가(轉嫁)하다. ¶罪욹を〜 죄를 덮어 씌우다.

カプセル 图 캅셀; 캡슐. ①교갑(膠匣). ②내부를 우주의 외기(外氣)로부터 차단할 수 있도록 한 용기(容器). ¶宇宙읁〜 우주 캡슐. ▷도 Kapsel, 영 capsule.

かぶそく【過不足】图 과부족.

かぶつ【下物】图 술안주.

かぶと【甲·兜·冑】图 투구; よろい. 一の緒お 투구끈. 一を脱ぐ 항복하다. 一の緒を締める 이기더라도 방심치 말고 더욱 조심하라. 一を脱ぐ 항복하다.

かぶとむし【甲虫·兜虫】图【蟲】투구벌레; 투구풍뎅이. =さいかちむし.

かぶぬし【株主】图 주주.

かぶま【株間】图 식물의 포기와 포기〔그루와 그루〕사이.

かぶみ【燕・燕青】图【植】'かぶ(蕪)'의 옛이름.

かぶら【鏑】图①나무 또는 사슴뿔로 만든 순무 모양의 속이 빈 깍지(화살 끝에 붙여 鏑矢^{かぶら}를 이룸). ②鏑矢^{かぶら}의 준말.

かぶらや【鏑矢】우는살(적을 위협하거나, 주의를 환기하기 위하여 쏘는 화살). =鳴^なり鏑^{かぶら}.

かぶり【頭】图【俗】머리. —を振^ふる 고개를 가로 젓다(승낙하지 않는 표시).

がぶり 副①입을 딱 벌리고 단숨에 들이켜는〔먹는〕모양;덥석;넙죽;꿀꺽;벌떡. ¶水^{みず}を~と飲^のむ 물을 꿀꺽 마시다. ②물결·파도 따위가 물건을 삼킬 듯이 부서지는 모양. ¶船首^{せんしゅ}に~と波^{なみ}をかぶった 이물에 왈칵 파도가 들쒸었다.

かぶりつ・く【嚙り付く・齧り付く】五回①(특히, 음식을)덥석 물다. ②꼭 달라붙다.

かぶりもの【被り物・冠り物】图 쓰개(모자·삿갓 등의 총칭).

‡かぶ・る【被る】 □五他 (들)쓰다;뒤집어 쓰다 / 罪^{つみ}を~죄를 뒤집어쓰다 / 帽子^{ぼうし}を~모자를 쓰다 / 水^{みず}を~물을 뒤집어쓰다. ②(노출 과다로)전판·필름이 흐려지다. ③(파도를 뒤집어 써서)배가 흔들리다.

かぶ・る【嚢る・嚙る】五他①배가 아프다;복통이 일어나다. ②(씨름에서)맞잡고 마구 상대의 몸을 흔들면서 밀고 나가려 하다.

*かぶ・れる【気触れる】下一回①(옻 따위로)타다;독한 기운에 쐬어서 염증이 생기다. ②(나쁜)감화를 [영향을]받다;물들다;심취하다. ¶アメリカに~미국 풍습에 물든다.

かぶろ【禿】图【雅】⇒かむろ.

かぶわけ【株分け】图ス他 분주(分株);그루(포기)를 나누어 심기.

かふん【花粉】图【植】화분;꽃가루.

かぶん【寡聞】图 과문;견문이 적음. 参考 겸손해서 이르는 경우가 많음.

かぶん【過分】 ダナ 과분. ¶~のお褒^ほめにあずかる 과분한 칭찬을 받다. 参考 겸손하여, 분에 넘치게 고맙다는 뜻으로 쓰는 수가 많음.

かぶんすう【仮分数】-sū 图【数】가분수. ↔真分数^{しんぶんすう}.

*かべ【壁】图 벽. ⑦(일반적인 뜻의)벽. ⑥장벽;장애(물). ¶研究^{けんきゅう}が~にぶつかる 연구가 벽에 부딪치다. ⑥(등산에서)깎아지른 듯한 암벽(岩壁). —に耳^{みみ}あり 벽에도 귀가 있다(낮말은 새가 듣고 밤말은 쥐가 듣는다).

*かへい【貨幣】图 화폐. —かち【──価値】图 화폐 가치.

がべい【画餅】图 화병;그림의 떡. —に帰^きす 계획이 틀어지다;헛수고로 돌아가다.

かべかけ【壁掛(け)】图 벽걸이.

かべがみ【壁紙】图 벽지;도배지.

かべしたじ【壁下地】图【建】외(椳).

=かべしろ.

かべしんぶん【壁新聞】-shimbun 图 벽신문.

かべどなり【壁隣】图 벽을 격한 이웃(공동 주택에서 이웃).

かへん【可変】图 가변. ↔不変^{ふへん}. ——しほん【──資本】图 가변 자본. ↔不変資本^{ふへんしほん}.

かへん【花片】图 화편;꽃잎.

かべん【花弁・花瓣】图【植】꽃잎;화판(花瓣).

かほ【火保】图 '火災保険^{かさいほけん}(=화재보험)'의 준말.

かほ【貨保】图 '貨物保険^{かもつほけん}(=화물보험)'의 준말.

かほ【家母】图 가모;자기 어머니. ↔家父^{かふ}.

かほう【下方】-hō 图 하방;아래 쪽. ↔上方^{かみがた}.

かほう【加俸】-hō 图 가봉. =加給^{かきゅう}.

かほう【加法】-hō 图【数】가법;덧셈. ↔減法^{げんぽう}.

かほう【家宝】-hō 图 가보.

かほう【果報】-hō 图【仏】과보;인과 응보. =むくい. ¶~者^{もの}행복;행운. ¶~者^{もの}행운아. —は寝^ねて待^まて 행운은 누워서 기다려라(행운은 서두르지 말고 진득이 기다려라).

かほう【画法】-hō 图 화법.

かほう【画報】-hō 图 화보.

かほうわ【過飽和】-howa 图【理】과포화. ¶~溶液^{ようえき}과포화 용액.

かぼく【家僕】图 가복;사내 종.

かほご【過保護】图ダナ 과(잉)보호. ¶~児童^{じどう}과(잉)보호 아동.

かぼそ・い【か細い】圏 가냘프다;연약하다. ¶~声^{こえ}가냘픈 목소리.

カボチャ【南瓜】-cha 图 호박. =とうなす・なんきん. ¶~に目鼻^{めはな}호박 같은 여자. ⇒Cambodia.

ガボット-botto 图【楽】가보트;옛 프랑스의 두 박자의 춤곡. =ガ gavotte.

かほど【斯程】图【雅】 이만큼;이렇게;이처럼;이윽. =これほど・こんなに. ¶~言^いっても 이토록 얘기해도.

かほんか【禾本科】图【植】화본과.

*かま【釜】图 솥;가마. ¶土^どを童^{かま}솥. 「陶窯.

*かま【窯】图 가마. ¶陶器^{とうき}の~도요.

*かま【竈】图 부뚜막;아궁이. =かまど. 「=ボイラー.

*かま【罐・缶】图 기관(汽罐);보일러.

*かま【鎌・鐮】图 낫. —をかける (넌지시) 넘겨짚다;마음속을 떠보다.

がま【蒲】图【植】부들.

がま【蝦蟆・蝦蟇】图「ひきがえる(=두꺼비)'의 딴이름.

かまいたち【鎌鼬】图 피부에 낫으로 베인 듯한 상처가 생기는 현상(회오리바람 중심의 진공 부분에 피부가 닿아 생긴다고 함).

*かま・う【かまう・構う】 □五回①관계하다. ⑦상관하다. ¶行^いっても~わない 가도 상관(관계) 없다. ⑥구애하다. ¶小事^{しょうじ}に~・わない 작은 일에 구애받지 않다. ②장을 주다. ¶いっこう~いません 전혀 관계(지장)이 없습니다. ②상대가 되다;마음을 쓰다;돌보다;보살피다. ¶子供^{こども}に~・わぬ母親^{ははおや}아이를 돌보지 않는 어머니 / お~・い申^{もう}しませんで (변변히)

대접을 못해 드려 (죄송합니다). [参考] 흔히, 否定의 말이 따름. □5他]①상 대하다 ; 염려하다 ; 마음을 쓰다. ¶だ れも～ってくれない아무도 상대하여 주지 않다. (2)(상대가 되어) 희롱하다 ; 놀리다. ¶女tttの子tを～게집아이를 상대하다(희롱하다).

かまえ 【構え】 图①구조 ; 꾸밈새. =つ くり. ¶りっぱな～の家 구조. ②(검도·유 도 따위에서) 자세. ¶～が悪tい자세 가 나쁘다. ③準비 ; 태세. ¶敵tを迎 tえる～적을 맞을 태세. ④한자 부수 (部首)의 이름 : 몸(国tがまえ(=에운 담몸, 곧 口)'門ttがまえ(=문몸, 곧 門)'包tみがまえ(=쌀몸, 곧 勹)' 따위).

*かま-える 【構える】 [下1他]①꾸미다. ⑦(집·성을) 짓다. ①(가정을) 이 루다. ¶一家ttを～한 가정을 꾸미 다. ⑤만들어 (꾸며)내다 ; 청탁하다. ¶口実tttを～구실을 만들다. (2)자세 를 취하다. ⑦태세를 취하다. ¶銃ttt を～사격 자세를 취하다. ①태도 를 보이다 ; …연하다. ¶図太ttく 뻔뻔스럽게 나오다 / 平気tttに～짐짓 태연한 체하다. ③準비(대비)하다. ¶ ～えた言tt方tt(미리 상대방이 어떻 게 나올 것에) 대비한 말투.

かまきり 【蟷螂·螳螂】 图 [蟲] 당랑 ; 버마재비 ; 사마귀. =とうろう. ¶～の 斧tt'돈지갑.

がまぐち 【蝦蟇口】 图 물림쇠가 달린

かまくび 【かま首】 【鎌首】 图 낫 모양으 로 굽은 목(주로 뱀이 머리를 쳐들을 때를 이름).

かまくらじだい 【鎌倉時代】 图 [史] 1192년 源頼朝tttttが 幕府tt를 鎌倉 에 연 후 1333년 北条高時ttttttが 멸 망할 때까지의 약 150 년간.

かまくらばくふ 【鎌倉幕府】 【史】 1192년에 源頼朝ttttが 鎌倉에 창시 한, 일본 최초의 무인(武人) 정권.

かまける [下1自]①한 가지 일에 매여 다 른 일을 돌보지 못하다(돌불 여유가 없 다) ; 얽매이다.

-がまし-い -shi 《名詞나 動詞連用形에 붙어 形容詞를 만듦》마치 …(하는 것) 같다. ¶催促ttttt～재촉하는 것 같다 / 押ttしつけ～강요하는 것 같다.

かます 【叺】 图 가마니. ¶一tt.

かます 【魳·梭·梭魚】 图 [魚] 꼬치고기.

かまたき 【罐焚き·缶焚き】 图 보일러· 기관(汽罐)에 불을 때는 일 ; 또, 그 사 람 ; 화부.

かまち 【框】 图 [建]①마룻 귀틀. ② 문얼굴 ; 문광(門框).

かまど 【竈】 图①부뚜막 ; 화덕 ; 아궁 이. ②살림을 꾸려 나가는 한 집 ; 살림 ; 가구. =世帯tt. ¶～を分ttける분가하여 독립하다 / ～を持tt살림을 차리다. 一を起ttこ す①독립하여 살림을 차리다. ②재산 을 모으다.

かまどうま 【竈馬】 图 [蟲] 꼽둥이.

かまびすし-い 【喧しい·囂しい】 -shi 图 [雅] 시끄럽다 ; 떠들썩하다. =やか ましい.

かまぼこ 【蒲鉾】 图①어묵. ¶板付ttき ～ 목판에 붙인 어묵. ②보석을 박 지 않은, 가운데가 볼록한 (금)반지.

③[植] 부들꽃의 이삭. 一がた 【― 形】 图 어묵 모양으로 가운데가 볼록 솟은 꼴 ; 반원형. 一ごや 【―小屋】 图 대나무 따위를 휘어서 반원형으로 지은 작은 오두막(거지들이 삶).

かまめし 【かま飯】 【釜飯】 图 솥냄비(작 은 솥에 쌀·고기·야채 따위를 일인분 씩 넣어 지은 양념밥 ; 솥째로 밥상에 냄).

*がまん 【我慢】 图 [ス他] ①참음 ; 자제 (自制). ¶飲tみたい酒ttを～する먹 고 싶은 술을 참다. ②용서함 ; (너그럽 게) 봐 줌. ¶今度tだけは～してやる 이번만은 봐 준다. ③고집(을 세움). = 強情ttt. 一づよ-い 【―強い】 图 인 내력이 세다 ; 참을성이 많다.

*かみ 【上】 图①위. ↔下tt. ②위쪽. ¶ ～半身tttt상반신. ①上류(上流). ⑦ 舟ttで～に行tく배로 상류로 가다. ① 윗자리 ; 상석(上席). ¶人ttの～に立tt つ남의 위에 서다. ③군주·정부. ⑦ 조정·정부, 주인 및 자기가 섬기는 군주 (天皇tttt·정부·관청을 포함하여 'お'～로 씀). ¶～御一人tttttにん임금님 ; 天皇 tttt / お～のお達tttし상부의 지시. ⑤ 앞. ¶～半期tttt상반기. ②『その～』 그 옛날. ③서울, 즉 京都ttt의 일컬 음 ; 또, 京都에 가까운 지역. ④(부엌 에 대한) 안. ¶～女中ttt 안에서 일 하는 하녀(시녀). ¶お～(さん) 남 의 아내의 높임말. [参考] 지금은 '奥様 ttt''奥ttさん'보다 존경의 뜻이 약해져 '料理屋tttttの～(さん)'(=요릿집 안주인)'長屋tttのかみ方さん連ttうれ (=연립 주택의 아낙네들)'의 뜻으로만 쓰이고, 특히 요릿집 안주인은 '女将t' 로 씀.

*かみ 【紙】 图①종이. ¶(가위 바위 보 에서) 보. =ぱあ. ↔石tt·はさみ.

*かみ 【神】 图①신(人知)를 초월 한 절대적 존재. [宗] 하느님. ¶さわ らぬ～にたたりなし 건드리지(관계를 갖지) 않으면 액운도 닥치지 않는다. ②신 도(神道tt)의 신. ¶～一様tttにおまいりす る신에게 참배하다. ③신화 속에 나 오는 초인간적인 존재. ¶勝利tttの女 神ttt승리의 여신. 一ならぬ身tt 능력 에 한계가 있는 인간 ; 전하여, 범인(凡 人)의 몸.

*かみ 【髪】 图①머리(털). ②머리를 틀은 (땋은, 쪽진) 모양. ¶日本髪ttt 일본식 머리 (스타일). 一をおろす 머 리를 깎고 중이 되다.

かみ 【長官】 图 [史] 관청의 장관(大宝 令ttttt 제도에서 4 등관의 최고위 ; 관 청에 따라 '頭·伯·卿·督·守' 따위로 구 분해서 썼으며, '守'는 지방관의 장(長) 임).

かみ 【加味】 图 [ス他] 가미. ¶法ttに人 情ttttを～する법에 인정을 가미하다.

かみ あ-う 【かみ合う】 【嚙(み)合う】 [5自]①서로 물어 뜯다 ; 다투다. ②(이 와 이가) 맞물리다. ¶歯車tttが～ 톱 니바퀴가 맞물리다. ③의견·생각 따위 가 서로 맞다.

かみあわ-せる 【かみ合(わ)せる】 【嚙 (み)合(わ)せる】 [下1他]①서로 물고 뜯게 하다 ; 다투게 하다. ②맞물리게 하다.

かみいちだんかつよう【上一段活用】 -yō 名【文法】動詞의 語尾가 五十音図ゴ의 'い'단으로만 활용되는 일〈見る・落ちる 따위〉.

かみいれ【紙入れ】名 ①휴지 따위를 넣어 품에 지니고 다니던 물건. ②〈婉曲〉지갑. = 札入れ.

かみがかり【神懸(か)り】【神憑り】名 ①접신(接神) ; 신지핌 ; 신지핀 사람. ②과학이나 이론을 무시하고 부조리한 것을 광신(狂信)하는 일 ; 또. =かみがくり.

かみがくし【神隠し】名 ①(어린이 등이) 갑자기 행방 불명이 되는 일. =かみかくし. ¶ ～に会う 행방 불명이 되다.

かみかけて【神懸けて】【神掛けて】連語《副詞的으로》(신에) 맹세코 ; 반드시 ; 꼭 ; 결코.

かみかぜ【神風】名 ①신의 위력으로 일어난다는 바람. ②〈俗〉《名詞앞에와서》결사적으로 행동함. ¶ ～タクシー 폭주(暴走) 택시.

かみがた【上方】名 京都부근 ; 関西쪽 지방. 参考전에 황궁이 京都에도 있었기 때문에.

かみかたち【髪形】名 머리형(모양). =かみがたち.

がみがみ副 시끄럽게 꾸짖거나 잔소리를 심히 하는 모양〈잔말로〉. ¶ ～いう 딱딱거리다 ; 앙알앙알.

かみき【上半期ゴ】名(=上半期カ)'의 준말. ↔下期.

かみきりむし【髪切り虫・天牛】【虫】名 하늘소.

かみき-る【かみ切る】【噛み切る】5他물어 끊다.

かみきれ【紙切れ】名 종잇조각 ; 지편.

かみくず【紙くず】【紙屑】名 쓸모없이 된 종이 ; 휴지.

かみく-だく【かみ砕く】【噛(み)砕く】5他 ①씹어〈깨물어〉 부수다. ②알기 쉽게 설명하다. ¶ ～いて説明する 알기 쉽게 설명하다.

かみこ【紙子】【紙衣】名 종이 옷〈백지에 감물을 먹여 지은 보온용・保温用〉.

かみころ-す【かみ殺す】【噛(み)殺す】5他 ①씹어〈뜯어〉 죽이다. ②(입을 다물고) 억제하다 ; 누르다 ; 죽이다. ¶ 笑いを～ 웃음을 꾹 참다.

かみざ【上座】名 상좌 ; 윗자리 ; 상석(上席). ↔下座。

かみさま【神様】名 ①(神)의 높임말. ②아주 뛰어난 사람 ; 귀신. ¶ 校正ゴの～ 교정의 귀신.

かみさん【上さん・上様】名〈口〉①(商人의) 아내 ; 안주인. ②처 ; 마누라. ¶ うちの～ 우리집 마누라. 参考친한 사이나 허물없는 사이에 씀.

かみしばい【紙芝居】名 그림 연극.

かみし-める【かみ締める】【噛(み)締める・噛(み)緊める】下1他 ①악물다 ; 꽉 깨물다. ②음미(吟味)하다. ¶ 先生の言葉ゴをよく～めて聞く 선생님의 말씀을 잘 음미하다.

かみしも【裃・上下】名 江戸시대의 무사(武士)의 예복. 参考'裃'은 일본 한자.

かみしも【上下】名 ①위와 아래 ; 특히 상위와 하위. ¶ ～共に 상하가 같이,

②저고리와 바지. ③상반신과 하반신 ; 또, 안마사가 거기를 주무름.

かみじょちゅう【女中】-jochū 名 시녀 ; 시비(侍婢) =奥女中ゴ.

かみすき【紙すき】【紙漉き】名 종이를 뜸, 그것을 업으로 하는 사람.

***かみそり**【剃刀】名 면도칼〈머리가 예리한 사람에도 비유됨〉. ¶ ～のような頭脳ゴ 면도칼같은 예리한 두뇌. —の刃を渡る 면도 날을 밟듯, 아주 위험한 짓을 하다.

かみだな【神棚】名 집안에 신을 모셔 놓은 감실(龕室).

かみだのみ【神頼み】名自スル 신에게 빌어 가호를 받음. ¶ 苦しい時ゴの～ 괴로울(급할) 때 하느님 찾기.

かみっく【密都ゴ】名 과밀. ¶ ～都市 과밀 도시. =過密.

かみつ-く【噛み付く】5他 ①달려들어 물다 ; 물고 늘어지다. ②대들다, 반항하다. ¶ 上役ゴに～ 상사에게 대들다.

かみつぶ-す【噛み潰す】5他 ①짓씹다 ; 깨물어 으깨다. ②꾹 참다.

かみつぶて【紙つぶて】【紙礫】名 종이(석이) 뭉쳐서 내던지는 것.

かみて【上手】名 ①위쪽. ②무대를 향해 오른쪽. ③(강의) 상류. ↔下手ゴ.

かみでっぽう【紙鉄砲】-deppō 名 종이 딱총(대롱에 뭉친 종이를 재어 쏘는 장난감).

***かみなり**【雷】名 ①천둥 ; 우레. ¶ ～が鳴るような천둥이 울리다. ②뇌신(雷神). —が落ちる 벼락이 떨어지다 ; 야단 맞다.

かみにだんかつよう【上二段活用】 -yō 名【文法】문어에서, 動詞의 語尾가 五十音図ゴ의 'う''い''う'의 2단으로 활용되는 일〈落つ〉 따위〉.

かみのき【紙の木】名 ①'こうぞ(=닥나무)'의 딴이름. ②'がんぴ(=산닥나무)'의 딴이름.

かみのく【上の句】名 和歌의 첫 5・7・5의 3구. ↔下ゴの句ゴ.

***かみのけ**【髪の毛】名 머리털 ; 머리카락. =かみ.

かみばさみ【紙挟み】名 ①서류・용지 따위를 끼워 두는 문방구 ; 종이 끼우개. ②클립.

かみはんき【上半期】名 상반기. =かみき. ↔下半期ゴ.

かみひとえ【紙一重】名 종이 한 장두께 정도의 아주 작은 간격. ¶ ～の差 종이 한 장의 차이 ; 근소한 차. 「투.

かみぶくろ【紙袋】名 종이 봉지 ;

かみまき【紙巻(き)】名 '紙巻きタバコ(=궐련)'의 준말.

かみもうで【神もうで】【神詣で】-mōde 名自スル 신사(神社) 참배.

かみやすり【紙やすり】【紙鑢】名 사지(砂紙) ; 사포. =サンドペーパー.

かみよ【神代】名 日本 신화에서, 신이 다스렸다고 전해진 시대. =じんだい. 「=こより。

かみより【紙より】【紙縒り】名 지노.

かみわ-ける【かみ分ける】【噛(み)分ける】下1他 ①잘 씹어 맛보다 ; 음미하다. ¶ 酸いも甘いも～ 신맛 단맛 다 맛보다(여러 가지 일을 경험해서 다 알

고 있다). ②(사리를 세밀하게) 분별해서 적확(的確)한 판단을 내리다.

かみわざ【神業·神事】图 ①신의 조화. ②귀신 같은 솜씨 ; 신기(神技).

かみん【仮眠】图ス自 선잠. =かりね.

かみん【夏眠】图ス自 (동물이) 하면 ; 여름잠. ⇔冬眠なん.

‡**かむ**【嚙む·咬む·嚼む】⑤他 ①(깨)물다 ; 악물다. ¶舌とを～ 혀를 깨물다/犬でに足あを～まれた 개한테 발을 물렸다. ②씹다 ; 저작(咀嚼)하다. ③(톱니바퀴 따위가) 서로 맞물(리)다. ④물결이 세차게 부딪다. ━て はき出だすように 섞어 뱉듯이 쌀쌀하게. ━んで含ふくめる (떡먹이고) 잘 알아듣게 이르다.

***かむ**【擤む】⑤他『鼻はを～』코를 풀다. ▷gum.

ガム 图 'チューインガム'=껌)의 준말.

がむし【牙虫】图〖蟲〗물방개.

がむしゃら【我武者羅】图ダナ-shara 무슨 일을 앞뒤 생각 없이 덮어놓고(무턱대고) 함 ; 또, 그 사람.

カムバック -bakku 图ス自 컴백 ; 재기(再起). =返かえり咲ざき=comeback.

カムフラージュ -ju 图ス他 카무플라주. ①위장 ; 미채(迷彩). ②눈가림 ; 가장. =カモフラージュ. ▷프 camouflage.

かむろ【禿】图 ①단발머리(의 어린이). ②창녀가 부리는 소녀. 注意'かぶろ'라고도 함.

かめ【瓶·甕】图 ①독 ; 항아리. ②꽃병. =花生はな. ③술병. =とくり.

かめ【亀·龜】图ス自 ①거북. 『鶴つるは千年せん、亀かめは万年まんと 학은 천년 거북은 만년(장수한다는 뜻). ②술꾼[대주가]의 속칭(俗稱).

***かめい**【加盟】图ス自 가맹.

かめい【下命】图ス他 ①명령함. ¶ご～の 꼴로〉 분부 ; 주문.

かめい【仮名】图 가명. =実名じつ.

かめい【家名】图 가명. ¶～をあげる 집안의 명예를 높이다.

がめつ・い 厖〈俗·関西方〉악착스럽다 ; 극성맞다. ¶～く かせぐ 억척스레 벌다.

かめのこう【亀の甲·亀の甲】-kō 图 ①귀갑 ; 거북의 등딱지. ②육각형이 상하 좌우로 연속된 무늬. =きっこう. ━より年としの功こう 뭐니뭐니 해도 오랜 경력의 효험이다.

かめむし【亀虫·椿象】图 〖蟲〗노린재. =へっぴりむし.

***カメラ** 图 카메라. ▷camera. ━マン 图 카메라맨 ; 촬영(기)사. ▷cameraman.

カメレオン 图〖動〗카멜레온. ▷chameleon.

かめん【仮面】图 가면 ; 마스크. ━舞踏会ぶとうかいに 가면 무도회. ━をかぶる 가면을 쓰다 ; 본심·정체를 숨기다. ━を脱ぬぐ 가면을 벗다 ; 본심·정체를 드러내다.

がめん【画面】图 화면. ¶～が暗くらい 화면이 어둡다.

かも【鴨】图 ①오리. ②〈俗〉봉 ; 이용하기 좋은 사람. ¶いい～が来きた 좋은 봉이 왔다. ━がねぎをしょって来くる (오리점을 하려는데) 오리가 파

를 등에 지고 온다(더욱 안성맞춤이다).

かもい【鴨居】图〖建〗상인방(上引枋). ⇔敷居しき.

***かもく**【科目】图 과목. ¶勘定かんじょう～ 계정(計定) 과목. ¶必修ひっしゅう～ 필수 과목.

かもく【課目】图 과목. ¶必修ひっしゅう～ 필수 과목.

かもく【寡黙】图 과묵. ¶～な人ひと 과묵한 사람. ⇔多弁たべん. ◀み.

かもじ【か文字·髢】图 다리. =いれがみ.

かもしか【羚羊·羚鹿】图〖動〗영양(羚羊)〈산양의 일종〉. 參考 아프리카나 인도산의 羚羊れいを 'かもしか'라고 하나, 이것은 또 다른 계통의 동물임.

かもしだ・す【醸し出す】⑤他 (어떤 기분·따위를) 빚어 내다 ; 자아내다. ¶笑えみを～ 웃음을 자아내다.

かもしれない【かも知れない】連語…ㄹ지도 모른다. ¶あしたは雨あめ～ 내일은 비가 올지도 모른다.

かもしれません【かも知れません】連語…ㄹ지도 모릅니다.

かも・す【醸す】⑤他 ①빚다 ; 양조(醸造)하다. ②빚어 내다 ; 만들어 내다 ; 자아내다. ¶物議ぶつぎを～ 물의를 빚다(일으키다).

***かもつ**【貨物】图 ①화물. ¶～自動車どうしゃ 화물 자동차 ; 트럭. ②『貨物列車れっしゃ(=화물 열차)』의 준말.

かものはし【鴨の嘴】图〖動〗오리너구리.

かもめ【鷗】图〖鳥〗갈매기 ; 백로.

かも・る【鴨る】⑤他〈俗〉봉으로 삼다.

かもん【下問】图ス他 하문 ; 윗사람이 아랫사람에게 물음.

かもん【家門】图 ①가문 ; 집안 ; 문중. ¶～の名誉めいよ 가문의 명예. ⓛ문벌. ②집의 문(門). 〖紋章〗.

かもん【家紋】图 가문 ; 한 집안의 문장.

かもん【渦紋】图 와문 ; 소용돌이 무늬.

かや【榧】图〖植〗비자나무.

かや【茅·萱】图〖植〗새(띠·억새 따위의 총칭).

かや【蚊帳·蚊屋】图 모기장.

がやがや 圖 여러 사람이 떠들썩하게 이야기하고 있는 모양(소리). 왁자지껄 ; 왁자하게.

***かやく**【火薬】图 화약. ━庫こ 〖一·庫〗화약고.

かやつりぐさ【蚊帳吊草·莎草·蚊屋釣草】图〖植〗금방동사니.

かやぶき【茅葺き】图 새로〔띠로〕 지붕을 임 ; 또, 그 지붕〔집〕. ¶～の家いえ 새 이엉으로 인 집 ; 초가(茅屋).

かやり【蚊遣り】【蚊遣(り)】图 모깃불을 피움 ; 또, 그 재료. ¶～火び 모깃불.

かゆ【粥】图 죽. ¶～ ～.

***かゆ・い**【痒い】圏 가렵다. ━ところに手てがとどく 가려운 데에 손이 닿다〈(a)그렇게 해주기를 바라던 일이 모두 충족되다 ; (b)세세한 데까지 손〔생각〕이 미치다〉.

かよい【通い】图 ①내왕 ; 왕래 ; 교통. =ゆきき. ¶はしけの～ 거룻배의 왕래. ②통근 ; 전하여, 근무. ¶住込すみ込みか～か 입주〔入住〕이냐 통근이냐 ; 또는, 어디 다니십니까. ⇔住込すみ込み. ③『通かよい帳ちょう』의 준말.

-がよい【通い】〈접미〉…을 거기에 감 ; 왕래함. ¶アメリカ～の船ふね 미국 다니는 배.

かよいじ【通(い)路】图〈雅〉통로 ; 다

니는 길.

かよいちょう【通(い)帳】-chō 图 ①외상 통장. ¶酒屋誌かの〜 술집의 외상 장부. ②예금 통장.

かよ-う【通う】⑤回 ①다니다;왕래하다. ¶学校努にに〜 학교에 다니다. ②통하다. ¶心がが상통하다. ¶心ごが〜友人紝 마음이 통하는 친구. ⓒ유통하다. ¶あたたかい血がが〜따뜻한 피가 통하다 / 電流祝が〜 전류가 통하다. ③닮다;비슷하다;통하는 점이 있다. ¶母紝に〜おもざし 어머니를 닮은 얼굴 생김새.

かよう【歌謡】-yō 图 가요. ¶〜曲紝 가요곡;유행가.

かよう【火曜】-yō 图 화요. ¶〜日矝 「요일」.

かよう【斯様】-yō グナ〈老〉이러함;이와 같음. =このよう. ¶〜なべんぴな所努に이와 같은 벽지에. 参考 副詞的으로도 씀. ¶〜取り計らいます이와 같이 조처합니다.

がようし【画用紙】-yōshi 图 도화지.

かよく【寡欲】【寡慾】图ナ 과욕;욕심이 적음.

かよわ-い【か弱い】【纖い】 形 연약하다;가냘프다. =弱々よしい. ¶〜女紝の身努 연약한 여자의 몸.

から【空】图 빔;공허. ¶〜車努 빈 차. ①아무 것도 갖고 있지 않음. ¶〜身努(짐 따위를 안 가진) 빈몸. ②진실성이 없음;거짓;헛됨. ¶〜いばり 헤세(부리기) / 〜回紝り 공전(空転);헛돌.

から【殻】图 ①껍질;껍데기. ¶缶詰𤴰の〜 빈 깡통 / 卵𤴰の〜 달걀 껍질 / 古𤷄い〜を破𤴟る 구각(舊殼)을 깨다(벗다). ②허물;외피. =ぬけがら. ¶へびの〜 뱀의 허물. ③두부찌꺼기. =おから.

から【唐】【漢】【雅】⊟ 图 당(나라). ⊟接頭《名詞に씌어서》중국 등 외국에서 건너온 것임을 나타내는 말. ¶〜歌紝 한시 / 〜詩紝의 딴이름 / 〜絵𤴟 당화(唐畫).

から-《소극적인 것을 갖는 말에 씌어서》전혀;정말;몹시. ¶〜いくじがない 전혀 기개가 없다.

から ⊟ 格助 ①출발하는 위치, 동작의 기점을 나타내는 말: …에서(부터). ¶父努から手紝がが来𤴟た 아버지로부터 편지가 왔다 / 山𤴟に雲𤴟がわく 산에서 구름이 피어 오르다. ②경유・경로를 나타내는 말: …으로(부터). ¶窓𤴟から光𤴟がさす 창문으로 빛이 비치다. ③시간상의 시초를 나타내는 말: …부터. ¶午後𤴟二一時𤴟より〜会議𤴟を行なう 오후 시부터 회의를 열다. ④차례・범위를 나타내는 말: …부터. ¶あなた〜どうぞお先𤴟に 당신부터 먼저 (하십시오) / 小学校𤴟〜大学𤴟まで 초등학교부터 대학까지. ⑤계산 따위의 시초를 나타내는 말: …에서. …내지. ¶百円𤴟〜百五十𤴟円𤴟ほどの値段𤴟 100엔에서 (내지) 150엔 정도의 값. ⑥이상(以上). ¶千人𤴟〜の人𤴟が出𤴟た 천 명 이상의 사람이 나왔다. ⑦재료를 나타내는 말: …으로. ¶酒は米𤴟から作𤴟る 술은 쌀로 만든다. ⑧이유・원인・근거를 나타내는

말: …으로부터. ¶先𤴟の定理𤴟から証明𤴟される 앞의 정리로 증명된다 / 運転手𤴟ふの不注意𤴟から 운전사의 부주의로. ⊟ 接助 ①《用言・助動詞의 終止形에 붙이거나 文語体에선 連体形에 붙여서》이유・원인을 나타내는 말: (으)므로;…(으)니까. ¶寒𤴟い〜窓𤴟を閉𤴟めて 추우니까 창을 닫아서 / よく分𤴟からない〜聞𤴟いてみよう 잘 모르니까 물어보자. ②《〜'に'の꼴로 動詞形・形容詞形活用する 말, 助動詞'た'의 終止形에 붙여서》…(아니)하는〔한〕이상은;…바에는. ¶こうなった〜(に)は、しかたがない 이렇게 된 이상은 하는 수 없다. ③《〜'に'の꼴로 動詞連体形에 붙여서》…만해도, …자마자. ¶見𤴟る〜に強𤴟そうだ 보기만해도 셀 듯하다. ④《終助詞的으로》결의・단정 등을 나타내는 말: …ㄹ 테다, …ㄹ 테니까, …ㄹ 것이다. ¶だてはおかない〜 그냥 두지는 않을 테니까.

がら 图 찌꺼기. ¶ニワトリの〜 (살을 발라 낸) 닭 뼈 / 石炭誌んの〜 (a)석탄재; (b)(질이) 낮은 석탄.

がら 【がら・柄】⊟ 图 ①몸집;체격. ¶〜の大𤴟きい子供𤴟を 몸집이 큰 아이. ②분수・격. ¶〜にもない 마음에 맞지도 않는. ③품위. ¶〜の悪𤴟い人𤴟 품위 없는 사람. ④무늬. ¶はでな〜 화려한 무늬. ⊟接尾 성질・상태를 나타내는 말. ¶人𤴟〜 인품.

カラー 图 칼라;깃. =えり. ▷collar.

カラー 图 컬러. ①색;색채. ¶〜フィルム 컬러 필름 / 〜テレビ 컬러 텔레비전. ②그림물감. ③독특한 기분;특색. ¶ローカル〜 지방색. ▷colo(u)r.

がらあき【がら明き・がら空き】グナ 텅 빔. ¶〜の電車𤴟 텅 빈 전차.

からあげ【空揚げ】图ナ[料] 가루를 묻히지 않고 그냥 튀김;또, 그 요리.

から-い【辛い】 形 ①맵다;얼얼하다. ②짜다;가혹하다;박하다. ¶点𤴟が〜 점수가 짜다[박하다]. ③(鹹い) (맛이) 짜다. =しおからい. ↔甘𤴟い. ④괴롭다. ¶〜目𤴟を見𤴟る 괴로운 일을 당하다. ⓓ辛酸 성세.

からいばり【空威張り】图自 허세.

からうり【空売り】图[經] 공매. =空買𤴟い. ↔空買𤴟い. 「역질.

からえずき【空えずき】【空嘔】图 헛구

からオケ【空オケ】图 멜로디만을 수록한 테이프나 레코드(이것을 반주 삼아 노래를 함). 参考'オケ'는'オーケストラ'의 준말.

からがい【空買い】图[經] 공매(空買). ↔空売𤴟り. 「리다.

からか-う【揶揄う】⑤回 조롱하다;놀리다.

からかさ【唐傘】【傘】图 지우산. ¶〜を差𤴟す 지우산을 받다. 「ぜ.

からかぜ【空風】【乾風】图 からっか

からかね【唐金】【青銅】图 청동(靑銅).

からかみ【唐紙】图 ①당지. ②(특히) 당지를 바른 장지.

からから【乾乾】グナ 바싹 마른 모양. 바삭바삭;보송보송.

からから【空空】〖グ〗텅 비어 있는 모양. ¶財布ポが〜だ 지갑이 텅텅 비었다.

からから 副 ①단단하고 마른 것이 맞부딪치는 소리：대그락대그락. ②높은 소리로 웃는 모양：껄껄. ¶〜(と)笑ぱう 껄껄 웃다.

からがら【辛辛】副〖命ぱの─〗목숨만 겨우 살아서. ¶命─逃ぱげ出でした 목숨만 겨우 건져 도망했다.

がらがら【がラ】〖グ〗텅 비어 있는 모양. ¶〜の電車 텅텅 비어 있는 전차. ─副①돌무더기 등이 무너지는 소리：와르르. ②(흔히, '〜した'의 꼴로) 침착치 못하고 덤벙거리는 모양：덜렁덜렁. ¶〜した性分ぷょう〖女ぞょ〗 덜렁덜렁한 성품(여자). ─名 딸랑이(흔들면 딸랑딸랑 소리 나는 장난감). ─へび【─蛇】名〖動〗방울뱀.

からきし 副〖俗〗《다음에 否定하는 말을 수반하여》전혀；통.=まるで；全ぜっく。¶酒さけは─だめだ 술은 통 못한다.

からくさ【唐草】名'唐草模様ぱょう(=당초 무늬)'의 준말.

からくじ【空くじ】【空籤・空圏】名 꽝；당첨안 된 제비.

がらくた【瓦落多】名 잡동사니；가치 없는 잡다한 물건.

からくち【辛口】名 ①매운 맛을 좋아함；또, 그런 음식을 좋아하는 사람. ②(술 따위의) 맛이 달콤하지 않고 쌉쌀함.⇔甘口あま.

からくも【辛くも】連語《副詞적으로》겨우；간신히；근근히.

からくり【絡繰り・機関】名①실로 조종함；또, 그 장치. ¶─人形にん꼭두각시；망석중이. ②계략；조작；짝짜꿍이. ¶〜を見破みやぶる 계략을 간파하다. ③기계；장치.　　　　　　〖紅色〗

からくれない【韓紅】名 당홍；진홍.

がらげいき【空景気】名 겉으로만 경기가 좋게 보이는 일.

から─げる【絡げる・紮げる】下1他①얽다；매다.=くくる。②걷어 올리다. ¶すそを─ 옷자락을 걷어 올리다.

がらげんき【空元気】名 헛세(虚勢)；객기.　　　　　　　　　　　　〖도리깨；연가〗

からざお【殻ざお】【殻竿・唐竿・連枷】名

からさわぎ【空騒ぎ】名ス自 헛소동；헛되이 떠들어댐.

からし【芥子・辛子】名 겨자.

からして【助詞 'から'의 힘줌말 또는 관용적 표현】①…로 보아；…로 생각하여；…부터가. ¶この点てんで〜賛成さんできない 이 점으로 보아 찬성할 수 없다. ②…이므로. ¶困こまる─騒ぐさわぐのだ 곤란하므로 떠드는 거다.

からしな【芥子菜】名〖植〗갓；개채(芥菜).

から─す【嗄らす】5他 (목이) 쉬게 하다. ¶声こえを─して応援おうする 목이 쉬도록 응원하다.

から─す【涸らす】5他 (물을) 말리다；고갈시키다. ¶池いけを─ 연못을 말리다／資源しげんを─ 자원을 고갈시키다.

から─す【枯らす】5他 (초목 따위를) 말리다；말려 죽이다. ¶よく─した木ぎで細工ざいく 잘 말린 나무로 세공하다／木ぎを─ 나무를 말라 죽게 하다.

＊からす【烏・鴉】名①〖鳥〗까마귀. ¶

──のまねする〜 가마우지 흉내 내는 까마귀(제 분수를 모르고 흉내 내다가 패함의 비유). ¶⑦높은 음성으로 시끄럽게 잔소리하는 사람：잔말쟁이가심이 심한 사람：맹추. ②입정 사나운 사람. ¶비참한 처지에 있는 사나이. ③《흔히 接頭語적으로》색이 검은 것. ¶─ねこ 검둥 고양이. ──に反哺はんの孝こうあり 반포지효. ──の足跡あとり 여자의 눈 가장자리의 잔주름. ──の行水ぎょう 까마귀가 미역 감듯한 간단한 목욕. ──の雌雄めゆう 까마귀의 자웅(서로 닮아 분간키 어려움의 비유). ──の濡ぬれ羽色ばいろ 머리털이 흠치르하게 검음.

＊ガラス【硝子】名 유리. ▷네 glas. ──ばり【─張り】名①유리를 끼움；또, 끼운 것. ②내부가 잘 보임；공명 정대하여 비밀이 없음. ¶〜の政治じ 공명 정대한 정치.

からすうり【烏瓜】名〖植〗쥐참외.

からすがい【烏貝】名〖貝〗말합(馬蛤)；말씹조개.

からすき【唐鋤・犂】名 (마소에 끌게 하는 쟁기).

からすぐち【からす口】【烏口】名 오구；가막부리(제도용구(製圖用具)).

からすへび【烏蛇】名〖動〗오사.

からすむぎ【烏麦・燕麦】名〖植〗메귀리. ②〜えんばく.

からせき【空咳・乾咳・虚咳】名①마른기침. ②헛기침.

からせじ【空世辞】名 겉치레말；엉터리로는 빈말.

＊からだ【体】【身体・躰・躯】名 몸. ①신체；육체. ¶〜ばかり大ぱきくて, する事ことは子供こどもの 몸만 크고 하는 짓은 어린애다. ②몸통；몸체；체격. ¶いい〜 좋은 체격. ③몸의 상태；건강. ¶〜があく 짬이 나다／〜にさわる 몸에 해롭다. ──を粉こにする 열심히 일함의 비유. ──をこわす 몸(건강)을 해치다. ──を張はる 일신상을 내던져 행동하다. ②여자가 어떤 목적을 위해 정조를 희생하다.

からたち【枳殻・枸橘】名〖植〗탱자(나무)；기각(枳殻).　　　　　〖금우.

からたちばな【唐橘】名〖植〗송이꽃나

からだつき【体つき】名 몸매. ¶すらりとした〜 날씬한 몸매.

からかぜ【空っ風・乾っ風】-rakkaze 名 강바람.＝からかぜ.

からっきし -rakkishi 名 ⇒からきし.

カラット -ratto 名 캐럿. ▷carat, kar-at, 도 Karat.

からっぺた【空っ下手】【空っ下手】-rappeta 名┌ 아주 형편 없이 서툶；또, 그런 사람.

からっぽ【空っぽ】-rappo 名┌ 텅 빔；아무 것도 없음.＝から. ¶〜の箱は 텅 빈 상자.

からつゆ【空梅雨】名〖氣〗장마철인데 비가 오지 않음.＝てりつゆ.

からて【空手】名 공수；빈손；맨손.

からて【唐手・空手】名 당수；태권도.
──チョップ -choppu (프로 레슬링에서) 당수치기. ▷chop.

からてがた【空手形】名〖經〗융통 어음 중 지불 자금의 준비가 충분하지 않은 악질의 것(부도가 날 위험이 많음)

②실없는 약속; 빈 말; 공수표. ¶～을 切る 공수표를 떼다; 실없는 약속을 하다.　┗→甘党.

からとう【辛党】-tō 图 애주가; 술꾼.

からとて【連語】《活用語의 終止形에 붙어서》…라고 해서; …라고 하더라도. ¶金持だから～いばるな 부자라고 해서 으스대지 마라. 参考 'からといって'의 압축된 말로.

からに【辛煮】ㅈ他 약간 짜게 간하여 익힘. ┗→甘煮だ.

からに【接助】《用言의 終止形에 붙여》…만 하여도. ¶見る～うまそうな 보기만 하여도 맛있을 것 같은.

からには-wa 接助《用言의 終止形에 붙어》…한 이상에는; …이니까 당연히. ＝からは. ¶引きうけた～, やり遂げねばならない 맡은 이상에는 해내어야 한다.

からねんぶつ【空念仏】-nembutsu 图 공염불; ＝そらねんぶつ. ¶～に終わる 공염불로 끝나다.

からばこ【空箱】图 빈 상자.

から-びる【乾びる】上1自 ①마르다; (초목이) 시들다. ②마르고 쓸쓸한 감이 들다.

からぶき【乾拭き】ㅈ他 (윤기를 내기 위한) 걸레질.

からぶり【空振り】ㅈ他 ①[野] (공을) 헛침. ②목적·목표에서 빗나가 헛일이 됨. ¶彼女の努力努力も～に終わった 그의 노력도 수포로 돌아갔다.

からま-す【絡ます】5他 얽히게[휘감기게] 하다. ┗→絡む.

からまつ【落葉松·唐松】图 [植] 낙엽송.

からま-る【絡まる】5自 얽히다; 휘감기다. ¶いろいろな事情が～여러 가지 사정이 얽히다 / つる草が～얽굴을 휘감기다.

からまわり【空回り】〖空廻り〗ㅈ自 공전(空轉). ¶車輪が～する 수레바퀴가 헛돌다 / 議論が～する 의론이 공전을 거듭하다.

からみ【辛み·辛味】图 매움; 짬; 매운(짠) 느낌. ┗→甘み.

からみ【辛味】图 ①매운 맛; 짠 맛; 매운[짠] 맛이 나는 것. ②고추냉이·생강 따위 매운 것의 총칭. ┗→甘味だ.

-がらみ【搦み】《수량, 특히 연령을 나타내는 말에 붙여》…가량; …쯤. ¶四十こ~の男だ 40(세) 가량의 사나이.

からみあ-う【絡み合う】5自 서로 얽히다(엉키다); 뒤얽히다.

からみつ-く【絡み付く】5自 ①휘감기다. ②귀찮게 생트집을 걸다; 또, 성가시게 매달리다; 달라붙다.

*から-む【絡む】5自 ①휘감기다; 얽히다 / 事件には女が～んでいる 사건에는 여자가 관계되어 있다. ②귀찮게 생트집을 잡아 늘어놓다. ¶よく～やつだ 특하면 시비를 거는 놈이다; 몹시 성가신 놈이다.

からむし【苧·苧麻】图 [植] 모시풀.

からめ【辛め·辛目】图 ①매움함. ②엄격한 맛이 있음. ¶～の採点こ 인색한 채점; 근량 따위가 박한(적은) 듯함.

からめて【搦め手·搦手】图 ①성의

뒷문; 성의 뒷몸을 공격하는 군대. ┗→大手だて. ②전하여, 사물의 이면. ¶～から工作する 이면으로부터 공작하다.

から-める【搦める】下1他 포박하다.

から-める【絡める】下1他 바르다; 묻히다. ¶砂糖を～ 설탕을 묻히다.

カラメル 图 캐러멜.

からやくそく【空約束】ㅈ自 헛된 약속; 실없는 약속.

からよう【唐様】-yō 图 ①중국 양식. ＝唐風だ. ②중국식의 서체(書體); 특히, 江戸 중기에 유행한 명조체(明朝體)의 서체. ¶売家と～書く 三代目だて '매가'라고 중국체로 쓰는 삼대째《창업의 고생을 모르는 삼대손이 선대가 애써 장만한 집을 유지 못하고 팔아 버림》. ┗→和様だ.

がらり 副 ①문 따위를 세차게 열어 젖뜨리는 소리; 또, 그 모양; 드르르. ②어떤 상태가 갑자기 변하는 모양; 싹. ¶態度が～(と)一変する 태도가 싹 일변하다.

からりと 副 ①밝고 너른 모양; 활짝. ¶～晴れた天気こ 활짝 개다 / ～した性格 활짝 트인 성격. ②물기가 아주 없이 잘 마른 모양; 바싹. ¶～かわく 바싹 마르다.

がらん【伽藍】图 [佛] 가람; 절의 (큰) 건물. ¶七堂～ 칠당 가람《일곱 가지 건물을 갖춘 절》.

がらんと 副 넓은 건물 속이 텅 빈 모양; 휑뎅그렁하게. ¶～した一へや 휑뎅그렁한 방; 휑한 방.

がらんどう-dō 图 텅 비고 넓음. ＝がらんど. ¶～の家こ 텅 빈 집.

かり【仮】图 ①임시; 일시. ¶～停留所だ 임시 정류소. ②[真]·[親]…이 아님; 가짜. ¶～にせ. ¶～の親れ(수)양부모 / ～の名 가명. ③가정(假定). ¶これは～の話だが 이것은 가정의 말이지만.

かり【雁·鴈】图 [鳥] 기러기. ＝雁こ. ── のたより; ── の使い 편지; 안서(雁書).

かり【狩(り)·猟(り)】图 ①사냥. ②물고기나 조개를 잡는 일. ¶潮干狩しおひがり (개펄에서의) 조개잡이. ③자연의 동식물을 감상·채집하는 일. ¶もみじ狩だて 단풍 놀이 / まつたけ狩こ 송이버섯 따기. 参考 ③은 接尾語적으로 쓰며, 단독으로는 쓰이지 않음.

*かり【借り】图 ①꿈; 또, 빈 것; 빚. 비유적으로, 남에게 입은 은혜나 심한 처사. ¶～がある (a)부채가(빚이) 있다; (b)설욕해야 할 일이 있다 / ～を返すこ 빚을 갚다《(a)설욕하다 / (b)은혜를 갚다》. ②장부상의 '借方だて'(＝차변)의 준말. ┗→貸だし.

カリ【加里】图 [化] 칼리. ①'カリウム'의 준말. ②탄산 칼륨. ③칼륨염(塩)의 속칭. ▷ 독 kali. ┗→'야타' 맛다.

がり【俗】야타다·쭝쭝. ¶～をくう

がり【我利·私利】图 사리; 사리(私利). ¶～我欲だて 사리 사욕. ── がり【──我利】图 제 잇속만 차림; 또, 그런 사람; 이기주의자. ── がりもうじゃ【──我利亡者】-mōja 图 제 잇속만 차리려는 자《욕으로 이르는 말》.

かりあ-げる【刈(り)上げる】 下1他 ①아래에서 위로 치베다. ¶髪ホォ~ 머리를 치켜 깎다. ②모두 베다；베기를 끝내다. ¶田ホォ~ 벼 베기를 끝내다.

かりあつ-める【駆り集める】 下1他 급히 (사방에서) 그러 모으다.

かりいえ【借(り)家】 名 셋집. =しゃくや. ↔持もち家や.

かりいれ【刈(り)入れ】 名 スᅲ他 (농작물의) 베어[거두어] 들이기；수확.

かりい-れる【借(り)入れる】 下1他 차입하다；꾸어들이다.

かりい-れる【刈(り)入れる】 下1他 수확하다；거두어들이다.

かりうえ【仮植(え)】 名 スᅲ他 가식；임시로 심음. =かしょく.

カリウム -ryūmu 名【化】칼륨. =ポタシウム. ▷도 Kalium.

カリエス 名【醫】카리에스(뼈의 만성 염증). ▷도 Karies.

かりかし【借(り)貸し】 名 スᅲ他 대차(貸借). =貸かし借がり.

かりかた【借(り)方】 名 ①금품을 꾸는 사람[방식・태도]. ②【借方】(복식 부기에서) 차변. ↔貸かし方かた.

カリカチュア -chua 名 캐리커처；회화(戲畫)；만화；풍자화. ▷caricature.

かりかぶ【刈(り)株】 名 (보리・벼 위의) 그루터기.

かりかり 副 ①딱딱한 물건을 깨물어 바스러뜨리는 소리：아사삭아삭；와사삭삭. ②파삭파삭하게 마른 모양. ③기러기의 울음소리.

がりがり 副 ①단단한 것을 긁는 소리：으드득으드득. ②단단한[투박한] 것에 닿아서 나는 소리：득득. ③(俗) ㉠깡마른 모양：깽깽. ㉡공부를 들이 파는 모양(공부 못하는 사람을 비꼬는 말).

かりぎぬ【狩衣】 名 平安ຫᆫᆫ 시대, 귀족들의 평상복(본디, 사냥할 때 입는 옷. 江戸ᅩ 시대에는 무늬 있는 천으로 만들어 예복으로 삼았음).

カリキュラム -kyuramu 名 커리큘럼；교육 과정. ▷curriculum.

かりき-る【借(り)切る】 5他 전세로 빌리다；몽땅 빌리다. ¶バスを~ 버스를 전세내다.

かりこしきん【借越金】 名 차월금.

かりこ-す【借(り)越す】 5他 어느 한도 이상으로 빌리다. ↔貸かし越こす.

かりこみ【狩(り)込み】 名 (짐승・범인 따위를) 일제히 찾아내어 잡음；일제 검거.

かりごや【仮小屋】 名 임시로 지은 오두막 집；가옥(仮屋).

かりしゃくほう【仮釈放】 -shakuhō 名 スᅲ他 가석방.

かりしゅつごく【仮出獄】 -shutsugoku 名 スᅲ他 가출옥. =仮出所ᅩ.

かりしょぶん【仮処分】 -shobun 名 スᅲ他【法】가처분.

かりずまい【仮住(ま)い】 名 スᅲ他 임시 거처.

かりそめ【仮初め・苟且】 名 ①그 때만임；임시(臨時)임；일시적. ②약속・조약 따위. ¶~の恋こい 일시적인 사랑. ③우연；사소한 계기. ¶~の病気ᅓᆾᆨ 사소한 병. ③소홀；경솔. ¶~にする 소홀히 하다. ――にも 連語 ①가정으로[장난삼아]라도；조금이[일시]라

도；결코；절대로(아래에 금지・가정 등의 말이 옴). =けっして. ¶そんな悪事ᅩᆼᆺは~ してはならない 그러한 나쁜 짓은 절대로 해서는 안 된다 / ~法ᅩᆳに そむけば 조금이라도 법에 어긋나면. ②적어도；=いやしくも. ¶~大学生ᅪᆨᅢᆼではないか 적어도 대학생이 아니냐.

かりたお-す【借(り)倒す】 5他 (빚을) 떼어 먹다.

かりだ-す【狩り出す】 5他 (짐승・범인 따위를) 몰아 내다.

かりだ-す【駆り出す】 5他 ①몰아 내다(몰아서) 끌어 내다；싫어하는 것을 끌어 내다. ¶強制労働ᅩᆼᆼᆾᇢᆳに~ 강제 노동에 끌어 내다 / 選挙ᅥᆼᅩに~ 선거에 동원하다.

かりた-てる【狩り立てる】 下1他 (사냥에서) 몰아 대다；몰이하다. ¶勢子ᅥᆨᆯが うさぎを~ 몰이꾼이 토끼를 몰아 대다.

かりた-てる【駆り立てる】 下1他 휘몰다；(가축 따위를) 몰아 대다；후리다；강제로 가게 하다. ¶戦争ᅥᆼᅩᆼに~ 전쟁으로 몰고 가다.

かりちん【借(り)賃】 名 임차료；세(貰). ↔貸かし賃ちん.

かりとうき【仮登記】 -tōki 名 등기.

かりとじ【仮とじ】【仮綴じ】 名 スᅳ 가철；가제본(한 책).

かりと-る【刈(り)取る】 5他 ①베어 내다；수확(収穫)하다. ②제거하다. ¶悪ᅪᆯの芽ᅢを~ 악의 싹을 제거하다.

*かりに【かりに・仮に】 連語 (副詞的으로) ①만일；만약. ¶~雨ᅡᅢが 만약 비가 오면. ②임시로；잠정적으로；시험삼아.

かりにも【かりにも・仮にも】 連語 ①적어도；그래도；=かりそめにも・いやしくも. ¶~男ᅩᅩなら 적어도 남자라면. ②(흔히 아래에 금지・否定의 말이 와서) 장난[농]으로라도；어떠한 일이 있더라도；절대로；결코. =けっして. ¶~法ᅩᆳを犯ᅪᆺすな 절대로 법을 어기지 마라.

かりぬい【仮縫(い)】 名 スᅳ他【裁】가봉.

かりね【仮寝】 名 スᅵ自 ①선잠；잠깐 눈을 붙임. =うたたね. ②객지에 나와서 잠；특히, 객지에서 자는 한뎃잠. =たびね.

かりのよ【仮の世】 名 덧없는 이 세상.

かりば【狩(り)場】 名 사냥터.

かりばし【仮橋】 名 가교.

がりばん【がり版】 名〈俗〉등사판.

かりぶしん【仮普請】 名 임시 건축.

カリフラワー 名【植】콜리플라워；꽃양배추(양배추의 일종). ▷cauliflower.

がりべん【がり勉】 名〈俗〉성적만을 위해 공부를 들이 파는 일. また, 그 사람.

かりまいそう【仮埋葬】 -sō 名 スᅳ他 가매장.

かりもの【借(り)物】 名 빌려 쓰는 것.

かりや【借(り)家】 名 셋집. =しゃくや.

かりゃく【下略】 -ryaku 名 スᅵ自 하략. =げりゃく.

*かりゅう【下流】 -ryū 名 하류. ①몰아 래. ②낮은 계층. ↔上流ᅩᆼᅲ.

かりゅう【顆粒】 -ryū 名 과립；작은 알맹이.

がりゅう【我流】-ryū 图 아류; 자기류.
かりゅうかい【花柳界】-ryūkai 图 화류계.
かりゅうど【狩人】-ryūdo 图 사냥꾼. =猟師^{りょう}.
かりょう【加療】-ryō 国 가료. ¶入院^{にゅういん}～を要^{よう}する 입원 가료를 요하다.
かりょう【料科】-ryō 图【法】과료. 参考「'過料^{かりょう}'와 구별하기 위하여 'と が科料^{りょう}'라고도 함. 参考 科料는 형벌의 하나로서 정식 판결에 의한 것.
かりょう【過料】-ryō 图【法】과료; 과태료. 参考「'料科^{かりょう}'와 구별하기 위하여 'あやまち料^{りょう}'라고도 함.
がりょう【画竜】-ryō 图 화룡; 그림으로 그린 용. =がりゅう. ━てんせい【━点睛】图 화룡 점정; 중요한 끝마무리. ¶～を欠^{か}く 가장 요긴한 끝맺음을 빠뜨리다.
かりょう【雅量】-ryō 图 아량. ¶～を示^{しめ}す 아량을 보이다.
かりょく【火力】-ryō 图 화력. ¶～の強^{つよ}い兵器^{へいき} 화력이 센 병기 / 一発電^{はつでん} 화력 발전.
*かりる【借りる】上1他 빌리다; 꾸다. ¶お金^{かね}を～ 돈을 꾸다 / 猫^{ねこ}の手^{て}でも～りたい 고양이가 손이라도 빌리고 싶다(매우 바쁘다는 형용). ━ときの地蔵顔^{じぞうがお} 빌릴 때는 고매하여 간살을 떠나는 뜻. =返^{かえ}すときのえんま顔^{がお}.
かりわたし【仮渡し】 图他 임시로 (나누)어; 특히, 가불.
かりん【花梨・果梨・檬樃】图【植】모과.
かりんさんせっかい【過りん酸石灰】 【過燐酸石灰】-sekkai 图【化】과인산 석회(비료).
かりんとう【花林糖】-tō 图 막과자의 한 가지(밀가루에 물엿을 타서 되게 반죽하여 말린 다음 기름에 튀겨 설탕을 묻힌 것).
*か―る【刈る】【苅る】5他 베다. ¶稲^{いね}を～ 벼를 베다. ━る【刈る】图 깎다. ¶頭^{あたま}を～ 머리를 깎다 / 芝生^{しばふ}を～ 잔디를 깎다.
か―る【駆る】【駈る】5他 ①몰다; 좇다. ¶牛^{うし}を～ 소를 몰다 / 国民^{こくみん}を戦争^{せんそう}に～ 국민을 전쟁으로 몰다. ②급히 달리게 하다; 달리다. ¶電車^{でんしゃ}を～って現場^{げんば}へ行^{い}く 애용하다가 자기 자동차를 몰아 현장으로 가다. ③감정이 마음을 강하게 사로잡다(수동적으로 쓰임). ¶好奇心^{こうきしん}に～られる 호기심에 사로잡히다.
━が―る《形容詞・形容動詞の語幹 및 助動詞「たい」의「た」에 붙여 五段活用動詞를 만듦》①…하게 여기다. ¶あわれ～ 측은히 여기다 / 行^{ゆ}きた～ 가고 싶어하다. ②…체하다. ¶強^{つよ}～ 세다(체하)다.
*かる―い【軽い】形 가볍다. ¶病気^{びょうき}が～ 가볍운(대단치 않은) 병 / 食事^{しょくじ}を～く 가볍게(간단한) 식사 / 木^{き}は石^{いし}より～ 나무는 돌보다 가볍다 / 腰^{こし}が～ 몸이 가볍다(싹싹하게 얼른 움직이다) / 口^{くち}が～ 입이 가볍다 / 心^{こころ}が～ 마음이 가볍다(홀가분하다) / 責任^{せきにん}が～ 책임이 가볍다 / 人^{ひと}を～く見^{み}る 남을 경시하다 / ～打^{う}ち合^{あ}わせ 간단한 협

의 / ～・く連勝^{れんしょう}した 간단히 연승했다 / ～・く三^{さん}メートルは飛^{と}んだ 가볍게 3미터는 뛰었다. ↔重^{おも}い.
かるいし【軽石】图【鉱】경석; 속돌.
かるかや【刈萱】图【植】①솔새. ②개솔새.
かるがる【軽軽】副 가볍게; 거뜬거분; 거뜬거뜬; 쉽게.
かるがる―し・い【軽軽しい】-shī 形 경솔하다; 경망스럽다. ¶そんな事^{こと}を～く言^{い}うものではない 그런 일을 경솔히 말하는 게 아니다. ↔重^{おも}々^{おも}しい.
かるくち【軽口】图 ①우습고 재미있는 이야기. ¶～をたたく 우스꽝스러운 말을 지껄이다. ②입이 가벼움; 또, 그러한 사람; 입이 싸다는 말; 재담. ━ばなし【━話】【━噺】图 익살과 재담을 섞어 가며 재치 있게 하는 우스꽝스러운 이야기.
カルシウム -shūmu 图【理】칼슘(기호: Ca). ▷(독) calcium.
カルタ【骨牌・歌留多・加留多】 图 ①놀이딱지; 화투; 트럼프. ▷프. ~あそび 카드놀이. ▷프 carta.
カルチュア -chua 图 컬처; 교양; 문화. =カルチャー. ▷culture.
カルテ【医】카르테; 진료 기록 카드. ▷(독) Karte.
カルテット -tetto 图【樂】쿼르테트; 사중주(단); 사중창(단). ▷quartet(te).
カルデラ 图【地】칼데라. ¶━地形^{ちけい} 칼데라 지형 / ～湖^{こ} 칼데라호. ▷cal-dera. ▷(독) Kaldera.
カルテル 图【經】카르텔; 기업 연합. ▷(독) Kartell.
かるはずみ【軽はずみ】 图ダナ 경망함; 경솔.
かるみ【軽み】【軽味】图 ①가볍게 느끼는 정도; 가벼움. =軽^{かる}さ. ②의 명인 芭蕉^{ばしょう}가 중히 여긴 俳句 작풍(作風)의 하나(제재(題材)를 평범하고 비근한 사물 가운데에서 구하여 그 속에 俳句의 멋을 찾으려는 것). =かろみ.
カルメラ 图 카라멜로; 누렁 설탕에 소다를 넣어 살짝 구운 과자. =カルメ焼^{や}き. ▷프.스 caramelo.
かるわざ【軽業】图 ①몸을 가볍게 날려 하는 곡예. ②위험이 많은 사업이나 계획.
かれ【彼・彼】代 ①그(사람)(이전에는 여자도 가리켰음). ②《名詞的으로》그이; 그이(남편・애인을 가리키는 완곡한 말). ↔彼女^{かのじょ}.
がれ 图 (등산 용어로) 사태가 난 급사면(急斜面). ¶～場^{ば} 허물어지기 쉬운 급사면.
かれい【鰈】图【魚】가자미. ▷「か.
かれい【華麗】图ダナ 화려. =はなやか.
*カレー 图【料】①카레. ②「ライスカレー」━(=カレー・カレー)'의 준말. ▷curry. ━ライス 图【料】카레 라이스. =ライスカレー. ▷curry and rice.
かれえだ【枯れ枝】图 삭정이; 마른 나뭇가지.
かれおばな【枯れ尾花】图 〈雅〉마른 참억새. =枯れススキ.
かれき【枯れ木】图 고목; 마른 나무. ━に花^{はな} 고목 생화(生花)(쇠하였던 것이 다시 번영함의 비유). ━も山^{やま}のに

ぎわい 시시한 물건도 없는 것보다는 낫다는 말.

がれき 【瓦礫】 图 와륵. ①기왓 조각과 자갈. ②(아무리 많아도) 소용 〔가치〕 없는 것.

かれくさ 【枯れ草】 图 마른 풀.

かれごえ 【かれ声】【嗄れ声】 图 쉰 목소리.

かれこれ 【彼此】 一代 이것저것. 二副 ①이러니저러니 ; 이러쿵저러쿵. ¶～言う 이러니저러니 말하다, 왈가왈부하다. ②거의 ; 그럭저럭. ¶もう一六時～になる 이제 그럭저럭 여섯 시가 된다.

かれさんすい 【枯(れ)山水】 图 물을 사용하지 않고 돌과 모래로만 산수를 표현한 정원〔庭園〕. =かれせんすい.

かれし 【かれ氏·彼氏】 (俗) 一图 그이 ; 애인 또는 남편되는 사람. ↔彼女かのじょ. 二代 그〔저〕분(사람)〔'彼かれ(=ごい)'를 친근한 뜻으로 부르는 말〕.

かれつ 【苛烈】 ダナ 가열. ¶～な戦闘せんとう 가열한 전투.

カレッジ -reji 图 칼리지. ①단과 대학. ②전문 학교. ▷college.

かれの 【枯れ野】 图 마른 들판.

かれは 【枯(れ)葉】 图 고엽 ; 마른 잎.

かれら 【かれら·彼ら】【彼等】 代 그들 ; 그 사람들.

かーれる 【嗄れる】 下1自 (목이) 쉬다. =しわがれる. ¶声こえが～ 목이 쉬다.

*かーれる 【涸れる】 下1自 (물이) 마르다 〔비유적으로도 쓰임〕. ¶池いけが～ 연못이 마르다 / 財源ざいげんが～ 재원이 마르다.

*かーれる 【枯れる】 下1自 ①(초목이) 마르다 ; 시들다. ¶やせても～れても (a)아무리 나이를 먹어도 ; (b)아무리 몰락해도. ②(연기·예능 따위가 원숙하여 은근한 멋을 풍기게 되다. ¶～れた芸げい(字)'で' 원숙한 연기(글씨).

かれん 【可憐】 ダナ 귀여움 ; 사랑스러움. ¶～な花はな 귀여운 꽃. ②가련함 ; 애처로움. ¶～な花売かうり娘むすめ 애처로운 꽃 파는 아가씨.

*カレンダー 图 캘린더 ; 달력. =こよみ. ▷calendar.

かれんちゅうきゅう 【苛斂誅求】 -chū-kyū 图 가렴 주구(세금을 혹독하게 징수함).

かろう 【家老】 -rō 图 (史) 大名だいみょう·小名しょうみょう의 가신(家臣) 중의 우두머리.

かろう 【過労】 -rō 图 과로.

がろう 【画廊】 -rō 图 화랑. =ギャラリー.

かろうじて 【辛うじて】 -rōjite 副 겨우 ; 간신히. =ようやく·やっと. ¶～合格ごうかくした 간신히 합격했다.

カロチン 【化】 카로틴(당근·고추 따위에 들어 있는 황적색의 색소 ; 비타민 A를 함유함). =カロテン ▷carotene.

かろやか 【軽やか】 ダナ 가뿐함 ; 발랄하고 경쾌함. =かるやか. ¶～に踊おどる 경쾌하게 춤추다.

*カロリー 图 칼로리. ▷도 Kalorie ; 영·프 calorie.

がろん 【画論】 图 화론 ; 그림에 관한 평론.

ガロン 图 갤런(영국 약 4.5 리터 ; 미국 약 3.8 리터). ▷gallon.

かろん-ずる 【軽んずる】 ザ変他 ①얕보다 ; 깔보다 ; 업신여기다. ¶敵てきを～ 적

을 얕보다. ②아끼지 않다 ; 가볍게 보다. ¶命いのちを～ 목숨을 아끼지 않다. ↔重おもんずる.

*かわ 【川·河】 图 하천 ; 강 ; 내 ; 시내. 参考 '川'는 널리 강(江)의 뜻으로 쓰이며, '河'는 황하(黄河)의 이름에서 전하여 큰 강에 쓰임. ↔山やま.

かわ 【側】 图 ⇨がわ.

*かわ 【皮】 图 ①껍질 ; 가죽. ¶バナナの～ 바나나 껍질. ②털가죽. ③표면 ; 겉면. ¶化ばけの～がはがれる 실상수가〔가면이〕 드러나다. ④(안의 것을 싸는) 껍데기. ¶ふとんの～ 이불 껍데기. ⇨かわ.

かわ 【革】 图 (무두질한) 가죽. =なめしがわ.

かわ 【佳話】 图 가화 ; 미담.

*がわ 【側】 图 ①옆 ; 곁. ¶～の者もの 옆의 사람. ②둘러싸는 것 ; 주위 ; 둘레 ; 테. ¶とけいの～ 시계 딱지. ③쪽 ; 측. ¶反対はんたいの～ 반대쪽(측).

-がわ 【がわ·側】 ①…쪽. …편 ; 방면. ¶右みぎ～ 오른쪽(편). ◯…측. …쪽 ; 편 ; 방면. ③주위 ; …둘레. ¶井戸いどの～ 우물가.

*かわいーい 【可愛い】 -wai 形 ①귀엽다 ; 사랑스럽다. ¶～小犬こいぬ 귀여운 강아지 / まだ～ところがある 아직 귀여운 데가 (남아) 있다. ②작고 예쁘장하다. ¶～電池でんち 작은 전지. ③사랑하는 것이다. 一子こには旅たびをさせよ 사랑하는 자식에겐 여행을 시켜라(고생의 맛을 보여라).

*かわいーがる 【可愛がる】 5他 귀여워하다 ; 예뻐하다. ↔子供こどもを～ 아이를 귀여워하다. 参考 반어적으로 '구박하다'의 뜻으로 쓰는 경우도 있음.

*かわいそう 【可愛相】 -sō ダナ 불쌍한 모양 ; 가엾은〔가련한〕 모양. ¶～な孤児こじ 불쌍한 고아.

*かわいらしーい 【可愛らしい】 -shī 形 귀엽다 ; 사랑스럽다 ; 작고 예쁘장스럽다. ¶～子供こども 귀여운 아이 / 一時計とけい 작고 예쁜 시계.

かわうお 【川魚】 图 민물 고기.

かわうそ 【獺·川獺】 图 動 수달.

かわおび 【皮帯·革帯】 图 혁대 ; 가죽띠 ; 벨트.

*かわかーす 【乾かす】 5他 말리다. =干ほす.

かわかみ 【川上】 图 (강의) 상류 ; 물윗머리. ↔川下しも.

かわがらす 【川烏·河烏】 图 (鳥) 물까마귀.

かわき 【渇き】 图 목마름 ; 갈증. ¶～をいやす 갈증을 풀다.

かわぎし 【川岸·河岸】 图 강가 ; 강변.

かわきり 【皮切(り)】 图 ①맨 처음 뜨는 뜸. ②일의 시작 ; 시초 ; 개시. ¶～を～に …을 시초로.

*かわーく 【乾く】 5自 마르다 ; 건조하다.

*かわーく 【渇く】 5自 ①물이 마르다 ; 물이 마른다. ¶のどが～ 목이 마르다. ②몹시 바라다 ; 걸근거리다. ¶音楽おんがくに～ 음악에 굶주리다.

かわぐ 【皮具·革具】 图 가죽으로 만든 도구.

かわぐち 【川口·河口】 图 하구 ; 강 어귀.

かわぐつ 【皮靴·革靴】 图 가죽 구두.

かわごろも 【皮衣·革衣】〔裘〕 图 가죽

かわざんよう【皮算用】-yō 图 독장수셈('とらぬ狸の皮算用=너구리 보고 피물(皮物) 돈 내어 쓴다'의 준말). ⇨むなざんよう(胸算用).

-がわし-い -shī …스럽다; …듯하다. ¶みだり~ 난잡스럽다.

かわしも【川下】图 하류(下流); 물아래. ↔川上_{かみ}.

かわじり【川じり】【川尻】图 ①하류. =川下_{しも}. ②강 어귀. =川口_{ぐち}.

かわ-す【交(わ)す】5他 ①주고받다; 교환하다. ¶話^{はなし}を~ 이야기를 주고받다. ②교차하다. ¶情^{じょう}を~ 남녀가 육체 관계를 맺다. ③〖接尾語적으로〗서로 같은 동작을 하다. ¶見^み~ 서로 맞보다.

かわ-す【躱す】5他 ①몸을 (휙) 돌려 비키다〔피하다〕. ¶体^{からだ}を~ 몸을 (휙) 돌려 피하다. 「える.

かわず【蛙】图〈雅〉〖動〗개구리. =か

かわすじ【川筋】图 ①강줄기. ②강가 일대의 땅. ¶~の村^{むら}강가의 마을.

かわせ【川瀬】图 강바닥이 얕은 곳; 강의 여울. =あさせ. ↔川よど.

かわせ【為替】图 ①〖經〗환(換). ②'為替手形^{てがた}'의 준말. ③'為替相場^{そうば}'의 준말. ──そうば【──相場】-sōba 图 환시세; 환율. =かわせレート.

──てがた【──手形】 환어음.

かわせみ【川蟬・翡翠】图〖鳥〗물총새.

かわぞい【川沿い】图 강가; 냇가. ¶~の村^{むら}강가의 마을 / ~に行^いく 강을 따라가다.

かわぞこ【川底】图 강바닥; 냇바닥.

かわだち【川立ち】图 강가에서 태어나서 자람; 또, 그 사람; 헤엄을 잘 치는 사람.

かわづら【川面】图 강의 수면.

かわと【皮と革と】【皮砥・革砥】图 혁지; 가죽 숫돌.

かわどこ【川床】图 강바닥; 하상(河床).

かわとじ【皮とじ・革とじ】【皮綴じ・革綴じ】图 ①책 표지를 가죽으로 제본함; 또, 그 책. ②가죽 끈으로 물건을 꿰맴.

かわどめ【川止め】图〖ス他〗江戸^{えど}시대, 큰물이 났을 때 도강(渡江)을 금지함.

かわながれ【川流れ】图 강물에 떠내려감; 강에 빠져 죽음; 또, 그 사람.

かわなめし【皮鞣し】【皮鞣し】图 가죽을 무두질함; 또, 그 사람.

かわはぎ【皮剝ぎ】【皮剝(ぎ)】图 ①짐승의 가죽을 벗기는 일〔사람〕. ②〖魚〗쥐치.

かわばた【川端】图 냇가; 강가.

かわはば【川幅・河幅】图 강폭.

かわばり【皮張(り)・革張(り)】图 가죽을 씌움〔씌운 것〕.

かわひも【皮ひも・革ひも】【皮紐・革紐】图 가죽 끈.

かわびらき【川開き】图 그 해의 강놀이 개시를 축하하여 냇가에 불꽃놀이를 하는 연중 행사.

かわぶくろ【皮袋・革袋】【皮嚢・革嚢】图 가죽 부대. 「端^{はな}た.

かわべ【川辺】图〈雅〉강변; 냇가. =川

かわへん【革偏】图 한자 부수의 하나; 가죽혁변('靴・鞍' 따위의 '革'의 이름).

かわみず【川水】图 강물.

かわむかい【川向(か)い】图 강 건너편; 대안(對岸).

かわや【厠】图〈老〉뒷간; 변소.

かわやなぎ【楊柳・水楊】图〖植〗냇버들.

かわよど【川淀】图〈雅〉 냇물이 괸 곳. ↔川瀬^せ. 　　　　「봉.

***かわら**【瓦】图 기와. ¶~ぶき 기와 지

かわら【川原・河原】图 강가의 모래밭〔자갈밭〕; 바닥이 드러난 강변. ──なでしこ【──撫子】图〖植〗'ナデシコ(=패랭이꽃)'의 딴이름.

かわらけ【土器】图 토기; 질그릇; 특히, 질 술잔.

かわらばん【かわら版】【瓦版】图 江戸^{えど}시대에 찰흙에 글씨나 그림 등을 새겨, 기와처럼 구운 것을 판으로 하여 인쇄한 것(지금의 신문에 해당함).

***かわり**【代(わ)り】【替(わ)り・換(わ)り】图 ①대리; 대용; 대신(代身). ¶~の品物^{しなもの}대용 물품 / 父^{ちち}の~をする 아버지를 대신하다. ②대신(보상의 뜻). ¶すごした本^{ほん}の~ 더럽힌 책 대신. ③교대(자). ¶~が来^くる 교대(자)가 오다. ④한 그릇을 다 먹고 다시 한 그릇을 더 먹는 일. ¶(お)~をする 한 그릇 더 들다.

***かわり【替(わ)り種】【代(わ)り】图 갈마듦; 교체. ¶~の興行^{こうぎょう}흥행 기간 중 흥행 종목을 전부 바꾸기로 되어 있는 연극에서 첫째의 종목.

かわり【変(わ)り】图 ①다름; 변함. ¶以前^{いぜん}と~がない 이전과 다름이 없다. ②이상; 별고. ¶~なく暮^くらす 별고 없이 지내다.

かわりあ-う【代(わ)り合う】5自 갈마들다; 번갈아 하다; 교대하다.

かわりだね【変(わ)り種】图 ①별종(別種). ②괴짜; 기인(奇人).

かわりに【代(わ)りに】副 대신에 (에). 注意 接続詞는 かな書^がき.

かわりばえ【代(わ)り栄え・替(わ)り映え】图〖ス自〗바뀐 까닭에 전보다 잘 됨; 바뀐 보람. ¶~しない顔^{かお}ぶれ 전보다 나은 것 같지 않은 면면(面面). 参考 흔히, 아래에 부정의 말이 옴.

かわりは-てる【変(わ)り果てる】下1自 아주 변해 버리다.

かわりばん【代(わ)り番】图 교대 순번; 교대. 参考 口語적인 말씨는 'かわりばんこ'.

かわりみ【変(わ)り身】图 ①몸의 위치를 순간적으로 바꿈; 전신(轉身); 전향. ¶~が早^{はや}い 전신이 빠르다.

かわりめ【代(わ)り目】图 교대할 때. ¶~ごとに 새로 바뀔 때마다.

かわりめ【変(わ)り目】图 바뀔 때. ¶気候^{きこう}の~ 환절기. 「食.

かわりめし【変(わ)り飯】图 별식(別食).

かわりもの【変(わ)り者】图 괴짜; 기인(奇人). =変人^{へんじん}.

***かわ-る**【代(わ)る】【替(わ)る・換(わ)る】5自 대리〔대신〕하다; 대표하다. ¶一同^{いちどう}に~って申^{もう}し上^あげます 일동을 대신해서 제가 말씀 드리겠습니다.

***かわ-る**【替(わ)る・換(わ)る】【代(わ)る・更(わ)る】5自 바뀌다; 갈리다; 교체〔교환〕되다. ¶課長^{かちょう}が~ 과장이

바뀌다.

‡かわ-る【変(わ)る】 [5自] ①변(화)하다 ; 바뀌다. ¶声こえが～ 목소리가 변하다 / 年としが～ 해가 바뀌다. ②틀리다. ¶動物どうぶつと～ところがない 동물과 다를바가 없다. ③〈'た・ている'의 꼴로 하여〉(보통과는) 다르다. ¶～った話はなし 색다른 이야기 / あの人ひとは～っている 저 사람은 별나다.

かわるがわる【代(わ)る・代(わ)る】 圖 번갈아 가며 ; 교대로 ; 차례차례로.

かん【冠】 [名] 관. =かんむり. ¶～をいただく 관을 쓰다. —【トル】 가장 뛰어남 ; 최고. ¶世界せかいに～たる英雄えいゆう 천하 영웅.

かん【刊】 [名] 간 ; 간행 ; 출판.

かん【勘】 [名] 직감력 ; 육감(六感). ¶～で分わかる 육감으로 알다.

かん【巻】 [名] ①두루마리. ②책 ; 서적. ¶～をとじる 책을 덮다. —[接尾] …권(책 따위를 세는 말). ¶全ぜん五ご～の本ほん 전 5권의 책.

かん【奸】 [名] 간사함 ; 또, 그 사람. ¶～にたける 간사한 꾀에 능하다 / 君くん側そくの～ 왕 측근의 간신.

かん【完】 [名] ①완전. ②끝남 ; 완결.

かん【官】 [名] ①관 ; 정부 ; 또, 벼슬. ¶～の命令めいれい 관의 명령. —を退しりぞく 관직에서 물러나다.

かん【寒】 [名] 소한(小寒)으로부터 입춘까지의 약 30일간. ¶—が明あける 한(寒)이 끝나다 ; 입춘이 되다. —に入いる 소한에 접어들다.

かん【感】 [名] 감 ; 느낌. ¶隔世かくせいの～ 격세지감 / ～きわまる 몹시 감격하다.

かん【棺】 [名] 널 ; 관. ¶～に納おさめる 입관(入棺)하다. —を蓋おおうて事こと定さだまる 개관 사정(蓋棺事定)(사람의 진가는 사후에 정해진다).

かん【款】 [名] 진심 ; 정의(情誼). —[接尾] …관 ; 예산·결산서의 구분을 나타내는 말. ¶第だい一いち～ 제 1관. —を通つうずる 친하게 사귀다 (적과) 내통하다.

かん【歓】 [名] 기쁨 ; 즐거움. —を尽つくす 마음껏 즐기다.

かん【燗】 [名] 술을 알맞게 데우는 일 ; 또, 그 데운 정도. ¶～をつける 술을 알맞게〔따뜻하게〕 데우다.

かん【環·鐶】 [名] (금속제의) 고리. ¶カーテンの～ 커튼의 고리.

かん【疳】 [名] 신경질이고 흥분 잘하는 성질(주로 어린이에 대한 말) ; 신경성의 일종의 소아병(경풍 따위). ¶～の虫むしが強つよい 짜증기가 심하다.

かん【癇】 [名] 성을 잘 내는 성질·병 ; 신경질. ¶～に触ふれる 신경줄을〔부아를〕 건드리다 ; 화딱지 나다.

かん【管】 [名] 관. =くだ. ¶コンクリートの～ 콘크리트 관. —[接尾] 붓·피리 따위를 세는 말 ; …자루. ¶横笛おうてきの三さん～ 저 세 자루.

かん【簡】 —[名] 서장(書狀) ; 편지. ¶～をしたためる 편지를 쓰다. —[ダ形] 손쉬움 ; 간단(간략)함. ¶～にして要ようを得える 간결하면서 요령이 있다.

かん【艦】 [名] 함 ; 군함. ¶～にもどる 귀함하다. 〔여인숙.

かん【館】 [名] 관. ①(큰) 건물. ②여관 ;

かん【観】 [名] ①외관 ; 모양 ; 상태 ; 느낌. ¶手ての～がある 때늦은 감이 든다. ②〈接尾語적으로〉관 ; 견해 ; 관점. ¶人生じんせい～ 인생관.

かん【貫】 [名] ①관(척관법에 의한 무게의 단위). ②江戸えど 시대의 화폐 단위.

かん【間】 [名] ①칸 ; 틈 ; 사이 ; 동안. ¶その～の事情じじょう 그간의 사정 / 指呼しこの～にある 지호지간(~에 있는) 기회를 틈타다. —[接尾語적으로] 칸 ; 사이. ¶東京とうきょう・大阪おおさか～ 東京・大阪 사이. ②스파이 ; 첩자. ¶～を放はなつ 간자(間者)를 보내다. —一髪いっぱつを入いれず 잠시의 여유도 없음의 비유 : 재빨리 ; 즉시 ; 지체없이. 〔망중한.

かん【閑】 [名] 한가함. ¶忙中ぼうちゅうの～

がん【眼】 [名] ①눈 ; 눈알. ②〈接尾語적으로〉안 ; 보는 눈. ¶審美しんび～ 심미안. —をつける ①눈여겨 보다(은어). ②째려보다(깡패들 용어).

がん【雁·鴈】 [名] 【鳥】 기러기. =かり.

‡がん【癌】 [名] 【醫】 ①암(비유적으로도 씀). ¶胃い～ 위암 / 議会ぎかい政治せいじの～ 의회 정치의 암이다.

がん【願】 [名] 신불에게 기원함. ②소원. —をかける 신불에게 소원 성취를 빌다 ; 발원(發願)하다.

ガン [名] 건. ①총. ②소총 모양의 도구. ¶スプレー― (소총 모양의) 분무기. ▷gun.

-がん【岩】 [名] …암. ¶水成すいせい～ 수성암.

かんあく【奸悪·姦悪】 [名] 간악.

かんあけ【寒明け】 [名] 대한이 지나고 입춘이 되는 일. ⇔寒かんの入いり.

かんあん【勘案】 [名] [스他] 감안. ¶事情じじょうを～する 사정을 감안하다.

かんい【官位】 [名] 관위 ; 관등(官等). ¶～を剥奪はくだつされる 관위를 박탈당하다.

かんい【簡易】 —[ダナ] 간이. ¶～な方ほう法ほう 쉬운 방법. —さいばんしょ【—裁判所】 -sho 간이 재판소. —ほけん【—保険】 (우체국에서 취급하는 국영의) 간이 생명 보험(「簡易生命保険」の略).

かんいっぱつ【間一髪】 -ippatsu 간일발. ¶～の差さ 간일발의〔아슬아슬한〕 차.

かんいん【姦淫】 [名] [스他] 간음.

かんいん【官印】 [名] 관인. ⇔私印しいん.

かんう【甘雨】 [名] 감우 ; 단비. =慈雨じう.

かんえい【完泳】 [名] [스自] 완영 ; 끝까지 헤엄침.

かんえい【官営】 [名] 관영. =国営こくえい. ⇔民営みんえい.

かんえん【肝炎】 [名] 【醫】 간(장) 염.

がんえん【岩塩】 [名] 암염 ; 돌소금.

かんおう【感応】 kan'ō [名] [스自] ⇒かんのう(感応).

かんおう【観桜】 kan'ō [名] 벚꽃을 관상(觀賞) ; 벚꽃 구경.

かんおけ【棺おけ】 【棺桶】 [名] 관(널). —に片足かたあしをつっこむ 여명(餘命)이 얼마 남지 않음.

かんおん【漢音】 [名] 한음(장안(長安)·낙양(洛陽) 등 중국의 서북부에서 사용되던 음이 수(隋)·당(唐)을 거쳐 일본에 전해진 한자의 음 ; '行'을 'コウ(カウ)', '明'을 'メイ'로 읽는 따위). ↔呉

音ぉん・唐音とう｜｜.
かんか 【干戈】 图 잔과；방패와 창；무기. **――を交える** 전쟁을 하다. ▶

*****かんか** 【感化】 [ス他] 감화. **▶――を受ける** 감화를 받다. 〔''散함.〕

かんか 【換価】 [ス他] 환가；값으로 환가.

かんか 【看過】 [ス他] 간과. **▶――でき**ない事態たいを――. 간과할 수 없는 사태／過失しつを――する 과실을 간과하다.

かんか 【管下】 图 관하；관내.

かんか 【閑暇】 图 한가；한가한 틈.

かんか 【官衙】 图 관아；관청.

がんか 【眼下】 图 안하；눈 아래. **――に見る** 图①높은 데서 내려다보다. **――に**見る ；얕보다.

がんか 【眼窩・眼窟】 图 안와；눈구멍.

がんか 【眼科】 图 안과.

かんかい 【管界】 图 관계. **▶――に入にる** 관계에 들어가다；관리가 되다.

かんかい 【感懐】 图 감회. **▶――無きあたわず** 감회가 없을 수 없다〔감개무량하다〕.

かんがい 【寒害】 图 한해；냉해〔冷害〕.

かんがい 【感慨】 图 감개. **――むりょう【――無量】-ryō** 图 감개 무량.

かんがい 【干害】 【旱害】 图 한해. **▶――を被こうむる** 한해를 입다.

かんがい 【灌漑】 [ス他] 〔農〕 관개. **▶――用水すゐ** 관개 용수.

がんかい 【眼界】 图 안계. **▶――が開ひらける** 시계가 트이다／**――が狭せまい** 시야가 좁다.

*****かんがえ** 【考え】 图 생각. **▶彼かれには**彼れの――があろう 그에게는 그의 생각이 있겠지／――も及およばない 생각〔상상〕도 못 하다／――が深ふかい 생각이〔사려가〕 깊다／僕ぼくの――でやる 내 생각〔판단〕대로 하다／いい――が浮うかぶ 좋은 생각〔착상〕이 떠오르다／――のない行動 생각〔지각〕 없는 행동／――を決きめる 생각을 정하다；결심하다.

かんがえかた 【考え方】 图 사고 방식.

かんがえごと 【考え事】 图 갖가지 생각；궁리；특히, 걱정 거리.

かんがえこ・む 【考え込む】 [五自] 골똘히 생각하다；생각에 잠기다.

かんがえだ・す 【考え出す】 [五他] ①생각해 내다；고안하다. ②생각하기 시작하다.

かんがえつ・く 【考え付く】 [五自] 생각나다；생각이 떠오르다.

かんがえなお・す 【考え直す】 [五他] 다시 한번 생각하다；재고하다.

かんがえぬ・く 【考え抜く】 [五他] 깊이 생각하다.

かんがえもの 【考え物】 图①깊이 생각해 볼 일. **▶そいつは――だ** 그것은 생각해 볼 일이다. ②수수께끼；퀴즈. =はんじもの.

*****かんが・える** 【考える】 [下1他] 생각하다. **▶いいと――**좋다고 생각〔판단〕하다／人ひとの立場たちばを――남의 입장을 생각〔고려〕하다／――こともできない大事件けんを――상상〔상정〕도 할 수 없는 대사건. ②고안〔考案〕하다；안출〔案出〕하다. **▶新しい方法ほうを――えた** 기발한 방법을 생각해 냈다. **――葦**あし 생각하는 갈대（파스칼의 말）.

*****かんかく** 【感覚】 图 감각. **▶美的びの――**

미적 감각. **参考** 때로, '――する'의 꼴도 씀. **――きかん【――器官】** 图 감각 기관. **――てき【――的】** [ダナ] 감각적.

かんかく 【観客・看客】 图 보는 사람；구경꾼. =かんきゃく.

*****かんかく** 【間隔】 图 간격. **▶一定ていの――をおく** 일정한 간격을 두다／五分ごふんで発車はっしゃする 오 분 간격으로 발차하다.

かんがく 【官学】 图①관학；관립 학교. **↔私学**. ②정부가 장려하는 학설；어용 학설〔江戸ど 시대의 주자학〔朱子学がく〕 따위〕. **――しゃ【――者】** 图 어용 학자.

かんがく 【漢学】 图 한학. **▶――者** 한학자.

かんがく 【勧学】 图①권학. ②〔佛〕 정토宗〔浄土宗〕과 진종〔真宗〕의 寺院いん과 따위에서, 학승〔学僧〕에게 주는 최고의 학위.

がんかけ 【願掛け】 [ス自] 신불에게 발원〔発願〕함. **▶――だ**.

*****かんかつ** 【管轄】 [ス他] 관할. **▶――裁判所ばんしょ** 관할 재판소〔법원〕／県けんの――に属ぞくする 현의 관할에 속하다.

かんがっき 【管楽器】 -gakki 图 관악기.

かんが・みる 【鑑みる・鑒みる】 [上1他] 거울삼아 비추어 보다；감안해서 판단을 하다. **▶先例れいに――みて処理りする** 전례에 비추어 처리하다.

かんから 〔俗〕 图〔方〕 깡통. **▶――の空室** roo.

カンガルー 图〔動〕 캥거루. **▶kanga-**

かんかん 【汗顔】 图 땀；너. **⇒圖** ①금속 따위를 두드릴 때 나는 소리；꽝꽝；땡땡. **▶鐘かねが――鳴なる** 종이 땡땡 울리다. ②햇볕이 몹시 내리쬐는 모양；쨍쨍. **▶日ひが――（と）照てる** 햇볕이 쨍쨍 내리쬐다. ③숯불 따위가 세차게 피어 오르는 모양；활활. ④몹시 골내는 모양. **▶あいつは今いま――だ** 그 자식은 지금 잔뜩 골이 나 있다.

かんかん 【感官】 图 감관；감각 기관.

かんかん 【官許】 图 관허；인서.

がんがん 【汗顔】 图 한안（부끄러워 얼굴에 땀이 남）. **▶――のいたりです** 부끄럽기 짝이 없습니다.

がんがん 圖①잔소리를 시끄럽게 하는 모양；따윈소리 따위가 시끄럽게 울리는 소리；땡땡，⑧불을 마구 때는 모양；활활. ④골치가 몹시 아픈 모양；띵. **▶頭あたまが――（と）する** 머리가 욱신욱신하다.

かんかんしき 【観艦式】 图 관함식（일국의 원수 등이 자기 나라 군함을 검열하는 의식）.

かんき 【乾季・乾期】 图 건계；건조기；특히, 열대 지방의 가을에서 봄까지의 사이. **↔雨季きき**.

かんき 【勘気】 图（임금・스승・아버지로부터 받는) 꾸지람；꾸중；또, 그 벌. =勘当どう. **▶師しの――を受うける**（스승이나 아버지로부터） 절연〔의절〕을 당하다；（임금으로부터） 파면되다.

かんき 【喚起】 [ス他] 환기. **▶注意ちゅうを――する** 주의를 환기하다.

かんき 【官紀】 图 관기. **▶――粛正せい** 관기 숙정. **▶――粛気きき**

かんき 【寒気】 图 한기；추위. =寒冷れい.

かんき【換気】 图 ス他 환기. ¶～裝置ᇂᇰ 환기 장치.

かんき【歓喜】 图 ス自 환희. ＝欣喜ᇂ゙.

がんぎ【雁木】〔雁木〕 图 ①기러기의 행렬처럼 들쭉날쭉한 요철(凹凸)이 양쪽에 있는 물건. ②다리에 미늘을 달아 가로 댄 널. ③선창의 계단. ④갱내(坑內)에서 쓰는 사닥다리. ⑤둑; 대들. ⑥(눈이 많이 내리는 지방에서) 처마를 물려 내어 그 밑을 통로로 삼는 방식.

かんぎく【寒菊】 图〔植〕한국; 동국(冬菊).

かんきつるい［甘橘類〕 图〔植〕감귤류. 〔─橘〕.

かんきゃく【観客・看客】-kyaku 图 관객.

かんきゃく【閑却】-kyaku 图 ス他 한각; 방치(放置)해 둠; 등한시함.

かんきゅう【官給】-kyū 图 ス他 관급. ¶～品ᇂ゙ 관급품.

かんきゅう【感泣】-kyū 图 ス自 감읍; 감격하여 욺.

かんきゅう【緩急】-kyū 图 완급. ①느림과 빠름; 느슨함과 급함. ②위급한 경우; 사변. ¶いったん～の際ᇘは 일단 유사시에는. ─よろしきを得ᆮる 완급이 적절하다; 적절하게 처사하다.

かんきゅう【緩球】-kyū 图〔野〕완구; 느린 공; 슬로볼. ↔速球ᇘ゙.

がんきゅう【眼球】-kyū 图〔解〕안구; 눈알.

かんきょ【官許】-kyo 图 ス他 관허.

かんきょ【閑居】-kyo 一图 ス自 한거. 二图 ①조용한 거처〔집〕. 二图 ①한가하게 삶. ②하는 일 없이 놀고 있음. ¶小人ᇘ゙ᆫ～して不善ᇘ゙をなす 소인은 놀고〔틈이〕 있으면 좋지 못한 짓을 한다.

かんぎょ【還御】-gyo 图 ス自 환어; 환궁. ＝還幸ᇘ゙. 〔─もの〕.

かんぎょ【干魚・乾魚】-gyo 图 건어. ＝ひもの.

かんきょう【感興】-kyō 图 감흥. ¶～をもよおす 감흥을 자아내다.

かんきょう【環境】-kyō 图 환경. ¶～が悪ᇘい 환경이 나쁘다／人間ᇘᆫᆫ～に支配ᇘᇘされる 인간은 환경에 지배된다. 〔─リッジ〕.

かんきょう【艦橋】-kyō 图 함교. ＝ブリッジ.

かんぎょう【勧業】-gyō 图 권업; 산업을 권장함. ¶～業ᇘ゙.

かんぎょう【官業】-kyō 图 관업. ↔民業.

がんきょう【頑強】-kyō 图 ダナ 완강. ¶～に抵抗ᇘ゙する 완강히 저항하다.

かんきょく【寒極】-kyoku 图〔地〕한극; 지구상에서 가장 추운 지점.

かんきり【缶切り】 图 깡통 따개.

かんきん【官金】 图 관금; 관청〔정부〕의 돈.

かんきん【換金】 图 ス他 환금; 물건을 팔아 돈으로 바꿈. ¶～作物ᇘ゙ 환금 작물. ＝換物ᇘ゙.

かんきん【かん菌】〔桿菌〕 图〔醫〕간균; 막대기 모양의 세균.

かんきん【監禁】 图 ス他 감금. ¶不法ᇂ゙～ 불법 감금.

がんきん【元金】 图 원금. ＝もときん. ↔利子ᇘ゙・利息ᇘ゙.

かんく【甘苦】 图 감고; 고락(苦樂). ¶～を共ᇂᇂにする 고락을 같이하다.

かんく【艱苦】 图 간고. ＝辛苦ᇘ゙.

がんぐ【玩具】 图 완구; 장난감. ＝おもちゃ. ¶─店ᇘ゙ 완구점.

がんくつ【岩窟・巌窟】 图 암굴; 바위굴. ＝いわや・岩穴ᇘᇘな.

がんくび【雁首】〔雁首〕 图 ①안수; 담뱃대의 대통; 담배통. ②《俗》머리; 목; 머리. ③(낙수 홈의 낙수 구멍에 연결하여 묻는) 「7」자 꼴의 토관.

かんぐ─る【勘ぐる】〔勘繰る〕 ス他 의심하여 억측하다.

かんぐん【官軍】 图 관군. ¶勝ᆨてば～ 이기면 관군. ↔賊軍ᇘ゙.

かんい【奸計・姦計】 图 간계.

かんけい【還慶】 图 ス自 태황태후・황태후・황후・태자가 돌아옴. ＝行啓ᇘ゙.

かんけい【関係】 图 ス自 관계. ¶鶏ᇘと卵ᇘ゙の～ 닭과 달걀의 관계／縁故ᇘ゙ ─ 연고 관계／事業ᇘ゙に～した事ᇘ゙는 사업에 관계된 일／教育ᇘ゙ ─ 교육 관계〔방면〕의 일／気候ᇘ゙の～で 기후 관계로 흥미로이다／彼女ᇘ゙と～をしてしまった 그녀와 관계해 버렸다(성적 관계를 맺어 버렸다)／所持金ᇘ゙の～で早ᇘᆨく帰ᇘᆨるほかない 소지금 관계로〔사정이로〕 빨리 돌아갈 수밖에 없다. ─づける 〔─付ける〕下1他 관계를 맺게 하다; 연관시키다.

かんげい【歓迎】 图 ス他 환영. ¶─会ᇘ 환영회. ─送会ᇘ゙.

かんげいこ【寒げいこ】〔寒稽古〕 图 한중(寒中)에 추위를 무릅쓰고 무예(武藝)・음곡(音曲) 따위를 연습함.

かんけいどうぶつ【環形動物】-dōbutsu 图〔動〕환형 동물.

かんげき【感激】 图 ス自 감격. ¶─的ᇘ゙な場面ᇘ゙ 감격적인 장면. 〔─.경〕.

かんげき【観劇】 图 ス自 관극; 연극 구경.

かんげき【間隙】 图 ①간극; 간격; 틈. ＝すきま. ②틈화(不和). ─を生ᇘ゙ずる 틈이 생기다; 불화가 일다.

かんげざい【緩下剤】 图 완하제.

かんけつ【完結】 图 ス自 완결. ¶─編ᇘ゙ 완결편.

かんけつ【簡潔】 图 ダナ 간결. ¶～な説明ᇘ゙ 간결한 설명.

かんけつ【間欠・間歇】 图 간헐. 〔注意〕「間欠」는 대용한 한자. ──せん〔─泉〕 图〔地〕간헐천. ──てき〔─的〕 ダナ 간헐적.

かんげつ【寒月】 图 한월; 맑고 차가움을 느끼게 하는 겨울 달. ¶月見ᇘ゙.

かんげつ【観月】 图 달맞이; 달구경. ＝

かんけん【官憲】 图 관헌. ¶～の圧迫ᇘ゙ 관헌의 압박.

かんけん【官権】 图 관권.

かんけん【管見】 图 관견. ①좁은 견식. ②자기의 견식의 겸사말. ¶～によれば 저의 소견으로는.

かんげん【換言】 图 ス自 환언. ──すれば 환언하면; 바꿔 말하면.

かんげん【甘言】 图 감언. ¶～につられる 감언에 유혹되다.

かんげん【諫言】 图 ス他 간언. ＝忠言ᇘ゙. ──耳ᇘに逆ᇘᆯらう 간언은 귀에 거슬린다.

かんげん【管弦・管絃】 图 관현; 관악기와 현악기. ──がく〔─楽〕 图 관현악. ＝オーケストラ.

*かんげん【還元】 图他直 환원. ¶白紙はくに～ 백지 환원 / 酸化鉄さんかを～すると鉄らができる 산화철을 환원하면 철이 된다. 「합」강건.

がんけん【頑健】 名ナ 우람하고 튼튼

がんけん【眼瞼】 图 안검 ; 눈꺼풀. = まぶた. 「환호성.

かんこ【歓呼】 图スᅟ自 환호. ¶～の声

かんご【漢語】 图 한어. ↔和語ᅟ語.

*かんご【看護】 名スᅟ他 간호. = 看病びょう. ¶[一婦] 图 간호원.

かんご【監護】 图 감호 ; 감독 보호.

かんご【韓語】 图 한어 ; 한국 말.

*がんこ【頑固】 名ナ 완고, 외고집. ¶～な父ᅟ 완고한 아버지 / ～で通らている人ᅟ 완고하기로 소문난 사람. ②나쁜 상태가 오래 감 ; 끈질김. ¶～な水虫むし 좀처럼 낫지 않는 무좀.

かんこう【勘考】 -kō 名スᅟ自 깊이 생각함 ; 궁리. ¶~の末ᅟ 깊이 생각한 끝에.

かんこう【完工】 -kō 图 완공 ; 준공. ↔起工きこう.

かんこう【寛厚】 -kō 名ナ 관후 ; 도량이 넓고 점잖음.

かんこう【感光】 -kō 名スᅟ自 감광. ¶[一紙] 图 감광지 ; 인화지.

かんこう【刊行】 -kō 名スᅟ他 간행. ¶一発行 ～物ᅟ 간행물.

かんこう【慣行】 -kō 图 관행 ; 관례. ¶～に従ったがう 관행에 따르다.

かんこう【敢行】 -kō 名スᅟ他 감행.

かんこう【緩行】 -kō 名スᅟ自 완행. ↔急行きゅう.

かんこう【箝口】 -kō 名スᅟ自 겸구 ; 입을 막음 ; 발언을 제지함 ; 함구. 注意 바르게는 'けんこう'로 읽음. ¶一れい[一令] 图 함구령. 「을 다룸.

かんこう【緘口】 -kō 名スᅟ自 함구 ; 입

*かんこう【観光】 -kō 名スᅟ他 관광. ¶～バス(客きゃく) 관광 버스(객) / ～地ᅟ 관광지.

かんこう【還幸】 -kō 名スᅟ自 환행 ; 天皇てんのうの 환궁 = 還御かんぎょ. ↔行幸ぎょうこう.

がんこう【雁行】 -kō 一图 기러기 때의 행렬. 二图スᅟ自 비스듬히 줄을 지어 감. ¶～するふたりの家かゅうだい 난형 난제(難兄難弟)인 두 소설가.

がんこう【眼光】 -kō 图 안광. ¶一紙背しに徹てっする〔徹る〕 안광이 지배를 뚫다(글속의 깊은 뜻까지 철저하게 알아 내다). ¶一人ひとを射いる 안광이 (사람을 쏘듯) 날카롭다.

かんこうしょ【官公署】 -kōsho 图 관공서. 「공청.

かんこうちょう【官公庁】 -kōchō 图 관공

かんこうばい【寒紅梅】 -kōbai 图【植】 한동매(화초나무의 원예 변종 ; 꽃은 홍염(千葉)으로 붉으며 한겨울에 핌).

かんこうへん【肝硬変】 -kōhen 图【醫】 간경변.

かんこうり【官公吏】 -kōri 图 관공리.

がんごえ【甲声】 图 새된 목소리 ; 높고 날카로운 목소리. 「비료.

かんごえ【寒肥】 图 한비 ; 겨울에 주는

かんごえ【癇声】 图 신경질적인(짜증섞인) 높은 목소리.

*かんこく【勧告】 名スᅟ他 권고. ¶～を

受うけ入いれる 권고를 받아들이다.

かんこく【韓国】 图 한국 ; 대한 민국. ¶一一ᅟ 한국 제일 / ～語ᅟ 한국어 / ～人ᅟ 한국인.

かんごく【監獄】 图 감옥. 参考 '刑務所けいむ・拘置所こうち'의 구칭.

かんこつ【顴骨】 图 관골 ; 광대뼈. = ほおぼね. 参考 바르게는 'けんこつ'.

かんこつだったい【換骨奪胎】 -dattai 名スᅟ他 환골 탈태. 参考 흔히, 표절 작품의 뜻으로 잘못 쓰임.

かんこどり【かんこ鳥】 图【閑古鳥・閑子鳥】图【鳥】뻐꾸기. ~かっこう. ¶一が鳴なく 쓸쓸하다(특히, 장사가 잘 되지 않는 모양의 비유).

かんこんそうさい【冠婚葬祭】 -sōsai 图 관혼 상제.

かんさ【監査】 名スᅟ他 감사. ¶会計かいの～ 회계 감사.

かんさい【完済】 名スᅟ他 완제. (부채 따위를) 모두 갚음.

かんさい【関西】 图【地】京都きょう・大阪おおさか(를 중심으로 한) 지방. ↔関東かんとう.

かんさい【艦載】 名スᅟ他【軍】함재 ; 군함에 실음. ¶一機ᅟ 함재기.

かんざい【寒剤】 图 한제 ; 온도를 내리기 위해서 쓰는 혼합제. 「재인.

かんざい【管財】 图 관재. ¶～人ᅟ 관

かんさく【間作】 图【農】간작.

かんさく【贋作】 名スᅟ他 가짜 작품을 만듦 ; 또, 그 가짜 작품.

かんざけ【かん酒】【燗酒】 图 데운 술. ↔冷ひや酒ざけ.

かんざし【簪】 图 ①비녀. ②관(冠)의 부속품 ; 관이 벗겨지지 않게 상투를 얼러 꿰는 비녀.

かんさつ【監察】 名スᅟ他 감찰.

*かんさつ【観察】 名スᅟ他 관찰. ¶～眼がん 관찰안 / 生態せいたい～ 생태 관찰.

かんさつ【鑑札】 名スᅟ他 감찰. ¶営業えいぎょう～ 영업 감찰 / 犬いぬの～ 개의 감찰 ; 개표. 「さつ.

がんさつ【贋札】 图 위조 지폐. =にせ

*かんさん【換算】 名スᅟ他 환산. ¶ドルを円えんに～する 달러를 엔으로 환산하다.

かんさん【甘酸】 图 감산 ; 고락(苦樂). = 甘苦かんく.

かんさん【閑散】 名ナ 한산. ¶人通ひとどおりが少すくなく～とした町まち 사람의 왕래가 적고 한산한 거리.

かんし【干支】 图 간지 ; 십간(十干)과 십이지(十二支) ; 천간(天干)과 지지(地支). = えと.

かんし【冠詞】 图【文法】 관사.

かんし【漢詩】 图 한시.

かんし【環視】 图 환시. ¶衆人しゅうじんの中ちゅうで 중인 환시리에 ; 뭇사람이 지켜보는 가운데.

*かんし【監視】 名スᅟ他 감시. ¶～を怠おこたる 감시를 게을리하다. ——もう[一網] 图 감시망.

かんし【諌止】 名スᅟ他 간지 ; 간하여 말림. 「써 간함.

かんし【諌死】 名スᅟ自 간사 ; 죽음으로

かんし【鉗子】 图【醫】겸자(가위 모양의 외과 수술용 기구의 하나). ¶～分娩べん 겸자 분만.

*かんじ【感じ】 图 느낌. ①감각. ¶寒さむ

くて～無<ruby>な</ruby>くなる 寒さで感覚が無くなる。②⑦印象。¶いやな～ 良くない印象〔に感じる〕。⑦感じ。¶唐突<ruby>とうとつ</ruby>に～を与える 当惑な感を与える。③気分；雰囲気。¶春<ruby>はる</ruby>の～ 春らしい気分／明<ruby>あか</ruby>るい～の絵 明るい感じの絵。

*かんじ【漢字】图 漢字。──音<ruby>おん</ruby> 漢字音。──せいげん【──制限】图 漢字制限；日本語を書くために漢字の字数・音訓(音訓)を一定範囲に制限すること。

かんじ【幹事】图 幹事。¶同窓会<ruby>どうそうかい</ruby>の～ 同窓会幹事／委員会<ruby>いいんかい</ruby>の～ 委員会の幹事。

かんじ【監事】图 (公益法人の)監事。

かんじ-いる【感じ入る】5自 深く感動する。¶熱意<ruby>ねつい</ruby>に～ 熱意に感動する。

がんじがらめ【雁字搦め】图 きつく縛り合せ。¶義理<ruby>ぎり</ruby>と人情<ruby>にんじょう</ruby>の～ 義理と人情の板挟み／～にする 縛りあげる；きっちり身動き出来なくする。

かんしき【乾式】图 乾式；液体や溶剤(溶剤)を使わない方式。⇔湿式<ruby>しっしき</ruby>。

かんしき【鑑識】图 鑑識。──がん【──眼】图 鑑識眼；鑑識(眼識)。

かんじき【樏】图 かんじき；雪の中に埋らずに足の下に付ける物;大概は木の枝や蔓で輪っかに作る。

がんしき【眼識】图 眼識。＝めきき。

かんじく【巻軸】图 巻軸；巻き物（の軸）。¶～計<ruby>けい</ruby> 計量器。

かんしつ【乾湿】图 乾湿；乾燥と湿り。

かんしつ【眼疾】图 眼病；眼病。

*がんじつ【元日】图 元日；新年；1月1日。

かんじつげつ【閑日月】图 のどかな歳月。①のどかな歳月。¶～を楽<ruby>たの</ruby>しむ のんびりした歳月を楽しむ。②余裕ある気持。¶英雄<ruby>えいゆう</ruby>～あり 英雄のどかな歳月。

かんじと-る【感じ取る】5他 感得する；心に感じて理解する。

かんしゃ【官舎】图 官舎。

‡かんしゃ【感謝】-sha 图 サ他 感謝する。¶～節<ruby>せつ</ruby> 感謝祭／～の気持<ruby>きもち</ruby> 感謝の気持。

かんしゃ【甘蔗】-sha 图 植 さとうきび。

かんじゃ【冠者】-ja 图 ①元服(冠服)をした若者。=かじゃ。②位階(位階)が6品(品)として官位(官位)をもつ者。③若者。④若い人。

*かんじゃ【患者】-ja 图 患者。

かんじゃ【間者】-ja 图 間者；間諜；スパイ。

かんしゃく【官爵】-shaku 图 官爵；官爵。

*かんしゃく【癇癪】-shaku 图 癇癪。──だま【──玉】图①〈俗〉癇癪球；癇癪玉。¶～が破裂<ruby>はれつ</ruby>する 癇癪玉が破裂する。②癇癪の一種。──もち【──持ち】图 癇癪持ち；怒りっぽい。

かんじゃく【閑寂】-jaku 图ダナ 閑寂。¶～の境地<ruby>きょうち</ruby> 閑寂な境地。

かんじやす-い【感じ易い】形 感受性に敏感だ；多感だ。¶～年<ruby>とし</ruby>ごろ 感受性に敏感な年頃。

かんしゅ【看守】-shu 图 看守；牢守。

かんしゅ【看取・観取】-shu 图 サ他 看取；見て読み取る；看破する。

かんじゅ【官需】-ju 图 官需。¶～品<ruby>ひん</ruby> 官需品。⇔民需<ruby>みんじゅ</ruby>。

かんじゅ【感受】-ju 图 サ他 感受。¶～性<ruby>せい</ruby> 感受性。

かんじゅ【甘受】-ju 图 サ自他 甘受。¶非難<ruby>ひなん</ruby>を～する 非難を甘受する。

*かんしゅう【慣習】-shū 图 慣習。

かんしゅう【看守】-shū 图 看守。

かんしゅう【観衆】-shū 图 観衆。

かんじゅく【完熟】-juku 图 サ自 完熟。完熟状態。⇔未熟<ruby>みじゅく</ruby>。

かんしゅだん【慣手段】-shudan 图 常套手段。

かんしょ【漢書】-sho 图 漢書；漢籍。

かんしょ【官署】-sho 图 官署；官公署。

かんしょ【寒暑】-sho 图 寒暑；寒さと暑さ。

かんしょ【甘藷】-sho 图 さとうきび。　　「まいも。

かんしょ【甘藷・甘蔗】-sho 图 さつまいも。

かんしょ【漢書】-jo 图 史 漢書；中国前漢(前漢)時代の歴史冊；前漢書(前漢書)。

かんじょ【官女】-jo 图 宮女(宮女)；女人。＝女官<ruby>にょかん</ruby>；かんじょ。

*かんしょ【願書】-sho 图①願書；特許、入学願書。②☞がんもん(願文)。

かんしょ【冠省】-sho 图 (便りの中で)冠省；前略(除煩)。＝前略<ruby>ぜんりゃく</ruby>。

かんしょう【完勝】-shō 图 サ自 完勝。⇔完敗<ruby>かんぱい</ruby>。

かんしょう【勧奨】-shō 图 サ他 勧奨；勧める。

かんしょう【勧賞】-shō 图 サ他 勧賞；称賛して奨励する。

かんしょう【鑑賞】-shō 图 サ他 鑑賞。¶絵<ruby>え</ruby>を～する 絵を鑑賞する。

*かんしょう【観賞】-shō 图 サ他 観賞。¶～植物<ruby>しょくぶつ</ruby> 観賞植物／～魚<ruby>ぎょ</ruby> 観賞魚。　　「悪徳 商人。

かんしょう【奸商・姦商】-shō 图 奸商；

*かんしょう【干渉】-shō 图 サ自 干渉。¶選挙<ruby>せんきょ</ruby>～ 選挙干渉／内政<ruby>ないせい</ruby>～ 内政干渉。

かんしょう【感傷】-shō 图 感傷。¶～にふける 感傷に浸りきる。──しゅぎ【──主義】-shugi 图 感傷主義。＝センチメンタリズム。──てき【──的】ダナ 感傷的。＝センチメンタル。

かんしょう【癇性・疳性・癇症】-shō 图ダナ 癇性；怒りを覚えやすい性質；また、病的潔癖症。

かんしょう【管掌】-shō 图 サ他 管掌。

かんしょう【緩衝】-shō 图 サ他 緩衝。¶～の役割<ruby>やくわり</ruby> 緩衝 役割。──ちたい【──地帯】图 緩衝 地帯。

かんしょう【冠状】-jō 图 冠状；冠状。¶～動脈<ruby>どうみゃく</ruby> 冠状 動脈。

‡かんじょう【勘定】-jō 图 サ他①計算；勘定。②数量の勘定。⑤金銭の勘定。⑥代金 支払；会計。¶～がき 計算書／お～はいくらですか 計算は幾らですか。②予算；見込。¶～れる 予算に入れる。③(簿記の)勘定(計定)。¶～科目<ruby>かもく</ruby> 勘定 科目。②③この意味での「する」が付かない。──合<ruby>あ</ruby>って銭<ruby>ぜに</ruby>足<ruby>た</ruby>らず 勘定上こそは合うが現金が足りない（理論と実際が符合しない）。──ずく【──尽く】图 打算的に行動すること；俗世。──だか-い【──高

い】形 씀씀이가 빠르다 ; 타산적이다.

かんじょう【干城】-jō 名 간성. ¶国家ぷの〜 국가의 간성.

***かんじょう**【感情】-jō 名 감정. ¶〜が高ぶる 감정이 고조(高潮)되다 ; 흥분하다 / 〜を害がする 감정을 해치다. ↔理性せい　──一に走はしる 감정대로 일을 하다 ; 감정에 치우치다.　──てき【──的】 감정적. ¶〜な問題もんだい 감정적인 문제.　「표창장.

かんじょう【感状】-jō 名 전공(戰功)

かんじょう【環状】-jō 名 환상 ; 고리처럼 생긴 모양.　──せん【──線】名 (철도·도로의) 환상선 ; 순환선.

かんじょう【艦上】-jō 名 함상.

がんしょう【岩漿】-shō 名 地 암장(マグマ(＝마그마)의 구칭).

がんしょう【岩礁】-shō 名 암초.

がんじょう【頑丈・岩乗・岩畳】-jō 名 ダナ 튼튼하고 아기참 ; 옹골참. ¶〜な建物もの 튼튼한 건물 / 〜なからだ 튼튼한 몸.

かんしょく【官職】-shoku 名 관직.

かんしょく【感触】-shoku 名 감촉 ; 촉감.

かんしょく【寒色】-shoku 名 한색.

かんしょく【寒色】-shoku 名 한색 ; 추운 느낌을 주는 색.　「간색.

かんしょく【間色】-shoku 名 잔색 ; 추

かんしょく【間食】-shoku 名 又自 간식. 〜はおやつ.

かんしょく【閑職】-shoku 名 한직. ↔激職げき【重職じゅう】.

がんしょく【顔色】-shoku 名 안색. ＝かおいろ.　──なし【──無し】 (완전히 압도되어) 무색하다 ; 파랗게 질리다. 〜する(感).

***かん-じる**【感じる】上1自他 ＝かんずる(感).

かんしん【奸臣・姦臣】名 간신.

かんしん【寒心】名 한심하게 여김 ; 오싹함 ; 걱정스러움. ¶〜にたえない 한심하기 짝이 없다.

***かんしん**【感心】─ 名 又自 감심 ; 감탄. ¶どうも〜しない 아무래도 탐탁치 않다. □ダナ 기특함. ¶〜な生徒せいと 기특한 학생.

かんしん【歓心】名 환심. ──を買かう 환심을 사다.

***かんしん**【関心】名 관심. ¶〜に〜をもつ …에 관심을 갖다 / 〜が高たかまる 관심이 높아지다.　──じ【──事】名 관심사.

かんじん【勧進】名 又他 佛 권진 ; 권화(勸化). ①중생에게 불도를 권하여 선도함. ②절이나 불상의 수리를 위하여 모금함.　──ちょう【──帳】-chō 名 권화를 위해 모금을 적어서 기부를 모으는 장부.　──もと【──元】名 발기해서 주선하는 사람 ; 권진을 위한 씨름 대회나 연극의 흥행주.

***かんじん**【肝心・肝腎】名乙 (가장) 긴요(중요)함. ¶〜な事柄ことがらを忘れわすれる 가장 중요(요긴)한 일을 잊어버리다.　──かなめ【──要】連語 가장 중요(요긴)한 것 ; 핵심.

かんじん【閑人】名 한인 ＝ひまじん. ¶〜の寝言ねごと 한가한 사람의 잠꼬대.

かんすい【完遂】名 又他 완수. ¶責任せきにんを〜する 책임을 완수하다.

かんすい【冠水】名 又自 관수 ; (홍수로 인한 논밭의) 침수.

かんすい【灌水】名 又自 관수 ; 물을 댐 ; 물을 뿌림.

かんすい【鹹水】名 함수 ; 짠물 ; 바닷물. ↔淡水たんすい.　──こ【──湖】名 함수호 ; 염호(塩湖).　──ぎょ【──魚】-gyo 名 함수어 ; 바닷물고기.

がんすいたんそ【含水炭素】名 化 함수 탄소(炭水化物たんすいかぶつ(＝탄수화물)의 구칭).

かんすう【関数・函数】-sū 名 数 함수. 注意「関数」로 씀은 대용 한자.

かんすう【巻数】-sū 名 권수.

かんすうじ【漢数字】-sūji 名 한수자 (一·二·百 따위). ↔アラビア数字すうじ.

かん-する【冠する】サ変他 (머리에) 쓰다 ; 씌우다.

かん-する【関する】サ変自 관(冠)하다 ; 전하여, 관례(冠禮)를 하다.

かん-する【姦する】サ変他 (여자를) 범하다.

かん-する【燗する】サ変他 (술을) 데우다.　「다.

***かん-する**【関する】サ変自 ①관계하다. ¶われ…・せず 오불관언(吾不關焉) ; 나는 상관하지 않는다. ②〈…の형으로〉…에 관계가 있다. ⓑ…을 대상으로 하다 ; …에 관한 것이다. ¶教育きょういくに〜して発言はつげんする 교육에 관하여 발언하다 / 君きみの名誉めいよに〜 너의 명예에 관계된다.

かん-ずる【感ずる】サ変自他 ①느끼다. ¶〜所ところあって 느낀 바 있어 / 興味きょうみを〜 흥미를 느끼다 / 恩おんを〜 은혜를 느끼다 / 敵意てきいを〜 적의를 느끼다 (못다). ②감동하다. ¶意気いきに〜 의기에 감동하다. ③(자극을 받아) 반응하다. ¶印画紙いんがしは光ひかりに〜 인화지는 빛에 감응한다.

かん-ずる【観ずる】サ変自 ①깊이 생각한 끝에 인생의 진리를 터득하다 ; 깨닫다. ¶人生じんせいの無常むじょうを〜 인생의 무상함을 깨닫다. ②체념하다. ¶結局けっきょく人生じんせいは夢ゆめだと〜 결국 인생이란 꿈이라고 체념하다.

かんせい【歓声】名 환성 ; 환호성. ¶〜をあげる 환성을 지르다.

かんせい【喊声】名 함성 ; 고함 소리. ¶〜をあげる 함성을 지르다.

かんせい【喚声】名 함성 ; 고함 소리.

***かんせい**【完成】名 又自他 완성. ¶〜を急いそぐ 완성을 서두르다.

かんせい【官制】名 관제. ¶〜改革かいかく 관제 개혁.

かんせい【官製】名 관제. ¶〜はがき 관제 엽서. ↔私製しせい.

かんせい【感性】名 감성. ¶刺激しげきに〜 자극 감성.

かんせい【乾性】名 건성. ↔湿性しっせい.　──ゆ【──油】名 건성유.

かんせい【慣性】名 理 관성 ; 타성. ＝惰性だせい.

かんせい【管制】名 又他 관제. ¶報道ほうどう〜 보도 관제. ──とう【──塔】-tō 名 관제탑. ＝コントロールタワー.

かんせい【閑静】名 ダナ 한정 ; 조용함 ; 고요함. ¶〜なすまい 조용한 주거(住居). ↔喧噪けんそう.

かんせい【陥穽】名 함정. ＝おとし穴あな. ¶〜に落おちる 함정에 빠지다.

かんぜい【関税】名 관세. ¶〜をかけ

る 관세를 과하다.
がんせい [眼睛] 图 ①안정; 눈동자. ② 안구; 눈알.　　　　　 └안정 피로.
がんせいひろう [眼精疲労] -rō 图【醫】
かんぜい [漢籍] 图 한적; 한서(漢書).
がんせき [岩石] 图 암석.
かんせつ [関節] 图【生】관절; 뼈마디. ¶～炎涤 관절염 / ～をくじく 관절을 삐다.
かんせつ [環節] 图【動】환절. ¶～動物狀 환형[환절] 동물.
＊かんせつ [間接] 图 ダ ナ 간접. ↔直接 ^{50}. ──しょうめい [──照明] -shō-mei 图 간접 조명. ──しょうめい [──証明] -shōmei 图 간접 증명. ──ぜい [──税] 图 간접세. ──せんきょ [──選挙] -kyo 图 간접 선거. ──てき [──的] 图 ダ ナ 간접적. ──わほう [──話法] -hō 图 간접 화법.
がんぜな・い [頑是無い] 形 어려서 분별이 없다; 철이 없다.
かんぜより [観世縒] 图 지노; 종이 노끈. =こより.　　　　　 └버짐.
かんせん [乾癬] 图【漢醫】건선; 마른
かんせん [官撰] 图 ㋨他 관찬; 정부에서 편수함; 또, 그 서적.
かんせん [官選] 图 ㋨他 관선; 정부에서 뽑음. ↔民選毳; 私選毳. ¶～べんごにん [──弁護人] 관선 변호인('国選毳弁護人(=국선 변호인)'의 구칭).
かんせん [幹線] 图 간선. =本線毳. ¶～どうろ [──道路] 간선 도로. ↔支線毳.
＊かんせん [感染] 图 ㋨自 감염; 물듦.
かんせん [汗腺] 图 한선; 땀샘.
かんせん [汗戦] 图 ㋨自 ¶～官毳 관전 무관 / ～記* 관전기.
かんせん [艦船] 图 함선.
＊かんぜん [完全] 图 ダ ナ 완전. ¶～に失敗する 완전히 실패하다 / ～を期する 완전을 기하다. ──こよう [──雇用] -yō 图 완전 고용. ──しあい [──試合] 图【野】완전 시합; 퍼펙트 게임. ──はんざい [──犯罪] 图 완전 범죄. ──むけつ [──無欠] 图 ダ ナ 완전 무결.
かんぜん [敢然] 副 タ ル 감연(히). ¶～(と)難局毳に当たる 감연히 난국에 대처하다.
かんぜん [間然] 图 ¶～する所* がない 험잡을 데가 없다.
がんぜん [眼前] 图 안전; 눈앞.
かんぜんちょうあく [勧善懲悪] -chō-aku 图 권선 징악.
かんそ [簡素] 图 ダ ナ 간소. ¶～な生活^{50} 간소한 생활.
がんそ [元祖] 图 원조; 창시자.
かんそう [完走] -sō 图 ㋨自 완주.
＊かんそう [乾燥] -sō 图 ㋨自他 건조. ¶無味ザ～ 무미 건조 / ～剤ホ 건조제.
かんそう [乾草] -sō 图 건초.
＊かんそう [感想] -sō 图 감상. ¶～文ザ 감상문.
かんそう [観相] -sō 图 ㋨自他 관상.
かんそう [間奏] -sō 图 간주. ¶～きょく [──曲] -kyoku 图【樂】간주곡.
かんそう [歓送] -sō 图 ㋨他 환송. ¶

──会^{50} 환송회. ↔歓迎^{50}.
かんぞう [甘草] -zō 图【植】감초. = あまくさ.　　　　　 └추리.
かんぞう [萱草] -zō 图【植】훤초; 원
かんぞう [肝臓] -zō 图【生】간장. ¶～病^{50} 간장병.　 └치질함. うがい.
がんそう [含嗽] 图 ㋨自 함수; 양치질.
がんぞう [贋造] -zō 图 ㋨他 안조; 위조. =偽造^{50}. ¶～紙幣^{50} 위조 지폐.
＊かんそく [観測] 图 ㋨自他 관측. ¶天体 ^{50}～ 천체 관측 / 希望的勞な～ 회망적 관측.　　　　　 └리.
かんそく [雁足] 图【植】청나래고사
かんそん [寒村] 图 한촌.
かんそんみんぴ [官尊民卑] -mimpi 图 관존 민비.
カンタータ 图【樂】칸타타; 교성곡(交聲曲). ▷이 cantata.
カンタービレ 图【樂】칸타빌레('노래하듯 〈곱게〉'의 뜻). ▷이 cantabile.
かんたい [寒帯] 图 한대. ↔熱帯毳;温帯^{50}.
かんたい [歓待・款待] 图 ㋨自他 환대(함) / 관대(함). ¶客*を～する 손님을 환대하다.
かんたい [緩怠] 图 ①태만; 소홀. ②과실; 실수. =おち. ③무례; 실례. ¶～至極怳 무례 막심.
かんたい [艦隊] 图 함대.
＊かんだい [寛大] 图 ダ ナ 관대. ¶～な処置^{50} 관대한 조치. ↔冷酷^{50}.
がんたい [眼帯] 图 안대.
かんだかい [かん高い] [甲高い・疳高い] 形 새되다.　　　　　 └간척지.
かんたく [干拓] 图 ㋨他 간척. ¶～地^{50}
がんだて [願立て] [老] 발원(發願). =願がけ.
がんだれ [雁垂れ] 图 한자 부수의 하나; 민엄호밑('厚''原' 등의 '厂'의 이름).
かんたん [感嘆・感歎] 图 ㋨自 감탄. ──し [──詞] 图【文法】감탄사. =感動詞 ^{んどう}.
かんたん [肝胆] 图 간담. ¶～相照 ^{50} らす 서로 마음을 터놓고 사귀다. ¶～を砕*く 고심 진력하다(=노심 초사하다).
＊かんたん [簡単] 图 ダ ナ 간단. ¶～な問題毳(しかし) 간단한 문제[문제] / 食事ザ を～にすます 식사를 간단히 끝내다. ↔複雑毳.
かんたん [邯鄲] 图【蟲】진꼬리.
かんたん [邯鄲] 图 한단(옛 중국의 지명). ¶～の夢* 連語 한단 지몽; 황량몽(黃粱夢).
かんだん [寒暖] 图 한란; 추위와 따뜻함. ¶～けい [──計] 图 한란계. =温度計怳.
かんだん [歓談・款談] 图 ㋨自 환담.
かんだん [閑談] 图 ㋨自 한담. =閑話 ^{50}.
かんだん [間断] 图 ¶～なく 간단 없이.
＊かんたん [元旦] 图 원단; 설날 (아침). =元日毳.
かんち [完治] 图 ㋨自 완치. =かんじ.
かんち [感知] 图 ㋨他 감지. ¶計画 毳を～する 계획을 감지하다 / 火災 ^{50}～装置毳 화재 감지 장치.
かんち [関知] 图 ㋨自 관지; 관여. ¶～するところでない 관여할 바 아니다

〔못 되다〕.　　　　　　　〔토.=かえ地.

かんち【換地】 图 ㅈ他 환지；대토；환지. ①한국에 땅；공지. ②비어 있는 땅；공지. ③한가한 지위；한직. ¶～に就つく 한직을 맡다.

かんちがい【勘違い】 图 ㅈ自 착각；잘못 생각함. =思おもいちがい.

かんちく【寒竹·漢竹】 图【植】한죽；설죽(雪竹). ↔寒竹かんちく.

がんちく【含蓄】 图 ㅈ他 함축. =ふくみ. ¶～のあることば 함축성 있는 말.

かんちゅう【寒中】 -chū 图 한중；소한(小寒) 초부터 대한(大寒) 끝까지의 사이(약 30 일간). =かんのうち.

がんちゅう【眼中】 -chū 图 안중. ¶～にない 안중에 없다〔문제시하지 않다〕. ——人ひとなし 안하 무인(無人)；방약(傍若) 무인.　　　　　　　〔所あ.

* **かんちょう**【官庁】 -chō 图 관청. ↔役

かんちょう【干潮】 -chō 图 간조；설물. =ひきしお.　　　　　〔満潮まんちょう.

かんちょう【浣腸·灌腸】 -chō ㅈ他【醫】관장. ¶滋養じよう～ 자양 관장.

かんちょう【管長】 -chō 图 관장〔神道しんとう나 불교 계통의 종교 단체에서 한 종파를 관리하는 우두머리〕.

かんちょう【間諜】 -chō 图 간첩；스파이. =まわしもの.

かんちょう【館長】 -chō 图 관장.

かんちょう【艦長】 -chō 图 함장.

がんちょう【元朝】 -chō 图 원조；설날 아침. =元旦がんたん.

かんつう【姦通】 -tsū 图 ㅈ自 간통.

かんつう【貫通】 -tsū 图 ㅈ他 관통. ¶トンネルの～ 터널의 관통／～銃창じゅう 관통 총창.

カンツォーネ -tsōne 图【樂】칸초네〔민요풍의 가요곡〕. ▷canzone.

かんづく【感づく】【勘付く】 5自 알아차리다；낌새 채다.

かんつばき【寒つばき】【寒椿】 图【植】겨울철에 피는 동백꽃.

* **かんづめ**【缶詰め】-zume 图 ①통조림. ②협소한 장소에 (많은) 사람을 가두고 외부와의 접촉을 단절함.

かんてい【官邸】 图 관저. ¶首相しゅしょう～ 수상 관저. ↔私邸してい.

かんてい【艦艇】 图 함정.

かんてい【鑑定】 图 ㅈ他 감정；매김. ¶宝石ほうせきの～ 보석 감정.

がんてい【眼底】 图 안저. ¶～出血しゅっけつ 안저 출혈.

かんてつ【貫徹】 图 ㅈ他 관철. ¶初志しょしを～する 초지를 관철하다.

カンテラ 图 칸텔라〔휴대용 석유등〕. ▷네 kandelaar.　　　　　　　〔②우무.

かんてん【寒天】 图 ①겨울 하늘. ②

かんてん【干天·旱天】 图 한천；가무는 날씨. ——の慈雨じう ①한천의 감우；가뭄에 오는 비. ②곤란할 때의 도움.

* **かんてん**【観点】 图 관점. =見地けんち·見みかた. ¶この～から考かんがえると／이 관점에서 생각하면／～が違ちがえば解釈かいしゃくもちがってくる 관점이 다르면 해석도 달라진다.

かんでん【感電】 图 ㅈ自 감전. ——し【——死】 图 ㅈ自 감전사.

かんち【乾電池】 图 건전지.

かんと【官途】 图 관도；벼슬길. ¶～に

つく 벼슬길에 오르다.

かんど【感度】 -do 图 감도. ¶～のいいラジオ 감도가 좋은 라디오.

かんど【漢土】 图 한토；중국.

かんとう【巻頭】-tō 图 권두. ¶～論文ろんぶん 권두의 논문. ↔巻末かんまつ·巻尾かんび. ——げん【——言】 图 권두언〔잡지나 회보 따위의〕 머리말.

かんとう【官等】-tō 图 관등；관직(官職)의 등급.　　　　　　　　　　〔투.

かんとう【完投】-tō 图 ㅈ自【野】완

かんとう【間投】-tō 图 사이에 낌. ——じょし【——助詞】-joshi 图【文法】간투 조사；문절 (文節)의 단락에 삽입하여 감정을 나타내는 조사〔文語에서는 'し·や·を', 口語에서는 'な·ね' 따위〕.

かんとう【敢闘】-tō 图 ㅈ自 감투. ¶～賞しょう【精神せいしん】 감투상〔정신〕.

かんとう【関頭】-tō 图 관두；갈림길. ¶生死せいしの～に立たつ 생사의 갈림길에 서다.

かんとう【関東】-tō 图【地】東京とうきょう 지방의 일컬음；특히 東京·茨城いばらき·栃木とちぎ·群馬ぐんま·埼玉さいたま·千葉ちば·神奈川かながわの 1 도(都) 6 현으로 이루어지는 지방. ↔関西かんさい.

かんどう【勘当】-dō 图 ㅈ他 의절(義絶)〔못된 짓을 하여서 부모나 스승이 자식 또는 제자와의 인연을 끊음.

* **かんどう**【感動】-dō 图 ㅈ自 감동. ¶深ふかい～を受うける 깊은 감동을 받다. ——し【——詞】 图【文法】감동사；감탄사. =感嘆詞かんたんし·間投詞かんとうし.

がんとう【岩頭·巌頭】-tō 图 암두；바위 위；바윗가.

がんどう【龕灯】-dō 图 ①불단(佛壇)의 등롱. ②→がんどうぢょうちん. ——がえし【——返し】 图 (연극에서) 장면 변환 장치. ——ぢょうちん【——提灯】-jōchin 图 초롱의 하나〔구리나 생철로 종 모양의 울을 만들어 앞만 비추게 되어 있음〕.

かんとく【感得】 图 ㅈ他 감득. ¶真理しんりを～する 진리를 감득하다.

* **かんとく**【監督】 图 ㅈ他 감독. ¶～官庁かんちょう 감독 관청／映画えいがの～ 영화 감독.

かんどころ【勘どころ】【勘所·甲所·甲処】 图 ①【樂】현악기에서 일정한 음 (音)을 내기 위하여 손가락 끝으로 현을 누르는 곳. ↔つぼ. ②【肝所】 급소；요소. ¶～を逃のがさない 요점을 놓치지 않다. ——をおさえる 〈사물의〉 급소를 누르다.

がんとして【頑として】 連語 副詞적으로》 막무가내로；완강히. ¶～受うけつけない 막무가내로 받아들이지 않다. 參考 뒤에 부정의 말이 따름.

かんな【鉋】 图 대패. ¶～屑くず 대팻밥／～をかける 대패질을 하다.

カンナ【甘菜】 图 칸나. ▷canna.

かんない【管内】 图 관내.

かんない【艦内】 图 함내.　　　　　　〔월.

かんなづき【神無月】 图【雅】음력 10

かんなめさい【神嘗祭】 图 10월 17일

天皇ﾃﾝﾉｳ가 햅쌀을 伊勢ｲｾ 신궁(神宮)에 천신(薦新)하는 제사.；しんじょうさい.

かんなん [艱難] 图 간난.＝難儀ﾅﾝｷﾞ.¶─辛苦ｼﾝｸ 간난 신고.─汝ﾅﾝｼﾞ를 玉ﾀﾏに す 사람은 많은 고난을 겪어야 비로소 훌륭한 사람이 된다.

かんにち [韓日] 图 한일；한국과 일본.¶─辞典ｼﾞﾃﾝ.＝にっかん.

かんにゅう [貫乳・貫入] -nyū 图 도자기의 유약 부분에 생기는 가는 금.

かんにゅう [嵌入] -nyū 图ス自他 감입；박아 넣음；박음；박임.¶じょ.

かんにょ [官女] -nyo 图 궁녀.＝かん じょ.

かんにん [堪忍・勘忍] 图ス自他 ①참고 견딤；인내.②화를 참고 용서함；남의 과실을 용서함.＝勘弁ｶﾝﾍﾞﾝ.¶─ぶくろ〔──袋〕 图 참고 견디는 도량.¶─の 緒ｵ가 切ｷれる〔더는 못 참고〕울화통이 터지다.

カンニング 图 커닝；시험 때의 부정 행위.▷일 cunning.

かんぬき [閂] 图 ①빗장；장군목.¶─をさす〔かける〕 빗장을 걸다.②〔씨름에서〕 상대편의 두 겨드랑이를 위에서 껴안고 세게 조르기.¶─に 서로 머리를 맞대 우두머리.

かんぬし [神主] 图 신사(神社)의 신관(神官)；또, 그 우두머리.

かんにん [奸佞・姦佞] 图子 간녕.

＊かんねん [観念] ──图ス自他 각오(覚悟)；단념.¶─しろ 단념〔각오〕해라／死ｼんだものと──する 죽은 것으로 단념하다.──②图 관념.①固定ｺﾃｲ……──고정 관념／誤ﾏｶﾞった──をいだく 그릇된 관념을 갖다.──のほぞをかためる 이제 그만이라고 각오(체념)하다.──てき〔──的〕 ﾀﾞﾅ 관념적.──ろん〔──論〕 图〔哲〕관념론.＝実在論ｼﾞﾂｻﾞｲﾛﾝ.②비현실적인 생각(이론).

がんねん [元年] 图 원년；연호의 첫해.¶昭和ｼｮｳﾜ──昭和 원년.¶け.

かんのあけ [寒の明け] 图 ☞かんあ

かんのいり [寒の入り] 图 한중(寒中)철로 접어 듦；또, 소한(小寒)(양력 1월 6-7일).

かんのう [堪能] -nō 子─ (어떤 방면에) 숙달함；잘 감당할 재능이 있음.＝じょうず.參考 통속적으로 'たんのう'라고도 함.

かんのう [官能] 图 ①感官ﾉ 기능.＝感觉ｶﾝｶｸ.②〔障害ｼｮｳｶﾞｲ의 障害ｼｮｳｶﾞｲ〕 관능의 장애／─的 관능적／─にうったえる 관능에 호소하다.

かんのう [完納] -nō 图ス他 완납.

かんのう [感応] -nō 图ス自他 감응.¶─コイル 감응 코일；유도 코일／神仏ｼﾝﾌﾞﾂ이─する 신불이 감응하다(소원을 들어 주다).

かんのう [間脳] -nō 图〔生〕 간뇌.

かんのむし [疳の虫・癇の虫] 图 감병(疳病) 또는 짜증의 원인으로 생각되었던 벌레；또, 감병；짜증.¶─がおこる 짜증이 나다.

かんのん [観音] 图 ①〔佛〕 관음('観世音ｶﾝｾﾞｵﾝ의 준말).②〔俗〕 蠱ﾆ 이.＝しらみ.──びらき〔──開き〕 좌우 여닫이의 문；또, 그렇게 여는 방식.

かんば [悍馬・駻馬] kamba 图 한마；사나운 말.＝あらうま・あばれうま.

かんば [汗馬] kamba 图『─の労ﾛｳ』 한

마지로(之勞)；싸움터에서의 공로.

かんば [寒波] kampa 图 한파.¶─の 襲ｵｿ하ﾗｲ 한파의 내습.

かんぱ [看破・観破] kampa 图ス他 간파.¶悪ﾜﾙだくみを~する 나쁜 계략을 간파하다.

カンパ kampa 图ス他；캄파；대중에 호소하여 운동 자금을 모음；또, 그 자금.▷러 kampaniya.

かんばい [寒梅] 图 한매；한중(寒中)에 피는 매화.

かんばい [完敗] 图ス自 완패.◆完勝ｶﾝｼｮｳ.

＊かんぱい [乾杯・乾盃] kampai 图ス自 건배；축배.¶成功ｾｲｺｳを祝ｲﾜ って~する 성공을 축하하여 축배를 들다.

かんぱく [関白] kampa- 图〔史〕 관백；중고(中古) 시대에 天皇ﾃﾝﾉｳ를 보좌하여 정무를 총리하던 중직(重職).②위력이나 권력이 강한 자의 비유.¶亭主ﾃｲﾕ─ 남편이 집안에서만 위세를 부림；또, 그 남편.

かんばし-い [芳しい] kambashi 圈 ①향기롭다.②훌륭하다；좋다.¶─成績ｾｲｾｷでない 훌륭한 성적이 못 된다(성적이 나쁘다)／~くないうわさ 좋지 않은 소문.注意 是는 보통 뒤에 否定의 말을 수반함.

かんばせ [顔・顔容] kamba- 图 ①안색；얼굴빛；용모.¶花ﾊﾅの~ 꽃 같은 얼굴.②체면；면목.

かんばつ [旱魃・干魃] kamba- 图 한발.＝ひでり.

かんばつ [間伐] kamba- 图ス他 간벌.¶木ｷ를 베기.＝すかしぎり.

かんぱつ [煥発] kampa- 图ス自 환발；빛나게 나타남.¶才気ｻｲｷ~ 재기가 넘쳐 흐름.

かんはつをいれず [間髪を入れず] 連語 즉각；지체없이.¶pany.

カンパニー 图 컴퍼니；회사.▷com-

がんばり [頑張り] 〔頑張(り)〕 gamba- 图 끝까지 버팀；분발함.

がんばりズム [頑張りズム] gamba- 图〔俗〕 맹렬히 노력하는 주의.

＊がんば-る [頑張る] 〔頑張る〕 gamba- 图 5 ①강경히 버티다；우기다.②참고 계속 노력하다；견인 발분(堅忍発憤)하다.¶徹夜ﾃﾂﾔで~ 철야로 견디며 발분하다.③버티(고 서)다.¶入ｲﾘ口ｸﾞﾁに 警官ｹｲｶﾝが~っている 입구에 경관이 버티고 있다.

＊かんばん [看板] kamban 图 ①간판.¶~を出ﾀﾞﾜ 간판을 내걸다／慈善ｼﾞｾﾞﾝ을 ~にして 자선이란 이름〔간판〕을 내걸고.②가장 잘하는 것.③(음식점 등이) 그 날의 영업을 마침；폐점.¶もう~だ 이제 폐점(시간)이다.──だおれ〔──倒れ〕 겉만 번지레하고 실속은 없음；굴퉁이.

かんばん [乾板] kampan (사진의) 건판.¶ッキ.

かんばん [甲板] kampan 图 갑판.＝デ

かんパン〖乾パン〗〔乾麵麭〕kampan 名
전빵. ＝かたパン. ▷포 pāo.

がんばん〖岩盤〗gamban 名 암반.

かんび〖完備〗kambi 名 ス自他 완비.
¶冷房が〜 냉방 완비. ↔不備ふび.

かんび〖甘美〗kambi ダナ 감미. ¶〜
な音楽おんがく 감미로운 음악.

かんび〖巻尾〗kambi 名 권미;책의 끝.
＝巻末かんまつ.↔巻頭かんとう.

かんび〖官費〗kampi 名 관비.＝国費
こくひ. ¶〜留学りゅうがく 관비 유학.↔私費しひ.

がんぴ〖雁皮〗gampi 名〔植〕안피나
무. ——し〔——紙〕안피지.

*__かんびょう__〖看病〗kambyō 名 ス他 간
병;병구완;간호. ¶病人びょうにんを〜する
병자놀이를 하다.

かんぴょう〖干瓢·乾瓢〗kampyō 名 박
고지;오가리.

がんびょう〖眼病〗gambyō 名 눈병;안
질.

*__かんぶ__〖幹部〗kambu 名 간부.

かんぶ〖官武〗kambu 名 문관과 무관.

かんぶ〖患部〗kambu 名 환부.

かんぷ〖乾布〗kampu 名 건포;마른 형
겊. ¶〜摩擦まさつ 건포 마찰.

かんぷ〖姦夫〗kampu 名 간부;샛서방.

かんぷ〖姦婦〗kampu 名 간부;간통한
여자.

かんぷ〖完膚〗kampu 名 완부;흠이 없
는 피부;결점이나 흠이 없는 곳. ——な
きまでに 철저히.

かんぷ〖還付〗kampu 名 ス他 환부. ¶
〜金きん 환부금.

かんぷう〖完封〗kampū 名 ス他 완봉. ¶
〜勝かち〔野〕완봉승.

かんぷう〖寒風〗kampū 名 한풍;찬 바
람. ¶〜に服ふくされ 服ふく.

かんぷく〖官服〗kampuku 名 관복.↔私
服しふく.

かんぷく〖感服〗kampuku 名 ス自 감복.
¶〜の至いたりだ 지극히 감복했다.

かんぶつ〖乾物〗kambutsu 名 건물;마른
식품. ¶〜物屋や.

かんぶつ〖官物〗kambutsu 名 관물.↔私
物しぶつ.

かんぶつえ〖灌仏会〗kambutsue 名〔佛〕
불회(석가 탄일에 불상에 감차(甘茶)
를 뿌리는 불공). ＝花はなまつり.

カンフル 名 ①〔藥〕캠퍼(장뇌제의 하
나;정제된 장뇌액(樟腦液)). ¶〜注
射しゃ 캠퍼 주사. ②쇠약한 것에 다시 힘
을 주는 것. ▷네 Kamfer.

かんぶん〖漢文〗kambun 名 한문.↔和
文わぶん. ——くんどく〔——訓読〗名 한문
을 일본어 문법에 따라 일본어로 읽는
것. ↔棒ぼうよみ.

かんぷん〖感奮〗kampun 名 ス自 감분.
¶〜興起こうきする 감분 흥기하다.

かんぺい〖観兵〗kampei 名 ス自他 관
병;열병. ——しき〔——式〗名 열병식.

かんぺき〖完璧〗kampe- ダナ 완
벽. ＝完全無欠むけつ. ¶〜を期きする
완벽을 기하다.

がんぺき〖岸壁〗gampe- 名 안벽.①강
가의 벽. ②선박을 대기 위해 시설
한 계선안(繫船岸).

がんぺき〖岩壁〗gampe- 名 암벽;바위
낭떠러지.

かんべつ〖鑑別〗kambe- 名 ス他 감
별. ¶ひよこの雌雄しゆうを〜する
＝めきき. ¶ひよこの雌雄しゆうを〜
する 병아리의 암수를 감별하다.

*__かんべん__〖勘弁〗kamben 名 ス他 용서

함. ＝堪忍かんにん. ¶〜して下ください 용서
해 주십시오. 参考 본디 뜻은 생각하
여서 분별함.

かんべん〖簡便〗kamben 名 ダナ 간편.
¶〜な方法ほうほう 간편한 방법.

かんぺん〖官辺〗kampen 名 관변;정부
관계;관청 방면. ——すじ〔——筋〗名
관변측;정부 관계 사람들.

かんぽ〖簡保〗kampo 名 ‘簡易保険ほけん
(＝간이 보험)’의 준말.

かんぼう〖官房〗kambō 名 관방.①정부
의 부국(部局)의 하나(장관에 직속하
여 기밀 사항·인사·관인 보관·문서·회
계·통계 따위의 총괄적 사무를 담당하
는 기관). ——ちょうかん〔——長官〗
-chōkan 名 ‘内閣ないかく官房長官(＝내각
관방 장관)’의 준말.

かんぼう〖感冒〗kambō 名 감모;감
기. ＝かぜ.

かんぼう〖監房〗kambō 名 감방.

かんぼう〖観望〗kambō 名 ス他 관망.
¶形勢けいせいを〜 형세 관망.

かんぼう〖漢方〗kambō 名 한방. ¶〜
薬やく 한방약;한약.

かんぽう〖鑑砲〗kampō 名〔軍〕함포.
¶〜射撃しゃげき 함포 사격.

がんぼう〖願望〗gambō 名 ス他 원망;
소원. ¶〜を達たっする 소원을 이루다.

かんぼく〖灌木〗kamboku 名 관목(‘低木
ていぼく’의 구칭). ＝喬木きょうぼく.

かんぼつ〖陷没〗kambotsu 名 ス自 함몰;
땅이 꺼짐;빠짐. ＝隆起りゅうき.

かんぽん〖完本〗kampon 名 완본. ↔欠
本ぼん·端本はほん·零本れいほん.

がんぽん〖元本〗gampon 名 ①원금(元
金)·밑천. ②원본;이익이나 수입(収
入)의 기초가 되는 재산 또는 권리(셋
집·공사채·주권·예금·저작권 따위).

ガンマせん〖ガンマ線〗gamma- 名〔理〕
감마선. ▷ Γγ.

かんまつ〖巻末〗kamma- 名 권말. ¶
〜の付録ふろく 권말의 부록. ↔巻頭かんとう.

かんまん〖干満〗kamman 名 간만. ¶
〜の差さ＝みちひ 간만의 차가 크다.

かんまん〖緩慢〗kamman ダナ 완만.
①너그러움;엄하지 않음. ②느릿느릿
함;활발하지 못함. ¶〜な動作さ 완만
한 동작.

かんみ〖甘味〗kammi 名 감미;단맛;
또, 단맛의 식품. ——りょう〔——料〗
-ryō 名 감미료. 〔玩味〕.

がんみ〖玩味〗gammi 名 ス他 = がんみ.

がんみ〖含味〗gammi 名 ス他 완미. ①
음식물을 잘 섞어 맛봄. ②음미. ¶熟
読じゅくどく〜 숙독 음미.

かんみん〖官民〗kammin 名 관민. ¶
〜一致いっち 관민 일치.

かんむり〖冠〗kammu- 名 ①관. ②한
자의 윗머리(草そうかんむり(＝초두)·竹
たけかんむり(＝대죽머리) 따위). ③－
おかんむり. ——を曲まげる 지르퉁(부
루퉁)해 하다;외고집을 부리다.

かんめ〖貫目〗kamme 名 ①무게. ¶
〜をはかる 무게를 달다. ②척관법(尺
貫法)의 무게의 단위. ¶一ひと〜 한 관.
③＝めい.

かんめい〖官名〗kammei 名 관명;관직.

かんめい〖感銘·肝銘〗kammei 名 ス自

か

감명. ¶~をうける 감명을 받다.

かんめい【簡明】kammei 名 ナ 간명; 간단 명료. ¶~な説明苺 간명한 설 명.

がんめい【頑迷】(頑冥) gammei 名 ナ 완미; 완명. ¶～固陋½ 완미 고루.

がんめん【顔面】gammen 名 안면; 얼굴. ¶～蒼白ৡ 안면 창백.

かんもく【完黙】kammo- 名 '完全ৡ秘㊀(=완전 묵비)'의 준말.

がんもく【眼目】kammo- 名 안목; 주안; 요점. ¶話ৡの～ 이야기의 요점.

がんもどき【雁擬き】gammo- 名 料 유부의 한 가지; 두부 속에 잘 다진 야 채·다시마 등을 넣어 기름에 튀긴 것.

かんもん【喚問】kammon 名 ス他 환문. ¶証人ৢを～ 증인 환문.

かんもん【関門】kammon 名 ①관문. ¶出世ৡ의第一~ 출세의 첫 관문. ②地 下関ৡの門司区. ¶ ～海峡苺½ 관門 해협.

がんもん【願文】gammon 名 (신불에게 기원하는) 기원문.

かんやく【完訳】名 ス他 완역. =全訳
ৢ.↔抄訳ৢ.

かんやく【簡約】名 ス他 ナ 간약.

がんやく【丸薬】名 환약; 알약.

かんゆ【肝油】名 간유.

***かんゆう**【勧誘】-yū 名 ス他 권유. ¶ 入会ৡ½を～する 입회를 권유하다.

かんゆう【官有】名 관유. ¶～林ৢ 관유림. ↔民有ৢ.

がんゆう【含有】名 ス他 함유. ¶ ～量ৢ 함유량.

かんよ【関与・干与】名 ス自 관여. ¶国 政ৢ½に～する 국정에 관여하다. 注意 '干与'로 씀은 대용 한자.

かんよう【官用】-yō 名 관용.

かんよう【寛容】名 ナ 관용. ↔ 狭量ৢ.

かんよう【涵養】-yō 名 ス他 함양. ¶道 德心ৢ½を～する 도덕심을 함양하다.

かんよう【慣用】名 ス他 관용. ── 音ৢ 관용음. ──く【──句】名 관 용구.=イディオム. ──ご【──語】名 言 관용어.

かんよう【肝要】-yō 名 ナ 간요; 긴요. =かんじん.

かんようしょくぶつ【観葉植物】kanyō- sho- 名 관엽 식물.

***かんらい**【元来】副 원래. =もともと. ¶～正直ৡな人 원래 정직한 사람.

がんらいこう【雁来紅】-kō 名 植 ☞ はげいとう.

かんらかんら 副 호걸 등이 큰 소리로 웃는 소리: 껄껄껄껄. 「락가.

かんらく【歓楽】名 환락. ¶～街ৡ 환락가.

かんらく【陥落】名 ス自 함락. ¶地盤 ৢんの～ 지반의 함몰 / くどいて～させ る 설득해서 함락시키다(승낙을 받 다) / 敵城ৢが～された 적의 성이 함 락되었다.

かんらん【寒蘭】名 植 한란.

かんらん【橄欖】名 植 감람나무.

かんらん【甘藍】名 植 ☞ キャベツ.

かんらん【観覧】名 ス他 관람. ¶～料

***かんり**【官吏】名 관리('国家ৢৢ公務員 ৢ½(=국가 공무원)'의 구칭). =役人

「관리함.

かんり【監理】名 ス他 관리; 감독하고

***かんり**【管理】名 ス他 관리. ¶品質 ৢ～ 품질 관리 / 財産ৢ½～ 재산(의) 관리 / アパートの～人ৢ 아파트의 관 리인 / 業務ৢ½を～する 업무를 관리 하다.

かんり【元利】名 원리. ¶～合計ৢ 원 리 합계.

がんりき【眼力】名 안력; 사물을 분별 하는 힘.

かんりつ【官立】名 관립. 参考 현재는 '国立ৢ(=국립)'라고 함. ↔私立ৢ.

***かんりゃく**【簡略】-ryaku 名 ナ 간 략. ¶～な記事ৢ 간략한 기사. ↔煩雑 ৢ·繁雑ৢ.

かんりゅう【乾留】(乾溜) -ryū 名 ス他 化 건류. =蒸留ৢ.

かんりゅう【寒流】-ryū 名 한류. ↔暖 流ৢ. 「꿰뚫고 흐름.

かんりゅう【貫流】-ryū 名 ス自 관류;

かんりゅう【還流】-ryū 名 ス自 환류; 흐름이 되돌아옴.

かんりょう【官僚】-ryo 名 관료. ¶～ 化ৢ 관료화. ──しゅぎ【──主義】 -shugi 名 관료주의. ──てき【──的】 ナ 관료적.

かんりょう【完了】-ryo 名 ス自他 완료. ¶準備ৢ½～ 준비 완료.

かんりょう【管領】-ryo 名 관령. ①잘 도리하여 통할함; 또, 그 사람. ②史 室町幕府ৢ½の직명(職名). =かん れい. ③세도으로 만듦.

がんりょう【顔料】名 안료.

がんりょう【含量】名 함유량; 함유 량. 「き(眼力).

がんりょく【眼力】-ryoku 名 ☞ がんり

かんるい【感涙】名 감루; 감격하여 흘 리는 눈물. ¶～にむせぶ 감격의 눈물 에 목이 메다.

かんれい【寒冷】名 ナ 한랭. ↔温暖ৢ. ──ぜんせん【──前線】名 気 한랭 전선. =温暖ৢ前線.

かんれい【慣例】名 관례. =しきたり. ¶～に従ৢ½う〔そむく〕관례에 따르다 〔어긋나다〕.

かんれい【管領】名 史 ☞ かんりょう②.

かんれい【艦齢】名 함령. 「しう②.

かんれき【還暦】名 환력; 환갑.

***かんれん**【関連】(関聯) 名 ス自 관련. ¶～産業ৢ 관련 산업.

かんろ【甘露】名 감로. ①달콤한 이 슬. ②달고 맛이 좋음. ──すい【── 水】名 감로수. 「(나).

かんろ【寒露】名 한로(24 절기의 하나).

がんろう【玩弄】-rō 名 ス他 완롱; 놀림. ¶おれを～するな 나를 우롱하지 마. ──ぶつ【──物】名 노리갯감.

かんろく【貫祿】名 관록. ¶～がある 관록이 있다.

***かんわ**【緩和】名 ス自他 완화. ¶制限 ৢ½を～する 제한을 완화하다.

かんわ【閑話】名 한화; 한담. =むだ話 ৢ½. ──きゅうだい【──休題】-kyū- dai 擬 한화 휴제; 그것은 그렇고; 여담 은 그만하고.

かんわ【漢和】名 한화; 중국어와 일본 어. ¶～辞典ৢ 한화[한일(漢日)] 사 전.

き キ

①五十音図の‘か行’の둘째 음. [ki] ②〔字源〕‘幾’의 초서체〔かたかな‘キ’는‘幾’의 초서체의 생략체〕.

‡**き**【木】【樹】图 ①나무. ¶柿の—; 감나무 / —の枝 나뭇가지 / —が茂る 나무가 우거지다 / —の木目 〔재목의〕나뭇결. ②〔본디 析〕〔극장에서〕딱딱이. ¶—がはいる 딱딱이를 치다 ; 무대의 막이 오르다 / —をいれる 딱딱이를 치다. —から落ちた猿 나무에서 떨어진 원숭이 ; 끈 떨어진 뒤웅박〔의지할 곳을 잃음의 비유〕. —で鼻をくくる 냉랭하게 대하다. —に竹を接ぐ 사물의 부조화·부자연스러움의 비유. —によって魚を求む 연목구어(緣木求魚). —の香 재목의 향기. —の端 하찮은 것. ≒こっぱ. —の股から生まれる 인정을 모르는 사람을 일컫는 말.

き【黄】图 노랑. ¶—いろ 황색.

き【生】图 ①순수함. ¶—娘 숫처녀·まじめ 성실함. ②잡것이 섞이지 않음. ¶ウィスキーを—で飲む 위스키를〔물 타지 않고〕그냥 마시다. ③정제하지 않음 ; 인공을 가하지 않음. ¶生—; 糸 / 生—; 薬 기타 참조.

き【癸】图 계 ; 천간(天干)의 열째.

‡**き**【気】图 ①기운. ¶天地正大의—천지 정대의 기운 ; 천지의 정기(正氣) / 陰惨の—음산한 기운 / 山海의—산〔바다〕에 어린 기운. ②기. ¶—をくじく 기를 꺾다. ③김. ¶—の抜けたビール 맥주 ; —が抜けたビール 김 빠진 맥주. ④불기염(氣焰). ¶—の弱い男 마음이 약한 사내 / —が進まない 마음이 내키지 않다. ⑤—が荒い 성질이 거칠다. ⑥마음씨. ¶—がいい 마음씨가 좋다. ⑧정신. ¶—を失う 정신〔의식〕을 잃다 ; 실신하다. ⑨생각. ¶どうする—어떻게 할 생각〔작정〕. ⑩기분 ; 감정. ¶—ま ずい 기분이 서먹서먹하다. ⑪숨 ; 호흡. ¶—が詰まる 막히다 ; 거북하게 생각되다. ⑫맥(脈). ¶—が抜ける 맥이 빠지다.

—が合う 마음〔기분〕이 맞다. —がある 마음이 있다 ; 관심이 있다. —が移る 마음이 변하다. ¶무엇에나 흥미를 느끼다. ②변덕스럽다. —が置けない 마음이 쓰이지 않다 ; 무간하다. —が置ける 마음이 쓰이다 ; 스스로 서름하다. —が利く ①생각이 잘 미치다. ②눈치가 빠르다 ; 재치가 있다. ③멋을 알다. —が気でない〔걱정이 되어〕안절부절못하다. —がくさる 낙심하다 ; 기운이 죽다. —が進まぬ 어쩐지 불안하다 ; 꺼림칙한 느낌이 들다. —が済む 만족하다 ; 마음이 놓이다. —がする 어떤 마음이 들다 ; 기분이 들다. —が立つ 흥분하다. —が散る 마음이 흐트러지다〔산란해지다〕. —が付く ①깨닫다 ; 생각(이) 나다. ②〔제〕정신이 들다. —が遠くなる 정신이 아찔해지

다 ; 까무러치다. —がとがめる 양심에 찔리다. —が張る〔마음이〕긴장하다. —が引ける 기가 죽다 ; 주눅이 미치다. —が触れる 정신이 돌다. —が回る 세세한 데까지 주의가 미치다. —がもめる 안타까워 안절부절못하다 ; 애가 타다. —で持つ 체력은 달리지만 정신으로 버티다. —に入る 마음에 들다. ↔気にくわない. —に掛かる 걱정이 되다. —にくわない 마음에 들지 않다. ≒気にいる. —に障る 마음〔비위〕에 거슬리다. —にする 마음에 두다 ; 걱정하다. —になる 마음에 걸리다 ; 걱정이 되다. —の利いた ①빈틈없는 ; 재치 있는 ; 눈치 빠른. ②세련된 ; 멋진. —を入れる ①마음을 쏟다. ②기운을 북돋우다. —を落とす 낙심〔실망〕하다. —を兼ねる 거리끼다 ; 스스러워하다. —を配る 마음을 쓰다 ; 배려하다. —をつける 정신 차리다 ; 조심〔주의〕하다. —を詰める 긴장하다 ; 정신을 집중하다. —を取られる 딴 곳에 마음을 빼앗기다. —を取り直す 고쳐 생각하고 기운을 다시 내다. —を飲まれる〔기세에〕압도당하다. —を吐く 기염을 토하다. —を張る 정신을 긴장시키다 ; 마음을 다잡다. —を引く ①마음을 끌다. ②넌지시 마음〔속〕을 떠보다. —を回す ①상대의 마음을 이리저리 추측하다. —を持たせる ①넌지시 언동으로 비추다. ②(상대방에게) 어떤 기대를 갖게 하다. —をもむ 마음을 졸이다 ; 애태우다. —を許す ①상대를 믿고 경계심을 풀다. ②안심하다 ; 방심하다.

き【器】图 ①うつわ. ¶—名 图監督 ; —名 监督 감. ②〔接尾語的으로〕기 ; 간단한 도구. ¶電熱—— 전열기기.

き【基】〔一图 ①〔化〕화학 변화를 할 때 하나의 원자처럼 반응하는 원자단(原子團). ¶水酸—— 수산기. 〔二接尾 …기 ; 묘석(墓石)·장명등(長明燈) 따위 고정된 물건을 세는 말. ¶石塔二—— 석탑 1기.

き【奇】〔一图 ①진기함. ¶—を好む 진기한 것을 좋아하다. 〔一이상함. 흉수. ↔偶. —をてらう 진기함을 자랑하다.

き【季】图 俳句에서, 각 계절의 경물(景物). ¶—のない句 철에 대한 묘사가 없는 俳句.

き【忌】〔一图 상(喪) ; 복(服). ¶—が明ける 탈상하다. 〔二接尾 …기 ; 회기(回忌). ¶一周—— 일주기.

き【族】〔接尾語的으로〕기 ; 깃발. ¶信号— —신호기.

き【揆】图 모사(謀事) ; 방법. 방식. ¶—を—にする 하는 방식이 한결같다 ; 같은 방법이다.

‡**き**【機】〔一图 ①시기 ; 기회. ¶—をう

かかり 기회를 엿보다. ②기계. 비행기. ¶〜から降おりる 비행기에서 내리다. 冃接尾 …기. ①비행기를 세는 말. ②기계; 비행기. ¶洗濯機せんたく 세탁기 / 練習機れんしゅう 연습기. 一が熟じゅくす 기회가 무르익다. 一に乗じょうずる 기회를(틈)타다. 一を見みるに敏びん 기회를 포착하는 데 매우 재빠르다.

き【紀】图 ①『日本書紀にほんしょき』의 준말. ②기; 지질 시대 구분의 하나. ¶ジュラ〜 쥐라기.

き【記】图 ①기록. ¶思おもい出での〜 회상기. 參考 接尾語的でき으로도. ¶旅行記りょこう 여행기. ②『古事記こじき』의 준말.

き【軌】图 궤; 정해진 길; 법칙; 방법. 一を一いつにする 궤를 같이하다(법칙을·방법을) 같이하다.

き【期】一图 (마침 좋은) 때; 기회. ¶この〜に 이번 기회에. 冃接尾 ①기간; 시기. ②『試験しけん〜』시험기.

き-【希】(稀)图 ①묽은; 희박한.

き-【貴】图 ①귀중한. 一金属きんぞく 귀금속. ②상대편에 대한 존칭. 一銀行ぎんこう 귀은행.

ぎ【儀】图 ①의식. ¶結婚けっこんの〜 결혼 의식. ②일; 사항. ¶その〜なら ユ 일이라면. ③〔接尾語的으로〕모양; 기계. ¶地球ちきゅう〜 지구의.

ぎ【技】图 기술; 솜씨. ¶一をきそう 솜씨를 겨루다. 一神かみに入いる 기예(技藝)가 입신(入神)의 경지에 들다.

ぎ【妓】图 기생; 노는 계집. ¶一を侍はらせる 기생을 옆에 앉히다.

ぎ【義】图 ①의(義); 바른 도리. ¶一にもとる 도리에 어긋나다. ②뜻; 의미. ¶文字もじの〜を解かする 글자의 뜻을 해석하다. ③명의상의 관계. 뜻…. 冃接頭 다른 사람과 부자·형제 등의 관계를 이룸을 나타냄. ¶〜兄弟きょうだい 의형제. 一を見みてせざるは勇ゆうなきなり 의를 보고 행하지 않음은 용기가 없음이니라.

ぎ【議】图 논의; 토의. ¶一を委員会いいんかいにかける 위원회에 붙여 논의하다.

ぎ-【擬】图 의…; 모의(模擬). 一国会こっかい 모의 국회.

-ぎ【着】图 …옷; …복(服). ¶下したぎ〜 속옷 / 外出がいしゅつ〜 외출복.

ギア【ギア】图 ⇒ギヤ.

きあい【気合】图 ①기합. ¶一術じゅつ 기합술. ②마음; 성질; 의기; 호흡. ¶いい一の男おとこ 마음이 좋은 사나이 / 〜が合あう 호흡이 맞다. 一を入いれる ①기운을 내서 일에 임하다. ②기합을 넣다; 정신차리게 하다. 一を掛かける ①기합을 내기 위해 소리를 지르다. ②남의 기운을 북돋다. 一まけ【一負け】图 ㊂自 (경기를 시작하기 전에) 상대방 기세에 압도당함.

きあく【偽悪】图 위악. 一趣味しゅみ 자기를 실제 이상으로 악인처럼 보이게 행동하는 취미.

きあけ【忌明け】图 ⇒いみあけ.

*きあつ【気圧】图 기압. 一配置はいち 기압 배치 / 〜の谷たに 기압골. 一けい【一計】图 기압계; =バロメーター.

きあわせる【来合(わ)せる】下一自 (마침) 와 있어서 만나다; 우연히 만나다.

きあん【起案】图㊉他 기안; 기초(起草).

ぎあん【議案】图 의안. ¶一草案そうあん(草).

きい【奇異】图ナ形 기이. ¶一な姿すがた 기이한 모습.

きい【忌諱】图 기휘. 一に触ふれる 특히, 윗사람이 꺼리고 싫어하는 언동을 해서 불쾌감을 사다.

きい【貴意】图 귀의. 參考 흔히 편지에 씀. 一を得える 귀의(高貴)를 듣고 싶다.

キー【キー】图 ①열쇠; 실마리; 단서. ¶マスター〜 마스터 키 / 彼かれがこの問題もんだいの〜を握にぎっている ユ가 이 문제의 열쇠를 쥐고 있다. ②(피아노·타이프라이터 등의) 건반(鍵盤). ▷ key. 一ステーション -shon 图 키 스테이션; 딴 방송국에 프로를 중계하는 중심이 되는 방송국. ▷key station. 一ノート 图 키 노트. ▷keynote. 一ばん【一盤】图 주음(主音). ②문제 따위의 중심 사상. ▷keynote. 一パンチャー-chā 图 키 펀처. 一ポイント 图 키 포인트; 요점; 주안점. ▷key point.

きいきいごえ【きいきい声】 kīkī- 图 ①새된 소리; 목 째지는 소리. ¶〜を張はり上あげる 새된 소리를 지르다. ②삐걱거리는 소리.

きいたふう【利いた風】 kitafū 連語 아는 체함; 건방짐. ¶〜な口くちをきく 아는 체하고 말하다; 시큰둥한 소리를 하다.

きいちご【木苺】图〔植〕나무딸기.

きいつ【帰一】图㊉自 귀일. 一すると ころを知しらない 어째야 좋을지 모르다.

きいっぽん【生一本】-ippon 一图 순수(純粋); 또, 순수한 것. 冃ナ形 강직. 一な性質せいしつ 강직한 성질.

きいと【生糸】图 생사. ↔ねり糸いと.

*きいろ【黄色】图 황색; 노랑.

きいろい【黄色い】ki- 形 ①노랗다. ¶くちばしが〜 부리가 노랗다(미숙한 사람의 비유). 一声こえ 목소리가 새되고 날카롭다. 一声こえ 새된 목소리.

きいん【起因】图㊉自 기인.

ぎいん【議院】图 의원; 의회. 一内閣制ないかくせい 의원 내각제. 一会かい 의원.

*ぎいん【議員】图 의원. 一会かん 의원회관. ▷国会ごっかい〜.

きうけ【気受け】图 남이 그 사람에 대해서 갖는 느낌. =受うけ. ¶〜がいい 호감을 받다; 세평이 좋다.

きうつり【気移り】图㊉自 정신·주의가 딴 데로 쏠림. 一すぐ一する子供こども 정신이 딴 데로 잘 쏠리는 어린이.

きうん【機運】图 기운; 시운(時運); 때. =おり. ¶〜の熟じゅくするを待まつ 기운이 무르익기를 기다리다.

きうん【気運】图 기운. ¶復興ふっこうの〜 부흥의 기운.

きえ【帰依】图㊉自 귀의. ¶仏教ぶっきょうに〜する 불교에 귀의하다.

きえい【帰営】图㊉自 귀영. 一병영에 돌아감. ¶〜時間じかん 귀영 시각.

きえい【気鋭】图 기예; 기백이 날카로움. ¶新進しんしん気鋭きえいの士 신진 기예의 사(士人).

きえい【機影】图 기영; 비행기의 모습.

きえいる【消え入る】㊄自 ①숨이 끊어지다; 죽다; 기절하다. 一〜ような

声で哀願ぎする 기어드는 소리로 애원하다. ②사라져 없어지다; 스러지다. ▿身も魂たまも〜思むい 몸도 마음도 스러지는 듯한 슬픔.

きえう-せる 【消えうせる】（消え失せる）⑫Ⅰ自 사라져 없어지다. ¶消えうせろ 꺼져; 뺑소니치다.

きえ-ぎえ 【消え消え】（ダ） 〈주로 'に'・'と'를 수반하여〉 ①거의 사라져 없어지는 모양. ②살아 있는 것 같지 않은 상태. ▿雪 ゆきも消え消え 눈도 거의 녹아 없어지고.

きえつ 【喜悦】 图 ス自 희열. ¶〜措くく能あわず 기쁨을 누를수 없다.

きえ-のこ-る 【消え残る】 ⑤自 ①꺼지지 (사라지지) 않고 남아 있다. ¶〜雪ゆきの間あいだに 녹다 남은 눈 사이에. ②살아남다.

きえ-は-てる 【消え果てる】 ⑫Ⅰ自 아주 꺼지다(사라지다). ¶街まちの灯ひが〜頃ころ 거리의 불들이 모두 꺼질 무렵.

＊き-える 【消える】 ⑫Ⅰ自 ①꺼지다. ¶火ひが〜・えたような 불이 꺼진 듯한〔매우 쓸쓸함의 비유〕/火事かじが〜・えた 화재는 진화되었다. ①스러지다; 사라지다. ⑦없어지다. ¶雪ゆきが〜 눈이 녹아 없어지다. ①풀리다. ¶わだかまりが〜 맺혔던 감정이 스러지다. ⑥지워지다.

きえん 【奇縁】 图 기연. ▿合縁あいえん〜 합연 기연; 사람이 화합하는 것은 모두 기이한 인연에 달림.

きえん 【機縁】 图 ①기회와 인연. =きっかけ. ②〔佛〕부처의 교화를 받을 만한 인연.

きえん 【気焔】（気炎）图 기염; 대단한 기세. ―を上あげる 위세 좋은 말을 우쭐해서 하다. ―を吐はく 기염을 토하다. ―ばんじょう【―万丈】-jō 图 기염 만장. 「의연금.

ぎえん 【義援】（義捐）图 의연. ¶〜金きん 기염 만장. ―を吐く

きえんさん 【希塩酸】（稀塩酸）图 희염산; 묽은 염산.

きおい-た-つ 【きおい立つ・競い立つ・気負い立つ】⑤自〔지지 않으려고〕기 쓰다.

きおい-はだ 【きおい肌・競い肌・気負い肌】 图 호협(豪俠)한 기상; 협기. =勇みはだ肌.

き-お-う 【気負う】 ⑤自 분발하다; 단단히 마음먹다.

き-お-う 【競う・気負う】 ⑤自〔지지 않으려고〕기를 쓰다; 분기하다. ¶〜気持きもち=意気込こみ.

きおう 【既往】kiō 图 지난날 일; 과거. ¶〜年度ねんど 지난 연도 /〜症しょう 기왕증; 전에 앓았던 병.

＊きおく 【記憶】 图 ス他 기억. ¶〜喪失そうしつ 기억 상실 /〜装置そうち〔컴퓨터의〕기억 장치. 「이 없다.

きおくれ 【気後れ】 图 기가 죽음; 주눅.

きおち 【気落ち】 图 ス自 낙심; 낙담.

きおも 【気重】 图 기분이 침울함.

きおん 【基音】 图 기음. ①〔理〕기본음(基本音); 원음(原音). =倍音ばいおん(2)〔樂〕음계의 제1음; 주음(主音). =キーノート.

＊きおん 【気温】 图 기온. ¶〜が高たかい 기온이 높은.

ぎおん 【祇園】 图 ①京都きょうと八坂やさか 신사(神社)의 구칭; 또, 그 부근의 유락.

②〔佛〕기원 정사〔옛날 인도의 수달 장자(須達長者)가 석가를 위하여 설법도량으로 지은 절〕. =祇園精舎しょうじゃ.

ぎおん 【擬音】 图 의음; (방송이나 연극에서) 어떤 소리를 흉내내어 인공적으로 만들어 내는 소리. ¶〜語ご 의음어; 의성어(擬聲語).

きか 【奇禍】 图 기화; 뜻밖의 재난.

きか 【奇貨】 图 기화. ¶〜を〜として …을 기화로 (삼아).

きか 【幾何】 图〔理〕기하. ¶〜学がく 『幾何学きか(=기하학)』의 준말. ¶〜級数きゅうすう 기하 급수.

きか 【気化】 图 ス自 기화. ▿〜器き【―器】图 기화기. =キャブレター.

きか 【帰化】 图 ス自他〔法〕다른 나라의 국적을 얻어 그 국민이 됨. ¶〜人じん 귀화인. ②〔植〕어떤 식물이 외국에서 자생(自生)・번식하게 되는 일. ¶〜植物しょくぶつ 귀화 식물.

きか 【几下】（儿下）图 (편지에서) 궤하; 안하(案下).

きか 【貴下】 代 귀하.

きが 【起臥】 图 ス自〔理〕기와; 일어남과 누움; 일상 생활. ¶〜を共ともにする 일상 생활을 함께 하다.

きが 【飢餓】（饑餓）图 기아. =うえ. ¶〜輸出しゅつ 기아 수출 /〜療法りょうほう 기아 요법 /〜に瀕ひんする 굶주리게 되다.

ぎが 【戯画】 图 희화; 익살맞은 그림. =カリカチュア・ざれ絵え.

きかい 【器械】 图 기계. ¶医療いりょう〜 의료 기계 /〜体操たいそう 기계 체조.

きかい 【機械】 图 기계. ¶〜工学こうがく 기계 공학 /工作こうさく〜 공작 기계. ――か【――化】 图 ス自他 기계화. ――ご【――語】 图 기계어(machine language의 역어). ――てき【――的】（ダナ）기계적. ¶〜な仕事しごと 기계적인 일.

＊きかい 【機会】 图 기회. ¶〜主義しゅぎ 기회주의 /〜を逃のがす 기회를 놓치다. ――きょうじょ【――均衡】图 기균. ¶〜な行動こうどう 기괴한 행동.

きがい 【危害】 图 위해. ¶〜を加くわえる 위해를 가하다.

きがい 【気概】 图 기개. =気骨きこつ・はり.

＊ぎかい 【議会】 图 의회. ¶市し〜 시의회 /〜主義しゅぎ 의회주의.

きがえ 【着替え】 图 ス自 옷을 갈아입음; 또, 갈아입을 옷.

き-か-える 【着替える】 ⑫Ⅰ他 (옷을) 갈아입다. =着替ぎえる.

きがかり 【気掛かり（掛かり・気懸（かり）】 图 떠름함; 마음에 걸림; 염려. ¶〜なことがある 떠름한 일이 있다.

きか-かる 【来かかる】 ⑤自 막 이쪽으로 오다; 다다르다.

＊きかく 【企画】（企劃）图 ス他 기획. ¶〜部ぶ 기획부 /〜性せい 기획성.

＊きかく 【規格】 图 규격. ¶〜化か /〜品ひん 규격품. ¶〜に合あう 규격에 맞다.

きがく 【器楽】图〔樂〕기악. ¶〜曲きょく 기악곡. ↔声楽せいがく.

ぎがく 【伎楽】 图 탈을 쓰고 음악에 맞춰 연기하는 고대 무용극. =呉楽くれがく.

きがけ 【来掛け】 图 오는 도중; 오는 참(김). ¶〜行ゆきがけ. 「라.

きかげき 【喜歌劇】 图 희가극? 코믹 오페라.

きかざ-る 【着飾る】 ⑤自他 (고운 옷을

로) 몸차장을 하다 ; 성장하다.

きガスるい 【希ガス類】〖稀瓦斯類〗 图 〔化〕 회가스류. 注意 본디, '稀瓦斯類'. ⇒gas.

*__きかーせる__ 【利かせる】 下1他 ①(특성과 효능을) 잘 살리다. ¶塩⁴⁵を~ 간을 잘 맞추다 ; 凄味⁶²ⁱを~ 무섭게 굴다 ; 공갈하다 / 贔屓⁷⁷を~ 영향력을 미치다〔행사하다〕 / 鼻薬⁵⁶を~ 약간의 뇌물을 쥐어주다. ②「気⁴を~」눈치 있게〔약삭빠르게〕굴다.

*__きかーせる__ 【聞かせる】 下1他 ①들려 주다. ②(찬찬히) 일러주다 ; 타이르다. ¶よく言って~ 잘 타일러서〔말하여〕주다. ③거듭 기울이게 하다 ; 들을 만하다. ¶彼のののとは、なかなか~ね 그의 노래는 제법 들을 만한데.

きがた 【木型】 图 목형 ; 나무로 만든 골(주물 鑄物·구두 따위의 원형).

きかつ 【飢渇】 图スᵃ 기갈.

きかぬき 【利かぬ気】 連語 남에게 지거나 시킴을 당하는 것을 싫어하는 성질 ; 기승한 성질. ⇒오집.ⁱ =きかんき.

きがね 【気兼(ね)】 图スᵃ 어렵게 여김 ; 스스러움. ¶~のいらない相手⁵⁵ 무간한 상대.

きがまえ 【気構え】 图 마음 가짐 ; 마음의 준비. 反撃⁴⁵の~をする 반격할 채비를 하다.

*__きがる__ 【気軽】 ダナ 사물에 구애치 않고, 선뜻선뜻 처신하는 모양 ; 소탈함. ¶~に引き⁴き⁴ける 선뜻 떠맡다 / ~な性格²¹ 소탈한 성격. 「하다.

きがる-い 【気軽い】 厖 소탈하다 ; 선선.

きかん 【奇観】 图 ①진기한 광경. ②훌륭한 경치.

きかん 【基幹】 图 기간. ¶~産業⁴⁵ 기간 산업.

きかん 【季刊】 图 계간. ¶~誌³ 계간지.

きかん 【既刊】 图 기간. ⇔未刊.

*__きかん__ 【期間】 图 기간. ¶滞在⁴⁵~ 체재 기간 / 特売⁴⁵~ 특매 기간 / 冷却⁴⁵~ 냉각 기간.　「급 기관.

*__きかん__ 【器官】 图 기관. ¶呼吸⁴⁵~ 호

きかん 【気管】 图 기관. ──し 【─支】 图 기관지. ¶~炎⁴² 기관지염.

*__きかん__ 【機関】 图 기관. ¶内燃⁴⁵~ 내연 기관 / ~士⁴ 기관사 / ~車⁴ 기관차 / 報道⁴⁵~ 보도 기관 / ~紙⁴ 기관지 / ~銃⁴⁵ 기관총.

きかん 【旗艦】 图〔軍〕기함.

きかん 【帰還】 图スᵃ 귀환. ──へい 【─兵】 图スᵃ 귀환. ──へい 【─兵】 图 귀환병.

きかん 【貴官】 图 귀관. 관리나 군인을

きかん 【貴翰】 〖貴翰〗 图 귀한. ¶お手紙⁴⁵ = 증기 기관.

きかん 【汽缶】 〖汽罐〗 图 기관. ¶蒸気⁴⁵

きかん 【飢寒】 〖饑寒〗 图 기한.

きかん 【亀鑑】 图 귀감 ; 거울 ; 본보기. ¶軍人⁴⁵の~ 군인의 귀감.

きがん 【奇岩】 〖奇巖〗 图 기암. ¶~怪石⁴⁵ 기암 괴석.

きがん 【祈願】 图スᵃ 기원.

きかん 【技官】 图 기관 ; 특별한 학술·기예(技藝)를 담당한 국가 공무원.

ぎかん 【義眼】 图 의안. =入⁴れ目⁵.

きかんぼう 【利かん坊】 -kambō 图 고집이 센 개구쟁이.

──

きき 【利き】 图 작용 ; 기능. ¶左⁴⁵~ 왼손잡이 / 腕⁴~ 수완이 있는 사람.

*__きき__ 【危機】 图 위기. = ピンチ. ¶一髪⁴⁵ 위기 일발 / ~が迫る⁴⁵ 위기가 닥치다.　　　「書記⁴ばん.

きき 【記紀】 图〔史〕古事記⁴⁵と日本

きき 【機器·器械】 图 기기, 기계(機械)·기구(器具)의 총칭.

きき 【鬼気】 图 귀기 ; 으름이 끼칠 정도로 무서운 기. ──迫⁴る 소름끼치다 ; 끔찍하다.

きき 【奇奇】 夕ル 기기. ¶~怪々⁴⁵ 기기 괴괴(奇怪⁴⁵의 힘줌말). ──妙々⁴⁵ 기기 묘묘(奇妙⁴⁵의 힘줌말).

きき 【喜喜】 〖嬉嬉〗 夕ル 희희. ¶~として戯れる⁵⁵ 희희 낙락하게 (장난치고) 놀다. 注意 '喜喜'는 대용 한자.

きぎ 【木木】 图 (여러 가지) 나무들 ; 많은 나무.

きぎ 【機宜】 图 기의 ; 시기와 형편에 알맞음. = 時宜⁴⁵. ¶~の処置⁴⁵ 시의 적절한 조치.

きぎ 【義気】 图 의기 ; 의협심. ¶~天⁴⁵を衝⁴⁴く 의기 충천하다.

ぎぎ 【疑義】 图 의의. ¶~をただす 의 심스러운 곳을 캐묻다〔따지다〕.

ききあわ-せる 【聞(き)合わせる·問合せる】 下1他 문의하여 ~ 확인하다 ; 조회하다. = 問⁴い合⁴わせる.

ききい-る 【聞き入る】 5自 열심히 듣다 ; 경청하다. ¶名曲⁴⁵に~ 명곡에 도취하여 듣다.

ききい-れる 【聞(き)入れる】 下1他 ①(청을) 들어주다. ¶願い⁴⁵を~ 소원을 들어주다. ②들어서 알다 ; 얻어들다.

ききうで 【利き腕】 图 주로 잘 쓰는 쪽의 팔 ; (보통) 오른팔.

ききお-く 【聞き置く】 5他 들어두다. ¶要求⁴⁵を一応⁴⁵~ 요구를 일단 들어 두다.　　　　「로 되는 일.

ききおさめ 【聞(き)納め】 图 마지막으

ききおと-す 【聞(き)落す】 5他 들어야 할 것을 못 듣다 ; 빠뜨리고 듣다.

ききおぼえ 【聞(き)覚え】 图 ①귀로 듣고 익힘〔앎〕; 귀동냥. ¶~にしては正確⁴⁵だ 들은 풍월로서는 정확하다. ②(한번) 들은 기억. ¶~のある声⁴⁵ 들은 기억이 있는 목소리.

ききおよ-ぶ 【聞(き)及ぶ】 5自 들어서 알다 ; 전해 듣다. ¶お・びのことと存⁴じますが (이미) 들어 아시리라고 생각합니다만. ②이전부터 듣고 있다. ¶お名前⁴⁵はかねがね~んでおりました 존함은 일찍부터〔익히〕들어 왔습니다.

ききかえ-す 【聞(き)返す】 5他 ①되묻다 ; 반문하다. ②다시 듣다.

ききかじ-る 【聞きかじる】〖聞き齧る〗 5他 설듣다 ; 겉날려 듣다 ; 데알다. ¶つまらぬ事⁴⁵を~って噂⁴⁵を広める 되잖은 일을 설듣고 소문을 퍼뜨리다.

ききかた 【聞き方】 图 ①듣는 법〔태도〕; 듣기. = ヒアリング. ②듣는 편. ¶~に回る⁴⁵ 듣는 편이 되다.

ぎきく 【黄菊】 图 황국 ; 노란 국화.

ききぐるし-い 【聞き苦しい】 -shī 厖 ①듣기가 괴롭다 ; 듣기 거북하다. ¶~話⁴⁵ 듣기 거북한 이야기. ②알아듣기 어렵다.

ききこみ【聞(き)込み・聞込】图 (범죄 수사의 단서나 정보 따위를) 얻어들음 ; 얻어들은 바. ¶~捜査ᠯᡠ 탐문 수사.

ききこ-む【聞(き)込む】⑤他 얻어듣다 ; 들어서 알다. ¶妙ᠯ゙なところから~ 이상한 데서 얻어듣다.

ききざけ【利(き)酒】【聞(き)酒】图 시음(試飲) ; 또, 그술. ¶~に酔ᠯ゙う 시음 술에 취하다.

ききじょうず【聞(き)上手】-jōzu 图 상대방이 말하기 쉽도록 응답해 주면서 들음 ; 또, 그런 사람. ¶~の人ᠯはᠯ話 ᠯ゙もうまい 남의 이야기를 잘 듣는 사람은 이야기도 잘 한다.

ききすご-す【聞き過(ご)す】⑤他 귀담 아 듣지 않다 ; 듣고 흘려버리다. ¶人 ᠯ゙の悪口ᠯ゙は~ものだ 남의 욕은 귀담 아 듣지 않는 법이다.

ききすて【聞(き)捨て】图 ス自 듣고도 그냥 넘김. ¶~ならない 그냥 들어 넘길 수 없다.

ききすま-す【聞き澄ます】⑤他 귀기 울여 듣다.

ききそこな-う【聞き損なう】⑤他 ① 잘못(듣)듣다 ; 빗듣다. ②들을 기회를 놓치다 ; 못 듣다.

ききだ-す【聞(き)出す】⑤他 ①캐어 서 알아 내다 ; 탐문하다. ②듣기 시작 하다.

ききただ-す【聞きただす】【聞き糺す・聞き質す】⑤他 물어 밝히다 ; 캐어 묻다.

ききちが-える【聞き違える】下一他 잘못 듣다 ; 빗듣다. ──ちがい 图 듣는 잘못.

ききつ-ぐ【聞(き)継ぐ】⑤他 ①계속 해서 듣다. ②이 사람에서 저 사람으 로 전해 온 이야기를 듣다.

ききつ-ける【聞きつける】【聞き付け る】下一他 ①우연히 들어서 알다. ② 늘 들어서 귀에 익다. ¶小言ᠯ゙は~ けている 잔소리는 노상 듣고 있다.

ききつた-え【聞き伝え】图 전해 들 음 ; 또, 그 말 ; 전문(傳聞). =ききつた え.

ききづら-い【聞きづらい】【聞き辛い】形 ①알아듣기 어렵다. ②듣기 거북하 다.

ききて【利(き)手】图 ①☞ききうで. ¶ 솜씨가 뛰어난 사람 ; 수완가. ¶〔딴〕

ききて【聞(き)手】【聴(き)手】图 듣는 사 람.

ききとが-める【聞きとがめる】【聞きと がめる】下一他 듣고 따지다. ¶~めて しかる 귀에 거슬려 꾸짖다.

ききどころ【聞き所】【聞き処】图 특히 주의를 해서 들어야 할 대목.

ききどころ【利(き)所】【利(き)処】图 ①효 험이 있는 곳. ¶お灸ᠯ゙の~ 뜸질에서 효험이 있는 부위(部位). ②급소 ; 요 소 ; 중요한 곳.

ききとど-ける【聞(き)届ける】下一他 들어 주다 ; 듣고 승낙하다. ¶願ᠯ゙いを ~ 소원을 들어 주다.

ききとり【聞(き)取り】图 ①듣(고 이 해)기. ¶~の試験ᠯ゙ 듣기(청취력) 시험. ②조사하기 위하여 사정을 들음 ; 청취. ¶~書ᠯ゙ 조서(調書). ──ざん 【聞取算】图 호산(呼算). =読ᠯ゙み上 げ算ᠯ゙.↔見取算ᠯ゙ᠯ゙.

ききと-る【聞(き)取る】⑤他 ①알아

ききと-れる【聞きとれる】【聞き蕩れ る・聞き惚れる】下一自 도취되어 든 다. =聞ᠯ゙きほれる.↔見ᠯ゙とれる.

ききなお-す【聞(き)直す】⑤他 되묻 다 ; 다시 물어 보다.=聞ᠯ゙き返ᠯ゙す.

ききなが-す【聞(き)流す】⑤他 건성으 로 듣다.=聞ᠯ゙き捨ᠯ゙てる. ¶うわさの空 を~ 건성으로 듣다 / 悪口ᠯ゙を~ 욕 설을 들은 체 만 체하다.

ききにく-い【聞きにくい】【聞き難い】形 ①알아듣기가 힘들다. ②(질문하기 싫으나) 묻기 거북하다. ③차마 들을 수 없다.

ききはず-す【聞(き)外す】⑤他 ①(들 어야 할 것을) 못 듣고 넘기다 ; 듣지 못 하다. ②끝까지 듣지 않다.

ききふる-す【聞(き)古す】【聞き旧す】⑤他 귀가 닳도록 듣다.

ききほ-れる【聞きほれる】【聞き惚れ る】下一自 도취되어(넋잃고) 듣다. = 聞ᠯ゙きとれる.

ききみみ【聞(き)耳】图 들으려고 주의 함. ──を立ᠯ゙てる 귀를 기울이다 ; 주의 해서 듣다.

*__ききめ【効き目】【利(き)目】__图 효력 ; 효 과, 효능 ; 보람. ¶~がない 효험이 없 다 / 叱ᠯ゙った~がある 꾸짖은 보람이 있다.

ききもの【聞(き)物】图 들을 만한 것 ; 들어 두면 좋은 것. ¶放送ᠯ゙プロの~ 들을 만한 방송 프로.

ききもら-す【聞(き)漏らす】【聞(き)洩 らす】⑤他 ☞ききおとす.

ききやく【聞(き)役】图 듣는 입장(의 사람). ¶~にまわる 듣는 입장이 되 다(듣기만 하다).

ききゃく【棄却】kikya- 图 ス他 기각.

ききゅう【危急】-kyū 图 위급. ¶~ を告ᠯ゙げる 위급을 고하다(알리다). ──そんぼう【──存亡】-sombō 图 위 급 존망. ¶~の秋ᠯ゙ 위급 존망지추.

ききゅう【希求】【冀求】-kyū 图 희 구. ¶平和ᠯ゙を~する 평화를 희구하 다.

ききゅう【気球】-kyū 图 기구. しだ.

ききゅう【帰休】-kyū 图 ス自 귀휴. ¶ 操短ᠯ゙で~する 조업 단축으로 귀휴하 다.

ききょ【起居】-kyo 图 ス自 기거. ¶ ~を共ᠯ゙にする 기거를 같이 하다.

ききょ【寄居】-kyo 图 ス自 기거 ; 기식 (寄食).=居候ᠯ゙.

ぎきょ【義挙】-kyo 图 의거.

ききよ-い【聞きよい】【聞き良い】形 듣기 좋다. ①들어서 기분이 좋다. ②듣기에 알맞다. ¶話ᠯ゙は~でちがう 말이란 듣기에 달 렸다. ②묻기 ; 묻는 태도. ¶~が悪ᠯ゙ い 묻는 태도가 나쁘다.

ききょう【桔梗】-kyō 图〔植〕길경.

ききょう【気胸】-kyō 图〔醫〕기흉.

ききょう【帰京】-kyō 图 ス自 귀경.

ききょう【帰郷】-kyō 图 ス自 귀향.

*__ぎぎょう【企業】__-gyō 图〔經〕기업. ¶~別ᠯ゙/ ──別組合ᠯ゙ 기업별 조합 (기업별로 조직된 노동 조합). ──ごう どう【──合同】-gōdō 图 기업 합 동.=トラスト. ──れんごう【──連 合】-gō 图 기업 연합.=カルテル.

ぎきょう【義俠】gikyō 图 의협. ¶〜心 의협심.

ききょうだい【義兄弟】-kyōdai 图 ①의형제. ②처남·시숙(媤叔)·매형·매제·동서 등의 일컬음.

ぎきょく【戯曲】-kyoku 图 희곡.

ききょらい【帰去来】kyo- 图 귀거래. 「一辞 귀거래사.

ききれ【木切れ】图 나뭇 조각; 나무토막. 一こっぱ.

ききわけ【聞(き)分け】图 들어 분별[분간]함; 알아들음. ¶〜のよい子 말을 잘 듣는 아이.

ききわ-ける【聞(き)分ける】下1他 ①(소리나 내용을) 들어서 구별[분간]하다. ②알아듣다; 납득하다; 분별하다. ¶親の言うことを〜 부모의 말을 잘 알아듣다.

ききん【寄金】「寄付金(=기부금)」의 새로운 말씨.

ききん【基金】图 기금. 「물기근.

*ききん**【飢饉·饑饉】图 기근. ¶水〜.

ききんぞく【貴金属】图 귀금속. ¶〜商 귀금속상. ↔卑金属.

*き-く**【効く】自五 효과가 있다. ¶薬がよく〜 약이 잘 듣다.

*き-く**【利く】一五他 ①잘 움직이다, 기능을 발휘하다; 말을 잘 듣다. ¶気の〜いた文章 재치 있는 (멋진) 문장 / からだの〜かない 몸이 잘 안 듣는다(잘 움직이지 않다) / 左が〜 (a)왼손잡이이다; (b)비유적으로, 술꾼이다. ②통하다. ¶顔が〜 안면[이름]이 알려져 잘 통하다 / 賄賂が〜·かない 뇌물이 통하지 않다. 一三他 「口を〜 말을 하다; (남을 위해) 주선해 주다. ¶えらそうな口を〜 잘난 체 말을 하다 / 口を〜いてもらう 유력자에게 주선을 의뢰하다.

‡**き-く**【聞く】五他 ①듣다. ㉠(소리나 이야기를) 듣다. ㉡風のたよりに〜 풍문으로 듣다. ㉢(聴く로도) 희망·요구·명령·가르침 따위를 듣고서 납득하다; 받아들이다. ¶親の言いつけをよく〜 부모의 분부를 잘 듣다. ②(訊く) 묻다. ¶〜は一時の恥, 知らぬは末代の恥 묻는 것은 한때의 수치, 모르는 것은 일생의 수치. ③(냄새를) 맡아 분간하다; (술맛 따위를) 보다. 一いて極楽, 見て地獄 들어서 극락이라 보아서 다르다. 一ともなく 무심결에; 귓결에. 一にもまして 소문 이상으로.

‡**き-く**【聴く】五他 ①귀기울여 듣다. ②승낙하다.

き-く【菊】图 국화. ¶十日の〜 때늦음의 비유〈꽃잔치가 있는 중양절 다음날인 9월 10일에 핀 국화꽃이란 뜻〉.

き-く【規矩】图 규구·규준(規準). ¶〜準縄 규구 준승; 사물의 준칙.

き-く【起句】图 시나 문장의 첫 구(특히, 한시(漢詩)에서 절구(絶句)의 제1구, 율시(律詩)의 제1·2구).↔承句.

き-く【崎嶇】ㅏタル 기구. ¶〜たる人生 기구한 인생.

き-ぐ【危惧】名他 위구. ¶〜の念をいだく 위구심을 품다.

き-ぐ【器具】图 기구. ¶台所〜 부엌 기구 / 電気〜 전기 기구.

き-ぐ【機具】图 기구; 기계나 기구류(器具類). ¶農〜 농기구. 「새.

きくいただき【菊戴】图【鳥】상모솔

きくいも【菊芋】图【植】돼지감자; 뚱딴지. 一からいも.

き-ぐう【奇遇】-gū 图 自 기우; 뜻밖의 만남.

き-ぐう【寄寓】图 自 기우; 우거(寓居). =かりずまい.

き-くぎ【木釘·木釘】图 나무못.

ぎく-しゃく 剾①물건이 구부러지는 모양. ②말투·동작이 어색[딱딱]한 모양.

きくざけ【菊酒】图①「菊のせっく(=중양절)'에 마시는 술. ②국화주.

き-くず【木くず·木屑】图 목설; 지저깨비; 톱밥; 대팻밥.

き-ぐすり【生薬】图 생약(조제하지 않은 재료 그대로의 약); 한방약(漢方薬). ¶〜屋 건재 약국.

き-く-する【掬する】サ変他 ①(물 따위를) 양손으로 움켜 뜨다. ②참작하다; 미루어 헤아리다.

きくずれ【着崩れ】图 自 (입고 있는 동안에) 옷매무새가 흐트러짐.

き-ぐつ【木ぐつ·木靴】图【木沓·木履】나막신. 「따리름.

きくづき【菊月】图【植】(음력 9월의

きくな【菊菜】图【植】쑥갓['しゅんぎく'의 따리름].

きくのえん【菊の宴】图 음력 9월 9일의 관국(観菊)의 주연(酒宴).

きくのカーテン【菊のカーテン】图 국회의 장막(일본 황실의 보수주의를 빗대어 일컫는 말). ▷curtain.

きくのせっく【菊の節句】-sekku 图 중양절(重陽節)〈음력 9월 9일〉.

きく-ばり【気配り】图自 배려(配慮); 여러 모로 마음을 두루 씀.

きくばん【菊判】图 (인쇄 용지·책의) 국판〈전지 16절 크기〉.

きくはんせつ【菊半切·菊半裁】图 국반절; 국판의 반 크기.=菊半·菊半裁.

きくびより【菊日和】图 국화꽃 필 무렵의 화창한 날씨.

きくみ【菊見】图 국화 구경.=観菊.

きぐみ【気組み】图 마음먹음; 마음가짐; 기세.

きぐらい【気位】图 품위를 간직하려는 마음가짐〈우월감·자존심 따위〉. ¶〜が高い 자존심[자부심]이 세다.

きくらげ【木耳】图 목이버섯.

ぎくりと 剾 두려움과 놀라움을 갑자기 느끼는 모양; 움찔; 덜컥; 철커덕. ¶不意を突かれて〜する 허를 질러서 움찔하다.

きぐろう【気苦労】-rō 图自 걱정; 심로(心労); 잔걱정.

き-くん【貴君】他 귀군; 자네.

きけい【奇形】【畸型·奇型·畸形】图 기형; 불구. ¶〜児 기형아.

きけい【奇警】名他 기경; 기발(奇抜). ¶〜の言を吐く 기발한 말을 하다.

きけい【奇計】他 기계; 기발한 꾀.

きけい【貴兄】他 귀형. 注意'貴君'(=자네)의 공손함말.

ぎけい【義兄】图 ①의형. ②매형; 형부·손위 처남 따위.=実兄.

ぎげい【技芸】图 기예; 미술·공예 방

면의 재주. ¶～に長ずる 기예에 능하다.　＝コメディー.

*きげき【喜劇】 图 희극(비유적으로도 쓴다). ＝コメディー.

きけつ【既決】 区自 기결. ¶～囚ㄴ 기결수.↔未決닛.

*きけつ【帰結】 区自 귀결.

ぎけつ【議決】 区他 의결. ¶～権ㄴ 의결권／～機関ㄴ 의결 기관.

きれもの【利け者】 图 재능이 뛰어난 사람; 재사(才士); 수완가.＝きれもの.¶彼は政界ㄴ의～だ 그는 정계의 실력자다. 麥考 요령 좋은 사람 또는 교활한 사람의 뜻으로도 쓴다.

*きけん【危険】 图 위험. ¶～信号ㄴ 위험 신호／人物ㄴ 위험 인물／～が伴なう 위험이 따르다／～にさらされる 위험에 노출되다.

きけん【気圏】 图 〔気〕 대기; 대기권.

きけん【棄権】 区他 기권.

*きげん【期限】 图 기한. ¶～が切れる 기한이 다 되다.

*きげん【機嫌】 图 ①기분; 비위. ¶～をそこねる 기분을 상하다. ②〔흔히 'ご'를 붙여서〕 기분이 좋음. ¶なかなか～な様子だ 매우 기분이 좋으신 모양. ③기분의 안부(安否). ¶(…)～を伺なう 안부를 묻다; 문안 드리다／ご～よう 일본의 가십시오〔작별 인사말〕.—を取る 비위를 맞추다.—かい【—買い】 图 번덕스러운 사람; 기분파.—うかがい【—伺い】 图 ②아첨꾼.—きづま【—気褄】 图 ☞ きげん(機嫌)①.¶～を取る 남의 비위를 맞추다.—ななめ【—斜め】 ダナ〔흔히 'ご'를 붙여서〕 기분이 나쁜 모양; 불쾌한 모양.

きげん【紀元】 图 기원.—せつ【—節】 图 일본의 건국 기념일〔神武天皇닛が 즉위했다고 하는 날〕.—ぜん【—前】 图 기원 전; B.C.

*きげん【起源・起原】 区自 기원.

きこ【騎虎】 图 호랑이에 탐.—の勢いㄴ 기호지세〔중도에서 그만둘 수 없는 맹렬한 형세／기세〕.

きご【季語】 图 俳句닛や 連歌닛 등에서 춘하 추동 사철의 계절감을 나타내기 위하여 넣어야 하는 말〔'つばめ(=제비)'가 봄, 'ぼたん(=모란)'이 초여름을 나타내는 따위〕.＝季題닛.

ぎこ【擬古】 图 의고; 옛 풍(風)을 모방함.—ぶん【—文】 图 의고문(江戸닛 시대의 학자들이 平安닛 시대의 문체를 모방하여 쓴 글〕.

きこう【奇行】 -kō 图 기행; 기발한 행동.

きこう【気孔】 -kō 图 〔生〕 기공; 숨구멍.

*きこう【気候】 -kō 图 기후. ¶～の温和な 온난한 기후／熱帯ㄴ～ 열대 기후／～のよい土地ㄴ 기후가 좋은 고장／～帯닛 기후대.

きこう【起工】 -kō 区自 기공. ¶～式 기공식.↔竣工닛・完工닛.—そう【—稿】 图 탈고.

きこう【起稿】 -kō 区他自 기고. ¶—家닛 기고가.

きこう【寄稿】 -kō 区他 기고.

きこう【寄港・寄港】 -kō 区自 기항; 기항. ¶항해중의 배가 항구에 들름.

きこう【帰航】 -kō 图 귀항. ¶航해중의 배가 항구에 들름.

きこう【機甲】 -kō 图 기갑. ¶～部隊닛 기갑 부대.

きこう【機構】 -kō 图 기구. ¶～改革닛 기구 개혁／国家닛～ 국가 기구.

きこう【紀行】 -kō 图 기행. ¶～文닛 기행문.

きこう【紀綱】 -kō 图 기강.

ぎこう【貴公子】 kikō- 图 귀공자.

きこう【帰航】 -kō 图 귀항. ¶오는 항로. ¶～の途につく 귀항 길에 오르다.↔往航닛.

きこう【帰港】 -kō 图 귀향; 돌아오는 항로. ¶～の途につく 귀항 길에 오르다.↔往航닛.

ぎこう【貴公】 代 귀공(남자의 동년배나 손아랫사람에 대한 호칭).

きごう【揮毫】 -gō 区他 휘호; 붓을 휘둘러 글을 쓰거나 그림을 그림.

*きごう【記号】 -gō 图 기호. ¶音部닛～ 음자리표／～をつける 記号를 달다.

きこう【技工】 图 기공; 손으로 가공하는 기술; 기공공. ¶歯科닛の～ 치과 기공.

ぎこう【技巧】 图 기교. ＝テクニック. ¶～をこらす 기교를 다하다.—を弄す 교묘를 부리다.

きこえ【聞〔こ〕え】 图 ①남의 평판; 소문.¶世間닛では～の悪い 세상 평판이 나쁘다.②남이 듣는 것. ¶～のよいことを言う 듣기 좋은 말을 하다.③들림; 들리는 느낌이나 명료도(明瞭度).¶右耳닛の～が悪い 오른쪽 귀가 잘 들리지 않다.

きこえよがし【聞〔こ〕えよがし】 ダナ (욕설이나 비꼬는 말 따위를) 들어보라는 듯이 일부러 큰 소리로. ¶～に悪口닛を言う 들으라는 듯이 욕을 하다.

*きこ─える【聞〔こ〕える】 下一自 ①들리다. ②皮肉닛に～비꼬는 것으로 들리다. ②(보통 否定形で) 이해하다; 납득하다. ¶それは君の仰せとは～えませぬ 그것은 주군의 말씀 같지가 않습니다. ③세상에 알려져 있다; 이름 나다. ¶音닛に～えた名人닛 세상에 알려진 명인.

きこく【帰国】 区自 ①귀국. ¶～手続き닛 귀국 수속. ②귀향.

きこく【鬼哭】 图 귀곡; 귀신의 울음; 또, 그 소리. ¶～啾々닛の戦場닛 귀기(鬼気) 서린 싸움터.

ぎごく【疑獄】 图 의옥. ¶～事件닛 의옥 사건.

きごこち【着心地】 图 의복의 착용감; 몸에 주는 의복의 감촉.

きこつ【気質】 图 기질; 속마음. ¶～が知れない 속마음을 알 수 없다.

*ぎこちな─い 形 (동작 등이) 어색하다; 딱딱하다. ¶～文章 어색한 문장.

きごつ【気骨】 图 기골; 기개.

きな─す【着こなす】 固他 옷을 몸에 맞도록 〔어울리게〕 입다; 맵시 있게 입다.

きこ─む【着込む】 固他 껴 입다; 전하여, '着る(=입다)'의 힘줌말. ¶重いオーバーを～んで 무거운 외투를 걸쳐 입고.

きこり【きこり・木こり】 〔樵〕 나무를 벰; 또, 나무꾼; 벌목꾼.

きこん【既婚】 图 기혼. ¶～者ㄴ 기혼자.↔未婚.

きこん【気根】 图 ①끈기. ＝根気닛. ②〔植〕 기근; 땅에 노출된 뿌리.

*きざ【気障】 ダナ ①(언어・동작・복장

따위가) 같잖음；태깔스러움；아니꼬
움. =いやみ. ¶～な男#은 아니꼬운 사
나이／～の歩き方# 거드럭거리는 걸
음걸이. の마음에 걸림；언짢음.

きさい【奇才】图 기재；세상에 드문
재주；또, 그런 사람. (才能)

きさい【機才】图 기재；민첩한 재기

きさい【鬼才】图 기재；세상이 깜짝
놀랄 만큼 뛰어난 재능(을 가진 사람).

きさい【記載】ス他 기재. ¶～事項
기재 사항.

きさい【起債】ス自他【經】기채.

きざい【器材】图 기재；기구의 재료；
또, 기구와 재료.

きさき【后·妃】图 황후；중전(中殿)；
중궁(中宮).

きざきざ【ダナ】 가장자리에 톱니 모
양의 들쑥날쑥이 연속적으로 있는 모
양；갈쭉갈쭉함；또, 그러한 것. ¶ふ
ちに～をつける 가장자리를 갈쭉갈쭉
하게 하다.

*きさく【気さく】ダナ 담박하고 상냥
함；싹싹함. ¶～な男# 싹싹한 사람.

きさく【奇策】图 기책；기묘한 계책.

きさく【偽作】ス他 위작；위조하여
만듦；또, 그 작품. =贋作#.

きざけ【生酒】图 진국 술；전내기. =き
いっぽん.

きさご【細螺】图〖貝〗비단납작고둥.

きささげ【木豇豆·楸】图〖植〗개오동
나무.

きざし【兆し】【萌し】图조짐；징조；전
조. ¶回復# の～ 회복의 조짐.

きざ-す【兆す】【萌す】自五 ①싹트다.
②징조가 보이다；마음이 움직이다.
¶時#を～ 시대가 움직이다.

きざはし【階】图〈雅〉섬돌；계단；층
층대.

きさま【貴様】代 네놈；자네；너. =お
まえ. 参考 아주 친한 사이, 또는 상
대를 경멸해서 쓰는 말씨.

きざみ【刻み】图 ①①잘게 썲. ⓛ새기
는 일；또, 그 자국, ¶～を入れる 칼
자국을 새기다. ②'刻みたばこ(=살담
배)'의 준말. ③시간이 경과해 가는 일
각 각각. ¶時#の～ 시각(時刻).

きざみあし【刻み足】图 종종걸음.

きざみつ-ける【刻み付ける】下1他 새
겨서 형적을 남기다；조각하다；새겨
두다. ¶心#に～ 마음에 새겨두다.

*きざ-む【刻む】他五 ①잘게 썲다(쪼개
다)；썰어서 잘게 磊다. ②칼자국을(진
집을) 내다. ③조각하다；새기다. ¶仏
像#を～ 불상을 새기다. ④잘게 구분
하여 나아가다. ¶時#を～ 시계의 제
각각깍하다. ⑤명심하다.

きさらぎ【如月】图〈雅〉음력 2월.

きざわり【気障り】图 비위에 거슬
림；아니꼬움；또, 그런 모양. =きざ.

きさん【帰参】图ス自 (오랫 동안 떠
나 있던 사람이) 돌아옴；특히, 일단
주인 집을 떠났던 무사(武士)가 다시
돌아와서 주인을 섬김.

きさん【起算】图ス自 기산. 「미산.

ぎさん【蟻酸】图〖化〗의산；개미

きさんじ【気散じ】□图 소창(消暢)；
기분 전환. ¶～に茶#をたてる 기분
전환으로 차를 끓이다. □ス자【老】
마음이 편안함. =気楽#. ¶のんき で
～な旅# 마음 편한 여행.

*きし【岸】图 ①물가. ¶川岸## 강안
(江岸)；강 둔덕. ②〈雅〉벼랑；낭떠러
지. ¶切岸## 벼랑.

きし【起死】图 죽게 된 병자를 살림.
¶～回生## 기사 회생.

きし【旗幟】图 기치. 一を鮮明##にす
る 기치를 선명하게 하다.

きし【棋士】图 기사；바둑·장기를 직
업으로 하는 사람.

きし【騎士】图 기사. ①말 탄 무사. ②
중세 유럽에서 봉건 군주를 섬기던 기
마 무사；또, 그런 무사의 칭호. =ナイ
ト. ¶～道 기사도.

きじ【雉·雉子】图〖鳥〗꿩. 一も鳴#
かずば撃#たれまい 쓸데없는 말을 않
으면 재난을 당하지 않는다는 비유.

きじ【木地】图 ①나무 바탕；나뭇결.
②목각(木刻) 등에 쓸 다듬친 나무.
③(칠하지 않은) 나무. ¶'木地ぬり'의 준
말；나뭇결이 나타나도록 칠을 엷게 칠
함；또, 그 기구.

*きじ【生地·素地】图 ①본연 그대로의
성질〔상태〕；본바탕. ¶～が出る 본
성〔본바탕〕이 드러나다. ②옷감；천.
¶洋服# の～ 양복감. ③유약(釉藥)을
바르기 전의 도자기；소태(素胎).

きじ【記事】图 기사. ¶三面## 삼면
기사.　　　　　　　　　　　「기사.

きし【技師】图 기사. ¶鉱山## 광산

ぎし【義士】图 의사. 参考 특히, 赤穂
義士##(=江戸# 시대의 元禄## 15년
12월 14일 주인의 원수를 갚은 47명의
무사)를 일컫는 경우가 많음.

ぎし【義姉】图 의로 맺은 누이(형수·
손위 올케·손위 시누이·처형(妻兄)).

ぎし【義肢】图 의지 =의수(義手)와
의족(義足).

ぎし【義歯】图 의치. 　　「足(義足).

ぎじ【疑似】【擬似·偽似】图【醫】의사；
유사(類似). ¶～コレラ 의사 콜레라／
～脳炎## 의사 뇌염.

ぎじ【議事】图 의사. ¶～定足数####
의사 정족수／～堂# 의사당／～日程
의사 일정／～録# 의사록.

きしかた【来し方】图 ①지나간 일；과
거. ②지나온 곳. 参考 'こしかた'라고
도 함. 一行# く末# え 과거와 미래.

*ぎしき【儀式】图 의식. ¶～を行##う
의식을 행하다. ―ばる【―張る】
自五 (너무) 의식적(형식)에 치우치다.

ぎしぎし【羊蹄】图 참소리쟁이
(약제로 쓰임).

ぎしぎし 圖 ①무리하게 채워(밀어) 넣
는 모양：꽉꽉. ¶～押#し詰#める 꽉
꽉 밀어 넣다. ②용서 없이 강압적으
로 밀어대는 모양：꽉꽉. ¶人 사정
없이 꽉꽉거리다. ③단단한 물건이 서
로 마찰하여 나는 소리：삐걱삐걱. ¶
はしご段#が～(と)鳴#る 계단에서 삐걱
삐걱 소리가 나다.

きじく【機軸】图 기축. ①차량·기관의
축. ②지구의 회전축. =地軸#. ③(근
본적인) 방식；방법；짜임. ¶新#～ 신
기축. ④활동의 중심.

きしつ【器質】图【醫】기질. ¶～的#
障害### 기질적 장애.

きしつ【気質】图 기질. =気#だて. ¶
学生#～ 학생 기질.

*きじつ【忌日】图 기일.

*きじつ【期日】图 기일.

きしな【来しな】 图 오는 길; 오기 (직) 전. ¶~に寄った 오는 도중에 들렀다.

きしべ【岸辺】 图 물가; 강가; 바닷가.

きし-む【軋む】 固 삐걱거리다. ＝きしる. ¶床がが~ 마루가 삐걱거리다.

きしめん【碁子麵】 图 가늘고 납작하게 만든 국수. ＝ひもかわ(うどん).

きしゃ【喜捨】 -sha 图スӨ 희사; 施与.

*きしゃ【汽車】 -sha 图 기차. ¶~の旅 기차 여행.

*きしゃ【記者】 -sha 图 기자. ¶新聞いん~ 신문 기자.

きしゃく【希釈・稀釈】 -shaku 图砪 〔化〕희석. ¶~度だ 희석도／~溶液ぜき 희석 용액.

きじゃく【着尺】 -jaku 어른 옷 한 벌 감의 길이와 폭. ¶~地じ 한 벌의 옷감.

きしゅ【鬼手】 -shu 图 (바둑·장기에서) 기수. 〔서〕귀수.

きしゅ【奇手】 -shu 图 (바둑·장기에서) 기수. 〔서〕귀수.

きしゅ【旗手】 -shu 图 기수.

きしゅ【機手】 -shu 图 기수.

きしゅ【機種】 -shu 图 기종. 〔수.

きしゅ【騎手】 -shu 图 (경마 등의) 기

きじゅ【喜寿】 -ju 图 희수; 77세(의 잔치).

きじゅ【技手】 -shu 图 기원(技員).

ぎしゅ【義手】 -shu 图 의수.

きしゅう【奇習】 -shū 图 기습; 기이한 습관·풍습.

きしゅう【奇襲】 -shū 图 기습. ＝不意打うちゃ. ¶~作戦ぜん 기습 작전.

きじゅう【機銃】 -jū 图〔軍〕기총(機関銃きかんゝう(＝기관총)'의 준말). ¶~掃射しや 기총 소사.

きじゅうき【起重機】 -jūki 图 기중기. ＝クレーン.

きしゅく【寄宿】 -shuku 图スӨ 기숙. ¶~舎しゃ 기숙사. 〔てしな.

きしゅく【奇宿】 -shuku 图 기숙; 奇

きじゅつ【奇術】 -jutsu 图 기술; 요술.

*きじゅつ【記述】 -jutsu 图砪 기술.

**ぎじゅつ【技術】 -jutsu 图 기술. ¶~士し 기술사／~者しゃ 기술자／~畑ばた 기술 분야／~情報 기술 정보／~科学かく → 과학 기술. ──てき【──的】 ㄱ彤 기술적. ¶~な問題だい 기술적인 문제다. ──や【──屋】〈俗〉(사무계 직원에 대하여) 기술계 직원. ②기술가; 기술자. 参考 다소 경멸적인 말씨임. ⇨事務屋むや.

*きじゅん【基準】 -jun 图 기준. ¶判断だん → 판단 기준／設置ち → 설치 기준. 〔ゝ~ 행동 규준.

*きじゅん【規準】 -jun 图 규준. ¶行動

きじゅん【帰順】 -jun 图スӨ 귀순.

きしょ【奇書】 -sho 图 기서; 진서(珍書). 진본(珍本).

きしょ【稀書・希書】 -sho 图 희서; 희귀한 서적. ＝稀観書きかん書.

きしょ【貴書】 -sho 图 귀서; 귀한(貴) 책.

きしょ【貴所】 -sho 图スӨ 귀소; 사무소 등에 돌아옴.

きじょ【鬼女】 -jo 图 귀녀. ①여자 귀신. ②악귀 같은 여자.

きじょ【戯書】 -sho 图 희서; 낙서.

ぎじょ【妓女】 -jo 图 기녀.

きしょう【奇勝】 -shō 曰 图 기승; 경치 가 뛰어나게 좋은 곳. ¶天下てんかの~ 천하 (제일)의 기승. 曰 图自 뜻하지 아니한 승리. ¶~を博はくする 의외의 승리를 얻다.

きしょう【希少・稀少】 -shō 图彤 희소. ¶~価値ち 희소 가치.

*きしょう【気性】 -shō 图 타고난 성질; 천성; 기질. ¶~がはげしい 천성이 괄괄하다; 기질이 과격하다.

*きしょう【気象】 -shō 图 기상. ①(날씨·기온·바람 등) 대기의 상태·현상. ¶~観測かん 기상 관측／~衛星えい 기상 위성. ②(사람의) 気性. ──台だい【──台】 图 기상대; 관상대(気象台きゝうだい)의 지방 기관. ──ちょう【──庁】 -chō 图 기상청(기상 관계 업무를 총괄하는 중앙 관청). 〔상.

きしょう【毀傷】 -shō 图スӨ 훼상; 손

*きしょう【記章・徽章】 -shō 图 ①기념 으로 참가자·관계자에게 주는 표장(標章). ¶従軍じゅぐん~ 종군 기장. ②(본디는 徽章) 휘장; 배지.

きしょう【起床】 -shō 图スӨ 기상.

きしょう【起請】 -shō 图 기청. ①옛날, 일을 기안하여 그 실행을 윗사람에게 청원함; 또, 그 글. ②신불에게 서약하거나, 어기면 벌을 받겠다는 서약문; 특히, 군신·남녀간의 진심이 변하지 않음을 맹세한 서약서. ＝起請文.

きじょう【気丈】 -jō ㄱ彤 마음이 굳셈 〔대부지〕모양. ¶~な女かな 어기찬 여자; 여장부.

きじょう【机上】 -jō 图 궤상; 탁상. ──の空論くう 탁상 공론. ──の計画かく 탁상 계획.

きじょう【機上】 -jō 图 기상. ¶~の人となる 항공기를 타다.

きじょう【騎乗】 -jō 图自 말을 탐; 승마.

ぎしょう【偽証】 -shō 图スӨ 〔法〕위증. ¶~罪ざい 위증죄.

ぎじょう【儀仗】 -jō 图 의장. ¶~兵へい 의장병.

ぎじょう【議場】 -jō 图 의장; 회의 장소.

きしょうてんけつ【起承転結】 kishō- 图 (한시(漢詩)의) 기승 전결; 전하여, 사물의 순서·짜임새.

きじょうぶ【気丈夫】 -jōbu ㄱ彤 ①마음이 든든함. ②다기짐; 다부짐; 어기참. ＝気丈.

きじょうゆ【生じょうゆ】 (生醬油) -jōyu 图 ①달이지 않은 간장; 날간장. ②순간장; 전국.

きしょく【喜色】 -shoku 图 희색. ¶~満面めんにあふれる 만면에 만면하다.

*きしょく【気色】 -shoku 图 기색; 안색; 기분. ──が悪わるい 기색이 좋지 않다; 기분이 언짢다. ──ばむ 固 기세를 올려 분발하다.

きしょく【寄食】 -shoku 图スӨ 기식.

きし-る【軋る・轢る】 固 삐걱거리다. ＝きしむ. ¶車くるまが~ 차가 비걱거리다.

きじるし【キ印】 图〔卑〕미친 사람(멸시하는 말).

きしん【寄進】 -shin 图砪 사찰이나 신사 등에 금품을 기부함; 희사(喜捨); 봉납.

きしん【帰心】귀심；(고향·집에) 돌아가고 싶은 마음. ━矢ゃのごとし 돌아가고 싶은 마음 간절하다.

きしん【鬼神】귀신. ①초인적인 힘을 가진 신. ＝おにがみ. ②죽은 사람의 넋.

きじん【鬼神】☞きしん(鬼神) ①. ②마귀；도깨비. ＝ばけもの.

きじん【奇人·畸人】귀인；괴짜.

きじん【貴人】귀인.

きじん【帰陣】귀진；(전쟁터에서) 진영(陣營)으로 돌아옴.

ぎしん【疑心】의심. ┃～を晴らす 의심을 풀다. ━あんき【━暗鬼】의심을 하기 시작하면 모든 것이 의심스럽고 무서워짐.

ぎじん【擬人】의인. ┃━化ゕ 의인화 /━法ゖ 의인법.

ぎじん【義人】의인；의사(義士).

き-す【期す】⑤他 ☞きする(期).

き-す【鱚】⑤名 보리멸. ▷.

キス ⑤名 키스. ＝キッス. ▷kiss.

**きず【傷·疵·創·瑕】名 ①상처. ┃～の深ふき 상처의 깊이 / 古いふ～をあばく 옛 상처를 [지난 허물을] 들추다. ②(알리기 싫은) 비밀. ┃胸にむ～を持もつ 숨기고 있는 비밀을[죄를] 지니다. ③흠；결점；티. ＝あら. ┃玉たまに～ 옥에 티.

きず【傷·疵】☞きず(傷·創·疵·瑕) 상처[흠] (자국).

きすい【既遂】名 기수. ┃～犯はん 기수범 / ～罪ざい 기수죄. ↔未遂すゐ.

きずい【気随】ダナ〈老〉마음대로 하는 모양；제멋대로 굴는 모양. ┃～気ままに 暮らす 마음 내키는 대로[제멋대로] 살다.

きすう【基数】-sū 名【数】기수；1에서 9까지의 정수(整数). ↔序数じょ.

きすう【奇数】-sū 名【数】기수；홀수. ↔偶数ぐう.

きすう【帰趨】-sū 名⑤自 귀추. ＝なりゆき. ┃勝敗しょうの～ 승패의 귀추.

きずあげる【築き上げる】下1他 쌓아 올리다. ┃苦労ゟくを～げた地位ち 고생하여 쌓아 올린 지위.

きずす【気安】⑤自 ①말라서 토실토실한 잠이 없는 모양；깨끗. ①(やせて)②(やせて)한 女おんな 깨끗 마른 여자. ②애교가 없고 상냥하지 않은 모양；딱딱하게. ┃～した話はし方ゕたをする 뭉퉁한 말투로 이야기하다.

**きずく【築く】⑤他 쌓[아 올리]다；구축하다. ┃土台だいを～ 토대를 쌓다 / 不動ふどうの地位ちを～ 확고한 지위를 쌓다.

きずぐち【傷口】(疵口)①상처[받은] 자리. ②과거의 허물. ┃古いふ～にふれる 묵은 허물을 건드리다.

きずつく【傷つく】(傷付く·疵付く) ⑤自 ①다치다；상처를 입다. ②(물건 따위가) 상하다. ┃晶器ゎが～ 접시가 상하다(흠나다). ③(마음이) 상하다；(명예가) 손상되다. ┃童ゎらべ心ごが 심이 멍들다 / 名声めいが～ 명성에 흠이 가다.

**きずつける【傷つける】(傷付ける·疵付ける)下1他 ①상처를 입히다；다치게 하다. ②손상시키다. ③(물건 등

을) 흠내다；파손시키다. ①(명예·명예-기-기·부분 등을) 상하게 하다. ┃学校がっ の名ゃを～ 학교 이름을 손상시키다.

きずな【絆·紲】名 고삐；전라여, 끊기어려운 정(情)이나 인연. ┃夫婦ふうぢ～ 부부의 정리(情理).

き-する【期する】サ変自 기하다. ┃期한[시일]을 정하다. ┃雨季うきを～して 우기를 기하여. ②약속하다；기대하다. ┃成功せいを～ 성공을 기약하다.

き-する【帰する】 ㊀サ変自 ①돌아가다；…으로 돌아가다；귀착하다. ┃失敗しっに～ 실패로 끝나다 / 水泡むあに～ 수포로 돌아가다. ②귀의하다. ㊁サ変他 돌리다；탓으로 하다. ┃罪つみを他人たんに～ 죄를 남에게 돌리다.

き-する【擬する】サ変他 ①들이대다. ┃短刀たんを胸むに～ 단도를 가슴에 들이대다. ②본뜨다. ┃書体しょを～ 글씨체를 흉내내다. ①견주다；비기다. ②가정하다. ┃天才てんに～ 천재에 비기다. ②예상하다. ┃次期会長かいちょうに～ 차기 회장으로 예상하다.

ぎ-する【議する】サ変他 의논하다；심의하다.

きするところ【帰するところ】(帰する所)連語 결국；귀결되는 바.

きするところ【期するところ】(期する所)連語 이루려고 기약(기대)하는 바.

きせい【奇声】名 기성.┃～を上あげる 기성을 지르다. ▷声.

きせい【寄生】名⑤自 ①寄生 기생；남에게 의존하는 생활 / ～火山かざん 기생 화산 / ～植物しょ 기생 식물.━ちゅう【━虫】-chū 名 기생충.

きせい【既成】名 ┃～作家さっか 기성 작가.

きせい【既製】名 미리 만들어 놓음；기성. ┃～品ひん 기성품 / ～服ふく 기성복. ↔注文ちゅうもん.

きせい【期成】名 기성. ┃～会かい 기성회.

きせい【気勢】名 기세. ┃～をそがれる 기세를 꺾이다.

きせい【帰省】名⑤自 귀성.

きせい【規制】名⑤他 규제. ┃～を強つよめる 규제를 강화하다.

ぎせい【擬制】名【法】의제；법률상의 가설(假設). ┃～資本ほん 의제 자본.

**ぎせい【犠牲】名 희생；자기 희생 / 打ち～【野】희생타 / ～バント【野】희생 번트.

ぎせいご【擬声語】名【言】의성어.

きせき【奇跡·奇蹟】名 기적. ┃～でも起おこらぬ限ぎり 기적이라도 일어나지 않는 한. ▷자국.

きせき【軌跡】名①(軌跡)②(軌跡) 궤적. ▷数.

きせき【鬼籍】名【佛】귀적；과거장(過去帳)；죽은 사람의 이름, 사망 연월일 등을 적어 두는 장부. ━に入いる 귀적에 들다；죽다.

ぎせき【議席】名 의석. ┃～に就つく 의석에 앉다.

きせずして【期せずして】連語 뜻밖에；우연히；예기치 않게. ┃～出会であった 우연히 만났다.

**きせつ【季節】名 계절；절기；철.

シーズン. ¶入試ᴊゅうの～ 입시철 /
感ᴋ 계절 감각. ──はずれ【─外れ】
名 계절에 걸맞지 않음. ¶～の麦わ
ら帽子ᴌ 철에 맞지 않는 밀짚 모자.
きせつ【既設】名 기설. ↔未設ᴍ
きせつ【気絶】名 ㅈ自 기절.
ぎぜつ【義絶】名 ㅈ自他 의절.
キセノン【化】名 크세논. =クセノン.
▷도 Xenon.
*き-せる【着せる】【着せる・被せる】
下1他 ⑴옷을 입히다. ㋐(옷 따위를) 입히
다. ㋑(다른 것으로 걸을) 싸다 ; 도금
(鍍金) 하다. ¶～·せた菓子ᴋ
과 설탕을 입힌 과자 / 指輪ᴡに金ᴋを
～ 반지에 금을 입히다. ⑵(죄·책임 따
위를) 남에게 전가하다. ¶ぬれ衣ᴋを
～ 누명을 씌우다. ⑶『恩ᴋを～』은혜
를 베풀어 주는 듯한 태도를 취하다.
キセル【煙管】名 담뱃대. ▷크 khsier.
きぜわし-い【気ぜわしい】【気忙しい】
-shi 形 ⑴(気ᴊきは마음으로 해서) 마음이
수선하고 부산하다 ; 수선스럽다. ¶年
末ᴊᴍはなんとなく～ 연말은 어쩐지 어
수선하다. ⑵성급하다 ; 성마르다.
きせわた【着せ綿】名 ⑴솜털이 들어있
힌 솜. ⑵예전에 서리를 막기 위해 국
화 꽃 위에 씌운 솜.
きせん【機先】名 기선. ──を制ᴋする
기선을 제압하다.
きせん【汽船】名 기선.
きせん【貴賤】名 귀천. ¶職業ᴋに
～なし 직업에 귀천 없다.
きぜん【毅然】ㅌㄆㄹ 의연 ; 의지가 굳
고 어엿한 모양.
ぎぜん【偽善】名 위선. ¶～者ᴋ 위선
자. ↔偽悪ᴋ
ぎぜん【巍然】ㅌㄆㄹ 의연 ; 산이나 사
람이 높게 뛰어난 모양.
*きそ【起訴】名 ㅈ他【法】기소. ¶～
状ᴋ 기소장 ; 猶予ᴋ 기소 유예.
*きそ【基礎】名 기초. ──工事ᴋ 기
초 공사 / ─知識ᴋ 기초 지식. ──控
除ᴋ 기초 공제(세금 계산 때 소득에서
일정액을 공제하는 일). ──づ-ける
下1他 기초를 만들어 확고하게 하다.
き-そ-う【競う】五自 다투다 ; 경쟁하
다 ; 겨루다. 〔盤〕.
きそう【基層】-sō 名 기층 ; 기반(基
盤).
きそう【奇想】名 기상 ; 기발한 생
각. ──てんがい【─天外】名 기상
천외. ¶～より来ᴋる 생각도 못할 묘
안이 얼핏 떠오르다.
きそう【起草】-sō 名 ㅈ他 기초 ; 기안.
きそう【寄贈】-zō 名 ㅈ他 기증 ; 증정
(贈呈). =きぞう. ¶～品ᴋ 기증품.
ぎそう【擬装】【偽装】-sō 名 ㅈ他 위장.
ぎそう【偽造】-zō 名 ㅈ他 위조. ¶～
紙幣ᴋ 위조 지폐 / ～罪ᴋ 위조죄.
きそうせい【帰巣性】-sōsei 名【動】귀
소성.
きそく【気息】名 기식 ; 호흡. ¶～
奄々ᴋᴋ 기식 엄엄 ; 숨이 막 끊어지려는
모양.
*きそく【規則】名【就業ᴋ】취업ᴋ
취업 규칙 / ─動詞ᴋᴊ 규칙 동사.
──ただし-い【──正しい】-shi 形 규
칙적이다.
*きぞく【帰属】名 ㅈ自 귀속.
*きぞく【貴族】名 귀족. ¶～政治ᴋ 귀

族 정치. ──ぶ-る 五自 귀족인 체하
다.
ぎぞく【偽足】名【生】위족. ᴛ다.
ぎぞく【義賊】名 의적.
きそば【生蕎麦】名 순 메밀 국수.
きぞめ【着初め】名 ㅈ他 새옷을 처음으로 입
きそん【既存】名 ㅈ自 기존. ᴌ음.
きそん【毀損】【棄損】名 ㅈ他他 훼손. ¶
名誉ᴋ─ 명예 훼손. 注意『棄損』으로
씀은 대용 한자.
*きた【北】名 ⑴북쪽. ⑵북풍.
ぎだ【犠打】【野】희생타.
ギター【楽】名 기타. ¶ハワイアン～
하와이안 기타. ▷guitar.
きたい【危殆】名 위태 ; 위험. ──にひ
んする 위험한 상태에 빠지다.
きたい【奇態】デナ 기태 ; 괴상한 모
양. ¶～な動物ᴋ 기이한 동물.
きたい【稀代】【稀世】=━━━━名 희대 ; 세상
에 드물ᴋ 회세(稀世). ¶～の怪盗ᴋᴋ
세상에 드문 괴이한 도둑. ━━デナ 이
상 야릇한 모양. ¶～な事ᴋをいう 이
상 야릇한 말을 하다. 注意『きだい』라
고도 함.
*きたい【期待】名 ㅈ他 기대. ¶～はず
れ 기대에 어긋남.
きたい【機体】名 기체.
きたい【気体】名 기체. ¶──物理ᴊᴊ
学ᴊ 기체 물리학 / ─燃料ᴋᴋ 기체 연료 ;
가스 연료.
きだい【議題】名 의제.
ぎたいご【擬態語】名【言】의태어. ↔
擬声語ᴋᴋ
きた-える【鍛える】下1他 ⑴(쇠 따위
를) 불리다. ¶刀剣ᴋを～ 칼을 벼리
다. ⑵단련하다 ; 연마하다. ¶心身ᴊん
を～ 심신을 단련하다.
きだおれ【着倒れ】名 옷치장으로 재
산을 탕진함 ; 또, 그 사람.
きたかいきせん【北回帰線】名【地】북
회귀선.
きたかぜ【北風】名 북새 (바람).
きたきりすずめ【着たきりすずめ】【着
たきり雀】〈俗〉단벌 신사 ; 입은 옷
뿐인 사람.
きたく【寄託】名 ㅈ他 기탁.
きたく【帰宅】名 ㅈ自 귀가.
きたく【貴宅】名 귀댁. ¶～はどちら
ですか 댁은 어디십니까.
きたけ【着丈】名 (키에 맞춘) 옷 길
이 ; 옷 기장(짓에서 단까지).
きた-す【来す】五他 오게 하다 ; 초래
하다. ¶失敗ᴋを～ 실패를 초래하다.
きた-する【北する】ㅈ自 サ変 북으로
가다. 「(木刀)
きだち【木太刀】名 목검(木劍) ; 목도
きだて【気立て】名 심지(心
地) ; 마음씨.
*きたな-い【汚い】【穢い】形 ⑴더럽다 ;
불결하다. ¶～足ᴋ 더러운 발. ⑵꾀죄
죄하다 ; 추레하다. ¶～身ᴋなり 꾀죄
죄한 몸차림. ⑶저저분하다. ¶─字ᴋ
지저분한 글씨. ⑷추잡하다 ; 야비하
다. ¶～話ᴋ 상스러운 이야기 / ～勝
負ᴋᴋ하う 비열한 경기를 하다. ⑸
인색하다. ¶金ᴋに～ 돈에 다랍다. ⑹
좋지 않다 ; 나쁘다. ¶─役ᴋ 나쁜 역 ;
악역. ──水爆ᴋ 방사진(放射塵)이 많
이 떨어지도록 만든 수소 폭탄.

きたならし・い【汚らしい】【穢らしい】
-shī 形 던적스럽다；추접스럽다.

きたのかた【北の方】图〈雅〉신분이
높은 사람의 정처(正妻)의 높임말.

きたのまんどころ【北の政所】图 摂政
깂ぅ・関白깂ぅ의 처의 높임말.

きたはんきゅう【北半球】-kyū 图 북반
구.

ぎだゆう【義太夫】-yū 图 義太夫節깂
ふ의 준말；元録깂 시대에 竹本줘ぅ義太
夫가 시작한 浄瑠璃깂ぅ의 派(파).

き た・る【来る】──[5目] 오다；다가오
다. ¶風깂のごとく～り, 風깂のごとく
去る 바람처럼 왔다가 바람처럼 사라지
다. ──連体 오는；이번. ¶～十日
깂 오는 10일.⇒さる.

きたん【忌憚】图 기탄. ¶～なく言
えば 기탄없이 말하자면.

きだん【気団】图【気】기단；넓은 범
위에 걸쳐 수평 방향으로 거의 고르게
퍼진 공기 덩어리.

きだん【奇談】图 기담；기이한 이야
기. ¶珍談깂ん――진담과 기담.

きち【吉】图 경사(慶事)스러움；좋은
일.⇔凶깂.

きち【危地】图 위지；위험한 장소·처
지·입장. ¶～に追깂い込깂む 위지에 몰
아 넣다.

きち【基地】图 기지. ¶軍事깂～ 군사
기지／南極깂～ 남극 기지.「んち.

きち【機知】【機智】图 기지；재치. ＝

きち【既知】图 기지；이미 알고 있음；
이미 알려짐. ¶～数깂 기지수／の事
実깂ん 기지의 사실.

-きち〈俗〉미치광이；…광(狂)（気違
깂ぃの준말）. ¶色깂～ 색광(色狂)／
ジャン～ 마작광.

きちがい【気違い】【気狂い】图①미친
광이；정신 이상(자). ＝さっ沙汰깂미친
짓.②光(狂)――영화광／
本ぽ～ 책 미치광이；책벌레／釣깂り
～ 낚시광.――に刃物깂の 미친 놈에게 칼
（위험하기 짝없음）.――あめ――雨
图 소나기. ──じ・みる――染みる
[上1目] 미치광이 같이 되다；미친 것처럼
같다.――みた行動깂ぅ 미친 것 같은
행동.――みず――水图〈俗〉술.

きちきち──[ア] ①물건과 물건이 딱
들어맞아서 틈이 없는 모양：빽빽.
¶～に詰깂める 빽빽이 채우다.②시
간의 여유가 없는 모양：빠듯빠듯.
¶発車時間깂깂に～でまにあった 발차
시간에 빠듯하게 댔다.③규칙이
바른 모양：또박또박.＝きちんと.¶
家賃깂を毎月깂～と払깂う 집세를 매
달 또박또박 치르다.

きちく【鬼畜】图 귀축.①마귀와 짐
승.②잔인하고 인정이 없는 사람.③
은혜를 모르는 자.

きちじ【吉事】图 길사；경사(慶事).＝
きつじ.⇔凶事깂.

きちじょうてん【吉祥天】-jōten图〈佛〉
길상천('吉祥天女깂ょ'의 준말；모든 생
물에게 복을 내리는 여신). ＝きっしょ
うてん.

きちにち【吉日】图 길일；(재수·운·일
진 등의) 좋은 날；경사스러운 날. ＝
きつじつ·きちじつ.　　　「つむ.

きちむ【吉夢】图 길몽；길한 꿈. ＝き

きちゃく【帰着】-chaku图区目 귀착.

¶～点깂 귀착점.

きちゅう【忌中】-chū图 기중；상중
(喪中)【특히, 죽은 후 49일 동안】.

きちょう【几帳】-chō图 옛날에 방안
의 칸막이로 쓰던 휘장.

きちょう【記帳】-chō图区他 기장；장
부(명부)에 기입함. ¶～ずみ 기장필
(畢).

きちょう【基調】-chō图 기조；바탕.
¶～音깂 주음(主音)／～演説깂ぅ 기조
연설.

きちょう【機長】-chō图 (항공기의)
기장.

きちょう【帰朝】-chō图区目 귀조；귀국.

*きちょう【貴重】-chō图形 귀중. ¶～
品깂ん 귀중품.

ぎちょう【議長】-chō图 의장. ¶～職
権깂ぅ―― 의장 직권.

きちょうめん【几帳面】-chōmen──
[ナ] 착실하고 꼼꼼한 모양；차근차근
한 모양. ¶～な人깂 꼼꼼한 사람. ──
图 골밀이；모난 모서리를 골변탕으로
깎아서 골을 지게 한 것.

きちれい【吉例】图 길례；길하다 하여
행하여지는 전례. ＝きつれい.

きちん【木賃】图 木賃宿깂ぅ에 지불하
는 땔나무값【숙박료(宿泊料)】. ──や
ど──宿】图 싸구려 여인숙【본디는
숙박객이 자취를 하고 땔나무 값만 내
게 된 여인숙】.　　　　　　「kitchen.

キチン キチン 키친；주방. ＝キッチン.

きちんと──副①구부러짐 없이；정확히；또
박히.¶～払깂って정확히 지불하
어 있다.②깔끔히；말쑥이. ¶～した
身깂なり 깔끔한 옷차림.③규칙 바르
게. ¶～した生活깂 규칙적인 생활.

きつ・い 形①(정도가) 심하다；되다；
과격하다；대단하다. ¶～酒깂 도수가
몹시 취한 모양／～仕事깂 고된 일／
～寒깂さ 혹한.②굳건하다；강하다.
¶～子깂 다부진 아이다. ──甘깂い.
헐렁하지 않다. ¶靴깂が～ 구두가 꼭
끼다／日程깂が～ 일정이 빡빡하다／
帯깂を～くしめる 허리띠를 꽉 죄어
매다. ──ゆるい. 엄격하다. ¶～
お達깂し 엄한 지시.

きつえん【喫煙】图区目 끽연；흡연.
¶～室깂つ 끽연실.⇔禁煙깂ん.

きっか【菊花】kikka 图 국화.

きづかう【気遣う】-u[5他] 마음을 쓰다；
염려하다；걱정하다. ¶安否깂を～ 안
부를 걱정하다.　　　　　「기기」꼬투리.

きっかけ【切っ掛け】kikka- 图 동기；

きっかり kikka- 副①(시간·수량 등
이) 꼭 들어맞아서 우수리가 없는 모
양：꼭；딱.¶～十時깂に 정각 열시
에.②아주 뚜렷한 모양. ¶～と区別
깂ぅされる 뚜렷하게 구별되다.

きづかれ【気疲れ】-zukare 图区目 심로；정신
적 피로.

きづかわし・い【気遣わしい】-shī 形
마음이 놓이지 않다；걱정스럽다.

きづ・く【気付く】-u[5自] 눈치채다；알아차림.
¶お～の点깂 생각나신(느끼신) 점.

きっきょう【吉凶】kikkyō 图 길흉.
¶～を占깂う 길흉을 점치다.

キック kikku 图区他 킥；(공 따위를)
발로 참. ¶コーナー～ 코너 킥. ▷
kick. ──オフ 图区自 킥오프.

kickoff. ──ボクシング 图 킥 복싱；

이식 복성. ▷일 kick boxing.

＊きづ-く〖気付く〗⑤自①깨닫다；눈치채다；알아 차리다. ¶誤^{あやま}りに～ 잘못을 깨닫다. ②(실신 상태에서) 정신이 돌아오다〔들다〕.

ぎっくりごし〖ぎっくり腰〗图 (물건을 들거나 할 때) 갑자기 허리가 삐끗하여 아프고 움직일 수 없게 되는 병. ¶きっくり腰で.＝ぎっくら腰.

きつけ〖着つけ·着付け〗图①옷을 (법식에 따라) 잘 입혀 줌；또, 그 매무새. ¶花嫁^{はなよめ}の～をする 신부의 옷단장〔옷차림〕을 하여 주다. ②(늘 입어서) 몸에 밴〔익음〕. ¶～の服 입어 몸에 익은 옷.

きつけ〖気付(け)〗图①정신〔기운〕을 차리게 함；깨어나게 함. ②「きつけ薬^{ぐすり}」의 준말. ③(俗)「酒^{さけ}」의 딴이름. ☞きづけ. ——ぐすり〔——薬〕图 각성제〔캠퍼·코카인 따위〕.

きづけ〖気付〗〖気附〗图 (편지 걸봉의) …방(方)；전교(轉交). ＝きつけ.

きつ・ける〖着つける·着付ける〗下1他 늘 입어서 몸에 익다.

きっこう〖亀甲〗图①귀갑；거북의 등딱지. ②「亀甲形^{がた}」의 준말；거북 딱지 모양의 육각형의 이어진 무늬.

——もじ〔——文字〗图 귀갑 문자.

きっさ〖喫茶〗图 끽다；차를 마심. ＝きっちゃ. ¶～店^{てん} 다방.

きっさき〖きっ先·切(っ)先〗〖鋒〗kis-sa- 图 칼끝；뾰족하며 가느른 끝. ¶～を突つきつける 칼끝을 들이대다.

ぎっしゃ〖牛車〗gissha 图 예전에 소가 끌던 귀인용의 수레(보통 4인승). ＝ぎゅうしゃ·うしぐるま.

ぎっしりgisshi- 图 가득차게 모양；가득；잔뜩. ¶～と詰^{つ}まる 가득 차다.

きっすい〖生粋〗kissui 图 순수. ¶～の江戸子${}^{え ど っ こ}$ 순수한 도쿄인, 토박이.

きっすい〖喫水·吃水〗kissui 图 흘수. ¶～線^{せん} 흘수선. 注意「喫水」로 씀은 대용 한자.

きっ-する〖喫する〗サ変他 ①맛보다；마시다；피우다. ¶茶^{ちゃ}を～ 차를 마시다 / タバコを～ 담배를 피우다. ②입다；당하다. ¶苦杯^{はい}을 ～ 고배를 마시다.

きそう〖吉左右〗kissō 图①길흉〔성패〕간의 통지〔소식〕. ②(老)〈古〉좋은 소식；회소식.

きっそう〖吉相〗kissō 图 길상. ①좋은(복스러운) 인상(人相). ②길조.

きづた〖木蔦〗〖植〗상춘등；송악.

きづち〖木づち〗〖木槌〗图 나무 망치.

ぎっちょgitcho 图〈俗〉왼손잡이.

きっちょう〖吉兆〗kitchō 图 길조.

きっちりkitchi- 剾 꼭 (들어)맞는 모양；빈틈이 없는 모양. ¶～はめこむ 꼭 끼워 넣다 / 答^{こた}え～ 合^{あ}う 답이 틀림 없이 꼭 들어맞다. ②수량 등에 우수리가 없는 모양：꼭；딱. ¶三時間^{かん} 세 시 정각 / 千円^{えん} ～ 꼭 천 엔.

キッチン〖kitchin 图 키친.

＊きって〖切手〗kitte 图①우표(郵票). ＝手形^{てがた}. ②小切手 ＝小切手^{がた}. ②특히,「郵便切手^{ゆうびんがた}(＝우표)·商品切手^{しょうひんがた}(＝상품권)'의 준말.

きっての〖切っての〗kitte- 連語〔名詞를 받아서 接尾語的으로〕…에서 으뜸가는. ＝ずいいち. ¶町内^{ちょうない}～ 美人^{じん} 동네에서 제일가는 미인.

＊きっとkitto 剾①〖屹度·急度〗꼭；반드시. ¶～行^{い}くよ 꼭 갈게 / ～知らせてくださいよ 꼭 알려 주십시오. ②엄히(협악히) 기색을 하는 모양. ¶～にらみつける 딱 노려 보다.

きつね〖狐〗图①〖動〗여우. ¶とらの威^{い}をかる～ 호가 호위(狐假虎威). ②(俗)여우같이 간사한〔요사스러운〕사람；특히, 창녀를 멸시하여 이르는 말. ③〖きつねずし(＝우부초밥)'·「きつねいろ(열은 갈색)'·「きつねうどん(＝유부 국수)'의 준말. ——につままれる 여우에 홀리다；도깨비에 홀린 것 같다.

きつねごうし〖狐格子〗-gōshi 图 가로 세로 짠 격자；또, 그 외면에 판자를 댄 것.

きつねつき〖きつねつき〗〖狐つき·狐憑き〗图 여우에게 홀려서 난다는 정신병；또, 그 병에 걸린 사람.

きつねのよめいり〖きつねの嫁入り〗〖狐の嫁入り〗图①초롱불 행렬같이 줄지어 늘어선 도깨비불. ②여우비.

きつねび〖きつね火·狐火〗图 도깨비불.

きっぱりkippa- 剾 딱 잘라；단호히. ¶～(と)断ことわる 딱 잘라서 거절하다.

きっぷ〖気っ風·気風〗kippu 图〈俗〉(잘게 끊지 않아) 멋있는 태도；활수. ¶～がいい 활수하다；제제하지 않다.

＊きっぷ〖切符〗kippu 图 표. ¶往復^{おうふく}～ 왕복표 / ～売場^{ば} 매표소. ＝식.

きっぽう〖吉報〗kippō 图 길보；희소식.

きづよ〖気づよ·気強〗图 기분；최면. ¶～を取^{と}る 비위를 맞추다. ——を合わす 마음에 들도록 장단을 맞추다.

きづまり〖気づまり·気詰(ま)り〗图 어색함；거북함. ¶～な席^{せき} 거북스런 자리. 〔고 따윈〕.

きつもん〖詰問〗图 힐문；나무라.

きづよ-い〖気強い〗形①아주 든든하다；안심이다. ¶気에 끌리지 않다；다기〔어기〕차다；전하여, 매정하다. ¶～くわが子^{こ}をしかる 매정하게 자식을 꾸짖다.

きで〖来手〗图 올 사람，와 줄 사람. ¶嫁^{よめ}に～がない 며느리〔색시〕로 와 줄 사람이 없다.

きて〖技手〗图〈俗〉☞ぎしゅ.

きてい〖基底〗图 기저.

きてい〖既定〗图 기정. ¶～事実${}^{じ じ つ}$ 기정 사실. ↔未定^{みてい}.

＊きてい〖規定〗图ス他 규정. ¶～種目^{しゅもく} 규정 종목. 〔무 규정.

きてい〖規程〗图 규정. ¶事務^{じむ}～ 사

きてい〖義弟〗图①의동생. ②손아래 처남(동서)·시동생·매제 따위.

きてい〖議定〗图ス他〈古〉합의하여 정함. ＝ぎじょう. ¶～書 의정서.

きてき〖汽笛〗图 기적. 〔위 기적.

きてき〖基点〗图 기점. ¶方位^{ほうい}～ 방위 기점.

きてん〖起点〗图 기점；출발점. ¶鉄道^{てつどう}の～ 철도의 기점. ↔終点^{しゅうてん}.

きてん〖機転〗〖気転〗图 기지(機智)；재치；임기 응변. ¶～がきく 재치가 있다.

きでん〔起電〕图 기전；마찰로 물체에 전기를 일으킴. ¶─リョク 기전력.

きでん〔貴殿〕㒰 귀하(주로 남자가 편지에서 동배(이상)에 대하여 씀).

ぎてん〔儀典〕图 의전.

ぎてん〔疑点〕图 의문점.

きてんたい〔紀伝体〕图 기전체(본기(本紀)와 열전(列傳)으로 구분해서 서술하는 역사 편찬의 한 체재).

きと〔企図〕图 기도.

きと〔帰途〕图 귀도；귀로(帰路). ¶─につく 귀로에 오르다.

きど〔喜怒〕图 희로. ──あいらく〔──哀楽〕图 희로애락.

きど〔木戸〕图 ①(지붕 없는) 일각 대문. ¶─が立つ 일각 대문이 서다(서로 왕래를 하지 않게 되다). ②(씨름・연극 등) 흥행장의 출입구. ¶─を突っつく 흥행장에 입장을 거절하다. ③木戸銭의 준말. ¶─を取る 입장료를 내다. ──ごめん〔──御免〕입장료를 내지 않고 출입이 허가됨；또, 그런 사람. ──せん〔──銭〕图 관람료；입장료. ──ばん〔──番〕图 (흥행장 따위의) 문지기.

きど〔輝度〕图〔理〕휘도.

きとう〔祈禱〕-to 图자他 기도. ──いのり. ──書 图 (기독교의) 기도서.

きどう〔気道〕-dō 图〔生〕기도.

きどう〔軌道〕-dō 图 궤도. ¶─の周りの軌道 …의 궤도. ──に乗る 궤도에 오르다.

きどう〔機動〕图 기동. ¶─性 기동성. ──隊 图 기동대(警察機動隊(=경찰 기동대)의 준말).

きどう〔起動〕-dō 图자他 기동；시동(始動). ¶─リョク 기동력；동력을 일으키는 힘.

きどうしゃ〔気動車〕-dōsha 图 기동차.

きどうらく〔着道楽〕-dōraku 图 옷치레를 즐김；또, 그 사람.

きとく〔奇特〕名形 기특함；갸륵함. ＝殊勝함. ¶─な人 기특한 사람.

きとく〔危篤〕图 위독.

きとく〔既得〕图 기득. ¶─権 기득권.

きどり〔木取り〕图 재목을 마름질함；특히, 통나무로 각재를 켜 냄.

きどり〔気取り〕图 (짐짓) 체함(연함)；젠체함；자처(自處). ¶─屋 젠체하는 사람；女房─で居る 마누라로 자처하고 있다.

きどーる〔気どる〕〔気取る〕5自 ①젠체하다；거드름 피우다；점잔 빼다. ¶─った歩き方 (짐짓) 점잔 빼는 걸음. ②…체하다；(然) 짐짓 …을 자처하다. ¶学者─ 학자연하다；점잔 빼다；눈치채다. ¶あだ된다.

きどるいげんそ〔希土類元素〕〔稀土類元素〕图 희토류 원소.

キナ〔規那〕图 키나；기나수(幾那樹)의 껍질을 말린 것(키니네의 원료). ¶─塩 キナ염.

きなおす〔着直す〕5他 옷을 고쳐 입다；갈아 입다.

きなが〔気長〕形動 누긋한 모양；조급하게 굴지 않는 모양. ¶─に待つ느긋하게 기다리다.

きながし〔着流し〕图 (남자의 일본옷 차림에서) 하카마를 입지 않은 평소의 약식 복장. ¶─のままで出かける평

きなくさーい〔きな臭い〕〔焦臭い〕形 ①(종이나 헝겊 등이 눋는) 단내가 나다. ¶─におい 종이(천 따위)가 눋는 냄새. ②화약 냄새가 나다；곧, 싸움・뒤숭숭한 사태가 당장이라도 벌어질 기색이다. ③어쩐지 수상쩍다. ＝うさんくさい. 「콩가루.

きなこ〔きな粉〕〔黄な粉〕图 (볶은)

キニーネ〔薬〕키니네；금계랍(학질특효약). ＝キニン. ▷네 kinine.

きにいり〔気に入り〕图 흔히 お─의 형태로〕마음에 듦；또, 그런 사람. ¶お─の品 마음에 드시는 물건.

きにち〔忌日〕图 기일. ＝きじつ.

きにゅう〔記入〕kinyū 图자他 기입.

ギニョール ginyoru 图 기뇰；손가락으로(손가락에 끼워서) 놀리는 인형극. ▷프 guignol.

きにん〔帰任〕图자他 귀임.

きぬ〔衣〕图〔雅〕옷；의복. ¶歯に─着せぬ 까놓고(솔직하게) 말하다.

きぬ〔絹〕图 명주；비단(絹織物의 준말). ¶─を裂くような声 비단을 찢는 듯한(날카로운) 비명.

きぬいと〔絹糸〕图 견사；명주실.

きぬおりもの〔絹織物〕图 견직물；명주；비단. ＝きぬおり. 「気落ち.

きぬけ〔気抜け〕图 맥빠짐；김빠짐.

きぬこまち〔絹小町〕图 絹小町糸의 준말；방적 견사(紡織絹絲)로 만든 실 (비단 바느질 실의 대용품).

きぬずれ〔衣擦れ〕图 옷이 스침；또, 그 소리. 「질.

きぬた〔砧〕图 다듬잇돌；또, 다듬이.

きぬもの〔絹物〕图 견직물；또, 비단(명주)옷.

きね〔杵〕图 절굿공이. ¶うす.

きねずみ〔木ねずみ〕〔木鼠〕图〔動〕りす(=다람쥐)의 딴이름.

きねづか〔杵柄〕图 절굿대. ¶昔取ったた─ 옛날에 익힌 솜씨(지금도 자신이 있음).

きねん〔祈念〕图자他 기념；기원(祈願).

きねん〔記念〕图자他 기념. ¶─スタンプ 기념 스탬프. ──碑 기념비. ──品 기념품. ──会 기념회. ──行事 기념 행사. 注意 記念을 紀念으로도 썼지만 記念이 일반적임. ──び〔──日〕图 기념일. ──ぶつ〔──物〕图 기념물. ＝天然てん─ 천연 기념물.

ぎねん〔疑念〕图 의념；의심. ¶─をいだく 의심을 품다.

きねんさい〔祈年祭〕图 음력 2월 4일에 오곡(五穀)의 풍작, 天皇의 안태(安泰)[국가의 평온을 빌던 행사. ＝としごいの祭り.

きのう〔昨日〕-nō 图 어제. ＝さくじつ. ¶─の晩 어젯밤；잔밤. ──きょう〔a〕어제와 오늘；〔b〕요즘；최근. ¶─の人 어제(과거)의 사람. ──のつづれ今日の錦 어제까지 누더기를 걸친 이가 오늘은 비단옷(곧, 이 세상의 영고 성쇠의 변화가 격심함의 비유). ──は人の身今日は我が身 어제 저 사람의 불행을 남의 일로만 여겨 안심할 수만은 없음의 비유. ──や今日のことではない 어제 오늘의 일이 아니다；어

제 오늘 비롯된 일은 아니다.

きのう【機能】-nō 图 기능. ¶ ～主義しゅぎ 기능주의 / ～障害しょうがい 기능 장애.

きのう【帰納】-nō 图 区他 귀납. ¶ ～法ほう 귀납법. / ～演繹えんえき

きのう【技能】-nō 图 기능. ¶ ～賞しょう 기능상. ――オリンピック -orimpikku 图 기능 올림픽 (정식 명칭은 '국제 직업 훈련 경기 대회'). ◇Olympic.

きのえ【甲】图 갑; 천간(天干)의 첫째 (오행(五行)으로는 목(木)). =こう.

きのえね【甲子】图 ①(60 갑자의) 갑자, 으뜸가는 것. ②'甲子祭きのえねまつり'의 준말; 갑자날 밤 '大黒天だいこくてん(=칠복신(七福神)의 하나)'을 제사 지내는 것. ――きのえね待まち.

きのこ【菌・茸・蕈】图【植】버섯. ¶～狩がり 버섯따기.

きのと【乙】图 을; 천간(天干)의 둘째 (오행(五行)으로는 목(木)). =おつ.

きのどく【気の毒・気の毒】图ダナ ①딱함; 가엾음; 불쌍함. ¶人ひとを～に思おもう 남을 불쌍하게 [딱하게] 여기다. ②(폐를 끼쳐) 미안스러움. ¶やっかいをかけてほんとうに～でした 폐를 끼쳐서 미안합니다. ――がる 五自 불쌍하게 [가엾게] 생각하다; 딱하게 여기다; 가엾이 여김.

きのぼり【木登り】图 区自 나무에 오름.

きのみきのまま【着の身着のまま】【着の身着の儘】連語 입은 옷밖에는 아무것도 갖지 않음. ¶～で焼やけ出だされた 달랑 걸친 옷 한 벌만 [맨몸뚱이만 남기고] 전재산을 불태웠다.

きのめ【木の芽】图 ①나무 순; 새싹. ¶～時どき 새싹이 움트는 때; 봄철. ②산초나무의 순. ¶～あえ 산초나무의 순을 으깨어 섞은 된장으로 무친 야채나 고기 요리.

きのやまい【気の病】图 정신 피로 등에서 오는 병. =気病きやみ.

きのり【気乗り】图 区自 마음이 내킴. ¶～しない返事じ 내키지 않는 대답 / ～薄うす 별로 마음이 내키지 않음.

きば【牙】图 엄니. ――をとぐ 엄니를 갈다 (상대방을 해치려고 기회를 노림의 비유). ――を鳴ならす 이를 갈고 분해하다.

きば【木場】图 ①재목을 쌓아 두는 곳. ②재목상들이 많이 모인 곳.

きば【騎馬】图 기마; 말을 탐; 또, 그 사람. ¶～戦せん 기마전.

きばえ【着映え・着栄え】图 区自 입어서 훌륭하게 보임; 옷입은 태 [맵시]. ¶～のする着物きもの (입어서 태가 안 나는 의복.

***きはく**【希薄・稀薄】图ダナ 회박. ①(밀도·농도가) 묽음; 엷음. ¶～な塩水えんすい 진하지 않은 식염수. ↔濃厚のうこう・濃密のうみつ. ②열의 등이 적음; 희박함. ¶意欲いよくが～だ 의욕이 희박하다.

きはく【気迫・気魄】图 기백; 기개. ¶～に乏とぼしい 기백이 부족하다. 注意 '気迫'는 대용 한자.

きばく【起爆】图 区自 기폭. ¶～剤ざい 기폭제. / ～薬やく 기폭약.

きばさみ【木鋏】图 (긴 나무 손잡이가 달린) 전정 (剪定) 가위.

きはずかし-い【気恥(ず)かしい】-shī

形ゲ 부끄럽다; 창피하다; 멋적다.

きはだ【黄肌】图【魚】황다랑어. =きはだまぐろ.

きはだ【黄蘗・黄檗】图【植】황벽나무. ¶～「わだ・おうばく」

きはたらき【気働き】图 (임기 응변의) 재치.

きはつ【揮発】图 区自 휘발. ¶～性せい 휘발성. ――ゆ[――油] 图 휘발유; 가솔린. =ガソリン.

きばつ【きばつ・奇抜】图ダナ 기발. ¶～な風采ふうさい 기발한 풍채.

きば-む【黄ばむ】五自 노래지다.

きばや【気早】图ダナ 성급함; 조급함. =せっかち. ――い 形 성급하다; 조급하다.

きばらし【気晴らし】图 区自 소창(消暢); 기분 전환. =気散きさんじ.

きば-る【気張る】五自 ①용을 쓰다; 분발하다. ¶～って勉強べんきょうする 분발하여 공부하다. ②호기 있게 돈을 내다. ¶チップを～ 팁을 (호기 있게) 내다. ③허세 부리다.

きはん【帰帆】图 귀범; 돌아가는 배.

***きはん**【規範・軌範】图 규범; 모범; 궤범(軌範). ¶社会しゃかい～ 사회 규범 / ～に従したがう 규범에 따르다.

きはん【羈絆】图 기반; 굴레; 속박. =きずな. ¶肉親にくしんという～ 육친이라는

きばん【基盤】图 기반; 토대. ¶～が固かたまる 기반이 굳다.

きはんせん【機帆船】图 기범선.

きひ【忌避】图 区他 기피. ¶～の申もうし立たて 기피 신청 / 徴兵ちょうへい～ 징병 기피.

きひ【基肥】图 기비; 밑거름. =もとごえ. ¶～「가자미?」 옥수수.

きび【黍・稷】图【植】①기장; 수수. ②기장 씨.

きび【機微】图 기미; 미묘한 사정. ¶人情にんじょうの～をうがつ 인정의 기미를 (날카롭게) 파헤치다.

きび【驥尾】图 말이 빠른 말의 꼬리. ――に付ふす ――に付つく 못난 사람이 훌륭한 사람의 뒤를 따라서 자기 힘에 넘치는 일을 하다.

きびき【忌引き】图 区自 근친이 죽어서 (일을 쉬고) 집에서 복상(服喪)함.

きびきび 副 팔팔하고 시원스러운 모양. ¶～した文章ぶんしょう 명쾌한 [힘찬] 문장 / ～したお嬢じょうさん 발랄한 아가씨.

***きびし-い**【厳しい】【酷しい】-shī 形 엄하다; (추)심하다; 지독(혹독)하다. ¶～暑しょ 심한 더위 / ～表情ひょうじょう 엄숙한 표정 / ～現実げんじつ 냉엄한 현실 / しつけが～ (예의) 범절의) 가르침이 엄하다 / 生活せいかつが～ 생활이 어렵다.

きびす【踵】图【雅】뒤꿈치. =かかと. ――を返かえす 【めぐらす】 발길을 되돌리다.

きびたき【黄鶲】图【鳥】황용; 노랑딱새.

きびだんご【黍団子・吉備団子】图 수수 경단.

きひつ【偽筆】图 区他 위필. =真筆しんぴつ.

きひょう【奇筆】图 기필; 기벽.

きひょう【儀表】-hyō 图 의표; 본보기; 모범.

きびょうし【黄表紙】-byōshi 图 황표지. ①노랑 빛의 표지. ②江戸えど 시대 중엽에 간행된 소설책(그림을 주로 한 대화나 간단한 설명으로 줄거리가 묘사됨).

きひん【気品】 图 기품. ¶どことなく～がある 어딘지 모르게 기품이 있다.

きひん【貴賓】 图 귀빈. ¶～席⁂(室⁂) 귀빈석(실).

*びん【機敏】 图 ダナ 기민. ¶～に立⁀ち回៱る 기민하게 행동하다.

きふ【寄付・寄附】 图 ス他 기부. ¶～金⁂ 기부금／～行為⁂ ス他 기부 행위.

きふ【棋譜】 图 기보.

きぶ【基部】 图 기부; 토대.

ぎふ【義父】 图 ①의붓아버지. ②아버지뻘되는 사람(장인・시아버지・양아버지 등).

ギブアンドテーク 图 기브 앤드 테이크; 주고 받음. ▷give-and-take.

きふう【気風】 图 -fū 기풍; 기질. ¶～が荒៱い 기질이 거세다.

きふく【帰服・帰伏】 图 ス自 귀복; 항복함; 귀순(歸順).

きふく【起伏】 图 ス自 기복. ¶山⁂の～の多い 산의 기복이 많은／～の多い一生⁂ 기복이 많은 일생.

きふく【旧服】 图 ス自 거상(居喪); 상.

きぶく―れる【着膨れる】【着脹れる】 下一自 옷을 많이 입어서 뚱뚱해지다.

きふじん【貴婦人】 图 귀부인.

ギプス【医】 깁스; 석고(石膏) 붕대. ⇨Gips.

ぎふちょうちん【岐阜提灯】 -jōchin 岐阜⁂ 특산의 초롱(긴 달걀꼴로 가는 살에 미농지를 바르고, 흰 바탕에 연색 바탕에 그림을 그림; 백중날이나 여름 밤에 씀).

きぶつ【木仏】 图 목불; 나무 부처(혼히 융통성 없는 사람이나 무정한 사람에 비유됨). =きほとけ. ━金仏⁂石仏៱⁂ 나무 부처와 쇠부처와 돌부처(목석 같은 사람).

きぶつ【器物】 图 기물.

ギフト【gift】图 기프트; 선물. ▷gift.

きふるし【着古し】【着旧し】 图 오래 입어서 낡음; 또 그 옷.

きもん【奇聞】 图 기문; 진문(珍聞).

きぶん【気分】 图 기분. ¶～屋⁂ 기분파／お祭៱り～ 축제 기분(분위기).

ぎふん【義憤】 图 의분. ¶～をおぼえる 의분을 느끼다. ↔私憤⁂.

きへい【騎兵】 图 기병. ¶～隊⁂ 기병대.

ぎへい【義兵】 图 의병. ¶～をつのる 의병을 모으다.

きへん【木偏】 图 한자 부수의 하나; 나무목변(板・根 등의 '木'의 이름).

きべん【奇弁】【詭弁】 图 궤변. ¶～家⁀ 궤변가／～を弄⁀する 궤변을 농하다. 注意 '奇弁'은 대용 한자.

*きぼ【規模】 图 규모. ¶全国的⁂な～ 전국적 규모.

ぎぼ【義母】 图 ①의모; 의붓어머니. ②어머니뻘되는 사람(장모・시어머니・양모 따위).

きほう【気泡】 图 -hō 기포; 거품. ¶～ガラス 기포 유리.

きほう【気胞】 图 -hō 图【生】 기포. ①폐포(肺胞). ②물고기의 기포.

きほう【既報】 图 ス他 기보. ¶～の通⁀り 기보한 바와 같이.

きぼう【希望】【冀望】-bō 图 ス他 희망. ¶～を達⁂する 희망을 이루다／～に燃⁂える 희망에 불타다. ━ーてき

―てき【―的】 ダナ 희망적. ¶～観測⁂⁂ 희망적인 관측.

ぎほう【技法】 -hō 图 기법. ¶小説⁂⁂の～ 소설의 기법.

きぼく【亀卜】 图 거북점; 귀점(亀占).

ぎぼし【擬宝珠】 图 ①난간(欄干) 기둥 머리에나 다리 파줏몽 모양의 장식; 난간 법수(法首). =ぎぼうず. ②파의 꽃. =ねぎぼうず. ③【ぎぼし】【植】개옥잠화.

きぼね【気骨】图 ¶～が折れ៱る 심적 부담으로 정신이 피로하다.

きぼり【木彫(り)】图 목각(木刻)〔술〕. ¶～の人形⁂⁂ 목각 인형.

*きほん【基本】图 기본. ¶～法⁂ 기본법／～給⁀ 기본급／～単位⁂ 기본 단위／～的⁂人権⁂⁂ 기본적 인권.

ぎまい【義妹】 图 의매; 의리로 맺어진 여동생(의붓 누이동생・처제・손아래 시누이・손아래 올케・계수(季嫂)).

きまえ【気前】 图 기질; 특히 활수한 (희떠운) 기질. ¶～を見⁀せる 활수하게 굴다; 선심을 보이다. ━ーがいい 활수하다; 희떱다.

きまかせ【気任せ】 图 ダナ 마음〔기분〕 내키는 대로 함. =気⁂まま. ¶～な一人旅⁀⁂ 마음 내키는 대로 홀로 하는 여행.

きまぐれ【気紛れ】图 ダナ ①변덕; 또, 변덕스러운 사람; 변덕쟁이. ¶～な性質⁂ 변덕스러운 성질. ②일시적 생각〔기분〕. ¶～に商売⁀を する 일시적 기분으로 장사하다.

きまじめ【生真面目】图 ダナ 고지식함; 올곧음; 또, 그런 사람. ¶～な青年⁂ 지나치도록 착실한 청년.

きまずい【気まずい】【気不味い】 厖 서먹서먹하다; 거북하다; 어색하고 열없다. ¶二人⁂の間⁂が～くなる 두 사람 사이가 서먹하게 되다／～思⁀いをする 찝찝한 생각이 들다.

きまつ【期末】图 기말. ¶～手当⁂⁂ 기말 수당／～試験⁂⁂ 기말 시험.

きまま【気まま】图 ダナ 제멋(뜻)대로 함; 사날; 방자(放恣). ¶～な人⁀ 방자하게 사날／勝手⁂～をする 사날좋게 굴다; 제멋대로 굴다.

*きまり【決(ま)り】【極(ま)り・定(ま)り】图 ①정해진 바; 결정; 규칙; 습관. ¶～に従⁀って 규칙에 따라／開始⁀の時間⁀⁂には～はない 개시 시간에 정해진 바는 없다. ②결말; 매듭; 아퀴. ¶話⁂の～がつく 이야기의 매듭이〔아퀴가〕 지어지다. ¶흔히 'お'의 꼴로〕 판에 박은 듯함. ¶お～の小言⁂⁂ 늘 하는 잔소리. ¶が悪⁂い 쑥스럽다; 멋적다; 거북(창피)하다.

きまりきった【決(ま)り切った】【極(ま)り切った・定(ま)り切った】-kitta 連体 극히 당연한; 두말할 것도 없는. ¶それは―事⁂だ 그것은 극히 당연한 일이다.

きまりもんく【決(ま)り文句】【極(ま)り文句・定(ま)り文句】图 상투어; 틀에 박힌 말. ¶～のあいさつ 틀에 박힌〔상투적인〕 인사말.

*きまーる【決(ま)る】【極(ま)る・定(ま)る】五自 ①정해지다; 결정되다. ¶方針⁀⁂が～ 방침이 정해지다. ②(씨름 따위에서) 승부의 판결이 나다. ¶東

土俵ひょうで～ 동면에서 이기다. ③틀이 잡히다. ¶踊おどりの型かたが～ 춤의 틀이 잡히다. ④『──った』定まる；일정한. ¶～った職業しょくぎょう 일정한 직업. ⑤『～って』반드시；으레；늘. ¶『…に～っている』반드시 …이다；으레 …으로 정해져 있다. ¶夏なつは暑あついに～っている 여름은 덥게 마련이다.

ぎまん [欺瞞] 名 [ス他] 기만.

*き**み** [君] 名①(王·皇) 군주；국왕. ¶我わが～ 국왕 폐하. ②윗사람에 대한 높임말. ¶師しの～ 스승님／背せの～ 남편；서방님.

*き**み** [気味] 名①『接尾語적으로』 기미；경향；기；티；기색. ¶焦あせりぎみ 초조해하는 기색／物価ぶっかが上あがりぎみだ 물가가 오를 기미다. ②기분. ¶いい～だ 고소하다(남의 사람이 잘못되는 것을 보고 하는 말)／～よい 기분 좋다；유쾌하다. **──わる-い** [──悪い] 形 어쩐지 기분이 나쁘다；어쩐지 무서운 느낌이 들다. ¶～笑わらいをする 기분 나쁜 웃음을 웃다.

き**み** [黄味] [黄味] 名 노랑；노란 기운. ¶～を帯おびた ノロ스름한.

き**み** [黄身] 名 노른자위；난황(卵黄). ↔白身しろみ.

き**み** [きみ·君] 代 그대；자네；너. 注意 같은 연배 또는 손아랫사람을 부르는 친밀감이 든 말투. ↔僕ぼく. **──のあいだ**がら 너나들이하는 사이.

-**ぎみ** [君] 《주로 친족 이름에》 남을 존경해서 일컫는 말；님. ¶姉あねぎみ 누님／父ちちぎみ 아버님；춘부장.

き**みがよ** [君が代] 名①군주가 통치하는 시대. ②일본 국가(国歌)의 이름.

き**みじか** [気短] ダナ 조급함；성마름；성급함. ─短気たんき. ↔気長きなが.

き**みつ** [機密] 名 기밀. ¶～費ひ 기밀비／～を漏もらす 기밀을 누설하다.

き**みゃく** [気脈] -myaku 名 기맥. **──を通つうずる** 기맥을 통하다.

*き**みょう** [奇妙] -myō ダナ 기묘；이상. **──てれつ** [──てれつ] ダナ 《俗》 보통과 몹시 다른 모양；유다른 모양. ¶～な踊おどり 이상 야릇한 춤.

き**みん** [飢民] 名 기민；굶주리는 백성.

*き**む** [義務] 名 의무. ¶～を果はたす 의무를 다하다. **──きょういく** [──教育] -kyōiku 名 의무 교육.

*き**むずかし-い** [気難しい] -shī 形 성미가 까다롭다；신경질이다. ¶～老人ろうじん 괴까다로운 노인.

き**むすめ** [生娘] 名 숫처녀；동정녀(童貞女) ─おぼこ.

キムチ 名 김치. ▷한 김치·沈菜.

き**め** [木目][肌理] 名①『木理』 나뭇결. ＝もくめ. ②살결；전하여, 물건 표면의 감촉；결. ¶～のこまかい肌はだ 살결이 고운 피부／～の荒あらい仕事しごと 거친 일／～のこまかい作品さくひん 섬세하고 치밀한 작품.

き**めい** [記名] 名 [ス自] 기명. ¶～投票とうひょう 기명 투표.

ぎめい [偽名] 名 위명；가짜 이름.

き**めこみにんぎょう** [木目込み人形] -gyō 名 버드나무 목각(木刻)에 비단 헝겊을 입힌 인형.

き**めこ-む** [決(め)込む][極(め)込む]

──────

5他 ①(혼자서 정하여) 그런 줄로 믿다. ¶合格ごうかくするものと～んでいる 합격할 것으로 꼭 믿고 있다. ②…이 된 듯이 좋아하다(우쭐해하다). ¶大選手せんしゅを～ 대선수나 된 것처럼 우쭐해 하다. ③ 한기로(결정)하다. ¶ねこばばを～ 물건을 줍고서 모른 체하기로 하다.

き**めつ-ける** [決め付ける·極め付ける] 下1他 (변명할 여지도 주지 않고) 엄하게 책망하다；마구 나무라다(꾸짖다)；또, 단정적으로 말하다. ¶頭あたまから犯人はんにんだと～ 처음부터 범인이라고 단정하다.

き**めて** [決め手][極め手] 名①결정하는 사람. ②㉠(결정하는 방법)·수단. ¶有罪ゆうざいと断定だんていする～がない 유죄로 단정할 길이 없다. ㉡(씨름에서) 승부를 결정지을 만한 수.

*き**-める** [決める][極める·定める] 下1他①정하다；결정하다. ¶方針ほうしんを～ 방침을 정하다. ②작정하다. ③약속하다. ¶明日あすの朝あさ出おこつ来るよう約束やくそくする(정하다). ④『…と～めている』…으로 생각(작정)하고 있다. ¶帰かえって来るものと～めている 돌아올 것으로 생각하고[믿고] 있다. ⑤매듭짓다；결판내다. ¶話はなしを～ 이야기를 매듭짓다. ⑥『どろんを～』 감쪽같이 행방을 감추다. ⑦(경기에서) 수를 써서 꼼짝 못하게 하다.

き**も** [肝][胆] 名①간【간장(肝臓)】. ②내장；정신；기력；담력. ¶～試だめし 담력 시험. **──が据すわっている** 담차다；대담하다. **──が太ふとい** 간이 크다；대담하다. **──に銘めいずる** 명심하다. **──をつぶす** 간떨어지다；대단히 놀라다. **──を冷ひやす** 간담이 서늘해지다.

き**もいり** [肝煎り] 名 (사이에 들어) 돌보거나 주선함；또, 그 사람. ¶A氏しの～で A씨의 주선으로.

*き**もち** [気持(ち)] 名①마음(가짐)；기분；감정. ¶さわやかでいい～ 상쾌하고 좋은 기분이다／ぼくに対たいしてどんな感情かんじょうを～でいるのか 내게 대하여 어떤 감정을 갖고 있는가／ほんの一ちょっと～だけ 약소하나마(선물 따위를 건넬 때)／～を引ひきしめてかかる 마음을 단단히 먹고 시작하다. ②(副詞적으로) 어느 정도；약간. ＝いくらか. ¶～やわらかい表現ひょうげん 약간 부드러운 표현.

き**もったま** [肝っ玉][肝っ魂] kimotta-ma 名 배짱；간덩이；담력；용기. ¶～の太ふとい人ひと 간이 큰 사람／～が大おおきい 대담하다／～を据すえる 각오하다；결심하다.

*き**もの** [着物] 名 옷；의복；특히, 양복에 대하여 일본 옷. ¶～を着きる (a) 옷을 입다；(b) 일본 옷을 입다.

き**もん** [鬼門] 名①꺼리고 피해야 하는 방향, 곧 간방(艮方)(동북방)；귀방(艮方). ②(넓게) 가서는 아니될 곳；나에게는 어쩐지 마음 내키지 않아 잘 안되는 상대·장소·일；아주 싫은 것. ¶にがてで, ¶英語えいごは～ 그 영어는 딱 질색이다.

*き**もん** [疑問] 名 의문. ¶～詞し 의문사／～文ぶん 의문문／～をいだく 의문

을 품다. ──ふ【─符】图 의문부 ; 물음표(？).　　　　　　　　　　[gear.

ギヤ [gear] 图 기어. ☞はぐるま(齒車).

ぎゃあぎゃあ kyāgyā 副 (여자나 어린애가) 울거나 소란 피우는 소리[모양] : 꽥꽥.

ぎゃあぎゃあ gyāgyā 副 ①きゃあぎゃあ'의 힘줄말. ②시끄럽게 반대 주장을 해대는 모양 : 와자그르 ; 와글와글 ; 꽥꽥 ; 쩨쩨. ¶～さわぐ 와글와글 떠들다.

きゃく 【規約】图 규약. [에 대다.

‡**きゃく** 【客】kya- 图 ①손 ; 손님. ¶～をする 손님을 겪다(치르다). ②여객 ; 나그네. ¶不歸ガの～となる 불귀의 객이 되다 ; 죽다.

‡**ぎゃく** 【逆】gya- 图 グナ ①반대 ; 거꾸로임. ¶～にいえば 거꾸로 말하면 / ～をつく 역을〔허를〕찌르다. ②『逆手ガ』(＝역수)'의 준말. ③【数・論】역. ──を取ガる 역수를 쓰다. ①(유도에서) 상대의 관절을 겪다. ②상대가 걸어온 수를 역이용하다.

ギャグ gya- 图 개그 ; (연극이나 영화 등에서) 관객을 웃기는 그 때 그 때의 익살·농담. [gag.

きゃくあし 【客足】kya- 图 고객의 출입 ; (상점·흥행 장소 등에 오는) 손님의 수. ¶～がつく 손님이 잘 오다 / ～が落ガちる〔遠ガのく〕손님이 적어지다〔뜸해지다〕.

きゃくあしらい 【客あしらい】kya- 图 손님 접대.

きゃくあつかい 【客扱い】kya- 图 ①손님 접대. ＝客ガあしらい. ¶～がうまい 손님 접대가 능란하다. ②(철도에서) 여객 수송에 관한 업무.

きゃくいん 【客員】kya- 图 객원. ＝かくいん.

きゃくいん 【脚韻】kya- 图 각운. ↔頭韻ボ.

きゃくうけ 【客受け】kya- 图 손님이 받는 느낌(인상) ; 손님들 사이의 평판. ¶～がよい 손님들간의 평판이 좋다.

きゃくえん 【客演】kya- 图 객연 ; 전속이 아닌 배우가 임시로 다른 극단 등에 출연함. [回転.

ぎゃくかいてん 【逆回転】gya- 图 역목적어. ＝かくご.

ぎゃくご 【逆語】gya- 图 【文法】객어 ;

ぎゃくこうか 【逆効果】gyakukō- 图 ☞ぎゃっこうか.

ぎゃくこうせん 【逆光線】gyakukō- 图 역광선.

ぎゃくコース 【逆コース】gyakukō- 图 역코스. ▷course.

ぎゃくさつ 【虐殺】gya- 图 ス他 학살.

ぎゃくさん 【逆算】gya- 图 ス他 역산.

‡**きゃくしつ** 【客室】kya- 图 (특히, 여관·객선 등의) 객실 ; 손님방.

きゃくしゃ 【客車】kyakusha 图 객차.

ぎゃくしゅう 【逆襲】gyakushū 图 ス他 역습. [순.

ぎゃくじゅん 【逆順】gyakujun 图 역

ぎゃくじょう 【逆上】gyakujō 图 ス自 옥상 ; 앞뒤를 가리지 않고 불끈함. ¶～して切りつける 불끈해서 칼로 치고 덤비다. [각색.

きゃくしょく 【脚色】kyakusho- 图 ス他

ぎゃくしん 【逆臣】gya- 图 역신 ; 군주에게 배반하는 신하. ↔忠臣ホュュ.

ぎゃくすう 【逆数】gyakusū 图 【数】역수.

きゃくすじ 【客筋】kya- 图 ①단골(손님). ②손님의 신분이나 인품 ; 손님의 질. ＝客ガだね.

ぎゃくせい 【虐政】gya- 图 학정.

きゃくせき 【客席】kya- 图 객석. ¶～に出て酌ガをする 객석에 나가 술을 따르다.

ぎゃくせつ 【逆接】gya- 图 【文法】역접 ; 갑·을 두 개의 글 또는 구의 접속 방법으로서, 갑에서 예측되는 사항이 을에서 실현되지 않는 관계를 말함('雨ガが降ガっても行ガく(＝비가 와도 간다)'의 'ても', '春ガになったけれど寒ガい(＝봄이 됐는데도 춥다)'의 'けれど' 따위와 같은 말로 표현되는 관계). ↔順接ホュュ.

ぎゃくせつ 【逆説】gya- 图 역설.

きゃくせん 【客船】kya- 图 객선.

ぎゃくせんでん 【逆宣伝】gya- 图 ス他 역선전. [각선미.

きゃくせんび 【脚線美】kyakusembi 图

きゃくそう 【客僧】kyakusō 图 객승.

ぎゃくぞく 【逆賊】gya- 图 역적.

きゃくたい 【客体】kya- 图 객체. ¶～化ガ 객체화. ↔主体ホュ.

‡**ぎゃくたい** 【虐待】gya- 图 ス他 학대.

きゃくだね 【客種】kya- 图 손님의 질〔종류〕. ＝客ガすじ. ¶～がいい 손님의 질이 좋다. [各注.

きゃくちゅう 【脚註】【脚注】kyakuchū 图

ぎゃくちょう 【逆調】gyakuchō 图 역조. ¶国際収支ぷぷの～ 국제 수지의 역조.

きゃくづとめ 【客勤め】kya- 图 ス自 손님을 접대하는 직업 ; 특히, 창녀가 손님을 받는 일.

ぎゃくて 【逆手】gya- 图 역수. ①(유도에서) 상대의 관절을 반대로 꺾는 수 ; 전하여, 상대의 공격을 역이용해서 반격함. ¶～を取ガる 역수를〔팔을 반대로 꺾어서〕잡다. ②상대의 예상과 전혀 다른 방법. ¶～を使ガう 역수〔예상 외의 수〕를 쓰다. ③(철봉 체조에서) 손바닥을 안쪽으로 향하여 철봉을 잡는 법. ↔順手ホュ.

ぎゃくてん 【逆転】gya- 图 ス自他 역전. ①형세가 뒤집혀짐. ¶～ホームラン 역전 홈런. ②거꾸로 회전함. ¶ハンドルを～する 핸들을 반대 방향으로 돌리다. ③(전투기 등의) 공중제비.

ぎゃくど 【客土】kya- 图 객토. ＝かくど.

ぎゃくと 【逆徒】gya- 图 역도. ↔の徒.

きゃくどめ 【客止め】kya- 图 ス自 (극장 등에서) 만원이 되어서 입장을 사절함. ¶連日ホュ의 盛況ホュュ 연일 만원 사례의 대성황.

きゃくひき 【客引き】kya- 图 ス他 손님을 여관이나 술집 등으로 끌어 들임 ; 또, 그 사람 ; 유객(꾼). ＝客取ガぃ゛り.

ぎゃくひれい 【逆比例】gya- 图 역비례. ＝反比例ぷぷ.

ぎゃくふう 【逆風】gyakufū 图 역풍 ; 앞바람 ; ＝むかい風ぷ. ↔順風ホュュ.

きゃくぶん 【客分】kya- 图 손님으로서의 대우 ; 또, 그런 대우를 받는 사람.

きゃくほん 【脚本】kya- 图 각본. ＝台本ほん・シナリオ.

きゃくま【客間】kya- 名 응접실；객실.=客座敷よる.

きゃくまち【客待ち】kya- 区自 (택시 등이) 손님을 기다림；또, 그 택시. ¶～顔かお 손님을 기다리는 듯한 표정.

ぎゃくもどり【逆戻り】gya- 区自 ①제자리(본디 상태)로 되돌아감.=あともどり. ②퇴보.

ぎゃくゆしゅつ【逆輸出】gyakuyushu- 名区他 역수출.

ぎゃくゆにゅう【逆輸入】gyakuyunyū 名区他 역수입.

きゃくよう【客用】kyakuyō 名 객용；손님용(의 물건).「用；역이용.

ぎゃくよう【逆用】gyakuyō 区他 역

ぎゃくりゅう【逆流】gyakuryū 名区自 역류；거꾸로 흐름.=順流じゅんりゅう↔.

きゃしゃ【花車・華奢・華舎】kyasha 名ダナ 모습・형태는 고상하고 아름다우나 연약하게 느껴지는 모양；날씬함. ¶～なからだつき 날씬하고 연약한 몸매. ↔がんじょう.

きやすーい【気安い】(気易い) kya- 形 마음 편하다；거리낌 없다. ¶～友達ともだち 허물없는 친구.

キャスト kya- 名 캐스트；배역(配役). ¶オールスター～ 인기 배우 총출연. ▷cast.

きやすめ【気休め】kya- 名 한때의 위안(안심)；또, 한때 안심시키기 위한 허황된 위안의 말(을 함). ¶いくらか～になる 얼마간 위안이 되다／～を言いう 일시적인 위안을 하다.

きゃたつ【脚立】(脚榻) kya- 名 (작업용) 접사다리. 注意ちゅうい '脚立'로 씀은 대용 한자.

きゃつ【彼奴】kya- 代《俗》저 자식；저 놈(친구를 농으로 부를 때에도 쓰임).=あいつ.「'しゃ.

きゃっか【却下】kyakka 名区他 각

きゃっか【脚下】kyakka 名 발밑.=あしもと.「頭上ずじょう↑.

*きゃっかん【客観】kyakkan 名 객관. ¶～化か 객관화／～性せい 객관성／～主義しゅぎ 객관주의.↔主観しゅかん. ──てき【─的】ダナ 객관적. ¶～な態度たいど 객관적인 태도.

ぎゃっきょう【逆境】gyakkyō 名 역경. ¶～に陥おちいる 역경에 빠지다.↔順境じゅんきょう.

きゃっこう【脚光】kyakkō 名 각광. ──を浴あびる 각광을 받다.

ぎゃっこう【逆行】gyakkō 名区自 역행. ¶時代じだいの流ながれに～する 시대의 흐름에 역행하다.↔順行じゅんこう.

ぎゃっこうか【逆効果】gyakkō- 名 역효과.=ぎゃくこうか.

ぎゃっこうせん【逆光線】gyakkō- 名 역광선.=ぎゃくこうせん.

キャッシュ kyasshu 名 캐시；맞돈；현금(지불). ¶～カード 캐시 카드；현금 인출 카드／～レジスター 금전 등록기.▷cash.

キャッチ kyatchi 名区他 캐치. ①잡음；쥠. ②구기(球技)에서 공을 받음. ③수영에서 손으로 물을 끌어 당김. ▷catch. ──フレーズ 캐치프레이즈. (광고 따위에) 손님에게 강한 인상을 주는 짧고 효과적인 문구.▷catch

phrase. ──ボール【野】 캐치볼. ▷일 catch ball.

キャッチャー kyatchā 名〔野〕 캐처；포수.▷catcher. ──ボート 캐치 보트；(모선에 부속된) 포경선(捕鯨船).▷일 catcher boat.

キャップ kyappu 名 캡. ①㋐차양이 없는 모자. ㋑뚜껑；칼집. ②万年筆まんねんひつの～ 만년필의 캡. ▷cap. ②책임자；주임('캡틴(=캡틴)'의 준말).

ギャップ gyappu 名 갭；틈새；간격；차이.▷gap.

キャディー kya- 名 (골프장의) 캐디.=キャディ.▷caddie.

ギャバジン gya- 名 개버딘(레인코트・양복을 짓는 능직의 (綾織)의 천)=ギャバ.▷gabardine.

キャバレー kya- 名 카바레.=ナイトクラブ. ▷프 cabaret.

きゃはん【脚半】(脚絆) kya- 名 각반. 注意ちゅうい '脚半'으로 씀은 대용 한자.

キャビネット kyabinetto 名 캐비닛. ①상자；용기；라디오・전축 등의 케이스；레코드 등을 넣는 상자. ②진열장；장. ③내각(内閣). ▷cabinet.

キャビン kyabin 名 캐빈；선실；기선의 객실；군함의 사관실(士官室).=ケビン.▷cabin.

キャプション kyapushon 名 캡션. ①(신문・잡지 등의) 사진 설명. ②(영화의) 타이틀；자막.▷caption.

キャプテン kyaputen 名 캡틴；한 조직이나 단체의 장(長).▷captain.

キャブレター kya- 名 캬뷰레터；기화기(気化器).▷carburetor.

キャベツ kya- 名 캐비지；양배추；감람(甘藍).=かんらん・たまな.▷cabbage.「나는 병；설화병.

きやみ【気病み】kya- 区自 근심에서 일어

きゃら【伽羅】kya- 名 가라. ①침향(沈香)(나무). ②침향의 수지(향료). ③伽羅色きゃらいろ(=짙은 갈색)'의 준말.

ギャラ gya- 名 가라.'ギャランティー(=갤런티；출연료)'의 준말.

キャラコ kya- 名 캘리코；옥양목.▷calico.

キャラバン kya- 名 ①대상(隊商). ②먼 길의 도보 여행.▷caravan.

キャラメル kya- 名 캐러멜.=カラメル.▷caramel.

ギャラリー gya- 名 갤러리；미술품 진열실；화랑(画廊)；1층 복도.▷gallery.

きやり【木やり】(木遣り) kya- 名 ①큰 재목이나 암석을 나를 때에 여럿이 가락을 맞추어 노래 부르며 끄는 일. ②きやりうた. ──うた【──歌】名 무거운 나무나 암석을 운반할 때, 땅을 다질 때, 또 축제일에 山車だし(=꽃수레)를 끌 때에 부르는 노래.=木やり節ぶし・木やり音頭おんど.

キャリア kya- 名 캐리어；경력. ①실무 경험의 연수. ②경기 또는 시합의 경력.▷career.

キャリパス kya- 名 캘리퍼스.=バーニアカリパス. ▷calipers.

キャロル kya- 名 캐럴；크리스마스・부활절의 축가(祝歌).=カロル.▷carol.

ギャング gyan- 名 갱；권총 따위를 가진 강도(단).▷gang.

キャンセル kyan- 名 ス他 캔슬；계약의 취소；해약. ▷cancel.
キャンデー kyan- 名 캔디. ①사탕. ②'アイスキャンデー(=아이스캔디)'의 준말. ▷candy.
キャンパス kyampa- 名 캠퍼스；(대학의) 구내；교정(校庭). ▷미 campus.
キャンピング kyampin- 名 캠핑；천막 생활；야영. ▷camping.
***キャンプ** kyampu 캠프. ㊀名 ①야영 막사. ¶～をはる 캠프를 치다. ②(포로) 수용소. ③병영(兵營). ㊁名 ス自 야영. ▷camp. **──ファイヤ** -faiya 名 캠프파이어. ▷campfire.
キャンペーン kyampēn 名 캠페인；(정치적·사회적) 운동. =キャンペン. ¶～をはる 캠페인을 벌이다.
きゆう【希有】(稀有) -yū 名 희유. ¶～元素げんそ 희(유) 원소.
きゆう［杞憂］-yū 名 기우. =とりこし苦労くろう.
きゅう【九】kyū 名 구；아홉. =く·このつ.
きゅう『灸』kyū 名 뜸；뜸질. **──をすえる** 뜸을 뜨다；뜸질하다；전하여, 뜨끔한 맛을 뵈다.
きゅう【球】kyū 名 ①둥근 물체；공；구슬. ②〔數〕구(球).
きゅう【旧】kyū 名 ①그전의〔본디〕상태. ¶～に復ふくする 본디 상태로 돌아가다. ②음력. ¶～の正月しょうがつ 구정.
****きゅう**【急】kyū 名 ダナ ①위급；긴급. ¶～な用事ようじ 급한 볼일／～を要ようする 시급하다. ②갑작스러움；불의；돌연. ¶～にだまりこむ 갑자기 입을 다물다／～な話はなし 갑작스런 이야기. ③빠른 모양. ¶～な流ながれ 급류／～ピッチ 급피치. ④경사가 가파르거나 굴곡이 심한 모양. ¶～な坂さか 가파른 비탈／～な屋根やね 물매가 급한 지붕. ⑤성급함. ¶～な催促さいそく 성급한 재촉.
キュー kyū 名 큐；당구봉〔채〕. ▷cue.
ぎゆう【義勇】-yū 名 의용. ¶～軍ぐん 의용군.
きゅうあい【求愛】kyū- 名 ス自 구애.
きゅうあく【旧悪】kyū- 名 구악.
きゅうい【球威】kyūi 名〔野〕구위.
きゅういん【吸引】kyū- 名 ス他 흡인；빨아 들임. ¶～力りょく 흡인력.
ぎゅういんばしょく【牛飲馬食】gyū-imbasho- 名 ス自 우음 마식；마소처럼 많이 먹고 마심. =鯨飲馬食げいいんばしょく.
****きゅうえん**【休演】kyū- 名 ス自 휴연；공연·출연을 쉼.
きゅうえん【救援】kyū- 名 ス他 구원. ¶～物資ぶっし 구호 물자.
きゅうえん【旧縁】kyū- 名 구연.
きゅうえん［旧怨］kyū- 名 구원；숙원(宿怨).
きゅうおん【吸音】kyū- 名 ス自 흡음. ¶～材きざい 흡음재.
***きゅうか**【休暇】kyū- 名 휴가. ¶夏期かき～ 하기 휴가／有給ゆうきゅう～ 유급 휴가／～を取とる 휴가를 얻다.
きゅうか【球果】(毬果) kyū- 名 구과；소나무과 식물의 열매《솔방울 따위》.
きゅうか【旧家】kyū- 名 구가. ①오랜 가문〔집안〕. ¶～の出で 구가의 출신. ②이전에 살던 집.
きゅうが【球芽】kyū- 名〔植〕구아.
きゅうかい【休会】kyū- 名 ス自他 휴회.
きゅうかく［嗅覚］kyū- 名 후각. 注意 'しゅうかく'로 읽음은 잘못.
きゅうがく【休学】kyū- 名 ス自 휴학. ¶～届とどけ 휴학원(願). ↔復学ふくがく.
きゅうかざん【休火山】kyū- 名 휴화산. ↔活火山かっかざん·死火山しかざん.
きゅうかなづかい【旧仮名遣(い)】kyū- 名 ☞れきしてきかなづかい.
きゅうかぶ【旧株】kyū- 名 구주《신주(新株)에 대하여 이전의 주식》.
きゅうかん【休刊】kyū- 名 ス自他 (신문·잡지 따위의) 휴간. ¶～のやむなきに至いたる 부득이 휴간할 수밖에 없게 되다.
きゅうかん【旧刊】kyu- 名 구간；오래된 간행물.
きゅうかん【休館】kyū- 名 ス自他 (도서관·영화관 등의) 휴관.
きゅうかん【急患】kyū- 名 급환；급한 환자.
きゅうかんちょう【九官鳥】kyūkan-chō 名〔鳥〕구관조.
きゅうき【吸気】kyū- 名 흡기. ①(동물이) 들이마시는 숨. ↔呼気こき. ②흡입《엔진 따위가 가스나 증기를 빨아 들임》；또, 그 가스나 증기. ↔排気はいき.
きゅうぎ【球技】kyū- 名 구기.
きゅうきゅう【救急】kyūkyū 名 구급. ¶～車しゃ 구급차／～箱ばこ 구급 상자.
きゅうきゅう『汲汲』kyūkyū トタル 급급함. =あくせく. ¶営利えいりに～としている 영리에(만) 급급하다.
きゅうきゅう kyūkyū 副 ダナ 〈俗〉①가난해서 살림에 여유가 없는 모양：빠듯. ¶～の生活せいかつ 빠듯한 생활. ②☞ぎゅうぎゅう.
きゅうぎゅう【九牛】kyūgyū 名『～の一毛いちもう』구우 일모；많은 수 가운데서 극히 적은 것.
ぎゅうぎゅう gyūgyū 副 ダナ 〈俗〉①단단히 죄는 모양：꽉(꽉). ¶～(と)締しめる 꽉꽉 죄다. ②빈틈없이 눌러 담는 모양：꽉；꽉꽉. ¶～(に)つめこむ 꽉꽉 눌러 담다. ③닦달하는 모양. ¶～の目めに合あわせる 닦달하다；훌닦아 세우다. ④구두 가죽 따위가 마찰되어 나는 소리：삐걱삐걱；삑삑.
きゅうきょ【旧居】kyūkyo 名 이전에 살던 곳〔집〕. ↔新居しんきょ.
きゅうきょ［急遽］kyūkyo 副 급거；갑작스럽게. ¶～現場げんばに駆かけつける 급거 현장에 달려가다.
きゅうきょう【窮境】kyūkyō 名 궁경；궁지. ¶～に陥おちいる 궁지에 빠지다.
きゅうきょう【旧教】kyūkyō 名 구교；천주교；가톨릭교. ↔新教しんきょう.
***きゅうぎょう**【休業】kyūgyō 名 ス自 휴업. ¶臨時りんじ～ 임시 휴업／開店かいてん～ 개점 휴업.
きゅうきょく【究極·窮極】kyūkyo- 名 구극；궁극. ¶～の目的もくてき 궁극의 목적／～のところ 마침내；결국은.
きゅうきん【球菌】kyū- 名 구균. ¶ぶどう状じょう～ 포도상 구균.
きゅうきん【給金】kyū- 名 급료(로서 내어주는 돈). ¶～を直なおす 씨름꾼이 그 대회에서 반 이상 이기다《급료가 올라감》.
***きゅうくつ**【窮屈】kyū- 名 ダナ ①거

ら 전부터 아는 사이.

きゅうちゃく【吸着】kyūcha- 图 ㅈ自 흡착 ; 달라붙음. ¶～性は 흡착성 / ～剤は 흡착제.

きゅうちゅう【宮中】kyūchū 图 ①궁중 ; 궁궐 안. ②神宮ぐの 경내(境内).

きゅうちょう【九重】kyūchō 图 구중. ①아홉 겹. ②대궐 ; 구중 궁궐.

きゅうちょう【急調】kyūchō 图 빠른 박자 ; 빠른 템포. =急ゅうちょうし.

きゅうちょう【窮鳥】kyūchō 图 궁조. 쫓기어 곤경에 빠진 새. ―, 懷ふところに入いる 궁조 입회(쫓기는 새가 사람의 품안으로 들어온다는 뜻으로 도망갈 곳을 잃은 사람이 와서 도움을 청함의 비유).

きゅうてい【休廷】kyū- 图 ㅈ自 휴정. ¶～を宣ぜんする 휴정을 선언하다.

きゅうてい【宮廷】kyū- 图 궁정 ; 궁궐 ; 대궐 ; 궁중.

きゅうてき【仇敵】kyū- 图 ㅈ自 구적 ; 원수. ～視しする 원수로 여기다.

きゅうてん【九天】kyū- 图 ①구천 ; 하늘의 가장 높은 곳 =天界ふ. ②구중 궁궐.

きゅうてん【急転】kyū- 图 ㅈ自 급전 ; 급변. ¶情勢がせいは～する 정세가 급전하다. **―ちょっか**【―直下】-chok-ka 图 ㅈ自 급전 직하. ¶事件けんは～解決かいした 사건은 급전 직하로 해결됐다.

きゅうでん【宮殿】kyū- 图 ①궁전 ; 대궐. ②신을 모신 사당.

きゅうでん【急電】kyū- 图 급전 ; 지급 전보. =ウナ電でん.

きゅうでん【休電】kyū- 图 ㅈ自 휴전. 송전을 잠시 중단함.

きゅうテンポ【急テンポ】kyūtempo 图 급템포. ▷tempo.

きゅうと【旧都】kyū- 图 구도 ; 옛 도읍 ; 고도(古都). ↔新都と.

きゅうとう【急騰】kyūtō 图 급등 ; 물가[시세]가 갑자기 오름.

きゅうとう【旧套】kyū 图 구투 ; 예전 그대로의. ¶～を脱だっする.

きゅうどう【弓道】kyūdō 图 궁도 ; 궁술.

きゅうどう【求道】kyūdō 图 ㅈ自 구도 ; 진리를 구하여 수행(修行)함. ¶～者しゃ 구도자 / ～心しん 구도심. ¶～の길.

きゅうとう【旧道】kyū 图 구도 ; 옛길.

ぎゅうとう【牛痘】gyūtō 图 우두.

ぎゅうなべ【牛鍋】gyū- 图 ①왜전골. =すきやき. ②왜전골 냄비.

きゅうなん【救難】kyū- 图 구난 ; 재난을 구함. ¶～車しゃ 구급차.

きゅうに【急に】kyū- 副 갑자기. ⇨きゅう(急).

きゅうにく【牛肉】gyū- 图 우육 ; 쇠고기.

きゅうにゅう【吸入】kyūnyū 图 ㅈ他 ①흡입 ; 빨아들임. ②酸素さんそ～ 산소 흡입. ②치료를 위해 물약을 입에 분무(噴霧)시키는 일. ¶～をかける 분무약을 흡입시키다.

***ぎゅうにゅう**【牛乳】gyūnyū 图 우유. ¶生なま～ 생우유.

きゅうねん【旧年】kyū- 图 구년 ; 작년(연초에 쓰는 말). =去年ねん.

きゅうは【急派】kyū- 图 ㅈ他 급파 ; 급히 파견함.

きゅうは【旧派】kyū- 图 구파. ①유파. ②(신파 연극에 대해서) 구파 연극(歌舞伎かの 일컬음). =旧劇げき. ↔新派しん.

きゅうば【弓馬】kyū- 图 궁마. ①궁술과 마술 ; 무예 일반. ②전쟁. ¶～の家いえ 무사의 집안. **―の道みち** 무예 ; 무술 ; 무사도.

きゅうば【急場】kyū- 图 절박한 경우. ¶～の間まにあわせる (급한 경우의) 임시 변통 / ～の処置しょち 응급 처치 / ～しのぎ (급한 대로의) 임시 변통. **―をしのぐ** 절박한 고비를 넘기다 ; 위기를 헤어나다.

きゅうはく【急迫】kyū- 图 ㅈ自 급박 ; 절박. ¶～した事態じたいに 급박한 사태.

きゅうはく【窮迫】kyū- 图 ㅈ自 궁박 ; 몹시 쪼들림.

きゅうばく【旧幕】kyū- 图 明治じ 유신 이후의 江戸時代えどの 일컬음('旧幕府ぷ의 준말).

きゅうはん【旧版】kyū- 图 (출판물의) 구판. ↔新版しん.

きゅうばん【吸盤】kyū- 图 【生】흡반.

きゅうひ【給費】kyū- 图 ㅈ自 급비 ; 비용, 특히 학비를 지급함. ¶～生せい 급비생.

ぎゅうひ【求肥・牛皮】gyū- 图 【料】찹쌀 가루를 쪄서 조청·설탕을 섞어 반죽하여 얇은 떡처럼 만든 과자.

キューピー kyū- 图 큐피. ; 큐피드(Cupid)를 본뜬 눈이 큰 나체 인형(본디, 상품 이름). ▷kewpie.

キュービズム kyū- 图 【美】큐비즘 ; 입체파. ▷cubism.

きゅうピッチ【急ピッチ】kyūpitchi 图 급피치. ▷pitch.

キューピッド kyūpiddo 图 큐피드(로마 신화의 사랑의 신). ▷Cupid, 라 Cupido.

きゅうびょう【急病】kyū- 图 급병 ; 급환. ¶～にかかる 급병에 걸리다.

きゅうひん【救貧】kyū- 图 구빈 ; 가난한 사람을 구제함. ¶～事業ぎょう 구빈 사업.

きゅうびん【急便】kyū- 图 급편 ; 급신(急信) ; 지급의 통신. =至急便びん.

きゅうふ【給付】kyū- 图 ㅈ他 급부. ¶反対はんたい～ 반대 급부.

きゅうぶん【旧聞】kyū- 图 구문 ; 전에 들은 소문. ¶これはもう～に属ぞくする 이것은 이미 구문에 속한다.

きゅうへい【旧弊】kyū- ㊀图 구폐. ¶～を一掃そうする 구폐를 일소하다. ㊁ダナ 예낡은 관습·생각을 완전히 고수하는 모양 ; 완고함 ; 고루함. ¶～な家庭てい(としより) 완고한 가정(늙은이).

きゅうへん【急変】kyū- 급변. ㊀图 돌발 사고 ; 급한 변화(變故). ¶～の報ほに接せっする 돌발 사고의 소식에 접하다. ㊁ㅈ自 갑자기 달라짐. ¶病状じょうが～する 병세가 급변하다.

きゅうぼ【急募】kyū- 图 급모.

ぎゅうほ【牛歩】gyū- 图 우보 ; 느릿한 걸음. **―ちち**【―遅遅】タル 쇠걸음처럼 아주 느린 걸음.

きゅうほう【急報】kyūhō 图 ㅈ他 급보. =至急報ほう.

きゅうほう【旧法】kyūhō 图 구법.

きゅうぼう【窮乏】kyūbō 图 ス自 궁핍.
¶~に耐える 궁핍을 참고 견디다.
きゅうみん【休眠】kyū-图 ス自 휴면.
¶~期 휴면기 / 工場らは~の状態
だ 공장은 휴면 상태다.
きゅうむ【急務】kyū- 图 급무;무엇보
다도 급한 일. ¶目下らの~ 목하의 급
(선)무.
きゅうめい【救命】kyū-图 구명. ¶~
具ら 구명구 / ~艇ら 구명정 / ~胴衣どう
구명 동의.
きゅうめい【究明】kyū- 图 ス他 구명.
きゅうめい【糾明·糺明】kyū- 图 ス他
규명. ¶違法行為ら을~する 위법 행
위를 규명하다.
きゅうめい【旧名】kyū- 图 구명;옛
〔전〕이름.
きゅうめん【球面】kyū- 图 구면. ¶~
体ら 구면체.
きゅうもん【糾問·糺問】kyū- 图 ス他
규문. (범죄 따위를) 날카롭게 따져
(서) 물음.
きゅうやく【旧約】kyū- 图 구약('旧約
聖書せいしょ(=구약 성서)'의 준말). ↔新
約しん.
〔訳やく〕.
きゅうやく【旧訳】kyū- 图 구역. ↔新
きゅうゆ【給油】kyū- 图 ス自 급유. ¶
~船せん 급유선 / 空中くうちゅう~ 공중 급유.
きゅうゆう【級友】kyūyū 图 급우. ¶ク
ラスメート.
〔친구〕.
きゅうゆう【旧友】kyūyū 图 구우;옛
きゅうよ【窮余】kyū- 图 궁여;궁한 나
머지. ¶一の一策さく 궁여 일책;궁여지
책.
きゅうよ【給与】kyū- 급여. 一图 ス他
금품을 지급함;또, 그 금품. ¶制服
ぜいを~する 제복을을 지급하다. 二图 급
료. ¶公務員こういん~ 공무원 급여.
*きゅうよう【急用】kyūyō 图 급용;급
한 볼일;급무.
*きゅうよう【休養】kyūyō 图 ス自 휴
양. ¶~地ち~휴양지.
きゅうよう【給養】kyūyō 图 ス他 급
양.
きゅうらい【旧来】kyū- 图 구래. ¶
~の陋習ろうしゅう 구래의 누습.
きゅうらく【及落】kyū- 图 급락;급제
와 낙제;합격과 불합격.
きゅうらく【急落】kyū- 图 ス自 급락;
폭락. ¶物価ぶっかが~する 물가가 폭락
하다. ↔急騰きゅうとう.
きゅうり【胡瓜】kyū- 图 〔植〕오이.
きゅうり【久離·旧離】kyū- 图 (江戸えど
時代に, 평민의 부형이 그 자제가 죄
를 범하였을 때 연대 책임을 면키 위하
여 관(官)에 신고하여 의절(義絶)한 일.
一を切る (부모와 자식의) 인연을 끊
다;의절하다.
きゅうりゅう【急流】kyūryū 图 급류.
きゅうりょう【丘陵】kyūryō 图 구릉;
언덕. 一たい【一帯】图 구릉대(식
물의 수직 분포의 하나로, 가장 낮은
식물대).
*きゅうりょう【給料】kyūryō 图 급료;
봉급. =サラリー. ¶~取とり 월급쟁
이 / ~が上あがる 급료가 오르다.
きゅうりょう【旧領】kyūryō 图 구령;
전의 영지[영토].
きゅうれき【旧暦】kyū- 图 구력;음
력. ¶~の正月しょうがつ 음력 설. ↔新暦しんれき.

きゅうろう【旧臘】kyūrō 图 구랍;지
난 해의 섣달;객랍(客臘)(새해에 쓰
는 말).
きゅっと kyutto 副 힘주어 조르는 모
양:꽉;꼭. ¶~口らをむすぶ 입을 꽉
다물다.
ぎゅっと gyutto 副 힘주어 조르거나
눌러대는 모양:꽉;단단히. ¶なわで
~しばる 새끼로 꽉 묶다.
キュリウム kyuryūmu 图 〔化〕 큐륨;인
공 방사성 원소의 하나. ⇒curium.
きょ【寄与】kyo 图 ス自 기여;이바지함;
공헌. ¶~するところ大だいである 기여
하는 바 크다.
きょ【居】kyo 图 거처(住所);거처. =住
すまい. ¶~を定さだめる 거처를 정하
다 / ~を構かまえる 집을 짓다.
きょ【渠】kyo 图 도랑. ¶~成なって
水至みずいたる 도랑이 생기면 물은 절로 흐
르게 된다.
きょ【炬】kyo 图 횃불. ¶眼光がんこうの~の
ごとし 안광이 횃불 같다.
きょ【挙】kyo 图 행동;행위. ¶かかる
~に出でようとは 이러한 행동으로
나오리라고는.
きょ【虚】kyo 图 허. ①허점. =油断
ゆだん. ¶~をつく(つかれる) 허를 찌르
다(찔리다). ②공허. ¶心こころを~にし
て聞きく 마음을 비우고 듣다. 〔어.
-ぎょ【魚】gyo …語 图 ~熱帯たいぎょ 열대
きょよーい【清い】(浄い·潔い)形 ①맑다.
¶~流ながれ 맑은 흐름(강물) / 目めが~
눈이 맑다. ②(성품이) 깨끗하다;청렴
결백하다. ¶~つき合あい 깨끗한 교
제 / ~心こころ 깨끗한 마음.
ぎょい【御衣】gyoi 图 天皇てんのう(귀인)의
의복의 존칭.
ぎょい【御意】gyoi 图 ①존의(尊意);
귀의(貴意). =おぼしめし. ¶~次第
しだい 뜻대로;생각하신 대로. ②(윗사람
의) 분부;하명(下命). =お指図さしず. ¶
~を仰あおぐ 분부를 앙청하다. ③御意
おんのとおり(=말씀하신 대로)'의 준
말. ¶~にござります 말씀하신 대로임
입니다. 一に入いる;一に召めす 마음
에 드시다. 一を得える ①분부를 받다.
②빌다. ③마음을 흡족하게 하다.
きょう【起用】-yō 图 ス他 기용.
*きょう【器用】-yō ダナ 재주[잔재
주]가 있음. ¶手先てさきの~な人ひと 손재
주가 있는 사람;손끝이 야무진 사람.
参考 名詞적으로 쓰일 때도 있음. ¶
~がかえってあだとなる 재주가 도리
어 파멸을 가져오다. ②재치 있게(약
삭빠르게) 처신함;요령이 좋음. ¶~
に世渡あたりする 약삭빠르게 처세하다.
一びんぼう【一貧乏】-bimbō 图 ア
잔재주가 화가 되어 오히려 대성하지
못함;또, 그런 사람.
*きょう【今日】kyō 图 오늘. ¶~の中
うちに 오늘 중으로 / 去年きょねんの~ 작년의
오늘. 一という一 오늘만(큼)의.
きょう【京】kyō 图 ①서울;수도. =
都みやこ. ②'京都きょうと'의 특칭 京都.
¶~の美人びじん 京都 미인. 一の着倒だおれ
京都 사람은 가산을 탕진할 정도로 옷
치장을 한다는 말.
きょう【凶】kyō 图 흉함;불길. ¶占
うらないは~と出でた 점괘가 불길로 나왔

다. ↔**昔**^{세키}.

きょう【境】 kyō- 图 경. ①일정한 장소. ¶無人^{にん}の～ 무인지경. ②마음의 상태. ¶無我^{が}の～ 무아지경.

きょう【強】 kyō 图 강. ①(세력이) 강함; 또, 강한 사람(것). ¶北方^{ぽう}の～ 북방의 강자 / 音^{よわ}と弱^{よわ}き 강약. 国接尾 수량을 표시할 때 우수리가 있음을 나타내는 말. ¶五百円^{えん}～ 500 엔 강.

きょう【経】 kyō 图 경; 불경(佛經). ¶～を読^{よ}む 경을 읽다.

きょう【興】 kyō 图 흥. ①흥취; 흥겨움; 재미. ¶～に乗^{じょう}る 흥에 겨다 / ～がわく 흥이 [재미가] 나다. ②장난. ¶一時^{じ}の～ 한때의 장난.

きょう【郷】 kyō 自四 마을; 시골; 고향. ¶～を出^{で}てはや十年^{じゅうねん} 고향을 떠난 지 벌써 10년. 国接尾 ～향; 고장. ¶理想^{そう}～ 이상향 / 桃源^{とうげん}～ 도원향 / 温泉^{せん}～ 온천거.

-**きょう【教】** …교 교파(教派). ¶キリスト～ 기독교. 　　　［폐교.

-**きょう【橋】** …교. ¶開閉^{かいへい}～ 개폐교.

-**きょう【狂】** kyō …광. ＝マニア. ¶野球^{きゅう}～ 야구광.

ぎょう【儀容】 -yo 图 의용; 위의(威儀). ¶～をつくろう 의용을 가다듬다.

ぎょう【尭・堯】 gyō 图 〖史〗요(임금).

ぎょう【行】 gyō 图 행. ①글자의 가로·세로의 줄. ¶～を追^{お}って 행을 따라서. ②행서(行書). ¶～の名手^{めいしゅ} 행서의 명수. ↔楷^{かい}·草^{そう}. ③〖佛〗불도 수행. ¶～を積^{つ}む 수행을 쌓다.

ぎょう【業】 gyō 图 업. ①학문; 공부. ¶～を終^{お}える 공부를 마치다. ②일; 근무. ¶～に励^{はげ}む 일에 힘쓰다. ③생업; 직업. ¶終生^{しゅうせい}の～ 평생의 직업 / 父^{ちち}の～をつぐ 아버지의 생업을 잇다. 国接尾 …업. ¶製造^{ぞう}～ 제조업.

きょうあい【狭隘】 kyō- 图形 협애; 좁음. ¶～な土地^{とち} (비)좁은 땅.

きょうあく【凶悪・兇悪】 kyō- 图形 흉악. ¶～犯人^{にん} 흉악 범인.

きょうあけ【今日明日】 kyō- 图 금명일[간]; 아주 가까운 장래. ¶～に迫^{せま}る 오늘내일로 박두[임박]하다.

きょうあつ【強圧】 kyō- 图他 강압. ¶～的 강압적.

きょうあん【教案】 kyō- 图 교안.

きょうい【強意】 kyōi 图〖文法〗강의. ¶～の助詞^{じょし} 강의의 조사.

きょうい【教委】 kyō- 图 교위('教育委員会^{いいんかい}'(=교육 위원회)'의 준말).

きょうい【脅威】 kyō- 图 위협. ¶～に備^{そな}える 위협에 대비하다. 　［레.

きょうい【胸囲】 kyō- 图 흉위; 가슴둘

*****きょうい【驚異】** kyōi 图 경이. ¶自然^{しぜん}の～ 자연의 경이 / ～的な新記録^{きろく} 경이적인 신기록.

きょういく【教育】 kyō- 图他 ①교육. ¶～者^{しゃ} 교육자 / ～委員会^{いいんかい} 교육 위원회 / ～学^{がく} 교육학 / 社会^{しゃかい}～ 사회 교육 / ～力^{りょく} 학력. ¶～がない 교양[학력]이 없다. ──**かてい【課程】** 图 교육 과정. ──**かんじ【漢字】** 图 교육 한자(일본에서의 의무 교육 기간중에 배워야 하는 한자 996

자). ──**てき【──的】** 𝒻𝒷 교육적. ¶～な環境^{かんきょう} 교육적인 환경.

きょういん【教員】 kyō- 图 교원; 교사. ＝教師^{し}. ¶～室^{しつ} 교원실.

きょうえい【共栄】 kyō- 图ス自 공영; 함께 번영함. ¶共存^{そん}～ 공존 공영.

きょうえい【共営】 kyō- 图 공영; 공동 경영.

きょうえい【競泳】 kyō- 图ス自 경영; 수영 경기. ¶～大会^{たいかい} 경영 대회.

きょうえき【共益】 kyō- 图 공익; 공동 이익. ¶～費^{ひ} 공익비.

きょうえつ【恐悦・恭悦】 kyō- 图ス自 (남의 경사를) 삼가 기뻐함. ¶御成功^{せいこう}の由^{よし}～至極^{しごく}に存^{ぞん}じます 성공하셨다니 대단히 기쁘게 생각하나이다.

きょうえん【共演】 kyō- 图ス自 공연.

きょうえん【競演】 kyō- 图ス自 경연.

きょうえん【供宴・饗宴】 kyō- 图 향연; 주연; 연회(宴会).

きょうおう【供応・饗応】 kyōō 图他 향응; 음식·술 등의 대접.

きょうおう【胸奥】 kyōō 图 흉오; 가슴속; 심중. ＝胸裏^{り}.

きょうおち【香落(ち)】 kyō- 图 (장기에서) 상수가 왼쪽 香車^{きょうしゃ}를 떼고 두는 일(3단의 차로 침).

きょうおんな【京女】 kyō- 图 京都^{きょうと}의 여자. ¶あずま男^{おとこ}に～ 남자는 関東^{かんとう}, 여자는 京都^{きょうと} 사람이 좋다는 말.

きょうか【強化】 kyō- 图他 강화. ¶～食品^{しょくひん} 강화 식품(비타민·미네랄·단백질 등을 넣어서 영양 가치를 강화한 식품) / ～木^{ぎ} 강화목(베니어판에 베이클라이트액을 스며들게 하고 열과 압력을 가한 판자; 항공기 따위의 재료로 씀).

きょうか【教化】 kyō- 图他 교화. ¶～活動^{かつどう} 교화 활동.

きょうか【教科】 kyō- 图 교과. ¶～課程^{かてい} 교과 과정 / 基礎^{きそ}～ 기초 교과. ──**しょ【──書】**-sho 图 교과서. ¶国定^{こくてい}～ 국정 교과서 / 検定^{けんてい}～ 검정 교과서 / ～体^{たい} 교과서체(초등 교과서에 쓰는 필사체(筆寫體)에 가까운 활자체; 청조체(清朝體)).

きょうか【狂歌】 kyō- 图 풍자와 익살을 주로 쓴 短歌^{たんか}(江戸^{えど}시대 후기에 유행함).

きょうが【恭賀】 kyō- 图 공하; 근하. ¶～新年^{しんねん} 공하 신년; 하정(賀正).

きょうが【仰臥】 kyō- 图ス自 앙와; 반듯이 누움. ↔伏臥^{ふくが}.

きょうかい【協会】 kyō- 图 협회. ¶著作家^{ちょさくか}～ 저작가 협회.

きょうかい【教会】 kyō- 图 교회. ¶長老^{ちょうろう}～ 장로 교회 / ～堂^{どう} 교회당.

きょうかい【教戒・教誨】 kyō- 图他 ①(教誡) 교계; 가르쳐 훈계함. ②(教誨) 교회. ¶～師^{し} (교도소의) 교회사.

きょうかい【境界】 kyō- 图 경계. ¶(땅의) 경계. ¶～線^{せん} 경계선.

きょうがい【境涯】 kyō- 图 경애; 신세(지위·신분·처지·신상·환경 따위). ¶不運^{ふうん}の～ 불운한 신세.

ぎょうかい【業界】 gyō- 图 업계; 동업자의 사회. ¶～の情報^{じょうほう} 업계의 정

보 ; ～紙ﾂﾞ 업계지.

ぎょうかいがん【凝灰岩】gyō- 图 응회암(화산의 분출물이 엉기어 된 바위).

きょうかく【侠客】kyō- 图 협객 ; 협기 있는 남자(江戸 시대의 町奴ﾂﾞ・노름꾼 두목 따위).

きょうかく【胸郭(胸廓)】kyō- 图 【生】 흉곽. ¶ ～呼吸ﾂﾞ 흉곽 호흡 / ～成形術ﾂﾞﾂﾞ 흉곽 성형술.

きょうかく【共学】kyō- 图 又自 공학. ¶ 男女ﾄﾞ～ 남녀 공학.

きょうかく【教学】kyō- 图 교학 ; 교육과 학문.

きょうがく【驚愕】kyō- 图 又自 경악. ¶ ～に耐えない 경악을 금치 못하다.

ぎょうかく【仰角】gyō- 图 앙각 ; 올려본각. ⇔俯角ﾂﾞ.

きょうかたびら【経かたびら】【経帷子】kyō- 图 (불교식 장례(葬禮)에서) 흰 수의(壽衣).

きょうかつ【恐喝・脅喝】kyō- 又他 공갈. ¶ ～罪ﾂﾞ 공갈죄.

きょうがのこ【京鹿の子】kyō- 图 【植】 분홍터리풀(장미과의 다년생 풀 ; 여름에 붉은 꽃이 핌).

きょうがる【興がる】kyō- 5自 【老】 흥겨워 [재미있어] 하다.

きょうかん【凶漢(兇漢)】kyō- 图 흉한.

きょうかん【郷関(郷貫)】kyō- 图 향관 ; 고향.

きょうかん【共管】kyō- 图 '共同ﾄﾞ管理ﾄﾞ(=공동 관리)'의 준말.

*きょうかん【共感】kyō- 图 又自 공감 ; 동감. ¶ ～を呼ﾞぶ 공감을 불러일으키다.

きょうかん【叫喚】kyō- 图 又自 규환. ①큰 소리로 부르짖음. ¶ 阿鼻ﾞ～ 아비 규환 / ～のちまた (처참한 사건이 발생하여) 울부짖고 있는 곳. ②叫喚地獄ﾂﾞﾂﾞ(=규환 지옥)'의 준말.

きょうかん【教官】kyō- 图 교관 ; 교육[연구직] 공무원 ; 국・공립 학교의 교사.

ぎょうかん【行間】gyō- 图 행간 ; 글줄과 행 사이. ¶ ～をあけておく 행간을 떼어 두다. ──を読ﾞむ 글 속에 숨은 참뜻을 알아내다.

きょうき【凶器(兇器)】kyō- 图 흉기.

きょうき【強毅】kyō- 名ﾞ 강의 ; 마음이 굳세고 강인함.

きょうき【驚喜】kyō- 图 又自 경희 ; 뜻밖의 좋은 일에 몹시 놀라고 기뻐함 ; 또, 그 기쁨.

きょうき【狂喜】kyō- 图 又自 광희 ; 미칠 듯이 기뻐함.

きょうき【狂気】kyō- 图 광기 ; 미침. ¶ ～のさた 미친 짓. ⇔正気ﾂﾞ.

きょうき【侠気】kyō- 图 협기 ; 호협(豪侠)한 기상.

きょうき【狭軌】kyō- 图 협궤(철도의 레일 사이의 폭이 1.435 m 이내의 궤도). ⇔広軌ﾂﾞ.

きょうぎ【協議】kyō- 图 又他 협의. ¶ ～離婚ﾂﾞ 협의의 이혼.

きょうぎ【教義】kyō- 图 교의. =教理ﾂﾞ.

きょうぎ【狭義】kyō- 图 협의 ; 좁은 뜻. ⇔広義ﾂﾞ.

*きょうぎ【競技】kyō- 图 又自 경기. ¶ 陸上ﾄﾞ～ 육상 경기. ──じょう【場】-jō 图 경기장.

きょうぎ【経木】kyō- 图 무늬목 ; 종이처럼 얇게 깎은 나무(예전에는 경문을 적는 데 썼으나 현재는 식품(食品) 포장하는 데 씀).

*ぎょうぎ【行儀】gyō- 图 ①예의 법절 ; 예절 ; 행동 거지. ¶ ～作法ﾂﾞ 예의 범절 / ～がよい 예절이 바르다. ②순서 ; 질서. ¶ ～よく並ﾞぶ 똑바로 늘어서다.

きょうきゃく【橋脚】kyōkyaku 图 교각 ; 다리 기둥.

*きょうきゅう【供給】kyōkyū 图 又他 공급. ¶ ～源ﾂﾞ 공급원. ⇔需要ﾂﾞ.

ぎょうぎょうしい【仰仰しい・仰仰しい】gyōgyōshii 形 보기에 과장되다 ; 허세가 어마어마하다. ¶ 見かけが～だ 외양만 이만저만 아니다. ¶ ～事ﾞを言ﾞう 허풍을 떨다 / ～出ﾞで立ﾞち 어마어마한 차림새.

きょうきん【胸襟】kyō- 图 흉금 ; 가슴속. ──を開くﾞ 흉금[마음속]을 터놓다.

きょうく【教区】kyō- 图 【宗】 교구. ¶ ～牧師ﾂﾞ 교구 목사.

きょうく【狂句】kyō- 图 ①익살맞은 俳句ﾂﾞﾂﾞ 또는 俳句 형식의 재담(江戸ﾞ 시대 후기에 성함). ②☞せんりゅう(川柳).

きょうぐ【教具】kyō- 图 교구.

*きょうぐう【境遇】kyōgū 图 경우 ; 처지(處地) ; 형편 ; 환경. ¶ 気ﾞの毒なﾞ～にいる 딱한 처지에 놓여 있다 / 人ﾞは～に支配ﾞされる 사람은 환경에 지배된다.

きょうくん【教訓】kyō- 图 又他 교훈. ¶ ～をたれる 교훈을 내리다.

きょうけい【恭敬】kyō- 图 공경.

ぎょうけい【行刑】gyō- 图 행형. (교도소가) 형벌을 집행함.

ぎょうけい【行啓】gyō- 图 又自 행계 ; 태황태후・황태후・황후・황태자비・황태손 등의 행차. ⇔還啓ﾂﾞ.

きょうげき【京劇】kyō- 图 경극(중국의 고전극). =けいげき.

きょうげき【挟撃(夾撃)】kyō- 又他 협격 ; 협공. =はさみうち.

きょうけつ【供血】kyō- 图 又自 공혈. 헌혈. ¶ ～者ﾞ 헌혈자.

ぎょうけつ【凝血】gyō- 图 又自 응혈. 피가 엉김 ; 엉긴 피.

ぎょうけつ【凝結】gyō- 图 又自 ①응결 ; 엉김. ¶ 水蒸気ﾂﾞﾂﾞが～する 수증기가 응결하다. ②쇼크를 받아 마음이 얼어붙는 듯한 상태가 됨.

きょうけん【強健】kyō- 图 강건. ¶ 老いてなお～を誇ﾞる 늙어서도 아직 강건함을 뽐내다.

きょうけん【強権】kyō- 图 강권. ¶ ～発動ﾄﾞﾂﾞ 강권 발동.

きょうけん【強肩】kyō- 图 【野】 강견 ; 튼튼한 어깨. ¶ ～の外野手がﾂﾞﾞ 어깨가 튼튼한 외야수.

きょうけん【教権】kyō- 图 교권.

きょうけん【狂犬】kyō- 图 광견 ; 미친 개. ¶ ～病ﾂﾞ 광견병.

きょうげん【狂言】kyō- 图 ①能楽ﾂﾞ의 막간에 상연하는 희극. =能ﾞ狂言ﾂﾞ. ②歌舞伎がﾂﾞ 연극의 줄거리[각본]. =歌舞伎狂言がﾂﾞﾂﾞ. ③농담 ; 미

친 소리. ④거짓(말). ¶～自殺^{じさつ} 자살극 / ～強盗^{ごうとう} 위장 강도(극). ━━きょう ご【━━綺語】图 광언 기어 ; 이치에 맞지 않는 말이나, 교묘하게 수식한 말 ; 흥미 본위로 과장한 문학적 표현[소설] (불교의 입장에서 문학을 욕한 말). ━━し【━━師】图 ①能狂言 배우. ②사기꾼. ━━まわし【━━回し】图 ①歌舞伎^{かぶき}의 주인공은 아니지만 연극의 진행에 시종 필요한 역. ②계획 실행에 힘쓰는 배후 인물.

きょうこ【強固 ; 鞏固】ナ 공고 ; 굳음. ¶～な意志^{いし} 공고한 의지.

きょうご【教護】kyō━ 图他 교호 ; (어린이·불량아를) 교육하고 보호함. ━━いん【━━院】图 교호원 ('感化院^{かんかいん}(=감화원)'의 고친 이름).

ぎょうこ【凝固】gyō━ 图自 응고 ; 엉겨 굳어짐. ¶～点^{てん} 응고점 / ～熱^{ねつ} 응고열. ━━融解^{ゆうかい}.

きょうこう【凶行】(兇行) 图 흉행 ; (살인 따위의) 끔찍스런 행위.

きょうこう【強行】kyōkō 图他 강행. ¶反対^{はんたい}をおしきって～する 반대를 무릅쓰고 강행하다.

きょうこう【強攻】图 강공 ; (위험을 각오하고) 무리하게 공격함. ¶～策^{さく} 강공책.

きょうこう【恐慌】kyōkō 图 공황. ①두려워 당황함. ②[經] 경제 공황. ＝パニック. ¶金融^{きんゆう}～ 금융 공황.

きょうこう【教皇】kyōkō 图 교황. ＝法王^{ほうおう}.

きょうこう【強硬】kyōkō ナ 강경. ¶～な反対論^{はんたいろん} 강경한 반대론.

きょうごう【強豪】(強剛) kyōgō 图 강호.

きょうごう【校合】kyōgō 图 교합.

きょうごう【競合】kyōgō 图自 ①서로 다툼. ＝せりあい. ②경합. ¶～犯^{はん} 경합범.

ぎょうこう【僥倖】gyōkō 图 요행. ¶～を願^{ねが}う 요행을 바라다.

ぎょうこう【行幸】gyōkō 图自 행행 ; 임금[天皇^{てんのう}]의 행차. ＝還幸^{かんこう}.

きょうこうぐん【強行軍】kyōkō 图 강행군.

きょうこく【峡谷】kyō━ 图 협곡.

きょうこく【強国】kyō━ 图 강국.

きょうこつ【俠骨】kyō━ 图 협골 ; 장부다운 기상 ; 호협(豪俠)한 기골.

きょうこつ【胸骨】kyō━ 图 흉골.

きょうこのごろ【今日この頃】(今日此の頃) kyō━ 图 요즈음 ; 작금(昨今). ¶～の流行^{りゅうこう} 요즘의 유행.

きょうこん【教唆】kyō━ 图他 교사. ¶殺人^{さつじん}～ 살인 교사 / ～罪^{ざい} 교사죄.

きょうさい【共済】kyō━ 图 공제. ¶～組合^{くみあい} 공제 조합.

きょうさい【恐妻】kyō━ 图〈俗〉공처. ¶～家^か 공처가.

きょうざい【教材】kyō━ 图 교재.

きょうさく【凶作】(兇作) kyō━ 图 흉작.

きょうさく【挟殺】kyō━ 图他〔野〕협살.

きょうざつぶつ【挟雑物】(夾雑物) kyō━

협잡물 ; 불순물.

きょうざまし【興ざまし・興覚まし】(興醒まし・興冷まし) kyō━ 图 파흥 ; 흥을 깨뜨림 ; 또, 그 것. ＝興ざめ.

きょうざめる【興ざめる・興覚める】(興醒める・興冷める) kyō━ 下一自 흥이 깨지다 ; 기분 잡치다. ¶～めた顔^{かお}つき 기분 잡친 표정.

きょうさん【共産】kyō━ 图 공산. ¶～化^か 공산화 / ～党^{とう} 공산당. ━━こく【━━国】图 공산국. ━━しゅぎ【━━主義】-shugi 图 공산주의.

きょうさん【協賛】kyō━ 图自 협찬 ; (계획의 취지에) 찬성하여 조력함. ¶新聞社^{しんぶんしゃ}の～を得^える 신문사의 협찬을 얻다.

きょうさん【強酸】kyō━ 图〔化〕강산 ; 강한 산성(酸性) 반응을 일으키는 산. ↔弱酸^{じゃくさん}.

ぎょうさん『仰山』gyō━ 副ナ〈関西方〉①수량이 대단히 많은 모양. ¶金^{かね}に使^{つか}う돈을 마구 쓰다 / 本^{ほん}が～ある 책이 엄청나게 많다. ②과장하는 모양. ＝大げさ. ¶～な身^みぶり 과장된 몸짓 / ～なことを言^いう 허풍을 떨다.

*きょうし【教師】kyō━ 图 ①교사. ¶家庭^{かてい}～ 가정 교사. ②선교사 ; 포교사.

きょうし【教旨】kyō━ 图 교지. ①교육의 취지. ②종교의 취지.

きょうし【狂死】kyō━ 图 광사 ; 미쳐서 죽음.

きょうし【狂詩】kyō━ 图 江戸^{えど}시대 중기 이후, 한시(漢詩)의 형식을 따서 익살스럽게 지은 일본의 시. ━━きょく【━━曲】-kyoku 图〔樂〕광시곡 ＝ラプソディー.

きょうじ【凶事】kyō━ 图 흉사 ; 불길한 일. ¶～のしらせ 흉보(凶報). ↔吉事^{きちじ}.

きょうじ【挟侍】(脇士・脇侍・夾侍) kyō━ 图〔佛〕협시(夾侍) ; 불상의 좌우에 모시고 있는 보살. ＝わきだち.

きょうじ【教示】kyō━ 图他 교시. ＝きょうし. ¶ご～にあずかる 교시를 받다.

きょうじ【矜持・矜恃】kyō━ 图 긍지 ; 자부(自負). ＝ほこり・プライド. ¶～を持^もつ 긍지를 갖다. 《注意》통속적으로 'きんじ'라고 읽음.

ぎょうし【凝視】gyō━ 图他 응시 ; 뚫어지게 봄.

*ぎょうじ【行事】gyō━ 图 행사. ¶年中^{ねんじゅう}～ 연중 행사.

ぎょうじ【行司】gyō━ 图 씨름판의 심판원.

きょうしきこきゅう【胸式呼吸】kyō━-shikikokyū 图 흉식 호흡. ↔腹式^{ふくしき}呼吸.

きょうじせいたい【強磁性体】kyō━ 图〔理〕강자성체.

きょうしつ【教室】kyō━ 图 ①교실. ②대학의 연구실. ③강습(회). ¶生^いけ花^{ばな}～ 꽃꽂이 강습회.

きょうじや【経師屋】kyō━ 图 표구업 ; 표구사.

きょうしゃ【強者】kyōsha 图 강자. ¶～の雅量^{がりょう} 강자의 아량. ↔弱者^{じゃくしゃ}.

きょうしゃ【香車】kyōsha 图 장기의 말의 하나(곧바로 앞으로 나아가기만

함). =香¹²•香子³•やり.

ぎょうしゃ【業者】gyōsha 图 업자.
①기업가；영업자；사업자. ▶輸出ⁿ⁔
～ 수출업자. ②동업자. ¶一間ⁿⁿの話
合ⁿⁿい 업자간의 담합[상담].

ぎょうじゃ【行者】gyōja 图 불도(佛
道)나 修驗道ⁿⁿⁿⁿ를 수행(修行)하는
사람. =行人ⁿⁿ.

きょうじゃく【強弱】gyōja- 图 강약.

きょうしゅ【拱手】kyōshu 图目 공
수；(팔짱을 끼고) 아무 것도 아니함.
¶一傍観ⁿⁿ 공수(수수) 방관. 注意 'こ
うしゅ'는 관용음.

きょうしゅ【教主】kyōshu 图 교주；
교조(教祖)；한 종교(교파)의 창시자.
②【佛】석존(釋尊).

きょうしゅ【梟首】kyōshu 图 효수.

きょうしゅ【興趣】kyōshu 图 흥취. ¶
～をそそる 흥취를 자아내다.

きょうじゅ【享受】kyōju 图目 향
수；받아들여 누림；또, 예술의 아름다
움을 음미(吟味)하며 즐김. ¶樂しみ
を～する 즐거움을 누리다／美を～
する 아름다움을 감상(음미)하다.

*__きょうじゅ__【教授】kyōju 교수. 一图
目 학문·기예를 가르침；또, 가르치
는 사람. ¶生花ⁿⁿの～ 꽃꽂이 선생
(강사)／꽃꽂이 習을／～を受ける 교
수를[강습을] 받다. 二图 대학·(고
등) 전문학교의 교원 중 직위가 가장
높은 사람；또, 그 직위.

ぎょうしゅ【業主】gyōshu 图 업주；사
업주；영업주. ¶一の橫暴ⁿⁿ 업주의
횡포.

ぎょうしゅ【業種】gyōshu 图 업종.

きょうしゅう【強襲】gyōshū 图目 강
습. ¶敵陣ⁿⁿを～する 적진을 강습하
다.

きょうしゅう【教習】gyōshū 图目 교
습. ¶一所 교습소.

きょうしゅう【鄉愁】kyōshū 图 향수.
=ノスタルジア. ¶～を感ずる 향수
를 느끼다.

ぎょうしゅう【凝集】(凝聚) gyōshū
图目 응집；응취；엉기어 모임. ¶～
力ⁿⁿ 응집력.

ぎょうじゅうざ[行住座臥](行住坐
臥) gyōjū- 图目 행주 좌와；일상의 기
거 동작. 二圓 일상；늘；항상.

*__きょうしゅく__【恐縮】kyōshuku 图目
공축；남의 후의(厚意)나, 남에게 끼친
폐에 대해 죄송스럽게 여김. ¶これは
～の至りりで이거 황송하기 이를 데
없습니다／～ですが 죄송합니다만(부
탁할 때 하는 말).

ぎょうしゅく【凝縮】gyōshuku 图目
응축. ①엉기어 줄어듦. ②【理】응결
(凝結)；응고(凝固).

きょうしゅつ【供出】kyōshu- 图目
공출. ¶一米 공출미.

きょうじゅつ【供述】kyōju- 图目 공
술；진술. ¶一書 진술서.

きょうじゅん【恭順】kyōjun 图 공순；
고분고분히 명령에 따름. ¶～をちか
う 삼가 명령에 따를 것을 맹세하다.

きょうしょ【教書】kyōsho 图 교서. ①
미국 대통령이 국회에 보내는 정치
상의 의견서. ¶一般ⁿⁿ～ 일반 교서／
年頭ⁿⁿ～ 연두 교서. ②로마 교황의 포

告〔명령서〕.

きょうじょ【共助】kyōjo 图 공조；서로
도움. ¶親 여자.

きょうじょ【狂女】kyōjo 图 광녀；미
친 여자.

ぎょうしょ【行書】gyōsho 图 행서.

きょうしょう【協商】kyōshō 图目 협
상. ¶三国ⁿⁿ～ 삼국 협상.

きょうしょう【狹小】kyōshō 图 협소.
¶～な度量ⁿⁿ 좁은 도량／～な国土
ⁿⁿ 좁은 국토. ↔広大ⁿⁿ.

きょうしょう【強将】kyōshō 图 강장；
강한 장수. ↔弱将ⁿⁿ.

きょうしょう【胸章】kyōshō 图 흉장；
가슴에 다는 표장(標章).

きょうじょう【凶状】(兇状) kyōjō 图 범
죄；죄상. 一もち【一持ち】 图 전과
자；범죄자[인].

きょうじょう【教場】kyōjō 图 교장；
교실. ¶分ⁿⁿ 분교장.

きょうじょう【教条】kyōjō 图 교조；교
회가 공인한 교의(教義)의 조목). ¶
一主義ⁿⁿ 교조주의；독단론.

きょうじょう【曉鐘】kyōjō 图 효종；
새벽에 치는 종(소리). ↔暮鐘ⁿⁿ.

ぎょうじょう【行状】gyōjō 图目 행
상；도붓장사；도붓장수. ¶～人ⁿⁿ 행
상인.

ぎょうじょう【行状】gyōjō 图 ①행상；
품행；행적；몸가짐. =身持ちⁿⁿ. ¶
～を慎む 몸가짐을 삼가다. ②행장；
죽은 사람의 평생 경력을 쓴 기록.

きょうしょく【教職】kyōsho- 图 교직.
¶一課程ⁿⁿ 교직 과정／～に就ⁿつく 교
직자가 되다. 一いん【一員】 图 교
직원. ¶～会ⁿ 교직원회.

きょうしん【共振】kyōshin 图【理】공진.

きょうじん【強靭】kyō- 图目 강진；(진
도 5의) 강한 지진.

きょうしん【狂信】kyō- 图目 광신.
¶～的な態度ⁿⁿ 광신적인 태도.

きょうじん【凶刃】(兇刃) kyō- 图 흉
인；살인에 쓰는(쓰어진) 칼. ¶～に
倒れる 악한의 칼에 쓰러지다.

きょうじん【強靭】kyō- 图ダナ 강인.
¶～な精神ⁿⁿ 강인한 정신.

きょうじん【狂人】kyō- 图 광인；미치
광이. =気違いⁿⁿ. ¶～扱ⁿⁿい 미치광
이 취급. 제.

きょうしんざい【強心剤】kyō- 图 강심

きょうしんしょう【狹心症】kyōshinshō
图【医】협심증.

ぎょうずい【行水】gyō- 图目 ①목욕
재계(齋戒). ②목욕；からだⁿⁿの一 까
마귀 미역감기(목욕통에 들어갔다가 곧
나오는 목욕)／～をつかう 목욕한다.

きょうすいびょう【恐水病】kyōsuibyō
图 공수병. =狂犬病ⁿⁿ.

きょうすずめ【京すずめ】(京雀) kyō-
图 ①京都ⁿⁿ에 살며 그 곳 사정에 밝
은 사람. ②(낮)京都 사람.

きょう-する【供する】kyō- ⿂変他 ①
제공하다. 대접하다. ¶客ⁿ에 茶菓
ⁿⁿを～ 손님에게 다과를 대접하다. ②
내놓다. ¶財産ⁿⁿを貧民救濟ⁿⁿⁿに
～ 재산을 빈민 구제에 내놓다. ②이
바지하(게 하)다. ¶參考ⁿⁿⁿに～ 참고
에 도움이 되게 하다／食用ⁿⁿに～·す
れる 식용으로 이용되다.

きょう-する【狂する】kyō- ⿂変自 미치

다 ; 또, 미치광이처럼 열중하다.

きょう-する【饗する】 kyō- サ変他 대접하다. ¶酒を〜 술을 대접하다.

きょう-ずる【興ずる】 kyō- サ変自 흥겨워하다. ¶笑いに〜 웃으며 흥겨워하다.

ぎょう-ずる【行ずる】 gyō- サ変他 행하다 ; 하다 ; 수행(修行)하다.

きょうせい【共生】(共棲) kyō- 名自 공생 ; 공서(共棲). 〜動物分 공생 동물.

*__きょうせい【矯正】__ kyō- 名他 교정 ; (결점을) 고침 ; 바로잡음. ¶吃音だ〜 말더듬 교정 / 〜施設せ 교정 시설 / 歯列れっを〜する 치열을 교정하다.

きょうせい【嬌声】 kyō- 名 교성 ; 여자의 교태부리는(아양떠는) 소리. 〜をあげる 교성을 지르다.

*__きょうせい【強制】__ kyō- 名他 강제. ¶〜労働分 강제 노동 / 〜執行かっ 강제 집행 / 〜送還 강제 송환. ──さいばん【─処分】-shobun 名 강제 처분. 〜を取消けっす 강제 처분을 취소하다.

きょうせい【強精】 kyō- 名 강정. ¶〜剤ざ 강정제.

きょうせい【強請】 kyō- 名他 강청 ; 무리하게 청함 ; 지성거림. =ごうせい.

きょうせい【教生】 kyō- 名 교생 ; 교육 실습생.

きょうせい【行政】 gyō- 名 행정. ¶〜官く 행정관 / 〜官庁かん 행정 관청 / 〜協定せて 행정 협정 / 〜訴訟そ 행정 소송 / 〜命令め 행정 명령 / 〜処分ぶん 행정 처분. ↔立法ほう・司法ほう. ──けん【─権】 名 행정권. ¶〜を行使する 행정권을 행사하다. ──さいばん【─裁判】 名 행정 재판. ──しどう【─指導】 名 행정 지도. ──せいり【─整理】 名 행정 정리. ──ふ【─府】 名 행정부. ──ほう【─法】-hō 名 행정법.

ぎょうせき【行跡】 gyō- 名 행적 ; 몸가짐 ; 품행. =行状ぎう. ¶不〜 좋지 못한 행실 / 日ひごろの〜をつつしむ 일상의 몸가짐을 삼가다.

*__ぎょうせき【業績】__ kyō- 名 업적. ¶〜相場ば 업적(실적) 시세(회사 업적에 의하여 값이 오르는 시세).

ぎょうぜん【凝然】 kyō- トタル 꼼짝 않고 있는 모양. ¶〜と見みつめる 꼼짝 않고 응시하다.

きょうそ【教祖】 kyō- 名 교조 ; 종조(宗祖). =教主きう.

きょうそ【教組】 kyō- 名 교조('教員組合くみあい(=교원 조합)'의 준말).

きょうそう【強壮】 kyō- 名子 강장 ; 강건. ¶〜剤ざ 강장제.

きょうそう【狂躁】(狂躁) kyōsō 名 광조 ; 미친 듯 떠들어대며 뒤섞임.

きょうそう【競漕】 kyōsō 名 경조. =ボートレース.

きょうそう【競争】 kyōsō 名自他 경쟁. ¶〜相手ぁ 경쟁 상대 / 〜率りっ 경쟁률. ──しん【─心】 名 경쟁심. ¶〜をあおる 경쟁심을 부채질하다. ──りょく【─力】-ryoku 名 경쟁력. ¶〜をつける 경쟁력을 기르다.

きょうそう【競走】 kyōsō 名自 경

주. ¶障害物ょうがい〜 장애물 경주 / 自動車どう〜 자동차 경주.

きょうぞう【胸像】 kyōzō 名 흉상 ; 상반신의 초상. =バスト.

ぎょうそう【形相】 gyōsō 名 형상 ; (무서운) 얼굴 ; 얼굴 표정. ¶うらみの〜 앙심품은 표정 / たちまち〜が変へわった 금새 안색이 변했다.

きょうそうきょく【狂想曲】 kyōsōkyo- 名【樂】광상곡. =カプリチオ.

きょうそうきょく【協奏曲】 kyōsōkyo- 名【樂】협주곡. =コンチェルト.

きょうそく【教則】 kyō- 名 교칙 ; 교육상의 규칙. ¶〜本ほん教則本(성악·기악 등의 기본적인 기법(技法)을 순서에 따라 연습하기 위한 책).

きょうそく【脇息】 kyō- 名 사방침(四方枕) ; 궤상(几床). =ひじかけ.

きょうぞく【凶賊】(兇賊) kyō- 名 흉적 ; 흉악한 도적.

きょうぞん【共存】 kyō- 名自 공존. =きょうそん. ¶平和か〜 평화 공존 / 〜共栄きう〜 공존 공영.

きょうだ【強打】 kyō- 名他 강타. ¶〜者ゃ【野】 강타자.

きょうたい【嬌態】 kyō- 名 교태.

きょうたい【狂態】 kyō- 名 광태. ¶〜を演ずる 광태를 부리다.

きょうだい【兄弟】 kyō- 名 ①형제 ; 동기(同氣). ¶太郎だの〜 太郎의 형제 (본인은 제외) / 太郎〜 太郎 본인 포함). ②친한 남자 사이에서 친근감을 가지고 부르는 말 ; 친구. ¶おい、〜 여보게, 친구. ──は他人たんの始まり 형제는 남이 되는 시초(결혼을 하면 형제간의 우애가 멀어진다는 비유). ──でし【─弟子】 名 동문 제자(스승을 같이하는 제자들). ──ぶん【─分】 名 형제의 의를 맺은 사이 ; 의형제.

きょうだい【強大】 kyō- 名子 강대. ¶〜国こ 강대국 / 〜な軍備ぐん 강력한 군비. ↔弱小じゃく.

きょうだい【鏡台】 kyō- 名 경대.

きょうたい【業態】 gyō- 名 업태 ; 영업이나 기업의 상태.

きょうたく【供託】 kyō- 名他【法】공탁. ¶〜金き 공탁금.

きょうたく【教卓】 kyō- 名 교탁.

きょうたん【驚嘆】(驚歎) kyō- 名自 경탄. ¶〜に値あたいする 경탄할 만하다.

きょうだん【凶弾】(兇弾) kyō- 名 흉탄. ¶〜に倒たおれる 흉탄에 쓰러지다.

きょうだん【教壇】 kyō- 名 교단. ──に立たつ 교단에 서다 ; 선생이 되다.

きょうだん【教団】 kyō- 名 교단 ; 같은 종교의 신자들이 만든 단체.

きょうち【境地】 kyō- 名 경지. ①환경 ; 처지 ; 심경. ¶無我むの〜 무아의 경지 / 困難こんなる〜にある 곤란한 경지에 있다. ②분야. ¶新しい〜を開ひらく 새로운 경지를 개척하다.

きょうちくとう【夾竹桃】 kyōchikutō 名【植】협죽도.

きょうちゅう【胸中】 kyōchū 名 흉중 ; 가슴 속 ; 심정. ¶〜を察さっする (남의) 심정을 헤아리다 / 〜に秘ひめておく 가슴 속에 간직해 두다.

ぎょうちゅう【蟯虫】 gyōchū 名【動】

요충 ; 실거위.

きょうちょ【共著】kyōcho 图 공저 ; 한 책을 공동으로 지음 ; 또, 그 책. ¶ 〜者﹏﹏ 공저자.

きょうちょう【凶兆】kyóchō 图 흉조 ; 불길한 징조. ↔吉兆﹏﹏.

*きょうちょう【協調】kyóchō 图ス自 협조. ¶ 労使﹏﹏の──노사간의 협조 / 〜的な態度で 협조적 태도.

*きょうちょう【強調】kyóchō 图スで 강조 ; 역설. ¶ 防火﹏﹏〜週間﹏﹏방화 강조 주간.

きょうちょく【強直】kyóchoku ⊟图ス自 경직(硬直) ; (근육이) 굳어짐. ¶ 死後﹏﹏〜 사후 강직. □图 마음이 굳세고 정직함. ＝剛直﹏﹏. ¶ 〜な人 강직한 사람.

**きょうつう【共通】kyótsū □图ス自ダ﹏﹏ 공통. ¶ 〜点﹏ 공통점 / 〜因数﹏﹏﹏〔數〕 공통 인수. ──ご【──語】图공통어. ①〔全国共通語﹏﹏﹏﹏﹏﹏﹏〕(＝전국 공통어)의 준말. ②언어를 달리하는 사람들 사이에서 공통으로 쓰이는 말. ¶ 英語﹏﹏は世界﹏﹏の──だ 영어는 세계의 공통어다.〔床〕

きょうづくえ【経机】kyó- 图 경상(經──).

きょうてい【協定】kyó- 图スで 협정. ¶ 行政﹏﹏〜──행정 협정 / 〜価格﹏﹏ 협정 가격 / 〜を結ぶ﹏﹏ 협정을 맺다.

きょうてい【競艇】kyó- 图 경정 ; 모터보트의 경주.

きょうてき【強敵】kyó- 图 강적. ↔弱敵﹏﹏.

きょうてき【狂的】kyó- 图ダ﹏﹏ 미친 것 같은 모양. ¶ 〜な執着﹏﹏﹏﹏ 광적인 집착.

きょうてん【教典】kyó- 图 교전. ①교법(教範). ②경전(経典) ; 종교상의 규범서.

きょうてん【経典】kyó- 图 경전 ; 경문(經文).

ぎょうてん【ぎょうてん・仰天】gyó- 图ス自 몹시〔깜짝〕 놀람 ; 어처구니 없음. ¶ びっくり──몹시〔깜짝〕놀람.

ぎょうてん【暁天】gyó- 图 효천 ; 새벽 하늘 ; 새벽녘. ¶ 〜の星﹏﹏ 샛별 새벽 하늘의 별〔몹시 수효가 적음의 비유〕.

きょうてんどうち【驚天動地】kyóten-dóchi 图 경천 동지 ; 세상을 몹시 놀라게 하는 일〔사건〕.

きょうと【凶徒・兇徒】kyó- 图 흉도 ; 흉악한 무리 ; 폭도.

きょうと【京都】kyó- 图 ①수도(首都) ; 서울. ②〔地〕중부 일본에 있는 부청(府廳) 소재지 ; 옛 일본의 서울. ¶ 仏﹏﹏ 불교도.

きょうど【強度】kyó- 图 강도.

きょうど【匈奴】kyó- 图 흉노(族).

きょうど【郷土】kyó- 图スり 향토. ¶ 〜入﹏﹏り 고향에 들어감 / 〜芸術﹏﹏﹏ 향토 예술 / 〜色﹏﹏ 향토색 ; 지방색.

きょうとう【俠盗】kyótō 图 협도 ; 의적(義賊).

きょうとう【共闘】kyó- 图ス自 '共同闘争﹏﹏﹏﹏'(＝공동 투쟁)'의 준말. ¶ 〜委﹏﹏ 공동 투쟁 위원회.

きょうとう【教頭】kyó- 图 교두 ; 교감(校監).

きょうとう【橋頭】kyótō 图 교두 ; 다리

근처. ¶ 〜堡﹏﹏ 교두보.

きょうとう【郷党】kyótō 图 향당 ; 향토 사람들 ; 동향인.

**きょうどう【共同】kyōdō 图ス自 공동. ¶ 〜所有権﹏﹏﹏﹏﹏ 공동 소유권 / 〜墓地﹏﹏ 공동 묘지 / 〜声明﹏﹏〔宜言﹏﹏〕 공동 성명〔선언〕 / 〜体﹏﹏ 공동체 / 〜戦線﹏﹏ 공동 전선 / 〜歩調﹏﹏を取る 공동 보조를 취하다. ──しゃかい【──社会】-shakai 图 공동 사회. ＝ゲマインシャフト. ↔利益社会﹏﹏﹏﹏. ──はん【──正犯】〔法〕공동 정범. ──ぼうぎ【──謀議】-bōgi 图〔法〕공동 모의.

*きょうどう【協同】kyōdō 图ス自 협동. ¶ 〜体﹏﹏ 공동체 / 〜作業﹏﹏ 협동 작업. ──くみあい【──組合】图 협동 조합. ¶ 農業﹏﹏〜──농업 협동 조합.

きょうどう【嚮導】kyōdō 图 향도 ; 선도(先導) ; 앞서서 안내함 ; 또, 그 사람 ; 길 안내(자).

きょうどう【教導】kyōdō 图スで 교도.

きょうにん【杏仁】kyōnin 图〔漢醫〕행인 ; 살구 씨〔한약제〕.

ぎょうにんべん【行人偏】gyōninben 图 한자 부수의 하나 ; 두인변 ; 중인변('役・後' 등의 '彳'의 이름).

きょうねつ【強熱】kyō- 图 강열 ; 강한 열. ¶ 〜を加える 강한 열을 가하다.

きょうねん【享年】kyō- 图 향년 ; 죽었을 때의 나이. ＝行年﹏﹏. ¶ 〜九十歳﹏﹏ 향년 90세.

きょうねん【凶年】kyō- 图 흉년 ; 재년(災年). ↔豊年﹏﹏.

きょうは【教派】kyō- 图 교파 ; 종파.

きょうばい【競売】kyō- 图スで 경매. 注意 법률 용어로서는 'けいばい'라고도 함.

きょうはく【強迫】kyō- 图 강박. ①강요. ¶ 〜観念﹏﹏﹏ 강박 관념. ②(민법에서) 협박.

*きょうはく【脅迫】kyō- 图スで 협박. ＝おどし. ¶ 〜罪﹏﹏ 협박죄. 参考 법률에서는 '脅迫﹏﹏'는 형법에서, '強迫﹏﹏'는 민법에서 씀.

きょうはん【共犯】kyō- 图 공범. ¶ 〜者﹏﹏ 공범자. ↔主犯﹏﹏.

きょうはん【教範】kyō- 图 교범 ; 가르치는 법식(에 관한 책) ; 교수 범례(範例). ＝教典本﹏﹏.

きょうはん【共販】kyō- 图 공판〔'共同販売﹏﹏﹏﹏﹏(＝공동 판매)'의 준말〕.

きょうび【今日日】kyō- 图 오늘날 ; 요사이 ; 요즈음 ; 현재 ; 현대. ¶ 〜のごろ. ¶ 〜の学生﹏﹏は 오늘날의 학생 / 〜珍しい﹏﹏﹏, 感心な﹏﹏﹏人だ 요즘 보기 드물게 기특한 사람이다.

*きょうふ【恐怖】kyō- 图ス自 공포. ¶ 〜症﹏﹏ 공포증 / 〜政治﹏﹏﹏ 공포 정치 / 〜におののく 공포에 떨다.

きょうふ【教父】kyō- 图 교부. ①(초기 기독교에서) 학덕이 높은 교회 지도자. ②(가톨릭교에서) 고위 성직자 ; 또, 7·8세기까지의 뛰어난 교회 저술가. ③세례반을 받을 때의 대부(代父).

きょうぶ【胸部】kyō- 图 흉부 ; 흉강. ¶ 〜疾患﹏﹏〔醫〕흉부 질환.

きょうふう【強風】kyófū 图〔氣〕강풍

センはら。¶ 〜注意報_{ちゅういほう} 강풍 주의보.

きょうふう 【狂風】kyōfū 图 광풍 ; 사납게 부는 바람.

きょうへい 【強兵】kyō- 图 강병. ¶ 富国_{ふこく}〜 부국 강병.

きょうへき 【胸壁】kyō- 图 흉벽. ① 〖生〗 가슴의 외벽. ② 성채 (城砦)

きょうへん 【共編】kyō- 图他 공편 ; 공동 편집 (물).

きょうへん 【凶変】〔兇変〕kyō- 图 변 ; 불길한 변사.

きょうべん 【強弁】kyō- 图他 강변 ; 억지를 씀 ; 억지 주장. ¶わかっていながら〜する 알면서도 억지 쓰다.

きょうべん 【教鞭】kyō- 图 교편. ¶ 〜を執_とる 교편을 잡다.

きょうほ 【競歩】kyō- 图 경보 ; 한쪽 발이 항상 땅에 닿도록 해서 빨리 걷는 경기.

きょうほう 【凶報】kyōhō 图 흉보. ① 흉문 (凶聞). =凶報_{きょうほう}. ② 부음 (計音).

きょうほう 【共謀】kyōbō 图 공모. =通謀_{つうぼう}.

きょうぼう 【凶暴】〔兇暴〕kyōbō ナ 흉포 ; 흉악하고 난폭함.

きょうぼう 【狂暴】kyō- ナ 광포 ; 미친 듯이 난폭함.

きょうぼく 【喬木】kyō- 图 교목 ;「高木_{こうぼく}」의 구칭). ↔灌木_{かんぼく}.

きょうほん 【教本】kyō- 图 교본 ; 교과서. ¶ 音楽_{おんがく}の〜 음악 교본.

きょうほん 【狂奔】kyō- 图自 광분. ¶ 金策_{きんさく}に〜する 돈마련에 광분하다 / 〜するあばれ馬_{うま} 미쳐 날뛰는 말.

きょうま 【京間】kyō- 图 곡척 (曲尺) 6자 5치 [2 m 약 (弱)]를 한 칸 (間)으로 하는 주택 (다다미)의 척도 (주로 関西_{かんさい} 지방에서 씀).

きょうまい 【京舞】kyō- 图 京都_{きょうと}에서 발달한 무용. =地唄舞_{じうたまい}.

きょうまい 【供米】kyō- 图自 쌀을 공출함 ; 또, 공출미.

きょうまく 【胸膜】kyō- 图 흉막. ¶ろくまく〜 〜炎_{えん} 흉막염 ; 늑막염.

きょうまん 【驕慢】kyō- 图 ナ 교만 ; 오만 (傲慢).

きょうみ 【興味】kyō- 图 흥미. ¶ 〜本位_{ほんい} 흥미 본위 / 〜津々_{しんしん} 흥미 진진한 꼴. ↔吝嗇_{けち}.

きょうむ 【教務】kyō- 图 교무. ¶ 〜室_{しつ} 교무실 / 〜主任_{しゅにん} 교무 주임.

ぎょうむ 【業務】gyō- 图 업무. ¶ 〜命令_{めいれい} 업무 명령 / 〜上_{じょう}の過失_{かしつ} 업무 상 과실.

きょうめい 【共鳴】kyō- 图自 공명. ¶ 〜器_き 〖理〗 공명기 / 音叉_{おんさ}が〜する 음차가 공명하다 / 〜を呼_よぶ 공명을 불러일으키다 / きみの意見_{いけん}に〜する 자네의 의견에 동감하네.

きょうめい 【嬌名】kyō- 图 교명 ; 화류계 여자의 교태 (嬌態)로 인한 명성. ¶〜を馳_はせる〔うたわれる〕교명을 날리다.

きょうもん 【経文】kyō- 图 경문 ; 경.

きょうやく 【共訳】kyō- 图他 공역 ; 공동으로 번역함. ¶〜の小説_{しょうせつ} 공역 소설.

きょうやく 【共役】〔共軛〕kyō- 图〔數〕

공액 ; 켤레. ¶ 〜角_{かく} 켤레각 / 〜根_{こん} 켤레근 / 〜焦点_{しょうてん} 켤레 초점.

きょうやく 【協約】kyō- 图自 협약. ¶ 紳士_{しんし}〜 신사 협약 / 通商_{つうしょう}〜 통상 협약 / 労働_{ろうどう}〜 노동 협약.

きょうゆ 【教諭】kyō- 一图 ス他 교유 ; 훈유 ; 가르치고 타이름. 二图 교사 ; 초등고교·유치원의 정교사. ¶ 助_{じょ}〜 준교사 / 養護_{ようご}〜 양호 교사.

きょうゆう 【享有】kyōyū 图ス他 (권리·능력 따위의) 향유. ¶ 人間_{にんげん}は生_いきる権利_{けんり}を〜をしている 인간은 살 권리를 향유하고 있다.

きょうゆう 【共有】kyō- 图他 공유. ¶ 〜財産_{ざいさん} 공유 재산 / 〜林_{りん} 공유림. ↔専有_{せんゆう}.

きょうゆう 【梟雄】kyōyū 图 효웅 ; 잔인하고 용맹한 사람.

きょうよ 【供与】kyō- 图他 공여. ¶ 賄賂_{わいろ}を〜する 뇌물을 공여하다 / 武器_{ぶき}を〜する 무기를 제공하다.

きょうよう 【共用】kyō- 图他 공용 ; 공동 사용.

きょうよう 【強要】kyōyō 图ス他 강요. ¶寄付_{きふ}を〜する 기부를 강요하다.

***きょうよう** 【教養】kyōyō 图 교양. ¶ 〜科目_{かもく} 교양 과목 / 〜を高_{たか}める〔積_つむ〕교양을 높이다〔쌓다〕.

きょうらく 【享楽】kyō- 图ス他 향락. ¶〜主義_{しゅぎ} 향락주의.

きょうらく 【京洛】kyō- 图 ① 경락 ; 서울 ; 수도. ② 〖地〗 京都_{きょうと}의 딴이름. 注意 'けいらく'라고도 함.

きょうらく 【競落】kyō- 图ス他 경락 ; 경쟁 입찰에서 낙찰함. =けいらく.

きょうらん 【供覧】kyō- 图他 공람 ; 관람케 함. ¶〜用_{よう}の品物_{しなもの} 공람용의 물건.

きょうらん 【狂乱】kyō- 图自 광란 ; 미쳐 날뜀. ¶半_{はん}〜 반광란 / 物価_{ぶっか}〜 광란 물가 ; 비정상적으로 급등 (急騰)한 물가.

きょうり 【教理】kyō- 图 교리.

きょうり 【胸裏】〔胸裡〕kyō- 图 흉리 ; 가슴 속 ; 마음 속.

きょうり 【郷里】kyō- 图 향리 ; 고향. =ふるさと.

きょうりゅう 【恐竜】kyōryū 图 공룡 ; 중생대 (中生代)의 거대한 파충류 (爬蟲類).

きょうりょう 【橋梁】kyōryō 图 교량. =はし. ¶ 〜工事_{こうじ} 교량 공사.

きょうりょう 【狭量】kyō- 图ナ 협량 ; 도량이 좁음. ↔広量_{こうりょう}.

きょうりょう 【凶漁】kyō- 图 흉어. ↔豊漁_{ほうりょう}.

きょうりょく 【協力】kyōryo- 图自 협력. ¶緊密_{きんみつ}な〜 긴밀한 협력.

きょうりょく 【強力】kyōryo- 图ナ ① 강력. ¶〜なモーター 강력한 모터. ② 폭력. ¶〜支配_{しはい} 폭력 지배.

きょうりん 【杏林】kyō- 图 ① 살구나무 숲. ② 의사 (醫師).

きょうれつ 【強烈】kyō- 图ナ 강렬. ¶〜な印象_{いんしょう} 강렬한 인상.

***きょうれつ** 【行列】kyō- 图ス自 행렬. ¶ 仮装_{かそう}〜 가장 행렬.

きょうれん 【教練】kyō- 图ス他 교련 ;

군사 훈련. ¶～教官[かん] 교련 교관.

きょうれん【狂恋】kyō- 名 광련；너무나 사랑해서 미친 듯이 보이는 연애.

きょうろん【経論】kyō- 名 〔佛〕 경론；삼장(三藏)・곧 경(經)・율(律)・논(論)중의 경(經)과 논(論).

きょうわ【共和】kyō- 名 공화. ¶～体[たい] 공화 정체／～政治[せいぢ] 공화 정치．──〈く【─国】공화국.

きょうわ【協和】kyō- 名 ス自 협화. ¶～音[おん] 협화음.

きょうわらべ【京童】kyō- 名 京都[きゃうと]의 젊은이들. 参考 이것 저것에 고루 호기심이 많고 아는 체하며 남의 애기하기를 좋아하는 패들의 뜻으로 씀.

きょえい【虚栄】kyō- 名 허영．＝みえ. ¶～心[しん] 허영심.

ぎょえい【御詠】gyo- 名 天皇[てんわう]이나 그 가족이 지는 시가(詩歌).

ぎょえん【御苑】gyo- 名 어원；금원(禁苑)；天皇[てんわう] 소유의 정원.

ぎょえん【御宴】gyo- 名 天皇[てんわう]이나 황태자가 베푸는 연회.

きょがく【巨額】kyo- 名 거액；막대한 수. ¶～の富[とみ] 거액의 부. 参考 「巨万[きょまん]」보다도 뜻이 강함.

きょか【炬火】kyo- 名 거화；횃불. ＝たいまつ・かがりび.

きょか【許可】kyo- 名 ス他 허가. ¶～営業[えいげふ] 허가 영업(전당포・약국 따위)／無[む]～ 무허가／不[ふ]～ 불허가／～を得[え]る 허가를 얻다／～がおりる 허가가 나오다／허락이 내리다.

ぎょか【漁火】gyo- 名 어화；고기잡이 불．＝いさり火[び].

ぎょかい【魚介】gyo- 名 어개；해산 동물의 총칭. ＝類[るゐ] 어개류.

ぎょかい【魚貝】gyo- 名 어패；어류와 패류.

きょがく【巨額】kyo- 名 거액.

ぎょかく【漁獲】gyo- 名 ス他 어획. ¶年間[ねんかん]～量[りゃう] 연간 어획량／～高[だか] 어획고. ＝ぎょかう.

きょかん【巨漢】kyo- 名 거한；거인.

ぎょがんレンズ【魚眼レンズ】gyo- 名 어안렌즈；180 도의 넓은 각도의 렌즈. ▷lens.

きょぎ【虚偽】kyo- 名 허위；거짓；가짜. ¶～の証言[しょうげん] 허위 증언. ↔真実[しんじつ].

ぎょき【漁期】gyo- 名 어기；고기잡이 시기. ＝りょうき.

ぎょきょう【漁況】gyokyō 名 어황；고기잡이의 상황.

＊ぎょぎょう【漁業】gyogyō 名 어업. ¶遠洋[ゑんやう]～ 원양 어업／～協同[けふどう]組合[くみあひ] 어업 협동 조합／～権[けん] 어업권／専管[せんくわん]水域[すゐゐき] 전관 수역.

きょきょじつじつ【虚虚実実】kyokyo- 名 허허실실；서로 허실의 계책(計策)을 써서 힘껏 싸우는 모양.

きょきん【拠金・醵金】kyo- 名 ス自 갹금；돈을 갹출(醵出)함；또는 그 돈.

＊きょく【局】kyo- 名 ①국．¶わが～ 우리 국. 参考 接尾語的으로도 씀. ¶編集[へんしふ]～ 편집국. ⓛ郵便局[いうびんきょく]＝우체국／電話局[でんわきょく]（＝전화국）／放送局[はうそうきょく]（＝방송국）따위의

준말. ⒠(바둑 따위 승부의) 한 판. ¶一[いち]～かこむ (바둑을) 한 판 두다. ②국면；당면한 일・사태. ¶～に当[あた]る 국면에 당(면)하다〔대처하다〕. ③끝；종국. ¶～を結[むす]ぶ 끝을 맺다.

＊きょく【曲】kyo- 名 ①구부러짐；바르지 않음；부정. ¶～を曲[ま]げない 부정을 미워하다. ↔直[ちょく]. ②곡；악곡. ¶月光[げっくわう]の～ 월광곡. ③「～しい」 아름다운 곡. 参考 接尾語的으로도 씀. ¶小夜[さよ]～ 소야곡／ピアノ～ 피아노곡. ③재미. ¶～がない 재미가 없다；멋대가리 없다. ⓑ붙일 성이 없다；매정하다.

きょく【極】kyo- 名 극. ①끝. ㉠종국．＝はて. ¶疲労[ひらう]の～に達[たっ]する 피로의 극에 달하다. ㉡결과；귀착. ㉢마지막.＝あげく. ¶失望[しつばう]の～ 실망한 끝(에). ②(지구의) 남극과 북극. ③〔理〕자극(磁極). ③〔理〕전극(電極).

きょく【巨軀】kyo- 名 거구；큰 몸집.

ぎょく【玉】gyo- 名 ⓐ보석의 하나. ②거래소에서 매매하는 주식이나 물건；또, 그 수량. ¶売[う]り～ 매도 전옥(建玉)／買[か]い～ 매수 전옥(建玉)；세운일. ③俗〕(음식점에서) 달걀. (화류계에서) 기생. ⑤玉代[ぎょくだい](＝화대；해웃값)의 준말. ⑥(일본 장기의) 궁(宮).

ぎょく【漁区】gyo- 名 어구；어업〔어로〕구역. ¶～を制限[せいげん]する 어구를 제한하다.

ぎょぐ【漁具】gyo- 名 어구. ¶～商[しゃう] 어구상.

きょくいん【局員】kyo- 名 국원.

きょくう【極右】kyo- 名 극우；극단적인 우익 사상；또, 그런 사람.

きょくうち【曲打ち】kyo- 名 ス自 곡예(曲藝)처럼 재미있고 멋지게 치기.

ぎょくおん【玉音】gyo- 名 옥음；天皇[てんわう]의 음성．＝ぎょくいん. ¶～放送[はうそう] 天皇[てんわう]의 육성 방송.

きょくかい【曲解】kyo- 名 ス他 곡해. ＝きょっかい.

きょくがい【局外】kyo- 名 국외. ①(우체국・전신 전화국 따위의) 관할 밖. ②당면한 사건이나 일 등에 관계 없음. ¶～者[しゃ] 국외자；제 3자.

きょくがくあせい【曲学阿世】kyo- 名 곡학 아세；진리에서 벗어나 위정자나 세상 사람들에 아부하는 학설을 주장하여 시세에 영합하려는 것.

ぎょくがん【玉顔】gyo- 名 〈老〉옥안. ①천자의 얼굴. ②아름다운 얼굴.

きょくげい【曲芸】kyo- 名 곡예．＝曲技[きょくぎ]. ¶～団[だん] 곡예단.

きょくげん【局限】kyo- 名 ス他 국한. ¶～された人々[ひとびと] 국한된 사람들.

きょくげん【極限】kyo- 名 극한. ¶～値[ち]〔数〕극한값(치)／～状況[じゃうきゃう] 극한 상황.／～闘争[たうそう] 극한 투쟁.

きょくげん【極言】kyo- 名 ス他 극언；사양치 않고 모두 말함；또, 극단적으로 말함.

ぎょくざ【玉座】gyo- 名 옥좌；보좌(寶座)；천자가 앉는 자리.

ぎょくさい【玉砕】gyo- 名 ス自 옥쇄；대패할 것을 각오하고 싸우는 일에도 비유됨. ↔瓦全[ぐわぜん].

きょくざひょう【極座標】kyokuzahyō

|名| 극좌표.
きょくし【曲師】kyo- 浪花節ﾅﾆﾜﾌﾞﾆ에서 三味線ｼﾔﾐｾﾝ을 타는 사람.
きょくじつ【旭日】kyo- 욱일 ; 아침해. ＝あさひ. **──昇天**ﾃﾝの**勢**ｲい 욱일 승천의 기세.
きょくしゃ【曲射】kyokusha |名| 곡사. ¶**──砲**ﾎﾟ 곡사포. ↔直射ﾁﾖｸ・平射ﾍｲ.
きょくしょ【局所】kyo- |名| 국소 ; 국부. ①몸의 일부분. ¶**──麻酔**ﾏｽｲ 국[국부] 마취. ②음부(陰部).
きょくしょう【極小】kyokushō |名| 극소 ; 극히 작음.
きょくしょう【極少】kyokushō |名| 극소 ; 극히 적음. ¶**──量**ﾘﾖｳ 극소량.
ぎょくしょう【玉将】gyokushō <small>装</small> おうしょう【王将】
ぎょくしょう【玉章】gyokushō |名| 옥장. ①훌륭한 문장・시문(詩文). ②상대방 편지의 높임말 ; 옥함(玉函). ＝たまずさ.
ぎょくせき【玉石】gyo- |名| 옥석 ; 훌륭한 것과 하찮은 것. **──こんこう〔──混交〕(──混淆〕**-kō |名||ス他| 옥석 혼효.
きょくせつ【曲折】kyo- |名||ス自| 곡절 ; 꾸불꾸불함 ; 특히, 사물의 복잡 다단한 사정. ¶紆余ｳﾖ**~を経**ﾍる 우여 곡절을 겪다.
*__**きょくせん**【曲線】kyo- |名| 곡선. ¶**~美**ﾋ 곡선미. ↔直線ﾁﾖｸ.
きょくだい【極大】kyo- |名| 극대.
ぎょくたい【玉体】gyo- |名| 옥체 ; 天皇ﾃﾝﾉｳ[신분이 높은 사람]의 몸의 높임말.
*__**きょくたん**【極端】kyo- |名||ダナ| 극단. ¶**~な楽天家**ﾗｸﾃﾝｶ 극단적인 낙천가 / **~に嫌**ｷﾗ**う** 극단(적)으로 싫어하다.
きょくち【局地】kyo- |名| 국지. ¶**~戦争**ｾﾝｿｳ 국지 전쟁.
きょくち【極地】kyo- |名| 극지 ; 끝의 있는 땅 ; 남극이나 북극 지방. ¶**~探検**ﾀﾝｹﾝ 극지 탐험.
きょくち【極致】kyo- |名| 극치 ; 더할 수 없이 훌륭한 경지. ¶美ﾋﾞの**~** 미의 극치.
きょくち【極値】kyo- |名|〔数〕극치 ; 극값.
きょくちょう【局長】kyokuchō |名| 국장.
きょくちょく【曲直】kyokucho- |名| 곡직 ; 정사(正邪). ¶理非ﾘﾋ**曲直**ｷﾖｸ**是非**ｾﾞﾋ **~** 시비 곡직.
きょくてん【極点】kyo- |名| 극점. ①절정 ; 극도. ¶興奮ｺｳﾌﾝ**は~に達**ﾀﾂ**した** 흥분은 절정에 달했다. ②남극[북극] 극점.
きょくど【極度】kyo- |名| 극도. ¶**~の疲労**ﾋﾛｳ 극도의 피로 / **~に喜**ﾖﾛｺ**ぶ** 극도로 기뻐하다. ¶**~適度**ﾃｷﾄﾞ.
きょくとう【極東】kyokutō |名| 극동. ¶**~政策**ｾｲｻｸ 극동 정책.
きょくどめ【局留め】kyo- |名| 국유치[局留置]. 유치 우편.
きょくのり【曲乗り】kyo- |名||ス自| 말이나 자전거 등을 곡예로 타는 일 ; 또, 그 사람.
きょくば【曲馬】kyo- |名| 곡마. ¶**~団**ﾀﾞﾝ 곡마단 ; 서커스.
ぎょくはい【玉杯】【玉盃】gyo- |名| 옥배 ; 옥으로 만든 술잔 ; 훌륭한 술잔.
きょくび【極微】kyo- |名| 극미 ; 극히 세

──────────

소(細小)함. ＝ごくび.
きょくだん【曲弾き】kyo- |名||ス他| 三味線ﾆﾔﾐｾﾝ・琵琶ﾋﾞﾜ 따위 악기를 곡예처럼 별나게, 또 빠르게 탐.
きょくひつ【曲筆】kyo- |名||ス他| 곡필 ; 사실을 굽혀 씀 ; 또, 그 문장.
きょくふ【曲譜】kyo- |名| 곡보 ; 악보.
きょくぶ【局部】kyo- |名| 국부. ①국소. ¶**~的**ﾃｷ麻酔ﾏｽｲ**~手術**ｼﾕｼﾞﾕﾂ〔마취〕 국부 수술〔마취〕. ②음부(陰部).
きょくほう【局方】kyokuhō 「日本薬局方ﾆﾎﾝﾔｸｷﾖｸﾎﾟ（＝일본 약국방)」의 준말. ¶**~薬** 약국방에서 정한 약제.
きょくほう【局報】kyo- |名| 국보 ; 전신 사무나 기상 보고에 대해서 관계 관청간에 왕복하는 보고.
きょくまちでんぽう【局待ち電報】kyo-kumachidempō |名| 국내 전보(전보의 발신인이 답전을 기다리고 있음을 수신인에게 알리는 전보). ＝きょくまち.
きょくめん【局面】kyo- |名| 국면. ①바둑・장기의 반면(盤面). 그 승부의 형세. ②사물이 되어가는 형세 ; 사태. ¶むずかしい**~に差**ｻ**しかかる** 어려운 국면에 접어들다.
きょくめん【曲面】kyo- |名| 곡면. ¶**~体**ﾀｲ 곡면체. ↔平面ﾍｲ.
きょくもく【曲目】kyo- |名| 곡목 ; 연주회의 프로그램.
ぎょくよう【玉葉】gyokuyō |名| 옥엽. ①天皇ﾃﾝﾉｳ의 일문(一門)의 높임말. ¶金枝ｷﾝｼ**~** 금지 옥엽. ②남이 보낸 엽서의 높임말.
きょくりつ【曲率】kyo- |名|〔数〕곡률.
きょくりょう【極量】kyokuryō |名| 극량 ; 극약・독약 등에 있어서 1회 또는 하루에 사용할 수 있는 최대의 분량.
きょくりょく【極力】kyokuryoku |副| 극력. ¶紛争ﾌﾝｿｳ**は~避**ｻﾞ**けるように** 분쟁은 극력 피하도록.
ぎょくろ【玉露】gyo- |名| 옥로. ①품질이 좋은 달여 마시는 차(茶). ②옥과 같이 아름다운 이슬.
きょくろん【曲論】kyo- |名||ス自他| 극론 ; 곡언 ; 힘을 다하여 논함 ; 또는 극단적 논의.
ぎょぐん【魚群】gyo- |名| 어군 ; 물고기 떼. ¶**~探知機**ﾀﾝﾁｷ 어군 탐지기.
ぎょけい【御慶】gyo- |名| 경사 ; 축하 ; 특히, 신정(新正) 인사.
きょげん【虚言】kyo- |名||ス自| 허언 ; 거짓말 ; ＝うそ・きょごん. ¶**~をはく** 거짓말을 하다.
きょこう【挙行】kyokō |名||ス他| 거행. ¶入学式ﾆﾕｳｶﾞｸｼｷ**を~する** 입학식을 거행하다.
きょこう【虚構】kyokō |名||ス他| 허구. ＝フィクション. ¶**~性**ｾｲ 허구성.
ぎょこう【漁港】gyokō |名| 어항.
きょこく【挙国】kyo- |名| 거국 ; 나라〔국민〕전체. ¶**~一致**ｲﾂﾁ 거국 일치.
きょこん【許婚】kyo- |名| 허혼 ; 약혼. ＝いいなずけ.
きょし【鋸歯】kyo- |名| 거치 ; 톱니. ¶**~状**ﾄﾞﾖｳの文様ﾓﾝﾖｳ 톱니 모양의 무늬.

き

ぎょじ 【御璽】 gyo- 图 옥새(玉璽) ; 天皇ਨਨ의 도장. ¶御名੭~ 天皇ਨਨ의 서명 날인.

きょしき 【挙式】 kyo- 图 ㅈ自 거식 ; 특히, 결혼식을 올림.

きょじつ 【居室】 kyo- 图 거실 ; 거처실.

きょじつ 【虚実】 kyo- 图 허실. ①없음과 있음 ; 거짓과 참. ¶~とりまぜて 허와 실을 섞어서. ②허허 실실(虚虚實實) ; 온갖 계략을 씀. ¶~を尽くして戦だ온갖 계략을 다하여 싸우다.

きょしてき 【巨視的】 kyo- ダナ 거시적 ; 대국적 견지. =マクロ. ¶~理論ੵੵ 거시적 이론. ↔微視的੭.

ぎょしゃ 【御者】 【駁者】 gyosha 图 어자 ; 마부.

きょじゃく 【虚弱】 kyoja- 名ナ 허약. ¶~体質 허약 체질. ↔強健ਨਨ.

きょしゅ 【挙手】 kyoshu 图 ㅈ自 거수. ¶~の礼 거수 경례.

きょしゅう 【去就】 kyoshū 图 거취 ; 향배(向背) ; 진퇴. ¶~を明らかにする 거취를 분명히 하다.

きょじゅう 【居住】 kyojū 图 ㅈ自 거주. ¶~地੭ 거주지. ¶~집승.

きょじん 【巨人】 kyojū 图 거상 ; ¶집승.

きょしゅつ 【拠出】 【醵出】 kyoshu- 图他 거출 ; 갹출. 注意 '拠出'로 씀은 대용 한자.

きょしょ 【居所】 kyosho 图 거소 ; 거처. ¶~不明੭ 거처 불명.

きょしょう 【去声】 kyoshō 图 거성 ; 한자(漢字)의 사성(四聲)의 하나. =きょせい.

きょしょう 【巨匠】 kyoshō 图 거장 ; (예술계의) 대가. ¶~の作品ਨਨ 거장의 작품.

きょじょう 【居城】 kyojō 图 거성 ; 늘 거처하는 성.

ぎょじょう 【漁場】 gyojō 图 어장. =ぎょば ¶近海ਨਨ의 ~ 근해의 어장.

きょしょく 【虚飾】 kyosho- 图 허식 ; 걸치레. =みえ. ¶~を捨 てる 허식을 버리다.

ぎょしょく 【漁色】 gyosho- 图 어색 ; 엽색. ¶~家੭ 엽색꾼.

きょしん 【虚心】 kyo- 图 허심 ; 사념(邪念)이 없는 마음 ; 선입감을 가지지 않은 순수한 태도. ↔成心ੵਨ. ──たんかい 【──坦懐】 图 ダナ 허심 탄회.

きょじん 【巨人】 kyo- 图 거인. ①거한(巨漢). ②위인(偉人). ¶哲学界ੵੵੵ の~ 철학계의 거인.

ぎょしん 【御寝】 gyo- 图 취침의 높임말. ¶~なる 주무시다 / ~なされませ 주무십시오.

きょすう 【虚数】 kyosū 图 【数】 허수. ¶~単位ਨਨ 허수 단위. ↔実数ਨਨ.

きよずり 【清刷り】 图 【印】 교정이 끝난 활판을 사진 정판 따위를 위해 깨끗이 쇄(刷)를 내는 일 ; 또, 그 쇄를 낸 것.

ぎょ-する 【御する】 gyo- ㅅ変他 ①어거하다. ①(駁する) (말을) 잘 다루다. ⓛ(남을 자기) 마음대로 움직이다[다루다]. ¶~しやすい人物੭ 다루기 쉬운 인물. ②(나라를) 통치하다 ; 다스리다.

きよせ 【季寄せ】 图 俳句ਨਨ의 季語를 모은 책 ; 俳諧ਨਨ의 季語를 계통을 세워 배열하고 각 말에 설명을 붙인 것.

きょせい 【去勢】 kyo- 图他 거세. ①牛੭을 ~する 소를 거세하다 / 反対勢力ਨਨ を ~する 반대 세력을 거세하다.

きょせい 【巨星】 kyo- 图 거성. ①큰 항성(恒星). ↔矮星ਨਨ. ②큰 인물. ──落ਨਨ つ 거성이 (땅에) 떨어지다(큰 인물의 죽음을 아까워함의 비유).

きょせい 【御製】 gyo- 图 어제 ; 임금이〔天皇ਨਨ가〕 지은 시가(詩歌).

きょせい 【虚勢】 kyo- 图 허세. =からいばり. ──を張ਨる 허세를 부리다.

きょせつ 【虚説】 kyo- 图 허설 ; 낭설 ; 뜬 소문 ; 헛말. =そらごと・浮説ਨਨ. ↔実説੭.

* **きょぜつ** 【拒絶】 kyo- 图 ㅅ他 거절 ; 거부. ¶面会ਨਨ~ 면회 거절.

きょせん 【巨船】 kyo- 图 거선 ; 큰 배.

きょぜん 【居然】 kyo- ㅏ加儿 ①태연한 모양. ②그대로 ; (외출하지 않고) 살아 있으면서. ③할 일이 없어 따분한 모양.

ぎょせん 【漁船】 gyo- 图 어선 ; 고깃배.

きょそ 【挙措】 kyo- 图 거조 ; 행동 거지. ──を失ਨう 거조를 잃다 ; 마음의 평정을 잃다.

きょぞう 【巨像】 kyozō 图 거상 ; 커다란 조상(彫像).

きょぞう 【虚像】 kyozō 图 【理】 허상 ; 비유적으로, 말만 있고 실재(實在)하지 않는 것. ↔実像ਨਨ.

ぎょぞく 【魚族】 gyo- 图 어족 ; 어류.

ぎょそん 【漁村】 gyo- 图 어촌.

きょた 【許多】 kyo- 图 허다 ; 수가 많음. =あまた. ¶~の実例੭ 허다한 실례.

きょたい 【巨体】 kyo- 图 거체 ; 거대한 체구〔몸뚱이〕.

きょだい 【巨大】 kyo- 图 거대. ¶~都市੭ 거대 도시. ↔微小ਨਨ.

ぎょだい 【御題】 gyo- 图 어제. ①임금이 쓴 제자(題字). ②임금이 선정한 시가(詩歌)・문장의 제목. =勅題ਨਨ.

きょだく 【許諾】 kyo- 图 ㅅ他 허락. ¶申し入れを~する 신청을 허락하다.

ぎょたく 【魚拓】 gyo- 图 어탁(잡은 물고기의 겉에 먹을 칠하여 종이에 그 모양을 뜨는 일).

きょだつ 【虚脱】 kyo- 图 ㅅ自 허탈. =気ぬけ ¶~状態ਨਨ 허탈 상태.

ぎょたん 【魚探】 gyo- 图 어탐 ; '魚群探知機ਨਨਨ(=어군 탐지기)'의 준말.

きょちゅう 【居中】 kyochū 图 ㅅ自 거중 ; 양쪽 사이에 섬. ¶~調停ਨਨ 거중 조정 ; 중재(에 섬). 〔解.

きょっかい 【曲解】 kyokkai 图 ㅅ他 곡해.

きょっけい 【極刑】 kyokkei 图 극형 ; 사형. ¶~に処ਨする 극형에 처하다.

きょっこう 【極光】 kyokkō 图 극광. =オーロラ.

ぎょっこう 【玉稿】 gyokkō 图 옥고 (남의 원고의 높임말).

ぎょっと gyotto 副 갑자스런 놀람으로 마음이 순각적으로 동요하는 모양 ; 섬뜩 ; 흠칫 ; 철렁. ──して立ਨちすくむ 깜작 놀라〔기급을 해서〕 그 자리에 멈

きょてん【拠点】kyo- 图 거점; 활동의 근거가 되는 곳. ¶戦略上の〜 전략의 거점.

ぎょてん【魚田】gyo- 图【料】물고기를 꼬챙이에 꿰어 된장을 발라 구운 요리.

きょとう【巨頭】kyotō 图 거두. ¶〜会談 거두 회담.

きょどう【挙動】kyodō 图 거동; 동작. ¶〜不審な男 거동이 수상한 사나이.

きょときょと kyotokyoto 副 불안과 공포로 사방을 두리번거리는 모양: 두리번두리번. ¶〜あたりを見まわす 두리번두리번 주위를 둘러보다.

きょとん kyo- 副 어이가 없거나 맥이 빠져서 멍하고 있는 모양: 멍하니; 멍청히. ¶〜と目を見張る 멍하니 눈을 크게 뜨고 보다.

ぎょにく【魚肉】gyo- 图 어육; 생선살; 생선과 짐승의 고기. 参考 비유적으로, 곧 칼 맞아 죽게 될 신세의 뜻으로도 쓰임.

きょねん【去年】kyo- 图 거년; 지난해; 작년. =昨年さくねん.

きょひ【拒否】kyo- 图 他 거부. ¶〜権 거부권 /〜反応 거부 반응.

ぎょひ【魚肥】gyo- 图 어비; 어물(찌꺼끼)로 만든 비료. =ほしか.

ぎょふ【漁夫·漁父】gyo- 图 어부; 고기잡이. ¶〜の利 어부지리. ──の利 어부지리.

きょぶき【清ぶき】【清拭き】图 他 마른 걸레질.

ぎょふく【魚腹】gyo- 图 어복. ¶──に葬はうむられる 물고기 밥이 되다.

ぎょぶつ【御物】gyo- 图 어물; 황실〔임금〕의 소지품. =ぎょもつ·ごもつ.

きょふん【粉】kyo- 图 생선을 말려서 빻은 가루(식용·비료·사료용). =フィッシュミール.

きょへい【挙兵】kyo- 图 自 거병. =旗揚はたあげ.

きょほ【巨歩】kyo- 图 거보; 큰 발자취; 위대한 공적〔업적〕. ¶〜を残のこす 큰 업적을 남기다 /〜を踏ふみ出だす 거보를 내딛다.

きょほう【虚報】kyohō 图 허보; 헛보도; 헛보고. =デマ.

きょぼく【巨木】gyo- 图 거목. =巨樹きょじゅ.

きよまーる【清まる】图 自 맑아지다. ¶心こころが〜 마음이 맑아지다.

きょまん【巨万】kyo- 图 거만; 엄청난 수·금액. ¶〜の富とみ 거만의 재산.

きよみずのぶたい【清水の舞台】图 京都きょうと 清水寺きよみずでら의 불당의 무대. ¶──から飛とび降おりる 밑져야 본전이라는〔죽기 아니면 살기의〕심정으로 과감히 일을 해보다.

ぎょみん【漁民】gyo- 图 어민; 어부. =漁師りょうし.

きょむ【虚無】kyo- 图 허무; 공허(空虚). ¶〜思想 허무 사상 /〜的てき 허무적 /〜主義しゅぎ 허무주의.

きょめい【虚名】kyo- 图 허명; 실제의 가치에 맞지 않는 명성. =虚聞きょぶん·空名くうめい. ②거짓 이름; 가명. ③

きょめい【虚名】gyo- 图 어명; 임금의 이름. ¶〜御璽ぎょじ 天皇てんのう의 서명 날인.

きよめる【清める】【浄める】他下一 맑게 하다; 정하게 하다; 부정(不淨)을 없애다. ¶汚名おめいを〜 오명을 씻다 /身みを〜 몸을 깨끗이 하다.

きょもう【虚妄】kyomō 图 허망; 거짓; 허황되고 미덥지 않은 것.

ぎょもう【漁網·魚網】gyomō 图 어망.

きよもと【清元】gyo- 图『清元節の준말』江戸えど 시대 후기, 浄瑠璃じょうるり의 일파인 三味線しゃみせん 음악의 일종.

ぎょゆ【魚油】gyo- 图 어유; 물고기에서 짜낸 기름(등불·비누제조 등에 씀).

ぎょゆう【御遊】gyoyū 图 ①놀이의 높임말. ②옛날 궁중에서 개최된 아악(雅樂) 놀이.

きょよう【許容】kyoyō 图 他 허용. ¶放射能ほうしゃのう〜量りょう 방사능의 허용량.

きょらい【去来】kyo- 图 ①오〔고〕감; 왕래. =ゆき来き. ¶〜する思おもい 오가는 감회. ②과거와 미래.

ぎょらい【魚雷】gyo- 图 어뢰(魚形水雷ぎょけいすいらい=어형 수뢰)의 준말.

きよらか【清らか】ダナ 맑은〔청아한; 깨끗한〕모양. ¶〜な水みず 맑은 물 /〜な心こころ 깨끗한 마음.

きょり【巨利】gyo- 图 거리; 큰 이익.

きょり【距離】kyo- 图 거리. ¶遠えん〜 원거리 /直線ちょくせん〜 직선 거리 /〜が遠とおい 거리가 멀다.

きょりゅう【居留】kyoryū 图 自 거류. ¶〜地ち 거류지 /〜民みん 거류민.

ぎょりゅう【御柳·檉柳】gyoryū 图【植】위성류(渭城柳)(관상용).

ぎょりん【魚鱗】gyo- 图 어린. ①물고기의 비늘; 또, 물고기. ②물고기 비늘 모양으로 벌여놓음; 어린진(陣).

ぎょるい【魚類】gyo- 图 어류; 어족.

きょれい【虚礼】kyo- 图 허례. ¶〜虚飾きょしょく 허례허식.

ぎょろう【漁労】【漁撈】gyorō 图 他 어로. 注意『漁労』로 씀은 대용 한자.

きょろきょろ kyorokyoro 副 침착하지 못한 상태로 주위를 둘러보는 모양: 두리번두리번; 힐끔힐끔. ¶〜あたりを見回みまわす 주위를 두리번거리다 /目めを〜させる 눈을 두리번거리다.

ぎょろぎょろ gyorogyoro 副 큰 눈망울을 뒤룩거리는 모양. ¶人ひとを〜見みる 눈을 뒤룩거리며 사람을 보다.

きょろりと kyo- 副 눈을 움직여서 흘끔 곁눈질하는 모양: 흘끔. ¶目めを〜上あげて見みる 얼굴을 들어 흘끔 보다.

ぎょろりと gyo- 副 큼직한 눈알을 굴리며 노려보는 모양. ¶〜にらみつける 눈을 부릅뜨고 노려보다.

きょんき【気弱】ダナ 심약함; 마음이 약한 성질. ¶〜な人ひと 마음이 약한 사람 /〜に笑わらう 힘없이 웃다.

きらい【嫌い】图ナ ①싫음; 마음에 들지 않음. ¶好すき〜 좋음과 싫음 /大だい〜な人ひと 보기도 싫어. ②〈…の〔する〕〜がある의 꼴로〉…한 경향이 있다; 경향이 있다. ¶無視むしする〜が有ある 무시하는 경향이 있다. ③가림; 차별; 구별. ¶だれかれの〜な

く 누구누구 가리지 않고.

きらい【機雷】图 기뢰('機械水雷_{きかいすいらい}(=기계 수뢰)'의 준말). ¶～原^{げん} 기뢰원(발).

─ぎらい【嫌い】…을 싫어함; …을 싫어하는 사람. ¶食^くわず━ 먹어[해] 보지도 않고 싫어함; 무턱대고 싫어함; 또, 그런 사람.

きらう【嫌う】5他 싫어하다. ¶利己主義^{りこしゅぎ}を━ 이기주의를 싫어하다. ↔すく. ②꺼리다; 피하다. ¶鬼門^{きもん}を━ 귀문(동북방)을 꺼리다. ③약하다; 타다. ¶湿気^{しっけ}を━ 습기를 타다. ──わず 구별하지 않다. ¶所^{ところ}━わず 장소를 가리지 않다.

きらきら副 빛나는 모양; 반짝반짝. ¶━する宝石^{ほうせき} 반짝이는 보석.

ぎらぎら副 강렬히 계속 빛나는 모양. ①(눈부시게) 번쩍번쩍. ¶油^{あぶら}で━(と)異様^{いよう}に輝^{かがや}く 눈이 이상하게 번득이다. ②쨍쨍. ¶太陽^{たいよう}が━(と)照りつける 땡약볕이 쨍쨍 내리쬐다.

きらく【気楽】名ダナ ①마음이 편함〔홀가분함〕. ¶━に暮^くらす 마음 편하게 지내다 / ━にしたまえ 마음 편히 가지게나; 스스러워 말게. ②무사 태평함. ¶━な人^{ひと}だ 무사 태평한 사람이다 / おい、━にやれよ 이봐, 마음놓고 하게나.

きらす【切らす】5他 ①끊어진 상태로 하다〔하다〕; 다 없애다〔쓰다〕. ¶小遣銭^{こづかいせん}を━ 용돈을 다 쓰다. ②숨을 몰아쉬다; 헐떡이다. ¶息^{いき}を━ 숨을 헐떡이다. ③『しびれを━』기다림에 지치다.
　　　　　　　　　　「のはな.
きらず【雪花菜】名 비지.=おから・う

きらびやか【煌びやか】ダナ (옷・건물・가구 등이) 눈부시게 아름다운 모양. ¶━に着飾^{きかざ}る 화려하게 차려입다.

きらぼし【綺羅星・煌星】名 기라성. ──のごとく 기라성같이.

きらめく【煌く・燦く】5自 ①빛나다; 번쩍이다. ¶星^{ほし}が━ 별이 반짝이다. ②화려하게 눈에 띄다; 번쩍거리다. ¶服装^{ふくそう}が━ 번쩍거리는 옷차림. 「세〕.

きらら【雲母】名【鑛】운모〔풀어쓴 말

きらり副《흔히 'と'를 수반하여》순간적으로 강렬하게 또는 아름답게 빛나는 모양; 반짝. ¶━(と)眼鏡^{めがね}が光る 안경이 번쩍 빛나다.

ぎらり副《흔히 'と'를 수반하여》순간적으로 아주 강렬하게 빛나는 모양; 번쩍. ¶白刃^{はくじん}が━と光る 시퍼런 칼날이 번쩍 빛나다.

＊きり【切り】名 ①사물이 한단락 짓는 곳; 또, 그렇게 되는 일. ¶━段落^{だんらく}. =きり. ¶仕事^{しごと}に━がつく 일이 일단락지다. ②〔限도로도〕 한도; 한정; 제한. ¶欲^{よく}を言^いえば━がない 욕심을 말한다면 한이 없다. ③〔利로도〕最後^{さいご}의 것. ④연극 따위의 마지막〔끝〕 부분. ↔口^{くち}. ④切^きり狂言^{きょうげん}・能^{のう}의 준말.

きり【錐】名 송곳. ¶━をもむ 송곳을 비벼 뚫다.

＊きり【霧】名 ①안개. ¶夜霧^{よぎり} 밤안개 / 朝霧^{あさぎり} 아침 안개. 봄날의 짙은 안개를 '^가すみ', 가을 안개를 '^きり'라고 구별해서 부름. ②안개같이 내뿜는 물이

나 액체. ¶着物^{きもの}に━を吹^ふく (다리기 위해) 옷에 물을 뿜다.

きり副助 체언이나 또는 그에 준하는 말을 받아서 한정되는 뜻을 나타냄(문장어에는 쓰이지 않음). ①그것이 마지막임을 나타냄; …뿐; …만; …밖에. ¶ふたり━で話^{はな}す 두 사람만 이야기하다. ②동작이 끝나고 본디 기대했던 동작이 따르지 않음을 나타냄; 이후; 그 후. ¶あれっ━会^あわない 그 후로는 만나지 않는다. ③접미어(接尾語)처럼 쓰이는 경우도 있음; 전혀 / 病人^{びょうにん}に付^つききっ━で看病^{かんびょう}する 환자 곁을 떠나지 않고 꼭 붙어서 간호하다.

＊ぎり【義理】名 ①사람의 도리. ¶━のある仲^{なか}을 의리 있는 사이 / ━を立^たてる 의리를 지키다. ⓛ교제상 어절수 없이 해야 하는 일. ¶━一^{いっ}ぺん 의리로 인정. ②혈족은 아니나 혈연자와 같은 관계가 있는 것. ¶━の子^こ 의붓아들・수양아들・사위 (따위). ③(말의) 뜻; 이유. ¶━を明^{あき}らかにする 의리의 뜻을 밝히다 / かれにあやまる━はない 그에게 사과할 이유는 없다. ──あい【━合い】名 ①의리에 얽매임; 의리적 교제; 교제상의 정의. ──いっぺん【━一遍】=ippen ダナ 표면상; 형식상. ¶━の念仏^{ねんぶつ} 건성으로 하는 염불. ──がたい【━堅い】形 의리가 굳다; 의리가 두텁다. ──だて【━立て】名ㅈ自 의리를 (굳게) 지킴. ──にも 副 의리상으로라도. ¶━言^いえたではない 의리상으로라도 말할 것이 못 된다.

きりあげ【切り上げ・切上】名 ①일단락을 지음. ②〔數〕 올림; 절상〔切上〕. ↔切捨^{きりすて}. ③〔평가(平價) 따위의〕 절상.

＊きりあげる【切り上げ上げる】下1他 ①일단락 짓다; 일단 끝을 맺다. ¶適当^{てきとう}なところで━ 적당한 데서 일단 끝맺다. ②〔數〕 잘라 올리다; 절상하다. ③절상〔切上〕하다; 물가나 화폐 가치를 높이다. ¶為替^{かわせ}レートを━ 환율을 절상하다.

きりうり【切り売り・切売】名ㅈ他 ①상품을 조금씩 잘라 팖; 끊어 팖. ⓛ(남의 것을) 피륙의 자투리 따위를 조금씩 가르게 줌. ¶学問^{がくもん}の━ 이미 준비된 원고를 조금씩 꺼내어 강의나 출판 따위를 하는 일.

きりおとす【切り落とす】5他 ①끊어 떨어뜨리다; 베어〔잘라〕 놓다. ¶枝^{えだ}を━ 가지를 잘라내다〔치다〕 / 堤防^{ていぼう}を━ 제방을 터뜨리다.

きりおろす【切り下ろす】5他 (칼로) 내리치다.

きりかえ【切り替え・切替・切り換え・切換】名ㅈ他 ①바뀌짐; 달리함; 갊. ¶スイッチの━ 스위치 전환〔切換〕. ②〔農〕 산림을 개간하여 작물을 재배하다가 수확이 적어지면 다시 나무를 심는 일.

＊きりかえる【切り替え替える・切り換え換える】下1他 ①새로〔달리〕 하다. ¶チャンネルを━ 채널을 바꾸다 / ポイントを━ 포인트〔전철기(轉轍機)〕를 전환하다. ②돈을 바꾸다; 환전(換錢)하다.

きりかか-る【切り掛かる】〔斬り掛かる〕⑤他 ①(칼로 치려고) 달려들다. ¶刃物_{はもの}を持_もって～ 칼을 들고 달려들다. ②치려고 하다.

きりかぶ【切り株】图 그루터기.

きりかみ【切り紙】图 ①접은 종이를 잘라 물건의 형태를 나타내는 일; 또, 그 자른 종이. ＝きりがみ. ¶～細工_{ざいく} 접지 세공. ②(무예(武藝) 등에서) 첫 단계의 면허장.

きりかみ【切り髪】图 ①자른 머리털. ②무사의 미망인이 출가(出家)의 의미로 틀어 올린 머리를 잘라 뒤쪽으로 묶어서 드리운 머리형. ＝切り下げ(髪_{かみ}). ③(소녀 등의) 어깨 부근에서 가지런히 자른 머리형.

きりかわ-る【切り替(わ)る】⑤自 완전히 바뀌다; 교체되다. ¶新_{あたら}しい制度_{せいど}に～ 새로운 제도로 바뀌다.

きりぎし【切り岸】图 벼랑; 절벽. ＝断崖_{だんがい}.

きりきず【切り傷】〔斬り傷〕图・切(り)疵・切(り)瑕〕 베인 상처; 칼자국.

きりきょうげん【切り狂言】-kyōgen 图 (연극 따위에서) 하루에 둘 이상의 狂言_{きょうげん}을 상연할 때, 그 마지막의 것. ＝切り。

きりきり 副 ①①세차게 회전하는 모양: 팽팽; 빙글빙글. ¶飛行機_{ひこうき}が～と回_{まわ}って墜落_{ついらく}する 비행기가 빙글빙글 돌면서 추락하다. ①세차게 감는 모양: 팽팽하게; 힘있게. ¶～(と)巻_まき付_つける 팽팽하게 감다. ②부지런히 또는 급히 일하거나 걷는 모양: 부리나케; 빨랑빨랑. ¶～出_でて行_ゆく 빨랑빨랑 나가버리다. ③머리나 배가 저리는 것같이 아픈 모양: 쑥쑥. ¶腹_{はら}が～(と)痛_{いた}む 배가 쑤시듯이 아프다.

──まい【──舞い】⑤自①팽이처럼 핑핑 돌아가다. ②황급하게 일을 분주하게 처리함. ¶てんてこ～. ¶たくさんの客_{きゃく}で～をする 손님이 많아 눈코 뜰 새 없이 바쁘게 움직이다.

ぎりぎり 副 용인된 한계점에 다다른 모양: 빠듯빠듯함; 빠듯함. ¶時間_{じかん}に～で間_まに合_あった 빠듯하게 시간에 대었다 / ～いっぱいの所_{ところ}まで 최대의 한계점이다; 한껏이다 / もうこれで～だ 이제 이것으로 한계에 도달했다. ◨ 강하게 힘을 넣는 모양; 특히 바싹 감는 모양; 또, 이를 으드득거리는 모양: 바싹; 꼭꼭; 부드득. ¶歯_はを～(と)鳴_ならす 이를 으드득거리다.

きりぎりす【蟋蟀】图〔蛬〕①여치. ②〔雅〕귀뚜라미. ＝こおろぎ.

きりくず-す【切り崩す】⑤他①깎아 내리다; 무너뜨리다. ¶がけを～ 낭떠러지를 무너뜨리다; 무너지게 하다. ②敵陣_{てきじん}を～ 적진을 무너뜨리다. ③세력을 분열 약화시키다. ¶反対党_{はんたいとう}を～ 반대당을 와해[분열]시키다.

きりくち【切り口】图 ①①벤 자리; 단면. ⓛ베인 상처. ①베는 솜씨. ¶みごとな～ 훌륭한 칼솜씨[칼질].

きりく-む【切り組む】⑤自①〔斬(り)組む〕칼로 서로 싸우다〔베다〕. ⑤他 ①(재목 등을) 잘라서 맞추다.

きりこ【切り子】〔切り籠〕图 네모난 것의 모를 잘라낸 형상; 또, 그 모양을 한 물건. **──どうろう**【──灯籠】-dōrō 图 다각형의 틀에다가 여러 가지 장식을 한 등롱.

きりこうじょう【切り口上】-kōjō 图 (일언 일구를 똑똑 끊어서) 판에 박은 듯이 (격식차려) 하는 말투. ¶～あいさつきれる 깍듯이 격식차린 말투의 인사를 받다.

きりごたつ【切り炬燵】〔切り火燵〕图 마루나 다다미의 일부분을 잘라내고 거기에 만든 화로. ↔置_おきごたつ.

きりこみ【切り込み】〔斬り込み〕图①칼자국; 칼집을 낸 자국. ②〔斬り込み〕쳐들어 감; 또, 그 벤 자리; 칼집(을 냄). ¶～を入_いれる 칼집을 내다. ③〔料〕토막친 생선을 소금에 절인 것.

きりこ-む【切り込む】⑤他①깊이 베다. ②〔斬り込む〕쳐들어가다. ¶敵陣_{てきじん}に～ 적진 깊숙이 쳐들어가다. ③상대방의 논의를 날카롭게 추궁하여 따지다. ¶鋭_{するど}く～ 날카롭게 추궁하여 따지다. ④〔~込む〕깊숙이 빠뜨리다. ¶ガラス障子_{しょうじ}を～ 미닫이에 유리를 잘라 끼우다.

きりさ-く【切り裂く】⑤他 베어 양쪽으로 가르다; 째다. ¶魚_{さかな}の腹_{はら}を～ 물고기의 배를 가르다.

きりさげ【切り下げ】图 ①인하(引下); 평가절하(平価切下). ¶ポンドの～ 파운드의 평가 절하. ↔切り上げ. **──がみ**【──髪】图 ①きりかみ(切り髪). ②きりかみ(切り髪)②. ③목 부근에서 가지런히 잘라서 늘어뜨린 머리형.

きりさ-げる【切り下げる】下1他 ①잘라서 늘어뜨리다. ¶髪_{かみ}を～ 머리를 잘라서 늘어뜨리다. ②칼로 내려치다. ¶肩口_{かたぐち}を～ 어깨죽지를 칼로 내리치다. ③인하(引下)하다; 절하하다. ¶物価_{ぶっか}を～ 물가를 인하하다 / 平価_{へいか}を～ 평가를 절하하다. ↔切り上げる. 「め.

きりさめ【霧雨】图 이슬비. ＝ぬかあ

ギリシャ【希臘】图〔地〕그리스. ＝ギリシヤ. **──ご**【──語】图 그리스어. **──しんわ**【──神話】图 그리스 신화.

キリシタン【吉利支丹・切支丹】图〔宗〕16세기에 일본에 들어온 가톨릭교의 일파; 또, 그 신봉자이거나 포교의 수단으로 쓴 이화학적(理化學的) 기술; 전하여, 마법. ▷포 Christão. **──バテレン**【──伴天連】图 키리시탄 신부의 높임말. ▷포 Christão padre.

きりじに【切り死に】〔斬り死に〕图 적과 칼싸움하다가 칼맞아 죽음.

きりすて【切り捨て】图①〔數〕(계산에서, 어느 단위 이하의) 끝수를 잘라 버림. ¶～にする 잘라 버리다. ↔切り上げ. ②잘라서 버림. ③〔切(り)捨て〕江戸_{えど}시대 무사에게 무례한 짓을 한 평민을 잘라 죽이던 일.

＊きりす-てる【切り捨てる】下1他①잘라서 버리다. ②〔數〕(어느 단위 이하의) 끝수를 잘라 버리다. ↔切り上_あげる. ③〔斬(り)捨てる〕사람을 칼로 벤 뒤 그대로 버리다.

キリスト【基督】图〔宗〕그리스도; 구세주; 예수. ＝クリスト. ▷포 Christo.

きりたお-す【切(り)倒す】【伐(り)倒す】⑤他 베어 쓰러뜨리다(넘기다).

きりだし【切(り)出し】图①베어 냄; 또, 베어낸 것. ②【牛肉などの】の~ 베어 낸 쇠고기 토막. ②(말을) 꺼냄; 시작함. ¶話題tょを~ 말을 꺼냄[시작함]; 이야기의 첫머리. ③비스듬히 날이 서고 끝이 뾰족한 공작용의 작은 칼; 창칼.

きりだ-す【切(り)出す】⑤他 ①자르기 시작하다. ②잘라 내어 반출하다. ¶原木ぎを~ 원목을 베어 내다. ③말을 꺼내다[시작하다]. ¶用件ょを~ 용건을 말하기 시작하다.

きりた-つ【切(り)立つ】⑤自 (산·낭떠러지 등이) 깎아지른 듯이 솟아 있다. ¶~・ったがけ 깎아지른 듯한 낭떠러지.

きりつ【規律·紀律】图 규율; 기율; 전하여, 질서. ¶~正ただしい生活ぜを 규율 바른 생활 / ~のある社会ぼ 질서 있는 사회.

きりつ【起立】图自 기립; 일어섬. ¶一同3~ 일동 기립(구령).

きりつ-ける【切りつける】⑴他 ①칼로 베어서 상처를 내다; 칼로 치려고 대들다. ②새기다; 자국을 내다.

きりづまづくり【切(り)妻造り】图 ('切'의 妻造り)의 가옥; 맞배집.

きりづまやね【切(り)妻根】图【建】맞배지붕; 'へ'자 모양으로 된 지붕; 뱃집지붕.

きりつ-める【切(り)詰める】⑴他 ①줄이다; 일부를 잘라 내어 작게(짧게)하다. ②바싹 깎다; 절약하다. ¶経費ひを~ 경비를 절약하다.

きりど【切(り)戸】图 쪽문; 높이가 낮은 문.

きりどおし【切(り)通し】-dōshi 图 (산이나 언덕 등을) 절단해서 낸 길; 기리와리.

きりとり【切(り)取り】图 잘라냄. ¶~線だ 절취선. ②【斬(り)取り】사람을 쳐 죽이고 물품을 빼앗음. =きりどり. ¶~強盗ぶ 살인 강도.

きりと-る【切(り)取る】⑤他 ①잘라[끊어] 내다; 도려 내다. ¶胃いの半分はを~ 위의 절반을 잘라 내다 / 記事ぎを~ 기사를 오려 내다. ②쳐들어가 적지를 빼앗다. ¶敵だの領地だをを~ 적의 영지를 빼앗다.

きりぬき【切(り)抜き】图 오려 냄; 또, 그것. ¶新聞しの~ 신문을 오려 낸 것.

きりぬ-ける【切(り)抜ける】⑴自①(곤경에서) 벗어나다; 헤어나다; (곤경을) 타개하다. ¶ピンチを~ 위기를 벗어나다. ②(적의 포위를) 뚫고 나가다; 탈출하다.

きりのう【切(り)能】(尾能)-nō 图 그 날 마지막에 상연하는 能のう. =五番目物ごばんめ物の.

きりはな-す【切(り)放す·切(り)離す】⑤他 ①(따로) 떼다; 분리하다. ¶貨車かを~ 화차를 떼다[분리하다]. ②(고삐를 풀어) 놓아 주다.

きりはら-う【切(り)払う】⑤他①(伐(り)払う)(방해되는 것을) 베어버리다; 잘라내다. ¶枝えを~ 나뭇가지를 잘라버리다. ②【斬(り)払う】칼을 휘둘러 (적을) 몰아내다. ¶むらがる敵だを~ 떼지어 온 적을 쫓아버리다.

きりばり【切(り)張り】【切り貼り】图자他 ①종이의 일부분을 도려 내고 새 종이를 바름. ②障子しょ·襖ふなどを~する 미닫이의 찢어진 곳을 때우다. ②(인쇄물을) 가위질해서 만듦; 또, 그와 비슷한 독창성이 없는 구성. ¶~の論文なは 남의 것을 따다 쓴 (독창성이 없는) 논문.

きりひら-く【切(り)開く】⑤他①절개하다; 쩨어서 열다. ¶腹部ふを~ 복부를 절개하다. ②(산을 헐거나 나무를 쪼개고) 길을 만들다(내다). ¶道みをつくるため山やまを~ 길을 내기 위해 산을 깎아내다. ③개간하다. ¶荒あれ地ちを~ 황무지를 개간하다. ④(적의 포위망·어려움을) 뚫고 나아갈 길을 열다. ¶突破口だを~ 돌파구를 열다.

きりふき【霧吹き】图 분무(噴霧)함; 또, 분무기. =スプレー. ¶着物ぶのに~をする 옷에 물을 뿜다.

きりふだ【切(り)札】图①(카드 놀이에서) 으뜸패. ②최후에 내놓는 가장 강력적인 수단; 결정적인 수; 비장의 카드. =きめ手て. ¶最後ぶの~を出だす 최후의 비방을[카드를] 쓰다.

きりぼし【切(り)干し】图 무나 고구마 등을 썰어 말린 것. ¶大根だの~ 무말랭이.

きりまく-る【切りまくる】【切(り)捲る·斬(り)捲る】⑤他 (적을) 마구 베다. ¶逃にげる敵だを切ってって切ってって~ 도망치는 적을 마구 베고 또 베다. ②호되게 논박하여 상대를 누르다.

きりまど【切(り)窓】图 벽이나 판자 등을 뚫어 만든 채광창(採光窓).

きりまわ-す【切(り)回す·廻す】⑤他①(칼 따위를) 마구 휘두르다; 또, 닥치는 대로 후려치다. ②(복잡한 일 따위를) 척척 해내다; 재치있게 처리하다. ¶家事かを一人ひで~する 가사를 혼자서 척척 꾸려나가다.

きりみ【切(り)身】图 생선 토막; 살조각. ¶~にする 생선을 토막내다.

きりみず【切(り)水】图 꽃가지를 잘라 그 자른 데를 바로 담그는 물.

きりめ【切(り)目】图①벤 자국; 자른 자리; 절단면. =切り口ぐ. ¶魚なに~をつける 생선에 칼집을 내다. ②사물의 단락; 매듭. =切れ目め. ¶仕事とに~をつける 일의 매듭[단락]을 짓다.

きりもち【切(り)餠】图 네모지고 먹기 좋게 자른 떡.

きりもみ【錐揉み】图自他 ①송곳을 두 손으로 비비며 구멍을 뚫음. ②고공 비행술(飛行術)의 하나; 기체를 나선형으로 돌리며 급강하하는 일.

きりもり【切(り)盛り】图자他 ①음식물을 알맞게 자르거나 나눠 담거나 함. ②사물의 처리; (수입 범위에 따라) 규모있게 처리하는 일. ¶一人ひで大所帯ばを~する 혼자서 큰 살림을 꾸려나가다.

きりゃく【機略】-ryaku 图 기략. ¶

~にたける 기략에 뛰어나다.

きりゅう【寄留】-ryū [ス自] 기류. ¶~届け[地]「地」기류계[지].

きりゅう【気流】-ryū 기류. ¶上昇[じょうしょう]~ 상승 기류.

***きりょう**【器量】-ryō [名] ①기량; 재능과 덕량(徳量); 역량. ¶~に乏[とぼ]しい 기량이 부족하다. ②체면. =面目[めんぼく]. ¶~を下[さ]げる 체면을 잃다. ③(여자의) 용모; 용색(容色). =みめ. ¶~がいい 얼굴이 잘 생기다. ¶──じん【──人】 재능과 덕량이 있는 사람. ¶──まけ【──負け】 ①재능이 있기 때문에 도리어 실패함. ②용모가 너무 잘생겨서 도리어 양연(良縁)의 복이 없음.

ぎりょう【技量】【伎倆・技倆】-ryō [名] 기량; 기능; 수완. ¶~を磨[みが]く 기량을 닦다/ ~を発揮[はっき]する 수완을 발휘하다. [注意] '技量'로 씀은 대용 한자.

***きりょく**【気力】-ryoku [名] 기력; 원기. ¶~に満[み]ちた人[ひと] 기력이 왕성한 사람.

きりりと [副] 단단히 졸라 매어져서 느슨함이 없는 모양: 꼭; 꽉. =きっと. ¶~した顔[かお] 야무진 얼굴 / ~締[し]めた口[くち]もと 꼭 다문 입(가) / ~鉢巻[はちまき]をしめる 머리띠를 바싹 매다 / 弓[ゆみ]を~引[ひ]きしぼる 활시위를 잔뜩 당기다.

きりん【麒麟】-rin [名] ①[動] 아프리카 특산의 기린. ②중국에서, 성인(聖人)이 나기 전에 나타난다는 상상의 동물. ③(같은 또래에서) 걸출한 사람. ¶~児[じ] 기린아.

***きる**【切る】 [5他] ①베다. ¶人[ひと]を~ 사람을 베다(a) 상처를 입히다; (b) 죽이다 / 首[くび]を~ 목을 베다[자르다]; 해고하다 / 腹[はら]を~ 배를 가르다. ②자르다; 절단하다; 깎다. ¶直角[ちょっかく]に~ 직각으로 자르다 / 丸太[まるた]を~ 통나무를 자르다; (b) 끊다; 따다; (c)(입을 열어) 말을 꺼내다[시작하다] / はさみでつめを~ 가위로 손톱을 깎다. ③끊다. ¶縁[えん]を~ 인연을 끊다 / 言葉[ことば]を~ 말을 끊다 / 伝票[でんぴょう]を~ 전표를 끊다 / 行列[ぎょうれつ]を~って行[い]く 행렬을 가로질러 건너가다. ④끄다. ¶ラジオのスイッチを~ 라디오 스위치를 끄다. ⑤(찬바람 따위가)~の身[み]を~ような寒[さむ]さ 살을 에는 듯한 추위. ⑥(공기·물 따위를) 헤치고 나아가다. ¶水[みず]を~って泳[およ]ぐ 물을 헤치고 헤엄쳐 나가다. ⑦(카드놀이에서) 뒤섞다; 치다. ¶トランプを~ 트럼프를 치다. ⑧(수분 따위를) 빼다. ¶水気[みずけ]を~ 물기를 없애다 / 塩[しお]を~ 소금기를 빼다. ⑨[動詞連用形に付いて]~ …을 끝내다; 다 …하다. ¶読[よ]み~ 다 읽은 것을 그만두다. ⓐ완전히 …하다. ¶思[おも]い~ 생각을 그만두다; 단념하다. ⓑ완전히 …하다. ⓒ弱[よわ]り~ (a) 지쳐버리다. ⓓ아주 난감해하다. ⑩[助詞 'を'를 개재하지 않거나 양의 기준을 나타내는 말과 합쳐] 회화하다; 이하가 되다. ¶原価[げんか]を~って売[う]る 원가 이하로 팔다 / 体重[たいじゅう]を五十[ごじゅう]キロを~って 체중이 50킬로를 밑돌아 / 一時間[いちじかん]を~ 한 시간이 채 안 되다. ⑪(카드놀이에서) 으뜸

패를 내어놓다. ¶切[き]り札[ふだ]を~ 으뜸패를 내놓다. ⑫(테니스·탁구 등에서) 깎아치다. ¶たまを~ 공을 깎아치다. ⑬(핸들이나 키 따위를) 틀다; 꺾다. ¶ハンドルを右[みぎ]に~ 핸들을 우측으로 꺾다[틀다].⑭긋다; 한정하다. ¶十字[じゅうじ]を~ 성호를 긋다/日[ひ]を~って 날짜를 정하다. ⑮검표하다. ¶切符[きっぷ]を~ 표를 펀치로 찍어 검표하다. ⑯두드러진 행동을 하다. ¶みえを~ 젠체하다 / 肩[かた]を張[は]る~ 뽐내며 걷다 / しらを~ 시치미 떼다 / 札[さつ]びらを~ 여봐란 듯이 돈뭉치를 [꺼내어 쓰다]. ⑰(막혔던 것을) 트다. ¶せきを~ったように 둑을 튼 것같이[일시에 쏟아져 나옴의 형용]. ⑱(鑽[き]る) 단단한 것을 마찰시켜 불을 일으키다. ¶切[き]り火[び]を~ 부시를 쳐다.

***きる**【着る】【着る・被る】 [上1他] ①옷을 입다. ¶シャツを~ 셔츠를 입다. ②뒤집어 쓰다. ¶罪[つみ]を~ 죄를 뒤집어 쓰다. ③(은혜 등을) 입다; 지다. ¶恩[おん]を~ 은혜를 입다. [参考] はかま·ズボン 따위는 'はく'.

ギルド [名] 길드. ▷guild.

きれ【切れ】 [一名] ①조각; 토막. =きれはし. ¶木[き]の~ 나뭇 조각; 나무 토막. ②(布·裂) 헝겊 또는 직물; 옷감. ¶木綿[もめん]の~で袋[ふくろ]を작る 무명 헝겊으로 자루를 만들다 / 端切[はぎ]れ 자투리. ③유명한 옛사람의 필적의 단편. ④(물 따위의) 빠지는 정도. ¶水[みず]の~がいい 물이 잘 빠지다. ⑤(칼 따위의) 드는 맛(정도). ¶刀[かたな]の~が悪[わる]い 칼이 잘 들지 않는다. ⑥금·중량 등의 부족한 부분. ¶前金[まえきん]切[ぎ]れ 전도금 부족함. [二名] ①물건의 수효를 나타내는 말: 조각; 토막; 점. ¶切[き]り身[み]二[ふた]~ 생선 두 토막. ②석재(石材) 등의 체적 단위(=1[いち]~는 한 자 입방; 0.0278m³).

きれあが-る【切れ上がる】 [5自] 위쪽까지 째지다. ¶目[め]じりが~ 눈초리가 위로 째지다.

きれあじ【切れ味】 [名] 칼 드는 맛(정도); 또, 사람의 재능·솜씨의 날카로움.

***きれい**【奇麗·綺麗】 [ダナ] ①고움; 예쁨; 아름다움. ¶~な花[はな] 고운 꽃. ②깨끗함. ¶청결함; 말끔함. ¶~な台所[だいどころ] 깨끗한 부엌 / 身辺[しんぺん]を~にする 신변을 깨끗이 [정리]하다. ③훌륭함; 멋짐. ¶~に仕上[しあ]げる 깨끗이 마무리하다[해내다]. ④완전함; 남김없음. ¶借金[しゃっきん]を~に返[かえ]す 빚을 깨끗이 갚다 / ~に食[た]べる 남김없이 먹다. ⑤떳떳함. ¶~なつきあい 깨끗한 교제. ──ごと【──事】[名] ①내용은 하여튼 겉치레만으로 끝냄. ¶~で済[す]む 'まあ'っても 생각하다가 ~だけ 겉치레만으로 끝내려고 생각해도 소용 없다. ②더러워지지 않고 깨끗함일. ──どころ【──所】[名] 기생; 예쁘게 치장한 여자. =きれい どこ. ¶~をそろえる 기생들을 모아 놓다.

ぎれい【儀礼】 [名] 의례. ¶~的[てき]な訪問[ほうもん] 의례적인 방문.

きれぎれ【切れ切れ】 [ダナ] 도막도막; 조각조각; 동강낸 것. ¶~な話[はなし] 단

편적인 이야기 / 布를 ～にする 천을 조각조각으로 하다.

きれじ【切れ字】 图 連歌·俳諧에서 구(句)의 단락에 쓰는 助詞·助動詞 등('や'·'かな'·'けり'나 命令形 등).

きれつ【亀裂】 图 囟自 균열. ¶～가 생기는 균열이 생기다.

ぎれつ【義烈】 图 의열. ¶～の士 의 열사.

きれっぱし【切れっ端】 -reppashi ① = きれはし. ②한줄로 것; 쓰레기. ¶人間の～ 인간 쓰레기.

きれなが【切れ長】 图 눈초리가 가늘고 길게 째져 있는 모양.

きれはし【切れ端】 图 끄트러기; 지저깨비; 토막; 자투리.

きれま【切れ間】 图 끊어진 사이; 간단 (間斷). ¶雲の～ 구름 사이.

きれめ【切れ目·切れ目】 图 ①끊어진 자국; 잘린 곳. =切れ目. ②雲の～ 구름 사이. ③(사물의) 중간 참; 짬; 틈. ¶演奏の～ 연주의 막간. ④단락(段落). ¶文の～ 글의 단락. ¶金の～が縁の～ 돈 떨어지면 정리 떨어진다(친구도 돈 있을 때).

きれもの【切れ者】 图 민완가(敏腕家); 수완가. =やり手·切れ手.

＊き-れる【切れる】 下1自 ①끊어지다; 잘라지다. ¶ヒューズ가…れる 퓨즈가 끊어졌다 / 息가～ (a)숨이 끊어지다(죽다); (b)숨이 차다. ②무너지다; 터지다. ¶堤가～ 둑이 터지다. ③떨어지다; 되 되다. ¶その品물은 ～れています 그 물건은 다 떨어졌습니다 / 油が～ 기름이 떨어지다. ④해지다. ¶くつ下가～ 양말이 닳아 해지다. ⑤(기한 따위가) 되 되다; 마감되다. ¶期間가～ 기간이 끝나다. ⑥중량·금액 등이 부족해지다. ¶元手가～ 자금이 딸리다. ⑦방향이 바뀌다. ¶ボール가右에～ 공이 오른쪽으로 꺾이다. ⑧《動詞 連用形에 붙여서》완전히[끝까지] …할 수 있다. ¶読み～ 다 읽을 수 있다 / もう待ち～れない 더이상 기다릴 수 없다. ⑨예리하다. ⑦(칼 등이) 잘 들다. ¶良く～小刀 잘 드는 주머니칼. ⑩재기(才気)가 날카롭다; 민완하다. ¶頭が～ 머리가 잘 돌아가다(날카롭다). ⑪베어지다; 상하다. ¶石に顔が～れた 돌로 얼굴에 상처가 났다. ⑪(새 지폐 따위가) 빳빳하다. ¶手で～れた 손이 베어질 듯한 지폐. ⑫しびれが～ (몸이나 발이) 저리다; 전하여, 기다리기 무하여 견딜 수 없다.

きろ【岐路】 图 기로; 갈림길.

きろ【帰路】 图 귀로. =かえりみち. ¶～につく 귀로에 오르다. =往路.

キロ【法】 图 킬로(기호: k); '킬로메르·킬로그램·킬로와트' 등의 준말. ▷프 kilo.──**カロリ【法】** 图 킬로칼로리【기호: kcal】. ▷kilocalorie.──**グラム【法】** 图 킬로그램(기호: kg). ▷프 kilogramme.──**トン【砳】** 图 킬로톤 (기호: kt). ▷kiloton.──**ヘルツ【砳】** 图 킬로헤르츠(기호:kHz). ▷도 Kilohertz.──**メートル【杆】** 图 킬로미터(기호:

km). ▷프 kilomètre.──**リットル【矸】** -rittoru 图 킬로리터(기호: kℓ). ▷프 kilolitre.──**ワット** -watto 图 킬로와트 (기호: kW). ▷kilowatt.

＊きろく【記録】 图 囟他 기록. =レコード. ¶～映画 기록 영화 / この暑さ는 기록적인 더위 / ～를 破る 기록을 깨다.

ギロチン 图 길로틴; 단두대(斷頭臺). =ギヨチーヌ. ▷프 guillotine.

＊ぎろん【議論】 图 囟他 의론. ¶～の余地가 없는 논의의 여지가 없다 / ～가 交わされる 의견을 교환하는다 / ～를 戦わせる 서로 논쟁을 벌이다.

＊きわ【際】 图 가장자리; 가. ①바로 옆; 곁; 근처. ¶がけの～を歩く 벼랑가를 걷다. ②직전; 한계에 이른 때. ¶今わの～ 죽기 직전; 임종(臨終). ¶この～になって 이 막다른 판국에서.

-ぎわ【際】 《名詞에 붙어서》가; 옆; 곁. ¶水ぎ～ 물 가. 《動詞 連用形에 붙여, 体言을 만듦》…하려고 할 때(무렵); 하기 시작할 때. ¶別れ～ 헤어지려고 할 때.

ぎわく【疑惑】 图 의혹. ¶～の目で見る 의혹의 눈으로 보다.

きわた【木綿】 图 ①【植】 판야. =パンヤ. ②솜. ↔まわた.

きわだつ【際立つ】 下自 뛰어나다; 두드러지다; 눈에 띄다. ¶～った存在 뛰어난 존재 / ～った特色을 두드러진 특색.

きわど-い【際疾い】 形 ①아슬아슬하다. ¶～芸当 아슬아슬한 곡예. ②음란하다. ¶～話 음란한 이야기.

きわまりない【窮まりない·極まりない】 形 한(짝·끝)이 없다. ¶無礼～ 무례하기 짝이 없다 / ～広野 끝없는 광야.

きわま-る【窮(ま)る·極(ま)る】 下自 ①극하다; 다하다; …하기 짝이 없다. ¶失礼～ 무례하기 짝이 없다. ②…이 최상이다. ¶楽しみはここに～ 즐거움은 이에 더할 나위없다. ③(궁지에) 꼼짝 못할 상태[처지]에 빠지다. ¶進退～ 진퇴 유곡이다. ④끝나다; 다하다. ¶～所を知らぬ 끝을 모르다.

きわみ【窮み·極み】 图 극도; 극점; 끝; 한(限); 마지막. ¶～なき喜び 무한함의 (끝없는) 기쁨 / 天地의 ～ 하늘과 땅의 끝(나는 곳) / ぜいたくの～ 극에 달한 사치.

きわめがき【極(め)書き】 图 (서화(書畵)·도검(刀劍)·골동품 등의) 감정(鑑定) 증명서.

きわめつく-す【極め尽く(く)す】 下自 남김없이 다하다; 철저히 연구[조사]하다. ¶事件の本質을 ～ 사건의 본질을 철저히 규명하다.

きわめて【極めて】 副 극히; 더없이; 지극히. ¶～重要한 問題 지극히 중요한 문제.

＊きわ-める【究める】 下1他 ①깊이 연구하다. ¶真理를 ～ 진리를 탐구하다. ②끝까지 밝히다. ¶真相을 ～ 진상을 파헤치다.

きわ-める【窮める·極める】 下1他

극하다. ㉠끝까지 가다;한도에 이르다. ¶山頂ちょうを〜 산꼭대기에 다다르다. ㉡더없이 …하다. ¶ぜいたくを〜 사치를 극하다 / 困難きわまるめた捜索 가장 곤란했던 수색. ②몹시 …하다;다하다. ¶口ぐちを〜・めてほめる 입에 침이 마르도록 칭찬하다.

きわもの【際物】名 ①철에 따라 팔리는 물건;계절품(季節品). ¶〜師 계절품·유행품을 만들거나 파는 사람. ②일시적인 유행을 노린 상품·작품. ¶〜小説しょうせつ 한때의 인기 소설.

きをつけ【気を付け】連語 차려(구령). ¶〜休やすめ.

きん【斤】名 근(약 600 그램).

きん【禁】名 금령(禁令). ¶〜を犯おかす 금령을 어기다.

きん【筋】名 힘줄;근육. ¶足あしの〜を痛いためる 다리 근육을 다치다.

きん【菌】名 균. ¶〜の保有者ほゆうしゃ 보균자.

*きん【金】□名 ①금. ¶沈黙ちんもくは〜 침묵은 금이요. ②금요일. ③金賞きんしょう'金賞'·'金メダル(=금메달)'의 준말. ④金将きんしょう'의 준말. =K). □接尾 —금(기=K). □接尾 ¶十八じゅうはち〜 십팔금.

ぎん【吟】名 ①지어낸 시가(詩歌). ¶病やまいの〜 병중에 지은 시가. ②음;한시(漢詩)의 한 체로, 슬픈 가락으로 지은 것. □接尾 시(詩)·俳句はいく·短歌たんか 등의 작품. ¶車中しゃちゅう〜 차중 작품.

*ぎん【銀】名 ①은. ¶〜のスプーン은 스푼. ②銀賞ぎんしょう(=은상)'·'銀メダル(=은메달)'의 준말. ③'銀将ぎんしょう'의 준말.

*きんいつ【均一】名 균일;평등. =きんいち. ¶〜にする 균일하게 하다.

きんいっぷう【金一封】-ippū 名 금일봉.

きんいろ【金色】名 금빛;황금빛.

ぎんいろ【銀色】名 은빛.

きんいん【金印】名 금인. ↔遠因えんいん.

きんう【金烏】名 금오(태양의 별칭). ¶〜玉兎ぎょくと 해와 달.

きんうん【金運】名 금운;돈 운;금전 면에서의 운. =かねうん.

きんえい【禁衛】名 금위;궁성(宮城)의 수호;또, 수호하는 사람. ¶〜隊たい 금위대.

きんえい【近影】名 근영;최근에 찍은 사진.

きんえい【近詠】名 근영;최근에 지은 시가.

ぎんえい【吟詠】名 ス他 음영. ①시가에 가락을 붙여서 읊음; 또, 그 시가. ②시가를 짓는 일; 또, 그 시가.

*きんえん【禁煙·禁烟】名 ス自 금연. ¶車内しゃない〜 차내 금연.

きんえん【筋炎】名 医 근염.

きんか【権花】名 근화. ¶無窮花むくげ(아침에 피었다가 저녁때 지므로 덧없음에 비유됨). ②나팔꽃.

きんか【近火】名 근화. ¶〜見舞みまい 근화 위문.

きんか【金貨】名 금화.

きんが【謹賀】名 근하. ¶〜新年しんねん 근하 신년. ¶〜を奉賀ほうが·恭賀きょうが.

ぎんか【銀貨】名 은화.

ぎんが【銀河】名 은하. ¶〜系けい【天】은하계. =天あまの川がわ.

きんかい【近海】名 근해. ¶〜漁業ぎょぎょう 근해〔연안〕어업. ↔遠海えんかい.

きんかい【金塊】名 금괴;금덩이.

きんかいきん【金解禁】名 経 금 해금;금수출 금지의 해제.

*きんがく【金額】名 금액.

きんかくし【金隠し】名 변기(便器) 앞쪽에 있는 가리개.

ぎんがみ【銀紙】名 은종이. ¶菓子かしを〜でつつむ 과자를 은종이로 싸다.

きんがわ【金側】名 ①겉데기가 금으로 된 물건. ②'金側時計きんがわとけい(=금시계)'의 준말.

きんきん【近眼】名 근간.

きんかん【金冠】名 금관. ①금으로 된〔장식한〕관. ②医 치아를 씌우는 금으로 된 모자 같은 의치(義歯).

きんかん【金柑】名 植 금감;금귤(귤의 일종).

きんかん【金環】名 금환;금제(金製)의 고리;금가락지. ――しょく【―食】·――しょく【―蝕】-shoku 名 天 금환식.

*きんがん【近眼】名 ①근안;근시안(近視眼)'의 통속적 명칭. ②눈앞의 일밖에 모름; 또, 그런 사람.

きんかんがっき【金管楽器】-gakki 名 금관 악기. ¶ブラス. =木管楽器もっかんがっき.

きんき【近畿】名 긴키. ①옛날, 궁성(宮城) 소재지 근처의 지방. ②京都きょうと·大阪おおさか 등을 중심으로 한 2부(府) 5현(県)의 일컬음.

きんき【禁忌】名 ス他 금기. ①월일·방위·음식물 등에 대하여, 풍속상 꺼리어 피하는 일. ☞ タブー. ②어떤 병에 대하여 사용을 금하는 약품·식물 또는 온천의 온천욕.

きんき【錦旗】名 빨간 비단에 달·해를 그린 天皇てんのう의 기. =にしきのみはた.

きんきゅう【緊急】-kyū 名 ダ1 긴급. ¶〜動議どうぎ 긴급 동의 / 避難ひなん 피난 / 〜を要ようする 긴급을 요하다.

きんぎょ【きんぎょ·金魚】-gyo 名 금붕어. ――ばち【―鉢】名 어항(魚缸);금붕어 통. ――も【―藻】名 植 이삭물수세미;붕어 마름.

きんきょう【近況】-kyō 名 근황. ¶〜報告ほうこく 근황 보고.

きんきょり【近距離】-kyori 名 근거리. ¶〜電話でんわ 근거리 전화.

きんきん【近近】副 근근; 머지않아; 가까운 장래에. =ちかちか. ¶〜参上さんじょうします 머지않아 지참하겠습니다.

きんぎん【僅僅】副 근근; 겨우; 단지. ¶〜五年ごねんで 겨우 5년에.

きんぎん【金銀】名 금은. ①금과 은. ②금화와 은화;일반적으로 돈, 금전.

きんく【禁句】名 금구. ①和歌わか나 俳諧はいかい에서 피하기로 한 말이나 구절. ②특정한 사람의 감정을 상하지 않도록 삼가야 하는 어구. ③경사스러운 장소에서 기피하는 말(死しぬ(=죽다)·別わかれる(=이별하다) 등).

きんく【金句】名 금구;격언. ②미구(美句);아름다운 구절.

キング名 킹;임금;왕;제왕;카드나

체스 등의 왕패 ; 또, 임금과 같이 가
장 으뜸이 되는 것. ¶ ~サイズ 킹사
이즈 ; 특대 ; 대형의 것 (사람). ＝king.

きんけい【近景】图 근경. ↔遠景ホミ゙.

きんけい【謹啓】图 ↔頓首ホミネ.
속하는 끼이 아름다운 새).

きんけん【勤倹】图 근검.

きんけん【金権】图 금권 ; 금력. ¶
~政治ロ゙ 금권 정치 / ~に物ホミを言゙わ
せて 돈의 힘을 빌어서.

きんげん【謹厳】ダナ 근엄. ¶ ~実
直ホミ゙な人 근엄하고 올곧은 사람.

きんげん【金言】图 금언. ①격언. ＝金
句ホ. ②【佛】부처가 말한 불멸의 법
어 (法語). ──刑ホミ 금언옥사.

きんこ【禁固 ; 禁錮】图 ス他 금고.

きんこ【近古】图 근고(일본 역사에서
는, 보통 鎌倉ホボ・室町ホ 시대를 말
함). ＝古知이.

*__きんこ__【金庫】图 금고. ¶ ~破ホミリ 금
고털이.

きんこ〖金海鼠・光参〗图【動】금해서 ;
광삼(光參).

きんこう【均衡】-kō 图 ス自 균형. ¶
~予算ホミ 균형 예산 / ~が取ホミれる 균
형이 잡히다.

きんこう【近郊】-kō 图 근교.

きんこう【金鉱】-kō 图 금광.

きんごう【近郷】-gō 图 가까운 마을 ;
또, 도시에 가까운 마을.

きんこう【吟行】图 ス自 ①시가를
읊조리며 걸음. ②시가를 짓기 위하여
명승 고적을 찾아다님.

きんこう【銀行】-kō 图 은행. ¶血液
ホミ゙ 혈액 은행 / ~券ボ 은행권 / ~渡
りホ (俗) 횡서 수표도.

きんこう【銀光】-kō 图 은광 ; 은빛.

きんこく【謹告】图 ス他 근고. 参考
광고 인사말 등에 흔히 씀.

きんごく【近国】图 근국. ①가까운 나
라. ②옛날, 京都ホミ゙에서 가까운 거리
에 있던 지방들.

きんこつ【筋骨】图 근골. ¶ ~隆々ロ゙ミ
근골이 우람함.

きんこんしき【金婚式】图 금혼식.

ぎんこんしき【銀婚式】图 은혼식.

きんざ【金座】图 江戸幕府ホミ゙ホ 직할의,
금화 (金貨) 를 만들던 관청.

ぎんざ【銀座】图 ①江戸幕府ホミ゙ホ 직할
의, 은화(銀貨)를 만들던 관청. ②東
京ボ에 있는 가장 번화한 거리.

きんさく【金策】图 돈을 마련함.
¶ ~に奔走ホミする 돈 마련에 뛰어다
니다.

きんざん【金山】图 금산 ; 금광(金鑛).

きんざんじ【金山寺】图 ‘きんざんじみ
そ’의 준말 ; 콩과 보리를 섞어서 찐다
음 가지나・오이 등을 넣어서, 날것으로
먹는 된장.

きんし【禁止】图 ス他 금지. ¶ 立入ホミリ
~ 출입 금지 / ~を解ホゃ 해금하다.

きんし【菌糸】图 균사.

きんし【近視】图 근시(‘近視眼ホミ゙(＝
근시안)’의 준말). ──がん
てき【──眼的】ダナ 근시안적.

きんし【金枝】图 『~玉葉ホミ゙』금지 옥
엽 ; 황족.

きんし【金糸】图 금사 ; 금실.

きんじ【近似】图 ス自 근사 ; 유사. ¶

──値ボ 근사값 ; 근사치.

きんじ【近侍】图 ス自 근시 ; 시종(侍
従). ＝小姓ホミ゙・近習ホミ゙・きんじ゙ゅ.

きんじ【金字】图 금자 ; 금니(金泥)로
쓴 글자. ──とう【──塔】-tō 图 금자
탑.

ぎんし【銀糸】图 은사 ; 은실 ; 【탑】.

きんじえない【禁じ得ない】連語 금할
길이 없다. ¶ 今昔ホミ゙の感ホミを ~ 금석
지감을 금할 길이 없다.

きんしつ【均質】图 균질 ; 동질(等質).

──せい【──性】图 균질성.

きんしつ【琴瑟】图 금슬. ──相和ホミ゙す
【──相和す】금슬 상화.

きんじつ【近日】图 근일 ; 근간(近
間). ¶ ~開店ホミ 근일 개점.

きんじて【禁じ手】图 씨름이나 장기에
서, 써서는 안 되는 기술・수.

きんしゅ【禁酒】-shu 图 금주. ¶
~法ホ 금주법 / ~禁煙ホミ 금주 금연.

きんしゅ【菌腫】-shu 图【醫】균종.
¶ 子宮ホミ゙ ~ 자궁 근종.

きんしゅ【菌種】-shu 图 균종 ; 균이나
균사의 종류.

きんしゅう【錦繍】-shū 图 금수. ①
비단과 수 ; 호화 찬란한 의복이나 직
물. ②호화 찬란한 사물(事物). ③단
풍의 비유. ¶ ~の山々ホミ゙ 단풍으로 물
든 산들.

きんじゅう【禽獣】-jū 图 금수 ; 짐승.
¶ ~に等ホミしい行為ホミ 금수와 같은 행
위.

きんじゅう【近習】-jū 图 영주・군주
를 가까이서 섬기는 신하. ＝近侍ボ・き
んじ゙.

きんしゅく【緊縮】-shuku 图 ス自他 긴
축. ¶ ~政策ホミ゙(財政ホミ゙) 긴축 정책
[재정].

きんしょ【禁書】-sho 图 금서 ; 어떤
책의 출판이나 소지를 금하는 일 ; 또,
그 책.

*__きんじょ__【近所】-jo 图 근처 ; 근방. ¶
~どなり 가까운 이웃 / 学校ホミ゙ボのすぐ
~に住ボんでいる 학교 바로 근처에 살
고 있다.

きんしょう【近称】-shō 图【文法】근
칭(‘これ・ここ・こちら・こなた’ 따위).
↔遠称ホミ゙.

きんしょう【近称】-shō 图 장기 말의
하나(양쪽 귀퉁이에 뒤로 비껴서 물러
가지 못할 뿐, 전후 좌우 및 전방 좌
우 귀퉁이에 각각 한 칸씩 나아갈 수
있음). ＝きん.

きんしょう【僅少】-shō 图 근소. ¶ ~
わずか・すこし. ¶ ~の差ボ 근소한 차.

きんじょう【今上】-jō 图 금상 ; 현재
의 임금. ¶ ~陛下ホミ゙ 금상 폐하.

きんじょう【近状 ; 近情】-jō 图 근상 ;
최근 상황 ; 근황.

きんじょう【金城】-jō 图 금성 ; 대단
히 견고한 성. ──てっぺき【──鉄壁】
-teppeki 图 금성 철벽.

きんしょう【銀将】-shō 图 장기 말의
하나(앞뒤로 비껴서 좌우 및 똑바로 앞
으로 한 칸씩 나아갈 수 있음). ＝ぎん.

ぎんしょく【銀燭】-shoku 图 ①
①밝은 빛을 내는 등불. ②은촛대.

きんしん【謹慎】图 ス自 근신. ¶①삼
감. ¶ ~の意ホミを表゙する 근신의 뜻을
나타내다. ②江戸ボ 시대에 일정한 주
소를 정하여 공용(公用) 이외의 외출

을 금한 형벌.

きんしん【近親】名 근친；혈연 관계가 가까운 친족. ¶～結婚 근친 결혼.

きんしん【近臣】名 근신；영주·군주를 가까이에서 모시는 신하.

きんす【金子】名 화폐；금전；돈.

ぎんす【銀子】名 화폐로서의 은；돈.

***きん-ずる**【禁ずる】サ変他 금하다. ¶涙を～ことができなかった 눈물을 금할 수가 없었다.

ぎん-ずる【吟ずる】サ変他 (시가를) 읊조리다；읊다；또, 시가를 짓다.

きんせい【均整·均斉】名 균정；균제；균형. ¶～の取れた体格 균형이 잡힌 체격.

きんせい【禁制】名 ス他 금제. ＝きんぜい. ¶～品 금제품／女人～ 여인 금제.

きんせい【近世】名〖史〗근세《일본에서는 江戸 시대를 가리킴》.

きんせい【金星】名〖天〗금성.

きんせい【金製】名 금제.

きんせい【謹製】名 ス他 근제.

ぎんせい【銀製】名 은제.

ぎんせかい【銀世界】名 은세계.

きんせき【金石】名 금석. ¶～学 금석학／～時代 금석 시대／～の交わり 금석지교；아주 굳은 교제.

きんせつ【近接】名 ス自 근접. ¶～の部落 근접한 부락／台風が～する 태풍이 다가오다.

***きんせん**【金銭】名 금전；돈；화폐. ¶～貸付業 금전 대부업／～登録器 금전등록기／～的問題 금전적 문제. **——すいとうぼ**【——出納簿】-tōbo 名 금전 출납부. **——ずく**〖——尽く〗名 (정신적인 면을 무시하고) 모든 것을 돈으로만 해결하려는 일. ＝かねずく. ¶～で人の世話をする (오직) 돈 때문에 남을 돌봐주다.

きんぜん[欣然]副 トタル 흔연(히). ¶～(と)承諾する 흔연히 승낙하다.

きんせんか〖金盞花〗名〖植〗금잔화.

ぎんせんか〖銀盞花〗名〖植〗수박풀.

きんそく【禁足】名 ス他 금족. ¶～令 금족령.

きんぞく【勤続】名 ス自 근속. ¶～年数 근속 연수／～年限 근속 연한.

***きんぞく**【金属】名 금속；쇠붙이. ¶貴～ 귀금속／～元素 금속 원소／～光沢 금속 광택. **——せい**【——性】名 금속성. **——てき**【——的】ダナ 금속적. ¶～なひびき 금속 같은 울림소리；쇳소리.

きんだ【勤惰】名 근타；근태(勤怠)；또, 출근과 결근. ＝勤怠.

***きんだい**【近代】名 근대；현대에 가까운 시대《일본에서는 보통 구미 문명의 영향을 받은 明治 이후를 말함.》. ¶～女性 근대 여성／～国家〔産業〕근대 국가〔산업〕. **——か**【——化】名 ス自他 근대화. ¶～を阻む 근대화를 가로막다. **——てき**【——的】ダナ 근대적. ↔封建的.

きんだか【金高】名〈口〉금액.

きんだち[公達]名 친왕(親王) 또는 귀족의 높임말；또, 그들의 자제.

きんたま【金玉】名〈俗〉불알. ＝睾丸.

きんたろう【金太郎】-rō 名 ①坂田金時라는 전설적 영웅의 어릴 때 이름. ＝きんとき. ②얼굴이 붉고 살이 찐 아이. ③어린아이의 배두렁이.

きんだん【禁断】名 ス他 금단；금제(禁制). **——の木の実** 금단의 열매；비유적으로, 해서는 안 되는 쾌락 등.

きんちさん【禁治産】名〖法〗금치산. ＝きんじさん. ¶～者 금치산자.

きんちゃく〖巾着〗-chaku 名 ①두루주머니；염낭《천·가죽 등으로 만들고 돈·약·부적 등을 넣어 허리에 참》. ②'腰ぎんちゃく'의 준말. **——きり**【——切(り)】名 소매치기.

きんちゃく【近着】-chaku 名 ス自 근착；최근에 도착함；또, 그런 것.

きんちゅう【禁中】-chū 名 금중；궁중；궁궐. ＝皇居.

きんちょ【近著】-cho 名 근저；최근의 저작물.

きんちょう【禁鳥】-chō 名 금조；보호조.

****きんちょう**【緊張】-chō 名 ス他 긴장. ¶国際間の～ 국제간의 긴장.

きんちょう【謹聴】-chō 名 ス他 근청；삼가 들음. ＝拝聴.

きんちょう[金打]-chō 名 ス自 철석같은 약속；약속을 지킨다는 맹세의 증거로 금속제의 물건〖남자는 칼 또는 날밑, 여자는 거울〗을 맞부딪던 일.

きんちょく【謹直】-choku 名 ダナ 근직；근실하고 정직함. ＝きまじめ. ¶～に勤める 근실하게 근무하다.

きんてい[欽定]名 ス他 흠정；군주(君主)의 명에 의해서 찬정(撰定)하는 일. ¶～憲法 흠정 헌법《일본에서는 明治 헌법》.

きんてい【謹呈】名 ス他 근정.

きんでい【金泥】名 금니；아교풀로 갠 금박 가루《글씨·그림·채색 따위에 씀》. ＝こんでい.

きんてき【金的】名 ①금종이로 만든 작은 과녁. ②이룩하기 어려운 목적〔목표〕. **—を射当てる〔射止める〕** (뭇 사람의) 동경의 목표를 달성하다.

きんてつ【金鉄】名 금철. ¶～の誓い 금철 같이 굳은 맹세.

きんでんぎょくろう【金殿玉楼】-gyokurō 名 금전 옥루；호화 찬란한 전각.

きんど【襟度】名 금도；도량；아량.

きんとう【均等】-tō 名 균등. ¶機会～ 기회 균등／～割り 균등할.

きんとう【近東】-tō 名〖地〗근동. ¶～地方の紛争 근동 지방의 분쟁.

きんどう【金銅】-dō 名 금동；금으로 도금하거나 금박(金箔)을 씌운 구리.

きんとん〖金団〗名 강낭콩과 고구마를 삶아 으깨어, 밤 따위를 넣은 단 식품.

ぎんなん〖銀杏〗名〖植〗은행(나무).

きんにく【筋肉】名 근육. **——ろうどう**【——労働】-rōdō 名 육체 노동. ↔精神労働.

きんねん【近年】名 근년；근래.

きんのう【勤皇·勤王】-nō 名 근왕；天皇을 위하여 진력하고 충성을 다함《특히, 幕府에 충성하는 佐幕파에 상대한 말》. ＝尊王. **——じょうい**【——攘夷】-jōi 名 근왕의 지사가 부르짖은 왕정 복고 및 외국인 배척주의.

きんば【金歯】kimba 名 금니. ¶～を

いれる 금니를 해박다.

きんぱい【金杯】《金盃》kimpai 图 금배 ; 금잔.

きんぱぎんぱ【金波銀波】kimpagimpa 图 금파 은파 ; 달빛 따위로 금색·은색으로 반짝이는 물결.

きんぱく【緊迫】kimpa- 图 자 진박 ; 몹시 절박함. ¶ ～した空気 진박한 공기.

きんぱく【金ぱく】《金箔》kimpa- 图 ①금박. ②(실질 이상으로 남에게 잘보이려는 치레.)③세속적인 가치. ¶ ～がつく 직함이 올라 훌륭하게 되다. ━が はげる 본질(본성)이 드러나다.

ぎんぱく【銀白】《銀箔》gimpa- 图 은백. ¶ ～の髪 은백의 머리.

ぎんぱく【銀白】《銀箔》gimpa- 图 은백. ¶ ～しょく【銀白色】-shoku 图 은백색. =ぎんぱくしょく.

きんぱつ【金髪】kimpa- 图 금발 =ブロンド. ¶ ～美人 금발 미인.

ぎんぱつ【銀髪】gimpa- 图 은발(깨끗한 백발의 형용으로도 쓰임).

きんばん【勤番】kimban 图 자 ①교대 근무. ②江戸 시대에 각 영주들의 부하가 교대로 江戸에 있는 영주의 저택에서 근무함.

ぎんばん【銀盤】gimban 图 은반. ¶ ～の女王 은반의 여왕(여자 스케이트 선수).

きんぴ【金肥】kimpi 图 금비 ; 화학 비료.

きんぴか【金ぴか】kimpi- 图 ダナ (俗)번쩍번쩍 빛나는 금속빛이나 남 ; 또, 그러한 물건. ¶ ～の礼装 번쩍거리는 예장.

きんぴらごぼう【金平牛蒡】kimpira-gobō 图【料】우엉을 잘게 썰어 기름에 볶고 간장 등으로 조미한 요리.

きんぴん【金品】kimpin 图 금품. ¶ ～の授受 금품의 수수.

きんぶち【金縁】kimbu- 图 금테. ¶ ～眼鏡 금테 안경.

ぎんぶら【銀ぶら】gimbu- 图 자 (俗)(東京의) 번화가인 銀座의 거리를 산책하는 일.

きんぶん【均分】kimbun 图 자他 균분. ¶ ～相続 균분 상속.

きんぷん【金粉】kimpun 图 금분 ; 금가루 ; 금 또는 금빛 합금의 가루. ¶ ～を塗りつける 금분을 입히다.

* **きんべん**【勤勉】kimben 图 ダナ 근면. ¶ ～家 근면가. ↔怠惰.

ぎんぼ【銀宝】gimpo 图【魚】베도라치.

きんぼう【近傍】kimbō 图 근방 ; 근처.

きんぽうげ【金鳳花・毛茛】kimpō- 图【植】미나리아재비.

きんぼし【金星】kimbo- 图 ①씨름에서, 関脇 이하의 씨름꾼이 横綱를에게 이기는 일. ②뜻밖의 공훈. ¶ ～をあげる 뜻밖의 큰 공훈을 세우다.

きんほんい【金本位】kimbon-i 图 ～制 금본위 제도.

ぎんまく【銀幕】gimma- 图 은막, 스크린 ; 전하여, 영화(계). ¶ ～の女王 은막의 여왕.

きんまんか【金満家】kimman- 图 금만가 ; 재산가 ; 부호.

* **ぎんみ**【吟味】gimmi 图 자他 ①음미.

¶ 材料을 ～する 재료의 양부(良否)를 조사하다. ②옛날, 피의자를 조사하는 일. ¶ 罪人을 ～する 죄인을 신문하는 일.

きんみつ【緊密】kimmi- ダナ 긴밀. ¶ ～な連絡 긴밀한 연락.

きんみゃく【金脈】kimmyaku 图 ①금맥 ; 금줄. ②(俗)돈줄 ; 자금을 대주는 곳(사람).

きんむ【勤務】kimmu 图 자 근무. ━ とつとめ. ¶ ～時間 근무 시간 / ～先 근무처 / ～評定을 근무 평정.

きんむく【金むく】《金無垢》kimmu- 图 (俗)순금 ; 순금제.

きんめだい【金眼鯛】kimme- 图【魚】금.

きんメダル【金メダル】kimme- 图 금메달 ; 전하여, 우승. ▷medal.

きんめっき【金めっき】《金鍍金》kim-mekki 图 금도금.

きんモール【金モール】kimmō- 图 金모. ①금실로 꼰 끈(투기에 씀). ②금실을 써서 짠 견직물 ; 또, 그것을 써서 만든 문무관의 예장(禮裝). ▷네 moor.

きんもくせい【金木犀】kimmo- 图【植】금계화(金桂).

きんもじ【金文字】kimmoji 图 금문자 ; 금빛의 문자 ; 금니(金泥)·금박·금가루 등으로 쓴 글자. =金字文.

きんもつ【禁物】kimmo- 图 금물. ¶ 酒は～だ 술은 금물이다.

ぎんやんま【銀蜻蜓】-yamma 图【蟲】왕잠자리.

きんゆ【禁輸】 图 금수 ; 수출입의 금지. ¶ ～品目 금수 품목.

* **きんゆう**【金融】-yū 图 자 금융. ━ かねぐり. ¶ ～機関을 금융 기관 / ～業 금융업 / ～筋 (투기에서) 거액 투자 전문가(보험 회사·은행 따위). ━こうこ【──公庫】-kōko 图 금융 공고(보통 금융 기관에서는 대부(貸付)하지 않는 자금을 대부하기 위하여 특히 정부가 출자해서 만든 금융 공고). ¶ 住宅～ 주택 금융 공고 / 公益企業～ 공익 기업 금융 공고.

ぎんゆうしじん【吟遊詩人】gin'yū- 图 음유 시인(중세기 프랑스에서 일어난 서정 시인의 일컬음).

きんよう【緊要】-yō 图 긴요. ¶ ～な問題 긴요한 문제.

** **きんよう**【金曜】-yō 图 금요 ; 금요일. ¶ ～日 금요일.

きんよく【禁欲】《禁慾》 图 자他 금욕. ¶ ～生活 금욕 생활.

ぎんよく【銀翼】 图 은익. ①비행기의 날개. ②비행기.

きんらい【近来】 图 근래 ; 요사이 ; 최근. ¶ ～の傑作 근래의 걸작.

きんらん【金襴】 图 ①금란 ; 두터운 우정. ②～の交わり 금란지교. ━ ②【植】금난초.

きんらん【金襴】 图 금란으로 씨실로 하여 무늬를 놓은 화려한 비단의 일종.

きんり【禁裏】《禁裡》 图 금리 ; 궁중(宮中) ; 궁궐.

きんり【金利】 图 금리 ; 이자 ; 변리. ¶ ～引き上げ 금리 인상.

きんりょう【斤量】-ryō 图 근량 ; 근수 ; 무게. =目方. ≒斤目.

きんりょう【禁猟】-ryō 图 금렵 ; 사냥을 금함. ¶~一期か〔区〕 금렵기〔구〕.

きんりょく【金力】-ryoku 图 금력. ¶~に物を言かわす 돈의 힘을 빌리다.

きんりょくぎょく【金緑玉】-ryokugyoku 图〔鑛〕 금록옥 ; 황록색으로 투명하고 광택이 있는 보석. =アレキサンドライト.

きんりん【近隣】图 근린 ; 가까운 이웃.

ぎんりん【銀輪】图 은륜. ①자전거 등의 은빛나는 바퀴 ; 은으로 만든 바퀴. ②자전거의 미칭(美称). ③달의 별칭.

ぎんりん【銀鱗】图 은린. ①은빛 비늘. ②살아 있는 물고기의 미칭(美称).

きんるい【菌類】图 균류(버섯·곰팡이 따위).

きんれい【禁令】图 금령 ; 금지령. =禁制かぃ.

ぎんれい【銀嶺】图 은령 ; 눈이 덮여 은색으로 빛나는 산.

ぎんれい【銀鈴】图 은방울.

きんれんか【金蓮花】图〔植〕 한련(旱蓮). =蓮花.

*きんろう【勤労】-rō 因 근로. ¶~者し 근로자 / ~精神じ 근로 정신 / ~奉仕ほう 근로 봉사. ――しょとく〔――所得〕-shotoku 图 근로 소득.

く ク

①五十音図にじゅう 'か行ぎょ'의 셋째 음. [ku] ②〔字源〕'久'의 초서체(かたかな'ク'는'久'의 생략체).

く【九】图 구 ; 아홉. =きゅう·ここのつ. ¶~分ぶ一厘ん 십중 팔구 ; 거의.

*く 图〔区〕图 ①도시의 행정상의 구획. ¶~に昇格しょうする 구로 승격하다. ②법령 집행상의 구획(선거구 등). ¶どの~から立候補りっこうするか 어느 구에서 입후보하는가.

く【句】图 구. ①말의 구절. =文節ぶん. ¶語ごと~ 낱말과 구. ②한시(漢詩)·和歌わか·俳句はい 등에서, 5음 또는 7음으로 된 음률상의 구분. ¶上ぬの~ 俳句의 윗구. ③はいく〔俳句〕. ¶~をひねる 俳句를 짓다 / 字じあまりの~ 자구(字句)가 넘치는 俳句. ↔歌か. ④せっく〔節句〕. ⑤☞フレーズ.

く【苦】图 ①고생 ; 괴로움. ¶~をなめる 고생을 겪다. ↔楽らく. ②근심 ; 걱정. ――あれば楽らあり 고생이 있으면 낙이 있다. ――にする 걱정하다 ; 염려하다. ――になる 마음에 걸리다. ――もなく 어렵지 않게 ; 힘 안들이고.

ぐ【具】图 ①도구 ; 이용물 ; 수단. ¶政争せいの~ 정쟁의 도구. ②〔料〕잘게 썰어 국·초밥·국수·오믈렛 등에 넣는 재료(어육(魚肉)·야채 따위) ; 속 ; 건더기. =実み.

ぐ【愚】图〔ナ形〕어리석은 일〔사람〕 ; 바보. ¶~の骨頂こっ 더없이 어리석음. ↔賢けん. ――に返るかえ 망령들다. ――にもつかない 턱도 없다 ; 얼토당토 않다.

*ぐあい【具合・工合】图 ①형편 ; 상태. ¶いい~に 마침 (가락으로) / 明日あすなら~がよろしいのですが 내일이라면 형편이 닿겠는데요〔좋겠는데요〕. ②(이러이러한) 식 ; 방식. ¶こんな~に作った 이런 식으로 만들었다. ~が悪わるい ①상태가〔형편이〕 좋지 않다. ¶機械きかいの~が悪い 기계 (도는) 상태가 좋지 않다 / からだの~が悪い 몸이 불편하다〔좋지 않다〕. ③세면이 서지 않다 ; 꼴이 안 되다. ③거북하다 ; 난처하다. ¶断わるのは~が悪い 거절하기가 난처하다.

くあわせ【句合(わ)せ】图 각자의 俳句はいを 두 구절씩 비교하여 심판자에게 그 우열을 판정케 하는 일.

*くい【杭・杙】图 말뚝. ¶~をうつ 말뚝을 박다 / 出でる~は打うたれる 모난 돌이 정 맞는다.

く【悔い】图 뉘우침 ; 후회. ¶~を千載にのこす 한을 천추에 남기다.

くいあう【食(い)合う】图他 ①서로〔잡아〕 먹다 ; 서로 물다. ①함께 다투어 먹다. ②맞물리다 ; 맞다. ¶かみあう. ¶歯車はぐ~ 톱니바퀴가 맞물리다 / ふたがぴったりと~ 뚜껑이 꼭 맞다.

くいあげ【食(い)上げ】图 생활 수단을 잃음 ; (실직 또는 폐업으로) 생활이 곤란함. ¶飯めしの~になる 밥자리를 잃다 ; 실직자가 되다.

くいあらす【食(い)荒(ら)す】图他 ①닥치는 대로 쑤시어 먹다 ; 구저분히 먹다. ¶ねずみに~される 쥐에 먹히다 ; 쥐가 먹어 망쳐 놓다. ②남의 세력권을 침범하다 ; 잠식하다. ¶選挙地盤せんきょを~ 선거 지반을 잠식하다.

くいあらためる【悔い改める】下1他 회개하다 ; 뉘우쳐 고치다.

くいあわせ【食(い)合(わ)せ】图 ①상극되는 음식을 동시에 먹음으로써 중독을 일으킴 ; 비상. ¶うなぎと梅干うめ~が悪ぃ 장어와 매실(梅実) 장아찌는 같이 먹으면 비상이다. ②접합(接合) ; 턱끼움(특히, 재목 따위) ; 또, 그 부분. ¶寸法すぽを間違まちがって~がうまく行かない 치수를 잘못 잡아 접합이 잘 안 된다.

くいいじ【食い意地】图 게걸 ; 식탐(食貪)하는 마음 ; 걸신들림. ¶~が張はっている 걸신이 들다.

くいいる【食(い)入る】图 ①먹어 들어가다. ②(남의 세력 범위 따위를) 파고 들다 ; 잠식하다. ③죄어어 들다 ; 바싹 죄어삼키다 ; 잡아 먹다. ¶~ような目めつき 집어삼킬 듯한 눈매.

クイーン 图 퀸. ①여왕 ; 왕비 ; 또, 무리 중에서 중심적 존재인 여성. ¶社交界しゃこうの~ 사교계의 여왕. ②카드패의 일종. ▷queen.

くいかけ【食(い)掛け】(食(い)掛け)图 먹다 맒 ; 또, 그 음식.

くいかじる【食いかじる】(食い齧る・

食い嚙む】⑤他 ①여기저기 먹어 보다 말다. ②조금 알다；데밀다.

くいか−ねる 【食いかねる・食い兼ね る】□他 먹기 어렵다；먹을 수가 없다. □□下1自 생활이〔살기〕 어렵 다. ¶失業ぎして~ねている 실직 해서 먹고 살기가 어렵다. 「먹．구역.

*くいき 【区域】图 구역. 「危険な─위

ぐいぐい 剾 ①힘차게 무엇을 급속 히 하는 모양；힘차게；척척. ②세차 게 당기거나 밀치는 모양；죽죽. ¶ ~引っぱる 세차게〔힘껏〕 당기다／ ~(と)引き離ぎす 죽죽 떼어 놓다(앞 서 가다). ③계속 마시는 모양；벌떡벌 떡. ¶酒ぎを~(と)あおる 술을 벌떡벌 떡 들이켜다. ~ちびちび. 「−육.

くいけ 【食い気】图 먹고 싶은 마음.

くいこ−む 【食い込む】⑤自 ①먹어 들 어가다. ②파고들다. □□□□（잠식, 침 해)하다. ⓐ침투（잠식）다루다. ¶ 外国ぎ市場ぎに~ 외국 시장에 침투하다. ⓑ쳐어들다. ⓒ腕な になわが─ 팔에 밧줄이 죄어 들다. ③처박히다. ¶車輪ぎがぬかるみに~ 바퀴가 진창에 처박히다.

くいさ−がる 【食（い）下がる】⑤自 물고 늘어지다；끈질기게 달라붙다. ¶要求 ぎが受け入れられるまで~ 요구 가 받아들여질 때까지 물고 늘어지 다／~して質問ぎする 끈덕지게 질 문하다.

くいしば−る 【食（い）しばる】【食（い）縛 る】⑤他 ¶歯はを~ 이를 악물다. ¶ 歯を~ってがまんする 이를 악물고 참다.

くいしんぼう 【食いしんぼう・食いしん 坊】【食貪坊ぎ】-shimbō 名 《俗》먹보； 걸귀（乞鬼）；게걸（걸신）들린 사람. ~くいしんぼ・いやしんぼう.

クイズ 名 퀴즈. ¶─番組ぎ 퀴즈 프 로. ▷미 quiz.

くいすぎ 【食（い）過ぎ】名 과식.

くいぞめ 【食（い）初め】図自 초반 례（初飯禮）＝생후 120 일째 되는 날에, 아기에게 처음으로 밥을 먹이는 집안 끼리의 축하.

*くいちが−う 【食（い）違う】⑤自 어긋나 다；엇갈리다. ¶意見ぎが~ 의견이 엇갈리다.

くいちら−す 【食（い）散らす】⑤他 ① （게걸스럽게） 이것저것 찔끔찔끔 먹 다；헤적거리다. ②헤적이다（흘리 며） 먹다.

くいつ−く 【食いつく・食（い）付く】⑤自 물다. ①（개 따위가） 달려들어 물다； 전하여, 달라붙다. ¶仕事ぎに~・い て離ぎれない 일에 달라붙어서 떨어질 줄 모르다. ②（물고기가 미끼를） 물다. 전하여, （발탁게） 덤비다. ¶金もうけ の話ぎに~ 돈벌이 이야기에 발탁게 덤비다.

クイック kuikku ダナ 퀵；빠름. ¶─ モーション 빠른 동작. ↔スロー─. ▷

quick.

くいつな−ぐ 【食いつなぐ】【食（い）繫 ぐ】⑤自 ①（조금씩） 조리차하여 먹어 오 다；전하여, 겨우 목숨만 이어〔연명해 가〕오다. ②持ち物ぎを売る~・いで 来ぎた 지난 물건을 팔아서 겨우 살아 왔다.

くいつぶ−す 【食いつぶす】【食（い）潰す】 ⑤他 무위 도식하여 재산을 탕진하다.

くいつ−める 【食（い）詰める】下1自 밥 줄이 끊어지다；생계의 길이 막히다.

くいで 【食いで】名 충분히 먹었다고 여 겨지는 분량；먹은 것을 것 같음；배부름. ¶安ぎく~のある物ぎ 싸고 배부른 것 「부르.

くいつ−める 【食（い）詰める】下1自 ×

ぐいと 剾 ①세게 당기거나 밀거나 잡 는 모양；힘껏. ¶~ねじる 힘껏 비틀 다. ②단숨에 들이키는 모양；쭉. ¶ ~飲み干す 쭉 들이키다. 「도락.

くいどうらく 【食い道楽】kuidō- ×

くいと−める 【食（い）止める】下1自 저 지하다；막다；방지하다. ¶敵ぎの大軍 だなを~ 적의 대군을 저지하다／被害 ぎを最小限ぎに~ 피해를 최소한 으로 막다.

くいな 【水鶏・秧鶏】名〔鳥〕 흰눈썹 뜸

くいにげ 【食（い）逃げ】名 ①（음식점에 서） 먹（은 음식값을 물지 않）고 달아 남；또, 그 사람.

くいの−ばす 【食（い）延（ば）す】⑤他 식 량을 느루 먹다；조금씩 아껴서 먹다.

くいはぐ−れ 【食（い）逸れ・食（い）逸れ】 먹을 기회를 놓침；전하여, 생활 방도 를 잃음. ＝食いっぱぐれ. ¶~のない 商売ぎ 생계나 실직의 염려가 없는 장사. 「식비, 생활비.

くいぶち 【食（い）扶持】名 밥값；생활비.

くいほうだい 【食（い）放題】-hōdai 名 ダナ 먹고 싶은 대로 먹음；실컷 먹음.

くいもの 【食い物】名 ①음식；먹을 것； 식량. ②전하여, 이용물；제물；희생 물. ¶娘ぎを~にする 딸을 희생물로 하다. 「우치다. ~悔ぎやむ.

く−いる 【悔いる】上1他 후회하다；뉘 우치다.

*く−う 【食う】【喰う】⑤他 ①먹다. ¶ （음식 등을） 먹다. ¶たらふく~ 배불 리 먹다. 参考 여성어·공손에 말에는 ‘食べる’. ①생활하다；살아가다. ¶ どうにか~・って行ぎく 그럭저럭 살아가다／~や~・わずの生活ぎ 찢어지게 가난한 생활. 전하여；생계를 잇다. ②침범（잠식）하다；갉아먹다. ¶虫むに~・われた本ぎ 좀이 먹은 책. ③침범（잠식）하다；갉아먹다. ¶ 相手ぎの縄張ばりを~ 상대방의 세 력 범위를 잠식（침범）다. ②잡아먹 다；걸리다；소비하다. ¶ガソリ ンを~自動車ぎ 휘발유를 많이 먹 는 자동차／時間ぎを~ 시간이 걸 리다／金ぎを~ 돈이 들다. ③당하 다；만나다. ⑦しけを~ 폭풍우를 만나 다. ⓑ（바람직하지 않은 일을） 받다； 입다. ¶総すかんを~ 모든 사람에 게 물림 당하다／お目玉ぎを~ 톡 특히 사실을 듣다；야단 맞다；꾸중을 ~ 속다；넘어가다. ¶その手ぎは~・わぬ 그 수에는 안속는다. ④（벌레 등 이） 쏘다. ¶蚊かに~・われた跡ぎ 모기 에 물린 자국／魚ぎが今日ぎは~・わぬ 오늘은 물고기가 전혀 물지 않는다. ⑤『乗ぎを~』 （새가） 보금자리

를 만들다. ⑥『気ª에 ～·わ·ない』 마음에 들지 않다. ⑦『く う』『人ªを～』(사람을) 무시하다 : 깔〔넘〕보다 : 놀리다. 『人ªを～·た話ᵃᵇ 사람을 사뭇 깔보는 이야기. ⑧『何ªを～·わ·ぬ顔ªをする』모른 체하다 : 시치미 떼다. ──っ·て掛ª·る 덤벼들다 : 대들다.

くう【空】kū- 匚名 하늘 : 허공. ¶～に舞ªう (춤을 추듯) 하늘을 (이리저리) 날다 : 空をつかんで倒れる 허공을 집고 쓰러지다. 匚ダ빔 : 허(虚) : 내용이 없음 : 근거가 없음 : 사실무근. ¶～に帰ªする 헛되이 되다 / ～になる 텅 비다 / ～の物語ᵃᵇ 가공의 이야기 / ～なうわさ 헛소문.

ぐう【偶】gū 匚名 둘로 나누어짐. ¶～の数ª 우수 : 짝수. ⇔奇ª.

ぐうい【寓意】gūi 匚名 우의 : 어떤 일에 빗대어서 (넌지시) 하늘을 은연중에 나타내는 것, 또 그 뜻. ¶～劇ª【小説ᵃᵇ】 우의극(소설).

*くうかん【空間】kū- 匚名 공간. ¶～芸術ᵃᵇ 공간 예술 : 조형 예술.

くうかんち【空閑地】kū- 匚名 공한지 : 공터. =あき地ᵃ.

くうき【空気】kū- 匚名 공기. ①대기. ¶～銃ᵃᵇ 총 / ～伝染ᵃᵇ 공기 전염 / 新鮮ªなᵃ～ 신선한 공기. ②분위기. ¶不穏ªなᵃ～ 불온한 공기.

くうきょ【空虚】kūkyo 匚名·ダ 공허 : 아무 것도 없음 : 빈탕. =からっぽ. ¶おざなりの～な話ᵃ 입발린의 허황한 이야기.

ぐうきょ【寓居】gūkyo 匚名·ス自 우거. ①타향에 임시로 삶. ②자기 집의 겸칭.

くうぐん【空軍】kū- 匚名 공군.

くうけい【空閨】kū- 匚名 공규 : 남편〔아내〕 없이 자는 쓸쓸한 침실.

くうげき【空隙】kū- 匚名 공극 : 틈.

くうけん【空拳】kū- 匚名 공권 : 빈 주먹 : 맨 주먹. ¶赤手ᵃᵇ～ 적수 공권.

くうげん【空言】kū- 匚名 공언. ①근거 없는 풍설 : =そらごと. ②빈말 : 실없는 말. ¶～を吐ªく 빈말을 하다.

*くうこう【空港】kūkō 匚名 공항 : 비행장. ¶国際ᵃᵇ～ 국제 공항.

くうこく【空谷】kū- 匚名 사람 없는 쓸쓸한 골짜기. ──の跫音ᵃᵇ 빈 골짜기의 발소리(쓸쓸히 살고 있을 때에 찾아오는 사람이나 반가운 소식.

ぐうじ【宮司】gū- 匚名 신사(神社)의 제사를 맡은 신관(神官)으로 최고위.

くうしゃ【空車】kūsha 匚名 공차 : 빈 차(영업용으로서 손님〔짐〕을 태우지〔싣지〕 않은). =あきぐるま. ⇔実車ᵃ.

くうしゅう【空襲】kūshū 匚名·ス他 공습. ¶～警報ᵃᵇ 공습 경보.

*ぐうすう【偶数】gūsū 匚名 우수 : 짝수. ⇔奇数ᵃ.

ぐう-する【寓する】gū- 匚─ス変自 우거(寓居)하다 : 임시 거처에 살다. 匚二ス変他 비유하여 말하다 : 포함하다. ¶意ªを物ᵃに～ 뜻을 사물에 비유하여 말하다 / 教訓ᵃ을 ～した物語ᵃᵇ 교훈을 담은 이야기.

ぐう-する【遇する】gū- ス変他 대우하

──

다 : 대(접)하다. ¶客ªを丁重ᵃᵇに～ 객을 정중히 대접하다. 〔리〕 결원.

くうせき【空席】kū- 匚名 공석 : 빈 자리.

くうぜん【空前】kū- 匚名 공전. ¶～の盛況ᵃᵇ 공전의 성황 / ～絶後ᵃᵇの大事件ᵃᵇ 공전 절후의 대사건.

*ぐうぜん【偶然】gū- 匚名·副 우연히. ¶ふと. ¶～に思いつく 우연히 생각나다. 匚ダ우연. ¶～の一致ᵃ 우연의 일치. ⇔必然ᵃ.

くうそ【空疎】kū- 匚名·ダ 공소 : 공허. ¶観念的ᵃᵇで～な表現ᵃᵇ 관념적이고 공허한 표현.

*くうそう【空想】kūsō 匚名·ス他 공상. ¶～家ª 공상가 / ～的ᵃ社会主義ᵃᵇ 공상적 사회주의 / ～にふける 공상에 잠기다. ⇔現実ᵃ.

*ぐうぞう【偶像】gūzō 匚名 우상. ¶～化ª 우상화 / ～崇拝ᵃᵇ 우상 숭배 / ～視ªする 우상시하다 : 신불(神佛)처럼 받들다.

ぐうたらgū- 匚ダナ 〈俗〉 무시근한(늘쩡늘쩡한) 모양 : 또, 그런 사람. ¶～な人ªを트릿한 사람 / ～兵衛ᵃᵇ 무시근한 사람을 인명에 비유해서 하는 말.

くうち【空地】kū- 匚名 공지. ①빈 땅 : 빈 터. ②하늘과 땅.

*くうちゅう【空中】kūchū 匚名 공중 속. ¶～戦ᵃ 공중전 / ～滑走ᵃᵇ 공중 활주 / ～分解ᵃᵇ 공중 분해 : 항공기가 공중에서 폭발하여 산산 조각이 나는 일. ──ろうかく【─楼閣】-rōkaku 匚名 공중 누각. ①토대가 없는 일 : 사상(砂上) 누각. ②신기루.

クーデター 匚名 쿠데타 : 무력 정변. ▷프coup d'État.

くうてん【空転】kū- 匚名·ス自 공전 : 헛돎. =からまわり. ¶車輪ᵃᵇが～する 수레바퀴가 헛돌다 / 話ᵃが～する 이야기가 공전하다.

くうどう【空洞】kūdō 匚名 공동 : 동혈(洞穴) : 동굴.

くうに【空に】kū- 匚副 공연히 : 헛되이.

クーニャン kūnyan 匚名 소녀 : 아가씨 : 젊은 여자. ▷중 姑娘.

ぐうのね【ぐうの音】gū- 匚連語 〈俗〉 ¶～も出ª·ない 끽소리도 못 하다.

*くうはく【空白】kū- 匚名 공백. ¶～を埋ªめる 공백을 메우다.

くうばく【空漠】kū- 匚トダル 공막. ①막막(漠漠)함. ¶～とした宇宙ᵃ 막막한 우주. ②종잡을 수 없음 : 막연함. ¶～たる理論ᵃᵇ 막연한 이론.

ぐうはつ【偶発】gū- 匚名·ス自 우발 : 우연히 발생함. ¶～戦争ᵃᵇ 우발 전쟁.

くうひ【空費】kū- 匚名·ス他 (돈·시간 따위의) 허비 : むだづかい.

くうふく【空腹】kū- 匚名 공복. =すきばら. ¶～を満ªたす 공복을 채우다. ⇔満腹ª.

くうぶん【空文】kū- 匚名 공문 : 사문(死文).

*くうぼ【空母】kū- 匚名 '航空母艦ᵃᵇ(=항공 모함)'의 준말.

くうほう【空包】kūhō 匚名 공포 : (발사음만 나게 장치한) 연습용의 탄환. ⇔実包ª.

*くうほう【空砲】kū- 匚名 공포 : 빈 총.

クーポン 匚名 쿠폰 : 떼어 쓰게 된 표 특히, 승차권이나 지정 여관의 숙박권

이 한데 묶여 있는 것. ▷프 coupon.

くうめい【空名】 kū- 图 공명; 헛된 명성; 허명(虚名).

くうゆ【空輸】 图 图他 공수('空中輸送(=공중 수송)'의 준말).

クーラー 图 쿨러; 냉각기(冷却器); 냉방 장치. ¶ルーム〜 실내 냉방 장치／カー〜 카 쿨러. ▷cooler.

くうらん【空欄】 kū- 图 공란; 빈 칸.

くうり【空理】 kū- 图 공리. ¶〜空論 공리 공론.

クーリー 쿨리; 본디, 중국의 하층 인부; 동양 각지의 하층 노동자. ▷중 苦力.

クール グナ 쿨. ①시원함. ¶〜なスタイル 시원한 스타일. ②(俗)냉정한 태도를 잃지 않는 모양. ¶〜な人 냉정한 사람. ↔ホット. ▷cool.

くうれい【空冷】 kū- 图 공랭. ¶〜式 エンジン 공랭식 엔진. ↔水冷式.

くうろ【空路】 kū- 图 공로. ¶〜パリに到着する 공로 파리에 도착.

くうろん【空論】 kū- 图 공론. ¶机上の〜 탁상 공론.

ぐうわ【寓話】 gū- 图 우화. ¶イソップの〜 이솝 우화.

クェーカー kwēkā 图 퀘이커(기독교의 한 파). ▷Quaker.

くえき【苦役】 图 고역. ①피로운 육체 노동. ②징역. ¶〜に服する 징역을 살다.

くえすちょんマーク kwesuchon- 图 퀘스천 마크; 의문부; 물음표(?). ▷ question mark.

くえない【食えない】 連語 ①먹을 수 없다. ②(교활하여) 방심할 수 없다; 허투루 볼 수 없다. ¶〜奴だ 허투루 볼 수 없는 놈이다. ③생활해 나갈 수가 없다. ¶安月給では〜 쥐꼬리만한 월급으로는 살아갈 수가 없다.

くえる【食える】 下一目 먹을 수 있다. ①먹을 만하다. ¶ちょっと〜ね 좀 먹을 만한데. ②생활해 나갈 수 있다. ¶何とか〜 이럭저럭 생활해 나갈 수 있다. ¶(化)구연산.

くえんさん【くえん酸】 【枸櫞酸】 图 구연산.

クォータリー kwō- 图 쿼털리; 계간(季刊). ▷quarterly.

くおん【久遠】 图 구원; 영원 =永遠. ¶〜に輝やく 영원히 빛나다.

くがい【苦海】 【佛】 고해(이승의 괴로움을 바다에 비긴 말) =苦界.

くがい【苦界】 图 고계. ①(佛)くかい. ②(포주에 묶인)창녀의 처지.

くかく【区画・区劃】 图 구획; 경계. ¶〜整理 구획 정리. 「고학생.

くがく【苦学】 图 图自 고학. ¶〜生

くがつ【九月】 图 구월. [參考]아명(雅名)은 'ながづき'. **一の節句** 음력 9월 9일의 명절; 중양절 =重陽節.

くかつよう【ク活用】 -yō 图 【文法】文語形容詞的 활용의 하나('高し'등과 같이 어미가 'く・く・し・き・けれ・かれ'로 활용). 「품격.

くがら【句柄】 图 俳句의 品位・連俳格의 됨.

くかん【区間】 图 구간. ¶〜ー 한 구간／乗車区〜 승차 구간.

くかん【苦寒】 图 ①고한; 추위가 가장 심한 시기. ②음력 12월의 별칭. ③심

한 가난.

ぐがん【具眼】 图 구안; 안식이 있음. ¶〜の士 안식이 있는 사람(선비).

くき【茎】 图 ①줄기. ¶〜立っ 줄기가 나옴(뻗음). [參考]나무에서는 특히 '幹'이라 함. ②창 따위의 자루.

くぎ【釘】 图 图他 못. ¶糠にー 겨에 못박기(아무리 말해도 효과가 없음을 이름). **ーを打つ** 못을 박다. **ーを刺す** (틀림없도록) 다짐을 두다.

くぎづけ【釘付け・くぎ付け】 【釘付け】 图 图他 ①못박음. ¶못을 쳐 붙박음. ¶蓋をーにする 뚜껑을 못하다. ②그 자리를 움직이지 못하게 함. ¶ーにされたようにたたずむ 못박인 듯 그 자리에 멈춰 서다.

くぎぬき【くぎ抜き】 【釘抜(き)】 图 못

ぐきょ【愚挙】 -kyo 图 우거; 어리석은 짓.

くきょう【苦境】 -kyō 图 고경; 곤경. ¶〜に立つ 곤경에 처하다.

くぎょう【公卿】 -gyō 图 공경. =公家. ①옛날, 조정에서 정삼품·종삼품 이상의 벼슬을 한 귀족(공(公)은 大臣, 경(卿)은 大納言이나 中納言以上·參議) 및 삼품(三品) 이상을 가리킴). ②☞てんじょうびと.

くぎょう【苦行】 -gyō 图 图自 고행. ¶難行〜 난행 고행.

くぎり【区切り・句切り】 图 문장 등의 단락(段落); 일의 매듭. ¶〜符号を／〜句点を／〜をつける 단락을 짓다.

くぎる【区切る・句切る】 国他①단락을 [매듭] 짓다; 구획짓다. ②しきる.

くく【九九】 图 구구(법). ¶〜を唱える 구구를 외다.

くく【区区】 トタル 구구. ¶〜まちまち 구구 각각／〜たる問題は 이 問題는 (사소)한 문제. 「리다. =かがむ.

くぐまる【踞る・屈る】 图他몸을 구부리다.

くぐめる【踞める】 下一他①(몸에) 머금게 하다. ②타일러 납득시키다.

くぐもる 图自 ①목소리가 흐리다. ①(목소리가) 흐려 분명하지 않다.

くぐりど【くぐり戸】 【潜(り)戸】 图 샛문. =切り戸？

くくる【括る】 图他①묶다. ①(잡아붙들어) 매다; 옭아 매다. ¶犯人を〜／〜 범인을 묶다／首をー 목을 매다. ①한데 묶다; 단(다발)을 짓다; 동이다. ¶かっこで〜 괄호로 묶다／荒なわでまきを〜 새끼로 장작을 묶다. ②끝맺다; 마무르다; 결말짓다. ¶話をー 締めー 이야기를 마무르다(맺다).

くぐる【潜る】 图自①빠져나가다. ①(무엇의) 밑으로 지나가다. ¶垣根をー 울타리 밑으로 빠져 나가다. ①틈·허점 등을 뚫다. ¶法網をー 법망을 뚫(고 빠져 나가)다. ②잠수하다.

くげ【公家】 图 ①조정(朝廷). ②天皇의 일컬음. ③(특히, 武家 시대에)조정에 출사(出仕)하는 사람. ↔武家.

くげ【公卿】 图 ☞くぎょう. 「家.

くけい【矩形】 图 구형; 직사각형.

くけぬい【くけ縫い】 【絎縫】 图 (바느질의)공그르기.

くける【絎ける】 下一他공그르다; 실땀이 겉으로 나오지 않게 꿰매다.

くげん【苦言】 图 图自 고언; 직언(直

言）. ¶～を呈ぶする 직언을 드리다.
く こ【枸杞】〖植〗구기자나무. ¶
　―茶な 구기차.
く ご【供御】图〈天皇学・상황(上皇)・
　왕후・황자의 음식물；수라. ②〈將軍学
　의 음식물. ③〈宮中女〉밥；식사.
く ご【箜篌】图 공후；비파. ＝百済琴
　くだ.
く ごう【句講】-kō 图 俳句学の 초고.
く ごう【愚考】-kō 图 ス他 우고. ①어
　리석은 생각. ②자기 생각의 겸칭. ＝
　愚見ぐけ.
く ごころ【句心】图 ①俳句学を 짓고
　싶은 심정. ②俳句を 짓거나 음미할 줄
　아는 능력.
く こん【九献】图 ⇨ さんさんくど
　(三三九度). ②〈宮中女〉.
＊く さ【草】图 ①풀. ¶～の扉や 풀
　로 엮은 문짝；사립문；초라한 집 ｜
　～を取とる 풀을 뽑다. ②꼴；마꼬사
　馬2まに～を하る 말에 꼴을 주다(먹이
　다). ③(지붕을 이는) 짚・띠 따위의 이
　엉. ¶～ぶきの屋根ねや 초가 지붕. 〓
　〖接頭〗본격적인 것이 아닌 것. ¶～
　馬ば 지방 경마 ／～野球ます 동네(아
　마추어) 야구. ―の根ねを分わけても
　捜すす 무슨 방법을 다해서라도 찾다.
　―を結ぶぶ 여행길에서 한데잠을 자다.
-ぐ さ【草】〖動詞連用形 따위에 붙어
　서〗…재료；…거리. ¶お笑わい～ 웃
　음거리／語ぶり～ 이야깃거리.
＊く さ-い【臭い】形 ①고약한 냄새가 나
　다；구리다. ¶臭においを내다 구린내가 난다
　[입냄새]. 参考 接尾語的으로 ‘…냄새
　가 나다’의 뜻으로도 씀. ¶ガス～ 가
　스내가 나다／生臭なま～ 비리다. ②〖く
　さい〗《接尾語的으로》①…한 데가 있
　다；좀…한 것 같다. ¶学者がく～ 학자
　냄새를 풍기다／バター～ 서양 냄새를
　풍기다. ①탐탁지 않은 뜻을 강조하는
　데에 덧붙이는 말. ¶面倒めん～ 아주 귀
　찮다／しゃれ～ 시건방지다／照てれ～
　열없다；겸연쩍다. ③수상하다. ¶ど
　うも、あいつが～ 아무래도 저 녀석이
　수상쩍다. ―飯めしを食ぶう 옥살이하다.
　―物ものにふたをする 더러운 사실을 감
　추느라고 임시 방편으로 은폐하다(눈
　감고 아옹하다).
ぐ さい【愚妻】图 우처；형처(荆妻)〈자
　기 아내의 겸칭〉.
く さいきれ【草いきれ】图 〈여
　름철, 뜨거운 햇볕에 쬐인〉풀숲에서
　풍기는 훗훗한 열기.
く さいち【草市】图 우란분(盂蘭盆)에
　쓸 화초나 어떤 물품〈草の物〉을
　파는 시장.
く さいちご【草苺】图〖植〗장딸기.
く さいろ【草色】图 초록색；풀빛. ＝も
　えぎ色いろ. 〓图〖蟲〗풀잠자리.
く さかげろう【草蜉蝣・草蜻蛉】-rō 图
　〖蟲〗풀잠자리.
く さかり【草刈り】图 ①풀베기；또, 풀
　베는 사람. ¶～をする 풀베기하다.
く さがれ【草枯れ】图 ス自 풀이 서리
　・눈 따위를 맞아 마름；또, 그 계절.
く さかんむり【草冠】-kammuri 图 한자
　(漢字)의 부수의 하나：초두(‘草’・‘花’・
　‘落’ 등의 ‘艹’의 이름).
＊く さき【草木】图 초목；식물. ―もな
　びく 위세・덕망에 사람을 붙좇다.
　―も眠ねむる 밤이 이슥해서 사방이 쥐죽
　은 듯 고요하다.　　　　　　　「일.

━━━━━━━━━

く く【句作】图 ス他 俳句学ばい의 작.
ぐ さく【愚作】图 우작. ①시시한 작
　품. ②자기 작품의 겸칭.
ぐ さく【愚策】图 우책. ¶～を弄するす
　る 어리석은 계책을 쓰다.
く さくさ 副 화가 나거나 우울해
　서 기분이 좋지 못한 모양. ＝くしゃく
　しゃ. ¶気きが～する 기분이 울적하다.
く さぐさ【種種】图〖雅〗갖가지；여러
　가지. ＝いろいろ・さまざま. ¶～の雑
　事じ 갖가지 잡일.
く さ-す【腐す】5他〖俗〗나쁘게 말하
　다；내리깎다；헐다. ＝けなす.
く さずもう【草相撲】-mō 图 〈시골에서
　하는〉풋내기 씨름；＝野ずもう.
く さぞうし【草双紙】-zōshi 图 江戸え
　시대의 삽화가 든 통속 소설책의 총
　칭. ＝絵草紙ぞ.
く さとり【草取(り)】㊀图 ス自 제초
　(除草)；김매기；또, 김매는 사람. 〓
　图 제초 기구.
く さなぎのつるぎ【草薙の剣】图 일본
　황실의 세 가지 신기(神器)의 하나인
　검. ＝天叢雲剣まくものつるぎ.
く さば【草葉】图 풀잎；풀일. ―の陰
　かげ 무덤 속；저 세상；저승. ¶～の陰か
　ら見守るまもる 저승에서 지켜보다.
＊く さばな【草花】图 화초.
く さはら【草原】图 초원. ＝くさわら.
＊く さび【楔】图 ①쐐기. ②비녀장. ¶
　～で締しめる 비녀장으로 죄다.
　―を打うち込こむ 쐐기를 박다(a)자기
　세력을 확대하는데 족한 발판을 상대
　조직 속에 마련하다；(b)적진에 처들
　어가 세력을 양분시키다. ―をさす
　(문제가 생기지 않도록) 쐐기를 지르
　다(박다)；미리 다짐을 하다. ＝く
　たもじ【――形文字】图 설형 문자. ＝
　せっけいもじ.
く さひばり【草雲雀】图〖蟲〗풀종다리
　〈귀뚜라미의 일종〉.
く さぶえ【草笛】图 ①초적；풀(잎)피
　리. ②풀 베는 사람이 부는 피리.
く さぶかい【草深い】形 ①풀이 우거
　지다. ¶～原ぶ 풀이 우거진 들판. ②
　벽지다；궁벽지다. ¶～田舎なか 벽촌；
　두메.
く さぶき【草ぶき】【草葺き】图 띠・짚
　등으로 이엉을 엮어 지붕을 임；또, 그
　지붕；초가 지붕. ¶～の家ぶ 초가집.
く さぼたん【草牡丹】图〖植〗종덩굴.
く さまくら【草まくら】【草枕】图 여장；
　〈풀을 베개 삼는〉나그네의 노숙；
　여행중의 잠자리.
＊く さみ【臭み】图 ①〈좋지 못한〉냄새；
　구림；또, 그정도. 可分らの～ 입의 구
　린내. ②(짐짓 체한다든가 속돌여보이
　는 짓・태도로) 남에게 주는 불쾌감；역
　겨움. ¶～のない人間まんげん 담담해서 불
　쾌하지 않은 사람.
く さむら【草むら】【叢】图 풀숲.
く さめ【嚔】图〖雅〗⇨くしゃみ.
く さもち【草もち】【草餅】图 쑥떡.
く さもの【草物】图 〈꽃꽂이에서〉키가
　작은 화초류의 총칭.
く さやきゅう【草野球】-kyū 图 〈들판
　따위 빈 터에서 하는〉동네 야구.
く さり【腐り】图 썩음；상하거나 썩은

정도·부분.

*くさり【鎖】【鏈】图 ①(쇠)사슬.=チェーン. ¶〜付きの囚徒 쇠사슬에 매인(묶인) 죄수. ②(물건과 물건을) 잇는 것; 연계.=きずな.

-くさり【齣】(이야기·음곡 등의) 한 단락. ¶じまん話をひと〜やる 자랑을 한바탕 늘어놓다.

ぐさりと 副 힘차게 찌르는 모양; 푹.=ぐさ(っ)と. ¶短刀で〜つく 단도로 푹 찌르다.

*くさーる【腐る】 [5자] 图 ①썩다. ㉠상하다; 부패하다. ¶卵の〜ったにおい 달걀 곯은 냄새. ㉡타락하다. ¶〜った根性 썩어빠진 근성. ㉢(암석·금속 따위가) 삭다; 부슬부슬하게 되다. ¶鉄が〜 쇠가 (녹슬어) 삭다. ②〈さる〉㉠(俗)기운을 잃다; 풀이 죽다; 낙심하다. ¶そう〜なそんな 그렇게 낙담할 것 없다. ㉡(俗)〈動詞連用形를받아〉남의 동작을 비웃는 뜻을 나타냄. ¶何を言い〜か 무슨 소리를 할 지껄이는 거야. ━っても鯛 썩어도 준치. ━(至賤)으로 있다 썩어날 정도로[지천으로] 있다.

くされ【腐れ】图 ①썩음; 썩은 것; 또, 그 정도. ¶〜が出る 상하기 시작하다. 二接頭 비웃으며 몹시 욕하는 말. ¶〜儒者 썩어빠진 유생 / 〜女 너러운 년; 화냥년.

くされえん【腐れ縁】图 (끊으려야 끊을 수 없는) 더러운[못된] 인연[관계].

くさわけ【草分(け)】图 황무지를 개척함; 또, 그 사람; 전하여, 창시(創始)함; 또, 창시자. ¶真珠養殖の〜 진주 양식의 창시자.

*くし【串】图 꼬챙이; 꼬치. ¶だんごを〜にさす 경단을 꼬챙이에 꿰다.

くし【櫛】图 빗. ¶髮に〜を入れる 머리를 빗다. ━の歯を引く 일이 잇따라 일어나는 모양.

くじ【公事】图 ①중고 시대에 있어, 조정(朝廷)의 정무·의식. ②무가(武家)시대에 있어, 조세의 총칭. ③소송(訴訟). ¶〜の 당첨운.

くじうん【くじ運】【鬮運】图 (제비뽑기)

しがきび【串柿】图 곶감.

*じーく【挫く】 [5他] 图 ①삐다; 접질리다. ¶足を〜 발을 삐다. ②(기세를)꺾다; 누르다; 좌절시키다. ¶强さを〜 강자를 누르다 / 出ばなを〜 상대의 첫오지름을 꺾다; 초장에 꺾다.

くしくも【奇しくも】連語 이상하게도; 기묘(기이)하게도. ━しい.

くしげ【匣·櫛笥】图 ①〈雅〉빗 따위 화장 도구를 넣어 두는 상자; 빗접; 화장 상자. ②(본디, 匮) 상자. ¶玉〜 화장 상자.

くしけずる【梳る】 [5他] 머리를 빗다. ━ずる.

くじ-ける【挫ける】 [下1自] ①(기세가) 꺾이다. ¶気が〜 마음이 꺾이다. ②접질리다; 삐다.

くしざし【串刺(し)】图 ① 꼬챙이에 꿰; 또, 꿴 것. ¶〜焼き 꼬치구이. ②꼬챙이에 꿰듯이 찔러 죽임.

くじのがれ【くじ逃れ】【鬮逃れ】图 제비를 뽑아 일·당번 등을 면함.

くじびき【くじ引き】【鬮引(き)】图 [자] 제비뽑기; 추첨.=抽籤ちゅうせん.

くしめ【くし目】【櫛目】图 ①(머리에 남은) 빗살 자국. ¶〜のそろった髮 빗살 자국이 가지런한 머리; 곱게 빗은 머리.

ぐしゃ【愚者】-sha 图 우자; 바보. ━も一得 어리석은 사람도 때로는 좋은 의견을 낼 수 있다는 말.

くしやき【くし焼き】【串焼(き)】图 적(炙); 꼬치구이; 또, 구운 것.

くじゃく【孔雀】-jaku 图【鳥】공작(새). ¶〜石 공작석.

しゃくしゃ -shakusha 一ダ 图①구김살 투성이인 모양; 쭈글쭈글; 꼬기작꼬기작; 꾸깃꾸깃.=くちゃくちゃ. ¶紙を〜にする 종이를 꾸깃꾸깃하다. 二副 ①사물이 어지러이 뒤섞인 모양; 뒤죽박죽. ¶涙で〜になった顔 눈물로 뒤범벅이 된 얼굴 / 髮が〜 머리가 어지러이 흐트러지다. 二副 기분이 답답한(우울한) 모양.=くさくさ. ¶気が〜する 기분이 울적하다.

ぐしゃぐしゃ -jaguja 副 ダ 몹시 뭉그러져서 본 형태가 없어진 모양; 짓무른 모양; 흐물흐물. ¶濡れて新聞紙が〜になる 젖어서 신문이 흐물흐물해지다 / 〜の熟柿 물렁하게 잘 익은 감 / 雪解けで〜とした道 눈이 녹아 질척질척한 길.

ぐしゃっと -shatto 副 아싹 으스러지거나 부서지는 모양; 아싹; 〜ぐしゃり と. ¶卵が〜つぶれる 달걀이 아싹 으스러지다. ━さめ.

くしゃみ【嚏】-shami 图 재채기.=くさめ.

くじゅ【口授】-ju 图 [자他] 구수; 말로 전하여 가르침.=こうじゅ.

くじゅう【苦汁】-jū 图 ①고즙; (맛이) 쓴 즙. ②간수. ━をなめる 쓴맛을 보다; 쓰디쓴 경험을 하다.

くじゅう【苦渋】-jū 图 ①고삽; 쓰고 떫음. ②일이 잘 안 되어 고민함. ¶〜に満ちた表情 고뇌에 가득 찬 표정. ③문장이 어려워 알기 힘듦; 난삽(難澁)함.

くじょ【駆除】-jo 图 [자他] 구제. ¶害虫〜 해충 구제.

くしょう【苦笑】-shō 图 [자] 고소. 쓴웃음. ━をもらす 쓴웃음을 짓다; 쓴웃음하다. ━を押し殺して〜する 욕을 먹고 쓴웃음을 짓다.

*くじょう【苦情】-jō 图 ①괴로운 사정; 고충. ②불평; 불만. ¶〜を訴える 불만을 호소하다.

ぐしょう【具象】-shō 图 구상.=ぐたい. ¶〜画 구상화 / 〜化 구상화; 구체화.

ぐしょぐしょ -shogusho ダ 몹시 젖은 모양; 흠뻑; 축축들이.=びしょびしょ. ¶服が〜になる 옷이 흠뻑 젖다.

ぐしょぬれ【ぐしょ濡れ】gusho- 흠뻑(몹시) 젖음.=びしょぬれ·ずぶぬれ. ¶〜になる 흠뻑 젖다.

くじら【鯨】图【動】고래. ②くじらじゃく의 준말.

くじらじゃく【鯨尺】 -jaku 图 경척；피륙을 재는 자의 하나(약 37.8 cm)。↔曲尺{{{き}}}。

くじ-る【抉る】 ⑤他 후비다；후벼내다。¶耳{{{みみ}}}の穴{{{あな}}}を~ 귓구멍을 후비다。

くしん【苦心】 图 图自 고심。¶~の作品{{{ひん}}} 고심하여 만든 작품／~惨憺{{{さんたん}}} 고심 참담。

ぐしん【具申】 图他 구신；(상사에게 의견·회망 따위를) 자세히 아룀。

くず【屑】 图 ①쓰레기；지스러기；부스러기；찌꺼기。¶人間{{{にんげん}}}の~ 인간 쓰레기／~繭{{{まゆ}}} 지스러기{{{치레기}}} 고치／紙{{{かみ}}}~ 휴지 조각。

くず【葛】 图 ①【植】칡。②くずこ{{{}}}「くずあん」「くずふ」 따위의 준말。

ぐず【愚図】 图名 굼뜸；꾸물거림；또, 그 사람。¶~な男{{{おとこ}}} 굼뜬 사내。

くずあん【葛餡】 图 갈분을 물에 풀고 술·간장 따위로 조미해서 끓인 음식(음식 위에 쳐서 먹음)。

くずいと【屑糸】 图 실보무라기。

くず-おれる【頽れる】 下一自 ①(무너지듯) 맥없이 쓰러지다；퍽석 주저앉다。¶入{{{はい}}}って来{{{く}}}るなり~ 들어오자마자 퍽석 주저앉다。②기력을 잃다；낙심하여 ~れ。

くずかご【屑籠】 图 휴지통。=くずいれ。

くすくす 副 웃음을 억지로 참는 모양；낄낄；킥킥。¶~と笑{{{わら}}}う 낄낄 웃다。

ぐずぐず【愚図愚図】 副 ①꾸물거리는 모양；흐물흐물。¶野菜{{{やさい}}}を煮{{{に}}}たら~になった 야채를 삶았더니 흐물흐물해졌다。②판단·행동이 느리고 굼뜬 모양；꾸물꾸물；우물쭈물。¶汽車{{{きしゃ}}}におくれる 꾸물거리면 기차를 놓친다。③우물우물 입 속으로 투덜대는 모양；투덜투덜。¶~言{{{い}}}うな 투덜거리지 마라。

くすぐった-い【擽ったい】 -guttai 图 ①간지럽다。=こそばゆい。②겸연쩍다；열없다；낯간지럽다。=てれくさい。¶~事{{{こと}}}を言{{{い}}}う 낯간지러운 말을 하다；아첨떨다。

くすぐ-る【擽る】 ⑤他 ①간질이다。¶わきの下{{{した}}}を~ 겨드랑을 간질이다。②부추기다；들썩이다。③~ような事{{{こと}}}をいう 마음을 달뜨게 하는 말을 하다。④우스운(익살맞은) 짓거리로 남을 억지로 웃기다。「많고 식용함)。

くずこ【葛粉】 图 갈분(녹말이。

くずしがき【崩し書き】 图 흘림，又 또는 행서로 씀；또, 그 글씨。②약자(略字)。「서(草書) 한자。

くずしじ【崩し字】 图 흘려 쓴 글자；초

くず-す【崩す】 ⑤他 ①무너뜨리다。무느다。¶山{{{やま}}}を~ 산을 무너뜨리다。③흩뜨리다。¶列{{{れつ}}}を~ 열을 흩뜨리다／敵陣{{{てきじん}}}を~ 적진을 무너뜨리다／ひざを~ 꿇었던 무릎을 펴고 편안히 앉다。②(글씨를) 흘리다。¶「字」を~して書{{{か}}}く 글씨를 흘려 쓰다。③(큰 돈을) 헐다；잔돈으로 바꾸다。

ぐず-つく【愚図つく】 ⑤自 ①꾸물거리다。투덜대다。¶子供{{{こども}}}が~ 아이가 칭얼거리다。②(날씨 따위가) 그 상태로 끝다。¶病勢{{{びょうせい}}}が~ 병세가 그만저만하다。

ずてつ【屑鉄】 图 설철。①쇠부스러기；쇠똥。②고철；파쇠。

く す-ねる 下一他 후무리다；슬쩍 훔치다。¶お銭{{{せん}}}を~ 돈을 훔친다。

くすのき【樟・楠】 图【植】장목(樟木)；

くずふ【葛布】 图 갈포。「녹나무」。

くすぶ-る【燻る】 ⑤自 ①(불이 잘 타지 않고) 연기만 내다。¶まきが~って燃{{{も}}}え付{{{つ}}}かない 장작이 연기만 내고 타지 않다。②그을다。¶~った障子{{{しょうじ}}} 그을은 미닫이。③(감정이) 맺히다；풀리지 않다。¶けんかのあとがまだ~っている 싸운 감정이 아직 맺혀 있다(풀리지 않았다)。④(제자리에서) 맴돌다；제자리걸음하다。¶下積{{{したづ}}}みで~(언제까지고 출세 못 하고) 말단에서 맴돌다(썩다)。⑤틀어박히다；죽치다。¶一日中{{{いちにちじゅう}}}家{{{いえ}}}で~ 온종일 집에 죽치고 있다。

く す-べる【燻べる】 下一他 연기만 나게 태우다；그을리다。¶もぐさを~ 쑥을 피우다。

く す-む【燻む】 ⑤自 ①수수하다。¶~んだ存在{{{そんざい}}} 두드러지지 않은 존재。②선명하지 않다；칙칙하다。¶~んだ色{{{いろ}}} 칙칙한 색。③생기가 없다。¶~んだ顔{{{かお}}} 생기없는 얼굴。「{{{す}}}；넝마주이。

くずや【屑屋】【屑屋】图〈卑〉넝마주이。

くずゆ【葛湯】 图 갈분 미음(葛粉 미음)；탕；갈분에 설탕을 넣고 뜨거운 물을 부어 휘저은 식품(환자가 주로 먹음)。

くすり【薬】 图 ①약。②병 치료제。¶かぜの~ 감기약／~がきく 약이 듣다(효험이 있다)。⑤유익；도움。¶若{{{わか}}}いうちの苦労{{{くろう}}}は~ 젊어 고생은 몸에 약(젊어 고생은 사서도 한다)／目{{{め}}}の~ 눈요기。ⓒ(화학) 약품。③유약(釉薬)；잿물。②화약。¶~にしたくも無{{{な}}}い 약으로 쓰려 해도 없다；조금도 없다。—にするほど 극히 조금 [소량]。

くすりや【薬屋】 图 약국；약방。「락。

くすりゆび【薬指】 图 무명지；약손가

ぐ-する【具する】(俱する) □ サ変自 갖추어지다。□ サ変他 ①(함께) 가다；동행하다。¶兄{{{あに}}}に~して行{{{い}}}く 형과 함께 가다。□ サ変他 ①갖추다；준비하다。②데리고 가다；대동하다。¶書類{{{しょるい}}}を~ 서류를 갖추다。¶供{{{とも}}}の者{{{もの}}}を~ 수행자를 데리고 가다；아뢰다。③意見{{{いけん}}}を~ 의견을 말하다。

くずれ【崩れ】 图 ①무너짐；무너뜨림；붕괴；또, 그것。¶山{{{やま}}}~ 산사태／総{{{そう}}}~ 총붕괴。②모임 등이 끝나고 흩어진 사람들。¶デモ隊{{{たい}}}の~ 데모대의 뒷줄。③〈신분·직업을 나타내는 말에 붙어서〉 한때에는 이러이러였으나 지금은 영락한 사람；퇴물。¶学生{{{がくせい}}}~ 불량 학생／役者{{{やくしゃ}}}~ 배우 퇴물。↔上{{{あ}}}がり。

く す-れる【崩れる】 下一自 ①허물어지다。무너지다。¶崖{{{がけ}}}が~ 벼랑이 무너지다。⑤흐트러지다；무너지다。¶隊伍{{{たいご}}}が~ 대오가 흐트러지다。③날씨가 나빠지다(궂어지다)。③헐다。⑦진무르다。

‖しもやけで指<ruby>ゆび</ruby>が～ 동상으로 손가락이 헐다. ㉺〖くずれる〗(고액 지폐 따위를) 잔돈으로 바꿀 수 있다. ④(시세가) 내리다. ‖株<ruby>かぶ</ruby>が～れた 주가가 폭락했다.　　　　　[비수.＝あいくち.

くすんごぶ〖九寸五分〗图〔俗〕단도.

＊くせ〖癖〗图㉠버릇；습관. ㉡笑<ruby>わら</ruby>い癖<ruby>くせ</ruby> 웃는 버릇. ㉡편향된 경향이나 성질. ㉠～のある人<ruby>ひと</ruby> 성깔이 있는 사람. ②어느 일정한 상태가 버릇처럼 굳어 버린 것. ‖髪<ruby>かみ</ruby>の～ 머리칼의 곱슬(으로 자는) 버릇. ③(‘～に’의 꼴로 助詞적으로 쓰임) 그런데도 ；…이면서도 ；…주제에. ‖金持<ruby>かねも</ruby>ちの～に、けしない～に 하지도 못하는 주제에.

くせごと〖曲事〗图①부정(不正)한 일 ；괘씸한 일 ；몹시 불쾌한 일. ②흉사 ；재앙. ③위법.

くせつ〖苦節〗图 고절；괴로움을 견디며 절개를 지킴.

くぜつ〖口舌・口説〗图①말；잡담. ‖～が多<ruby>おお</ruby>すぎる 말이 너무 많다. ②〔老〕(남녀간의) 말다툼.

ぐせつ〖愚説〗图 우설. ①자기 말의 겸칭. ②어리석은 설.

くせなおし〖癖直し〗图 (접히거나 구긴 자국을) 김에 쐬어 바로잡음. ‖髪<ruby>かみ</ruby>の～ (뜨거운 물수건으로 씌워) 머리칼의 버릇을 고침.

くせに〖癖に〗接〔俗〕 ⇨ くせ③.

くせもの〖くせ者〗【曲者】图①심상치 않은 놈. ②(도둑 따위) 수상한 놈. ③보통내기가 아닌 자；괴물. ‖相手<ruby>あいて</ruby>はなかなかの～だ 상대는 여간 보통내기가 아니다. ④방심할 수 없는 일. ‖この景気<ruby>けいき</ruby>が～だ 이 경기가 방심할 수 없다.

くせん〖苦戦〗图 ㊈自 고전.

くそ〖糞〗㊀图①똥；대변. 분비물이나 찌꺼기. ②目～ 눈곱 / 鼻<ruby>はな</ruby>～ 코딱지. ㊁圖〈俗〉남을 몹시 욕하거나 꾸짖을 때 내지르는 말 ：제기랄；빌어먹을. ‖～、覚<ruby>おぼ</ruby>えていろ 어디 두고 보자 / おい～ 똥이나 처먹어라 ；뒈져라 ：될 대로 돼라 / ええ～ 에이 제기랄 ：젠장. ㊂接頭〈俗〉①그 존재를 저주하는 기분을 나타내는 말 ：～ばばあ 거지 같은 할망구. ②보통 사람과 너무 동떨어져 역겨운 기분을 나타내는 말. ‖～勉強<ruby>べんきょう</ruby>～ 들고 파는 공부 ；더럽게 공부함. ㊃接尾〈俗〉그 말이 지닌 부정적인 뜻을 강조하는 말. ‖へた～ 몹시 서투름.

ぐそう〖愚僧〗图 -sō 우승 ；소승(小僧) ；빈도(貧道).

くそおちつき〖くそ落ち着き〗【糞落(ち)着き】图 (불안해질 정도로) 되우 침착함.

ぐそく〖具足〗图 ㊈自 ①사물이 충분히 갖추어져 있음. ‖円満<ruby>えんまん</ruby>～ 원만하여 여러 면을 갖춤. ㊁图 ①도구 ；세간. ②갑주(甲胄). 　　[「기 아들의 겸칭).

ぐそく〖愚息〗图 우식 ；돈아(豚児)(자

くそたれ〖くそ垂れ〗【糞垂れ】图①대변을 봄 ；똥을 쌈. ②(욕하는 말로) 빌어먹을 놈.

くそどきょう〖くそ度胸〗【糞度胸】-kyō 图 지독한 빡짱 ；강심장.　　　[あいつの

～には驚<ruby>おどろ</ruby>いた 저 녀석의 뚱뻑짱에는 놀랐다.　　　[없이 고지식함.

くそまじめ〖糞真面目〗图ナ 융통성이

くそみそ〖糞味噌〗图ナ①가치 없다거나 구별 없이 취급하는 모양. ‖名作<ruby>めいさく</ruby>も駄作<ruby>ださく</ruby>も～にして論ずる 명작과 타작을 구별 않고 논하다. ②상대방을 마구 해대는 모양. ＝きんさん、도こ ⇨にけなす 마구 헐뜯다.

くだ〖管〗图①관. ②水道<ruby>すいどう</ruby>の～ 수도관. ②(물레의) 대롱；대관. ③북의 실꾸리의 관. —を巻<ruby>ま</ruby>く 술에 취해서 허튼소리를 뇌까리다；술주정하다.

＊ぐたい〖具体〗图①~性<ruby>せい</ruby> 구체성. ②~てき【─的】ナ 구체적. ‖—問題<ruby>もんだい</ruby> 구체적 문제.

＊くだく〖砕く〗国他 부수다. ㉠깨뜨리다；바수다. ‖岩<ruby>いわ</ruby>を～ 바위를 부수다 / 花瓶<ruby>かびん</ruby>を～ 꽃병을 깨뜨리다. ㉡쳐부수다；꺾다. ‖敵<ruby>てき</ruby>の勢<ruby>いきお</ruby>いを～ 적의 세력을 쳐부수다(꺾다). ②㉠~心を 노심하다 ；애쓰다. ㉡心<ruby>こころ</ruby>を～ 노심하다；애쓰다. ㉡骨<ruby>ほね</ruby>を～ 애쓰다. ㉠몸<ruby>み</ruby>を～ 있는 힘을 다하다. ③알기 쉽게 풀어서 설명하다. ‖～いて話<ruby>はな</ruby>す 알기 쉽게 풀어 이야기하다.

くたくたナ①녹초가 된 모양. ＝ぐたぐた. ‖つかれて～になる 피곤해서 녹초가 되다. ②천 따위가 낡아서 약해진 모양 ：문척문척. ‖着物<ruby>きもの</ruby>が～になる 옷이 문척문척하게 되다. ③물건이 지나치게 삶아진 모양 ：흐물흐물. ‖菜<ruby>な</ruby>の葉<ruby>は</ruby>が～になる 푸성귀가 흐물흐물해지다.

くだくだし-い -shī 图 장황하고 번거롭다. ＝くどい.

くだ-ける〖砕ける〗下一自 ①부서지다；깨지다. ‖玉<ruby>たま</ruby>と～ 옥쇄하다；산산이 깨지다. ②꺾이다；좌절하다. ‖腰<ruby>こし</ruby>が～ 기가 꺾이다；처음의 기세가 죽다. ③스스럼없는 태도가 되다. ‖～けた人<ruby>ひと</ruby> 소탈하고 빡빡하지 않은 사람 / ～けた話<ruby>はなし</ruby> 스스럼없는 이야기.

＊ください〖ください・下さい〗連語〔‘くださる’의 命令形〕주십시오. ①【動事<ruby>じ</ruby>】‘を～ 당장을 주십시오. ②【ください】《‘お〔ご〕…を’‘～て…’의 꼴로》…해 주십시오. ‖ご覧<ruby>らん</ruby>～ 보아 주십시오 / お帰<ruby>かえ</ruby>りなさって～ 돌아가(돌아와) 주십시오. 參考 경의(敬意)의 격은 그다지 높지 않음. 특히, 경의를 나타내는 경우는 ‘くださいませ’를 씀.

くださ-る〖くださる・下さる〗国他 ①주시다(‘くれる’의 높임말). ‖鉛筆<ruby>えんぴつ</ruby>を一本<ruby>いっぽん</ruby>～ 연필 한 자루 주시다. ②《お〔ご〕를 수반한 動詞連用形이나 한어(漢語), 또는 ‘に’나 ‘になって’(お)…なさって’를 받아, 혹은 連用形에 ‘て’를 수반한 꼴 따위에 붙어》意의적으로 ：…하여 주시다. ‖お読<ruby>よ</ruby>み(になって)～ 읽어 주시다 / 話<ruby>はな</ruby>して～ 이야기해 주시다. ◇くだされる.

くだされもの〖下され物〗图 주신 것(물건) ；하사품.

くださ-れる〖下される〗下一他 주시다(‘くださる’보다 경의가 강함).

くだしぐすり〖下し薬〗图 설사약 ；하제. ＝下剤<ruby>げざい</ruby>.

くだ-す【下す】⑤他 ①おろす。⑦降等する。 ②地位を[官位を]～ 지위를〔벼슬을〕내리다. ↔のぼす。⑦下達する。 ②命令などを～ 명령을 내리다. ©言い渡す。 ③判決などを～ 판결을 내리다. ②解釈などを行なう。 解釈が☆を～ 해석을 내리다. ©目下の人に与える。 ②～し品をたまわる 品을 내리신〔하사하신〕물건. ⑪〔降す〕항복시키다. ⑥(降下して)くだらせる。 ②雨ぐ下を～ 비를 내리다. ②(泄下して)くだす。 ②腹をくだす 설사하다. ④〔瀉す〕설사하다. ③(自分が)じかにする。 ②直接手を～して…する 손수〔직접〕…하다. 直接手を下す 직접 손을 쓰다.

くたば-る⑤自 〈俗〉①くたびれる。 くたばってしまえ 뒈져버려라. ②死ぬ。몸이 지치다. =へたばる。

くたびれもうけ【草臥れ儲け】-mōke 名 피곤하기만 하고 아무 소득이 없는 일; 헛수고. 骨折り損の～ 애쓴 보람 없는 헛수고.

くたび-れる【草臥れる】下一 ①疲れる。 ②〈俗〉(古くなって)くたびれる。 ～れた洋服 낡아 빠진 양복.

くだもの【果物】名 과실; 과일。 ──や【──屋】名 과일 가게〔장수〕.

くだら【百済】名 백제.

くだらない【下らない】形 하찮다; 시시하다; 가치없다。 =つまらない。くだらぬ。くだらん。

くだり【下り】名 ①내려감; 특히, 서울에서 지방으로의 내려감。 ②下り坂さ〔下り列車〕(=下行 열차)。 '下り列車'(=하행 열차)'の준말。 ↔上り・登り。 ③本に、行〕문장 따위의 세로행〔行〕。 ③三☆～半만 이혼장。

くだり【件】名 ①긴 문장의 한 절; 대문。 この～がわからない 이 대문을 모르겠다。 ②앞 글에 든 사항。 =くだん.

くだりざか【下り坂】名 ①내리막; 또, 차차 쇠퇴함; 내리막. ②の会社は 내리막길의 회사. ↔のぼり坂.

くだ-る【下る】【降る】⑤自 ①내리다。 ②〔本に、降る〕내려가다。 ②山道をほを～ 산길을 내려가다 / 気温きがが～ 기온이 내리다。 ⑦〔本に、降る〕내려오다。 天☆から～ 하늘에서 내려오다. ↔のぼる。 ②(命令・判決 등이)내려지다。 判決がが～ 판결이 내리다. ②내려주다。 ③(지방으로)가다。 ②故郷に～ 고향에 내려가다. ⑦(아래쪽으로)가다。 ②川を～ 강을 내려가다. ↔のぼる。 ③물러나다; 은퇴하다. 野やに～ 하야〔下野〕하다. ③〔瀉る〕설사하다. 腹が～ 설사가 나다. ④〔本に、降る〕항복하다. ⑤(어떤 기준량) 이하가 되다(흔히, 否定의 꼴로 쓰임)。 死者ﾒの数etoは十人に～らない 죽은 사람은 열 사람 이상이다. ↔のぼる. ⑥못하다; 뒤지다. =劣きる。 この品品は数等等～ります 이 물건은 훨씬 못하다〔못나다〕.

くだんの【件の】連体 예(例)의; 그; 전

술한. ～話ﾊはどうした 그 이야기는 어떻게 되었나. ──ごとし 전술한 바와 같다〔증서(證書) 따위의 끝머리에 쓰는 말〕.

くち【口】名 ①입。 あいた～がふさがらない 벌린 입이 닫히지 않다(기가 막히다)。 ②입과 비슷한 것; 아가리. ②瓶ﾋの～ 병 아가리. ③말。 ～約束ﾔ【口약束】약속 / ～が達者たの 말을 잘 한다. ④입구; 초입. 非常口ﾋ비상구. ⑤味覚(味覚); 맛。 ～に合う 입에 맞다. ⑥물건의 끝〔단〕; 첫부분; 첫머리; 모두(冒頭). 糸口ﾄ(실마리 / 木ﾓ口 마구리 / 宵ﾖ の～ 초저녁. ⑦식구(食口)。 ～を滅らす 식구를 줄이다. ⑧무엇을 분류한 그 하나 하나; 쪽; 몫. 一ﾋ～千円ﾝ 한 몫 천 엔〔別ﾍ～ 별도의 것. ⑨자리; 직(職); 勤口ﾞ근무처; 일자리. ⑩다친 자리. 傷口ﾞ상처. ⑪종류. ⑫같은 종류의 물건. 이 종류의 品品이 ～ 칼의 수를 세는 말; 자루. 刀ﾀ の一ﾋ～ 칼 한 자루. ──がうまい 말을 잘 하다; 말 솜씨가 좋다. ──が重ﾄ입이 무겁다; 과묵하다. ──が掛かかる ①(기생・연예인 등이)손님의 부름을 받다. ②일을 해지 않겠느냐고 권유를 받다. ──が堅ﾀ입이 뜨다(해서는 안 될 소리를 함부로 말하지 않다). ──が軽ﾟ입이 가볍다. ──が過ﾌぎる 말이 지나치다. ──が酸ﾆっ(っぱ)くなる (같은 말을 여러 번 되풀이해서) 입에서 신물이 나다. ──が滑ﾍ べる 까딱 잘못 말하다. ──が干上ﾋがる 입에 풀칠을 못 하다; 입에 거미줄을 치다. ──が悪ﾜい 입이 걸다; 욕을 하다. ──と腹が違ﾁがう 말과 속이 다르다. ──にする ①입에 담다; 말하다. ②먹다. ──に出ﾀ す 입밖에 내다; 말하다. ──に乗ﾉる ①입에 오르다. ②감언 이설에 넘어가다. ──も八丁ﾁ手ﾃも八丁ﾁ 말도 잘 하고 일도 잘 한다. ──を合ﾁわせる(そろえる) (여럿이 짜고) 말을 맞추다(일치시키다). ──を利ﾋく ①말을 하다. ②(중간에 들어) 주선하다; 소개하다. ──を切ﾁる ①맨먼저 발언하다; 말을 꺼내다〔시작하다〕; 입을 떼다. ②봉(封)한 것이나 마개를 따다. ──を極ﾊめる 극구(極口). ──を出ﾀす (남의 이야기에 중뿔나게) 참견하다. ──をつぐむ 입을 다물다. ──をとがらせる ①(불만으로) 입을 쀼쪽 내밀다; 투덜대다. ②성난 투로 말하다. ──を挟ﾊむ 남의 말에 끼어들다; 곁에서 참견하다. ──を割ﾜる 입을 열다; 자백하다.

ぐち【愚痴】【愚癡】名 푸념; 게정. =こぼす 푸념하다; 게정부리다.

くちあたり【口あたり】【口当(た)り】名 ①입에 닿는 느낌; 구미(口味)。 =したざわり。 ～のいい酒ﾗ 입에 당기는 술. ②응대(應對)。 =もてなし。 ～のいい人ﾄ응대를 잘 하는 사람. '말다툼; 입씨름.

くちあらそい【口争い】名 自 언쟁; 말다툼.

くちいれ【口入れ】名 又他 말참견. =くちだし; 「他人ﾆンのことに～する 남의 일에 말참견하다. ②(사람・빚돈을) 알선〔주선〕함; 또, 그것을 업으

くちうつし【口移し】图ㅈ他①음식물을 입에서 남의 입에 넣어 줌. ¶～に水？をのませる입으로 옮겨서 물을 먹이다. ②구전(口傳) ; 말로 전함.

くちうつし【口写し】图 (어떤 사람의) 말씨〔말투〕와 똑같음.

くちうら【口裏】图 말귀 ; 말하는 품으로 그 사람의 심중을 헤아려 앎. ¶～から察？すると 말귀로 살펴보면. ──を合？わせる (여럿이 사전에 짜고) 말이 어긋나지 않도록 말을 맞추다.

くちうるさ-い【口煩い・口五月蠅い】圈 ☞くちやかましい②.

くちえ【口絵】图 책・잡지의 첫머리에 넣는 그림 ; 권두의 그림.

くちおし-い【口惜しい】-shi 圈 유감스럽다 ; 분하다. ＝くやしい 「軽②.

くちおも【口重】图ダナ 입이 무거움. ↔口

くちかず【口数】图①말수. ¶～が多？い 말이 많다 ; 수다스럽다. ②사람수 ; 식구(食口). ¶～をへらす식구를 줄이다. ③일・사건의 수 ; 건수. ¶寄附金？の～ 기부금의 건수.

くちがた-い【口堅い】圈①입이 무겁다. ②말이 확실하다.

くちがため【口固め】图ㅈ他①입막음. ＝口止？め. ¶金？をやって～(を)する 돈을 주어 입씻이를 하다. ②군은 언약.

くちがね【口金】图 꼭지쇠 ; 기물(器物)의 주둥이에 씌우는 쇠붙이. ¶ハンドバッグの～ 핸드백의 물림쇠／電球？の～ 전구의 꼭지쇠 (소켓에 끼우는 금속 부분).

くちがる【口軽】ダナ 입이 가벼움 ; 특히, 비밀을 남에게 곧 누설함. ↔口重

くちき【朽木】图①썩은 나무 ; 빛을 보지 못한 채 일생을 마치는 사람.

くちきき【口利き】图①말을 잘함 ; 또, 그 사람. ②소개를 함 ; 또, 그 사람. ¶先生？の～で선생의 소개로. ③조정・알선・중개하는 일, 그 일에 능한 사람. ¶～料？중개료 ; 구전.

くちきたな-い【口汚い・口穢い】圈 입이 걸다 ; 말이 천하다. ¶～く 悪口？を言？う 절적지근하게 욕을 하다. ②입정 사납다.

くちきり【口切り】图①개봉(開封) ; 봉한 것을 뗌 ; 특히, 다도(茶道)에서 새 찻단지의 봉을 떼어 처음으로 사용하는 다회(茶會). ②(사물의) 처음 ; 시작, 처음으로 성립한 매매 거래 ; 마수걸이.

くちく【駆逐】图ㅈ他 구축. ¶～艦？구축함. 「상투어.

くちくせ【口癖】图 입버릇 (이 된 말).

くちぐち【口口】图①제각기 (의 입) ; 각각. ¶～に言？う 제각기 말하다. ②여러 곳의 출입구 ; 드나드는 여러 곳. ¶～を固？める 사방의 어귀를 굳게 지키다.

くちぐるま【口車】图 발림말 ; 감언이설. ──に乗？る 감언 이설에 넘어가다.

くちげんか【口げんか】【口喧嘩】图ㅈ自 언쟁 ; 입씨름. ＝言？い争？い.

くちごたえ【口答え】图ㅈ自 말대답 ; 말대꾸.

くちこも-る【口籠る】五自①입안의 소리를 하다 ; 말이 막혀 우물거리다. ②말을 멈칫거리다〔머뭇거리다, 더듬다〕.

くちさがな-い【口さがない】圈 입 걸게 남의 험담을 좋아하다.

くちさき【口先】图①입의 끝 ; 전하여, 전성 말 ; 입에 발린 말. ¶～だけの約束？입에 발린 약속. ②말구(口頭). ¶～のうまい人？ 말 잘하는 사람.

くちしのぎ【口凌ぎ】图 요기 ; 요기 거리. ②호구할 정도의 생활. ¶当座？の～にも困？る 당장 입에 풀칠하기도 어렵다.

くちじょうず【口上手】-jōzu 图ダナ 말주변(구변)이 좋음 ; 또, 그 사람. ↔口下手？ 「로〔말로〕.

くちずから【口づから】圖 자기 입으로.

くちすぎ【口過ぎ】图 생계(를 세우는 일) ; 살림. ＝生計？ ; 暮？らし.

くちずさ-む【口ずさむ】五他 읊조리다 ; 흥얼거리다.

くちすす-ぐ【嗽ぐ・漱ぐ】五自 양치질하다 ; 입가심하다.

くちずっぱ-く【口酸っぱく】-zuppaku 連語 입이 닳도록.

くちぞえ【口添え】图ㅈ自 곁에서 말을 거듦 ; 조언(助言). ¶知人？の～で 아는 사람의 조언으로.

くちだし【口出し】图ㅈ自 참견. ¶余計？な～をするな 쓸데없는 말 참견을 마라.

くちだっしゃ【口達者】-dassha 图ダナ①말주변이 좋음 ; 또, 그 사람 ; 능변(가). ＝口？じょうず. ②수다스러움 ; 수다쟁이.

くちちゃ【口茶】-ja 图 다 우린 차에 새 차를 더 넣음 ; 또, 그렇게 넣은 차.

くちつき【口付き】图①입모습(모양). ②말하는 모습 ; 말투. ¶不満？そうな～ 불만스러운 듯한 말투.

くちつき【口付き】图①(궐련과 같이) 물부리가 달려 있음 ; 또, 그런 물건. ¶～巻？タバコ 물부리 달린 궐련 (담배). ②말구충 ; 마부. ＝口取？り.

くちづけ【口づけ・口付け】图ㅈ自 맞춤. ＝接吻？.

くちづたえ【口伝え】图ㅈ他①구전 ; 입에서 입으로 전하여 옮김. ＝くちづて. ②구수(口授) ; (비적(祕傳)을) 직접 말로 전하여 가르침.

ぐちっぽ-い【愚痴っぽい】【愚痴っぽい】-chippoi 圈 푸념이 많다 ; 잘 게정거리다.

くちどめ【口止め】图ㅈ自 입막음 ; 함구하게 함. ¶～料？ 입막음으로 주는 돈.

くちとり【口取り】图①(소나 말의) 고삐를 잡고 끎 ; 또, 그 사람 ; 말구종 ; 마부(馬夫). ②차를 마실 때 곁들여 내놓는 과자. ③달게 지진 생선 요리. ＝口取？りざかな.

くちなおし【口直し】图 입가심으로 음식을 먹음 ; 또, 그 음식.

くちなし【梔・梔子・山梔子】图【植】치자나무.

くちのは【口の端】图 말 끝 ; 입길. ¶世人？の～にのぼる 세상 사람의 입에 오르다 ; 소문나다. ──に掛？ける 늘 말

하다 ; 입(길)에 올리다 ; 평판하다.

くちば【朽(ち)葉】 名 썩은 낙엽. ¶
～色ネ 불그스름한 누른 색 ; 적갈색.

くちばし【嘴·喙】 名 부리 ; 주둥이.
━が黄色ネい 부리가 노랗다〈젊어서
미숙함의 비유〉 ; 또, 그런 사람을 욕하
는 말. ━を入ネれる 말참견하다.

くちばし-る【口走る】 5他 무의식중에
입밖에 내다 ; 엉겁결에〈마음에도 없는
말을〉 말하다.

くち-は-てる【朽(ち)果てる】 1自 완
전히 썩어 버리다 ; 전하여, 세상에 알
려지지 않은 채 보람없이 죽다. ¶世ポ
に知ェられずに～ 세상에 이름을 남기
지 못하고 헛되이 죽다.

くちばたーたい【口幅ったい】 -battai
形 입찬 소리를 하다 ; 건방지다 ; 큰소
리 치다. ¶できもしないくせに～こと
を言ェう 하지도 못하는 주제에 입찬소
리를 하다.

くちばや【口早·口速】 ダナ 빠른 말씨 ;
입이 잼. =早口ネネ.

くちび【口火】 名 〈화승총 따위를〉 점
화하는 데 쓰이는 불 ; 전하여, 기인(起
因) ; 도화선. ━を切ネる 도화선에 불
을 댕기다 ; 시작하다 ; 발단이 되다.

くちひげ【口髭】 名 콧수염.

くちびょうし【口拍子】 -byōshi 名 입으
로 장단을 맞춤 ; 또, 그 장단.

* **くちびる**【唇·脣】 名 입술. ¶花ネゲの
～ 미인의 입술 / ～を盗ネむ〈상대방의
뜻에 반하여〉 강제로 입맞추다. ━減ツ
ッて歯ェ寒ネし 순망치한(脣亡齒寒)
〈피차 돕는 터에 한 쪽이 망하면 다른
한 쪽도 위험하게 됨의 비유〉. ━を返ネ
ッす 험뜯다. ━をかむ 입술을 깨물다 ; 분함을 지그시 참다.

くちぶえ【口笛】 名 휘파람.

くちぶき【口吹き·口蒔き】 名 ①
〈'お～'의 꼴로〉 손님에게 내는 요리의
겸사말 ; 변변치 못한 음식 ; 약소한 음
식. =口ネよごし. ②입막음 ; 입씻이.
=口ネ止ェめ.

くちぶちょうほう【口不調法·口無調法】
-chōhō 名ダ 말주변이 없음. =口ネご
べた.

くちぶり【口振り·口振り】 名 어조 ; 말
투 ; 말씨. =ことばつき.

くちべた【口下手】 ダナ 말주변이 없
음 ; 말솜씨가 없음. ↔口上手ネゲ.

くちべに【口紅】 名 ①입술 연지. ¶
～を差ェす 입술 연지를 칠하다. ②〈도
자기의〉 테두리에만 홍색(紅色)칠을
함 ; 또, 그 붉은 색.

くちべらし【口減らし】 名ス自 〈생활비
를 줄이기 위해서〉 식구를 줄임.

くちへん【口偏】 名 한자 부수의 하나 :
입구변('味' '咲' 등의 'ロ'의 이름).

くちまかせ【口任せ】 名 입에서 나오는
대로 지껄임. ¶～にしゃべる 멋대로
지껄이다.

くちまね【口真ね】 名ス自他
입흉내.

くちまめ【口まめ·口忠実】 名ダ 잘
지껄임 ; 말이 많음 ; 또, 그런 사람. ¶
～な子ェ 수다스러운 아이.

くちもと【口もと·口元·口許】 名 ①입
가 ; 입언저리. ②입배 ; 입의 모양.

くちやかましーい【口やかましい】【口喧
しい】 -shī 形 ①말이 많아 시끄럽다.

②잔소리가 많다 ; 까다롭다.

くちゃくちゃ -chakucha 副 ダナ ①비벼
서 몹시 구겨진 모양 : 꾸깃꾸깃 ; 꾸깃
꾸깃. ¶着物ネゲが～になる 옷이 몹시
구겨지다. ②입속에서 소리를 내며 씹
는 모양 : 짜금짜금 ; 질겅질겅. ¶ガム
を～む 껌을 질겅질겅 씹다.

くちゅう【苦衷】 -chū 名 고충.

くちゅう【駆虫】 -chū 名ス自 구충. ¶
～剤ザ 구충제.

* **ちょう**【口調】 -chō 名 어조(語調).
¶演説ネゲ～ 연설조(調).

ぐちょく【愚直】 -choku 名ダナ 우직.

* **くちごし**【口汚し】 名 입맛이 적어
서 좀 부족함. ¶それだけでは～にし
かならない 그것만으로는 (적어서) 입
가심밖에 안 된다. ②맛있는 음식. ③
〈'お～'의 꼴로〉 손님에게 음식을 권할
때의 겸사의 말. 〔는〕무당.

くちよせ【口寄せ】 名 공수 ; 또, 공수하는.

-ちる【朽ちる】 1自 ①〈나무 따위가〉
썩다 ; 전하여, 〈명성 등이〉 쇠하여
헛되이 죽다. =산주る.

ぐち-る【愚痴る】 5自 〈俗〉 아무 소용
없는 말을 되뇌다 ; 쓸데없는 한탄을 되
풀이하다 ; 푸념하다. ¶「그런 사람.

くちわる【口悪】 名ダ 입이 걺.

ぐちん【具陳】 名ス他 구진 ; 자세히 진
술함. ¶意見ネンを～する 의견을 구진
하다.

* **くつ**【靴·履】 名 구두 ; 신발. ¶～
を履ェく 구두를 신다 ; 신을 신다.

くつう【苦痛】 -tsū 名 고통. ¶～を感
ッずる 고통을 느끼다.

* **つがえ-す**【覆す】 5他 뒤집(어엎)
다 ; 전복을 ~ 정권을 뒤집어엎다. ¶
政権ネンが～ 정권이 전복되다.

* **つがえ-る**【覆る】 5自 뒤집히다. ¶
政権ネンが～ 정권이 전복되다.

くっきょう【究竟】 kukkyō 名ダ ①필
경 ; 결국. ②매우 형편이 좋음. ¶～の
隠ネれ場所ネョ 안성맞춤의 은신처.

くっきょう【屈強】【窟強】 kukkyō 名ダ
①몸시 힘이 셈. ¶～な人ネト 아주 힘센
사람. ②쉽게 남에게 굴복하지 않음.

くっきょく【屈曲】 kukkyoku 名ス自
굴곡. =屈折ネツ.

くっきり kukkiri 副 또렷이 ; 선명하게.
¶富士山ネゲが～(と)浮ネぶ 富士山이
또렷이 나타나다.

クッキング kukkingu 名 쿠킹 ; 요리(料
理) ; 요리법. ¶～スクール 요리 학원.
▷cooking.

くっく kukkū 名 나오는 웃음을 참으
면서 내는 소리 : 킥킥 ; 킬킬.

くっし【屈指】 kusshi 名 굴지 ; 손꼽음.
¶～の金持ネち 손꼽는 부자.

* **くつした**【靴下】 名 양말. ¶～をはく
양말을 신다 / ～止ェめ 양말 대님.

くつじゅう【屈従】 -jū 名ス自 굴종.

くつじょく【屈辱】 -joku 名 굴욕.

ぐっしょり gusshō- 몹시 젖은 모양 :
함빡. =びっしょり. ¶服ネゲが～ぬれて
いる 옷이 함빡 젖어 있다.

クッション kusshon 名 쿠션. ①폭신
폭신한 방석 ; 쿠션. ②폭신폭신하고
탄력성이 있는 물건. ¶ワン-置ネく 무
리 없이 일이 잘 되도록 사이에 한 단

계를 두다. ②당구대의 고무를 댄 가장자리. 【スリー─ 스리쿠션.】 cushion.

くっしん【屈伸】kusshin 名スⓉ 굴신；굽힘과 폄. ¶～運動 굴신 운동.

くっしん【掘進】kusshin 名スⓉ 굴진；(지하를) 파들어감.

くづつみ【靴墨】名 구두약.

ぐったり gussu- 副 깊이 잠든 모양；푹. ¶疲れて～(と)眠る 피곤해서 푹 자다.

＊くっ-する【屈する】kussu- スⓋ自他 굽히다. ①(몸·허리 따위를) 구부리다；(무릎을) 꿇다；손꼽다. ¶身を～ (a)상반신을 앞으로 굽히다；(b)머리를 조아리다／ひざを～ 무릎을 꿇다. ②(의지·결심 따위를) 겪다；굴복시키다. ⓛ겪이다；굴복하다. ¶失敗に～ことなく 실패에 굴복하지 않고／敵の砲火に～せず進む 적의 포화를 무릅쓰고 나아가다.

くづすれ【靴擦れ】名 구두에 닿아서 까짐；또, 그 상처.

＊くせつ【屈折】kusse- 名スⓉ 굴절；휘어서 꺾임. ¶～率 굴절률／～語굴절어／～した道路 구불구불한 길.

＊くった【屈託】【屈托】kutta- 名スⓉ ①꺼림칙하게 여겨 걱정함；거북해함. ¶何事にも～もない人 (사소한 일에) 크게 신경을 쓰지 않는 사람. ②지쳐서 진력남；진절머리.

ぐったり gutta- 副 아주 녹초가 된 모양；느른한 모양. ¶暑さで～となる 더위로 녹초가 되다〔까라지다〕.

くっつ-く kuttsu- 五自 ①착 들러붙다；달라붙다. ②〈俗〉남녀가 정식 아닌 부부 관계를 맺다.

くっつ-ける kuttsu- 下Ⅰ他 (꼭) 붙이다；들러붙게 하다.

くってかか-る【食って掛かる】kutte- 五自 (사납게) 대들다；덤벼들다.

ぐっと gutto 副 ①힘을 주어 단숨에 하는 모양；쑥；꾹；콱. ¶綱を～引っ張る 밧줄을 힘껏 잡아당기다／～のみ込む 꿀떡 삼키다. ②한층；훨씬. ¶～引き立つ 훨씬 돋보이다. ③〈俗〉강한 감동을 받는 모양；뭉클. ¶～来る 강한 감동을 느끼다.

グッドナイト guddo- 感 굿나이트. ＝おやすみ. ✦good night.

グッドバイ guddo- 感 굿바이；안녕. ＝さようなら. ✦good-bye.

グッドモーニング guddo- 感 굿모닝. ＝おはよう. ✦good morning.

くつぬぎ【くつ脱ぎ】【沓脱ぎ】名 현관이나 마루 바깥에 신발을 벗는 곳；또, 그곳에 놓는 평평한 돌；섬돌；신발돌.

＊くっぷく【屈服】【屈伏】kuppu- 名スⓉ 굴복.

くつべら【靴べら】【靴篦】名 구둣주걱.

くつみがき【靴磨き】名 구두닦기(일·사람).

＊くつろ-ぐ【寛ぐ】五自 ①유유 자적하다；편안히 지내다〔쉬다〕. ¶温泉などで～ 온천에서 편안히 쉬다. ②격의의〔허물〕없이 대하다；마음을 터놓다. ¶～いだ集まり 허물 없는 모임.

くつわ【轡】名 재갈. ¶─を並べる ①

말머리를 나란히 하다. ②같이〔함께〕행동하다.

くつわむし【くつわ虫】【轡虫】名〔蟲〕 철써기〔'(‵。'〕.

くてん【句点】名 구점；종지부；마침표.

くでん【口伝】スⓉ 구전；구수(口授)；비전(祕傳). ¶～文学 구전 문학.

ぐでんぐでん 名《주로 'に'를 수반하여 副詞적으로》술에 잔뜩 취한 모양；곤드레만드레.

くど-い【諄い】形 ①지루할 정도로 장황하다；끈덕지다. ＝しつこい. ¶～男 끈덕진 남자／～話した 장황하고 지리한 얘기. ②(맛이) 느끼하다；(빛깔이) 칙칙하다. ¶～味だ 느끼한 맛.

くとうてん【句読点】kutō- 名 구두점；구점과 독점.

くど-く【口説く】五他 ①끈덕지게 설득〔하소연〕하다；중언 부언하다. ②불평을 늘어놓다；투덜거리다. ¶むすこの親不孝ぶりを～ 자식의 불효를 푸념하다.

くどく【功徳】名 공덕. ¶正直な～の～よい仕事にありつく 정직한 공덕으로 좋은 일자리를 만나다.

くどくど【諄諄】副 같은 말을 지루하게 되풀이하는 모양；한 말을 되고 되풀이하는 모양. ¶～いう 한 말을 되고 또 되다.

くどくど-い【諄諄しい】-shī 形 장황하다；번거롭다.

ぐどん【愚鈍】名形 우둔.

くないちょう【宮内庁】-chō 名 궁내청；황실에 관한 사무를 맡은 관청.

くなん【苦難】名 고난. ¶～に耐える 고난을 견디다.

＊くに【国】名 ①나라. ②(ク─を挙げて 거국적으로.) 옛날 일본의 행정 구획. ¶出雲の～の 出雲 지방. ③영지；임지(任地). ¶～表を 영지；영토. ④お─自慢ぢ 고향 자랑. ─破れて山河みあり 나라는 망했지만 산천은 예 모습 그대로다.

くにいり【国入り】【お─の御ゆ】名 ①〈お─の御ゆ〉금의 환향. ②영주(領主)가 자기의 영지로, 또는 무사가 주군의 영지로 감.

くにおもて【国表】名 (大名ゃの) 영지；임지(任地). ＝くにもと.

くにがまえ【国構え】名 한자 부수의 하나；에운 담('囲' '因' 따위의 '□'의 이름).

くにがら【国がら】【国柄】名 ①국체(國體). ②그 나라·지방의 특색.

くにく【苦肉】名 고육；적을 속이려고 자기 몸을 돌보지 않음. ─の策 고육지책.

くにことば【国ことば】【国言葉】名 ①지방 사투리；방언；지방 말. ②나라 말；국어.

くにざかい【国境】名 ①국경. ②지방과 지방과의 경계.

くにざむらい【国侍】名 (江戸ゑ) 근무의 무사에 대해서) 영지의 무사(武士)；지방〔시골〕무사. ＝田舎侍ぢつ.

くにじまん【国自慢】名 〈흔히 お～の御ゆ〉고향(향토) 자랑.

くにづめ【国詰(め)】名 江戸ゑ 시대에

제후(諸侯)가 자기 영지에 있는 일. ↔
江戸詰^{づめ}.

くになまり【国なまり】【国訛(り)】图
지방 사투리；시골말；방언.

くにぶり【国ぶり】【国振り・国風】图①
국풍；나라·지방의 풍습〔풍속〕. ②지
방마다의 민요.

くにもち【国持(ち)】图 (무가 시대에)
일국(一國) 이상을 영토로 갖는 일；
또, 그런 大名즈영주；大名즈영주.

くにもと【国もと・国元】【国許】图①출
생지；고향. ②영지(領地).

ぐにゃぐにゃ-nyagunya 副〔ダガ〕①저항
력·탄력이 없는 모양；누글누글；녹신
녹신. ¶鉄棒^{ぼう}が～と曲^まがる 철봉
이 느적느적 휘다. ②부드러워서 변형
되기 쉬운 모양；흐늘흐늘. ¶～のこん
にゃく 흐늘흐늘한 곤약. ③〔동작·태
도가〕무른 모양. ¶女^{おんな}の前^{まえ}では～
になる 여자 앞에서는 맥을 못 추다.

くぬぎ【椚・櫟】图〔植〕상수리나무〔열
매는 どんぐり〕.

くねくね 副①구부러진 모양；구불굴
불；구불텅구불텅. ¶～と曲^まがった
道^{みち} 구불구불 구부러진 길. ②교태를
지어 보이는 모양. ¶腰^{こし}を～させる
허리를 비비 꼬다.

くね-る【曲る】[5自]①휘어 구부러지
다；구불거리다. ¶曲^まった道^{みち}구불텅
한 길. ②(성격이) 비꼬이다；비뚤어지
다. ¶曲^まがり─った根性^{こんじょう} 비뚤어
진 근성.

クネンボ【九年母】-nembo 图〔植〕향
귤나무. ¶→힌두 kumla-nebu.

くのう【苦悩】-nō 图즈自 고뇌. ¶～
色^{いろ}고뇌의 빛.

くはい【苦杯】【苦盃】图 고배. ━を喫
^{きっ}する〔なめる〕고배를 마시다.

**くば-る【配る】[5他]①나누어주다；도
르다. ¶慰問品^{いもんひん}を～ 위문품을 나누
어주다 / 新聞^{しんぶん}を～ 신문을 도르다.
②고루고루 미치게 하다. ¶気^きを～
배려(하다)하다 / 目^めを～ 살펴 보다；
두루 살피다. ③배치하다.

ぐはん【具犯】【虞犯】图우범；죄를 범
할 우려가 있음. ¶～少年^{しょうねん}우범소
년.

くひ【句碑】图 俳句^{はいく}를 새긴 비；시
비(詩碑).

**くび【首】【頸】图목. ①〔頸〕모가지.
¶～をくくる 목을 매다. ②〔頸〕목 비슷
한 부분. ¶德利^{とっくり}の～ 술병의의 목 /
～ 발목 / 手^て～ 손목. ③목에서부터
위의 부분；머리. ━をあたる. =━を
しげる 고개를 갸웃하다；미심쩍게 여
기다. ━を切^きる ①해고；면직. ②～になる 해고
되다. ━がつながる 해고〔参수(斬
首)〕를 면하다. ━が飛^とぶ 목이 잘리
다 ①참수되다. ②해고당하다. ━が
回^{まわ}らない 빚이 많아 옴짝 못 하다.
━にする ①인형극이 끝나 인형의 목
을 떼다. ②해고하다. ━を切^きる ①목
을 자르다. ②해고하다. ━を突^つっこ
む①한다리 끼다；한패가 되다. ②〔필
요 이상의〕관여하다. ━を長^{なが}くす
る 몹시 기다려지는 모양. ¶～を長^{なが}
くして待^まつ 학수 고대하다. ━をひ
ねる ①궁리하다. ②의아해하다；못마
땅해하다.

ぐび【具備】图즈自他 구비；갖춤.

くびかざり【首飾(り)】【頸飾(り)】图
목걸이.

くびかせ【首かせ】【首枷・頸枷】图①
항쇄(項鎖)；칼. ②자유를 속박하는
것；거추장스러운 것. ¶子^こは三界^{さんがい}
の～ 자식은 삼계의 애물.

くびき【頸木・軛】图 멍에.

くびきり【首切(り)】【首斬(り)】图
즈他①참수(斬首)함；또, 참수하는 사
람；망나니. ②〔俗〕면직；면관；해고.
¶～騒^{さわ}ぎ 해고〔감원〕소동.

くびじっけん【首実検】-jikken 图즈他
①직접 만나 본인 여부를 확인함. ②옛
날, 싸움터에서 적의 수급(首級)의 신
위(眞僞)를 확인하던 일.

ぐびじんそう【虞美人草】-sō 图〔植〕
우미인초；양귀비. =ヒナゲシ.

くびす【踵】图〔雅〕뒤꿈치. =きび
す. ━を返^{かえ}す 되돌아가다. ━を接
^{せっ}する 사람이 줄지어 잇따르다. ━を
めぐらす. =きびす.

くびすじ【首筋】【頸筋】图 목덜미. =
えりくび.

くびったけ【首っ丈】【頸っ丈】-bittake
图ダナ①홀딱 반함. =くびだけ.
¶たばこ屋^やの娘^{むすめ}に～になる 담뱃가
게 아가씨에게 홀딱 반하다.

くびったま【首っ玉】【頸っ玉】-bittama
图〔俗〕목；모가지. ¶～にしがみつく
목에 매달리다.

くびっぴき【首っ引き】【頸っ引き】-bip-
piki 图즈自①남을 옆에 놓고 참조하
는 일. ¶辞書^{じしょ}と～で読^よむ 사전을
노상 참고하며 읽다.

くびつり【首吊り】【頸吊り】□图즈自
목매달아 죽는 사람；또, 그 사람. □图
〔俗〕기성복(既成服).

くび-る【絞る・縊る】[5他]목 졸라 죽
이다；교살하다；교수형에 처하다. =
しめ殺(す.

くび-れる【括れる】[下1自]잘록해지
다. ¶腰^{こし}が～れている 허리가 잘록
하다〔가늘다〕. =括れ자.

くび-れる【縊れる】[下1自]목매어 죽
다.

くびわ【首輪】【首環・頸輪】图①목걸
이；네클리스. ②개목걸이.

**くふう【工夫】-fū 图즈他 여러 가지
로 궁리함；고안함. ¶～をこらす 머리
를 짜다.

くぶくりん【九分九厘】图 구분 구리；
99 프로；거의. ¶～まちがいない 거의
틀림없다. [参考]副詞적으로도 씀.

くぶどおり【九分通り】-dōri 图副 십중
구；거의 전부.

くぶん【区分】图즈他 구분.

**くべつ【区別】图즈他 구별. ¶だれか
れの～なく 누구누구의 구별 없이；누
구랄 것 없이.

く-べる【焼べる】[下1他]（장작 따위
를）지피다. ¶まきを火^ひに～ 장작불을
지피다 / 石炭^{せきたん}を～ 석탄을 때다.

くほう【句法】-hō 图 구법；시문·俳
句^{はいく}를 짓는 법.

くぼう【公方】-bō 图①공사(公事)；
おおやけ. ②조정(朝廷). ③幕府^{ばくふ}；
将軍家^{しょうぐんけ}(집안).

くぼみ【窪み・凹み】图①움폭 팸；그
정도. ¶～がひどい 몹시 패였다. ②
움폭한 곳. ¶～に落^おちる 구덩이에
빠지다.

くぼ-む【窪む・凹む】[5自] 우묵하게 들어가다 ; 움패다. ¶地盤 $\frac{}{}$ が~ 지반 이 움푹 패어 들어가다 / 寝不足 $\frac{}{}$ で 眼 $\frac{}{}$ が~ 잠이 모자라 눈이 쑥 들어가 다.

くま【熊】[名][動] 곰.

くま【隈】[名][雅] ①구석지고 으슥한 곳. ②짙은 색과 연한 색이 점차로 바림되는 부분. ③「くまどり」의 준말. ④과·과 음(過淫)으로 눈가에 생기는 검은 기미. ¶目 $\frac{}{}$ に~ができる 눈가장자리가 거뭇해지다. [注意]①은 '曲', ④는 '暈' 로도 씀.

くまい【供米】[名][佛] 공양미.

くまい【愚昧】[名ナ] 우매.

くまぐま【隈隈】[名][雅] 구석구석. = すみずみ.

くまこうはちこう [熊公八公] ─kōha-chikō [名] (서민적이고) 무식하나 착한 사람.

くまざさ【隈笹・熊笹】[名][植] 얼룩조릿대.

くまそ【熊襲】[名] 옛날에, 薩摩 $\frac{}{}$ ·大隅 $\frac{}{}$ ·日向 $\frac{}{}$ 지방에 살던 부족 이름.

くまで【熊手】[名] 갈퀴. ①곡식·낙엽 등을 긁어 모으는 (대)갈퀴. ②酉の市 $\frac{}{}$ (=11월 유일(酉日)의 鷲 $\frac{}{}$ 신사(神社)에서 행하는 축제)에 파 는, 복을 긁어 모은다는 복갈퀴. ③무기로서의 쇠갈퀴.

くまどり【隈取り】[名ス他] ①歌舞伎 $\frac{}{}$ 에서 배우의 얼굴 표정을 분장할 때 청색·홍색의 선을 그림 ; 또, 그 무늬. =くま. ②동양화(畵)에서 원근·요철(遠近·凹凸)을 나타내기 위하여 색을 바림하는 일 ; 또, 그렇게 한 곳. =ぼかし.

くまなく【隈無く】[連語] ①(그늘·흐림이 없이) 분명히 ; 뚜렷하게. ¶~照 $\frac{}{}$ らす月影 $\frac{}{}$ 흐림 한점의 흐린 데도 없이 비치는 달빛. ②구석구석까지 ; 빠짐없이. ¶~捜 $\frac{}{}$ す 구석구석 남김 없이 찾다 ; 샅샅이 뒤지다.

くまばち【熊蜂】[名][蟲] 어리호박벌.

くまんばち【熊ん蜂・雀蜂・胡蜂】ku-manba― [名][蟲] 말벌.

くみ【組】[名]①[工] ①班(반) ; 학급(學級). ¶~長 $\frac{}{}$ 조장 ; 반장. ②한 패의 사람들 ; 패. ¶落第 $\frac{}{}$ 組 $\frac{}{}$ 낙제생 패.

くみ【組】[名]①[工] ①세트 ; 쌍 ; 짝. ¶コーヒー器具 $\frac{}{}$ の一~ 커피 기구의 한 세트. ②[印] 조판(組版). ¶~に回 $\frac{}{}$ す 조판에 돌리다. ③일부 건설 회사·소방단(消防団)·폭력단 따위의 조직명으로서의 일컬음.

ぐみ【茱萸・胡頽子】[名][植] 수유나무.

くみあい【組合】[名] ①조합. ¶協同 $\frac{}{}$ ~ 협동 조합. ②특히, 노동 조합. ¶~運動 $\frac{}{}$ 노동 조합 운동 / 一員 $\frac{}{}$ 노 동 조합원.

くみあい【組(み)合い】[名] 맞붙어 싸움.

くみあ-う【組(み)合う】[5自] ①짝이 되다 ; 편을 짜다 ; 한 패가 되다. ②맞붙어 싸우다.

くみあ-げる【くみ上げる】【汲み上げる】[下1他] 퍼 올리다. ¶水 $\frac{}{}$ を~ 물을 퍼 올리다.

くみあ-げる【組(み)上げる】[下1他] ①짜서(쌓아) 올리다. ¶天守閣 $\frac{}{}$ を~ 성루(城樓)를 쌓아 올리다. ②다 짜다.

くみあわ-す【組(み)合す】[5他] くみあわせる.

くみあわせ【組(み)合わせ・組合せ】[名] ①짜맞춤 ; 편성 ; 한 벌. ¶試合 $\frac{}{}$ の~ 경기의 대전 편성. ②[數] 조합.

くみあわ-せる【組(み)合わせる・組合せる】[下1他] 짜맞추다 ; 편성하다 ; 짝을 짓다.

くみいれ【組(み)入れ】[名] ①짜서 집어 넣음 ; 짜 넣음. ②크기 차례로 넣게 만듦 ; 또, 그렇게 만든 기물(器物). =いれこ.

くみい-れる【くみ入れる】【汲み入れる】[下1他] ①퍼 넣다. ②참작하다. ¶家庭事情 $\frac{}{}$ を~れて 가정 사정을 참작하여.

くみい-れる【組(み)入れる】[下1他] (어떤 조직의) 일부로서 집어 넣다 ; 편입하다. ¶A組 $\frac{}{}$ に～ A조에 편입시키다.

くみうち【組(み)討ち・組討ち・組(み)打ち】[名ス自] 맞붙어 싸움 ; 격투. ¶互 $\frac{}{}$ いに～(を)する 서로 맞붙어 싸우다.

くみか-える【組(み)替える】[下1他] 다시 짜다. ¶試合日程 $\frac{}{}$ を~ 경기 일정을 다시 짜다.

くみかわ-す【酌み交わす】[5他] 술잔을 주고받다 ; 대작하다.

くみきょく【組曲】─kyoku [名][樂] 조곡 ; 모음곡. ¶バレー～ 발레 모음곡.

くみこ-む【組(み)込む】[5他] ①짜넣다. ¶接待費 $\frac{}{}$ を予算 $\frac{}{}$ に～ 접대비를 예산에 짜 넣다. ②한패에 넣다 ; 편입하다.

くみし-く【組(み)敷く】[5他] 싸움 상대를 밑에 깔고 누르다.

くみしやす-い【与し易い・組し易い】[形] 상대하기(다루기) 쉽다 ; 만만하다.

くみじゅう【組(み)重】─jū [名] 여러 층으로 된 찬합. =かさねじゅう.

くみ-する【与する・組する】[サ変自] ①한 패가 되다 ; 가담하다 ; 편들다. ¶悪事 $\frac{}{}$ に～ 나쁜 일에 가담하다. ②찬성하다. ¶その意見 $\frac{}{}$ に～ 그 의견에 찬성하다.

くみだ-す【組(み)出す】【汲(み)出す】[5他] ①퍼 내다 ; 길어 내다. ②짜기(긴기) 시작하다.

くみたて【組(み)立て・組立】[名] ①조립(법). ¶~式住宅 $\frac{}{}$ 조립식 주택. ②조립물 ; 구조 ; 조직. ¶文章 $\frac{}{}$ の~ 문장의 구성. ③[組みたて] 갓 조립한 것.

くみた-てる【組(み)立てる】[下1他] ①조립하다. ¶ラジオを～ 라디오를 조립하다. ②조직하다.

くみちょう【組長】─chō [名] 조장 ; 반장.

くみつ-く【組みつく・組み付く】[5自] 맞붙다 ; 달라붙다. ¶いくら殴 $\frac{}{}$ られても～いて離 $\frac{}{}$ れない 아무리 맞아도 달라붙어서 떨어지지 않다.

くみとり【組取り】【汲取(り)】[名ス他] ①퍼 냄 ; 길어 냄. ②변소 치기 ; 변소 치는 사람. ¶~口 $\frac{}{}$ 변소 치는 구멍.

くみと-る【くみ取る】【汲(み)取る】

くよさん を～ 예산안을 다 짜다.

미원승이.

くみはん【組(み)版】 图【印】조판함;
조판한 판.

くみふせる【組(み)伏せる】下一他 맞
붙어 상대를 깔아 눕히다. ¶敵ᵍを~
적을 맞붙어 넘어뜨려 누르다.

くみほす【汲み干す・汲み乾す】
图뭉땅 퍼 내다(길어 내다).

くみわける【汲み分ける・汲み分け
る】下一他 ①몇 번에 나누어 푸다. ②
퍼서 나누다. ③참작하다;이해하다;
추측하다.

ぐみん【愚民】 图 우민;어리석은 백
성. ¶~政策ᵏᵃᵏᵘ 우민 정책.

＊く・む【汲む】 五他 푸다;퍼 올리다. ¶
水ᵐᶦᶻᵘを~ 물을 푸다.

＊く・む【酌む】 五他 ①(술 따위를 그릇
에) 따라서 마시다. ¶酒ᵃᵏᵉを~み交ᵏᵃwᵃ
わす 술을 서로 나누다. ②추측하다.
(딱한 사정을) 참작하다. ¶事情ᵍᵃ̃を
~ 사정을 참작하다.

＊く・む【組む】 自五他 ①엇걸다. ¶끼
¶腕ᵘᵈᵉを~ 팔짱을 끼다 / 手ᵗᵉを~
손을 깍지끼다 / 肩ᵏᵃᵗᵃを~ 어깨동무하
다. 肩組ᵏᵃᵗᵃを~ (a)책상다리하
고 편히 앉다;가부좌하다. (b)다리를
꼬고 앉다;(c)좌선ᶻᵃᶻᵉⁿ하다. ②짜맞추
다. ②짜맞추다. ¶やぐらを~ 망대
(望臺)를 세우다 / 活字ᵏᵃᵗˢᵘを~ 조판
(組版)하다. ③조직ᵗˢᵘᵏᵘᵣᵘ하다;편성하다. ¶徒
党ᵗᵒᵗᵒᵘを~ 도당을 짜다. 自五①짝이
되다;한 패가 되다. ¶彼ᵏᵃᵣᵉと~んで
仕事ᵍᵒᵗᵒをする 그와 한 패가 되어 일을
(싸우다). ②맞붙다;팔을 맞잡고 씨름하
다. ¶二ᶠᵘᵗᵃつ~つに~る 서로 양팔로 맞잡고 씨름하다.

‐ぐ・む《名詞에 붙어서, 五段活用의 自
動詞를 만듦》…하려고 하다;…하기
시작하다. ¶涙ⁿᵃᵐᶦᵈᵃを~ 눈물이 글썽글썽
해지다 / 芽ᵐᵉを~ 싹트기 시작하다.

くめん【工面】 图 图 Ⅹ他 (돈) 마련.
¶~がつく (돈) 마련이 되다. ¶~てや
머니 형편. ¶~が良ᵒよくなる 주머니
사정(살림)이 좋아지다.

＊くも【雲】 图①구름. ¶花ᵇᵃⁿᵃの~ 온통
꽃으로 뒤덮인 봄의 풍경. ②높은 곳;
높은 하늘. ¶の上ᵘᵉ 궁중(宮中).
―をかすみと 재빨리 도망가서 모습이
보이지 않게 되는 모양. **―をつかむ** 구
름을 잡는 모양;분명치 않아 붙잡을 곳
이 없는 모양. **―を突ᵗˢᵘくばかり** 매우
키가 큰 모양.

くも【蜘蛛】 图【動】거미. ¶~の巣ˢᵘ
거미집. ¶~の子ᵏᵒを散ᶜʰⁱらすよう 많은
사람이 일시에 사방으로 흩어져 달아
나는 모양.

くもあし【雲足・雲脚】 图①구름의 움
직임. ¶~が速ʰᵃᵞᵃᶦ 구름의 움직임이
빠르다. ②운각·탁자 따위의 운형
(雲形)으로 구부러지게 장식하여 만든
다리.

くもがくれ【雲隠れ】 图 Ⅹ自①〈雅〉
(달이) 구름에 가려짐. ②자취를 감춤;
도망침.

くもがた【雲形】 图 운형;구름 모양
(의 무늬 조각). ¶~定規ᵈᵉᶠⁱᵍ 운형자.

くもざる【くも猿・蜘蛛猿】 图【動】거

──(우측 컬럼)──

미원승이.

くもじ【雲路】 图〈雅〉구름길;새가 나
는 하늘길;구름이 가는 곳. ¶~の
果ʰᵃᵗᵉて 하늘 끝.

くもすけ【雲助・蜘蛛助・雲介・蜘蛛助】 图 江
戸ᵉᵈᵒ시대에 역참(驛站)을 중심으로 일
하던 뜨내기 교군군[인부](주소 부정
의 부랑자). ¶~根性ᵏᵒⁿʲᵒᵘ 남의 약점을
잡아 등쳐 먹는 비열한 근성.

くもつ【供物】 图 (신불에의) 공양물
(供養物). **＝おそなえ**.

くもなく【苦も無く】 連語 힘 안 들이
고;용이하게. 용이하게.

くものうえ【雲の上】 連語①구름 위.
②〈雅〉궁중(宮中). ¶~人ᵇᶦᵗᵒ (a)궁중
사람; (b)당상관(堂上官).

くま【雲間】 图①구름 사이. **＝晴ʰᵃᵣᵉ**
間ᵐᵃ. ¶~から日ʰᶦがさす 구름 사이
로 해가 비치다.

くもゆき【雲行き】 图 구름이 움직이는
모양;사태가 되어 가는 형세. **―が怪**
あやしい ①날씨가 수상하다. ②형세가
불온하다.

くもらす【曇らす】 五他①흐리게 하
다. ②분명하게 하다. ¶声ᵏᵒᵉを~ 말
을 불분명하게 하다;울먹이며 말하다.
③슬픈〔근심스러운〕표정(말)을 하다.
¶顔ᵏᵃᵒを~ 어두운 표정을 짓다.

＊くもり【曇(り)】 图①흐림. ¶晴ʰᵃᵣᵉの
ち~ 맑은 후 흐림. ②어두움;불투명.
¶心ᶜᵒᵏᵒᵣᵒの~ 마음의 우울함 / ~なき身
ᵐᶦ / ~なき世ᵘᵏᶦᵧᵒ 밝은 세상.

＊く・もる【曇る】 自五①흐리다;흐려지
다. ¶湯気ᵘᵏᵉでガラスが~ 김으로 유리
가 흐려지다. ②(마음이) 어두워지다;
우울해지다. ¶顔ᵏᵃᵒが~ 얼굴빛이 어두
워지다. ③불투명하다;분명치 않은 소리를
내다. ¶声ᵏᵒᵉが~ 울먹이며 말하다.

くもん【苦悶】 图 Ⅹ自 고민;괴로움.

ぐもん【愚問】 图 우문. **＝愚答ᵍᵘᵗᵒᵘ**;우
문 우답.

くやくしょ【区役所】 -sho 图 구청.

＊くやし‐い【悔しい】(口惜しい) -shī 形
분하다. ¶人ʰᶦᵗᵒからなぐられて~ 남에
게 얻어맞아 분하다.

くやし‐がる【悔しがる】(口惜しがる)
五他 분해하다.

くやしなき【悔し泣き】(口惜し泣き)图
Ⅹ自 분해서 욺. ¶~に泣ⁿᵃくᵏᵘ 분함을
못 이겨 욺.

くやしなみだ【悔し涙】(口惜し涙) 图
분해서 흘리는 눈물.

くやしまぎれ【悔し紛れ】(口惜し紛れ)
图 ダナ 분한 김. ¶홧김.

くやみ【悔(やみ)】图①뉘우침;후회.
②문상;조상(弔喪)(하는 말). ¶~言
ᵍᵒᵗᵒ조상(문상)하는 말 / お~に行ⁱくᵘ 문
상하러 가다.

＊くや・む【悔(や)む】 五他①후회하다;
애석하게〔원통하게〕여기다. ②조상하
다;애도하다.

ぐゆう【具有】 -yū 图 Ⅹ他 구유;갖추
어 있음.

くゆ‐らす【燻らす】 五他 (천천히) 연
기를 피우다. ¶葉巻ʰᵃᵐᵃᵏᶦを~ 여송연을
천천히 피우다.

くよう【供養】 -yō 图 Ⅹ他 공양. ¶遭
難者ˢᵒᵘⁿᵃⁿˢʰᵃを~する 조난자를 공양하고
명복을 빈다.

くよくよ 副 사소한 일을 늘 걱정하는

모양 : 고시랑고시랑 ; 꿍꿍. ¶いまさら～しても仕方しかたがない 이제 와서 꿍꿍 앓아도 별 도리가 없다.
くら【倉·蔵】(庫) 名 곳간(間) ; 곳집 ; 창고. ¶酒さかぐら 술곳간. **―が建たつ** 큰 부자(富者)가 되다.
くら〖鞍〗名 안장.
-くら〖競〗…겨루기 ; …내기. ¶押おし～ 밀쳐내기《놀이의 하나》/ かけっ～ 달리기 (경쟁).

く

****くら-い**【暗い】形 어둡다. ①밝지 않다. ¶日ひが落おちて～·くなる 해가 져서 어두워지다. ②희망이 없다. ¶前途ぜんとが～ 장래가 어둡다. ③명랑하지 않다 ; 우울하다 ; 음침하다. ¶～性格せいかくの男おとこ 성격이 어두운 사나이 / ～音楽おんがく 우울한 음악. ④물정·사정을 잘 모르다. ¶世間せけんに～ 세상 물정에 어둡다. ⑤칙칙하다. ¶～色いろ 칙칙한 빛깔. ⇔明あかるい.
****くらい**【位】㊀名 ①지위 ; 계급. ¶大臣だいじんの～ 대신〔장관〕의 지위 / ～が高たかい 지위가 높다. ②품격 ; 품위 ; 관록. ¶～高たかい芸術品げいじゅつひん 품격 높은 예술품 / 大臣だいじんとしての～がつく 대신으로서의 관록이 붙다. ③숫자의 자릿수. ¶千せんの～ 천의 자리. ㊁名 副助 ①정도 ; 만큼 ; 쯤. =程ほど. ¶ネコの額ひたい～の広ひろさ 고양이 이마 정도의〔손바닥 만한〕넓이 / 百人ひゃくにん～集あつまる 백명 가량 모이다 / どれ～あげようか 얼만큼 드릴까 / その～は何なんでもない 그 정도는 아무것도 아니다 / ビール～はのむさ 맥주쯤은 마시지 / 大おおきすぎる～のほうがいい (오히려) 클 정도의 것이 좋다 / 途中とちゅうでやめる～なら,やらない方ほうがましだ 중도에서 그만둘 정도라면 (차라리) 안 하는 편이 낫다. ②《'ない'를 수반하여》…만큼 …한 것은 없다. ¶今日きょう～忙いそがしい日ひはなかった 오늘만큼 바쁜 날은 없었다.
ぐらい〖位〗名 副助 ☞くらい(位)㊁.
くらい-する【位する】サ変自 지위·장소를 차지하다 ; 위치하다. ¶東北方とうほくほうに～ 동북쪽에 위치하다.
グライダー 名 글라이더. ▷glider.
くらいどり【位取(り)】名 수(數)의 자릿수를 정함 ; 또, 그 정하는 방법.
くらいまけ【位負け】名 ス自 ①실력 이상의 지위에 있기 때문에 오히려 그 사람에게 불리함. ②상대방의 지위·품위에 압도됨.
クライマックス -makkusu 名 클라이맥스 ; 최고조 ; 정점. ▷climax.
くらいれ【蔵入れ·倉入れ】(庫入れ) 名 ス他 곳간에 넣음 ; 입고(入庫). ↔蔵出くらだし.
グラインダー 名 그라인더 ; 원형 연마반(研磨盤). ▷grinder.
くら-う【食らう】(喰らう) 5他 〈俗〉 ①먹다 ; 마시다. ¶飯めしを～ 밥을 먹다. ②입다 ; 당하다. ¶お目玉めだまを～ 꾸지람을 듣다 / びんたを～ 따귀를 맞다.
グラウンド 名 그라운드 ; 운동장 ; 경기장. ¶ホーム～ 홈 그라운드. ▷ground.
くらがえ【くら替え】(鞍替え) 名 ス自 전직(轉職) ; 전업(轉業) ; 전신(轉身). ¶右派うはから左派さはに～する 우파에서 좌파로 전신하다.
くらがり【くらがり·暗がり】名 ①어두운 곳 ; 또, 어두움. ¶～で見みえない 어두워서 안 보이다 / 四十よんじゅう～ 나이 40이 되면 잘 보이지 않는 현상. ②남의 눈에 띄지 않음.
くらく【苦楽】名 고락. ¶～を共ともにする 고락을 같이하다.
クラクション -shon 名 클랙슨 ; 자동차의 경적(警笛). ▷klaxon.
くらくら 副 ①현기증이 나는 모양 : 어찔어찔. ¶頭あたまが～する 머리가 어찔어찔하다. ②물이 끓어 오르는 모양 : 부글부글. ¶お湯ゆが～と煮にえたぎる 물이 부글부글 끓어 오르다.
ぐらぐら 副 ①크게 흔들려 움직이는 모양 : 흔들흔들 ; 근들근들. ¶建物たてものが～と揺ゆれる 건물이 근들근들 흔들리다. ②물이 몹시 끓어 오르는 모양 : 버글버글 ; 부글부글('くらくら' ②보다 정도가 심한 모양). ¶湯ゆが～と沸わき立たつ 물이 버글버글 끓어 오르다.
くらげ〖水母·海月〗名 ①〔動〕해파리. ②줏대가 없는 사람의 비유 ; 무골충.
***くらし**【暮(ら)し】名 살림. ①생계. ¶その日ひ暮ぐらし 그 날 벌어 그 날 삶 ; 하루살이 (인생) / ～が立たたない 생활이 안 되다. ②일상 생활. ¶平凡へいぼんな～ 평범한 생활. 「▷gladiolus.
グラジオラス 名〔植〕글라디올러스.
くらしきりょう【倉敷料】-ryō 名 창고료 ; 창고 보관료.
クラシック -shikku 클래식. ㊀名 고전 ; 고전적인 작품 ; 또, 고전 음악. ㊁ダナ 고전적. ¶～バレー 클래식 발레 ; 고전 무용. ▷classic.
くらしむき【暮(ら)し向き】名 살림살이. ¶～が楽らくではない 살림살이가 넉넉하지는 못하다.
***くら-す**【暮(ら)す】㊀ 5他 ①하루를 보내다. ¶春日はるびを～ 봄날을 보내다. ②살다 ; 세월을 보내다. ¶幸しあわせに～ 행복하게 살다. ㊁ 5自 살아가다 ; 지내다. ¶安月給やすげっきゅうでは～·していけない 싼 월급으로는 살아갈 수 없다.
***クラス** 名 클래스. ①학급. ②등급 ; 계급. ▷class. **――メート** 名 클래스메이트 ; 동급생 ; 급우(級友). ▷classmate.
グラス 名 ①글라스 ; 유리컵 ; 양주 잔. ▷glass. ②글라스 ; 안경 ; 쌍안경. =めがね. ¶サン～ 선글라스. ▷glasses. **――ファイバー** -faibā 名 글라스 파이버 ; 유리 섬유. ▷glass fiber.
くらだし【蔵出し·倉出し】(庫出し) 名 ス他 출고. ¶～伝票でんぴょう 출고 전표 / ～税ぜい 출고세. ↔蔵入くらいれ.
クラッカー -rakkā 名 크래커. ①가볍고 짭짤한 비스킷. ②끈을 잡아당기면 폭음을 내면서 장난감이 튀어나오게 된 딱총. ▷cracker.
ぐらつ-く 5自 흔들리다 ; 흔들흔들하다. ¶歯はが～ 이가 흔들거리다 / 身代しんだいが～ 재산이〔지위가〕흔들리다 / 足あしが～ 다리가 휘청거리다.
クラッチ -ratchi 名 클러치 ; 연축기(連軸器) ; 연동기(連動器). ▷crutch.
ぐらっと -ratto 副 갑자기 크게 흔들리

くらつぼ【鞍壺】图 안장의 걸터앉는 데.

くらばらい【蔵払い】图 재고품 정리를 위한 염가 대매출. =くらざらえ.

グラビア图【印】그라비아;사진 요판(凹版). ▷프 gravure.

クラブ【倶楽部】图 클럽. ①공통의 목적을 가진 사람들이 모인 단체;또, 그 집합 장소;구락부. ¶~活動(*활동) 활동. ②트럼프의 검은 클로버 잎(♣)이 그려져 있는 카드. ③골프채. ▷club.

***グラフ**图 그래프. ①도표(圖表). ②사진을 주로 한 잡지;화보. ▷graph.

グラフィック-fikku 图 그래픽;사진·그림을 주로 한 신문·잡지 따위 출판물;(사진) 화보(畫報). ¶~デザイン 그래픽 디자인;상업 디자인. ▷graphic.

くらべ【比べ】(競べ・較べ)图 비교;경쟁. ¶かけ~ 경주/せい~ 키 재보기.

くらべもの【比べ物】(競べ物・較べ物)图 「~にならない」비교가 안 되다.

＊くらべる【比べる】(較べる)下1他 ①(校べる) 비교하다;대조하다. ¶翻訳(**)を原文(**)と~ 번역을 원문과 대조하다. ②(競べる) 겨루(게 하)다. ¶根気(**)を~ 끈기를 겨루다.

グラマー图 글래머;성적인 매력이 있는 여성(「グラマーガール」의 준말). ▷grammar.

グラマー图 문법(책). ▷grammar.

くらまい【蔵米】图 江戸(**) 시대에, 幕府(**)의 浅草(***)의 미곡 창고나 각 영주(領主)의 창고에 저장한 쌀.

くらます【暗ます・晦ます・眩ます】5他 ①(모습을) 감추다. ¶姿(**)を~ 자취를 감추다/行方(*)を~ 행방을 감추다. ②속이다. ¶人(*)の目(*)を~して逃げる 남의 눈을 속이고 도망치다.

くらむ【眩む】5自 ①눈이 아찔하다;(욕심 따위로) 눈이 어두워지다. ¶金(*)に目(*)が~ 돈에 눈이 어두워지다.

くらむ【暗む】5自 어두워지다.

グラム【瓦】图 (미터법의) 그램. ¶分子~ 그램 분자. ▷프 gramme.

くらやしき【蔵屋敷】图 江戸(**) 시대에, 영주(領主)가 江戸(*)나 大阪(***)에 설치한 창고 딸린 저택.

***くらやみ【暗やみ】(暗闇)**图 ①어둠;어두운 곳(**). ¶停電(**)で~になる 정전으로 캄캄해지다. ②사람 눈에 띄지 않는 곳. ¶~に葬(**)る 어둠 속에 파묻다;흐지부지해 버리다.

ぐらりと副 흔들리는 모양;기우는 모양. ¶~傾(**)く 기우뚱.

クラリネット-netto 图【樂】클라리넷. ▷clarinet.

くらわす【食らわす】(喰らわす)5他 ①(俗) 먹이다. ¶子供(**)に菓子を~ 아이에게 과자를 먹이다. ②(주먹을) 먹이다;때리다. ¶一発(**)~ 한대(한방) 먹이다.

くらわたし【蔵渡し】(倉庫渡し)图区他 창고도(倉庫渡). ¶상품을 창고에서 넘겨 주는 일. ¶~値段(**) 창고도 가격.

クランク图 크랭크. ①왕복 운동을 회전 운동으로 (또, 그 반대로) 전환시키는 장치. ②영화 촬영기의 핸들. ¶~イン 크랭크인;촬영 개시. ▷crank.

グランド-그랜드. ①대형의. ¶~ピアノ 그랜드 피아노. ②장대한;정식의. ¶~オペラ 그랜드 오페라. ▷grand.

グランプリ-rampuri 图 그랑프리; 대상(大賞);최우수상. ▷프 grand prix.

くり【栗】图【植】밤나무;밤. ②밤색;고동색. =くりいろ.

くり【庫裏】(庫裡)图 ①절의 부엌. ②주지나 그 가족의 거실. ↔本堂(**)

＊くりあ-げる【繰(り)上げる】下1他 ①(예정보다) 앞당기다;(차례보다) 앞으로(위로) 올리다. ¶期日(**)を~ 기일을 앞당기다/次点(**)の者(*)を~げて当選(**)にする 차점자를 끌어 올려서 당선으로 하다. ↔繰り下(*)げる.

くりあわ-せる【繰り合(わ)せる・繰合せる】下1他 이리저리 변통하다;둘러대다. ¶仕事(**)を~・せて暇(**)をつくる 일을 잘 둘러대어 틈을 내다.

クリーク크리크. ①작은 내;샛강. ②후미;「~入(*)り江(*). ▷creek.

クリーナー图 클리너;청소기;세제(洗劑). ¶エア~ 에어 클리너. ▷cleaner.

***クリーニング**图 클리닝. ①서양식 세탁. ②드라이클리닝(=드라이클리닝)'의 준말. ▷cleaning.

***クリーム**图 크림. ①우유로 만든 식품. ¶~スープ 크림수프 / シュー~ 슈크림. ②(화장품의 하나). ③크림빛;엷은 황색. ¶~色(**). ④구두약. ⑤アイスクリーム(=아이스크림)'의 준말. ▷cream.

くりい-れる【繰(り)入れる】下1他 ①차례대로 끌어넣다. ¶釣糸(**)を~ 낚싯줄을 당겨 들이다. ②편입하다;이월(移越)하다. ¶残額(**)を来年度の会計(**)に~ 잔액을 내년도 회계에 이월하다.

クリーン图 클린;청결함. ②동작·행동 따위가 멋지고 훌륭함. ¶~ヒット 클린 히트. ▷clean. ——アップ-appu 图【野】클린업;주자 걸쳐 (走者~) 있음. ¶=クリーンナップ. ¶~トリオ 클린업 트리오. ▷clean up.

グリーン图 그린. ①녹색. ②녹지;잔디밭. ▷green. ——ベルト 그린 벨트;녹지대. ▷green belt.

＊くりかえ-す【繰(り)返す】5他 되풀이하다;반복하다. ¶歴史(**)は~ 역사는 되풀이한다.

くりか-える【繰(り)替える】下1他 ①바꿔치다;교환하다. ¶~え金(**) 대체금. ②융용하다;변통하다;둘러대다. ¶~え支払(**)い 예산이 정해진 금전을 일시 다른 용도에 대체하여 지불함.

くり【功力】图【佛】공력;공덕의 힘;효력.

くりくり副 ①(그다지 크지 않은 것이) 잘 도는 모양;또, 아주 둥글둥글한 모양;똥글똥글;되록되록. ¶~して, かわいい目(*) 되록되록하고 귀여운 눈. ②빡빡. ¶頭(**)を~にそる 머리를 빡빡 깎다 / ~坊主(**) 까까머리;중대가리.

ぐりぐり 副 ①딱딱하고 둥근 것이 안에서 움직이는 모양；때굴때굴；둥글둥글；되록되록. ②目ﾞ를 ~回ﾏﾜﾃﾉﾘﾙ하는 눈알을 굴리다. ②누르면서 돌리는 모양. ¶ひじで~する 팔꿈치로 누르면서 돌리다. ── 图 멍울；나력(瘰癧).

くりげ 【くり毛】【栗毛】 图 말의 밤색 털；또, 그 말；밤색 말. ▷Glykogen.

クリケット -ketto 图 크리켓(11명씩 두 패로 갈라 배트로 목구(木球)를 치는 경기). ▷cricket.

グリコーゲン 图【化】글리코겐；당원질(糖原質). ▷도 Glykogen.

くりこしきん 【繰越金】 图 이월금.

くりこ-す 【繰(り)越す】 5他 ①이월(移越)하다. ¶残額ｻﾞﾝｶﾞｸを次期ｼﾞｷﾆに~ 잔액을 차기로 이월하다. ②차례로 다음으로 넘기다. ¶予定ﾃｲを一日ｲﾁﾆﾁ~에 예정을 하루 늦추다.

くりごと 【繰り言】 图 같은 말을 몇번 이고 되풀이함；또, 그 말；특히, 푸념. ¶老ｵﾉﾞいの~ 노인의 푸념.

くりこ-む 【繰(り)込む】 ── 5自 떼를 지어 몰려 들어오다. ¶会場ｶｲｼﾞｮ~に~ 회장에 몰려 들어오다. ── 5他 ①차례로 [무더기로] 들어가게 하다. ②(그럴 부로서) 집어넣다. ¶修繕費ｼｭｳｾﾞﾝﾋﾟを予算ﾖｻﾝに~ 수선비를 예산에 집어넣다；끌어당기다. ¶綱ﾂﾅを手ﾃもとへ~ 밧줄을 끌어당기다.

くり さ-げる 【繰(り)下げる】 下1他 (차례로) 뒤로 [다음으로] 물리다 [물리다]. ¶一行ｲｯｺｳを次ﾂｷﾞへ~ 한 줄 다음으로 보내다 / 日程ﾆｯﾃｲを~ 일정을 늦추다.

クリスタル 图 크리스털. ①수정(水晶). ②クリスタルグラス(=수정 유리)의 준말. ③【理】결정(結晶). ▷crystal.

クリスチャン -chan 图 크리스천；기독교 신자. ¶~ネーム 크리스천 네임；세례명(洗禮名). ▷Christian.

クリスマス 图 크리스마스；성탄절. ¶~カード 크리스마스 카드 / ~ケーキ 크리스마스 케이크. ▷Christmas, Xmas. ──イブ 图 크리스마스 이브；크리스마스 전야(제). ▷Christmas Eve. ──カロル 图 크리스마스 캐럴；크리스마스 성가(聖歌). ▷Christmas carol. ──ツリー 图 크리스마스 트리. ▷Christmas tree.

グリセリン 图【化】글리세린. ▷glycerine.

くりだ-す 【繰(り)出す】 5他 ①(실을) 풀어내다. ②계속 내보내다；계속 투입하다. ¶軍勢ｸﾞﾝｾﾞを~ 군대를 계속 투입하다. ③세게 내찌르다. ¶やりを~ 창을 세게 내쏘다. ── 5自 여럿이 몰려 나가다. ¶町ﾏﾁへ~ 여럿이 거리로 몰려나가다.

クリップ -rippu 图 클립. ①종이끼우개. ②머리를 흩어지지 않게 끼워 두는 기구. ③만년필 뚜껑에 있는 끼울쇠. ▷clip.

くりど 【繰(り)戸】 图 빈지；빈지문；덧문.

グリニッジじ 【グリニッジ時】 -nijijiji 图 그리니치시(時)；국제 표준시. ▷Greenwich.

くりぬ-く 【刳り貫く】 5他 도려내다. 도려내어 구멍을 뚫다. ¶トンネルを ~ 터널을 뚫다 / りんごの心ﾝを~ 사과의 속을 도려내다.

くりの-べる 【繰(り)延べる】 下1他 날짜나 시각을 차례로 미루다；순연(順延)하다. ¶次ﾂｷﾞの週ｼｭｳに~ 다음 주로 순연하다.

くりひろ-げる 【繰(り)広げる】 下1他 차례차례로 펴다 [펼치다]；벌이다. ¶絵巻物ｴﾏｷﾓﾉを~ 두루마리 그림을 펴다 / 豪華ｺﾞｳｶな場面ﾊﾞﾒﾝが~れる 호화스러운 장면이 전개되다 / 意外ｲｶﾞｲな場面ﾊﾞﾒﾝが~げられた 뜻밖의 장면[일]이 벌어졌다.

くりまわ-す 【繰(り)回す】 5他 이리저리 돌려대다 [변통하다]. ¶家計ｶｹｲを~ 가계를 이리저리 돌려대다(꾸려 나가다). [台所ﾀﾞｲﾄﾞｺ.

くりや 【厨・廚】 图【雅】부엌；주방. ▷

くりょ 【苦慮】 -ryo 图 ㅈ他自 고려；고심. ¶失業者ｼﾂｷﾞｮ의救済ｷｭｳｻﾞ~する 실업자 구제에 몹시 고심하다.

くりよ-せる 【繰(り)寄せる】 下1他 (실을) 당기다. ②차례로 다가 붙이다.

グリル 图 그릴. ①간이 양식집. ②석쇠에 구운 고기. ▷grill.

くりわた 【繰(り)綿】 图 씨아로 씨만 뺀 솜；조면(繰綿).

くりん 【九輪】【佛】 구륜(불탑의 노반(露盤) 위의 9개의 고리가 끼어 있는 장식 기둥). ──そう 【一草】-so 图【植】 앵초과의 다년생 식물.

グリンピース 图 그린피스；청완두(완두콩의 일종). ▷green peas.

く-る 【刳る】 5他 후벼 파다；(칼 따위로) 도려서 구멍을 내다；속을 도려내다. ¶ナイフで机ﾂｸｴを~ 나이프로 책상을 후벼파다.

く-る 【繰る】 5他 ①씨아로 목화씨를 빼다；조면하다. ②(실·밧줄 따위를) 감다；당기다. ¶糸ｲﾄを~ 실을 감다. ③하나씩 밀어 내다；(손끝으로) 굴리다. ¶繰戸ｸﾘﾄを~ 빈지를 하나씩 밀어 닫다 / じゅずを~ 염주를 하나하나 세다. ④(책장을 한 장씩) 차례로 넘기다. ¶ページを~ 책장을 한 장 넘기다. ⑤(날짜를) 하나하나 세다. ¶日数ﾆｯｽｳを~ 날짜를 세다.

く-る 【来る】 [カ変]自 ①오다. (거리·시간적으로) 이리로 오다 ⇔ゆく. ¶行ﾕく年ﾄｼ~年ﾄｼ 가는 해 오는 해 / いつか来た町ﾏﾁ 언젠가 왔던 도시. ②(어떤 원인으로) 일어나다；생기다. ¶過労ｶﾛｳから~病気ﾋﾞｮｳ 과로에서 오는 / 不注意ﾌﾁｭｳｲからきた事故ｼﾞｺ 부주의에서 생긴 사고. ③~처럼 되다. ¶そうこなくちゃおもしろくない 그렇게 되지 않으면 재미가 없다. ③{くる} ㋑(“ときている”는 ‘きたものだ’의 형식으로)…이다；…하다. ㋺ 그것의 面白ｵﾓｼﾛﾄきている 그것이 재미있게 돼 있다. ㋩(“ときたら”“ときては”“とくると”는 “きた日には”의 형식으로 “とくらば”…라면；…는 하면；…의 경우는. ¶野郎ﾔﾛｳ~ととくると好きﾕﾋ들 酒ｻｹ라 하면 밥 먹는 것보다 더 좋다 / あの人ﾋﾄときたら全ﾏｯﾀ〈問題ﾓﾝﾀﾞｲない 저 사람으로 말하자면 전연 문제가 안 된다. ④{くる} {動詞連用形+‘て’를 받아서} ㋑…하고 오다. ㋺用ﾖｳを済ｽﾏ

まして〜 일을 다 보고 오다. ⓛ점차 …하게 되다. ¶わかって〜 점차 알게 되다. ⓒ…해 오다. ¶今までの述べてきた事は 여태까지 말해온 것은.

くる 【佝僂・痀瘻】 名 구루; 곱사; 곱사등(이). ＝せむし. ――びょう【―病】-byō **名** 구루병; 곱사병.

**ぐる 〈俗〉(나쁜 짓을 하는) 한패; 한통; 공모(共謀). ¶〜になって 한패가[한통이] 되어; 공모하여.

**-ぐるい 【狂い】名詞 밑에 붙어서)…에 미침[미친 사람]; …광. ¶くるわ― 유곽에 미침／女る― 색광.

くるいざき 【狂い咲き】名 제철이 아닌 때에 꽃이 핌; 또, 그 꽃.

くる-う 【狂う】五自 ①미치다. ㉠(정신이) 이상해지다; 돌다. ¶気が―미치다; 정신이 돌다. ㉡지나치게 열중하다. ¶競馬に〜 경마에 미치다. ㉢미친 듯이 …하다. ¶舞いに〜 미친 듯이 춤추다. ②고장나다. ¶機械が〜 기계가 고장나다. ④어긋나다. ㉠틀어지다; 빗나가다. ¶見込みが〜 예상이 틀어지다[빗나가다]. ㉡뒤바뀌다; 틀리다／― 순서가 뒤바뀌다. ㉢틀리다; 잘못되다. ¶ねらいが〜 겨냥이 잘못되다.

クルー 名 크루; (배의) 승무원; 보트의 선수단. ▷crew.

グループ 名 그룹; 무리; 집단; 한패; 동아리. ＝仲間ナ-. ▷group.

くるおし-い 【狂おしい】-shi 形 미칠 듯하다(것 같다). ＝くるわしい.

くるくる 副 ①뱅뱅; 뱅글뱅글. ¶風車が〜と回る 팔랑개비가 뱅뱅 돌다. ②여러 겹으로 감는 모양; 둘둘; 칭칭. ¶ひもを〜巻きつける 끈을 칭칭 감다. ③바지런히. ¶一日中〜と働いている 온 종일 바지런히 일하다.

**ぐるぐる 副 くるくる ③보다 동작이 크고 무거운 모양; 빙빙; 칭칭. ⓛ自転車で〜広場を〜まわる 자전거로 광장을 빙빙 돌다／縄で〜(と)巻く 새끼로 칭칭 동이다.

くるし-い 【苦しい】-shi 形 괴롭다. ①고통스럽다; 난처하다. ＝つらい. ¶〜立場ザ 난처한 입장／〜思いをする 고난[고초, 시련]을 겪다. ②답답하다; 숨이 답답하[차기거]다. ③어렵다; 가난하다. ¶〜生活セイ 어려운 생활. ④거북하다; 구차하다. ¶〜言い訳ク 구차한[군색한] 변명. 參考 복합어에서는 '〜ぐるしい'가 됨. ¶胸ムネ苦しい 가슴 아프다. 一時この神頼みタノ 괴로울 때의 하느님 찾기〔뒷간에 갈 적에 마음 다르고 올 적에 마음 다르다〕.

くるしまぎれ 【苦し紛れ】ア- 괴로운 김에[나머지]; 난처한 나머지. ¶〜の逃にげ口上ジョ 난처한 나머지 하는 핑계. 「고뇌.

くるしみ 【苦しみ】名 괴로움; 고통.

くるし-む 【苦しむ】五自 ①괴로워하다. ㉠고생하다. ¶病気ビョで 병으로 고생하다. ㉡번민하다. ¶借金シャッに〜 빚 때문에 고민하다. ②애쓰다; 노력하다. ¶理解カイに〜 이해하기 어렵다／時局打開ダカに〜 시국 타개에 노력〔고심〕하다.

くるし-める 【苦しめる】下1他 ①괴롭히다. ¶拷問ゴで〜 고문으로 고통을 주다.

クルス 名 크루스; 십자(十字); 십자가. ▷포·스 cruz.

くるぶし 【踝】名 복사뼈.

くるま 【車】名 ①차륜(車輪); 수레〔차〕바퀴. ②(마차·자동차·인력거 등) 수레의 총칭(흔히, 자동차를 말함). 차. ¶〜を拾ひう 차〔택시〕를 잡다.

くるまえび 【車蝦・車海老】名 중하(中蝦). 「앉음.

くるまざ 【車座】名 빙〔둥그렇게〕

くるまだい 【車代】名 ①차비; 찻삯. ②교통비 (명목으로 지불하는 사례금). ¶お〜 거마비; 차비; 자동차값.

くるまへん 【車偏】名 한자 부수의 하나; 수레б車변(「輊」 「輪」 따위의 「車」의 이름).

くるまよせ 【車寄(せ)】名 현관 앞에 차를 댈 수 있게 만든 곳.

くる-む 【包む】五他 ①싸다; 휩싸이다; 몸을 휩싸다; 뒤집어〔둘러〕 쓰다. ¶ふとんに〜 이불을 뒤집어 쓰다.

くるみ 【胡桃】名 植 호두. ¶〜割 かり 호두 까는 도구.

**-ぐるみ 【包み】名詞に붙어서)…까지 몽땅; …까지 합쳐서. ＝ごと. ¶身ミ〜脱ぬいで置ぃて行けけ 옷까지 몽땅 벗어 놓고 가라.

くる-む 【包む】五他 자 싸다; 둘러싸다. ¶赤ん坊ボウをタオルに〜 갓난아기를 타월에 감싸다.

くる-め-く 【眩く・転く】五自 빙빙 돌다; 틀리다, 눈이 핑핑 돌다; 현기증이 나다; 어지럽다. ¶目もくばかりの 스피드 눈이 핑핑 돌 정도의 속력.

くる-める 【包める】下1他 ①하나로 몽뚱그리다; 한데 합치다. ＝合わせる. ②교묘하게 속이다; 살살 구슬리다. ¶言い包ロめる〜 살살 구슬리다. ③휩〔감〕싸다; 둘러싸다.

ぐるり 【周囲】名 ①둘레; 주위. ＝まわり. ¶家イエの〜 집둘레. ②(副詞的으로)둘레를 돌아보는 모양(くるりと'보다 둔중〔鈍重〕하다는 느낌이 있음) 한번 빙; 휙. ¶〜と振ふり向いて 휙 돌아보며. ㉡주위를 둘러싸거나 도는 모양; 빙. ¶敵テキの城を〜と取り囲むム 적의 성을 빙 둘러싸다.

くるりと 副 ①한 바퀴 뱅그르르; 빙; 휙. ¶〜ひと回りする 한 바퀴 빙 돌다／〜回る (한 바퀴) 뱅그르르 돌리다. ②휙; 싹. ¶〜振り向いむく 휙 돌아보다.

くるわ 【郭・廓】名 ①유곽. ¶〜通がい 유곽 출입. ②구역. ③(본디 曲輪)성곽.

くるわ-せる 【狂わせる】下1他 ①미치게 하다. ②(뒤)틀리게 하다. ㉠틀어지게 하다. ¶一日ジツの計画を〜 하루 계획을 틀어[어긋나]지게. ㉡기죽이다; 망쳐놓다; 뒤얽다. ¶列車シの ダイヤを〜 열차의 다이야를 혼란시키다.

くれ 【塊】名 덩어리. ¶土ツチ〜 흙덩이.

くれ 【暮(れ)】名 ①저녁 때; 해질녘. ＝夕方ガt. ¶日ヒの〜 해질 무렵.

②계절·한 해의 마지막. ¶年の～ 세밑; 세모(歲暮)/秋の～ 늦가을/～の秋 만추(晩秋)《俳句에서 쓰는 말》/～の大売出し 연말 대매출.

グレー 名 그레이. ①회색; 잿빛. ¶～のせびろ 회색 신사복. ②반백(半白); 머리가 희끗희끗한 모양. ¶ロマンス～ 로맨스그레이; 중년 남자(의 반백의 머리). ▷영 grey, 미 gray.

クレーしゃげき【——射撃】 -shageki 名 클레이 사격; 흙으로 빚은 접시를 공중으로 날려 산탄총으로 쏘는 경기. ▷clay.

クレーター 名 크레이터; 달의 곰보처럼 보이는 분화구. ▷crater.

グレード 名 그레이드; 등급; 계급; 정도. ▷grade.

グレーハウンド 名〔動〕그레이하운드《스페인 원산의 몸이 가늘고 길며 발이 날쌘 사냥개》. ▷greyhound.

クレープ 名 크레이프; 바탕을 오글쪼글하게 짠 직물. =ちりめん·ちぢみ. ▷프 crêpe.

グレープ 名 그레이프; 포도. ▷grape.

クレーム 名 클레임(무역에서, 손해 배상 청구). ¶～が付く 클레임이 붙다; 말썽이 일어나다. ▷claim.

クレーン 名 크레인; 기중기(起重機). ¶～車 크레인차. ▷crane.

クレオソート 名 크레오소트《마취·진통·살균제용》. ▷creosote.

くれがた【暮れがた·暮れ方】 名 저물녘; 해질녘; 저녁때. =夕方. ↔明け方.

くれぐれ〖呉(れ)呉(れ)〗副《흔히 'も'가 따름》부디부디; 아무쪼록. ¶～も気をつけて 아무쪼록 조심하도록/～もよろしく 부디 잘 부탁합니다.

クレジット -jitto 名 크레딧. ①차관(계약); 신용 대부(信用貸付). ②신용 판매(信用販賣); 월부(月賦). ▷credit. **——カード** 名 크레디트〔신용〕카드. ▷credit card.

クレゾール 名 크레졸(소독 살균제). ¶～せっけん液 크레졸 비눗물《살균·소독용》. ▷도 Kresol.

クレソン 名〔植〕물냉이. =水ぜり. ▷프 cresson.

くれたけ〖呉竹〗名〔植〕솜대; 담죽(淡竹).

ぐれつ【愚劣】 名 ダナ ①우열; 어리석고 못남. ¶～極まる行為 어리석기 짝이 없는 행위. ②시시함. ¶～な遊び 시시한 놀이.

くれて【くれ手】(呉(れ)手) 名 ①(무엇을) 줄 사람. ②(무엇을) 해줄 사람. ¶来て～がない 와서 돌봐 줄 사람이 없다/嫁に～がない 색시로 와 줄 사람이 없다. ⇔もらい手.

くれない【紅】 名 다홍; 주홍색.

くれのこ-る【暮れ残る】 5自 해가 덜 져 어스레하다; 땅거미지다. ¶～白百合 박모(薄暮)에 어렴풋이 보이는 흰 백합. ↔明け残る.

クレバス 名 크레바스; 빙하(氷河)나 설계(雪溪)의 갈라진 틈. ▷crevasse.

クレパス 名〔商標名〕크레파스《일본식 영어》.

くれは-てる【暮れ果てる】 下1自 해가 완전히 지다.

くれむつ【暮(れ)六つ】 名 저녁 여섯 시(를 알리는 종). ↔明け六つ.

クレムリン 名 크레믈린 궁전; 소련 정부. ▷Kremlin.

くれゆ-く【暮れ行く】 5自 (해가) 저물어 가다. ¶～年 저물어 가는 해.

クレヨン 名 크레용. ▷프 crayon.

‡**く-れる**〖呉れる〗 下1他 ①주다. ¶そんな物, ～·れてやれ 그런 것 주어 버려라(현재는 난폭한 말씨)/友だちが～·れた本 친구가 (내게) 준 책. ②동작을 가하다. ¶目も～·れない 거들떠보지도 않다. ②《動詞連用形＋'て'를 받아》㉠호의를 갖고 …하다. ¶本を買って～ 책을 사 주다/泣かないで～な 울지 말아 다오. 参考 사역(使役) 표현을 받아 命令形으로 쓸 때에는, 상대방의 허락을 구하는 뜻. ¶早く帰らせて～·れ 빨리 돌려보내 주게〔다오〕.

*__く-れる【暮れる】__ 下1自 저물다. ①날이 저물다; 해가 지다. ¶日が～ 날이 저물다. ②한 해가〔계절이〕끝나다; 세월이 지나가다. ¶年が～ 한 해가 저물다; 세밑이 되다. ⇔明ける.

く-れる〖暮れる〗 下1自 어찌 할 바를 몰라 그냥 …하기만 하다. ¶途方に～ 어찌 할 바를 모르다/涙に～ 눈물에 잠기다.

ぐ-れる 下1自 〈俗〉①자포자기하다; 비뚤어지다; 타락하다. ¶母が死んでから～·れ出す 어머니가 죽고 나서 빗나가기 시작하다. ②(희망·기대가) 어긋나다. ¶計画が～ 계획이 어그러지다.

ぐれん［紅蓮］名 홍련. ①벌겋게 타오르는 불빛의 비유; 진홍(眞紅). ¶～の炎 진홍빛 불꽃. ②새빨간 연꽃. ③〔佛〕'紅蓮地獄(＝홍련 지옥)'의 준말.

クレンザー 名 클렌저; (가루비누가 든) 마분(磨粉). =みがき粉. ▷cleanser.

ぐれんたい【ぐれん隊】(愚連隊) 名〈俗〉(유흥장·번화가를 중심으로 행패를 일삼는) 불량배; 깡패.

くろ〖畔〗名 (논·밭의) 두둑; 또, 평지의 둔덕. =あぜ. ¶田の～ 논두둑.

‡**くろ【黒】** 名 ①검은 빛깔. ②검은 바둑돌; 흑. ¶～を持つ (바둑에서) 흑을 쥐다. ↔白. ③검은 상복. ¶葬式に～を着る 장례식에 검은 상복을 입다. ④검은 개. ⑤〈俗〉범죄 혐의가 뚜렷함; 또, 그 사람. ¶証拠固めで～と出る 증거 수집에서 범죄 혐의가 짙은 것으로 판명되다. ↔白.

‡**くろ-い【黒い】** 形 ①검다. ¶顔の～人 얼굴이 검은 사람. ②(속이) 엉큼하다. ¶腹が～ 뱃속이 검다; 엉큼하다. ③(범죄 등의) 혐의가 짙다. ⇔白い.

‡**くろう【苦労】** -rō 名ナ スル自 노고(勞苦); 고생; 애씀. ¶～知らずの人 고생을 모르는 사람. **——しょう【——性】** -shō 名ナ 사소한 일까지도 속태우며 심로하는 성질; 잔걱정이 많은 성질. **——にん【——人】** 名 세상의 쓴맛 단맛을 다 겪은 사람.

ぐろう［愚弄］-rō 名 スル他 우롱; 깔보고 놀림. ¶人を～するにも程があ

る 사람을 놀려도 분수가 있다.
くろうと【玄人】-rōto 图 ①익수;전문가. ¶―はだし 비전문가이면서 전문가를 뺨치게 잘하는 일;또, 그 사람. ②기생·여급 등 접객(接客)을 직업으로 하는 여자. ↔素人.

クローク 클로크. ①소매없는 외투;망토. ②호텔·극장 따위에서 외투나 소지품 등을 맡기는 곳('クロークルーム (cloakroom)'의 준말). ▷cloak.

クロース 图 클로스;천;특히, 책의 장정(裝幀)에 쓰는 천. ▷cloth.

クローズアップ -appu 图 ス他 클로즈업;(영화에서) 대사(大寫);비유적으로, 어떤 일을 크게 다룸. ▷close-up.

クローバー 图 클로버;토끼풀.=クローバ. ▷clover.

グローブ 图 글러브(야구·권투용의 가죽 장갑).=グラブ. ▷glove.

クロール 图 크롤;'クロールストローク(=크롤 헤엄)'의 준말. ▷crawl.

くろがき【黒柿】图【植】먹감나무(재목의 속이 검어져 가구용). ¶まがね.

くろがね【鉄】图【雅】 철;(무)쇠.=まがね.

くろかび【黒黴】图 검은곰팡이(음식물에 기생하는 유독 균류로 유기산(有機酸)의 발효에 씀).

くろくま【黒熊】图【動】

くろぐろ【黒黒】副 아주 새까만 모양. ¶―と書かれた墨跡 새까맣게 쓰여진 먹 자국.

くろぐわい【黒慈姑】图【植】올방개.

くろげ【黒毛】图 검은빛깔의 털. ②가라말;털빛이 검은 말.=あおげ.

くろご【黒子】(黒衣·黒巾)图【歌舞伎】(에서) 배우의 시중을 드는 사람;또, 그 사람이 입는 검은 옷.=くろこ.

くろこげ【黒焦げ】图 검게 눌음(탐). ¶―の御飯 검게 눌은 밥.

くろざとう【黒砂糖】-tō 图 흑사탕;흑설탕.

*__くろじ__【黒字】图 흑자;이익. ¶―倒産 흑자 도산. ↔赤字。

くろしお【黒潮】图 흑조(일본 열도를 따라 태평양을 흐르는 난류;일본 해류).

くろしょうぞく【黒装束】-shōzoku 图 검정일색의 복장;또, 그 복장의 사람.

くろしろ【黒白】图 흑백. ①흑과 백. ②일의 정사(正邪);유리와 무죄. ¶法廷에서 ～を決す하る 법정에서 흑백을 가리다. ③사진·영화에서 화면이 흑과 백으로 되어 있는 것. ↔天然色.

クロス 크로스. ①십자;십자가(十字架). ②(테니스·탁구·배구 등에서) 대각선(對角線). ¶―スパイク 크로스스파이크. ¶―ス図 열십자로 교차함. ¶バス通りと―する道 버스길과 교차하는 길.=cross. ――カントリー ▷cross-country. ――ワード 图 크로스워드;퍼즐.=クロスワードパズル. ▷crossword.

クロスゲーム 图 클로스 게임;팽팽한 경기;접전(接戰). ▷close game.

くろずくめ【黒尽くめ】(黒尽め) 图 검정 일색의 옷. ¶―の服 검정 일색의 옷.

くろず-む【黒ずむ】5自 거무스름해

지다;검은 빛을[기를] 띠다. ¶～んだ紙 거무스름해진 종이.

くろだい【黒鯛】图【魚】감성돔;먹도미.

クロダイヤ【黒ダイヤ】图. ①검은 다이아몬드. ②〈俗〉석탄의 미칭. ▷diamond.

くろちく【黒竹】图【植】 오죽(烏竹).

クロッキー -rokki 图【美】크로키;속사화(速寫畫)[짧은 시간에 빨리 그리는 사생(寫生)].=プ croquis.

グロッキー -rokki 图 ダナ 그로기;몸이 맥 맞거나 지쳐서 비틀거리는 모양. ▷groggy.

くろっぽ-い【黒っぽい】图 거무스름하다;거무스름하다. ¶―服 거무스름한 옷.

グロテスク 图 ダナ 그로테스크;피기한 모양;징그러운 모양.=グロ. ▷grotesque. 「―セーブル」

くろてん【黒貂】图【動】검은담비.=

くろねずみ【黒鼠】(黒鼡)图 ①쥐인 집의 금품을 축내는 고용인.=白ねずみ. ②거무스름한 잿빛[회색].

くろびかり【黒光り】图ス自 검고 윤이 남. ¶―した漁師の顔 검게 타서 윤이 나는 어부의 얼굴.

くろふね【黒船】图【史】 江戸시대 말기에 서양에 돌아온 배를 부른 이름.

くろぼし【黒星】图 검은 점. ①(씨름에서) 졌음을 나타내는 표(●);전하여, 패배;실패. ¶―つづき. ②과녁 중앙의 검은 동그라미;흑점;전하여, 정곡(正鵠).=図星.

くろまく【黒幕】图 흑막. ①(무대에서) 장면이 바뀔 때 쓰는) 검은 무대막. ②뒤에서 조종하는 사람;막후 인물. ¶政界의― 정계의 막후 인물.

くろまつ【黒松】图【植】흑송;곰솔;해송(海松).=雄松. ↔赤松.

くろまめ【黒豆】图【植】흑태(黒太);검은콩.

くろみ【黒み】(黒味)图 검은 빛;칙칙한 느낌. ¶―を帯びる 검은 빛을 띠다.

くろみずひき【黒水引】图 반은 흑색(감색), 반은 흑색의 포장용의 끈(궂은 일·흉사에 쓰임). ▷chrome.

クロム 图 크롬(元 Fr:Cr). 》=クローム.

くろめがち【黒目勝ち】图 검은 자위가 크고 눈이 부리부리하고 아름다운 모양. ¶―の눈 검게 맑은 눈이다.

くろ-める【黒める】① 1他 검게 하다.

くろ【黒】图 검정빛.

くろやま【黒山】图 사람이 많이 모인 것을 형용하는 말. ¶―のような人だかり 새까맣게 모인 사람 떼.

クロレラ【植】클로렐라(녹조류(綠藻類)에 속하는 단세포 식물;식량·사료 자원으로 주목되고 있음). ▷chlorella.

クロロホルム 图【化】클로로포름(무색의 액체로 냄새가 강함;마취제·용제(溶劑)). ▷ズ Chloroform.

クロロマイセチン 图【藥·商標名】클로로마이세틴(항생 물질의 하나). ▷ Chloromycetin.

くろわく【黒枠】(黒框)图 까만 테;특

히, 부고장(訃告狀)·사망 광고에 두른
검은 줄; 또, 그 돌림 광고.

ぐろん【愚論】图 우론. ①부질없는 의
론. ②자기 의론의 겸칭.

ろんぼう -rombō 图 흉악. =黒人ᵈᵉ.

くわ【桑】图【植】뽕나무. ¶ ─畑ᵈᵗᵃ
뽕나무 밭.

くわ【鍬】图 괭이. ¶ 畑ᵈᵗᵃ에 ─を入ᵉᵃ
れる 밭을 괭이로 일구다[갈다].

くわい【慈姑】图【植】자고(慈姑); 쇠
귀나물.

くわいれ【鍬入れ】(鍬入れ)图⇒图 ①
①정월 열 하루나 길일(吉日)에 길한
쪽에 있는 밭에 나가 첫 쟁이질을 하
고 떡 또는 쌀을 바치고 비는 행사. ②
건축·토목 공사 따위의 첫 삽질; 기공식.

くわえざん【加え算】图 덧셈. =たし
ざん.

❋**くわえる**【加える】下一他 ①가하다.
⊖더하다; 보태다; (수·양·정도를) 늘
리다. ¶ 二ᵃᵃに三ᵃᵃを─ 2에 3을 더하
다 / 汁ᵗᵃに塩ᵃᵃを─ 국에 소금을 치다 /
速力ᵃᵃᵃを─ 속력을 더하다 / 筆ᵃᵃを─
가필(加筆)하다. ⊜주다; 베풀다. ¶
打撃ᵃᵃᵃを─ 타격을 가하다[주다] / 治
療ᵃᵃᵃを─ 치료를 가하다. ②가입시키
다; 넣다. ¶ 仲間ᵃᵃᵃに─ 한패에 넣다.

くわえる【銜える・啣える】下一他 ①
(입에) 물다. ¶ 指ᵃᵃを─ 손가락을 입
에 물다(부러운 듯이 바라보는 모
양). ②〈부정적인 관계가 바 ─の로 사
람을〉 동반하다. ¶ 男ᵃᵃを─えてい
る女ᵃᵃᵃ 사내를 동반한 여자.

くわがたむし【くわがた虫】(鍬形虫)
图【動】하늘가재. 「어 나눔.

くわけ【区分け】图⇒他 구분; 구획지

くわこ『桑子·蚕·野蚕』图【虫】누에
의 원종(原種)이라고 하는 새누에나
방. =くわこ.

❋**くわしい**【詳しい】(委しい·精しい·細
しい) -shī 图 상세하다; 소상하다; 자
세히 알고 있다; 환하다; 정통하다. ¶
~く 説明ᵃᵃᵃᵃする 자세하게 설명하다 /
法律ᵃᵃᵃに ~ 법률에 밝다.

くわす【食わす】(喰わす)五他 ①(음
식을) 먹이다. ¶ ここは ─店ᵃᵃᵃ 이 가
게는 먹을 만한 집이다[요리를 잘한
다]. ②부양하다. ¶ 家族ᵃᵃᵃを ~ して
いく 가족을 부양하다. ③속이다. ¶
一杯ᵃᵃᵃ~ 감쪽같이 속이다. ④주다;
맞히다. ¶ けんつくを ~ 야단을 치
다; 타박을 하다[주다] / 拳骨ᵃᵃᵃを ~
주먹을 (대) 먹이다.

くわずぎらい【食わず嫌い】(喰わず嫌
い)图①먹어[해] 보지도 않고 까닭없
이 싫어함; 또, 그런 사람. ②사물의
진실을 잘 이해하지도 않고 무턱대고
싫어함; 또, 그런 사람.

くわせもの【食(わ)せ物】图①겉만 번
드레하고 속은 보잘것 없는 것; 가짜.
②보통내기가 아닌 사람. ¶ おとな
い顔ᵃᵃをしているとはとんだ ~だ 얌전
한 얼굴을 하고 있지만 아주 엉뚱한 것
이다. 注意 사람의 경우는 흔히 '食
(わ)せ者'로 씀.

くわせる【食わせる】(喰わせる)
下一他 ⇒くわす.

くわだてる【企てる】下一他 꾀하다;
계획하다. =もくろむ.

くわばら【桑原】图①【くわばら】벼락
을 피하기 위해 외는 주문(呪文).
¶ 雷ᵃᵃᵃだ。~ ~ 앗 벼락이다. 제발 살
려 줍소. 参考 꺼리는 일을 피하려고
할 때도 말함. ②뽕나무 밭. =くわば
たけ. 「テット.

クヮルテット kwarutetto 图 ⇒カル

❋**くわわる**【加わる】五自 ①가해지다;
더해지다; 늘다. ¶ 速度ᵃᵃᵃが─ 속도가
가해지다 / 給料ᵃᵃᵃに手当ᵃᵃᵃが ~ 급
료에 수당이 가산되다[더 붙다] / 負担
ᵃᵃᵃが ~ 부담이 늘다. ②참가하다; 가
담하다; 한패가 되다. ¶ 競技ᵃᵃᵃに ~
경기에 참가하다 / 党派ᵃᵃᵃに ~ 당파에
가담하다. ③미치다. ¶ 威ᵃᵃ四海ᵃᵃᵃに
~ 위세가 사해에 미치다.

くん【訓】图 ①훈; 자훈(字訓). ¶
~では何ᵃᵃと読ᵃᵃむか 훈으로는 무엇이
라고 읽는가. ↔音ᵃᵃ. ②훈계; 훈련.

-**くん**【君】동배 또는 손아랫 사람이 이
름 밑에 붙여 가벼운 존경의 뜻을 나
타내는 말; 군. ¶ 山田ᵃᵃᵃ─ 山田군.

ぐん【群】图 떼; 무리. ¶ ~をなす 무
리를 이루다. **━を抜ᵃᵃく** 발군[출중]하
다; 빼어나다; 뛰어나다.

ぐん【軍】图 ①군대; 작전의 단위가
되는 군대; 군; 군단. ②육·해·공 3
군의 총칭; 군부. ¶ ~の機構ᵃᵃᵃ 군의
기밀. ③전쟁; 군비. ¶ ~の正義ᵃᵃᵃ을
起ᵃᵃす 정의의 싸움을 일으키다. ㊀
接尾 군단; 군. ¶ 義勇ᵃᵃ─ 의용군. ¶
팀. ¶ 女性ᵃᵃᵃᵃ─ 여성 팀. 「관.

ぐんい【軍医】图 군의. ━官ᵃᵃ 군의

くんいく【訓育】图⇒他 훈육.

くんおん【君恩】图 군은; 임금의 은덕
(恩澤).

くんか【訓化】图⇒他 훈화; 가르쳐 인
도함; 교화(教化).

ぐんか【軍歌】图 군가. 「상화.

ぐんか【軍靴】图 군화; 특히, 밤색 편

くんかい【訓戒】(訓誡)图⇒他 훈계.
¶ ~をたれる 훈계를 내리다.

ぐんがく【軍楽】图 군악. ━隊ᵃᵃ 군

❋**ぐんかん**【軍艦】图 군함. 「악대.

ぐんき【軍紀】图 군기. ¶ ~が乱ᵃᵃれ
る 군기가 문란해지다.

ぐんき【軍記】图 군기; 전쟁 이야기를
적은 책. =戦記ᵃᵃ.

ぐんぐん 圖 힘차게 진행되거나 성장하
는 모양; 부쩍부쩍; 쭉쭉. =どんどん.
¶ 相手ᵃᵃᵃを~引ᵃᵃき離ᵃᵃす 상대방을 쭉쭉
로 쭉쭉 앞서 가다 / 成績ᵃᵃᵃᵃが~(と)よ
くなる 성적이 부쩍부쩍 좋아지다.

くんこう【勲功】-kō 图 훈공; 공훈. ¶
~を立ᵃᵃてる 공훈을 세우다.

ぐんこう【軍港】-kō 图 군항.

ぐんこく【軍国】图 군국. ¶ ~主義ᵃᵃ
군국주의.

くんし【君子】图 군자. 聖人ᵃᵃ ─ 성
인 군자. ↔小人ᵃᵃᵃ. ━は危ᵃᵃうきに近
寄ᵃᵃらず 군자는 위험한 것에 가까이
하지 않는다. ──らん【──蘭】图【植】
군자란. =クリビヤ.

くんじ【訓示】图⇒他 훈시.

くんじ【訓辞】图 훈사; 훈계하는 말.

ぐんじ【軍事】图 군사. ¶ ~裁判ᵃᵃᵃ 군
사 재판.

ぐんしきん【軍資金】图 군자금.

くんしゅ【君主】-shu 图 군주. ¶～專制説の～ 전제 군주 / ～政治説の 군주 정치.

ぐんじゅ【軍需】-ju 图 군수(품). ¶～産業説说 군수 산업 / ～品说 군수품. ↔民需話切.

ぐんしゅう【軍衆】-shū 图 군중. ¶～を押お し分わけて行ゆく 군중을 헤치고 가다.

*ぐんしゅう【群集】-shū 図丒自 ①군집 ; 떼지어 모여듦. ②군중(群衆). ──しんり【──心理】图 군중 심리.

ぐんしゅく【軍縮】-shuku 图 군축 ; '軍備縮小じんぴしゅく(=군비 축소)'의 준말. ¶～会議ぎ 군축 회의.

*くんしょう【勲章】-shō 图 훈장. ¶文化説の～ 문화 훈장.

*くんしょう【軍小】-shō 图 군소. ¶～国家説 군소 국가.

ぐんじょう【群青】-jō 图 군청 ; 선명한 청색 ; 군청색 물감.

くんしん【君臣】图 군신.

*ぐんじん【軍人】图 군인. ¶職業げっの～ 직업 군인.

くん-ずる【薫ずる】サ変自他 ①향기가 나다 ; 향을 피우다. =かおる・かおらする. ②훈풍이 불다. ¶南風せつ～時ときの (초여름의 향긋한) 남풍이 훈훈히 불 때. ¶徳とくする.

くん-ずる【訓ずる】サ変他 한자를 훈으로 읽다. =よむ.

くんせい【薫製】〈燻製〉图 훈제(소금에 절인 어육을 연기에 그슬려 말린 것).

ぐんせい【群生】图丒自 군서 ; 동물이 무리를 이루어 생활함 ; 군거(群居).

ぐんせい【群生】图 군생 ; (식물 따위가) 한 곳에 모여서 남.

ぐんせい【軍政】图 군정. ①전시・사변 때에, 또는 점령지에서 군이 하는 행정. ②군사에 관한 정무.

ぐんせい【軍勢】图 군세 ; 군대의 세력 ; 군대의 인원수 ; 또, 군대. ¶おびただしい～ 엄청난 군대.

ぐんぞう【群像】-zō 图 군상 ; (그림이나 조각에서) 여러 사람의 상을 주제로 표현한 것. ¶女人ぼんたちの～ 여인 군상.

ぐんぞく【軍属】图 군속 ; 군무원.

ぐんそつ【軍卒】图 군졸 ; 병졸.

*ぐんたい【軍隊】图 군대. ¶～の飯めしを食くう 군대 밥을 먹다(군대 생활을 하다).

-くんだり〈地名に付けて〉'都とき(=서울)'에서 멀리 떨어진 시골 변두리 지역. ¶青森ぼんまで出向むこく (서울에서 멀리 떨어진) 青森까지 내려가다.

ぐんだん【軍団】图 군단. ¶～長ちょう 군단장.

ぐんだん【軍談】图 군담. ①전쟁 이야기. ②전쟁 이야기를 소재로 한 江戸えと시대의 통속 소설. ③군담 소설에서 가락을 붙여서 들려주는 일종의 야담(野談). =軍記談ぎたん.

くんづけ【君付け】图 사람 이름 밑에 '君くん'을 붙여서 부름 ; 또, 그 정도의 대우. ¶～で呼よぶ '君'을 붙여서 부르다(아랫사람 취급하다).

くんづほぐれつ【組んづほぐれつ】連語 붙었다 떨어졌다 하며 싸우는 모양.

ぐんて【軍手】图 목장갑 ; (흰 무명실로 짠) 작업용 장갑('軍用手袋ぐんようてぶくろ'의 준말).

くんてん【訓点】图 한문(漢文)을 訓読くんどく하기 위하여 적은 부호(返かえり点てん・送おくりがな・ふりがな・ヲコト点てん 따위의 부호).

ぐんと 副〈俗〉①힘껏 당기거나 열거나 버티는 모양 ; 꾹 ; 딱 ; 잔뜩 ; 한껏 ; 불끈 ; 우지끈 ; 와락. ¶んばる 떡 버티다. ②비교가 안 될 정도로 ; 쑥 ; 훨씬 ; 썩. ¶気温きおんが～下さがった 기온이 뚝 떨어지다 / 前まえより～よくなった 전보다 훨씬 좋아졌다. ¶急.

くんとう【薫陶】-tō 图 훈도 ; 등.

くんとう【薫陶】-tō 图丒他 훈도 ; 감화시켜 훌륭한 사람을 만듦. ¶母ははの～ 어머니의 훈도.

ぐんとう【群島】-tō 图 군도. ¶떼.

ぐんとう【群盗】-tō 图 군도 ; 도둑

くんどく【訓読】图丒他 훈독. ①한자를 훈(訓)으로 읽음. =くんよみ. ②한문을 일본말 토를 달아 읽음. ¶말.

ぐんば【軍馬】gumba 图 군마 ; 군용마.

ぐんばい【軍配】gumbai 图 ①軍うちわ ちわの준말. ②군대의 지휘. =が上あがる 승자가 결정되다 ; 이겼다고 판정되다. ──うちわ【─団扇】图 ①옛날, 대장이 군대 지휘에 쓰던 쇠부채. =陣扇じんせん. ②씨름 심판이 씨름판에서 쓰는 부채.

ぐんばつ【軍閥】gumba- 图 군벌. ¶～政治じ 군벌 정치.

*ぐんび【軍備】gumbi 图 군비. ¶～拡張かくちょう 군비 확장 / ～縮小しゅくしょう 군비 축소 ; 군축.

ぐんぴ【軍費】gumpi 图 군비.

ぐんぴょう【軍票】gumpyō 图 군표 ; 군용 어음[수표].

ぐんぶ【軍舞】gumbu 图 군무 ; 여럿이 함께 열려 추는 춤을 춤. =舞.

ぐんぶ【軍部】gumbu 图 군부 ; 군당

くんぷう【薫風】kumpū 图 훈풍. ¶國.

ぐんぷく【軍服】gumpu- 图 군복. ¶～を着きる 군복을 입다(군인이 되다).

ぐんぽう【軍法】gumpō 图 ①군법. ¶～会議ぎ 군법 회의. ②병법 ; 전술. =兵法じんぽう・陣法じんぽう.

くんみんせいおん【訓民正音】kummin- 图 훈민 정음 ; 한글. =ハングル.

ぐんむ【軍務】gummu 图 군무. ¶～に服ふくする 군에 복무하다.

ぐんもう【群盲】gummō 图 군맹 ; 많은 장님 ; 전하여, 못 어리석은 사람들. ──象ぞうを評ひょうす 장님 코끼리 말하듯 하다.

ぐんもん【軍門】gummon 图 군문 ; 진영의 문. ~に降くだる 적에게 항복하다.

ぐんゆう【群雄】-yū 图 군웅 ; 제각기 세력을 다투는 여러 영웅들. ¶～割拠かっきょ 군웅 할거.

ぐんよう【軍用】-yō 图 군용. ¶～道路どうろ〔機き〕 군용 도로[기]. ──けん【─犬】图 군용견. =軍犬けん.

くんよみ【訓読み】图丒他 くんどく. ↔音読おんみ.

ぐんらく【群落】图 군락. ①한 지역 내의 식물이 서로 유기적인 관계를 맺으며 자라는 집단. ¶湿生植物しっせいしょくぶつの

～ 습생 식물의 군락. ②많은 부락.

ぐんりつ【軍律】名 군율. ¶～がきびしい 군율이 엄하다.

くんりん【君臨】名 ス自 군림. ¶産業界(さんぎょうかい)に～する 산업계에 군림하다.

くんれい【訓令】名 ス自 훈령. ¶内閣(ないかく)～ 내각 훈령. **—しき**【—式】名 일본의 로마자(字) 표기법의 하나(‘シ·ヂ’를 ‘si·zi’로 쓰는 따위; 지금은 第一表式(だいいちひょうしき)로 부름; ‘訓令式(くんれいしき)ローマ字(じ)つづり方(かた)’의 준말).

くんれん【訓練】名 ス他 훈련. ¶～を積(つ)む 훈련을 쌓다.

くんわ【訓話】名 ス自 훈화.

け ケ

①五十音図(ごじゅうおんず) ‘か行(ぎょう)’의 넷째 음. [ke] ②〔字源〕‘計’의 초서체(かたかな의 ‘ケ’는 ‘介’의 생략형임).

け [卦] 名 괘; 점괘. ¶八(はっ)～ 팔괘 / よい～が出(で)た 좋은 점괘가 나왔다.

けけ【毛】名 ①털. ㉠체모. ¶～ほどの事(こと) 하찮은 작은 일. ㉡머리털. ¶～を染(そ)める 머리를 염색하다. ㉢양모(羊毛). ¶～のシャツ 털셔츠. ㉣새의 깃털. ②식물의 솜털; 털 모양의 것. ¶タンポポの種毛(たねけ) 민들레씨의 솜털 / ブラシの～ 솔의 털. **—の生(は)えた** …보다 조금 낫거나 더한. **—を吹(ふ)いて傷(きず)を求(もと)む** 남을 흠잡다가 도리어 자기 흠을 드러내다.

け【気】㊀名 기. ①기운; 기척; 조짐; 기미; 기분. ¶色(いろ)～ 색정; 교태 / 人(ひと)～ 인기척 / かぜの～がある 감기 기운이 있다 / 火(ひ)の～がほしい 불기가 그립다. ②성분. ¶塩(しお)～ 짠 기. ㊁接尾《形容詞 語幹에 붙여 名詞를 만듦》…기; …의 기분; …싶어하는 마음. ¶寒(さむ)～ 한기 / 眠(ねむ)～ 졸음.

け-〖気〗《흔히 形容詞 앞에 붙여서》①다음 말의 뜻을 강조함. ¶～ぢかい 아주 가깝다. ②어쩐지. ¶～だるい 어쩐지 나른하다.

け 終助《‘たっけ’ ‘だっけ’의 꼴로 글의 끝에 붙어서》회상하면서 또는 상대방의 관심에 호소하듯이 진술하는 기분을 나타냄: …었지; …었던가. ¶そうだっ～ 그랬었지 / 君(きみ)はいま高校(こうこう)一年生(いちねんせい)だったっ～ 너는 지금 고교 1학년생이렷다.

げ【下】名 하. ①열등함; 열등한 것. ¶～の～だ 하지하(下之下)다. ②(책의) 하권. ⇔上(じょう).

-げ〖気〗《形容詞 語幹 따위에 붙어 形容動詞 語幹·名詞를 만듦》…듯한 모양; …한 듯. ¶悲(かな)し～だ 슬픈 모양이다 / 苦(くる)し～にうめく 괴로운 듯이 신음하다.

けあがり【け上がり】(蹴上がり) 名 (기계 체조에서) 차오르기.

けあ-げる【け上げる】(蹴上げる) 下1他 차올리다.

けあな【毛穴】(毛孔) 名 모공; 털구멍.

けい【兄】㊀名 형. ㊁代 형; 친구나 가까운 선배에 대한 경칭. ¶～の自重(じちょう)を望(のぞ)む 형의 자중을 바라오. ㊂接尾 …형(君(くん)보다는 정중함). ¶田中(たなか)～ 田中형. **—たりがたく弟(てい)たりがたし** 난형난제(難兄難弟); 어슷비슷함.

けい【刑】名 형; 형벌. ¶～が軽(かる)い 형이 가볍다.

けい【景】㊀名 경치. ¶夜(よる)の～ 야경; 밤경치. ㊁接尾〔劇〕…경. ¶第一(だいいっ)～ 제1경.

けい [桂] 名 ‘桂馬(けいま)’의 준말.

けい【径】名 ①직경; 지름. ¶～三(さん)センチ 지름 3센티. ②좁은 길; 샛길.

けい〖罫〗名 ①종이 따위에 일정한 간격으로 그은 줄. ②〔印〕괘선. ③바둑판〔장기판〕의 줄.

けい【計】名 계. ①계획. ¶一年(いちねん)の～ 1년지계. ②합계.

-けい【形】…형. ¶三角(さんかっ)～ 삼각형.

げい【芸】名 ①연예. ②문무의 재능. ③재주; 일. **—が細(こま)かい** 하는 일이 세심하게 배려되어 있다. **—がない** ①익혀 둔 재주가 없다. ②평범하여 재미가 없다. **—で身(み)を立(た)てる** 연예로 생활해 가다. **—は身(み)のあだ** 익혀둔 재주가 도리어 일신에 화가 되다. **—は身(み)を助(たす)ける** 취미로 익혀둔 재주가 궁할 때 생활에 도움을 준다.

ゲイ 名 게이; 동성애(자); 남색(가). =ホモ. ▷gay.

けいあい【敬愛】名 ス他 경애.

けいい [敬畏] 名 경외.

けいい【敬意】名 경의. ¶～を表(あら)わす 경의를 표하다.

けいい【経緯】名 경위. ①날줄과 씨줄. ②자세한 사정. =いきさつ. ¶事件(じけん)の～を話(はな)す 사건의 경위를 말하다. ③경도(經度)와 위도(緯度).

けいいん【契印】名 계인; 할인. =割印(わりいん).

げいいん【鯨飲】名 ス自 경음; (술을) 많이 마심. ¶～馬食(ばしょく) 경음 마식.

けいえい【形影】名 형영; 형체와 그 그림자. **—相弔(あいとむら)う** 형영 상조하다(몹시 외로움의 비유). **—相伴(あいともな)う** 형영 상반하다(부부 따위가 언제나 같이 있어 의가 좋은 모양).

***けいえい**【経営】名 ス他 경영. ¶～学(がく) 경영학 / ～管理(かんり) 경영 관리 / ～難(なん)にあえぐ 경영난에 허덕이다 / 天下(てんか)を～する 천하를 경영하다.

けいえい【継泳】名 계영; 릴레이식 수영 경기.

けいえい【警衛】名 ス他 경위; 경호; 경호원.

けいえん【敬遠】名 ス他 경원. ¶～の四球(しきゅう)〔野〕경원 4구 / 社長(しゃちょう)を～する 사장을 경원하다.

けいおんがく【軽音楽】名 경음악.

****けいか**【経過】名 ス自他 경과. ¶病気(びょうき)の～ 병의 경과 / 時間(じかん)の～につれて 시간이 경과함에 따라.

けいが【慶賀】名 ス他 경하; 축하. =慶

祝ᵗᵘ゙゚゚゚゚ᵗᵘᵎ.　　　「〔한 경칭〕.
げいか【猊下】图 예하〔고승·高僧에 대

けいぐ【敬具】图 경구;경백(敬白).
けいぐん【鶏群】图 ¶～の一鶴ᵏᵏᵏ?〕군
계 일학.

けいかい【警戒】图他 경계. ─警
報ᵏ゚゚ 경계 정보;非常ᵇᵘᵘᵘ～ 비상경
계 /～を厳重ᵇᵘᵘᵘにする 경계를 엄중
히 하다. ──しょく【──色】-shoku 图
경계색. =保護色ᵇᵘᵘᵘ. ──せん【──
線】 图 경계선;비상선.

けいかい【軽快】 圀 ［ダナ 경쾌. 二～な
動作ᵈᵘᵘ゙ 경쾌한 동작／～なリズム 경쾌
한 리듬／～な服装ᵇᵘᵘᵘ 경쾌한 복장. 二
图 ［ᵌ゚ 병이 조금 나아짐.

*けいかい【軽快】 图 ［ダナ 경쾌. 二～な
動作ᵈᵘᵘ゙ 경쾌한 동작／～なリズム 경쾌

けいかん【挂冠】图自 괘관(挂冠);
벼슬을 물러남. 〔注意〕바르게는 'かいかん'.

けいかん【桂冠】图 계관(月桂冠ᵇᵘᵘᵘ
(＝월계관)의 준말). ¶～詩人ᵇᵘᵘᵘ 계관
시인.

けいかん【景観】图 경관;경치. ¶雄
大ᵈᵘᵘᵗな～ 웅대한 경관.

*けいかん【警官】图 경관;경찰관;특
히, 순경.　　　　　「찰하는 능력.
けいがん【慧眼】图゚ 혜안;사물을 통

けいがん【炯眼】图゚ 형안;날
카로운 눈매〔안력〕. 〔参考〕'慧眼ᵇᵘᵘᵘ'과
같은 뜻으로도 씀.

けいき【刑期】图 형기. ¶～を終ᵇᵘᵘる
형기를 마치다.

けいき【契機】图 계기. ¶株価ᵇᵘᵘᵘの暴
落ᵇᵘᵘᵘを～として恐慌ᵇᵘᵘᵘが起ᵇᵘᵘこる 주
가의 폭락을 계기로 해서 공황이 일어
나다.

**けいき【景気】图 ①⑦경기. ○～変動
ᵇᵘᵘᵘ 경기 변동. ○～が大変ᵇᵘᵘᵘよ
～だ 대단한 호경기다. ②활동 상태나
위세〔기세〕;기운. ¶酒ᵇᵘを飲ᵇんで～
をつける 술을 마시고 기운을 내다.

けいき【継起】图自 계기;잇따라 일
어남. ¶事件ᵇᵘᵘが～する 사건이 잇따
라 일어나다.

けいき【計器】图 계기. ＝メーター.
──ひこう【──飛行】 계기 비행.

げいぎ【芸妓】图 예기. ＝芸者ᵇᵘᵘᵘ.
けいきかんじゅう【軽機関銃】-jū
图 경기관총. =軽機ᵏᵏᵏᵏ. ⇒重ᵇᵘᵘᵘ機関銃.

けいききゅう【軽気球】-kyū 图 경기
구. ⇒ききゅう(気球).

けいきへい【軽騎兵】图 경기병.

けいきょ【軽挙】-kyo 图 경거;경솔(한
행동). ──もうどう【──妄動】-mōdō
图 경거 망동. ¶～をつつしむ 경거
망동을 삼가다.

けいきょう【況況】-kyō 图 황황;상
황;경기. ¶～を見ᵇまもる 상황을 지
켜보다.

けいきょく【荊棘】-kyoku 图 형극.
──の道ᵇᵘᵘ 형극의 길;가시밭 길.

けいきんぞく【軽金属】图 경금속.
¶～로 말하건대.　　　「경구를 말하다.

けいく【警句】图 경구. ¶～を吐ᵇく

けいぐ【敬具】图 경구;경백(敬白).

けいけい【炯炯】［タル 형용;(눈이)
번쩍이는〔날카로운〕모양. ¶～たる眼
光ᵇᵘᵘ 형형한 눈빛.

けいけい【軽軽】 副 경경히;경솔
히. ¶～行動ᵇᵘᵘᵘするな 경솔히 행동하
지 마라.

けいけつ【経穴】图 〔漢醫〕 경혈.

けいけい【敬虔】图 ［ダナ 경건. ¶～な態
度ᵈᵘᵘ 경건한 태도.

**けいけん【経験】图他 경험. ¶～者
ᵇᵘᵘ 경험자／～談ᵇᵘ 경험담／得難ᵇᵘᵘᵘ
～を積ᵇむ 얻기 어려운 경험을 쌓다.

けいげん【軽減】图他 경감. ¶負
担ᵇᵘᵘᵘの～ 부담의 경감.

けいこ【稽古】图自 (학문·기술·예
의)배움;익힘;연습함.

*けいご【敬語】图 경어;높임말.

けいご【警固】图他 경고;굳게 지
킴;또, 그 시설이나 사람.

けいご【警護】图他 경호. ¶～の下ᵇ
に 경호 밑에서.

げいこ【芸子】图 〔関西方〕 기생. ＝芸
者ᵇᵘᵘᵘ.

けいこう【傾向】图 경향. ¶物価
ᵇᵘᵘᵘが下ᵇᵘᵘᵘがる～がある 물가가 내려가는
경향이 있다. ──てき【──的】［ダナ 경
향적(특히, 좌익적). ──ぶんがく
【──文学】 경향 문학.

けいこう【径行】-kō 图 경행;마음먹
은 것을 결행함.

けいこう【経口】-kō 图 경구. ¶～投
与ᵇᵘᵘ 경구 투여. ──やく【──薬】
경구약;내복약.

けいこう【蛍光】-kō 图 형광. ──とう
【──灯】-tō 图 형광등. ──とりょう
【──塗料】-ryō 图 형광 도료. ──ばん
【──板】图 형광판.

けいこう【鶏口】-kō 图 ¶～となるも牛
後ᵇᵘᵘᵘとなるなかれ 계구 우후(鶏口
牛後)(닭 벼슬이 될망정 쇠꼬리는 되
지 마라).

けいごう【契合】-gō 图自 계합;부
합;꼭 맞음.

げいごう【迎合】-gō 图自 영합.

けいこうぎょう【軽工業】-kōgyō 图 경
공업. ↔重工業ᵇᵘᵘᵘᵘᵘ.

けいごうきん【軽合金】-gōkin 图 경합
금.

けいこく【傾国】图 경국. ①나라를 기
울게 함. ¶～の美人ᵇᵘᵘ 경국지색(傾国
之色). ②절세의 미인;특히, 창녀. ＝
傾城ᵇᵘᵘᵘ.

けいこく【経国】图 경국;나라를 다스
림. ¶～の大業ᵇᵘᵘᵘ 경국의 대업.
──さいみん【──済民】 경국 제민.

けいこく【渓谷】〔谿谷〕图 계곡;골짜
기. ＝たに(谷).

けいこく【警告】图他 경고. ¶～を
発ᵇᵘᵘする 경고를 발하다.

けいこつ【脛骨】图 경골;정강이뼈.

けいこつ【頸骨】图 경골;목뼈.

げいごと【芸事】图 (노래·三味線ᵇᵘᵘᵘ·
춤 따위)예능에 관한 일.

*けいさい【掲載】图他 게재;게재. ¶論文
ᵇᵘᵘを～する 논문을 게재하다.

**けいざい【経済】图 (経済済民
ᵇᵘᵘᵘᵇᵘᵘᵘ(＝경국 제민)'의 준말). 二图 ①
경제(적);절약. ¶～な品ᵇ 경제적인

物건 / ～な人ᇇ 경제적인 사람 / 時間
ᇇᇇ의 ～을 図ᇹ る 시간의 절약을 도모하
다. ──か【─家】图 경제가. ①경제
에 밝은 사람. ②절약가. ──かい
【─界】图 경제계. ──かいはつ
【─開発】图 경제 개발. ──きかく
ちょう【─企画庁】-chō 图 경제 기획
청(경제 기획원에 상당). ──せいちょう
りつ【─成長率】-chōritsu 图 경제
성장률. ──てき【─的】ナ 경제적.

**けいさく【計策】图 계책; 계략.

＊けいさつ【警察】图 경찰. ¶～力ᇹᇹ / 경
찰력 / ～大ᇹᇹ 경찰견 / 秘密ᇹᇹ ～ 비밀
경찰 / ～の保護ᇹを 受ᇹける 경찰의 보
호를 받다. ──かん【─官】图 경찰
관. ──こっか【─国家】-kokka 图 경
찰국가. ──しょ【─署】图 경
찰서.

＊けいさん【計算】图 ス他 계산. ¶～が
下手ᇹᇹ인 계산이 서투르다 / ～に入ᇹれ
る 계산(세)에 넣다; 고려하다. ──き
【─機・─器】图 계산기. 参考 특히
계수형(計數型) 전자 계산기를 이를 때
가 있음. ──じゃく【─尺】-jaku 图
계산척; 계산자. ──しょ【─書】-sho
图 계산서; 청구서.

けいし【京師】图 경사; 수도; 제도(帝
都). ≒みやこ.

けいし【刑死】图 ス自 형사; 형을 받아
죽음.

けいし【けい紙】【罫紙】图 괘지. ¶両
面ᇹᇹ 양면 괘지.

けいし【警視】图 경시(우리 나라의 경
감에 상당). ──ちょう【─庁】-chō
图 경시청; 東京都ᇹᇹᇹᇹᇹᇹ 경찰 본부.

けいし【軽視】图 ス他 경시. ↔重視
ᇹᇹ. 「김」.

けいじ【兄事】图 ス自 형으로 모심(섬
김).

けいじ【刑事】图 형사. ①형법의 적용
을 받는 사항. ¶～事件ᇹᇹ 형사 사건.
↔民事ᇹᇹ. ②형사; 「刑事巡査ᇹᇹᇹᇹᇹ(＝
형사 경관)」의 준말. ──さいばん
【─裁判】图 형사 재판. ──せきにん
【─責任】图 형사 책임. ──そしょう
【─訴訟】-shō 图 형사 소송. ──ひこ
くにん【─被告人】图 형사 피고인.
──ほしょう【─補償】-shō 图 형사
보상.

けいじ【慶事】图 경사.

けいじ【啓示】图 ス他 계시.

＊けいじ【掲示】图 ス他 계시; 게시. ──ばん
【─板】图 게시판.

けいじ【計時】图 ス自 계시; (경기 등
에서) 시간을 잼. ¶途中ᇹᇹᇹ ～ 도중계
시.

けいじか【形而下】图 형이하. ＝形而
上ᇹᇹ. ──がく【─学】图 형이하학.

＊けいしき【形式】图 형식. ¶～化ᇹ 형
식화 / 文書ᇹᇹ의 형식 / 規定
ᇹᇹᇹ의 ～을ふむ 규정된 형식을 밟다. ↔
実質ᇹᇹ. ──しゅぎ【─主義】-shugi
图 형식주의. ──てき【─的】ナ 형
식적. ¶～なあいさつ 형식적인 인사.
──ば─る【─張る】
ス自 형식을 중시하다; 형식만 차리다.
──めいし【─名詞】图 【文法】형식
명사.

けいしき【型式】图 형식; (자동차·항
공기 따위의) 구조·외형 따위의 특징
한 형. ≒モデル.

けいじじょう【形而上】-jō 图 형이상.
↔形而下ᇹᇹᇹ. ──がく【─学】图 형
이상학.

けいしつ【形質】图 형질. ①형태와 성
질. ②【生】생물의 형태상의 특징; 또,
유전상의 특색의 근본이 되는 성질.

けいしゃ【傾斜】-sha 图 경사. ¶～面ᇹ
三面ᇹ 물매; 경사. ¶山ᇹᇹの一面ᇹ 산의
경사면.

けいしゃ【けい砂】【珪砂・硅砂】-sha
图 규사.

けいしゃ【鶏舎】-sha 图 계사; 닭장.
≒とりごや.

げいしゃ【芸者】-sha 图 기생.「妓」
けいしゅ【警手】-shu 图 경수; 철도 경
비원. ¶踏切ᇹᇹᇹ ～ 철도 건널목지기.

けいしゅう【閨秀】-shū 图〈혼히 接頭
語的ᇹᇹᇹ으로〉규수. ¶～作家ᇹᇹ 규수 작
가.

けいじゅう【軽重】-jū 图 경중. ＝けい
ちょう. ¶事ᇹ의 ～を問ᇹわず 일의 경
중을 가리지 않고.

けいしゅく【慶祝】-shuku 图 경축. ¶
～行事ᇹᇹ 경축 행사.

＊げいじゅつ【芸術】-jutsu 图 예술. ¶
～品ᇹ 예술품. ──のための─芸術
위한 예술. ──は長ᇹく人生ᇹᇹは短ᇹし
예술은 길고 인생은 짧다. ──いん
【─院】图 예술원. ──か【─家】图
예술가. ──さい【─祭】图 예술제.
──しじょうしゅぎ【─至上主義】
-jōshugi 图 예술 지상주의. ──てき
【─的】ナ 예술적.

げいしゅん【迎春】-shun 图 영춘; 새
해를 맞음.

けいしょ【経書】-sho 图 경서; 유학의
경전(經典)(사서 오경 등). ≒経籍ᇹᇹ.

けいしょう【形象】图 형상. ──か
【─化】图 ス他 형상화.

けいしょう【敬称】-shō 图 경칭. ¶
～を略ᇹᇹす 경칭을 약하다.

けいしょう【景勝】-shō 图 경승. ¶
～の地ᇹ 경승지.

けいしょう【継承】-shō 图 ス他 계승.
¶王位ᇹᇹを ～する 왕위를 계승하다.

けいしょう【警鐘】-shō 图 경종. ¶
～を鳴ᇹらす 경종을 울리다.

けいしょう【軽少】-shō ナ 경소; 약
간; 조금.

けいしょう【軽捷】-shō ナ 경첩; 몸
이 날렵하고 민첩함.「傷」.

けいしょう【軽傷】-shō 图 경상. ↔重
傷ᇹᇹ. ──かんじゃ【─患者】图 경
상 환자. ↔重症ᇹᇹᇹ.

けいじょう【刑場】-jō 图 형장. ──の
露ᇹと消ᇹえる 형장의 이슬로 사라지
다.

けいじょう【計上】-jō 图 ス他 계상.
¶予算ᇹᇹに旅費ᇹᇹを ～する 예산에 여
비를 계상하다.

けいじょう【啓上】-jō 图 ス他 계상;
말씀드림(편지에서 씀). ¶一筆ᇹᇹᇹ ～
한자 올립니다.

けいじょう【形状】-jō 图 형상; 모양.
＝形状ᇹᇹ. ¶～しがたい 무어라 형용할
수 없다.

けいじょう【敬譲】-jō 图 경양; 존경
과 겸양. ¶～語ᇹ 경양어.

けいじょう【経常】-jō 图 경상. ¶～

費ʸ 경상비. ↔臨時ʳ.

けいじょう【警乗】-jō 图 차나 배에 편승하여 이동하며 순찰(경계)함. ¶~警官ᵁᴺ 이동 경관.

けいしょく【軽食】-shoku 图 경식; 간단한 식사; 경식사. 「りしょく.

けいじょし【係助詞】-joshi图かか

けいしん【敬神】图 경신. ¶~の念ⁿ 신을 공경하는 마음.

けいしん【軽信】图 ス他 경신. ¶人ᵁᴺの言葉ᵁᴺ を~する 남의 말을 경신하다. 〔진도 2〕.

けいしん【軽震】图 경진; 가벼운 지진.

けいず【系図】图 계도; 계보; 족보(일의 내력·유래에도 비유됨).

けいすい【軽水】图 경수; 보통의 물. ↔重水ᵁᴺ.

けいすう【係数】-sū 图〔数·理〕계수. ¶膨張ᵁᴺ〔摩擦ᵁᴺ〕~ 팽창〔마찰〕계수.

けいすう【計数】-sū 图 계수. ¶~に明ᵁᴺるい 계산에 밝다. —かん【——管】图 계수관. ¶ガイガー~ 가이거 (Geiger) 계수관.

けい−する【慶する】サ他 경축하다. ¶~すべきこと 경하할〔축하할〕일.

けい−する【敬する】サ他 공경하다. —して遠ᵁᴺざける 경원하다.

けいせい【傾城】图 논다니; 창녀(娼女)〔본다는〕미인. ⇒傾国ᵁᴺ.

けいせい【形勢】图 형세; =なりゆき. ¶不穏ᵁᴺな 불온한 형세.

けいせい【形声】图 형성; 육서(六書)의 하나〔뜻을 나타내는 부분과 음을 나타내는 부분이 결합하여 새로운 한자를 만드는 방법: '江'='氵'+'工' 등〕.

けいせい【形成】图 ス他 형성. ¶人格ᵁᴺの~ 인격의 형성.

けいせい【警世】图 경세; 세상을 다스리는 일. —か【——家】图 경세가; 정치가. —さいみん【——済民】图 경세제민; 정치.

けいせい【警世】图 경세; 세상을 깨우침. ¶~の文ᵁᴺ 경세의 글.

けいせき【形跡】图 형적; 흔적; 자취. ¶たき火ᵁᴺをした~がある 모닥불을 피운 흔적이 있다 / ~をくらます 자취를 감추다. 「규석.

けいせき【珪石】〔圭石·硅石〕图〔鑛〕

けいせき【蛍石】图〔鑛〕형석.

けいせき【経籍】图 경적; 경서(經書).

けいせつ【蛍雪】图 형설. —の功ᵁᴺを積ᵁᴺむ 형설의 공을 쌓다.

げいせつ【迎接】图 ス他 영접. ¶~に暇ᵁᴺなし 영접하기에 바쁘다.

けいせん【罫線】图 경선; 자오선(子午線). ↔緯線ᵁᴺ.

けいせん【けい線】〔罫線〕图 ①괘선. ②罫線表ᵁᴺ(=시세 동향〔을 표시한〕그래프)'의 준말.

けいそ【刑訴】图 형소;'刑事ᵁᴺ訴訟ᵁᴺ(=형사 소송)'의 준말. ↔民訴ᵁᴺ. 「소.

けいそ【けい素】〔珪素·硅素〕图〔化〕

けいそう【係争】〔繫争〕图 ス自 계쟁; (소송에서) 양자가 서로 다툼.

目下ᵁᴺ~中ᵁᴺの… 목하 계쟁중인 ….

けいそう【珪藻】〔珪藻·硅藻〕-sō 图〔植〕규조.

けいそう【継走】-sō 图 ス自 계주; 릴레이 경주.

けいそう【軽装】-sō 图 ス自 경장; 가벼운 차림.

けいぞう【形像】-zō 图 형상.

けいぞう【恵贈】-zō 图 혜증(선물을 받고 편지로 그 인사를 할 때 쓰는 말).

けいそく【計測】图 ス他 계속.

*けいぞく【継続】图 ス他 계속. —的ᵁᴺに服用ᵁᴺする 계속적으로 약을 먹다.

けいぞく【係属】〔繫属〕图 ス自他 계속. ①매어 이음; 연결지음. ②〔法〕어떤 소송(訴訟)이 법원에서 심리중임; 소송 계속.

*けいそつ【軽率】-ナ形 경솔. ¶~なふるまい 경솔한 행동. ~慎ᵁᴺむ.

けいそん【恵存】图 혜존. =けいそん.

けいたい【形態】〔形体〕图 형태; 형상; 모양; 생김새. ¶~学ᵁᴺ 형태학 / 生物ᵁᴺ~ 생물의 형태.

けいたい【敬体】图 경체; 경어체. ↔常体ᵁᴺ. 「携帯品.

*けいたい【携帯】图 ス他 휴대. ¶~

けいだい【境内】图 (신사·사찰의) 경내; 구내. 「るおい.

けいたく【恵沢】图 혜택. =めぐみ·う

げいだん【芸談】图 예담(예능·예도 〔芸道〕의 비결이나 고심담).

けいだんれん【経団連】'経済団体連合会ᵁᴺ(=경제 단체 연합회)'의 준말; 재계의 의견을 조정하여 정부·국회에 건의 등을 함.

けいちゅう【傾注】-chū 图 ス自 경주. ¶全力ᵁᴺを~する 전력을 경주하다.

けいちょう【傾聴】-chō 图 ス他 경청. ¶~に値ᵁᴺする 경청할 가치가 있다.

けいちょう【慶弔】-chō 图 경조; 경사와 상사. ¶~費ᵁᴺ 경조비 / ~電報 경조 전보.

けいちょう【軽重】-chō 图 경중. =けいじゅう. ¶事ᵁᴺの~をわきまえない 일의 경중을 분별하지 못하다.

けいちょう【軽佻】-chō 图 ス他 경조; 경망함. ¶~浮薄ᵁᴺ 경조 부박.

けいてい【兄弟】图 형제. =きょうだい. —墻ᵁᴺに相ᵁᴺせめぐ 형제끼리 집안싸움을 하다.

けいてき【警笛】图 경적. ¶~をならす 경적을 울리다.

けいてん【経典】图 경전. ¶儒教ᵁᴺ〔仏教ᵁᴺ〕の~ 유교(불교)의 경전.

けいでんき【継電器】图〔電〕전기 전기(유선 통신기에서 약해진 전류를 세게 하는 장치). =リレー.

けいでんき【軽電機】图 경전기(전기 세탁기처럼 간단한 소형의 전기 기계). ↔重電機ᵁᴺ.

*けいと【毛糸】图 모사; 털실.

けいど【傾度】图 경도. 「규토.

けいど【けい土】〔珪土·硅土〕图〔理〕

けいど【経度】图〔地〕경도. ↔緯度ᵁᴺ.

けいど【軽度】图 경도; 정도가 가벼움. ¶~の近視ᵁᴺ 경도의 근시.

けいとう【傾倒】-tō 图 ス自他 경도. ①심취(心酔)함. ¶カントに~する 칸

け

トに心酔たする。②전력(專力)함. ¶平
和解決がっに～する 평화 해결에 힘을
기울이다.

*けいとう【系統】-tō 名 계통. ¶事務じむ
～の職員しょくいん 사무 계통의 직원.
──だてる【──立てる】下1他 계통짓
다. ¶──てて調査ちょうさする 계통을 세
워서 조사하다. ──てき【──的】ダナ
계통적.

けいとう【繋投】-tō 名 ㋜自〔野〕계
투. 〔드라미.

けいとう【鶏頭】-tō 名〔植〕계두；맨

げいとう【芸当】-tō 名 ①곡예. ②위
험한 일；아슬아슬한 일.

けいどう【芸道】-dō 名 예도；기예(技
藝)나 예능의 길. ¶～にいそしむ 예
도에 정진하다.

けいとうみゃく【頸動脈】-dōmyaku 名
〔生〕경동맥.

げいなし【芸無し】名 아무 재주도 없
고 평범함；또, 그러한 사람.

げいにん【芸人】名 ①연예인. ②훌륭
한 능력을 가진 사람.

げいのう【芸能】-nō 名 예능. ①연예
(演藝)──界かい 연예계. ② ☞ げい
ごと(芸事). ③학예·기예(技藝)의 재
능. ──じん【──人】 예능인.

けいば【競馬】名 경마.

けいはい【軽輩】名 경배；신분이 낮은
사람；경험이 적은 사람.

けいはいじょう【珪肺病/硅
肺病】-byō 名〔醫〕규폐병. 参考 속칭
은 'よろけ'. 〔い.

けいばい【競売】名 ㋜他 ☞きょうばい.

けいはく【敬白】名 경백；경구(敬具).

けいはく【軽薄】名 ダナ 경박. ¶～
な人びと 경박한 사람；아첨. ¶～の
おべっか말；아첨. ＝おせじ. ¶例れいの～
を言いう 언제나처럼 거짓살을 부리다.

けいはつ【啓発】名 ㋜他 계발；계몽.

*けいばつ【刑罰】名 형벌. ¶～を科か
する 형벌을 과하다.

けいはん【京阪】名〔地〕京都きょうと와 大
阪おおさか；かみがた. ──しん【──神】
〔地〕京都·大阪·神戸こうべの 준말.

けいはんざい【軽犯罪】名 경범죄.

けいひ【桂皮】名 계피.

けいひ【経費】名 경비. ¶～がかかる
경비가 들다 / ～を節約せつやくする 경비를
절약하다.

けいび【警備】名 ㋜他 경비. ¶～隊たい
경비대 / ～が厳重げんじゅうだ 경비가 엄중
하다.

けいび【軽微】名ダナ 경미. ¶わずか. ¶
～な損害そんがい 경미한 손해.

けいひこうき【軽飛行機】-kōki 名 경
비행기. 〔浜はま.

けいひん【京浜】名〔地〕東京とうきょう와 横

*けいひん【景品】名 ①경품. ＝景物けいぶつ.
おまけ. ¶～付つき大売おおうり出だし 경
품부 대매출. ②(참가자에게 주는) 상
품；기념품.

げいひんかん【迎賓館】名 영빈관.

けいふ【系譜】名 계보；족보. ¶自然
主義しぜんしゅぎ文学ぶんがくの～ 자연주의 문학의
계보.

けいふ【継父】名 계부；의붓아비. ＝ま

まちち. ↔実父じっぷ.

けいぶ【警部】名 (경찰에서) 경부(우
리 나라의 경위(警衛)에 상당). ──ほ
【──補】名 경부보(우리 나라의 경장
(警長)에 상당).

けいぶ【軽侮】名 ㋜他 경모；경멸；멸
시. ¶～の目めで見みる 경멸하는 눈으
로 보다.

けいぶ【頸部】名 경부；목 (부분). ¶子
宮しきゅう～ 자궁 경부.

げいふう【芸風】-fū 名 예풍. ¶二人
ふたりは～が違ちがう 두 사람은 예풍이 다르
다.

けいふく【敬服】名 ㋜自 경복；탄복.

けいぶつ【景物】名 ①경물；풍물；계
절을 따라 달라지는 풍물. ②흥취를 더
하는 것. ③ ☞けいひん(景品). ──し
【──詩】 풍물시.

けいふぼ【継父母】名 계부모；계부와
계모. 〔똥.

けいふん【鶏ふん】【鶏糞】名 계분；닭

*けいべつ【けいべつ·軽べつ】【軽蔑】
㋜他 경멸. ¶～の念ねんをいだく 경멸하
는 마음을 품다.

けいべん【軽便】名ダナ ①경편；간
편. ¶～な器具きぐ 간편한 기구. ②몸이
가볍고 날쌤. ③'軽便鉄道てつどう(＝경편
철도)'의 준말. 〔慕ぼ.

けいぼ【敬慕·景慕】名 ㋜他 경모. ＝欣

けいぼ【継母】名 계모；의붓어미. ＝ま
まはは. ↔実母じつぼ.

*けいほう【刑法】-hō 名 형법.

*けいほう【警報】-hō 名 경보. ¶台風
たいふう～ 태풍 경보.

けいぼう【警棒】-bō 名 경(찰)봉.

けいぼう【警防】-bō 名 경방；위험·재
해 따위를 경계하고 막음. ──だん【──団】 경
방단.

けいま【桂馬】名 계마. ①장기의 말의
하나(한국 장기의 마(馬)에 상당).
＝桂けい. ②(바둑에서) 일(日)자 또는
목(目)자로 대각선 방향으로 두는 수.

けいみょう【軽妙】-myō 名ダナ 경묘.
¶～な筆致ひっち 경묘한 필치.

けいむしょ【刑務所】-sho 名 형무소；
교도소.

げいめい【芸名】名 예명.

けいもう【啓蒙】-mō 名 ㋜他 계몽.
──しそう【──思想】-sō 名 계몽 사
상. ──しゅぎ【──主義】-shugi 名 계
몽주의. ──てき【──的】ダナ 계몽적.

*けいやく【契約】名 ㋜他 계약. ¶～書
しょ 계약서 / ～を結むすぶ 계약을 맺다.

けいゆ【経由】名 ㋜自 경유. ¶東京とうきょう
～.

けいゆ【軽油】名〔化〕경유. ↔重油じゅうゆ.

げいゆ【鯨油】名 경유；고래 기름.

けいよ【刑余】名 ¶～の人ひと 형여자；
전과자.

けいよう【形容】-yō 名 ㋜他 형용.
㊁얼굴 모습；자태；모습；상태.
──し【──詞】名 형용사. 参考 口語
에서는 원형이 '高たかい(＝높다)'처럼
'い'로 끝남. ──どうし【──動詞】
-dōshi 名 형용 동사(사물의 성질·상태
를 나타내는 말로서 현대어에서는 'き
れいだ(＝예쁘다)' 'しずかだ(＝조용
하다)'처럼 'だ'로 끝남.

けいよう【掲揚】-yō 名 ㋜他 게양. ¶
国旗こっき を～する 국기를 게양하다.

けいらん【鶏卵】图 계란；달걀.

けいり【経理】图 ス他 경리. ¶━課ৣ 경리과.

けいり【警吏】图 경찰관.

けいりし【計理士】图 계리사('公認認会計士ৣৣ'(=공인 회계사)'의 구칭).

*けいりゃく【計略】-ryaku 图 계략. ==하かりごと. ¶━を巡ｓらす 계략을 꾸미다. ¶=谷川ৣৣ.

けいりゅう【渓流】【谿流】-ryū 图 계류.

けいりゅう【係留】【繋留】图 ス他 계류. ━きゅう【━気球】-kyū 图 계류 기구.

けいりょう【計量】-ryō 图 ス他 계량. ━き【━器】-ryō 图 계량기.

けいりょう【軽量】-ryō 图 경량. ¶━級ৣ 경량급. ◆重量ৣৣ.

けいりん【競輪】图 경륜；직업 선수의 자전거 경기（돈을 걸고 하는 공인 도박）.

けいりん【経綸】图 경륜；국가를 통치함；또, 그 수완（방책）.

けいるい【係累】【繋累】图 계루. ①이어서 얽힘. ②신변에 얽매인 누（累）. ③부양 가족；딸린 식구.

けいれい【敬礼】图 ス自 경례.

*けいれき【経歴】图 경력. =履歴ৣৣ.

けいれつ【系列】图 계열. ¶━会社ৣ 계열 회사.

けいれん【痙攣】图 ス自 경련. =ひきつり. ¶胃ৣ～ 위경련.

けいろ【毛色】图 ①모색；털빛. ②모양；성질；종류. ¶━の変ৣわった人ৣ 색다른 사람.

けいろ【径路】图 경로. ①작은 길. = こみち. ②ৣৣけいろ（経路）.

けいろ【経路】图 경로. ¶━を探ৣる 입수 경로를 알아보다.

けいろう【敬老】-rō 图 경로. ¶━会ৣৣ 경로회. ━精神ৣৣ 경로 정신.

けいろうどう【軽労働】-rōdō 图 경노동. ◆重労働ৣৣ.

けいろく【鶏肋】图 계륵；그다지 쓸모는 없으나 버리기도 아까운 것.

けう【希有・稀有】图 ス自 희유；희한. ¶━な（の）出来事ৣৣ 희유한 사건.

けうとい【気疎い】形 싫다；불쾌하다. =いとわしい・うとましい.

けうら【毛裏】图 안에 털을 댄 옷（물건）. =うらげ.

ケー【K】图 ①케이. ②一～三 개의 침실과 부엌. ▷kitchen. ③금의 캐럿（K를 숫자 앞에）. ¶━十八金ৣৣ 18금. ▷karat.

ケーオー【KO】图 ス他 케이오. ¶━ノックアウト. ¶━勝ৣち 케이오 승. ▷knock out.

*ケーキ 图 케이크；양과자. ¶━屋ৣ 과자점. ¶━.▷cake. 【외】

げえげえ gēge 圖 구역질하는 모양；웩.

ゲージ 图 게이지. ①편물에서 일정 크기에 대한 코의 수. ②물건의 길이·폭·두께·굵기·지름 등을 재는 측정기의 총칭. ▷軌間（軌間）. ▷gauge.

*ケース 图 케이스. ①상자；갑；용기. ②경우；사례；사례. ¶特殊ৣৣ 케이스. ③【文法】격（格）. ▷case. ━スタディー -dī 图 케이스 스터디；사례 연구법. ▷case study. ━バイ━ 图 케이스 바이 케이스；그때 그때의 경

우에 따라 대응 처리함. ▷case by case.

ゲート 图 게이트；문；출입구. ▷gate.

ゲートル 图 게트르；（서양식）각반（脚絆）. ▷프 guêtre.

ケープ 图 케이프；방한용 또는 유아용의 소매 없는 외투. ▷cape.

ケーブル 图 케이블. ①【電】㉠전기 절연물로 싼 전선. ㉡지중（地中）·수저（水底）용의 전선. ②'ケーブルカー'의 준말. ▷cable. ━カー 图 케이블 카. ▷cable car.

*ゲーム 图 게임. ▷game. ━カウント 图 게임 카운트. ▷game count. ━セット -setto 图 게임세트；경기 종료. ▷일 game set.

けおされる【気圧される】 ス自 기세에 눌리다；압도되다；기가 죽다.

けおとす【蹴落（と）す】【蹴落（と）す】 5他 ①차서 떨어뜨리다. ②（남을）밀어 내다；실각시키다.

けおり【毛織（り）】图 모직；모직물. ━もの【━物】图 모직물.

*けが【怪我】图 ス自 부상. ¶━をする 다치다；부상을 입다. ②잘못；과실；또, 뜻밖의 일. ━の功名ৣৣৣ 뜻밖의 공명（실패했다고 생각한（무심코 한）일이 뜻밖에 좋은 결과를 낳게 됨）.

*げか【外科】图 외과. ¶━医ৣ 외과의사（사）. ◆内科ৣৣ.

げかい【下界】图 ①하계；인간 세계；이 세상；지상. ◆天上ৣৣ. ②【航空】높은 곳ৣৣ에서～を見ৣおろす 비행기에서 하계를（지상을）내려다보다.

けがえす【蹴返す】【蹴返す】 5他 ①차서 제자리로 돌아가게 하다. ②차서 뒤덮다. ③되받아 차다；재차 차다.

けががち【けが勝（ち）】【怪我勝（ち）】图 ス自（실력이 아니라）우연한 일로 이김.

けがす【汚す】 5他 ①더럽히다；모독하다. ¶名誉ৣৣを～ 명예를 더럽히다 / 人妻ৣৣを～ 남의 아내를 욕보이다 / 末席ৣৣৣを～ 말석을 더럽히다（그 지위에 있음의 겸칭）.

けがに【毛蟹】图【動】털게（북양에서 나는 식용게）.

けがにん【けが人】【怪我人】图 부상자.

けがび【毛かび】【毛黴】图 털곰팡이（썩은 음식물에 잘 번식함）.

けがまけ【けが負（け）】【怪我負（け）】 ス自（실력은 있는데）실수해서 짐.

けがらわしい【けがらわしい・汚らわしい・穢らわしい】-shī 形 군더더기하다；더럽다；추접스럽다. ¶聞ৣくも～話ৣ는 듣기에도 추접스러운 이야기／殺ৣৣの名ৣも口ৣに出ৣすのも～ 그의 이름은 입에 담기도 더럽다／見ৣるのも～ 보기도 싫다.

けがれ【汚れ】【穢れ】图 ①더러움；추악；불결. ¶━を知ৣらない子供ৣৣ 더러움을 모르는 어린이；천진 무구한 어린이. ②（월경·상（喪）·해산 따위）부정（不浄）.

けがれる【汚れる】【穢れる】 ス自 ①더러워지다；더럽혀지다. ¶━れたからだ (a)더럽혀진 몸；(b)정조를 빼앗긴 몸／心ৣৣが～ 마음이 더러워지다. ②（상중（喪中）·해산·월경 등으로）몸이 부정（不浄）해지다.

けがわ【毛皮】 (名) 모피；털가죽. ¶～の手袋ぶくろ 털가죽 장갑.

げかん【下疳】 (名) 【醫】 하감(음부(陰部)에 궤양(潰瘍)이 생기는 성병).

*げき【劇】 (名) 극；연극. ¶～の演出えんしゅつ をする 연극의 연출을 하다. 〔參考〕接尾語的으로도 씀. ¶児童じどう～ 아동극.

げき【檄】 (名) 격；격문. ¶～を飛とばす 격문을 띄우다(돌리다).

げき【隙】 (名) ①틈. ¶～をうかがう 틈을 엿보다. ②불화. ¶～を生しょうじる 불화가 생기다.

げきえいが【劇映画】 (名) 극영화.

げきえつ【激越】 (ダナ) 감정이 몹시 격함. ¶～な口調くちょう 격한 어조.

げきか【劇化・劇化】 (名) 극화. → げきか(劇化)

げきか【激化・劇化】 (名) (スヌ自他) 격화. ━げっか. ¶戰鬪せんとうが～する 전투가 격화하다 / 感情的かんじょうてき対立たいりつを～させる 감정적 대립을 격화시키다.

げきが【劇画】 (名) 극화. ①이야기에 그림을 곁들여 엮은 책(이야기를 주로 한 만화의 새로운 이름). ②☞かみしばい(紙芝居).

げきかい【劇界】 (名) 극계；연극계.

げきげん【激減】 (名) (スヌ自) 격감. ↔激增 「げっこう.

げきこう【激高】(激昂) -kō (名) (スヌ自)

げきさい【撃砕】 (名) (スヌ他) 격쇄；쳐부숨.

げきさく【劇作】 (名) 극작. ¶～家か 극작가.

げきさん【激賞】(激讚) (名) (スヌ他) 격찬.

げきし【劇詩】 (名) 극시. 〔參考〕'詩劇しげき'와 같은 뜻으로도 쓰임.

げきしゅう【劇臭・激臭】 -shū (名) 극취；자극이 매우 강한 냄새.

げきしょう【激賞】 -shō (名) (スヌ他) 격상；격찬. ¶～を浴あびる 격찬을 받다.

*げきじょう【劇場】 -jō (名) 극장.

げきじょう【激情】 -jō (名) 격정. ¶～に駆かられる 격정에 사로잡히다.

げきしょく【劇職・激職】 -shoku (名) 극직；격무(激務). ¶～に耐たえられない 격무에 견딜 수 없다. ↔閑職かんしょく

げきしん【激震・劇震】 (名) 격진；집이 무너지거나 산사태 등이 일어나는 심한 지진(진도(震度) 7).

げきじん【激甚・劇甚】 (名) 극심；격심(損害・被害 따위의). ¶～な競争きょうそう 극심한 경쟁.

げき-する【激する】 (スヌ自サ変) 격하다；격렬해지다；거칠어지다；심하게 부딪다. ¶風波ふうばが～ 풍파가 거칠어지다 / 言葉ことばが～ 말씨가 거칠어지다 / ～した心こころを静しずめる 격한 마음을 가라앉히다 / 岩いわに～波なみ 바위에 부딪치는 파도. ¶～他 격려하다. ¶友ゆうを～ 벗을 격려하다.

げきせん【激戦】 (名) (スヌ自) 격전.

げきぞう【激増】 -zō (名) (スヌ自) 격증. ↔激減げきげん

げきたい【撃退】 (名) (スヌ他) 격퇴. ¶敵てきを～する 적을 격퇴하다.

げきだん【劇団】 (名) 극단. 「い.

げきだん【劇壇】 (名) 극단. ☞げきか

げきちゅう【劇中】 (名) 극중. ¶～の人物じんぶつ 극중 인물. ━げき【──劇】 (名) 극중극.

げきちん【撃沈】 (名) (スヌ他) 격침.

げきつい【撃墜】 (名) (スヌ他) 격추.

げきつう【劇痛・激痛】 -tsū (名) 격통；심한 아픔. ¶～を覚おぼえる 격통을 느끼다. ━鈍痛どんつう

げきつう【劇通】 -tsū (名) 연극통；연극(계)의 사정에 정통함；또, 그런 사람. ━芝居通しばいつう

げきてき【劇的】 (ダナ) 극적. ¶～な生涯しょうがい 극적인 생애(파란 많은 생애) / ～効果こうか 극적 효과.

げきてつ【撃鉄】 (名) 격철；공이치기.

げきど【激怒】 (名) (スヌ自) 격노；분격.

げきとう【激鬪】 -tō (名) (スヌ自) 격투；격전(激戦).

げきどう【激動】 -dō (名) (スヌ自) 격동. ¶～期 격동기 / ～する国際情勢こくさいじょうせい 격동하는 국제 정세.

げきどく【劇毒】 (名) 극독；맹독(猛毒).

げきとして【闃として】 (副) 쥐죽은 듯이 고요하게. ¶～声こえ無なし 쥐죽은 듯이 고요하다.

げきとつ【激突】 (名) (スヌ自) 격돌. ¶両勢りょうせい力りょくの～ 양세력의 격돌.

げきは【撃破】 (名) (スヌ他) 격파.

げきはつ【撃発】 (名) 격발；방아쇠를 당김. ¶～装置そうち 격발 장치.

げきひょう【劇評】 -hyō (名) 극평；연극 비평.

げきふん【激憤】 (名) (スヌ自) 격분；분격.

げきぶん【檄文】 (名) 격문. ━檄げき.

げきへん【劇変・激変】 (名) (スヌ自) 격변；급변. ¶天候てんこうの～ 날씨의 급변.

げきむ【劇務・激務】 (名) 극무；격무. ¶～に耐たえる 격무에 견디다.

げきめつ【撃滅】 (名) (スヌ他) 격멸.

げきやく【劇薬】 (名) 극약.

げきりゅう【激流】 -ryū (名) 격류；급류.

げきりん【逆鱗】 (名) 역린(천자・윗사람의 노여움). ¶～に触ふれる 천자〔윗사람〕의 노여움을 사다.

*げきれい【激励】 (名) (スヌ他) 격려. ¶選手せんしゅを～する 선수를 격려하다.

げきれつ【劇烈・激烈】 (ダナ) 격렬. ¶～に論争ろんそうする 격렬하게 논쟁하다.

げきろう【激浪】 -rō (名) 격랑；거센 물결；놀. ━荒波あらなみ

げきろん【激論・劇論】 (名) (スヌ自) 격론. ¶～を戦たたかわす 격론을 벌이다.

けぎわ【毛際】 (名) 털이 난 가장자리.

げくう【外宮】 -kū (名) '伊勢神宮いせじんぐう'의 하나(곡물의 신(神)인 '豊受大神とようけのおおかみ'을 모심). 〔注意〕'げぐう'라 함은 잘못. ━内宮ないくう.

げげ【下下】 (名) ①신분이 낮은 사람들；천민. ②하지하(下之下)；최하위. ¶～の下げ 하지하(下之下)다；아주 하치다. ━上上じょうじょう

げけつ【下血】 (名) (スヌ自) 하혈.

げげん【怪訝】 (ダナ) 피아；이상하여 납득이 안 감；의아(疑訝). ¶～な顔かおつき 의아스러운 표정을 하다.

けご【毛蚕】 (名) 애누에；알에서 갓 깐 누에.

げこ【下戸】 (名) 술을 못 하는 사람. ↔上戸じょうご. ━の建たてたる蔵くらもなし

안 먹는 자 (돈 모아) 곳집 지었다는
말 들었나 (술꾼의 자위의 말).

げこう【下向】-kō 图目 하향. ①
(아래로) 내려감. ②**하향(下鄕)**으
로 내려감. ③신불을 참배하고 돌아감.

げこう【下校】-kō 图目 하교; 하학
(下學). ↔**登校**。

げごく【下獄】图目 하옥.

げこくじょう【下剋上】(下剋上)-jō 图
하극상.

けこ-む【蹴込む】(蹴込む)━━5他 걷어
넣다. ━━5自 본전까지 까먹어 들어
가다.

げこも【毛衣】(裘)图 모의 ; (옛날에)
모피로 만든 옷 ; 갖옷.

*けさ【今朝】图 오늘 아침. ¶~ほどは
失礼しました(오늘) 아침에는 실례
가 많았습니다.

けさ【袈裟】图〈佛〉가사.

げざ【下座】━━曰 图 ①〈老〉 하좌 ; 말석.
＝しもざ。↔**上座**。②무대를 향하
여 왼쪽 자리 ; 전하여, 반주하는 사람
들(의 자리). ━━目 图目 앞에서
자리를 물러서서 납작 엎드리는 절.

げざい【下剤】图 하제 ; 설사약.

けさがた【今朝方】图 오늘 아침께. ＝
けさほど.

げさく【下作】图 조잡한 제작(품) ;
태작(駄作). ↔**上作**。━━图目 품위
가 없음 ; 천함. ＝下品びん.

げさく【下策】图 하책. ↔**上策**ょう.

げさく【戯作】图 희작 ; 실없이 지은
글 ; 전하여, 江戸えど시대 후기의 통속
오락 소설.

げざん【下山】图目 하산. ①산에서
내려 옴. ↔**登山**ざん。②(어느 기간 수
행(修行) 후에) 절에서 집으로 돌아옴.
[注意]**『げさん』**이라고도 함.

けし【芥子・罌粟】图〈植〉 앵속 ; 양
귀비. ＝けさ·けが·ぐし. 「けしつぶ=양귀비
비씨)』의 준말. ④**『けしだま**=양귀비
씨 모양의 작은 구슬 무늬)』의 준말.

げし【夏至】图 하지. ↔**冬至**とうじ.

けしいん【消印】图 소인. ¶～を押おす
소인을 찍다.

けしか-ける【嗾ける】━━1他 (부) 추기
다. ①(개 등을) 부추겨서 덤벼들게 하
다. ¶犬いぬを～ 개를 부추겨 덤벼들게
하다. ②(남을) 선동하다 ; 꼬드기다.
¶ストを～ 스트라이크를 선동하다.

けしガラス【消しガラス】(消硝子)图
젖빛 유리 ; =すりガラス. ▷ஶ glas.

けしからぬ【怪しからぬ】[連語] 괘씸하
다 ; 발칙하다 ; 무엄하다 ; 부당하다. ＝
けしからん. ¶～男まんだ 괘씸한 사나
이다.

*けしき【景色】图 경치 ; 풍경. ¶田舎
いなかの～ 시골 풍경 /～の良よい所ところ 경
치 좋은 곳.

けしき【気色】图 ①기색. ⊙기분의 나
타남 ; 내색 ; 모양. ¶おどろいた～ 놀
란 기색. ⓒ조짐 ; 징조. ¶降ふりそう
な～ 질 것 같은 조짐. ②기분 ; 특히,
나쁜 기분. ＝きげん. ¶～を損そこずる
기분을 상하다. ━━ば-む 图 (얼굴
에) 성난 기색을 나타내다.

げじげじ【蚰蜒】图〈俗〉〈動〉 그리
마. =げじ. ②(남들이) 꺼리고 싫어하
는 사람. ¶～野郎やろう 징그러운 자식.

──まゆ【──眉】图 짙고 굵은 보기 흉
한 눈썹. 「개. ＝ゴム消し.

*けしゴム【消しゴム】图 (고무) 지우

けしさ-る【消し去る】5他 지워 없
애다. ¶記憶きおくを～ 기억을 지워 없앰.

けしすみ【消し炭】图 뜬숯. 「し다.

けしつぶ【けし粒】(芥子粒)图 ①양귀
비씨. ②극히 작은 것의 비유. ¶～の
ようなダイヤ 좁쌀만한 다이아몬드.

けしつぼ【消しつぼ】(消し壺)图 숯
불이나 장작불을 넣어 끄는 단지. ＝火
消ひけしつぼ.

けしと-ぶ【消し飛ぶ】5自 날려 없
어지다 ; 날아가버리다. ¶爆発ばくはつで家いえ
が～ 폭발로 집이 날아가버리다.

けしと-める【消し止める】[T1他 불
길을 잡다 ; 전하여, 다른 데로 번지는
것을 막다. ¶デマを～ 낭설이 번지는
것을 막다.

けじめ 图 ①구분 ; 분간. ¶～をつける
구분을 짓다 /～の区別くべつ 구별을 분
짓다. ②따돌림 ; 차별. ━━をくう 따돌
림을 당하다.

*げしゃ【下車】-sha 图目 하차. ¶
途中とちゅう～ 도중 하차. ↔**乗車**じょう.

*げしゅく【下宿】-shuku 图目 하
숙. ¶～屋や 하숙집 /しろうと～ 여염
집 하숙. ━━りょうかん 여관. ↔**下宿**

けじゅす【毛じゅす】(毛繻子)-jusu 图
모수자 ; 날실은 면사(綿絲), 씨실은 모
사(毛絲)로 짠 매끈하고 윤이 나는 직
물. 「인.

けしゅにん【下手人】-shunin 图 하

*げじゅん【下旬】-jun 图 하순. ↔**上旬**
じょう·**中旬**ちゅう.

げじょ【下女】-jo 图 하녀 ; 가정부. ＝
女中じょちゅう. [參考]『お手伝てつだいさん』의 구
칭. ↔**下男**なん.

げしょう【化生】-shō 图 화생. ①〈佛〉
자연의 생겨남(사생(四生)의 하나).
②〈佛〉 형태를 바꾸어 나타남. ③유령 ;
도깨비 ; 또, 둔갑함.

*けしょう【化粧】-shō 图目 ①화
장 ; 겉을 아름답게 꾸밈 ; 단장. ¶厚化
粧あつげしょう 짙은 화장 /薄化粧うすげしょう 엷은
화장. ②의양만 그럴 듯하게 꾸밈. ¶
～軍ぐん 형식적인 전쟁. ━━くずれ
【──崩れ】图 (땀 등으로) 화장이
벗겨짐. ━━しつ【──室】图 화장실.
①화장·몸단장을 하는 방. ②변소 ; 세
면소. ━━すい【──水】图 화장수.
━━せっけん【──石鹸】-sekken 图 화
장 비누. ━━ばこ【──箱】图 ①화장
도구 상자. ②선물용으로 겉을 아름답
게 꾸민 상자. ━━ひん【──品】图 화
장품. ━━まわし【──回し】(──廻し)
图 스모선수가 씨름판 위에서 의식을 할
때 따위에 두르는 아름답게 수놓은
짧은 앞치마 모양의 드림. ━━りょう
【──料】-ryō 图 화장료 ; 여성의 용돈.

げじょう【下乗】-jō 图目 하마
(下馬). ②성역(聖域) 가까이에서 높은
귀인에 대한 예로서 말에서 내림.

けじらみ【毛虱】图〈蟲〉 사면발이 ; 모
슬(毛蝨).

けしん【化身】图 화신. ¶神じんの～ 신
의 화신.

*け-す【消す】5他 ①끄다. ⊙소화하
다. ¶火事かじを～ 화재를 끄다. ⓒ스위
치·고동 등을 틀어 멈추다. ¶ラジオ

を～라디오를 끄다. 지우다.¶黒板ぽの字じを～ 칠판의 글씨를 지우다 / ～し汚点ぽき 지우기어려운 오점. ⓐ毒ぽを～ 독을 없애다 /邪魔者じゃまょを～ 방해자를 없애다〔죽이다〕. ③감추다;보이지않게 하다.¶姿ぽを～ 모습을〔자태를〕감추다. ④〔肝ぽを～〕간 떨어지다.
げす【下衆・下種】 ⓐ 신분이 매우 낮은 사람;상놈. ⓑ 근성이 비열한 것;또,그 사람. ──の後知恵ぽ ; ──の知恵ぽ 는 어리석은 자는 일이 끝난 뒤에야 대책이 나온다〔약아진다〕. ──ば-る〔──張る〕⑤自 하치 근성을 그대로 드러내다;비열한 태도를 취하다.
げす【下司】ⓐ 신분이 낮은 관리;하리. =下役人ぽき.
*げすい**【下水】ⓐ ①하수;수챗물. ②『下水道』의 준말.──どう【──道】-dō ⓐ 하수도;수채.⇔上水道じょぽ.
けすじ【毛筋】ⓐ ①머리카락;모발.②사소한 것의 비유에도 쓰임.¶～ほどの違ぽい 가느다란 차이.③『毛筋立て(=빗치개)』의 준말.
ゲスト【guest】ⓐ 게스트;손님.②『ゲストメンバー』의 준말.⇔レギュラー.▷guest.──メンバー -membā ⓐ 게스트 멤버;임시(특별)출연자.⇔guest member.
けずね【毛臑】〔毛脛・毛臑〕ⓐ 털이 많은 정강이.¶～だらけ 털투성이의.
けずりぶし【削り節】ⓐ 얇게 깎은 가다랑어포.
*けず-る**【削る】⑤他 ①깎다.¶小刀でぷで鉛筆ぽを～ 창칼로 연필을 깎다 / 予算ぽを～ 예산을 깎다〔삭감하다〕.②없애다;지우다;삭제하다.¶名簿ぽから名前ぽを～ 명부에서 이름을 없애다.
けず-る【梳る】⑤他 (빗으로) 빗다.
げせない【解せない】連語 이해할 수 없다;알 수 없다.¶どうも～ 아무래도 이해할 수 없다.
げ-せる【解せる】下一自 이해되다;이해할 수 있다.運圈 'げせない'겠ける(=이해할 수 없다)'의 꼴로 씀.
げせわ【下世話】ⓐ 항간에서 흔히 하는 말〔이야기〕;상말.¶～に'老ぽいては子こに従ぽえ'と言う 상말에'늙어서는 자식에 따르라'고 말한다.
げせん【下船】ⓐ 下自 하선;배를 내림.⇔乗船じょぽ.¶～の身ぽ 下船^한 몸.
げせん【下賤】名･ 下自 하천;미천. ¶～の者ぽ 미천한 사람.
けそう【懸想】-sō ⓐ 下自 이성(異性)을 그리워함;사모;연모(懸想).
げそく【下足】ⓐ 벗어 놓은 신.──ばん【──番】ⓐ 신발을 지키는 사람.
けぞめ【毛染め】ⓐ 下自 머리 염색.
けた【桁】ⓐ ①도리;또,다리의 횡목(橫木).⇒梁りょ.②(수자의)자릿수;전하여,규모;수준;급수.(수판의)꿰대.一が違ぽう ①(수판의)자릿수가 틀리다.②(규모·실력·솜씨 등의)정도가 크게 차이나다;현격한 차가 있다.一が外れる 정도가 넘치다.
*けた**【下駄】ⓐ ①(왜)나막신.②〔印〕('='모양의 활자(伏字)).──を預ぽける 상대에게 그 처리를 일임하다.──を履ぽかせる 실제보다

점수를 올리다;실제보다 크게〔후하게〕보이게 하다.
けい【懈怠】ⓐ 下自 해태;나태;게으름.⇒けたい①(けい).
げだい【外題】ⓐ ①(책의)표제.⇔内題だい.②(일반적으로)제목;특히,연극의 제목.
けたお-す【け倒す】〔蹴倒す〕⑤他 ①차서 쓰러트리다.②(빛을)떼어 먹다.=ふみたおす.③『借金ぽきを～ 빚진 돈을 떼어먹다.
けだか-い【気高い】形 품격이 높다;고상하다.¶～姿ぽ 고상한 모습.
けたたま-しい -shi形 요란하다;매우 소란스럽다.¶～サイレンの音ぽ 요란한 사이렌 소리.
けだ-す【け出す】〔蹴出す〕⑤他 ①(발로)차 내다.②지출을 절약해서 예산에서 여분(餘分)을 내다.
けたたまし-い -shi形 요란하다;매우 소란스럽다.¶～サイレンの音ぽ 요란한 사이렌 소리.
けたちがい【けた違い】〔桁違い〕⊟ダナ 현격하다;자릿수가 틀림.¶～の人物ぽ 단수가 틀리는 인물.⊜숫자의 자릿수가〔들〕틀림.
げだつ【解脱】ⓐ 〔佛〕①해탈.②『涅槃ぽ(=열반)'의 딴이름.
けた-てる【け立てる】〔蹴立てる〕下一他 ①차서 (물결·먼지 따위를)일으키다.¶軍艦ぽが波ぽを～てて進ぽむ 군함이 파도를 헤치며 나아가다.②박차고 일어서다.¶席ぽを～てて帰ぽる 자리를 박차고 가다.
げたばきじゅうたく【げた履き住宅】〔下駄履き住宅〕-jūtaku ⓐ 아래층은 점포나 사무실이고 이층 이상이 주택으로 되어 있는 건물(상가 아파트 따위).¶～場.
げたばこ【げた箱】〔下駄箱〕ⓐ 신발장.
けたはずれ【けた外れ】〔桁外れ〕⊟ダナ 표준·규격과 훨씬 틀림;월등함.⊜더없는 엄청나게 큼.
*けだもの**【獣】ⓐ 짐승.=けもの.
けたゆき【桁行き】〔建〕도리 칸수.¶一四間間 梁間ぽは三間間 도리 칸수 4칸,들보 칸수 3칸.⇔はり間ぽ.
けだる-い【気怠い】形 어쩐지 나른하다;께느른하다.¶一天気ぽ 어쩐지 께느른해지는 날씨.
げだん【下段】ⓐ 하단.①아래 단.②(검도·창술(槍術)에서)칼이나 창을 낮게 겨누는 자세.⇔上段だ;正眼せだ.
*けち ⊟ダナ ①(본디 容)인색함;다랍음;쩨쩨함;또,그런 사람.=しみったれ.②초라함;보잘것 없음.¶～な服ぽ 초라한 복장.③비열함.¶～な根性ぽ;비열한 근성.⊜불길함.¶一魔(魔)';탈.──がつく 마가 끼다;재수없를 붙다.──をつける ①재수 없다는 소리를〔것을〕하다.②트집〔탈〕잡다.
げち【下知】名 下名 下他 지시(함);분부.

け

=げち. 二名 【史】 (鎌倉·室町時
代의) 재판의 판결(문).

けちえん [結縁] 名 【佛】 결연(불도에
귀의(歸依)함). =けつえん.

けちく さ-い 【けち臭い】 形 ①칙살맞
다; 인색하다. ¶─洋服틀 초라한 양복.
초라하다. ②보잘것없다;
③생각이나 마음이 쩨쩨하다. ¶─考
え 쩨쩨한[좁은] 생각.

けちけち 副 몹시 인색한 모양: 쩨쩨하
게; 다랍게. ¶─するな 쩨쩨하게 굴
지 마.

けちらか-す 【け散らかす】 【蹴散らか
す】 他 차서 흩뜨리다; 쫓아 흩뜨리
다; 쫓아버리다【蹴散らす의 힘줌말】.
¶敵を── 적을 쫓아버리다.

けち-る 5他 〈俗〉인색하게 굴다; 다랍
게 아끼다. ¶修理費를 ─ 수리비
를 지나치게 아끼다.

けちんぼう 【けちん坊】 【吝嗇坊】 -chim-
bō 名 인색한 사람; 구두쇠; 노랑이. =
けちんぼ.

けつ 【穴】 名 ①구멍. 名 〈俗〉엉덩이
(尻). ¶─めど 똥구멍. 【漢醫】혈.

けつ 【尻】 名 〈俗〉①엉덩이; 볼기. =
しり. ②맨 끝. = びり. ¶─から三番
目きゅうさん 꼴찌에서 세 번째.

けつ 【決】 名 (회의 등의) 가부(可否)
를 정함. ──をとる 채결(採決)하다.

けつ 【欠】 【缺】 名 ①없음; 부족.
を補おぎなう 부족(함)을 채우(함). ②결
점. ③결석; 결근.

げつ 【月】 名 (회의 등의) '月曜日げつよう(=월
요일)'의 준말. 二接尾 달수를 세는
말; 달; 개월. ¶三かつ月─ 삼개월.

けつあつ 【血圧】 名 혈압. ──を計る
혈압을 재다. ──けい 【─計】 名 혈
압계.

けつい 【欠位】 【缺位·闕位】 名 궐위.

けつい 【決意】 名 결의; 결심.
¶─を固かためる 결의를 굳히다.

けついん 【欠員】 【缺員·闕員】 名 결원;
궐원. ¶─だ 月결원이다.

けつえい 【月影】 名 월영; 달그림자.

けつえき 【血液】 名 혈액 = 血だ. 一
型がた 혈액형. ──ぎんこう 【─銀行】
-kō 名 혈액 은행.

けつえん 【血緣】 名 혈연; 혈족; 혈육.
¶─(の人じん)がない 혈육이 없다.

げつおう 【月央】 -ō 名 월앙; 중순. =
つきなかば. 【取引 거래 관계에 씀.

**けっか 【結果】 kekka 名 결과.
어떤 원인으로 어떤 상태로 됨. ¶努
力りょくが,合格ごうか틴 노력한 결과
합격하였다. =原因げんいん. 名 ス自 식
물이 열매를 맺음; 맺은 열매; 결실.
──てき 【─的】 ダナ 결과적. ¶─に
はそれがよかった 결과적으로는 그것
이 좋았다. ──ろん 【─論】 名 결과
론.

げっか 【月下】 名 월하.
──ひょうじん 【─氷人】 -hyōjin 名 월
하 빙인; (결혼) 중매인 = 仲人なこう·月
下老人ろうじん.

げっか 【激化·劇化】 gekka 名 ス自
☞げきか(激化).

けっかい 【決壊】 【決潰】 kekkai 名
ス自他 결괴; (둑 등이) 터져 무너짐;
또, 무너뜨림. ¶堤防ていが─する 제방

이 무너지다. 「어리.

けっかい 【血塊】 名 혈괴; 핏덩
けっかく 【欠格】 【缺格】 kekka- 결
격. ¶─者しゃ 결격자. ↔適格ごう.

*けっかく 【結核】 kekka- 【醫】결핵.
결핵병; 결핵증. 参考 흔히 폐·
폐결핵을 가리킴. ──きん 【─菌】 名
결핵균.

げつがく 【月額】 名 월액. ¶─二千円
にせん 월액 2천 엔.

けっかん 【月巻】 kekkan 名 결권
권(한 질로 된 책의 어떤 권이 빠져 있
음).

けっかん 【欠陥】 【缺陷】 kekkan 名 결
함. = 欠点てん. ¶─を補おぎなう 결함을 보
완하다.

けっかん 【血管】 kekkan 名 혈관.
げっかん 【月刊】 gekkan 名 월간.
¶─雑誌ざっ 월간 잡지.

げっかん 【月間】 gekkan 名 월간. ☞週
間しゅう·旬間じゅん.

けっき 【血気】 kekki 名 혈기. ¶─の
勇ゆう 혈기지용. ──にはやる 무모美려
덤비다. ──ざかり 【─盛り】 名 혈
기 왕성한 때; 한창 때. 「기.

けっき 【決起】 【蹶起】 kekki 名 ス自 궐
기. ¶─集会しゅうかい 궐기 대회.

けつぎ 【決議】 kekki 名 결의. ¶─文ぶん
결의문 / 一事項じこう 결의 사항.

けっきゅう 【結球】 kekkyū 名 ス自 결
구(배추 따위의 통이 앉음; 또, 그렇게
된 것). ¶─赤あか 적혈구.

けっきゅう 【血球】 kekkyū 名 혈구.

*けっきゅう 【月給】 gekkyū 名 ス自 월급.
¶初はつ─ 첫 월급 / ─を貰もらう 월급을 받
다(타다). ¶日給きゅう·週給しゅう 月俸ほう·年俸
ねん. ──とり 【─取り】 名 월급쟁이.
=サラリーマン.

けっきょ 【穴居】 kekkyo 名 ス自 혈거.
¶─生活せいかつ 혈거 생활.

*けっきょく 【結局】 kekkyo- 결국.
¶─のところ 결국은 / ─そういうこ
とになるか 결국 그렇게 되는가 / ─は
だれも行いかなかった 결국은 아무도
가지 않았다. 注意 흔히, 副詞的으로
쓰임.

けっきん 【欠勤】 【缺勤】 kekkin 名 ス自
결근. ¶─届とどけ 결근계. ↔出勤しゅっ.

けっく 【結句】 kekku 二名 결구; 시가
의 맺음·구절. ↔起句きく·承句しょう. 二副
〈老〉결국.

げっけい 【月桂】 gekkei 名 ①【植】☞
げっけいじゅ. ②달(月). ──かん
【─冠】 월계관. ──じゅ 【─樹】
-ju 名 【植】월계수. =ローレル.

げっけい 【月経】 gekkei 名 월경. =メ
ンス. 「계.

げっけい 【月計】 gekkei 名 월계; 월 합
げっけん 【撃剣】 gekken 名 격검. ☞
けんじゅつ. 「말.

けつご 【結語】 名 결어; (문장의) 맺음
*けっこう 【欠航】 【缺航】 kekkō 名 ス自
결항; 정기(의) 항해·항공을 중지함.

けっこう 【決講】 【缺講】 名 ス自
결강.

けっこう 【血行】 kekkō 名 혈행; 혈액
순환.

*けっこう 【結構】 kekkō 名 ①결구; 짜

임새;규모;구조.¶文章ぶんの～ 문장의 짜임새. ②계획;도모(圖謀)함. ③준비;채비.

**＊けっこう【結構】kekkō─ダナ ①훌륭함;좋음.¶～な出来できばえ 훌륭한 만듦새〔솜씨〕. ②부족됨이〔더할 나위〕 없음;만족스러움;다행임.¶～な御身分ぶん—です 부족함이 없는 신분／お気きで～です 건강하시니 다행입니다. ③충분함;이제 됐음.¶もう～(です) 이제 됐습니다〔충분합니다〕. ¶その 대로;제법;충분히.¶～おいしい 제법 맛있다.

**けっこう【結合】-gō ス他 결합.↔離反りはん.── きぎょう【──企業】-gyō ス自他 결합 기업;콘비나트.

**げっこう【月光】gekkō 名 월광;달빛.¶～をあびる 달빛을 받다.

**げっこう【激高】【激昂】gekkō ス自 격앙;격분.注意「激高」는 대용 한자.

**＊けっこん【結婚】kekkon 名 ス自 결혼.¶～式 결혼식.参考 법률적으로는「婚姻こんいん」이라 함.── きねんび【──記念日】名 결혼 기념일.── てきれいき【──適齢期】名 결혼 적령기.

**けっこん【血痕】kekkon 名 혈흔;핏자국.

**けっさい【決済】kessai 名 ス他 결제.

**けっさい【決裁】kessai 名 ス他 결재.¶～を仰あおぐ 결재를 바라다.

**けっさい【潔斎】kessai 名 ス自 결재;목욕 재계.＝物忌ものい*み.¶精進しょうじん潔斎.

**＊けっさく【傑作】kessa- 名 ①걸작;뛰어난 작품;명작;명작.¶〈俗〉별나고 야릇한 언동.¶～なやつだ 괴상한 놈이다／また～をしでかした 또 엉뚱한 짓을 저질렀다.連体修飾語「～な」의 형태를 씀.

**けっさん【決算】kessan 名 ス他 결산.¶～報告 결산 보고／収支しゅうしの～ 수지의 결산.

**げっさん【月産】gessan 名 월산.一万台まんだい 월산 일만 대.

**けっし【決死】kesshi 名 ス自 결사.¶～隊たい 결사대.── てき【──的】ダナ 결사적.

**げっしょく【月食】【月蝕】gessho- 名 ス自 월식;달이 이지러지는 현상.¶日食にっしょくと～ 일식과 월식.

**けっし【血色素】kesshi- 名 혈색소.＝ヘモグロビン.

**けつじつ【結実】名 ス自 결실.¶～の季節 결실의 계절／努力どりょくが～する 노력이 결실하다.

**けっして【決して・決して】kesshi- 副 결코;절대로.¶～わるいことはしません 결코 나쁜 짓은 하지 않겠습니다／～許ゆるさないぞ 결코 용서하지 않겠다／金かねなど～貸かすものか 돈 따위 결코 빌려줄까보냐.参考 밑에 否定·禁止나 '않다·말다'를 수반함.

**けっしゃ【結社】kessha 名 결사.¶～の自由じゆう 결사의 자유.

**げっしゃ【月謝】gessha 名 매달 내는 사례금;특히, 월사금;수업료.¶～を払はらう 월사금을 치르다.

**けっしゅ【血腫】kesshu 名【醫】혈종.

**けっしゅう【結集】kesshū 名 ス自他 결집.¶総力そうりょくを～する 총력을 결집하다.

**げっしゅう【月収】gesshū 名 월수(입).¶～五十万円ごじゅうまんえん 월수 5십만 엔.↔日収にっしゅう·年収ねんしゅう.

**けっしゅつ【傑出】kesshu- ス自 걸출.¶～した人物じんぶつ 걸출한 인물.

**けっしょ【血書】kessho 名 ス自他 혈서.¶～の嘆願たんがん 혈서의 탄원.

**けつじょ【欠如】【缺如・闕如】-jo 名 ス自 결여.¶認識にんしき能力のうりょくの～ 인식〔능력〕의 결여.

**＊けっしょう【決勝】kesshō 名 결승.¶～戦せん 결승전.── せん【──線】名 결승선.＝ゴールライン.── てん【──点】名 결승점.

**＊けっしょう【結晶】kesshō 名 ス自 결정.¶愛あいの～ 사랑의 결정.¶～格子こうし 결정 격자.

**けっしょう【血漿】kesshō 名【生】혈장.

**けつじょう【欠場】【缺場】-jō 名 ス自 결장;출전해야 할 경기 따위에 안 나감.¶出場しゅつじょう.

**けっしょうばん【血小板】kesshō- 名【生】혈소판.

**けっしょく【欠食】【缺食】名 ス自 결식;궐식.¶～児童じどう 결식 아동.

**けっしょく【血色】kessho- 名 혈색.¶～がよい 혈색이 좋다.

**げっしょく【月色】gesshoku 名 월색;달빛.

**けっしょく【血食】【血蝕】gessho- 名 혈식.¶日食にっしょく.

**げっしるい【齧歯類】gesshi- 名【動】설치류;쥐목(目).

**＊けっしん【決心】kesshin 名 ス自 결심.¶なかなか～がつかない 좀처럼 결심이 서지 않음.

**けっしん【結審】【決審】kesshin 名 ス自【法】결심.

**けっ‐する【決する】kessu- サ変自他 ①정해지다;결정하다.¶運命うんめいが～ 운명이 결정되다／雌雄しゆうを～ 자웅을 결하다.②둑이 끊어(져) 물이 흘러 오(게 하)다.

**けっせい【結成】kessei 名 ス他 결성.

**けっせい【血清】kessei 名【生】혈청.──りょうほう【──療法】-ryōhō 名 혈청 요법.

**けつぜい【血税】kessei 名①무거운 세금.②병역(兵役) 의무.

**げっせかい【月世界】gesse- 名 월세계;달나라.¶～旅行りょこう 월세계 여행.

**＊けっせき【欠席】【缺席】kesse- 名 ス自 결석.¶出席しゅっせき.── さいばん【──裁判】名①【法】결석(궐석) 재판.②〈俗〉당사자가 없는 자리에서 본인에게 불리한 사항을 일방적으로 정해버리는 일.

**けっせき【結石】kesse- 名【醫】결석.¶腎臓じんぞう～ 신장 결석.

**けっせつ【結節】kesse- 名 결절;맺혀서 마디가 됨;또, 그 마디.

**けっせん【決戦】kessen 名 ス自 결전.

**けっせん【血戦】kessen 名 ス自 혈전.

**けっせん【血栓】kessen 名【生】혈전.¶脳のう～ 뇌혈전.

**けつぜん【決然】【蹶然】副 ト タル 결연;단호.¶～たる態度たいど 결연〔단호〕한 태도.

**けつぜん【蹶然】副 ト タル 궐연;결연;감연(敢然);벌떡 일어서는 모양.

けっせんとうひょう 【決選投票】 kes-sentōhyō 图 결선 투표.

けっそう 【血相】 kessō 图 혈상; 안색. 특히, 노여움이나 놀라움이 나타나는 안색. ──を変える 안색을 변하다.

けっそく 【結束】 kesso- 图 ス自他 결속; 다발을 지음; 단결함. ──をかためる 결속을 굳게 하다.

けつぞく 【血族】 图 혈족; 혈연. ¶──結婚ぶ 혈족 결혼.

げっそり gesso- 副 ①갑자기 여위는 모양; 홀쭉. ¶──と(やせる 홀쭉해지다. ②《俗》 맥빠진〔실망한〕 모양. =がっかり. ¶──する 맥이 빠지다.

けっそん 【欠損】【缺損】 kesson 图 ス自 결손. ¶──家庭な 결손 가정 / ──を補おう 결손을 메우다.

けったいな 【希代な】 kettai- 連体 (기) 묘한; [이상 야릇한] 괴상한. ¶──男ぶ 묘한[이상 야릇한] 사나이.

けったく 【結託】【結托】 ketta- 图 ス自 결탁.

けったん 【血痰】 图 (의) kettan 图 혈담.

*けつだん 【決断】 图 ス自 결단. ¶──が早ぶい 결단이 빠르다 / ──力りがある 결단력이 있다.

けつだん 【結団】 图 ス自他 결단. ¶──式な 결단식. 「~상の준말」

げつたん 【月旦】 gettan 图 월단. ①매월 첫날. ②月旦評ぶ월ょう의 준말; 월단평; 인물평.

けっちゃく 【決着】【結着】 ketcha- 图 ス自 결착; 결말이 남; 매듭지음. ¶──をつける 매듭을 짓다. 「장.

けっちょう 【結腸】 ketchō 图 【生】 결

けっちん 【血沈】 ketchin 图 【医】 혈침 (赤血球っ球か의沈降速度どの속도)(=적혈구 침강 속도)의 준말).

‡けってい 【決定】 kettei 图 ス他 결정. ¶──事項 결정 사항 / ──権ぶ 결정 권 / ──態度なを~する 태도를 (결)정하다. ──てき【──的】 ダナ 결정적. ¶──な瞬間ぶ 결정적인 순간. ──解그. ¶──版】 ①결정판. ②질적으로 가장 우수한 것.

*けってん 【欠点】【缺点】 ketten 图 결점; 단점. =短所なん. ¶──を補おう 결점을 보완하다. =美点な.

ケット ketto 图 'ブランケット(=담요)'의 준말. ☞ blanket.

けっとう 【決闘】 kettō 图 ス自 결투. =はたしあい. ¶──状ぶ 결투장.

けっとう 【結党】 图 ス自他 결당. ¶──大会なぶ 결당 대회.

けっとう 【血糖】 kettō 图 【生】 혈당. ¶──値ぶ 혈당치.

けっとう 【血統】 kettō 图 혈통; 핏줄. ──しょ【──書】-sho 图 혈통서(동물의 바른 혈통을 증명하는 서류).

けつにく 【血肉】 图 혈육. =骨肉にく. ¶──の間柄なぶ 혈육지간. 「줌.

けつにょう 【血尿】-nyō 图 혈뇨; 피오

けっぱく 【潔白】 keppa- 图 ダナ 결백. ¶清廉なつ 청렴 결백.

けっぱつ 【結髪】 keppa- 图 ス自 ①결발; 머리를 쪽짐. ☞ げんぷく(元服).

けつばん 【欠番】【缺番】 图 결번. ¶永久なぶ~ 영구 결번.

けっぱん 【血判】 keppan 图 ス自 혈판; 단지(斷指)하여 도장을 찍음; 또, 그 도장. ¶──状ぶ 혈판장.

けつび 【結尾】 图 결미; 끝맺음; 끝.

けっぴょう 【結氷】 keppyō 图 ス自 결빙. ¶──期ぶ 결빙기. ↔解水かっ.

げっぴょう 【月評】 geppyō 图 월평. ¶文芸作品ぶげいひんの~ 문예 작품의 월평.

*げっぷ geppu 图 트림. =おくび. ¶~がでる 트림이 나오다.

げっぷ 【月賦】 geppu 图 월부(月賦かい'의 준말). ¶~販売ぶ 월부 판매. ↔年払なん.

げっぷ geppu 图 《俗》 트림. =おくび. ¶~がでる 트림이 나오다.

けつぶつ 【傑物】 图 걸물. =えらぶつ.

けっぺき 【潔癖】 keppe- 图 ダナ 결벽. ¶~に身を処ょする 결벽하게 처신하다.

けつべつ 【決別】【訣別】 图 결별; 이별. ¶~の辞じ 결별사. 注意 '訣別' 로 씀은 대용 한자.

けつべん 【血便】 图 혈변; 피똥.

*けつぼう 【欠乏】【缺乏】-bō 图 ス自 결핍. ¶食糧なりが~する 식량이 결핍하다.

げっぽう 【月俸】 geppō 图 월봉. =月給きゅう. ↔年俸なんぶ. 「보고.

げっぽう 【月報】 geppō 图 월보; 월례

けっぽん 【欠本】【缺本・闕本】 keppon 图 결본; 궐본. ↔完本ぶ.

けつまく 【結膜】 图 【生】 결막. ──えん【──炎】 图 결막염.

けつまずく 【蹴躓く】 5自 'つまずく'의 힘줌말.

けつまつ 【結末】 图 결말. ¶事件なんの~をつける 사건의 결말을 짓다.

げつまつ 【月末】 图 월말. ¶~払ばい 월말 지불.

けつみゃく 【血脈】-myaku 图 혈맥. ①혈관. =血管けっ; 혈통.

けつめ 【蹴爪・距】 图 【動・鳥】 며느리발

けつめい 【血盟】 图 ス自 혈맹.

げつめい 【月明】 图 월명; 달이 밝음. ¶~の夜や 달 밝은 밤.

げつめん 【月面】 图 월면; 달 표면. ¶~着陸ぶ 월면 착륙.

げつよ 【月余】 图 월여; 한 달 남짓.

‡げつよう 【月曜】-yō 图 월요. ¶~日び 월요일.

げつらい 【月来】 图 월래; 지난 수개월 이래. 「年利なん.

げつり 【月利】 图 월리; 달변. ↔日歩ぶ

けつるい 【血涙】 图 혈루; 피눈물. =血なの涙なぶ. ──を絞しる 피눈물을 짜다 (몹시 슬프게 울다)

けつれい 【欠礼】【缺礼】 图 ス自 결례. ¶喪中なちにつき年賀なぶ~ 상중이라 연하 인사를 결례함. 「례회.

げつれい 【月例】 图 월례. ¶~会ぶ 월

げつれい 【月齢】 图 월령. ①【天】 신월 (新月)의 때를 영(零)으로 하여서 계산한 일수. ②(갓난애의) 달수로 따진 나이.

けつれつ 【決裂】 图 ス自 결렬. ¶交渉こうが~する 교섭이 결렬되다.

けつろ 【血路】 图 혈로; 활로. ──を開ひらく 혈로를 열다[트다].

けつろ 【結露】 图 ス自 결로. ¶~現象ぶ 결로 현상.

‡けつろん 【結論】 图 ス自 결론. ¶~を出だす〔得える, くだす〕 결론을 내다[얻

다, 내리다〕.

げてもの【げて物】(下手物) 名 ①조잡한 물건. ②색다른 것. ¶～趣味(호사가 들의) 색다른 취미.

けど 接助 終助 〈俗〉 ☞けれど(も).

けとう【毛唐】-tō 名 〈俗〉 코쟁이(구미인(歐美人)을 멸시해서 하는 말). 参考 '毛唐人(=털이 많이 난 외국 사람)'의 준말.

げどう【外道】-dō 名 ①외도. ㉠〔佛〕(불교도의 입장에서 본) 사교(邪教)(를 믿는 사람). ㉡사악(邪惡)한 사람(남을 욕할 때에도 쓰임). ¶この～め 이 악독한 놈. ②진리에 반(反)하는 도(道)·주장.

げどく【解毒】名 ス自 해독. ¶～作用 해독 작용/～剤 해독제.

***けとばーす**〖蹴飛ばす〗5他 ①〈俗〉 내차다. ②차버리다. ㉠밀어 제치다. ¶同僚を～·して出世する 동료를 제치고 출세하다. ㉡일축(一蹴)하다. ¶一言の下に～ 한 마디로〔일언지하에〕 거부하다.

けどーる〖気取る〗5他 낌새 채다; 눈치 채다. =気づく. ¶～·られないようにする 눈치 채이지 않도록 하다.

けなげ〖健気〗ダナ ①씩씩하고 부지런함; 다기짐; 다기참. ②갸륵함; 기특함. ¶～な心がけ 갸륵한 마음씨.

けなーす〖貶す〗5他 폄하다; 헐뜯다; 비방하다; 욕하다. =そしる. ¶人の作品を～ 남의 작품을 헐뜯다.

けなみ【毛並み】名 ①(동물의) 가지런히 나 있는 털의 모양. ¶～の美しい馬 털이 함초롬한 말. ②성질; 종류; 씨알. ¶～の変わったもの 색다른 것. ③〈俗〉(혈통·가문·학벌 등의) 출신 성분. ¶彼は～がいい 그는 출신이 좋다(가문·학벌 등이 좋다).

げなん【下男】名 남자 하인; 머슴.

げにも〖実にも〗副 〈雅〉 과연; 참으로.

けにん【家人】名 ①대대로 그 집을 섬기고 있는 사람. ②律令制에서, 노예적인 천민(奴婢보다 위). ③☞ごけにん.

げにん【下人】名 〈老〉 지체가 천한 사람; 아랫것; 특히, 하인. =しもべ.

けぬき【毛抜き】名 족집게.

げねつ【解熱】名 ス他 〔醫〕 해열. ¶～剤 해열제.

けねん【懸念】名 ス他 ①걱정; 근심; 불안. =心配. ¶～が生じる 불안〔걱정〕이 생기다. ②〔佛〕 집념; 집착.

けば【けば·毛羽】(毳) 名 ①괴깔; 보풀. ¶～が立つ 보풀이 일다. ②지도에서, 등고선 등을 나타내는 가는 선.

げば【下馬】㊀名 ス自 하마; 말에서 내림. ¶これより先, ～のこと 여기서부터는 하마할 것(게시에서). ㊁名 ①'下馬先'의 준말. ②하등마; 나쁜 말. **―さき**【―先】名 (성문·사찰 앞 등의) 하마해야 할 곳. **―ひょう**【―評】-hyō 名 하마평; 세상의 평판; 국외자의 추측.

***けはい**〖気配〗名 ①기미; 기색; 낌새; 분위기. =けわい. ¶好転の～がうかがわれる 호전될 기미가 엿보이다/秋の～が感じられる 가을의 기색이 느껴지다. ②〔商〕 경기(景氣); 시세. =きはい.

けばけばしーい〖毳毳しい〗-shī 形 야하다; 혼란하다. ¶～広告 요란한 광고.

けばだーつ【けば立つ】(毛羽立つ·毳立つ) 5自 보풀이 일다. =そそける. ¶生地がすれて～ 천이 닳아서 보풀이 일다.

けばり【毛ばり】(毛鉤) 名 제물낚시.

げはん［下阪］名 ス自 東京에서 大阪로 내려감.

けびいし［検非違使］名 〔史〕 平安시대 초기에 비위를 감찰하기 위해 설치한 벼슬(현재의 검찰·재판·경찰 업무를 겸한 직책).

けびょう【仮病】-byō 名 꾀병. ¶～を使う 꾀병을 부리다.

げーびる〖下卑る〗上1自 천하게 보이다; 상스럽다. =げすばる. 参考 보통 'げびた' 'げびている'의 형으로 쓰임. ¶～·びたふるまい 야비한〔상스러운〕 행동.

***げひん**【下品】㊀名 하품; 하치 (물건). ㊁ダナ 인품이 천함; 품위가 없음; 상스러움. ¶～な言葉づかい 천한〔상스러운〕 말씨. ⇔上品.

けぶかーい【毛深い】形 털이 많다; 털이 짙다.

けぶり〖気振り〗名 내색; 기색; 태도. =そぶり. ¶～にも見せない 기색도 보이지 않다; 내색도 하지 않다.

けぶーる〖煙る〗5自 〈老·方〉 ☞けむる.

げぼく【下僕】名 하인. =下男.

けぼり【毛彫り】名〔美〕 모조; 털같이 가는 선으로 무늬나 글자를 새김; 또, 그 새긴 것.

けまり［蹴鞠］名 축국; 옛날에 귀족들의 공차기 놀이; 또, 그 가죽공. =しゅうきく.

けみーする〖閲する〗サ変他 ①검열하다; 조사하다. ②세월이 흐르다; 경과하다. ¶完了まで五年を～·した 완료까지 5년이 경과했다.

けみょう【仮名】-myō 名 가명; 통칭.

けむ〖煙〗名 〈俗〉 'けむり(=연기)'의 준말. ¶～になる 연기처럼 사라지다. **―に巻く** (기염을 토하여) 남을 현혹시키다; 어리둥절케 하다. ¶ほらをふいて人を～に巻く 허풍을 떨어 남을 어리둥절하게 만들다.

けむーい【煙い】形 ☞けむたい.

けむくじゃら【毛むくじゃら】-jara ダナ 〈俗〉 (수염이나 털이) 텁수룩해서 보기에도 징그러운 모양.

けむし【毛虫】名 ①모충; 쐐기. ②심보가 나빠 남이 싫어하는 사람.

***けむたーい**【煙たい】形 ①냅다. ¶部屋のなかが～ 방안이 냅다. ②(가까이 하기가) 거북하다; 어렵다. =けぶたい·けむったい. ¶～人 거북스러운〔어려운〕 사람.

けむたがーる【煙たがる】5自 ①내워하다. =けむがる. ②거북하게 여기다; 어려워하다.

⁑**けむり**【煙】(烟) 名 ①연기. ¶～が立たない 연기가 나지〔오르지〕 않다(살림이 궁하여 밥도 못 짓다). ②연기 비슷하게 떠오르는 것. ¶水～ 물보라.

け

―になる 연기로 사라지다. ①죽어 화장되다. ②(화재 따위로) 흔적도 없이 되다. **―を立てる** 연기를 피우다. ①취사할 때 연기를 피우다. ②생활해 가다. 〔↔修正〕.

けむりずいしょう【煙水晶】-shō 图 연수정.

***けむ-る【煙る】**⑤自 ①연기가 나다；연기가 나다. ②(부옇게) 흐려 보이다. ¶雨に〜 비로 부옇게 보이다.

げめん【外面】图 외면；겉；얼굴；용모. **一似**菩薩**內心如**夜叉 얼굴은 보살 같고 마음속은 야차 같다(여성이, 얼굴은 아름답고 부드러우나 마음속은 귀신처럼 무섭다는 말).

*けもの【獣】图 짐승. =けだもの.

けものへん【獣偏】图 한자 부수의 하나；개사슴록변('犯·狩·狂' 등의 '犭'의 이름).

げや【下野】图区自 하야. ¶責任を とって〜する 책임을 지고 하야하다.

けやき【欅】⑤【槻】 느티나무.

けやぶ-る【蹴破る】【蹴破る】⑤他 차서 부수다；(적을) 격파하다. ¶門を 〜 문을 차부수다／敵軍を〜 적군을 격파하다.

けら【螻蛄】图【虫】땅강아지. =おけ ら ▷galley.

ゲラ 图① 게라. ①교정쇄('ゲラ刷り'의 준말). ②조판(組版)한 활자판을 얹어 두는 운두가 얕은 나무 상자. ▷galley.

けらい【家来】图 ①가신(家臣)；종자(從者). ▷부하.

げらく【下落】图区自 하락；떨어짐. ¶豊作で米価の〜する 풍작으로 쌀값이 떨어지다. ↔騰貴. ¶절껄.

げらげら 圓 큰 입을 벌리고 웃는 모양；껄껄.

けらつつき【啄木鳥】图；きつつき.

けり【蹴】图 사물의 끝；결말；끝장. **一がつく** 끝장이 나다. **一をつける** 말을 짓다.

けり【鳧】图【鳥】 민댕기물떼새.

げり【下痢】图区自 설사. **一を起こす** 설사를 일으키다.

ゲリマンダー 图 게리맨더；자당(自黨)에 유리하도록 선거구를 멋대로 개변(改變)하는 일. ▷gerrymander.

げりゃく【下略】-ryaku 图区他 하략；이하 생략. ↔上略及び·中略무략.

ゲリラ 图 게릴라；유격대；유격전. ↔戦 게릴라전. ▷s guerrilla.

*け-る【蹴る】⑤他 ①(발로) 차다. ¶ボールを〜 공을 차다／賃金値上げの要求を 〜 임금 인상 요구를 일축하다 ¶席を 〜 って立つ 자리를 박차고 일어나다. 〔↑〕. ▷도 Geld.

ゲル 图【學·俗】겔트. =ゲル

ゲルマニウム -nyūmu 图【化】게르마늄(희원소(稀元素)의 하나). ▷도 Germanium.

げれつ【下劣】ダ① 하열；비열；용렬(庸劣). **一な根性** 비열한 근성.

*けれど 接続《終止形에 붙음》①···지만, 그러나；(이기는) 하나. ¶顔は 美しい···心こころは悪わるい 얼굴은 곱우나 마음은 나쁘다／よく言いって聞きかせたが···まだ直なおらない 잘 타일렀지만 아직도 여전하다. ②···는데；···던데. ¶あしたは雨が降ふるそうです〜お 出でかけになりますか 내일은 비가 오

다는데 가시겠습니까. ③(병렬(並列)의 뜻을 나타냄)···하지만. ¶英語えいごもうまい··フランス語ごもうまい 영어도 잘하지만 프랑스말도 잘한다. 🔲終助 ①실현이 어려운 것 같은 일이나 사실과 반대의 일을 원하는 기분을 나타냄：···는데；--ㄹ텐데. ¶こんな時ときにあの人ひとが居いてくれるといいんだ〜 이럴 때 그 사람이 있어 주었으면 좋을텐데. ②뒤를 말하기 마는 형식으로 완곡한 기분을 나타냄：···만；--마는. ¶ちょっとお願ねがいしたいことがあるんです〜 잠깐 부탁드리고 싶은 일이 있습니다만. 🔲接《句의 맨 앞에 붙어서》그러나 ；그렇지만；하지만. ¶この本ほんはむずかしい. 〜おもしろい本ほんだ 이 책은 어렵다. 그러나 재미있는 책이다.

けれども 接続 終助 =‘けれど’의 약간 격식차린 말씨.

ゲレンデ 图 겔렌데(광대하고 기복이 많은 스키 연습장). ▷도 Gelände.

げろ【俗】 토악질；토한 것. 〜へど.

ケロイド 图【醫】켈로이드. ¶原爆げんばく〜 원폭 켈로이드. ▷도 Keloid.

げろう【下郞】-rō 图 ①하인；신분이 낮고 천한 사내. ②남자를 욕하는 말：놈；자식.

けろりと【俗】 图 ①천연(덕)스럽게 태연하게. ¶〜した顔 천연(덕)스러운 얼굴. ②ㄱ씻은 듯이；쌱；깨끗이. ¶病気びょうきが〜直なる 병이 씻은 듯이 낫다. ③까맣게. ¶約束やくそくを〜忘わすれる 약속을 까맣게 잊다.

けわい【気色】图〈老〉 기미；기색. =気配はい. ¶あわただしい〜 부산〔어수선한 기미／近づく春はるの〜 다가오는 봄의 기색.

*けわし-い【険しい】-shi 㘯 ①험하다；험상궂다. ¶〜目つき 험상궂은 눈／前道ぜんどが〜 앞길은 험난하다／山道やまみち 험한 산길.

けん【件】图. 🔲图 사항；생긴 일. ¶例れいの〜 예의 건／··に関かんする〜 ··에 관한 건. 🔲接尾 일·사건 따위를 세는 말. ¶交通事故こうつうじこ五ご〜 교통 사고 5건.

けん【券】 🔲图 '引換券ひきかえけん(=교환권)'入場券にゅうじょうけん(=입장권)'乗車券じょうしゃけん(=승차권)' 등의 약칭：표. ¶〜を買かって乗のる 표를 사가지고 타다. 🔲接尾 ··권；표；증서. ¶商品しょうひん〜 상품권／銀行ぎんこう〜 은행권.

けん【県】图 현；市·町·村を 포괄하는 보통 지방 자치 단체의 하나(우리 나라의 도(道)에 상당). ↔도.

けん【妍】图 아름다움；단아함. **一を競きそう** 서로 아름다움을 겨루다.

けん【剣】图 ①검. ¶破邪はじゃの〜 파사의 검／〜を取とる 검을 잡다／〜총검. ③검술. ¶〜をよくする 검술에 능하다.

けん【険】图 ①험한 곳. ¶天下てんかの〜 천하의 험한 곳. ②얼굴에 험상궂음. ¶顔かおに〜がある 얼굴이 험상스럽다. ③못된 계략；흉계.

けん【間】图 간(길이의 단위；6척(尺)；약 1.8m).

けん【権】 🔲图 권. 🔲接尾 ··권；권리. ¶兵

馬^ばの～を握^{にぎ}る 병마권을 잡다. □
接尾 권리. ¶所有^{しょゆう}～ 소유권.

けん【腱】 图【生】건; 힘줄. ¶アキレス～ 아킬레스건.

けん【圏】 图 전; 전반. ¶ピアノの～をたたく 피아노 전반을 두드리다.

-けん【圏】 -권; 일정 범위. ¶成層^{せいそう}～ 성층권 / 共産^{きょうさん}～ 공산권.

-けん【犬】 -견; 개. ¶警察^{けいさつ}～ 경찰견. 「十五──열 채.

-けん【軒】 집을 세는 단위; 채; 동. ¶

げん【元】 图①【數】①방정식의 미지수. ¶二^に～一次^{いちじ}方程式^{ほうていしき} 2원 1차 방정식. ①(집합의) 요소(가 되는 것). ②중국의 화폐 단위. ③원나라.

げん【言】 图 말. ¶先^{せん}ぜんの～にいわく 선철의 말씀에 이르기를. ¶～を左右^{さゆう}にする 말을 이랬다저랬다 하다. ──をまたない 말할 것도 없다.

げん【弦】 图 현. ①활시위. ②(본디는 絃) 현악기의 줄. ¶～を鳴^ならす 현을 울리다. ③【數】활줄.

げん【減】 图 줆; 감소. ¶収入^{しゅうにゅう}の～ 수입의 감소.

げん【厳】 □图 엄(중)함; 심함. ¶～に戒^{いまし}める 엄하게 훈계하다. □**ナダル** 엄연함; 의숙함. ¶～たる態度^{たいど}が 엄숙한 태도/事実^{じじつ}として存在^{そんざい}する 엄연한 사실로서 존재하다.

けんあく【険悪】 图ダ 험악. ¶～な顔^{かお}つき 험악한 표정/二人^{ふたり}の仲^{なか}は～だ 두 사람 사이는 험악하다.

げんあつ【減圧】 图ズ自百他 감압; 압력이 줆; 압력을 줄게 하다.

けんあん【懸案】 图 현안. ¶～を解決^{かいけつ}する 현안을 해결하다.

けんあん【検案】 图ズ他 검안. ¶～書^{しょ}【法】(시체) 검안서.

げんあん【原案】 图 원안. ¶～どおり可決^{かけつ}する 원안대로 가결하다.

*けんい【権威】** 图 권위. ¶斯界^{しかい}の～ 사계의 권위/～を失^{うしな}う 권위를 잃음. 「의(原義).

げんい【原意】 图 원의; 본래의 뜻; 원

けんいざい【健胃剤】 图 건위제.

けんいん【検印】 图 검인. ¶著書^{ちょしょ}に～をおす 저서에 검인을 찍다.

けんいん【牽引】 图ズ他 견인; 끎. ¶～車^{しゃ} 견인차/～力^{りょく} 견인력.

*げんいん【原因】** 图ズ自 원인. ¶～不明^{ふめい}の死亡^{しぼう} 원인 불명의 사망. ↔結果^{けっか}. 「貝^{いん}.

げんいん【減員】 图ズ他自 감원. ↔増

けんうん【絹雲】 图【天】새털구름. =まきぐも. **注意** '絹雲'으로 씀은 대용 한자.

けんえい【兼営】 图ズ他 겸영.

げんえい【幻影】 图 환영; 환각. ¶失敗^{しっぱい}の～におびえる 실패의 환각에 겁을 먹다.　　　　「검역관.

けんえき【検疫】 图ズ他 검역. ¶～官^{かん}

けんえき【権益】 图 권익. ¶～がおかされる 권익이 침해되다.

げんえき【原液】 图 원액.

*げんえき【現役】** 图 현역. ①현재 군에 복무하고 있음; 또, 그 사람. ¶～将校^{しょうこう} 현역 장교. ②현재 어느 직무에서 활약하고 있음; 또, 그 사람. ¶～選手^{せんしゅ} 현역 선수. ③〈俗〉(재수생에 대하여) 재학중인 수험생.

けんえつ【検閲】 图ズ他 검열. ¶～を廃止^{はいし}する 검열을 폐지하다.

けんえん【犬猿】 图 견원. ──の仲^{なか} 견원지간. ──もただならず 견원지간 정도가 아니라 그 이상으로 사이가 나쁘다.

げんえん【減塩】 图ズ自 감염. ¶～食^{しょく} 감염식.

けんえんけん【嫌煙権】 图 혐연권; 흡연을 삼가게 함.

けんお【嫌悪】 图ズ他 혐오. ¶～の情^{じょう}をいだく 혐오의 정을 품다.

けんおん【検温】 图ズ自 검온.

げんおん【原音】 图①원음. ①원어로서의 발음. ②【理·樂】☞きおん(基音). ①(재생음에 대하여) 본디 음.

*けんか【喧嘩】** 图ズ自 다툼; 싸움; 분쟁. =あらそい.いさかい. ¶～別^{わか}れ 싸우고 (화해하지 않은 채) 헤어짐. ──過^すぎての棒^{ぼう}ちぎり 싸움 끝난 뒤의 몽둥이(행차 뒤의 나팔). ──を売^うる 싸움을 걸다. ──を買^かう ①걸어온 싸움에 상대하다. ②남의 싸움을 떠맡다. ──ごし【─腰】당장 싸울 듯한 태도; 시비조(是非調).

けんか【献花】 图ズ自 헌화.　　「화.

けんか【鹸化】 图ズ他【化】감화; 비누

けんか【懸河】 图 세차게 흐르는 강. ──の勢^{いきお}い 현하지세(세찬 기세). ──の弁^{べん} 현하지변(유창한 말솜씨).

げんか【原価】 图 원가. ¶～を割^わる 원가 이하다. ──けいさん【─計算】원가 계산.

げんか【減価】 图 감가; 할인한 값; 깎은 값. =値引^{ねび}き. ──しょうきゃく【─償却】-shōkyaku 图ズ他【經】감가 상각.

げんか【現下】 图 현하; 현재. ¶～の情勢^{じょうせい} 현하의 정세.

げんか【言下】 图 언하; 말이 떨어지자마자; 일언지하(一言之下). ¶～に断^{ことわ}る 일언지하에 거절하다.

げんか【原価】 图 원화.

けんかい【見解】 图 견해; 의견. ¶～が分^わかれる 견해가 갈리다.

けんがい【圏外】 图 권외. ¶優勝^{ゆうしょう}～ 우승권외. ↔圏内^{けんない}.

げんかい【厳戒】 图ズ他 엄계. ¶奇襲^{きしゅう}を～せよ 기습을 엄히 경계하라.

*げんかい【限界】** 图 한계. ¶力^{ちから}の～ 힘의 한계/～状況^{じょうきょう}【經】한계(극한) 상황/～効用^{こうよう}【經】한계 효용.

げんがい【言外】 图 언외. ¶～の含^{ふく}む 언외에 품은 뜻/～にほのめかす 언외에 은근히 비추다.

げんがい【限外】 图 한외; 한계 밖. ¶～発行^{はっこう}【經】한외 발행.　　「탄.

げんかいなだ【玄海灘】 图【地】현해탄.

けんかく【剣客】 图 검객. =けんきゃく.

けんかく【懸隔】 图ズ自 현격. ¶～があまりすぎる 너무나 ～가 심하다 동떨어지다.

*けんがく【見学】** 图ズ他 견학.

*げんかく【厳格】** 图ダナ 엄격. ¶～に取^とり締^{しま}る 엄격히 단속하다.

げんかく【幻覚】 图【心】환각. ¶～におそわれる 환각에 사로잡히다.

げんがく【弦楽】【絃楽】 图 현악. ¶

け

~合奏ッ 현악 합주.

げんがく【減額】图 ス他自 감액. ¶予算ジの~ 예산의 감액. ↔増額ガク

げんがく【衒学】图 현학; 학식이 있음을 자랑해 보임[과시함]. ¶~的ガな文学ガク 현학적인 문학.

けんかしょくぶつ【顕花植物】-shoku-butsu 图【植】현화 식물; 꽃식물로'種子植物ショッブッ'(=종자 식물)의 구칭). ↔隠花植物ガッブッ

げんがっき【弦楽器】(絃楽器) -gakki 图 현악기. ↔管楽器カン・打楽器ガッ.

けんかみね【県が峰】①씨름판의 돌레를 이루고 있는 경계선. ②성패의 갈림길[고비]. ¶成否ヒの~ 성부의 (아슬아슬한) 고비. ——に立たつ (일의 성불성의) 고비에 서다.

けんかん【県官】图 현관; 고관.

けんかん【検眼】图 ス自 검안.

げんかん【厳寒】图 엄한; 심한 추위. ↔極寒カン. ¶~の候 엄한지절.

*げんかん【玄関】图 현관. ¶自動車ドシャを~へ着つける 자동차를 현관에 대다. ——ばらい【——払い】图 문전 축객(門前逐客). ¶~を食くわされる 문전 축객을 당하다.

けんぎ【嫌疑】图 혐의. ¶~がかかる 혐의가 걸리다.

けんぎ【建議】图 ス他 건의.

*げんき【元気】图 ダナ 원기; 기력; 건강한 모양. ¶いつまでもお~で 언제까지나 건강하시기를[과시함]. ¶~づける 기운을 북돋우다.

げんき【原器】图 원기(도량형의 표준이 되는 기구). ¶メートル~ 미터 원기.

げんぎ【原義】图 원의ㆍ본뜻; 본래의 뜻.

けんきゃく【健脚】-kyaku 图 건각. ¶~を誇ほこる 건각을 자랑하다.

けんきゃく【剣客】-kyaku ☞けんかく(剣客).

*けんきゅう【研究】-kyū 图 ス他 연구. ¶~所ジ 연구소 / ~院ジ 연구원 / ~室シツ 연구실 / 対策タイ策 ~中ジュです 대책에 예의 연구중입니다.

けんぎゅう【牽牛】-gyū 图【天】견우('牽牛星ギュッ'(=견우성)의 준말). =ひこぼし. ↔織女ジョ.

げんきゅう【減給】-kyū 图 ス自 감급; 감봉. ¶~処分ジン 감봉 처분. ↔増給ガニ.

げんきゅう【原級】-kyū 图①원급. ㉠본디의 등급. ㉡【文法】(비교급ㆍ최상급에 대한) 원급. ②진급을 무리로 맞추려 본디의 학년. ¶~にとめおく 유급시키다.

げんきゅう【言及】图 ス自 언급. ¶~を避さける 언급을 피하다.

*けんきょ【検挙】-kyo 图 ス他 검거. ¶いっせい~ 일제 검거.

*けんきょ【謙虚】-kyo 图 ダナ 겸허. ¶~な態度ド 겸허한 태도 / ~に聞きく 겸허하게 듣다. ↔ごうまん.

げんきょ【原拠】-kyo 图 원거; 사물의 본디의 근거.

けんきょう【牽強】-kyō 图 견강; 도리에 맞지 않는것을 무리로 맞추려 함. ——こじつけ. ——ふかい【——付会】图 ス他 견강 부회.

けんきょう【検鏡】-kyō 图 ス他 검경;

현미경으로 검사함.

けんぎょう【顕教】-gyō 图【佛】현교(교리가 알기 쉬운 천태종ㆍ선종 등의 일컬음). =けんきょう. ↔密教キョ.

けんぎょう【兼業】-gyō 图 ス他 겸업; 부업. ——のうか【——農家】-nōka 图 겸업 농가.

けんぎょう【検校】-gyō 图 검교. ①옛날에 장님에게 주던 최고의 벼슬. ②사찰의 모든 사무를 감독하는 직책.

げんきょう【元凶】(元兇) -kyō 图 원흉. ——陰謀ボッの~ 음모의 원흉.

げんきょう【現況】-kyō 图 현황. ¶株式シキの~ 주식 현황.

げんぎょう【現業】-gyō 图 현업; 실지의 일; 특히, 공장ㆍ작업장 등 현장에서의 업무나 노동. ——ちょう【——庁】-chō 图 현업청; 현업을 갖는 행정기관(인쇄국ㆍ조폐국 따위).

けんきん【献金】图 ス自 ス他 헌금. ¶政治~ 정치 헌금.

*げんきん【厳禁】图 ス他 엄금. ¶火気~ 화기 엄금.

*げんきん【現金】㊀图 현금. ¶~取引ビキ 현금 거래. ②타산적임. ¶~な人間ゲン 타산적인 인간. ——かきとめ【——書留】图 현금 등기 우편.

けんくん【賢君】图 현군; 현명한 군주.

げんくん【元勲】图 원훈; 나라를 위해 세운 큰공; 또, (그 공을 세운) 원로.

けんけい【賢兄】图 현형. ①현명한 형. ¶~愚弟ティ 현형 우제. ②(편지 따위에서) 동배에 대한 경칭으로 쓰임.

げんけい【原形】图 원형. ¶~を保たつ 원형을 유지하다. ——しつ【——質】图【生】원형질.

げんけい【原型】(元型) 图 원형; 근본이 되는 거푸집ㆍ본. ¶洋裁サイの~ 양재의 본.

げんけい【減刑】图 ス他 감형.

げんげき【剣劇】图 검극; 칼싸움을 주로 하는 연극ㆍ영화.

げんげき【剣戟】图 검극. ①무기. ②칼싸움. ¶~の響ひび 칼싸움 소리.

けんけつ【献血】图 ス自 헌혈.

げんげつ【弦月】图 현월; 조각달. =ゆみはりづき.

けんげん【建言】图 ス他 건언; 건백(建白). ¶~する 건의하다.　말씀드림.

けんげん【献言】图 ス他 헌언; 의견을 건의함.

けんげん【権限】图【法】권한. ¶~の委任ニン 권한의 위임 / ~が弱よわい 권한이 약하다.

けんげん【顕現】图 ス自自 현현; 뚜렷이 모습을 나타냄; 명백하게 나타남.

げんげん【言言】图 언언; 한 마디 한 마디. ¶~火ひを吐はく 한 마디 한 마디가 불을 뿜다(격하게 말하다).

けんけんごうごう【喧喧囂囂】-gōgō ㊤タル (많은 사람이) 매우 시끄럽게 제멋대로 떠드는 모양; 훤효.

けんご【堅固】图 ダナ ①견고. ¶~な

城ฐ 견고한 성 / ～の意志ฐ 굳은 의지.
②건강함；튼튼함. ¶ ～なからだ 건강
한 몸.

げんこ【拳固】图 ①〈ロ〉주먹. ＝げん
こつ. ②주먹으로 때림. ¶ いたずらす
ると～だぞ 장난치면 주먹 맞을 거야.

げんご【原語】图 원어. ¶ ～で読む
원어로 읽다. ↔訳語ฐ.

*__げんご__【言語】图 언어；말. ¶ ～を異ฐ
にする国ฐ 언어를 달리하는 나라 /～
に絶ฐする 말로 표현할 길이 없다.
——がく【——学】【社会学】-shakaigaku 图——しゃ
かいがく【社会学】-shakaigaku
언어 사회학. ——しょうがい【障害】
-shōgai 图 언어 장애. ——せいさく
【——政策】图 언어 정책.

けんこう【健康】-kō 图【ダナ】건강. ¶
～がすぐれない 건강이 부실하다 /
～をむしばむ 건강을 좀먹다 /～を保
ฐつ 건강을 유지하다. ——しんだん
【——診断】图 건강 진단.

けんこう【兼行】图 ①주야 겸행. ¶ 昼
夜ฐ～ 주야 겸행. ②둘 이상의 일을
동시에 함.

けんこう【権衡】-kō 图 권형. ①저울
의 추와 대. ②균형. ＝つりあい.
¶ ～を保ฐつ 균형을 유지하다.

けんこう【軒昂・軒昂】-kō タル 헌
앙；의기(意氣)가 높은 모양. ¶ 意気
ฐ～ 의기 헌앙. 注意『軒昂』로 씀은 대
용 한자임.
　　　　　　　　　　　　　　　　　　［명의]

げんごう【剣豪】-gō 图 검호；검술의
달인.

*__げんこう__【原稿】-kō 图 원고. ¶ ——よう
し【——用紙】 원고 용지 /～料ฐ 원고료.

げんこう【原鉱】-kō 图【鑛】원광.

げんこう【現行】-kō 图 현행. ¶ ——ほう
【——法】 현행법. ——はん【——犯】 현행범.

げんこう【言行】-kō 图 언행. ¶ ——ろく
【——録】 언행록 /～不一致ฐ 언행 불일치
/平素ฐの～を見ฐる 평소의 언행을 살
핀다.
　　　　　　　　　　［견갑골；어깨뼈］

けんこうこつ【肩胛骨】kenkō-图【生】

けんこく【建国】图 건국. ¶ ——きね
んのひ【——記念の日】 (일본국
의) 건국 기념일(2월 11일).

げんこく【原告】图 원고. ¶ ～を被告ฐ
と…

げんこつ【拳骨】图 주먹. ¶ ～で殴ฐ
る 주먹으로 때리다.

げんごろう【源五郎】-rō 图【蟲】'源
五郎虫ฐ(=물방개)'의 준말.

けんこん【乾坤】图 건곤. ①천지.
음양(陰陽). ②북서와 남서. ——いっ
てき【——擲】-itteki 图 건곤 일척.

げんこん【現今】图 현금；현재.

*__けんさ__【検査】图 [ス他] 검사. ¶ ～を受ฐ
ける 검사를 받다 /身体ฐ～ 신체 검
사.

けんざい【健在】图[ダ] 건재. ¶ 両親
ฐとも～ 양친이 다 건재.

けんざい【建材】图 건축 재료.

けんざい【顕在】图[ス自] 현재；나타나
있음. ¶ ～失業者ฐ 현재 실업자.
↔潜在ฐ.

げんさい【減殺】图 [ス他] 감쇄；덜어 없
애어 줄임；적게 함. ¶ 興味ฐを～する 흥
미를 감쇄하다.

げんざい【原罪】图【宗】원죄.

*__げんざい__【現在】图 ——副 현재；지금(副

詞的으로도 씀). ＝今ฐ. ¶ 正午ฐ～
～の気温ฐ 정오 현재의 기온 /～わた
しが持ฐっている物ฐ 현재 내가 가지고
있는 것. ——かこ【過去】·未来ฐ. ——三图自
현존(現存)함. ¶ ～の孫子ฐ 현재 살아
있는 손자. ——かんりょう【——完了】
-ryō 图【文法】 현재 완료.

けんさき【剣先】图 ①칼 끝. ②뾰족한
것의 끝.

けんさく【建策】图[ス他] 건책；계책을
세움. ¶ ～がいれられる 건책이 받아
들여지다.

けんさく【検索】图[他] 검색. ¶ 索引
ฐがあるので～に便利ฐだ 색인이 있기
때문에 검색에 편리하다.

*__げんさく__【原作】图 원작.

げんさく【減作】图 감작；감수(減收).
¶ ～増作ฐ.

けんさつ【検察】图[ス他] 검찰. ——か
ん【——官】图 검찰관. ——ちょう【——
庁】-chō 图 검찰청.

けんさつ【検札】图[ス他] 검찰. ¶ 車内
ฐ～ 차내 검찰.

けんさつ【賢察】图[ス他] 현찰. ¶ 御ฐ
～ください 현찰하여 주십시오.

けんさん【研鑽】图[ス他] 연찬；깊이 연
구함. ¶ ～を積ฐむ 연찬을 쌓다.

けんざん【剣山】图 침봉(꽃꽂이 도
구).
　　　　　　　　　　　　　［셈말고침］

けんざん【検算・験算】图 검산.

*__げんさん__【原産】图 원산. ¶ ——ち【——地】 원
산지.

げんさん【減産】图[ス自他] 감산. ↔増
ฐ.

げんし【剣士】图 검사. ＝剣客ฐ.

けんし【犬歯】图[他] 검시. ①사실을
검사함. ②검시(検屍).

けんし【犬歯】图 견치；송곳니. 参考
사람일 때는 '糸切ฐり歯ฐ', 맹수(猛
獸)일 때는 '牙ฐ'라고 함. 「いと.

けんし【絹糸】图 견사；명주실. ＝きぬ

けんし【繭糸】图 견사；누에고치와
실；또는, 생명주실.

けんじ【健児】图 건아. ＝わかもの.

けんじ【堅持】图[ス他] 견지. ¶ 伝統
ฐを～する 전통을 견지하다.

けんじ【検事】图 검사. ①검찰관의 계
급의 구칭. ②検察官ฐ의 구칭.
——せい【——正】 검사정(지방 검찰
청장). ——そうちょう【——総長】
-sōchō 图 검사 총장(검찰 총장).
——ちょう【——長】-chō 图 검사장(고
등 검찰청장).

けんじ【検字】图 검자(자전에서 한자
를 총획순으로 늘어놓은 색인(索引)).

げんし【元始】图 원시；처음；시초.

*__げんし__【原始】图 원시. ¶ ～社会ฐ 원
시 사회. ——じだい【——時代】图 원
시 시대. ——じん【——人】图 원시인.
——りん【——林】图 원시림.

*__げんし__【原子】图【理】 원자. ——か
【——価】图 원자가. ——かく【——核】
图 원자핵. ¶ ～反応ฐ 원자핵 반응；
핵반응. ——ばくだん【——爆弾】图 원
자 폭탄；원자탄. ——りょう【——量】
-ryō 图 원자량. ——りょく【——力】
-ryoku 图 원자력. ¶ ～発電ฐ 원자력
발전. ——ろ【——炉】图 원자로.

け

けんたい【倦怠】[名][ス自] 권태. ¶～感 권태감 / ～期 권태기.

けんたい【兼帯】[名][ス他] 겸대. ①겸용(兼用). ¶書斎と応接間の部屋 서재와 응접실 겸용의 방. ②(俗) 겸임(兼任). ＝かけもち.

けんだい【兼題】[名] 和歌·俳句를 짓는 모임에 미리 내어 두는 제목. ↔席題.

けんだい【見台】[名] '書見台'(＝책 등을 올려 놓고 보는 독서대)의 준말.

けんだい【賢台】[名] 동배(이상의 사람)에 대한 경칭; 존체(尊體). [參考] 편지에서 많이 씀.

げんたい【原隊】[名][軍] 원대. ¶～復帰 원대 복귀.

*__げんたい__【減退】[名][ス自] 감퇴. ¶精力·性欲が～した 정력·성욕 감퇴. ↔増進.

げんだい【原題】[名] 원제. ↔改題.

__げんだい__【現代】[名] 현대. ¶～化 현대화. ──かなづかい【──仮名遣い】[名] 현대어의 발음에 따라서 정한, 말을 仮名들글로 표기할 때의 준칙(1946년 제정, 1986년 개정). ↔歴史的かなづかい. ──てき【──的】[ダナ] 현대적.

けんだか【権高·見高】[ダナ] 거만한 태도로 남을 깔보는 모양(주로 여자의 말투에 대하여 이를 일컬음).

げんだか【現高】[名] 현고; 현재고; 현재 있는 수량. ＝ありだか.

げんたつ【厳達】[名][ス他] 엄달; 엄중히 시달(示達)함; 또, 그 시달.

けんたん【健啖】[名][ダナ] 건담; 먹새가 좋음; 대식(大食)함. ¶～家 대식가.

けんたん【検たん】【検痰】[名][ス自][医] 검담; 가래침 검사.

げんたん【減反·減段】[名][ス他] 경작 면적을 줄임. ↔増反갈.

けんち【見地】[名] ①견지; 관점. ¶大局的な～に立つ 대국적인 견지에 서다. ②(건축 예정지 등에 가서) 대지를 살펴봄.

けんち【検地】[名][ス他] 논밭을 측량하여 면적·경계·수확고 등을 검사함.

けんち【硯池】[名] 연지(硯海의). 벼룻물 담는 곳(硯海池).

げんち【現地】[名] 현지. ¶어떤 현장. ¶～調査 현지 조사 / ～に向かって出発する 현지를 향해서 출발하다. 현재 살고 있는(앞으로 살게 정인) 곳. ＝現在地. ¶～妻 현지처 / ～に行ってから報告する 현지에서 보고하다.

げんち【言質】[名] 언질. ¶～を取る 언질을 받다. [注意] 'げんしつ'는 잘못.

__けんちく__【建築】[名][ス他] 건축. ¶木造～ 목조 건축 / ～家 건축가.

げんちゅう【原虫】[名] -chū 원충. ＝原生動物.

けんちょ【顕著】[名][ダナ] 현저. ¶～な効果 현저한 효과.

げんちょ【原著】[名] -cho 원저; 원작.

けんちょう【県庁】[名] -chō 현청(도청에 상당함).

げんちょう【幻聴】[名][心] 환청; 헛들림.

けんちん【巻繊】[名][料] ①두부·우엉·표고 등을 기름에 조려서 조미한 음식. ②'けんちんじる(＝けんちんを넣은 절국)'의 준말.

げんつき【原付】[名] '原動機付き自転車たぶき(＝원동기가 달린 자전거)'의 준말(배기량 50 cc 이하).

けんつく[名] 핀잔; 호통. ¶～を食わす 야단(호통)치다.

*__けんてい__【検定】[名][ス他][教科書たかの～ 교과서의 검정 / ～試験た 검정시험. ──ずみ【──済み】[名] 검정필.

けんてい【献呈】[名][ス他] 헌정. ＝進呈.

げんてい【限定】[名][ス他][言葉たの意味たを～する 말의 의미를 한정하다. ──ばん【──版】[名] 한정판. ¶著者の署名た入りの～ 저자 서명이 든 한정판.

けんてき【涓滴】[名] 물방울. ──岩をうがつ 끊임없이 노력하면 무엇이나 이룰 수 있다.

けんてき【硯滴】[名] ①연적. ②벼룻물; 연수(硯水).

けんでん【喧伝】[名][ス他] 훤전; 세상에 떠들썩하게 이야기함[퍼뜨림].

げんてん【原典】[名] ～に当たってたしかめる 원전을 대조하여 확인하다.

げんてん【原点】[名] 원점. ¶～に立ち帰る 원점으로 되돌아가다.

げんてん【減点】[名][ス他] 감점.

*__げんど__【限度】[名] 한도; 한계. ¶～を越える 한도를 넘다 / ～に来ている 한도에 와 있다.

けんとう【健闘】[名][ス自] 건투. ¶選手たちはみな～した 선수들은 모두 건투하였다. ──シング.

けんとう【拳闘】[名] 권투. ＝ボクシング.

*__けんとう__【検討】[名][ス他] 검토. ¶再～ 재검토 / 詳しく～する 자세히 검토하다.

けんとう【献灯】[名][ス自] 헌등; 신불에 게등을 바침; 또, 그 등.

けんとう【軒灯】[名] -tō 헌등; 처마에 다는 등(전등).

*__けんとう__【見当】[名] ①목표. ㉠방향; 부근. ¶寺はこの～にある 절은 이 바로에 있다. ㉡어림; 예측; 짐작. ¶～がつく 짐작이 가다 / ～が外れる 짐작이 빗나가다. ②…쯤; …가량; …정도. ¶五十～の男は 50(세) 가량된 사나이. ──ちがい【──違い】[名] 대중(짐작)이 틀림; 예상이 어긋남.

けんどう【剣道】[名] -dō 검도.

けんどう【県道】[名] -dō 현도(縣)의 비용으로 만들어 유지하는 도로.

げんとう【厳冬】[名] 엄동.

げんとう【幻灯】[名] -tō 환등. ＝スライド. ──き【──機】[名] 환등기.

げんとう【舷灯】[名] -tō 현등; 뱃전에 단 등불. [參考] 오른쪽은 녹색, 왼쪽은 빨간 색.

げんどう【原動】[名] 원동. ──き【──機】[名] 원동기. ──りょく【──力】-ryoku 원동력.

げんどう【言動】[名] 언동. ¶～を慎む 언동을 삼가다.

げんとうし【遣唐使】kentō- [名][史] 견당사(奈良時代부터 平安시대 초기에 걸쳐 일본이 당나라에 파견한 사신. ……Kent.

ケントし【ケント紙】[名] 켄트지. ▷

けんとして【厳として】連語 엄연히 ;엄히. ¶~追求ついきゅうする 엄히 추구하다 /~微動びどうだにしない 딱 버티어 미동도 않다.

けんどちょうらい【捲土重来】-chōrai 名 ㋜自 권토 중래. =けんどじゅうらい. ¶~を期きする 권토 중래를 기하다.

けんどん【慳食】名ダ ①인탄 ;인색하고 욕심이 많음. ②무자비함 ;무뚝뚝함.

けんない【圏内】名 권내. ¶合格ごうかくの~ 합격권내. ↔圏外がい.

げんなま【現なま】名〈俗〉 맞돈 ;현금 ;현찰. ¶~で払はらう 현찰로 치르다.

げんなり 副ㅈ自〈俗〉싫증이 나거나 낙심·피로 등으로 무엇을 할 기력을 잃은 모양. ¶仕事しごとが多おおすぎて~(と)する 일이 너무 많아서 질렸다.

けんなん【険難・嶮難】名ダ ①험난한 모양 ;또, 그런 곳. ②피로워 고민하는 모양.

げんに【厳に】副 엄히 ;엄중히. ¶~戒いましめる 엄히 훈계하다.

げんに【現に】副 목전에 ;실제로 ;지금. ¶~私わたしの経験けいけんした事ことだ 내가 경험한 일이다.

けんにょう【検尿】-nyō 名ㅈ自【醫】검뇨 ;소변 검사.

けんにん【兼任】名ㅈ他 겸임. ↔専任せん.

けんにん【堅忍】名 견인. ¶~ふばつ【──不抜】 견인 불발.

げんにん【現任】名 현임. ¶~の大臣だいじん 현임 대신.

けんのう【権能】名 권능.

けんのう【献納】-nō 名ㅈ他 헌납.

げんのう【玄翁】-nō 名 (돌 깨는 데 쓰는) 큰 쇠메. ¶【植】이질풀.

げんのしょうこ【現の証拠】-shōko 名【植】이질풀.

けんのん【険難・剣吞】名ダ〈俗〉위태로움 ;위험함.

けんば【犬馬】kemba 名『~の労ろう』견마지로. ¶~の労を取とる 견마지로를 다하다.

けんぱ【検波】kempa 名ㅈ他【理】검파. ――き【──器】名 검파기.

*げんば【現場】gemba 名 현장. =げんじょう. ¶~を検証けんしょうする 현장 검증 /~監督かんとく 현장 감독.

げんばい【減配】gempai 名ㅈ他 감배 ;배급량·배당 (금)을 줄임. ↔増配ぞう.

げんばく【原爆】名 원폭 ;原爆ばくだん(=원자폭탄)'의 준말. ――しょう【──症】-shō 名【醫】원폭증 ;방사능병.

げんばく【原麦】gemba- 名 원맥.

げんばつ【厳罰】gembatsu 名 엄벌. ¶~に処しょする 엄벌에 처하다.

げんばつ【原発】gempa- 名『原子力発電所しょ』(=원자력 발전소)'의 준말.

げんばらい【現払い】gemba- 名ㅈ自他 (요금 등을) 현금으로 지불함.

けんばん【鍵盤】kemban 名 건반. ¶~キー.

げんばん【原板】gempan 名 원판. =ネ.

げんばん【原版】gempan 名【印】원판. ①지형을 뜨기 전의 활자판. ②사진 인쇄의 근본이 되는 판.

けんび【兼備】kembi 名ㅈ他 겸비. ¶才色さいしょく~ 재색 겸비.

げんび【原皮】gempi 名 원피 ;가공되지 않은 가죽.

げんぴ【厳秘】gempi 名 엄비 ;극비. ¶~に付ふする 극비에 부치다.

けんびきょう【顕微鏡】(検微鏡) kembikyō 名 현미경.

げんびん【減便】gembin 名ㅈ自 항공기 따위의 정기편 횟수를 줄임. ↔増便ぞう.

げんぴん【現品】gempin 名 현품.

けんぶ【剣舞】kembu 名 검무 ;칼춤.

けんぷ【絹布】kempu 名 견포 ;명주 ;비단 ;견직물. ¶『慈母じぼ』

げんぷ【厳父】gempu 名 엄부 ;엄친.

げんぷう【厳封】gempū 名ㅈ他 엄봉 ;단단히 봉함.

げんぷく【元服】gempu- 名 관례(冠禮) ;옛날 남자의 성인식(成人式). ¶~ぶく ;어진 아내.

けんぶつ【見物】kembu- 名ㅈ他 구경. ¶~人にん 구경꾼 /~客きゃく 관람객 /高みなみの~ 제삼자의 위치에서 구경함.

*げんぶつ【元物】gembu- 名【法】원물.

*げんぶつ【原物】gembu- 名 (사진 따위에 대해서) 본래의 물건 ;オリジナル.

げんぶつ【現物】gembu- 名 현물. ①현재 있는 물건 ;현품. ¶~が不足ふそくする 현물이 부족하다. ②(금전 이외의) 물품. ¶~出資しゅっし 현물 출자. ③【經】거래의 대상인 실제의 상품·주권(株券) 등. ㉠先物さきもの에 대해서. ㉡『現物取引とりひき』(=현물 거래)'의 준말.

けんぶん【検分】(見分) 名ㅈ他 검분 ;일회하여 검사함 ;실지 답사.

けんぶん【見聞】kembun 名ㅈ他 견문. ¶~を広ひろめる 견문을 넓히다.

げんぶん【原文】gembun 名 원문. ↔訳やく文ぶん.

げんぶん【言文】gembun 名 언문 ;말과 글. ¶~一致いっち 언문 일치.

けんぺい【憲兵】kempei 名【軍】헌병.

けんぺい【権柄】kempei 名 권병 ;권력 (으로 남을 억누름). ――づく【──尽く】 (권력을 배경삼아) 위압적으로 연동하는 모양 ;전횡적. ¶~やる 우격다짐으로 일을 하다.

げんぺい【源平】gempei 名 ①源氏げんじ와 平氏へいし. ②적과 우리편. ¶~に分わかれて 청백(青白)으로 [두 패로] 갈려서. ③흥백(紅白)【源氏는 흰 깃발을, 平氏는 붉은 깃발을 사용했으므로】.

けんぺいりつ【建坪率・建蔽率】kempei- 名【建】전폐율. ¶『별(戸別)』

けんべつ【軒別】kem- 名 집마다 ;호별(戸別).

けんべん【検便】kemben 名ㅈ自【醫】검변 ;대변 검사.

けんぼ【賢母】kembo 名 현모. ¶良妻りょうさい~ 현모 양처.

げんぼ【原簿】gembo 名 원부. ⇨元帳もと

けんぼう【健忘】kembō 名 건망. ――しょう【──症】-shō 名【醫】건망증.

*けんぽう【憲法】kempō 图 헌법.
——きねんび【──記念日】-nembi 图 헌법 기념일(5월 3일).
けんぽう【拳法】kempō 图 권법(주먹으로 치고 발로 차는 무술의 일종).
げんぽう【減法】gempō 图【數】감법; 뺄셈. ↔加法.
げんぽう【減俸】gempō 图 ス自 감봉. ¶～処分된 감봉 처분.
けんぼうじゅつすう【権謀術数】kembōjussū 图 권모 술수.
げんぼく【原木】gembo- 图 원목.
けんぽん【献本】gempon 图 증정 본; 서적을 증정함; 또, 그 책; 증정본.
げんぽん【原本】gempon 图①원본. ¶～判決ばん──판결 원본. ②근본; 근원. ¶～にさかのぼれば 근원으로 거슬러 올라가면.
けんま【研磨・研摩】kemma 图 ス他 연마. ¶～し갈고 닦음. ¶～機연마기. ②깊이 연구함. ¶～に米진.
げんまい【玄米】gemmai 图 현미. ↔白.
けんまく【剣幕・見幕・権幕】kemma- (몹시 노하거나 흥분해서) 무섭고 사나운 얼굴[태도]. ¶すごい～で 대드는 서슬이 시퍼래서 덤벼들다.
げんみつ【厳密】gemmi- ダナ 엄밀. ¶～に調と6 엄밀히 조사하다.
けんむ【兼務】kemmu 图 ス他 겸무.
げんむ【懸命】gemmu 图 ダナ 힘껏[열심히] 함; 결사적으로 함. ¶～の努力ばか 필사적인 노력.
けんめい【賢明】kemmei 图 ダナ 현명. ¶～な方法ばか 현명한 방법 / ～な人と 현명한 사람.
げんめい【原名】gemmei 图 원명.
げんめい【厳命】gemmei 图 ス他 엄명. ¶～を下くだ9 엄명을 내리다.
げんめい【言明】gemmei 图 ス自他 언명. ¶～を避さける 언명을 피하다.
*げんめつ【幻滅】gemme- 图 ス自 환멸. ¶～の悲哀ひあ 환멸의 비애.
けんめん【原綿】【原棉】gemmen 图 원면.
げんめん【減免】gemmen 图 ス他 감면. ¶税金ぜいの～ 세금의 감면.
けんも ほろろ kemmo- 連語【俗】아주 냉랭한 모양; 아주 쌀쌀하게 거절하는 모양. ¶～な態度たいで 아주 냉담한 태도. ¶[～所]검문소.
けんもん【検問】kemmon 图 ス他 검문.
けんもん【権門】【顕門】kemmon 图 권문; 세가. [☞けんぷん.
けんもん【見聞】kemmon 图 ス他【老】
げんや【原野】gen'ya 图 원야; 벌판.
＊けんやく【倹約】kenyaku 图 ス他 검약. ¶～家か 검약가 /～して暮くらす 절약하며 살다.
げんゆ【原油】gen'yu 图 원유.
げんゆう【現有】-yū 图 ス他 현유.

~勢力ぜいが 현유 세력.
けんよう【兼用】-yō 图 ス他 겸용. ¶晴雨せいう～のかさ 청우 겸용의 양산.
けんらん【絢爛】トタル 현란; 휘황 찬란한 모양. ¶～豪華ごう 현란 호화; 호화 찬란. ¶～たる色彩しき 현란한 색채.
＊けんり【権利】 图 권리. ¶要求ようす る～がある 요구할 권리가 있다 / 店の～をゆずる 가게의 권리를 양도하다. ↔義務む. ——きん【──金】图【法】권리금. ——しょう【──証】-shō 图 권리증[登記済証とうきずみ＝등기 필증]의 속칭). ——のうりょく【──能力】-nōryoku 图 권리 능력.
＊げんり【原理】图 권리; 원리. ¶アルキメデスの～ 아르키메데스의 원리 / 多数決ちすうの～ 다수결의 원리.
けんりつ【県立】图 현립; 현(縣)이 세워 운영함. ¶～病院びょう 현립 병원.
げんりゅう【源流】-ryū 图 원류. ¶ギリシア文化ぶんかの～ 그리스 문화의 원류. [②복채(ト債).
けんりょう【見料】-ryō 图①관람료.
＊げんりょう【原料】-ryō 图 원료. ¶～工業こう 원료 공업 /～を海外がいに仰おぐ 원료를 해외에 의존하다.
げんりょう【減量】-ryō 图 ス自他 감량. ¶①분량을 줄임. ↔増量ぞう.②(운동 선수 등의) 체중이 줆; 체중을 줄임. ——けいえい【──経営】图【經】감량 경영.
＊けんりょく【権力】-ryoku 图 권력. ¶～家か 권력가 /～側がわ 권력층 /～行使こう 권력 행사 /～をほしいままにする 권력을 남용하다.
けんるい【堅塁】图 견루. ¶～を抜ぬく 방비가 굳은 보루를 함락시키다.
げんれい【厳令】图 ス他 엄령; 엄명. ¶～をくだす 엄령을 내리다.
けんろ【険路】【嶮路】图 험로; 험한 길. [L길.
げんろ【言路】图 언로.
けんろう【堅牢】-rō 图 ダナ 견뢰; 단단함; 견고. ¶～な製本ほん 견고한 제본.
げんろう【元老】-rō 图 원로. ¶～院いん 원로원 / 物理学界がっかいの～ 물리학계의 원로.
げんろく【元禄】图①東山ひがしやま天皇てんのう 시대의 연호(1688~1704). ②元禄袖そで의 준말. ③元禄もようもよう의 준말. ——そで图 일본 의복의 소매 모양의 하나(길이가 짧고 배래가 둥그란 소녀용). ——もよう【──模様】-yō 图 元禄 시대에 유행한 큼직하고 화려한 무늬.
げんろん【言論】图 언론. ¶～の自由ゆう 언론의 자유. ——きかん【──機関】图 언론 기관. [경제 원론.
げんろん【原論】图 원론. ¶経済けいざい～.
げんわく【眩惑】图 ス自他 현혹.

こ　コ

①五十音図ごじゅうおんず'か行ぎょう'의 다섯째 음. [ko] ②【字源】'己'의 초서체(かたかな'コ'는 '己'의 위쪽).

＊こ【子】(児)图①자식(子息); 또, 그에 준하는 것(양자·새끼·알 따위). ¶～を養やしな9 자식을 기르다 / もらい子

양자 / まま～ 의붓자식 / 犬いぬの～ 강 아지 / たらの～ 대구알 /～芋いも 새끼 감자. ↔親おや. [注意] 가축일 경우는

‘仔’로도 씀. ②아이;소녀. ¶いたずらっ～ 장난꾸러기 / きれいな～ 예쁜 소녀. ¶이자(利子). ¶元じもと～もない 본전도 이자도 다 없어지다. ④여자 이름을 구성하는 말. ¶古じ～ 요시코. ¶《複合名詞의 끝 부분의 요소로서》사람·사물의 뜻을 나타내는 말. ¶売うり～ 물건 파는 애 / 振ふり～ 진자; 흔들이; 추. ──はかすがい 자식은 부부 사이의 꺾쇠《사이 나쁜 부부도 자식으로 인해 살게 된다는 뜻》. ──は三界さんがいの首くびかせ 자식은 삼계의 칼쇄〔칼〕《자식은 애물이란 뜻》. ──故ゆえの やみ 부모는 자식이 귀여운 나머지 판단이 흐려진다는 뜻.

こ【木】图《다른 말 앞에 붙을 때》나무. ¶～の実み〔葉は〕 나무 열매〔잎〕.

こ【弧】图①활. ¶활 모양. ②~を描えがく 활 모양을 그리다. ③數 원주·타원상의 두 점 사이에 있는 부분.

こ【個】图①개;하나하나의 사물이나 사람. ¶～を生いかす 개를 살리다. ②接尾 물건을 세는 말;…개. ¶リンゴ三みっ～ 사과 세 개.

こ【粉】图 가루;분말. ¶身みを～にする 몸이 가루가 되도록 몹시 애쓰다.

こ【小】图《体言·形容詞 등에 붙여서》①작은. ¶～松まつ 작은 소나무. ⇔大おお. ②근소함;약간. 가는. ¶～雨さめ 가랑비. ③①날렵하거나 무리하는 기분을 나타냄. ¶～利口りこう 잔꾀;교활. ②얕잡거나 못마땅한 기분을 나타냄. ¶～憎にくらしい 얄밉다. ④거의;약. ¶～一日にち 거의 하루.

こ【故】图 고…. ¶～田村氏たむらし 고 田村 씨.

こ《擬態語 따위에 붙어서》그 상태를 나타냄. ¶どろん～ 흙투성이. ②《…하는》일. ¶あべこ～ 무승부;비김. ③戸.

こ【戸】图 ①호. ¶二万戸 2만 호.

こ【湖】图 ①호. ¶洞庭こ 동정호.

こ【五】图①오. ①다섯. ¶簡単かんたん 3개년 / 三みっを足たすに 3에 5를 더하다. ②다섯(번)째;제5위. ¶～の巻まき 제5권.

こ【後】図㊀图 후. ①뒤. ¶その～ 그 후. ②오후. ㊁接尾 후. ¶放課ほうか～ 방과 후.

ご【期】图①기한;무렵. ¶この～に及およんで 이 때에 이르러;이제 와서. ②죽을 때;사기(死期). ¶두다.

ご【碁】图바둑. ¶～を打うつ 바둑을 두다.

ご【語】㊀图①말;언어;말씨. ¶～を継つぐ 말을 잇다 / ～を改あらためて 말씨를 바꾸어서. ②낱말;단어. ㊁接尾 …어(語). ¶韓国かんこく～ 한국어.

ご【豆汁·豆油】图 콩비지《콩을 물에 담갔다가 간 것》.

ご【御】㊀接頭《한자어의 体言에 붙여서》존경의 뜻을 나타냄. ¶～存ぞんじ 알고 계심 / ～両親りょうしん～は健けんですか 양친께서는 건재하십니까. ②《자기의 행위를 나타내는 한자어 앞에 붙여서》겸손의 뜻을 나타냄. ¶説明せつめいいたしましょう 설명해 드리겠습니다. ㊁接尾《상대의 친족을 나타내 부를 때 첨가하는 말. ¶姉あね～ 누님 / め～さま 조카님.

コア图①코어;핵;핵심. ②〔教育〕

모든 교과목의 중심(이 되는 과목). core. ──カリキュラム -karikyuramu 图 코어 커리큘럼;핵심 교육 과정. ▷core curriculum.

こあきない【小商い】图 적은 밑천으로 하는 장사. 적은 상인.

こあきんど【小あきんど】【小商人】图 적은 밑천으로 하는 장사. 적은 상인.

こあげ【小揚げ】图 뱃짐을 부림; 또, 그 인부(人夫). ①유료로 손님을 메고 가는 가마꾼.

こあざ【小字】图 (행정 구획의 하나로) 大字おおあざ를 더 세분한 소구역.

こあし【小足】图①작은 발. ②좁은 보폭(步幅). =こまた. ¶～に歩あるくと 종종걸음으로 걷다. ⇔大足おおあし.

こあじ【小味】图〕 감칠맛. ¶～の利きいた話はなし 감칠맛이 나는 이야기. ⇔大味おおあじ.

こあたり【小当たり】图㊁图 좀 떠봄; 좀 건드려 봄. ¶～に当たってみる 슬쩍 떠 보다.

こい【濃い】形①짙다;진하다. ¶～霧きり 짙은 안개 / ～スープ 진한 수프 / ～ひげ 짙은 수염 / 疑うたがいが～くなる 혐의가 짙어지다. ⇔薄うすい·淡あわい. ②사이가 좋다;정답다. ¶～仲なか 정다운 사이. ⇔薄うすい.

こい【恋】图 (남녀간의) 사랑;연애. ──は思案しあんの外そと 사랑이란 이성이나 상식으로 판단할 수 없는 것. ──の盲目もうもく 사랑은 맹목적인 것.

こい【鯉】图〔魚〕 잉어. ──の滝登たきのぼり 입신 출세의 비유.

こい【請い】【乞い】图 청함;청. ¶～を入いれる 청을 들어주다.

こい【故意】图 고의;일부러. ¶～にする 고의로 하다 / 未必みひつの～ 미필적 고의. ⇔過失かしつ.

ごい【語意】图 어의; 말의 뜻. =語義ごぎ. ¶～がはっきりしない 말의 뜻이 분명치 않다.

ごい【語彙】图 어휘. ¶～がゆたかだ 어휘가 풍부하다 / 基本きほん～ 기본 어.

こいうた【恋歌】图 ☞こいか. ㊀화.

こいか【恋歌】图 연가; 사랑의 노래. =れんか.

こいがたき【恋敵】【恋仇】图 연적.

こいき【小意気】【小粋】ダナ 멋짐; 맵시 있음. ¶～な女おんな 멋쟁이 여자.

こいくち【濃い口】图 (장맛이나 빛깔이) 짙음; 짙은 것. ⇔うすくち.

こいくち【こい口】【鯉口】图 칼집 아가리. ──を切きる 곧 칼이 빠지도록 칼집 아가리를 늦추어 두다; 칼을 빼려고 하다.

こいこが-れる【恋い焦がれる】下一自 사랑에 애태우다; 애타게 그리워하다.

こいごころ【恋心】图 연심; 연정.

ごいさぎ【五位鷺】图〔鳥〕 푸른백로 (白鷺); 해오라기.

こいじ【恋路】图 사랑의 길; 즉, 연애; 연심. ¶～のじゃま 사랑의 방해.

こいし【碁石】图 바둑돌.

こいしい【恋しい】-shi形 그립다. ¶～人ひと 그리운 사람 / 故郷こきょうが～ 고향이 그립다.

こいした-う【恋い慕う】5他 연모하다; 그리워하다.

こいーする【恋する】 サ変他 恋愛〔する〕する.

こいそぎ【小急ぎ】 名 조금 서두름; 좀 급함. ¶～に歩く 종종 걸음으로 걷다.

こいつ【此奴】 名《俗》①이놈; 이 녀석. ②이게; 이것. ¶～はすばらしい 이건 멋있구나.

こいなか【恋仲】 名 서로 사랑하는 사이.

こいにょうぼう【恋女房】-nyōbō 名 연애 결혼한 아내; 사랑하는 아내.

こいめ【小火】 名 작은 배; 강아지.

こいねがう【庶・希・冀う・庶幾う】 5他 간절히 바라다; 열망하다.

こいねがわくは【庶くは・希くは・冀くは・庶幾くは】 -wa 副 바라건대; 부디. =なにとぞ.

こいのぼり【鯉幟】 名 (단오절에 올리는 천 또는 종이로 만든) 잉어 드림.

*こいびと【恋人】 名 연인; 애인. ¶永遠の～ 영원한 연인.　　　　　　　　　　　　　〔レター-.

こいぶみ【恋文】 名 연애 편지; =ラブ

こいめ【濃いめ】【濃い目】 名 좀 짙은 듯함; 약간 진하게 됨. ¶～のコーヒーを好むな 약간 진한 커피를 좋아하다.

コイル 名 코일. ▷coil.　　　　〔↔薄め.

こいわずらい【恋わずらい・恋煩い】 名 상사병; 연애병.

こいん【雇賃】 名 삯; 품삯.

コイン 名 코인; 화폐; 동전. ▷coin.

こーう【恋う】 5他 그리워하다; 연모하다.

こーう【請う】【乞う】 5他 청〔원〕하다; 바라다; 소망하다. ¶ご指示を 지시를 바라다. ①기원하다; 빌다.

こう【公】 名 ①공; 공공; 사회; 국가. =公務. ¶～と私 공과 사. ②'公爵'의 준말. ――接尾 ①이름 밑에 붙여 존경을 나타내는 말. ¶頼朝～= 頼朝公. ②이름 밑에 붙여 친밀·경멸 등의 뜻을 나타내는 말. ¶わん～ 견공(大公).

こう【功】 kō 名 ①공(적). ¶～を立てる 공을 세우다. ②보람; 효용; 이익. ¶～を奏する 보람이 나타나다; 주효하다. ¶一成り名遂げる 공을 이루고 명성을 얻다.

*こう【甲】 kō 名 ①갑. ②'갑·을·병·정'에서 첫째. ¶～乙つけがたい 우열을 가리기 어렵다.

こう【行】 kō 名 ①여행(길에 오름). ¶旅立だち. ②행동; 진퇴. ¶～をともにする 행동을 같이하다. ③한시(漢詩)의 한 체(體).

こう【劫】 kō 名 ①《佛》겁; 무한히 긴 시간. =ごう. ¶～を経る 긴 세월이 지나다; 연공(年功)을 쌓다. ②(바둑의) 패. ¶～争い 패싸움.

こう【孝】 kō 名 효(도). ¶～行 ～の本 효행의 근본.

こう【効】 kō 名 효과; 효험; 보람. ¶薬石의～なく 약석의 보람없이 / ～を奏する 주효하다.

こう【幸】 kō 名 행; 행복. ¶～か不幸か 행인지 불행인지.

こう【香】 kō 名 ①향. ¶～をたく 향을 피우다. ②향을 피워 그 냄새를 즐

기는 일. =香道. ――を聞く 향을 피워 그 냄새를 맡다.

こう【候】 kō 名 시후; 계절. ¶春暖しゅんの～ 춘난지절.

こう【項】 kō 名 ①사항; 조항; 개조(個條). ¶～を改める 조항을 고치다. ②《数》항.

こう【稿】 kō 名 고; 원고. ¶～を改める 원고를 고쳐 쓰다. ¶～を起す 기고하다; 원고를 쓰기 시작하다.

こう【鋼】 kō 名 강철. =鋼鉄.

こう【講】 kō 名 강. ①강의; 강석(講釋). ②결사·용차들을 위해 몇 사람이 모여 만든 계. ¶無尽じん～ 무진계. ③《佛》불경 강의의 회. ④신불에 참여하거나 또는 기부를 하기 위한 단체.

*こう【斯う】 kō 副 이렇게; 이와 같이. ¶～いう問題 이러한 문제 / ～言えばああ言う 이렇게 말하면 저렇게 말한다.

こうー【高】 kō 名 고…. ①높다는 뜻. ¶～気圧 고기압. ②연상(年上). ¶～学年 고학년.

こうー【工】…공; 공원. ¶機械～ 기계공.

こうー【港】 kō …항. ¶貿易～ 무역항.

こう【号】 gō 名 ①명칭. ②학자·문인·화가 등의 본명 외에 붙이는 이름; 아호(雅號). ③활자 크기의 단위. ――接尾 ①탈것 따위에 붙이는 말. ②순서를 나타내는 수에 붙이는 말. ¶第五じゅう～ 제 5호.

こう【合】 gō 名 ①《論》변증법에서 종합. ↔正반·정·반·합. ②'合計ごう(=합계)'의 준말. ――に入っ(=합계)의 준말. ――接尾 ①…홉(한 평(坪)(약 3.3㎡)·반 되(약 1.8리터)의 10분의 1). ②등산로 길이의 10분의 1. ③싸움·경기에서, 싸우는 횟수.

こう【剛】 gō 名 강함; 단단함. ¶柔ゆう よく～を制する 유능제강(能柔能剛); 부드러움이 능히 강(剛)함을 이긴다. ↔柔じゅう.

こう【郷】 gō 名 ①향리; 시골. ②고대 행정 구역의 하나(군(郡) 안의 수 개 면을 합친 것). ――に入っては郷に従しがえ 입향 순속(入郷循俗).

こう【業】 gō 名《佛》①선악의 행위; 특히, 악행. =業報(業報). ――を煮にやす 화가 치밀어 속을 태우다.

こうあつ【高圧】 kō- 名 고압. ¶～線 고압선. ↔低圧ひあつ. ――てき【――的】 グナ 고압적. =高たかびしゃ. ¶～な態度ど 고압적인 태도.

こうあつ【降圧】 kō- 名 강압; 혈압을 내리게 함. ¶～剤ざい 강압제.

こうあん【公安】 名 공안. ¶～をたもつ 공안을 유지하다. ――いいんかい【――委員会】 名 공안 위원회(경찰의 운영을 관리하기 위해 국가·자치 단체의 장이 의회의 승인을 얻어 민간인을 임명한 위원회).

*こうあん【考案】 名 고안. =くふう. ¶～を新あたらしくしたデザイン 새로 고안한 디자인.

*こうい【好意】 kō 名 호의. ¶～を寄せる 호의를 가지다(보이다) / ～を無にする 호의를 저버리다. ――てき

*こうい【行為】 kōi 名 행위. ¶不法行為〔英雄的행위〕 – 불법〔영웅적〕행위.

こうい【更衣】 kōi 一名ス自 갱의. 二名 – ころもがえ. ¶一室 갱의실. 三名 옛 후궁의 여관(女官)의 하나; '女御'의 다음가는 자리.

こうい【厚意】 kōi 名 후의; 후정. ¶御厚意を感謝します 후의에 감사드립니다.

こうい【皇位】 kōi 名 황위. ¶一継承 황위 계승.

こうい【校医】 kōi 名 교의; 학교의.

こうい【高位】 kōi 名 고위. ¶一高官 고위 고관.

こうい【合意】 gōi 名ス自 합의. ¶一にもとづく決定합의에 의한 결정.

こういき【広域】 kō- 名 광역; 넓은 구역. ¶一経済 광역 경제.

こういしょう【後遺症】 kōishō 名〔医〕 후유증.

こういつ【合一】 gō- 名ス自他 합일. ¶知行 지행 합일.

こういっつい【好一対】 kōittsui 名 걸맞은 한쌍. ¶一の夫婦 천생 배필의 부부.

こういってん【紅一点】 kōitten 名 홍일점. ¶入選者中의 – 입선자중의 홍일점.

*こういん【工員】 kō- 名 공원('職工(=직공)'의 고친 이름).

こういん【公印】 kō- 名 공인;관공서의 공식 도장. ¶一偽造 공인 위조. ↔私印.

こういん【光陰】 kō- 名 광음; 세월. ¶一矢のごとし 세월은 화살과 같다.

こういん【拘引】〔勾引〕 kō- 名ス他 구인.

こういん【行員】 kō- 名 (은)행원.

こういん【鉱員】 kō- 名〔鉱夫 (=광부)'의 고친 이름.

*ごういん【強引】 gō- 形動 반대나 장애를 물리치고 억지로 하는 모양. ¶一に実行する 강행하다.

こうう【降雨】 kōu 名 강우. ¶一量 강우량.

ごうう【豪雨】 gōu 名 호우; 큰비. ¶集中豪雨 집중 호우.

*こううん【幸運】〔好運〕 kō- 名 행운. ¶一に恵まれる 행운을 만나다. ↔不運. 一児 名 행운아.

こううん【耕耘】 kō- 名ス他 경운. ¶一機 경운기.

*こうえい【光栄】 kō- 名 광영;영광. ¶一はほまれ; 身に余る – 분에 넘치는 광영.

こうえい【公営】 kō- 名 공영. ¶一住宅 공영 주택. ↔私営.

こうえい【後裔】 kō- 名 후예; 후손. = 後胤.

こうえい【後衛】 kō- 名 후위. ↔前衛.

こうえき【公益】 kō- 名 공익. ¶一事業 공익 사업. ↔私益. 一しち や 一質屋 名 공익 전당포. 一ほうじん 一法人 – hōjin 공익 법인. ↔営利法人.

こうえき【交易】 kō- 名ス自他 교역.

こうえつ【校閲】 kō- 名ス他 교열. 一者 교열자.

**こうえん【公園】 kō- 名 공원. ¶児童 – 어린이 공원.

*こうえん【公演】 kō- 名ス自他 공연. ¶定期一 정기 공연.

こうえん【好演】 kō- 名ス自 호연;뛰어난 연기·연주.

*こうえん【後援】 kō- 一名ス他 후원. =うしろだて. ¶一会 후원회. 二名 후속의 원군. ¶一隊つかず 후원군이 끊기다. ¶一の意기.

こうえん【香煙】〔香烟〕 kō- 名 향연.

こうえん【高遠】 kō- 名形動 고원. ¶一な理想 고원한 이상.

こうえん【講演】 kō- 名ス自 강연. ¶一会 강연회. 「싫어함. =愛憎.

こうお【好悪】 kō- 名 호오;좋아함과

こうおつ【甲乙】 kō- 名 갑을. ①첫째와 둘째;우열. ¶一をつけがたい 우열을 가리기 어렵다. ②누구누구. 이러니저러니. ¶一の区別つくなく つきあう 누구누구의 구별없이 사귀다.

こうおん【恒温】 kō- 名 항온; 언제나 일정한 온도. 一どうぶつ 一動物 -dōbutsu 名 항온〔정온〕동물; 온혈동물. ↔変温動物. 参考 '温血動物'의 고친 이름.

こうおん【高音】 kō- 名 고음. ①높은 소리; 큰 소리. ②〔楽〕 소프라노. ↔低音.

こうおん【高温】 kō- 名 고온. ¶一多湿 고온다습. ↔低温.

ごうおん【轟音】 gō- 名 굉음; 크게 울리는 소리.

こうか【工科】 kō- 名 ①공과. ②(대학의) '工学部(=공학부)'의 구칭.

こうか【公課】 kō- 名 공과;조세 등 공법(公法)에 의한 국민의 부담.

こうか【功過】 kō- 名 공과;공적과 과실;공과 허물.

こうか【考課】 kō- 名 고과. 一表 고과표 / 人事 인사 고과.

**こうか【効果】〔功果〕 kō- 名 효과. ¶一的 효과적 / 一がある 효과가 있다 / 演出 연출 효과.

こうか【後架】 kō- 名〈老〉 변소;뒷간.

こうか【降下】 kō- 名ス自 강하. ¶気温が一する 기온이 내려가다 / 国旗を一する 국기를 강하하다.

こうか【降嫁】 kō- 名ス自 강가(황족의 딸이 신하에게 시집감).

*こうか【高価】 kō- 名 고가; (귀중해서) 값이 비쌈. ↔廉価. 安価.

こうか【高架】 kō- 名 고가. 一鉄道 고가 철도.

こうか【校歌】 kō- 名 교가.

こうか【硬化】 kō- 名ス自 ①경화; 굳어짐; 딱딱해짐. ↔軟化. ¶動脈硬化. ②시세가 오르막이 됨. ↔軟化.

*こうか【硬貨】 kō- 名 경화; 금속 화폐. ↔紙幣.

こうが【高雅】 kō- 名形動 고아; 고상하고 우아한 모양. ¶一な趣味 고아한 취미.

ごうか【業火】 gō- 名〔仏〕;지옥의 맹렬한 불;전하여, 불 같은 노여움.

ごうか【豪家】 gō- 名 호가; 세력과 재산이 있는 집.

*ごうか【豪華】 gō- 名形動 호화. ¶一な邸宅 호화로운 저택. 一ばん

고하／地位의 ～ 지위의 고하. 三名ス自 오르내림. ¶物価の～ 물가의 오르내림.

こうけい【口径】kō- 名 구경. ¶大砲の～ 대포의 구경.

こうけい【公卿】kō- 名 공경；3품(品) 이상의 고관. ＝くぎょう.

*こうけい【光景】kō- 名 광경. ¶美しい～ 아름다운 광경.

こうけい【後継】kō- 名 후계. ＝あとつぎ. ¶～者 후계자／～内閣 후계 내각.

*こうげい【工芸】kō- 名 공예. ¶～品 공예품／～作品 공예 작품.

こうけい【合計】gō- 名 他 합계；총액. ＝総額.

こうけい【好景気】kō- 名 経 호경기；호황. ↔不景気.

こうげき【攻撃】kō- 名ス他 공격. ¶人身～ 인신 공격／～を加える 공격을 가하다. ↔守備・防御.

こうけつ【高潔】kō- 名 他 고결. ¶～な人格として 고결한 인격.

こうけつ【膏血】kō- 名 고혈. ━を絞る 고혈을 짜다；착취하다.

こうけつ【豪傑】kō- 名 ①호걸. ¶天下の～ 천하의 호걸. ②〈俗〉대담한 사람；통이 큰 사람.

こうけつあつ【高血圧】kō- 名 고혈압. ↔低血圧.

こうけん【公権】kō- 名 공권. ↔私権

こうけん【効験】功験】kō- 名 효험. ＝ききめ. ¶～あらたか 효험이 뚜렷함.

こうけん【後見】kō- 名 他 후견. ¶뒤에서 보살펴 줌；또, 그 사람. (能・歌舞伎 따위에서) 배우의 출연 중 뒷바라지를 보아 주는 일；또, 그 사람.

こうけん【貢献】kō- 名ス自 공헌；이바지. ¶学界に～する 학계에 공헌하다.

こうけん【高見】kō- 名 고견. ¶御～ お聞かせください 고견을 들려 주십시오.

こうけん【高検】kō- 名 고검(‘高等検察庁’(＝고등 검찰청)’의 준말).

こうけん【公言】kō- 名 他 공언. ¶やましいことはないと～する 양심에 꺼리는 일은 없다고 공언하다.

こうげん【巧言】kō- 名 교언；입으로만 그럴 듯하게 꾸며 대는 말. ¶～令色 교언영색；알랑말.

こうげん【広言】kō- 名ス自 큰소리 (침)；흰소리. ¶～を吐く 큰소리를 치다.

こうげん【光源】kō- 名 理 광원.

こうげん【抗原・抗元】kō- 名 医 항원；체내에서 항체(抗體)를 형성・출현시키는 물질.

こうげん【高言】kō- 名ス自 고언；큰소리；흰소리. ＝大言.

*こうげん【高原】kō- 名 고원.

こうけん【合憲】gō- 名 합헌. ↔違憲

こうけん【剛健】kō- 名ダナ 강건. ¶～精神 강건한 정신.

こうけんりょく【公権力】kōkenryoku 名 공권력；국민을 강제하는 국가 권력.

こうこ kō- 名〈口〉야채를 소금・겨에 절인 것. ＝香香 こう・こうのもの.

こうこ【公庫】kō- 名 공고；주택・생업 자금을 대부하는 정부 기관. ¶住宅金融～ 주택 금융 공고.

こうこ【好個】【好箇】kō- 名 적당함；알맞음. ¶～の読物 알맞은 읽을거리. 【들】

こうこ【江湖】kō- 名 강호；세상(사람)

こうこ【後顧】kō- 名 후고의 염려. ¶～の憂いがない 후고의 염려가 없다.

こうご【口語】kō- 名 구어. ↔文語
━たい【一体】名 구어체. ↔文語体
━ぶん【一文】名 구어문；구어체로 쓰인 문장・문체. ↔文語文

*こうご【交互】kō- 名 교호；번갈아. ＝たがいちがい. ¶左右交互に～に動く 좌우 번갈아 움직이다.

こうご【向後】kō- 名 향후；금후；앞으로. ＝今後 きょうご.

こうご【豪語】gō- 名ス自 호어；호언 장담；흰소리. ＝大言壮語 たいげんそうご.

こうこう【口腔】kōkō 名 구강. ¶～衛生 구강 위생. 注意 의사끼리는 ‘こうくう’라고 함.

*こうこう【孝行】kōkō 名ス自 효행；효도. ¶親に～な子供 어버이에게 효도하는 자식／女房～ 엄처 시하. ↔不孝こ.

こうこう【後攻】kōkō 名ス自 (운동 따위에서) 후공；나중에 공격함. ↔先攻 せん.

こうこう【後考】kōkō 名 후고；나중에 상고함. ━に待つ 후고에 기대한다；뒷사람의 연구(생각)를 기다리다.

こうこう【香香】kō- 名 ➡こうこ.

こうこう【航行】kōkō 名ス自 항행.

こうこう【高校】kōkō 名 고교(高等学校(＝고등 학교)’의 준말).

こうこう【硬膏】kō- 名 경고；단단한 고약. ↔軟膏こう.

こうこう【皓皓・皎皎】kōkō タル 호호；교교；빛나고 밝은 모양. ¶～たる月光こう 교교한 달빛.

こうこう【煌煌】kō- タル 황황；번쩍번쩍[화려하게] 빛나는 모양. ¶～と輝く電灯ネオン 휘황하게 빛나는 전등[네온].

こうこう【斯く斯く】kōkō 副 이러이러；여차여차. ¶～しかじか 여차여차／～いう話だ 이러이러하다는 이야기다.

こうごう【交合】【媾合】kōgō 名ス自 교합；성교；방사(房事).

こうごう【皇后】kōgō 名 황후. ＝きさき. ¶～宮 향그릇.

こうごう【香合】【香盒】kōgō 名 향그릇.

こうごう【嚠嚠】gōgō タル 효효；떠들썩한 모양. ¶～たる非難 비난의 소리／～たる비난 소리.

こうごう【轟轟】gōgō タル 굉굉；큰 소리가 울리는 모양. ¶～たる爆音 요란한 폭음.

こうごうし・い【神神しい】kōgōshii 形 숭엄하다；성스럽고 엄숙하다；거룩하다. ¶～ふんいき 엄숙한 분위기.

こうこうせい【向光性】kōkō- 名 植 해광성；향광성；향일성(向日性). ↔背

光性はつ【光性】.

こうごうせい【光合成】kōgō-　图【化】광합성(탄소 동화 작용의 하나).

こうこうぜん【公公然】kōkō-〔トタル〕공공연(公然ぜん의 힘줌말).

こうごうや【好好爺】kōkō-图호호야; 마음좋은 할아버지.

こうこがく【考古学】kō-图고고학.

こうごく【公告】kō-图〔ス他〕공고.

こうこく【公国】kō-图공국; 원수(元首)를 공(公)으로 부르는 작은 나라. ¶モナコ~모나코 공국.

*こうこく【広告】kō-图〔ス他〕광고. ¶新聞しん~신문 광고/~を出だす 광고를 내다.

こうこく【抗告】kō-图〔ス自〕【法】항고.

こうこく【皇国】kō-图황국; 天皇てんのうが다스리는 나라, 곧 일본.

こうこつ【恍惚】kō-〔トタル〕황홀. ¶~境きょう황홀경/~として見みとれる 넋을 잃고 보다. 注意「~の」의 형태로도 쓰임. ¶~の状態じょうたい황홀한 상태.

こうこつ【硬骨】kō-图경골. ①단단한 뼈. ─魚ぎょ경골어. ②강직하여 자기 의지를 좀처럼 굽히지 않음. ¶~の士し경골지사. ─もじ【──文字】경골문자.

こうこつぶん【甲骨文】kō-图갑골.

こうご【公差】kō-图【数】공차.

*こうさ【交差・交叉】kō-图〔ス自〕교차. ¶立体りったい~입체 교차/~点てん교차점; 십자로.

*こうさ【考査】kō-图〔ス他〕고사. ¶人物じんぶつ〔期末きまつ〕~ 인물〔기말〕고사.

こうさ【較差】kō-图교차; 격차; 최고와 최저, 최대값과 최소값의 차이. 注意「かくさ」는 관용음.

こうざ【口座】kō-图【経】계좌. ①장부의 계정 항목별로 기입·계산하는 자리. ②振替口座ふりかえこうざ(=대체 계좌)의 준말.

こうざ【高座】kō-图고좌; (연단 등의) 한 단 높은 자리; 특히, 寄席よせ의 무대.

*こうざ【講座】kō-图강좌; 강의. ¶刑法けいほう〔音楽おんがく〕~형법〔음악〕강좌.

こうさい【公債】kō-图공채. ─赤字あかじ~적자 공채.

こうさい【交際】kō-图〔ス自〕교제. ¶~費ひ교제비. ─か【──家】图교제가; 사교가.

こうさい【光彩】kō-图광채. ¶~を放はなつ 광채를 내다.

こうさい【虹彩】kō-图【生】홍채.

こうさい【高裁】kō-图'高等こうとう裁判所さいばんしょ(=고등 법원)'의 준말.

こうさい【鉱滓】kō-图〔鑛〕광재. =かなくそ.

こうざい【工材】kō-图'こうじ'의 관용음.

こうざい【功罪】kō-图공죄. ─相半あいなかばす(る)공죄가 반반(半半)이다.

こうざい【好材】kō-图호재; 좋은 재료.

こうざい【鋼材】kō-图강재(강철을 강판(鋼板)·조강(條鋼)·강관(鋼管) 등으로 가공한 것).

こうさく【交錯】kō-图〔ス自〕교착. ¶夢ゆめと現実げんじつとが~する 꿈과 현실이 교착하다.

*こうさく【工作】kō-공작. 一图①만듦; 또, 학과의 하나. ¶~道具どうぐ공작

도구. ②토목·건축 등의 공사. ¶橋はしの補強ほきょう~다리의 보강 공사. 二图〔ス他〕어떤 목적을 달성하기 위하여 미리 손을 씀. ¶裏面りめん~이면 공작.

*こうさく【耕作】kō-图〔ス他〕경작. ¶~面積めんせき경작 면적.

こうさく【鋼索】kō-图강삭. =ワイヤロープ.

こうさつ【考察】kō-图〔ス他〕고찰. ¶原因げんいんの~원인의 고찰.

こうさつ【高札】kō-图①옛날에 방문을 거리에 써 붙인 게시판. ②입찰한 중에서 가격이 가장 높은 것. ③혜서(惠書). =お手紙てがみ.

こうさつ【絞殺】kō-图〔ス他〕교살.

こうさつ【交雑】kō-图〔ス他〕교잡; 교배(交配).

ごうさらし【業さらし】〔業曝し・業晒し〕gō-图①【仏】전생의 지은 죄로 인해서 이승에서 당하는 욕; 또, 그 사람. ②남을 악담하는 말. =恥はじさらし.

こうさん【公算】kō-图공산; 확률; 가망성. ¶~が大おおきい 공산이 크다.

こうさん【恒産】kō-图항산; 일정한 안정된 재산·생업. ─なきものは恒心 こうしんなし 무항산이면 무항심(일정한 재산〔생업〕이 없는 자는 마음도 바를 수 없다는 말).

*こうさん【降参】kō-图〔ス自〕①항복; 굴복. ②손듦; 질림; 딱 질색임. ¶この暑あつさには~だ 이 더위에는 두 손 들었다.

こうさん【鉱産】kō-图광산.

こうざん【高山】kō-图고산; 높은 산. ──しょくぶつ【──植物】shokubutsu图고산 식물. ──たい【──帯】图고산대. ──びょう【──病】-byō图【医】고산병; 산악병(山岳病).

*こうざん【鉱山】kō-图광산. ¶~王おう광산왕/~所有者しょゆうしゃ광산 소유주.

こうし【子牛】〔仔牛・小牛・犢〕kō-图송아지. ─ぎゅう【──】图;귀공자.

こうし【公子】kō-图공자; 귀족의 아들.

こうし【公私】kō-图공사. ¶~の別べつ공사의 구별/~とも多忙たぼうだ 공사 모두 다망함.

こうし【公使】kō-图공사. ─かん【──館】공사관.

こうし【孔子】kō-图공자.

こうし【考試】kō-图고시; 시험.

こうし【行使】kō-图〔ス他〕행사. ¶実力じつりょく~실력 행사.

こうし【孝子】kō-图효자.

こうし【厚志】kō-图후지; 후한〔따뜻한〕마음씨. ¶~ぎ.

こうし【後嗣】kō-图후사. =あとつぎ.

*こうし【格子】〔隔子〕kō-图①가는 나무를 종횡으로 정간(井間)을 맞추어 짠 것. ②格子縞こうしじま의 준말. ¶格子戸こうしど의 준말. ─じま【──縞】图바둑판〔격자〕무늬. ─と【──戸】图격자문; 격자 미닫이.

こうし【皓歯】kō-图호치; 희고 가지런한 이빨. ¶明眸めいぼう~명모 호치(예쁜 여인의 형용임).

こうし【鉱滓】kō-图〔鑛〕☞こうさい.

こうし【嚆矢】kō-图효시; 최초; 사물의 맨처음.

*こうし【講師】kō-图강사. ¶大学だい

〔非常勤ﾋｼﾞﾖｳｷﾝ〕～ 대학[시간] 강사.

こうじ【麹】kō- 图 누룩; 곡자.

こうじ【小路】kō- 图 소로; (시내의) 좁은 골목. ¶袋ﾌﾞｸﾛ～ 막다른 골목. ↔大路ﾀｲﾛ.

**こうじ【工事】kō- 图 ㅈ自 공사. ¶～場ﾊﾞ 공사장 / 電気ﾃﾞﾝｷ～ 전기 공사.

こうじ【公示】kō- 图 ㅈ他 공시. ¶選挙期日ｾﾝｷﾖｷ ｼﾞﾂ を～する 선거 기일을 공시하다. ↔内示ﾅｲｼﾞ. 　　　　　　〔↔私事ｼﾞ〕

こうじ【公事】kō- 图 공사; 공적인 일.

こうじ【好餌・香餌】kō- 图 호이; 좋은 미끼; 좋은 이용물. ¶～をもって人ﾋﾄを誘ﾕｳ 좋은 미끼로 사람을 꾀다.

こうじ【好事】kō- 图 호사; 좋은 일. ¶一魔ﾏ多ｵｵ し 호사 다마; 마장스러움. ¶―門ﾓﾝを いでず 좋은 행실은 세상에 드러나기 어렵다.

こうじ【後事】kō- 图 후사; 뒷일. ¶～を託ﾀｸする 후사를 부탁하다.

こうじ【高次】kō- 图 고차. ①높은 차원[정도]. ¶～の段階ﾀﾞﾝｶｲ 고차원의 단계. ②[数] 높은 차수(3차 이상). ¶～方程式ﾎｳﾃｲｼｷ 고차 방정식.

ごうし【合資】gō- 图 ㅈ自 합자. ¶～会社ｶﾞｲｼﾔ 합자 회사.

ごうし【郷士】gō- 图 향사; 옛날, 농촌에 토착한 무사; 또, 무사 대우를 받은 농민.

こうじかび【麹黴】kō- 图 누룩곰팡이.

**こうじき【公式】kō- 图 ①공식으로 정해진 방식. ¶～会談ｶｲﾀﾞﾝ 공식 회담. ②[数] 일반적으로 통하는 법칙을 나타내는 관계식. ―しゅぎ【―主義】-shugi 图 공식주의. ―てき【―的】ﾀﾞﾅ 공식적. ¶～な答弁ﾄｳﾍﾞﾝ 공식적인 답변.

こうしき【硬式】kō- 图 경식. ¶～野球ﾔｷﾕｳ 경식 야구. ↔軟式ﾅﾝｼｷ.

こうしきん【こうじ菌】【麹菌】kō- 图 누룩곰팡이. =こうじかび.

こうしせい【高姿勢】kō- 图 고자세. ¶～をとる 고자세를 취하다. ↔低姿勢ﾃｲｼｾｲ.

こうした【斯うした】kō- 連体 이러한; 이와 같은.　　　　　「이(와) 같은.

こうしつ【後室】kō- 图〈老〉(신분이 높은이) 미망인. ②뒷방.

こうしつ【皇室】kō- 图 황실. ―ごりょう【―御料】-ryō 图 황실 재산.

こうしつ【硬質】kō- 图 경질. ¶～ガラス 경질 유리. ↔軟質ﾅﾝｼﾂ.

こうしつ【膠質】kō- 图 교질; 아교 비슷한 물질. =コロイド.

*こうじつ【口実】kō- 图 구실; 핑계. ¶～を作ﾂｸる 구실을 만들다 /…の～を与ｱﾀえる …의 구실을 주다.

こうじつせい【向日性】kō- 图 [植] 향일성; 해굴성. ↔向光性ｺｳｺｳｾｲ.

こうして【斯うして】kō- 連語 이렇게 해서. =かくて.

こうしゃ【巧者】kōsha ﾀﾞﾅ 교자; 능숙함; 교묘함; 또, 그런 사람. ¶手ﾃ～な手ﾃ ぎわ 능숙한 솜씨 / 口巧者ｸﾁｺﾞｳｼﾔ 말솜변(가).

こうしゃ【後者】kō- 图 후자. ①둘 중의 뒤의 것. ↔前者ｾﾞﾝｼﾔ. ②뒤를 잇는 사람; 후세 사람. ③뒤따라 오는 사람.

こうしゃ【校舎】kō- 图 교사.

こうしゃ【公社】kōsha 图 공사. ¶専

売ﾊﾞｲ～ 전매 공사.

こうしゃ【降車】kō- 图 ㅈ自 하차(下車). ¶～口ｸﾞﾁ 하차구. ↔乗車ｼﾞﾖｳｼﾔ.

こうしゃ【高射】gōsha 图 고사. ¶～砲ﾎｳ 고사포.

ごうしゃ【豪奢】gōsha 图 ﾀﾞﾅ 호사. ¶～な生活ｾｲｶﾂ 호사스런 생활.

こうしゃく【公爵】kōsha- 图 공작.

こうしゃく【侯爵】kōsha- 图 후작.

こうしゃく【講釈】kōsha- 图 ㅈ他 강석; 문장의 뜻을 설명하여 들려 줌. 图ㄖ『講談ﾀﾞﾝ(=야담)』의 구칭. ―【―師】图 야담가.

こうしゃさい【公社債】kōsha- 图 공사채; 공채와 회사채.

こうしゅ【工手】kōshu 图 '工夫ﾌｳ(=공사장 인부)'의 고친 이름.

こうしゅ【公主】kōshu 图 공주.

こうしゅ【攻守】kōshu 图 공수; 공격과 수비. ¶～所ｼﾞﾖ を変ｶえる〔異ｺﾄ にす〕 형세가 역전하여; 서로의 처지가 바뀌다. ―どうめい【―同盟】-dōmei 图 공수 동맹.

こうしゅ【好守】kōshu 图 ㅈ自 (야구 등에서) 호수(비).

こうしゅ【拱手】kōshu 图 ㅈ自 공수; 팔짱을 낌. ¶～傍観ﾎﾞｳｶﾝ 수수 방관. 注意 바르게는 "きょうしゅ".

こうしゅ【絞首】kōshu 图 공수. ¶～刑ｹｲ 교수형.

こうしゅ【校主】kōshu 图 교주; 사립학교의 경영자.

こうじゅ【口授】kōju 图 ㅈ自 구수; 말로써 가르쳐 줌. =くじゅ.

ごうしゅ【強酒・豪酒】gōshu 图 호주; 주호; 술을 많이 마심.　　「새.

こうしゅう【口臭】kōshū 图 구취; 입냄.

*こうしゅう【公衆】kōshū 图 공중. ―えいせい【―衛生】공중 위생. ―でんわ【―電話】공중 전화. ―どうとく【―道徳】-dōtoku 图 공중 도덕.

*こうしゅう【講習】kōshū 图 ㅈ他 강습. ¶夏期ｶｷ～ 하기 강습 / ～会ｶｲ 강습회.

ごうしゅう【剛柔】gōjū 图 강유.

こうしゅうは【高周波】kōshū- 图 [電] 고주파. ↔低周波ﾃｲｼﾕｳﾊ. ―ミシン (고주파 미싱) (고주파를 이용하여 가열 용해시켜, 비닐 천 따위를 접착시키는 장치). = machine.

こうじゅつ【口述】kōju- 图 ㅈ他 구술. ¶～書ｼﾖ 구술서 / ～試験ｼｹﾝ 구술[면접] 시험.

こうじゅつ【公述】kōju- 图 ㅈ自他 공술; 공청회에서 의견을 말함. ¶～人ﾆﾝ 공술인.

こうじゅつ【後述】kōju- 图 ㅈ自他 후술. ↔前述ｾﾞﾝｼﾞﾕﾂ.

こうじゅほうしょう【紅綬褒章】kōju-hōshō 图 홍수 포장(위험을 무릅쓰고 사람의 목숨을 구한 사람에게 주는 붉은 리본이 달린 기장).

こうしょ【公署】kōsho 图 (관)공서; 시청·도청 따위 공공 단체의 사무를 보는 기관.

こうしょ【向暑】kōsho 图 향서; 이제부터 더워짐. ¶～の折ｵﾘから (편지에서) 향서지절에. ↔向寒ｺｳｶﾝ.

こうしょ【高所】kōsho 图 고소; 높은

곳 ; 전하여, 높은 입장〔전지〕. ¶~
怖症ぷ고소 공포증 / 大所ぷ~から
判断ぷする 높은 견지에서 판단하다.

こうじょ【公序】kōjo 名 공서 ; 공공 질
서. ¶~良俗ぷ公序 양속.

こうじょ【控除】(扣除) kōjo 名 공제.
공제. ¶基礎ぷ~ 기초 공제 / 扶養ぶぅ~
부양 공제.

こうじょ【孝女】kōjo 名 효녀.

こうじょ【皇女】kōjo 名 황녀 ; 공주.
=内親王わぅ.

こうじょ【高女】kōjo 名 고녀〔'高等ぷ
女学校がっぷ(=고등 여학교)'의 준말〕.

こうじょう【工廠】kōjō 名 공창〔군에
직접 소속되어 군수품을 제조하는 공
장〕. ¶海軍ぷ~ 해군 공창.

**こうしょう【交渉】kōshō 名 ㋕自 ①교
섭. ¶団体ぷ~ 단체 교섭 / ~が行
き詰づまる 교섭이 정돈 상태에 빠지
다. ②관계 ; 상관 ; 관련. ¶~がない
国ぷ 관계가〔접촉이〕 없는 나라.

こうしょう【交鈔】kōshō 名 공상.

こうしょう【公称】kōshō 名 공칭 ;
표면상의 일컬음. ¶~資本ぽん 공칭 자
본.

こうしょう【公証】kōshō 名 공증.
──にん【──人】名〔法〕 공증인. ¶
~役場ぽ 공증인 사무소.

こうしょう【考証】kōshō 名他 고
증. ¶~学 고증학.

こうしょう【口承】kōshō 名 구승 ;
구전(口傳). ──ぶんがく【──文学】
名 구승 문학 ; 구전 문학.

こうしょう【哄笑】kōshō 名 ㋕自 홍
소 ; 크게 입을 벌려 웃음.

こうしょう【校長】kōshō 名 교장 ; 학교
의 회장.

こうしょう【高尚】kōshō 名ダ 고상.
¶~な趣味ぷ 고상한 취미. ↔低俗ぷ.

こうしょう【行賞】kōshō 名 행상 ; 상을
줌. ¶論功ぷぅ~ 논공 행상.

こうしょう【鉱床】kōshō 名〔鑛〕 광
상.

こうしょう【交誼・交情】kōjō 名 교정
(交誼) ; 사귄 정. ¶~が深ふかい 교분이
깊다.

こうじょう【厚情】kōjō 名 후정 ; 두터
운 정. ¶御ご~に感謝かしゃします 후정을
감사드립니다.

こうじょう【口上】kōjō 名 ①말함 ; 말
하는 일. ¶~がうまい 말을 잘 하다.
②(흥행에서) 예명(藝名)이나 연극 줄
거리의 설명을 함 ; 또, 설명하는 사
람. ──しょ【──書】-sho 구상서
〔외교 문서의 하나〕.

*こうじょう【向上】kōjō 名 ㋕自 향상.
¶体位ぷ~ 체위의 향상 / 地位ぷ
~を図はかる 지위 향상을 꾀하다. ↔低
下ぷ.

**こうじょう【工場】kōjō 名 공장. =こ
うば. ¶~製造ぷぅ 제조 공장. ──へい
き【──閉鎖】名 공장 폐쇄. =ロック
アウト.

こうじょう【甲状】kōjō 名 갑상. ──せ
ん【──腺】名〔生〕 갑상선.

こうじょう【攻城】kōjō 名 공성 ; 성을
공격함.

こうじょう【荒城】kōjō 名 황성 ; 황폐
한 성.

こうしょう【豪商】gōshō 名 호상 ; 대상
인 ; 큰 장사꾼.

*こうじょう【強情】gōjō 名ダナ 고집
이 셈. ¶~を張はる 고집을 부리다.

こうしょく【黄色】kōsho- 名 황색 ;
랑. =きいろ・おうしょく. ¶~人種ん
황색 인종.

こうしょく【好色】kōsho- 名イ 호색.
=いろごのみ. ¶~漢ん 호색한.

こうしょく【公職】kōsho- 名 공직. ¶
~追放ぢ 공직 추방 / ~につく 공직에
취임하다.

こうしょく【紅色】kōsho- 名 홍색 ; 붉
은 빛깔. ¶淡ぷ~ 담홍색.

こう-じる【高じる】(嵩じる・昂じる・亢
じる】kō- 上自 ⇨こうずる【高】.

こう-じる【講じる】kō- 上他 ⇨こ
うずる【講】.

こうしん【交信】kō- 名他 교신 ; 무
선 따위로 통신함. ¶~仲間ぷ아마추
어 무선가들. =くちびる.

こうしん【口唇】kō- 名 구순 ; 입술.

こうしん【功臣】kō- 名 공신.

*こうしん【行進】kō- 名㋕自 행진. ¶
示威い～ 시위(데모) 행진 / 分列ぷ~
분열 행진. ──きょく【──曲】-kyoku
名 행진곡. =マーチ.

こうしん【高進・亢進・昂進】kō- 名
㋕自 앙진 ; 항진(亢進). ¶心悸しんき~
심계 항진. 注意'高進'으로 씀은 대용
한자.

こうしん【後進】kō- 名 후진. 一名 ①뒤
따라 옴 ; 후배. ¶~に道みちを譲ゆずる 후
진에게 길을 터주다 ; 후배를 위하여 용
퇴하다. ②進ぷ가 더딤. ¶~性せい 후진
성 / ~国ぷ 후진국. ↔先進せん. 一名
㋕自 (차(車) 등이) 뒤로 감 ; 후퇴.
↔前進ぷん.

こうしん【後身】kō- 名 후신. ①다시
태어난 몸. ②처음 따위가 변화〔발전〕
한 것. ↔前身ぷん.

こうしん【恒心】kō- 名 항심 ; 언제나
변치 않는 올바른 마음. ↔恒産ぷん.

こうしん【更新】kō- 名他自 갱신. ¶
記録きろくを~する 기록을 갱신하다.

こうしん【紅唇】kō- 名 단순(丹脣) ;
붉은 입술. ¶~皓歯ぷ 단순 호치 ; 붉
은 입술과 흰 이.

こうしん【孝心】kō- 名 효심.

こうしん【航進】kō- 名 항진.

こうしん【幸甚】kōshin 名 심행 ; 다
행. ¶おいでくだされば~の至いたりと
存ぞんじます 왕림하여 주시면 극히 다행
으로 생각하겠습니다.

こうじん【公人】kō- 名 공인 ; 공직에
있는 사람. ↔私人じん.

こうじん【後塵】kō- 名 후진 ; 사람・거
마 등이 지나간 뒤에 일어나는 티끌 먼
지. 一を拝はいする ①티끌 먼지 속에 있는
사람을 추종하다〔우러러 부러워하다〕.
②남에게 뒤지다 ; 앞질리다.

こうじん【後陣】kō- 名 후진 ; 맨 뒤쪽
의 진.

こうじん【黄塵】kō- 名 황진. ①누런
흙먼지. ②세상의 속사(俗事) ; 세속의
번거로움. ¶~にまみれる 세속에 찌들
다. ──ばんじょう【──万丈】-jō 名 황
진 만장 ; 티끌이 자욱이 일어남.

こうじん【荒神】kō- 名 부뚜막 귀신; 조왕신. =三宝荒神.
こうしんじょ【興信所】kōshinjo 名 흥신소.
こうじんぶつ【好人物】kōjimbu- 名 호인물;호인.
こうしんりょう【香辛料】kōshinryō 名 향신료《후추·고추 따위》.
こうしんりょく【向心力】kōshinryoku 名 '求心力(=구심력)'의 고친 이름.
こうず【好事】kō- 名 호사;색다른 것을 좋아함. —か【—家】名 호사가.
こうず【構図】kō- 名 구도. =コンポジション.
こうすい【香水】kō- 名 향수.
こうすい【硬水】kō- 名 경수;센물. ↔軟水.
こうすい【鉱水】kō- 名 광수. ①광물질을 많이 함유한 물. ②광산 등에서 배출되는 광독(鑛毒)이 있는 물.
*こうずい【洪水】kō- 名 홍수. ¶車の～ 자동차의 홍수.
こうずい【香水】kō- 名〔佛〕향수. ①관불(灌佛)할 때 뿌리는 향 달인 물. ②불전에 바치는 물. =閼伽.
こうすいりょう【降水量】kōsuiryō 名 강수량.
こうすう【恒数】kōsū 名〔化·數〕항수;상수(常數).
ごうすう【号数】gōsū 名 호수.
こう-する【抗する】kō- サ変自 맞서다;저항〔항거〕하다.
こう-ずる【高ずる】(亢ずる·昂ずる) kō- サ変自 더해지다. ①(정도가) 심해지다;(병세 등이) 더치다. ¶病気が～ 병이 더치다. ②버릇이 나빠지다;거만해지다.
こう-ずる［薨ずる］kō- サ変自 훙서(薨逝)하다;(황족(皇族) 등 귀인이) 죽다.
こう-ずる【講ずる】kō- サ変他 ①강의하다. ②강구하다. ¶対策を～ 대책을 강구하다.
ごう-する【号する】gō- サ変自 ①일컫다;칭하다. ¶兵力百万と～ 병력 백만이라고 일컫다. ②이름을〔아호를〕붙이다〔부르다〕. ¶漱石と～ 호를 漱石라고 하다.
こうせい【攻勢】kō- 名 공세. ¶～に転ずる 공세로 바꾸다. ↔守勢.
*こうせい【公正】kō- 名 ダナ 공정. ¶～取引 공정 거래/～を期する 공정을 기하다. —しょうしょ【—証書】-shōsho 名〔法〕공정 증서.
こうせい【校正】kō- 名 ス他〔印〕교정. ¶～刷り 교정쇄.
こうせい【更正】kō- 名 ス他 경정;바로잡아 고침. ¶予算の～ 예산의 경정.
*こうせい【更生】(甦生) kō- 갱생. 一 名 ス自 새로워짐;소생. ¶悪から～する 악으로부터 갱생하다/自力～ 자력 갱생. 二 名 ス他 갱생;버리게 된 것을 다시 쓰게 만듦;재생. ¶～品 재생품.
こうせい【厚生】kō- 名 후생. ¶～施設 후생 시설. —しょう【—省】-shō 名 후생성《보건 사회부에 해당》.
こうせい【後生】kō- 名 후생. ①뒤에 태어남;또, 그 사람. ②후배;후진. —畏るべし 후생이 가외(可畏)라《나이 어린 자는 장래 어떤 역량을 보일지 모르므로 두려워해야 한다》.
こうせい【後世】kō- 名 후세. ¶名を～に伝える 이름을 후세에 전하다.
こうせい【恒星】kō- 名〔天〕항성;붙박이별. ↔惑星.
*こうせい【構成】kō- 名 ス他 구성(물). ¶文章の～ 문장의 구성.
こうせい【高声】kō- 名 고성;높은 목소리. ↔低声.
*ごうせい【合成】gō- 名 ス他 합성. ¶光～ 광합성/力の～ 힘의 합성/～写真 합성〔몽타즈〕사진. —ご【—語】名 합성어;복합어. —しゅ【—酒】-shu 名 합성주. —じゅし【—樹脂】-jushi 名〔化〕합성 수지《플라스틱 따위》. —せんい【—繊維】名 합성 섬유《나일론·비닐론 따위》. —せんざい【—洗剤】名 합성 세제.
ごうせい【強勢】gō- ダナ 기세가 센 모양;또, 경기가 좋은 모양.
ごうせい【豪勢】gō- ダナ 호세;굉장함;대단히 호사스러움. ¶～な料理 굉장한 요리.
こうせいぶっしつ【抗生物質】kōseibus-shi- 名 항생 물질.
*こうせき【功績】kō- 名 공적;공로. =てがら. ¶～が大きい 공적이 크다.
こうせき【鉱石】(礦石) kō- 名 광석.
こうせきうん【高積雲】kō- 名 고적운;높쌘 구름. =むらくも.
こうせきせい【洪積世】kō- 名〔地〕홍적세;빙하 시대.
こうせつ【降雪】kō- 名 강설. ¶～量 강설량.
こうせつ【公設】kō- 名 공설. ¶～市場 공설 시장/～質屋 공설 전당포. ↔私設.
こうせつ【巧拙】kō- 名 교졸;잘하고 못함. ¶～を問わない 교졸을 묻지 않다.
こうせつ［巷説］kō- 名 항설;풍문;세상 소문.
こうせつ【講説】kō- 名 ス他 강설;강의하고 설명함;또, 그 설.
こうせつ【高説】kō- 名 고설. ①견식이 높은 학설. ②남의 학설·의견의 높임말.
こうぜつ【口舌】kō- 名 구설;말;변설. —の徒 말만 잘하는 사람.
ごうせつ【豪雪】gō- 名 큰 눈;대설.
ごうせっとう【強窃盗】gōsettō 名 강절도.
こうせん【交戦】kō- 名 ス自 교전. —こく【—国】名 교전국.
こうせん【好戦】kō- 名 호전;싸움을 좋아함. ¶～的 호전적.
こうせん【抗戦】kō- 名 ス自 항전;맞서 싸움.
**こうせん【光線】kō- 名 광선. ¶殺人〔不可視〕～ 살인〔불가시〕광선.
こうせん【公選】kō- 名 ス他 공선;일반 유권자에 의한 선거;민선. ↔官選.
こうせん【口銭】kō- 名 구전;구문;소개료. =手数料.
こうせん【工銭】kō- 名〈老〉공전;공임.
こうせん【工船】kō- 名 공모선(工母船) ¶かに～ 게 공모선.
こうせん【鉱泉】kō- 名 광천. ¶ラジ

ウム～라듐 광천.

こうせん【黄泉】kō-　图 황천 ; 저승. ＝よみじ. —の客きゃくとなる 황천객이 되다(죽다).　　　「쇠줄.

こうせん【鋼線】kō-　图 강선 ; 강철의

＊**こうぜん**【公然】kō-　[トタル] 공공연함. —の秘密ひみつ 공공연한 비밀.

こうぜん【浩然】kō-　图 ; 의기 양양한 모양. ¶～たる態度たいど 의기 양양한 태도.

こうぜん【浩然】kō-　[トタル] 호연 ; 넓고 큰 모양. —の気き 호연지기.

ごうせん【合繊】 합섬('合成繊維ごうせいせんい'(＝합성 섬유)'의 준말).

ごうぜん【傲然】kō-　[トタル] 오연 ; 거만한 모양.

ごうぜん【轟然】kō-　[トタル] 굉연 ; 굉장히 큰 소리가 울리는 모양. ¶～と爆発ばくはつした 굉연히 폭발했다.

こうそ【公訴】kō-　图 [スル] 【法】공소.

こうそ【控訴】kō-　图 [スル] 【法】공소, 항소. ¶～を棄却ききゃくする 항소를 기각하다.

こうそ【酵素】kō-　图 【化】효소.

こうぞ【楮】kō-　图 【植】닥나무(껍질을 제지 원료로 씀). ＝かみのき.

ごうそ【強訴】【嗷訴】kō-　图 강소 ; 무리를 지어 요로(要路)에 호소함.

こうそう【広壮】【宏壮】kōsō　[名ダ] 굉장. ¶～な邸宅たく 굉장한 저택.

こうそう【後送】kō-　图 [スル他] 후송.

こうそう【抗争】kō-　图 [スル自] 항쟁.

こうそう【紅藻】kōsō　图 홍조 ; 홍조류에 속하는 바닷말의 통칭.

こうそう【香草】kō-　图 향초.

こうそう【鉱層】kōsō　图 【鉱】광층 ; 광상(鉱床)의 층.

＊**こうそう**【高層】kōsō　图 고층. ¶～気流きりゅう 고층 기류. —建築けんちく 고층 건축. —うん【—雲】 고층운 ; 높층 구름. ＝おぼろ雲ぐも.

こうそう【高僧】kō-　图 고승.

＊**こうそう**【構想】kōsō　图 [スル他] 구상. ¶事業じぎょうの～ 사업 구상 / ～を練ねる 여러 모로 구상하다.

＊＊**こうぞう**【構造】kōzō　图 구조. ¶機械きかいの～ 기계의 구조 / 理論りんの～ 이론 구조. —しき【—式】【化】구조식.

ごうそう【豪壮】gōsō　[名ダ] 호장 ; 세력이 강하고 왕성한 모양 ; 짜임새가 크고 호화로운 모양. ¶～な邸宅てい 크고 호화로운 저택.

＊**こうそく**【拘束】kō-　图 [スル他] 구속. ¶～力りょく 구속력 / 身みがらを～する 신병을 구속하다. —じかん【—時間】 图 구속 시간 ; 실제로 일하는 시간만이 아닌 휴식 시간도 포함한 노동 시간.

こうそく【校則】kō-　图 교칙.

＊**こうそく**【高速】kō-　图 고속. —どうろ【—道路】 고속 도로.

こうそく【梗塞】kō-　图 [スル自] 경색 ; 막혀서 통하지 않음. ¶金融きんゆう～ 금융 경색.

～**こうぞく**【後続】kō-　图 [スル自] 후속. ～部隊ぶたい 후속 부대.

～**こうぞく**【皇族】kō-　图 황족.

～**こうこう**【航続】kō-　图 [スル自] 항속 ; 배・항공기가 연료 보급없이 계속 항행하

는 일. ¶～距離きょり 항속 거리 / ～力りょく 항속력.

ごうぞく【豪族】gō-　图 호족 ; 돈 많고 큰 세력이 있는 일족.

こうそくど【光速度】kō-　图 【理】광속도. ＝光速こうそく.

こうそくど【高速度】kō-　图 고속도. ¶～鋼こう 고속도강. —えいが【—映画】 고속도 영화. —さつえい【—撮影】 고속도 촬영.

こうそふ【高祖父】kō-　图 고조부.

こうそぼ【高祖母】kō-　图 고조모.

こうそん【皇孫】kō-　图 황손 ; 天皇てんのう의 손자〔자손〕.

こうそんじゅ【公孫樹】kōsonju　图 【植】☞いちょう(銀杏).

こうた【小唄】图 江戸えど시대 말기에 유행한 俗曲ぞっきょく의 총칭.

こうだ【斯うだ】kō-　[連語] 이렇다. その理由りゆうは～ 그 이유는 이렇다 / あゝだ～といろいろ言いう 저렇다느니 이렇다느니 여러 말을 하다.

こうたい【交替・交代】kō-　图 [スル自] 교체 ; 교대. ¶選手せんしゅ～ 선수 교체.

こうたい【抗体】kō-　图 【医】항체 ; 면역체. ↔抗原こうげん.

こうたい【後退】kō-　图 [スル自] 후퇴. ¶～を重かさねる 후퇴를 거듭하다 / 病勢びょうの～ 병세의 악화. ↔前進ぜんしん.

こうたい【交代】kō-　图 [スル] 교체 ; 후대. ＝후세.

こうだい【広大・宏大】kō-　[名ダ] 광대 ; 넓고 큼. ¶～無辺むへん 광대 무변. ↔狭小きょうしょう.

こうだい【高大】kō-　[名ダ] 고대 ; 높고 큼. ¶～な理想りそう 원대한〔높고 큰〕이상.

こうたいごう【皇太后】kōtaigō　图 황태후. ＝こうたいこう.

こうたいし【皇太子】kō-　图 황태자 ; 동궁(東宮).

こうたいじんぐう【皇大神宮】kōtaijin-gū　图 天照大神あまてらすおおみかみ를 모신 伊勢いせ신궁의 내궁(内宮).　　　「や.

こうたく【光沢】kō-　图 광택 ; 윤. ＝つ

こうたつ【公達】kō-　图 정부나 관청에서의 통지.　　　　　　　　「전말.

こうたつ【口達】kō-　图 [スル] 입으로 전

ごうだつ【強奪】gō-　图 [スル他] 강탈.

こうたん【降誕】kō-　图 강탄 ; 탄생 ; 탄생. —さい【—祭】 강탄제 ; 특히, 크리스마스.

こうたん【後端】kō-　图 후단 ; 뒤쪽 끝.

＊＊**こうだん**【公団】kō-　图 공단(공법인으로, 정부 출자와 민간 자금의 차입으로 운영되는 기관). ¶住宅じゅうたく～ 주택 공단.　　　　　　　　「だん.

こうだん【後段】kō-　图 후단. ↔前段ぜん

こうだん【講壇】kō-　图 강단 ; 강의나 강연하는 단. —に立たつ 강단에 서다 ; 강의하다.

こうだん【高段】kō-　图 고단 ; (바둑・유도 등에서) 단이 높음. ¶～者しゃ 고단자.

こうだん【豪胆】kō-　[名ダ] 호담 ; 대담(大胆). ¶～な男おとこ 대담한 사나이 / ～無比むひ 대담 무쌍. —びょう【—病】 びょう.

こうだんし【好男子】kō-　图 호남자.

こうのとり【鶴】kō- 名【鳥】황새.

こうのもの【香の物】kō- 名 야채를 소금·겨에 절인 것. ＝つけもの·しんこ.

ごうのもの【剛の者】【強の者】gō- 名〈老〉호걸; (어떤 방면에) 센 사람. ＝こうのもの.

こうは【光波】kō- 名 광파.

こうは【硬派】kō- 名 경파. ①강경파. ②(여자와 인연이 멀고) 폭력을 주로 쓰는 불량배. ③〈俗〉신문에서 정치·경제를 담당하는 사람. 강경패紛.↔軟派紛.

こうば【工場】kō- 名〈口〉공장. ＝こうじょう. ¶ ～下請したうけ — 하청 공장 / ～渡わたし値段ねだん 공장도 가격.

こうはい【交配】kō- 名 スな他 교배. ＝交雑ざ. ¶ 一ます種. 교배종.

こうはい【光背】kō- 名 광배. ＝後光.

こうはい【向背】kō- 名 향배; 순종과 배반; 거취. ¶ ～を明あきらかにする 거취를 분명히 하다. ②동정; 동태. ¶ 敵てきの～を探さぐる 적의 동정을 살피다.

こうはい【後輩】kō- 名 후배.↔先輩ばい·同輩ぱい.

こうはい【荒廃】kō- 名 スな自 황폐. ¶ ～した土地とち 황폐한 토지.

こうはい【興廃】kō- 名 흥폐; 흥망. ＝盛衰せい.

こうばい【公売】kō- 名 スな他 공매. ¶ 差さし押おさえ品じなを～する 압류품을 공매하다.

こうばい【こう配】【勾配】kō- 名 구배. ①경사의 정도; 물매. ¶ ～が強つよい 경사가 심하다. ②탈; 사면. ¶ ～を上あがる 비탈을 올라가다.

こうばい【紅梅】kō- 名〈植〉홍매. ——色いろ 적자색(赤紫色).

こうばい【購買】kō- 名 スな他 구매. ¶ ～部ぶ 구매부. ——くみあい【——組合】gō 구매 조합. ——りょく【——力】-ryoku 구매력.

こうばいすう【公倍数】kōbaisū 名【数】공배수. ¶ 最小さいしょう～ 최소 공배수.↔公約数さ.

こうはく【紅白】kō- 名 홍백. ¶ ～試合あい (홍군과 백군으로 나뉘어서 하는) 홍백 경기.

こうはく【黄白】kō- 名〈老〉황백; 금과 은; 전하여, 돈.

こうばく【広漠】kō- 名 トタル 광막; 넓고 아득함. ¶ ～たる大平原たいへいげん 광막한 대평원.

こうばく【荒漠】kō- 名 トタル 황막. ¶ ～たる原野はらや 황막한 들판.

こうばし・い【香ばしい·芳ばしい】kōbashi 形 ①향기롭다. ②냄새가 좋다; 구수하다.「先発さい.

こうはつ【後発】kō- 名 スな自 후발.↔先発さい.

こうはら【業腹】gō- 名【名】몹시 부아가 복받침. ¶ ～が煮にえる 몹시 화가 복받치다.

こうはん【公判】kō- 名 공판. ——てい【——廷】kō- 공판정.

こうはん【孔版】kō- 名 공판; 등사판. ¶ ～印刷さつ 공판 인쇄.

こうはん【広範】【広汎】kō- ダな 광범. ¶ ～な知識ちしき 광범한 지식.

こうはん【後半】kō- 名 후반. ¶ ～戦せん 후반전.↔前半ぜん.

こうはん【攪拌】kō- 名 スな他 교반; 휘

저어 섞음. ＝かくはん.

こうはん【江畔】kō- 名 강변; 강가.

こうばん【交番】kō- 名 スな自 ①交番所(=パtrols소の속칭)'의 준말. ②交代かい;번을 갈아 듦. ¶ ～制でい 당번 교대제. 「板いた.——登よ板いた.

こうばん【降板】kō- 名 スな自【野】강板일.

こうばん【鋼鈑】【鋼鈑】kō- 名 강판; 강철판. ＝こうはん. 「ヤ板にい.

ごうはん【合板】gō- 名 합판. ＝ベニ

こうはんい【広範囲】kō- 名 ダな 광범위. ¶ ～にわたる 광범위에 걸치다.

こうはんき【後半期】kō- 名 후반기.↔前半期ぜん.

こうはんせい【後半生】kō- 名 후반생.↔前半生ぜん.

こうひ【公費】kō- 名 공비; 국가·공공단체의 비용. ↔私費ひ.

こうひ【工費】kō- 名 공비; 공사 비용.

こうひ【口碑】kō- 名 구비; 전설.

こうび【交尾】kō- 名 スな自 교미; 흘레. ¶ ～期き 교미기.

こうび【後尾】kō- 名 후미. ¶ 行列ぎょうの～ 행렬의 후미.

ごうひ【合否】kō- 名 합격 여부. ¶ ～の判定はん 합격 여부의 판정.

こうひつ【硬筆】kō- 名 경필(연필·펜 따위).

こうひょう【公表】kōhyō 名 スな他 공표. ¶ ～をはばかる 공표를 꺼리다.

こうひょう【好評】kōhyō 名 호평. ¶ ～を博はする 호평을 받다.↔悪評ひょう·不評ひょう.　　　　　　　「評ひょう.

こうひょう【講評】kōhyō 名 スな他 강評ひょう.

こうひょう【高評】kō- 名 고평. ①평판이 높음. ②남의 비평에 대한 높임말. ¶ 御～を請こう 고평을 청하다.

こうびょうりょく【抗病力】kōbyōryoku 名 항병력; 병에 대한 저항력.

こうびん【幸便】【好便】kō- 名 ①좋은 인편(차편). ②편지를 인편에 부탁할 때 겉봉에 쓰는 말.

こうびん【後便】kō- 名 다음 소식(편지). ¶ くわしくは～で 자세한 것은 다음 편지로. ＝先便びん.

こうふ【工夫】kō- 名〈卑〉공사장의 인부. ＝線路こう — 선로공. 注意 고친 이름은 '工手こう'.

こうふ【交付】kō- 名 スな他 교부. ¶ ～金きん 교부금 / 証書しょうを～する 증서를 교부하다.

こうふ【公布】kō- 名 スな他 공포; 널리 알림. ¶ 憲法けんを～する 헌법을 공포하다.

こうふ【坑夫】kō- 名〈卑〉갱부.

こうふ【鉱夫】kō- 名〈卑〉광부. 注意 고친 이름은 '鉱員いん'.

こうぶ【公武】kō- 名 公家くげ와 武家ぶけ; 조정과 幕府ばくふ.

こうぶ【後部】kō- 名 후부; 뒷부분. ¶ ～座席ざせき 후부 좌석.↔前部ぜん.

こうふう【校風】kōfū 名 교풍.

こうふく【幸福】kō- 名 ダな 행복. ＝しあわせ. ¶ ～な生活せいを 행복한 생활.↔不幸さ.

こうふく【校服】kō- 名 교복.

こうふく【降伏】【降服】kō- 名 スな自 항복. ＝降参さん. ¶ 無条件じょうけん～ 무조건 항복.

こうふく 【剛腹】 gō- 名 배짱이 세고 도량이 넓음 ; 또, 그 사람.

こうぶつ 【好物】 kō- 名 즐기는 음식 ; 좋아하는 물건.

こうぶつ 【鉱物】(礦物) kō- 名 광물.

こうふん 【口吻】 kō- 名 ①말투 ; 어조. 『どうも不賛成せいのような～だっ た 아무래도 불찬성인 듯한 말투였다. ②입 ; 주둥이 ; 부리.　　『私憤しふん.

こうふん 【公憤】 kō- 名 공분 ; 의분. ↔

**こうふん 【興奮】(昂奮・亢奮) kō- 名 ス自 흥분. 『～剤ざい 흥분제 / ～した 市民しみん 흥분한 시민.

こうぶん 【公文】 kō- 名 공문.

こうぶん 【行文】 kō- 名 행문 ; 문장을 써나가는 솜씨 ; 글 솜씨 ; 필치. 『～ 구문herror.

こうぶん 【構文】 kō- 名 구문. 『～論 ろん 구문론.

こうぶんし 【高分子】 kō- 名 고분자. 『～化合物ごう 고분자 화합물.

こうぶんしょ 【公文書】 kōbunsho 名 공문서. 『～偽造ぎ 공문서 위조. ↔私文 書しょ.

こうべ 【頭・首】 kō- 名 〈古〉머리 ; 목. 『～をたれる 고개를 숙이다. ―をめ ぐらす ①머리를 돌아보다. ②옛일을 돌이켜보다.

こうへい 【工兵】 kō- 名 공병.

**こうへい 【公平】 kō- 名 ダナ 공평. 『 ～無私むし 공평 무사 / ～な見方みかた 공평 한 견해.

こうへい 【衡平】 kō- 名 형평.

こうへん 【口辺】 kō- 名 입가. 『～に微 笑びしょうを浮うかべる 입가에 미소를 띄우 다.　　　　　　『↔前編ぜん.

こうへん 【後編】(後篇) kō- 名 후편.

こうへん 【硬変】 kō- 名 ス自 경변 ; 굳 어짐.　　　　『주 : 말솜씨.

こうべん 【口弁】 kō- 名 구변 ; 말재.

こうべん 【抗弁】 kō- 名 항변 ; 항변.
　―けん 【―権】 名 항변권.

ごうべん 【合弁】(合辦) 名 합판(合 辦). 『～会社がいしゃ 합판 회사.

*こうほ 【候補】 kō- 名 후보. 『大統領 だいとうりょう～ 대통령 후보.

こうぼ 【公募】 kō- 名 ス他 공모.

こうぼ 【酵母】 kō- 名 効모 ; 누룩. 『～ きん 【―菌】 효모균.

こうほう 【工法】 kō- 名 공법.

こうほう 【公法】 kōhō 名 공법. ↔私 法しほう.

こうほう 【公報】 kōhō 名 공보. ①관 청에서 널리 알리기 위해 내는 기관지. 『選挙きょ～ 선거 공보. ②관청에서 관 계자에게 내는 공식적인 통지. 『戦死 せんしの～ 전사 통지.

こうほう 【広報】(弘報) kōhō 名 ス他 홍보. 『～活動かつどう 홍보 활동.

こうほう 【後方】 kō- 名 후방. 『～勤 務む 후방 근무. ↔前方ぜん.

こうほう 【航法】 kō- 名 항법.

こうほう 【高峰】(高峯) kō- 名 고봉.

こうぼう 【攻防】 kōbō 名 공방 ; 공격과 방어. 『～せん【―戦】 공방전.

こうぼう 【弘法】 kōbō 名 '弘法大師 だい(=平安へいあん 초기의 중 空海くうかいの시 호(諡號))'의 준말. ―にも筆ふでの誤あやま り 서예(書藝)에 뛰어난 弘法 대사도 때로는 잘못 쓸 때도 있다 ; 원숭이도 나

무에서 떨어질 때가 있다.

こうぼう 【興亡】 kōbō 名 흥망. =興廃 こうはい. 『国こくの～ 나라의 흥망.

ごうほう 【合法】 kō- 名 합법 ; 적법. 『～化か 합법화 / ～活動かつどう 합법 활동. ↔非合法ごうほう.　　―てき 【―的】 ダナ 합법적. 『～に闘たたかう 합법적으로 싸 우다.

ごうほう 【業報】 gōhō 名 【佛】 업보.

ごうほう 【号俸】 gōhō 名 호봉.

ごうほう 【号砲】 gōhō 名 호포 ; 신호로 쏘는 총포.

ごうほう 【豪放】 gōhō 名 方방 ; 기 개가 장하여 작은 일에 거리끼지 아니 함.

こうぼく 【公僕】 kō- 名 공복.

こうぼく 【坑木】 kō- 名 갱목.

こうぼく 【香木】 kō- 名 향목 ; 향나무.

こうぼく 【高木】(喬木) kō- 名 교목(소 나무・삼목 따위). 注意 '喬木きょう'(=교 목)의 고친 이름. ↔低木ていぼく.

こうほね 【河骨】 kō- 名 【植】 개연꽃.

こうほん 【校本】 kō- 名 교본 ; 고서(古 書) 따위의 전본(傳本)이 몇 가지 있 을 때, 그들 본문의 다른 점을 일람할 수 있게 만든 책.

こうほん 【合本】 gō- 名 ス他 합본.

こうまい 【高邁】 kō- 名 ダナ 고매. 『～な 識見しきけん 고매한 식견.

こうまん 【高慢】 kō- 名 ダナ 교만 ; 건 방짐. 『～な態度たいど 교만한 태도.
　―ちき 名 ダナ 태깔스러움(교만함의 낮춤말). 『うぬぼれてすぐ～になる 자부하는 나머지 곧 태깔스러워진다.

ごうまん 【傲慢】 gō- 名 ダナ 오만 ; 거 만. 『～無礼ぶれい 오만 무례.

こうみ 【香味】 kō- 名 향미 ; 향기와 맛 ; 음식물의 향기. 『～料りょう 향미료.

こうみゃく 【鉱脈】 kōmya- 名 광맥.

こうみょう 【光明】 kōmyō 名 광명 ; 밝 은빛 ; 희망. 『解決かいけつに一縷いちるの～を 見みいだす 해결에 (대한) 한가닥 희망 을 발견하다.

こうみょう 【功名】 kōmyō 名 공명. 『 抜ぬけがけの～ 남을 앞질러 공을 세 움. ―しん 【―心】 공명심.

こうみょう 【高名】 kōmyō 名 〈古〉고 명. ①유명. =こうめい. ②무훈.

*こうみょう 【巧妙】 kōmyō ダナ 교묘. 『～な手段しゅだん 교묘한 수단.

こうみん 【公民】 kō- 名 공민. ―けん 【―権】 공민권. 『～停止ていし 공민 권 정지.

こうむ 【工務】 kō- 名 공무.

こうむ 【公務】 kō- 名 공무. 『～出張 しゅっちょう 공무 출장. ―いん 【―員】 공 무원.　　　『～しゅにん 교무 주임.

こうむ 【校務】 kō- 名 교무. 『～しゅにん【―主任】

*こうむ-る 【被る】(蒙る) kō- 名 ①받 다. 『御免めん을 ~ (a) (상대방의) 용서 를 받다 ; 실례하다 ; (b) 싫다 ; 거절하다. ②입다. 『損害そんがいを~ 손 해를 입다.

こうめい 【公明】 kō- 名 ダナ 공명.
　―せいだい 【―正大】 公명 정대. ―せんきょ【―選挙】-kyo 공명 선거.

こうめい 【抗命】 kō- 名 ス自 항명.

こうめい 【高名】 kō- 名 고명. ①유명 함. =こうみょう. 『～な学者がくしゃ 고명

한 자字.②존함(尊啣).¶ご〜はかね
がね伺がっております 존함은 익히 듣
고 있습니다.
ごうめい【合名】gō- 图 합명. ——が
いしゃ【──会社】-sha 图 합명 회사.
ごうも【毫も】gō- 副《否定의 말을 수
반하여》조금도；털끝만큼도；추호도.
¶〜遜色ぷがない 조금도 손색이 없
다.
こうもう【鴻毛】kōmō 图 홍모；기러기
의 털(매우 가벼운 것의 비유).
こうもう【孔孟】kōmō 图 공맹；공자와
맹자. ——の教えぷ 공맹의 가르침(유
교). 　　　　　　 [뻣뻣한 털.
こうもう【剛毛】gōmō 图 강모；굵고
*こうもく【項目】kō- 图 항목；조목.
こうもく【綱目】kō- 图 강목.①사물
의 대강(大綱)과 세목(細目).②요점.
こうもり【蝙蝠】 kō- 图〔動〕①박쥐.
②간에 붙었다 쓸개에 붙었다 하는 사
람.③'こうもりがさ'의 준말.
こうもりがさ【こうもり傘】〔蝙蝠傘〕kō-
图 박쥐우산；양산.
こうもりぞく【こうもり族】〔蝙蝠族〕kō-
图〈俗〉박쥐족(낮에는 쉬고 밤이 되
면 행동을 개시하는 사람들).
こうもん【肛門】kō- 图 항문.
こうもん【後門】kō- 图 후문；뒷문.↔
前門だ.——のとら,前門だのおおかみ
앞뒤로 난적(難敵)을 만나 어쩔 줄이
없음의 비유.
こうもん【校門】kō- 图 교문.
こうもん【閨門】kō- 图 갑문(閨門).
ごうもん【拷問】gō- 图区他 고문.
こうや【広野】〔曠野〕kō- 图 광야；넓은
들；ひろの.
こうや【荒野】kō- 图 황야.
こうや【紺屋】kō- 图 염색집. ——のあ
さって 염색집의 모레(좀처럼 내일 모
레).
こうやく【口約】kō- 图区他 구약；
구두 약속.¶〜口約束らで.
*こうやく【公約】kō- 图区自他 공약.
¶選挙ぷの〜 선거 공약.
こうやく【膏薬】kō- 图 고약.¶〜を
はる 고약을 붙이다.
こうやくすう【公約数】kōyakusū 图〔數〕
공약수.¶公倍数ぷ↔公倍数.
こうやどうふ【高野豆腐】kōyadō-图 언
두부(두부를 잘게 썰어 얼려서 말린
것).=凍ぷり豆腐だ.
こうゆ【香油】kō- 图 향유；머리에 바
르는 냄새 좋은 기름.
こうゆう【公有】kōyū 图区他 공유.
¶〜財産だ 공유 재산.↔私有ぷ.
こうゆう【交友】kōyū 图 교우；친구.
こうゆう【交遊】kōyū 图区自 교유；서
로 사귀고 놂；교제.
ごうゆう【剛勇・豪勇】gōyū 图ナ 호용；
씩 용감함.　　　　　　　 [화丑게 놂.
ごうゆう【豪遊】gōyū 图区自 호유；호
*こうよう【公用】kōyō 图 공용；공무.
¶〜語 공용어/〜文ぷ 공문서에 쓰는
문장.↔私用ぷ.
*こうよう【効用】〔功用〕kōyō 图①直
효；효능.¶くすりの〜 약의 효능↔限
界ぷ —— 한계 효용.②용도.¶他にぷ
〜がない 달리 용도가 없다.

*こうよう【紅葉】kōyō 区自 홍엽；단
풍이 듦；또, 그 잎；단풍.
こうよう【孝養】kōyō 图区自 효양；부
모를 봉양하고 효도함.¶〜をつくす
효도를 다하다.
こうよう【高揚】〔昂揚〕kōyō 图区他
고양；앙양.¶士気ぷの〜 사기 앙양.
*こうよう【黄葉】kōyō 图区自 황엽；가을철
에 나뭇잎이 누렇게 됨；또, 그 잎.
こうよう【綱要】kōyō 图 강요；중요
한 곳(점)；골자.
こうようじゅ【広葉樹】kōyōju 图 광엽
수.(注意「闊葉樹こっぷ」(=활엽수)의 고
친 이름.↔針葉樹ぷ.
ごうよく【強欲】〔強慾〕gō- 图ナ 탐욕.
¶〜な人間ぷ 지독한 욕심쟁이.
こうら【甲羅・甲ら】kō- 图①갑각(甲
殻)，(거북・게 등의) 등딱지.②껍데기.
——を経る 연응을 쌓다；숙련되다.
——を干す 엎드려 일광욕을 하다.
こうらい【光来】kō- 图 왕림(枉臨).
¶ご〜を仰ぎぷ 왕림하시기를 바라다.
こうらい【高麗】kō-〔史〕 图①고려.
②고구려.
*こうらく【行楽】kō- 图 행락.¶〜
のシーズン 행락의 계절.
こうらん【高覧】kō- 图 고람；상대방이
'봄'의 높임말.¶ご〜を請ぷ 고람하
여 주시기를 청하다.
こうらん【高欄】kō- 图 궁전 등의 건
물 주위나 복도 등에 있는 끝이 굽은
난간.
こうらん【撹乱】kō- 图区他 교란.=か
くらん.
*こうり【小売(り)】图区他 소매.¶
〜商 소매상.↔おろし売りぷ.
こうり【公吏】kō- 图 공리('地方だ公
務員ぷぷ(=지방 공무원)'의 구칭).
こうり【公理】kō- 图 공리.
こうり【功利】kō- 图 공리.①공명과
이득.¶〜，打算ぷ 공리, 타산.②행
복과 이익, 공리.¶〜を考かんナ 공리
적.¶〜な考かん 공리적인 생각.
こうり【高利】kō- 图 고리.↔低利ぷ.
¶〜を貸(し)す 고리 대금.=こうりがし.
こうり【行李】kō- 图 고리；고리짝.
こうり【合理】gō- 图 합리. ——か
【──化】图区他 합리화.¶経営けいの合理화.—— しゅぎ【──主
義】-shugi 합리주의. —— てき
【──的】ナ 합리적.¶〜な方法ぷ 합
리적인 방법.
ごうりき【合力】gō- 图区自 합력；
힘을 합침.¶金品을 베풀어
줌；또, (그것을 받는) 거지.=こじき.
*ごうりき【強力】kō- 图ナ①강력.¶
〜無双ぷ 강력 무쌍.②등산가의 짐을
지고 안내하는 사람.(注意①은 '剛力ぷ'
로도 씀. ——はん【──犯】강력범.
↔知能犯ぷぷ.　　　　 [ぷ. 　　[「りっ.
*こうりつ【公立】kō- 图 공립.↔私立
*こうりつ【効率】kō- 图 효율.¶〜を
高こめる 효율을 높이다.
こうりつ【高率】kō- 图 고율.¶〜の利
息ぷ 고율의 이자.↔低率ぷぷ.　[략.
こうりゃく【攻略】kōrya- 图区他 공
こうりゃく【後略】kōrya- 图区他 후
략.↔前略ぷ.

コウリャン kōryan 图 ☞コーリャン.

こうりゅう【交流】kōryū 名 교류. ─图【電】교류 (전기). □直流와. □他 (문화·사상 등의) 교류. 曰文化ゕん─ 문화 교류 / 人事ゟん─ 인사 교류.

こうりゅう【勾留】kōryū 又他【法】 구류; 구금; 아니고, 피고나 피의자를 공소상 필요에 의하여 구류함). ¶未決ゖっ─ 미결 구금. 参考 신문에서는 '拘置ぅち(=구치)'라고 함.

こうりゅう【拘留】kōryū 又他【法】 구류.

こうりゅう【興隆】kōryū 又自 흥륭; 융성함. ¶文化ゕんの─ 문화의 융성.

ごうりゅう【合流】gōryū 名 합류. ¶～点 합류점 / 本隊ほんに─する 본대에 합류하다.

こうりょ【考慮】kōryo 名 又他 고려. ¶～の余地ぢがある 고려할 여지가 있다.

こうりょう【工料】kōryō 名 공임(工賃).

こうりょう【校了】kōryō 名 又他 교료; 교정을 끝내다.

こうりょう【荒涼·荒寥】kōryō 又タル 황량. ¶～たる原野げんや 황량한 벌판.

こうりょう【香料】kōryō 名 ①향료; 양념. ②香典ぶ(=부의)

こうりょう【稿料】kōryō 名 고료('原稿料ゔんの'=원고료'의 준말).

こうりょう【綱領】kōryō 名 강령. ①사물의 요점. ②정당 등의 근본 방침의 요항.

こうりょく【抗力】kōryo- 名【理】항력.

こうりょく【効力】kōryoku 名 효력. ¶～を発揮きする 효력을 발휘하다.

ごうりょく【合力】gōryo- 名【理】합력; 합성력(合成力). ↔分力ぶん. 名 又自 ☞ごうりき(合力).

こうりん【光輪】kō- 名 광륜.

こうりん【光臨】kō- 名 광림; 왕림; 내림. ¶ご～を仰ぎ왕림을 바라다.

こうりん【降臨】kō- 名 又自 강림. ①신불이 내려옴. ②귀인의 내방에 대한 높임말.

こうるさ─い【小うるさい】(小煩い)(小煩い) 形 귀찮다. ¶～く聞きく 귀찮게 묻다.

こうれい【好例】kō- 名 호례; 좋은 예.

こうれい【高齢】kō- 名 고령. ──か しゃかい【─化社会】-shakai 名 고령화 사회.

*ごうれい【号令】gō- 名又自 구령(口令). ¶～をかける 구령을 걸다. 名 又自 명령·지시함. ¶天下ゕに─する 천하에 명령하다.

こうれつ【後列】kō- 名 후열; 뒷줄. ↔前列ゔん.

こうろ【行路】kō- 名 행로. ①길을 걸어감; 또, 그 사람. ¶～病者びゃう 행려병자. ②세상살이. ¶人生じん─ 인생 행로.

こうろ【航路】kō- 名 항로. ¶ハワイ～ 하와이 항로 / ～標識ひゃうしき 항로 표지.

こうろ【香炉】kō- 名 향로.

こうろう【高楼】kō- 名 고루; 높은 다락집(흔히, 요정을 가리킴). =たかどの. ¶春ゕ, ～の花はなの宴えん 봄철, 고루에서의 꽃놀이 술잔치.

こうろく【厚禄】kō- 名 후록; 후한 급료. ¶～を与えられる 후한 급료를 받다.

こうろく【高禄】kō- 名 고록; 많은 녹봉·봉급. =高給きゃう. ¶～を食む 많은 봉급을 받다.

こうろん【口論】kō- 名 말다툼; 언쟁. =口げんか.

こうろん【公論】kō- 名 공론. ¶万民ばんに決ゖっすべし 나라의 정치는 만사 여론에 따라 결정하라.

こうろん【高論】kō- 名 고론. ①훌륭한 논설. ¶～卓説ゕく 고론 탁설. ②상대방의 논설에 대한 높임말.

こうろんおつばく【甲論乙駁】kō- 又自 갑론 을박. ¶～でまとまらない 갑론 을박으로 결론을 못 짓다.

こうわ【講和·媾和】kō- 名 又自 강화. ¶～条約ぢゃく 강화 조약.

こうわ【口話】kō- 名 구화. ☞手話ゟ.

*こうわ【港湾】kō- 名 항만. ¶～施設せっ 항만 시설.

**こえ【声】名 (목)소리. ¶神ゕみ(天てんの)─ 신(하늘)의 소리 / 民衆みんの─ 민중의 소리 / 鐘ゕねの─ 종소리 / 師走しはの─を聞きく 곧 섣달이 된다 / 石油せきの─におびえる 석유가 인상의 풍문에 겁을 내다. ─がかかる ①부름을 받다. 또, 연극에서 배우가 관객으로부터 칭찬을 듣다. ②윗사람으로부터 특별한 배려를 받다. ─なき─ 소리 없는 소리(민중의 소리). ─の下もに 말이 채 끝나기도 전. ─をかぎりに 목청껏. ─をかける ①말을 걸다. ②인사하다. ─をのむ 몹시 감동·긴장한 나머지 목소리가 안 나오다.

こえ【肥】名 ①비료; 거름. =こやし. ②분뇨; 똥과 오줌. =しもごえ.

こえい【孤影】kō- 名 고영; 외로운 그림자; 혼자 쓸쓸한 모습. ¶～悄然ぜう 홀로 초연(쓸쓸)한 모양. 〔호위병〕

**こえい【護衛】kō- 名 又他 호위. ¶～兵へい 호위병.

**ごえいか【御詠歌】kō- 名【佛】찬불가; 순례가(巡禮歌). 〔또, 그 시기.〕

こえがわり【声変(わ)り】名 변성.

こえごえ【声声】名 여러 사람의 소리. ¶～に叫ぶ 제각기 소리 지르다.

こえだめ【肥だめ】(肥溜め) 名 분뇨 구덩이.

ごえつどうしゅう【呉越同舟】-dōshū 名 오월 동주.

**こ─える【肥える】下1自 ①살이 쪄다. ¶天高だく馬うま～ゆる候こう 천고 마비 지절. ②(땅이) 비옥해지다. ¶～えた土地とち 비옥한 땅. ⇔やせる. ③사치 스러워지다; 높아지다. ¶目がの～는 눈이 높아지다.

**こ─える【越える】下1自 ①넘(어가)다. ¶国境きゃうを～ 국경을 넘다. ②(강·둑을) 건너다. ¶川かを～ 강을 건너다.

**こ─える【超える】下1自 ①(때가) 지나가다. ¶期限きんを～ 기한을 넘다. ②기준을 넘다. ¶三十度さんじゅうを～す暑さ 30 도를 넘는 더위. ③보다 낫다. =まさる. ¶人ひとに～ 남보다 낫다. ④다

월다하. ¶現代ばを～ 현대를 초월하다. ⑤제쳐 놓다;뛰어 넘다;건너 뛰다. ¶順序じゅんを～ 순서를 건너 뛰다.

ゴー 图 고;나아감;전진(의 표시). ↔ストップ 图 고스톱;네거리 등의 교통 신호기. ▷일 go stop.

*こおう【呼応】koō 图 区自 호응. ¶東西とうざい相～して攻める 동서에서 서로 호응하여 공격하다.

こおうこんらい【古往今来】koō- 圖 고왕 금래;예로부터 지금까지.

コークス 图 코크스. ▷Koks.

ゴーゴー 图 고고;고고 춤; 또, 그 음악. ▷gogo.

**コース 图【登山ざんの】の～ 등산 코스 / マラソンの～ 마라손 코스 / 苦難くなんに満みちた～ 고난에 찬 코스 / 事態じたいは予想ょそうをはずれた～をたどる 사태는 예상 코스를 벗어났다. ▷course.

*コーチ コォチ 一图 코치함;지도함. 二图 코치;지도자;감독. ＝コーチャー. ▷coach.

コーチャー -chā 图 코치. ①코치하는 사람. ②图 图 주자에게 지시를 주는 사람. ¶三塁さんるい～ 3루 코치. ▷coacher.

コーチングスタッフ -taffu 图 코칭 스태프. ▷coaching staff.

**コート 图 코트. ①여자가 일본 옷 위에 입는 외투. ②양복 위에 입는 외투. ¶レーン～ 레인 코트. ③양복 따위의 웃옷. ▷coat.

コート 图 코트;테니스・배구・농구 등의 경기장. ▷court.

コード 图 코드. ①부호;암호. ¶～ブック 암호책. ②符号ふごう 넓은 뜻으로는 계산기 따위의 기억시키기 위한 문자의 체계. ③윤리 규정. ¶プレス～ 신문 윤리 강령. ▷code.

コード【電】코드;고무 등으로 절연한 전선. ▷cord.

こおどり【小躍り】【雀躍り】图 区自 작약(雀躍);덩실거림. ¶～(を)して喜よろこんだ 덩실거리며 기뻐했다.

コーナー 图 코너. ①구석;귀퉁이. ②앨범에 사진을 붙일 때에 네 모서리에 대는 것. ③백화점 따위의 특설 매장. ¶ベビー～ 베이비 코너. ▷corner.

*コーヒー【珈琲】图 커피. ▷coffee.
――ポット -potto 图 커피포트. 커피 주전자. ▷coffeepot.

コーラ 图 콜라. ¶コカ～ 코카콜라. ▷cola.　　　　　　　「chorus.
コーラス 图 코러스;합창;합창곡.
コーラン【宗】图 코란;이슬람교의 성전(聖典). ▷Koran.

*こおり【氷】kō- 图 얼음.

こおり【郡】kō- 图 군;고을(옛 행정 구획의 하나;지금의 'ぐん'에 해당).

こおりがし【氷菓子】kō- 图 얼음 과자;빙과.　　　　　　　「음 사탕.
こおりざとう【氷砂糖】kōrizatō 图 얼

こおりつく【凍り付く】kō- 图 区自 ①얼어 붙다. ¶水道すいどうの栓せんが～ 수도 꼭지가 얼어 붙다. ②굳게 얼다. ¶水氷すいが～ 꽁꽁 얼다.

こおりどうふ【凍（り）豆腐】【氷豆腐】kōridō- 图 얼린 두부;언 두부. ＝高野こうどうふ.

こおりまくら【氷まくら】【氷枕】kō- 图 얼음 베개.

こおりみず【氷水】kō- 图 빙수.

**こおる【凍る】【氷る】kō- 图 国自 얼다. ¶水すうが～ 물이 얼다.

コール kō- 图 ①오구분 단기 융자;단자(短資). ¶～市場しじょう 단자 시장. ②'コールマネー''コールローン'의 준말. ▷call. ――サイン 图 콜사인;국제 협정으로 정해진 각 방송국의 호출 부호. ▷call sign. ――マネー 图 콜머니;은행간의 단기 차입금. ▷call money. ――ローン 图 콜론;은행간의 단기 대출금. ▷call loan.

ゴール 图 골. ①경주의 결승점;목표. ②축구・하키 등의 골. ¶～イン'ゴールイン'의 준말. ▷goal. ――イン 图 区自 골인. ¶結婚けっこんに～する 결혼에 골인하다. ¶일 goal in. ――キーパー 图 골키퍼. ▷goalkeeper.　　　　「tar.

コールタール 图【化】콜 타르. ▷coal

コールテン 图 코르덴;누빈 것처럼 골지게 짠 우단과 비슷한 직물. ▷corded velveteen.

ゴールデン 图 골든;황금같이 가치가 높은. ▷golden. ――アワー 图 골든 아워;방송에서 시청률이 가장 높은 시간(오후 7~9시). ▷일 golden hour. ――ウイーク -wīku 图 골든 위크;(일본에서) 4월말부터 5월(初)초까지의 휴일이 많은 1주일. ▷일 golden week.

コールドゲーム 图【野】콜드 게임(5회 이상의 시합을 마치고, 경기를 계속할 수 없을 때 그 때까지의 득점으로 승패를 결정함; 또, 그 경기). ▷미 called game.

こおろぎ【蟋蟀】图【蟲】귀뚜라미.

コーン 图 콘;옥수수. ▷corn. ――フレークス 图 콘플레이크스(전 옥수수 알을 잔뜩하게 눌러 말린 음식물). ▷cornflakes.

ごおん【呉音】图 오음;한자음의 하나; 옛 중국의 오(吳)나라 지방의 음이 전하여진 것('男女'를 'なんにょ', '人間'을 'にんげん'으로 읽는 따위).

ごおん【語音】图 어음;말의 발음.

こおんな【小女】图 몸집이 작은 여자. ②나이가 차지 않은 하녀.

こか【古歌】图 고가;옛 노래;옛 사람이 지은 和歌わか.

こか【固化】图 区自 고화;굳어짐;고체화.

コカ【植】图 코카. ▷coca.

こが【古雅】图名 고아;예스럽고 아담함;예스럽고 아치 雅趣(が)가 있음.

こがい【子飼い】图 새끼 때부터 기름;전하여, 어릴 때부터 말아 아이 치다 꺼리함. ¶～の部下ぶか 어릴 적부터 기른 부하.　　　　　　　　「임.

こがい【小買い】图 区自 조금씩 사들

こがい【戸外】图 호외;옥외;집밖.

こがい【蚕飼い】图 누에치기; 양잠(養蠶).

ごかい【砂蚕・沙蚕】图【動】갯지렁이.

ごかい【碁会】图 기회;바둑을 두는 모임. ¶～所しょ 기원.

*ごかい【誤解】图 他 오해. ¶～を受うける 오해를 받다.

こがいしゃ【子会社】 -sha 图 자회사. ↔親会社ポッ.

コカイン 图 코카인. ☞cocaine.

こがき【小書き】图スए글 사이에 주(註) 등을 작은 글씨로 써 넣음; 또, 그 글씨. ¶〈・お得意ぶ.

こかく【顧客】图 고객; 단골. =こきゃ.

こかく【互角】图 호각; 백중함. ¶〜の勝負ごぅ 호각의 승부. 〔람.

ごかく【碁客】图 기객; 바둑 두는 사

こがく【語学】图 어학. ¶〜の研究ぎ 어학 연구 / あの人ぱ〜に強ぃ 저 사람은 어학에 능하다.

こがくれ【木隠れ】图 나무 그늘에 가리어 잘 안 보임.

こかげ【木陰】【木蔭】图 나무 그늘. = 樹陰おか. ¶〜で休ぴむ 나무 그늘에서 쉬다.

ca-Cola.

コカコラ 图〔商標名〕코카콜라. ☞Co-

こがし【焦がし】图 볶은 곡식을 빻은 것. ¶麦ぎ〜보리 미숫가루.

—ごかし【転し】《体言に붙여서》…을 구실로 자기 이익을 꾀하는 일. ¶親切ごん〜に 친절을 구실로〔빙자하여〕.

こがしら【小頭】图 소두목; 소무리의 두목; 조장. ¶火消がしの〜 소방 조장〔消防組長〕.

*こが-す【焦(が)す】5他 ①눌리다; 태우다. ¶真ぶ黒ぶに〜 새까맣게 태우다. ②〔애를 태우다. ¶胸ぱを〜 가슴을 태우다.〔=大形ぎ.

*こがた【小形】名ＴＴ 소형; 모양이 작음.

*こがた【小型】名Ｔ 소형; 형(型)이 작음; 또, 그것. ¶〜(の)自動車どぅ 소형 자동차. ↔大型だぃ.

ごがたき【碁敵】图 기적; 바둑의 맞수.

*こがたな【小刀】图 창칼. ①주머니칼. =ナイフ. ②こづな. ——ざいく【—細工】图 창칼 세공; 전하여, 잔꾀를 부림; 잔재주; 미봉책.

こかつ【枯渇】【涸渇】图スए고갈. ¶資金ぎの〜 자금의 고갈.

*ごがつ【五月】图 오월(음력으로는 さつき).

こがね【小金】图 약간의 목돈; 자그마한 재산. ¶〜をためる 약간의 돈을 모으다.

こがね【黄金】【金】图 황금. ①가금. 돈; 금전. ②黄金ぎ 빛; 누런 빛. ¶稲の波ぶ 황금 빛〔벼이삭의〕 물결. ③금화(金貨). ——いろ【—色】图 황금빛. ——むし【—虫】图〔蟲〕풍뎅이.

こかぶ【子株】图 ①새끼 그루. ②〔거래에서〕신주(新株). ↔親株ぶ.

こがも【小鴨】图〔鳥〕상오리; 쇠오리.

こがら【小がら・小柄】图 ①몸집이 작음. ¶〜な男ぢ몸집이 작은 사나이. ②모양・무늬가 작음. ¶〜な模様ぶ 잔무늬. ↔大柄おゎ.〔박새.

こがら【小雀】图〔鳥〕북방쇠박새; 쇠

こがらし【木枯(ら)し】【凩】图 초겨울〔늦가을〕의 찬 바람.

こがれじに【焦(が)れ死に】图スए 안타까이 그리다 죽음; 상사병으로 죽다.

こが-れる【焦(が)れる】ＴＴ自 연모하다; 몹시 동경하다. ¶思ぁい〜 애타게 그리다 / 音楽家おんがに〜 음악가를 동경하다.

こがん【湖岸】图 호안; 호반; 호숫가.

ごかん【五官】图 오관(눈・귀・코・혀・피부). 〔각・미각・촉각〕.

ごかん【五感】图 오감(시각・청각・후

ごかん【語幹】图 어간. ↔語尾び.

ごかん【語感】图 어감; 말의 (풍기는) 뉘앙스. ¶〜が悪ぃ 어감이 나쁘다 / 〜が鋭いぶ 어감이 예민하다.

ごがん【護岸】图 호안. ¶〜工事ぢ 호안 공사.

こき【古希】【古稀】图 고희; 70세의 딴이름. ¶〜の祝いび 고희연(古稀宴). 注意 '古希'로 씀은 대용 한자.

こき【呼気】图 호기; 내쉬는 숨. ↔吸気ぎ.

ごき【五畿】图 옛날 일본의 기방 구획; 京ぎ를 에워싼 다섯 지방(山城ぎ・大和ぎ・河内ぢ・和泉ぎ・摂津ぢ). ——しちどう【—七道】-dō 图 옛날의 일본 전국의 호칭(五畿と七道).

ごき【誤記】图スए 오기; 잘못 적음; 또, 잘못 쓴 어구(語句).

ごき【語気】图 어투; 어세; 말투. ¶〜荒ぁくののしる 거친 말투로 욕을 퍼붓다.

ごぎ【語義】图 어의의 뜻. 〔다.

こきおと-す【扱き落(と)す】【扱き落(と)す】5他 훑어〔문질러〕떨어뜨리다; 훑어 내리다. ¶もみを〜 벼를 훑어 내리다.

こきおろ-す【扱き下ろす】【扱き下ろす】5他 ①깎아 내리다; 헐뜯다. ¶相手ぶを〜 상대를 깎아 내리다. ②훑어 떨어뜨리다.

ごきげん【ごきげん・御機嫌】㋐'きげん(=기분; 심기(心氣))'의 높임말. ¶〜斜ぶめ 기분이 좋지 않음; 저기압. ㋑名 아주 좋은 기분. ¶だいぶ〜だ 어지간히 기분이 좋다. ——よう【—好】〕-yō 連語 만났을 때나 헤어질 때의 인사말; 안녕하십니까; 안녕히 가십시오〔계십시오〕.

こきざみ【小刻み】图 ①잘게 썲; 잘게 저밈(땜). ¶〜に歩ぁく 종종걸음치다. ②질름거리는 모양: 조금씩; 질름질름. ¶〜に発表ぱする 질름질름 발표하다 / 〜に値上げする 조금씩 값을 올리다.

こぎたな-い【小汚い】形 꾀죄하다; 구중중하다. 〔5他 혹사하다.

こきつか-う【こき使う】【扱き使う】

こぎつ-ける【こぎ着ける】【漕ぎ着ける】ＴＴ他 ①배를 저어 목적지에 닿게 하다. ¶小舟ぶで〜 조각배를 저어 섬에 닿다. ②노력하여 겨우 목표에 도달하다; (간신히) 해내다. ¶正常化へに〜 (가까스로) 정상화에 이르다.

*こぎって【小切手】-gitte 图 수표. ¶〜を切る 수표를 떼다. 〔らむし.

ごきぶり【蜚蠊】【蠊】图〔蟲〕바퀴. =あぶ

こきま-ぜる【こき混ぜる】【扱き混ぜる・扱き雑ぜる】ＴＴ他 뒤섞다; 혼합하다.

こきみ【小気味】图『〜がよい』속이 시원하다; 고소하다. 〔顧客ぎ.

こきゃく【顧客】-kyaku 图 ☞こかく

*こきゅう【呼吸】图スए 호흡; 숨. ¶荒ぁらい〜 거친 호흡. ¶〜が合ぅ 호흡이 맞다. ㋑名 일의 요령; 미립. ¶〜をのみ込ぶむ 요령을 터득하다.

—き【—器】图 호흡기.

こきゅう【故旧】-kyū 图〈老〉고구; 오랜 친구; 옛 친구. ¶忘れがたい—は 잊을 수 없는 옛 친구다.

こきゅう【故宮・古宮】-kyū 图 고궁.

こきゅう【鼓弓・胡弓】-kyū 图 호궁.

こきょう【故郷】-kyō 图 고향. =ふるさと。¶—にしきを飾る 금의 환향하다.

こぎよう【小器用】-yō〔ダナ〕图(—に)재주가 조금 있음; 또, 약삭빠름. =こきよう. ¶〜な男ぼ 손재주가 조금 있는 사나이. 「書」。=사서 오경.

ごきょう【五経】-kyō 图 오경. 「四

ごぎょう【五行】-gyō 图〔易〕에서 만물 생성의 다섯 원소(목·화·토·금·수). ¶〜説ぼ 오행설.

こぎ・る【小切る】他 ①잘게 자르다. ②〈俗〉값을 깎다.

こぎれ【小切れ】(小布) 图 헝겊 조각.

こぎれい【小綺麗】〔ダナ〕 깔끔하; 말쑥함; 조출함. ¶〜な服装ぼ 깔끔한 옷차림.

こ・く【扱く】⑤他 훑다. =しごく. ¶稲ぼを〜 벼를 훑다.

こ・く【放く】⑤他〈俗〉①뀌다; 배출하다. ¶屁¨を〜 (방귀를) 방귀를 뀌다. ②말하다; 지껄이다. ¶何ぼを〜か 뭐라고 지껄이는 거야.

こく【酷】图〈뒤에 말하는〉감칠맛. ¶〜のある酒 감칠맛 나는 술 /〜のある話ぼ 감칠맛이 나는 이야기.

こく【石】①图석; 섬; 10 말(약 180 리터). ②무가(武家) 시대의 봉록(俸祿)의 단위. ③재목 등의 체적 단위(10 입방척; 0.28 m³).

こく【刻】图①물시계의 눈금(하루를 48 등분함). ②옛날의 시간의 단위(일주야를 12등분). ¶子ぼの—자시(子時)(밤 11시부터 오전 1시까지).

こく【酷】〔ダナ〕 가혹한 모양; 심한 모양. ¶〜な処分ぼ 가혹한 처분.

—こく【国】图…국. ¶先進ぼ〜 선진국.

こ・ぐ【扱ぐ】⑤他 뿌리(째)뽑다. ¶苗木ぼを〜 묘목을 뿌리째 뽑다.

こ・ぐ【漕ぐ】⑤他①(배를) 젓다. ¶舟ぼを〜 (a) 배를 젓다; (b) 꾸벅꾸벅 졸다. ②(자전거·그네 등을 탈 때) 발을 구부렸다 폈다 하다.

ごく【獄】图 옥; 감옥. =ろうや. ¶〜につながれる 옥에 갇히다.

ごく【語句】图 어구; 어귀; 말.

ごく【極】副 극히; 대단히. =きわめて. ¶上等ぼの酒 썩 좋은 술.

ごくあく【極悪】图图 극악. ¶〜人ぼ 극악인 /〜非道ぼ 극악 무도.

こくい【国威】图 国威 선양. ¶〜を宣揚ぼ 국위 선양.

こくい【黒衣】图 흑의; 검은 옷; 특히, 검은 승복(僧服). =こくえ. ↔白衣びゃく.

こくい【黒意・刻意】图 비밀; 심오한 뜻(奥義). ¶〜を授ける 비법을 전수(傳授)하다.

こくいっこく【刻一刻】-ikkoku〔連語〕각일각; 시시 각각. ¶〜(と)変化ぼする 시시 각각으로 변화하다.

こくいん【刻印】图 각인. ①도장을 새김; 새긴 도장. ②☞ごくいん.

ごくいん【極印】图 지을(움직일) 수 없

는 증거; 낙인(烙印). 参考 본다는; 금·은화 등에 품질을 증명하고 위조를 방지하기 위해서 찍은 도장. ¶〜を打つ 낙인을 찍다.

こくう【虚空】-kū 图 허공; 공중. ¶〜をつかんで倒れる 허공을 짚고 쓰러지다.

こくう【穀雨】图 곡우(24 절기의 하나).

こくうん【国運】图 국운. ¶〜を賭する 국운을 걸다.

こくえい【国営】图 국영. ¶〜農場ぼ 국영 농장. =民営ぼ·私営ぼ.

こくえき【国益】图 국가의 이익. ¶〜に反ぼする 국익에 반하다.

こくえん【黒煙】图 흑연; 검은 연기.

こくえん【黒鉛】图 흑연. =せきぼく(石墨).

こくおう【国王】-kuō 图 국왕.

こくが【穀蛾】图 곡식좀나방.

こくがい【国外】图 나라 밖. ¶〜追放ぼ 국외 추방. ↔国内ぼ.

こくがく【国学】图〔国学〕江戸ぼ 시대에 일어난, 일본의 고대 문화·사상 등을 밝히려던 학문. 平安ぼ 시대에 있었던 지방 관리의 양성 기관.

こっき【国旗】图 국기(일본에서는 씨름). ¶〜館ぼ 국기관.

こくぐん【国軍】图 국군.

こくげき【国劇】图 국극; 그 나라 특유의 연극(일본에서는 歌舞伎ぼ).

こくげん【刻限】图①정해진 시각; 정각. 刻約ぼの—약속한 시간. ②때; 시각(時刻). ¶辰ぼの—진시.

こくご【国語】-kugo 图 국어. ¶〜学 /〜の文法ぼ 국어 문법.

こくごう【国号】图 국호; 국명.

こくこく【刻刻】副 ☞こっこく(刻刻).

ごくごく【極極】副 극히; 몹시('極ぼ'의 힘줌말). ¶〜の秘密ぼ 극비.

こくさい【国債】图 국채. ¶〜証券ぼ 국채 증권.

こくさい【国際】图 국제. ¶〜的ぼ 국제적 /〜会議ぼ〔問題ぼ、電話ぼ〕국제 회의(문제, 전화) /〜空港ぼ 국제 공항 /〜結婚ぼ 국제 결혼 /〜放送ぼ 국제 방송 /〜情勢ぼ 국제 정세.

——けいざいがく【——経済学】图 국제 경제학. **——ご**【——語】图 국제어. **——しゅうし**【——収支】-shūshi 图 국제 수지. **——しゅぎ**【——主義】-shugi 图 국제주의. **——しょく**【——色】-shoku 图 국제색; 국제색채. ¶〜豊ぼかな会議ぼ 국제적 색채가 짙은 회의. **——れんごう**【——連合】-gō 图 국제 연합; 유엔.

こくさいしき【極彩色】图 극채색; 대단히 화려하고 현란한 채색.

こくさく【国策】图 국책; 국가의 정책.

こくさん【国産】图 국산. ¶〜品ぼ 국산품 /〜車ぼ 국산차. =舶来ぼ

こくし【国士】图 국사. ¶憂国志사(憂國ぼの士). ②나라에서 당대 제일의 인물. ¶〜無双ぼ 당대 제일의 인물.

こくし【国史】图 국사.

こくし【国司】图〔史〕옛날, 조정에서 여러 지방에 파견한 지방관(地方官).

こくし【国師】图 국사(나라에서 고승

(高僧)에게 준 칭호).

こくし【酷使】名 ス他 혹사. ¶少年ばを～する 소년을 혹사하는.

*こくじ【告示】名 ス他 고시. ¶内閣ばく～ 내각 고시.

こくじ【国字】名 국자. ①그 나라의 문자(일본에서는 한자와 仮名ばを). ¶～問題だい 국자 문제. ②일본에서 만든 한자(時とぎ・畑はた 따위).

こくじ【国事】名 국사. ¶～犯ばん 국사범;정치범.

こくじ【酷似】名 ス自 혹사;매우 닮음.

*こくし【獄死】名 ス自 옥사. =牢死ろうし.

こくしゃ【獄舎】-sha 名 옥사;감옥.

こくしゅ【国守】名 국수. ①律令りつりょう 제도에서, 国司の의 장관. =くにのかみ. ②江戸えど 시대, 한 지방(이상)을 영유한 大名だいみょう. =国主大名だいみょう.

こくしょ【国書】-sho 名 국서. ①国家원수가 나라의 이름으로 내는 외교 문서. ②일본말로 쓴 책이나 기록.

こくしょ【酷暑】-sho 名 혹서. ↔酷寒かん.

こくしょ【極暑】-sho 名 극서. ↔極寒かん.

こくじょう【国情】【国状】-jō 名 국정. ¶～不安ばん 국정 불안.

こくじょう【極上】-jō 名 극상. ¶～の品物ばを 극상품.

こくしょく【黒色】-shoku 名 흑색. ¶～火薬ばく 화약. ——じんしゅ【——人種】-shu 名 흑(색)인종.

こくじょく【国辱】-joku 名 국욕;나라의 치욕.

*こくじん【黒人】名 흑인. ¶～種しゅ 인종. ¶～霊歌ばか 흑인 영가.

こくすい【国粋】名 국수. ¶～的てき～主義ばぎ 국수주의.

こく-する【刻する】サ変他 새기다;파다;조각하다.

——する【哭する】サ変自 곡하다;통곡하다. 「국시가 흔들리다.

こくぜ【国是】名 국시. ¶～が揺らぐ

こくせい【国政】名 국정. ¶～に参与ばする 국정에 참여하다.

こくせい【国勢】名 국세. ¶～調査ばを 국세 조사.

こくぜい【国税】名 국세. ↔地方税ばく.

*こくせき【国籍】名 국적. ¶～不明ばの飛行機ばく 국적 불명의 비행기.

こくせん【国選】名 국선. ¶～弁護人ばにん 국선 변호인.

*こくそ【告訴】名 ス他 고소.

こくそう【国喪】-sō 名 국상.

こくそう【国葬】-sō 名 국장.

こくそう【穀倉】-sō 名 곡창. =こくくら. ¶～地帯ばく 곡창 지대.

こくぞうむし【穀象虫】kokuzō- 名 蟲 바구미. =こめくいむし.

こくぞく【国賊】名 국적.

こくそつ【獄卒】名 옥졸. ①옥사쟁이;간수. ②지옥에서 망령(亡霊)을 괴롭힌다는 마귀.

こくたい【国体】名 ①국체. ¶～の尊厳ばを 국체의 존엄성;ほこるべき～ 자랑할 만한 국체. を汚ばす国家 체면을 손상하는.②「国民ばく体育大会たいかい(=국민 체육 대회)'의 준말.

こくだか【石高】名 ①미곡의 수확량. ②특히, 江戸えど 시대에, 쌀로 준 무사

의 녹봉의 수량. =禄高ばく・扶持高ばく.

こくたん【黒炭】名 鑛 흑탄. =瀝青炭ばく.

こくたん【黒檀】名 植 흑단.

こくち【告知】名 ス他 고지. ¶～板ばん 고지판.

こぐち【小口】名 ①소량;소액. ¶～の取引ひり 소량의 거래／～の預金ばく 소액 예금. ↔大口ばく. ②횡단면;자른 자리. =切きり口ばく. ③실마리;단서. =いとぐち. ④책의 등을 제외한 3면의 자른 자리의 총칭;특히, 옆. ——をきく 제법 똑똑한 체 말하다.

こくちゅう【獄中】-chū 名 옥중. ¶～記ば 옥중기.

こくちょう【国鳥】-chō 名 국조(일본의 국조는 꿩).

ごくちょうたんぱ【極超短波】-chōtam-pa 名 극초단파. =マイクロウェーブ.

こくつぶし【穀潰し】名 밥벌레;식충이.

*こくてい【国定】名 국정. ¶～教科書ばを 국정 교과서／～公園ばを 국정 공원;국립 공원에 준하는 공원.

*こくてつ【国鉄】名 국철('日本にく国有鉄道ばを(=일본 국유 철도)'의 준말). ↔私鉄ばく.

こくてん【黒点】名 ①검은 점. ②[天] 태양면에 나타나는 검은 점. ③[楽] 음표의 검은 점(附点).

こくでん【国電】名 '国鉄電車ばくくを(=국철 전차)'의 준말(省線ばく의 고친 이름).

こくど【国土】名 국토. ¶～総合開発ばを 국토 종합 개발／～計画ばを 국토 계획.

こくど【黒奴】名 흑노;흑인 노예.

こくどう【国道】-dō 名 국도.

ごくどう【極道】-dō 名 나쁜 짓을 하거나 또는 방탕에 빠짐; 또, 그 사람. ¶～(な)息子ばこ 방탕한 자식. 参考 남을 욕하는 말로도 쓰임. ¶～め 망할 놈;개자식.

*こくない【国内】名 국내. ¶～問題だい 국내 문제. ↔国外ばく.

ごくない【極内】名 아주 비밀임;극비. ¶～で調査ばを する 극비리에 조사하다.

こくなん【国難】名 국난. ¶～に殉じゅんずる 국난을 당하여 순사(殉死)하다.

ごくねつ【酷熱】名 혹열;혹서(酷暑). ¶～にぐったりする 혹서에 축 늘어지다. 「の～ 사랑의 고백.

*こくはく【告白】名 ス他 고백. ¶恋こい

こくはく【酷薄・刻薄】名 혹독하고 박정함. ¶～な性格ばを 지독히 박정한 성격.

*こくはつ【告発】名 ス他 고발.

こくはんびょう【黒斑病】-hambyō 名 흑반병.

*こくばん【黒板】名 흑판;칠판.

こくひ【国費】名 국비.

こくび【小首】名 목;고개. ——をかしげる；——を傾ばける (의심스러운 듯) 고개를 갸우뚱하다. 「극도의 정보.

*ごくひ【極秘】名 극비. ¶～の情報ばを

こくびゃく【黒白】-byaku 名 흑백.

こくひょう【酷評】-hyō 图 他サ 혹평. ¶～を加くわえる 혹평을 가하다.

こくひん【国賓】 图 국빈. ¶～待遇たいぐう 국빈 대우.

ごくひん【極貧】 图 극빈; 몹시 가난함. ＝赤貧せきひん. ¶～生活せいかつ 극빈 생활.

こくふ【国父】 图 국부. ¶～孫文そんぶん 국부 손문.

こくふ【国府】 图 律令りつりょう 제도에서, 지방 행정 관청 (의 소재지). ＝こくぶ.

こくふ【国富】 图 국부. ¶～調査ちょうさ 국부 조사.

*こくふく【克服】 图 他サ 극복; 곤란을 이겨냄. ¶危機ききを～する 위기를 극복하다.

こくぶん【国文】 图 국문. ①국어로 쓴 문장. ②「国文学こくぶんがく(＝국문학) ・国文学科こくぶんがっか(＝국문학과)」의 준말.

こくぶんがく【国文学】 图 국문학. ¶～者しゃ 국문학자.

こくぶんじ【国分寺】 图 奈良なら 시대에 평화를 기원하여 각처에 세워진 관립의 절. ＝こくぶじ.

こくぶんぽう【国文法】-bumpō 图 국문법.

こくべつ【告別】 图 自サ 고별. ¶～式しき 고별식／～演奏会えんそうかい 고별 연주회.

*こくほう【国宝】-hō 图 국보. ¶人間にんげん～ 인간 국보.

こくほう【国法】-hō 图 국법. ¶～を守まもる 국법을 지키다.

こくぼう【国防】-bō 图 국방. ¶～力りょく 국방력. ――しょく【――色】-shoku 图 국방색. ＝カーキ色いろ.

*こくみん【国民】 图 국민. ¶～精神せいしん 국민 정신／～の義務ぎむ 국민의 의무／～休暇村きゅうかむら 국립・국정 공원 안의 숙박・휴양 시설. ――けんこうほけん【――健康保険】-kōhoken 图 국민 건강 보험(공무원・회사원 등 이외의 일반 국민을 위한 사회 보험의 하나). ＝国保こくほ. ――しゅくしゃ【――宿舎】-shukusha 图 국민 숙사(적은 돈으로 휴양・숙박을 하는 국립 공원 따위 풍치있는 곳에 마련된 휴양소). ――しょとく【――所得】-shotoku 图 국민 소득. ――せい【――性】 图 국민성. ――そうせいさん【――総生産】-sōseisan 图 국민 총생산. ＝GNPジーエヌピー. ――とうひょう【――投票】-tōhyō 图 국민 투표. ――ねんきん【――年金】 图 국민 연금(국민이 질병・노후・사망시에 국가가 연금을 지급하는 제도).

こくむ【国務】 图 국무. ――しょう【――省】-shō 图 (미국의) 국무성(부). ――だいじん【――大臣】 图 국무 대신(각성(省)의 대신 및 무임소 대신). ――ちょうかん【――長官】-chōkan 图 (미국의) 국무 장관.

こくめい【克明】 ダナ 극명; 세밀하게 주의를 기울이는 모양. ＝丹念たんねん. ¶～な描写びょうしゃ 극명한 묘사.

*こくもつ【穀物】 图 곡물; 곡식; 곡류.

こくやく【国訳】 图 他サ 국역. ＝邦訳ほうやく.

ごくやす【極安】 图 아주 값이 쌈.

*こくゆう【国有】-yū 图 국유. ¶～地ち 국유지／～鉄道てつどう 국유 철도／～財産ざいさん 국유 재산／～林りん 국유림.／～民有ゆう 国有ゆう.

こくようせき【黒曜石】-yōseki 图 〔鉱〕흑요석.

ぐらーい【小暗い】 形 어스름하다; 어둑하다. ＝おぐらい.

ぐらかる 五自 こんがらがる.

*ごくらく【極楽】〔佛〕극락(「極楽浄土じょうど의 준말). ¶聞きいて～ 見みて地獄じごく 들으면 극락, 보면 지옥. ↔地獄じごく. ――おうじょう【――往生】-ōjō 图 〔佛〕극락 왕생. ¶～をとげる 극락 왕생을 하다. ――じょうど【――浄土】-jōdo 图 〔佛〕극락 정토. ――ちょう【――鳥】-chō 图 〔鳥〕극락조. ＝風鳥ふうちょう. 「리 민복을.

ごくり 【国利】 图 국리. ¶～民福みんぷく 국

ごくり【獄吏】 图 옥리; 옥졸; 간수.

ごくり 副 물 등을 꿀꺽 마시는 모양; 또, 그 소리; 꿀꺽. ¶水みずを～と飲のむ 물을 꿀꺽 마시다.

ごくりごくり 副 꾸벅꾸벅. ¶気持きもちよさそうに～と居眠いねむりしている 기분 좋게 꾸벅꾸벅 졸고 있다.

*こくりつ【国立】 图 국립. ¶～大学だいがく 국립 대학／～劇場げきじょう 국립 극장／～公園こうえん 국립 공원.

*ごくりょく【国力】-ryoku 图 국력.

――こく-る【動詞連用形に付いて五段活用動詞を作る】끝까지〔마구, 계속해〕…하다. ¶黙だまり～ 끝까지 침묵을 지키다.

こくるい【穀類】 图 곡류; 곡물.

これん【国連】 图 국련(「国際こくさい連合れんごう(＝국제 연합)」의 준말).

ごくろう【御苦労・ご苦労】-rō 图ナ ①수고・노고의 공손한 말씨. ¶～をお掛かけしました 수고를 끼쳤습니다. ②남의 수고를 위로하는 말. ¶～さま 수고하셨습니다.

ごろん【国論】 图 국론. ¶～を統一とういつする 국론을 통일하다.

ごぐん【孤軍】 图 고군. ¶～奮闘ふんとう 고군 분투.

こけ【苔・蘚・蘿】 图 이끼. ¶～がはえている (a)이끼가 끼다; (b)진부하다; 낡다. ――のころも【――の衣】 图 중・은둔자 따위가 입는 옷. ＝こけのした【――の下】 图 무덤 (속).

こけ【虚仮・虚仮】 图 ①〔佛〕거짓. ＝偽いつわり. ②〈俗〉바보. ＝ばか. ¶人ひとを～にする 사람을 바보 취급 마라. ――おどし【――威し】 图 속이 빤히 들여다보이는 공갈; 엄포; 허세. ¶～の装飾そうしょく 겉치레뿐인 장식.

こげ【焦げ】 图 눌음; 눌은 것.

ごけ【後家】 图 과부; 미망인. ＝やもめ. ¶～を立たてる 과부가 재혼을 않고 수절하다.

こけい【固形】 图 고형. ¶～燃料ねんりょう 고체 연료／～物ぶつ〔食しょく〕고형물〔식〕.

こけい【孤閨】 图 고규; 공규(空閨). ¶～を守まもる 공규를 지키다; 독수 공방하다.

ごけい【互恵】 图 호혜. ¶～条約じょうやく 호혜 조약. 「形 변화.

ごけい【語形】 图 어형. ¶～変化へんか 어

こげくさ-い【焦げ臭い】形 단내 나다; 눋는 냄새가 나다.

こけし【小芥子・木牌子・木形子】图 일본 東北ふ 지방 특산의 머리가 둥근 목각 인형.

こげちゃ【焦(げ)茶】-cha 图 〔색.

こけつ【虎穴】图 호혈; 호랑이 굴; 전하여, 매우 위험한 곳. ─に入らずんば虎児を得ず 호랑이 굴에 들어가야 호랑이 새끼를 잡는다.

こげ-つ-く【焦げ付く】[5自]①눌어붙다. ②飯が~ 밥이 눌어붙다. ②〈俗〉(꾸어 준 돈이) 회수할 수 없게 되다. ③시세가 장기간 변동 없다.

コケット -ketto 图 코케트; 요염한 여자; 요부. ▷coquette.

コケティッシュ -tisshu ダナ 코케티시; 요염한 모양; 교태를 부리는 모양. ▷ coquettish.

ごけにん【御家人】图 家人ふの 높임말; ①鎌倉ふ・室町ふ 시대에 将軍과 주종 관계를 맺은 무사. ②江戸ふ 시대에 将軍 직속의 하급 무사.

こけむ-す【苔生す】[5自]〈雅〉①이끼가 끼다. ②오래되어 헐다. ¶~寺ふ 낡은 절.

こけら【柿】图①지저깨비. ②얇게 켠 널(‘こけらいた’의 준말). ─ぶき 널조각으로 인 지붕.

こけらおとし【柿落(と)し】(柿落(と)し)图〔극장 등을 신축한 다음의〕 첫번째 흥행.

こ-ける【倒ける・転ける】[下1自]〈方〉 쓰러지다; 구르다.

こ-ける【瘦ける】[下1自] 살이 빠지다; 여위다. ¶ほおが~ 볼이 홀쭉해지다.

-こ-ける《動詞連用形에 붙어》어떤 동작이 한없이〔오래〕계속되다. ¶笑いい~ 자지러지게 웃어대다.

*こ-げる【焦げる】[下1自] 눋다; 타다. ¶飯が~ 밥이 눋다.

こけん【沽券】图 체면; 면목. ─にかかわる 체면에 관계되다.

ごけん【護憲】图 호헌. ¶~運動ふ 호헌 운동. 〔어원학.

ごげん【語源】(語原)图 어원. ¶~学ふ

ここ【個個】(箇箇)图 개개; 낱낱; 하나하나; 한 사람 한 사람; 각각. ¶~の問題ふ 개개의 문제.

ここ【呱呱】图 고고; 갓난 아기의 우는 소리. ¶~の声ふをあげる 고고의 소리를 울리다(태어나다).

ここ【戸戸】图 집집마다.

ここ【此処・此所・此・是・茲】代①여기. ¶~から東京ふまで 여기서 東京까지. ¶~が悪いい 여기가 〔이 점이〕 나쁘다 / 事ふに至っては 일이 여기에 이르러서는〔이렇게 되어서는〕. ②이〔것〕; 이제; 이번 것; 이번 시합. ¶~を先途ふと戦ふう 이제야말로 운명을 결할 때로 여기고 전력을 다하여 싸우다. ③이 때; 여기. ¶~ぞとばかり逃げいをうった 바로 이 때라는 듯이 도망을 쳤다. ④거기. ¶そこは見晴らしのいい場所ふる 그 곳은 ホテルを造るふ 계획이있る 그 곳에 호텔을 지을 장소다. 거기에 호텔을 지을 계획이 있다. ⑤요; 요새. ¶~一、二、三日ふがが峠ふだ

요 이삼일이 고비다. ⑥이러한 사태. ¶~をよく考ふえる 이러한 사정을 잘 생각하다. ⑦《'に'를 수반하여 接続詞적으로》그런데; 이에.

ここ【古語】图 고어. ①옛말. ②옛날 사람의 말.

*ごご【午後】(午后)图 오후. ↔午前ふ.

ココア 图 코코아. ▷cocoa.

ここう【孤高】图 고고; 혼자 초연함. ¶~をたもつ 초연한 태도를 견지하다.

ここう【戸口】-kō 图 호구; 호수와 인구. ¶~調査ふ 호구 조사.

ここう【糊口】(餬口)-kō 图 호구; 입에 풀칠함. ─をしのぐ 겨우 호구해 가다.

ここう【虎口】-kō 图 호구; 범의 입; 몹시 위험한 곳〔처지〕; 위기. ─を脱する 호구를〔위험을〕 벗어나다.

ここう【股肱】-kō 图 고굉; 가장 믿는 부하. ¶~の臣ふ 고굉지신.

ごごう【古剛】(古剛)-gō 图 그 방면에 노력한 사람; 베테랑. ↔新鋭ふ.

ごごう【呼号】-gō 图 호호; 불러외침; 큰소리를 침; 전하여, 크게 선전함.

ここう【五更】-kō 图 오경. ①하룻밤을 5등분한 시각의 이름. ②인시(寅時)〔오전 4시부터 6시 사이〕.

ここう【後光】-kō 图 후광; 광배(光背). ¶~がさす 후광이 비치다.

ごごえ【小声】图 작은 소리; 낮은 (말) 소리. ↔大声ふ.

*こ-ごえる【凍える】[下1自] 얼다; (손・발 따위가) 추위로 곱아지다. ¶手ふが~ 손이 곱아지다. 〔곳곳.

ここかしこ【此処彼処】ふ 여기저기; 이

ここく【故国】图 국국; 모국(母国); 조국; 또, 고향.

ごこく【五穀】图 오곡. ¶~の豊饒ふを祈るふ 오곡의 풍요를 빌다.

ごこく【後刻】图 나중; 얼마 후. ¶~参上ふします 후에 찾아뵙겠습니다. ↔先刻ふ. 〔국의 신(神).

ごこく【護国】图 호국. ¶~の鬼ふ 호

ごごし【小腰】图『~をかがめる』(인사 등을 할 때) 허리를 조금 굽히다.

ここち【心地】图 기분; 마음. ¶すがすがしい~ 상쾌한 기분 / 生きた~もしない 살아 있는가 싶은 기분이 나지 않는다. ─よ-い【─好い】形 기분이 상쾌하다〔좋다〕; 속이 시원하다.

-ごこち【心地】《動詞連用形에 붙어》…한〔했을 때의〕 기분. ¶乗のり~ 탄〔탔을 때의〕기분.

*ごごと【小言】(叱言)图①잔소리; 꾸중. ¶~を食ふう 꾸지람을 듣다. ②불평; 투덜댐. 〔매호.

ここと【戸ごと】(戸毎)图 집집마다.

ここのえ【九重】图 구중. ①아홉 겹으로 겹침; 또, 아홉 겹. ②〈雅〉궁궐; 궁중. ¶~の奥ふ 구중 궁궐.

ここのか【九日】图 구일; 아흐렛 날.

ここのつ【九つ】图①아홉; 또, 아홉 살. ②자시(子時); 오시(午時) 오전・오후의 영시.

ここのところ【此処の所】連語①지금 현재로는. ②이 일; 이 점.

こご-む【屈む】[5自] 쭈그리다; 허리를

굽히다；구부리다. ＝かがむ. ¶道端
<ruby>みちばた<rt></rt></ruby>に～ 길가에 쭈그리고 앉다.
こごめ【小米・粉米】 图 싸라기.
こ-める【屈める】 下一他 구부리
다. ＝かがめる. ¶腰<ruby>こし<rt></rt></ruby>を～ 허리를 구
부리다.
ここら【此処ら】 代 이 근처；이 근방；
이쯤. ¶～で休<ruby>やす<rt></rt></ruby>もう 이 근처에서 쉬
자／～でやめよう 이쯤에서 그만두자.
＊＊こころ【心】 图 ①마음；또, 느낌；기
분. ¶～が広<ruby>ひろ<rt></rt></ruby>い 마음이 넓다／～が
変<ruby>か<rt></rt></ruby>わる 마음이 변하다／～から感謝
<ruby>かんしゃ<rt></rt></ruby>する 마음으로부터〔진심으로〕 감사
하다. ②(본디, 意.로도) 할 마음；의
사. ¶～が進<ruby>すす<rt></rt></ruby>まない 마음이 내키지
않다. ③생각；의향. ¶ぼくの～を伝<ruby>つた<rt></rt></ruby>
える 내 생각을 전하다. ④정성. ¶～を
尽<ruby>つく<rt></rt></ruby>す 정성을 다하다. ⑤인정. ¶～の
なきしわざ 인정머리 없는 짓이다.
⑥정신. ¶～をこめる (a)정신을 차려
하다〔집중시키다〕 (b) 정성을 기울이
다. ⑦참뜻；참(다운) 맛. ¶詩<ruby>し<rt></rt></ruby>の～
시의 참뜻. 一が通<ruby>かよ<rt></rt></ruby>う 마음이 서로 통
하다. 一に浮<ruby>う<rt></rt></ruby>かぶ 마음에 떠오르다.
一に刻<ruby>きざ<rt></rt></ruby>む 마음에 새기다；명심하다.
一に留<ruby>と<rt></rt></ruby>める 마음에 두다；잊지 않다.
一にもない 마음에도 없다. 一の雲<ruby>くも<rt></rt></ruby>
심란한 모양의 비유. 一の丈<ruby>たけ<rt></rt></ruby> 마음의
전부. 一を致<ruby>いた<rt></rt></ruby>す 정성을 다하다. 一を
入<ruby>い<rt></rt></ruby>れ替<ruby>か<rt></rt></ruby>える 마음을 고쳐먹다. 一を
動<ruby>うご<rt></rt></ruby>かす 마음을 움직이다. ①하고 싶
은 마음이 들다. ②침착을 잃다. ③감
동하다. 一を打<ruby>う<rt></rt></ruby>つ 마음에 와 닿다；감
동시키다. 一を奪<ruby>うば<rt></rt></ruby>う 마음을 빼앗다；
황홀케 하다. 一を鬼<ruby>おに<rt></rt></ruby>にする 마음을
모질게〔독하게〕 먹다. 一を砕<ruby>くだ<rt></rt></ruby>く ①
이런저런 걱정을 하다. ②고심하다.
一を遣<ruby>つか<rt></rt></ruby>う 마음을 쓰다；배려〔걱정〕하
다. 一を許<ruby>ゆる<rt></rt></ruby>す 마음을 허락하다〔주다〕.
①방심하다. ②신용하다.
こころあたり【心あたり・心当(た)り】
图 짐작 (가는 곳)；짚이는 곳. ＝見当
<ruby>けんとう<rt></rt></ruby>. ¶～がない 짐작 가는 곳이 없다.
こころあて【心あて・心当て】 图 ①추
측. ¶～に行<ruby>い<rt></rt></ruby>く 짐작으로 대망하
다. ②믿음；의지할；기대. ¶～にする
기대하다；예기 (豫期)하다.
こころある【心ある】【心有る】 連語〔連
体詞的으로〕①분별이 있는；사리를 이
해하는；풍류를 이해하는. ¶人々<ruby>ひとびと<rt></rt></ruby>
지각 있는 사람들. ②인정이 있는；(상
대를) 생각하는. ¶～はからい 인정 있
는 배려〔조치〕.
こころいき【心意気】 图 기상 (氣象)；
의기 (意氣)；하고자하는 마음 가짐；
의향；의지. ¶男<ruby>おとこ<rt></rt></ruby>の～を見<ruby>み<rt></rt></ruby>せる 사
나이의 의기를 보여 주다.
こころえ【心得】 图 ①마음가짐. ¶～
がよくない 마음가짐이 좋지 않다. ②
(어느 정도의) 기능을 지닌；소양；지
식；이해. ¶武術<ruby>ぶじゅつ<rt></rt></ruby>の～ 무술의 소
양. ③(미리) 주의해야 할 〔지켜야 할〕
사항. ¶登山<ruby>とざん<rt></rt></ruby>の～ 등산 준수 사항.
④일시 상급 관리의 직무를 대리할 때.
¶課長<ruby>かちょう<rt></rt></ruby>― 과장 직무 대리. 一がお
【――顔】 图 ダナ 짐짓 아는 체함；또,
그러한 태도. ¶～にうなずく 마음 얻
은 안다는 듯이 끄덕이다. ――ちがい
【――違い】 图 ①도리에 어긋난 생각・

행동. ¶～の行<ruby>おこな<rt></rt></ruby>いをするな 그릇된
행동을 하지 마라. ②잘못 생각；오해.
こころ-える【心得る】 下一他 알다. ①
(어느 정도) 납득이해(理解)하다；소양이
있다〔理解하다〕. ¶事情<ruby>じじょう<rt></rt></ruby>を～ 사정을 대강 알
다〔이해하다〕. ②(세세히 다 알고 나
서) 떠맡다. ¶万事<ruby>ばんじ<rt></rt></ruby>～えた 만사 다
알았다. ③익숙하다. ¶～・えたものだ
아주 익숙하군.
こころおき【心置き】 图 ①거리낌；격
의(隔意). ¶～なく話<ruby>はな<rt></rt></ruby>す 격의없이 이
야기하다. ②걱정；염려. ¶～なく行
<ruby>い<rt></rt></ruby>ける 마음 놓고 갈 수 있다.
こころおとり【心劣り】 图 ㈜自 예상보
다 못함. ＝見劣<ruby>みおと<rt></rt></ruby>り. ↔心勝<ruby>こころまさ<rt></rt></ruby>り.
こころおぼえ【心覚え】 图 ①기억하고
있음；기억. ¶全然<ruby>ぜんぜん<rt></rt></ruby>～が無<ruby>な<rt></rt></ruby>い 전혀
기억에 없다. ②잊지 않도록 표를 해
둠. ＝メモ・控<ruby>ひか<rt></rt></ruby>え.
こころがかり　【心掛(か)り・心懸(か)
り】 图 염려；마음에 걸림；걱정.
こころがけ【心掛(け)】 图 마음가짐. ¶
ふだんの～ 평소의 마음가짐.
こころが-ける【心掛ける】 下一他 항상
주의하다；유의(留意)하다；명심하다.
こころがまえ【心構え】 图 마음의 준비；
각오. ¶試験<ruby>しけん<rt></rt></ruby>に対<ruby>たい<rt></rt></ruby>する～ 시험에 대
한 마음의 준비.
こころがわり【心変(わ)り】 图 ㈜自 변
심；마음이 변함. ＝心移<ruby>こころうつ<rt></rt></ruby>り.
こころくばり【心配り】 图 마음을 씀；
배려. ¶こまかい～ 세심한 배려.
こころぐみ【心組み】 图 마음가짐；생
각. ＝心構<ruby>こころがま<rt></rt></ruby>え.
こころぐるしい【心苦しい】 -shi 形 미
안해 마음이 괴롭다. ¶約束<ruby>やくそく<rt></rt></ruby>を破<ruby>やぶ<rt></rt></ruby>って
～ 약속을 어겨 마음이 괴롭다.
＊こころざし【志】 图 ①뜻. ㉠마음. ¶
～を立<ruby>た<rt></rt></ruby>てる 뜻을 세우다／～を遂<ruby>と<rt></rt></ruby>げ
る 뜻을 이루다. ㉡후의；호의. ¶お～
はありがたい 뜻은 감사합니다만.
②촌지(寸志)；정표(情表)는 마음에는 선
물. ¶ほんの～극히 조그마한 성의.
こころざ-す【志す】 五自他 뜻하다；뜻
을두다. ¶学<ruby>がく<rt></rt></ruby>に～ 학문에 뜻을 두다.
こころして【心して】 連語 정신 차려서；
조심하여서. ¶～行<ruby>い<rt></rt></ruby>け 정신 차려서
가거라.
こころじょうぶ【心丈夫】 图 ダナ 마음 든든함；안심
-jōbu ダナ 마음 든든함. ＝気<ruby>き<rt></rt></ruby>じょう
ぶ.
こころ-する【心する】 サ変自 조심하다；
명심하다；단단히 각오하다.
こころだて【心立て】 图 마음씨；성품.
＝気立<ruby>きだ<rt></rt></ruby>て.
こころだのみ【心頼み】 图 기대함；마음
으로 의지함.
こころづかい【心遣い】 图 마음을
씀；걱정함；심려 (心慮)；배려 (配慮).
こころづくし【心づくし・心尽(く)し】
图 정성을〔성의를〕 다함. ¶～の贈物
<ruby>おくりもの<rt></rt></ruby> 성의를 다한 선물.
こころづけ【心付(け)】 图 ①정표；행
하(行下)；팁. ＝祝儀<ruby>しゅうぎ<rt></rt></ruby>；チップ. ②
주의사항.
こころづ-よい【心強い】 形 마음 든든
하다. ¶ふたりだから～ 두 사람이기
때문에 마음 든든하다. ↔心細<ruby>こころぼそ<rt></rt></ruby>い.
こころな-い【心無い】 形 ①생각이 모
자라다；사려・분별이 없다. ¶～こと

をしでかしたものだ 생각〔분별〕 없는
짓을 했군. ②매정하다 ; 인정이 없다.
¶～仕打ち 인정머리 없는 처사.
こころなし【心無し】〔心成し・心做し〕
名〔～か〕마음〔생각〕 탓인지 ; 그래서
그런지. ¶～か, やつれたようだ 생각
탓인지 수척해 보인다.
こころならずも【心ならずも】連体 ①
본의 아니게 ; 할 수 없이 ; 마지못해.
¶～断らなければならない 본의는 아
니나 거절하지 않을 수 없다. ②나도
모르게 ; 무심결에.
こころにく-い【心憎い】形〔홀륭해서〕
얄미울 정도다. ¶～演技さ 얄미울 정
도로 잘하는 연기.
こころね【心根】名 마음의 본바탕 ; 심
지 ; 마음씨. ¶～をあらためよ 마음보
를 고쳐라.
こころのこり【心残り】名 마음에 걸림 ;
유감 ; 미련. ¶～(が)する 미련이 남
다.
こころばえ【心ばえ】名 ①마음이 지향
하는 바 ; 의향 ; 배려 ; 성품. ②풍정〔風
情〕. ③의미 ; 뜻.
こころばかり【心ばかり】連体〔약간의
성의의 뜻으로 보내는 물건에 대하여〕
약간의 성의 ; 촌지〔寸志〕. ¶～の品さ
마음뿐인 하찮은 물건.
こころひそかに【心ひそかに】〔心密か
に〕副 마음 속으로 몰래 ; 은근히. ¶
～よろこぶ 내심 기뻐하다.
こころぼそ-い【心細い】形 어쩐지 마
음이 안 놓이다〔허전하다〕 ; 불안하다.
¶一人して歩むくのは ── 혼자 걷는 것
은 어쩐지 마음이 불안하다. ⇔心強
ごわらい.
こころまかせ【心任せ】名 임의의〔任意의〕 ;
마음대로임 ; 마음에 맡김. ＝気ままま.
こころまち【心待ち】名ス他 은근히 기
다림 ; 기대. ¶～に待つ 마음 속으로
기다리다.
こころみ【試み】名 시도〔해 봄〕 ; 시행
〔試行〕. ¶最初の～ 최초의 시도.
こころみに【試みに】副 시험삼아. ¶
～読んでみよう 시험삼아 읽어보자.
*こころ-みる【試みる】上一他 시험〔시
도〕해 보다 ; 실제로 해보다. ＝ためす.
こころもち【心持ち】名 마음 ; 생각 ;
기분. ＝気持ち.
こころもち【心持ち】副 기분상으로 조
금 ; 약간. ¶～右に寄せる 약간 오
른쪽으로 다가다.
こころもとな-い【心もとない】〔心許無
い〕形 어쩐지 불안하다〔염려되다〕.
＝たよりない. ¶～返事さ 어설픈 대답.
こころやす-い【心安い】形 ①친한 사
이다 ; 흉허물없는 사이다. ＝気安かるい.
¶～人ばかりの集まりさ 흉허물이
없는 사람들끼리의 모임. ②안심되다 ;
염려 없다.
こころやり【心やり】〔心遣り〕名 동정.
¶せめてもの～ 적으나마 동정의 표
시다.
こころゆ-く【心行く】五自 흡족하다 ;
마음에 차다. ¶～まで楽しむ 마음껏
즐기다.
*こころよ-い【快い】形 ①상쾌〔유쾌〕하
다 ; 기분 좋다. ¶一日～すごした
유쾌한〔즐거운〕 하루를 보냈다. ②〔주
로 連用形으로〕남(의 행위)에 대해 호

의적이다. ¶～く引き受ける 쾌히
떠맡다. ③(병세가) 좋다.
こころよわ-い【心弱い】形 마음이 약
하다 ; 정에 무르다.
ここん【古今】名 고금. ①옛날과 지금.
②예로부터 지금까지. ＝とうざい.
〔──東西〕-tōzai 名 고금 동서. ¶～
に類るいのない 傑作ささ 고금 동서에 유례
가 없는 걸작. ──みぞう〔──未曾有〕
-zō 名 고금 미증유. ¶～の大事件けん
고금에 없던 대사건.
ごごん【五言】名 오언. ¶～絶句ささ 오
언 절구 ; ～律ささ 오언율.
ごさ【誤差】名 ①오차. ¶計算ささ〔測
定てい〕～ 계산〔측정〕 오차. ②착오.
ござ【茣蓙・蓙】名 돗자리.
こさい【小才】名 잔재주 ; 잔꾀. ¶～
がきく 잔재주가 있다.
ごさい【後妻】名 후처 ; 후취. ⇔先妻
ささ.
こさいく【小細工】名 ①자질구레한 세
공. ②잔꾀 ; 잔재주. ¶～を弄ろうする
잔재주를 부리다.
*ございます【御座います】連体〔ある〔=
있다〕 'である(=이다)'의 공손한 말.
¶たくさん～ 많이 있습니다 ; 많습니
다 / 有難ありうう～ 감사합니다 / きょう
で～ 그렇습니다.
こざかし-い【小賢しい】-shi 形 ①깜찍
하다 ; 약다. ¶一口～をきく 깜찍
한 소리를 하다. ②교활하고 빈틈 없
다. ¶一男さ 약삭빠진 사나이.
こさく【小作】名 名ス他 ①소작(인).
⇔自作ささ. ¶～人み '小作料ささ'의 준말.
──にん【──人】名 소작인. ──のう
【──農】-nō 名 소작농. ⇔自作農ささ.
──りょう【──料】-ryō 名 소작료 ;
도조.
こさじ【小匙】名 작은 숟가락 ; 또, 조
리용 스푼으로 5cc 들이의 것.
ごさた【御沙汰】名 '指図ささ(=지시)'
'命令めい(=명령)' 등의 높임말 ; 분부.
¶～を待つ 분부를 기다리다.
こざっぱり kozappa-〔卜ス副〕산뜻한 모
양 ; 말쑥한 모양. ¶～(と)した身みな
り 말쑥한 옷차림.
こざ-へん【扁偏】名 한자 부수〔部首〕
의 하나 ; 좌부방〔'限・陽' 등의 'ß'의 이
름〕. ＝こざと.
ござむしろ【座筵】名 돗자리.
こさめ【小雨】名 가랑비 ; 조금 오다 마
는 비. ⇔大雨ささ.
こざら【小皿】名 작은 접시.
ござ-る【御座る】五自〔'居'る(=있
다〕 'ある(=있다)'의 높임말〕 ; 계시다 ;
있나이다. ②〈俗〉홀딱 반하다. ®물건이 썩거
나 상하다. ¶～た洋服ささ 낡아 해어
진 양복. ®늙어 빠지다.
こさん【古参】名 고참. ⇔新参ささ.
ごさん【午餐】名 점심. ¶～会さ 오
찬회.
ごさん【誤算】名 ①오산. ②〔히들〕
~をする 큰 오산을 하다.
*こし【腰】名 ①(사람의) 허리. ¶
～の物さ 요도〔腰刀〕 / じっくり～を落
ち着ける 차분히 좌정하여 앉다. ②
①의복 등의 허리〔'부분〕. ①창문 등
의 아랫 부분. ③산허리. ®가루・떡 따
위의 찰기. ④자세. ®태도. ®기세.

¶けんか腰ः 싸우려는 기세；시비조.
□【接尾】《수(數)를 나타내는 말에》허리에 차거나 절치는 것의 수를 나타낼때 붙이는 말. ¶太刀ピー 환도 한 자루. ──が砕くる 일이 중도에서 꺾이다. ──が高い 고자세이다；거만하다. ──が強い ①허릿심이 세다；좀처럼 남에게 굴하지 않다. ②끈기가 세다；차지다. ③탄력이 좋아 좀처럼 끊어지지 않다. ⇔腰ःが弱い. ──が低いः 저자세이다；겸손하다. ⇔──が弱い①버틸 힘이 없다；무기력하다. ②끈기가 없다. ③약해서 꺾어지기 쉽다. ⇔腰ःが強い. ──を入れる 본격적으로 사물에 대들다. ──を折ःる ①허리를 굽히다. ②굴복（屈服）하다. ③말허리를 꺾다；곁에서 말참견하여 말의 기분을 잡치게 하다. ¶話ःの──を折る 말허리를 꺾다. ──をかがめる 허리를 굽히다；절을 하다. ──を据ःえる 침착하게 일하다. ──の関節을 삐다. ②기겁을 하다；깜짝 놀라다.

こし【興】【名】 ①가마. ¶玉なの──に乗ःる 꽃가마에 타다（천한 집 여자가 귀족이나 부잣집으로 시집가다）. ②요여（腰興）. ＝みこし.

こし【虎子】【名】『~眈眈ঝんঝん』 호시 탐탐. ──眈眈と見守ঝঝ호시 탐탐 지켜〔옛〕보다.

こし【枯死】【名】【ス自】고사；초목이 말라죽음.

こじ【故事】【名】 고사. ¶──来歴ঝঝ 고사 내력；사물의 유래.

こじ【固持】【名】【ス他】 고지；고집. ¶自説ঝঝঝを──する 자설을 고집하다.

こじ【固辞】【名】【ス他】 고사；굳이 사양함.

こじ【孤児】【名】 고아. ¶財界ঝঝの──재계의 고아〔외톨이〕.

こじ【居士】【名】 ①거사. ②남자의 법명（法名） 밑에 붙이는 칭호. ⇔大姉ঝ.

こじ【誇示】【名】【ス他】 과시. ¶権力ঝঝを──する 권력을 과시하다.

ごし【五指】【名】 오지；다섯 손가락. ──に余ঝる 다섯 손가락으로 꼽을 수 없다.

-ごし【越し】□【名詞에 붙어서》……너머. ¶窓ঝ──に見ঝ창 너머로 보다. ②《시간의 길이를 표시하는 말에 붙어서》그 동안 계속되어 왔음을 나타냄. ¶三年ঝんঝの──の問題ঝঝ 삼년째 끌어 오는 문제.

ごじ【誤字】【名】 오자. ──脱字ঝঝ 오자 탈자. ↔正字ঝ.

ごじ【護持】【名】【ス他】호지；수호. ¶仏法ঝঝ── 불법 수호.

こじあける【抉じ開ける】【抉じ開ける】【下1他】 （비틀어）억지로 열다.

こしあん【漉し餡】【名】 삶은 팥을 으깨어 체에 따위로 받아 만든 팥소.

こしいれ【輿入れ】【輿入れ】【名】【ス自】 출가（出嫁）；시집감；혼례.

こしお【小潮】【名】 소조；조금. ⇔大潮ঝ.

こしおれ【腰折れ】【名】 ①서투른 시가（詩歌）・문장. ②자기 시가・문장의 낮춤말. 【参考】'腰折れ歌ঝ'의 준말.

*こしかける【腰掛け】【ケ】 ①임시로 몸담고 있음；또, 그 직업・지위・장소. ¶──仕事ঝঝ 임시 직업；일시적

────────

으로 하는 일.　　　　　　　　　　다.
*こしかける【腰掛ける】【下1自】 걸터앉
こしがたな【腰刀】【名】 요도.
こしき【古式】【名】 고식；옛（날）식. ──ゆかし-い -shī【形】 예스럽다.
*こじき【乞食】【名】 ①거지；비렁뱅이. ②비럭질；구걸. ＝物ঝঝもらい. ¶──根性ঝঝঝ 거지 근성.
こしき【五色】【名】 오색. ①다섯 가지 색（적・청・황・백・흑색）. ②여러 가지 색. ¶──のテープ 오색 테이프.
こしぎんちゃく【腰ぎんちゃく】【腰巾着】-chaku【名】 허리에 차는 돈 주머니；전하여, 항상 그림자처럼 붙어 다니는 사람.
こしけ【白帯下・腰気】【名】 냉；대하.
こしごし【副】 물건을 비벼대는 소리（모양）；싹싹；북북. ¶洗濯物ঝঝঝঝを──（と）洗ঝঝ 빨래를 싹싹 비벼서 빨다.
ごしちちょう【五七調】-chō【名】 오칠조（시가에서 5음구（普句）・7음구를 반복함）. ↔七五調ঝঝ.
こしつ【固執】【名】【ス自他】 고집. ＝こしゅう. ¶態度ঝঝを──する 태도를 고집하다.
こしつ【個室】【名】 개실；개인용의 방. ¶病院ঝঝঝの── 병원의 독실.
こしつ【痼疾】【名】 고질.
こしつ【故実】【名】 고실；전고（典故）.
ごじつ【後日】【名】 후일. ──ঝঝ 후일담／──の証拠ঝঝを──にする 후일의 증거로 삼다. 〔세〕허릿매.
こしつき【腰つき】【名】 허리의 모양.
ゴシック-shikku【名】 고딕. ¶ゴシック式ঝの준말. ②획이 굵은 활자체의 하나. ▷Gothic. ──しき【──式】 고딕식. ¶──建築ঝঝ 고딕식 건축.
こじつけ【故事付け】【名】 억지；견강（牽強）.
*こじつける【故事付ける】【下1他】 억지쓰다；억지로 갖다 붙이다（발라 맞추다）. ＝付会ঝঝ하다.
ゴシップ-shippu 가십；소문；풍문담. ¶──欄ঝ을 가십난. ▷gossip.
ごじっぽひゃっぽ【五十歩百歩】go-jippo hyappo 오십보 백보.
こしぬけ【腰抜け】【名】 ①허리의 힘이 빠져서 일어나지 못함. ②무기력하고 겁이 많음；겁쟁이.
こしのもの【腰の物】【名】〈婉曲〉요도（腰刀）；허리에 차는 칼.
こしひも【腰紐】【腰紐】【名】（일본옷의）허리끈.
こしびょうぶ【腰屏風】【腰屏風】-byōbu 높이 석 자쯤 되는 낮은 병풍.
こしべん【腰弁】【腰辨】【名】 '腰弁当ঝঝঝ'의 준말；도시락을 허리에 참；또, 그 도시락；전하여, 가난한 월급쟁이.
こしぼね【腰骨】【名】 ①허리뼈. ②끝까지 해내는 기력.
こしまき【腰巻（き）】【名】 ①옛날, 여성이 여름에 小袖ঝ의 허리에 두른 예장용（禮裝用）의 옷. ②무지기（일본옷 속치마）. ＝ゆもじ・おこし.
こしまわり【腰回り】【名】 허리 둘레；웨이스트.
こしもと【腰元】【名】 ①옛날 귀인의 몸종；시녀. ②허리 부근.

ごしゃ【誤写】-sha 名 スタ他 오사 ; 잘못 베낌.

こしゃく〖小癪〗-shaku 名 ダナ 건방지고 아니꼬운 모양임. 「해석.

ごしゃく【語釈】-shaku 名 ス自 어구의

ごしゃごしゃ goshagosha 副 〈俗〉 한데 뒤섞인 모양 : 어수선하게. =ごちゃごちゃ. 「본.

こしゃほん【古写本】-shahon 名 고사

こしゆ【腰湯】名 뒷물. =座浴(ざよく). ¶ ～を使(つか)う 뒷물하다.

こしゅ【戸主】-shu 名 호주. ①가구주. ②구민법에서, 일가의 가장(家長).

こしゅ【固守】-shu 名 ス他 고수.

こしゅ【鼓手】-shu 名 고수 ; 북잡이.

ごしゅ【五種】-shu 名 오종 ; 다섯 종류. **――きょうぎ**【――競技】-kyōgi 名 오종 경기.

ごしゅいんせん【御朱印船】goshu- 名 근세 초기, 朱印(しゅいん)이 찍힌 감찰을 갖고 해외 무역을 하던 배.

こしゅう【固執】-shū 名 ス自他 〈老〉 고집. =こしつ.

ごじゅう【五十】-jū 名 오십 ; 쉰 ; 오십 세. **――かた**【――肩】名 50 세쯤 되어 자주 일어나는 견비통(肩臂痛).

ごじゅう【五重】-jū 名 오중 ; 다섯 겹. **――の塔(とう)** 오중탑 ; 오층탑.

ごじゅうおん【五十音】gojū- 名 かな로 쓴 50 개의 음. **――ず**【――図】名 かな의 50 음을 체계적으로 정리한 일람도.

ごじゅうさんつぎ【五十三次】gojū- 名 '東海道(とうかいどう) 五十三次(ごじゅうさんつぎ)'의 준말 ; 옛날, 江戸(えど) 日本橋(にほんばし)에서 京都(きょうと) 三条大橋(さんじょうおおはし) 까지에 있었던 53 군데의 역참.

こじゅうと【小じゅうと】-jūto 名 ①《小舅》 남편 또는 아내의 형제《시숙, 처남》. ②《小姑》 ☞こじゅうとめ.

こじゅうとめ【小じゅうとめ】《小姑》 -jūtome 名 남편 또는 아내의 자매《시누이, 처형, 처제》. =こじゅうと.

こじゅけい〖小綬鶏〗koju- 名〖鳥〗꿩과의 새《중국 원산》.

ごじゅん【語順】-jun 名 어순.

こしょ【古書】-sho 名 ①고서 ; 옛날 책. ②헌 책. =古本(ふるほん).

ごしょ【御所】-sho 名 ①天皇(てんのう)의 거처 ; 궁궐 ; 또, 天皇(てんのう). ②상황(上皇)·황태후·친왕 등의 거처 ; 또, 그들의 높임말. ③将軍(しょうぐん)·대신 등의 거처 ; 또, 그들의 높임말. **――ぐるま**【――車】名 옛날, 귀인이 타던 지붕 있는 수레. =牛車(ぎっしゃ).

ごじょ【互助】-jo 名 ス自 호조 ; 상조. ¶ ～の精神(せいしん) 서로 돕는 정신 / ～会(かい) 상조회.

こしょう【小姓】-shō 名 옛날에, 귀인 곁에서 시중드는 소임〔소년〕; 시동.

こしょう【古称】-shō 名 고칭 ; 옛이름.

こしょう【呼称】-shō 名 ス他自 ①호칭. ②구령《체조할 때의 하나 둘 셋 넷 따위》.

こしょう【誇称】-shō 名 ス他 과칭 ; 자랑해 과장함.

⁑**こしょう**【故障】-shō 名 ス自 ①고장. ¶からだの～ 몸의 이상 / 機械(きかい)が～する 기계가 고장나다. ②진행을 방해하는 것 ; 지장 ; 장애 ; 마(魔). ¶外部(がいぶ)から～がはいる 외부로부터 마가 끼다. ③반대 ; 이의(異議). ¶～を申(もう)し立(た)てる 이의를 제기하다.

こしょう〖胡椒〗-shō 名 ①후추나무. ②후추. 「늪.

こしょう【湖沼】-shō 名 호소 ; 호수와

こじょう【古城】-jō 名 고성 ; 옛 성.

こじょう【弧状】-jō 名 호상 ; 궁형(弓形) ; 반달 모양.

ごしょう【後生】-shō 名 ①〖佛〗후생 ; 내생 ; 극락 왕생. ②남에게 애원할 때 쓰는 말 : 제발. ¶～だからやめてくれ 제발 그만해 주게. **――を願(ねが)う** 내세의 안락을 염원하다. **――いっしょう**【――一生】-isshō 名 일생에 딱 한번. **――だいじ**【――大事】名 후생의 안락을 소중히 여겨 생전에 열심히 일함 ; 전하여, 물건을 대단히 소중히 함. ¶～に持(も)っている 소중히 간직하고 있다.

ごじょう【五常】-jō 名 오상. ①오륜(五倫). ②오전(五典).

ごじょう【互譲】-jō 名 ス自 호양 ; 서로 사양함. ¶～の精神(せいしん) 호양의 정신.

ごじょう［御諚］-jō 名 귀인의 분부〔명령〕; 말씀.

こしょうがつ【小正月】koshō- 名 음력 정월 대보름(께).

こしょく【古色】-shoku 名 고색. ¶～蒼然(そうぜん) 고색 창연.

ごしょく【誤植】-shoku 名〔印〕오식. =ミスプリント.

こしよわ【腰弱】名ノナ 허릿심이 약함 ; 전하여, 배짱〔버틸 힘〕이 없음 ; 또, 그러한 사람.

こしらえ〖拵え〗名 ①마무리 ; 만듦새 ; 짜임새. ¶急(きゅう)ごしらえの家(いえ) 서둘러〔날림으로〕 지은 집. ②채비 ; 준비. ③화장 ; 분장. ¶顔(かお)の～ 얼굴 화장.

⁑**こしら-える**〖拵える〗下1他 ①만들다. ㉠제조하다. ¶洋服(ようふく)を～ 양복을 마추다. ㉡마련·장만하다. ¶金(かね)を～ 돈을 마련하다 / 女(おんな)を～ 정부를 두다. ②꾸미다. ㉠치장하다. ¶顔(かお)を～ 얼굴을 치장하다. ㉡조작하다 ; 날조하다. ¶話(はなし)を～ 이야기를 꾸며서 하다. ③낳다. ¶五人(ごにん)も子供(こども)を～ 다섯이나 아이를 낳다. ④걸바르다 ; 일시 호도하다 ; 속여〔얼렁뚱땅〕 넘기다.

こじら-せる〖拗らせる〗下1他 ①악화시키다. ¶かぜを～ 감기를 더치게 하다. ②복잡하게〔어렵게〕 하다. ¶問題(もんだい)を～ 문제를 더 복잡하게 만들다.

こじり〖鐺〗名 칼집의 끝(장식).

こじ-る〖抉る〗5他 비집어 틀다〔열다〕.

*__こじ-れる__〖拗れる〗下1自 ①악화되다. ¶病気(びょうき)が～ 병이 더치다. ②복잡해지다. ¶話(はなし)が～ 이야기가 복잡해지다. ③(마음 따위가) 비꼬이다 ; 뒤틀리다.

こじわ【小じわ】《小皺》名 잔주름. ¶～が寄(よ)る 잔주름이 잡히다〔생기다〕.

こしん【湖心】名 호심 ; 호수의 한복판.

こじん【古人】名 고인 ; 옛사람.

こじん【故人】名 고인. ¶～の冥福(めいふく)を祈(いの)る 고인의 명복을 빌다.

⁑**こじん**【個人】名 개인. ¶～の名誉(めいよ)を重(おも)んじる 개인의 명예를 존중하다. **――さ**【――差】名 개인차. **――しゅぎ**

【―主義】-shugi 图 개인주의. ↔全体主義ぜんたい. ―てき【―的】〖ダナ〗개인적. ¶~な考かんえ 개인적인 생각.

ごしん [誤診] 图 ㅈ自他 오진. ¶医者じゃの～ 의사의 오진.

ごしん [誤審] 图 ㅈ自他 오심.

ごしん [護身] 图 호신. ¶~術じゅつ 호신술. 「れら・われわれ.

ごしん [吾人] 旧 오인(등); 우리(등).

ごしんえい [御真影・御尊影] 图 어진 (御真); 왕·황후 등의 사진.

ごしんぞう [御新造] -zō 图 남의 아내의 높임말: 부인; 합부인. =ごしんぞ.

注意 口語体에서는 'ごしんさん'.

＊こ―す [超す] ⑤他 넘다; 초과하다. ¶百万円えんを～ 백만 엔을 초과하다.

＊こ―す [越す] ⑤他 ①넘다; 넘어가다. ¶山やまを～ (a)산을 넘다; (b)한창 때를 지나다. ②건너다. ¶川かわを～ 강을 건너다. ③넘기다. ④지나가게 하다. ¶年としを～ 해를 넘기다. ⑤돌파하다; 이겨내다; 극복하다. ¶難関なんかんを～ 난관을 넘기다. ④앞지르다. ¶先さきを～ 앞지르다. ⑤낫다; 더 좋다. ¶それに～した事ことはない 그보다 더 좋은 일은 없다. 注意 ⑤는 '…を～の'의 꼴로 쓰이지 않음. ―⑤自 ①이사하다. ¶隣町となりまちへ～ 이웃 마을로 이사하다. ②(『お越し』의 형으로) ㉠行いく(=가다)'의 높임말. ¶どちらへお～しですか 어디 가십니까. ㉡来くる(=오다)'의 높임말. ¶お～しください 찾아와 주십시오.

＊こ―す [漉す・濾す] ⑤他 거르다; 받다; 여과하다. ¶餡あんを～ 팥소를 거르다.

こす―い [狡い] 形 ①능갈맞다; 교활하다; 간사하다. =ずるい. ②다랍다.

こすい [湖水] 图 호수. =みずうみ.

こすい [鼓吹] 图他 고취. ¶愛国心あいこくしんを～する 애국심을 고취하다.

こすい [午睡] 图自 오수; 낮잠. =ひるね. ¶～をとる 낮잠을 자다.

こすう [戸数] -sū 图 호수.

こすう [個数] [箇数] -sū 图 개수.

こずえ [末末・梢・杪] 图 나뭇가지 끝; 우듬지.

こすからい [狡っ辛い] kosukka- 形〈俗〉빈틈없이 교활하다. =다랍다.

コスト 图 코스트. ①원가; 생산비. ¶～ダウン 코스트 다운 ＝~を割わる 원가를 밑으로 떨어지다. ②값; 비용. ＝cost. ―われ [―割れ] 图自 판매가가 생산비나 구입비보다 낮아짐.

コスモス 图 코스모스. ①식물 이름. ②질서 있는 세계; 우주. ↔カオス. ＝cosmos.

コスモポリタン 图 코즈머폴리턴; 세계주의자; 또, 국제인. ＝cosmopolitan.

こすりつける [擦り付ける] 〖下1他〗 ①문질러 바르다. ②(책임·죄 따위를) 남에게 전가하다. ③기대어 비벼대다; 힘주어 문지르다.

＊こ―する [擦る] ⑤他 문지르다; 비비다. ¶背中せなかを～ 등을 문지르다 / 手てを～ 손을 비비다.

ご―する [伍する] サ変自 같은 위치에 서다; 어깨를 나란히하다. ¶列強れっきょうに～ 열강(대열)에 끼다.

こすんくぎ [五寸釘] 图 다섯치의 못; 대못.

ごせ [後世] 图 【佛】 후세; 내세. ¶~を顧かえりみる 내세의 안락을 빈다. ↔現世ぜん・前世ぜん.

＊こせい [個性] 图 개성. ¶~を生いかす 개성을 살리다 / ~的な人ひと 개성적인 사람. ↔大勢たいせい.

こせい [小勢] 图 소세; 적은 인원수. ↔大勢おおぜい.

こせい [互生] 图ㅈ自 【植】호생; 어긋나기. ↔対生たいせい.

こせい [悟性] 图 【哲】 오성. ↔感性.

こせい [勢勢] 图 어세. ¶~を強つよめる 어세를 높이다.

こせいだい [古生代] 图 【地】고생대.

こせがれ [小せがれ] [小伜・小倅] 〈俗〉①젊은이를 얕잡아 하는 말: 애송이. ②자기 아들에 대한 겸칭.

こせき [古跡] [古蹟] 图 고적. ¶名所めいしょ～ 명소 고적.

＊こせき [戸籍] 图 호적. ¶~抄本しょうほん 호적 초본 / ~謄本とうほん 호적 등본.

こせこせ 图ㅈ自 대범하지 못하여 사소한 일에 곰상스럽게 구는 모양.

こせつ [古拙] 图ナ 고졸; 기교는 없으나 소박한 가운데에 고아(古雅)한 멋이 있음. 「오점.

ごせつ [誤接] 图他 오접(전화 따위의).

こせつ―く ⑤自〈俗〉사소한 일에 얽매이다; 곰상스럽게 굴다.

こせっく [五節句・五節供] -sekku 图 일년간의 다섯 명절(인일(人日)·상사(上巳)·단오·칠석·중양(重陽)).

こぜに [小銭] 图 ①잔돈; 적은 돈. ②용돈. ③적은 밑천; 밑천.

こぜりあい [小競(り)合い] 图 옥신각신; 승강이. ①작은 전투[충돌]. ②사소한 분쟁; 알력. ¶利権りけんをめぐって~が起おきる 유산을 둘러싸고 분쟁이 일어나다.

こぜわし―い [小忙しい] -shī 形 어쩐지 바쁘다; 일없이 분주하다.

こせん [古銭] [古泉] 图 고전; 옛날 돈. ¶~の収集しゅう 고전(古銭) 수집.

こせん [互選] 图他 호선.

こせん [弧線] 图 호선. ¶~紙し 오선

こぜん [古戦場] -jō 图 고전장; 옛 싸움터.

こそ 係助 어떤 사물을 다른 것과 구별하여 특히 내세우는 데 쓰는 말. ①〈강조하는 말에 붙여서〉㉠…야말로; 만은. ¶これこそ本物ほんものだ 이것이야말로 진짜다. ㉡…하기[이기] 때문에. ¶愛あいすれば~ 사랑하기에. ②〈가정형 또는 'が' 'けれども'등을 수반하여〉일단 긍정하는 뜻을 나타냄: …할지언정; …이긴 하나. ¶感謝かんしゃ~すれ, 怒おこる事ことはなかろう 감

사할지언정 화낼 것은 없지 않나. ③《'ば~'의 꼴로 뒤를 생략하여》그러한 일이 전혀 있을 수 없음을 나타냄. ¶押しても引いても動かば~ 밀어도 당기어도 꿈쩍도 않는다.

こそあど 名 'これ·それ·あれ·どれ(=이것·그것·저것·어느 (것))', 'この·その·あの·どの(=이·그·저·어느)', 'こんな·そんな·あんな·どんな(=이런·그런·저런·어떤)', 'こう·そう·ああ·どう(=이렇게·그렇게·저렇게·어떻게)' 등 무엇인가를 가리키는 말의 총칭.

こぞう【小僧】-zō 名 ①나이 어린 중. ②〈卑〉나어린 사내 점원; 사환 아이. =でっち. ③나어린 사내를 얕잡아 일컫는 말.

ごそう【護送】-sō 名 ス他 호송. ¶犯人の~ 범인의 호송〔압송〕.

ごぞう【五臓】-zō 名 ①〔漢醫〕오장. ②온 힘; 혼신. **―ろっぷ** [―六腑] -roppu 名〔漢醫〕오장 육부.

こそく [姑息] ダナ 고식. ¶~な手段 고식적인 수단.

ごそくろう【御足労】-rō 名 이렇게 일부러 오시게〔가시게〕해서 죄송합니다의 뜻으로 쓰는 말.

こそこそ 副 몰래 하는 모양: 살금살금; 소곤소곤. ¶~(と)逃げ出す 살금살금 도망치다.

ごそごそ 副 무엇인가 하는 소리가 들리는 모양: 바스락바스락. ¶押入れの中でねずみが~やっている 벽장 속에서 쥐가 바스락거리고 있다.

こぞっこ [小僧っ子] -zokko 名 〈卑〉풋내기; 애송이.

こぞって『挙って』-zotte 連語 모두; 빠짐없이. ¶~参加する 모두 참가하다.

こそで【小そで】(小袖) 名 ①통소매의 평상복. ②솜을 둔 명주 옷. ↔布子.

こそどろ【こそ泥】名〈俗〉좀도둑. ¶~を働く 좀도둑질을 하다.

こそばゆ-い 形 근질근질하다; 근지럽다. =くすぐったい.

こぞ-る『挙る』〈雅〉㊀ 5自 모두 다 모이다. 注意 현재에는 보통 'こぞって'의 형으로 씀. ㊁ 5他 빠짐없이 갖추다〔모으다〕.

ごぞんじ【御存じ】(御存知) 名 ①'存じ'의 높임말: 알고 계심. ¶~の通り 아시는 바와 같이. ②아는 사람; 지기(知己). ¶~より 아는 사람으로부터.

****こたい**【固体】名 고체. ¶~元素 고체 원소. ↔気体·液体.

こたい【個体】名 개체. ¶~発生 개체 발생.　「사.

***こだい**【古代】名 고대. ¶~史 고대

こだい【誇大】ダナ 과대. ¶~な広告 과대 광고. **―もうそう**【―妄想】-mōsō 名 과대 망상.

ごたい【五体】名 오체. ①사람의 온몸; 머리와 사지 또는, 머리·목·가슴·손·발. ¶~満足に生まれる 온전한 육신(肉身)을 갖추고 태어나다. ②(서예에서) 다섯 가지의 서체(書體)《전(篆)·예(隷)·진(眞)·행(行)·초(草)》.　「은 북.

こだいこ【小太鼓】名 소고(小鼓); 작

ごだいしゅう【五大州】(五大洲) -shū 名〔地〕오대주.

ごたいそう『御大層』-sō ダナ〈俗〉과대; 과장; 어마어마함. ¶~な態度 거창한 태도.

****こたえ**【答(え)】名 ①대답. =返事. ②해답; 답안. ↔問い.

***こた-える**『応える·対える』下1自 ①크게 자극〔영향〕을 받다. ¶寒さが~ 되게 춥다. ②응하다; 반응하다. ¶要求に~ 요구에 응하다. ③《報える》보답하다; 부응하다. ¶激励に~ 격려에 보답하다.

こた-える『堪える』下1自 견디다; 지탱하다; 참아 내다. ¶持ち~ 지탱하다.

****こた-える**【答える】下1自 대답하다. ¶質問に~ 질문에 대답하다. ↔呼ぶ·問う.

こだか-い【小高い】形 좀 높다. ¶~丘 좀 높은 언덕.

こだから【子宝】名 (소중한) 자식. ¶まだ~に恵まれない 아직 자식을 두지 못하다.

こだくさん【子だくさん】(子沢山) 名 자식이 많음.

ごたごた ㊀副 혼잡하고 어수선한 모양. ¶~した所 혼잡한 곳. ㊁名 분규; 분쟁; 복잡한 일. ¶~がおこる 분규가〔말썽이〕일어나다.

こだし【小出し】名 ス他 ①조금씩 내놓음; 또, 그 물건. ¶金を~に使う 돈을 조금씩 쓰다. ②잔돈.　「무.

こだち【木立】名 나무숲; 숲속의 나

こだち【小太刀】名 작은 칼; 또, 그런 칼을 쓰는 검술. =わきざし.

***こたつ**『火燵·炬燵』名 각로(脚爐); 이불 속에 넣는 화로.

ごたつ-く 5自 ①혼잡〔혼란〕하다; 복작대다. ②분규가〔분쟁이〕일어나다; 옥신각신하다.

こだね【子種】名 ①아이를 낳게 되는 씨; 정충(精蟲). ②(대를 이을) 아이.

ごたぶん【ごたぶん·御多分】名『~にもれず』예외가 아니어서; 예상한 대로; 또한; 역시.

こだま【木霊】(木魂·谺) 名 ①나무의 정(精). ②메아리. =山びこ.

ごたまぜ 名 뒤섞임; 뒤범벅; 뒤죽박죽. =ごったまぜ.

***こだわ-る**『拘る·拘泥る』5自 구애되다. ¶小事に〔体面に〕~ 작은 일〔체면〕에 구애되다.

こち『鯒』名〔魚〕양태.

こち [東風] 名〈雅〉동풍; 춘풍(春風).

こち『此方』代〈雅〉①여기; 이쪽. ②나; 우리.

こぢから【小力】名 다소의〔무시 못할〕힘. ¶~のある男 좀 힘깨나 쓰는 사나이.

こちこち ㊀ ダナ ①굳은〔딴딴한, 딱딱한〕모양. ¶~のパン 딱딱해진 빵. ②굳게 언 모양: 꽁꽁. ¶~に凍った 꽁꽁 얼었다. ③긴장하여 동작이 원활치 못한 모양. ¶観衆の前で~になる 관중 앞에서 얼어 버리다. ④완고하거나 융통성이 없는 모양. ¶~のがんこ者 융통성 없는 완고한 사람. ㊁副 작은 물건을 가볍게 두드리는 소

리;또, 단단한 물건이 서로 부딪는 소
리:특특;달가달가하다.

*ごちそう【御馳走】-sō 名 ス他 ①손님
을 향응함;또, 대접함. ¶～になる 대
접 받다. ②맛있는[훌륭한] 요리;진수
성찬. ——さま【——樣】感 잘 먹었습
니다(대접을 받았을 때 하는 인사말).

こちゃく【固着】-chaku 名 ス自 고착.

ごちゃごちゃ gochagocha 副 어지러이
뒤섞인 모양;너저분한 모양('ごしゃご
しゃ'의 힘줌말). ¶～(と)した町나 너
저분한 거리.

ごちゃつく gocha- 名自 복적거리다;
혼잡을 이루다. =ごたつく.

こちょう【胡蝶·蝴蝶】-chō 名〈雅〉호
접;나비.

*こちょう【誇張】-chō 名 ス他 과장.

ごちょう【語調】-chō 名 어조. ¶～を
和らげる 어조를 부드럽게 하다.

こちら【此方】代 이쪽. ①방향.
¶鬼は외한, ——来たれ 이쪽이(이다). ②여
기;이곳. ¶一等の方は～へ 일등
(칸) 손님은 이리로. ③이(쪽);이
(쪽) 물건. ¶～ではどうでしょうか 이
(쪽)것[물건]은 어떠실까요. ④이(쪽)
사람;나;우리(들). ¶～こそ 저야말
로;이쪽이야말로. ⑤'～さん'의 꼴
로'이분;댁. ¶～さんは先刻お
目にかかりましたね 이 분은 조금 전
에 만나 뵈었지요.

こぢんまり -jimmari 副 조촐하고 아담
한 모양. ¶～(と)したすまい 자그마
하고 아담한 집.

こつ【骨】名 ①화장 뒤에 남은 재. ②
【こつ】요령;미립. ③일하는의의 요
ぼえる 일의 요령을 익히다. ——を拾
う 화장 후 뼈를 줍다.

ごつい 形〈俗〉거칠다;투박하다;
세련되지 않다. ¶～こと言うな 바보
같은[촌스러운] 소리 하지 마라. ②완
고하다. ¶～おやじ 완고한 아버지[영
감]. ③만만찮다;벅차다.

*こっか【国家】kokka 名 국가. ¶～元
首 국가 원수 / ～賠償 국가 배
상. ——こうむいん【——公務員】-kō-
muin 名 국가 공무원. ——しけん【——
試験】名 국가 시험. ——しゅぎ【——主
義】-shugi 名 국가주의.

こっか【国歌】kokka 名 ①국가;애국
가. ②わか 和歌.

こっか【国花】kokka 名 국화;나라
꽃.

こづか【小柄】'a가라 名 脇差의의
칼집 바깥 쪽에 끼는 작은 칼.

*こっかい【国会】kokkai 名 국회.
——ぎいん【——議員】名 국회 의원.
——ぎじどう【——議事堂】-dō 名 국회
의사당. ——としょかん【——図書館】
-shokan 名 국회 도서관.

こづかい【小づかい·小遣い】名 용
돈('小遣銭의의 준말). ——とり
【——取り】名 용돈 정도의 형편없는 벌
이.

こづかい【小使】名 (학교·관청 등의)
소사;사환('用務員ぃの의 구칭).

*こっかく【骨格·骨骼】kokka- 名 골
격;뼈대. ¶～筋 골격근 / ～の逞
しい男子 건장한 남자.

こっかっしょく【黒褐色】kokkassho-
名 흑갈색. =こくかっしょく.

――

こつがら【骨がら·骨柄】名 골격;또,
인품.

こっかん【国漢】kokkan 名 국어와 한문.
어와 한문. =こくかん.

こっかん【骨幹】kokkan 名 골간;주
대. =ほねぐみ.

こっかん【酷寒】kokkan 名 혹한. ↔酷
暑と.

ごっかん【極寒】kokkan 名 극한;추위
도의 추위;또, 그러한 계절. =ごくか
ん. ↔極暑ょ. ▷ 극기심

*こっき【克己】kokki 名 극기. ¶～心

*こっき【国旗】kokki 名 국기. ¶～掲
揚 국기 게양.

こづきまわ·す【小突き回す】小突き廻
す】5他 쿡쿡 찔러가며 잡아 흔들다;
들볶다;괴롭히다;휘두르다. ¶嫁ぁを
～ 며느리를 들볶다.

*こっきょう【国境】kokkyō 名 국경. =
くにざかい. ¶～標잉 국경표 / ～を
越える 국경을 넘다.

こっきょう【国教】kokkyō 名 국교.

こっきり kokki-〈俗〉뿐. ¶一度ぃど～
딱 한번.

コック kokku 名 콕; 고동; 마개. ▷
cock.　　【네 kok.

コック kokku 名 콕;요리사;숙수. ▷
cook.

こづ·く【小突く】5他 ①(손가락 따위
로) 쿡쿡 찌르다;흔들다. ②짓궂게 괴롭
거리다[괴롭히다];지싯거리다.

こっくり kokku-〈俗〉①수긍하는 모양;
머리를 꾸벅하는 모양:끄떡. ②조는
모양:꾸벅. ¶～～居眠りのを する 꾸
벅꾸벅 졸다.

こづくり【小作り】名サ 작게 만들어진
것;특히, 몸집이 작은 일. ↔こづくり.

こっけい【滑稽】kokkei 名ナ 우스
움. ①골계;익살맞음;해학. ¶～なこ
とを言う 우스운 소리를 하다. ②우
스꽝스러움. ¶～な奴だ 우스꽝스러
운 놈이다.

こっけん【国権】kokken 名 국권.

こっけん【国憲】kokken 名 국헌;헌
법.

こっこ【国庫】kokko 名 국고. ¶～収
入 국고 수입 / ～金 국고금 / ～借
入金 국고 차입금.

――ごっこ gokko …의 흉내(를 내는) 놀
이. ¶汽車～ 기차놀이.

*こっこう【国交】kokkō 名 국교. ¶～
～断絶 국교 단절.　　　　【공립.

こっこうりつ【国公立】kokkō- 名 국
こっこく【刻刻】kokkoku 副 각각;시
시 각각;각일각. =こくこく. ¶期限
ぎが～(として)せまってくる 기한이
시시 각각으로 다가오다.

こつこつ 副 꾸준히 노력하는
모양:꾸준히;지멸있게. ¶～(と)働
はたく 열심히 일하다.

こつこつ 副 ①부딪는 소리:똑똑;
톡톡. ②구두 소리:뚜벅뚜벅.

ごつごつ トス自〈俗〉①울퉁불퉁하고
딱딱한 모양. ¶～した岩 울퉁불퉁한
바위. ②거친 모양. ¶～した文章 세
련되지 않은 문장. ¶～の手 거친 손.

こつざい【骨材】名 골재.

こっし【骨子】kosshi 名 골자;요점.
¶説明의의——설명의 골자.

こっしつ【骨質】kosshi- 名 골질.

こつずい【骨髄】 图 ①〔生〕골수. ②마음속；심저(心底). ③요점；골자.
━━に徹する 골수에 사무치다. ━━えん【━━炎】 图〔醫〕골수염. 「절.
こっせつ【骨折】 图 kosse- 自他 골
こつぜんと【忽然と】 副 문득；갑자기. ¶~消えうせる 홀연히 사라지다.
こっそう【骨相】 图 kossō 图 골상. ¶~をうらなう 골상을 보다.
こっそり kosso- 副 가만히；살짝；몰래. ━━(と)盗み出す 가만히〔슬쩍〕훔쳐 내다.
ごっそり gossori 副 〈俗〉모두；몽땅. ¶どろぼうに~持っていかれた 도둑에게 몽땅 털렸다.
ごったがえ━す【ごった返す】 gotta- 5自 몹시 혼잡하다；붐비다；뒤끓다. ¶人の波が~ 인파로 뒤끓다.
ごったに【ごった煮】 gotta- 图〔料〕여러가지 재료를 뒤섞어 끓인 음식；잡탕.
こっち【此方】 kotchi 代 ①이쪽；여기；이리；이편('こちら'의 막된 말씨). ¶~の知ったことでない 내〔우리가〕알 바 아니다 / ~へいらっしゃい 이리로 오시오 / 僕は~がいい 나는 이쪽〔것〕이 좋다. ━━の物 내〔우리〕것；내〔우리〕마음대로 할 수 있는 것. ¶こうなったら~の物 이렇게 되면 우리 것이나 우리 마음대로다.
ごっちゃ gotcha 〈俗〉무질서하게 뒤섞인 모양. ¶~になる 뒤죽박죽이 되다.
こっちょう【骨頂・骨張】 kotchō 图 최상；더없는 것. ¶愚の━━ 더없이 어리석음.
こづつみ【小鼓】 图 소고；작은 북.
*こづつみ【小包】 图 소포. ①작은 꾸러미. ②'小包郵便ゆうびん(=소포 우편)'의 준말.
こってり kotteri 副 ①맛이나 빛깔이 아주 짙은 모양. ¶~した味を 진한 맛. ②실컷；흠씬；지겹도록. ¶~しから れた 몹시 꾸중을 들었다.
こっとう【骨董】 kottō 图 골동. ¶~品ひん 골동품.
コットン kotton 图 코튼. ①무명；면포. ②솜；목화. ③면사；무명실. =カタン糸いと. ④'コットン紙し(=코튼지)'의 준말. ▷cotton.
こつにく【骨肉】 图 골육；혈육. ¶~の間柄あいだがら 골육지친. ━━相はむ【相争あらそう】 골육 상쟁하다.
こっぱ【木っ端】 图 ①자잘밥；지저깨비. ②하찮은 시시한 것. ¶~役人やくにん 달단 관리. ━━みじん【━━微塵】 图 산산조각(이 남).
こっぱい【骨牌】 koppai 图 ①카드. =カルタ. ②골패.
こっぱん【骨盤】 图 골반.
こっぴどい【こっ酷い】koppi- 形〈俗〉호되다；지독하다. ¶~目めにあう 혼나다；호되게 겪다.
こつぶ【小粒】 图 ①소립；알맹이가 작음；작은 알. ②사람의 몸집·역량 따위가 작음. =こがら. ③'小粒金こつぶきん'의 준말；江戸えど 시대, 한 냥의 4분의 1의 금말. ━━一分金いちぶきん.
**コップ koppu 图 컵. ¶~酒ざけ 컵술；잔
술. ▷네 kop. ━━の中なかのあらし 컵속의 폭풍우(당사자에는 큰 일이나 전체적으로는 사소한 집안 싸움).

こっぷん【骨粉】 koppun 图 골분；뼛가루. 「도 Kocher.
コッヘル kohhe- 图 코헬르；코펠.
こつまく【骨膜】 图〔生〕골막. ¶~炎えん 골막염.
こづめ【小づめ】【小爪】 图 ①손톱 조각. ②속손톱；반달.
こづらにく━い【小面憎い】 形 보기싫 차 싫다；꼴도 보기 싫다；얄밉다.
こつり 단단한 것이 부딪쳐 나는 소리；탁. =こつん.
こて【鏝】 图 ①흙손. ②인두(다림질·머리 손질·땜질용의 총칭).
こて【小手】 图 ①하박(下膊)；전박(前膊)；팔뚝. ¶~高手たかで…しばり上げて 팔을 꺾어 뒷짐 결박하여. ②손재주；잔재주. ¶~がきく 손재주가 있다. ③(검도에서) 손목. ━━さき【━━先】 图 손끝；전하여, 손(잔)재주. ━━しらべ【━━調べ】 图 自他 사전 연습. ━━まわし【━━回し】 图 재빨리 준비함；재치가 빠름. ¶~がきく 재치가 빠르다；꾀바르다.
こて【籠手】 图 ①(활 쏠 때의) 팔찌. ②갑옷 토시. ③(검도할 때 손등·팔을 싸는) 토시；악(握).
ごて【後手】 图 ①선수를 빼앗김；앞질림. ¶~に回まわる 앞질리다；선수를 빼앗기다. ②(장기·바둑에서) 후수. ¶~後方 부대. ↔先手せんて.
*こてい【固定】 图 自他 고정. ━━かんねん【━━観念】 고정 관념. ━━きゅう【━━給】 kyū 고정급. ━━しきん【━━資産】 고정 자산. ↔流動資産しきん. ━━ひょう【━━票】hyō 고정표. ↔浮動票.
こていた【こて板】【鏝板】 图 (흙손질할 때 쓰는) 흙받기.
こてき【鼓笛】 图 고적；북과 피리. ¶~隊たい 고적대.
こてこて 副〈俗〉(흥할 정도로) 짙게 칠한 모양；더덕더덕；흠뻑. ¶~と化粧けしょうする 더덕더덕 짙게 화장하다.
ごてごて 副 ①귀찮을 정도로 끈질긴 모양. ⑦'こてこて'의 힘줌말. ⓝ되고 되뇌는 모양. ¶~ぬかすな 투덜대지 마라. ②물건이 난잡하게 어질러진 모양. ¶~(と)かざりつける 어지럽게 장식하다.
ごてつく 5自〈俗〉①혼잡하다；복작거리다. ②불평하다；투덜대다. ③옥신각신하다；분쟁이(분규가) 잦다.
ご━てる 下1自〈俗〉쩽쩽대다；투덜거리다.
*こてん【古典】 图 고전. =クラシック. ¶~研究けんきゅう 고전 연구 / ~派は経済学がく 고전파 경제학 / ~劇げき 고전극. ━━おんがく【━━音楽】 고전 음악. ━━しゅぎ【━━主義】shugi 고전주의. =クラシシズム. ━━てき【━━的】 ダナ 고전적. ¶物질이든 난잡하게 아름답다；고전적인 作品さくひん / ~手法しゅほう 고전적인 수법.
こてん【個展】 图 개인전('個人こじん展覧会てんらんかい(=개인 전람회)'의 준말).

ごてん【御殿】图 귀인의 저택의 높임말; 전하여, 호화스러운 저택; 대궐.
ごてん【誤伝】图 区他 오전; 와전.
ごてん【誤転】图 잘못 친 전보.
ごてんごてん【ゲ】《俗》몹시〔여지없이, 무참하게, 호되게〕해내는〔당하는〕모양. ¶～に負ける 아주 참패하다.
**こと【事】图 일; 것〔의식・사고의 대상〕. ①사항; 사실. ㉠사건; …하기. ¶この～があって後 이 일이 있은 뒤 / 食うにも～欠く 먹기에도 바쁘다 / ～に触れ折に触れ 일이 있을 때마다 / 一朝～あった時 일조 유사시 / 大変な～になった 일이 크게 되었다. ㉡사태; 사정. ¶～ここに至る 사태가 이에 이르다 / ～によっては 일〔사정〕에 따라서는. ㉢…에 관한 일. ¶ぼくの～は心配するな 내일은 걱정 말게 / 山の～には詳しい 산에 대하여는 해박하다. ②〔こと〕말; 내용. ¶何だの～かわからない 무슨 말인지 모르겠다. ¶《A とは B の～だの酒函》A란 B다. ¶山田君とは僕の～です 山田란 나를 말합니다. ㉢《…という…だ》라는 말〔소문〕. ¶じきに上京するという～だ 곧 상경한다는 일이다. ㉣《本言に続いて》말하자면; 즉. ¶私の～この たび 나로 말하면 그번. ㉤《두本言 새에 끼어》이곳; 즉. ¶謫仙は李太白の～だ는 적선 곧이 이태백. ㉥《活用語의 連体形에 붙여 名詞句를 만들어》경험・습관・필요・(최상의) 행위 따위의 뜻을 나타냄. ¶食べた～がない 먹어 본 일〔적〕이 없다〔경험〕/ 夜ふかしはしない～にしている 밤샘은 하지 않기로 하고 있다〔습관〕/ 酒はは飲のまない～にしている 술은 안 먹기로 하고 있다〔방침〕/ 急ぐ～はない 서두를 것은 없다〔필요〕/ そういう～もある 그런 일도 있다〔경우〕/ 書く～をやめる 쓰는 일을 그만두다〔행위〕/ 合格したければよく勉強する～だ 합격하고 싶으면 열심히 공부할 일이다〔최상의 행위〕. ㉦《形容詞 連体形을 받아》副詞的처럼 쓰임. ¶長ない～話 오랫동안 이야기하다. ③《こと》《문장 끝에 붙여》요구・명령을 나타냄. ¶早く～行く～ 빨리 갈 것 / 道路で遊ばない～ 노상에서 놀지 말 것. ―ともしない 아무렇지도 않게 여기다; 아랑곳 않다. ―に当たる 일에 당하다; 일을 처리하다. ―に触れて (무슨) 일이 있을 때면 〔때마다〕. ―もあろうに 하필이면. ―もなく ①아무 일없이; 탈없이; 무사히. ②수월히; 손쉽게. ―を好む (어떤) 일〔사건〕이 일어나기를 좋아하다. ―を分ける (말에) 조리를 세우다; 사정을 자세히 말하다.
こと【琴】图 거문고.
こと【古都】图 고도; 옛 도읍.
こと【糊塗】图 区他 호도; 어물어물 얼버무려 버림. ¶その場を～する 그 자리를 우물쭈물 넘기다.
こと【終助】《活用語의 終止形・連体形에 붙어》①감동・의문・동의・권유를 나타냄. ¶まあ，きれいな花だ～ 어

머，아름다운 꽃이기도 해라 / それでいい～？ 그래도〔그것으로〕 괜찮을까 / あなたも一緒にいらっしゃらない～ 당신도 같이 오시지〔가시지〕 않겠어요. ②단정하는 표현을 부드럽게 함. ¶とてもおもしろかった～よ 참 재미있었어요.
-ごと【共】《名詞에 붙여서》…와 함께; …채로. ¶骨～食べる 뼈째 먹다.
-ごと【毎】《名詞나 또는 이에 준하는 말에 붙여서》…마다. ¶日～の의 출석날마다의 일〔직무〕/ 家～に国旗を掲げる 집집마다 국기를 내걸다 / 五メートル～に印す 5미터마다 표를 하다.
ことあたらしい【事新しい】-shī 웬새롭다. ②새삼스럽다. ¶～く言うまでもない 새삼스러이 말할 것까지〔필요도〕 없다.
ことありがお【事有り顔】图 까닭이 있는 듯 싶은 표정.
ことう【古刀】-tō 图 고도; 옛날의 도검〔刀劍〕; 특히 慶長기〔=1596-1615년의 연호〕 이전에 만들어진 것을 가리킴. ↔新刀기.
ことう【孤島】-tō 图 고도; 외딴 섬. ¶絶海의の～ 절해의 고도.
ことう【鼓動】-dō 图 区自 고동.
ことう【梧桐】-tō 图 【植】벽오동. = ごどう・アオギリ.
ことう【語頭】-tō 图 어두; 말머리. ¶～音기 어두음. ↔語末기.
ことう【誤答】-tō 图 区自 오답; 틀린 답. ↔正答기.
こどうぐ【小道具】-dōgu 图 소도구. ①자질구레한 도구. 【劇】소품. ¶～方さ 소품 담당자. ↔大道具기.
ごとうしゃく【五等爵】-tōshaku 图 오등작〔공(公)・후(侯)・백(伯)・자(子)・남(男)의 다섯 작위; 일본은 1946년 폐지〕.
ことかく【事欠く】区自 부족하다; 없어서 어려움을 느끼다. ¶その日の食事にも～ 그날그날 끼니를 이어가는 데도 곤란하다.
**ことがら【事がら・事柄】图 사항; 일; 사물의 형편; 사정. ¶～によっては協力기するてもいい 일〔사정〕에 따라서는 협력해도 좋다.
ごとき【如き】助動 ①…과 같은. ¶花바の～青春 꽃다운 청춘 / 山기の大高嶺 산더미 같은 큰 파도.
ことぎれる【こと切れる・事切れる】区自 숨이 끊어지다; 죽다.
**こどく【孤独】图기 고독. ¶～感ず고 독감.
ごとく【如く】助動 ①…과 같이. ¶次の～書いてある 다음과 같이 씌어 있다 / 母ははを慕きう～彼れになついた어머니를 그리워하는 그를 따랐다 / 生いけるが～にすわっていた 살아 있는 듯이 앉아 있었다.
ごとく【五徳】图 ①오덕〔유교의 온(溫)・양(良)・공(恭)・검(儉)・양(讓)〕. ②삼발이.
ごどく【誤読】图 区他 오독; 잘못 읽음.
ことこと 副 물체가 가볍게 마주 부딪쳐 나는 소리; 탁탁; 덜그럭덜그럭.
ことごと【事事】图 모든 일; 이일저일.

ことごとく【悉く・尽く】副 전부; 모두; 모조리. ¶～の人が反対した 모두가 반대한다.

ことごとし-い【事事しい】-shi 形 장되다; 어마어마하다. ¶～宣伝な 장된 선전.

ことごとに【事ごとに】【事毎に】連語 사사건건; 매사에; 하나하나; 일마다. ¶～争う 사사건건 싸우다.

ことこまか【事細か】ダナ 자세함; 상세함. ¶～に話す 자세히 이야기하다.

ことさら【殊更・故】副 ①일부러; 고의로; 짐짓; 짐짓. ¶～にそんな仕打ちをする 일부러 그런 처사를 하다. ②특별히; 새삼스러이; 특히. ¶～(に)大事をとる 특히 신중을 기하다. ──めく 5自 일부러인 것같이 보이다〔생각되다〕.

ことし【今年】名 올해; 금년. ＝本年. ¶～の冬は 올해 겨울은. ¶～の冬は 금년 겨울은. ¶来る 기월.

ことじ【琴柱】名 거문고 줄 굄목; 기러기발.

ごとし【如し】助動【雅】〈体言＋'の', 体言＋'が', 用言 連体形(＋'が')를 받음; ク活用形〕①비슷하다; 같다. ¶落花が雪の～ 낙화가 눈발 같다. ②에 컨대 …의 유(類)이다. ③…인 듯하다; …인 것 같다. ¶知る人なきが～ 아는 사람이 없는 것 같다. ④連体形으로 용법으로; 같은. ¶お前たちのごとき者が 너와 같은 바보. ⑤…와 같다. ¶左記の～ 좌기와 같다.

ことだま【言霊】名 말에 담겨져 있다는 이상한 영력(靈力).

こと-たりる【事足りる】上1自 족하다; 충분하다. ¶五千円もあれば～ 5천 엔만 있으면 충분하다.

ことづかる【言付かる・言付かる】【託る】5他 의탁[부탁] 받다; 전갈을 부탁받다.

ことづけ【言付け・言付け】【託け】名 전언; 전갈; ＝伝言.・ことづて.

ことづ-ける【言付ける・言付ける】【託ける】下1他 전갈하다; 전언[전달]을 부탁하다. ¶友人に～ 친구에게 편지 전달을 부탁하다.

ことづて【言づて・言付て】【言伝】名 ①의탁; 전갈; 전언. ＝ことづけ. ②전문(傳聞); 간접으로 들음. ¶～に聞く 전문(傳聞)하다. ¶(假爪角),

ことづめ【琴づめ】【琴爪】名 가조각.

こととする【事とする】連語(로) 삼다; …에 전념하다. ¶研究を～ 연구에 전념하다.

こととて連語 이유・근거를 나타냄; …므로; …인 까닭에; …라서. ¶慣れぬ～よろしくお願いします 익숙하지 못하므로 잘 부탁드립니다.

ことなかれしゅぎ【事なかれ主義】【事勿れ主義】-shugi 名 무사(안일)주의.

ことなく【事無く】連語 무사하게; 별일없이. ¶～終わった 여름 방학도 무사히 끝났다.

こと-なる【異なる】5自 다르다; 같지 않다. ¶性格が～ 성격이 다르다.

ことに【殊に】副 ①각별히; 특히. ¶～すぐれている 특히 뛰어나다. ②그위에; 게다가.

ことにする【異にする】連語 달리하

다. ¶人生観を～ 인생관을 달리하다／席を～ 자리를 달리하다.

ことによると【事に依ると】連語 어쩌면; 경우에 따라서는.

ことのお【琴の緒】名 거문고줄. ＝琴.

ことのついで【事の序で】連語 무언가 하는 계제[김]. ¶～に書きしるす 하는 김에 적어 두다.

ことのほか【事の外・殊の外】連語 ①의외로; 뜻밖에. ¶～やさしかった 의외로 쉬웠다. ②특별히; 대단히; 매우. ¶～ごきげんだった 매우 기분이 좋았다.

ことば【詞・言葉】名 말. ①語(語); 단어나 연어(連語). ¶不可能という～は知らない 불가능이란 말을 모른다. ②언어. ¶韓国との～と日本の～ 한국말과 일본말. ③(말하는) 말; 이야기. ¶～を換えるなら 바꿔 말하면. ④(辞) 언어로 표현한 것. ¶祝いの～ 축하의 말; 축사. ⑤(詞) 노래에 대한 산문의 부분; 가곡에 대한 회화의 부분. ⑥地. ¶～に甘える 상대의 호의를 받아들이다. ¶～に余る 교묘한 말로는 이루 다 표현할 수 없다. ¶～のあや 교묘한 말〔뉘앙스〕. ¶～の先を折る 말참견하여 남의 말을 중단시키다; 남의 말허리를 꺾다. ¶～を返す 대답하다; 말대꾸하다. ¶～を掛ける 말을 걸다; 인사하다. ¶～を交わす 말을 주고 받다. ¶～を尽く 잘 알아듣도록 여러 가지로 말하다. ¶～を濁らす 말끝을 흐리다; 분명히 말하지 않다. ¶──じち【──質】（口〕언질; ＝言質. ¶～をとる 언질을 잡다. ¶──じり【──尻】名 ①말실수. ②말꼬리; 실언. ¶～をつける 말꼬리잡음; 말꼬리를 잡고 트집을 잡다. ¶──ずくな【──少な】ダナ 말수가 적은 모양. ¶～に語る 간단히 말하다. ¶──たがえ【──違え】名 ①말을 잘못함. ＝失言. ②약속을 어김. ③말다툼; ＝口論. ¶──づかい【──遣い】名 말씨. ¶～が荒い 말씨가 거칠다. ¶──つき【──付き】名 말투; 말버릇. ¶～がきつい 말투가 과격하다.

ことはじめ【事始(め)】名 ①일에 착수함. ↔事納め. ②일의 시작; 사물의 시초.

ことぶき【寿】名 ①축수; 축복; 또, 그 말. ②장수; 수명. ¶～を保つ 수를 누리다. ③경사; 축하할 만한 일; 기쁨. ¶～を重ねる 경사가 겹치다.

ことぶれ【事触れ・言触れ】名 소식을 전함; 어떤 일을 널리 알리며 돌아다님; 또, 그 사람. ¶春の～ 봄소식.

こと-ほ-ぐ【寿ぐ・言祝ぐ】5他 축하하는 말을 하다; 축복하다. ＝ことほく.

こども【こども・子ども・子供】名 ①(어린)아이; 애. ↔大人. ②어린애 취급. ↔大人扱い. ③자식; 아들딸. ¶～のけんかに親が出る 아이 싸움에 부모가 나서다(아이 싸움이 어른 싸움이 된다). ＝親々. ③생각이 모자람; 또, 그러한 사람. ¶考えることが～だ 생각하는 게 유치하다. ↔大人. ¶──ごころ【──心】名 어린 마음; 동심. ¶──ずれ 名 어린 주제(깔보는 말투). ¶──だまし【──騙し】名 어린애 속임

수. ──っぽ-い -ppoi 形 (나이에 비해)
어린아이 같다; 유치하다. ──づれ
【─連れ】图 어린애를 데리고 있음.
──の-ひ【──の日】图 어린이날(5월 5
일).
**こともなげ【事もなげ】[ダナ] 아무렇지
도 않은 듯이 태연한〔천연스러운〕모
양. ¶～に言ぃ 태연하게 말하다.
**ことゆえ【事故】連語 …이므로; …하
므로.
**ことよ-せる【事寄せる】[下1他] 핑계
〔구실〕삼다; 칭탁하다; 빙자하다. ＝
かこつける. ¶病気びゃに～せて欠
勤ゖする 병을 구실 삼아 결근하다.
**ことり【小鳥】图 작은 새. 〔鳩だ〕.
**ことわざ【諺】图 속담(俗談); 이언(俚
諺).
**ことわり【断（わ）り・謝（わ）
り】图①예고; 미리 얻는 양해; 또, 그
말. ¶何だの～もなしに 아무 예고〔사
전 양해〕도 없이. ②사절; 거절. ¶お
～をいたします 사절합니다. ──じょ
う【─状】-jō 图 거절의 편지; 사퇴의
편지.
**ことわり【理】图 ①도리; 조리; 사리.
¶～をきたる 도리를 깨닫다. ②이유.
¶～無なしとしない 이유가 없는 것은
아니다; 일리가 있다. ③당연한 일. ¶
よろこぶのも～だ 기뻐하는 것도 당연
하다.
**ことわ-る【断（わ）る・辞（わ）る・謝
（わ）る】[5他] ①거절〔사절〕하다. ¶援
助じょを～ 원조를 사절하다. ②받지 않
다; 사퇴하다. ③예고하다; 미리 양해
를 얻다. ¶一言ごんも～らずに 한 마
디 양해도 구함이 없이. ④사죄〔사과〕
하다. ──了 ──食 분석.
**こな【粉】图 가루; 분말; 특히, 밀가
루.
**こないだ【此間】图〈口〉☞このあいだ.
**こなぐすり【粉薬】图 가루약. ＝水薬
すゐ.
**こなごな【粉粉・粉微塵】图 산산이
부서짐; 박살이 남; 산산조각. ＝こな
みじん. ¶～に割われる 산산조각으로
깨지다.
**こなし【科・熟】图『身みの～』몸의 움
직임; 거지 동작. ＝物腰こし.
**こな-す【熟す】[5他] ①잘게 부수다.
①소화시키다. ①음식을 새기다. ①
(계획대로) 해치우다; 처리하다. ¶か
れには～せまい 그로서는 처리못할
게다; 그에겐 벅찰 게다. ¶数すで～
많이 팔아서 목표의 이익을 올
리다. ③마음대로 다루다; 다루다;
구사하다. ¶英語ごを自由じゅに～ 영
어를 마음대로 구사하다. ④갈보고〔업
신여기고〕다루다.
**こなた【此方】代〈雅〉①이쪽; 이쪽
편. ¶人を가리키는 대명사. ①이
사람; 이이; 본인. ①당신.
**こなまいき【小生意気】[ダナ] 시건방
짐; 시큰둥함.
**こなみじん【粉みじん】（粉微塵）图 산
산이 부서짐〔깨짐, 박살남〕. ＝こっぱ
みじん.
**こなミルク【粉ミルク】（粉乳）图 분유(粉
乳). ▷milk.
**こなゆき【粉雪】图 분설; 가루눈. 〔こゆき〕
**こな-れる【熟れる】[下1自] ①부서져
가루가 되다. ②(음식이) 소화되다. ③

（지식・기술 등이）몸에 배어 제것이 되
다〔익숙해지다〕; 숙련되다. ④세상사
에 익숙해서 세련되다; 원숙해지다.
**こなん【御難】图 재난; 고난('災難ぎ・
難儀ぎ'의 높임말). ¶～續つき 재난의
연속.
**こにくら-しい【小憎らしい】-shI 形 얄
밉다; 잔밉잖아 니래다.
**こにだ【小荷駄】图 말에 실어 운반하
는 짐・양식; 마바리.
**こにもつ【小荷物】图 소화물('鉄道てつ
道 小荷物だう'＝'철도 소화물'의 준말).
¶～で送おる 소화물로 부치다.
**コニャック -nyakku 图 코냑(브랜디의
하나). ▷프 cognac.
**ごにん【誤認】图 오인. ¶味方
だを敵てきと～する 아군을 적으로 오인
하다.
**こにんず【小人数】图〈口〉적은 인원
수. ＝こにんずう. ↔多人数だにん.
**ごにんばやし【五人囃子】（五人囃子）
gonimba う 图 ①노래・피리・큰북・북・소
고를 한 사람이 하나씩 가지고 다섯 사
람이 합주하는 음악. ②'五人ばやし'를
본떠서 만든 작은 인형.
**こぬか【小糠・粉糠】（関西方）쌀겨;
고운겨. ──三合ごう持ったら養子ごに
行くな 겉보리 서 말만 있으면 처가
살이하지 마라. ──あめ【──雨】가랑비.
**こぬすびと【小盗人】图 좀도둑.
**コネ 图 연고; 친분관계; 연줄('コネク
ション'의 준말). ¶～をつける 관계를
〔연고를, 연줄을〕맺다.
**こ-ねる【捏ねる】[下1他] ①반죽하다;
이기다; 개다. ②억지 부리다; 떼를 쓰
다. ¶だだを～ 떼를 쓰다.
**ご-ねる [下1自]〈俗〉①불평〔투정〕하
다; 투덜거리다. ②죽다; 뻗다; 뒈지
다.
**この【此の】連体 이. ¶～本ほの 책 /
～块きにある 이 뒤에 있다. 参考 말
이 막혔을 때나 잊었을 때의 군소리로
도 씀. ¶～ばか者めめ 이
바보 같은 자식.
**このあいだ【この間】（此の間）图 요전
날; 일전. ＝こないだ. ¶～の日
曜ように駅でで彼かに会ぁった 요전 일요
일에 역에서 그를 만났다.
**このうえ【この上】（此の上）連語 ①이
이상. ②이렇게 된 바에는. ──ない
【─無い】連語 더〔할 나위〕없는; 무
상(無上)의. ¶～名誉ょ 무상의〔더없
는〕영예.
**このえ【近衛】图 ①近衛府このゑの 준
말. ②天皇ごう・군주의 측근에서
그 경호를 맡는 일; 또, 그 사람. ¶
～師團だん 근위 사단. ──ふ【─府】
옛날 六衛府ゐの 하나; 궁중과 天皇
ごうの 호위를 맡은 관청.
**このかた【この方・この方】（此の方）
□ (그때) 이래; 이후. ¶別われて～
헤어진 이후. ②이쪽; 이분.
**このかん【この間】（此の間）图 이 사
이; 이 동안. ¶～の事情じょ 이 동안
〔저간〕의 사정.
**このご【この期】（此の期）图 최후의 단
계; 막판. ¶～に及おんで何を言ぅ
가 지금에 와서 무슨 소리냐.
**このごろ【此の頃】图 요사이; 이즘;

요며칠 ; 최근. ¶～の流行^{りゅうこう} 요즈음의 유행.

このさい【この際】(此の際)(名) 차제 ; 이 기회 ; 이런 경우. ¶～あきらめたほうがいい 차제[이번 기회]에 단념하는 게 좋다.

このさき【この先】(此の先)(連語) 앞(으로). ①이 앞[전방]. ¶～に交番^{こうばん}がある 요 앞에 파출소가 있다. ②금후 ; 이후. ¶～どうなるやら 앞으로 어떻게 될지.

このしろ【鰶】(名)(魚) 전어(鱅魚).

このせつ【この節】(此の節)(名) 요즈음 ; 근래. ¶～は不景気^{ふけいき}だ 요즈음은 불경기다.

このたび【この度】(此の度)(名) 이번 ; 금번. =今度^{こんど}. ¶～はお世話^{せわ}になりました 이번에는 폐를 많이 끼쳤습니다.

このてがしわ【柏・扁柏】(名)(植) 측백.

このは【木の葉】(名)〈雅〉 나뭇잎. =きのは. ①낙엽(落葉). ②작은 것 ; 가벼운 것 ; 보잘것 없는 것. ¶～侍^{ざむらい} 졸때기 무사 / ～舟^{ぶね} 조각배.

このぶん【この分】(此の分)(名)〈～なら〉'…では' 등의 꼴로〉 이 상태 ; 이 모양. ¶～なら雨^{あめ}はなるまい 이 상태 같아서는 비는 안 오겠지.

このへん【この辺】(此の辺)(名)①이 근처[주변] ; 이 일대. ②이 정도 ; 이쯤 ; 이것. ¶では～で… 그럼 이것으로[이 정도로]….

このほど【この程】(此の程)(名) 일전 ; 이번 ; 최근. ¶～帰国^{きこく}したばかりで す 최근에 귀국하여 얼마 안 됐습니다.

このま【木の間】(名) 수간(樹間) ; 나뭇사이.

***このまし-い**【好ましい】-shi (形)①마음에 들다 ; 호감이 가다. ¶～青年^{せいねん} 호감이 가는 청년. ②바람직하다 ; 탐탁하다. ¶のぞましい. ¶～くない人物^{じんぶつ} 바람직하지 않은 인물. 「대로.

このまま【この儘】(連語) 이대로 ; 그냥.

***このみ**【好み】(名)①좋아함 ; 취미 ; 기호(嗜好). ¶僕^{ぼく}の～に合^あわない 내 취미에 맞지 않는다. ②주문 ; 희망. ¶お～次第^{しだい}で 주문[희망하시는]대로. ③유행 ; 취향. ¶近頃^{ちかごろ}の～ 요즘의 취향. 「きのみ.

このみ【木の実】(名)〈雅〉 나무 열매. =

***この-む**【好む】(5他)①좋아하다 ; 즐기다. ¶読書^{どくしょ}を～ 독서를 좋아하다. ②바라다. ¶～とおりになる 바라는 대로 되다.

このめ【木の芽】(名)〈雅〉 나무 싹. =きのめ. ―づき【―月】(名) 음력 2월.

このもし-い【好もしい】-shi (形)⇨こ のましい.

このよ【この世】(此の世)(名) 이승 ; 현세. ¶～の見納^{みおさ}め 삶의 종말 ; 이승에서의 마지막 ; 죽음 / ～を去^さる 세상을 떠나다 ; 죽다. ¶あの世. ―に思^{おも}い出^で 생시를 그리워하게 되는 일 ; 사는 동안에 경험해 두고 싶은 일. ―の限^{かぎ}り 이승에서(일생의) 마지막. ―の外^{ほか} 저승 ; 내세(来世). ―の別^{わか}れ 죽음 ; 사별(死別).

このわた【海鼠腸】(名) 해삼 창자로 담근 젓.

このんで【好んで】(連語)①기꺼이 ; 즐

겨. ¶～遠^{とお}くへ出^でかける 즐겨 멀리 출타하다. ②종종 ; 곧잘. ¶～子供^{こども}の絵^えをかく 곧잘 애들 그림을 그리다. 「前場^{ぜんば}.

ごば【後場】(名)〈거래소에서〉후장.

こばい【故買】(名)〈又他〉고매 ; 장물 취득. ―品^{ひん}【―品】(名) 장물 고매[취득].

ごばいし【五倍子】(名)(植) 오배자. = 付子^{ふし}.

こばか【小馬鹿・小莫迦】(名) 『～にす る』(사뭇) 깔보다 ; 얕보다.

こはく【琥珀】(名) 호박. ①옛날의 수지(樹脂)가 땅속에서 화석같이 된 것. ②호박단(비단의 일종). =こは〈織^{おり}り.

ごはさん【御破算】(名)①(주판에서) 떨기. ¶～で願^{ねが}いましては 떨고 놓기를. ②(일을) 백지화함. ¶～にする 처음 상태로 되돌리다 ; 백지화하다.

こばしり【小走り】(名) 잔달음질 ; 종종걸음.

こはずかし-い【小恥(ず)かしい】-shi (形) 조금(좀) 부끄럽다.

ごはっと【御法度】-hatto (名) 금지돼 있는 것 ; 금제(禁制).

こばな【小鼻】(名) 콧방울. ―を動^{うご}か す 콧방울을 벌름거리다(우쭐한 모양).

こばなし【小話】(小咄)(名)①소화 ; 짤막한 이야기. ②소화(笑話). =コント. ③담화에 앞선 짧은 서두의 이야기.

こはば【小幅】(名)①피륙의 폭의 규격을 나타내는 말(큰 폭의 반 폭, 곧 보통 폭 ; 약 36 cm). =並^{なみ}幅^{はば} ②소폭. ¶～な修正^{しゅうせい}にとめる 소폭 수정에 그치다. ⇔大幅^{おおはば}.

***こば-む**【拒む】(5他)①거부하다 ; 응하지 않다. =ことわる. ②저지하다 ; 막다. =はばむ.

こばら【小腹】(名)①『～が立^たつ』(좀)화가 나다. ②『～が痛^{いた}む』 아랫배가 아프다.

ごばらい【後払い】(名) 후불. =あとばらい.

こはる【小春】(名) 소춘 ; 음력 10월의 딴 이름. ―びより【―日和】(名) 음력 시월의 따뜻한 날씨.

コバルト コバルト. ①금속 원소의 하나. ②하늘빛. ▷cobalt.

こはん【湖畔】(名) 호반 ; 호수 가. ¶～の宿^{やど} 호반의 여관.

こばん【小判】(名)①江戸^{えど} 시대의 타원형의 금화(한 개가 一両^{いちりょう}). ②종이 따위의 작은 판(判). ⇔大判^{おおばん}. ―ざ め【―鮫】(名)(魚) 빨판상어.

***ごはん**【御飯】'めし(=밥)・食事^{しょくじ}(=식사)'의 공손한 말씨.

ごはん【誤判】(名) 오판 ; 잘못된 판결〔판단, 심판〕.

ごばん【碁盤】(名) 기반 ; 바둑판. ―じ ま【―縞】(名) 바둑판 무늬. ―わり【―割(り)】(名) 바둑판 모양으로 정연히 분할(分割)하는 일.

こはんとき【小半時】(名)〈옛날 시간에서〉'一時^{いっとき}'의 4분의 1〔지금의 30분〕. 「일.

こはんにち【小半日】(名) 한나절 ; 약 반일.

こび【媚】(名) 교태 ; 아첨 ; 아양. ¶～を売^うる 아양을 떨다 ; 아첨하다.

ごび【語尾】(名) 어미. ①낱말의 끝. ⇔語頭^{ごとう}. ②(文法) 활용어의 변화하는

끝부분. ¶～変化^か 어미 변화. ↔語幹^{かん}. ③말끝. ¶～をはっきり言^いわない 말끝을 흐리다.

*コピー □〖名〗카피. ¶～を取^とる 복사하다; 카피를 뜨다. □〖名〗(광고 등의) 문안(文案). ¶～ライター 광고 등의 문안 작성자／～ライト 저작권; 판권. 注意 'コッピー'라고도 함. ☞copy.

こびき【木挽(き)】〖名〗재목을 톱질해서 자름; 또, 톱질꾼.

こひざ【小膝】〖名〗무릎. ―を打^うつ ―をたたく 무릎을 치다. ―を進^{すす}める 무릎걸음치다; 조금 앞으로 다가앉다.

こひつ【古筆】〖名〗고필. ⊖平安^{へいあん} 시대로부터 鎌倉^{かまくら} 시대에 걸친 일본식 서도(書道)의 뛰어난 글씨; 특히, かな로 쓴 것.

こひつじ【小羊・羔】〖名〗어린 양; 양·염소의 새끼의 총칭.

こびと【小人】〖名〗①(동화 등에 나오는) 소인. ②난쟁이. ③옛날 무가(武家)에서 잡일을 하던 여인.

こびへつらう【媚(び)諂う】 5自 아첨하다; 알랑거리다.

こびゃくしょう【小百姓】-byakushō〖名〗가난한 농부.

ごびゅう【誤謬】-byū〖名〗오류. ¶～を犯^{おか}す 오류를 범하다.

こひょう【小兵】-hyō〖名〗몸이 작음; 또, 그런 사람. ¶～力士^{りきし} 몸집이 작은 씨름꾼. ↔大兵^{たいひょう}.

こびりつく 5自〔俗〕달라붙다. ¶心配^{しんぱい}が頭^{あたま}に～ 걱정이 머리에서 떠나지 않다／御粒^{おねばり}が紙^{かみ}に～ いている 밥알이 종이에 들러붙어 있다.

こびる【媚びる】□1自 ①(여자가) 아양 떨다; 교태 부리다. ②알랑거리다. ¶上役^{うわやく}に～ 상사에게 알랑거리다. "젝.

こびん【小びん】【小鬢】〖名〗옆머리; 살쩍.

こふ【雇負】〖名〗☞うけおい.

*こぶ【瘤】〖名〗①혹. ¶目^めの上^{うえ}の～ 눈위의 혹; 전하여, 장애물. ②혹같이 표면에 솟아 있는 것; 육봉(肉峰); (끈 등의) 도도록한 매듭. ¶木^きの～ 나무의 옹두리. ③거치적거리는 것; 특히, 여러아이～つきの女^{おんな} 아이가 딸린 여자.

こぶ【こぶ・昆布】〖名〗☞こんぶ.

こぶ【鼓舞】〖名·他〗고무; 북돋움. ¶士気^{しき}を～する 사기를 북돋우다.

ごぶ【護符】〖名〗호부; 부적. =ごうふ.

こぶ【五分】〖名〗①5푼. ②우열이 없음; 비슷함. ¶～の勝負^{しょうぶ} 비등한 승부. ③10분의 5; 반. ―ごぶ【―五分】〖名〗어슷비슷함; 비등함('五分'의 힘줌말). ¶実力^{じつりょく}は～だ 실력은 어슷비슷하다.

こふう【古風】-fū 고풍. □〖名〗예스러움; 옛날 식. ¶～な作^{つく}りの茶室^{ちゃしつ} 예스럽게 꾸민 다실. □〖名〗①옛 습관. ②고시(古詩).

ごふうじゅうう【五風十雨】-fūjūu〖名〗오풍 십우; 우순 풍조(雨順風調)《농사에 알맞은 기후》.

*ごふく【呉服】〖名〗포목; 비단 옷감(의 총칭). ¶～屋^や 포목전; 드팀전.

*ごぶさた【御無沙汰】〖名·自〗오랫 동안 격조함; 무소식. ¶長^{なが}らく～しております 오랫 동안 격조하였습니다.

こぶし【拳】〖名〗주먹. =げんこつ.

こぶし【辛夷】〖植〗신이(辛夷).

こぶし【古武士】〖名〗(근엄한) 옛날 무사.

ごふじょう【御不浄】-jō〖名〗〔女·婉曲〕'변소; 화장실.

こぶしん【小普請】〖名〗①건축물의 소규모적 수리·개축. ②江戸^{えど} 시대, 관직이 없는 旗本^{はたもと}·御家人^{ごけにん}으로 녹봉 2백 석 이상 3천 석 이하에게 지운 의 "시마차. 무칠. "금 살이 쩜.

こぶちゃ【こぶ茶・昆布茶】-cha〖名〗다시마차.

こぶつ【古物】〖名〗①고물. =ふるもの. ¶～商^{しょう} 고물상. ②예로부터 전해 오는 물건.

こぶとり【小太り】【小肥り】〖名·自〗조금 살찜.

こぶね【小舟・小舟】〖名〗작은 배.

こぶら【腓】〖名〗こむら.

コブラ〖名〗【動】코브라. ☞cobra.

こぶり【小振り】〖名·自〗작게 흔듦. ↔大振^{おおぶ}り.

こぶり【小ぶり】【小振り】〖名ノ〗(다른 것보다) 좀 작음. ¶～の人形^{にんぎょう} 좀 작은 인형. ↔大ぶり^{おおぶ}り.

こぶり【小降り】〖名〗(비·눈이) 적게 내림. ↔大降^{おおぶ}り.

こふん【古墳】〖名〗고분. ――ぶんか【――文化】〖名〗고분 문화.

ごぶん【子分】【乾児・乾分】〖名〗①부하. ②수양 아들. =義子^{ぎし}. ↔親分^{おやぶん}.

こぶん【古文】〖名〗고문. ①전자(篆字) 이전의 한자의 고체(古體). ②〔고대의〕 문장; 특히 江戸^{えど} 시대 이전의 문장. ↔現代文^{げんだいぶん}.

ごぶん【誤聞】〖名·他〗①오문; 잘못 들음. =聞^ききあやまり. ②잘못된 내용의 소문. ¶～が流^{なが}れる 사실과 다른 소문이 퍼지다.

ごへい【御幣】〖名〗신장대. =ぬさ. 注意 'おんべ'라고도 함. ――かつぎ【――担ぎ】〖名〗미신을 좋아함; 또, 그런 사람; 미신가. =かつぎや.

ごへい【語弊】〖名〗어폐. ¶そういうと～がある 그렇게 말하면 어폐가 있다.

こべつ【戸別】〖名〗호별. ――ほうもん【――訪問】-hōmon〖名·自〗호별 방문. ――わり【――割り】〖名〗(세금 등의) 호별 할당.

こべつ【個別】【箇別】〖名〗개별. ¶～的^{てき} 개별적／～交渉^{こうしょう} 개별 교섭／～折衝^{せっしょう} 개별 절충.

ごべんか【五弁花】【五瓣花】〖名〗【植】오판화.

こほう【語法】-hō〖名〗어법. ①문법; 특히, 구어법(口語法). ②문장이나 말로의 표현법.

ごほう【誤報】-hō〖名·他〗오보.

ごぼう【牛蒡・牛蒡】-bō〖名〗【植】우엉. ――ぬき【――抜き】〖名〗①긴 것을 단숨에 쑥 뽑아 냄; 차례차례로 하나씩 쏙 뽑아 냄. ②많은 중에서 마음대로 골라 뽑음.

ごぼう【御坊】-bō〖名〗①사원(寺院)의 높임말. ②스님(중의 높임말).

こぼうず【小坊主】-bōzu〖名〗①나이어린 중; 꼬마 중; 사미(沙彌). ②소년.

こぼく【古木】〖名〗고목; 노목(老木).

こぼく【枯木】图 고목；말라 죽은 나무. =枯れ木.

＊こぼ‐す【零す・溢す】⑤他 ①흘리다；엎지르다. ¶水を～ 물을 엎지르다／涙を～ 눈물을 흘리다；불평(푸념)하다；투덜대다. ¶愚痴を～ 푸념하다.

こぼね【小骨】图 잔뼈；잔가시. ¶魚の～ 물고기의 잔가시. ¶～を折る；－が折れる 좀 애쓰다〔수고하다〕.

こぼれざいわい【零れ幸い】뜻하지 않은 행운；요행(僥倖).

こぼれだね【こぼれ種【零れ種】图 ①저절로 땅에 떨어진 종자. ②사생아. =落とし種. ③☞こぼればなし.

こぼればなし【零れ話】图 후문(後聞)；여담；뒷 이야기. =余聞・余話.

こぼ‐れる【毀れる】下一自 망가지다. ¶刃が～ 날의 이가 빠지다.

＊こぼ‐れる【零れる・溢れる】下一自 ①넘치다. ¶水が～ 물이 흘러 나오다. ¶涙が～ 눈물이 흘러 내리다. ②(애교 따위가) 넘치다. ¶～れるばかりのあいきょう 넘칠 듯한 애교.

こほん【古本】图 ☞ふるほん.

こぼんのう【子煩悩】-nō 图 자식을 끔찍이 사랑하는 것；또, 그런 사람.

＊こま【駒】图 ①(雅) 망아지；말. ②(장기의) 말. ③三味線など 따위의 현악기의 줄 굄목；기러기발. ④물건 사이에 끼는 작은 나무. ¶～をかう 끼움목(木)을 끼우다〔괴다〕.

こま【独楽】图 팽이.

こま【高麗】□图 ①고구려. ②고려. □接頭 高麗에서 전래된 것에 붙이는 말.

ごま【胡麻】图(植) 참깨. ¶～をする (남에게) 알랑거리다；아첨하다.

ごま【護摩】图 호마(밀교(密教)의 비법의 하나；부동존(不動尊)에 장작을 피워, 재앙이나 악업(惡業)을 불태워 없애는 의식.

＊コマーシャル -sharu 图 커머셜. ①‘コマーシャルメッセージ’의 준말；상업방송에서 프로 앞뒤에 끼워 넣는 선전；또, 그 말；CM. ②상업상；영업상. ③アート상업 미술／デザイン 커머셜 디자인／～ソング 방송프로 앞뒤에 넣는 선전을 위한 노래；CM송. ▷ commercial.

ごまあぶら【ごま油【胡麻油】图 참기름；호마유. ‖←新米る】

こまい【古米】图 묵은 쌀. ←ふるごめ.

こまいぬ【こま犬【狛犬】图 신사(神社)나 절 앞에 돌로 사자 비슷하게 조각하여 마주 놓은 한 쌍의 (像).

こまか【細か】ダナ ①잔 모양. ¶～な字 잔 글씨. ②자세한 모양. ¶～に説明する 자세히 설명하다. ←大まか. ③상냥한 모양. ←大まか.

こまか‐い【細かい】形 ①잘다. 미세하다. ¶～砂 잔모래／金を～くする 돈을 잔돈으로 헐다. ⓑ대

범하지 않다；까다롭다. ¶～ごとを言う 쓸데없는 잔소리를 하다. ⓒ셈속이 빠르다；타산적이다；인색하다. ¶金銭に～ 금전에 인색하다. ②촘촘하다；곱다. ¶目の～ふるい(쳇불이) 고운 체. ③자세하다；세세하다；빈틈없다. ¶～説明をする 자세한 설명／－点まで気を配る 세세한 데까지 마음을 쓰다. ④대수롭지 않다；사소하다. ¶～事にこだわっている 사소한 일에 구애되고 있다. ←あらい.

ごまかし【誤魔化し】图 남의 눈을 속임. ¶～がきく 속임수가 통하다.

＊ごまか‐す【誤魔化す】⑤他 ①거짓 꾸미다；속이다. ¶おつりを～ 거스름돈을 속이다／目のを～ 눈을 속이다. ②어물어물 넘기다；얼버무리다. ¶答弁を～ 답변을 얼버무리다.

＊こまぎれ【小間切れ・細れ】图 저민 조각；짧게〔작게〕 구분한 것. ¶牛肉の～ 쇠고기젖점.

ごまく【鼓膜】图(生) 고막；귀청. ¶～が破れる 고막이 터지다.

＊ごまごま【細細】副 ①자질구레한 모양. ¶～した品物 자질구레한 물건. ②자세한 모양. ¶～(と)注意する 자상하게 주의를 주다. ③공손한 모양. ¶～と礼を言う 공손하게 사의를 표하다. ←あらあら. 　　　 ‐し‐い -shi 形 ①자질구레하다；세밀하다. ②자세하다；세세하다. ‐指示 자세한 지시.

ごましお【ごま塩】图①깨소금. ②희꾸고꾸ㄹ 센 머리；반백. ¶～頭 반백의 머리.

こましゃく‐れる -shakureru 下一自 (아이가) 되바라지다；자깝스럽다. ¶～れた子供 잠찍한〔되바라진〕 아이.

ごますり【胡麻擂り】图 아첨함；아부함；알랑거림；또, 그 사람.

こまた【小また【小股】图 ①보폭(步幅)이 좁음. ¶～に歩く 종종걸음으로 걷다. ←大また. ②가랑이. ¶～が切れ上がる 여성의 몸매가 미끈하고 날씬함의 형용.

こまち【小町】图 소문난 아름다운 처녀；미녀. =小町娘. 　－いと【－糸】图 가는 実〔주란사 실〕 두 줄을 댄 실.

こまつ【小松】图 작은 소나무. 　－な【－菜】图(植) 평지의 변종.

ごまつ【語末】图 말의 끝 부분；어미. ←語頭.

こまづかい【小間使】图 신변의 잔 시중을 드는 하녀；몸종.

こまどり【駒鳥】图(鳥) 울새. =ロビ

＊こまぬ‐く【拱く】⑤他 팔짱(拱手)하다；수수(袖手)하다；팔짱을 끼다. =こまねく. ¶腕を～ 수수 방관하다.

こまねずみ【高麗鼠・独楽鼠】图 생쥐. =まいねずみ. ¶～のように働く 바지런히 일하다.

ごまのはい【ごまの灰【護摩の灰】图 여행자를 가장하여 길손의 물건을 훔치는 도둑.

こまむすび【小間結び】【細結び】图 옭매는 일；옭매듭；옭매듭이. =真結び. ‖←蝶結び」

こまめ【小まめ】ダナ 아주 바지런한 모

양;근실한 모양. ¶～に働く 근실히 일하다.

ごまめ【田作】图 말린 멸치 새끼(축하용으로 씀). ─のとと交じり 지위 높은 사람을 축에 하잘것 없는 사람이 어울려 있음의 비유. [参考]'とと'는 물고기. ─の歯ぎしり 힘이 부치면 아무리 분해봤자 소용없음의 비유.

こまもの【小間物】图 (여자의) 화장도구 따위 자질구레한 물건;방물;장신구. ─屋を開く 온통 계워놓다.

こまやか【細やか】【濃やか】[ダナ] ①자세한 모양. ¶～に説明する 자세히 설명하다. ②빛이 짙은 모양. ¶松の緑が～に소나무의 푸른 빛도 짙게. ③아기자기한 모양. 정이 두터운 모양. ¶人情が～だ 인정이 두텁다.

こまりき-る【困り切る】[5自] 몹시 난처해지다;궁지에 몰리다;곤경에 빠지다. =困り抜く.

こまりは-てる【困り果てる】[下1自] 몹시 곤란을 겪다;난감해하다.

こまりもの【困り者】图 귀찮은 사람;말썽꾸러기;두통거리.

こま-る【困る】[5自] 곤란하다. ①피로움(어려움)을 겪다;시달리다. ¶生活に～ 생활이 곤란하다 / 道が分からなくて～ 길을 몰라 어려움을 겪다. ②난처하다. ¶～ったことには 난처하게도.

こまわり【小回り】[名] ス自 ①조금 길을 돌아감. ②작게 돎. ¶小型車は～がきく 소형차는 작은 범위로도 회전이 된다. ↔大回り.

ごまんと【五万と】圖 〈俗〉많이;얼마든지. ¶証拠は～ある 증거는 얼마든지 있다.

こみ【込み】图 ①다른 것도 같이 포함함;한데 섞음. ¶～にする 한데 합치다(넣다). ②(다른 名詞를 받아서) …을 포함(해서). ¶税～で三万円の 세금을 포함하여 3만 엔. ③감값을 예상하고 가마니에 덧넣는 쌀. ④(꽃꽂이에서) 꽃을 받치는 쌍갈래 나무. ⑤(바둑에서) 호선일 때 흑이 부담하는 핸디캡;덤;공제. ¶五目の～ 다섯 집 공제.

ごみ【塵・芥・埃】图 쓰레기;티끌;먼지. ¶～箱 쓰레기통.

こみあう【込み合う】【混み合う】[5自] 붐비다;혼잡(복잡)하다;북적이다. ¶～電車 붐비는 전차.

こみあ-げる【込み上げる】[下1自] ①치밀어 오르다;복받치다. ¶涙〔喜び〕が～ 눈물〔기쁨〕이 복받치다. ¶怒りが～ 분노가 치밀다. ②메스꺼워지다;토할 것 같다.

こみい-る【込み入る】[5自] 복잡하게 얽히다. ¶～った事情 복잡하게 얽힌 사정.

ごみごみ [ス自] 쓰레기・먼지가 많아서 너저분한 모양;어수선한 모양. ¶～した町 어수선한 거리.

ごみすらい【芥浚い】图 각 집의 쓰레기를 쳐 감. 또 치는 사람.

こみだし【小見出し】图 ①(신문・잡지 등의) 작은 표제;부표제. ②(한 문장 안의) 소제목.

ごみため【芥溜】图 ①쓰레기를 버리는

〔모으는〕곳. ②쓰레기통.

コミック -mikku [名] 코믹;희극적. ▷comic.

コミッショナー -misshonā [名] ①커미셔너; (프로 야구・권투・레슬링 등에서 그것을 통제하는) 최고 기관인 집행 위원회의 위원장). ②위원. ▷commissioner.

コミッション -misshon [名] 커미션;コンミッション. ①구문;구전. ②뇌물. ③위원회. ▷commission.

こみみ【小耳】图 ～にはさむ 언뜻 듣다.

ごみゃく【語脈】-myaku [名] 어맥.

コミュニケ komyu- [名] 코뮈니케; (외교상의) 성명서. =コンミュニケ. ▷communiqué.

コミュニケーション -myunikēshon [名] 커뮤니케이션;통신;보도;전달. =コンミュニケーション. ¶マス～ 매스커뮤니케이션. ▷communication.

コミュニスト komyu- [名] 코뮤니스트;공산주의자;공산당원. =コンミュニスト. ▷communist.

コミュニズム komyu- [名] 코뮤니즘;공산주의. =コンミュニズム. ▷communism.

‡こ-む【込む】 ─[5自] ①(본디, 混む로도) 혼잡하다;붐비다;북작거리다. ¶～んだ電車 붐비는 전차. ②복잡하다. ¶手の～んだ仕事 복잡한 일;공이 많이 드는 일. ③(動詞의 連用形에 붙어서) ㉠안으로 들어오다(가다). ¶あばれ～ 난입(乱入)하다. ㉡(어떤 상태에) 잠기다;오래 계속하다. ¶だまり～ 침묵에 잠기다. ㉢(어떤 극한 상태에 이르기까지) ～되다;…버리다. ¶ほれ～ 반해 버리다. ─[他]《動詞連用形에 붙어서》①안(속)에 넣다. ¶腕で抱き～ 팔로 껴안다. ②철저히〔한결같이〕…하다. ¶信じ～ 믿어 버리다.

*ゴム【護謨】[名] ①고무. ¶～管 고무관. ─印 고무 도장. ─長 고무 장화. ─糊 고무풀. ②《ゴム靴'의 준말》. ③(고무) 지우개. ▷네 gom. ─の木【─の樹】[植] 고무나무.

こむぎ【小麦】[名] 소맥;밀. ¶～色 밝고 엷은 다갈색(햇빛에 탄 건강한 살빛) / ～粉 밀가루.

こむずかしい【小難しい】-shī [形] ①까다롭다. ¶～理屈をこねる 까다로운 이치만을 따지다. ②기분이 좋지 않다. ¶～顔 찌무룩한 얼굴.

こむすび【小結】[名] 셋름판의 계급의 하나(関脇의 다음 가는 지위).

こむすめ【小娘】[名] ①소녀. ②계집아이. ↔小僧.

こむそう【虚無僧】-sō [名] 보화종(普化宗)의 중(장발(長髮)에 장삼을 입고 삿갓을 깊숙이 쓰고 尺八을 불며 각처를 수행함).

こむら【腓・腨】[名] 〈老〉장딴지. =ふくらはぎ・こぶら.

こむらがえり【こむら返り】【腓返り】[名] 장딴지에 나는 쥐. =こぶらがえり.

こむらさき【濃紫】[名] 검은 빛을 띤 짙은 보라색.

‡こめ【米】[名] 쌀. ¶～粒 쌀알. 「이.

こめかみ【顳顬・蟀谷】[名] 섭유;관자놀

こめくいむし【米食(い)虫】【米喰虫】【名】
① こくぞうむし。 ② 〔俗〕밥벌레;
식충이.

こめきし【米きし】【名】 색미.

こめつき【米つき】【米搗(き)】【名】 쌀을
찧음; 또, 그 사람. ──ばった【──飛
蝗】【名】 방아깨비. ② 방아깨비처럼 무
턱대고 굽신거리는 사람. ──むし
【──虫】【名】 방아벌레.

コメディアン 〔-dian〕【名】 코미디언; 희극
배우. ▷comedian.

コメディー 〔-dl〕【名】 코미디; 희극. ▷
comedy.

こめどころ【米どころ・米所】【名】 곡창;
쌀의 산지.

こめぬか【米糠】【名】 쌀겨. 「か.

こめびつ【米びつ・米櫃】【名】 ①쌀궤;
뒤주. ②〔俗〕 생활비를 벌어 들이는 사
람.

こめへん【米偏】【名】 한자 부수의 하나;
쌀미변(粉・精) 등에서 오는 부수).

こめや【米屋】【名】 쌀장사(수); 싸전.

**こ−める【込める】【籠める】──【下他】 속
에 넣다. ¶弾をたまを~ 총알을 재
다. ②〔정성 등을〕들이다; 담다. ¶
真心を~・めた贈りもの 정성을 다
한〔정성어린〕선물. ③포함하다. ¶
税金を~めて四万円こ을 세금을 포함
하여 4만 엔. ④집중하다. ¶力りを~・
める 힘을 집중하다. ──【下自】 온통 자욱이
끼다. ¶霧が~ 안개가 자욱이 끼다.

ごめん【御免】【名】①면허・공인(公認)・특
허의 높임말. ②천하의 공인
의. ②면직의 높임말. ¶お役ぐにな
る 면직되다. ③용서・사면의 높임말;
전하여, 방문・사과를 할 때의 인사말.
¶~下さい〔なさい〕 (a)용서하십시
오; (b)실례합니다;~をこうむって
용서를 빌며;실례를 무릅쓰고. ④그만
둬 주었으면 싶은 일. ¶天下からりは
~だ 일방방적인 명령은 질색이다.

コメント【名】 코멘트; 논평; 설명; 견해.
¶ノー─ 노 코멘트. ▷comment.

こも【薦】【名】①거적. ②「お‐の胞に
거지.

ごもく【五目】【名】①여러 가지가 섞임;
또, 그것. ②'ごもくずし' 'ごもくめし'
'ごもくならべ' 따위의 준말. ──ずし
【──鮨】【名】 생선・야채 등 여러 가지를
잘게 썰어 섞은 비빔 초밥. ──ならべ
【──並べ】【名】 오목 두기. ──めし
【──飯】【名】 생선・야채 등 여러 가지를
섞어서 지은 밥.

こもごも【交交】【副】 교대로; 번갈아; 갈
마들며. ¶喜悲ひ〜の表情ぎょ 희비가
엇갈린 표정.

こもじ【小文字】【名】①로마자의 소문
자. ↔大文字だ. ②작은 글자.

こもち【子持(ち)】【名】①아이가 딸려 있
음; 임신중임; 또, 그 여자. ②〔물고기
가〕알을 가짐. ──あゆ 알배기 은어.
③굵은 것에 잔〔가는〕것이 이중으로 되
어 있음. ──じま【──縞】이중 패션.

こもの【小物】【名】①자질구레한 (부속
의) 도구. ②하찮은 인물; 잔챙이. ↔
大物だ.

こもり【子守】【名】【ズ自】 아이를 봄; 또,
아이 보는 사람. ¶~歌うた 자장가.

*こも−る【籠る】【五自】①자욱하다; 가득

차다. ¶煙りが〜 연기가 자욱하다.
②(감정 등이) 깃들이다; 어리다; 담기
다. ¶愛情じょうの〜った手紙がみ 애정
어린 편지; ②두문 불출하다; 들어박히
다. ¶家いに〜 집에 들어박히다〔죽치
다〕. ④분명하지 못한 상태다. ¶声え
が〜(이불 등에 가리어) 말소리가 똑
똑하지 않다. ⑤안에 굳게 버티다. ¶
城じょに〜 성 안에 버티어 지키다.

*こもん【小紋】【名】 자잘한 무늬.

*こもん【顧問】【名】 고문. ¶~弁護士ごし
고문 변호사.

こもんじょ【古文書】【名】 -jo 고문서.

*こや【小屋】【名】①오두막집.
②임시로 세운 작은 건물; 가옥(假屋).
③가설 극장(흥행장)으로 쓰는 건물.

こやかまし-い【小喧しい】-shi 【形】 잔소
리가 심하다.

こやく【子役】【名】【映・劇】 어린이 역;
아역(兒役)의 어린이.

ごやく【誤訳】【名】【ズ他】 오역.

こやくにん【小役人】【名】 하급 관리(멸
칭(蔑称)으로 흔히 쓰임).

こやし【肥やし】【名】①거름;비료.=こ
え. ¶~だめ 거름 구덩이.

こや−す【肥やす】【五他】①살찌게 하
다. ¶家畜ちくを〜 가축을 살찌우다 /
私腹しくを〜 사복을 채우다. ②땅을 기
름지게 하다. ¶土地ちを〜 토지를 기름
지게 하다. ③감상력을 기르다(넓히
다). ¶目を〜 안식을 높이다.

こやす【子安】【名】①순산(順産). ②'子
安地蔵じぞう'의 준말; 순산을 수호하는
지장 보살. ¶〜がい =こいっこ.

こやみ【小やみ・小止み】【名】(비・눈이)
잠시 멈춤;뜸함; 잠깐 쉼. ¶〜なく
降ふる 잠시도 쉬지 않고 내리다.

こ−ゆう【固有】-yū 【名】 고유. ¶〜な
性質しつ 고유한 성질 / 〜の文化ぶ 고유
의 문화. ──めいし【──名詞】【名】 고
유 명사. ↔普通名詞ぶ.

こゆき【小雪】【名】 소설;적게 오는 눈.
↔大雪ゆき. 「ゆき.

こゆき【粉雪】【名】 분설; 가랑눈. =こな

こゆび【小指】【名】①소지; 새끼가락; 새
끼손가락; 새끼발가락. ②〔俗〕 아내・
첩・정부 등을 나타내는 말. ¶れこ.

こゆるぎ【小揺るぎ】【名】【ズ自】 조금 흔들
림. ¶~もしない 옴쭉도〔미동도〕하
지 않다.

こよい【今宵】【名】【雅】 금소; 오늘밤(저
녁). =今夜ごんや.

こ−よう【小用】-yō 【名】〔老〕①작은 볼
일. ②소변 (보러 감). ¶〜をたす 소
변을 보다.

こよう【雇用】【雇傭】-yō 【名】【ズ他】 고용.
¶〜関係ぞ 고용 관계 / 〜契約らく 고용
계약 / 完全ぜん〜 완전 고용. ──しゃ
【──者】-sha 【名】 고용자; 피고용자.
──ぬし【──主】【名】 고용주.

*ごよう【御用】-yō 【名】①일・볼일의 높
임말. ②용무;일. ¶何だのですか
무슨 볼일이십니까. ◯(전화 따위에
서) 전하는 말. ¶〜はございませ
しょうか 무어 전하실 말씀이라는요. ②
궁중・관청의 용무. ③옛날에, 관명(官
命)으로 범인을 체포하는 일; 또, 그
때 포리가 쓴 말. ¶〜だ 꼼짝 마라.

관명이다. ④어용. ¶─学者がく 어용 학자／─組合くみあい 어용 조합／─新聞しんぶん 어용 신문. ──おさめ【─納め】名 종무(終務)《관청에서 12월 28일에 그 해의 일을 끝내는 일》. ↔御用ごよう始はじめ. ──きき【─聞(き)】名①단골집의 주문을 받으러 돌아다님；또, 그 사람. ②江戸えど 시대에, 관명을 받아 범인의 수사·체포를 도움；또, 그 사람(주로, 서민). ──しょうにん【─商人】-shōnin 名 어용 상인. ──たし【─達し】名 ☞ ごようじょうにん. ──てい【─邸】名 名 황실의 별저(別邸). ¶─のお出入でいり. ──はじめ【─始め】名 시무(始務)《관청에서 1월 4일에 새해 들어 처음 사무를 시작하는 일》. ↔御用ごよう納おさめ.

ごよう【誤用】-yō 名他 오용. ¶ことばの～ 말의 오용.

こよなく 副 더 할 수 없이；각별히. ¶─楽たのしい 더 할 수 없이 즐겁다.

**こよみ【暦】名 달력；일력；월력；책력. =カレンダー.

こより【紙縒り·紙撚り·紙捻り】名 종이를 가늘게 꼰 끈；지노；지승(紙縒).

こら 感 이놈아；이 자식아.

こらい【古来】名 고래；예로부터. ¶─の風習ふうしゅう 예로부터의 풍습.

ごらいこう【御来光】-kō 名①높은 산에서 맞는 장엄한 해돋이의 장관(壮観). ② ☞ ごらいごう②.

ごらいごう【御来迎】-gō 名①〔佛〕내영(来迎)의 높임말. ②높은 산의 해돋이·해넘이 때에 안개가 끼면, 미타(彌陀)가 광배(光背)를 지고 내영(来迎)하는 듯한 상(像)이 보이는 일. ☞ ごらいこう②.

こらえしょう【こらえ性·堪え性】-shō 名 인내력；참을성. ¶─がない 참을성이 없다.

*こら・える【堪える·怺える】下一他 참다；견디다；억누르다. ¶涙なみだを～ 눈물을 참다.

*ごらく【娯楽】名 오락. ¶大衆たいしゅう～ 대중 오락／健全けんぜん～ 건전 오락.

*こらし・める【懲らしめる】下一他 징계〔응징〕하다；혼내주다. ¶生意気なまいきだから～めてやれ 전방지니 혼내 줘라.

こら・す【凝らす】五他①엉기게 하다. ②한곳에 집중시키다. ¶思おもいを～ 골돌히 생각하다. 「める.

こら・す【懲らす】五他〔古〕 ☞ こらしめる.

こらっ -rā 感 ☞ こら.

コラム 名 컬럼. ¶─欄らん 컬럼난／─ニスト 컬럼니스트. ▷column.

*ごらん【御覧】名①보심. ¶─になる 보시다／─なさい〔くださ い〕보십시오. ②【ごらん】'…て御覧ごらんなさい(=…해 보십시오)'의 막된 말씨. ¶書かいて～ 써 보렴. ──に入いれる 보여 드리다.

こり【梱】名①포장한 짐(짝). ②〔口〕고리, =行李こうり. ③포장한 화물의 개수(낱수)를 나타내는 단위.

こり【凝り】名 근육이 뻐근해짐；결림. ¶肩かたの～ 어깨가 뻐근함.

こり【狐狸】名 여우나 너구리；또, 남을 속이거나 못된 짓을 하는 사람에도 비유. ¶─妖怪ようかいのしわ

ざ 호리 요괴의 짓.

こりかたま・る【凝り固まる】五自①굳어지다；응고하다. ②열중〔몰두〕하다. ¶信仰しんこうに～ 신앙에 열중하다.

こりくつ【小理屈】名『─をこねる』그럴싸한 이치를 꾸며 대다.

こりこう【小利口】-kō 形動 약음；눈치〔약삭〕빠름. ¶─に立たちまわる 약삭빠르게 굴다. 参考 좋은 뜻으로는 안 쓰임.

こりごり【懲り懲り】名 지긋지긋함；넌더리남；신물이 남. ¶うる番ばんは～だ 집보기는 지긋지긋하다.

こりしょう【凝り性】-shō 名 지나치게 열중〔몰두〕하는 성질.

こりつ【孤立】名 z自 고립. ¶～無援むえん(状態じょうたい) 고립 무원〔상태〕／国際こくさい的てきな～ 국제적 고립.

ごりむちゅう【五里霧中】-chū 名 오리무중. ¶犯人はんにんの行方ゆくえは～ 범인의 행방은 오리 무중. 「중하는 사람.

こりや【凝り屋】名 한 가지 사물에 열

こりゃ -rya 連語〔口〕(야) 이거. =これは. ¶─困こまった 야단났구먼.

ごりやく【御利益】名 부처 등이 인간에게 주는 은혜. 「식.

こりゅう【古流】名 옛〔고풍〕제의 격

ごりょ【顧慮】-ryo 名他 고려. ¶人ひとのめいわくを～しない 남에게 폐가 됨을 고려하지 않다.

ごりょう【御料】名 황실(皇室)의 재산. ¶～地ち 황실의 소유지／～林りん 황실 소유의 삼림.

ごりょう【御陵】-ryō 名 능. =みささぎ.

こりょうり【小料理】-ryōri 名 간단한 일품 요리점. ¶─屋や 일품 요리집.

ゴリラ 名【動】고릴라. ▷gorilla.

*こ・りる【懲りる】上一自 넌더리나다；데다. ¶結婚けっこんには～りている 결혼에는 넌더리가 난다. 「강 이류.

ごりん【五倫】名 오륜；삼강오륜. ¶三綱さんこう～ 삼

ごりん【五輪】名 오륜. ①올림픽의 표지. ¶～旗き 오륜기／～大会たいかい 올림픽 대회. ②【佛】지(地)·수(水)·화(火)·풍(風)·공(空)의 오대(五大).

*こ・る【凝る】五自①엉기다；응고하다. ②열중〔몰두〕하다. ¶ゴルフに～ 골프에 열중하다. ¶その道みちの名人めいじん(大장の匠しょう)에〕공들이다. ¶～った模様もよう 정교한 무늬. ④뻐근하다；결리다. ¶月たかが～ 어깨가 뻐근하다.

こるい【孤塁】名 고루；고립된 보루.

コルク 名 코르크. =キルク. ¶～栓せんをした瓶びん 코르크 마개를 한 병. ▷cork.

コルネット -netto 名 코넷；금속제의 취주 악기. ▷cornet.

ゴルフ 名 골프. ¶～コース 골프 코스／～クラブ 골프 클럽. ▷golf.

コルホーズ 名 콜호스；소련의 집단 농장. ↔ソフホーズ. ▷러 kolkhoz.

これ【此れ·之·是】代①이[이것]；이. ¶～を御覧ごらん 이것을 보아라. ②(자기가 하고 있는 일. ¶～を済すませて行ゆくよ 이 일을 끝내고 갈게. ③지금；이제. ¶～からの世界せかい 지금 [이제]부터의 세계／～までにない出来事できごと 지금까지 없었던 훌륭한 솜씨. ④여기. ¶～より立たち入いり禁止きんし 여기서부

터 출입 금지. ②화제에 올랐거나 올릴 사물을 가리키는 말. ¶言論
$^{?}$の自由
$^{?}$を束縛
$^{?}$しない 언론의 자유는 이를 속박하지 않는다. ③앞서 한 말이나 문장을 가리키는 말. ¶～が私
$^{?}$の感
$^{?}$したことです 이것이 제가 느낀 점입니다. ④판단의 대상이 되는 것을 강조하여 이르는 말. ¶～すなわち 이것이 즉. ⑤가까이 있는 손아랫 사람이나 처자(妻子)를 가리키는 말: 이 사람; 이 애. ¶～が私
$^{?}$の妹
$^{?}$です 이 애가 내 누이동생입니다. ⑥공동으로 관련된 사물을 가리킴. ¶～はひとつ 이건 너무하군 / きょうは～でやめにしよう 오늘은 이쯤에서 그만두자 〔끝내자〕 / では、～で失礼
$^{?}$します 이만 실례〔합니다〕. ⑦「～という」 이렇다할. ¶～という人
$^{?}$がひとりも居
$^{?}$ない 이렇다할 사람이 하나도 없다.

──感 (본디, 是·維·惟) 기분을 고르고 강조하는 말. ¶時
$^{?}$は昭和
$^{?}$三十八年
$^{?}$である 때는 바(야흐)로 昭和 38년. 어떤 일을 촉구하거나 꾸짖을때 쓰는 말: 이봐. ¶～、泣
$^{?}$くんじゃない 이봐, 우는 게 아냐.

これかぎり【これ限り】[此限り] 連語 이것으로; 이것뿐. =これきり. ¶知
$^{?}$ってるのは―だ 알고 있는 것은 이것뿐이다 / ―やらない 이것을 마지막으로 〔이제〕 안 한다.

これから【此れから】 連語 이제부터. ①앞으로; 금후; 장래. ¶～の韓国
$^{?}$ 앞으로의 한국. ②이제부터; 또, 여기(로)부터. ¶～出
$^{?}$かける所
$^{?}$だ 막 나가려는 참이다 / ―二キロメートルばかり離
$^{?}$れた所
$^{?}$예서부터 2킬로쯤 떨어진 곳.

コレクション‐shon 名 컬렉션; 수집(蒐集); 수집품. ¶外国切手
$^{?}$の～ 외국 우표의 수집. ▷collection.

これぐらい【是位】副 이[요] 정도; 이쯤; 이만큼. =これくらい.

これこれ【此れ此れ・是れ是れ】名 이러이러(함); 여차여차(함). ¶～と説明
$^{?}$する 이러이러하다고 설명한다.

これこれ 感 이봐 이봐. ¶～静
$^{?}$かにしろ 이봐 이봐 조용히 해.

これしき【是式・此式】名 〈俗〉 이까짓; 이쯤. ¶なんの～、やってしまおう 뭐 그까짓 것 해치우자.

コレステロール名【生】콜레스테롤. =コレステリン. ▷cholesterol.

これぞ【此(れ)ぞ】連語 이외에 최상의 것은 없음: 이것이다; 이렇다. ¶～という代案
$^{?}$ 이렇다할 대안.

これだけ【是丈】連語 ①이것으로 끝; 전부. ②이만큼; 이 정도(로).

これっきり【是っ切】korekki‐ 連語 =これかぎり.

これっぱかり【是っ許り】koreppa‐ 連語〈口〉 =こればかり.

これっぽっち‐reppotchi 名 ①만큼; 이것뿐. ¶～しかないのか 요것밖에 없는가. ②극히 조금; 조금. ¶欠点
$^{?}$は～もない 결점이라곤 조금도 없다.

これは【此れは】‐wa 感 놀람·감탄을 나타내는 말: 아이구; 아니; 이거. ¶～しまった 아뿔싸 큰일났군. ──これは【―此れは】‐korewa 感 이런; 아니

이거; 이것 참〔此れは'의 힘줌말〕. ¶～、有難
$^{?}$う 이것 참 고맙구려. ──したり【―為たり】連語 자기의 잘못을 깨달으며, 의외의 일로 어이가 없을 때 내는 말: 이거 도대체; 이게 웬일인가.

こればかり【此れ許り・此れ計り】連語 ①이것만. ②〈老〉이 정도; 이쯤 ¶요만큼; 조금.

これほど【これ程】[此れ程] 連語 ①이 정도(로). =これぐらい. ②이렇게까지; 이렇게. ¶指
$^{?}$定されたい 일을 할 경우에 씀].

これまで【此れ迄】連語 ①지금〔이제〕까지. ②여기까지. ③이렇게 될 〔될까〕까지. ¶～になるには大変
$^{?}$だった 이 정도로 되기까지는 여간 일이 아니었다. ④이만; 마지막. ¶これまでは ～ 오늘은 이만 / 今
$^{?}$は～と覚悟
$^{?}$をした 이제는 마지막이라고 각오했다.

これみよがし【これ見よがし】[此れ見よがし]ダ十 여봐란 듯이. ¶～に着
$^{?}$る 여봐란 듯이 차려 입다.

コレラ【虎列刺】名【醫】콜레라. ▷cholera.

ころ【槽·轆子·転子】名①산륜(散輪). ¶～を入
$^{?}$れて動
$^{?}$かす 산륜을〔굴림대를〕 넣고 움직인다. ②주사위.

ころ【頃·比】名①때. ②경; 무렵; 쯤. ¶去年
$^{?}$の春頃
$^{?}$の～ 지난해 봄경 / 若
$^{?}$かりし～ 젊었을 때. ③시기; 계제; 기회. ¶～を見
$^{?}$はからう 때〔기회〕를 노보다. ②만큼; 정도.

ごろ【頃】'ごろつき(=깡패)'의 준말. ¶政治
$^{?}$～ 정치 깡패.

ころ【語呂·語路】名①어조(語調); 말의 가락. ¶～がいい 어조가 좋다. ──ごろあわせ. ──あわせ【―合(わ)せ】어떤 성구(成句)의 음(音)에 맞추어 뜻이 다른 말을 만드는 言語유희; 신소리('ねこに小判
$^{?}$(=돼지에 진주)'에 대하여 '下戸
$^{?}$に御飯盛
$^{?}$(=술 못하는 사람에게는 밥을)' 따위).

ゴロ【野】名 땅볼. ──フライ.

‐ごろ【頃】名①경; 무렵. ②量
$^{?}$정오경. ②그렇게 하기에 썩 알맞은 상태임. ¶食
$^{?}$べ～ 먹기에 적당한 때. ②웬만함; 적당함. ¶値
$^{?}$～ 적당한 값.

ころあい【頃合い】名①적당한 시기; 때; 기회; 제때. =しおどき·チャンス. ¶～を見
$^{?}$る 적당한 시기를 보다. ②적당한 정도나 상태; 알맞음. ¶～のき大
$^{?}$きさ 알맞은 크기. ──colloid.

コロイド名 콜로이드; 교질(膠質). ▷colloid.

ころう【固陋】‐rō 名 ダ十 고루. 頑迷
$^{?}$ 완미 고루. ¶～の老人 고루한 노인.

ころう【故老·古老】‐rō 名 고로; 옛일을 잘 아는 늙은이.

ころおい【頃おい】名 〈雅〉①=ころ(頃). ②=ころあい(頃合).

ころがす【転がす】[5他]①굴리다. ¶車
$^{?}$を～ 차를 굴린다. ②넘어뜨리다; 자빠〔쓰러〕뜨리다. ¶花瓶
$^{?}$んを～ 꽃병을 쓰러뜨리다.

ころがりこむ【転(が)り込む】[5自]①굴러 들어오다〔오다〕. ¶ボールが塀
$^{?}$のなかに～ 공이 담 안으로 굴러 들어가다 / 金
$^{?}$が～ 돈이 굴러 들어오다. ②남의 집에 들어가서 폐를 끼치다. ¶兄
$^{?}$の家
$^{?}$に～ 형의 집에 (신세 지려고) 기어 들어가다.

ころがる【転がる】[5自]①구르다. 다

자빠지다. ⑦쓰러지다 ; 넘어지다. ＝こ
ろぶ. 【つまずいて～ 발이 걸려 넘어
지다. ①가로 눕다. 【寝ね～ 드러눕
다. ⑧딩굴다 ; 방치해지다 ; 또. 흔하
다 ; 지천이다. 【その辺へん に～.ってい
る 그 근처에 얼마든지 있다.

ごろく 【語録】 图 어록.

ころころ 圖 ①작은 물건이 굴러 가는
모양. 【小石こいしが～(と)転てん
落らくする 돌멩이가 대굴대굴 굴러 떨
어지다. ②살찌고 둥근 모양 ; (오)통
통. 【～と太ふとった子犬こいぬ 통통하게 살
찐 강아지. ③차례차례 쓰러지는 모양.
④젊은 여자가 웃는 모양 : 깔깔. ⑤방
울 따위가 울리는 소리 : 딸랑딸랑.

ごろごろ 圖 ①돌이 구르는 모
양 : 데굴데굴. ②아무 일도 하지 않고
날을 보내는 모양 : 빈둥빈둥 ; 빈둥빈둥
들. 【失業しつ ぎょうして～している 실직해
서 빈둥빈둥 놀고 있다. ③여기저기 지
천으로 흔한 모양 : 얼마든지. 【そんな
物ものなら世間せけんに～している 그런 물
건이라면 세상에 흔히 빠졌다. ④천둥
이 울리는 소리 : 우르르우르르. 【雷
かみなりが鳴なる 천둥이 우르르거리다.
图〈兒〉천둥.

ころし 【殺し】 图 살인. 【～の現場げんば
살인 현장. ―や 【～屋】 图〈俗〉살
인 청부 업자.

コロシアム 图 콜로세움. ＝コロセウム.
(로마 제국 시대의) 야외 원형 극장.
▷Colosseum. ②경기장. ▷colosseum.

ころしもんく 【殺し文句】 图 ①남에게
로 상대방을 옴쭉 못 하게 하는 협박
조의 말. ②(상대방을) 녹쓰(惱殺)하
는 문구 ; 사로잡는 말.

‡**ころ-す 【殺す】** 他 ①죽이다. ⑦목숨
을 끊다. 【首くびを締しめて～목을 졸라
죽이다 ; 手ておくれで母はは を～した 치
료가 늦어 어머니를 죽게 만들었다. ①
의식적으로 기운을 누르다. 【声こえを～
목소리를 죽이다. ①바둑 등에서 상대
방의 수를 눌러버리다. ②(野) 아웃을
시키다. ③효과가 없게 하다. 【才能
さいのうを～ 재능을 썩이다[죽이다]. ③
눌러 참다 ; 억누르다. 【笑わらいを～ 웃음
을 참다. ④없애다 ; 제거하다. 【臭
においを～ 냄새를 없애다. ⇔生いかす.

ごろつき 【破落戸・無頼】 图 깡패 ; 무뢰
한 ; 건달. ＝ならずもの・ごろ.

ごろつ-く 固圓 ①흔하다 ; 지천이다.
②(일자리가 없어) 빈둥거리다 ; 핀둥
거리다.

コロッケ -rokke 图〈料〉크로켓.
[croquette.

コロニー 图 콜로니. ①식민지. ②집단 ;
취락(聚落). ③〈生〉세균의 집단. ④
신체장애자·정신 박약아 등을 원전으
로 보호·훈련시키는 시설. ▷colony.

ごろね 【ごろ寝】【転寝】 图 区圓 옷을 입
은 채 아무 데나 쓰러져 잠.

ころば-す 【転ばす】 固圓 ①쓰러뜨리
다. ②굴리다.

ころびね 【転び寝】 图 ①옷 입은 채 쓰
러져 잠. ②얕은 잠 ; 수잠.

‡**ころ-ぶ 【転ぶ】** 固圓 ①쓰러지다 ; 자빠
지다. 【すべって～ 미끄러져 넘어지
다. ②구르다. 【ボールが～ 공이 굴
러가다. ③탄압을 받아 개종(改宗)·전
향하다. ④절개를 굽히다 ; 타협하다.

【金かねに～ 돈에 절개를 굽히다. ⑤(속
로) 눕다 ; 기생 등이 손님에게 몸을 팔
다. ――ばぬ先さきのつえ 넘어지기 전의
지팡이(유비 무환(有備無患)). ――ん
でも、ただは起おきぬ 자빠져도 그냥은
일어나지 않는다(어떤 경우에든 반드
시 이익만은 챙김의 비유).

ころも 【衣】 图〈雅〉옷 ; 의복. ＝きも
の. ②중의 옷 ; 법의(法衣). ③과자·튀
김 등의 거죽에 입힌 것.

ころもがえ 【衣替え】【更衣・衣更え】 图
区圓 ①철에 따라 옷을 갈아 입음. ②
외관·외장(外裝) 등을 완전히 바꿈. 【
店みせの～ 가게의 신장(新粧).

ころもへん 【衣偏】 图 한자 부수의 하
나 : 옷의변('衤'의 이름).

ころり 圖 〈흔히 '～と'의 형으로〉 ①작
은 물건이 떨어져 구르는 모양 : 대구루
루. ②맹랑(허무)하게 지거나 죽거나
하는 모양 : 맥없이 ; 덜컥. 【～と参まい
る (a)맥없이 항복하다(굴복하다). (b)덜컥 죽
다.

ころりと 圖 아무렇게나 눕는 모양. 【
～横よこになる 아무렇게나 드러눕다.

コロン 图 콜론 ; 구문(歐文)의 구두점
의 하나(：). ▷colon.

‡**こわ-い 【怖い】【恐い】** 形〈口〉무섭다.
①두렵다. 【わたしは雷かみなりが～ 나는
천둥이 무섭다. ②위험하다. 【車くるまが
多おおくて～道みち 차량 통행이 많아서 두
려운 길. ③격렬하다 ; 험악하다. 【
～目めつき 무서운[험악한] 눈. ――もの
なし 두려운 것을 모름 ; 무모함. ――も
の見たさ 무서운 것을 도리어 보고 싶
은 마음.

‡**こわ-い 【強い・剛い】** 形〈口〉①질기다 ; 딱딱
하다 ; 되다. 【～御飯ごはん 된밥 / この
肉にくは～이 고기는 질기다. ②세다 ;
手でごわい敵てき 강적. ③고집이 세다.
【情じょうが～ 고집이 세다. ④몸이 세
다 ; 뻣뻣하다. 【ワイシャツののりが
～ 와이셔츠의 풀이 세다.

‡**こわいろ 【声色】** 图 ①음색 ; 목청. ＝こ
わね. ②배우의 대사의 말투나 음색 ;
또, 그것을 흉내내는 것 ; 성대 모사.
【～をつかう 배우의 대사(말투)를 흉내
내다.

こわが-る 【怖がる】【恐がる】 固圓 무서
워하다. 【犬いぬを～ 개를 무서워하다.

こわかれ 【子別れ】 图 자식과의 생이
별.

こわき 【小脇・小脇】 图 『～にかかえ
る』 살짝 겨드랑이에 끼다.

こわく 【蠱惑】 图 区图 고혹 ; 매혹함 ;
현혹함. 【～的てきなまなざし 고혹적인
눈(시선).

こわごわ 【怖怖】【恐恐】 圖 두려워하는
[겁내는] 모양. ＝おそるおそる. 【
～質問しつもん する 조심조심 질문하다 【
～近ちかづいてみる 흠칫거리며 접근해
보다.

ごわごわ 下区圓 종이나 헝겊 따위가 딱
딱해서 부드럽지 않은 모양 ; 뻣뻣한 모
양. 【～した生地きじ 뻣뻣한 옷감 ; 【
～の〔の의 형태로도 쓰임. 【～の布ぬの 뻣
뻣한 천.　　　　　　　　　　〔잔 수.

こわざ 【小業・小技】 图 (씨름의) 잔기술.

‡**こわ-す 【壊す】【毀す】** 固圓 ①파괴하
다 ; 부수다 ; 파손시키다. 【家いえを～

집을 부수다. ②고장내다；탈을 내다. ¶腹いを ～ 배탈나(게 하）다. ③(약속·계획 등을) 망치다. ¶話しを ～ 이야기를 망치다.

こわだか【声高】[名] 목소리가 큼；목청이 높음. ¶～に話しす 큰 소리로 이야기하다.

こわだんぱん【こわ談判】【強談判】-dampan [名][自] 강경한 담판.

こわづかい【声遣い】[名] 말투；어조(語調).

こわっぱ【小わっぱ】【小童】-wappa [名] 소년이나 풋내기를 얕잡아 부르는 말；조그만 놈；애송이. ¶この～め 요 애송이 녀석.

こわね【声音】[名]〈雅〉음성. =こわいろ.

こわばーる【強張る·硬張る·強硬張る】[5自] 굳어지다；딱딱해지다. ¶顔がが ～ 얼굴이 굳어지다／のりでシャツが ～ 풀을 먹여 셔츠가 빳빳해지다.

こわめし【こわ飯】【強飯】[名] 지에밥；(팥을 섞어 찐) 찰밥(축하용). =おこわ·赤飯きき.

*こわ-れる【壊れる】【毀れる】[下1自] ①깨지다. ¶縁談ぶが ～ 혼담이 깨지다. ②파손되다；부서지다. ¶いすが ～ 의자가 파손되다[부서지다]. ③고장나다. ¶ラジオが ～ 라디오가 고장나다.

こん【根】[名]①근기(根氣)；끈기. ¶～が続つかない 끈기가 계속되지 않다[모자라다]. ②근. ⑦[数] 방정식 중 미지수의 답. =解く. ⑥[数] (제곱수 등의) 본래의 수. ⑥[化] 이온이 되는 경향이 있는 기(基).

こん【紺】[名] 감색. =紺色.

-こん【献】《한수자(漢數字)에 붙여서》 술잔을 올리는 횟수(回). ¶一～差さし上あげる 한잔 올리다.

ごん-【権】[名]①임시의；정원 외의. ¶～大納言だ 정원 외의 大納言. ②副(副)의. ¶～宮司 (신사(神社)의) 부宮司(부신관(神官)).

こんい【懇意】[名][自] 친히 지냄；또, 친한 사이. ¶～にしている人 친하게 지내고 있는 사람.

こんいん【婚姻】[名][自] 혼인. =結婚. ¶～届けを 혼인 신고.

こんか【婚家】[名] 혼가；시가；또, 데릴사위로 들어가는 집. ↔実家じっ.

ごんか【言下】[名]〈老〉일언지하；말이 떨어지자마자. =げんか. ¶～に断いわ 일언지하에 거절하다.

こんかい【今回】[名]①금회；이번 회. ②금번；이번. ¶～に始はじまった事ことではない 이번에 시작된 일은 아니다.

こんかぎり【根限り】[名][副] 끈기가 계속되는 한；힘 자라는 한. ¶～努力よくす 힘 자라는 데까지 노력하다.

こんがすり【紺がすり】【紺絣·紺飛白】[名] 비백(飛白) 무늬가 있는 감색 옷감；또, 그 무늬. =白いすがすり.

こんがらかーる [5自] 헝클어지다；뒤얽히다；복잡(혼란)해지다. =こんがらかる. ¶毛糸いとが ～ 털실이 헝클어지다／話しがが ～ 이야기가 복잡해지다 [얽히다].

こんがり[副] 알맞게 구워진 모양. ¶もちを ～(と)焼やく 떡을 노르끄레하게 굽다.

こんかん【根幹】[名] 근간；근본；중추. ¶～をなす 근간을 이루다. ↔枝葉しよ

こんがん【懇願】[名][他] 간원；간절히 원함；또, 그 원. ¶助力きを ～ ；～ の 조력을 간원하다.

こんき【根気】[口]〈老〉끈기；끈기. ¶一つで 끈기 하나로. ──まけ【──負け】[名][自] 끈기가 달려서 짐.

こんき【婚期】[名] 혼기. ¶～を逸いする 혼기를 놓치다.

こんきゃく【困却】-kyaku [名][自] 곤각；매우 곤란(난처)함.

こんきゅう【困窮】-kyū [名][自] 곤궁. ¶生活かっつ者 생활이 곤궁한 자. ②해결책이 없어 곤란함.

*こんきょ【根拠】-kyo [名] 근거. ¶判断はの～ 판단의 근거／～地ち 근거지.

こんぎょう【今暁】-gyō [名] 금효；오늘 새벽.

ごんぎょう【勤行】-gyō [名][自]〔佛〕근행；(중이) 불전에서 독경(讀經)·회향(回向)함. =おつとめ.

こんく【困苦】[名][自] 곤고；살림의 몹시 어려움；또, 어려움을 겪음. ¶～にたえる 고생을 견디다.

ごんぐ【欣求】[名][他]〔佛〕흔구；기꺼이 스스로 구도(求道)함.

ゴング [名] 공. ①징. ②(권투에서) 시합의 개시·종료 등을 알리는 종. ▷ gong.

コンクール [名] 콩쿠르；경기회；경연 대회. ▷ㄷᴿ concours.

こんくらべ【根比べ】【根競べ】[名][自] 끈기 겨루기；지구력 겨루기.

*コンクリート [名] 콘크리트. ¶～ブロック コンクリート ブロック／ミキサー コンクリート ミキサー／～を打うつ 콘크리트를 치다. ▷ㄴᴾᴺᴬ 구체적. ▷concrete.

ごんげ【権化】[名] 권화；화신(化身). ①신불이 중생 제도를 위해 사람으로 변신하여 인간 세상에 나타나는 일；또, 그 화신. ②어떤 추상적 특질을 구체화하는 존재. ¶悪あの～ 악의 화신.

こんけい【根茎】[名]〔植〕근경. ①뿌리줄기(지하경의 일종). ②뿌리와 줄기.

こんけつ【混血】[名][自] 혼혈. ¶～児 ；～純血じゅん.

*こんげつ【今月】[名] 금월；이달. ¶～分ふの給料きう 이달치 급료.

こんげん【根元·根源】[名] 근원；근본. ¶悪あの～を断つ 악의 근원을 뿌리 뽑다.

ごんげん【権現】[名] 일본에 있어서의 신의 칭호의 하나(부처나 보살이 일본의 신으로서 나타난 것이라는 사상에 기인함). ¶～様 江戸幕府だ의 창시자 德川家康きう의 존칭. ──づくり【──造(り)】[名] 신사(神社) 건축 양식의 하나(한 용마루 밑에 본전(本殿)과 배전(拜殿)이 중전(中殿)으로 연결됨).

こんご【今後】[名] 금후. ¶～もよろしく 금후에도 잘 부탁드립니다.

ごんご【言語】[名] 언어. ──どうだん【──道断】-dōdan [名] 언어도단.

こんこう【混交】【混淆】-kō [名][自] 혼효；혼동；뒤섞임. ¶玉石ぎく～ 옥석혼효. [注意] '混交'는 대용 한자.

こんごう【金剛】 -gō 图 금강('金剛石' '金剛砂ダ' 따위의 준말).

──しゃ【──砂】-sha 图 금강사.

──しん【──心】 图 금강심;독실한 신앙심. ──せき【──石】 图【鑛】금강석.＝ダイヤモンド. ──づえ【──杖】 图 수도자 등이 갖는 8 각또는 4 각의 흰 나무 지팡이. ──ふえ【──不壊】 图【佛】금강불괴;금강과 같이 견고해서 부서지지 않음. ──やしゃ【──夜叉】-sha 图【佛】금강야차. ──りき【──力】 图【佛】금강력;금강 역사처럼 대단히 센 힘. ──りきし【──力士】 图【佛】금강 역사.

こんごう【混合】-gō 图 図他 혼합. ¶～物ダ 혼합물／男女ダ──チーム 남녀 혼합 팀.

コンコース 콩코스;역이나 공항 등의 통로를 겸한 중앙 홀. ▷concourse.

こんこんと【昏昏と】 副 혼혼히;의식이 없는 모양. ¶～と眠ぴる 정신없이 자다.

こんこんと【滾滾と】 副 곤곤히. ①샘따위가 계속 솟는 모양. ¶泉ダが～わいている 샘이 용솟음쳐 나오고 있다. ②물이 세차게 흐르는 모양.

こんこんと【懇懇と】 副 매우 간절한 모양. ¶～とさとす 간곡하게 타이르다.

コンサート【樂】콘서트;연주회;음악회. ▷concert.

こんざい【混在】 图 図自 혼재;섞여 있음. 「葉菜類ダ.

こんさいるい【根菜類】 图 근채류. ↔

こんさく【混作】 图 図他【農】혼작.

**こんざつ【混雑】 图 図自 혼잡. ¶～を避ける 혼잡을 피하다.

コンサルタント 컨설턴트;상담역(기업 경영·관리에 대해서 진단·지도하는 전문가). ¶結婚ぱ──결혼 상담역. ▷consultant.

こんじ【今次】 图 이번;금번. ＝今回ダダ. ¶～の大戦ダ 이번 대전.

こんじ【根治】 图 図他 근치;전치. ＝こんち. ¶みずむしが～する 무좀이 근치되다.

こんじき【金色】 图 금색;황금빛. ＝金色ダダ. ¶～の仏像ダ 황금빛의 불상.

こんじゃく【今昔】 图 금석;지금과 옛날. ──の感ダ 금석지감. ¶～の感に堪ダえない 금석지감을 금할 수 없을 「을.

こんしゅう【今秋】-shū 图 금추;올 가

*こんしゅう【今週】-shū 图 금주;이번 주. ¶～中ダに仕上ダげる 금주내에 완성하다.

こんじゅほうしょう【紺綬褒章】 -ju hōshō 图 감수 포장(공익을 위하여 재산을 바친 사람에게 정부가 주는 감색 리본의 기장).

こんしゅん【今春】-shun 图 금춘;올봄.

こんじょう【今生】-jō 图【老】금생;이승. ¶～の別れだ 이승에서의 이별(죽음).

*こんじょう【根性】 图 근성. ①타고난 마음씨. ¶役人ぱ──관리 근성／～の有ダる男ぱ 근성이(성깔이) 있는 남자. ──を入ダれ替ダえる(반성하여) 마음을 고치다.

こんじょう【紺青】-jō 图 감청;선명한

남빛(안료). ¶～の海ダ 남빛이 선명한 바다.

ごんじょう【言上】-jō 图 여쭘;말씀을 올림. ¶お礼ダ～감사의 말씀을 드림.

こんしょく【混食】-shoku 图 図他 혼식. ¶～動物ダ 잡식 동물. 「る.

こん-じる【混じる】 ⊥1 自他 ⇒こんず

こんしん【混信】 图 혼신.

こんしん【渾身】 图 혼신;몸 전체. ¶～の力ダ 혼신의 힘.

こんしん【懇親】 图 간친;친목. ¶～会ダ 간친회. 「態;혼수 상태.

こんすい【昏睡】 图 図自 혼수. ¶～状

こんすけ【今助】【老】하인;머슴.

コンスタント 콘스턴트. ─ 図ナ 항상 일정함. ¶～な成績ダ 늘 한결같은 성적. ─ 図【數·理】상수(常數);정수(定數). ▷constant.

こん-ずる【混ずる】 ⇒自他 섞다;섞이다. ¶異質ダのものが──이질의 것이 섞이다.

こんせい【懇請】 图 図他 간청. ¶出馬ダ──を する 출마를 간청하다.

こんせい【混成】 图 図自他 혼성. ¶～チーム 혼성 팀.

こんせい【混声】 图 혼성('混声ダ合唱(＝혼성 합창)'의 준말).

こんせき【今夕】 图 오늘 저녁(밤).

こんせき【痕跡】 图 흔적;자취. ¶～形跡ダ. ¶～をとどめる 흔적을 남기다. ──きかん【──器官】 图【生】흔적 기관.

こんせつ【懇切】 图 図ナ 간절;친절하고 자세함. ¶～ていねいに説明ダする 친절하고 정중히 설명하다.

こんぜつ【根絶】 图 図他 근절. ¶悪習ダ──を する 악습을 근절하다／…の──を期ダする…의 근절을 기하다.

こんせん【混戦】 图 図自 혼전. ¶～状態ダ 혼전 상태.

*こんせん【混線】 图 図自 혼선. ①다른 신호·통화가 섞임. ②여러 가지 이야기가 뒤얽혀 갈피를 잡을 수 없게 됨. ¶話ダが～する 이야기가 혼선되다.

こんぜん【渾然】【混然】 ⊥タル 혼연;융화하여 구별이 없는 모양. ¶～一体ダとなる 혼연 일체가 되다.

コンセント【電】콘센트. ▷일 concentric plug.

コンソメ 图【料】콩소메;맑은 수프. ↔ポタージュ. ▷consommé.

こんだく【混濁】【溷濁】 图 図自 혼탁. ¶～の世ダ 혼탁한 세상.

コンダクター【樂】컨덕터. ①(오케스트라의)지휘자. ▷conductor.

コンタクトレンズ 图 콘택트 렌즈. ▷contact lens.

*こんだて【献立】 图 ①식단;메뉴. ¶～表ダ 식단표. ②준비. ¶会議ダの～をする 회의 준비를 하다.

こんたん【魂胆】 图 ①혼담. ②책략;계책;꿍꿍이 속. ¶何ダか～がありそうだ 무언가 속셈이 있는 듯하다. ③복잡한 사정·까닭. 「간담회.

*こんだん【懇談】 图 図他 간담. ¶～会ダ

コンチェルト -cheruto 图【樂】콘체르토;협주곡. ¶ピアノ──피아노 협주곡. ▷이 concerto.

*こんちゅう【昆虫】-chū 图 곤충. ¶~採集½。 곤충 채집.

コンツェルン -tserun 图 콘체른；기업 합동의 한 형태. ▷도 Konzern.

コンテ【商標名】图 크레용의 하나(사생·데생용). ▷프 conté.

こんてい【根底•根柢】图 근저；근본 토대. ¶~からくつがえす 근본적으로 뒤엎다.

コンディション -dishon 图 ①그 때의 상태(양상). ¶からだの~がよい 몸의 컨디션이 좋다. ②조건. ▷condition.

コンテスト 图 콘테스트；경연•경연 대회. =コンクール. ¶美人½~ 미인 콘테스트. ▷contest.

コンテナー 图 컨테이너；(운송용의) 용기；상자. =コンテナ. ¶~船 컨테이너선. ▷container.

こんでん【墾田】图 간전；새로 개간한 전지.

コンデンサー 图 콘덴서. ①축전기. ②응축기(凝縮器). ③집광(集光) 장치；집광 렌즈. ▷condenser.

コンデンスミルク 图 콘덴스트밀크；연유(煉乳). ▷condensed milk.

コント【文】图 콩트. ▷프 conte.

‡こんど【今度】图 ①이번；금번. ¶~に限½る事ではない 이번에 국한된 일은 아니다. ②이 다음. ¶~持½ってこよう 이 다음에 가져오지…. 「도.

こんとう【昏倒】-tō 图 ㅈ自 혼도；졸

‡こんどう【混同】-dō 图 ㅈ타 혼동. ¶公私½を~する 공과 사를 혼동하다.

こんどう【金堂】-dō 图【佛】금당；본당；대웅전. 「金銅像.

こんどう【金銅】-dō 图 금동. ¶~仏像½

こんとく【懇篤】图 잔목；친절하고 정이 두터움. =ねんごろ.

ゴンドラ 图 곤돌라. ①이탈리아의 베네치아 명물인 작은 배. ②비행선•기구•케이블카 등의 조롱(吊籠). ▷이 gondola.

コントラスト 图 콘트라스트；대조，대비. ¶白½と黒½の~ 흑과 백의 대조. ▷contrast.

コントラバス 图【樂】콘트라바스(최저음(最低音)의 현악기). ▷도 Kontrabass.

コンドル【鳥】图 콘도르. =はげわし. ▷condor.

コントロール 图 他 컨트롤；통제；조절；관제. ¶~タワー 컨트롤 타워；(항공) 관제탑. ¶~のいい投手½ 컨트롤이 좋은(제구력이 있는) 투수. ▷control.

こんとん【混沌•渾沌】图 タ타 혼돈. ¶~たる世界情勢½½½½ 혼돈한 세계 정세.

こんな 連体【口】이러한；이와 같은. =このような. ¶~事½があっていいものか 이런 일이 되는 건가.

*こんなん【困難】图 곤란. ¶~な問題½ 곤란한 문제／相当½の~が予想½½される 상당한 곤란이 예상되다.

‡こんにち【今日】图 ①오늘；오늘날. ¶~来年⁵⁵の~ 내년의 오늘. ②오늘날；요즘. ¶~の世界⁵を 오늘날의 세계. ——は -wa 連語 낮에 하는 인사말：안녕하십니까. ↔こんばんは.

こんにゃく【蒟蒻•菎蒻】-nyaku 图 곤약. ①【植】구약나물. ②구약나물의 지하경(地下莖)을 가루로 만들어 반죽한 것을, 석회유(石灰乳)를 섞은 끓는 물에 넣어 익힌 식품.

こんにゅう【混入】-nyū 图 ㅈ타 혼입；섞어 넣음；섞여듦.

こんねん【今年】图 금년；올해. =こと

こんねんど【今年度】图 금년도.

コンパ kompa 图【學】(비용이 공동 부담인) 다과회；친목회. ▷company.

コンパートメント kompā- 图 컴파트먼트；(객차•다방 등의) 칸막이된 좌석. =コンパート. ▷compartment.

こんぱい【困憊】kompai 图 ㅈ自 곤비；고달픔. ¶疲労½~ 피로 곤비.

コンバイン kombain 图 콤바인. ▷combine. 「ましい.

こんぱく【魂魄】kompa- 图 혼백. ▷た

コンパクト kompa- 图 콤팩트. ①거울이 달린 휴대용 화장 도구. =コンパクトケース. ②=コンパクトカー. ▷compact.

コンパス kompa- 图 컴퍼스. ①제도 용구의 하나. =ぶんまわし. ②(俗) 보폭(步幅). ¶~が大½きい 보폭이 크다. ③걸음발. ▷네 kompas.

コンパニオン kompa- 图 컴패니언. ①동료；동행자. ②국제적 행사 등에서 내빈의 접대를 맡은 여성. ▷companion.

*こんばん【今晚】komban 图 오늘 밤. =こんや. ——は -wa 連語 밤에 만났을 때 하는 인사말：안녕하십니까. ↔こんにちは.

こんぱん【今般】kompan 图 금반；금번；이번. =今度½.

コンビ kombi 图 콤비. ①짝. ¶名½~ 명콤비. ②짝짝. ②コンビネーション②③'의 준말. ▷combination.

コンビーフ kombi- 图 콘비프；콘드비프(소금만으로 잔을 한 쇠고기 통조림). =コーンビーフ. ▷corned beef.

コンビナート kombi- 图 콤비나트；기업 결합. ¶石油化学½½½½~ 석유 화학 콤비나트. ▷러 kombinat.

コンビネーション kombinēshon 图 콤비네이션. ①결합；합동；조화. ②여자나 어린이가 입는 내리닫이 속옷. =コンビ. ③가죽과 캔버스 또는 갈색 가죽과 백색 가죽 따위를 서로 배합해서 만든 구두. ▷combination.

コンピューター kompyū- 图 컴퓨터；전자 계산기. =電子計算機½½½½½. ▷computer.

こんぶ【昆布】kombu 图【植】다시마. =こぶ.

コンフリー 图【植】캄프리(단백질이 많은 약초). ▷comfrey.

コンプレックス kompurekku- 图 콤플렉스. ①복합(된 것). ②【ビタミン B½~ 비타민 B 복합체. ③【心】열등감. ¶方言½½~ 사투리 콤플렉스. ▷complex.

コンプレッサー kompuressā 图 컴프레서；(공기) 압축기. ▷compressor.

コンペートー【金米糖】kompē- 图 별사탕. =コンペイトー. ▷포 confeito.

こんぺき【紺碧】kompe- 图 감청색. ¶~の海½ 검푸른 바다.

コンベヤー kombe- 图 컨베이어. ¶ベルト～ 벨트컨베이어 / ～システム 컨베이어 시스템. ▷conveyer

ごんべん 【言偏】 gomben 图 한자 부수의 하나: 말씀언변(話)論' 등의 '言').

こんぼう 【混紡】 kombō 图スセ 혼방. ¶～糸 혼방사.

こんぼう 【こん棒】 【棍棒】 kombō 图 ① 곤봉. ② 【막대기.

こんぽう 【梱包】 kompō 图スセ 곤포; 짐을 꾸림; 또, 꾸린 짐.

*こんぽん 【根本】 kompon 图 근본. ¶～精神〔原理〕 근본 정신(원리) / ～的な方針〔方針〕 근본적인 방침.

コンマ komma 图 콤마. ①구두점의 하나(,). ②소수점. ¶～以下 콤마 이하(소수점 이하의 수); 표준 이하의 사람〔것〕. ▷comma.

こんまけ 【根負け】 komma- 图スセ 근기에 짐; 끈기가 딸림. ¶～して中止ちゅうしする 끈기가 딸려 중지하다.

こんみょうにち 【今明日】 kommyō- 图 금명일; 오늘 내일.

こんめい 【混迷】【昏迷】 kommei 图スセ 혼미. ①사리에 어둡고 마음이 흐림. ¶～した精神 혼미한 정신. ②뒤섞여 매우 혼란함. ¶～する世界せかいの情勢せいせい 혼미한 세계 정세. 「毛」.

こんもう 【根毛】 kommō 图 근모; 뿌리

こんもう 【懇望】 kommō 图スセ 간망; 열망; 간절한 희망. ＝こんぼう. ¶～もだしがたく 간절한 부탁을 모르는체할 수 없어.

こんもり kommo- 圖 ①큰 나무 등이 울

창하여 으슥한 감이 있는 모양. ¶～(と)した森しんの 울창한 숲. ②봉긋한 모양; 도도록한 모양. ¶～とした小山こやま 봉긋한 구름. 「晩ばん読どく.

こんや 【今夜】 图 금야; 오늘 밤. ＝今こん

こんや 【紺屋】 图 ☞こうや【紺屋】.

*こんやく 【婚約】 图スセ 혼약; 약혼. ¶目下もっか～中ちゅう 현재 약혼중 / ～者しゃ 약혼자.

こんゆう 【今夕】 -yū 图 금석; 오늘 저녁. ＝こんせき.

こんよう 【混用】 -yō 图スセ 혼용; 섞어서 씀.

こんよく 【混浴】 图スセ 혼욕.

*こんらん 【混乱】 图スセ 혼란. ¶社会しゃかいが～に陥おちいれる 사회를 혼란에 빠뜨리다.

こんりゅう 【建立】 -ryū 图スセ 〔절·당탑(堂塔)을〕 건립함.

こんりゅう 【根粒】 【根瘤】 -ryū 图 근류; 뿌리혹. ――バクテリア 근류 박테리아. ▷bacteria.

こんりんざい 【金輪際】 圖 〔뒤에 否定의 뜻을 수반하여〕 어디까지나; 결단코; 끝까지. ¶～承知しょうちしない 결단코 승낙〔용서〕하지 않다.

こんれい 【婚礼】 图 혼례. ¶～式しきを あげる 혼례를 올리다.

こんろ 【焜炉】 图 풍로. ＝七輪しちりん. ¶石せき油ゆ～ 석유 풍로.

こんわ 【懇話】 图 간담. ¶～会かい 간담회.

こんわく 【困惑】 图スセ 곤혹; 곤란한 일을 당하여 어찌할 바를 모름. ¶～した顔かおつき 곤혹스러운 표정.

さ サ

①五十音図ごじゅうおんず「さ行ぎょう」의 첫째 글자. ②【字源】「左」의 초서체(かたかな의 「サ」는 「散」의 왼쪽의 윗 부분).

‡**さ** 【差】 图 차; 차이. ¶身長しんちょうで～がつく 신장에서 차가 나다.

-**さ** 《形容詞·形容動詞의 語幹에 붙여 名詞를 만듦》 ～함; …의 ～. ¶おもしろ～ 재미 / 静しずか～ 고요함 / 明あかる～ 밝기 / 명도(明度).

さ 聞助 ①《文節의 단락에 붙여서 냄》 가벼운 단정을 나타냄: 말이야. ¶それが～、困こまった事ことに～、見みつからないんだよ 그것이 말이야, 딱하게도 말이야, 보이지가 않는구나. ②《活用語에서는 終止形에、形容動詞에서는 語幹에 붙여서 문장을 끊어서》 ⊙상대방에게 강하게 주장하는 기분을 나타냄: …(말이)야…지. ¶ぼくだって わかる～ 나라도 알 수 있단 말이야 / これが男おとこというもの～ 이것이 남자라는 것이야. ⓒ가볍게 단정하는 기분을 나타냄: …어; …아; …야. ¶心配しんぱいするな 無事ぶじに 着つくさ 걱정할 것 없어, 무사히 도착할 테니. ⓔ자기가 직접 경험하지 않은 일을 설명하거나 소개하거나 하는 기분을 나타냄: …란다. ¶あの人ひとも行いったんだって～ 저 사람도 갔다더란다. ②《의문을 나타내는 말에 붙여》 항의·힐문의 느낌을 나타냄. ¶いばりくさって, 何なにを～ 뽐내기만 하고 뭐난 말

이야.

ざ 【座】 【坐】 一图 ①〔앉는〕 자리; 좌석. ¶～につく 자리에 앉다 / ～をはずす 자리를 뜨다. ②지위. ¶妻つまの～ 아내의 지위. ③모여 있는 곳〔일동(一同)〕. ¶～がしらける 좌중이 깨지다. 二接尾 ①좌. ¶劇場·극장 등의 이름에 붙이는 말. ¶歌舞伎かぶき～ 歌舞伎좌. ②성좌 이름 밑에 붙이는 말: …자座. ¶さそり～ 전갈자리.

さあ sā 國 ①남에게 어떤 행동을 재촉할 때의 소리: 자아; 어서. ¶～お入はいりなさい 자아, 어서 들어가요〔와요〕 / ～～お上あがり下ください 자자 올라오십시오. ②남에게 다급할 때에 내는 소리: 아아. ¶～よわったね 아아, 이거 낭패네. ③확실한 대답을 회피할 때의 소리: 글쎄. ¶～私わたしにできるか知しら글쎄, 내가 할 수 있을까.

サーカス 图 서커스; 곡마(단). ▷circus.

サーキット -kitto 图 서킷. ①전기 회로(回路). ②〔자동차 등의〕 경주용 환상(環狀) 도로. ▷circuit.

サークル 图 서클. ①동호회(同好會) 동인회. ¶演劇えんげき～ 연극 서클. ②원(형); 권(圈). ③ベビーサークル(＝

보행기(歩行器)〕'의 준말. ▷circle.

ざあざあ zāzā 名 ①비가 몹시 오는 소리：솨솨. ¶雨ぷが〜と降ぶる 비가 솨솨 온다. ②물이 큰 소리를 내며 흐르는 소리：콸콸；솨솨. ¶頭ぷから水ぷを〜と かぶる 머리서부터 물을 좍좍 뒤집어 쓰다.

サージ 名 서지；능직(綾織)으로 짠 모직물. ▷serge.

サーチライト 名 서치라이트；탐조등. ▷searchlight.

サード 名 서드. ①제3. ②〔野〕3루(수). ¶〜ベース〔野〕서드 베이스；3루. ▷third.

＊サービス 名他自 서비스. ①(무료)봉사. ¶お隣どりの〜する 이웃에 봉사하다. ②접대(하는 방법). ¶〜がいい 서비스가 좋다；접대를 잘 하다. ③염가 제공. ¶〜料金ぷ 봉사 요금. ④(테니스 따위에서) 서브. ▷service. **——エリア** 名 서비스 에어리어. ①(라디오·텔레비전의) 시청(청취) 가능 지역. ②(테니스·배구 등에서) 서브 구역. ③(고속 도로상의) 휴게소(休식·급유 등의 설비가 있는 곳). service area. **——ぎょう【——業】** -gyō 名 서비스업.

サーブ 名自 (테니스·배구 등의) 서브(방식). ↔レシーブ. ▷serve.

サーフィン -fin 名 서핑. ①파도타기. ②미국에서 생긴 재즈의 일종. ▷surfing.

サーモスタット -tatto 名 서머스탯；온도의 자동 조절 장치；정온기(定溫器). ▷thermostat.

さあらぬ【然有らぬ】 連体〔雅〕그런 기색도 보이지 않는；천연스러운. ¶〜態ぷ体ぷ 천연덕스러운 태도.

さい【妻】 名 처；아내.

さい【才】 名 재주；재능. ¶〜に走はる 재주를 너무 믿다 / 〜におぼれる (자기) 재주에 탐닉하다. ②振尾 ①뱃집·석재(石材) 따위의 부피의 단위(1 입방척(立方尺)；0.0278 입방 미터). ②용적(容積)의 단위(작ぷ의 10분의 1；약 1.8 밀리리터). ③재목의 체적의 단위：…재(한 치 짜리 각재 열두 자 길이를 1才ぷ로 함). ④흔히, '歳'의 약자로서 대용함：…세. ¶満八ぷ〜 만 8세.

さい【賽·采·骰子】 名 주사위. =さいころ. ¶〜を振ぶる 주사위를 던지다. **——は投ぷげられたり** 주사위는 던져졌다(빌린 춤이다).

さい【際】 名 때；이때. ¶この〜に / この〜に / この〜作戦ぷをかえよう 이 기회에 작전을 바꾸자.

さい【犀】 名〔動〕무소；코뿔소.

さい【差異·差違】 名 차이.

さい【最】 ダル 가장；정도가 높은 모양；으뜸. ¶〜たるもの 으뜸가는 것 / これを〜とする〔なす〕이것을 제일로 〔으뜸으로〕치다.

-さい【歳】 …세. ¶五十ぷ〜 50세.

さい【在】 名 ①시골 말('在郷ぷ'의 준말)；또, 도시의 변두리. ¶〜の言葉ぷ 시골 말 / 青森ぷの〜 청森의 근교. ②(자리·방에) 그 사람이 있음；재. ¶〜, 不在ぷを示ぷす名札ぷ 재, 부재를 표시하는 명찰.

ざい【材】 名 ①목재；재료. ②재능(있는 사람). ¶有為ぷの〜 유위한 인재. **-ぶ【致富】** 하다.

ざい【財】 名 재；재산. ¶〜をなす 치부하다. **-ざい【剤】** …제. ¶睡眠ぷ〜 수면제. **-ざい【罪】** …죄. ¶傷害ぷ〜 상해죄.

さいあい【最愛】 名 최애；가장 사랑함. ¶〜の妻ぷ 가장 사랑하는 아내.

さいあく【最悪】 名 최악. ¶〜の事態ぷ 최악의 사태. ↔最善ぷ·最良ぷ.

＊ざいあく【罪悪】 名 죄악.

ざい【在位】 名自 재위.

さいいき【西域】 名 ⇒せいいき-.

さいえん【再演】 名他 재연；재상연；재출연. ↔初演ぷ.

さいえん【才媛】 名 재원. =才女ぷ.

さいえん【菜園】 名 채원；채소밭. =野菜ぷ…ばたけ.

サイエンス 名 사이언스；과학；학문. ▷science.

さいおうがうま【塞翁が馬】 saiō- 連語 새옹지마. ¶人間万事ぷ〜 인간 만사 새옹지마.

さいか【再嫁】 名自 재가. =再縁ぷ.

さいか【最下】 名 최하. ¶〜位ぷ 최하위. ↔最上ぷ.

さいか【西下】 名自 (東京ぷ에서) 서쪽으로(関西ぷ 방면(方面)으로) 감. ↔東上ぷ.

さいか【災禍】 名 재화；재해. ¶〜を被ぷる 재화를 입다.

さいか【裁可】 名他 재가.

ざいか【財貨】 名 재화；재물.

ざいか【罪過】 名 죄과；과오. =あやまち. ¶犯ぷした〜 저지른 죄과.

ざいか【罪科】 名 ①형벌. =しおき. ¶殺人ぷに対ぷする〜 살인에 대한 죄과는 무겁다.

さいかい【再開】 名他自 재개.

さいかい【再会】 名自 재회.

さいかい【西海】 名 ①서해；서쪽 바다. ②西海道ぷ의 준말. **——どう【——道】** -dō 名〔地〕옛날 九州ぷ·壱岐ぷ·対馬ぷ을 포함하는 지역.

さいかい【際会】 名自 제회；(드물게 있는 일을) 당함；만남. ¶国難ぷに〜する 국난을 만나다 / 倒産ぷの危機ぷに〜する 도산의 위기에 처하다.

＊さいがい【災害】 名 재해. ¶〜保険ぷ〔補償ぷ〕재해 보험(보상).

ざいがい【在外】 名 재외；해외. ¶〜公館ぷ 재외 공관.

さいかいはつ【再開発】 名自 재개발. ¶人間ぷの〜 인간 재개발(미국에서 경영자가 새로운 지식 흡수에 힘쓰는 일)

さいかく【才覚】 一 名 ①재치；기지. ¶〜のある人ぷ 재치 있는 사람. ②궁리；생각；착상. 二 名他 (돈을) 마련함；변통함. ¶金ぷの〜をつける 돈 마련하다.

＊ざいがく【在学】 名自 재학. ¶〜証明書ぷ 재학 증명서.

さいかち【皂莢·皀莢】 名〔植〕쥐엄나무.

さいかん【再刊】 名他 재간.

さいかん【才幹】 名 재간.

さいき【債鬼】 图 채귀; 빚쟁이. ¶~に責められる 채귀에게 시달리다.

さいき【再起】 图 丒自 재기. ¶~をはかる 재기를 도모하다.

さいき【才気】 图 재기. ¶~煥発がん 재기 발랄; 재기가 번득임.

さいき【猜忌】 图 丒他 시기; 샘. ¶~の念ネム 시기하는 마음; 시기심.

さいき【祭器】 图 제기; 제사용 기구.

さいぎ【猜疑】 图 丒他 시의. ¶~心ネム 시의심.

さいきょ【再挙】 -kyo 图 丒自 재거; 제기. ¶~をはかる 재기를 도모하다.

さいきょ【裁許】 -kyo 图 丒他 ①재허; 재가; 관청 등에서 심사한 뒤에 허가함. ②재결(裁決)함. ¶罪ネを~する 죄상에 대해 재결하다; 단죄하다.

さいきょう【最強】 -kyo 图 최강. ¶~チーム 최강 팀.

さいきょう【西京】 -kyo 图 ①서경. 서쪽 수도. ②(東京テネに 대하여) 京都テネ.

ざいきょう【在京】 -kyo 图 丒自 재경 (東京テネ 또는 京都テネに 있음).

ざいごう【在郷】 -kyo 图 丒自 재향. ＝さいごう. 「ース 최근 뉴스.

＊さいきん【最近】 图 최근. ¶~のニュ

＊さいきん【細菌】 图 세균. ＝バクテリア・ばい菌ネ. 「고 있음; 재직.

ざいきん【在勤】 图 丒自 재근; 근무하

＊さいく【細工】 图 丒自他 ①세공; 또, 세공품. ¶~物ネ 세공물 / ~人ネ 세공인 / 蠟細工ネネ 납세공. ②⟨俗⟩ 농간; 잔꾀. ¶陰ネで~をする 뒤에서 농간을 부리다; ＝流涎なぶ 仕上しぁげをごろうじろ 세공하는 식은 여러 가지 일이나 나름대로 공을 들여서 한 것이니, 만든 솜씨나 잘 보시요.

さいぐう【斎宮】 -gu 图 皇大神宮じぃ에 봉사하는 미혼의 여자 황족 (皇族). ＝いつきの宮ネや. 「채굴권.

さいくつ【採掘】 图 丒他 채굴. ¶~権ネ

サイクリング 图 丒自 사이클링; 자전거 피크닉. ▷cycling.

サイクル 图 사이클. ①(理) 주파수 (周波数). ▷ヘルツ. ②자전거. ¶モーター─ 모터 사이클 / ~レース 자전거 경주. ③주기 (週期). ▷cycle.

サイクロトロン 图 (理) 사이클로트론; 원자핵의 인공 파괴 장치; 경원소 (軽元素) 이온의 가속기 (加速器). ＝サイクロトン. ▷cyclotron.

さいくん【細君】 图 ①(妻君) 남의 아내(같은 연배 이하의 경우에 씀). ②자기 아내. 「제군비.

さいぐんび【再軍備】 -gumbi 图 丒自

ざいけ【在家】 图 (佛) 재가; 속인 (俗人). ¶~僧ネ 대처승; 육식을 하는 중. ⇔出家しゅっ. 「②고향의 집; 시골집.

ざいしょう【財形】 图「勤労者テネネス財産形成ネネセ促進制度ネネテ(＝근로자 재산 형성 촉진 제도)'의 준말. 「蓄ネ 재형 저축.

さいけいこく【最敬国】 图 최혜국. ¶~待遇テネ 최혜국 대우.

さいけいれい【最敬礼】 图 丒自 최경례 (허리를 많이 굽혀서 하는 가장 공손한 경례). 「음.

さいけつ【採血】 图 丒自 채혈; 피를 뽑

＊さいけつ【採決】 图 丒他 채결. ¶多数決テネで~する 다수결로 채결하다. 〔参考〕'採決'은 의회 등에서 의안의 찬반을 묻는 경우에, '裁決ネス'는 행정 기관이 소원 (訴願) 등에 대해 판단을 내리는 경우에 일컬음.

さいけつ【裁決】 图 丒他 재결. ¶~を下ネす 재결을 내리다. ⇒採決ネス.

さいげつ【歳月】 图 세월. ＝としつき. ──人ネを待ネたず 세월은 사람을 기다리지 않는다.

さいけん【債券】 图 채권. ¶~差ネし押ネさえ 채권 압류 / ~国ネ〔者〕 채권국〔자〕/ ~担保ネ 채권 담보. ⇔債務ネス.

＊さいけん【再建】 图 丒他 재건. ¶国家テネ~の道ネ 국가 재건의 길.

さいげん【再現】 图 丒自他 재현(함); 재현시킴.

さいげん【際限】 图 제한; 끝; 한. ¶言ネわしておけば~がない 말하도록 내버려 두면 끝이 없다.

さいげん【財源】 图 재원. ¶~をひねり出ネす 재원을 염출하다.

さいけんとう【再検討】 -to 图 丒他 재검토.

＊さいこ【最古】 图 최고; 가장 오래됨.

＊さいご【最後】 图 ①마지막; 맨 뒤(의 것). ¶~の努力テネ 최후의 노력 / ~の晩餐ばん 최후의 만찬. ⇔最初しょ. ②〔'…たら~'의 꼴로〕 …하는 것을 최후로; 일단 …했다 하면) 한번 …하면 (하기만 하면 〕. ¶言ネい出ネしたら~あとへ引ネかない 일단 말을 꺼내면, 물러서지 않는다. ──の切ネり札ネだ 최후의 비방; 마지막 카드. ──の審判ばん 최후의 심판. ──の晩餐ばん 최후의 만찬. ──つうちょう〔通牒〕 -tsucho 图 최후 통첩.

さいご【最期】 图 최후; 명이 다하는 때; 죽음; 임종. ¶ローマ帝国ネスの~ 로마 제국의 멸망 / ~を見届ネける 임종을 지켜보다.

ざいこ【在庫】 图 丒自 재고. ¶~品ネ 재고품.

さいこう【再校】 -ko 图 丒他 (印) 재교; 재교정 (再校正). ¶~ゲラ 재교 쇄 (刷).

さいこう【再考】 -ko 图 丒他 재고.

さいこう【再興】 -ko 图 丒自他 재흥; 부흥.

さいこう【採光】 -ko 图 丒自 채광.

さいこう【採鉱】 -ko 图 丒自 채광. ¶~工学ネ 채광 공학.

＊さいこう【最高】 -ko 图 최고. ¶~の人出ネ 최고의 인파. ⇔最低ネス. ──がくふ〔学府〕 최고 학부. ──けんさつちょう〔検察庁〕-cho 图 최고 검찰청 (대검찰청에 상당함). ──さいばんしょ〔裁判所〕-sho 图 최고 재판소 (대법원에 상당).

ざいこう【在校】 -ko 图 丒自 재교. ¶~生ネ 재학생. ＝在学ネス.

ざいがく【在学】 图 丒自 재학 (在學). ¶~生ネ 재학생. ②학교에 있음.

ざいごう【在郷】 -go 图 재향. ①시골. ＝いなか・在ネ. ②시골에 있음. ＝ざいきょう. ¶~軍人ネ 재향 군인.

ざいごう【罪業】 -go 图 (佛) 죄업. ¶~の深ネかいこの身ネ 죄업이 많은 이 몸.

さいこうきゅう【最高級】-kokyu 图

最고급.

さいこうちょう【最高潮】 -kōchō 图 최고조.＝クライマックス.

さいこうほう【最高峰】 -kōhō 图 최고봉.

さいこく【催告】 图 ス他 〖法〗최고.

さいこく【西国】 图 서쪽 나라(지방); 특히, 九州地方.

ざいごく【在国】 图 ス自 ①재향(在郷); 고향에 있음. ＝くにずまい. ②江戸時代에는, 大名들이나 그 가신(家臣)들이 영지(領地)에서 지냄. ↔在府.

さいころ【賽子・骰子】 图 주사위.

さいこん【再婚】 图 ス自 재혼. 되다.

さいこん【再建】 图 ス他 재건; 신사나 절 등을 다시 세움.

さいさい【再再】 副 여러 번; 재삼(再三). ¶～話しましたとおり 재삼 얘기한 바와 같이 / ～度ゲの注意ゲ゚にもかかわらず 누차의 주의에도 불구하고.

さいさき【さい先】【幸先】 图 (좋은) 전조(前兆). ¶～がいい 좋은 징조다.

さいさん【再三】 副 재삼; 두번 세번; 여러 번. ¶～の注意ゲ゚にもかかわらず 여러 번 주의했는데도 불구하고.
──さいし【──再四】 副 재삼 재사('三의 힘줌말).

＊さいさん【採算】 图 채산. ¶～割れ 채산이 맞지 않음. ──がとれる〔合゚う〕채산이 맞다.

＊ざいさん【財産】 图 재산. ¶～刑゚〖法〗재산형 / ～税゚ 재산세.

さいし【才子】 图 재자; 재사(才士).
──才゚に倒゚れる 재사는 (제) 재주에 넘어진다.

さいし【妻子】 图 처자. ＝つまこ.

さいし【祭司】 图 (유태교에서) 제사장(長). ②제사; 종교상의 식전을 집행하는 사람.

さいし【祭祀】 图 제사. ＝まつり. ¶祖先゚の──조상의 제사 / ～を行ゲ゚う 제사를 지내다. 〔──祭 의식.

さいじ【祭事】 图 제사; 신을 기리는 제.

さいじ【細事】 图 세사; ①사소한 일. ¶～にこだわらない 사소한 일에 구애하지 않다. ②자세한 사항(내용).

さいじ【細字】 图 세자; 작은 글씨. ¶～書゚き 잔 글씨를 잘 쓰는 사람.

さいしき【彩色】 图 채색; 색깔들. ¶～を施゚す 채색을 하다.

さいしき【才識】 图 재식; 재지(才知)와 식견.

＊さいじつ【祭日】 图 제일. ①신사(神社)의 제사가 있는 날. ②일본 궁중에서, 중요한 제사가 있는 날. ③神道゚゚에서, 죽은 사람의 넋을 제사하는 날.

さいしつ【在室】 图 ス自 재실; 방에 있음.

ざいしつ【材質】 图 재질. ①재목의 성질. ②목질부(木質部). ③(미술 등에서) 재료의 성질.

ざいしつ【罪質】 图 죄질; 범죄의 성.

＊さいして【際して】 連語 〈に를 받아서〉 …에 처하여; …을 당하여. ¶出発゚゚に～ 출발에 즈음하여 / 非常時゚゚に～ 비상시에 처하여.

ざいしゃ【在社】 -sha 图 ス自 재사. ①회사에 있음. ¶午前中゚゚゚～ 오전 중

재사. ②회사에 재직함. ¶～二十年 ゚゚゚゚ 재사 20년.

さいしゅ【採取】 -shu 图 ス他 채취. ¶血液゚゚゚～ 혈액 채취; 채혈.

さいしゅ【齋主】 -shu 图 재주; 신관(神官)을 불러 제사를 지내는 주최자. ＝いわいぬし.

さいしゅ【祭主】 -shu 图 제주. ①(伊勢゚ 신궁의) 신관(神官)의 우두머리. ②주로 제사를 맡아 지내는 사람. ＝主祭゚゚.

ざいしゅ【罪種】 -shu 图 죄종; 범죄의.

さいしゅう【採集】 -shū 图 ス他 채집. ¶鉱物゚゚゚～ 광물 채집 / 昆虫゚゚゚～ 곤충 채집.

＊さいしゅう【最終】 -shū 图 최종; 맨나중. ¶～学年゚゚゚ 최종 학년 / ～便゚゚ (우편・운송의) 최종편 / ～回〖野〗마지막 9회. ＝最初゚゚゚.

ざいじゅう【在住】 -jū 图 ス自 재주; 거주. ¶～外人゚゚゚ 거주 외국인.

さいしゅつ【歳出】 -shutsu 图 세출. ↔歳入゚゚゚.

さいしゅつにゅう【歳出入】 -shutsunyū 图 세출입.

さいしゅっぱつ【再出発】 -shuppatsu 图 ス自 재출발.

＊さいしょ【最初】 -sho 图 최초. ¶～のうちはおとなしかった 처음 얼마 동안은 얌전하였다 / ～のページから誤植゚゚゚がある 첫 페이지부터 오식이 있다. 注意 副詞的으로도 쓰임. ↔最後゚゚゚・最終゚゚゚.

さいじょ【才女】 -jo 图 재녀; 재주 있는 여인; 재원. ＝才媛゚゚゚.

さいじょ【妻女】 -jo 图 ①아내. ②아내와 딸.

ざいしょ【在所】 -sho ㊀图 ①거처; 사는 곳. ②출신지의 시골. ㊁스 自 사무소・연구소 등에 근무하고 있음.

さいしょう【宰相】 -shō 图 재상; 수상; 국무 총리.

さいしょう【最小】 -shō 图 최소; 가장 작음. ↔最大゚゚゚. ¶──げん【──限】최소한(도). ↔最大限゚゚゚゚. ──こうばいすう【──公倍数】-kōbaisū 图 최소 공배수. ↔最大公約数゚゚゚゚゚.

さいしょう【最少】 -shō 图 최소. ①가장 적음. ↔最多゚゚゚. ②가장 젊음; 최연소. ↔最長゚゚゚.

＊さいじょう【最上】 -jō 图 최상. ¶～段゚に 최상단で / ～の喜゚゚び 최상의 기쁨 / ～の品゚ 최상품 / ～級゚゚ 최상급. ↔最下゚゚.

さいじょう【斎場】 -jō 图 ①재장; 장례식을 올리는 장소. ②제사 지내는 깨끗한 장소. 〔의 증거.

ざいしょう【罪証】 -shō 图 죄증; 범죄.

ざいじょう【罪状】 -jō 图 죄상.

さいしょく【才色】 -shoku 图 재색.

さいしょく【菜食】 -shoku 图 ス自 채식. ¶～主義゚ 채식주의. ↔肉食゚゚゚.

ざいしょく【在職】 -shoku 图 ス自 재직. ¶～年限゚゚゚ 재직 연한.

さいしん【再審】 图 ス他 재심. ¶～を請求゚゚゚する 재심을 청구하다.

さいしん【最新】 图 최신. ↔最古゚゚゚.

さいしん【細心】 〖ゲ〗세심. ¶～に注意゚゚゚を払゚う 세심한 주의를 기울이

さいじん【才人】 名 재인；재사(才士).

さいじん【祭神】 名 제신；그 신사(神社)에 모신 신.

サイズ 名 사이즈；크기；치수. ＝寸法. ¶キング～ 킹사이즈；특대. ▷ size.

*さいせい【再生】 名 自他 재생. ¶～の喜び 재생의 기쁨 / ～品 재생품 / ～ゴム 재생 고무 / 録音かの～ 녹음 재생. ⇔厚生.

さいせい【再製】 名 他 재제. ¶～毛織物もの 재생 모직물 / ～フィルム 재생 필름 / ～あめ 재제[정제] 엿. 参考 '再生'는 같은 것을 다시 만든다는 뜻이며, '再製'는 별개의 제품을 만든다는 뜻. 〔제정 일치〕

さいせい【祭政】 名 제정. ¶～一致がっ 제정 일치.

ざいせい【在世】 名 自 재세. ＝存命ざん. ¶～中ちゅの彼を知っている人々が生前の彼を知っている人々か生前の彼を知っている人々가 생전의 그를 알고 있는 사람들.

*ざいせい【財政】 名 재정. ¶～学がく 재정학 / 地方ほうの～ 지방 재정.

さいせいき【最盛期】 名 최성기；전성기. ¶ローマ帝国こくの～ 로마 제국의 전성기. 「산.

さいせいさん【再生産】 名 他 재생

さいせき【採石】 名 自 채석. ¶～場ば 채석장 / ～作業ぎょ 채석 작업.

ざいせき【在席】 名 自 재석；자기 자리에 있음.

ざいせき【在籍】 名 自 재적. ¶～議員ぎん 재적 의원.

ざいせき【罪責】 名 죄책；범죄의 책임. ¶～感かん 죄책감.

さいせん【再選】 名 他 재선.

さいせん【賽銭】 名 새전；신불에 참배하여 올리는 돈(＝賽銭箱(佛教)・연보금 (捐補金) 등). ¶～箱ばこ (신사나 절의 당 앞에 놓인) 새전함(函).

さいぜん【最前】 □ 名 재전；맨 앞. ‖さいぜん〔最前〕 조금 전；아까. ＝先ほど. ¶～もお話はししたとおり 아까도 말한 바와 같이.

*さいぜん【最善】 名 최선. ¶～を尽つくす 최선을 다하다. ↔最悪あく.

さいせんきょ【再選挙】-kyo 名 他 재선거.

さいぞう【才蔵】-zō 名 ①만담에서 주연자의 상대역을 하는 익살꾼. ②<蔑> 교묘하려고 방장구를 잘 치는 사람.

**さいそく【催促】 名 他 재촉；독촉. ¶～状じょ 독촉장 / ～がましい言いい草ぐさ 재촉하는 투의 말씨.

さいそく【細則】 名 세칙. ¶施行行こ～ 시행 세칙. ↔概則がい・総則そ・通則つ.

ざいぞく【在俗】 名 <佛> 재속；재가(在家). 출가하지 않고 속인(俗人)인 채로 있음；또, 그 사람. 在家けん. ↔出家しゅ. 「↔最少しょ.

さいた【最多】 名 최다. ¶～数す 최다수

サイダー 名 사이다. ▷cider.

さいたい【妻帯】 名 처대；아내를 취함；대처. ¶～者しゃ 대처자；아내가 있는 자.

さいだい【最大】 名 최대. ¶～多数すの～幸福ふく 최대 다수의 최대 행복. ↔最小しょ. ――げん【――限】 名 최대한

(도). ↔最小限げん. ――こうやくすう【――公約数】-kōyakusū 名 <數> 최대 공약수. ↔最小公倍数ごう.

さいたく【採択】 名 他 채택.

ざいたく【在宅】 名 自 재택；(자기) 집에 있음. ¶明日ばは御お～ですか 내일은 댁에 계십니까.

さいたん【採炭】 名 他 채탄. ¶～量りょ 채탄량. 「최단 거리.

さいたん【最短】 名 최단. ¶～距離きょ

さいだん【祭壇】 名 제단.

*さいだん【裁断】 名 他 재단. ①마름질. ＝カッティング. ②일의 옳고 그름을 판정함.

*ざいだん【財団】 名 재단. ¶～法人じん【――法人】-hōjin 名 <法> 재단 법인. ↔社団法人じん. 「지혜.

さいち【才知】【才智】 名 재지；재주.

さいち【細緻】 名 치밀. ¶～な計画ごう 치밀한 계획.

さいちゅう【最中】-chū 名 한창(인 때)；한중간. ＝さなか. ¶試合あいの～に 한창 경기중에.

ざいちゅう【在中】-chū 名 재중. ¶写真しん～ 사진 재중.

さいちょう【最長】-chō 名 최장. ①가장 긺. ↔最短たん. ②가장 우수함. ③최연장. ↔最少しょ.

さいちょうさ【再調査】-chōsa 名 他 재조사.

さいちょうほたん【採長補短】 saichō-名 채장보단；남의 장점을 본받아서 자기 결점을 메움.

さいづち【才槌・木槌】 名 소형의 나무망치. ――頭あたま 名 장구머리.

*さいてい【最低】 名 최저；최하. ¶～賃銀ぎん 최저 임금. ↔最高こう.

さいてき【最適】 名 최적. ¶～の人事じ 가장 적절한 인사.

さいてん【再転】 名 自 재전；다시 바뀜. ¶状況じょが～する 상황이 또 바뀌다. 「표 채점표.

*さいてん【採点】 名 他 채점. ¶～表

さいてん【祭典】 名 제전. ¶春はの～ 봄의 제전.

さいでん【祭殿】 名 제전；제사를 거행하는 건물.

ざいてん【在天】 名 自 재천. ¶人命じん～ 인명은 재천. ――の靈れい 재천지령(죽은 이의 영혼).

さいど【再度】 名 두 번；재차. ¶～のお願いい 다시 한번의 부탁.

さいど【済度】 名 他 <佛> 제도. ¶しがたい人を제도 못 할 사람.

サイド 名 사이드. ①옆(쪽). ¶～スロー【野】 사이드 스로；공을 옆으로 던지기 / プール～ 풀 옆. ②측(면)；방면. ¶日銀ぎんの見通とおしによれば 일본 은행측의 전망에 의하면 / ～カー 名 side car. ――ブレーキ 名 사이드 브레이크；(자동차의) 수동 브레이크. ――ワーク 名 부업. ▷ side work.

さいとく【才徳】 名 재덕.

さいどく【再読】 名 他 재독；다시〔고처〕 읽음.

さい な-む【苛む・嘖む】 ⑤他 ①들볶다；괴롭히다. ¶まま子を～의붓자식을 들볶다／悪事を～に～．まれる 악몽에 시달리다. ②꾸짖다；책망하다. ¶良心炎に～．まれる 양심의 가책을 받다.

＊さいなん【災難】 图 재난. ＝わざわい. ¶とんだ～ 뜻밖의 재난／～に出会き う 재난을 당하다.　　　「出だ.

さいにゅう【歳入】 图 -nyū 세입. ↔歳

さいにん【再任】 图 ㅈ自他 재임.

さいにん【再認】 图 他 재인. ①재인식. ②재인가(再認可).

ざいにん【在任】 图 ㅈ自 재임；임무를 맡고 있음. ¶～中勞, 大過홗なく 재임중을 대과 없이.

ざいにん【罪人】 图 죄인.

さいねん【再燃】 图 ㅈ自 재연. ¶消え た火勞が～した 꺼진 불이 다시 타올랐다／汚職事件勞が～する 독직 사건이 다시 문제가 되다.

＊さいのう【才能】 图 -nō 재능.

さいのう【採納】 图 他 채납；채용；채택. ¶意見똜を～する 의견을 채택하다.

さいのかわら【賽の河原】 图【佛】죽은 아이가 저승에서 부모의 공양을 위해서 돌을 쌓아 탑을 만드는 삼도(三途)내의 모래 강변(쌓는 족족 악귀가 이를 부수지만 지장 보살이 구해 준다고 함). ②전하여, (끝없는) 헛된 노력. ¶～の石積궁み 헛된 노력의 비유.

さいのめ【賽の目・采の目】 图 ①주사위의 눈. ②주사위 모양(의 작은 입방체). ¶～に切ŕ주사위 모양으로 썰다.　　　　　　　　　「ロジー).

さいのろ【妻のろ】【妻鈍】 图 =サイ ノサイノロジー.

サイノロジー〈雅〉아내에게 무릎；또, 그런 사람；공처가. ＝さいのろ. 注意 サイコロジー (psychology)의 말씨를 흉내낸 외래어풍의 말.

さいはい【采配】 图 ㅈ他 재배；거듭 절하여. ¶～三拝훐して頼啖む 재배 삼배하여 부탁하다. ②ान지 끝에 쓰는 말. ¶頓首堷～ 돈수 재배.

さいはい【采配】 图 ①(옛날 싸움터에서 대장이 쓰던) 지휘채. ②지휘；지시. ¶～に従う 지시에 따르다. ──を振る 지시(지휘).

＊さいばい【栽培】 图 ㅈ他 재배. ¶～漁 業늻 재배[양식] 어업.

さいばし【菜ばし】【菜箸】 图①음식을 쩌거나 굶거나 할 때 쓰는 긴 젓가락. ②반찬이나 과자를 도르는 데 쓰는 긴 젓가락.

さいばし-る【才走る】 ⑤自 재기가 넘치다. ¶～った顔 재기가 넘친 얼굴／～った男 約宗 약아빠진 사나이. 語感 흔히, 좋지 않은 뜻으로 쓰임.

さいはつ【再発】 图 他 재발. ¶病気 勞が～する 병이 재발하다.

＊ざいばつ【財閥】 图 재벌. ¶新興 즐녀～ 신흥 재벌.　　　　　「ㅈ他 재발견.

さいはっけん【再発見】 -hakken 图

さいはて【最果て】 图 맨 끝(인 장소)；땅 끝. ¶～の町ŝ (육지의) 맨 끝에 있는 도시. ──の国즐 (일본에서의) 북해도.

さいばら【催馬楽】 图【楽】奈良롷시대의 속요(俗謠)를 平安롷 시대에 아악형식으로 가곡화한 곡.

さいはん【再犯】 图 ㅈ自 재범(자). ¶～者늻 재범자 ↔初犯즐.　　　　「版.

さいはん【再版】 图 채용[재배] 여부.

＊さいばん【裁判】 图 ㅈ他 재판. ↔初版. ↓軍事ŝۂ～ 군사 재판／～所늻 재판소；법원.

さいひ【採否】 图 채용[재배] 여부.

さいひ【歳費】 图 (특히, 국회 의원의) 세비.

さいひつ【才筆】 图 재필；좋은 문장(을 쓰는 재주). ¶～をふるう 좋은 문장을 쓰다.

さいひつ【細筆】 图 세필；초필. ①가는 붓. ~ほそ으で. ②잘게 쓴 글씨；細書궁.　　　　　「船ŝ 쇄빙선.

さいひょう【砕氷】-hyō 图 쇄빙. ¶～

＊さいふ【財布】 图 돈지갑. ¶～の口ŝを しめる (돈을) 낭비 않도록 하다. ──の 底줄をはたく 있는 돈을 몽땅 써 버리다[털다].

さいぶ【細部】 图 세부. ¶～にわたって説明鰃する 세밀한 부분까지 설명하다.

ざいふ【在府】 图 ㅈ自 江戸롷 시대에 大名훐나 그 가신(家臣)이 江戸에 나와서 근무하던 일.　　　　「재주꾼.

さいぶつ【才物】 图 재사；재주 있는 인물；

ざいぶつ【財物】 图 재물. ＝ざいもつ. ①돈과 물건, ②보배；보물.

さいぶん【細分】 图 他 세분.

さいぶん【祭文】 图 제문.　　　　　「늻.

さいべつ【細別】 图 他 세별. ↔大別

さいへん【再編】 图 他 재편. ‘再編成꿍늬(＝재편성)’ ‘再編集훐쓩꿍(＝재편집)’의 준말.

さいへん【砕片】 图 파편；파쇄(破片).

さいぼ【歳暮】 图 세모. ＝年末훐.

＊さいほう【裁縫】-hō 图 재봉；바느질. ¶～が上手늻だ 바느질을 잘한다.

さいほう【西方】-hō 图 서방. ①서쪽. ②‘西方浄土뺭띥쓩(＝서방 정토)’의 준말；극락 정토.

＊さいぼう【細胞】-bō 图 세포. ＝さいほう. ¶共産党뱐쓩룐の～ 공산당(의) 세포／～組織 세포 조직／～分裂 세포 분열.

ざいほう【財宝】 图 재보；재산과 보물. ¶金銀쓩～ 금은 재보.

サイボーグ 图 사이보그. ①인공 장기(臟器)로써 신체 일부가 개조된 인간. ②인조 인간. ▷cyborg.

サイホン 图 사이펀. ＝サイフォン. ①액체를 높은 곳에서 낮은 곳으로 옮기는 데 쓰는 굽은 유리관. ②유리로 만든 커피 끓이는 기구. ▷siphon.

さいまつ【歳末】 图 세말；연말；세모. ＝年末늻. ¶～助로け合햐い運動쓩～ 연말 (이웃) 돕기 운동.

さいみつ【細密】 ㄱ动 세밀；정밀. ¶～な注意홗 세밀한 주의／～画 정밀화.

さいみん【催眠】 图 최면. ──じゅつ ──術 -jutsu 图 최면술. ¶～を掛ける 최면술을 걸다.

さいむ【債務】图 채무. ¶～者は 채무자. ↔債権.

ざいむ【財務】图 재무. ¶～諸表㌍㌍ 재무 제표 ; ～官㌍ 재무관(해외에 주재하는 재무 관계 공무원).

ざいめい【罪名】图 죄명. ¶～をすすぐ 죄명을 씻다. 「목.

さいもく【細目】图 세목 ; 자세한 조

ざいもく【材木】图 재목 ; 목재.

さいもん【祭文】图 ☞さいぶん.

ざいや【在野】图 재야.

さいやく【災厄】图 재액. ¶～が降りかかる 재액이 닥치다.

さいゆ【採油】图 スタ 채유. ①기름을 짬. ②석유를 파냄. ¶～権㌍ 석유 채굴권.

＊さいよう【採用】-yō 图他 채용. ¶～試験㌍ 채용 시험 ; 意見㌍㌍を～する 의견을 채용하다.

さいらい【再来】图 スタ 재래. ①다시 옴. ②다시 이 세상에 태어남. ¶お釈迦㌍さまの～ 부처님의 재래.

ざいらい【在来】图 재래 ; 지금까지 보통 있어온 것.

さいりゃく【才略】-ryaku 图 재략. ¶～にたけた人は 재략이 뛰어난 사람.

さいりゅう【細流】-ryū 图 세류 ; 작은 시내. =小川㌍㌍.

ざいりゅう【在留】-ryū 图 スタ 재류.

さいりょう【才領】-ryō 图 スタ ①단속함 ; 또, 그 사람. ②운송하는 화물·인부를 관리(감독)함 ; 또, 그 사람. ③단체 여행의 안내(자).

＊さいりょう【最良】-ryō 图 최량 ; 최선. ↔最悪㌍㌍.

さいりょう【裁量】-ryō 图他 재량. ¶自由㌍な～ 자유 재량 ; 君㌍の～にまかせる 네 재량에 맡긴다.

ざいりょう【材料】-ryō 图 ①재료. ㉠원료 ; 자재. ¶建築㌍用～ 건축 재료. ㉡자료 ; 데이터. ¶～を提供㌍する 자료를 제공하다. ②시세를 등락시키는 원인. ¶悪㌍～ 악재 / 好㌍～ 호재(好材). 「제력.

ざいりょく【財力】-ryoku 图 재력 ; 제

さいりん【再臨】图 スタ〖宗〗재림. ¶キリストが～する 예수가 재림하다.

ザイル 자일 ; 등산용 밧줄. ▷도 Seil.

さいるい【催涙】图 최루. ¶～ガス〔彈㌍〕최루 가스〔탄〕. 　　「식.

さいれい【祭礼】图 제례 ; 제사의 의

サイレン 사이렌 ; 경적(警笛). ¶～を鳴㌍らす 사이렌을 울리다. ▷siren.

サイレント 사일런트. ①무성 영화. ↔トーキー. ②철자 중 어느 문자를 발음하지 아니함 ; 또, 그 문자 ; 무음(無音). ▷silent.

サイロ 사일로. ①한랭 지대의 목초 저장용 원탑형의 창고. ②사일로 모양의 창고. ¶ミサイルの～ 미사일 사일로. ▷silo.

さいろう【豺狼】-rō 图 시랑 ; 승냥이와 이리 ; 전하여, 잔인하고 욕심 많은 사람.

さいろく【採録】图他 채록 ; 뽑아내어 기록함 ; 또, 그 기록.

さいろく【載録】图他 재록 ; 책이나 기록에 써서 실음. =記載㌍.

さいろん【再論】图他 재론. ¶～す

る余地㌍がない 재론할 여지가 없다.

＊さいわい【幸い】□图 ダナ 다행 ; 행복. =しあわせ. ¶～な生活㌍㌍ 행복한 생활. □副 다행히. ¶～にして 다행히 ; 운좋게 / ～(に)それで間㌍に合㌍った 다행히 그것으로 충족되었다. 三ス直 좋은 결과가 되도록 작용함. ¶風㌍がこの～した 바람이 도왔다.

さいわりびき【再割引】图他 재할인. =さいわり.

さいわん【才腕】图 재완 ; 수완. ¶～を振㌍るう 수완을 발휘하다.

＊サイン 图 スタ ①서명. =署名㌍㌍. ¶～ブック 사인북 ; 신호 ; 암호. ¶キャッチャーの～〖野〗캐처의 사인〔신호〕. ▷sign. 　　　　　▷

サイン〖數〗사인〔正弦〕.

ざいん【座員】图〖劇団의〕단원.

サウスポー 사우스포. ①〖野〗왼손잡이 투수. ②(권투의) 왼손잡이 선수. ▷southpaw.

サウナ 사우나(탕) ; 한증탕식 목욕탕. =サウナ風呂㌍㌍. ▷Sauna.

サウンド 사운드. ①소리 ; 음향. ¶～録音㌍(을 재생)한 소리. ▷サウンドトラック -torakku 사운드트랙(영화 필름 한 옆의 녹음되어 있는 부분). =サントラ. ▷sound track. ▷サウンドブック -bukku 사운드북 ; 어학 연습용 녹음 테이프 따위의 총칭. ▷일 sound book.

さえ【冴え】图 ①(빛·색깔·음 따위가) 산뜻함 ; 아주 맑음. ②(솜씨 등이) 훌륭하고 뛰어남. ¶頭㌍の～ 머리의 명석함〔총기〕/ 腕㌍の～を見㌍せる 뛰어난 솜씨를 보이다.

さえ 劻 ①〔口語에서는 보통, 否定을 수반하여〕까지도 ; 조차 ; 마저. ¶専門家㌍㌍㌍の彼㌍も～知㌍らなかった 전문가인 그마저 몰랐다 / 自分㌍の名前㌍さえ～書㌍けない 자기 이름조차도 못 쓴다. ②'ば'를 수반하여〕그 조건만으로 일이 충족됨을 나타냄 ; …만…면. ¶これ～あればいい 이것만 있으면 족하다 / きたなく～なければどれでもいい 더럽지만 않다면 어느 것이든 좋다. ③첨가하는 뜻을 나타냄 ; 그 위에 ; 게다가. ¶雨㌍だけではなく、雷㌍も鳴㌍りだした 비뿐 아니라 천둥까지도 울리기 시작했다.

さえかえ-る【冴え返る】 5直 ①매우 맑다. ㉠星㌍の空㌍ 별빛이 유난히 반짝이는 하늘 / 月㌍が～ 달빛이 교교하다. ②살을 에듯 매섭게 춥다. ③여한(餘寒)이 되추워지다.

さえき【差益】图 차익. ¶～金㌍ 차익금 / 為替㌍㌍～ 환(換) 차익. ↔差損㌍.

＊さえぎ-る【遮る】 5他 가리다 ; (가로)막다 ; 차단하다. ¶発言㌍を～ 발언을 가로막다 / 光㌍を～ 빛을 가리다.

さえずり【囀り】图 (새가) 지저귐.

＊さえず-る【囀る】 5直 (새가) 지저귀다 ; 전하여, (여자나 아이들이 시끄럽게) 재잘거리다. ¶カナリヤが～ 카나리아가 지저귀다 / よく～女㌍㌍の子 잘도 재잘거리는 여자로군.

さえつ【査閲】图 スタ 사열.

＊さ-える【冴える】 下1直 ①맑고 깨끗하다. ㉠(빛·빛깔·소리 등이) 선명하

다 ; 산뜻하다. ¶〜-えた音色ﾈ ﾈ 맑은 음색. ㉁(머릿속이) 또렷해지다. ¶頭ﾀﾏが〜 머리가 맑아지다. ②뛰어나다 ; 훌륭하다. ¶〜-えた腕前ﾏﾏ 뛰어난 솜씨. ③스며들게 춥다 ; 냉랭하다. ¶冬ﾕの〜-えた夜寒ﾖ ﾏ 겨울의 냉랭한 밤추위. ④〖否定을 수반한 전제로서〗 반짝 띄지 않다. ㉠생기가 없다. ¶顔色ﾏﾏが〜-えない 안색이 흐리다/気分ﾌﾝが〜-えない 마음이 울적하다. ㉡어딘가 (좀) 부족하다 ; 신통치 않다. ¶〜-えない成績ﾏ ﾏ 신통치 않은 성적. ⑤『目ﾒが〜』 눈이 말똥말똥해지다 ; 잠이 안 오다 : 눈이 말똥말똥해지다.

さえわた-る【冴え渡る】[5自] (구석구석까지) 맑게 갠 가을 하늘.

*さお【竿・棹】图 ①(대나무로 된) 장대 ; 작대기. ¶物干ﾟの竿ﾟ 빨래 장대. 장대 ; 상앗대 ; =みさお. ③저을대. ③三味線ﾟﾟﾟ의 줄이 메워져 있는 길쭉한 부분 ; 또, 三味線. ⑤멜대. 〔接尾〕(장롱・옷궤・깃대 등) 물건을 셀 때 쓰는 말. ¶たんす, 三〜 장롱 세 짝/ ⑵를 渡るるガンの 列ﾟﾟ 하늘을 나는 기러기 한 때.

さおさ-す【竿さす・棹さす】[5自] ①삿대질하다 ; 상앗대질하여 ; 배를 젓다. ¶流れﾟに〜 흐르는 물에 삿대질하다. ②편승하다 ; 타다. ¶時流ﾟﾟに〜 시류에 편승하다. 〔대. =たけさお〕

さお-だけ【竿竹】图 대나무 장대.

さお-だち【竿立ち・棹立ち】图 (말 따위가) 뒷발로 곧추 섬. =棒立ﾟﾟち.

さおとめ【早乙女】 《早少女・五月少女》图 〔雅〕모내기하는 처녀 ; 전하여, 일반적으로 소녀 ; 처녀. =さおとめ.

さおばかり【竿秤・棹秤】图 대저울. ↔皿ﾟばかり.

さおひめ【佐保姫】图 봄의 여신. ↔竜田姫ﾟﾟ.

*さか【坂】《阪》图 고개(비유적으로도 씀). ¶〜になる 비탈지다/四十ﾟﾟﾟﾟの〜に(さし)かかる (나이가) 40고개를 바라보다.

さか【茶菓】图 다과 ; 차와 과자.

さが【性・相】图 ①(타고난) 천성 ; 성질. ¶かなしき〜 어쩔 수 없는 슬픈 약속습성 ; 습성 ; 습관.

ざが【座臥・坐臥】图 区自 좌와 ; 기거(起居) ; 동작 ; 일상 생활. =おきふし.

さかあがり【逆上がり】图 〔철봉 체조에서〕거꾸로 오르기.

さかい【界】《境》图 ①경계. ¶畑ﾟﾟと道ﾟﾟとの〜 밭과 길의 경계. ②갈림길 ; 기로. ¶生死ﾟﾟﾟの〜 생사의 기로. ③(어떤 범위내의) 땅 ; 장소. ¶清浄ﾟﾟﾟの〜 맑고 깨끗한 곳.

さかいめ【境い目】图 ①경계선 ; 갈림길. ②『運命ﾟﾟの〜』 운명의 갈림길.

さかうらみ【逆恨み】图 他 ①원한이 있는 사람으로부터 도리어 원한을 받음. ②호의를 곡해하여 도리어 원한을 품음.

*さか-える【栄える】[下1自] 성해지다 ; 번영하다. ¶店ﾟﾟが〜 가게가 번창하다.↔衰ﾟﾟえる.

さかおとし【逆落(と)し】 ㊀图 他 거꾸로 떨어뜨림. ㊁图 区自 (말 따위를

타고) 절벽 등을 한달음에 내려감.

さかき【榊】图 《植》비쭈기나무(옛날에는, 신사(神社)의 경내에 심는 상록수의 총칭). 〖参考〗예로부터, 신성한 나무로서 그 가지는 신전(神前)에 바침.

さがく【差額】图 차액. ¶〜を返すﾟ 차액을 반환하다.

さかご【逆子】图 《逆児》역아 ; 거꾸로 태어나옴 ; 또, 그 아이.

*さかさ【逆さ】图 'さかさま'의 준말. ¶〜につるす 거꾸로 매달다/〜に富士ﾟﾟ 물위에 거꾸로 비친 富士山ﾟﾟ.

さかさことば【逆さことば・逆さ言葉】图 ①뜻을 반대로 말함 ; 반어(反語) ('かわいい'=귀엽다)를 'にくい'(=밉다)'로 말하는 따위). ②어음(語音)의 순서를 거꾸로 말함('ねた'=신문 기사 거리)'를 'ねた'로 말하는 따위).

**さかさま【逆様】《倒》[ﾀﾞ] 거꾸로 됨 ; 역(逆). =逆さﾟﾟ・ぎゃく. ¶頭ﾏ ﾏから〜に落ﾟﾟちる 머리를 아래로 거꾸로 떨어지다 ; 곤두박이치다.

さがしあ-てる【探し当てる・捜し当てる】[下1他] 찾아내다. ¶やっと〜 겨우 찾아내다.

さかし-い【賢しい】-shi 彨 〈方〉 ①영리하다 ; 약삭빠르다 ; 잔꾀가 많다. ②건방지다.

さかしお【酒塩】图 (조리할 때) 조미료로서 넣는 술 ; 또, 그 술.

さがしもの【探し物・捜し物】图 물건을 찾음 ; 또, 그 물건. ¶〜が出ﾟﾟて来ﾟた 찾던 물건이 나왔다.

ざがしら【座頭】图 ①극단 등의 우두머리 ; 특히, 《歌舞伎》등의) 주역 배우. ②좌상(座上).

*さが-す【探す・捜す】[5他] 찾다. ¶血眼ﾏﾏになって〜 혈안이 되어 찾다/落ﾟﾟし物ﾟﾟを〜 잃은 물건을 찾다.

*さかずき【杯】《盃・杯・盞》图 ①술잔. ¶〜を干ﾟす 술잔을 비우다/〜を含ﾟﾟむ (잔을 입에 대고 천천히) 술을 마시다. ¶さかずきごと②. 〜を回ﾟﾟす ①술잔을 되돌리다. ②부하가 두목과의 인연을 끊다. ¶〜をもらう. ──を傾ﾟﾟける 술잔을 기울이다(술을 마시다). ──をもらう 부하가 되다.

さかずきごと【杯事】图 ①술잔을 나누어 약속을 굳힘(부부・의형제・주종(主従) 관계를 맺는 맹세의 술잔). ②술잔치 ; 주연(酒宴). =さかもり.

さか-せる【咲かせる】[下1他] 꽃이 피게 하다 ; 꽃피우다. ¶花ﾟﾟを〜 꽃을 피우다(사회적으로 활약하다).

さかだい【酒代】图 술값. =酒手ﾟ ﾟ.

*さかだち【逆立ち】㊀图 区自 거꾸로 섬 ; 곤두섬 ; 물구나무 서기 ; 또, 거꾸로 되어 있음. ──しても 副 〈밑에 否定을 수반하여〉아무리 애써도〔부득등처도〕.

さかだ-つ【逆立つ】[5自] 거꾸로 서다 ; 곤두서다. ¶髪ﾟﾟの毛ﾟが〜 머리털이 곤두서다.

さかだ-てる【逆立てる】[下1他] 세우다 ; 곤두세우다. ¶髪ﾟﾟの毛ﾟを〜 머리카락을 곤두세우다.

さかだる【酒樽】图 술통.

さかて【酒手】图 ①팁 ; 행하(行下). =チップ. ¶〜をはずむ 행하를〔팁을〕

듬뿍 주다. ②술값. =酒代ᵈᵃⁱ.

さかて【逆手】图 거꾸로 쥠. ¶短刀
ᵗᵃⁿᵗᵒ を〜に持ᵐᵒⁱつ〔칼날이 새끼손가락 쪽
으로 가게〕 단도를 쥐다.

さかとんぼ【逆とんぼ】〔逆蜻蛉〕-tom-
bo 图 'さかとんぼ返ᵍᵃᵉりᵉ'의 준말; 〔머
리로 넘는〕 공중제비기; 뒤로 재주넘기.

‡**さかな**【魚】图 물고기; 생선. ¶〜屋ᵧᵃ
생선 가게〔장수〕.

‡**さかな**【肴】图 술안주; 전하여, 주흥
을 돋구는 노래·춤·화제. ¶〜に踊ᵒᵈᵒる
을 좋아하다〔잘하다〕.

さがな-い【性無い】形 성질이 나쁘다 ;
심술궂다. ¶〜い 일걸게 남의 험담을
좋아하다〔잘하다〕.

さかなつり【魚釣り】图 낚시질. =う
おつり.

さかなみ【逆波】〔逆浪〕图 역랑; 광도

ざがね【座金】图 좌금; 나사 끼우기 따
위에 다는 철물의 바닥에 붙이는 장식용
의 철물〔장롱 손잡이에 붙이는 금속판
따위〕.

さかねじ【逆ねじ】〔逆捩じ〕图 ①거꾸
로 비틂. ②빈말·항의 따위를 되받아
반박함 ; 역습. ¶〜をくわせる 역습하
다 ; 되쏘아 주다.

***さかのぼ-る**【遡る·溯る】五自 거슬러
올라가다. ①〔물의〕 흐름과 반대로 올
라가다. ¶川ᵏᵃわを〜 강을 거슬러 올라
가다. ②〔시간적으로〕 소급하다. ¶賃
上ᵃげは四月ᵍᵃᵗsᵘより〜 임금 인상은 4월
로 소급하여 실시한다. ③과거사를〔근
원을〕 더듬다. ¶昔ᵐᵘᵏᵃᵗᵗᵉに〜って考ᵏᵃⁿᵍ
える 옛날로 거슬러 올라가서 생각하다.

さかば【酒場】图 술집 ; 바.

さかま-く【逆巻く】五自 파도가 흐름
을 거슬러 소용돌이치다. ¶〜大波ᵒⁿᵃᵐⁱ
소용돌이치는 큰 파도.

さかみち【坂道】图 비탈길 ; 언덕길.

さかむけ【逆剝け】〔逆剝け〕ス自 손
거스러미. = ささくれ.

さかもぎ【逆茂木】图 (적의 침입을 막
기 위한) 가시나무 울타리 ; 녹채(鹿
砦). = ろくさい. ¶〜〔주연〕

さかもり【酒盛(り)】图 ス自 술잔치 ;

***さかや**【酒屋】图 술을 빚는 사람
〔집〕. 술집 ; 술장수.

*‡**さかやき**【月代】图 ①平安ᵉⁱᵃⁿ 시대에,
남자가 관(冠)이 닿는 이마 언저리로
부터 머리 털을 반달형으로 깎은 일 ;
또, 그 부분. ②江戸ᵉᵈᵒ 시대에, 남자가
이마로부터 머리 한가운데까지 머리털
을 깎은 일 ; 또, 그 부분.

さかやけ【酒焼け】图 ス自 주독. ¶
〜で赤ᵃᵏᵃくなった顔ᵏᵃᵒ 주독이 올라 붉어
진 얼굴.

さかゆめ【逆夢】图 역몽 ; 실제의 사실
과는 반대되는 꿈. ↔正夢ᵐᵃsᵃᵧᵘᵐᵉ.

さかよせ【逆寄せ】图 ス自 역습 ; 반격.

***さから-う**【逆らう】五自 거스르다. ①
(반대 방향으로) 거슬러 나아가다.
¶風ᵏᵃᵉに〜って進ᵘsᵘᵐむ 바람을 거슬러 나
아가다. ②거역하다 ; 반항하다. ¶親
ᵒᵞᵃに〜 부모에게 거스르다〔거역하다〕.
=従ᵘしたがう.

***さかり**【盛り】图 ①한창(때). ¶日ʰⁱ
ざかり 한낮·働ʰᵃᵗᵃᵃᵏざかり (일생중)
한창 일할 때 / 花ʰᵃⁿᵃが今ⁱᵐᵃを〜と咲ᵃᵏ<
꽃이 한창 만발하다. ②발정 ; 암내. ¶
〜がつく 암내 내다 ; 발정하다.

さがり【下がり】图 ①(위치·정도·가
치·값 등이) 내려감 ; 낮아짐. ¶米価
ᵇᵉⁱᵏᵃの上ᵃがり〜 쌀값의 오르내림. ②
《낮·시각을 나타내는 말에 붙여서》정
각을 지남 ; 또, 그 때. ¶昼ʰⁱるの〜 한낮이
지남. ③〜お〜 손윗 사람에게서 내려
받은 물품. ¶親父ᵒᵧᵃじの〜 아버지에게
서 물려 받은 것.

さかりば【盛り場】图 늘 사람이 붐비
는 곳 ; 번화가. ↔場末ᵇᵃsᵘᵉ.

さか-る【盛る】五自 ①동물이 발정해
서 교미하다 ; 흘레 붙다. =つるむ. ②
번창하다. ③〔接尾語的으로〕 한창 왕
차게 되다 ; 활발해지다. ¶出ᵈᵉ〜 한창
쏟아져 나오다.

‡**さが-る**【下がる】五自 ①내리다. ②
(기온 등이) 내려가다. ¶熱ⁿᵉᵗsᵘが〜 열
이 내리다. ③(값·지위·성적·솜씨·명
성 등이) 떨어지다. ¶物価ᵇᵘᵗᵗᵏᵃが〜 물
가가 내리다 / 成績ᵉⁱsᵉᵏⁱが〜 성적이 내리
다〔떨어지다〕. ④드리워지다. ¶幕ᵐᵃᵏᵘ
が〜 막이 내리다. ↔上ᵃがる. ②(관청
이나 윗사람에게서 허가 등이) 나오다 ;
발부되다. ¶旅券ᵣᵧᵒᵏᵉⁿが〜 여권이 나오
다. ③수그러지다. ④(바지·양말 등이) 흘러
내리다. ¶ズボンが〜 바지가 흘러
내리다 ; 늘어지다 ; 매달리다. ¶つら
らが〜 고드름이 달리다. ⑥(궁중·관
공서에서) 물러나다 ; (京都ᵏᵞᵒᵗᵒ에서)
남쪽으로 가다 ; 내려〔돌아〕가다.
¶宿ᵞᵈᵒに〜 숙소로 돌아오다. ↔上ᵃがる.
⑦후퇴하다 ; 뒤로 물러나다. ¶五
歩ᵍᵒʰᵒ〜 다섯 발 뒤로 물러서다.

さかん【左官】图 미장이. =しゃかん.
¶〜屋ᵧᵃ 미장이.

‡**さかん**【盛ん·壮ん】形動 ①성함. ⑦
기세가 좋음 ; 또, 맹렬함. ¶火ʰⁱが
〜に燃ᵐᵒᵉえる 불이 활활 타다 / 敵ᵗᵉᵏⁱが
〜に攻撃ᵏᵒᵘᵍᵉᵏⁱして来ᵏᵘる 적이 맹렬한 기
세로 공격하여 오다. ⑥번성함 ; 번창
함. ⑥商売ᵇᵃⁱᵇᵃⁱが〜である 장사가 번창
하다. ⑥널리 행하여짐 ; 유행함. ¶野
球ᵞᵃᵏᵞᵘが〜だ 야구가 한창 유행이다.
②한창임. ⑦(기력 등이) 왕성함. ¶
老ᵒⁱいてますます〜だ 노익장이다. ⑥
계속적임. ¶〜に釣ᵗsᵘられる (고기가) 계
속적으로〔심심찮게〕 낚이다. ③적극적
으로〔활발히〕 행하여짐. ¶論議ᵣᵒⁿᵍⁱが
〜になる 논의가 활발해지다. ④열심
임. ¶〜に勉強ᵇᵉⁿᵏᵞᵒᵘする 열심히 공부한
다. ⑤융숭함 ; 성대함. ¶〜な歓迎ᵏᵃⁿᵍᵉⁱ
をする 성대한 환영을 하다.

さがん【左岸】图 좌안 ; 왼쪽 기슭. ↔
右岸ᵘᵍᵃⁿ.

さがん【砂岩】图 사암 ; 석영 등의 모래
알이 물속에 가라앉아서 굳어진 바위.
=しゃがん.

‡**さき**【先】图 ①앞. ⑦선두. ¶〜に立ᵗᵃ
って行ᵧᵘ< 앞에 서서 가다. ⑥앞. ⑥
전방. ¶この〜は海ᵘᵐⁱだ 이 앞은 바다
다. ↔後ᵘしろ. ②끝 ; 장소 ; 끝. ¶
行ᵧᵘき〜 행선지 / 届ᵗᵒᵈけ〜 보내줄〔전달
할〕 곳. ③앞날 ; 앞날 ; 전도. ¶〜を見ᵐⁱ
通ᵗᵒᵒsᵘ 앞(날)을 내다보다. ④먼저 ; 우
선. ¶彼ᵏᵃれが〜だ 그가 먼저다. ↔後ᵃᵗᵒ.
⑦전번. ¶〜に説明ᵉᵗsᵘᵐᵉⁱしたように 앞서
설명했듯이. ⑤끝. ¶はなの〜 코 끝 /
話ʰᵃⁿᵃᵉの〜を忘ᵂᵃsᵘれる 말끝을 잊다. ③

(장사나 교섭의) 상대(방); 저쪽을 잇다. ¶運賃は～で払う 운임은 상대방〔저쪽〕에서 지불한다. ④(이)전. ¶あとにも～にも 이후에도 이전에도.
—を争う 앞을 다투다.

さき【崎】名 ①〈雅〉갑(岬). 注意 단독으로는 보통 'みさき'라고 함. ②산부리. =でばな.

さき【左記】名 좌기; (세로 쓰기에서) 왼쪽에 적음, 곧 다음에 적음. ¶～の通り 좌기와 같음.

さぎ〖鷺〗名 〔鳥〕 백로; 해오라기. **—をからす** 백로를 까마귀라고 우기는 따위 어거지를 씀의 비유.

***さぎ**【詐欺】名 사기. ¶～罪 사기죄 / ～師 사기꾼 / ～にあう 사기를 당하다 / ～にかかる 사기에 걸리다.

さきいき【先行き】名 ①장래. ②〖經〗증권 시세의 앞으로의 진행 상태; 앞시세. ③선발(先發); 먼저 감.

さきおととい〖一昨昨日〗名 그끄저께. =さきおとつい.

さきおととし〖一昨昨年〗名 그끄러께; 재재작년.

さきがい【先買(い)】名 ス他 선매; 미리 사 둠.

さきがけ 【さきがけ·先駆け】〔先駈け·魁〕名 ス自 선구. ①앞장 서서 적진에 쳐 들어감; 먼저 달려감. ¶～の功 앞장 서서 쳐 들어간 공. ②남〔다른 것〕보다 앞섬; 또, 맨먼저 일을 시작함. ¶宇宙開発の～ 우주 개발의 선구.

さきが-ける 【先駆ける】〔先駈ける〕下1自 앞장 서다; 앞서다. ¶春に～·けて 봄에 앞서서.

さきがし【先貸(し)】名 ス他 선대; 기일 전에 금전을 지급함〔가불해 줌〕. =前貸し. ↔先借り.

さきがり【先借(り)】名 ス他 전차(前借); 가불; 먼저 빎. =前借り. ↔先貸し.

さきこぼ-れる【咲きこぼれる】〔咲き溢れる〕下1自 가지가 휘도록 (꽃이 많이) 피다; 어우러져 피다; 만발하다.

さきごろ【先ごろ】〔先頃〕名 요전; 앞서; 일전. =このあいだ.

さきざき〖先先〗名 ①먼 장래; 앞날. ¶～を案じる 앞날을 걱정하다. ②가는 곳마다. ¶～でことわられる 가는 곳마다 거절당하다. ③모든 것의 끝. ¶指の～まで力があふれる 온 손끝까지〔온 몸에〕힘이 넘치다. ④전전(前前); 오래 전. ¶～からの準備 오래 전부터의 준비.

さきさま【先様】名 그 쪽; 그 댁; 그 분 (상대편(사람)의 높임말).

サキソホン 名〔樂〕 색소폰. =サキソホーン·サックス. ▷saxophone.

さきそ-める【咲き初める】下1自〈雅〉피기 시작하다.

さきだか【先高】名ナ〔商〕시세가 올라갈 기미. ↔先安.

さきだ-す【咲き出す】5自 꽃이 피기 시작하다.

***さきだ-つ**【先立つ】5自 앞서다. ①앞장서다; 선두에 서다. ¶～·って働く 앞장서서〔솔선해서〕일하다. ②딴 일에 앞서 행하다. ¶試合に～·って開会式がある 경기에 앞서 개회식이 있다. ③먼저 죽다. ¶親に～ 부모보다 자식이 앞서 가다〔죽다〕/ むすこに～·たれる 자식을 여의다. ④무엇보다도 필요하다. ¶～ものは金だ 우선 앞서는〔필요한〕것은 돈이다.

さきだ-てる【先立てる】下1他 앞세우다. ①앞장서게 하다. ¶鼓笛隊を～ 고적대를 앞세우다. ②먼저 여의다. ¶子を～ 자식을 앞세우다.

さきどなり【先隣】名 하나 걸러 옆집.

さきどり【先取り】名 ス他 선취. ①남보다 먼저 가짐. ¶～特権 선취 특권. ②(대금이나 이자 등을) 미리 받음. ¶利子を～して貸す 이자를 미리 떼고 빌려 주다.

***さきに**〖先に·前に·嚮に·曩に〗連語 이전에; 전에; 먼저; 앞서; 앞에. ¶～注意された事 전에 주의받은 일 / その建物はすぐこの～あります 그 건물은 바로 이 앞에 있습니다 / ～お上がりください 먼저 드십시오.

さきにお-う 【咲きにおう】〔咲き匂う〕5自 아름답게 피다. ¶梅の花の～ころ 매화꽃이 활짝 필 무렵.

さきばしり【先走り】名 ス自 ①앞질러 감; 또, 그 사람. ②나서서 주제넘게 굶. ③야채·생선 따위가 철보다 이르게 나옴; 또, 그 맏물. =はしり.

さきばし-る【先走る】5自 ①다른 사람보다 앞질러 하다. ②남을 제쳐놓고 주제넘게 나서다. =でしゃばる.

さきばら【先腹】名 ①전처 소생. ↔あと腹. ②주군보다 먼저 할복함.

***さきばらい**【先払(い)】㊀名 (운임·우편료 따위를) 수취인이 지불함; 수취인 부담. ㊁名 ス他 선불. =前払い. ↔後払い. ㊂名 ス自 벽제(辟除); 또, 벽제를 하는 사람(별배(別陪)).

さきぶれ【先触れ】名 미리 알림; 예고. =前ぶれ. ¶台風の～の雨 태풍을 알리는 비.

さきぼう【先棒】-bō 名 ①남의 앞잡이가 됨. ¶お～をかつぐ 남의 앞잡이 노릇을 하다. ②앞채를 멤; 앞채잡이. =先肩. ↔後棒.

さきほこ-る【咲き誇る】5自 화려하게 피다; 한창 피다.

さきぼそり【先細り】名 ス自 ①끝으로 갈수록 가늘어짐. ②점점 쇠하여 감.

***さきほど**【先程】名 아까; 조금 전('さっき'보다 공손한 말씨). =先刻. ¶～は失礼しました 아까는 실례했습니다.

さきまわり【先回り】〔先廻り〕名 ス自 앞질러 가 있음; 또, 앞질러 함. ¶話の～をする 앞질러 말하다 / ～して待ちうける 앞질러 가 기다리다.

さきみだ-れる【咲き乱れる】下1自 꽃이 난만하게〔어우러져〕피다.

さきもの【先物】名〖經〗①선물; 장래 일정한 시기에 주고받을 조건으로 매매 계약을 함; 또, 그 상품. ¶～取引 선물 거래. ↔現物. ②장래성이 있는 것. **—がい**【—買(い)】名 ①선물 매입. ②장래의 이익을 예상하고 투자함.

さきもり [防人] 名 옛날에, 関東 지방에서 파견되어 筑紫·壱岐·対島 등의 요지를 수비하던 병사.

さきやす【先安】名ナ〔商〕값이 싸질 조짐. ↔先高.

さ

さきゅう【砂丘】-kyū 名 사구;모래 언덕.

さきゆき【先行き】名 ☞さきいき.

さぎょう【さ行】名 五十音図の行의 세째 줄. ――へんかくかつよう【――変格活用】-yō 名 【文法】'さ行' 변격 활용; 어미가 'さ行'로 변화하는 不規則動詞[文語의 'す', 口語의 'する' 따위]. =サ変.

さぎょう【作業】-gyō ス自 작업. ¶――場ば 작업장 / ――服を着き 작업복.

ざぎょう【座興】-kyō 名 좌중의 흥을 돋우기 위한 놀이; 또, 그 장소에서의 즉흥적인 장난. ¶――で言った までのことだ 좌중의 농으로 말했을 뿐이다〔다른 뜻으로 말하는 것은 아니다〕.

ざぎょう【座業】【坐業】-gyō 名 좌업; 앉아서 하는 일.

さぎり【狭霧】名【雅】안개.

さきわたし【先渡し】名他 ①(임금 따위의) 선불. =前渡さき. ¶賃金ちんを ～ 임금 선급. ②(상품 따위를) 대금 완불 전에 줌;상품을 계약 후 일정 기간이 지나 지정한 때(先渡)에 ③화물을 도착지에서 인도함.

さきん【差金】名 차액금;잔금. =差額がく. ¶――決済さい 잔금 결제.

さきん【砂金】名 사금. =しゃきん.

さきん-じる【先んじる】上1 自 ☞さきんずる.

さきん-ずる【先んずる】サ変自 ①남보다 먼저 가다[하다]; 앞질러 가다[하다]; 선수를 쓰다. ②뛰어나다. ¶万人にんに～ 못사람 속에서 뛰어나다;출중하다. ――ずれば人を制す 선수를 쓰면(앞질러 하면) 남을 누를 수 있다〔유리하다〕.

*さ-く【咲く】五自 (꽃이) 피다. ¶梅うめの花はなが～ 매화꽃이 피다.

さ-く【裂く】五他 ①찢다. ¶絹きぬをのような声 비단을 찢는 듯한 날카로운 소리;새된 비명 소리 / 紙かみを～ 종이를 찢다. ②쪼개다. ¶生木なまぎを～ (a)생나무를 빠개다; (b)사랑하는 남녀 사이를 억지로 떼어놓다.

さ-く【割く】五他 ①사이를 갈라놓다;떼다. ¶恋人こいびとの仲なかを～ 연인의 사이를 떼다. ②가르다. ¶魚さかなを～ 생선의 배를 가르다. ③(일부를) 나눠 다른 데 쓰다;떼어 쓰다. ¶時間じかんを～ 시간을 내다 / 領土りょうを～ 영토를 할애하다. 〔그 고랑.

さく【畝】名【農】팽이로 땅을 일군 곳.

さく【作】名【作】①만듦;또, 만든 것;문학·조각·회화·음악 등의 예술품. ¶ダンの～ 로댕의 작품[조각]. ②작황 (作況);수확. ¶～柄がら 작황.

*さく【柵】名 ①목책(木柵);울짱. 또, 성채(城砦). =とりで.

さく【朔】名 ①초하루. ②북;북쪽.

*さく【策】名 계획;계략;대책. ¶～に おぼれる 계략에 빠지다 / ～を講ずる 대책을 강구하다. 〔15일.

さく-【昨】 지난. ¶～十五日にち 지난

さく【作】 【作意】 名 작의. ①예술품의 제작 의도; 취향. =モチーフ.

さくい【作為】名ス自 ①조작함;꾸밈. ¶～のあと 조작한 흔적 / ～的ぎにふ

るまう 작위적; 적극적인 행위·동작 또는 거동. ↔不作為. 〔ス.

*さくいん【索引】【索隠】名 색인;인데

さくおとこ【作男】名 (농가의) 머슴.

さくがら【作がら·作柄】名 ①작황(作況). ②예술 작품의 됨됨이;작품으로서의 품위. 〔図 착암기.

さくがんき【さく岩機·削岩機】名 【鑿岩機】

さくげつ【昨月】名 작월;지난 달.

さくげん【削減】名他 삭감. ¶予算さんの～ 예산의 삭감.

さくご【錯誤】名 착오. ¶時代だい試錯 行こうう～ 시대(試行)착오.

さくさく 副 ①눈 따위를 밟을 때 나는 소리:사박사박. ②무엇을 섞거나 야채를 썰 때 나는 경쾌한 소리:사박사박;사각사각;사각사각;삭독삭독.

さくさく【索索】①さく'의 센 말:서벅서벅. ②돈·재물 따위가 많은 모양;지천으로;얼마든지.

さくざつ【錯雑】名ス自 착잡;뒤섞여 복잡함. =錯綜さう.

さくさん【作蚕】名 【蚕】작잠;멧누에.

さくさん【酢酸·醋酸】名 【化】초산(초의 주성분;조미료나 약제로 씀).

さくし【作詞】名ス自他 작사;가사를 지음. 〔음;또, 그 시.

さくし【作詩】名ス自 작시;시를 지

さくし【策士】名 모사(謀士). ――策さくにおぼれる 책사는 책략에 넘어가다;꾀 많은 자는 제 꾀에 넘어간다.

さくじつ【昨日】名 작일;어제(격식차린 말씨). =きのう.

*さくしゃ【作者】-sha 名 작자. ①(예술품을) 만든 사람. ②특히, 狂言きょうや脚本(脚本)의 작자.

*さくしゅ【搾取】-shu 名他 착취. ¶～階級ぎ 착취 계급. 〔주.

さくしゅう【昨週】-shū 名 작주;지난

さくじょ【削除】-jo 名他 삭제.

さくず【作図】名他 작도;제도.

さく-する【策する】サ変他 획책하다. ¶～はかる.

*さくせい【作成】名他 작성;만듦.

*さくせい【作製】名他 제작;만듦. ¶器具ぐの～ 기구 제작.

さくせん【作戦·策戦】名 작전. ¶～を練ねる 작전을 짜다 / ～が図に当る 작전이 들어맞다.

さくそう【錯綜】-sō 名ス自 착종;뒤섞임;착잡. ¶～した人間関係にんけん 복잡한 인간 관계.

さくづけ【作付(け)】【作附(け)】名ス他 작부;작물을 심음. ――めんせき【作付面積】名 작부(식부) 면적.

さくてい【策定】名他 책정. ¶予算さんの～ 예산의 책정.

さくどう【策動】-dō 名ス自 책동;남몰래 계획을 세워 행동함.

さくどう【索道】-dō 名 삭도;공중 케이블('架空かう索道(=가공 삭도)'의 준말). =ケーブル.

さくにゅう【搾乳】-nyū 名ス自 착유;젖을 짬;또, 짜낸 젖.

*さくねん【昨年】名 작년;지난 해(약간 격식차린 말씨). =去年ねん.

さくばく【索漠】【索莫·索寞】タル 삭막;황폐하여 쓸쓸하고 적적한 모양.

さくばん──さげる　　　　346

¶～たる人生賞 삭막한 인생.
*さくばん【昨晩】图 어젯밤 ; 간밤('夕べ'보다 공손한 말씨).　　　「품질.
*さくひん【作品】图 작품. ¶～集＝작품.
さくふう【作風】-fū 图 작품 ; 작품에 나타난 개성적인 경향과 특징.
さくふう【朔風】-fū 图 삭풍 ; 북풍.
*さくぶん【作文】图 スⓏ ①작문 ; 글짓기. ②표현만은 충그러나 실질이 따르지 않는 것 ; 또, 그런 글. ¶～行政뺨 허울뿐인 행정.
さくほう【作法】-hō 图 작법.
さくほう【昨報】-hō 图 작보 ; 어제의 보도.　　　　　「략 ; 책략.
さくぼう【策謀】-bō 图 スⓉ 책모 ; 계
*さくもつ【作物】图 작물 ; 농작물.
*さくや【昨夜】图 작야 ; 어젯밤 ; 간밤('ゆうべ'에 비하여 장중한 말씨).
さくゆ【搾油】图 スⓉ 착유 ; (식물성의 원료에서) 기름을 짜냄.
さくゆう【昨夕】-yū 图 어제 저녁 ; 엊저녁.＝ゆうべ.
*さくら【桜】图 ①벚나무 ; 벚꽃(일본의 국화). ②桜色誂의 준말. ③桜肉諸의 준말.＝さくらにく(紅肉色).
さくらいろ【桜色】图 연분홍색.
さくらえび【桜蝦・桜海老】图 動 새우의 일종(새우 중에서 투명한 담홍색).
さくらがい【桜貝】图 貝 꽃조개.
さくらがみ【桜紙】图 (얇고 부드러운) 휴지.
さくらがり【桜狩（り）】图 꽃놀이.＝花見물.　　　　　「리물리.
さくらそう【桜草】-sō 图 植 앵초.
さくらだい【桜鯛】图 植 (벚꽃이 필 무렵, 맛이 좋아지는 瀬戸内海物의) 참돔.　　　　　「고기.
さくらにく【桜肉】图〈婉曲〉 말고기.
さくらもち【桜もち】【桜餅】图 밀가루를 반죽하여 얇게 밀어 팥소를 넣고 벚나무 잎으로 싸서 찐 떡.
さくらん【錯乱】图 スⓉ 착란. ¶精神誂～ 정신 착란.
さくらんぼう【桜ん坊・桜桃】-rambō 图 세리, (넓은 뜻으로는) 벚나무 열매의 총칭 ; 버찌.＝さくらんぼ.
さぐり【探り】【捜り】图 ①탐색함 ; 탐지 ; 속(의중)을 떠봄. ②첩자 ; 스파이. ③중기나 상처 등의 깊이를 재는 도구. ③도장(圖章)의 방향을 표시하기 위하여 오목하게 판 부분.──入むれる 속을 떠보다.
ざくり 圖 ①물체가 쉽게 쪼개지거나 찢어지는 모양 ; 짝. ¶スイカを～と割る 수박을 짝 쪼개다. ②부드러운 물건 속에 날붙이나 뾰족한 것을 세차게 찌르는 모양.
さぐりあし【探り足】图 (어두운 곳이나 보이지 않는 곳을) 발로 더듬어 가면서 걸음. ¶～で歩く 발로 더듬어 가면서 걷다.
さくりつ【冊立】图 スⓉ 책립 ; 책봉 ; 황후나 황태자 등을 세움.　　　「략.

さぐ‐る【探る】【捜る】⑤他 ①뒤지다 ; 더듬어 찾다. ¶ポケットを～ 호주머니를 뒤지다. ②탐지[탐색, 정탐]하다 ; 살피다. ¶敵情뺨を～ 적의 동정을 탐색하다(살피다). ③찾다. ¶解決誂의 道뺨を～ 해결의 길을 찾다. ④(아름다운 풍경 등을) 찾아다니다 ; 탐방하다.
さくれい【作例】图 작례 ; 시문(詩文) 등을 짓는 본보기나 실례.
さくれつ【炸裂】图 スⓉ 작렬.
ざくろ【柘榴・石榴】图 植 석류나무.──いし【─石】图 석류석.＝ガーネット.
*さけ【酒】图 술.──に呑まれる 술을 먹다가 술에 취하여 제정신을 잃다.──は憂誂いの玉뺨ぼうき 술은 근심 걱정을 없애는 약이 된다.──は百薬誂の長뺨 술은 백약의 으뜸.
*さけ【鮭】图 魚 연어.
さげ【下げ】图 ①내림 ; 내린 것.↔上げ. ②만담이나 만담 등에서 사람을 웃겨 놓고 끝맺음으로 하는 부분. ③(시세의) 하락(下落). ④「お～」머리를 땋아 늘인 머리형.
さけい【左傾】图 スⓉ 좌경. ¶～思想뺨 좌경 사상.↔右傾誂.
さけかす【酒かす】【酒粕・酒糟】图 주박 ; 재강 ; 지게미.
さげがみ【下げ髪】图 ①＝おさげ①. ②江戸뺨 시대에 귀부인이나 궁녀 등이 머리를 뒤로 묶어 늘어뜨린 것.＝おすべらかし.　　　　　「다（풍기다）.
さけくさ‐い【酒臭い】圏 술냄새가 나
さけくせ【酒癖】图 주벽 ; 술버릇.＝さけぐせ.
さげしお【下げ潮】【下げ汐】图 ☞ひきしお.↔上げ潮誂.　　　　　「가.
さけずき【酒好き】图 술을 즐김 ; 호주
さげす‐む【蔑む・貶む】⑤他 깔보다 ; 업신여기다 ; 얕보다.
さけのみ【酒飲み】【酒呑み】图 술을 즐겨 마심 ; 또, 그 사람 ; 주호(酒豪) ; 술고래.＝さけ로.　　　「소리.
さけびごえ【叫び声】图 큰 소리로 외
さけびたり【酒浸り】图 장취(長醉) ; 항시 술에 취해〔젖어〕 있음.
*さけ‐ぶ【叫ぶ】⑤自 외치다 ; 부르짖다. ¶再軍備誂反対뺨を～ 재군비 반대를 부르짖다.
さけめ【裂け目・割け目】图 갈라진〔터진〕 곳〔데〕 ; 금.＝割뺨れ目. ¶地面뺨に～が生뺨じた 지면에 금이 생겼다.
*さ‐ける【裂ける】下1自 찢어지다 ; 터지다 ; 갈라지다. ¶땅이 갈라지다／着物뺨の～ 의복이 터지다〔찢어지다〕.
*さ‐ける【避ける】下1他 피하다 ; 꺼리다. ¶人目誂を～ 남의 눈을 기이다／雨誂を～ 비를 긋다〔피하다〕／乱暴誂な言葉뺨を～ 난폭한 말을 삼가다.
*さ‐げる【下げる】下1他 ①내리다. ⑦(위치·값 등을) 내리다. ¶値段誂を～ 값을 내리다. ⓒ내려주다 ; 하사하다. ⓒ드리우다. ¶幕뺨を～ 막을 내리다.↔上げる. ②(가치·정도·지위 등을) 낮추다. ¶品質誂을 떨어뜨리다／声뺨を～ 목소리를 낮추다／男誂を～ 남자로서의 체면을

떨어뜨리다. ③숙이다；수그리다. ¶頭ダを～ 머리를 숙이다(a)인사하다；(b) 사과하다. ↔上げる. ④(허리 따위에) 차다；달다. ¶サーベルを～ 사벨을 차다 / 勳章ダを～ 훈장을 달다. ⑤되돌려 보내다；물리다. ¶お膳デを～ 상을 물리다. ↔上げる. ⑥(뒤쪽으로) 옮기다. ¶後ろへ～ 뒤쪽으로 물리다. ⑦경멸하다；헐뜯다. ¶上アげ下りり～げたりする 추었다 깎았다 하다；쓸 까스르다. ⑧(밀집 것을) 찾다. ¶貯金ダを～ 저금을 찾다.

*さ-げる【提げる】下一他 (손에) 들다. ¶かばんを～ 가방을 들다.

さげわた-す【下げ渡す】5他 (아랫사람에게, 또 관청에서 민간에게) 주다；내리다.

さげん【左舷】图 좌현；배가 나아가는 방향을 향해서 왼쪽 뱃전. ↔右舷ダ.

ざこ【雑魚】图 잡어；잡살뱅이 물고기；전하여, 오죽잖은 것(사람)；송사리. ¶～連捕ダされたのは～ばかりだった 체포된 것은 송사리뿐이었다.

ざこう【座高】【坐高】-kō 图 좌고, 앉은키.

さこうみぎべん【左顧右眄】图 ㅈ自 좌고 우면, 세상 형편만 살피고 좀처럼 결단을 내리지 못함. ≒うこさべん.

さこく【鎖国】图 ㅈ自 쇄국. ¶～政策ダ 쇄국 정책. ↔開国ダ.

さこそ【然こそ】①그처럼；그와 같이. ¶～勇ましいことは言った가 그처럼 씩 소리는 쳤지만. ②틀림없이；필시；아마. ≒さだめし. ¶～お疲れのことでしょう 필시 피곤하시겠지요.

ざこつ【鎖骨】图 쇄골；흉골(胸骨)과 어깨를 잇는 뼈.

ざこつ【座骨】【坐骨】图 좌골. ¶～神経痛ダ 좌골 신경통.

ざこね【雑魚寝】图 ㅈ自 (남녀가) 여럿이 함께에 뒤섞여 잠.

さこん【左近】图 【史】 옛 관청「左近衞府デのの준말；近衛府ダの 하나로 궁중 경비를 담당함. ↔右近ダ.

ささ【酒】图【女】 = さけ.

さ さ【笹】图【植】 조릿대；작은 대나 무류의 총칭.

さ さ-【小・細】〈雅〉잔；작은；약간. ¶～にごり 약간 흐림(탁함) / ～波ダ 잔물결.

ささ 感 사람을 재촉할 때 쓰는 말；자아；어서. ＝さあさあ.

*ささい【些細・瑣細】ナ子 사소；시시함；하찮음. ¶ごく～なことから口論ダする 아주 하찮은 것으로 말다툼하다.

*ささえ【支え】图 받침；버팀；지주(支柱)；기둥. ¶心ダの～ 마음의 지주.

ささえ【栄螺】图【貝】소라.

*ささ-える【支える】下一他 버티다. ①떠받치다. ¶丸太ダで～ 통나무로 떠받치다. ②유지(支持)하다. ¶一家ダのくらしを～ 한 집안의 생계를 지탱하다. ③저지하다；막아 내다. ¶敵ダの攻撃ダを～ 적의 공격을 막아 내다.

さ さくれ 图 ①손거스러미. ＝さかむけ. ②같이 가늘게 갈라짐.

さ さく-れる 下一自 ①(손톱 따위에) 거스러미가 일다. ＝ささくれだつ. ②같이 가늘게 쪼개지다. ③감정이 뒤틀리

다. ¶気分ダが～ 심사가 뒤틀리다.

さ さげ【大角豆】图【植】광저기.

ささげつつ【捧げ銃】图 받들어총.

*ささ-げる【捧げる】下一他 ①바치다. ⓐ받들어 올리다. ¶宝物ダを～ 보관을 받들어 올리다. ⓑ받들어서 드리다. ¶神前ダに初穂ダを～ 신전에 햇곡식을 바치다. ②아낌없이 주다；헌신하다. ¶愛ダを～ 사랑을 바치다 / 国家ダに一命ダを～ 나라에 목숨을 바치다. ⓒ드리다；올리다. ¶祈りりを～ 기도를 드리다.

ささたけ【笹竹】图 조릿대；작은 대나무류의 총칭.

ささつ【査察】图 ㅈ自 사찰. ¶空中ダ～ 공중 사찰.

ささなみ【小波・細波・漣】图 잔물결. ＝ささなみ・さざれなみ. ¶～が立つ 잔물결이 일다.

ささぶね【笹舟】图 조릿대 나뭇잎을 접어서 만든 작은 배.

ささべり【笹縁】图 (의복의) 가선을 두름；또, 가선을 두른 것. ¶～ある.

ささみ【笹身】图 닭의 가슴살.

ささめ-く 5自 소곤거리다；속삭이다. ¶笑いい~ 웃으며 떠들다.

ささめゆき【細雪】图 세설；가루눈；또, 드문드문 내리는 눈.

*ささやか【細やか】ナ子 ①작음；자그마함；아담(조촐)함. ¶～な家ダ 아담한 집. ②사소함；보잘것 없음；변변치 못함. ¶～な心ダづくし 촌지(寸志)；자그마한 성의 / ～な料理ダ 변변찮은 음식.

*ささや-く【囁く】5自他 속삭이다；소곤거리다. ¶耳たもとで～ 귓전에 대고 속삭이다.

ささやぶ【笹藪】图 조릿대나무 숲.

さ さ-る【刺さる】5自 박히다；꽂히다；찔리다. ¶とげが～ 가시가 박히다.

さ ざれ【細れ】图 작은 돌；잔돌；조약돌(「さ ざれ石ダ」의 준말). 接頭 작은. ¶～浪ダ 잔물결.

さざんか【山茶花・茶梅】图【植】산다화. ¶～のさし.

さし【差し・指し・尺】图〈老〉자. ＝も ものさし.

さし【指し】图〈名詞に付いて〉장기 따위를 둠；또, 그 사람. ¶将棋ダ～ 장기를 둠〔두는 사람〕.

さし【刺し】图 ①색대；잔색대. ＝米刺ダし. ②〈名詞に付いて〉꽂음；꿰어 찌름；또, 그 사람. ¶鳥ダ～ 끈끈이로 바른 대나무 장대로 새를 잡는 일〔사람〕.

さし【差し】一图 ①☞さしむかい. ¶～で一杯ダやろう 둘이 (마주앉아) 한잔하자. ②둘이서 마주 멤. ＝さしにない. ¶～ででかつぐ 둘이서 마주 메다. ③(本이, 裸)돈께끼. ④〈名詞に付いて〉넣는 것；꽂이. ¶状ダ～ 편지 꽂이. ⓑ(액체 따위를 넣는 기구. ¶油ダ～ 기름통；기름치게. ㊀〈接頭〈動詞 앞에 붙여서〉어세를 강조하는 말. ¶～もどす 되돌리다 / ～押さえる (a)압류하다；되돌리다 / ～押さえる (a)압류하다 (b)억누르다. ㊁接尾〈순 일본말 数詞에 붙어서〉층의 곡수를 나타내는 말. ¶一ダ舞ダう 한 곡수 춤추다.

-さし【止し】《動詞의 連用形에 붙여서》중지함 ; 도중에서 그만듬. =かけ. ¶読ょみ~の本ほん 읽다가 만 책 / 食くい~ 먹다 만 것.

*さじ【匙】图 숟가락. ¶木ぎ~ 나무 숟가락. **一を投なげる** ①의사가 치료할 가망이 없어 포기하다. ②어떤 일의 가망이 없어 단념하다.

さじ【瑣事·些事】图 쇄사 ; 사소한 일 ; 자질구레한 일.

ざし【座視】(坐視) 图 ㅈ他 좌시. ¶～するに忍しのびない 그대로 좌시할 수 없다. 〔「堀」(의 생김새).

-ざし【差し】모양. ¶おも──용모 ; 얼굴.

さしあい【差(し)合い】图 지장 ; 장애. =さしつかえ·さしさわり.

さしあう【差(し)合う】⑤圓 ①(다른 사물과 겹쳐) 지장이 있다. ¶その日ひ は~って出席しゅっせきできません 그 날은 다른 일과 겹치게 되어 출석 못 합니다. ②만나다 ; 마주치다. =出会であう· でくわす. ③서로 술을 따르다 ; 대작(對酌)하다.

*さしあ・げる【差(し)上げる】下1他 ①들어올리다. ¶目めよりも高たかく~ 눈보다도 높이 들어올리다. ②드리다 ; 바치다('与あたえる'의 높임말). ¶これをあなたに~げます 이것을 당신에게 드리겠습니다. ③…해 드리다('(…して)やる'의 높임말). ¶何なにをして~げましょうか 해 드릴까요? (해) 무엇을 해 드릴까요?

さしあし【差(し)足】图 ①소리 안 나게 발끝으로 가만가만 걸음. ¶ぬき~·発あしおとを殺ころして가만가만 걸음. ②(경마에서) 전력을 다해 앞선 말을 앞지르려는 주법(走法). ¶～が鋭するどい (말의) 마지막 추격이 날카롭다.

*さしあたり【差し当(たり)】圖 당장(은) ; 당분간 ; 지금(은) ; 목하(目下) ; 우선. =さしあたって. ¶～で間まに合あう 당장간(우선) 이것(이면) 된다.

さしいれ【差(し)入れ】图 ㅈ他 ①(수감자에 대한) 차입. ②차입물. ③수고하고 있는 사람을 위로하기 위해 보내는 음식물 등. **──ひん【差入品】**图차입품.

*さしい・れる【差(し)入れる】下1他 ①안으로 들여보내다 ; 속[안]에 넣다. ②차입하다.

*さしえ【挿絵】图 삽화.

さしお・く【差(し)置く】⑤他 ①그대로 [내버려] 두다. ¶その話はなしは一応いちおう ~ 그 얘기는 일단 그만[접어] 둔다. ②(남을) 무시하다 ; 제쳐놓다. ¶兄あにを~いて出しゃばる 형을 제쳐놓고 나서다. 〔ㅈ他 암子.

さしおさえ【差押え·差し押(さ)え】图 さしおさ・える【差(し)押(さ)え·差押える】下1他 ①눌러서 못 하게 막다. ¶発言はつげんを~ 발언을 못 하게 막다. ②눌러 움직이지 않게 하다. ③압류하다.

さしか・える【差(し)替える·差(し)換える】下1他 ①바꿔 꽂다 ; 바꾸어 끼워 넣다. ¶かんざしを~ 비녀를 바꿔 꽂다 / 組版くみはんの活字かつじを~ 조판의 활자를 바꿔 끼워 넣다. ②바꾸다. ③(차茶 등을) 새로 갈아 넣다. ¶番組ばんぐみを~ 프로를 바꾸다 / お茶ちゃを~ 차를 새로 갈아 넣다.

さしかか・る【差(し)掛かる】⑤圓 ①접

어들다. ㉠다다르다 ; 당도하다. ¶山やまに~ 산에 다다르다[당도하다]. ㉡어느 시기에 들다. ¶雨期うきに~ 우기에 접어들다. ②위에서 덮치다. ¶木立こだちが茂しげって軒のきに~ 정원수가 우거져서 처마에 덮치다.

さしか・ける【差(し)掛ける】下1他 다른 것을 덮듯이 위에서 대다 ; 받치다. ¶かさを·우산을 받쳐 주다 / ひさしを ~ 차양을 대다.

さしかげん【差し加減】(匙加減) 图 ①약을 조제하는 정도 ; 또~를 잘못하다 조제. ②손짐작 ; 손어림 ; 알맞은 정도 ; 조절. ¶予算よさんの配分はいぶんに~を加くわえる 예산의 배분을 적절히 조절하다.

さしがね【差(し)金】图 ①곡척 ; 곱자. =かね尺じゃく·曲まがり尺じゃく. ②무대에 나오는 새나 나비 등을 관객이 보이지 않도록 뒤에서 조정하는 철사. ③[さしがね] 뒤에서 조종함 ; 부추김. ¶誰だれかの~だ 누군가가 뒤에서 조종한 일이다. 〔꽂이.

さしき【挿(し)木】图 ㅈ他 삽목 ; 꺾꽂이.

さじき【桟敷】图 판자를 깔아서 높게 만든 관람석.

*ざしき【座敷】图 ①다다미방 ; 특히, 객실 ; 손님방. ¶~に通とおす 객실로 안내하다. ②잔치 좌석. ③접대석에 나가 연회의 시간 ; 또, 그 접대. ¶~が長ながい 연회 시간이 길다 / お~を上手じょうずに持もつ 연회에서 손님의 접대를 잘하다. ④예인(藝人)이나 기생들이 객석에 불려나감. ¶お~がかかる(기생이) 손님 자리에 불려나가다.

さしぐすり【差(し)薬】(注し薬) 图 안약 ; 점안약 ; 또, 귀약.

さしぐすり【挿(し)薬】图 좌약(座薬).

さしこ【刺(し)子】图 누비옷 ; 누비 것.

さしこみ【差(し)込み】图 ①질러 넣음 ; 꽂음 ; 또, 그것. ②콘센트에 꽂는 부품 ; 플러그. 参考 일반적으로는 콘센트를 말하기도 함. ③[医] 산통(疝痛). ¶激はげしい~が起おこる 심한 산통이 일어나다.

さしこ・む【さし込む】(射込む) ⑤圓 햇빛이 (쏟아져) 들어오다. ¶まばゆい 日ひの光ひかりが~んできた 눈부신 햇빛이 (쏟아져) 들어왔다.

*さしこ・む【差(し)込む】(刺(し)込む) ⑤他 지르다 ; 질러 [끼워] 넣다. ¶錠じょうにかぎを~ 자물쇠에 열쇠를 지르다. □⑤圓 갑자기 배·가슴 등이 쿡쿡 찌르듯이 아프다. 〔이다.

さしころ・す【刺(し)殺す】⑤他 질러 죽이다.

*さしさわ・り【差(し)障り】图 지장(支障) ; 남에게 폐를 끼칠 난처한 일. ¶~が起おこって行ゆかない 지장이 생겨 못 간다.

さしお【差(し)潮】(差(し)汐) 图 밀물. =上あげ潮しお. ↔引ひき潮しお.

さししめ・す【指(し)示す】⑤他 ①지시하다. ②(손가락으로) 가리키다. ③지시하다.

*さしず【指図】图 ㅈ他 ①지시 ; 지휘. ¶~の通とおり行おこなう 지시대로 행하다. ②지정 ; 지명(指名). =指名さしな.

さしずめ【差し詰め】圖 ①결국 ; 필경. =つまり. ¶~あなたでなければ

결국 당신이 아니면. ②당장 ; 우선. ＝さしあたり. ¶~な生活ならには困らないい 당장 생활에는 곤란하지 않다.

さしせま-る【差(し)迫る】[5自]박두하다 ; 절박(切迫)하다 ; 닥치다.

さしそ-える【差(し)添える】[下1他]덧붙이다 ; 딸리다. ¶供ともを~ 종자(從者)〔수행자〕를 딸리다.

さしだし【差(し)出し】 图①제출함 ; 내놓음 ; 발송함. ②본체에서 내어 단가게. ──にん【差出人】图 발신인(發信人) ; 발송인. ↔受取人うけとりにん.

さしだ-す【差(し)出す】[5他]①내밀다. ¶手てを~ 손을 내밀다. ②제출하다. ¶書類しょるいを~ 서류를 제출하다. ③〔郵便 등을〕발송하다 ; 보내다. ¶返事へんじを~ 답장을 보내다 ; 代理人だいりにんを~ 대리인을 보내다.

さした-てる【差(し)立てる】[下1他]①〔꽂아〕세우다. ¶はたを~ 기를 세우다. ②보내다. ¶注文品ちゅうもんひんを~ 주문품을 발송하다. ③심부름을 보내다 ; 차견(差遣)하다. ¶使つかいのものを~ 심부름꾼을 보내다.

さしたる【然したる】[連体]〔아래에 否定의 말이 와서〕이렇다 할〔정도의〕; 별반의 ; 그다지. ＝さほどの. ¶~困難こんなんはない 이렇다 할 곤란은 없다.

さしちが-える【刺し違える】【刺し交える】[下1自]①서로 가슴 따위를 맞찌르다 ; 서로 찔러 죽다. ②敵てきと~·えて死しぬ 적과 맞찔러 죽다.

さしちが-える【差(し)違える】[下1他]①잘못 끼우다. ②〔씨름에서〕심판이 판정을 잘못 내리다.

さしちが-える【指(し)違える】[下1他]〔장기에서〕서투른 수(악수)를 두다.

さしつかえ【差(し)支え】 图 지장 ; 지장되는 일. ¶家いえに~があって欠席けっせきした 가정 사정으로 결석했다／~(が)ない 지장이 없다 ; 해도 좋다.

さしつか-える【差(し)支える】[下1自]지장이 되다. ¶予定よていに~ 예정에 지장을 초래하다／金かねに~ 돈에 궁하다.

さしつかわ-す【差(し)遣わす】[5他]사자로서 보내다 ; 파견(派遣)하다. ＝さし向ける.

さしつ-ける【差(し)付ける】[下1他]갖다 대다(붙이다). ¶ひたいを~ 이마를 갖다 대다. ②눈앞에 들이대다〔내밀다〕. ¶証拠しょうこを~·けて抗議こうぎする 증거를 들이대고 항의하다.

さしつ-める【差(し)詰める】[5自]절박하다 ; 박두하다.

さして【差(し)手】 图〔씨름에서〕상대방의 겨드랑이 밑에 손을 질러 넣어 뒤로 샅바를 잡음 ; 또, 그런 수법.

さして【然して】[副]〔아래에 否定의 말을 수반하여〕그다지 ; 별반. ＝それほど·大たいして. ¶~熱あつくはない 별로 뜨겁지는 않다.

さしでがましい【差(し)出がましい】-shī[形]주제넘다 ; 쓸데없다 ; 오지랖넓다. ¶~口くちをきく 주제넘은〔쓸데없는〕말을 한다.

さしでぐち【差(し)出口】 图 주제넘은 말 ; 말참견. ¶はたから~をする 옆에서 말참견하다.

さしとお-す【刺し通す】-tōsu [5他]〔절

さしとど-める【差(し)止め·差止】 图 말림 ; 금제(禁制) ; 못 하게 함. ¶記事きじ差止どめ 기사(게재) 금지.

さしと-める【差(し)止める】[下1他]①금지하다 ; 못 하게 하다. ¶記事きじを~ 기사를 못 내게 하다. ②정지(停止)하다. ¶送金そうきんを~ 송금을 정지하다.

さしぬい【刺(し)縫い】 图 ①누비질 ; 또, 누빈 것. ②수놓기의 하나로, 수본의 윤곽에 따라 바늘땀을 가지런히 수를 놓아가는 법.

さしぬき【指貫】 图 발목을 졸라 매게 된 바지〔중고(中古) 시대에 약식 조복(略式朝服)·귀인복(貴人服)·사냥복을 입을 때 입었음.

さしね【指(し)値】 图 【經】 (매매를 위탁할 때의) 지정가(指定價).

さしの-べる【差(し)伸べる】【差(し)延べる】[下1他]내밀다 ; 내뻗(치)다. ¶救すくいの手てを~ 구원의 손길을 뻗치다.

さしはさ-む【差(し)挟む】[5他]①끼우다 ; 끼워 넣다. ¶本ほんにしおりを~ 책에 서표(書標)를 끼워넣다／人ひとの話はなしに口くちを~ 남의 이야기에 말참견하다. ②〔마음에〕품다. ¶疑うたがいを~ 의심을 품다.

さしひか-える【差(し)控える】㊀[下1自]〔어느 사람〕옆에 있다 ; 대기하다. ＝控ひかえる. ㊁①삼가다 ; 조심하다. ¶さしで口くちを~ 〔주제넘은〕말참견을 삼가다. ②하려던〔하고 싶은〕일을 그만두다. ¶発表はっぴょうを~ 발표를 보류하다.

さしひき【差(し)引き·差引】㊀图〔ス他〕차감(差減) ; 공제 ; 공제 잔액(을 냄) ; 전하여, 정산(精算). ¶~残高ざんだか差감 잔액／収入しゅうにゅうから支出しゅっを~する 수입에서 지출을 공제하다／百万円ひゃくまんえんの赤字あかじだった 정산 결과는 백만엔의 적자였다. ㊁图 [自]체온의 오르내림. ㊂图조수의 간만(干満). ──かんじょう【差引勘定】-jō图차감 잔액 계산 ; 수입과 지출의 차액을 계산함.

さしひ-く【差(し)引く】㊀[5他]①빼다 ; 제하다 ; 공제하다. ¶給料きゅうりょうから税金ぜいきんを~ 급료에서 세금을 공제하다. ②과부족(過不足)을 계산하다. ㊁[自]바닷물이 씨고 밀다.

さしひび-く【差(し)響く】[5自]영향이 미치다. ¶家計かけいに~ 살림에 영향을 미치다.

さしまね-く【差(し)招く】【麾く】[5他]〔손짓해서 부르다.

さしまわ-す【差(し)回す】【差廻す】[5他](그리로) 보내다 ; 돌리다. ¶車くるまを~ 자동차를 그리로 돌리다〔보내다〕／スパイを~ 간첩을 보내다.

さしみ【刺身】 图 생선회. ＝つくり身み. ──たいのつま 도미회.

さしむかい【差し向(か)い·差向い】 图 두 사람이 마주 봄〔대면, 부부나 애인에 관해서 말함〕. ¶夫婦ふうふ~の膳ぜん 부부 겸상／~にすわる 마주 앉다.

さしむ-ける【差(し)向ける】[下1他]①보내다 ; 파견하다 ; 돌리다. ¶使つかいを

～ 심부름꾼을 보내다. ②그 쪽으로 향하게 하다;그 쪽으로 돌리다.

さしも【然しも】副 그토록;그렇게도.—あれほどまでに.¶～強情にな今度なはまいったらしいその토록 고집센 그도 이번에는 손을 든 것 같다.—の連体 그토록 …한;그 같은.

***さしもど-す**【差(し)戻す】⑤他 되돌려 보내다;반려하다.【法】특히, 파기환송(破棄還送)하다.¶書類なを～ 서류를 되돌려 보내다/事件なを第一審だしんに～ 사건을 제1심으로 환송하다.

さしもの【指物】〈差物〉名 ①옛날 싸움터에서 갑옷 위에 꽂거나 従者(종자)에게 들리던 작은 기(旗)나 장식물. ②널빤지로 짜서 만든 가구·기구. ¶～師 소목;소목장이/～屋 소목장이.(소목장이의) 목공소.

さしゅ【詐取】-shu 名他 사취;(돈이나 물품을) 속여서 빼앗음.¶土地なを～する 토지를 사취하다.

さしょ【座所】-sho 名 귀인(貴人)이 있는 곳[거처];존경하어.

さしょう【詐称】-shō 名他 사칭.

さしょう【些少】-shō 名ダ 사소;조금;약간.わずか.

さしょう【査証】-shō 名자증.—名他 조사하여 증명함.二名자〉여권 등의 입국 허가 증명.=ビザ.

さじょう【砂上】-jō 名 사상;모래 위.—の楼閣なく사상 누각.

ざしょう【座礁】〈坐礁〉-shō 名자自 좌초;배가 암초에 얹힘.=擱坐なくする↔離礁なく.

ざしょう【挫傷】〈座傷〉-shō 名他 좌상;타박상(打撲傷).=うちみ·くじき.

ざしょく【座食】〈坐食〉-shoku 名自자좌식;도식(徒食);놀고 먹음.=居食い.

さしりょう【差(し)料】-ryō 名자기가 차기 위한 칼.=差しまえ.¶経.

さしわたし【差(し)渡し】名 지름;직경.

さじん【茶人】名①다도(茶道)를 즐기는 사람.=ちゃじん.②풍류객.

さじん【砂塵·沙塵】名 사진;티끌.=すなぼこり.

***さ-す**【刺す】⑤他 ①찌르다.¶針はりで～ 바늘로 찌르다.②쏘다;물다.¶はちが～ 벌이 쏘다/蚊がが～ 모기가 물다.③(바늘로) 누비다.¶畳なを～ 다다미를 누비다.④(野) 주자(走者)를 터치아웃시키다.¶一塁なに～ 주자를 일루에서 아웃시키다.⑤(끈끈이 장대로) 새를 잡다.¶鳥なを～ 끈끈이 장대로 새를 잡다.⑥혀를 자극하다;톡 쏘다.

***さ-す**【差す】⑤他 ①가리다;(우산 따위를) 쓰다;받(치)다.¶傘なを～ 우산을 받다.②(무용 등에서) 손을 앞으로 빼다;내밀다.③(刀なを～ 칼을 (허리에) 꽂다[차다].④(씨름에서) 상대방 겨드랑이에 손을 지르고 허리띠[살바]를 잡는다.⑤(배를 움직이기 위하여) 상앗대질을 하다.¶さおを～ 상앗대질을 하여 배를 나아가게 하다.⑥(点す·注す) 넣다.¶目薬なくを～ 안약을 넣다.⑦(술을) 들어 권하다.¶杯なくを～ 술잔을 권하다.三⑤自 ①(조수가) 밀려 오다.¶潮なく

が～ 조수가 밀려오다.↔引ひく.②(射す) (안에서 밖으로) 나타나다;나다;띠다.¶赤味なくが～ 붉은 기가 돌다;불그스름해지다/いやけが～ 싫증해지다.③꺼림하다;마음에 걸리다.¶気がが～ 마음이 꺼림칙하다;마음에 걸려 불안하다.④문득 못된 마음이 들다;(마가) 씌다;살이 끼다.¶魔まが～ 마가 들다[끼다].—・しつ差される つ 권커니 잣커니.

***さ-す**【指す】⑤他 ①(사물·방향 따위를) 가리키다;지적(지목)하다.¶とけいの針はりが正午ニょうを～した 시계 바늘이 정오를 가리켰다/犯人なくを～ 범인을 지목하다.②(그 쪽을) 향하다;목표로 하다.¶西なく를～して行くて行く 서쪽을 향하여 가다.③(将棋の手なくを) (치수를) 재다.④널빤지를 짜서 가구 등을 만들다.¶たんすを～ 장롱을 만들다.⑤(장기를) 두다.¶将棋なくを～ 장기를 두다.

***さ-す**【挿す】⑤他 ①꽂다;끼다.¶かんざしを髪なくに～ 비녀를 머리에 꽂다.②꺾꽂이하다.¶ポプラの枝をを地に～ 포플러 가지를 땅에 꺾꽂이하다.—꽃꽂이하다.

***さ-す**【射す】⑤自 (광선·그림자가) 비치다.¶朝日なくが～ 아침 햇빛이 비치다.

***さ-す**【注す】⑤他 ①(액체를) 붓다;따르다.¶水なくを～ (a)물을 붓다;(b)…에 찬물을 끼얹다;(c)흥을 깨다;(c)이간질하다.②(연지를) 칠하다.¶紅なくを～ 연지를 바르다.

***さ-す**【鎖す】⑤他 ①(자물쇠·빗장 따위를) 걸다;지르다.②(통 따위에) 마개하다.

-さ-す【止す】《動詞 連用形에 붙여, 五段活用의 他動詞를 만듦》도중에서 그만두다;중지하다.¶書かを～ 쓰다 말다/言いい～ 말을 하려다가 말다.

さす【砂州】〈砂洲〉名 사주;해안이나 호안(湖岸)에 생기는 긴 모래톱.=さしゅう.

ざす【座主】名【佛】좌주;절의 사무를 통할하는 수석 중;특히, '天台なく座主', 곧 延暦寺なくの 장(長).

***さすが**【遆·流石】副 ダ ①그렇다고 는 하나;뭐라고 해도;역시;정말이지.¶～(に)苦労人なくだけある 역시 고생 많이 한 사람은 다르다.②과연.¶～は天才なく 과연 천재/～は君なくだ.よくやった 과연 자네답군.잘 했어.③자타가 공인할 정도의 것;(그처럼) 대단한.¶～のAなくも參なったらしい 그 대단한 A도 손을 든 모양이다.

***さずかりもの**【授(か)り物】名 신불(神佛)이 내려 주신 것.¶子こは～ 자식은 하늘이 점지해 준 것.

***さずか-る**【授かる】⑤自 (내려) 주심을 받다.주심을 받다.¶子宝なくを～ 아이를 낳게 하여 주시다[점지해 받다].

***さず-ける**【授ける】下1他 ①(윗사람이 아랫사람에게) 주다;하사(下賜)하다;내려 주다.¶臣したに刀なくを～ 신하에게 칼을 하사하다.②전수(傳授)하다.¶弟子こに秘伝なくを～ 제자에게 비전을 전수하다.

さすて【差す手】名 (춤에서) 앞으로 내미는 손.—引ひく手で 내미는 손과 오

그리는 손(춤을 출 때의 손놀림).
サスペンス 〔名〕 서스펜스. ¶スリルと～ 스릴과 서스펜스. ▷suspense.
さすらい〖流離・漂泊〗〔名〕 방랑(放浪); 정처없이 떠돌아다님. ¶～人ぴと 방랑자; 유랑인.
さすら-う〖流離う・漂泊う〗〔五自〕 방랑하다; 떠돌(아다니)다; 유랑하다.
*__さす-る__〖摩る・擦る〗〔五他〕 가볍게 문지르다; 어루만지다. ¶胸むねを～ 가슴을 쓸어내리다; 안심하다.
ざ-する〖座する・坐する〗〔サ変自〕 ①앉다. ②무엇도 하지 않고 있다. ¶～ して死しを待まつ (대항 수단을 취하지 않고) 앉아서 죽기를 기다리다. ③(사건에) 관련되다; 연좌하다; 연루(連累)되다. ¶汚職事件おしょくじけんに～して독직(不正) 사건에 연좌되어. ━一して食くらえば山やまもむなし 아무리 많은 재산이라도 놀고 먹으면 결국 없어진다.
さすれば〖然すれば〗①그러므로; 그러니까. ②그렇다면.
*__させき__〖座席〗〔名〕 좌석; 자리. ¶～に着つく 자리에 앉다.
させつ〖左折〗〔名〕〔ス自〕 좌회전. ↔右折
ざせつ〖挫折〗〔名〕〔ス自〕 좌절; 꺾임.
*__さ-せる__〔下1他〕①시키다. ¶勉強べんきょうを～ 공부를 시키다. ②자게 하다. ¶本人ほんにんのすきなように～ 본인이 좋아하는 대로 하게 하다.
*__させる__〔助動〕《一段活用動詞・カ変動詞の未然形に接続함》①남에게 어떤 동작을 하도록 하는 뜻을 나타냄; ……하게 하다. ¶本人ほんにんを来こさせてください 본인을 오게 해서 주십시오. ②허가·방임의 뜻을 나타냄. ¶子供こどもに甘あえさせない 아이에게 응석을 부리지 못하게 하다. ③최상급의 존경을 나타냄; ……하시다. ¶国民こくみんの年賀ねんがを受うけさせられた 국민의 새해 인사를 받으셨다.
*__させん__〖左遷〗〔名〕〔ス他〕 좌천. ¶僻地へきちに～される 벽지로 좌천당하다. ↔栄転えいてん
ささん〖左前〗〔名〕〔野〕 좌전; 레프트 앞. ↔右前みぎまえ
ざぜん〖座禅・坐禅〗〔名〕 좌선. ¶～を組くむ 좌선을 하다.
さぞ〖嘸〗〔副〕《뒤에 추량(推量)의 말을 수반하여》추측컨대; 필시; 틀림없이; 여북(오죽)이나. =さだめし・さぞかし. ¶～お疲つかれでしょう 필시 피곤하신지겠지요.
*__さそい__〖誘い〗〔名〕 꾐; 권유(勸誘); 유혹. ¶～を受うける 권유를 받다 / ～をかける (의향을) 넌지시 떠보다; 흘러보다 / ～に乗のる 꾐에 빠지다(넘어가다) / ～の手てを伸のばす 유혹의 (길)을 뻗치다.
さそいかける〖誘い掛ける〗〔下1自〕 무엇을 하도록(시키려고) 꾀다.
さそいこむ〖誘い込む〗〔五他〕 꾀어들이다.
さそいだ-す〖誘い出す〗〔五他〕 꾀어(끌)어내다; 불러내다.
さそいみず〖誘い水〗〔名〕①(펌프물이 나오도록 붓는) 마중물. =呼よび水みず. ②어떤 일의 계기가 됨; 또, 그 계기.
*__さそ-う__〖誘う〗〔五他〕①꾀다. ①권(유)

하다. ¶旅行りょこうに～ 여행에 함께 가도록 권유하다. ②유혹하다. ¶悪あくの道みちに～・われる 못된 길로 유혹되다 / 月つきに～・われる 달빛에 이끌리다. ②부르다; 불러내다. ¶今度こんどはぼくが～ 이번에는 내가 부르러 가겠네. ③……하게 하다; 자아내다. ¶涙なみだを～ 物語ものがたり 눈물을 자아내는 이야기 / 眠ねむりを～ 잠(졸음)이 오게 하다.
ざぞう〖座像・坐像〗-zō〔名〕 좌상. ↔立像りつぞう
さざかし〖嘸かし〗〔副〕 'さぞ'의 힘줌말.
さそく〖左側〗〔名〕 좌측; 왼쪽. ¶～通行つうこう 좌측 통행. ↔右側みぎがわ
さぞや〖嘸や〗〔副〕 'さぞ'를 강조한 말. =さぞかし
さそり〖蠍〗〔名〕〔蟲〕 전갈(全蠍).
*__さた__〖沙汰〗〔名〕〔ス自〕①소식; 통지; 기별. ¶音おともない 소식도 없이 / 追おって～する 추후(곧) 알리다(기별하다). ②평판; 소문. =うわさ. ¶世間せけんの取とりざた 세상의 평판 / 町まちじゅうの専もっぱら～ 온통 항간이 떠들어대는 소문. ③(남들의 평판의 대상이 될 만한) 비정상적인 일; 또, 그러한 행위; 사태. ¶気違きちがいじみた 미친 짓 / けんかざた 싸움질; 싸움 사태 / 正気しょうきの～ではない 제정신을 가진 행동이 아니다(미친 짓이다). ②지시; 분부. ~しず. ¶～を待まつ 분부를 기다리다. ⑤시비를 가림. ¶地獄じごくの～も 金次第かねしだい 지옥에서의 일도 돈으로 좌우된다(돈만 있으면 귀신도 부릴 수 있다). ━一の限かぎり 당치도 않음; 언어 도단. 一の外ほか 문제가 되지 않음.
さだいじん〖左大臣〗〔名〕 太政官だじょうかんの 장관(太政大臣だじょうだいじん의 아래, 右う大臣だいじん의 위); =いちのかみ.
さだか〖定か〗〔形動ダ〕 명확한 모양; 확실함; 분명함. ¶彼かれの動静どうせいは……でない 그의 동정은 분명하지 않다.
さたなし〖沙汰無し〗〔名〕①지시가 없음. ②소식이 없음. ③비밀로 함; 문제로 삼지 않음.
さだま-る〖定まる〗〔五自〕①정해지다. ①결정(제정, 확정)되다. ¶態度たいどが～ 태도가 결정되다(정해지다) / 事ことが～ 일이 확정되다. ①일정해지다. ¶～った方法ほうほう 일정한 방법. ②안정되다; 가라앉다. ¶風かぜが～ 바람이 가라앉다 / 反乱はんらんが～ 반란이 가라앉다(진압되다).
さだめ〖定め〗〔名〕①정함. ①결정. ¶値段ねだんの～がつかない 가격을 결정하기가 힘들다. ①규칙; 정함; 법규. ②운명; 팔자. ¶悲かなしい～に泣なく 슬픈 운명에 울다. ③일정하지 않음. ¶～なき世よ 덧없는 세상.
さだめし〖定めし〗〔副〕《추측의 말을 수반하여》틀림없이; 필시; 아마. =さだめて・きっと・さぞかし. ¶～寒さむかったろう 틀림없이 추웠겠지. [し.
さだめて〖定めて〗〔副〕〔老〕 ☞さだめ
*__さだ-める__〖定める〗〔下1他〕①정하다; 결정하다; 제정하다. ¶法律ほうりつを～ 법을 제정하다. ②고정시키다. ¶ねらいを～ 겨냥하다; 조준하다 / 姿勢しせいを～ 자세를 잡다. ③안정시키다. ¶身みを～ 몸을 안정시키다. ④가라앉히다; 진

정하다; 다스리다. ¶乱ⁿ를 ～ 난리를
평정하다(가라앉히다) /天下ᵗᵃ를 ～ 천
하를 다스리다. ⑤확정하다. ¶事ᵗᵒ를
～ 일을 확정하다.

さたやみ【沙汰止み】图 ①계획이 중지
됨; 작파(作破)함. =おながれ. ¶～に
なる 계획이 중지되다. ②소문이 흐지
부지됨.

さたん【嗟嘆・嗟歎】图 ス自他 ①차탄;
탄식. ②감탄; 탄복.

サタン【宗】사단(Satan); 악마; 마왕.

ざだん【座談】图 ス自 좌담. ¶～会ᵏ의
の形ᵗᵃで話ᵗ する 좌담회의 の形で話す 좌담 형식
으로 이야기하다.

さち【幸】图〈雅〉①행복; 행운. =さ
いわい. ¶～あれ 행복 있으라. ②바다·산
연계에서 얻은 음식(본디, 사냥과 어
로(漁撈)에서 얻은 것). ¶海ⁱの～,
山ᵗᵃの～ 바다 음식[해산물], 산의 음
식[사냥한 것]; 산해·진미(山海珍味).

ざちゅう【座中】-chū 图 좌중. ¶～
を笑ᵗᵃわせる 좌중을 웃기다.

ざちょう【座長】-chō 图 좌장. ①좌담
회·토론회 따위를 주재하는 사람. ②
연예단(團)의 우두머리; (극단의) 단
장. =座ᵗᵃがしら.

さつ【冊】(冊) 책을 세는 말: …권.
¶辞書ᵗᵃ一ᵗᵒ～ 사전 한 권.

さつ【札】图 지폐. ¶お～ 지폐. /～を
積ⁱみ上ᵃげる 지폐를 쌓아 올리다 /
～をくずす 지폐를 헐다.

さつ【俗】경찰(警察)〈은어(隠語)〉.

*ざつ【雑】一ダナ 图 지잡. 〓 ～하다/
～になる 조잡하게 되다. 二 잡다한
것이 뒤섞여 있는. ¶～の部ᵇの部に入ⁱれ
る 잡류부에 넣다.

さつい【殺意】图 살의. ¶～をいだく
살의를 품다.

*さつえい【撮影】图 ス他 촬영. ¶～所ᵗᵃ
(영화) 촬영소.

ざつえい【雑詠】图 잡영; 시가나 俳句
ᵏᵘ 등에서 제목을 정하지 않고 여러 가
지 내용을 작시하거나 읊음; 또, 그작
품. ¶春季ⁱ～ 춘계 잡영.

ざつえき【雑役】图 잡역; 허드렛일; 잡
일. ¶～夫ᵇ 잡역부.

*ざつおん【雑音】图 잡음; 소음. ¶～を
入ⁱれる 잡음을 넣다(제삼자가 이러쿵
저러쿵하다).

*さっか【作家】图 작가.

さっか【擦過・擦過】图 찰과. ¶～
傷ᵗᵒ 찰과상; 찰상(擦傷).

*ざっか【雑貨】图 잡화. =小間ᵏᵒ
物ᵗᵃ. ¶～商ᵗᵃ 잡화상.

サッカー sakka 图〈俗〉사커; (아식) 축
구. ▷soccer.

さつがい【殺害】图 ス他 살해.

*さっかく【錯覚】图 ス自 착각.

さっかく【錯角】sakka-图【数】엇각;
엇각.

ざつがく【雑学】图 잡학. ①잡다하고
계통이 없는 학문. ②전문에 국한되지
않는 넓은 지식.

サッカリン sakka-图【化】사카린. ▷
saccharin(e).

ざっかん【雑感】zakkan 图 잡감; (통
일성이 없는) 여러 잡다한 생각.

さつき【五月】(皐月・早月) 图 ①음력 5

월. ②さつき【植】'さつきつつじ(=
영산백(映山白)'의 준말. ──ばれ
【──晴(れ)】图 5월의 맑은 날씨; 또,
음력 5월 장마철 사이의 맑은 날.

さっき【先】sakki 图 副〈俗〉아까; 조
금 전. =さきほど.

さっき【殺気】sakki 图 살기. ¶～がみ
なぎる 살기가 가득차다.

ざっき【雑記】图 잡기. ¶～帳
ᵗᵃ 잡기장 /身辺ⁿⁿ～ 신변 잡기.

さっきゅう【早急】sakkyū ダナ 조급;
몹시 급함; 지급. =そうきゅう.

ざっきょ【雑居】图 ス自 잡거. ¶
～生活ᵗᵃ 잡거 생활.

*さっきょく【作曲】图 ス自他 작
곡. ¶～家ᵏ 작곡가.

ざっきょく【雑曲】图 잡곡. ①
아악(雅楽) 이외의 여러 가지 곡(곡
曲). ②유행가; 속곡(俗曲).

*さっきん【殺菌】sakkin 图 ス他 살균.
¶低温ⁿⁿ～ 저온 살균 /～剤ⁿ 살균제.

ざっきん【雑菌】zakkin 图 잡균; 잡다
한 세균.

*サック sakku 图 색. ①(물건을 보호하
기 위한) 자루나 집. ¶めがねの～ 안
경집 /鉛筆ᵗᵃの～ 연필 두겁. ②손가
락에 끼우는 고무색. ③콘돔. ▷sack.

ざっくばらん-ダナ 图 탁 털
어 놓고 숨김없는 모양. ¶～に話ᵗᵃす
탁 털어 놓고서[까놓고] 이야기하다.

ざっくり zakku- 圖 ①(옷감 따위의)
투박하게 짠 느낌; 거칠고 성긴 모양.
②힘을 넣어서 깊는 모양; 큰 토막으로
쪼개지는 모양: 짝.

ざっけん【雑件】zakken 图 잡건; 잡다
한 용건[사건].

ざっこう【雑交】zakkō 图 ス他【生】잡
교; 다른 종류끼리의 수정이나 교배;
교잡. ¶～受精ⁿ 잡교 수정.

ざっこう【雑穀】zakko- 图 잡곡.

*さっこん【昨今】图 작금; 요즈
음. ¶～の世相ⁿ 작금의 세태.

ざっこん【雑婚】zakkon 图 ス他 잡혼;
난혼. =乱婚ⁿⁿ.

*さっさと sassa- 圖 망설이거나 지체하
지 않는 모양: 빨리빨리; 척척; 데먹.
¶～歩ᵃきなさい 빨리빨리 걸어라 /後ᵗᵃかた
づけを～すます 뒤처리를 데먹 해치우
다 /～引ⁱき揚ᵃげる 지체없이 척수하
다.

さっし【察し】sasshi 图 추찰(推察); 이
해; 통찰. ¶～が早ᵗᵃい 이해가 빠르다.

さっし【冊子】sasshi 图 책자. ¶小ᵗ
～ 소책자. ▷巻子本ⁿⁿ.

*ざっし【雑誌】zasshi 图 잡지. ¶娯楽
ᵏ～ 오락 잡지.

ざつじ【雑事】图 잡사; 자질구레하고
잡다한 일. ¶身辺ⁿⁿ～ 신변 잡사.

サッシュ sasshu 图 새시. =サッシ.
①창문틀. =窓ᵃわくⁿ. ②【アルミ-】알
루미늄 새시. ③【裁】드레스의 허리나
모자 등에 장식으로 두르는 폭이 넓은
벨트 모양의 천. ▷sash.

ざっしゅ【雑種】zasshu 图 잡종.

ざっしゅうにゅう【雑収入】
图 잡수입.

さっしょう【殺傷】sasshō 图 ス他 살
상. ¶人馬ⁿⁿを～する 인마를 살상하
다.

ざっしょく【雑食】zassho- 名 ス他 잡식. ¶～性動物 잡식성 동물.

さっしん【刷新】sasshin 名 ス他 쇄신. ¶人事の～ 인사 쇄신.

さつじん【殺人】名 살인. ¶～鬼 살인귀/～罪 살인죄/～的な暑さ 살인적인 더위.

さつじん【殺陣】名 영화·연극 따위에서 칼싸움 등의 난투 장면. ＝たて.

さっすい［撒水］sassui 名 ス自 살수. ¶～車 살수차. 注意 'さんすい'는 관용음.

**さっ-する【察する】sassu- サ変他 헤아리다; 살피다. ¶私の気持ちを～·してください 저의 심정을 헤아려 주십시오.

ざつぜん【雑然】トタル 잡연; 어수선한 모양. ¶～とした部屋 어수선한 방.

***さっそう**〖颯爽〗sassō トタル 모습·태도·행동이 시원스럽고 씩씩한 모양; 선드러짐. ¶～たる姿 씩씩한 모습〔자태〕.

***ざっそう**【雑草】zassō 名 잡초.

**さっそく【早速】sasso- 副 즉시. ＝すぐ(さま). ¶～申し込んでおこう 당장 신청해 두자.

ざっそく【雑則】zasso- 名 잡칙; 여러 자지레한 규칙.

ざった【雑多】zatta ダナ 잡다. ¶～な品物 잡다한 물건.

さつたば【札束】名 지폐 뭉치.

***ざつだん**【雑談】名 ス自 잡담. ¶～にふける 잡담에 몰두하다.

さっち【察知】satchi 名 ス他 찰지; 헤아려 앎.

さっちゅう【殺虫】satchū 名 ス自 살충. ¶～剤 살충제.

さっと〖颯と〗satto 副 ①동작 따위를 민첩하게 하는 모양: 날렵하게; 휑하니. ¶警官の姿を見て～隠れる 경관의 모습을 보고 휙 숨다. ②비·바람이 갑자기 (불어)오는 모양: 휙; 쏴. ¶風が～吹く 바람이 휙 불다.

***ざっと**〖雑と〗zatto 副 거춤거춤; 대충; 대강. ¶～一読する 대충 한 번 읽다.

さっとう【殺到】sattō 名 ス自 쇄도; 밀려 듦. ¶注文が～する 주문이 쇄도하다.

ざっとう【雑踏】(雑沓·雑閙) zattō 名 ス自 잡답; 혼잡; 붐빔. ＝人ごみ. ¶犯人は～に紛れて逃走した 범인은 혼잡을 틈타서 도주했다. 注意 '雑踏'로 씀은 대용 한자.

ざつねん【雑念】名 잡념. ¶～をはらいのける 잡념을 떨쳐 버리다.

ざつのう［雑嚢］-nō 名 잡낭; 여러 가지 물건을 넣는 전대(纏帶).

さっぱ sappa 名〔魚〕밴댕이.

ざっぱい【雑俳】zappai 名 俳諧에서 俳句·連句 이외의 통속 문예의 총칭.

ざっぱい【雑輩】zappai 名 잡배; 잡된 무리; 잡것.

ざっぱく［雑駁］zappaku ダナ 잡박; 잡다하고 통일성이 없음.

***さつばつ**【殺伐】名ナ 살벌; 거칠고 무시무시함. ¶～な気風 살벌한 기풍.

**さっぱり〖薩張〗sappa- 副 ①후련한 모양; 산뜻한〔말쑥한〕 모양. ¶～(と)した身なり 산뜻한 몸차림/～とした性格 깔끔한 성격/～した人 담박한 사람; 시원스런 사람. ②《흔히, 'と'를 수반하여》 남김 없이; 깨끗이. ¶きれい～平らげた 깨끗이 먹어〔완전히 해〕치웠다. ③《否定語가 붙어서》 전혀; 전연; 조금도. ¶～わからない 전연 모르겠다. ④《'～だ'의 꼴로》 전연 (안 되다); 아주 (말이 아니다, 형편 없다). ¶景気はどうも～です 경기는 아주 말이 아닙니다.

ざっぴ【雑費】zappi 名 잡비. ¶～がかさむ 잡비가 많이 들다.

さっぴ-く【さっ引く·差っ引く】sappi- 5他 〈俗〉 공제하다.

さつびら【札びら】(札片) 名 〈俗〉 (여러 장의) 지폐. **—を切る** 돈을 아낌없이 쓰다; 전하여, 으스대면서 큰돈을 쓰다.

さっぷ［撒布］sappu 名 ス他 살포. ¶～剤 살포제. 注意 'さんぷ'는 관용음.

さっぷうけい【殺風景】sappū- 名 ダナ 살풍경. ①무풍류. ¶～な冬 살풍경한 겨울/～な男 무풍류한 사내. ②흥이 깨짐; 재미 없음. ¶～な話 재미 없는 이야기.

ざつぶん【雑文】名 잡문.

ざっぽう【雑報】zappō 名 ①잡보. ¶～欄 잡보난. ②신문의 사회면 기사의 구칭.

ざつぼく【雑木】名 잡목. ＝ぞうき.

さつま［薩摩］名〔地〕옛 지방의 이름《지금의 鹿児島県 서반부》. **—いも**［—芋·甘藷］名 고구마. **—のかみ**［—の守］名 〈俗〉 무임 승차(자)《平忠度가 薩摩 영주(領主)를 지냈으므로 'ただのり'를 '只乗(＝무임승차)'의 뜻으로 엇걸어 쓴 말》.

ざつむ【雑務】名 잡무. ¶～に追われる 잡무에 쫓기다.

***ざつよう**【雑用】-yō 名 잡용; 자질구레한 용무〔씀씀이〕. ¶～に追われる 잡무에 쫓기다.

さつりく［殺戮］名 ス他 살륙. ¶大～戦 대살륙전.

ざつろく【雑録】名 잡록.

ざつわ【雑話】名 잡담. ＝雑談.

***さて**〖扨·扠·偖·却説〗㊀副 막상 (하려고 하면); 정작 …때가 되면. ¶～机に向かうと 막상 책상 앞에 앉으니. ㊁接 다른 화제로 옮기는 기분을 나타냄: 그런데; 그리고; 그래서. ＝ところで. ¶～また 그리고 또; 그 위에 또/～, 君のあれはどうなったかな 그런데, 자네의 그건 어떻게 됐지. ㊂感 다음 행동으로 옮길 때 자문(自問)·주저하는 빛을 나타냄: 자 (이제). ＝さあ. ¶～, そろそろ帰ろうか 자, 슬슬 가볼까.

さであみ〖叉手網〗名 어구의 일종; 족대《반두와 비슷하나 그물의 한가운데가 주머니처럼 되어 있음》. ＝さで.

さてい【査定】名 ス他 사정. ¶税額の～ 세액의 사정.

サディズム sadi- 名 사디즘; 가학성(加虐性) 음란증; 가학증. ↔マゾヒズム. ▷sadism.

さておーく〖扨置く·扠置く·扨措く·偖措く〗5他 (어떤 사항·화제 등을) 일단 그대로 두다; (일단) 차치(且置)하

다. ¶冗談ネシだは～き 농담은 그만 하고 / それは～き 그것은 그렇다 하고 / 何にはは～き 만사 제쳐 놓고 ; 우선 제일 먼저.

さてこそ【連語】 그러고 보니 역시 ; 생각 한 바와 같이. ¶～一大事ネシだ 그러고 보니 중대사다.

さてさて【感】 그랬구나 하고 놀랐을 때 나 감탄했을 때에 내는 말 : 저런 ; 아이 고 ; 참으로 ; 어마나. ¶～なんとまあ・いやどうも・きてもきても。 ¶～困ること になったこれこそ참 일이 난처하게 되었군.

さてつ【砂鉄】【名】【鑛】 사철. =しゃてつ.

さてつ【蹉跌】【名】【ス自】 차질. ¶～を来たす 차질을 초래하다.

さては =wa 【接】 끝내는 ; 결국에는 ; 드디어는 ; 그위에 ; 그리고 또. ¶飲むむ, 歌う, ――踊出すという騒ぎさ 술 마시고 노래 부르고 게다가 춤까지 추기 시작하는 법석. ¶【副】 비로소 알아차리게 된 때에 내는 말 : 그러고 보니, 그렇다면 (틀림없이). ¶～ごまかす気だな 그렇다면 (틀림없이) 속일 작정이구나 / ～犯人ネシはお前ネシだな 그러고보니 범인은 너로구나.

さても【接】 'きて'의 힘줌말. ¶【感】 감탄했을 때에 내는 말 : 참으로 ; 그것참 ; 정말. =さてさて. ¶～見事ネシなものだ 정말이지 훌륭하군.

*__さと__【里】〔郷〕【名】①마을 ; 촌락. =人里ネシ. ¶～を離れた山奥ネシ 마을에서 멀리 떨어진 산속. ②골짜기의 마을. ¶～のならい 시골 풍습. ②아내·양자·고용인 등의 본가〔本家〕. ¶嫁ネシが～に帰るさ 며느리가 친정에 가다. ③집안 ; 태생 ; 성장 과정. ☞おさと. ④양육비를 내고 아이를 맡겨 두는 집. ☞さと.

さと-い【聰い・敏い】【形】①총명하다 ; 재치 있다. =かしこい. ②날카롭다 ; 예민하다 ; 재빠르다. =するどい・すばしこい. ¶利ネシに～人ネシ 이해 타산이 빠른 사람 / 耳ネシが～ 귀가 밝다.

さといも【里芋】【植】 토란.

さとう【左党】【名】①左翼〔급진〕 정당. ②술꾼. ↔右党ネシ.

さとう【茶道】【名】 다도 ; 차례.

さとう【砂糖】-tō 【名】 설탕. ¶～漬づけ 설탕 조림. ──きび【――黍】【植】 사탕수수. ──だいこん【――大根】【植】 사탕무. ＝甜菜ネシ・ビート(beet).

さどう【作動】-dō 【名】【ス自】 작동 ; 가동. ¶～音ネシ 작동음.

さどう【茶道】-dō 【名】 다도. =ちゃどう.

ざとう【座頭】-tō 【名】①맹인〔盲人〕으로 '琵琶法師ネシ'=맹인의 넷째 등급의 관직명'. ②삭발한 맹인으로서 비파 (琵琶)・三味線ネシ을 타거나 안마·침질 등을 업으로 하던 사람. ＝장님. =めくら.

さとおや【里親】【名】 수양(收養) 부모. ¶一日ネシ～ 하루 동안 남의 아이를 맡는 일. ↔里子ネシ.

さとがえり【里帰り】【名】【ス自】①출가한 여자의 첫 근행〔근친〕. ②고용살이꾼이 휴가를 얻어 자기 집에 돌아감 ; 귀성〔歸省〕.

さとかた【里方】【名】 며느리·양자 등의

본가 ; 친정 ; 또, 그 친척.

さとご【里子】【名】 수양 아들〔딸〕. ¶～に出ネシす 수양 아들〔딸〕로 주다. ↔里親ネシ.

さとごころ【里心】【名】 친정 생각 ; 고향 생각 ; 향수. ¶～がつく 고향〔친정〕 생각이 일어나다.

さとことば【里ことば】【里言葉・里詞】【名】①시골말. ②보통 말. ③화류계〔유곽〕에서 쓰는 독특한 말.

さとし【諭し】【名】【諭諫】 타이름 ; 신탁(神託) ; 신불의 계시.

さと-す【諭す】【五他】 잘 타이르다 ; 깨우치다 ; 교도(敎導)하다. ¶子供を～してやる 아이를 깨우쳐 주다〔잘 타일러 주다〕.

さとびと【里人】【名】①마을〔시골〕 사람 ; 그 지방 사람. ②친정쪽 사람 ; 일가.

さとへん【里偏】【名】 한자 부수의 하나 ; 마을리변('野' 등의 '里'의 이름).

さとり【悟り】【覚り】【名】①【佛】 깨달음 ; 득도(得道). ¶～を開ひら 득도하다. ②이해〔하는 머리〕. ¶～が早い 이해가 빠르다 ; 머리가 좋다.

*__さと-る__【悟る】【覚る】【五他】 깨닫다. ①분명히 이해하다. ¶言外ネシの意ネシを～ 언외의 뜻을 깨닫다〔알아채다, 눈치채다〕. ②【佛】 해탈하다〔하는 머리〕. ¶～が早い 이해가 빠르다 ; 머리가 좋다.

サドル【名】 새들 ; 자전거·오토바이 따위의 안장. ▷saddle.

さなえ【早苗】〔秧〕【名】 못자리에서 옮겨 심을 무렵의 모 ; 볏모. ¶～歌ネシ 이앙가 (移秧歌) ; 모내기 노래. ¶～を取る 모 내다 ; 모심다 ; 이앙하다.

さなか【最中】【名】한창 …인 때. =(まっ)さいちゅう. ¶夏ネシの～한여름 ; 大雨ネシの～に帰ネシって来た 큰비가 한창일 때 돌아왔다.

さながら【然ら・宛ら】【副】 마치 ; 흡사 (恰似). =まるで・ちょうど.

さなぎ【蛹】【名】 번데기.

さなきだに【連語】〈雅〉 그렇지 않아도. =そうでなくてさえ. ¶～厳ネシしい中ネシ ソソ対立ネシの中ネシで 그렇잖아도 냉혹 한 중소 대립의 와중에서.

さなくば【然なくば】【連語】 그렇지 않으면. =さもなければ.

さなだむし【真田虫・條虫】【名】【蟲】 촌충(寸蟲) ; 촌백충.

サナトリウム -ryūmu 【名】 새너토리엄 ; 결핵 요양소. ▷sanatorium.

さね【実・核】【名】①나무 열매의 핵. ②【建】은혀. ③(복숭아 따위의) 씨에 들어 있는 흰 알맹이 ; 배주(胚珠). ④종자 ; 씨. ⑤(俗) 공알 ; 음핵〔陰核〕.

さねかずら【真葛】【植】 남오미자.

さのう【砂嚢】-nō 【名】 사낭. ①모래주머니. ②【鳥】 날짐승의 모래주머니.

さのみ【然のみ】【連語】〈뒤에 否定語를 수반하여〉 그토록 ; 그렇게〔까지〕 ; 그렇게 …만은. ¶彼ネシを～悪ネシくは言ネシわない 그렇게 나쁘게만은 말하지 않다 ; ～頼むべからず 그렇게까지 믿지 마라. ▷右派ネシ.

*__さは__【左派】【名】 좌파 ; 좌익 ; 급진파.

さば【鯖】【魚】 고등어. ──を読よむ 수량을 속여서 이익을 탐하다.

さはい【差配】【名】【ス他】①(세준 집·땅 의) 대리 관리(인) ; 마름. ②사무를 분

장함. ③지시함; 또, 그 사람.
さばかり【然許り】副 겨우 그 정도; 그만큼. =それほど・さほど.
さばき【裁き】名 재판; 심판. 『大岡~ 大岡越前守ᵃᵃᵃᵃ(=江戸 중기의 명재판관)의 명재판 / 神ᵃᵃの~ 신의 심판.
さば-く【捌く】⑤他 ①(엉킨 것을) 잘 풀다. ②(곤란한 문제를) 재치 있게 처리〔수습〕하다. 『交通渋滞ᵃᵃᵃを~ 교통 정체를 잘 처리하다 / 手綱ᵃᵃを~ (고삐를) 능숙하게 다루다. ③〔商品을〕 팔아 치우다. 『手持ᵃᵃᵃの品ᵃᵃを~ 갖고 있던 상품을 깨끗이 팔아 치우다.
さば-く【裁く】⑤他 판가름하다; 중재〔재판〕하다. 『けんかを~ 싸움을 중재하다 / 罪人ᵃᵃᵃを~ 죄인을 재판하다.
さば【佐幕】名 徳川幕府ᵃᵃᵃᵃᵃ 말기에 幕府를 편들어 도움; 또, 그 당파. ↔勤王ᵃᵃᵃ・尊王ᵃᵃᵃ.
さばく【砂漠】〔沙漠〕名 사막.
さば-ける【捌ける】下一自 ①물건이 잘 팔리다. =はける. ②세상 물정에 밝다. 『~けた 세상 물정에 밝은 사람〔탁 트인 사람〕. ③물이 빠져나가는 것이 잘 풀리다; 이론이 정연해지다.
さばさば【さば然】〔爽然〕名 ス自〔俗〕①마음이 후련한 모양; 상쾌한 기분. 『~した 후련한; 후련히. 『~した気分 후련〔상쾌〕한 기분. ②성격이 소탈하고 시원스러운 모양. 『~した人 (성격이) 시원시원한 사람.
さばよみ【さば読み】〔鯖読み〕名 ス自 수를 속임. ⇨さば.
さはんじ【茶飯事】名 다반사; 항다반사(恒茶飯事); 예사로운 일. 『日常~ 일상 다반사; 예사(茶飯).
さび【寂】名①예스럽고 아취가 있음. 『~のついた茶碗ᵃᵃᵃ 아취가 있는 찻잔. ②은근하고 깊은 정감이 있음. 『~のある声ᵃᵃᵃ 은근하고 정감 있는 (낮은) 목소리.
さび【錆】〔銹〕名①녹. 『~がつく 녹 슬다. ②나쁜 결과. 『身ᵃᵃから出ᵃᵃた~ 스스로 초래한 나쁜 결과; 자업 자득.
さびあゆ【錆鮎・荒鮎】名 성숙해서 강을 내려오는 가을철 은어(等에 녹 갈색 반점이 있음). =おちあゆ.
さびし-い【寂しい】〔淋しい〕-shī 形 ①허전하다. 『ふところが~ 호주머니가 허전하다〔돈이 떨어지다〕. ②쓸쓸하다; 적적하다. 『~生活ᵃᵃᵃ 쓸쓸한 생활 / 山道ᵃᵃを 호젓한 산길. ③섭섭하다. 『友ᵃᵃと別れて~ 친구와 헤어져 섭섭하다.
さびしさ【寂しさ】名 허전함; 쓸쓸함.
さびつ-く【さび付く】〔錆び付く〕⑤自 녹슬어 엉겨붙다; 잔뜩 녹슬다. 『錠ᵃᵃᵃが~ 자물쇠가 녹슬어 열리지 않다.
さびど-め【さび止め】〔錆止め〕名 녹슬지 않도록 표면에 도료나 기름을 바름; 또, 그 도료나 기름; 방수제(防銹剤).
ざひょう【座標】-hyō 名 좌표. 『~軸ᵃᵃ 좌표축.
さ-びる【寂びる】上一自 예스러운 멋이 있다; 한적한 정취가 있다. 『~びた 山里ᵃᵃᵃ 한적한 산골 마을 / ~びた色 은은한 빛깔.
さ-びる【錆びる】上一自 ①녹나다; 녹

슬다. ②【寂びる】 차분하게 가라앉은 목소리로 변하다.
-さ-びる《名詞에 붙어서上一段活用動詞를 만듦》…답(게 되)다; … 다워지다. 『おとめ~ 처녀다워지다.
さび-れる【寂れる】〔淋れる・荒れる〕下一自 (번창하던 곳이) 쇠퇴하다; 쓸쓸해지다.
さふ【左府】名 좌상(左相)의 당명(唐名). =左大臣ᵃᵃᵃᵃ. ↔右府ᵃᵃᵃ.
サファイア -faia 名【鑛】사파이어; 청옥(青玉); 강옥(鋼玉). ▷sapphire.
サブウェー -wē 名 서브웨이; 지하 철도. ▷subway.
サブタイトル 名 서브타이틀. ①(서적이나 문장의) 부제목. ②【映】설명자막; 화면에 나타낸수 없는 줄거리를 설명하는 보조 자막. ▷subtitle.
ざぶとん【座布団】〔座蒲団〕名 방석. 『~を当てる 방석을 깔다.
サフラン【泊夫藍】名【植】사프란. ▷네 saffraan.
さべつ【差別】名 ス他 차별. 『無ᵃ~ 무차별 / ~待遇ᵃᵃᵃᵃ 차별 대우.
さへん【サ変】名【文法】'さ行ᵃᵃ変格活用動詞'의 준말.
さほう【作法】-hō 名 ①예의 범절. =エチケット. 『~礼儀ᵃᵃᵃ 예의 범절. ②작법; (시가・문장 등의) 만드는 법.
さぼう【砂防】-bō 名 사방. 『~工事 사방 공사 / ~林 사방림.
サボタージュ -taju 名 ス自 사보타주; 태업(怠業). =サボ. 『~〈俗〉게으름 피움. ▷프 sabotage.
サボテン【仙人掌・覇王樹】名【植】사보텐; 선인장. =シャボテン. ▷스 sapoten.
さほど【然程・左程】副《다음에 否定語가 따름》그다지; 별로; 그토록. 『~れほど。 『~むずかしくない 그다지 어렵지 않다.
サボ-る⑤自〔俗〕사보타주하다; 게으름 피우다. 『学校ᵃᵃᵃを~ 게으름 피우고 학교에 가지 않다.
ザボン【朱欒】名【植】잼보아; 왕귤나무; 주란밀. =シャボン・ボンタン・ザンボア. ▷포 zamboa.
さま【様】名①모양; 상태; 모습. 『~を変ᵃえる 모습을 바꾸다 / ~にならない 꼴이 말이 아니다 / ~を作ᵃᵃる 모양을 내다. ―接尾《名詞등에 붙어서》①존경・공손을 나타냄. 『松田ᵃᵃᵃ~松田 씨 / 宮ᵃᵃ~ 황족(皇族)의 높임말 / お嬢ᵃᵃ~ 아가씨. ②어떤 일을 공손히 하는 뜻. 『ごちそう~ 잘 먹었습니다 / お気ᵃᵃの毒ᵃᵃᵃ~ 안 됐습니다 《남의 고통이나 슬픔을 위로하는 말》.
ざま【様・態】名①(좋게) 모양이나 차림을 조소하는 말: 꼴; 꼬락서니. 『何だᵃᵃᵃᵃという~ 무슨 꼴이야. ―を見ᵃᵃろ 꼴 좋다 봐; 꼴 좋게 됐군.
-ざま【方・様】《주로 動詞의 連用形에 붙어서》①그 동작의 방법・모양을 나타냄. =し・かた. 『書ᵃᵃき~が悪ᵃᵃい 쓰는 식이 나쁘다. ②…쪽. 『後ᵃᵃ~に倒ᵃᵃれる 뒤로 벌렁 자빠지다. ③…하자 마자; …하면서 그대로. 『立ᵃᵃち上がりᵃᵃᵃ~になぐりつける 일어서자 마자 주먹질한다.

サマー 名 서머；여름.=サンマー. ¶
～タイム 서머 타임. ▷summer.

=さまざま【様様】《体言에 붙어서》그
것이 자기에게 고마운 것이라는 뜻을
나타내는 데 쓰는 말. ¶漫画なら～の
世の中も 만화라면 그만인 세상〔만화
책만 내면 잘 팔리는 세상〕.

*__さまざま__【様様】 名·ダナ 여러 가지；
가지각색. ¶～に変化する 가지각
색으로 변화하다.

*__さま-す__【冷ます】 5他 식히다. ¶湯
を～ 더운 물을 식히다／興をを～ 흥
을 깨다.

*__さま-す__【覚ます】 5他 깨다；깨우
치다；깨우치다. ¶雨の音に目を～
빗소리에 잠을 깨다／酔いを～ 취기
〔醉氣〕를 깨우다／迷いを～ 미망〔迷
妄〕에서 깨다.

さまた-げる【妨げる】 下1他 ①방해하
다；지장을 주다. ¶安眠を～ 안면
을 방해하다. ②〈'…をさまたげない'의
꼴로〉허락의 뜻을 나타냄. ¶重任を
を～げない 중임도 무방하다.

さまつ【瑣末·些末】 名 사소한 일；
(중요하지 않은) 작은 일. ¶ささい.

さまで【然迄】 副 ❬뒤에 否定을 수반하
여❭ 그렇게〔까지〕.=それほど(まで).
¶～心配するには及ばない 그렇게
까지 걱정할 필요가 없다.

さまよ-う【さまよう·さ迷う】【彷徨う】
5自 헤매다；방황〔유랑〕하다；떠돌
다. ¶ふぶきの中を～ 눈보라 속을
헤매다.

さみ-しい【寂しい·淋しい】 -shi 形
〈俗·方〉쓸쓸〔적적〕하다.=さびしい.

さみせん【三味線】 名 ⇒しゃみせん.

さみだれ【五月雨】 名〈雅〉음력 5월경
에 오는 장마；매우〔梅雨〕.=つゆ·梅
雨.¶～雲 장마 때의 구름.

‡__さむ-い__【寒い】 形 ①춥다；차다. ¶
～くてかなわない 추워서 견딜 수 없
다／春といっても朝はまだ～ 봄이
라 하지만 아침은 아직 춥다. ↔あつい.
②오싹하다. ¶せすじが～くなった
둥골이 오싹해졌다. ③〈흔히, 'お～'의
꼴로〉빈약하다. ¶ふところが
～ 가진 돈이 적다／お～くらし 가난
한 생활／お～設備 빈약한 설비.

さむけ【寒け】【寒気】 名 ①한기；추운
느낌. ②오한. =悪寒. ¶～がする
오한이 나다. ↔あつけ.

さむ-さ【寒さ】 名 추위.↔あつさ.

さむざむ【寒寒】 ト3자 ①몹시 추운 모
양. ¶～とした風景 으스스 추위 보
이는 풍경. ②운치가 없고 살풍경한 모
양. ¶～とした家 횅하고 살풍경
한 빈집.

さむぞら【寒空】 名 ①차가운 겨울 하
늘；한천〔寒天〕. ②(겨울의) 찬 날씨.
¶～に街をさまよう 찬 날씨에 거리
를 헤매다.

さむらい【侍】 名 ①무사〔武士〕. ②〈俗〉
기골이 있는 사람；한가락하는 사람.
¶大した～だ 기골깨나 있는 인물이다.

さめ【鮫】 名〔魚〕상어.

さめざめ 副 하염없이 우는 모양.

〔右段으로 계속〕

～と泣く 하염없이 울다.

*__さ-める__【冷める】 下1自 식다.=ひえ
る〔ひえる〕.

*__さ-める__【褪める】 下1自 퇴색하다；바
래다.=あせる.

*__さ-める__【覚める】【醒める】 下1自 깨
다；눈이 뜨이다；제 정신이 들다. ¶
目の～ような赤 눈이 번쩍 뜨일 것
같은 (선명한) 빨강／目が～ (a)잠이
깨다；(b)정신이 들다／夢から～ 꿈
에서 깨어나다.

さも【然も】 副 ①아주；정말；참으로；
자못. =いかにも. ¶～満足そうに
아주 만족한 듯이. ②그럴 수도；그렇
기도.=そうも. ¶～あろう 그렇기도
하겠지.

さもあらばあれ【遮莫】 連語〈文〉그렇
다면 그런 대로 하는 수 없다；어떠하
든；어떻더라도. =ままよ·さもあれ.

さもありなん【然も有りなん】 連語
〈文〉확실히 그럴 것이다；그것도 당연
하다. ¶．．．だ．=あきらめ.

さもし-い -shi 形 야비〔비열〕하다；
탐욕스럽다. ¶彼は～がう 그는 야
비한 사람. ¶彼女は～がう 그녀는 하
품이 없다.

ざもと【座元】 名 흥행사〔興行師〕；흥
행장 주인.

さもなければ【然も無ければ】 連語 그
렇지 않으면.=さもないと.

さもん【査問】 名 ス他 사문. ¶～会
사문회.

さや【莢】 名 콩꼬투리；콩깍지. ¶～
隠元 꼬투리째 먹는 강낭콩.

*__さや__【鞘】 名 ①칼집. ¶～を払う 칼
을 뽑다／もとの～におさまる 제 칼집
에 들어가다；원상 복귀하다；전하여,
부부가 화해하고 다시 같이 살다. ②
붓두껍. ③(값이나 이윤의) 차액. ¶
～を取るる (그 가격의) 차액을 취하
다. ④당〔堂〕이나 곳집의 담.

ざやく【座薬·坐薬】 名 차성約；＝さしこ
みぐすり．＝痔の～ 치질의 좌약.

さやさや 副 ①서로 닿아서 바스락바
스락 소리가 나는 모양. ¶～と触～
あうこずえ (바람에) 서로 닿아 바스
락거리는 우듬지. ②천천히 흔들리는
모양. ¶～とゆれるすすき 살랑살랑
흔들리는 참억새.

さゆ【白湯】 名 맹물；끓인 맹물. ¶～
を沸かす 백탕을 끓이다.

さゆう【左右】 名 -yū 名 ス他 ①좌우. ¶道
路の～に 도로(의) 좌우에. ②곁에
있는 사람；측근〔側近〕. ¶～に命ずる
측근자에게 명령하다. ③이랬다 저
랬다 함. ¶言を～にする 말을 이랬
다 저랬다 하다〔애매한 소리로 하다〕.
二二 ス他 좌우하다；좌지우지하다. ¶一
国の運命をを～する 일국의 운명을
좌우하다.

ざゆう【座右】 名 -yū 名 좌우；신변；곁.
¶身辺を～の銘 좌우의 명.

*__さゆり__【小百合】 名〈雅〉백합.=ゆり.

‡__さよう__【作用】 名 ス自 ①작용. ¶消
化～ 소화 작용. ──反作用の法
則은 작용 반작용의 법칙.

*__さよう__【然様·左様】 -yō 二 副 ダナ
〈老〉그렇게；그런；그처럼；그와 같

이. =그러와 같이 그렇게[그런 것](에).
¶~でございます 그렇습니다 /~な
事は許されぬ 그런 일은 용서 안 될
것으로 말이다. 〓囯 그렇다. =そうだ.
¶~、わたしのものだ 그렇소, 내 것
이오. ──しからば【━然らば】連語
①그렇소, 그렇다면의 뜻으로, 형식적
으로 허두에 쓰는 말. ②그렇다면.
=そうであれば.

さようなら【然様なら・左様なら】sayō-
□感 안녕히 가십시오[그러면
헤어집시다의 뜻]. =さ
ようなら. 〓接 그렇다면. =それなら.

さようきょく【小夜曲】-kyoku 图【樂】소
야곡. =セレナーデ.

さよく【左翼】图①좌익. ②【野】좌익
수. =レフト. ⇔右翼.

さよなら 图 =さようなら.

さより【針魚・細魚・鱵】图【魚】공미
리; 침어; 침구어(針口魚).

さら【皿】图①접시. ②접시. =洗うい 접시
닦이. 参考 접시의 수를 셀 때에 쓴.
¶一〜二〜 또 한 접시 두 접시. ②접
시 비슷한 모양의 물건. ¶油うの受う
け血ぎ 기름이 떨어지는 것을 받기 위
한 접시 /저울판 /히자의 ─ 저울판/ひざの
─ 종지뼈; 슬개골(膝蓋骨).

サラ【洗】〈俗稱〉샐러리; 봉급. =サラリー.
¶安サラ 박봉. ──きん【━金】'사
ラリーマン金融うぎ의 준말; 샐러리맨
상대의 고리 대금업.

さら【更】ナリ【雅】물론임; 두말할 나
위도 없음. ¶言ううも〜り 말할 필
요도 없다.

ざら 图①【俗】'ざらめ'의 준말. ②
〈俗〉흔함; 귀하지 않음; 혼해빠진
것. ¶~の事は 혼해빠진 일이다.

さらい【再来】 다음다음의. ¶〜年ん
다음다음 해; 내후년.

さら-う【復習う】[5他] 복습하여 익
히다; 복습하다. ¶ピアノを〜 피아노
를 복습하다.

*さら-う【攫う】[5他] ①채다; 날치기하
다. ¶金を〜って逃げる 돈을 채어
도망치다. ②휩쓸다; 독차지하다. ¶
人氣うを〜 인기를 휩쓸다.

*さら-う【浚う・渫う】[5他] (우물·못·도
랑 따위를) 쳐내다; 준설(浚渫)하다.

ざらがみ【ざら紙【粗紙・更紙】 图 갱지
(更紙); 질이 나쁜 양지(洋紙). =わら
半紙ばん.

さらけだ-す【さらけ出す【曝け出す】
[5他] 속속들이 드러내다. ¶持物ちを
〜して見みせる 소지품을 속속들이
드러내어 보이다.

サラサ【更紗】图 사라사. ①오채(五
彩)로써 인물·조수(鳥獸)·화목(花木)
또는 기하학적 무늬를 날염한 피륙;
또, 그 무늬. ②홍백색이 섞여 사라사
천과 비슷한 무늬. ▷saraça.

さらさら【更更】副①사물이 거침없이 나아가
는 모양; 술술; 졸졸. ¶小川おが〜と
流れる 시냇물이 졸졸 흐르다.
②물건에 습기가 없고 끈적끈적하지 않
은 모양; 바슬바슬; 보슬보슬. ¶〜し
た粉雪こぎ 보슬보슬한 가랑눈. ③사물
이 서로 가볍게 스칠 때 나는 소리; 사
삭; 사각사각.

さらさら【更更】副《뒤에 否定하는 말

이 따라서》만에 하나도; 결코; 조금
도. ¶恨うまない 원한은 조금도
없다.

*ざらざら 副 만진 감촉이 거칠고 윤기
가 없는 모양; 까칠까칠; 껄끔껄끔. ¶
舌したが〜する 혀가 까슬까슬하다. ↔す
べすべ.

*さらし【晒し・曝し】图①바램; 바래서
희게 한 물건; 특히, 목목을 표백
(漂白)함; 마전; 또, 표백한 무명. ②江
戶ど시대에, 죄인을 묶어서 거리에 내
어 많은 사람에게 보여 주던 형벌.
'さらし首くび(=효수)'의 준말.

さらしこ【さらし粉【晒し粉・曝し粉】
图①표백분. =クロールカルキ. ②물
에 녹은 하얀 가루.

さら-す【晒す・曝す】[5他]①햇볕에 쬐
다; 또, 비바람을 맞히다. ¶銅像ぞうが
風雨ふうに〜・されて立つている 동상이
비바람을 맞으며 /危險きんに身を〜
위험을 돌보지 않다. ②바래다; 표백하
다. ¶布ぬのを〜 목목을 바래다. ③여
러 사람의 눈에 띄게 하다. ¶恥はを〜
창피(수치)를 드러내다. ④효수(梟首)
형에 처하다.

さらそうじゅ【沙羅双樹】─sōju 图 사
라 쌍수. =しゃらそうじゅ・さらじゅ
(樹). ①【植】=さら(沙羅). ②【佛】석가
(釋迦)가 열반(涅槃)을 들
었을 때 그 사방에 두 그루씩 나 있었
던 사라수.

サラダ 图【料】샐러드. ¶野菜さいの〜 야
채 샐러드. ▷salad.

*さらに【更に】副①그 위에; 더욱더.
¶〜上達うする 더 한층 능숙해지다.
②다시〔한 번〕; 거듭. ¶〜懇請せいす
る 거듭 간청하다. ③《뒤에 否定하는
말이 따라서》조금도; 도무지. ¶〜反
省せいの色いろがない 도무지 반성의 빛이
없다.

さらぬ【然らぬ】連語《'体てい(=태도)'
'様よう(=모양)'·顔かお(=얼굴)'의 위에 붙
어서》아무렇지도 않은; 태연한; 모르
는 체하는. ¶〜体てい 아무렇지도 않은
모양; 뻔뻔한 태도 /〜顔かお 태연한 얼
굴.

さらば【然らば】〓接〈老〉그렇다면;
그러면. =それでは. 〓图 남과 헤어질
때의 인사; 그럼 안녕히. ¶お〜 안녕
히 /〜故郷きょうよ 잘 있거라 고향아.

さらばかり【皿ばかり【皿秤】图①접
시 달린 저울. ②앉은뱅이 저울; 천칭.
=천평칭. =てんびん. ↔さお秤ばかり.

サラブレッド ─reddo 图 서러브레드;
영국 원산의 경마용의 우수한 말. ▷
thoroughbred.

さらまわし【皿まわし【皿廻し】图 접시
를 (손가락 끝이나 가는 막대기 끝에
올려놓고) 돌리는 곡예(사).

ざらめ【粗目】图①(결정이) 굵은 설
탕; 싸라기 설탕. =ざらめ糖とう. ②(종
이 따위가) 거슬거슬함; 강급.

*サラリー 图 샐러리; 봉급. ▷salary.
──マン 图 샐러리맨; 봉급 생활자; 월
급쟁이. =salaried-man.

さらりと 副①매끈한 모양. ¶〜した
布地きれ 매끈한 천. ②물건 등이 산뜻
하며 구애됨이 없는 모양; 또, 시원스
레 단안을 내리는 모양; 선뜻; 깨끗이.

‖未練みを～捨すてる 미련을 선뜻 버리다／いやなことは～忘わすれる 언짢은 일은 깨끗이 잊다.

ざりがに【蝲蛄】图〔動〕가재. ☞「がに.

さりげな-い【然り気無い】圈 그런 티가 없다；아무렇지도 않은 듯하다. ‖─様子すをして尋たずねる 아무렇지도 않은 듯이 묻다.

さりとて【然りとて・去扯】腰 그렇다고 해서. ‖～やめるわけにも行かぬ 그 렇다고 그만둘 수도 없다.

サリドマイド图〔醫〕살리도마이드(수면제의 하나). ▷thalidomide.

さりとも【然りとも】腰 그렇다 해도；그래도.＝それでも. ‖～おかしな話はなし 그래도 이상한 이야기다.

さりながら【然り乍ら】腰 그렇지만；그렇긴 하나；그러나.＝しかしながら.

*****さ-る**【去る】 [五自] 떠나다. ‖舞台たいを～ 무대를 떠나다(그만두다)／世よを～ 세상을 떠나다(죽다). ②때가 지나가다；경과하다. ③危機ききを～ 위기가 지나다；사라지다；없어지다. ④痛いたみが～ 아픔이 가시다. ④어떤 곳〔시간〕에서 떨어져 있다. ‖今いまを～こと十年じふねん 지금으로부터 10년 전. ⑤〔連体形で〕지나간. ‖～五日いつかの朝あさ 지난 초닷샛날 아침.＝来きる. ──[五他]①멀리하다；제거하다. ‖妻つまを～ 아내를 멀리하다(이혼하다)／おごりの心こころを～ 오만한 마음을 없애다. ②〔接尾語的で〕(완전히) ……하다. ‖抜ぬき～ 뽑아버리다／忘わすれ～ 아주 잊어버리다. ─者ものは追おわず 거자 막추(去者莫追)〔떠나는 자를 굳이 말리지 아니한다〕.

*****さる**【猿】①원숭이. ‖犬いぬと～の仲なか 견원지간. ②잔재주부리는 사람；흉내 잘 내는 사람을 우롱하는 말. ③덧문・빈지의 비녀장. ④自在じざいかぎ를 매달아 고정시켜 두는 멈춤쇠. ──の人ひとまね ☞さるまね. ──も木きから落おちる 원숭이도 나무에서 떨어진다.

さる【申】①십이 지지(地支)의 아홉째. ②신방(申方)＝서남서(西南西). ③신시(申時)(오후 4시 또는 오후 3시부터 5시까지의 사이).

さる【然る】 [連体]어느；어떤.＝ある. ‖～所しょに 어떤 곳에；②그와 같은；그런；그에 상당한. ‖そのような・そういう. ‖～事実じつなし 그런 사실이 있다. ③그에 상응할；만만치 않을. ‖敵てきも～者もの 적도 만만치 않은 자.

ざる [連語]……(하지) 않다. ‖いつわらざる 거짓이 아닌 사실.

*****ざる**【笊】图 ①소쿠리. ②〔笊碁きの 준말. ☞ざるそば의 준말.

さるおがせ【猿麻桛・松蘿】图 〔植〕송라(松蘿)；소나무겨우살이.

さるがく【猿楽〔散楽・申楽〕】图 鎌倉かまくら 시대에 행하던 예능(藝能)(익살스러운 동작과 곡예를 주로한 연극으로, 후에 가무・흉내내기 등을 연기하는 能로 발전하여 그 근원이 됨).＝さるごう.

さるかにかっせん【猿蟹合戦】-kassen图 일본 옛날 이야기의 하나로 아기 게가 절구・밤・벌 등의 도움을 받아 어미 게를 죽인 원숭이에게 복수한다는 거리임.

さるぐつわ【猿轡】图 소리를 내지 못하게 입에 물려 잡아 매는 수건 따위. ‖～をかませる (소리내지 못하게) 수건으로 재갈을 물리다.

ざるご【ざる碁】〔笊碁〕图 서투른 바둑.

ザルコマイシン【─】〔藥〕자르코마이신(암에 유효한 항생 물질의 하나). ▷sarcomycin.

さるしばい【猿芝居】图 ①원숭이가 재주부리는 구경거리. ②(금세 간파되는) 서투른 연극；잔꾀. ‖～をうつ잔꾀를 부리다.

さるすべり【猿滑り・百日紅】图〔植〕백일홍.＝ひゃくじつこう.

ざるそば【笊蕎麦】图 네모진 어레미나 대바에 담은 메밀국수.＝ざる.

サルタン图 설탄；회교국(回敎國)의 군주；특히, 터키의 황제.＝スルタン. ▷sultan.

さるぢえ【猿知恵〔猿智慧〕】图 얕은 꾀.

さるのこしかけ【猿の腰掛〔け〕】图〔植〕말굽버섯.

サルビア【─】图〔植〕샐비어.＝salvia.

さるひき【猿引〔き〕】图〔猿曳〕☞さるまわし.

サルファざい【サルファ剤】-fazai图 설퍼제.＝スルファ剤さい. ▷sulfa.

サルベージ图 ①해난 구조를(구조난 難救助)을. ②침몰한 배 따위의 인양 작업.＝salvage.

ざるべからず [連語]……하지 않을 수(가) 없다；……하지 않으면 안 된다. ‖行いか～ 가야만 한다.

さるまた【猿股・申股】图 팬츠；잠방이.

さるまね【猿真似】图[他] 원숭이 흉내；잘 생각하지 않고 덮어놓고 남의 흉내를 냄；또, 그런 사람.

さるまわし【猿回し】图 원숭이를 시켜 재주를 부리게 하여 그것으로 돈을 버는 사람.＝さるひき.

さるもの【然る者】[連語]①상당한 사람；빈틈없는 자；여간내기(보통내기)가 아닌 자. ‖したたか者もの. ②敵てきも～, 油断ゆだんするな 적도 보통내기가 아니니 방심하지 마라；만만한 사람.

されき【砂礫】图 사력；모래와 자갈.＝じゃれき.

されこうべ【髑髏・曝首】-kōbe图 촉루；비바람을 맞아 뼈만 남은 해골.＝しゃれこうべ・どくろ.

ざれごと【戯言】图 농지거리；회담(戱談).＝冗談じょうだん.

ざれごと【戯事〔戯事〕】图 장난；정난으로 하는 짓.

されど【然れど】腰〈雅〉그러나；그렇기는 하나；하지만.＝しかし.

されば【然れば】⊟腰①연이나；그러니까；그러므로；그렇 다(고).＝だから. ‖～と言いって 그렇다고 해서. ②〈老〉그렇다면；그러면.＝さらば. ‖～出でかけよう 그렇다면 떠나자. ⊜腰〈老〉'그 일입니다'는；'그러니까 말입니다만'의 뜻.＝さあ.

*****され-る**【為れる】 [下]①(する'의 수동형)……되다；……당하다. ‖採用さいようされる 채용되다／攻撃こうげきを～ 공격 당하다／人じんに自由じゆうを～ 남의 뜻대로 되다；남에게 마음대로 부림을 당하다. ②'する'의 경어：하시다.＝なさる.

お食事ごにを～　식사를 하시다.

ざ-れる【戯れる】下１自〈雅〉까불다；장난치다. ¶あまり～な 너무 까불지 마라.

サロン图 살롱. ①응접실；홀. ②〈상류 사회에서의〉 사교적 모임. =サ ロン. ③미술 전람회.　▷프 salon.

さわ【沢】图〈雅〉①물이 나왔는 저습지(低濕地). ②산골의 넓고 얕은 골짜기.

さわかい【茶話会】图 다화회；다과회.

*さわがし・い【騒がしい】-shi 形 ①시끄럽다；소란하다；떠들썩하다. ¶뒤숭숭하다；소란하다；떠들썩하다. ¶世よの中ながが～ 세상이 뒤숭숭하다.

*さわ‐ぐ【騒ぐ】图 ①소동；혼잡. ¶どんちゃん～ 야단법석의[떠들썩한] 주연／上じょを下へへの大混乱. ─ 우왕 좌왕하며 주위를 떠들썩하게. 【体言または動詞・形容詞の連体形＋どころか】(否定語句と呼応して) 그런〔대수롭지 않은〕정도；이만 저만한 정도. ¶野球見物などどころか の～ではない 야구 구경 따위를 할 정도의〔한가로운〕 판국이 아님.

*さわ‐ぐ【騒ぐ】五自 ①떠들다；소란〔소동〕 피우다. ¶～と命いがないぞ 떠들면 목숨이 없다. ②당황해서 침착성을 잃다；허둥대다；동요하다. ¶胸むが～ 가슴이 두근거리고[무슨 좋지 않은 일이 일어날 것 같아서 걱정된다]／昔むかしはずいぶん～がれた 옛날에는 꽤나 인기가[평판이] 높았다.

さわさわ【爽爽】下ス自 ①상쾌하게 바람이 부는 모양；산들산들. ¶春風はるかぜが～と吹ふく 봄바람이 산들산들 불다. ②시원스러운 모양；시원시원함.

さわざわ【騒騒】下ス自 ①분위기가 조용하지 않고 떠들썩한 모양；술렁술렁；수선수선；와글와글. ¶客席かっせきが～する 객석이 수선수선하다[술렁거리다]. ②무언가 가볍게 스쳐서 나는 소리：와삭와삭. ¶竹藪たけやぶが～する 대숲이 와삭와삭.

さわ‐す【醂す】他五 ①(감을) 우리다；(감의) 떫은 맛을 빼다. ②물에 담가서 바래다. ③검은 옻칠을 묽이나 않게 엷게 칠하다.

ざわつ・く【騒つく】五自 와글거리다；웅성거리다；술렁거리다. =ざわめく.

さわべ【沢辺】图〈雅〉못가；늪가.

ざわ‐めく【騒めく】五自 웅성거리다；술렁거리다. =ざわつく.

*さわやか【爽やか】ダ형 ①시원한 모양；상쾌한 모양；산뜻한 모양. ¶気分きぶんが～ 기분이 상쾌하다／五月ごがつの～な風 오월의 상쾌한 바람／弁舌べんぜつ～だ 말이 시원시원하다[유창하다].

さわら【椹】图【植】화백나무.

さわら【鰆】图【魚】삼치. 「사리.

さわらび【早蕨】图 새싹이 겨나는

*さわり【触り】图 ①닿는 느낌；촉감. ¶～が柔やわらかい 촉감이 부드럽다. ②한 목목에서 주안으로 삼는 제일 좋은 곳；전하여, 이야기의 긴요한 부분. ¶ここのところがこの話はなしの～のだ 이 대목이 이 이야기의 핵심이다. ③義太夫だゆうで 다른 곡조를 붙인 곳.

さわり【障り】图 ①방해；지장. ②월경(月經). ¶月ごの～ 월경.

*さわ‐る【触る】五自 ①(가볍게) 닿다；손을 대다. ¶これに～な 이것에 손대지 마라／～と危あぶない 만지면 위험하다. ─ と 모이기만 하면；모였다 하면. ¶～らぬ神かみにたたりなし 긁어 부스럼을 만들지 마라.

*さわ‐る【障る】五自 방해가 되다；지장이 되다；지장이 있다. ¶勉強べんきょうに～ 공부에 지장이 있다／気きに～ 감정을 상하다／しゃくに～ 화[부아]가 나다.

※さん【三】数①셋. ②세 번째. ③三味線さみせんで, 가장 높은 줄. ¶～の糸いと 三味線의 셋째줄.

*さん【惨】图ナタル 참혹[비참]한 모양. ¶～たる光景こうけい 참혹한 광경.

さん【桟】图 ①판자나 뚜껑 따위가 휘지 않도록 하기 위해 대는 띳장. ¶～を打うつ 띳장을 대다. ②문・창의 살. ¶～を折おる 창살을 꺾다. ③문단속에 쓰는 빗장.

さん【産】图 ①낳음. ¶(お)～が軽かるい 해산이 수월하다. ②출신지；산지. ¶東京とうきょうの～ 東京 출신／アフリカ～ 아프리카산／재산. ¶～を成なす 재산을 이루다／～を破やぶる 파산하다／～を成なす 치부하다.

さん【算】图 ①(셈하거나 점칠 때 쓰는) 산가지. =算木ぎ. ②셈함；계산. ¶～を入いれる (주판으로) 계산하다／～が合あう (주판) 셈이 맞다. ③점；점괘. ¶～が合あう 점쾌가 맞다／～を置おく 산가지로 계산하다[점치다]. ─を乱みだす 산가지를 흩뜨린 같이 뿔뿔이 흩어지다.

さん【賛・讃】图①서화(書畵)에 붙이는 제문(題文). ②사람이나 물건 따위를 칭송하는 한문의 한 체. ③【佛】부처의 덕을 칭송하는 말.

さん【酸】图【化】산. ¶強つよい～を浴あびる 강한 산을 뒤집어쓰다. ↔アルカリ

サン 선；해；태양.　▷sun. ──グラス 图 선글라스.　▷sunglasses. ──ルーム 图 선룸；일광 욕실.　▷sun room.

さん【燦】ナタル 빛나고 아름다운 모양. ¶～として輝かがやく 찬연히 빛나다.

-さん【様】口 ☞さま□. ①【鈴木ぎ～】 鈴木님＝ 鈴木님[씨]／むすこ～ 아드님／お隣どなり～ 이웃 분[양반]／オサル～ 원숭이／ご苦労ろ～ 수고했습니다. [参考]'さま'보다 경의(敬意)의 정도는 낮으며 애칭(愛稱)이 되는 일도 있음. 또한 동물・음식물을 의인화(擬人化)하여 말하는 경우에도 쓰임.

ざん【斬】图 참수형. ¶～に処しょす 참형에 처하다.

ざん【残】图 나머지；잔액；잔고. ¶五十円ごじゅうえんの～ 50 엔의 우수리[잔돈].

さん‐いつ【散逸・散佚】図ス自 산일；흩어져 없어짐.

さんいん【産院】图 산원；산과 의원.

さんいんどう【山陰道】-dō 图【地】옛날의 七道ち의 하나[지금의 京都きょうと와 中国ちゅうごく 지방 북부의 일본해 연안 지방].

さんう【山雨】图 산우；산으로부터 오는 비；산중의 비.

さんか【山河】图 산하；산천(山川). =

さんが。¶故郷ᡓᠴの～　고향 산천.
──きんたい【─紳帯】图 산하 금대
(산이 옷깃처럼 둘러싸고 강은 띠처럼
흘러 자연의 요새를 이룸).
さんか【傘下】图 산하. ¶～団体ᡓᠴ 산
하 단체.
さんか【産科】图 산과. ¶～医ᠮ 산과
(의사.
さんか【参加】图之自 참가.
さんか【賛歌・讃歌】图 찬가. ¶愛ᠮの
～　사랑의 찬가.
*****さんか**【酸化】图之自 산화. ¶～作用
ᢓᠴ 산화 작용 / ～剤ᢓᠴ〔物ᢓᠴ〕산화제
〔물〕. ↔還元ᢓᠴ.
さんが【参賀】图之自 참하; 궁중에 가
서 축하의 뜻을 표함.
さんかい【山海】图 산해. ──の珍味ᢓᠴ
산해 진미.
さんかい【山塊】图 산괴; 주위의 산맥
에서 떨어져 고립된 한 무더기의 산.
さんかい【参会】图之自 참회; 모임에
나감.
さんかい【散会】图之自 산회; 회합이
끝나고 헤어짐.
さんかい【散開】图之自 산개; 흩어져 벌림.
さんがい【三界】图〔佛〕삼계(육계
〈慾界〉・색계〈色界〉・무색계〈無色界〉.
¶接尾語ᢓᠴ로〕멀리 떨어진 곳. ＝
くんだり. ¶アメリカ～まで流ᢓᠴれる
멀리 미국땅에까지 유랑(생활)을 하다.
一は火宅ᢓᠴ　불타는 집안에 있는 것처
럼 이 세상에서 고통은 끊임이 없다는 것.
さんがい【惨害】图 참해.
ざんがい【残骸】图 잔해. ①산산이 부
서지고 남은 조각. ¶自動車ᢓᠴの～
자동차의 잔해. ②살해되어 유기된 시
체.
さんかいき【三回忌】图 삼주기(三周
(忌).
*****さんかく**【三角】图名　삼각. ¶～関数
ᢓᠴ〔数〕삼각 함수 / ～点ᢓᠴ 삼각점; 삼
각 측량의 기준점 / ～定規ᢓᠴ 삼각
자 / ～貿易ᢓᠴ 삼각 무역. ¶目ᢓᠴを～に
する 눈을 부라리다. **──かんけい**
〔─関係〕图 삼각 관계. ＝**さんきん**
〔─巾〕图 삼각건. **──けい〔─形〕**
图 삼각형. ＝さんかっけい.
──州〔─洲〕图 삼각주. ＝デルタ.
──そくりょう〔─測量〕-ryō图 삼각
측량. **──ほう〔─法〕-hō**图〔数〕삼각법.
さんかく【参画】图之自 참획; 계획에
참여함. ¶会社ᢓᠴの設立ᢓᠴに～する
회사 설립에 참획하다.
さんがく【山岳】图 산악. ¶～地帯ᢓᠴ
산악 지대 / ～病ᢓᠴ 산악병; 고산병.
さんがく【産学】图 산학; 산업계와 대
학. ¶～連携ᢓᠴ 산학 제휴 / ～協同
ᢓᠴ 산학 협동.
さんがく【産額】图 산액; 산출량; 산
(출액.
ざんがく【残額】图 잔액.
*****さんがつ**【三月】图 3월.
さんがにち【三が日・三箇日】图 정초의
3일간.
さんかめいちゅう【三化螟虫】-chū 图
〔蟲〕삼화 명충(벼의 해충).
さんかん【三韓】图〔史〕삼한(마한・변
한・진한. 또, 신라・백제・고구려).
*****さんかん**【参観】图之他 참관. ¶授業
ᢓᠴを～する 수업을 참관하다.
さんかん【山間】图 산간; 산속. ＝やま
あい. ¶～僻地ᢓᠴ 산간 벽지.

さんかんしおん【三寒四温】图 삼한 사
온.
ざんかんじょう【斬奸状】-jō 图 참간
장; 간악한 자를 베어 죽일 때에 그 이
유를 적은 문서.
さんき【山気】图 산기; 산 공기; 산의
분위기. ¶さわやかな～ 상쾌한 산 공
기.
さんぎ【参議】图 참의. ①정치에 참여
함; 또, 그 사람. ②太政官ᢓᠴ의 중
직(奈良ᢓᠴ 시대에, 大納言ᢓᠴ・中納言
ᢓᠴ의 다음 지위). ③明治ᢓᠴ 시대 초
기에 左右大臣ᢓᠴ의 다음 지위.
──いん〔─院〕图 참의원(일본의 상
원). ＝때 쓰는〕삼가지다.
さんぎ【算木】图 (점칠 때 또는 셈할
때에 쓰는〕산가지.
ざんき【慙愧】图之自 참괴. ¶～に耐
ᢓᠴえない 부끄럽기 짝이 없다.
ざんぎく【残菊】图 잔국; 늦가을에서
초겨울까지 피어 있는 국화. ¶～をめ
でる 잔국을 애완(愛玩)하다.
さんきゃく【三脚】图名 삼각. ①
삼각 받침대. ②三脚架ᢓᠴ=三脚架
가)'의 준말. ③三脚いす(=세발 접의
자)'의 준말.
ざんぎゃく【残虐】-gyaku 图テ刁 잔
학.
さんきゅう【産休】图 산휴; '出産
休暇ᢓᠴ(=출산 휴가)'의 준말.
サンキュー-kyū 感 생큐. ▷thank-you.
さんきょう【山峡】-kyō 图 산협; 산골
짜기. ＝やまかい.
さんぎょう【三業】图 삼업. ①예기・待合
ᢓᠴ(=남자나 여자〔특히, 기생〕를 불러
들여 유흥하는 곳)・권번(券番)의 3종
류의 영업. 또, 위 세 가지 영업이 허
가된 지역.
さんぎょう【産業】-gyō 图 산업. ¶観
光ᢓᠴ～ 관광 산업 / 基幹ᢓᠴ～ 기간 산
업 / 革命ᢓᠴ～ 산업 혁명 / ～公害ᢓᠴ 산
업공해 / スパイ～ 산업 스파이 / ～廃
棄物ᢓᠴ 산업 폐기물. (업.
さんぎょう【蚕業】图 잠업; 양잠
ざんぎょう【残業】-gyō 图テ刁 잔업.
¶～手当ᢓᠴ 잔업 수당.
さんきらい【山帰来】图〔植〕산귀래.
①나도물통이; 며래. ②청미래덩굴.
ざんぎり【散切り(り)】图 상투를 틀지
않고 가지런히 잘라서 산발한 머리 모
양(특히, 明治ᢓᠴ 초년에 문명 개화의
상징이 된 남자 머리). ＝斬髪髪ᢓᠴ.
──頭ᢓᠴ 상투를 틀지 않고 산발한 머리;
개화 머리. ②江戸ᢓᠴ 시대에 죄수를 단
두던 천인(賤人)(상투를 틀지 못했
음).
さんきん【参勤・参観】图之自〔史〕江
戸ᢓᠴ 시대에, 大名ᢓᠴ가 江戸에 나와
서 将軍ᢓᠴ에 알현하고 幕府ᢓᠴ 근무
무하던 일. **──こうたい〔─交代・
交替〕-kōtai**图 江戸幕府ᢓᠴ가 大
名ᢓᠴ들을 교대로 일정한 기간씩 江戸
에 머무르게 한 제도. ¶定府ᢓᠴ.
ざんきん【残金】图 잔금.
さんく【惨苦】图 참고; 참혹한 고통.
¶さまざまな～を嘗ᢓᠴめた 갖은 고생
을 맛보았다.
さんぐう【参宮】-gū 图之自 신궁(神
宮)〔특히, 伊勢神宮ᢓᠴ에〕에 참배하다.

さんぐん【三軍】图 삼군. ①육해공군의 총칭.②대군;전군(全軍).

さんけ【産気】图 산기;해산할 기미.
——づく【五國】산기가 돌다.

*__ざんげ__【懺悔】图 ㄇ他 참회.=さんげ.

*__さんけい__【参詣】图 ㅈ自 참예;신불(神佛)에 참배함.

さんけい【山系】图 산계.¶ヒマラヤ~히말라야 산계.

さんげき【惨劇】图 참극.

ざんげつ【残月】图 잔월;새벽 달.=ありあけの月。〔삼원 분립〕.

さんけん【三権】图 삼권.¶~分立┆분립.

さんけん【散見】图 산견;여기저기 조금씩 보임.¶新聞紙上┆신┅상에 に~する 신문지상에 드문드문 보이다.

さんげん【三弦・三絃】图 ①三味線┆┅의 딴이름.②아악에서 쓰는 세 가지 현악기(和琴┆┅・琵琶・箏(筝)).

ざんげん【讒言】图 ㅈ自他 참언;남을 중상 모략함, さん.¶〔원죄〕.

さんげんしょく【三原色】-shoku 图 삼원색.

さんこ【三顧】图 삼고.¶~草廬┆┅ 삼고 초려.¶~の礼┆┅をとる 삼고의 예를 다하다.

さんご【珊瑚】图 산호.¶~礁┆┅ 산호초.─虫┆┅【動】산호충.

さんご【産後】图 산후.◆産前┅.

さんこう【三公】图 삼공(太政大臣┆┅┅・左大臣┆┅・右大臣┆┅┅).後に左大臣・右大臣・内大臣┆┅┅.

さんこう【三后】-kō 图 삼후(태황태후・황태후・황후).=三宮┆┅.

さんこう【三更】-kō 图 삼경(오후 11시부터 오전 1시 사이);한밤중.=まよなか.

さんこう【三綱】-kō 图 삼강.¶~五常┆┅┅ 삼강 오상(오륜).

*__さんこう__【参考】-kō 图 ㅈ自 참고.¶~人┆┅ 참고인.──しょ【─書】-sho 图 참고서.

さんこう【鑚孔】-kō 图 ㄇ他 찬공;천공.¶~機┆┅, さん.孔┆┅. ─カード 천공(편치) 카드.─機┆┅ 천공기.

さんごう【山号】-gō 图 산호;절 이름 위에 붙이는 칭호(比叡山┆┅┅の延暦寺┆┅┅┅の'比叡山'┅ 따위).

さんこう【残光】-kō 图 잔광;저녁 때의 약한 햇빛.

ざんごう【塹壕】-gō 图 참호.

さんこうしゃげんぎょう【三公社五現業】-kōsha gogengyō 图 삼공사 五현업(국유 철도・전신 전화 공사 국유 철도・전신 전화・우정・인쇄・조폐・알코올 전매의 다섯 국영기업).参考1985년 6월 '一公社┆┅四現業┆┅(=1공사[국유 철도] 4현업[알코올 전매가 빠짐])'으로 됨.

さんごくいち【三国一】图 세계 제일.=世界一┆┅.¶~の花嫁┆┅ 세계 제일 가는 신부.〔──후;혹독〕.

＊＊ざんこく【残酷・残刻・惨酷】-ㄉ圀 잔혹.

さんこん【三献】图 옛날에, (公家┆┅의정식 향응의식) 술상을 내어 술을 석 잔 마시게 하고 상을 물리고, 이것을 세 번 되풀이한 일.

さんさ【三叉】图 삼차;세 갈래.=みつまた.¶~神経┆┅┅ 삼차 신경/~路┆┅ 세 갈래 길;삼거리.

さんさい【山菜】图 산채;산나물.

さんざい【散財】图 ㅈ自 산재.

さんざい【散剤】图【藥】산제;가루약.=粉薬┆┅.

さんざい【散財】图 ㅈ自 산재;돈을 낭비함.¶~をかける 많은 경비가 나게 함;폐를 끼침.

ざんさい【残滓】图 잔재;나머지;찌꺼기.参考'ざんし'의 관용음.

ざんざい【斬罪】图 참죄;참수형(斬首刑).=打┆ち首┆┅.〔농책〕.

さんさく【散策】图 ㅈ自 산책;산보.

さんざし【山査子】图 ㅈ他【植】산사나무.

ざんさつ【惨殺】图 ㅈ他 참살;참혹하게 죽임.

さんざめ~く【五國】〈俗〉왁자하게 떠들다.¶弦歌┆┅~ 거문고와 노래 소리가 왁자하다.

さんさん【潸潸】タ几 산산.=さめざめ.①눈물을 줄줄 흘리는 모양.②비가 주룩주룩 내리는 모양.

さんさん【燦燦】タ几 (태양 따위의) 빛이 눈부시게 빛나는 모양.=きらきら.¶~たる陽光┆┅のもとに 눈부시게 빛나는 햇빛 아래.

*__さんさん__【散散】ダ几 ①몹시 심한 모양.¶~に負┆かした 여지 없이 패배시켰다/~遊┆び回┆る 실컷 놀며 돌아다니다/~待┆たせる 몹시 기다리게 하다.②아주 나쁜 모양;호되게 경을 치는 모양.¶試験┆┅の結果┆┅は~だ 시험 결과는 아주 엉망이다/~な目┆にあう 호되게 경을 치다.

さんさんくど【三三九度】图 결혼식의 헌배(獻杯)의 예;신랑・신부가 하나의 잔으로 술을 세 번씩 마셔서, 세 개의 잔으로 합계 아홉 번 마시는 일.

さんさんごご【三三五五】副 삼삼 오오.¶~連れ立┆って行┆く 삼삼 오오 떼지어 가다.

さんし【蚕糸】图 잠사.①생사;명주실.②양잠(養蚕)과 제사(製絲).¶~業┆┅ 잠사업.

さんし【蚕紙】图 ☞さんらんし.

さんじ【三次】图 삼차.¶~方程┆┅式┆┅【數】3차 방정식.〔관.

*__さんじ__【参事】图 참사.¶~官┆┅ 참사.

*__さんじ__【惨事】图 참사;참혹한 일.

さんじ【産児】图 산아.──せいげん【─制限】图 산아 제한.=バースコントロール.

さんじ【賛辞・讃辞】图 찬사.¶~を呈┆┅する 찬사를 올리다.注意 본디는 '讃辞'.

ざんし【残滓】☞ざんさい.

ざんし【惨死】图 ㅈ自 참사;참혹하게 죽음.

ざんし【慙死・慚死】图 ㅈ自 참사;부끄러워서 죽음;죽고 싶도록 부끄러움.

ざんじ【暫時】图 잠시.=しばらく.

さんししすいめい【山紫水明】图 산자 수명.¶~の地┆ 산자 수명한 땅[곳].

さんした【三下】图 '三下奴┆┅┅'의 준말;노름꾼 사회에서 신분이 가장 낮은 자.¶~に見┆る 아주 얕보다.

さんしちにち【三七日】图 삼칠일.①

21일 동안. ②㉠세례;아이를 낳은 지 21일째의 축하 행사. ㉡사람이 죽은 뒤 21일째의 날에 행하는 제사(불사).**みなめか·みなのか.**

さんしつ【産室】 名 산실.=うぶや.

さんしのれい【三枝の礼】 連語 삼지례(비둘기는 어미가 앉은 가지에서 셋째 가지 아래에 앉는다는 데서 효도의 뜻).

さんしゃ【三舎】 -sha 名 삼사;옛 중국에서 군대의 3일 간 행군 거리;중국에서 약 90리. **─を避ける** 상대를 두려워하여 멀리 피하다.

さんしゃ【三者】 -sha 名 삼자. ¶─会談ः삼자 회담/─三様ः각인 각색.

さんしゃく【参酌】 -shaku 名他 참작.

さんじゃく【三尺】 -jaku 名 ①삼 척;석 자. ②길이 석 자쯤 되는 간단한 띠. =へこおび. ③'三尺ふんどし'의 준말. **─えっちゅうふんどし.** **─の秋水**ः삼척 추수;석 자쯤 되는 날이 시퍼렇게 선 칼. **─の童子**ःँ 삼척 동자;어린이.

さんしゅ【三種】 -shu 名 ①3 종류. ②'第三種郵便物'의 준말. **─の神器**ः①일본의 왕위 계승의 표지로서 대대로 계승된 세 가지 보물(八咫鏡ःँ·天叢雲剣ःँ·八尺瓊勾玉ःँँँ). ②(俗)세 가지 귀중한 물건.

ざんしゅ【斬首】 -shu 名他 참수;참두(斬頭).

さんしゅう【三秋】 -shū 名 삼추. ¶一日ःँँ を~の思ひで 몹시 사모하여 애타게 기다리는 마음.

さんしゅう【参集】 -shū 名自 참집;모여듦.

さんじゅう【三従】 -jū 名 삼종;옛날, 여자가 따라야 할 세 가지 길(곧, 어렸을 때에는 아버지를, 결혼 후에는 남편을, 남편을 여읜 후에는 아들을 따르는 일).

さんじゅう【三重】 -jū 名 ①삼중. ¶─苦ः 삼중고/─の目的을 삼중의 목적/─唱ः(奏)삼중창{주}. ②平曲 净瑠璃ःँँ의 곡 이름·무서곡 따위를 나타내기 위한 곡조 이름.

さんじゅういちもんじ【三十一文字】 sanjū-『和歌ः』의 딴이름.=みそひとも じ.

さんじゅうき【三周忌】 -shuki 名 삼주기.

さんじゅうさんしょ【三十三所】 ─jū-sansho 名 観세음 보살을 안치한 33 개처의 영지(靈地)(특히, 関西ः近畿ः 지방에 있는 33 개처).

さんじゅうにそう【三十二相】 -jūnisō 名 【佛】삼십이상;부처가 갖추고 있는 32종의 뛰어난 용모. **一しの美人** 여자의 잘 갖추어진 아름다운 용모.

さんじゅうろっけい【三十六計】 -jūrok-kei 名 삼십육계;옛 병법에 있는 36종류의 계략. ¶─をきめこむ 도망칠 작정을 하다. **─逃げるにしかず** 삼십육계에 줄행랑이 제일.

***さんしゅつ【産出】** -shutsu 名他 산출.

さんしゅつ【算出】 -shutsu 名他 산출.

さんじゅつ【算術】 -jutsu 名 산술('算数ःँ(=さんすう)'의 구칭). ¶─級数ःँ 산술 급수.

さんじょ【賛助】 -jo 名他 찬조. ¶─出演ःँँ 찬조 출연.

ざんしょ【残暑】 -sho 名 잔서;늦더위.

さんしょう【三唱】 -shō 名 삼창. ¶万歳ःँ~ 만세 삼창.

***さんしょう【山椒】** -shō 名【植】산초 나무. =さんしょ·はじかみ. **一は小粒**ः **でもぴりりとからい** 고추는 작아도 맵다. **─うお【─魚】** 名【動】산초 어;도롱뇽. =はんざき.

さんしょう【山上】 -jō 名 산상;산 위. **─の垂訓**ः 산상 수훈{보훈}(예수가 갈릴리 산(山) 위에서 내린 설교).

さんじょう【参上】 -jō 名自 뵈러 감;찾아뵘. ¶お宅ःँへ~致ःँします 댁으로 찾아뵙겠습니다.

さんじょう【惨状】 -jō 名 참상. ¶~を呈ःँする 참상을 나타내다.

ざんしょう【残照】 -shō 名 잔조;'놀'.

さんしょく【三色】 -shoku 名 삼색.=さんしき. ①세 가지 색. ②세 가지의 원색(적·황·청). **一き【─旗】** 名 ①삼색기. ②프랑스 국기.

さんしょく【山色】 -shoku 名 산색;산의 빛깔(경치).

さんしょく【蚕食】 -shoku 名他 잠식.

さんじょく【産褥】 -joku 名 산욕;해산할 때 산부가 눕는 자리. ¶~につく 산욕에 눕다. **─熱**ः【醫】산욕열;산욕기에 일어나는 발열성의 병.

さん-じる【参じる】 上一 ⇨さんずる(参).

さん-じる【散じる】 上一自他 ⇨さんずる(散).

さんしん【三振】 -shin 名自【野】삼진. =ストラックアウト.

さんしん【参進】 -shin 名自 신전(神前)이나 귀인 앞에 나아감.

ざんしん【斬新】 『ダナ 참신. ¶~なデ サイン 참신한 디자인.

さんしんとう【三親等】 -tō 名 삼촌간(三寸間)(증조부모·증손·백숙부모(伯叔父母)·조카 따위).=三等親ःँँ.

さんすい【山水】 -sui 名 ①산과 내;자연의 풍경. ②『山水画ःँँ(=さんすいが)'의 준말. ③석가산(石假山)과 못이 있는 정원.

さんすい【散水】(撒水】 名自 살수;물을 뿌림. ¶─車ः 살수차.

さんずい【⺡水】 名 한자 부수의 하나;삼수변('池'·'決' 따위의 '⺡'의 이름).

***さんすう【算数】** -sū 名 산수. ¶①초등 수학(학과의 이름). ②수량의 계산;셈. ¶~に暗ःँい 셈에 어둡다.

さんすくみ【三すくみ】【三竦み】 名 삼자(三者)가 서로 견제되어 셋이 다 꼼짝 못함.

サンスクリット -ritto 名 산스크리트;고대 인도의 문장어(文章語);범어(梵語). ▷범 Sanskrit.

さんずのかわ【三途の川】 名【佛】삼도 내(죽은 사람이 저승에 갈 때 건너는 내). ¶~を渡ःँる 삼도내를 건너다(죽다). 「관계되다.

***さん-する【参する】** サ変自 참여하다.

***さん-する【産する】** サ変自他 산출하다(되다)/생산하다(되다);낳다. 나다.

さん-する【算する】〔サ変他〕헤아리다;
어떤 수나 양에 달하다.¶**十万**〔じゅうまん〕を
〜した 10만을 헤아렸다.

さん-する【賛する】〔サ変他〕①돕다.②
찬성하다.③(讃する)칭찬하다.¶故
人〔こじん〕の德〔とく〕を〜 고인의 덕을 기리다.
④(讃する)(그림에)찬을 쓰다.

さん-ずる【参ずる】〔サ変自〕①찾아가 뵘
다;진현(進見)하다;참배(参拜)하다.
¶**急**〔きゅう〕を**聞**〔き〕いて〜 위급하다고 듣고
찾아가서 **寺**〔てら〕に〜 절에 참배하다.
②(佛)참선(参禅)하다.③(모임에)
참가하다.

さん-ずる【散ずる】〔一サ変他〕흩다;흩
뜨리다;없애다;(마음을)풀다.¶**財**
〔ざい〕を〜 산재하다/**気**〔き〕を〜 기분을 풀
다.〔二サ変自〕흩어지다;없어지다.

ざん-する【讒する】〔サ変他〕참언하다;
무고하다;중상하다.

さんずん【三寸】〔名〕세 치〔짧음의 비
유〕.それは君〔きみ〕の胸先〔むなさき〕にある모
든 것은 네 가슴〔마음〕에 달려 있다.

さんせ【三世】〔名〕삼세.①(佛)전세·
현세·내세.¶**主從**〔しゅじゅう〕は〜の縁る 주종
관계를 맺음은 삼세의 인연.②**父**(父)·
子(子)·**孫**(孫)의 삼대.

さんせ【三世】〔名〕삼세;삼대째.

さんせい【三聖】〔名〕삼성〔석가·공자·크
리스도〕.　　　　　　　　　　　　　　　'경건.

さんせい【参政】〔名〕참정.¶〜**権**〔けん〕참
さんせい【山勢】〔名〕산의 생긴 모
양.

さんせい【産制】〔名〕《産児制限さんじ…(=
산아 제한)'의 준말.

*****さんせい【酸性】**〔名〕(化)산성.¶〜**雨**
〔う〕산성비/〜**食品**〔しょくひん〕산성 식품/〜**肥**
料〔りょう〕산성 비료.↔アルカリ性せい.

*****さんせい【賛成】**〔名〕〔ス自〕찬성.↔反対はんたい.

さんせき【山積】〔名〕〔ス自〕산적.　　はん.

ざんせつ【残雪】〔名〕잔설.

さんせん【三選】〔名〕삼선.¶〜**議員**〔ぎいん〕
삼선 의원.

さんせん【三遷】〔名〕삼천.¶**孟母**〔もうぼ〕の〜
맹모 삼천.──**の教**〔おし〕**え**삼천지교.

さんせん【参戦】〔名〕〔ス自〕참전.

さんせん【山川】〔名〕산천.¶〜**草木**〔そうもく〕
산천 초목.

さんぜん【参禅】〔名〕〔ス自〕(佛)참선.

さんぜん【潸然】〔卜タル〕산연;눈물을
줄줄 흘리는 모양.=さめざめ.¶**涙**
〔なみだ〕を〜と**流**〔なが〕す 눈물을 줄줄 흘리다.

さんぜん【燦然】〔卜タル〕찬연;반짝반짝
빛나는 모양.¶〜と**輝**〔かがや〕く 찬연히 빛
나다.

さんぜん【三千】〔名〕삼천.──**せかい**
【──世界】〔名〕(佛)삼천 세계;넓은 세
계;세상.=三千大千世界だいせんせかい.¶
〜に**子**〔こ〕を**持**〔も〕**つ親**〔おや〕**の心**〔こころ〕〜세
상은 넓다지만 자식을 가진 부모의 마
음은 매우 좁다.

*****さんそ【酸素】**〔名〕산소(기호:O).¶
〜**ボンベ**산소 봄베.──**ようせつ**
【──溶接】〔名〕【──熔接】-yōsetsu 산소
용접.

ざんそ【讒訴】〔名〕〔ス他〕참소.¶윗사람에
게 남을 중상해서 고해 바침.

さんそう【山荘】〔名〕-sō 산장.

さんぞう【三蔵】〔名〕(佛)삼장.①
불교의 성전(聖典)을 분류할 때의 성

전의 총칭〔**経**(經)·**律**(律)·**論**(論)〕.②
삼장에 통달한 고승(高僧).──**ほうし**
【──法師】〔名〕삼장 법사.

ざんぞう【残像】〔名〕-zō 잔상.

さんぞく【山賊】〔名〕산적.↔**海賊**かいぞく.

さんそん【山村】〔名〕산촌.

さんそん【三尊】〔名〕(佛)삼존.①아미
타(阿彌陀)보살·관세음 보살·세지(勢
至)보살.②**석**가·**문**수(文殊)·**보**현(普
賢).③약사(薬師)·일광(日光)·월광
(月光).④불(佛)·법(法)·승(僧).

ざんそん【残存】〔名〕〔ス自〕잔존.=ざん
ぞん.¶〜**兵力**〔へいりょく〕잔존 병력.

さんだい【三代】〔名〕삼대.¶〜
──でつくり上〔あ〕**げた身代**〔しんだい〕삼대에 걸
쳐 이룬 재산.②삼대째의 상속인.③
明治〔めいじ〕·**大正**〔たいしょう〕·**昭和**〔しょうわ〕의 삼대.

さんだい【参内】〔名〕〔ス自〕참내;참조(参
朝).**参考**삼가다.

さんだいばなし【三題話】【三題噺·三題
咄】〔名〕만담의 일종;손님이 내는 제목
셋으로 즉석에서 일장의 만담을 만들
어서 하는 일.

さんたん【三嘆】【三歎】〔名〕〔ス自〕삼탄;
여러 번 감탄함.¶**一読**〔いちどく〕〜 일독 삼
탄.

さんたん【賛嘆】【讃嘆·讃歎】〔名〕〔ス他〕
삼탄;감탄하여 칭찬함.

*****さんたん【惨憺·惨澹·惨胆】**〔卜タル〕참
담.¶〜**たる結果**〔けっか〕참담한 결과.

さんだん【散弾】【霰弾】〔名〕산탄;발사
와 동시에 파열하여 많은 잔 탄알이 튀
어 나오게 한 탄환.

さんだん【算段】〔名〕〔ス他〕변통함;(돈·
물건 따위를)마련할 궁리를 세움;방
법을 생각해 냄.=くめん.¶〜がつく
(돈·물건을)마련할 계획이 서다/無
理〔むり〕を〜する 무리해서 마련하다;억지
수단을 쓰다.

さんだんとび【三段跳び】【三段飛び】〔名〕
삼단도.=せだん〔삼단뛰기〕.

さんだんろんぽう【三段論法】-rompō
〔論〕삼단 논법.

さんち【山地】〔名〕산지.↔**平地**へいち.

*****さんち【産地】**〔名〕산지.¶**米**〔こめ〕**の**〜 쌀
의 산지.

さんちゃんのうぎょう【三ちゃん農業】
-channōgyō〔俗〕젊은이는 외지
로 나가 일하고 주부**かあちゃん**(=
엄마)）나 노인**じいちゃん**(=할아버
지)·**ばあちゃん**(=할머니)이 주가 되
어서 경영하는 농업.⇨**かあちゃん農**
業〔のうぎょう〕

さんちゅう【山中】-chū〔名〕산중;산간;
산 속.

さんちょう【山頂】-chō〔名〕산정;산꼭
대기;정상.≒**山麓**さんろく·**ふもと**.

さんづけ【さん付け】图 (친애하는 뜻으로) 사람 이름에 'さん(=씨)'을 붙여서 부름.

さんてい【算定】图 [ㅈ他] 산정. ¶━基準ⁿ゚゙ん 산정 기준.

ざんてい【暫定】图 잠정; 임시로 결정함. ¶━(の)処置ぁ゙ 잠정(적인) 조처 / ━予算ぇ゙ん 잠정 예산; 임시 예산.

サンデー 센데이; 일요일. ¶━スクール 주일 학교. ▷Sunday.

ざんてき【残敵】图 잔적.

さんてん【山巓・山顚】图 산전; 산 꼭대기. =山頂ゟ゙ょ.

さんど【三度】图 세 번. ¶━の食事ょ゙ 세 끼의 식사. ━一目ぁ゙の正直ぁゟ゙ 대개의 일이 세 번째는 제대로 된 일. ━━がさ【━━笠】图 얼굴이 안 보일 정도로 깊이 쓰게 만든 삿갓(삿갓사초로 엮음).

さんど【酸度】图 산도. ①신맛・산성의 정도. ②化 염기(塩基) 1분자 중에 포함되어 있는 수산기(水酸基)의 수.

サンドイッチ -itchi 图 샌드위치. ¶━デモ 데모대의 양쪽을 기동대가 감시하는 가운데 하는 데모. ━マン 图 샌드위치맨(광고판 따위를 몸 앞뒤로 달고 다니며 광고하는 사람). ▷sandwich man.

さんどう【参道】 -dō 图 신사(神社)나 절에 참배하기 위하여 마련된 길.

さんどう【山道】 -dō 图 산도; 산길. =やまみち.

さんどう【桟道】 -dō 图 잔도. ①벼랑길. ②절벽과 절벽 사이에 걸쳐 놓은 다리; 잔교. =かけはし.

さんどう【賛同】 -dō 图 [ㅈ自] 찬동.

ざんとう【残党】 -tō 图 잔당.

さんとうじゅうやく【三等重役】 santō-ju- 图 삼등 중역(사원에서 중역이 된 사람).

さんとうせいじ【三頭政治】 santō- 图 (고대 로마의) 삼두 정치.

さんとうさい【山東菜】 -tōna 图 植 (산동배추. =山東白菜ぁゟ゙.

サントニン【santonin】图 산토닌(회충약; 본디는 상표명). ▷santonin(e).

サンドバッグ -baggu 图 샌드백. ①(拳 호 구축용) 모래 부대. ②(권투에서) 타격 연습용 모래 주머니. ▷sandbag.

サンドペーパー 图 샌드페이퍼; 사지(砂紙). =紙ぁゟ゙やすり. ▷sandpaper.

さんない【山内】 图 ①산내; 산중. ②절의 경내(境内).

さんにゅう【参入】 -nyū 图 [ㅈ自] 입궐; 天皇ぁ゙를 찾아뵘; 알현.

さんにゅう【算入】 -nyū 图 [ㅈ他] 산입; 계산에 넣음.

さんにん【三人】 图 세 사람. ━三様ぁ゙ 세 사람이 각각 다름; 각인 각색. ━━寄ょれば文殊ぁ゙の知恵ぁ゙ 세 사람이 모이면 문수 보살에게 못지 않을 지혜가 나올 수 있다. ━━しょう【━━称】 -shō 图 삼인칭.

ざんにん【残忍】 图 [ダナ] 잔인.

＊ざんねん【残念】 图[ナ] ①분함; 억울함. =無念ぁ゙. ②유감; 유감스러움. ¶━ながらこれで散会ぁゟ゙ 유감스러우나 이것으로 산회.

さんねんき【三年忌】 图 삼주기(三周忌). =さんかいき.

さんのぜん【三の膳】(三の膳) 图 (정식 일본 요리에서 밥상을 벌일 때 내놓는 셋째 상(국・생선회・밥공기를 얹음).

さんのまる【三の丸】(三の丸) 图 성(城)의 중심으로부터 세 번째 성곽. ↔本丸ぁゟ゙.二ゟ゙.

＊さんば【産婆】 samba 图〈卑〉산파; 조산원(『助産婦ぁゟ゙』의 구칭). ━━やく【━━役】 图 산파역(모임 등의 발족을 위해 주선하는 역할; 또, 그 사람).

さんぱい【三拝】 sampai 图 삼배; 세 번 절함. ━━きゅうはい【━━九拝】 -kyūhai 图 [ㅈ自] 삼배 구배; 여러 번 절함.

＊さんぱい【参拝】 sampai 图 [ㅈ自] (신사(神社)・능・절에의) 참배. 参考 절에 참배하는 일은 보통 '参詣ぁゟ゙'라고 함.

さんぱい【惨敗】 sampai 图 [ㅈ自] 참패. =ぜんぱい. ¶━を喫ぁゟ゙する 참패당하다. ↔圧勝ぁゟ゙.

さんばがらす【三羽がらす】(三羽烏) samba- 图 삼총사. ①부하・제자 중의 뛰어난 세 사람. ②(같은 전문 분야에서) 특출한 세 사람.

さんばし【桟橋】 samba- 图 ①잔교; 선창(船艙); 부두. ②(공사장에서) 높은 곳을 오르내리기 위해 설치한 경사진 널비계.

さんぱつ【散発】 sampa- 图 [ㅈ自他] ①산발; 산발적으로 일어남. ②총알을 간간이 쏨.

＊さんぱつ【散髪】 sampa- ━图 [ㅈ他] 이발. ¶━屋゙゙ 이발소. ━图 산발; 흐트러진 머리. =散ぁ゙らし髪ぁ゙.

ざんぱん【残飯】 zampan 图 잔반; 먹다 남은 밥. ¶「料理館」삼비규관.

さんはんきかん【三半規管】图 [生] 삼반규관.

さんび【酸鼻】 sambi 图 아주 무참함. ¶━をきわめる 무참하기 이를 데 없음.

さんび【賛美】【讃美】 sambi 图 [ㅈ他] 찬미. 注意 본디는 '讃美'.

さんび【賛否】 sampi 图 찬부. ¶━を問ぁゟ゙ 찬부를 묻다.

さんびゃくだいげん【三百代言】 sam-bya- 图 ①엉터리 변호사를 욕하는 말. ②궤변(詭辯)을 농함; 또, 그 사람.

さんぴょう【散票】 sampyō 图 산표; 분산된 표.

さんびょうし【三拍子】 sambyō- 图 ①〔樂〕 삼박자. ②작은북・큰북・피리 따위의 세 가지 악기로 장단 맞추는 박자. ③세 가지 중요한 조건. ━━そろう 『필요한 조건이 모두 갖추어지다.¶飲ぁ゙む,打ぁ゙つ,買ぁ゙う,━━そろったならず者ぁ゙ 술마시고, 도박하고, 계집질하는 세 가지 나쁜 버릇을 갖춘 못된 놈.

さんピン【三一】 sampin 图 ①〈俗〉'さんピンざむらい゙゙の 준말; 졸때기 무사 『한 해 급여가 3냥 1푼이었던 데서; 江戸ぁ゙ 시대에, 지체 낮은 무사를 경멸해 일컫던 말). ②두 개의 주사위가 3과 1로 나오는 일.

さんぴん【産品】 图 (생)산품 『生産品ぁゟ゙ぁゟ゙의 준말).

さんぷ【散布】【撒布】 sampu 图 [ㅈ他] 산

포；살포. さんぶ【散布】~劑 살포제.

さんぶ【産婦】 sampu 图 (임)산부.

ざんぶ【残部】 zambu 图 ①잔부；나머지 부분. ②잔품：팔다 남은 상품；특히, 팔다 남은 책(의 부수).

さんぷく【三伏】 sampuku 图 삼복(初伏·中伏·末伏).

さんぷくつい【三幅対】 sambu-つい 图 ①세 폭이 한 벌로 된 족자. ②세 개가 한 조로 된 것. 注意 'さんぷくつい'라고도 함.

さんぷく【山腹】 sampu- 图 산복；산허리；산의 중턱. =中腹ちゅうふく.

さんふじんか【産婦人科】 图 산부인과. ~医院いいん 산부인과의 의원.

さんぶつ【産物】 sambu- 图 산물. ~そ の土地ちの~ 그 고장의 산물 / 研究けんきゅうの~ 연구의 소산.

サンプリング sampu- 图 샘플링；표본 추출(抽出)；견본을 골라서 냄. ~調査ちょうさ 표본 (추출) 조사.

サンプル sampu- 샘플. 曰圖 견본；표본. 曰他 ~ケース 견본 상자. 統計 기본이 되는 집단에서 표본을 빼냄；추출함. ≒sample.

さんぶん【散文】 sambun 图 산문. ~詩し 산문시. ≒韻文いんぶん. ──てき【─的】ダナ 산문적. ~な詩し 산문적인 시 / ~な景色けしき 산문적인 경치(평범한 경치). ↔韻文てき.

さんぺい【散兵】 sampei 图 산병；적당한 간격으로 병사를 흩어 놓는 일；또, 그 병사. ~線せん 산병선. 「책.

さんぽ【散歩】 sampo 图 [ス自] 산보；산책.

さんぼう【三宝】 sambō 图(佛) 삼보(불(佛)·법(法)·승(僧)을 일컬음). ──かん【─柑】图 귤의 일종；껍질이 두껍고 선황색이며, 신맛이 덜하고 맛있음. =さんぼうかん.

さんぼう【三方】 sambō 图 삼방；세 방면(방위). ②신불이나 귀인 앞에 음식물을 받쳐 내놓는 굽 달린 쟁반.

さんぼう【参謀】 sambō 图 참모. ~本部ほんぶ 참모 본부.

-さんぼう sambō 되어가는 대로 함. ~行ゆききなり~ 앞뒤 생각없이 행동함 / 人ひとの言いいなり~ 남이 하라는 대로 움직임.

さんぽう【山砲】 sampō 图(軍) 산포.

さんぽう【算法】 sampō 图 산법；셈법.

さんま【秋刀魚】 samma 图(魚) 꽁치.

さんまい【三昧】 sammai 图 ①삼매. ~境きょう 삼매경 / 念仏ねんぶつ三昧 염불삼매. ②특히하면 하려는 ; 마음 내키는 대로 함. 刃物はもの三昧ざんまいにふける 칼부림하곤 하다 / ぜいたく三昧ざんまいにふける 마음껏 사치를 누리다.

さんまい【三枚】 sammai 图 생선의 머리를 자르고 배를 쪼개서 펴는 일. ~におろす (생선을) 배를 쪼개 바르다. ~にく【─肉】图 삼겹살. =ばら肉にく. ~め【─目】图(劇) 익살스러운 역；또, 그 역을 맡은 배우.

さんまくどう【三悪道】 sammakudō 图(佛) 삼악도(악업(悪業)으로 인해서 죽은 뒤에 간다는 아귀도(餓鬼道)·축생도(畜生道)·지옥도(地獄道)의 세 악도. =さんあくどう.

*さんまん【散漫】 samman 图 ダナ 산만.

さんみ【三位】 sammi 图 ①삼품(正三位しょうさんみ(=정삼품)와 従四位じゅしい三位(=종삼품)가 있음). ②그 품계를 받은 사람. ②(宗)(기독교에서) 성부(聖父)·성자(聖子)·성령(聖靈)의 총칭. ~一致いっち 삼위 일체.

さんみ【酸味】 sammi 图 산미；신맛.

**さんみゃく【山脈】 sammyaku 图 산맥.

さんみゃく【山脈】 sammyaku 图(중국·조선) 삼민주의(민족주의, 민생주의, 민권주의).

さんみんしゅぎ【三民主義】 samminshugi 图(중국 손문(孫文)의) 삼민주의(민족주의, 민생주의, 민권주의).

ざんむ【残務】 zammu 图 잔무；남은 사무.

さんめん【三面】 sammen 图 삼면. ①세(가지) 방면；세 방면(면). ~鏡きょう 삼면경. ③신문의 사회면. ~記事きじ 삼면 기사. ──roppi【─六臂】图 삼면 육비(얼굴이 셋에 팔이 여섯 있다는 불상)；전하여, 혼자서 여러 사람의 몫을 함. 「모작.

さんもうさく【三毛作】 sammō 图 삼

さんもん【三文】 sammon 图 (삼)푼；적은 돈；헐값. ~の値うちもない 서 푼의 값어치도 없다；아무 짝에도 쓸모가 없다. ~ちょ【接頭語적으로】 가치가 아주 적음. ~小説しょうせつ 서푼짜리(싸구려) 소설 / ~文士ぶんし 시시한 문사(조롱하는 말).

さんもん【三門】 sammon 图 삼문. ①운데 큰 문과 양옆에 작은 문이 있는 대문. ②절의 정문.

さんもん【山門】 sammon 图 산문. ①절의 정문. ②선종(禪宗)의 사찰. ③京都きょうと시 동북방의 比叡山ひえいざん에 있는 延暦寺えんりゃくじ의 일컬음. ↔寺門じもん.

さんや【山野】 图(山野) 산야.

さんやく【三役】 图 ①(씨름에서) 大関おおぜき·関脇せきわけ·小結こむすび의 총칭. 参考 흔히, 横綱よこづな도 포함함. ②(정당·단체·회사 따위에서) 중요한 지위에 있는 세 간부 임원. ~党とう~ 당 3역.

さんやく【散薬】 图 산약；가루약. ~粉薬こなぐすり

さんゆこく【産油国】 图 산유국.

さんよ【参与】 图 [ス自] 참여. 曰圖 학식·경험이 있는 사람을 행정 사무 등에 참여시키기 위한 직위；고문.

ざんよ【残余】 zanyo 图 잔여；나머지. =あまり.のこり.

さんよう【山容】 -yō 图 산용；산의 모양. ~水態すいたい 산용 수태；산 모양과 물 모양.

さんよう【算用】 -yō 图 [ス他] 돈 계산；셈. ~胸算用むなざんよう 혼자 속으로 재어 봄；속셈(을 해봄) / ~高たかい 속셈이 빠르다；타산적이다. ~すうじ 계산 숫자.

さんようどう【山陽道】 -yōdō 图 옛날 7도의 하나(中国ちゅうごく지방의 瀬戸内海せとないかい에 면한 8개 지방).

さんらん【散乱】 图 [ス自] 산란；흩어짐.

さんらん【燦爛】 タル 图 찬란. ~金色こんじき~ 금빛 찬란 / ~たる宝冠ほうかん 금황빛 찬란한 보관.

さんらん【産卵】 图 [ス自] 산란. ~期き 산란期.

さんらんし【蚕卵紙】 图 잠란지(누에나방으로 하여금 알을 슬게 한 종이). =たねがみ.

さんり【三里】 图 ①삼십리(里). ②삼리혈(三里穴)；종지뼈 밑 바깥쪽의 오

목한 곳.

さんりく【三陸】图【地】陸前炭・陸中炭・岩手県族炭・青森県族炭의 해안 지방).

*__**さんりゅう**【三流】-ryū 图 삼류. ¶~歌手炭【画家炭】삼류 가수【화가】.

ざんりゅう【残留】-ryū 图 回 잔류. ¶~農薬炭 잔류 농약；살포 후 분해되지 않고 농축산물에 남아 있는 농약.

さんりょう【山陵】-ryō 图 산릉. ①산과 언덕. ②능. =みささぎ.

さんりょう【山稜】-ryō 图 산릉；산등성이. =尾根炭.

*__**さんりん**【山林】图 산림. ¶~愛護炭 산림 애호 ／ ~に交わる 출가(出家)하다；은둔하다.

さんりんしゃ【三輪車】-sha 图 삼륜차.

①삼륜 화물차. ②세발 자전거.

さんるい【三塁】图【野】3루(手). =サード. ¶~手炭 삼루수／~打炭 3루타.

さんるい【酸類】图 산류(초산・염산・질산 따위).

ざんるい【残塁】一图【野】잔루. 二图 함락되지 않고 남아 있는 보루(堡塁). 「【신.

されい【山霊】图 산령；산신령；산
されい【山嶺】图 산령；산봉우리.
ざんれつ【参列】图 回 참렬；참례；참석.

ざんろう【参籠】-rō 图 回 신사・절등에 일정한 기간 머물러 기도함. =おこもり.

さんろく【山麓】图 산록；산기슭. =山裾炭すそ. ↔山頂炭.

し シ

①五十音図族炭의 'さ行族'의 둘째 음. [shi] ②【字源】'之'의 초서체(かたかな 'シ'도 같음).

し【刺】图 명함. **―を通じる** 명함을 내고 면회를 청하다.

し【史】图 사；역사. ¶~に名炭をとどめる 역사에 이름을 남기다.

*__**し**【四】图 사；넷. **―の五の言ぶ** 이러쿵저러쿵 귀찮게 말하다.

し【士】一图 ①무사(武士). ②선비；훌륭한 인사；남자의 경칭. ¶~農工商炭炭 사농공상／好学炭の~ 호학 지사(글 좋아하는 사). 二接尾 특별한 자격을 갖춘 사람. ¶弁護炭~ 변호사.

し【子】一图 ①子爵炭の 준말. ②공자(孔子). 二代 자네；그대. ¶~は知らずや ~을 그대는 모르는가. 三接尾 ~자；작은 것. ¶消息炭~ 소식자. ②남자. 校正炭~ 교정자.

*__**し**【市】一图 ①시. ¶~の行政炭시의 행정. ②번화한 거리；도회. 二接尾시에 붙이는 말；…시. ¶甲府炭~ 甲府시.

し【師】一图 ①스승. ¶~と仰炭ぐ 스승으로 우러르다. ②군대；사단. ¶間軍炭の~を起炭こす 문죄의 군사를 일으키다. 二接尾 그것을 업으로 하는 사람；…사；…꾼；薬剤炭~ 약제사／詐欺炭~ 사기꾼.

し【志】图 뜻；마음. ¶~を継炭ぐ 자결한 잇다.

*__**し**【死】一图 回 사；죽음. ¶~に至炭る 죽음에 이르다. 二图 ①사형；사죄. ¶罪炭は~に当たる 죄는 사형에 해당된다. ②【野】아웃. ¶一炭～満塁炭 일사 만루.

――の商人 죽음의 상인(무기 상인). **――の灰** 죽음의 재；낙진(落塵). **――を賜炭わる** (영주로부터) 자결하라는 명령을 받다；사사(賜死)하다.

*__**し**【詩】图 시. **――の六義炭** 시의 육의；곧, 부(賦)・비(比)・흥(興)・풍(風)・아(雅)・송(頌). **――を作るより田を作れ** 시를 짓지 말고 논을 일구어라(실생활에 도움이 안 되는 풍류를 일삼지 말고 생산적인 일을 하라).

*__**し**【試】图 시험. ¶~に応炭ずる 응시하다.

し【資】图 ①밑천；자본. ¶~を投炭じる 투자하다. ②(훌륭한) 천성；자질. ¶天与炭の~ 천부의 바탕(자질).

し【氏】一代 사. ¶~の言炭によれば 씨의 말에 의하면. 二接尾 …씨. ㉠성에 붙이는 존칭. ¶山本炭~ 山本씨. ㉡친정의 성씨에 붙여서 출신을 나타냄. ¶妃炭, 美智子炭は正田炭~の出炭である 황태자비 美智子는 正田씨 집안의 출신이다.

し【私】图 사…；개인적. ¶~生活炭 사생활. 「~ 견당사.

し【使】一图 사；사자(使者). ¶遣唐炭

し【司】一图 ①관리(官吏). ¶児童福祉炭炭~ 아동 복지사. ②관청(令制炭 및 明治炭 시대에 있었음). ¶主水炭~ 令制에서 물・죽・얼음 따위를 관장한 관청.

し【紙】一图 …지. ①종이. ¶西洋炭~ 서양 종이. ②신문. ¶日刊炭~ 일간지.

し【視】图【サ変動詞의 語幹을 만듦】~시；~으로[이라고, 하다고] 봄. ¶有望炭~ 유망시.

し【誌】一图 …지；잡지. ¶機関炭~ 기관지／月刊炭~ 월간지. 「지.

し【歯】一图 …치；이. ¶永久炭~ 영구

し接助《終止形에 붙여서》사물을 열거해서 말할 때에 씀. ①열거하면서 사항을 열거하여 말할 때에 씀；…고. ¶遊炭びには行炭きたい―金炭はない―놀러는 가고 싶고 돈은 없고. ②동시에 있는 일을 열거하는 데 씀；…한데 다(더우기). ¶頭炭もいい~気炭だてもいい~머리도 좋고 마음씨도 좋고. ③한 가지 일을 들어, 다른 것을 암시하는 기분을 나타냄；…니；…인데. ¶水道炭もない~, 不便炭な所炭です よ 수도도 없고, 불편한 곳입니다. ④말을 하다가 삼가고 끝내지 못하는 기분을 나타냄；…고. ¶彼炭がそんな事炭をするはずはない―그가 그런 일을 할 리는 없고.

*__**じ**【地】图【地】①땅. ㉠토지；지면(地面).

ぐ　マ무리를 서둘다. ②끝손질；마지막
공정(工程)；뒷마감. ¶～に入ば*りな～
공들인 끝손질. ――こう【仕上工】-kō
图 마무리공(工)；완성공.

しあ-げる【仕上げる】下1他①일을 끝
내다；마무리다. ②완성하다；성취하
다. ¶独力が*で～げた人が*自수 성가
한 사람.

しあきって【明明後日】-satte 图 글피.

ジアスターゼ 图【化】디아스타제《소화
제로도 씀》. ▷도 Diastase.

しあつ【指圧】图 スĦ他 지압. ¶～療法
ほう* 지압 요법.

じあまり【字余り】图 (和歌か*・俳句は*
등의 정형시 (定型詩)에서) 글자 수가
규정보다 많음(많은 작품).

しあみ【地網】图 저인망(底引網)・정치
망(定置網) 따위의 총칭.

*しあわせ【幸せ・仕合せ】曰 图 운수；
운. ¶ありがたき～です 분에 넘치는
고마움(기쁨)입니다. □ 图 ナナ 운이
좋음；행운；행복. ↔ふしあわせ.

しあん【私案】图 사안.

しあん【思案】图 スĦ①여러 가지로
생각함；생각；궁리. ②근심；걱정. ¶～
顔がお*근심스러운[생각에 잠긴] 얼굴.
――に余あ*る 아무리 궁리해도 좋은 수가
떠오르지 않다. ¶～に余って 궁리하다
못해서. ――に暮くれる 어쩔 바를
몰라 이리저리 궁리만 하다.

しあん【試案】图 시안. ↔成案せい*.

-し-い shī《名詞 따위에 붙이다*나는
動詞語와 융합하여 形容詞를 만듦》그 성
질을 가지다；――하다；～듯하다；～스
럽다. ¶おとな～ 온순하다・어른다운
～ 반들반들하다／勇ゆ*ましい～ 용맹스럽
다.

しい【椎】shī 图【植】모밀잣밤나무.
=しいのき.

しい【四囲】图 사위；주위.

しい【思惟】图 スĦ自 사유；생각；사고.

しい【恣意】图 자의；멋대로의 생각；
방자한 마음.

しい【私意】图 사의. ①자기의 의견이
나 의견；사견. ②자기 이익만 생각하
는 마음；사리사욕에 끌리는 공정치
못한 마음. ¶～をさしはさんで 사심
을 품고.

しい【詩意】图 시의；시의 뜻.

じい【爺】ji 图①허드렛일을 하는 남
자 늙은이；할아범. ②남자 노인.

じい【祖父】ji 图 할아버지；조부《친
숙한 사이에서의 일컬음》. =おじいさ
ん.

じい【次位】图 차위.

じい【侍医】图 시의；天皇の*・황족 따
위의 주치의(主治醫).

じい【示威】图 スĦ自 시위. =しい. ¶
～運動うど* 시위 운동；데모.

じい【自慰】图 スĦ自 자위. ①스스로 위
로함. ☞しゅいん【手淫】.

じい【辞意】图 사의. ①사직할 뜻. ¶
～をもらす 사의를 비추다. ②말의 뜻.

ジーアイ【GI】图 지아이；미국 병사.
▷government issue.

シーアイエー【CIA】图 시아이에이；
중앙 정보국. ▷ Central Intelligence
Agency.

シーエフ【CF】图 시에프《광고 선전용
영화》. ▷commercial film.

¶～ならし 땅 고르기；정지(整地)．
그 지방(의 것). ¶～の人が*그 지방 사
람／～の産物ぶ*그 지방의 산물；토산
물. ②(바둑에서)집. ¶～を囲かう 집
을 짓다. ③바탕. ¶기초적인 능력；튼
튼한 기초. ¶～のしっかりした 기초가
(되어) 있다. ○타고난 바탕. ¶～の
声こ*타고난[제] 목소리／～を出だ*す 본
성을 드러내다. ○옷감의 바탕；종이・
베 따위의 무늬 아닌 부분. ¶厚あつ*い
～の服ふ*두꺼운 감의 옷／～の織もり物もの*
織物는의* 바탕이 거친 직물. ②○피부；
살결. ¶～の荒あ*れた 살결이 거칠어지
다. ○소설 따위 문장에서 대화(對話) 이외
의 부분. ⑤실지；실제. ⑥풋내기；숫
보기. ¶～の女おんな* 숫보기 여자；여염
집 여자. ⑦地紙じ*の* '의 준말. ☞地
紙じが*の* 준말. ――で行がく 《유명한 소
설이나 드라마에 묘사된 행동이》 그대
로 실생활에 옮겨 하다. ¶小説が*を
～で行く 방식を* 소설을 실제로 옮긴
것 같은 생활 방식. ――の文が* 지문(地
文) ／소설 따위 문장 중에서, 대화문이
나 인용문 이외의 문장. ↔会話文かい*.

*じ【字】图 ①자；글자. ¶二百にひゃく*ぎょう*の* ②글
씨. ¶原稿用紙げんこう*に* 200자 원고지. ②글
씨. ¶～がうまい 글씨를 잘 쓰다.

じ【持】图 (바둑 따위에서) 비김；무
승부. =あいこ・引分ひきわ*け. 「우치질.

じ【痔】图 치질. =痔疾しっ*；痔病びょう*～
いぼ* ～ 치질.

じ【辞】图①사；말；글. ¶送別せん*の*
～ 송별사／～を低ひく*くする 말을 정중
히 하다；공대말을 쓰다. ②한문 문체
의 하나. ¶帰去来ききょ*の* ～ 귀거래사.

じ【次】图 ①接頭 다음. ②接尾 다음의
다음 연도. ②接尾 단계；횟수(回數).
¶第三だい*～ 제 3차.

-じ【寺】……사；절. ¶東大とう*～ 東大사
《奈良ら* 시에 있는 화엄종(華嚴宗)의
큰 절》.

-じ【時】……시. ①때. ¶空腹くう*～ 공복
시. ②시간；시각. ¶十三じゅう*～ 13시.
③1시간당(當). ¶キロワット～ 킬로와
트시.

-じ【路】图①《지명, 특히 예 지방 이름
에 붙여서》그 지방을 지나거나 거기
에 이르는 길；가도(街道)；전하여, 그
지방. ¶信濃しな*～ 信濃 가도／飛騨ひだ*～
～の春は* 飛鳥 지방의 봄. ②《날수를
나타내는 순일본말에 붙여서》그 날수
를 요하는 행정(行程). ¶三日か*～ 사
흘길. ③10의 배수를 나타내는 순일본
말에 첨부하는 말. ¶よわい六十むそ*～の
坂さ*をくだる 나이가 60 고개를 넘다.

*しあい【試合・仕合】图 맞서 행동함；겨
루기. ¶野球や*～ 야구 경기.

*しあい【試合・仕合】图 경기；시
합. ¶野球や*～ 야구 경기.

じあい【自愛】图 スĦ自 자애. ①몸조심
함；언행을 조심함. ¶御～を祈ぎ*りす
자애하시기를 빕니다. ②자기 이익을
꾀함；이기(利己). ¶～主義ぎ*자애
[이기]주의. ↔他愛たあ*...　　자애심.

じあい【慈愛】图 자애. ¶～の心こ*ろ

シーエム [CM] 图 시엠. ☞コマーシャル. ¶～ソング 시엠송(선전 광고용 노래). ▷commercial message.

しいか【詩歌】 shī- 图 ①시와 노래. ②한시와 和歌.

しいぎゃく【弑逆・弑虐】 shīgya- 图 ㋜他 시역；시살(弑殺). ＝しぎゃく.

しいく【飼育】 图 ㋜他 사육. ¶家畜ﾁﾞﾝの～ 가축의 사육.

じいさん【爺さん】 ji- 图 남자 노인을 허물없이 부르는 말；할아버지.

じいさん【祖父さん】 ji- 图 조부를 친밀하게 부르는 말；할아버지.

シージーエスたんい [CGS単位] 图 시지에스 단위. ▷CGS는 centimeter, gramme, second의 머리글자.

じいしき【自意識】 图 자(아)의식.

しいする【弑する】 shī- ㋛變他 시해하다；시살(弑殺)하다.

シーズン 图 시즌；시기；계절. ¶スキー～ 스키 시즌／みかんの～ 밀감철. ▷season. ──オフ 图 시즌 오프；철이 지남；휴지(休止) 기간. ▷日 season off.

シーソー 图 시소. ¶～ゲーム 시소 게임；백중의 경기. ▷seesaw.

しいたけ【椎茸】 shī- 图【植】 표고(버섯).

しいた・げる【虐げる】 shī- ㋜一他 학대하다. ＝いじめる.

シーツ 图 시트. ＝しきふ. ▷sheet.

しいて【強いて】 图①억지로；무리하게. ¶～行ﾕﾞかせる 억지로 가게 하다〔보내다〕. ②구태여. ¶～行ﾕﾞけとは言ﾕﾞわない 굳이 가라고는 않는다.

シート 图 시트. ¶①자리；좌석. ¶～カバー シート〔좌석〕 커버. ②【野】 선수의 수비 위치. ▷seat.

シート 图 시트. ¶①얇은 판. ②한 장의 종이. ¶切手ﾃﾞﾝの～ 우표 시트 한 장이 (보통, 100(20)장). ③물건을 덮는 데 쓰는 방수(防水) 천. ¶苗床ﾅﾜﾞに～をかける 못자리에 시트를 씌우다. ▷sheet.

シード 图 ㋜他 시드(토너먼트식 경기에서 처음부터 강한 선수나 팀끼리 맞닿지 않게 짜는 일). ¶第一ﾃﾞﾝ～ 제1 시드. ▷seed.

じいと【地糸】 图 (직물의) 바탕실.

しいな【粃・秕】 shīna 图 ①쭉정이. ②잘 여물지 않고 시든 과실.

ジープ 图 지프；(군용의) 사륜 구동(四輪駆動) 소형 자동차. ▷미 jeep.

じいや【爺や】 jiya 图 늙은 하인；할아범. ＝じい. ↔ばあや.

し・いる【強いる】 图 ㋜一他 강요하다；강제하다；강권하다. ¶酒ﾗﾝを～ 술을 강권하다.

し・いる【誣いる】 ㋜一他 왜곡하다；날조하다；모함하다. ¶現実ﾂﾞﾝを～ 現実ﾂﾞﾝを～態度 현실을 왜곡하는 태도.

シール 图. ㊀ 图 ㋜自 봉인；봉인 대신 붙이는 종이. ¶クリスマスの～ 크리스마스의 씰. ㊁ ①그림이나 마크를 인쇄한 종이；붙이도록 풀칠이 된 종이；얇은 플라스틱판 등). ＝ステッカー. ②'シールスキン'의 준말；(미끄러지지 않게 스키 따위에 붙이는)

表(海豹) 가죽；그와 비슷하게 짠 비로드. ▷seal.

しいれ【仕入(れ)】 图 매입(買入)；구입. ──**さき**【──先】 图 구입〔매입〕처.

＊**しい・れる**【仕入れる】 图 ㋜一他 ①사들이다；매입(買入)하다. ¶～値段ﾀﾞﾝ 매입 가격. ②(지식을) 얻다.

じいろ【地色】 图 (직물 등의) 바탕색.

しいん【子音】 图【言】 자음. ＝しおん. ↔母音ﾎﾟﾝ.

しいん【死因】 图 사인.

しいん【私印】 图 사인. ¶～偽造ﾃﾞﾝ 사인 위조. ↔職印ﾂﾞﾝ・公印ﾝﾟ・官印ﾝﾟ.

しいん【指印】 图 손도장；지장.

しいん【試飲】 图 ㋜他 시음. ¶～会ﾝ 시음회.

シーン 图 신. ¶①영화・연극의 장면；전하여, 사건・소설의 장면. ¶劇的な～ 극적 장면. ②광경；풍경. ▷scene.

じいん【寺院】 图 사원；사찰；절. ＝寺ﾃﾞﾗ.

しいんと shinto 圖 아주 고요한 상태를 나타내는 말：아주 고요히. ¶水ﾐﾞを打ﾕﾞったよう 물을 뿌린 듯；괴괴히. ¶場内ﾁﾞｮﾝは～して咳ﾝﾟき一ﾋﾟﾞつ聞ﾁﾞｷﾞこえない 장내는 쥐죽은 듯 고요해 기침 소리 하나 들리지 않는다.

じいんと jinto 圖 ①감동으로 몸이 짜릿해지는 모양：짜르르. ¶からだ中ﾃﾞﾝが～なる 온몸이 짜릿해진다. ②지끈 근하게 아픈 모양：뻐근히. ¶背中ﾅﾞが～痛ﾙﾞむ 등이 뻐근하게 아프다.

じう【慈雨・滋雨】 图 자우；감우(甘雨). ¶干天ﾃﾞﾝの～ 한천(旱天)의 자우；가뭄에 단비.

じうた【地歌】【地唄】 图 ①그 지방의 속요(俗謠). ②특히, 京都ﾄﾞﾝ・大阪ﾝﾞ 지방의 三味線ﾝﾞ 가곡.

じうたい【地謡】 图 (能楽ﾂﾞﾝ에서) 대화(對話) 이외의 부분을 무대 한구석에 여럿이 창(唱)하는 일；또, 그 사람들〔노래〕.

しうち【仕打(ち)】 图 ①(남에게 대한) 처사. ¶全ﾝﾟくひどい～だ 정말 가혹한 처사이다. ②무대에서의 배우의 동작・표정・연기 (따위).

しうんえい【紫雲英】 图【植】 자운영. ＝れんげそう.

じうん【時運】 图 시운；때의 운수. ¶～に恵ﾒﾞまれる 시운을 잘 타고 나다／～に乗ﾗﾞる 시운을 타다.

しうんてん【試運転】 图 시운전.

しえい【市営】 图 시영. ¶～バス 시영 버스.

しえい【私営】 图 사영；개인의 경영. ¶～鉄道ﾃﾞﾝ 사영〔민영〕 철도. ↔公営ﾝﾟ・国営ﾝﾟ.

じえい【自営】 图 ㋜他 자영. ¶～業者ﾝﾞ 자영 업자.

＊**じえい**【自衛】 图 ㋜自他 자위. ¶～権ﾝﾟ 자위권. ──**かん**【──官】 图 자위관；(일본의) 자위대에 근무하는 사람. ──**たい**【──隊】 图 자위대(제2차 세계 대전 이후의 일본의 방위 조직；육상・해상・항공의 각 자위대로 나뉨).

シェービング shē- 图 세이빙；면도. ¶～クリーム 세이빙 크림(면도용) 크림. ▷shaving.

しえき【使役】 图 ㋜他 사역. ①남을 부

리어 일을 시킴. ¶労働者をーして道路をなおす 노동자를 시켜서 도로를 고치다. ②【文法】타인에게 어떤 일을 시킴을 나타내는 어법(語法). ¶～形 사역형／～の助動詞 사역 조동사 'せる' 'させる' 'しめる'와 文語의 'す' 'さす' 'しむ' 따위].

しえき【私益】图 사익. 「ア.

ジェスチュア jesuchua ☞ゼスチュ

ジェット jetto 图 제트. ①분사(噴射)·분출. ②분사 추진. ——エンジン 图 제트 엔진(분사식 추진 기관). ▷jet engine. ——き【——機】图 제트기. ——きりゅう【——気流】-ryū 图 제트 기류(1만 미터 가량의 고공을 동쪽으로 흐르는, 공기의 세찬 흐름).

ジェネレーション jenerēshon ☞ゼ ネレーション.

*しえん【支援】图 [ス他] 지원；원조. ——団体 지원 단체.

しえん【私怨】图 사원；개인적인 원한.

しえん【紫煙】图 자연；담배 연기；보랏빛 연기[안개]. ¶～をくゆらす 담배를 피우다. 「ン.

ジェントルマン jen- 图 ☞ゼントルマ

*しお【塩】图 ①소금；식염. ¶～だら 소금에 절인 대구／～を含んだ風 짠 바람. ②짠 맛의 정도；간；소금기. =しおけ. ¶～があまい 간이 싱겁다. ——がきく ①간이 맞다. ②효력이 있다. ——をする 생선이나 야채에 소금을 뿌리다.

しお【潮】图 적당한 시기[기회]. =しおどき. ¶それを～に席を立った 그것을 기회로 자리에서 일어났다.

しお【潮·汐】图 조수；밀물；썰물；바닷물. ¶～先 밀물이 들어올 때；밀물의 물마루／～がさす 밀물이 들어오다／～の香 바다 냄새／～が満ちる 조수가 차다；밀물이 되다／～が引く 조수가 빠지다；썰물이 되다／鯨が～を吹く 고래가 물을 뿜는다.

しおあし【潮足】图 조수의 잔만(干満) 속도.

しおあじ【塩味】图 소금으로 맛을 냄；또, 그 맛；짠맛；간.

しおいり【潮入（り）】图 ①호수나 강 위에 바닷물이 들어오는 일；또, 그러한 곳. ¶～の湖 바닷물이 들어오는 호수；염호. ②바닷물이 들어와서 뱃짐이 손상되는 일. 「[보혈 강장제].

じおう【地黄】jió 图 【植】지황(뿌리는

しおーえる【し終える】[下1他] 끝내다；끝마치다；완료하다.

しおおし【塩押し】图 [ス他] (야채 따위를) 소금에 절여 돌 따위로 눌러 둠；또, 그것.

しおおーせる【為果せる】 shió- [下1他] <老> 완수하다；끝내다；완수할 수 있다. 「し上げる.

しおかげん【塩加減】图 [ス自他] 간；소금으로 간을 맞춤.

しおかぜ【潮風】图 갯바람；바닷바람.

しおがま【塩釜·塩竈】图 소금 가마；염부. 「부.

しおから【塩辛】图 젓；젓갈. ¶えびの～ 새우젓. ——ごえ【——声】图 쉰목소리. ——とんぼ【——蜻蛉】-tombo 图 【蟲】밀잠자리. =しおからとんぼ.

しおから-い【塩辛い】形 짜다. =しょっぱい. ——味 짠 맛.

しおき【仕置】图 [ス自] ①<江戸 시대에> 본보기로 사람을 처벌함；특히, 사형. ——場 (사)형장. ②징치(懲治)；징계. ¶子供の～ 아이의 잠도리.

しおくみ【潮汲み·汐汲み】图 [ス自他] 제염(製塩)하기 위해 바닷물을 긷음；또, 그 사람.

*しおくり【仕送り】图 [ス自他] 생활비나 학비(의 일부)를 보내줌. ¶父からの～を受ける 부친에게서 학비[생활비]를 부쳐 받다.

*しおけ【塩気·鹹気】图 소금기；짠 맛；염분；간. ¶～の多い食べ物의 소금기가 많은 음식；짠 음식.

しおけ【潮気】图 (해상·해변에서 느끼는) 염분을 함유한 습기.

しおけむり【塩煙】图 <雅> 소금 가마에서 나는 김. =しおけぶり.

しおけむり【潮煙】图 바닷물의 물보라. ¶しおけぶり. ¶～が上がる 바닷물이 물보라 치다.

しおさい【潮さい·潮騒】图 해조음(海潮音). =しおざい. ①(밀물 때에) 파도가 크게 소리냄；그 파도 소리. ②밀려고 밀치는 파도 소리.

しおざかな【潮魚·塩肴】图 소금에 절인[소금 뿌린] 생선；염어；자반.

しおさき【潮先·汐先】图 ①밀물의 물마루；또, (밀)물때. ②전하여, 사물이 시작될 때；마음을 통하기 시작할 때.

しおさめ【仕納め】图 [ス他] 일·행동 따위의 마지막；끝장. ¶これが今年の仕事の～だ 이것이 금년 일의 마지막이다.

しおじ【潮路】图 ①조수가 드나드는 길. ②<雅> 뱃길；해로；뱃길. =ふなじ. ¶八重千の～ 기나긴 항로.

しおしお【悄悄·萎萎】[ト·タル] ①기운을 잃었거나 실망하여 풀죽은 모양；맥없이. =すごすご. ¶先生にしかられて～(と)職員室を出て来た 선생님한테 꾸지람을 듣고 풀이 죽어 교무실을 나왔다. ②시들어서 기운이 없는 모양；시들시들.

しおせんべい【塩せんべい·塩煎餅】-sembei 图 쌀가루를 반죽하여 얇게 펴서 소금(간장)을 쳐 구운 과자.

しおだし【塩出し】图 [ス自] (소금에 절인 것을) 물에 담가 소금기를 뺌.

しおだち【塩断ち】图 [ス自] (신불에 소원 성취를 빌 때나 병으로, 어느 기간) 간한 음식을 먹지 않음.

*しおづけ【塩漬（け）】图 소금에 절임；또, 그 식료품；소금절이.

しおなり【牛尾菜】图 밀나물.

しおどき【潮時】图 ①기회；적당한 때. =チャンス. ¶～を見て口を切る 기회를 엿보아 말문을 열다.

しおどき【潮時·汐時】图 물때；조수가 들고 날 때.

しおなり【潮鳴(り)】 图 밀물이 밀려 왔다 밀려 가는 소리.

しおに【塩煮】 图 ㅈ他 소금만으로 조리거나 익힘; 또, 그 음식.

しおばな【塩花】 图 부정타지 않게 소금을 뿌림; 또, 그 소금; 특히, 요릿집 따위 문전에 소복이 놓은 소금.

しおひ【汐干】 图〔汐干潮〕 ①바닷물이 썸. ②しおひがり의 준말. ──がた【──潟】 图 갯벌; 개펄. ──がり【──狩(り)】 图 (바닷물이 썬 후) 개펄에서의 조개잡이.

しおひき【塩引き】 图 ①생선을 소금에 절임. ☞しおもの.

しおふき【塩吹き】 图①〔しおふき 貝〕바지락과랑조개. ②고래가 해수를 내뿜음. ☜「潮吹き를 物 面의」의 준말. ──めん【──面】 图 ㅈ他 ひょっとこ.

しおま【潮間】 图 조수가 썬 동안(사이).

しおまち【潮待ち】 图 ㅈ自 ①(배를 내기 위해) 밀물을 기다림. ②기회〔때〕를 기다림.

しおまねき【潮招(き)】 图【動】 꽃발게.

しおまめ【塩豆】 图 짭짤하게 볶은 완두콩. 「맛.

しおみ【塩味】 图 소금 맛; 소금기; 짠

*しおみず【塩水】 图①염수; 간물. ¶～うがいをする 소금물로 양치질하다. ②짠물; 바닷물. ↔真水水.

しおみず【潮水】 图 조수; 바닷물. ＝うしお.

しおめ【潮目】 图 ①한류와 난류같이 성질이 다른 두 해류의 경계를 따라 띠 모양으로 잔물결이 이는 부분〔좋은 어장이 됨〕. ＝潮境境い. ②여름철 바다에서 강한 햇볕으로 눈에 염증이 생기는 증상.

しおもの【塩物】 图 자반; 소금에 절인 생선〔특히, 연어·송어〕. ＝塩引き物.

しおやき【塩焼(き)】 图 ㅈ他 소금구이.

しおやけ【潮焼け】 图 ㅈ自 ①해풍(海風)과 햇볕에 피부가 탐. ②해상의 수증기가 햇빛에 비치어 붉고 멀게 보임.

しおらし・い -shi 形 온순하고 귀엽다; 기특하다; 조신하다. ＝いじらしい. ¶～ことを言う 기특한 말을 하다 / ～態度 조신〔얌전〕한 태도.

しおり【枝折り·栞】 图①서표. 책갈피. ¶～ひも 서표끈. ②안내서; 입문서. ¶「名所の」の～ 명소 안내서. ③깊은 산·황야 따위에서, 통과한 길의 표적으로 나무를 꺾어 놓는 일. ④しおり(=しばり 문; 시비(柴扉))'의 준말.

しおり【撓り】 图 俳句때위에 풍기는 섬세한 여정(餘情)(芭蕉등의 용어).

*しお・れる【萎れる】下一自 ①(초목 따위가) 시들다. ¶花ぷが～ 꽃이 시들다. ②풀이 죽다. ¶金なを落らとして～ 돈을 잃고 풀이 죽다.

しおん【紫苑】 图【植】 탱알. ＝しおに.

しおん【師恩】 图 사은. ¶若ぷいころ受うけた～ 소시적 입은 스승의 은혜.

しおん【子音】 图【言】 しいん.

しおん【歯音】 图【言】 치음.

じおん【字音】 图 자음; 특히, 일본화한 한자의 발음을(「君→くん」「子→し·す·つ」로 읽는 따위). ↔字訓くん. ──かな

づかい【──仮名遣(い)】 图 한자의 음을 仮名로써서 표시할 때의 규칙.

しか【鹿】 图【動】 사슴. ¶～革か（皮か）녹비. ／笛ぶ 사냥꾼이 사슴을 꾀어 내는 데 쓰는 우레. ──を追う 축록(逐鹿)하다〔제위(帝位)·요권·지위 따위를 다투다〕; 각축을 벌이다.

しか【市価】 图 시가; 시장 가격. ¶～の半値ねで売る 시가의 반값으로 팔다.

しか【紙価】 图 지가; 종이 값. ¶洛陽らの～を高たからしめる 낙양의 지가를 올리다〔저서가 호평을 받아 매우 잘 팔리다〕.

しか【史家】 图 사가; 역사가.

しか【詞華·詞花】 图 사화; 표현을 아름답게 수식한 말이나 문장.

しか【歯科】 图 치과. ¶～医い 치과의; 치과 의사.

しか【詩歌】 图 しいか.

しか【雌花】 图 자화; 암꽃.

しか【係助〔뒤에 否定을 수반하여〕 '그것만'이라고 한정하는 뜻을 나타냄: ～밖에. ¶たった一ゐつ～ない 단 하나밖에 없다 / 安物ものだけ～置おいてない 店な 싸구려만 파는 가게.

じか【歯牙】 图 ①치아; 이. ＝歯はて. ②말〔말〕. ──にも(かける)에 전혀 문제（도） 삼지 않다; 상대도 하지 않다.

じか【直】 图 직접. ¶～談判はん 직접 담판 / ～頼みみ 직접 부탁〔의뢰〕함 / ～に渡わたす 직접 건네주다.

じか【時下】 图 時; 요즈음; 목하. ¶～の急務きゅう 시하의 급무.

じか【時価】 图 시가; 시세. ¶～より安やい 시가보다 싸다.

じか【磁化】 图 ㅈ自他 자화; 물질이 자석 성질을 지니게 됨〔함〕. ＝帯磁じ. ¶～率つ 자화율.

じか【自家】 图 ①자가; 자기 집. ¶～版ば 사가판(私家版) / ～発電でん 자가 발전. ¶～中毒どく 자가 중독. ──じゅせい【──受精】 -sei 图 ㅈ自他 자가 수정; 제꽃정받이. ──じゅふん【──受粉】-jufun 图 ㅈ自他 자가 수분; 제꽃가루받이. ──どうちゃく【──撞着】-dōchaku 图 ㅈ自 자가 당착. ──よう【──用】-yō 图 자가용. ①자기 집에서 씀〔쓰는 것〕. ②自家用車(＝자가용차)'의 준말.

*じが【自我】 图 자아. ¶～意識しき 자아 의식 / ～実現げん 자아 실현 / ～を押おし通とおす 자아 관철하다; 뜻을 굽히지 않다. ↔非我が.

シガー【】 图 시가; 엽궐련; 여송연. ＝まき. ▷cigar. 「사회자.

しかい【司会】 图 ㅈ自他 사회. ¶～者 や

しかい【四海】 图 사해. ①사방의 바다. ②천하; 세계. ¶～兄弟だ 사해 형제〔동포〕 ──波を静かに 세상이 평화로움; 천하 태평.

しかい【斯界】 图 사계; 이 사회. 이 분야. ¶～の権威者しゃ 사계의 권위자.

しかい【視界】 图 시계; 시야. ¶～ゼロ 시계 제로 / ～が開ひらける 시계〔시야〕가 트이다.

しがい【市外】 图 시외. ↔市内ない.

*しがい【市街】 图 시가; 거리. ＝まち. 通とおり. ¶～地ち〔戦せん〕 시가지〔전〕.

しがい【死骸・屍骸】图 사해 ; 시체 ; 송장. =なきがら.

じかい【次回】图 차회 ; 다음 회〔번〕.

じかい【字解】图 区他 자해 ; 한자의 해석.

じかい【磁界】图 자계 ; 자장. =磁場.

じかい【自戒】图 区自 자계 ; 스스로 일깨움〔경계함〕 ; 자숙. ¶業者間ξξ̄で～することになった 업자간에서 자숙하기로 되었다.

じがい【耳介】图 이개 ; 귓바퀴. 一耳.

じがい【自害】图 区自 자해 ; 자살.

しがいせん【紫外線】图 자외선. =紫外線ξξ̄. ¶～写真ξ̄ 자외선 사진 / ～療法ξξ̄ 자외선 요법.

* **しかえし**【仕返し】图 区自 ①복수 ; 앙〔대〕갚음 ; 보복 ; 원수를 갚음. ¶けんかの～をする 싸움의 보복을 하다. ②고쳐 함 ; 다시 함. =やりなおし.

しかえる【仕替える】下1他 다시 하다 ; 고쳐 하다. =やりなおす.

じがお【地顔】图 화장하지 않은 맨얼굴. =素顔ξ̄.

しかかる【仕掛(か)る】〔為掛(か)る〕5他 ①하기 시작하다. =し始ξ̄める. ②일을 중도까지 하다. ¶～った大仕事ξ̄ 지금 하고 있는 큰 일.

* **しかく**【四角】名 ①네모지는 모양 ; 사각형 ; 네모꼴. ¶～形ξ̄ 사각형 / ～に切る 네모나게 자르다. ②정연(整然)함 ; 모가 남 ; 딱딱하며 재미가 없음. ¶物事ξ̄を～に考えξ̄えすぎる 모든 것을 너무 고지식하게 생각하다. 一い 形 네모지고 울퉁불퉁하다 ; 둥근 맛이 적다. ¶～顔ξ̄ 네모진 얼굴. 一しめん〔四面〕名 ①네모 반듯함. ②딱딱하고 고지식함. ¶～なあいさつ 지나치게 딱딱한 인사. 一ば-る〔─張る〕5自 ①네모지다. ¶～った顔ξ̄ 네모진 얼굴. ②〔表情・態도 따위가〕딱딱해지다 ; 진지해지다 ; 굳어지다. ¶～ったふるまい 딱딱한 행동 ; 지나치게 긴장한 행동.

しかく【死角】图 사각.

しかく【刺客】图 자객. =しきゃく.

注意「せきかく」의 관용음.

しかく【視角】图 시각. ¶～を変ξ̄える 시각을 바꾸다 / ～が狭ξ̄くなる 시각이 좁아지다.

* **しかく**【視覚】图 시각. ¶～器ξ̄【生】시각기 ; 시각 기관. 一げんご〔─言語〕图 시각 언어 ; 색채나 간단한 그림으로 된 표지(주차 금지・우회전 금지 등의 표지 따위).

‡ **しかく**【資格】图 자격. ¶～試験ξξ̄ 자격 시험 / ～を取るξ̄(失ξ̄う) 자격을 따다〔잃다〕.

しがく【史学】图 사학 ; 역사학.

しがく【私学】图 사학. ①개인의 학설. ②사립 학교. ↔官学ξ̄.

しがく【視学】图 장학(사). ¶～官ξ̄ 장학관.

しがく【詩学】图 시학.

じかく【字画】图 자획. ¶～で辞書ξ̄を引く 자획으로 사전을 찾다.

* **じかく**【自覚】图 区自他 자각. ¶～症状ξ̄ 자각 증상. 「いましめ」

* **しかけ**【仕掛(け)】图 ①시작함 ; 시작한 것 ; 또, 시작해서 (생산) 도중에 있음. ¶～期間ξ̄ 제작 기간 / ～の仕事ξ̄ (특수하게 고안된) 장치 ; 규모. ②임의 수. ¶大ξ̄しかけ 대규모 / うまい～ がしてある 교묘한 장치가 되어 있다 / 別ξ̄に種ξ̄も～もない 별로 무슨 속임수가 있는 것도 아니다. ③仕掛花火ξ̄ξ̄의 준말. ④옛날 무관 부인의 예복의 한 가지. =うちかけ・かいどり.

──にん【仕掛人】图 ①직업적인 암살자 ; 살인 청부업자. ②배후 조종자(주모자).

──はなび【仕掛花火】图 일정한 장소에 고정시켜 어떤 장치를 해서 갖가지 모양을 나타나게 한 불꽃. ↔打上花火ξ̄ξ̄.

* **しかける**【しかける・仕掛ける】下1他 ①①이쪽에서 적극적으로 하다 ; (시비 따위를) 걸다 ; 도전하다. ¶けんかを～ 싸움을 걸다 / 攻勢ξ̄を～ 공세를 취하다. ○장치하다. ¶爆薬ξ̄を～ 폭약을 장치하다. ○준비하다. ¶ガスで御飯ξ̄を～ 가스에 밥을 안치다. ②일을 하기 시작하다 ; 중도까지 하다. ¶～・けてやめた (중도에서) 그만두었다.

しかざん【死火山】图 사화산. ↔活火山ξ̄ξ̄・休火山ξ̄ξ̄.

* **しかし**【然し・併し】接 그러나 ; 그렇지만. ¶約束ξ̄の時間ξ̄になった。～、かれは来ξ̄なかった 약속 시간이 되었다. 그러나 그는 오지 않았다 / おかしいね 그러나 (좀) 이상하구나.

しかじか【然然・云云】副 긴 말이나 글을 생략하는 말 : 운운(云云) ; 여차여차 ; 이러이러 ; 이와 같이. =これこれ・かくかく・うんぬん. ¶かくかく～ 이러이러하다 ; 이러이러하며 저러저러하다 / ～の理由ξ̄で 이와 같은 이유로.

じがじさん【自画自賛】图 区自他 자화 자찬. =自画賛ξ̄ξ̄・自賛ξ̄.

しかして【然して・而して】接 연이나 ; 그러나 ; 그런데 ; 그리고. =そうして.

しかしながら【併し乍ら・然し乍ら】接 그렇지만 ; 그렇기는 하지만 ; 그러나('しかし'의 힘줌말). ¶～おかしいね 그렇지만 이상한데.

しかず［如かず・若かず・及かず］連語 미치지〔따르지〕 못하다 ; ～(하느니)만 (같지) 못하다 ; ～보다 나은 것은 없다. ¶百聞ξ̄は一見ξ̄に～ 백문이 불여일견 / 甲ξ̄は乙ξ̄に～ 갑은 을을 따르지 못하다 / 学ξ̄ぶに～ 배우는 것보다 나은 것은 없다.

じかせん［耳下腺］图【生】이하선 ; 귀밑샘. ¶～炎ξ̄【医】이하선염 ; 항아리손님.

じかぞう【自画像】zō图 자화상.

* **しかた**【しかた・仕方】〔為方〕图 ①하는 방법 ; 수단 ; 방식. ¶料理ξξ̄の～ 요리법 / ほかに～がない 별도리가 없다. ②처치 ; 짓. ¶無法ξ̄な～ 무법한 처사. ③몸짓 손짓. ¶～をして見せる 몸짓 손짓을 해 보이다. 一な-い 形 할 수 없다 ; 하는 수 없다.

じかた【地方】图 ①室町ξ̄ξ̄ 시대에, 京都ξ̄ξ̄의 가옥・집터・소송 등을 관장하던 관청. ②〈老〉촌 ; 시골〈江戸ξ̄ 시대

의 말). =いなか. ¶ ~役人 $\frac{1}{2}$ 시골 관리. ↔町方 $\frac{1}{2}$ ·浦方 $\frac{1}{2}$. ③(무용에서) 반주를(음악을) 담당하는 사람; 또, 반주 음악. ↔立方 $\frac{1}{2}$.

じかたび【地下足袋】图(노동 자용의) 작업화. =直足袋 $\frac{1}{2}$.

じがため【地固め】图ㅈ回①터다짐; 달구질. =地形 $\frac{1}{2}$. ②전의로; 일반적으로 기초를 단단히 굳힘. =足 $\frac{1}{2}$ がため. ¶選挙 $\frac{1}{2}$ の~ 선거 기반 다지기 〔굳히기〕.

しがち【仕勝ち】图[ダナ] 자칫하면 그 렇게 하는 경향이 많음; 걸핏하면(그 하면)…함. ¶欠席 $\frac{1}{2}$ を~だ 툭[걸 핏]하면 결석한다 / 若いうちは とか ら無理 $\frac{1}{2}$ を~だ 젊을 때는 자칫하면 무리하기 쉽다.

しかつ【死活】图 사활; 생사. ¶~問題 $\frac{1}{2}$ 사활 문제; 생사 문제.

*****しがつ【四月】**图[쿠월] =4月. ¶~馬鹿 $\frac{1}{2}$ =エープリルフール.

じかつ【自活】图ㅈ回 자활. ¶~の道 $\frac{1}{2}$ 자활의 길.

しかつめがお【しかつめ顔】(鹿爪顔) 점잔 빼는 얼굴; 진지한(진중한, 엄숙한) 얼굴.

しかつめらしい【鹿爪らしい】-shi囮①짐짓 점잔빼다; 짐짓 위엄부리다. ¶~·く控 $\frac{1}{2}$ えている 그럴싸하게 점잔을 빼고 (대기하고) 있다. ②딱딱하고 점 잖은 체하다; 진지[엄숙]한 체하다. 의례적이다.

しかと【確と·聢と】副①확실히; 틀림 없이; 분명히. ¶~約束 $\frac{1}{2}$ する 분명히 약속하다 / ~さようか 틀림없이 그런 가 / ~この目で見届 $\frac{1}{2}$ けました 똑똑 히 이 눈으로 보았습니다. ②꼭; 단단히; 굳게. ¶~にぎりしめる 단단히 쥐다. ~ととじる 꼭 닫다.

しがな-い囮 보잘것없다; 하찮다; 가난하다; 초라하다. ¶一暮 $\frac{1}{2}$ し 초라한 〔가난한〕 생활 / ~稼業 $\frac{1}{2}$ 보잘것없는 직업.

じかに【直に】副①직접(직접으로). ¶~手渡 $\frac{1}{2}$ す 직접 전해〔넘겨〕주다 / ~着 $\frac{1}{2}$ る 맨살에 그대로 입다.

じがね【地金】图①바탕쇠; 도금·가공의 바탕이 되는 쇠. ②전의로, 본래의 성질(성격); 본성; 본심; 숨어 있는 (나쁜) 점. ¶~が出 $\frac{1}{2}$ る 본성이 나타 나다 / ~を出 $\frac{1}{2}$ す 본성을 드러내다.

しか-ねる【為兼ねる】[下1他]①못하다; 주저하다; 불가능하다.

じはばき【直草·直履き】②(양말 따위를 신지 않고) 맨발에 직접 신을 신음. ¶下駄 $\frac{1}{2}$ を~にする 맨발에 왜나막신을 신다.

しがばち【似我蜂】图〔蟲〕 나나니 벌. =こしぼそばち.

しかばね【屍·尸】图 시체; 송장. ¶生 $\frac{1}{2}$ ける~ 산송장. 一にむち打 $\frac{1}{2}$ つ 송장에 매질하다(죽은 사람을 비난·공격하다). 一をさらす 전사하다.

しかばねかんむり【尸冠】-kammuri图 주검갓밑(한자의 부수(部首)의 하나; '屁'居'따위의 '尸'의 이름).

じかび【じか火】(直火) 직접 재료를 불에 대고 구움; 또, 그 불.

じがみ【地紙】图①부채·우산 따위에 바르는 종이. ②(금박이나 은박 따위를 붙이는) 바탕 종이.

じがみ【地髪】图 (다리 또는 가발에 대하여) 타고난 머리(털); 제머리 (털).

しかみつ-く[5自] 달라붙다. ①매달리다; 다랑켜 뛰다. ¶子供 $\frac{1}{2}$ が母親 $\frac{1}{2}$ に ~ 아이가 어머니에게 꼭 매달리다. ②거칠게 덤벼들다; 붙들고 늘어지다. =むしゃぶりつく.

しかめつら【顰め面】图 찌푸린 얼굴; 정그린 얼굴. =しかめづら·しかめっつら. ¶~をする 찌푸린 얼굴을 하다; 상을 정그리다.

しか-める【顰める】[下1他] 찡그리다; 찌푸리다. ¶顔 $\frac{1}{2}$ を~ 얼굴을 정그리다.

*****しかも【然も·而も】**腰①그 위에; 게다가; 더구나. =なお. ¶最初 $\frac{1}{2}$ で~最後 $\frac{1}{2}$ のチャンス 처음이자 마지막 기회 / ~貧乏 $\frac{1}{2}$ で~病身 $\frac{1}{2}$ 가난하고 게다가 앓는 몸. ②그럼에도 불구하고; 그런데도; 그리고도. ¶注意 $\frac{1}{2}$ を受け·改 $\frac{1}{2}$ めない 주의를 받고도 고치지 않다.

しからしめる【然らしめる】[連語] 그렇게 시키다; 그렇게 하게(되게) 하다. ¶世相 $\frac{1}{2}$ の~ところ 세태가 그렇게 시키는 바.

しからずんば【然らずんば】-zumba [連語] 그렇지 않으면; 불연이면. ¶成功 $\frac{1}{2}$ か~死 $\frac{1}{2}$ か 성공이냐 아니면 죽음이냐.

しからば【然らば】腰 그러면; 그렇다면. ¶求 $\frac{1}{2}$ めよ、~与えられん 구하라, 그러면 얻을 것이오 / たたけよ、~開かれん 두드려라, 그러면 열리리라.

しがらみ【柵·笧】图①책; 편비내; 수책(水柵)(급한 물의 흐름을 막기 위해, 말뚝을 줄지어 박고 대쪽으로 얽어 놓은 장치). ②들러붙어 떨어지지 않는 상태(것)에도 비유. ¶人情 $\frac{1}{2}$ の~ 인정의 얽매임 / 恋 $\frac{1}{2}$ の~ 사랑의 굴레〔속박〕.

しか-り【然り】[ラ変自] 그렇다; 옳다; 그와 같다. ↔否 $\frac{1}{2}$.

しかりつ-ける【叱り付ける】[下1他] 몹시〔엄하게〕 꾸짖다. ¶頭 $\frac{1}{2}$ ごなしに ~ 덮어놓고 마구 야단치다.

しかりとば-す【しかり飛ばす】(叱り飛ばす)[5他] 호되게 꾸짖다.

*****しか-る【叱る】**[5他] 꾸짖다; 야단치다. ¶先生 $\frac{1}{2}$ に~られる 선생님에게 꾸중듣다.

しかる【然る】[連体] 그러하다; 그러하여; 그렇기 때문에; 그리고저.

しかるうえは【然る上は】[連語] 그렇게 된 이상(에는); 그렇게 된 바에는.

しかるときは【然る時は】[連語] 그럴 때에는; 그런 경우에는.

しかるに【然るに·而るに】 그런데(도). =それなのに. ¶~何 $\frac{1}{2}$ ぞや 그런데 이게 웬일.

しかるのちに【然る後に】[連語] 그런 연후에; 그리고 나서.

しかるべき【然るべき】[連語]〔連体詞的으로〕①마땅히 그래야 하다; 그렇게 하는 것이 당연하다. ②副…されて

～だ 벌받아 마땅하다. ②그에 적합[합당, 적당]하; 걸맞는. ¶―処置凸 그에 합당한 조처 / ―人凸 그에 적당한 사람.

しかるべく【然るべく】連語《副詞적으로》그에 알맞게; 적당히; 좋도록. ¶―御配慮湖뀡のほど 응당의 배려 있으시기를(바라마지 않습니다).

シガレット -retto【名】시가렛; 궐련. ¶ ―ケース 시가렛 케이스; 담뱃갑. ▷ cigarette.

しかれども【然れども】接 그렇기는 하지만; 그렇지만; 연이나; 그러나.

しかれば【然れば】①그런고로; 그러므로; 그러니까. ②(편지 따위에서) 그래서; 각설(却說); 그건 그렇고. = さて.

しかん【士官】【名】사관; 장교(또는 그에 상당하는 계급). ¶―学校凸 (육군) 사관 학교.

しかん【仕官】【名】仕官. ①관직에 오름; 벼슬아치가 됨. ②江戸凸 시대 이전에, 야인(野人)이던 무사가 영주(領主)를 섬기게 되는 일. ¶見目凸に―致す.

しかん【史官】【名】사관; 역사 편차을 관장하는 관리.

しかん【史観】【名】사관; 역사관. ¶唯物凸～ 유물 사관.　　　　「는 일.

しかん【屍姦】【名】시간; 시체를 간음하

しかん【弛緩】【名】ス自 이완. ¶精神세뀡が～する 정신이 이완하다. ↔緊張.

しかん【糸管】【名】사관; 현악기와 관악기; 전하여, 음악의 총칭.

しかん【詩感】【名】시감; 시적 감각. ¶温和凸な～と事直凸せっな画情凸との絵画凸 온화한 시감과 솔직한 정취의 그림.

***しがん**【志願】【名】ス自他 지원. =志望凸. ¶―兵凸 지원병.

じかん【次官】【名】차관. ¶文部凸～ 문부(성) 차관 / 事務凸〔政務凸凸〕～ 사무〔정무〕차관.

じかん【字間】【名】자간; 글자와 글자 사이. =スペース.

‡**じかん**【時間】【名】시간; 때; 시각. ¶ ～を惜凸しむ 시간을 아끼다 / ～をかける 시간을 들이다 / ～をさく 시간을 벌다 / ～がたつ 시간이 가다 / 国語凸の～ 국어 시간 / ～がかかる 시간이 걸리다. ↔能率凸凸. ―きゅう【―給】【名】시간급. ‐こうし【―講師】―kōshi【名】시간 강사. ―ひょう【―表】-hyō【名】시간(계획)표. ―わり【―割り】【名】①(공사) 예정표; 시간 할당표. ②(공사) 예정표; 시간 할당표.

***しき**【式】⊖【名】식. ①의식(儀式). ¶ ～をあげる 식을 올리다. ②산식(算式). ¶―に表凸す 식으로 나타내다. ⊜【接尾】西洋凸～ 서양식 / 連発凸～ 연발식.

しき【色】【名】색; 형태를 갖는 것; 물질. ¶―即是空凸凸 색즉 시공.

しき【識】【名】①서로 앎. ¶―一面凸凸の もない 일면식도 없다. ②식견; 안식. ¶学凸～ ～共に 高い 학식과 식견이 다 같이 높다.

しき【敷(き)】【名】①(기물 밑에 까는) 깔개. ¶花瓶凸～ 꽃병 깔개 / 下敷凸た 책받침. ②'敷金凸'・'敷きぶとん'・'敷

地凸'의 준말. ③배의 바닥재(材).

***しき**【四季】【名】사계; 네 계절; 사철. ¶ ～折々凸의の風物凸 사계 철마다의 풍물. ―ざき【―咲き】【名】사철 핌; 또, 사철 피는 꽃(식물(植物)).

しき【士気】【名】사기. ¶～が高凸まる 사기가 높아지다 / ～を鼓舞凸する 사기를 북돋우다.

しき【志気】【名】지기; (어떤 일을 이룩하려는) 의기.

しき【私記】【名】사기; 개인적인 기록.

しき【死期】【名】사기; 죽을 때; 임종. = しご. ¶～が迫凸る 임종이 임박하다 / ～を早める 죽음을 재촉하다.

しき【子規】【名】(鳥) 자규; 두견새. = ホトトギス.

しき【史記】【名】(史) 사기(한(漢)나라 사마 천(司馬遷)이 쓴 중국의 정사(正史)).

***しき**【指揮(指麾】【名】ス他 지휘. ¶ ～官凸 지휘관 / ～者凸 지휘자 / ―棒凸 지휘봉.

しき【副助】〈흔히, 代名詞 'これ'·'それ'를 받아서〉기껏해야 …정도(쯤); 겨우 … 만큼. ¶何凸の, これ～のこと 뭘, 이까짓 짓 (쯤).

しぎ【鴫·鷸】【名】(鳥) 도요새.

しぎ【仕儀】【名】(古) (좋지 않은) 결과; 사물의 형세; 형편; 사정. ¶…の―に立ち至凸る …의 결과가 되다; …의 형편에 이르다.

しぎ【私議】⊖【名】ス他 뒤에서 뜯음. ¶公事凸を～する 공사를 뒤에서 비방하다. ⊜【名】개인의 견해; 사견.

しぎ【直】⊖【名】직접. =じか. ⊖～の返答凸を承凸잇りたい 직접 회답을 듣고 싶소. ⊜【接頭】직…. ¶～取引凸凸 직거래 / ～輸入凸 직수입. ⊜【じき】【副】①시각·거리가 가까움을 나타내는 말; 곧; 바로. =すぐ. ¶もう～夏休凸凸みだ 이제 곧 여름 방학이다 / ～そばの家凸 바로 옆집.

じき【次期】【名】차기; 다음(번). ¶― 政権凸 차기 정권.

***じき**【時季】【名】시기. ①때; 계절. ¶ ～が～だけに 시기가 시기이니만큼. ②기간; ¶政治的凸凸に空白凸凸な 정치적 공백 기간. ―しょうそう【―尚早】 -shōsō【名】시기 상조.

じき【時機】【名】시기; 기회. = しおどき. ¶～を失凸して逸凸する 시기를 놓치다 / ～をうかがう 기회를 엿보다.

じき【磁気】【名】자기; 사기 그릇.

じき【磁気】【名】(理) 자기. ¶―テープ 자기 테이프 / ―カ凸 자기력; 자력. ―あらし【―嵐】【名】(理) 자기람; 자기 폭풍.

じき【自記】【名】ス他 자기. ①자기가 씀; 自 쓴 것. ②기계가 자동적으로 기록함. ¶―装置凸 자기 장치 / ～雨量計凸凸 자기 우량계 / ～温度計凸凸 자기 온도계. 　　「ばち).

じき【自棄】【名】ス自 자기. =やけ·すて

‐じき【敷】【名】〈'…畳凸'의 형태로〉…畳에 몇 장의 다다미를 깔 수 있는가를 나타내는 말. ¶六畳凸凸～くらいある 다다미 6 장 깔 수 있을 만큼의 넓이이다.　　　　　　　　「義.

じぎ【字義】【名】자의; 한자(漢字)의

じぎ【児戯】图 아희/아이들의 놀이 〔장난〕. ━に等しい；━に類する 어린애 장난 같다.

じぎ【時宜】图 시의/적합한 시기(때); 적기; 호기(好機). ¶─にかなう 시기에 알맞다.

じぎ【辞儀・辞宜】スⓉ (보통 'お─'의 꼴로》 (머리를 숙여) 절함; 인사. ━あいさつ. ¶お─をする 인사를 하다.

*しきい【敷居】【閾】图 문턱; 문지방; 하인방(下引枋). ━が鴨居より高い 문지방이 높다(의리에 어긋난 짓이나 면목없는 짓을 하여 그 집을 찾기가 거북하다). 「의식역(閾)」

しきいき【識域】【識閾】图〔心〕식역.

しきいし【敷石・礎石】图 (길이나 뜰 따위에 깐) 납작한 돌; 포석(鋪石). ━石畳。¶大理石─のが敷いてある 대리석 포석이 깔려 있다.

しきいた【敷板】图 ①밑에 까는 판자; 특히, 마루청; 청널. ②(변소의) 발판.

しきうつし【敷き写し】图スⓉ (서화 따위를) 투명한 종이 밑에 대고 복사함; 전하여, 다른 것을 그대로 모방함.

しきかい【色界】图〔佛〕색계; 욕계 (欲界)와 무색계(無色界)의 중간 세계.

しきがね【敷金】图 ⇨しききん.

しきがまえ【式構え】图 한자 부수의 하나; 주살식('代'·'式' 따위의 'ㅓ'이름).

しきがわ【敷き皮】图 모피의 깔개. ━虎の皮の─ 호피 깔개.

しきかん【色感】图 색감. ¶鋭い─ 날카로운 색감. 「━公企業.

しききぎょう【私企業】-gyō 图 사기업.

しききん【敷金】图 ①(집이나 방 등의) 전세 보증금. ②〔商〕거래 보증금 〔증거금〕. ━しき.

しきけん【識見】图 식견; 견식. ⇨「しっけん」.

しきさい【色彩】图 색채. ①빛깔. ━いろどり. ②感覚的인 색채 감각/~映画화 색채 영화. ③특색; 성질; 경향./~のある文章장 특색 있는 문장/野党的운영~が濃のい 야당적 색채가 질다.

じきさん【直参】图 주군(主君)을 직접 섬기는 신하; 江戸幕府꾸에 직속된 녹봉 1만석(一萬石) 이하의 무사 〔旗本본·御家人닌〕. ━陪臣신.

しきし【色紙】图 ①和歌카·俳句꾸를 쓰기 위한 네모진 두꺼운 종이(여러 가지 빛깔이나 무늬가 있으며, 후세에는 종이의 크기도 일정하여졌음). ②(바느질에서) 낡은 의복의 안에 대는 천.

しきじ【式次】图 식순(式順). ━式次第다. 「말.

しきじ【式辞】图 식사; 의식때의 인사

じきじか【直直】图副 직접. ¶~に話 す 직접 이야기하다.

しきしま【敷島】图〔雅〕'大和야国나'(=현 奈良県겐)의 딴이름. ②일본의 딴이름. ━敷島の道みち의 준말. ━のみち【─の道】連語 일본 고래(古来)의 和歌카의 도(道). 「~sha 图 식자.

しきしゃ【識者】-sha 图 식자.

しきじゃく【色弱】-jaku 图 색약; 정도가 낮은 색맹.

*しきじょう【式場】-jō 图 식장.

しきじょう【色情】-jō 图 색정; 욕정. ━色欲よく.

しきしん【色神】图 색신; 색각. ━色覚かく. ¶~検査さ〔醫〕색신 검사(색맹· 색약 따위의 진단힘).

しきそ【色素】图 색소. ¶有毒どくな~ 유독 색소.

じきそ【直訴】スⓉ他 직소; 직접 상소함. ¶~状じょう 직소장.

しきそう【色相】-sō 图 ①색상; 색조. ━色あい. ↔彩度ど ·明度ど. ②〔佛〕육안으로 볼 수 있는 형상.

しきだい【式台】图 현관 앞의 한 단 낮은 마루; 현관 마루(손님을 송영할 때 인사하는 곳).

じきたつ【直達】スⓉ他 직달; 직접 전달.

*しきたり【しきたり・仕来(た)り】图〔為来り〕(이제까지의) 관습; 관례. ━ならわし. ¶~に従たがう 관례에 따르다.

ジギタリス 图〔植〕디기탈리스. ━ジギタリス. ▷네 digitalis.

じきだん【直談】スⓉ〈老〉직접 애기〔담판〕함; 또, 직접 그 사람으로부터 들음. ━じか談判はん.

しきち【敷地】图 부지; 대지(垈地).

しきちょう【色調】-chō 图 색조; 색의 조화. ━いろあい. 「면에 깔다.

しきつめる【敷(き)詰める】下1他 온

じきでし【直弟子】图 직제자; 직접 가르침을 받은 제자. ━直門もん. ↔又弟子まご·孫弟子まご.

しきてん【式典】图 식전; 의식. ━式でん.

じきでん【直伝】图 (오의奥義)나 비전(秘傳)을 직접 스승이 제자에게 전수함; 또, 직접 전수받은 것. ¶~の秘術じゅつ 직접 전수받은 비술.

しきどう【色道】-dō 图 색도; 색(色) 〔외도〕에 관한 도.

じきとう【直答】-tō 图スⓉ 직답. ━ちょくとう. 「당.

じきどう【食堂】-dō 图〔佛〕절의 식

*じきに【直に】副 곧; 금방; 바로. ━すぐに〉·ただちに. ¶~来ます곧 곧 옴 니다/~良くなるよ근 곧 나아질 게다.

しきねん【式年】图 제사를 지내기로 정해놓은 해.

しきひ【直披】图 친전(親展)(편지 겉봉에 쓰는 문구). ━ちょくひ.

しきひつ【直筆】图 직필; 자필(의 문서). ━代筆ひつ. 「욕의」━シーツ.

しきふ【敷布】图 요 위에 까는 천(布); 시이트. ━掛かけぶとん.

しきふ【式部】图 ①式部省ぶしょう의 준말. ②궁녀(宮女)의 이름에 붙이는 말. ¶紫むらさき~ 11 세기초의 여류 문학가 (궁녀였음). ③(明治대 후기의) 여학생의 땋아름. ④明治대 초기에, 의식(儀式)을 담당하던 고등관. ━しょう【─省】-shō 图〔史〕律令令りょう후기에서 팔성(八省)의 하나로 국가의 의식이나 인사(人事)를 맡았던 관청.

しきぶとん【敷布団】【敷蒲団】图 (잘 때 까는) 요. ↔掛かけぶとん.

しきべつ【識別】图 식별; 분별. ━弁別べつ·みわけ. ¶~力りょくが乏とぼしい 식별력이 부족하다.

しきま【色魔】图 색마; 호색한(好色漢). ━女おんなたらし.

じきまき【直まき】(直播・直蒔)图 ㋜他 직파. =じかまき【地蒔き】.

しきみ【樒・櫁】图〔植〕붓순나무. =し

しきみや【直宮】图 天皇과 직접적연 관계가 있는 황족(황태자·황자·황녀·天皇의 아우 따위의 총칭).

しきもう【色盲】-mō图 색맹. ¶赤緑³³～ 적록 색맹.　〔자리 따위〕.

しきもの【敷物】图깔개(방석·융단·돗자리 따위).

しぎゃく【嗜虐】-gyaku图 기학; 잔학한 일을 즐김. ¶～性³ 기학성; 잔학성.

じぎゃく【自虐】-gyaku图 ㋜自 자학. ¶～的な言動 자학적인 언동.

しきゅう【子宮】-kyū图〔生〕자궁. ¶子³つば²²²²². ──がいにんしん【──外妊娠】〔醫〕자궁외 임신. =外妊娠³³³³³³. ──がん【──癌】图〔醫〕자궁암.

*しきゅう【支給】-kyū图 ㋜他 지급. ¶現物²²²～ 현물 지급.

しきゅう【死球】-kyū图〔野〕사구. =デッドボール.

しきゅう【至急】-kyū图 지급. =大急²²²²². ¶──電報²²²²지급 전보. 参考副詞的으로도 씀. ¶～おいで下さい지급히 와 주십시오.

じきゅう【自給】-kyū图 ㋜他 자급. ¶～率²を高³める 자급률(率)을 높이다. ──じそく【──自足】图 ㋜自他 자급 자족.

じきゅう【持久】-kyū图 ㋜自 지구. ¶～力²² 지구력. ¶～戦²²に持ち込³む 지구전(장기전)으로 끌고 가다.

しきょ【死去】-kyo图 ㋜自 사거; 사망; 죽음.

じきょ【辞去】-kyo图 ㋜自 사거; 인사〔작별〕하고 떠남.

しきょう【司教】-kyō图 (가톨릭의) 주교(主教).

しきょう【市況】-kyō图 시황; 장황경기(시세). ¶～が強³³い 시세가 강하다 /──産業²²²²に支配되기 쉬운 산업(석유업·철강업 따위).

しきょう【詩経】-kyō图 시경(오경(五經)의 하나). =毛詩³³³³.

しきょう【詩境】-kyō图 시경; 시의 경지〔솜씨〕. ¶～とみに進³む 시의 경지가 급격히 늘다.

しきょう【詩興】-kyō图 시흥. ¶～をそそる 시흥을 자아내다〔돋우다〕.

しきょう【始業】-gyō图 ㋜自 시업. ↔終業³³³³³.　〔자백(自白)〕.

*じきょう【自供】-kyō图 ㋜自他 자백.

じきょう【自彊】-kyō图 ㋜自 자강; 스스로 힘씀. ¶～やまず 자강 불식(不息)하다; 부단히 힘쓰다 /～の心²²²² 스스로 노력을 멈추지〔게을리하지〕 말아야 할 마음.

**じぎょう【事業】-gyō图 사업. ¶慈善²²²²～ 자선 사업 /社会²²²²² ~ 사회 사업 /──場²²~ 사업장 /──家²² 사업가.

しきょく【色欲】(色慾)图 색욕. ¶~적 욕망; 정욕. =色³정과 이욕(利欲).

しきょく【支局】-kyoku图 지국. ¶新聞²²²～ 신문 지국. ↔本局²²²².

じきょく【時局】-kyoku图 시국. ¶講演会³²²²² 시국 강연회 /──便乗者²²²²²² 시국 편승자; 기회주의자.

じきょく【磁極】-kyoku图 자극; 자석의 양극.

しきり【仕切(り)】图 ①칸막이; 또, 칸막이. ㋑경계. ¶～目² 경계점; 경계선 /部屋²²²の～ 방의 칸막이. ㋺구분. ②결말을 지음; 셈매듭; 결산. ¶～帳²²² 결산 장부; =がつく 결말이 나다 /月末²²²に～てくださると 월말에 셈을 끊어〔결산해〕 주십시오. ③'仕切金²²²²'의 준말. ④씨름꾼이 씨름판에서 맞붙을 태세를 취하는 일. ¶～直³し (씨름에서) 맞붙을 태세를 다시 취〔하〕기. ──きん【仕切金】图 청산금(淸算金). ──しょ【仕切書】-sho图 ①상품 내용 명세서; 또, 청구서; 송장(送狀). =送状²²²²·仕切状²²²². ②매상(賣上)계산서. ──ねだん【仕切値段】图 ①(형성 시세로 매매할 때) 매매가가 성립되는 가격. ②전매(轉賣)가격 또는 되산 가격. ──や【仕切屋】图 모아 온 폐품을 각각 분류하여 팔아 넘기는 직업; 고물상.

*しきりに【頻りに・切りに】剾 ①자꾸만; 자주; 빈번히. ¶~手紙²²²²をよこす 빈번히 편지를 보내 오다. ②계속적으로; 끊임없이; 줄곧; 연달아. ¶~ベルが鳴³る 연달아〔계속해서〕 벨이 울리다 /雨³が～降³る 비가 줄기차게 오다. ③열심히; 몹시; 매우. ¶~せかむ 몹시 조르다.

*しき‐る【しきる・仕切る】㊀㊄他 ①㋑칸(을)막다; 칸막이하다. ¶カーテンでへやを～ 커튼으로 방을 칸막이한다. ㋺몇 개의 부분으로 나누다. ②셈끝다; 결산하다. ¶月末²²²²で~ 월말로셈을 끊다〔결산하다〕. 注意②는 自動詞으로도 쓰임. ㊁㋛他 (씨름꾼이 씨름판에서) 맞붙을 태세를 취하다.

-しき‐る【頻る】㊀〔動詞의 連用形에 붙어서 五段活用動詞를 만듦〕끊임없이…하다. ¶雨³が降³り~ 비가 끊임없이〔계속해서〕 쏟아지다.

しきわら【敷わら】(敷藁)图 (마구간이나 농작물 밑동 등에) 까는 짚; 짓.

しきん【至近】图 지근. ¶～距離²² 지근 거리 /～弾² 지근탄.

*しきん【資金】图 자금. =もとで. ¶～難² 자금난 /～をまかなう 자금을 조달하다. ──ぐり【──繰り】图 자금의 용통〔변통〕. =かねぐり.　〔金〕.

しきん【賜金】图 사금; 하사금(下賜金).

しぎん【市銀】图 ('市中銀行³³³²'(=시중 은행)'의 준말.

しぎん【歯齦】图 치은; 잇몸. =はぐき. ¶～炎² 치은염.

しぎん【詩吟】图 시음; 한시에 가락을 붙여 읊음.

しきんせき【試金石】图 시금석. ¶この仕事²²は彼²²の手腕²²²²を試³す~이 일은 그의 수완을 시험하는 시금석이다.

し‐く[如く・若く・及く]㊃国〈雅〉〈否定이나 反語가 따름〉미치다; 필적하다; …만하다. ¶酒²²に~ものはない 술만한 것은 없다 /子²を見³ること親²²に~かず 자식을 볼 줄 아는 것이 부

모만한 사람은 없다 / 逃げるには～はなし 도망치는 것이 상책이다.

*し-く【敷く】□ ⑤他 ①깔다. ⑦밑에 펴다. ¶ふとんを～ 이불을〔요를〕 깔다. ⓒ깔고 앉다. ¶亭主を しりに～ (아내가) 남편을 깔고 뭉개다; 내주장하다. ⓒ덮쳐〔엎어〕 누르다. ¶盗賊を組み～ 도둑을 엎어 누르다. ⓑ布く 부설하다. ¶鉄道を～ 철도를 부설하다. ②(布く)(진(陣) 따위를) 치다; 배치하다. ¶背水の陣を～ 배수의 진을 치다. ⓑ布く 널리 시행하다; 펴다. ¶憲政を～ 선정을 베풀다 / 軍政を～ 군정을 펴다. □自 ⑤〔接尾語的으로〕 널리 깔리다. ¶花が散りり～ 꽃이 떨어져서 널리 깔리다.

しく【四苦】 图 【佛】 사고; 네 가지 고통(生)·노(老)·병(病)·사(死)). ──はっく【──八苦】图 사고 팔고. 图【佛】 사고와 팔고. □□自 심한 고통; 온갖 고생; 심하게 고뇌함. ¶～の苦しみをする 심한 고통을 겪다 / ～の体 고생이 많은 모양.

しく【詩句】 图 시구; 싯귀.

*じく【軸】 图 ①굴대; 심대. ¶車輪の～の 바퀴의 굴대 / ～を受ける 축을 받치다. ②두루마리; 족자. ¶～をかける 족자를 걸다. ③(붓·펜·식물 따위의) 대 ; (성냥의) 개비. ¶筆心の～ 붓대 / 花びらの～ 꽃대 / マッチの～ 성냥 개비. ④(집단·조직의) 활동의 중심. ¶チームの～となる 팀의 중축(중심)이 되다. ⑤【数】좌표의 축. ¶座標軸 ← 좌표축.

じく【字句】 图 자구. ¶～にこだわる 자구에 구애되다.

じくうけ【軸受け】【軸承】 图 ①축받이. =ベアリング. ②(문짝 따위의) 축을 받치는 부분; 암톨쩌귀.

シクかつよう【シク活用】-yō 图【文法】文語 形容詞의 어미 활용의 한 가지('し く·しく·しし·しき·しけれ·しかれ'로 변화하는 활용; '楽しし' '美しし' 따위).

しぐさ【仕草·仕種】 图 ①행위; 처사; (하는) 짓(거리). ¶あいつの～が気に入らない 저놈의 하는 짓이 마음에 안 든다. ②몸짓; 배우의 동작·연기·표정. ¶女形の～ 여자역의 몸짓 / ～がうまい 연기를 잘 한다.

*ジグザグ 图 지그재그; 갈짓자형. ¶～コース 갈짓자 코스. ▷zigzag.

しくしく 副 ①코를 훌쩍이며 힘없이 우는 모양: 훌쩍훌쩍. ¶～(と)泣く 훌쩍훌쩍 울다. ②찌르듯이 또는 쑤시듯이 아픈 모양: 쌀쌀; 콕콕. ¶腹痛が～ 痛む 배가 쌀쌀 아프다 / 虫歯が～痛む 충치가 콕콕 쑤시며 아프다.

じくじく 副 물기가 많아서 조금씩 스며나올 듯한 모양: 질척질척; 질금질금; 질퍽질퍽. ¶池の附近が～と濕っている 연못 부근은 (몹시) 질척거린다 / 傷がうんで～する 상처가 곪아서 진무르다.

しくじり 图 실패(함); 실수; 실책. ¶とんだ～をしてしまった 엉뚱한 실수를 해 버렸다.

*しくじ-る ⑤自他 (俗) ①실패하다; 실

수하다. ¶試験を～ 시험을 잡치다. ②(잘못 따위로) 해고되다; 출입을 금지당하다. ¶お店を～ 주인 집에서 쫓겨나다.

しぐち【仕口】 图 ①수법. ②【建】목재와 목재를 잇기 위해 장부를 낸 곳.

じくち【地口】 图 곁말(속담이나 그 밖의 어구에 음은 비슷하나 뜻이 다른 말을 당입(代入)하는 재담(언어 유희). ¶'舌切りり雀*に' 대한 '着*切切りり雀(단벌 신사)' 따위).

しくつ【試掘】 图 ㄓ他 시굴; 시굴. ¶～権 시굴권 / ～溝 (석유 동의) 시굴구.

シグナル 图 시그널; 신호; 신호기. ▷signal.

じくばり【字配り】 图 글자의 배치; 배字(配字).

*しくみ【仕組(み)】 图 ①짜임새; 구조. ②구조; 기구. ¶機械*の～がわかる 기계의 구조를 알다. ②계획; 기도. ③고안; 장치. ④大体*に～ 개략적인 계획. ⑤(소설·희곡의) 줄거리; 열거리; 구상. ¶劇*の～ 극의 줄거리 / なかなかこった～だ 상당히 짜임새있는 구성이다.

しく-む【しくむ·仕組む】⑤他 궁리해서 짜다. ①짜(만들)다; 기도하다; 계획하다. ¶巧みに～まれたトリック 교묘하게 짜여진 트릭(계교) / 反乱*を～ 반란을 꾸미다. ②(소설·희곡의) 줄거리를 짜다; 구성하다. ¶恋愛事件を劇*に～ 연애 사건을 극으로 구성하다.

じくも【地蜘蛛】 图【動】 땅거미. =つち ぐも.

じくもの【軸物】 图 ①족자. ②두루마리 모양의 책(그림). =まきもの.

シクラメン 图【植】시클라멘. =かがりびばな·サイクラメン. ▷cyclamen.

しぐれ【時雨】【九月雨】 图 늦가을부터 초겨울에 걸쳐 오는 한 차례 지나가는 비; 오다 말다 하는 비. 参考 많은 벌레가 일제히 울 때에도 비유함. ¶セミ～ 매미가 일제히 울어 댐. ②'しぐれ煮'의 준말; (대합 따위의) 조갯살에 생강 따위를 넣어 조린 식품.

しぐ-れる【時雨れる】□①自 ①늦가을의 비가 내리다. ②눈물을 흘리다.

じくろ【軸艫】 图 축로; (배의) 이물과 고물. ──相衛いに 축로 상합(맞닿을 정도로 많은 배가 열지어 가자).

くん【字訓】 图 자훈; 한자의 훈('山*'을 'やま'로 읽는 따위). ↔字音*.

しくんし【四君子】 图 사군자(난초·매화·국화).

*しけ【時化】 图 ①센 비바람 때문에 바다가 거칠어짐. ¶～による 바다가 거칠어지다. ↔なぎ. ②전하여, 폭풍우로 인한 흉어(凶漁); 흉행물(興行物)·상거래 따위의 불경기. ¶このごろは～が続いている 요즘은 흉어(불경기)가 계속되고 있다.

じげ【地下】 图 ①당하관(堂下官); 또, 그 가문. ↔殿上人*. ②堂上人*의 준말; 鎌倉*ら 시대의 凡下*(=평민). ③궁중에 봉사하지 않는 사람.

しけい【市警】 图 시경.

しけい【死刑】 图 사형. ¶～囚 사형수.

しけい【私刑】 图 사형; 린치. =リン

し──。④落語ᄅᄅ에서 본제에 들어가
기 전에 청중에게 예비 지식으로 하는
머리말。⑤술·간장 등을 빚어 넣음。⑥
속에 장치함。⑦仕込ᄂᄀみづえ〔속에 칼
따위를 장치한 지팡이〕'의 준말。

*しこ-む【仕込む】[5他] ①가르치다 ; 훈
련하다 ; 길들이다 ; 버릇을 가르치다。
¶犬ᄂᄅ に芸ᄅᄅ를 ~ 개에게 재주를 가르치
다。②속에 넣다〔장치하다〕。¶刀ᄅᄀを
つえに~ 칼을 지팡이 속에 장치하다。
(3)〔상품·원료를〕 구입하다。=仕入れる。
④〔술이나 간장 따위의
원료를 조합해서〕 통 따위에 담그다 ;
빚다。¶酒ᄅᄀを~ 술을 담그다。

しこめ【醜女】[名]〈雅〉추녀。=醜女
ᄀᄅ。¶(醜女に似ている다〕 귀녀(鬼女)。

*しこり【凝り·瘤ᄅ】[名] ①응어리。②腕
ᄀᄅに~労作ᄅᄅ 팔에 응어리가 생겼
다 ; ~が取ᄂᄅれる 응어리가 풀리다(가
시다)。②〔사건이 처리된 뒤에도 남아
있는〕 석연치않은 기분 ; 개운치 않은
기분。¶感情ᄀᄅ の~ 감정의 응어리。

しこ-る【凝る·瘤る】[자] ①응어리지
다。②멍들다。

しこん【歯根】[名] 치근 ; 이뿌리。

しこん【詩魂】[名] 시혼 ; 시를 짓는 마
음 ; 시정(詩情)。¶~を養ᄀᄅ う 시정을
기르다。

*しき【示唆】[名][他] ①시사。¶~多ᄀᄅ
い 示唆가 많은 시사를 주는 노작。②
교사(敎唆) ; 부추김。=じさ。

じき【時差】[名] 시차。¶~出勤ᄀᄅ 시
차(~)출근。 ──ぼけ【──惚け】
[자] 시차병(시차가 있는 지역을 여행
할 때 생활 리듬이 시차와 맞지 않아
몸이 제 기능을 다하지 못하는 일)。

しさい【仔細·子細】[名] ①〔자세한〕 사
정 ; 연유(緣由)。¶~を語るᄀᄅ 자세한
사정을 말하다。②〔否定의 말이 따라
서〕 별일 ; 지장 ; さしつかえ。¶~も
あるまい 지장(별일)도 없을 테지。
──に及ばずᄀᄅ 여러 말 할것도 없이。
──がお ──顔 무슨 사정이〔연유
가〕 있는 듯한 얼굴。──に 図 상세히 ;
자세히。──らしく ──らしい-shi 形
무언가 있는 듯이 심각해 하고 있다。
¶~様子ᄀᄅ でうなずきあう 무언가 있
는 듯이 심각한 모양으로 서로 끄덕이
다。 ──〔神父〕 [부]

しさい【司祭】[名] (가톨릭의) 사제 ; 신

しさい【詩才】[名] 시재。

しざい【死罪】[名] 사죄 ; 사형。¶~を
減じて島流ᄀᄅᄀᄅにする 사형을 감하
여 귀양보내다。②죽어서 마땅한 죄。
¶~にあたいする 죽을 죄에 상당하
다。③서간문이나 상소(上疏) 따위에
서 주제넘은 짓을 사과할 때 쓰는 말。
¶頓首ᄀᄅᄅ── 돈수 사죄。

しざい【私財】[名] 사재 ; 개인의 재산。

しざい【資材】[名] 자재。¶建築ᄀᄅᄅ── 건
축 자재。

じざい【自在】[名][ダナ] ①자재。¶自由
ᄀᄅ── 자유 자재。②'自在かぎ'의 준말。
──が【──画】[名] 자재화(컴퍼스나 삼
각자들을 사용하지 않고 손으로만 그리
는 그림)。──用器画ᄀᄅᄀᄅ ──かぎ
──鉤〕불박이 화로나 부뚜막 위에 걸
어 놓고, 임의의 위치에 냄비·주전자
등을 달아매게 된 갈고리。

しさく【思索】[名][自他] 사색。¶~に
ふける 사색에 잠기다。 〔제 시책〕。

しさく【施策】[名] 시책。¶経済ᄀᄅ── 경
제 시책。

しさく【試作】[名][他] 시작 = 試製ᄀᄅ。
¶~品ᄀᄀ 시작품。 〔詩〕

しさく【詩作】[名] 시작 ; 작시(作詩)。

じさく【自作】[名][自他] 자작。①스스로
만듦(만든 것)。¶~自演ᄀᄅ 자작 자
연。자기 땅을 스스로 직접 경작함。
(3)'自作農ᄀᄅᄀᄅ'의 준말。──小作ᄀᄅ。──
のう【──農】-nō [名] 자작농。──小作
農ᄀᄅᄀᄅ 〔술。=いなか酒〕。

じさつ【刺殺】[名][他] ①자살 ; 척살 ;
찔러 죽임。②〔野〕 터치아웃。

しさつ【視察】[名][他] 시찰。¶~団ᄀᄅ
시찰단 / 海外ᄀᄅ~ 해외 시찰。

*じさつ【自殺】[名][自] 자살。¶投身ᄀᄀ
~ 투신 자살 / 未遂ᄀᄅ~ 자살 미수。
↔他殺ᄀᄅ。 〔した다。

じさま【為様】[名] 하는 식〔짓·방식〕。

じざむらい【地侍】[名] 지방의 토착 무
사。

しさん【四散】[名][自] 사산 ; 사방으로

*しさん【資産】[名] ──家ᄀᄅ 자산
가 / ~所得ᄀᄀ 자산 소득 / 固定ᄀᄀ~ 고
정 자산。

しさん【死産】[名] 사산。=しざん。
¶~児 사산아。

*じさん【持参】[名][自他] ¶会費ᄀᄅ~
は当日ᄀᄅᄀᄅ 회비는 당일 지참。──きん
ん【──金】[名] 지참금。

じさん【自賛·自讚】[名][自他] 자찬 ;
자랑。¶自画ᄀᄀ~ 자화 자찬。

しし【肉·宍】[名]〈雅〉(짐승의) 고기。
¶~を置ᄂᄀき 살거리 ; 살집。

しし【四肢】[名] 사지 ; 두 팔과 두 다

しし【志士】[名] 지사。[리。=手足ᄀᄀ。

しし【嗣子】[名] 사자 ; 대(代)를 이을 아
들。=あととり。

しし【獅子】[名] ①〔動〕 사자。=ライオ
ン。②しし舞ᄂᄀᄀ=사자놀음〕의 준말。
──身中ᄂᄀᄀの虫 불도(佛道)이면서 불
법(佛道)에 해를 끼침의 비유 ; 또, 내
부에 있으면서 분쟁을 일으키는 자。──の子
落とし 자기 자식을 역경에 두어 그
역량을 시험해 봄(사자는 낳은 새끼의
강약을 시험하기 위해서 깊은 골짜기
에 던져 본다는 말에서)。──く ──
吼〕사자후。 ──ばな ──鼻〕
[名]〈俗〉사자코 ; 들창코。=ししっぱ
な。──ふんじん ──奮迅〕[名] 사자
분신 ; 맹렬한 기세로 분투(돌격)함。
¶~の勢ᄀᄅ い 사자 분신의 기세。──の子
──まい ──舞(い)〕[名] 사자무(사
자춤(풍년을 기원하고, 또 악마를 물
아내는 의식으로서 추는 춤)。=おし
し。②能ᄀᄅ에서, 사자가 춤추는 시늉을
흉내내어 격렬한 동작으로 추는 춤。

しし【詩史】[名] 시사。①시의 역사。②
시로 서술한 역사。

しし【孜孜】[タ ル] 자자 ; 부지런히 일
에 힘쓰는 모양。¶~としていそしむ
부지런히 노력하다。

しじ【四時】[名] 사시。①사계(四季)。=
しいじ。②〔佛〕 하루의 네 때〔단(旦)·
주(晝)·모(暮)·야(夜)〕。¶~の座禅ᄀᄀ
ᄀᄀ 사시 좌선。

しじ【師事】[名][自] 사사。

しじ【私事】图 사사. ¶話題がにわたる 이야기가 사사로운 일에 미치다 / ～をあばく 사사실을 들추어 내다.

しじ【指示】图[スル] 지시. ¶～を受ける 지시를 받다. ——ご【——語】图 지시어〔보기: あれ・これ・それ、あの・その〕. ——だいめいし【——代名詞】图 지시 대명사. ↔人称代名詞. ——やく【——薬】图[化] 지시약.

しじ【支持】图[スル] 지지. ¶一家ばを～する 한 집안을 지탱하다 / ～を得る 지지를 얻다 / 労組ばの～をとりつける 노조의 지지를 얻어내다.

じじ【時事】图 시사. ¶～問題な 시사 문제.

じじ【時時】图副 시시로; 때때로. ——こっこく【——刻刻】图副 시시각각; 각일각. ¶～ニュースが入る 시시각각 뉴스가 들어오다.

じじい【爺】jiji 图 남자 늙은이(흉하게 부르는 말). =じじ. ¶～食べえない ── 간교한 늙은이. ↔ばばあ.

じじい【祖父】jiji 图 조부; 할아버지(흉하게 부르는 말). ↔じじ. ↔ばばあ.

しき【式】【式日】图自他 의식(儀式)의 진행을 마침.

しじげん【四次元】图 ☞よじげん.

ししそんそん【子子孫孫】图 자자 손손; 자손 대대. =ししそんぞん. ¶～に至るまで 자자손손에 이르기까지.

ししつ【私室】图 사실; 개인이 사용하는 방.

ししつ【資質】图 자질. ¶すぐれた～の持ち主 뛰어난 자질의 소유자.

ししつ【紙質】图 지질.

ししつ【脂質】图 지(방)질(영양학에서) '脂肪分ば(=굳기름)'의 고친 이름.

しじつ【史実】图 사실; 神話では～ではない 신화는 사실이 아니다.

しじつ【自失】图[スル] 자실; 얼빠짐. ¶茫然とば～する 망연 자실하다.

しじつ【痔疾】图 치질. =痔る.

じじつ【事実】图 사실. ①실제로 일어난, 또는 있는 일. ¶～無根ばや 사근무근 / ～上ばの夫婦ばゝ 사실상의 부부. ②圓副词적으로; '…は事実だ'라는 기분으로〕 정말로; 참말로. ¶～そういう結果にになった 사실 그런 결과가 되었다. ──は小説ばよりも奇なり 사실은 소설보다도 기이하다.

じじつ【時日】图 ①短た── 단시일 / 着京ばの～ 서울 도착 일시.

しじま【無言·静寂】图〔雅〕 침묵; 정적. =沈黙ばや·静寂ばや. ¶夜ばの～ 밤의 고요.

しじみ【蜆】图[貝] 가막조개; 바지라기. ¶～汁ら 바지라기 된장국.

しじみばな【蜆花】图[植] 조팝나무. =こごめばな.

じじむさい【爺むさい】形 노추(老醜)하다; 늙은이 냄새가 나다. ¶言ばが 냄새가 나다.

ししむら【肉叢】图 고깃 덩어리; 살덩이.

ししゃ【使者】-sha 图 사자; 사신. ¶

～をつかわす〔立てる〕 사자를 보내다. 「死人にに. ↔生者せ.

ししゃ【死者】-sha 图 사자; 사망자.

ししゃ【支社】-sha 图 ①지사. ¶～勤務ばや 지사 근무. ↔本社ほが. ②신사(神社)의 분사(分社). =末社ばや·分社ばや.

ししゃ【試写】-sha 图[スル] 시사. ¶～会ば 시사회.

ししゃ【試射】-sha 图[スル] 시사; 시험 사격.

ししゃ【侍者】-sha 图 시자; 시종자(侍從者). =おつき.

ししゃ【寺社】-sha 图 절과 신사(神社).

じしゃ【自社】-sha 图 자사; 자기 회사.

ししゃく【子爵】-shaku 图 자작(5등작).

じしゃく【磁石】-shaku 图[理] 자석. ¶棒ば～ 막대자석. ②【鑛】 자철광. ¶磁石盤ばゝゝの 준말; 자석반; 나침반. =コンパス.

じじゃく【自若】-jaku[トタル] 자약; 침착하여 당황하지 않음. ¶泰然ばゝ～ 태연 자약.

ししゃごにゅう【四捨五入】-shagonyū 图[スル] 사사 오입; 반올림.

ししゅ【死守】-shu 图[スル] 사수.

ししゅ【詩趣】-shu 图 시취; 시적 정취.

ししゅ【自主】-shu 图 자주. ¶～独立ばゝゝゝ 자주 독립 / ～性ばを生かす 자주성을 살리다. ──けん【──権】图 자주권. ──てき【──的】图ゞゝ 자주적.

じしゅ【自首】-shu 图[スル] 자수.

ししゅう【刺繍】-shū 图[スル]自他 자수. =ぬいとり.

ししゅう【詩集】-shū 图 시집. ¶～を編む 시집을 엮다.

しじゅう【四十】-jū 图 사십; 마흔. ──うで【──腕】图 마흔 살쯤 되어 만성적으로 팔이 아픈 일 =しじゅうかいな·四十腕ばゝ. ¶～、五十ばゝゝ 마흔 살엔 팔이, 쉰 살엔 어깨가 아파온다. ──くらがり【──暗がり】图 마흔 살쯤 되어 시력이 떨어지는 일. ¶

しじゅう【四重】-jū 图 사중; 네 겹. ──しょう【──唱】-shō 图[樂] 사중창. ¶混声ばゝ～ 혼성 사중창. ──そう【──奏】-sō 图[樂] 사중주. ¶弦楽ばゝ～ 현악 사중주.

しじゅう【始終】-jū 图 시종. ①자초지종; 처음부터 끝까지; 모두. ¶末ばゝ～添えいとげる 평생을 함께 하다 / 一部ばゝ～を語るる 자초지종을 다 말하다. ②처음과 끝. ③〔しじゅう と〕圓〔副词적으로〕 언제나; 늘; 끊임없이. =しょっちゅう. ¶～遊ばんでいる 늘 놀고 있다 / ～主人ばゝが上がりまして 종종 주인이 방문하여〔신세를 져서〕.

じしゅう【時宗·時衆】-shū 图[佛] 정토종(淨土宗)의 한 파. =遊行宗ばゝゝ.

じしゅう【自習】-shū 图[スル]自他 자습. ¶～書ば 자습서 / ～時間ばゝゝ 자습 시간.

じじゅう【侍従】-jū 图 시종; 근시(近侍). ¶～武官ばゝ 시종 무관. ¶「박새」

しじゅうから【四十雀】图[鳥]

しじゅうはって【四十八手】-jūhatte 图 ①(씨름에서) 상대방을 이기는 마흔 여덟 가지의 수법(현재는 70수). ②사람을 조종하는 온갖 수단(비법). ¶就職ばゝ～ 취직의 요령 / ～を使うてもだ

ませない　온갖 수단을 써도 속이지 못한다.

ししゅく【止宿】-shuku 名 ス自 숙박함. ¶～人ぶ 유숙인／～先ぶ 유숙하는 곳；숙박지.

ししゅく【私淑】-shuku 名 ス他 사숙；어떤 사람을 본보기로 해서 배움.

しじゅく【私塾】-juku 名 ス他 사숙；사설(私設)의 글방. =家塾ぶ.

*じしゅく【自粛】-shuku 名 ス自 자숙. ¶～自戒が 자숙 자계하다.

ししゅつ【支出】-shutsu 名 ス他 지출. ¶～を切り詰める 지출을 줄이다. ↔収入でぶ.

しじゅつ【施術】-jutsu 名 ス自 시술；수술을 함.

しじゅん【至純】-jun 名な 지순；더없이 순수함.

じじゅん【耳順】-jun 名 이순；60세.

ししゅんき【思春期】-shunki 名 사춘기. ¶～に達する 사춘기에 달하다.

しじゅんせつ【四旬節】shijun- 名〔宗〕사순절. =四旬祭しぶぶ.

ししょ【支所】-sho 名 지소；출장소.

ししょ【支署】-sho 名 지서；본서에서 분기되는 관서(官署). ↔本署ぶ.

ししょ【史書】-sho 名 사서；역사 책. =史籍ぶ. 「ろ」 사서 교사.

ししょ【司書】-sho 名 사서. =教諭ぶ

ししょ【四書】-sho 名 사서；유교의 경전(經典)；대학(大學)·중용(中庸)·논어(論語)·맹자(孟子). ¶～五経ぶ 사서 오경.

ししょ【詩書】-sho 名 시서. ①시집(詩集). ②시에 관한 책. ③〈중국 고전의〉시경(詩經)과 서경(書經).

ししょ【死所·死処】-sho 名 사처. ①죽을 보람이 있는 장소. ¶～を得る 보람있게 죽을 데를 만나다. ②죽은 곳〔장소〕.

ししょ【子女】-jo 名 자녀. ¶良家がの～ 양가집(의) 자녀.

*じしょ【地所】-sho 名 지소；〈집을 짓기 위한〉땅；대지；토지. =土地ぶ. ¶～付っき家屋ぶ 토지 딸린 방매가.

じしょ【自署】-sho 名 ス他 자서；자필. =自筆ぶ. 「辞典ぶ.

じしょ【辞書】-sho 名 사서；사전. =

じじょ【次女】(二女)-jo名 차녀；둘째 딸. 「序じぶ.

じじょ【次序】-jo 名 차서；순서. =順

じじょ【自助】-jo 名 자조. ¶～精神ぶ 자조 정신. 「로서 서문.

じじょ【自序】-jo 名 자서；저자 스스로 쓴 서문. =緒元ぶ.

じじょ【侍女】-jo 名 시녀. =腰元ぶ.

じじょ【児女】-jo 名 아녀. ①계집아이. ②어린이들；남아와 여아；자녀. =子女ぶ.

ししょう【刺傷】-shō ス他 자상.

ししょう【師匠】-shō 名 ①사장；〈학문·기술·유예(遊藝)를 가르치는〉선생；스승. =先生ぶ. ¶生いけ花ぶの～ 꽃꽂이 선생／女ぶ～ 여자 스승. ②예능인의 높임말.

*ししょう【支障】-shō 名 지장. =さしつかえ·さしまわり. ¶計画がに～をきたす 계획에 지장을 초래하다.

ししょう【死傷】-shō 名 ス自 ①사상. ¶～者ぶを出だす 사상자를 내다. ②死

ししょう【傷者】ぶの 준말；사상자.

ししょう【私傷】-shō 名 사상；공무(公務) 아닌 때 입은 상처. ↔公傷こう.

ししょう【私娼】-shō 名 사창. ¶～窟ぶ 사창굴. ↔公娼ぶ.

ししょう【詩抄】(詩鈔)-shō 名 시초；시를 뽑아서 편집한 책；시의 선집.

しじょう【史上】-jō 名〔역〕사상. ¶～まれなる例ぶ 사상 보기 드문 예.

*しじょう【市場】-jō 名 시장；장；저자. ¶～に出る 출하되다〔출하하다〕／青果ぶ～ 청과물 시장／証券ぶ～ 증권 시장／～が広びろく 시장이〔판로가〕 넓다／新ぶしい～を開拓ぶする 새로운 시장을 개척하다. 參考 ‘青物ぶ市場(=야채 시장)’‘魚ぶ市場(=어물 시장)’ 따위는 ‘いちば’로 읽음. ──かかく【──価格】市場가격. =相場ぶ. ──せんゆうりつ【──占有率】-yūritsu 시장 점유율. =市場占拠率ぶぶ. ──ちょうさ【──調査】-chōsa 名 시장 조사.

しじょう【糸状】-jō 名 사상；실처럼 가늘고 긴 모양. ──きん【──菌】〔植〕사상균.

しじょう【紙上】-jō 名 지상. ¶～討論会ぶぶ 지상 토론회.

しじょう【至上】-jō 名 지상；최상. ¶～命令ぶ 지상 명령／～の喜ぶび 무상의 기쁨.

しじょう【至情】-jō 名 지정. ①성심；진정. =まごころ. ¶愛国ぶの～ 애국의 충정. ②극히 자연스러운 인정.

しじょう【私情】-jō 名 사정. ①이기적인 감정. ¶～に溺ぶれる 사사로운 정에 빠지다. ②사적〔개인〕감정. ¶～をさしはさむ〔交ぶえる〕 사적 감정을 개입시키다.

しじょう【試乗】-jō 名 ス自 시승.

しじょう【詩情】-jō 名 시정. ¶～が動うごく 시정〔시심〕이 동하다.

しじょう【誌上】-jō 名 지상. ¶～を借りりて 지상을 빌어. 「현상(現象).

じしょう【事象】-shō 名 사상；사실과

じしょう【自照】-shō 名 자조；자신을 관찰하고 반성함. ¶～文学がく 자조 문학(일기 문학 따위).

じしょう【自称】-shō 名 ス自 자칭. ¶～天才ぶ 자칭 천재. 二名〔문법에서〕일인칭. 三名 〔代名詞ぶぶ〕자칭 대명사. ↔対称ぶ·他称ぶ.

じじょう【事情】-jō 名 사정. ¶食糧りょう～ 식량 사정／～がからむ 사정이 얽히다／～を異ぶにする 사정을 달리하다. 「ば.

じじょう【磁場】-jō 名〔理〕자장. =じ

じじょう【自乗】(二乗)-jō 名〔数〕자승；제곱. =にじょう·平方ぶ.

じじょうじばく【自縄自縛】jijō- 名 ス自 자승 자박.

ししょうせつ【私小説】shishō- 名 사소설. ①＝わたくししょうせつ. ②작품의 주인공이 자신의 체험·운명을 얘기하는 형식으로 쓴 소설. ＝イッチ ロマン. 「＝会ぶ 시식회.

ししょく【試食】-shoku 名 ス他 시식.

*じしょく【辞職】-shoku 名 ス自 사직. ＝

じじょでん【自叙伝】jijo- 名 자서전. ＝自伝でん.

ししょばこ【私書箱】(私書函) shisho-名 사서함.
ししん【使臣】名 사신.
ししん【指針】名 지침. ①자침반 또는 계기류(計器類)의 바늘. ¶ 血圧計の～ 혈압계의 지침. ②방침. =手引き. ¶ ～を与える 지침을 주다.
ししん【私信】名 사신. ①개인적인 편지 ; 사용(私用)의 편지. ②비밀 통지.
ししん【私心】名 사심. ①이기심. ¶ ～を去る 사심을 떠나다. ②사의(私意). 「まごころ.
ししん【至心】名 지심 ; 성심(誠心). =
ししん【詩心】名 시심 ; 시정(詩情).
しじん【私人】名 사인. ¶ ～として賛成する 개인적으로 찬성하다. ↔公
*__しじん__【詩人】名 시인. し人.
じしん【侍臣】名 시신 ; 근시(近侍).
__じしん__【地震】名 지진. ¶ ～計 지진계 / ～帯 지진대 / 有感～ 유감 지진(사람이 느낄 정도의 가벼운 지진) / 無感～ 무감 지진(지진계에는 기록되지만 인체에는 느껴지지 않는 정도의 지진). ━, **雷, **火事**, **おやじ** 지진·천둥·불·아버지(가장 무서운 것의 순서).
じしん【磁針】名 자침. ¶ ～は南北を指す 자침은 남북을 가리킨다.
**__じしん__【自信】名 자신. ¶ ～満満と 자신 만만하게 / ～をつける 자신을 갖게 하다 / ～のほどを示す 자신을 보이다.
じしん【自身】名 자신. ①자기 ; 스스로. =みずから. ¶ 彼～も知るまい 그 자신도 모를 거다. ②그 자체 ; 그것. ¶ それ～問題だ 그 자체가 문제다. **──ばん**【──番】名 江戸 시대에 시내 곳곳에 둔 파수막. =つじ番.
じじん【自刃】名 ス自 자인 ; 칼로 자살함. =自害. 「음(f·v 따위).
ししんおん【歯唇音】名 치순음 ; 순치
ししんけい【視神経】名 시신경.
ししんでん［紫宸殿］名 궁전의 하나 ; 조하(朝賀)·공사(公事)를 행하는 궁전(후에 즉위식도 행했음). =ししいでん·南殿.
しず［賤］名 〈雅〉 미천함 ; 미천한 사람. =しづ. ¶ ～が家 초라한 집 / ～の男〔女〕 미천한 남자〔여인〕.
しすい［試錐］名 ス他 시추. =ボーリング.
しずい【雌ずい】(雌蕊·雌蘂) 名 자예 ; 암술. =めしべ. ↔雄ずい.
しずい【歯髄】名〔生〕 치수 ; 치강(歯腔) 속의 연한 조직.
じすい【自炊】名 ス自 자취. ¶ ～学生 자취 학생. ↔賄い·外食.
しすう【指数】-sū 名〔數·經〕 지수. ¶ 物価〔不快〕～ 물가〔불쾌〕 지수.
じすう【字数】-sū 名 자수. ¶ ～をあわせる 자수를 맞추다.
**__しずか__【静か】(閑か·寂か) ダナ 조용한〔고요한〕 모양〔상태〕. ¶ ～な夜 조용한 밤 / ～な海 고요한 바다 / 世の中が～になってきた 세상이 평온해졌다 / ～に走り出す 조용히〔천천히〕 달리기 시작하다. 「빗방울.
*__しずく__【滴】(雫) 名 물방울. ¶ 雨の～
しずけさ【静けさ】名 조용함 ; 고요함 ; 조용한〔고요한〕 정도. ¶ ～を破るサイレンの音 정적을 깨는 사이렌 소리.
しずごころ【静心】名 〈雅〉 조용한〔평온한〕 마음. =しずこころ. ¶ ～無く散る花 무심하게 떨어지는 꽃잎.
しすご-す【仕過ごす】5他 (정도를) 지나치게 하다. =やりすごす.
しずしず【静静】副 ①몹시 조용하고 정숙한 모양. ¶ ～と進む葬列 정숙히 나아가는 장례 행렬. ②음전한 모양. ¶ ～と歩く 가만가만 걷다.
シスター 名 시스터. ①자매(姉妹). ↔ブラザー. ②(가톨릭에서) 수녀. ③〈女〉 친구 ; 동무. ④〈女〉 동성애 상대. =エス. ▷sister.
システム 名 시스템 ; 조직 ; 계통 ; 체계. ▷system. **──エンジニア** 名 시스템 엔지니어 ; 정보 처리 전문 기술자. =SE. ▷system engineer. **──エンジニアリング** 名 시스템 엔지니어링〔공학〕; 시스템의 분석·설계에 관한 종합적인 공학. ▷system engineering. **──こうがく**【──工学】-kōgaku 名 시스템 공학. =システム エンジニアリング.
ジステンパー -tempā 名〔醫〕 디스템퍼(개, 특히 강아지가 걸리는 급성 전염병). =テンパー. ▷distemper.
ジストマ 名 디스토마. ¶ 肝臓～ 간디스토마. ▷distoma.
じすべり【地滑り】(地辷り) 名 ス自 땅의 일부가 (사면(斜面)에 따라서) 차차 미끄러져 가는 현상 ; 사태(沙汰)(큰 변화·변혁 따위에 비유됨). **──てき**【──的】 ダナ ①압도적. ¶ ～大勝利 압도적인 대승리 / 社会の～変動 사회의 일대 변동. ②점차적. ¶ ～にもたらされる再軍備 점차적으로 고개를 쳐드는 재군비.
ジスマーク 名 지스 마크(일본 공업 규격에 의하여 생산된 생산품의 표지 ; ㉿). ▷JIS mark.
しすま-す〖為済ます〗5自 잘 해내다 ; 감쪽같이 해내다. ¶ うまく～·したと思って油断する 잘 해냈다고 생각하고 방심하다.
しずまりかえ-る【静まり返る】5自 아주 조용〔고요〕해지다. ¶ ～·った夜中 (쥐죽은 듯이) 고요한 한밤중.
*__しずま-る__【静まる】5自 조용히 가라앉다 ; 안정되다. ¶ 騒ぎが～ 소동이 가라앉다 / 怒りが～ 노여움이 가라앉다 / 火の手が～ 불길이 잡히다.
しずま-る【鎮まる】5自 ①(신(神)이) 진좌(鎮座)하다. ¶ 森の奥に～神 숲 속에 진좌하는 신. ②난리 따위가 진정되다. ¶ 暴動が～ 폭동이 진정되다.
**__しず-む__【沈む】5自 ①가라앉다. ¶ 海に～ 바다에 가라앉다(바닷물에 빠져 죽다의 뜻으로 씀). ↔浮く·浮かぶ. ②(해·달이) 지다. ¶ 太陽が～ 태양이 지다. ↔昇る. ③(불행 따위에) 빠지다 ; 영락하다. ¶ 浮き川竹の身に～ 매춘부 신세가 되다. ④침울하다. ¶ ～·んだ気持〔顔〕 침울한 기분〔얼굴〕. ⑤잠기다. ¶ 物思いに～ 생각에 잠기다 / 涙に～ 눈물에 잠기다(울며 슬퍼하다). ⑥약해지다 ; 기운이

ない。¶脈ミャクが～ 맥이 약해지다. ⑦시달리다.¶病ビョウに～ 병에 시달리다. ⑧색깔이나 소리가 차분한 느낌이다.¶～んだ声コエ 차분한 목소리／～んだ色イロの着物キモノ 차분한 빛깔의 옷.

しずめる【沈める】〔下1他〕①가라앉히다.¶船フネを～ 배를 가라앉히다／体カラダを～ 몸을 낮게 도사리다.↔浮ウかす・浮ウかべる.②영락(零落)시키다.¶苦界クガイに身ミを～ 매춘부 신세가 되다.

*しずめる【静める】〔下1他〕가라앉히다;조용히 하게 하다;진정시키다.¶心ココロを～ 마음을 가라앉히다／鳴ナりを～ 소리를 내지 않고 조용히 하다;소리를 죽이다.

*しずめる【鎮める】〔下1他〕①가라앉히다;평정하다;진압시키다;진정하다.¶騒サワぎを～ 소란을 진정시키다／乱動ランドウを～ 난동을 진압하다／痛イタみを～ 아픔을 가라앉히다.②진좌(鎮座)시키다.

し‐する【資する】〔サ変自〕①이바지하다;도움이 되다.¶産業サンギョウの発展ハッテンに～ 산업 발전에 이바지하다.②자본을 대다.

‐し‐する【視する】《名詞 따위에 붙어 サ変動詞를 만듦》…로 여기다;…로 보다.¶英雄エイユウ～ 영웅시하다.

じ‐する【侍する】〔サ変自〕근시(近侍)하다;곁에서 시중들다.=はべる.¶王オウに～ 왕을 가까이 모시어 섬기다.

じ‐する【治する】〔サ変自〕병이 낫다. ―〔サ変自〕치료하다.

じ‐する【持する】〔サ変他〕①유지하다;보전하다.¶名声メイセイを～ 명성을 유지하다.②ᄀ지키다.¶固カタく自説ジセツを～ 굳게 자기의 설을 지키다.ᄂ삼가다.¶身ミを～ 몸을 삼가다.

じ‐する【辞する】〔サ変自他〕①ᄀ물러가다;떠나다;고별하다.¶早々ソウソウに～した 서둘러 물러났다／この世ヨを辞ジして 이 세상을 떠나다(죽다).ᄂ사절하다.¶勧誘カンユウを～ 권유를 사절하다.ᄃ사퇴(사임)하다.¶委員イインを～ 위원을 사퇴하다.②《「…を～せず」의 꼴로》사양치 않다.¶決死ケッシの覚悟カクゴを(も)～せず 결렬도 불사하다／水火スイカをも～せず 물불을 가리지 않고.②인사말을 하다.

しせい【氏姓】图 성씨.=姓氏セイシ.

しせい【四姓】图 사성.①옛날 인도의 네 계급 제도.=カースト.②옛날 일본의 네 명문가(家)〔源ミナモト・平タイラ・藤原フジワラ・橘タチバナ〕.

しせい【四声】图 사성〔평성(平聲)・상성(上聲)・거성(去聲)・입성(入聲)〕.=ししょう.

しせい【市政】图 사정;지방의 정치・행정을 관리함.¶～官カン 시정관.

しせい【市井】图 사정;거리;서민 사회;항간.=ちまた.¶～人ジン 시정인;서민／～の人ヒト 서민／～の無頼漢ブライカン 거리의 무뢰배(불량배).

しせい【市制】图 시제;시로서의 제도.¶～調査チョウサ 시제 조사.

しせい【市勢】图 시세.¶～調査チョウサ 시세 조사.

しせい【市政】图 시정;(자치 단체로서의) 시의 정치.¶～監査カンサ 시정 감사.

しせい【死生】图 사생;생사.=生死セイシ.―の間アイダをさまよう 생사지경을 헤매다.―命メイあり 생사는 정해져 있어 억지로 할 수 없다.―を共トモにする 생사를 같이하다.

しせい【私製】图 사제.¶～はがき 사제 엽서.↔官製カンセイ.

しせい【至誠】图 지성.=まごころ.―天テンに通ツウず 지성이면 감천이다.

しせい【施政】图 시정.¶～方針ホウシン 시정 방침.

しせい【姿勢】图 자세;태도.¶低テイ〔高コウ〕～ 저〔고〕자세／～を明アキらかにする 태도를 분명히 하다.―を正タダす 자세를 바로잡다.―を転テンずる 종래의 방법을 반성하고 고치다.

しせい【資性】图 자성;천성(天性).¶恵メグまれた～ 타고난 천성.

しせい【試製】〔スル自〕시제.=試作サク.¶～品ヒン 시제품.

しせい【詩性】图 시성.

しせい【詩聖】图 시성;고금의 대시인.

しせい【時世】图 시세;시대;(변천하는) 세상.¶～遅オクれ 시대에 뒤짐.

しせい【時制】【文法】시제;시상(時相).=テンス.

じせい【時勢】图 시세;시대의 추세.¶～を見ミる目メが無ナい 세상 돌아가는 것을 모르다／ご～だね 세태 탓이구려.

じせい【自制】〔スル他〕자제;자기 억제.¶～心シン 자제심.

じせい【自省】〔スル他〕자성;자기 반성.

じせい【自生】〔スル自〕자생;야생.¶～植物ショクブツ 자생 식물.↔栽培サイバイ.

じせい【自製】〔スル他〕자제;자작.=自家製ジカセイ.¶～のラジオ 자작의 라디오.

じせい【辞世】图 사세.①임종 때 읊어 남기는 시가(詩歌).¶～の句ク 사세구(辞世句).②세상을 하직함;죽음.

じせい【磁性】【理】자성.¶～体タイ.

しせいかつ【私生活】图 사생활.

しせいし【私生子】《민법에서는 '嫡出チャクシュツでない子'(=적출이 아닌 아이)'라 함》.

しせいじ【私生児】图 사생아;사생자(私生子)의 통칭.=ててなしご.

しせいだい【始生代】【地】시생대.

しせき【史跡・史蹟】图 사적.¶～記念物ブツ〔법으로 지정된 사적 기념물.

しせき【歯石】图 치석;치구(歯垢).

しせき【次席】图 차석.¶～検事ケンジ 차석 검사.↔首席シュセキ.

じせき【自責】〔スル自〕자책.¶～の点テン.

じせき【事跡・事蹟】图 사적;업적;일의 형적.

しせつ【使節】图 사절.¶親善シンゼン～ 친선 사절／～団ダン 사절단.

しせつ【私設】图 사설.¶～鉄道テツドウ 사설 철도.↔官設カンセツ.

しせつ【施設】一图〔スル他〕시설;설비.¶公共コウキョウ～ 공공 시설／軍事ジ～ 군사 시설.二图「児童ジドウ福祉フクシ施設(=아동 복지 시설)・老人ロウジン福祉フクシ施設(=노인 복지 시설)・養護ヨウゴ～(=양호 시설)」따위의 준말.¶～の子コ 고아원에 있는 아이.

じせつ【持説】图 지설;지론.=持論ジロン.

じせつ【自説】图 자설;자기 의견.¶～を曲マげない 자기 의견을 굽히지 않

다. ◁他説ﾀｾﾂ.

*じせつ【時節】图 시절. ①계절；시후(時候). ¶暖ﾀﾞﾝかい〜 따뜻한 계절. ②시기(時機)；때. ¶〜をまつ 시기를 기다리다. ③시세(時勢)；세상의 정세〔형편〕. ¶〜を弁ﾜｷﾏえぬ発言ﾊﾂｹﾞﾝ 세상 형편도 분별 못 하는 발언. ──到来ﾄｳﾗｲ 시기 도래. ──がら【──柄】图 시절；때. ¶ご自愛ﾁﾞｱｲのほどを 때가 때인 만큼 자애하시기를.

*じせん【視線】图 시선. ¶〜が合ﾞう 시선이 마주치다.

しせん【支線】图 지선. ①(철도의) 본선으로부터 분리된 선. ②버팀줄(전신주 따위를 지탱하기 위해서 비스듬히 친 줄).

しせん【死線】图 사선；죽을 고비. ¶〜をさまよう 사선을 헤매다. ②(감옥등에서) 넘으면 사살되는 한계선. ──を越ﾞえる 사선을 넘다.

しせん【詩仙】图 시선；속사(俗事)를 초월한 시의 대가.

しぜん【至善】图 지선. ¶至善ﾋﾟ〜の人 지고 지선의 사람.

‡しぜん【自然】[ダナ] 자연. ①천지 만물(온갖 동식물 및 산천 초목을 이름). ¶大ﾀﾞｲ〜 대자연／〜の営ﾏｲﾀﾞ 자연의 조화(造化). ②자연 그대로의 상태·모양. ¶〜の美 자연의 미. ←人工ﾆﾝｺｳ. ③자연스러운 모양. ¶〜な動作ﾄﾞｳｻ 자연스러운 동작. ④[副詞的으로] 자연(히)；저절로；ひとりでに. ¶〜そうなる 자연히 그렇게 된다／〜に発火ﾊﾂｶする 저절로 발화한다. ──かい【──界】图 자연계. ──かがく【──科学】图 자연 과학. ←人文科学ﾆﾝﾌﾞﾝｶｶﾞｸ·社会科学ﾌｬｶｲ·文化科学ﾌﾞﾝｶ. ──げん【──現象】-shō 图 자연 현상. ──し【──死】图 자연사. ──しじん【──詩人】图 자연 시인. ←人生詩人ﾆﾝｾｲ. ──しゅぎ【──主義】-shugi 图 자연주의. ──しょくひん【──食品】-shokuhin 图 자연 식품. ＝自然食ﾄﾞﾂ. ──じん【──人】图 자연인. ①자연 그대로의 순수한 사람. ②[法] 권리의무의 주체인 사람. ←法人ﾎｳﾞ. ──すう【──数】-sū 图 자연수. ──せんたく【──選択】图 자연 선택〔도태〕. ＝人為ﾞ選択. ──とうた【──淘汰】-tōta 자연 도태('自然選択ﾆﾝﾌﾞﾝの 구칭). ──ぶつ【──物】图 자연물. ──ほう【──法】-hō 图 자연법. ←実定法ﾞﾃｲ.

じせん【自薦】图スﾞ他 자천. ←他薦ﾀｾﾝ.

じせん【自撰】图スﾞ他 자찬；자기 스스로 편찬함.

じせん【自選】图スﾞ自 자선. ①자기가 자기 작품을 선정함〔뽑음〕. ②자기의 손수 고름.

*じぜん【事前】图 사전. ¶〜運動ﾄﾞｳ (선거 따위의) 사전 운동. ←事後ﾞ.

*じぜん【慈善】图 자선. ¶〜事業ﾞ 자선 사업. ──いち【──市】图 자선 시；바자. ＝バザー. ──なべ【──鍋】图 자선 냄비. ＝社会鍋ﾞ.

じぜん【次善】图 차선；최선의 다음(방법). ¶〜の策ﾞ 차선(지) 책.

しそ【始祖】图 시조；원조. ＝元祖ﾞ.

──ちょう【──鳥】-chō 图 시조새；조상새.

しそ【紫蘇】图【植】자소；차조기. ＝ちﾞ.

しそう【志操】图 지조. ←志ﾞ.

‡しそう【思想】-sō 图 사상. ¶国民ﾐﾝの〜 국민 사상／〜家ﾞ 사상가／〜犯ﾊﾝ 사상범／〜性ﾞのない発言ﾊﾂｹﾞﾝ 사상성이 없는 발언.

しそう【死相】-sō 图 사상. ①죽을 상. ¶〜が現ﾜれる 사상〔죽을 상〕이 나타나다. ②죽은 얼굴. ＝死ﾞに顔ﾞ.

しそう[使嗾·指嗾·示嗾] -sō 图他 사주；부추김. ＝けしかける.

しそう【歯槽】-sō 图 치조；이뿌리가 박혀 있는 턱뼈의 구멍.

しそう【詩想】-sō 图 시상.

しそう【詩草】-sō 图 시초；시의 초고. ＝詩稿ﾞ.

しそう【詩藻·詞藻】-sō 图 시조. ①시나 문장(속의 아름다운 어구). ②⑦시상(詩想)과 어휘(가 풍부함). ⑭시문(詩文)의 재능.

しぞう【死蔵】-zō 图スﾞ他 사장；退蔵ﾞ. ←活用ﾞ.[쇼징(물)]

しぞう【私蔵】-zō 图スﾞ他 사장；개인 소장.

じそう【自走】-sō 图スﾞ自 자주. ¶〜砲ﾞ 자주포.

じぞう【地蔵】-zō 图 지장；'地蔵菩薩ﾎﾞﾂ(＝지장 보살)'의 준말. ¶〜の顔ﾞも三度ﾄﾞ 아무리 온유하고 참을성이 많은 사람이라도, 여러 번 모욕을 당하면 성을 낸다. ──がお【──顔】图 지장 보살의 얼굴；둥글고 온순한 얼굴；또, 빙긋빙긋 웃는 얼굴；借ﾞりる時ﾄﾞﾉ〜, 返ﾞす時ﾄﾉえんま顔ﾞ 빌릴 때는 웃는 얼굴, 갚을 때는 찡그린 얼굴.

しそく【四則】图【数】사칙；가·감·승·제의 계산의 총칙. ¶〜計算ﾞﾝ 사칙 산；사칙을 이용한 계산.

しそく【子息】图 자식；아들. ＝むすこ·せがれ.

しぞく【士族】图 사족；무사의 가문(家門)；明治ﾒｲｼﾞ 유신 이후 무사 계급 자제에게 주어졌던 명칭. 현재는 폐지).

しぞく【氏族】图 씨족. ¶〜社会ﾞ(制度ﾄﾞ) 씨족 사회〔제도〕.

じそく【自足】图スﾞ自 자족. ①필요한 것을 스스로 채움. ¶自給ﾞの〜 자급 자족. ②스스로 만족함.

*じそく【時速】图 시속.

じぞく【時俗】图 시속；그 시대의 인정 풍속.

しそこなう【し損なう】(為損なう)⑤他 그르치다；잘못하다；실패하다；실수하다. ＝やりそこなう·しくじる. ¶解釈ﾞ을 〜 해석을 잘못하다／仕事ﾞを〜 일을 잡치다.

しそつ【士卒】图 사졸；사병.

‡しそん【子孫】图 자손. ¶〜万代ﾀﾞﾄﾞ 자손 만대. ←先祖ﾞ·祖先ﾞ.

しそん【至尊】图 지존. ①더없이 존귀함；또, 그 사람(특히, 天皇ﾉｳﾞ을 가리킴).

じそん【自存】图スﾞ自 자존；자기의 생존. ¶〜自立ﾞ 자립 자존.

じそん【自尊】图 ¶〜家ﾞ 자부하는 사람／独立ﾄﾞ〜 독립 자존／〜の念ﾈﾝ 난 체하는 마음. ──しん【──心】图 자존심. ＝プライド.

した【下】□图①아래；밑. ㉠하부；밑부분. ㉡がけの～ 벼랑 밑／～は居間ゆ아래(층)은 거실. ㉢하위；아랫사람. ～の一役ゅ아랫사람들；하급 관리 / ～の人ひ 아랫사람／兄あより三みつ～だ 형보다 세 살 아래다／私わたしはあの人ひとの～で働はたらいています 나는 저 사람 밑에서 일하고 있습니다. ㉣이하로. 百円ひゃくえんより～は切きりすてる 백엔이하는 끊어 버리다. ㉤…만 못함；못 미침. 人物じんぶつが彼かれより～だ 인물이 그만못하다／～だとは思おもわない 만큼못하다고는 생각지 않다. ㉥아랫자리；말석. ＝下座げざ. 課長かちょうの～にすわる 과장 아래 자리에 앉았다. ↔上じょう. ②안；속. ㉠～ばき 바지 속에 입는 속옷 / ～にシャツを着きる 속에 셔츠를 입다. ②담보물. これを～に金かねを貸かしてくれ이것을 담보로 돈을 빌려 달라. ㉣지불 대금의 일부를 충당하는 것. ～に出だす 대금의 일부를 물건으로 치르다. ⑤직후；바로 뒤；…하자마자. そう言いう口くちの～から ぼろを出だす그런 말이 채 떨나기도 전에 결점을 드러낸다. ⑥마음(속). ㉠こころ 속마음；속셈. ②[接頭]《名詞앞에 붙어서》미리 준비함의 뜻；예비의. ～仕事ごと밑일；사전 준비 작업／～準備じゅんび 사전 준비. ～に出でる 공손하게 굴다；겸손한 태도를 취하다. 一に見みる 내려다 본다. ②얕보다；멸시하다. 一に[へ]も置おかない 대단히 정중하게 대한다.

した【舌】图 혀. ～の根ねのかわかぬうちに 입에 침도 마르기 전에(말이 끝나자마자) / ～が回まわっている 입맛이 까다롭다 / ～が長ながい 말이 많다. 一が回まわる 혀가 (잘) 돌아가다(막힘 없이 잘 지껄이다). 一の先さき ①혀끝. ②입발림 말；구변；변설. ～の先さきでいいくるめる 잔약이설로 구슬리다. 一を出だす 혀를 내밀다. ①몰래 비방하거나 업신여기는 모양. ②자기의 실수를 부끄러워 하거나 쑥스러움을 숨기는 모양. 一を巻まく 혀를 내두르다. ①몹시 놀라거나 두려워하다. ②매우 감탄하다.

した【簧】图 황(簧). (관악기의)

した【舌】⇒した.

じた【自他】图 ①자기와 타인. ②[言] 자동사와 타동사. 一共ともに許ゆるす 자타가 공인하다.

したあらい【下洗い】图 スル他 애벌 빨다.

したい【姿態】图 자태；몸매. ＝かたち・からだつき. 妖艶ようえんな～ 요염한 자태.

したい【支隊】图 지대. ↔本隊ほんたい.

したい【死体・屍体】图 사체；시체. ＝死骸しがい. ～遺棄いき 시체 유기. ↔生体せいたい.

したい【肢体】图 지체；사지；또, 수족과 신체. ──ふじゆうじ【──不自由児】-yūji 지체 부자유아.

しだい【次第】□图①순서. 式しき の一 식순(式順). ②〈～に〉…에의 꼴로 副詞的으로》차차로；점점；차츰차츰. 空そらが～に暗くらくなる 하늘이 점점 어두워지다. ②경과；되어 가는 형

편. ④사정. ことの～ 일이 되어가는 형편 / ～によって 사정에 따라서 ㉡유래(由来). ～書がき 내력이나 순서를 적은 것. □ 接尾 ①《名詞나 動詞 連用形에 붙어》㉠되어 가는〔하라는〕 대로. 人ひとの言いいなりに～になる 그저 남이 하라는 대로 하다. ㉡남의 말에 유유 낙낙하다. ㉢…여하로 결정됨；나름. 何事なにごとも人ひと～で 무슨 일이든 사람나름이다. ②《動詞 連用形 따위에 붙어서》…하는 즉시；…하자마자；…하는 대로. 帰かえり～ 돌아오는〔돌아가는〕 즉시 / わかり～報ほう 告こくする 알게 되는 대로 보고하다.

しだい【至大】图 지대. ＝至高しこうの功績こうせき 지고 지대한 공적.

しだい【私大】图 사대《「私立大学しりつだいがく」(=사립 대학)의 준말》. 緊急しだい 사태.

じたい【事態】图 사태. 緊急きんきゅう~

じたい【字体】图 자체. 旧きゅう～ 구자《「漢字本来のじたい；정자(正字)」／新しん～ 신자체《当用漢字に と 常用かんじ로 정한 자체》.

じたい【自体】图 ①자기 몸. それ～の重おもみで倒たおれる 그 자체의 무게로 넘어지다. ②그 자신. 警察けいさつ～の態度たいど로 경찰 자체의 태도. ③그것. 法律ほうりつ～はりっぱだが 법률 자체는 알려류하지만.

じたい【自体】副 ①도대체；대관절 —いったい. ②どうしたのが 도대체 어떻게 된 것이냐. ②본디；근본적으로；원체적으로. ③どういう問題もんだいにしても 본디 어떠한 문제일지라도.

じたい【辞退】图 スル他 사퇴.

じだい【地代】图 ①차지료(借地料). ②지가(地価). ＝ちだい.

じだい【次代】图 차대；다음 세대.

しだい【事大】图 사대. ―しゅぎ【―主義】사대주의.

じだい【時代】图 ①시대. ～感覚かんかく 시대 감각 / ～が変かわる 시대가 변하다. ②오래되어 낡은 모양；느낌. ～がつく 오래되어 낡다. ―おくれ【―遅れ・―後れ】 시대에 뒤떨어짐. ↔今風いまふう. ―がかる【―掛かる】5自 고풍스럽다；엣맛이다 있다. ～った言いい まわし 엣스러운 말씨. ―げき【―劇】사극. ＝まげ物もの. ↔現代劇げんだいげき. ―さくご【―錯誤】시대 착오. ＝アナクロニズム. ―しょうせつ【―小説】-shōsetsu 图 시대 소설. ―もの【―物】图 ①오래된 낡은 물건. ～のウイスキー 아주 오래된 위스키. ②시대물；역사물. ↔現代物げんだいもの.

したう【慕う】5他 ①뒤를 좇다. 母ははを～って三千里さんぜんり 엄마 찾아 삼만리. ②연모하다；사모하다；그리워하다. 亡なき母ははを～ 돌아가신 어머니를 그리워하다. ③경모하다. 学風がくふうを～って入門にゅうもんする 학풍을 경모하여 입문하다.

したうけ【下請(け)】图 スル他 하청. ①「下請負したうけおい(=하청부；하도급)」의 준말. ～を出だす 하청 주다. ②「下請人したうけにん(=하청인」의 준말.

したうち【舌打ち】图 スル自 ①혀를 참. 顔かおをしかめてちぇっと～する 얼굴

を しかめ 쳇 하고 혀를 차다. ②입맛 다심. ¶一杯ぽっのビールに~をする 한 잔의 맥주를 마시고 입맛을 다시다.

したえ【下絵】囹①밑[초벨]그림.＝下図ホゲ. ②(자수·조각 등에서) 재료 위에 미리 그리는 그림. ¶~の上ネゲに刺繡ッゲする 수본(繡本) 위에 자수하다.

*__したが-う__【従う・随う】②①따르다; 좇다. ¶行列キョウに~ 행렬을 뒤따르다／コースに~って走るゲ 코스를 따라 달리다／父ゲの言葉バに~ 아버지 말씀에 따르다. ↔逆ゲらう. ②쏠리다; ~なびく. ¶草ゲが風ゲに~ 풀이 바람에 쏠리다. ③『~に~って』(의 꼴로) ~에 따라서; ~함과 함께. ¶事情ゲッに~って 사정에 따라서. ⓛ『~って』『~いまして』의 꼴로 接続詞的として』 따라서; 그러므로; 그 결과.＝それゆえ.

したが-える【従える・随える】▽下ꟷ他①따르게 하다; 복종시키다. ¶敵ゲを~ 적을 복종시키다(정복하다). ②데리고 가다; 거느리다. ¶供ゲを~ 종자를 거느리고 行くゲ 종자를 거느리고 가다.

したがき【下書き】②①초벌(草벌)잡음; 또, 그 글; 초고(草稿); 초안.

したかげ【下陰】②밑그늘.

したがって【従って・随って】-gatte 接 따라서; 그러므로; 그 결과.＝だから・それゆえに.

*__したぎ__【下着】囹 속옷; 내의. ↔上着

したきりすずめ【舌切り雀】동화의 하나(풀을 핥아 먹다가 혀가 잘린 참새의 이야기).

*__したく__【支度・仕度】囹▽自他 채비; 준비. ¶食ゲ~ 점심(식사) 준비／~をするから少しちょっとお待ォちを 채비를 할 테이니 기다려 주시오. ――きん【―金】囹 준비금(결혼·취직 등의 준비에 필요한 돈).

*__じたく__【自宅】囹 자택; 자기 집.＝私宅たゲ.↔他家はゲ.

したぐみ【下組(み)】囹 미리 해두는 組(み).

したげいこ【下稽古】囹 예행(예비) 연습.＝まえげいこ.

したけんぶん【下検分】-kembun 囹▽他 미리 검사함; 사전 검사; 예비 검사.＝下見らゲ.

したごころ【下心】囹①속마음; 속셈; 본심; 특히, 악한 음모. ¶別ゲに~があるわけではない 별로 속셈이 있는 것은 아니다. ②미리부터 품고 있던 계획; 음모. ③한자 부수의 하나: 마음심(「忠·思·恭·慕」 등의 「心·小」의 이름).

したごしらえ【下ごしらえ】【下拵え】囹▽他①사전 준비; 미리미리 해 두는 준비. ②(본격적으로 하기 전에) 대강 준비(장만)함.

したさき【舌先】囹①혀끝. ②말; 구변; 변설. ¶~でごまかす 감언이설로 속이다. ――三寸ゲた 변설. ¶~三寸で人ゲをまるめこむ 세 치 혓바닥으로 남을 구슬리다.

*__したじ__【下地】囹①밑바탕; 준비나 기초.＝素地ゲた. ¶研究ゲッの~ 연구의 기초／~が入ゲっている (연회나 사람 앞에 나서기 전에) 이미 술을 조금 마시고 있다; 전작이 있다. ②소질; 본래의

성질. ¶絵ゲの~がある 그림의 소질이 있다. ③간장(국물을 만드는 바탕의 뜻). ④그 위에 바르거나 그리거나 해서 마무리하는 바탕이 되는 것. ¶壁ゲの~ 벽의 외(根).

しだし【仕出し】囹①(고안해서) 만들어 냄; 새로운 궁리(고안). ②(주문에 의하여) 요리를 만들어 배달함.＝出前デゲ.(연극·영화에서) 단역.

*__したし-い__【親しい】-shi 形①친하다; 사이좋다; 의좋다. ¶~間柄ゲゲ 친한 사이／~く交ゲわる 친하게 사귀다. ②(혈연이) 가깝다. ¶~縁者ゲ 가까운 일가. ↔うとい. ③《連用形으로 副詞的으로》직접; 친히; 몸소. ¶~く手ゲに取とって御覧ゲになる 친히 손에 들고 보시다. ①눈앞에; 목전에. ¶~まのあたり. ¶~くこの目ゲで見ゲた 직접 이 눈으로 보았다. ④낳익다; 생소하지 않다. ¶国民ゲゲの耳目ゲに~ 국민의 이목에 생소하지 않다.

したじき【下敷(き)】囹①물건 밑에 까는 것; 깔개; (책)받침. ②물건 밑에 깔림. ¶車ゲの~になる 차에 깔림.

*__したし-く__【親しく】副 ⇨したしい③.

*__したしみ__【親しみ】囹 친숙; 친근; 애정. ¶~の持ゲてる人格ゲ 친밀감을 가질[느낄] 만한 인격／~をこめた まなざし 애정 어린 눈길.

*__したし-む__【親しむ】⑤自①친하게 하다; 친하게 지내다. ¶友ゲに~ 벗과 친하게 지내다. ↔うとんずる·うとむ. ②늘 접촉해서 익숙하다. ¶薬ゲっ病ゲ゚に~ 병이 잦다. ③즐기다. ¶自然ゲゲに~ 자연을 즐기다.

したしらべ【下調べ】囹▽他①예비 조사. ②예습.

したずり【下刷り】囹 조판이 된 후의 최초의 쇄(刷). ＝本刷ゲり.

したそうだん【下相談】-sōdan 囹▽他 예비 상담(상의); 사전의 의논.

したどい【舌代】囹 구두로 말함; 구술; 구술로.＝ぜつだい.

したたか【強か·健か】ꟷ副①세게; 강하게. ¶腰ゲを打ゲった村壁を強く받았다. ②몹시; 많이.＝ひどく. ¶~(に)酔ゲう 몹시 취하다. ㊁ꟷな만만치 않은 모양; 또, 쉽사리 굴하지 안 되는 모양. ¶~者ゲ 만만찮은(다루기 힘든) 사람.

したた-める【認める】▽下ꟷ他 (老) ①적다; (편지 등을) 쓰다. ②식사하다.

したたらず【舌足らず】囹ꟷ①표현·설명이 충분치 않음. ¶~の論文 충분치 못한 논문. ②(혀가 짧음; (발음이) 똑똑하지 못해서) 말을 알아듣기 어려움. ¶~のことば 혀짤배기 소리.

したたり【滴り】囹 물방울; 물방울이 떨어짐. ¶露ゲの~ 이슬 방울.

したた-る【滴る】⑤自 (물 따위가) 방울져 떨어지다; 듣다. ¶水ゲの~ような 물방울이 똑똑 떨어질 듯(여자가 매우 예쁨의 비유).

したたる-い【舌たるい】形 응석을 부리며 혀짤배기 소리를 냄; 응석부리듯이 말을 하다. 注意 口語形은 「したったるい」.

じたつ【示達】囹▽他 시달.＝したつ.

したつづみ【舌鼓】囹 입맛을 다심.＝

し

したづつみ。一を打つ (음식맛이 너무 좋아서) 입맛 다시다.

したって -tatte 連語 〈俗〉①…라도；…에게도. ¶わたしに…困ならて困りますよ 나라도 곤란합니다. ②가령 …라 해도. ¶有ある…、ろくな物ものは有ありやしない 가령 있다 하더라도 변변한 것은 있을 턱이 없다.

したっぱ 【下っ端】-tappa 名 (신분이나 지위가) 낮음；하급；말석. ¶〜役人にんの 말단 관리.

したづみ 【下積み】 名 ①다른 짐 밑에 쌓음(쌓임)；또, 그 짐. =上積うわづみ. ②〔남은 남의 밑에만 있고 출세 못 함；또, 그런 사람. ⓛ밑바닥 (생활 따위). ¶〜時代だいの 밑바닥 시절.

したて 【下手】 名 ①아래쪽(의 물건이나 장소)；바람이 불어가는 쪽；(강의) 하류. ②남보다 직위나 능력이 낮음；(특히, 바둑·장기 등에서) 하수；아랫수. ③겸손〔공손〕한 태도. ¶〜に出でる 공손하게 굴다〔겸손한 태도를 취하다〕. ④(씨름에서) 상대방의 팔 밑에 지른 손. =上手うわて. 一に出でる 남의 밑에 붙다；주제넘게 나서지 않다.

したて 【仕立(て)】 名 ①만드는 일；특히, 재봉；바느질. ¶〜直なおし 고쳐 만듦 / フランス仕立たてで 프랑스에서 주문하여 만든 양복 (물건) / バ나스しの 좋은 양복. ②준비해서 보냄. ¶特別べつ仕立たての列車 특별 편성의 열차. ③교육；훈련；양성. =しこみ. ④배 따위를 전세 냄. =乗のり仕立たて.

一あがり 【仕立上がり】 名 ①맞춤옷의 됨됨이. ②이제 갓 맞춤. ——おろし 【仕立下し】 名 새 맞춤옷(을 입음). ——もの 【仕立物】 名 재봉；바느질. ②갓 지은 옷. 一や 【仕立屋】 名 재봉소；바느질집；또, 그 사람.

*したてる 【仕立てる】 下一 ①만들다；짓다；특히, 옷을 짓다. ¶洋服ふくを〜 양복을 짓다. ②준비하다；마련하다. ¶臨時じ列車れっを〜 임시 열차를 마련하다. ③가르쳐 내다；양성하다. ¶一流りゅうの商人にんに〜 일류 상인으로 키우다. ④꾸미다. ¶西部劇げきに〜 서부극으로 꾸미다.

したなめずり 【舌なめずり】〔舌舐り·舌嘗り〕 名 ①입맛을 다심；혀낼름거림. ¶〜をしながら食たべる 입맛을 다시며 (맛있게) 먹다. ②(사냥감 따위를) 고대함；몹시 기다림. ¶〜して待ち構かまえる 잔뜩 벼르고 대기하다.

したぬい 【下縫(い)】 名 시침질；가봉 (假縫)；시침 바느질. =かりぬい.

したぬり 【下塗り】 名 초벽 (애벌)칠. ↔上塗うわり·中塗なかり.

したね 【下値】 名 (지금까지의 시세보다) 싼 값；염가. =安値やすね. ↔上値うわね.

したば 【下葉】 名 (성장한 나무나 풀의) 밑줄기 쪽에 난 잎. =上葉うわば.

したば 【下歯】 名 아랫니. =上歯うわば.

したばき 【下穿き】 名 아랫도리 속옷；속바지.

したばき 【下履(き)】 名 밖에서 신는 신 (빨래·울뜨렛일 등을 하는 데 신는 신도 포함됨). =うわばき.

じたばた 副 〈俗〉 손발을 버둥거리며 몸

부림치는 모양；버르적거리는 모양；버둥바둥；버둥버둥. ¶今いまさら〜しても手後おくれだ 이제 와서 발버둥쳐도 (이미) 때는 늦다.

したばたらき 【下働き】 名 ㅈ自 ①남의 밑에서 일함；또, 그 사람. ②부엌일·허드렛일을 함；또, 그 사람.

したばり 【下張り】〔下貼り〕名 ㅈ他 초배 (初褙)；또, 초배지. =上張うわり.

したび 【下火】 名 ①불 기운이 약해짐；전하여, 한고비 지나서 기운이 꺾임；누그러짐. ¶火'の手てが〜になる 불길이 수그러지다 / 流行りゅう〔流感かん〕が〜になる 유행병〔유행성 감기가〕한물가다. ②〔料〕밑불；밑에서 쬐는 불. ↔上火うわび.

したびらめ 【舌平目·舌鮃】 名〔魚〕혀가자미. =うしのした.

したへん 【舌偏】 名 한자 부수의 하나；혀설변；'亂·辭·舖' 등의 '舌'의 이름).

したまえ 【下前】 名 ①안자락. ¶〜さがりに着きる 안자락이 내려 오게 입다. ↔上前うわまえ.

じたまご 【地卵】 名 그 지방에서 나는 달걀. =じたまた.

したまち 【下町】 名 도시의 저지대로 상공업 지대；번화가. ¶〜娘むすめ 下町 아가씨(江戸えどの下町 기질이 짙은 아가씨). ↔山のの手て.

したまわり 【下回り】〔下廻り〕 名 ①잡역부；허드레꾼. =下働したばたらき. ②최하급의 歌舞伎かぶき 배우.

したまわる 【下回る】〔下廻る〕 五自 하회하다. ¶予想そうを大おおきく〜 예상을 크게 밑돌다. ↔上回うわまわる.

したみ 【下見】 名 ㅈ他 ①ㄱ예비 조사. =下検分けんぶん. ㄴ미리 읽어 둠. =下読よみ. ②집 외벽 (外壁)에 가로 댄 미늘판자벽.

したむき 【下向き】 名 ①하향；전하여, 쇠락 (衰落)하기 시작함；(시세·물가 등이) 하락하기 시작함. ↔上向うわき.

したむ 【下目】 名 내리뜨는 눈；전하여, 경멸함. ¶〜を使つかう 눈을 내리뜨고 보다. =上目うわめ. 一に見みる 사람을 깔보다.

したもつれ 【舌もつれ】 名 혀가 잘 돌지 않아 말이 분명치 못함.

したやく 【下役】 名 (관청·회사 따위에서 자기보다) 지위가 낮은 사람；부하；말단. ↔上役うわやく.

したよみ 【下読み】 名 ㅈ他 미리 읽어 둠；예습. =予習しゅう.

じだらく 【自堕落】 名 ダナ 타락하여 (몸가짐·생활이) 방종함；단정하지 못함. =ふしだら. ¶〜な女おんな 칠칠치 않은 여자；…に暮くらす 방종하게 살다.

したり 連語 실패·실수했을 때 하는 말；아차；아뿔싸；낭패로구나. =しまった. ¶〜、しまった 아뿔싸 이거 낭패다.

したりがお 【したり顔】 名 보라는 듯이 뽐내는 얼굴；의기 양양한 얼굴；자랑스러운 얼굴.

しだれ 【枝垂れ】 名 (버들가지 따위가) 축 늘어짐. =しだり.

しだれざくら 【枝垂れ桜】〔垂れ桜〕名〔植〕수양벚나무. =糸桜いとざくら.

しだれやなぎ 【枝垂れ柳】〔垂れ柳〕名〔植〕수양버들. =糸柳いとやなぎ.

しだ-れる【枝垂れる】(垂れる) 下1自 (가지 따위가) 축 늘어지다.

したわし-い【慕わしい】-shī 形 그립다. =なつかしい·恋しい.

したん〖紫檀〗名〔植〕자단(재목은 화류(樺榴)).

しだん【師団】名 사단. ¶~長 사단장.

しだん【詩壇】名 시단.

じだん【示談】名 시담; 사화(私和); 화해를 붙이는 말; 특히, (싸움을 법률에 호소하지 않고) 당사자간에 해결하는 일. =和談. ¶~屋 (자동차 사고 따위의) 사화꾼; 합의꾼 / ~にする 화해하다 / 交通事故を~ですます 교통 사고를 합의로 끝내다.

じだんだ〖地団駄·地団太·地踏鞴〗名 (괘씸하거나 분해서) 발을 동동 구름. **―(を)踏む** 발을 동동 구르며 분해하다.

****しち**【七】名 칠; 일곱.

***しち**【質】名 ①전당물. =質物·かた. ¶~にとる 저당 잡다 / ~に入れる 전당 잡히다. ②담보물; 볼모; 질물. ¶人質 인질; 볼모.

しち【死地】名 사지. ¶~に追いこむ 사지〔궁지〕로 몰아넣다.

しち-《形容詞 따위에 붙어서》번잡한; 매우; 몹시. ¶~めんどうな事 아주 귀찮은 일; 몹시 번거로운 일 / ~むずかしい 되게 어렵다.

***じち**【自治】名 자치. ¶地方~ 지방 자치 / ~精神 자치 정신 / ~領 자치령. **―かい**【―会】名 (학교·단지 따위의) 자치회. **―しょう**【―省】-shō 名 자치성; 지방 자치·선거·소방 따위의 행정을 맡아 보는 중앙 관청. **―しょう**【―相】-shō 名 자치상. =自治大臣. **―たい**【―体】名 자치체. =自治団体.

しちいれ【質入れ】名 ス他 전당 잡힘.

****しちがつ**【七月】名 칠월.

しちく【紫竹】名〔植〕①자죽; 간죽(簳竹); 한죽(寒竹). ②'くろちく(=오죽(烏竹)')의 딴이름.

しちぐさ【質ぐさ】(質草·質種) 名 전당 잡힐 물건; 전당물. =質物.

しちけん【質券】名 ☞しちふだ.

しちけん【質権】名 질권(담보 물권의 하나). ¶~設定 질권 설정.

しちごさん【七五三】名 ①아이들 성장의 축하 행사(남자는 3세·5세, 여자는 3세·7세 되는 해 11월 15일에 비음을 입고 氏神(=마을을 지키는 신) 따위에 참배함). =七五三の祝い. ②경사에 쓰는 길(吉)한 수(數). ③☞しめなわ. ④〔料〕일본 요리의 정식 상차림(으뜸 상에 7찬(饌), 둘째 상에 5찬, 셋째 상에 3찬을 내는, 성대한 요리).

しちごちょう【七五調】-chō 名 칠오조(운문(韻文)에서 7음·5음의 가락을 반복하는 형식). ↔五七調.

しちごん【七言】名 칠언(한 구(句)가 7자로 되는 한시(漢詩)의 한 형식). **―ぜっく**【―絶句】-zekku 名 칠언절구; 칠절(七絶). =七絶. **―りつ**【―律】名 칠언 율시(칠언 팔구(七言八句)로 이루어진 율시(律詩)).

しちしちにち【七七日】名〔佛〕칠칠일; 사십구일재(齋). =なななのか.

しちしょく【七色】-shoku 名 칠색(빨강·파랑·노랑·초록·자주·남·주황).

しちてんはっき【七転八起】(七顚八起) -hakki 名 ス自 칠전 팔기. =ななころびやおき.

しちてんはっとう【七転八倒】(七顚八倒) -hattō 名 ス自 아파서 마구 뒹굶; 고통으로 자반뒤집기 함. =しってんばっとう·しちてんばっとう.

しちどう【七道】-dō 名 칠도; 일곱 개의 기본적인 일본의 지방 구분(東海·東山·北陸·山陰·山陽·南海·西海).

しちながれ【質流れ】名 유질(流質); 유전(流典); 또, 유질된 것.

しちなん【七難】名 칠난. ①여러 가지 재난. ②많은 결점. ¶色の白いは~隠す 빛이 희면 칠난을 감춘다(얼굴빛이 희면 못생겨도 예쁘게 보인다). ③〔佛〕이승에서 일어나는 일곱 가지의 재난.

しちふくじん【七福神】名 칠복을 준다고 하는 신(恵比須·大黒天·毘沙門天·弁財天·福祿寿·寿老人·布袋의 총칭).

しちふだ【質札】名 전당표. =質券.

しちほう【七宝】-hō 名〔佛〕☞しっぽう.

しちめんちょう〖七面鳥〗-chō 名〔鳥〕칠면조. =ターキー. 参考 흔히, 변덕쟁이에 비유됨.

しちめんどうくさ-い〖七面倒臭い〗-dōkusai 形 매우 귀찮다; 몹시 번거롭다('めんどうくさい'의 힘줌말). =しちめんどくさい.

しちや【七夜】名 이렛 동안의 밤; (출생 후) 이레째의 밤.

***しちや**【質屋】名 전당포. =質店·一六銀行. ¶~業 전당포업.

しちゅう【支柱】-chū 名 지주. ¶一家の~となって 한 집의 기둥이 되어서.

しちゅう【市中】-chū 名 시중. ¶~銀行 시중 은행.

シチュー -chū 名〔料〕스튜(서양 요리의 하나). ¶ビーフ~ 비프스튜. ▷stew.

じちょ【自著】-cho 名 자저; 자기 저서.

しちよう【七洋】-yō 名 칠대양(七大洋).

しちよう【七曜】-yō 名 칠요. ①일주일의 요일. ②일·월과 화·수·목·금·토의 오성(五星).

しちょう【支庁】-chō 名 지청(교통이 불편한 곳에 두는 都道府県 각 청(廳)의 하급 관청). ↔本庁.

しちょう【史潮】-chō 名 사조; 역사의 흐름.

しちょう【市庁】-chō 名 시청. =市役所.

しちょう【市長】-chō 名 시장.

しちょう【思潮】-chō 名 사조. ¶文芸~ 문예 사조.

しちょう【紙帳】-chō 名 지장; 종이로 만든 모기장.

しちょう【視聴】-chō 一名 ス他 시청. ¶~者 (TV의) 시청자. 二名 이목(耳目); 주의; 주목. ¶世の~を集める 세상의 이목〔관심〕을 끌다. **―かく**【―覚】名 시청각. ¶~教育

ちょう 시청각 교육. ──りつ【──率】名 (TV의) 시청률.

しちょう【試聴】 -chō 名 ㅈ他 ①시청; 시험삼아 들음. ¶～会ん 시청회. ②오디션; (방송 등에서) 출연자의 테스트. ＝オーディション.

じちょう【次長】 -chō 名 차장. ¶～検事んだ 대검찰청 차장 검사.

*じちょう【自重】 -chō 名 ㅈ自 자중. ¶～自愛びん 자중 자애.

*じちょう【自嘲】 -chō 名 ㅈ自 자조. ¶～的な笑いん 자조적인 웃음.

しちょうそん【市町村】 -chōson 名 일본의 행정 구획의 명칭(우리 나라의 시·읍·면과 비슷함). 〔─ん〕 풍로.

しちりん【七輪·七厘】名 〔흙으로 만든〕 풍로.

じちんさい【地鎮祭】 名 【建】 지진제.

しつ【失】 名 손실. ¶得ど少なく～多し 득은 적고 실은 많다. ＝欠損じ·過失かじ. ＊人たんの～を言い勿れ 남의 허물을 말하지 마라.

しつ【室】 一名 ①방. ¶～にこもる 방에 틀어박히다. ②귀인의 처. ¶武将じょうの～ 무장의 처. 二接尾 …실; 방. ¶研究はっ～ 연구실.

＊しつ【質】 名 질. ①성질; 내용; 품질. ¶～が悪いん 질이 나쁘다 / 量りょうより～を重んずる 양보다 질을 중히 여긴다. ②자질; 소질; 체질. ¶天성らこの～ ─ 천부의 바탕; 蒲柳ぷっりうの～ 포류지질; 잘 늘는 체질.

しっ shī 感 ①다う으는 동물을 내쫓을 때. ②조용히 하도록 주위 사람에게 이르는 말: 쉬·이(흔히 'しーっ'으로 소리내는 일이 많음).

＊じつ【実】 名 ①실. ⊙알맹이; 실질. ¶名ぷを捨すてて～を取とる 이름을 【예들】 버리고 실(질)을 취하다.〔⊙진실; 참. ¶～の所とう 실인즉; 실제로는 / ～の親子やこ 친부모 자식; ～を言いうと (사)실을 말하면. ⊙실적; 실제 성과. ¶～をあげる 실적을 올리다. ②성실; 성실. ¶～の無い人ひと 성의가 없는 사람 / ～を尽つくす 성실을 다하다.

しつい【失意】 名 실의; 실망. ＝失望ぽう. ↔得意どっ. ¶～の人ひと 실의에 빠진 사람. ＝得意どっ. 〔「사」의 인원호.

しついん【室員】 名 방(연구실, 기숙)

じついん【実印】 名 실인; 인감 도장. ↔認め印めん.

しつう【私通】 -tsū 名 ㅈ自 사통; 간통. ＝密通どう. 〔～剤ざ 진통제.

しつう【止痛】 -tsū 名 지통; 진통. ¶～の薬じ 지통약.

しつう【歯痛】 -tsū 名 치통. ＝はいた. ¶～の薬じ 치통약.

しつうはったつ【四通八達】 shitsūhat-tatsu 名 ㅈ自 사통 팔달; 사통 팔달로 교통이 편리한 곳; 강구(康衢).

じつえき【実益】 名 실익; 실리. ↔実害.

＊じつえん【実演】 一名 ㅈ他 실연; 실제로 해 보임. 二名 (영화관에서) 상영 중간에 배우 등이 실연을 해 보이는 일. ＝アトラクション.

しつおん【室温】 名 실온; 실내 온도.

じっか【失火】 shikka 名 ㅈ自 실화. ＝放火ほっ.

じっか【実科】 jikka 名 실과; 실제적·실용적인 기능을 가르치는 과목.

*じっか【実家】 jikka 名 생가(生家); 친정. ＝さと. ↔養家ようか·婚家とっ.

しつがい【室外】 名 실외; 집 밖. ↔室内ぷっ.

じっかい【十戒】 jikkai 名 【佛】 십계 (불도 수행상 지켜야 할 열 가지 계율 (戒律)).

じっかい【十誡】 jikkai 名 【宗】 십계 (그리스도교에서 모세가 하느님에게서 받았다는 십 개조의 계시).

しっかく【失格】 shikkaku 名 ㅈ自 실격. ¶～になる 실격이 되다.

じつがく【実学】 名 실학(좁은 뜻으로는 의학·상학·공학 따위를 가리킴).

しっかと【確と·聢と】 副 꼭; 꽉; 세게. ¶手を～握にぎる 손을 꽉 쥐다(잡다) / ～心得こころよ 단단히 알아 둬라.

*しっかり【確り·聢り】 shikka- 副 ㅈ自 ①견고한 모양: 단단히; 꼭; 꽉; 튼튼히 〔하게〕. ¶～した建物ものを 견고한 건물을 / ～しばる 꼭 묶다 / ～作らる 튼튼하게 만들다. ②마음이 긴장되어 있는 모양: 똑똑히; 정신 차려서. ¶～精神 차려라(a)기운을 내라; (b)명청히 굴지 마라). ③생각·토대 따위가 거실한 모양: 확고히; 견실하게. ¶若いが～した人だ 젊지만 견실한 사람이다. ④【経】 거래(去来) 시장이 활기를 떠어 오를 것 같은 모양. ¶小じっかり 시세가 약간 오름세. ──もの【─者】 名 ①틀림없는(견실한) 사람; 의지가 굳세고 어기차서 흔들리지 않는 사람. ②절약가. ＝締り者もの.

しっかん【質感】 名 질감(재료의 질의 차이에서 오는 느낌).

しっかん【疾患】 shikkan 名 질환; 병. ¶胸部ぶ～ 흉부 질환.

しっかん【十干】 jikkan 名 십간; 천간 (天干); 오행 (五行)을 兄え(＝형)와 弟と(＝아우)로 나눈 것(甲きの(＝갑)·乙きのと(＝을)·丙ひのえ(＝병)·丁ひのと(＝정)·戊つちのえ(＝무)·己つちのと(＝기)·庚かのえ(＝경)·辛かのと(＝신)·壬みずのえ(＝임)·癸みずのと(＝계)). ＝じゅっかん.

じっかん【実感】 jikkan 名 ㅈ他 실감. ¶～がまだわからない 실감이 아직도 나지 않는다.

*しっき【湿気】 shikki 名 습기. ＝しめりけ·しっけ. ¶～をはらんだ風かぜ 습기 찬 바람.

しっき【漆器】 shikki 名 칠기; 옻칠한 그릇. ＝ぬりもの.

しつぎ【質疑】 名 ㅈ自 질의; 질문. ＝質問じ. ¶～応答とう 질의 응답.

じつぎ【実技】 名 실기. ¶～試験けん 실기 시험 / 体育いくの～ 체육 실기.

しっきゃく【失脚】 shikkya- 名 ㅈ自 실각.

*しつぎょう【失業】 -gyō 名 ㅈ自 실업. ¶～者しゃ 실업자 / ～対策たいっ 실업 대책. ↔就業じゅう. ──りつ【──率】名 실업률.

じつぎょう【実業】 -gyō 名 실업. ¶～学校がっ 실업 학교 / ～界かい 실업계. ──か【─家】名 실업가. ¶～肌はだの人ひと 실업가 기질의 사람.

しっく【疾駆】 shikku 名 ㅈ自 질구; 마

구 달림;질주.

シック shikku 〔ゲナ〕 시크;멋진 모양;
세련된 모양. ¶~な装よそい 멋진 옷차
림. ▷フ chic.

しっくい【漆食・漆喰】 shikkui (천
장이나 벽 따위에 바르는) 회반죽(석
회를 찰흙과 풀사리와 같이 반죽한
것).

しっくり shikku- 圖 ①딱 들어맞는 모
양;잘 어울려 차분한 느낌의 모양. ¶
その絵はこのへやに~しない 그 그
림은 이 방에 잘 어울리지 않는다. ②
마음이 맞아 사이 좋게 원만히 지내는
모양. ¶親子おやこの間がらが~行ゆかない
부모와 자식 사이가 원만하지 못하다.

じっくり jikku- 圖 침착하게 시간을
들여 정성껏 하는 모양:차분히;곰곰
이. ¶~考かんがえる 차분히[곰곰이] 생
각하다.

しつけ【仕付け】【躾】 (樂)에의 범절
을 가르침. ¶~がいい家庭てい 예의 범
절이 바른 가정;가정 교육이 잘된 가
정. ②(재봉에서) 시침질;또, 그 실.
¶~糸いと 시침실의 실. ③모내기;모심
기;또, 재배(栽培). ④만들어 붙임.

しっけ【湿気】 shikke 습기=しっ
き・しめりけ.

しつけい【失敬】 shikkei 실례. 〔一名ナ〕
〔ヌ自〕버릇없음;무례함. ¶~な奴やつ
버릇없는(무례한) 놈이다. ¶これは
실례입니다만 〔參考〕남자끼리 작별·사
과 등을 할 때 가벼운 인사로도 씀. ¶
では─ 그럼 실례〔안녕〕 / これは─아
이고 미안(실례) / じゃあ、これで─し
ます 그럼 이만 실례하겠습니다. 〔二名〕
〔ヌ他〕(俗) 훔침;슬쩍함. ¶人じんの財
布ふを~する 남의 지갑을 (슬쩍) 훔치
다. ↔敬義けい.

じっけい【実兄】 jikkei 名 실형;친형.

じっけい【実刑】 jikkei 名 실형. ¶~
を言いい渡わたす 실형을 선고하다.

じっけい【実景】 jikkei 名 실경;실제
경치.

じつげつ【日月】 名 일월. ①해와 달.
¶~星辰せいしん 일월 성신. ②세월. ¶長
ながい~を費やす 긴 세월을 보내다.

しつ─ける【仕付ける】【ｖ下1他】【躾ける】
(에의 범절을) 가르치다. ②늘 해와서
길들다(손에 익숙하다). ¶あまり~
けない仕事 그다지 해보지 않아 익
숙하지 못한 일. ③(논에) 모를 내다.
④시침질하다.

しっけん【失権】 shikken 名〔ヌ自〕 실
권;권력을 잃음.

しっけん【執権】 shikken 名 ①집권;
정권을 잡음. ②鎌倉かまくら 시대에 将軍
しょうぐん의 보좌역. ③室町むろまち 시대의 管領
かんりょう의 딴이름.　　　　　　「けん.

しっけん【識見】 shikken 名 ☞しき

しつげん【失言】 shitsugen 名〔ヌ自〕 실언. ¶~を
取とり消けす 실언을 취소하다.

しつげん【湿原】 名 습원;다습한 초
원. =野地原のちはら.

じっけん【実検】 jikken 名〔ヌ他〕 실검;
(사실 여부를) 실제로 검사함. ¶首くび
~ 본인을 실제로 만나보고 확인함;
또, 적의 수급(首級)의 진부(眞否)
를 검사함.

じっけん【実権】 jikken 名 실권. ¶~

を握にぎる 실권을 쥐다.

じっけん【実験】 jikken 名〔ヌ他〕 실험.
¶~科学がく 실험 과학 / ~室しつ 실험
실 / ~台だい 실험대. ──げきじょう
【─劇場】-jō 名 실험 극장.

じつげん【実現】 jitsugen 名〔ヌ自他〕 실현. ¶~
性せい 실현성 / …の~を急いそぐ …의 실현
을 서두르다.

しっこ shikko 名〈兒〉『お~』 소변;
쉬. ¶お~をする 쉬하다;오줌 누다.

しつご【失語】 shitsugo 名 ①특히 뇌 장
애로) 말을 잊거나 바르게 말하지 못
함. ¶~症しょう 실어증. ②잘못〔틀리게〕
말함.

しつこ・い 形 ①끈덕지다;끈질기다;
집요하다. ¶~質問しつもん 끈질긴 질문 /
~人ひと 치근치근한〔집요한〕사람 / 君き
は~ね 너 참 끈질기구나. ②(맛·빛
갈·냄새 따위가) 짙다;농후하다;산
뜻하지 않다;칙칙하다. ¶~味あじ 짙은
맛. 〔注意〕'しつっこい'라고도 함.

しっこう【失効】【失効】 shikkō 名〔ヌ自〕
실효. ↔発効はっこう.

しっこう【執行】 shikkō 名〔ヌ他〕 집
행. ¶~部ぶ 집행부 / 逮捕状たいほじょう을
~する 구속 영장을 집행하다. ──い
いん【─委員】 名 집행 위원. ──か
ん【─官】 名 집행관('執達吏しったつり'의
고친 이름). ──ゆうよ
【─猶予】-yūyo 名 집행 유예.

じっこう【実効】【実効】 jikkō 名 실
효. あまり~はなかった 별로 실효
는 없었다.

じっこう【実行】 jikkō 名〔ヌ他〕 실행.
¶~を迫せまる 실행을 (강력히) 요구하
다. ¶~桎梏しっこく.　　「박.=東縛そくばく.

しっこく【桎梏】 shikko- 名 질곡;속

しっこく【漆黒】 shikkoku- 名 칠흑. ¶
~の髪かみ 칠흑 같은 (검고 윤기 있는)
머리 / ~のやみ 칠흑 같은 어둠.

じっこん【昵懇・入魂・昵近】 jikkon 名
〔ゲナ〕절친함;친밀히 사귀는 사이. =
懇意こんい・じっきん. ¶~の間柄あいだがら 절
친한 사이.

じっさ【実査】 jissa 名 실사.

じっさい【実際】 jissai 名 ①실제. ¶
~問題もんだい 실제 문제. ②〔副詞的으로〕
참으로;정말로. ¶~そうなる 참말로
그렇게 되다.

じつざい【実在】 jitsuzai 名〔ヌ自〕 실재. ¶~の
人物じんぶつ 실재의 인물 / ~論ろん 실재론.
↔架空かくう.

しっさく【失策・失錯】 shissa- 名〔ヌ自〕
실책;실수;에러;エラー.

しっし【嫉視】 shisshi 名 질시. ¶~
ねたみ・そねみ. ¶~反目はんもく 질시 반
목.

しつじ【執事】 名 집사;가령(家令).

じっし【十指】 名 십지;열 손가
락. 一に余あまる 열 손가락으로 셀 수 없
다;10보다 많다. 一の指すところ 다
수의 의견이 일치하는 바;모든 사람이
인정하는 바.

じっし【実子】 jisshi 名 실자(実子);실(生)자;
자. =生うみの子こ. ↔養子ようし・義子ぎし・
まま子こ.　　　　　　　　「친누이.=義姉ぎし

じっし【実姉】 jisshi 名 실자;친언니;

じっし【実施】 jisshi 名〔ヌ他〕 실시

じつじ【実字】 jitsuji 名 실자;한자(漢字)에

있어서 형상(形象)이 있는 사물을 나타내는 글자(形容詞·動詞를 虛字(虚字)라고 하는 데 대해서 名詞를 말함). ↔虚字는.

しつじつ【質実】[名][ダ]질실; 꾸밈이 없이 진지함. ¶ ―剛健ぎ 질실 강건. ↔華美び.

*****じっしつ【実質】**[名]질질;실제 내용. ―形式ぎ는 名目ぢ. ――ちんぎん【―賃金】 실질 임금. ――名目賃金ぎぎ――賃銀ぎ 실질 임금. ――てき【―的】[ダナ]실질적. ¶なかなか――でいいね 아주 실질적이라 좋은데. ↔形式的ぎ.

じっしゃ【実写】[名]실사. ¶ ―映画ぎ 실사 영화; 기록 영화.

じっしゃ【実射】[名][ス他]실사; 실탄 사격.

じっしゃかい【実社会】[名]실사회.「社会」.

じっしゅう【実収】[名]실수; 실제의 수입(수확량).

じっしゅう【実習】[名][ス他]실습. ¶ ―生ぎ 실습생. ――しつ【―室】[名]실습실.

しつじゅん【湿潤】[名][ダナ]습윤; 습기가 많음. ¶低地ぢ"は―で健康ぎに悪いい 저지는 습기가 많아서 건강에 나쁘다.

しっしょう【失笑】[名][ス自]실소. ¶ ―を買ぎ 실소를 사다.

じっしょう【実正】[名][老]진실; 틀림없음. ¶右ぎ~なり 우와 여히 틀림없음.

*****じっしょう【実証】**[名][ス他]실증. ¶無実むの罪ぎを―する 무죄를 실증하다. ――しゅぎ【―主義】-shugi 실증주의.

*****じつじょう【実状】**-jō[名]실상; 실정. ¶ ―はこうなんです 실정은 이렇습니다.

*****じつじょう【実情】**-jō[名]①실정; 실제의 사정. ¶ ―に合ぎった計画ぎ 실정에 맞는 계획. ②진정; 진심. ¶ ―を打ぎち明ぎける 진심을 털어 놓다.

しっしょく【失職】shisshoku-[名]실직. =失業ぎ.「就職ぎ.

しっしん【失神·失心】shisshin[名][ス自]실신. =喪神ぎ. ¶ ―状態ぎ 실신 상태.「진.

しっしん【湿疹】shisshin[名][医]습진법.

じっしんほう【十進法】jisshinhō[名]십진법.

じっすう【実数】jissū[名]실수. ①실제의 수량. ②[数]유리수(有理数)·무리수(無理数)의 총칭. ↔虚数ぎ.

しっ―する【失する】shissuru [一][サ変他]①잃다; 놓치다. =失ぎ. ¶機会ぎを~ 기회를 놓치다. ②잇다. ¶名ぎを~ 이름을 잃다. [二][サ変自]『…に失する』지나치게 ―하다; 너무 치우치다. ¶寛大ぎに― 지나치게 관대하다.「정.

しっせい【失政】shissei[名]실정; 악정.

しっせい【執政】shissei[名]집정. ¶무를 잡음; 또, 그 사람. ¶ ―官ぎ 집정관. ¶徳川ぎ時代의 老中ぎや家老ぎ.

しっせい【湿性】shissei[名]습성. ¶肋膜炎ぎが~ 습성 늑막염. ↔乾性ぎ.

じっせい【実勢】jissei[名]실세; 실제의 세력.

しっせき【叱責】shisse-[名][ス他]질책. ¶ ―を受うける 질책을 받다.

じっせき【失跡】shisse-[名][ス自]실적; 실종('失踪ぎ'의 고친 일컬음).

*****じっせき【実績】**jisse-[名]실적; 실제의 공적·성적·성과. ¶ ―をあげる 실적을 올리다.

*****じっせん【実践】**jissen[名][ス他]실천. ――きゅうこう【―躬行】-kyūkō[名][ス他]실천 궁행; 실제로 몸소 행동함.

じっせん【実戦】jissen[名]실전. ¶ ―の経験ぎ 실전 경험.

じっせん【実線】jissen[名](제도 따위에서)실선. ¶点線ぎ·破線ぎ.

しっそ【質素】shisso[名][ダナ]검소. ¶ ―な暮ぎらし 검소한 생활. ↔ぜいたく.

しっそう【失踪】shissō[名][ス自]실종; (집을 나가)행방을 감춤; 행방을 모르게 됨. =失跡ぎ·出奔ぎ. ¶ ―宣告ぎ【法】실종 선고.

しっそう【疾走】shissō[名][ス自]질주. =疾駆ぎ. ¶全力ぎ~ 전력 질주.

しっそう【実装】jissō[名]실장. ¶실제의 사정[상태]. ¶政界ぎの― 정계의 상. ②[仏]생멸 무상(生滅無常)의 상(相)—세상 떠난 만유(萬有)의 진상(眞相). ↔仮相ぎ.

じっそう【実像】-zō[名][理]실제의 상. ¶ ―を結ぎぶ 실상을 맺다. ②외고 상 따위를 떠난 실제의 모습; 참모습. ¶これが現代げんっ子ぎの実상だ 이것이 현대인의 실상이다. ↔虚像ぎ.

しっそく【失速】shissō-[名][ス自](비행기가 비행중 부력(浮力)이 떨어져 속력이 떨어짐.

じっそく【実測】jisso-[名][ス他]실측; 실제로 잼. ¶目測ぎ.「적 손해.

じっそん【実損】jisson[名]실손; 실제.

じつぞん【実存】[名][ス自]실존. ①실재(實在). ②[哲]주관이나 객관으로 나뉘서 대상으로 파악하기 이전의 존재 상태. ――しゅぎ【―主義】-shugi[名]실존주의. ――てつがく【―哲学】[名]실존 철학.

しった【叱咤·叱吒】shitta[名][ス他]질타. ¶ ―激励ぎ 질타 격려 / 三軍ぎを~する 삼군을 질타하다.

しったい【失態·失体】shittai[名]실태; 추태; 실수. =やりそこない. ¶ ―を演ぎる 추태를 부리다.

じったい【実体】jittai[名]실체. ①실물; 본체. ¶ ―をつかむ 실체를 파악하다. ②[哲]사물의 밑바탕에 있다고 여기는 지속적인 것. ――ほう【―法】-hō[名]실체법. =実質法ぎぎ. ↔形式法ぎ.

じったい【実態】jittai[名]실태. =実情ぎ. ¶ ―調査ぎ 실태 조사.

しったかぶり【知ったかぶり】(知った か振り) shitta-[名](모르면서도)아는 체함; 또, 그런 사람.

しったつり【執達吏】shitta-[名]집달관('執行官ぎ'의 구칭).

じつだん【実弾】[名]실탄. ①진짜 탄환. ¶ ―射撃ぎ 실탄 사격. ↔空包ぎ. ②뇌물·매수 등에 쓰는 현금의 일컬음.

しっち【失地】shitchi 실지. ¶～回復 실지 회복.

しっち【湿地】shitchi 실지; 습지.

*じっち【実地】jitchi 실지. ①현장．＝現場. ¶～調査 실지 조사 / ～検証 현장 검증. ②〖実際〗(로 하는 경우). ＝実際. ¶～経験 실지 경험.

しっちゃく【失着】shitchaku 실착. (장기·바둑 따위에서) 결정적으로 패배의 원인이 되는 서툰 수.

じっちゅうはっく【十中八九】jitchū hakku 십중 팔구; 대개. ＝じゅうちゅうはっく.

しっちょう【室長】-chō 실장.

しっちょう【失調】shitchō 실조. ¶栄養～ 영양 실조.

じっちょく【実直】jitchoku- 실직; 성실하고 정직함. ¶～な人 실직은 사람.

しっつい【失墜】shittsui 실추. ¶権威[信用]を～する 권위를[신용을] 잃다[실추하다].

じって【十手】jitte 江戸 시대에 포리(捕吏)가 방어·타격을 위해 휴대하던 도구(50 cm 정도의 쇠막대로서, 손잡이 가까이에 갈고리가 있어서, 손잡이에 늘어뜨린 술의 빛깔(보라·빨강·흑색)로 소관을 나타냄).

じってい【実弟】jittei 실제; 친아우. ↔義弟.

じってき【実的】〖ダ〗 실적. ¶～にも量的[質的]にも 질적或は 양적으로나.

じってつ【十哲】jittetsu 십철; 유명한 사상가나 예술가의 10명의 고제(高弟). ¶孔門の～ 공자 문하의 10명의 고제. ＝～点.

しってん【失点】shitten 실점. ↔得点.

*しっと【嫉妬】shitto 질투. ＝やきもち. ¶～心 질투심.

しつど【湿土】 습토; 습기가 많은 땅.

*しつど【湿度】 습도. ¶～計 습도계.

＊じっと jitto ①몸이나 시선을 움직이지 않는 모양; 꼼짝 않고. ¶～手を見る 손을 응시하다 / ～していろっしゃい 꼼짝 말고 있어라. ②(참고) 가만히 있는 모양; 가만히; 꾹; 지그시. ¶侮辱を～堪える 모욕을 지그시 참다.

しっとう【執刀】shittō 집도. ¶K博士の～で手術した K박사의 집도로 수술했다.

じつどう【実動】-dō 실제로 일함. ¶～時間 실제 일하는 시간.

じっとく【十徳】jittoku 옛날에 학자·의사·화가 등이 입던 나들이 옷의 하나(소매가 넓고 옆구리를 꿰맸으며, 대개 검은 빛에 무늬 없는 천으로 만듦). ＝じゅっとく.

しっとり shitto- ①습기찬 모양; 촉촉이; 함초롬히. ¶～ぬれる 촉촉히 젖다. ②참하고 숙부드러운 모양; 조용하고 침착한 모양; 차분히; 찬찬히. ¶～した物腰 참하고 찬찬한 몸가짐.

じっとり jitto- 물기가 방울져 떨어질 듯이 젖어 있는 모양; 축축히; 흥건히. ¶～(と)汗ばむ 흥건히 땀이 배다.

しつない【室内】 실내. ¶～装飾 실내 장식. ——がく【―楽】 실내악.

＊じつに【実に】 실로; 참으로; 매우; 아주. ¶～美しい 참으로 아름답다 / 助手の職にあると～十年 조수직에 있기를 실로 10년.

しつねん【失念】 실념. ①(老) 깜박 잊음. ＝どわすれ. ②(佛) 정념(正念)을 잃음.

*じつの【実の】〖連語〗《連体詞的으로》 참말의; 진짜의; 친. ¶～話 참말 / ～姉 친누이; 친언니. ——ところ 실은; 실인즉.

＊じつは【実は】-wa〖連語〗《副詞的으로》 실은; 사실은; 정말은. ¶～お願いがあってまいました 실은 청이 있어서 왔습니다.

ジッパー jippā 〖商標名〗 지퍼; 척; 자꾸. ＝チャック①. ▷zipper.

＊しっぱい【失敗】shippai 〖ス自〗 실패; 실수; 실책; 실패. ¶～は成功のもと 실패는 성공의 어머니. 「のいり.

しっぴ【失費】 shippi 든 비용. ＝もと.

じっぴ【実費】 jippi 실비. ＝じっぷ.

しっぴつ【執筆】 shippi- 〖ス自他〗 집필. ¶～者 집필자.

しっぷ【湿布】 shippu 〖ス他〗 습포; 찜질(하는 천). ¶冷～ 냉찜질. ＝乾布.

じっぷ【実父】 jippu 실부; 친아버지. ＝義父; 養父.

しっぷう【疾風】 shippū 질풍. ¶～迅雷 질풍 신뢰(＝맹렬한 기세와 민첩한 행동) / ～怒濤の勢い 질풍 노도와 같은 기세.

*じつぶつ【実物】 실물. ¶～大 실물대; 실물 크기. 「気질.

しっぺい【疾病】 shippei 질병. ＝病

しっぺがえし【しっぺ返し】 shippe- 〖ス自〗 같은 방법으로 즉각 상대에게 보복함; 대갚음; 되쏘아줌. ＝しっぺい返し.

*しっぽ【尻尾】 shippo 꼬리. ——を出す 꼬리를 [본색을] 드러내다(＝속인 것이 탄로나다). ——をつかむ ＝握る 꼬리를 잡다(＝상대방의 속임수의 증거·비밀·약점을 잡다). ——を振る 꼬리를 치다; (상대의) 비위를 맞추다. ——を巻く (개가) 겁에 질려 꼬리를 사리다(지고서 기가 죽어 꽁무니를 빼다).

じつぼ【実母】 실모; 생모; 친어머니. ＝義母; 継母; 継母.

*しつぼう【失望】 -bō 〖ス自〗 실망.

しっぽう【七宝】 shippō 칠보. ①'七宝焼'의 준말. ②(佛) 불전(佛典)에 있는 일곱 가지의 보배. ＝七珍. ——やき【―焼】 칠보 (세공); 경태람(景泰藍)(구리나 금·은을 바탕으로 법랑(琺瑯)을 입혀 여러 가지 무늬를 나타낸 것).

じっぽう【十方】 jippō 〖佛〗 시방(사

方(四方)·사우(四隅)·상하의 총칭);
온갖 방향. ¶〜浄土ৣの 시방 정토.
──せかい【──世界】名〔佛〕시방 세
계; 전세계.

しつぼく【質朴·質樸】名ナ 질박; 순
박; 소박.

しっぽり shippo- 副 ①흠뻑 (젖은 모
양); 촉촉히. ¶春雨ॿॿに〜(と)ぬれ
て 봄비에 촉촉히 젖어서. ②은근히 다
정한 모양; 특히, 남녀가 정답게 희롱
하는(노는) 모양. ¶〜濡ৣる 남녀가
마주앉아 정답을 주고받다.

じつまい【実妹】名 친누이동생.↔義
妹ॿ.

じつみょう【実名】-myō名〔老〕
=本名.=じつめい.↔仮名ॿ.

じむ【実務】jitsumu名 실무. ¶〜
にうとい 실무에 어둡다. 「[잃음].

じつめい【失命】名ス自 실명; 목숨을

*****しつめい【失明】**名ス自 실명. ¶片
眼ॿ〜する 한쪽 눈을 실명하다[잃다].

じつめい【実名】名 실명; 본명; 본이
름. =本名ॿ.=じつみょう.↔仮名ॿ.
虚名ॿॿ.

*****しつもん【質問】**名ス자他 질문. ¶
〜攻ॿめに会ॿう 질문 공세를 받다.

しつよう【執拗】-yōダ자 집요; 끈질
김. ¶〜に食ॿい下ॿがる 집요하게[끈
질기게] 물고 늘어지다.

*****じつよう【実用】-yō**名スや他 실용. ¶
〜性ॿに豊ॿむ 실용성이 풍부하다.──
ぎ【──主義】-shugi 名〔哲〕실용주
의. =プラグマチズム.──しんあん
【──新案】名 실용 신안.──てき【──
的】ダ자 실용적.=実用むき.

じづら【字面】名 한자(漢字)의 자형
따위에서 받는 느낌; 문자 배열의 시각
적인 느낌.

しつら-える【設える】下1他 (건물·방
에) 설비[마련, 장치]하다.=しつらう.
¶飾ॿり窓ॿॿを〜 장식칭창을 꾸미다.

じり【実利】名 실리. ¶体裁ॿॿにより
も〜にこだわる 겉모양[겉치레]보다 실
리를 좇다.──しゅぎ【──主義】-shugi
名 실리주의·공리(功利)주의.

じつり【実理】名 실리; 체험을 통해서
얻은 도리나 이론.

しつりょう【質料】-ryō名〔哲〕질료
(형식을 갖춘으로써 비로소 일정한 것
이 되는 소재(素材)).

*****しつりょう【質量】-ryō**名 질량. ①
〔理〕물체가 가지고 있는 물질의 양.
¶〜数ॿ【──数】名〔理〕원자핵을 구성
하는 핵자(核子)의 수/〜不変ॿॿの法
則ॿ 질량 불변의 법칙.②질과 양.

*****じつりょく【実力】-ryoku**名 실력.
¶かげॿの〜者ॿ 막후 실력자/〜行使
ॿ 실력 행사/〜に開ॿきがある 실력
에 차이가 있다.

*****しつれい【失礼】**名스자 실례. ①예
의가 없음; 무례. =失敬ॿ·無礼ॿ. ¶
〜な男ॿ 무례한 남자/このたびはど
うも〜しました이번에 매우 실례가 많
았습니다. ②작별·가벼운 사과·부탁
따위의 인사말. ¶お先ॿに〜します먼
저 실례하겠습니다/ではこれで〜 그
럼 이만 실례[안녕]/〜ですが 실례입

니다만 (여쭐 말씀이 있습니다). **──な
がら** 실례입니다만(무엇을 묻거나 반
대하거나 할 때의 인사말).

じれい【実例】名 실례. ¶〜を上ॿ
げて説明ॿॿする 실례를 들어 설명하
다.

*****しつれん【失恋】**名スや自 실연. 「다.

じつろく【実録】名 실록; 사실의 기

じつわ【実話】名 실화. 「録.

して【シテ】名〔能楽ॿॿॿや狂言
ॿॿॿॿॿ에서〕주인공역(役)(이 되는 배
우). ↔ワキ·ツレ·ワキ.

して【仕手】名 ①할 사람. ¶相談ॿॿ
の〜がない 의논할 사람이 없다. ②
〔商〕많은 주(株)를 투기 매매하는 사
람; 큰손.

して 助〔格助詞ॿॿॿ적으로〕①〔動
作·상태가 성립하는 조건을 나타냄〕
(이)서. ¶みんな〜手伝ॿॿう 모두가
(함께) 돕다. ②〔부림말은 쪽을 나타냄;
(으)로 하여금 … 〕¶彼ॿを〜勉強ॿॿॿ
させしめる 그에게 공부를 시키다.
②〔接続助詞적으로〕어떤 조건·상황을
제시하고 그로부터 판단을 유도함을 나
타냄: …하고; …한데; …어서. ¶
山高ॿॿく〜谷深ॿॿॿし 산은 높고 계곡은
깊다/七十ॿॿॿॿにॿॿ〜世ॿを去ॿった 70
세로 세상을 하직했다. ③〔副助詞적으
로〕副詞·副詞句의 뒤에서 그 뜻을 강
조함을 나타냄. ¶それだから〜 그렇
다고 해서; 그런 까닭으로 해서/どう
か〜 어떻든지; 어떻게 하여/また
〜 も 그래도; 또; 또다시/今ॿॿに〜思
ॿॿॿえば 지금에 와서 생각하면/えて
〜 休ॿみがちだ 절핏하면[특하면] 쉬
다/とかく〜そうなりがちだ 자칫하
면 그렇게 되기 쉽다. ④〔接続助詞적으
로〕그래서; 그리고. =そ(う)して. ¶
〜話ॿॿはどうなったのか 그리고[그래
서] 이야기는 어떻게 되었느냐.

して【死出】名 ①死出ॿॿの山ॿॿ의 준
말. ②死出ॿॿの旅ॿॿ의 준말.**──のたび
【──の旅】**連語 저승길; 죽어서 저승으
로 감; 죽음. ¶〜に出ॿる 저승길을 떠
나다; 죽다.**──のやま【──の山】**連語
저승; 사람이 죽어서 간다는 명도(冥
途)에 있는 험한 산.

してい【子弟】名 자제. ①아들과 아
우. ↔父兄ॿ. ②연소자; 젊은이. ¶良
家ॿॿॿの〜 양가의 자제.

してい【師弟】名 사제.

*****してい【指定】**名スや他 지정. ¶〜席ॿ
지정석 / 〜伝染病ॿॿॿॿॿ 지정 전염병
(법정 전염병과 같이 다루도록 정부가
지정한 전염병). 「官営ॿ·公営ॿ.

してい【私邸】名 사저; 개인 저택. ↔

しでかす【仕出かす·為出かす】他 해 버
리다; 저지르다. =やらかす. ¶何ॿを
〜かわからない 무엇을 저지를지 모른
다.

してからが 連語 …가 제일 먼저; …
부터가; …조차도. ¶この私ॿॿにॿॿ〜 이
나부터[이나조차도] …

*****してき【指摘】**名スや他 지적.

してき【私的】ダ자 사적. ¶〜生活
ॿॿ 사적 생활. ↔公的ॿॿ.

してき【詩的】ダ자 시적. ¶〜情操
ॿॿ 시적 정조. ↔散文的ॿॿॿॿ.

じてき【自適】名スや自 자적. ¶悠々
ॿॿॿ〜 유유 자적.

してつ【私鉄】图 사철; 민영 철도. =民鉄ᡏᡒ. ↔国鉄ᡏᡒ.

じてっこう【磁鉄鉱】-tekkō 图【鑛】자철광. =マグネタイト.

しては【連語】…깐에는;…치고는;…으로 보면. ¶子供らに~できすぎた아이치고는 너무 잘했다.

してみると圈 그렇다면;그로 미루어 본다면. ¶~あれはほんとうの話だったのか 그렇다면 그것은 참말이었단 말인가.

してみれば【連語】…로서는;…의 입장으로는. ¶父らに~ 아버지의 입장으로는.

しても【連語】①그렇(다고는 하)지만. ¶それに~高らい 그렇(다고는 하)지만 비싸다. ②가령 …라고 하더라도. ¶あるに~ 있다고 하더라도/いずれに~ 어느쪽이나.

してやられる【為て遣られる】【連語】감쪽같이 넘어가다;당하다;속다. ¶まんまとしてやられた 감쪽같이 (속아) 넘어갔다.

してやる-る【為て遣る】5他 ①(남에게) 해주다. ②(감쪽같이) 속이다. ¶~ったりとほくそえむ (감쪽같이) 잘 속였다고 흐믓해한다.

してん【支店】图 지점. ¶~詰ᠠめ 지점 근무. ↔本店ᡏᡒ.

してん【支点】图 지점;받침점. ↔力点ᡒᡒ・作用点ᡒᡒ.

してん【視点】图 시점. ①(美) (원근법에서) 사람의 눈과 직각(直角)이 되는 지평선상의 가정되 한 점. ②(사물을) 보는 입장;관점;견지. ③착안점.

しでん【史伝】图 역사와 전기. ②역사와 사상의 기록을 기초로 해서 만든 전기.

しでん【市電】图 '市営電車ᡏᡒᡒᡒ(=시영 전차)'의 준말.

じてん【次点】图 차점.

じてん【自転】图【ᡐ自】자전. ↔公転ᡏᡒ. ──しゃ【──車】-sha 图 자전거.

じてん【時点】图 시점.

じてん【辞典】图 사전. =辞書ᡒᡒ.

じてん【字典】图 자전. =字書ᡒᡒ・字引ᡒᡒ.

じてん【事典】图 사전;'百科ᡏᡒ事典ᡏᡒ(=백과 사전)'의 준말.

じでん【自伝】图 자전. =自叙伝ᡒᡒᡒ.

してんのう【四天王】-tennō 图 사천왕. ①(佛) 불법을 수호하는 신(神)인 지국천(持国天)・증장천(増長天)・광목천(広目天)・다문천(多聞天)의 총칭. ②제자나 부하 가운데 특히 뛰어난 인물 네 사람.

しと【使途】图 용도.

しと【使徒】图 사도. ①그리스도의 12제자. ②전하여, 몸을 바쳐 노력하는 사람. ¶平和ᡒᡒの~ 평화의 사도.

しど【使途】图 (돈의) 용도.

しと【示度】图【理】시도;계기(計器)의 눈금의 도(기압・습도 따위의 도).

じど【磁土】图 자토. =陶土ᡒᡒ.

しとう【死闘】-tō 图 ᡐ自 사투.

しとう【私闘】-tō 图 ᡐ自 사사로운 싸움.

しとう【私党】图 사당;도당. ↔公党ᡏᡒ.

しとう【至当】-tō 图形動 지당. ¶~な

──

処置ᡒᡒ 지당한 조처.

しどう【始動】-dō 图 ᡐ自他 시동.

しどう【指導】-dō 图 他 지도. ¶学習ᡒᡒ~ 학습 지도/~者ᡒᡒ 지도자/~を受ᡒける 지도를 받다. ──げんり【──原理】图 지도 원리.

しどう【士道】图 무사 도리. ¶武士道ᡒᡒ(=무사도)'의 준말. 〔분야〕

しどう【斯道】-dō 图 사도;그 방면.

しどう【私道】-dō 图 사도;(사유지에 만든) 사설 도로. ↔公道ᡏᡒ.

しどう【師道】-dō 图 사도;스승의 길. ¶~すたれて地ᡒに落ᡒつ 사도가 땅에 떨어지다.

じどう【地頭】-tō 图 마름;사음(舍音) (일본 중세의 장원(荘園)에서, 조세(租税) 징수・군역(軍役)・수호(守護) 등을 맡았던 관리자).

じどう【自動】-dō 图 자동. ¶~ドア 자동문.↔他動ᡒᡒ. ──し【──詞】【文法】자동사.↔他動詞ᡏᡒᡒ. ──しゃ【──車】-sha 图 자동차. ──しょう【──小銃】-shōjū 图 자동 소총. ──せいぎょ【──制御】-gyo 图 자동 제어. ──そうち【──装置】图 자동 제어 장치. ──てき【──的】ダナ 자동적. ↔オートマチック. ──はんばいき【──販売機】-hambaiki 图 자동 판매기. ──ほんやく【──翻訳】图 자동 번역.

じどう【児童】-dō 图 ①아동;어린이. ¶~文学ᡒᡒ 아동 문학. ②특히, 소학교 학생. =学童ᡏᡒ. ──げき【──劇】图 아동극. ──けんしょう【──憲章】-shō 图 어린이 헌장. ──ふくし【──福祉】图 아동 복지법에 의거하여 어린이와 어머니의 건강・보호 등을 다루는 어린이 상담소의 직원.

しとかん【四等官】-tōkan 图 律令ᡒᡒ에서 정해진 관리의 네 가지 등급 (장관은 'かみ', 차관은 'すけ', 3등관은 'じょう', 4등관은 'さかん'.

じとく【自得】图 ᡐ他 자기 노력으로 터득함;체험을 통해서 깨달음. 曰圖 ①스스로 만족하게 여김;스스로 뽐내어 우쭐거림;우쭐함. =うぬぼれ. ②자기가 한 일에 대하여 갚음을 받음. ¶自業ᡒᡒ~ 자업 자득.

しどけな-い形 (태도나 매무시가) 흐트러져 단정치 못하다. ¶~寝姿ᡒᡒ 흐트러져 단정치 못한 잠을 버릇.

しと-げる【為遂げる】下1他 끝까지 해내다;완수하다.

しとしと副 ①비 따위가 조용히 내리는 모양;촉촉히. ¶雨ᡒが~(と)降ᡒる 비가 부슬부슬 내리다. ②공기가 습기를 띤 모양;축축하게. ¶海苔ᡒが~になってしまった 김이 누기차 버렸다.

じとじと副 (불쾌할 정도로) 몹시 습기찬 모양;축축히;친친하게. ¶~した空気ᡒ 습한 공기/汗ᡒで シャツが~している 땀으로 셔츠가 친친하다. =ぬめぬめ. ⌜끈끈하다.

じとつ-く5自 친친하다;축축하다.

しとね【茵・褥】图【雅】깔개;요. =ふとん. ¶草ᡒを~に寝ᡒる 요삼아 자다.

しとみ【蔀】图 (창살문 뒤에 낄을 댄) 덧문;빈지. =しとみ戸ᡒ. ⌜ケ.

しとみ【植】풀명자나무. =クサボ

しと-める【為留める·仕留める】〔下一他〕 (무기(武器)를 써서) 숨통을 끊어 정다 ; (총 따위로) 쏘아 죽이다. ¶猪いのを ~ 산돼지를 쏘아 죽이다 / 敵てきを一刀いっとうの もとに ~ 적을 단칼에 죽여버리다.

しとやか【淑やか】〔ダナ〕 정숙함 ; 단아(端雅)함. ¶~に歩あるく 얌전하게 걷다.

しどろもどろ〔ダナ〕 이야기 따위의 앞뒤가 맞지 않고 종잡을 수 없는 모양. ¶~の答弁ぜん 횡설수설 종잡을 수 없는 답변.

シトロン〔釜〕 시트론. ①레몬즙 따위를 탄산수에 타서 만든 청량 음료. ②〔植〕 운향과에 속하는 상록 활엽 교목. ▷프 citron.

‡**しな**【品】〔名〕 ①물건. ⑦물품 ; 상품. ¶貴重きちょうな~ 귀중한 물건 / 手てを換かえ品しなを換かえ 이것저것 여러 가지 방법을 다하여. ⑤품질. ¶~が落おちる (품)질이 떨어진다. ②등급 ; 품위. ¶上じょう의 ~ 상등급 ; 상품.

しな【科】〔名〕¶~をつくる《여자가 남자에게》 교태를 지어 보이다 ; 태를 내다. ②=しなぎ.

しな【支那】〔名〕 지나 ; 중국의 구칭.

シナ【科】〔植〕 국화과의 다년초(꽃을 말려 회충약으로 함). =セメンシナ. ▷라 semen cinae.

-しな《動詞 連用形에 붙어서》 그 때 ; …하는 길에. ¶~がけ. ¶帰かえり에寄よる 돌아오는 길에 들르다.

しない【市内】〔名〕 시내. ↔市外がい.

しない【竹刀】〔挨〕〔名〕 죽도(검도 연습용으로 대를 쪼개 만든 것).

じない【寺内】〔名〕 사내 ; 절의 경내.

しな-う【撓う】〔五自〕 (탄력이 있어 부러지지 않고) 휘다. ¶枝えだが ~ 가지가 휘다.

しなうす【品薄】〔名〕 품절(品切).

しな-おす【し直す】【為直す】〔五他〕 다시 하다 ; 재차 하다.

しながら【品柄·品柄】〔名〕 품질.

しなが-れ【品枯れ】〔名〕 물품이 출회되지 않음 ; 품귀(品貴).

‡**しなぎれ**【品切れ】〔名〕 품절 ; 절품.

しなさだめ【品定め】〔名〕〔Ⓢ他〕 품평(品評).

しなしな【撥撥】〔副〕 연약한 모양 ; 하늘하늘. ~ なよなよ.

しなだ-れる【撓垂れる】〔下一自〕 응석 부리며 상대에게 기대다 ; 요염하게 아양떨며 기대다. ¶恋人びとの胸むねに ~ 연인의 가슴에 정답게 기대다.

しなのき【科の木】〔植〕 참피나무.

‡**しな-びる**【萎びる】〔上一自〕 이울다 ; 시들다 ; 주름지다. ¶~びた배추 / ~びた婆ばあさん 주글주글한 노파.

‡‡**しなもの**【品物】〔名〕 물건 ; 물품.

‡**しなやか**【嫋か】〔ダナ〕 ①탄력성이 있으며 부드러운 모양 ; 낭창낭창함 ; 보들보들함 ; 연함. ¶~な枝えだ 낭창낭창한 나뭇가지. ②동작이 딱딱하지 않고 부드러운 모양 ; 자늑자늑함 ; 간들간들함 ; 낭긋낭긋함. ¶~な立たちいふるまい 낭긋낭긋한 행동 거지.

じならし【地ならし】【地均し】〔名〕〔Ⓢ他〕

じなり【地鳴り】〔名〕〔Ⓢ自〕 지반이 흔들려 일어나는 땅울림 ; 또, 그 소리. =地ちひびき.

シナリオ〔名〕 시나리오 ; 영화 각본. ¶~ライター 시나리오 작가. ▷scenario.

しな-れる【慣れる】【為慣れる·為馴れる】〔下一自〕 아주 익숙해지다 ; 숙달되다. ¶~れた仕事ごと (자주 해서) 익숙해진 일.

しなわけ【品分け】【品別け】〔名〕〔他〕 품별 ; 물건의 구별(구분). =類別べつ.

しなん【指南】〔名〕〔Ⓢ他〕 지남. ①지도(指導) ; 또, 그 사람. ¶剣術けん~ 검술 사범. ②《남쪽을》 가리킴. ¶~车しゃ.

しなん【至難】〔名〕 지난 ; 극히 어려움.

じなん【次男】〔名〕 차남 ; 이남. ¶~坊ぼう 둘째 아들(놈)(녀석).

シニア〔名〕 시니어. ①연장자. ②상급(생). ⇔ジュニア. ▷senior.

しにおく-れる【死に後れる】【死に遅れる】〔下一自〕 ①남의 사람을 먼저 여의다 ; 자기만 살아 남다. ②(죽어야 할 때 죽지 않고) 살아 남다. ¶~れては恥はじ 죽어야 할 때 죽지 않아 살아 남아서는 수치다. ¶[얼굴].

しにがお【死に顔】〔名〕 죽은 사람의 얼굴.

しにかか-る【死にかかる】【死に掛る】〔5自〕 ¶~ない学問 [없는 학문].

しにがくもん【死(に)学問】〔名〕 쓸모없는 학문.

‡**しにか-ける**【死にかける】【死に掛る】〔下一自〕 다 죽어 가다 ; 지금 막 죽으려고 하다.

しにかた【死(に)方】〔名〕 ①죽는 법. ②죽을 때의 상태나 태도. ¶惨めな ~ をする 비참하게 죽다.

しにがね【死(に)金】〔名〕 ①죽은 돈 ; 보람 없이 쓴(쓰는) 돈 ; 사장(死蔵)된 돈. =むだがね. ②자기가 죽을 때를 대비해 장례 비용 따위에 쓰도록 준비한 돈.

シニカル〔ダナ〕 시니컬 ; 냉소적. =皮肉ひにく ; シニック. ▷cynical.

しにかわ-る【死に変(わ)る】〔5自〕 환생(幻生)하다 ; 환생(還生)하다.

しにぎわ【死に際】〔名〕 임종(때).

しにく-い【為悪い】 하기 어렵다.

しにざま【死にざま】【死に様】〔名〕 죽은 모양. ¶ふた目めと見みられない ~ 두 눈 뜨고 볼 수 없는 (비참한) 꼴.

しにせ【老舗】〔名〕 노포 ; 대대로 (번영하여) 내려온 유명한(신용 있는) 가게.

しにぞこ-ない【死に損ない】〔名〕 ①죽으려다가 또는 죽어야 할 때에 죽지 못함 ; 또, 그런 사람. ②늙은이나 쓸모 없는 사람을 조소하여 하는 말. =しにそこない.

しにそこ-なう【死に損なう】〔5自〕 ①죽으려다가 죽지 못하다. ②죽어야 할 때에 죽지 않고 살아 남다. ③죽을 뻔하다.

しにた-える【死に絶える】〔下一自〕 멸족(滅族)하다 ; 멸종하다.

しにどころ【死に所】【死に処】〔名〕 죽을 데 ; 죽어야 할 데. =死に場所しょ.

‡**しには-てる**【死に果てる】〔下一自〕 완전히 죽어 버리다 ; 모두 죽어 없어지다.

しにばな【死(に)花】[名] ①그루터기에 핀 꽃. ②죽음으로써 얻은 명예; 사후의 영예. **—を咲かせる** 훌륭한 죽음을 하여 사후에까지 명예를 남기다.
しにみ【死(に)身】[名] ①죽어야 할 몸. ¶生き身は～ 살아 있는 몸은 언젠가는 죽어야 할 몸이다. ↔生き身. ②전하여, 결사의 각오를 가짐. ¶～になって働く 결사적으로 일하다.
しにみず【死(に)水】[名] (임종 때의) 입축임물; 마지막 물. **—を取る** 마지막 입술을 축여 주다(죽을 때까지 그 사람을 돌보다).
しにめ【死(に)目】[名] 임종. ¶親の～にあえない 부모의 임종을 못 보다.
しにものぐるい【死にもの狂い】(死(に)物狂い) [名] 결사적인 몸부림; 필사적으로 바둥거림.
しにわか-れる【死に別れる】[下1自] 사별하다. ¶親に～ 부모를 여의다.
しにん【死人】[名] 죽은 사람; 사자(死者). **—に口なし** 죽은 사람은 말이 없다((a)죽은 사람은 증인으로 세울 수 없다; (b)죽은 사람에게 죄를 덮어씌우다).
じにん【自任】[名][ス他自] 자임; 자처; 적합한 자격〔능력〕이 있다고 스스로 믿음.
じにん【自認】[名][ス他] 자인.
じにん【辞任】[名][ス他] 사임. ↔就任.
****し-ぬ**【死ぬ】[5自] 죽다. ①숨이 끊어지다. ¶安らかに～ 편안히 죽다 / 旅先で～ 객사하다 / 戦争で～ 전사하다 / 人手にかかって～ 남의 손에 죽다; 타살되다 / ～·んで花実がなるものか 죽은 꽃에 열매가 열겠는가(죽은 정승이 산 개만 못하다; 말똥에 굴러도 이승이 좋다). ②활동이 멈추다; 자다. ¶風が～ 바람이 자다. ③(서화(書畫) 따위에서) 생기〔활기〕가 없다. ¶絵が～·んでいる 그림에 생기가 없다. ④활용되지 않다; 놀다. ¶～·んだ金 죽은 돈; 노는 돈. ⑤〔野〕 아웃되다. ⑥(바둑에서) 포위되어서 잡히다. ¶石が～ 돌이 죽다(잡히다). ⇔生きる. **—·んだ子の年を数える** 죽은 자식 나이 세기.
しぬ-く【し抜く】(為抜く) [5他] 다 하다; 관철하다; 해내다.
じぬし【地主】[名] 지주.
じぬり【地塗り】[名][ス他] 바탕칠.
シネスコ [名] 'シネマスコープ'의 준말.
じねずみ〖地鼠〗[名]〔動〕 뒤쥐.
じねつ【地熱】[名] 지열. ①지구 내부의 열. =ちねつ. ¶～発電 지열 발전. ②지면의 열기.
シネマ [名]〔映〕 시네마; 영화. ▷cinema(tograph). **—スコープ** [名]〔映〕〔商標名〕 시네마스코프. =シネスコ. ▷Cinema Scope.
シネラマ [名]〔映〕〔商標名〕 시네라마. ▷Cinerama.
シネラリア [名]〔植〕 시네라리아. =サイネリア. ▷cineraria.
しねん【思念】[名][ス他] 사념; 생각함.
じねん【自然】[名] 자연. =しぜん. ¶～石 자연석. **—じょ**〖—薯〗-jo [名] 야생(野生)의 참마. =やまのいも.
しの〖篠〗[名]〔植〕 ①조릿대. ②이대(가는 대나무의 한 가지). =しの竹. ③'しの笛(=가는 대로 만든 피리)'의 준말. **—突く雨** (가느다란 대나무 다발이 내리찌르듯이) 줄기차게 내리는 비; 작달비.
しのう【子のう】(子嚢) -nō [名] 자낭; 포자낭(胞子嚢); 씨주머니. **—きん**【—菌】[名]〔生〕 자낭균.
しのうこうしょう【士農工商】-nōkō-shō [名] 사농공상; 무가·농민·공인(工人)·상인순으로 매긴 사회 계급; 또, 모든 계급의 백성.
しのぎ〖鎬〗[名] (칼이나 창 따위의) 날과 등 사이의 불룩한 부분. **—を削る** 맹렬히 싸우다; 격전을 벌이다.
しのぎ〖凌ぎ〗[名] 견디어 냄; 고통스러운 일을 참고 나감. ¶一時～に 임시 방편으로.
***しの-ぐ**〖凌ぐ〗[一][5他] ①참고 견디어 내다. ¶暑さを～ 더위를 참고 견디어 내다. ②헤어나다. ¶急場を～ 절박한 고비를 넘기다; 위기를 극복하다. ③막다; 피하다. ¶雨を～ 비를 피하다. ④능가하다. ¶壮者を～元気 젊은이를 능가하는 기운. ⑤업신여기다; 깔보다. ¶長上を～ 윗사람을 업신여기다.
しののめ〖東雲〗[名]〈雅〉 동틀 녘; 새벽. =あけぼの·明け方.
しのば-せる【忍ばせる】[下1他] ①숨겨 놓다; 숨기다; 잠입시키다; 남 모르게 행동하다. ¶身を～ 몸을 숨기다 / 足音を～ 발소리를 죽이다. ②감추어 가지다; 몰래 품다. ¶ふところにあいくちを～ 품에 비수를 지니다.
しのび【忍び】[名] 남 몰래 함; 비밀히 함. ①미행(微行). ¶お～の遊び 미행하여 놂. ②절도; 도둑질. ¶～を働く 도둑질을 하다. **—の術** 둔갑술. =忍術. **—の者** 첩자. =忍者.
しのびあい【忍び会い】(忍び逢い) [名] 사랑하는 남녀가 남몰래 만남; 밀회.
しのびあし【忍び足】[名] 발소리를 죽여 걸음; 살금살금 걸음.
しのびあるき【忍び歩き】[名][ス自] ①미행(微行). ②☞しのびあし.
しのびがた-い【忍び難い】[形] 참을 수 없다; 견딜 수 없다.
しのびごえ【忍び声】[名] 속삭이는 목소리; 낮은 목소리.
しのびごと【忍び事】[名] 은밀한 일. =密事.
しのびこ-む【忍び込む】[5自] 몰래 들어가다; 잠입하다. =忍び入る.
しのびなき【忍び泣き】[名][ス自] (남의 이목을 꺼리어) 소리를 죽이고 욺; 속으로 욺.
しのびやか【忍びやか】[ダナ] 남 몰래 살며시 하는 모양; 은근히 함; 가만히 함. ¶～に訪れる春のけはい 살며시 찾아드는 봄의 기색〔기운〕.
しのびよ-る【忍び寄る】[5自] 살며시 다가오다. ¶～人影 소리도 없이〔살며시〕 다가오는 사람의 그림자.
しのびわらい【忍び笑い】[名][ス自] 남의 눈을 삼가서 소리를 죽이고 웃음.
***しの-ぶ**【忍ぶ】[一][5自] 남이 모르게 하다; 숨다. ¶人目を～ 남의 눈을 피하다〔기이다〕/ 夜ごとに～·んで来る 밤마다 몰래 찾아오다. [二][5他] 견

　다다 ; 참다. ¶恥^{はじ}を～ 치욕을 참다.

*しの-ぶ【偲ぶ】⑤他 그리워하다 ; 연모하다. ¶おもかげを～ 모습을 그리(워하)다.

しの-ぶ【忍ぶ】㉄[植] 넉줄고사리.

しのぶ-ぐさ【忍ぶ草】㉄[植] ①＝しのぶ. ②ノキシノブ(=인초)의 딴이름. ③ワスレグサ(=원추리)의 딴이름.

しば【柴】㉄ 섶나무 ; (땔감으로 알맞은) 잡목 ; 또, 그 가지. ¶～を刈^かる 섶(멜)나무를 하다.

*じ-は【自派】㉄ 자파. ↔他派^{たは}.

じば【地場】㉄ ①그 지방 ; 본고장. ②[經] 거래소가 있는 지방 ; 또, 그 지방의 중소 증권업자나 상주(常住) 투자가. ━手筋^{てすじ} 지방 투자가.

じば【磁場】㉄[理] 자장 ; 자계(磁界). ¶＝じば^{じば}.

＊し-はい【支配】㉄[ス他] 지배. ¶～者^{しゃ} 지배자 ; ～階級^{かいきゅう} 지배 계급. ━にん【━人】 지배인.

しはい【紙背】㉄ 지배 ; (무엇이 써 있는) 종이의 뒷면 ; 또, 문장 이면의 깊은 뜻. ¶眼光^{がんこう}～に徹^{てっ}する 통찰력이 날카로워서 쓰여 있는 일 이외의 숨은 뜻까지도 간파하다.

しはい【賜杯】【賜盃】㉄ 사배 ; 하사(下賜)된 우승컵(술잔).

＊しばい【芝居】㉄ ①연극(歌舞伎^{かぶき}·신파극(新派劇) 등 일본 고유의 것을 가리킴). ②(배우의) 연기. 〈俗〉 전하여, 계획적(농담으로 남을 속이기 위한 꾸밈수. ¶～を打^うつ 한바탕 연극을 꾸미다 ; 계획적으로 속이다. ④('芝居'를 흥행하는) 극장 ; 小屋^{こや} 연극을 흥행하는 건물 ; 극장. ━氣^ぎ【━氣】①연극같이 꾸며 남을 경탄시키려는 마음 ; 별난 행동을 하여 남을 깜짝 놀라게 하려는 심사. ②자기를 남의 앞에서 꾸며 보이려는 것. ━いげ·しばいっけ.

しばえび【芝蝦·芝海老】㉄ 보리새우.

じ-ばく【自白】㉄[ス自] 자백. ¶～する 자백하다.

じ-ばく【自縛】㉄[ス自] 자박. ☞じじょうじばく.

じ-ばく【自爆】㉄[ス自] 자폭. ☞しば(芝).

しば-くさ【芝草】㉄[植] ＝しばふ.

しば-ぐり【柴栗】㉄[植] 산밤나무.

し-ばし【暫し】副[雅] 잠깐 ; 잠시. ━しばしく. ¶～の別^{わか}れ 잠시 동안의 이별.

＊しばしば【数数·屢屢】副 자주 ; 여러 번 ; 누차 ; 종종. ━たびたび. ¶～雨^{あめ}が降^ふる 자주 비가 내리다.

し-はす【師走】㉄ 'しわす'를 글자에 충실하게 읽은 말.

じ-はだ【地肌】【地膚】㉄ ①(화장을 하지 않은) 맨살갗 ; 자연 그대로의 표면. ②대지(大地)의 표면.

しば-たたく【瞬く·屢叩く】⑤他 (계속 눈을) 깜박거리다.

じばち【地蜂】㉄[蟲] 땅벌레.

し-はつ【始発】㉄ 시발. ①처음으로 출발함. ↔終着^{しゅうちゃく}. ②그 곳으로부터서 출발함. ¶～列車^{れっしゃ} 시발 열차. ↔終着^{しゅうちゃく}. ━えき【━駅】㉄ 시발역. ↔終着駅^{しゅうちゃくえき}.

じはつ【自発】㉄[ス自] 자발. ¶～的^{てき}に参加^{さんか}する 자발적으로 참가하다. ②[文法] 자연히 그렇게 됨. ¶の助動詞^{じょどうし} 자발 조동사('れる·られる' 따위).

しばのと【柴の戸·柴の門】㉄ ①사립문. ¶～누추한 오두막집.

＊しばふ【芝生】㉄ 잔디밭.

じばら【自腹】㉄ ①자기 배. ②자기 돈. ━身銭^{みぜに}. ━を切^きる (자기가 지불하지 않아도 될) 경비를 구태여 부담하다.

＊し-はらい【支払(い)】㉄[ス他] 지불 ; 지급. ¶～する 지불(지급)하다.

し-はら-う【支払う】【仕払う】⑤他 지불(지급)하다 ; 치르다.

＊しばらく【暫く】副 ①잠깐. ¶今^{いま}～お待^まち下^{くだ}さい 잠깐만 기다려 주십시오. ～もゆるがせにせぬ 조금(잠시)도 소홀히 하지 않다 ; ～前^{まえ}から休^{やす}んでいます 얼마 전부터 쉬고 있습니다. ②오래간만 ; 당분간. ¶やあ～ですね 참 오랜만이군요 ; この問題^{もんだい}は～置^おこう 이 문제는 당분간 제쳐놓고. [參考] 名詞^{めいし}적으로도 쓰임. ¶こ~が山^{やま}だろう 요 며칠이 고비일 것이다.

しばり-あ-げる【縛り上げる】下1他 꽁꽁[단단히] 묶다. ━くくりあげる.

しばり-くび【縛り首】㉄ ①옛날에, 죄인의 두 손을 뒤로하여, 목을 벤 형벌. ②교수형(絞首刑).

しばり-つ-ける【縛り付ける】下1他 붙들어 매다 ; 동여 매다. ②행동의 자유를 뺏다. ¶義理^{ぎり}に～けられて 의리에 얽매어.

＊しば-る【縛る】⑤他 묶다. ①(단을 지어) 묶다 ; 장작을 묶다 / 手足^{てあし}を～られる 손발이 묶이다. ②매다 ; ハンカチで傷口^{きずぐち}を～손수건으로 상처를 (싸)매다(동이다). ③결박하다 ; 붙들어 매다. ¶賊^{ぞく}を柱^{はしら}に～ 도둑을 기둥에 붙들어 매다 ; 얽어 매다 ; 속박(구속, 제한)하다. ¶規則^{きそく}に～られて窮屈^{きゅうくつ}だ 규칙에 묶여 꼼짝 못하다 / 金^{かね}に自由^{じゆう}を～ 돈으로 자유를 구속하다. ⑤붙잡다 ; 체포하다. ¶私人^{しじん}を～ 범인을 잡다.

しはん【四半】㉄ ①(接頭語적으로) 4분의 1. ¶～期^き 4분기 / ～分^{ぶん} 4분의 1. ②정사각형의 돌을 (현관 따위에) 비스듬히 까는 방식. ③네모 반듯하게 자른 형겊.

しはん【市販】㉄[ス他] 시판.

しはん【師範】㉄ 사범. ①사표 ; 모범. ¶後世^{こうせい}の～のと仰望^{あおぎのぞ}がれる 후세의 사표로서 추앙받다. ②(학문·기예를 가르치는) 선생 ; 스승. ¶剣道^{けんどう}の～ 검도 사범. ③'師範学校^{しはんがっこう}'의 준말. ¶～出^での先生^{せんせい} 사범 (학교) 출신의 선생. ━がっこう【━学校】-gakkō ㉄ 사범 학교. ━版^{ばん}【━版】㉄ ＝官版^{かんぱん}.

しはん【私版】㉄ 사판 ; 사가판(私家版).

しはん【死斑·屍斑】㉄ 시반(屍斑)(죽은 뒤 6-12시간 지나서 피부에 생기는 자줏빛 반점).

じはん【事犯】㉄[法] 사범. ¶経済^{けいざい}～ 경제 사범.

*じばん【地盤】图 지반. ¶~沈下ポ / 지반 침하 / 選挙キ゚~ / 선거 지반 / ~を かためる 지반을 굳히다.

ジバン〖襦袢〗图 일본 옷의 안에 입는 속옷. =ジュバン. ▷ㅁ gibão.

しひ【私費】图 사비. ¶~留学ガ゚ㆍ公費留ヅガ゚.

しひ【詩碑】图 시비 ; 시를 새긴 비석.

しび【鰭】图 〔魚〕 큰 다랑어.

じひ【自費】图 자비. ¶~出版ガ゚ 자비 출판.

じひ【慈悲】图 자비. ¶~深ガ゚い 자비심이 깊다 ; 자비롭다.

じび【耳鼻】图 이비 ; (이상이 생긴) 귀와 코. ¶~咽喉科ガ゚カ 이비인후과.

じびき【地引き】【地曳き】图 ①후리 질. ¶ㄱロ 후리는 그물. ②図 = じびきあみ. 【—あみ【地引(き)網】图 후리 그물 ; 후릿그물.

*じびき【字引】图 자전(字典) ; 옥편 ; 사전(쉽고 간략하며 에스러운 말씨). =字書と゚ㆍ辞書き゚.

しひつ【紙筆】图 지필. ¶~に尽ㅇく せない 문장으로 표현할 수 없다. ㅡに 上ㅙ゚せる 문장으로 써서 나타내다.

しひつ【試筆ㆍ始筆】图 시필 ; 신년 휘호. =かきぞめ.

じひつ【自筆】图 =直筆サㅇ゚. ¶~の履歴書ゖゖ゚せ 자필 이력서. ↔他筆ㅂㅇㆍ代筆ㅂㅇ.

じびょう【地響(き)】图 困ㅇ 지축을 흔 드는 소리 ; 땅울림. ≒地鳴ㅇ゚り.

しひょう【師表】图 사표. ¶~として人格ガ゚を磨ガく 선철을 사표로 해서 인격을 연마하다.

しひょう【指標】图 지표. ①(방향을 가리키는) 표지(標識) ; 표적. =めじるし. ②〔数〕 10을 바탕으로 한 상용(常用) 로그의 정수(整数)의 부분.

しびょう【死病】-byō 图 사병 ; 죽을 병. ¶~に取ㅇ゚りつかれる 죽을 병에 걸리다. ¶「芸ゖ゚は――」 문예 시평.

しひょう【時評】-hyō 图 시평. ¶文~.

*じひょう【辞表】-hyō 图 =辞職願ガ゚い. ¶~を出ゔす 사표를 내다.

じびょう【持病】-byō 图 ①근치되지 않는 만성병 ; 고질. ②나쁜 버릇 ; 병.

しびれ【痺れ】图 마비 ; 전하여, 기다림에 지침. ㅡをきらす ①오래 앉아 발이 저리다. ②기다림에 지쳐서 못 견디다.

しびれうなぎ【痺れ鰻】图 〔魚〕 전기 뱀장어. =電気ゖゔ゚ナマズ.

しびれえい【痺れ鱝ㆍ痺れ鱏】图 〔魚〕 시끈가오리. =電気ゖゔ゚エイ.

しびれぐすり【しびれ薬】【痺れ薬】图 〈俗〉 마취약[제].

‡しびれる【痺れる】下┃图 ①저리다 ; 마비되다. ¶足ㅇㆍ゚が─ 발이 저리다 / 電気ゔㅇ゚に─ 감전되어 찌르르하다. ②〈俗〉(강한 매력에) 황홀해지다 ; 넋을 잃다. ¶ジャズに─ 재즈에 도취하다.

しびん【溲瓶ㆍ尿瓶】图 요강.

しふ【師父】图 사부.

しふ【嗣父】图 사부 ; (귀인의 자녀를) 양육하는 역(役). =もりやく.

しふ【詩賦】图 시부.

しぶ【渋】图 ①떫은 맛. (=柿渋ガゖゔ゚)의 준말. ¶~色ㅇ゚ 감물과 같은 적갈색. ②물질에서 스며 나오는 액체성의 검붉은 앙금. ¶茶ㄱ゚~ 차의 앙금.

しぶ【四分】图 사분 ; 사 푼 ; 너 푼. ¶~板ㄴ゚ 너 푼 널. ¶─符〔音符〕 -ompu 〔樂〕 사분 음표. =しぶおんぷ.

しぶ【支部】图 지부. ↔本部ㄴ゚.

じふ【慈父】图 자부 ; 인자한 아버지. ↔慈母ㅂ゚.

じふ【自負】图 刃图 자부. ¶~心ㅇ゚が強ㄱ゚い 자부심이 강하다.

じぶしょう【治部省】-shō 图 ‘大宝令だガㄴㅇ゚ガ゚’가 정한 팔성(八省)의 하나 ; 성씨(姓氏)ㆍ아악(雅樂)ㆍ장의(葬儀)ㆍ능(陵) 따위에 관한 일을 다루었음.

*しぶい【渋い】图 ①떫다. ¶~味ㆍ゚떫은 맛. ②(표정이) 떠름하다 ; 지르퉁하다. ¶~返事ガ゚ 떠름한 대답. ③(화려하지 않고) 차분한 멋이 있다 ; 수수하다 ; 구성지다. ¶~声ㄱ゚ 차분한(가라앉은, 구성진) 목소리. ④(움직임이) 매끄럽지 못하다. ¶~戸ㄴ゚ 잘 닫히지 않는 문. ⑤인색하다 ; 다랍다. ¶払ㅂ゚いが~ 지불이〔돈에〕인색하다.

しふう【士風】-fū 图 사풍 ; 무사의 기풍.

しふう【詩風】-fū 图 시풍 ; 시의 기풍.

しぶうちわ【渋うちわ】【渋団扇】图 감물을 칠한 부채(적갈색이며, 튼튼하여 부엌 따위에서 씀).

しぶがき【渋がき】【渋柿】图 떫은 감 ; 땡감 ; 날감. ↔甘がゔゔき.

しぶがみ【渋紙】图 떫게 배접하여 감물을 먹인 종이(포장지 따위로 씀).

しぶかわ【渋皮】图 ①나무나 과실 상위의 속껍질. ②때 벗지 않은 피부ㆍ용모. ㅡがむける 속껍질이 벗겨지다(여자가 때를 벗어 예뻐지다).

しぶき【飛沫】图 비말 ; 물보라. ¶~をあげる 물보라를 올리다〔북.

しふく【至福】图 지복 ; 더없는 (행)복.

しふく【私服】图 사복. ①(제복이 정해진 관리가) 개인으로 입는 옷. ↔官服ガㄴ゚ㆍ制服ガ゚. ②사복을 입고 근무하는 경찰관 ; 특히, 형사. ¶~刑事ガ゚ 사복 형사. ↔刑事ㅂ゚の私服.

しふく【私腹】图 사복. ㅡを肥ㄴゔ゚やす 사복을 채우다.

しふく【雌伏】刃图 자복(장래의 활약을 기약하면서 지금은 남에게 굴종하여 때를 기다림). ↔雄飛ㅂ゚.

しぶく【重吹く・繁吹く】⑤图 ①물보라치다 ; 물방울이 튀다. ②비바람이 치다. ¶雨ㅂㅇ゚が~なかをかけつける 비바람이 치는 속을 달려가다〔달려오다〕.

しぶごのみ【渋好み】图 은근한 멋을 좋아하는 성미ㆍ취미. ¶~(수수하)한) 은근한 멋이 있는 복장.

ジプシー〖gipsy〗图 집시. ▷Gypsy.

しぶしぶ【渋渋】副 떨떠름하게 ; 마지못하여. =不承不承ㅂ゚ㅂ゚ㅂ゚ㅂ゚. ¶~とつ

いて来ㄱ゚た 마지못해 따라왔다.

しぶちゃ【渋茶】-cha 图 너무 우리어져서 맛이 떫은 차 ; 맛이 진한 차.

しぶつ【死物】图 ①죽은 물건. ¶活物ㅅㅇゔ゚. ②사장된 물건 ; 쓸모없는 것. ㅡきせい【──寄生】图 사물 기생.

생.◇活物ぶっ寄生.　「물건.◇官物がん.
しぶつ【私物】 图 사물;개인 소유의
＊しぶつ【事物】 图 사물.
じぶつ【持仏】 图 (신변을 지켜 주는)
수호불로서 신앙하는 불상(방 안에 모
시거나 몸에 지니고 다님).
ジフテリア【醫】 디프테리아. ▷라
diphtheria.　　　「끈질기다.
しぶと-い 厖 고집이 세다;완고하다.
しぶふき【地吹雪】 图 (쌓인 눈을 날리
는)눈보라.　　　　　　　「낌.
しぶみ【渋み】〈渋味〉 图 떫음;떫은 느
하지는 않으나)은근한 멋;점잖고(차
분하고)고아함. ¶ ─のある洋服ふく 점
잖고 고상한 양복.
しぶり【仕振り】 图 (일을)하는 모양;
하는 식. ¶ 仕事ごとの─의 일을 하는 모
양 / ─が憎にくい 하는 짓이 밉다.
しぶりばら【渋り腹】 图 무지근한 배.
＊しぶ-る【渋る】 □ 五自 ① 난삽(難澁)
하다;원활하게 나가지 않다;술술 진
행되지 않다. ¶筆ふでが─붓이 술술 나
가지 않다(글이 잘 안 써지다) / 売行
きが─ 팔릴새가 시원치 않다 / 戸
とが─ 문이 매끄럽지 않다 / 交渉しょうが
─ 교섭이 정체되다. ② 渋しぶり腹ばらを
일으키다. ¶腹はらが─ 배가 무지근해지
다 / 大便べんが─ 변이 잘 안 나오다.
□ 5他 주저주저하다;꺼리다;떠름한
기색을 보이다. ¶承諾だくを─ 승낙하
기를 꺼리다 / 金かねを出だし─ 돈을 선선
히 내놓으려하지 않다.
しふん【私憤】 图 사분;개인적인 일에
대한 노여움(분노). ↔公憤こう・義憤ぎ.
しふん【脂粉】 图 지분;연지와 분;전
하여, 화장(化粧). ¶─の巷ちまた 화류항
(巷) / ─をこらす 공들여 화장하다.
──の香か연지와 분의 냄새. ②여자
의 요염함.
しぶん【四分】 图 又自他 사분. ¶ ─音
符ぶ〖樂〗 사분 음표. ──ごれつ
〖──五裂〗 图 又自他 사분 오열.
しぶん【士分】 图 무사의 신분.
しぶん【死文】 图 사문;실제로 아무 효
력도 없는 법령이나 문장.　　 「예.
しぶん【詩文】 图 시문;시와 글;글・
じぶん【時分】 图 ① 때;쯤;무렵;당
시. ¶去年ねんの今いま─ 작년 이맘때. ②
적당한 때;시기(時機). ¶時ときをうかが
う 때가 떠나만큼. =時節せつ;기회. ──
がら【──柄】 때가 떠나만큼. =時節せつ
どき【──時】 图 〈老〉 식사(끼니)때.
じぶん【時文】 图 시문. ① (중국에서
신문 논설 따위에 쓰는)현대말체의 문
장. ↔白話わ. ② 그 시대의 글;당시의
글.
‡じぶん【自分】 □ 图 ① 자기;자신;스
스로. ¶ ─のことは─でせよ 자기 일
은 자기가 하여라. □ 〈方〉 저;나.
──かって〖──勝手〗-katte ┃ナ┃ 제멋
대로 함. =じぶんかって. ──じしん
〖──自身〗 图 자기[제] 자신. ──もち
〖──持ち〗 图 자기 부담. =自弁べん.
しぶんしょ【私文書】-sho 图 사문서. ¶
─偽造ぞう 사문서 위조. ↔公こう文書.
しべ〖蕋・蘂・蘂〗〖植〗 꽃술. =ずい
(蕊). ¶雄おー 수술 / 雌めー 암술.
しへい【私兵】 图 사병.

＊しへい【紙幣】 图 지폐. =さつ. ↔硬貨
こう・正金きん.　　　　 「습・폐해.
じへい【時弊】 图 시폐;그 시대의 악
じへいしょう【自閉症】 图 〖醫〗 자폐증;
자폐증.　　　　　　 「면. =地面じ.
じべた【地べた】 图 〈口〉 땅바닥;지
しべつ【死別】 图 又自 사별. =しにわ
かれ. ↔生別せい.
しへん【四辺】 图 사변. ① 주위;근처;
근방. ②사방;사방의 변두리. ¶ ─を
うかがう 사방을 살피다. ③〔數〕 네 개
의 변. ¶ ─形けい 사변형.
しへん【紙片】 图 지편;종잇 조각;조
각 종이. 　　　　 「돈)지불함.
しべん【支弁】 图 又他 지변;처리함;
しべん【至便】 图 지편;아주 편리
함. ¶交通つう─ 교통이 아주 편리함.
しべん【思弁】 图 사변(경험에 의
하지 않고 머릿속에서 이성에만 호소
하여 생각함). ¶ ─哲学がく 사변 철학.
じへん【事変】 图 ① 비정상의 사
건;또, 경찰력으로 진압할 수 없는 혼
란・소란. ②선전 포고 없는 전쟁 행위.
しべん【自弁】 图 又他 자변;자담(自
擔). =自分ぶん持もち. ¶ ─で出張しゅっ
する 자기 비용으로 출장함.
しほ【試補】 图 시보. ¶外交官かんこう
─ 외교관 시보. ↔本官ほん.
しほ【思慕】 图 사모. ¶ ─の情
じょう 사모의 정.
しぼ【字母】 图 자모. ① 철음(綴音)의
근본이 되는 글자의 하나하나. ② 활자
의 모형(母型).
じぼ【慈母】 图 자모. ↔慈父じ.
しほう【司法】 图 又他 사법. ¶ ─裁判
ばん 사법 재판(민사와 형사 재판의 총
칭). ↔立法ほう・行政せい. ──かん
〖──官〗 图 사법관;재판관. ──けん
〖──権〗 图 사법권. ──しょし〖──書
士〗 -shoshi 图 사법무사(司法代書人
だいしょにん(=사법 대서인)의 고친 이름).
しほう【私法】-hō 图 사법(민법・상법
따위). ↔公法こう. ¶国際さい─ 국제 사법.↔公
法こう.
＊しほう【四方】-hō 图 사방;동서남
북;전(轉)하여, 주위;모든 방면;천
하. ¶ ─八方ぱっ 사방 팔방 / 十じゅうマイ
ル─ 사방 10마일 / ─に適材ざいを求もと
める 천하에 인재를 구하다.
しほう【至宝】-hō 图 지보. ¶我がが
社しゃの─だ 우리 회사의 지보(적인 존
재)다.　　　　　　　　　 「방.
しぼう【子房】-bō 图 〖植〗 자방;씨
しぼう【志望】-bō 图 又他 지망. ¶ ─
者しゃ 지망자 / 第一だいいち─ 제일 지망.
しぼう【死亡】-bō 图 又自 사망. ¶ ─
届とどけ 사망 신고 / ─診断書しんだんしょ 사망
진단서. ──りつ〖──率〗 图 사망률.
しぼう【脂肪】-bō 图 지방. ¶ ─過多
症しょう 사방 과다증 / ─酸さん 지방산 /
─質しつ 지방질 / ─太ぶとり 몹시 뚱뚱한
비대 현상.
じほう【時報】-hō 图 시보. ① 시각을
알리는 일. ¶正午ごの─ 정오의 시
보. ②(업계 따위의)그때 그때의 정
보를 알리는 신문・잡지 따위. ¶株式
しき─ 주식 시보.　　　　　 「자기.
じぼうじき【自暴自棄】 jibō- 图 자포
しほうじん【私法人】-hōjin 图 사법인.

↔公法人.

*しほうだい【仕放題】-hōdai 名[ダ〕 하고 싶은 것을 마음대로 함.

じぼく【侍僕】 시중드는 노복. =侍女.

しぼつ【死没】(死歿) 名[ス自 사물;사망.

しぼ−む【凋む・萎む】⑤自 ①시들다. ¶花が〜 꽃이 시들다／希望が〜 희망이 사그라진다. ②오므라지다. ¶風船が〜 풍선이 오므라든다.

しぼり【絞り】名 ①[搾り로되](쥐어)짬. ¶〜かす 짜고 남은 찌꺼기. ②しぼりぞめの준말. ③꽃잎 따위의 빛깔이 흩치기 염색처럼 어우러진 것. ¶〜のあさがお 얼룩얼룩한 나팔꽃. ④『お〜』(손이나 얼굴을 닦기 위해 내놓는) 물수건. ⑤(사진기의) 조리개. ¶〜をかける 조리개를 조르다.

しぼり【搾り】名 (눌러) 짬.

しぼりあ−げる【絞り上げる】[下1他 ①[搾り上げる로되] 짜내다. ⑦다(바짝) 짜다. ¶油を〜 기름을 다 짜내다. ②(금품·힘 따위를) 억지로 우려 내다. ¶金を〜 돈을 우려 내다／声を〜 목소리를 높이 하다. ②진땀 빼게 하다;몹시 꾸짖다[혼내다]. ¶いたずらっ子を〜 장난꾸러기를 몹시 꾸짖다.

しぼりぞめ【絞り染め】名 흘치기염색. =しぼり.

しぼりだし【絞り出し・搾り出し】名 튜브. =チューブ.

*しぼ−る【絞る】⑤他 ①[搾る로되](쥐어) 짜다. ⑦물기를 빼다. ¶〜ような汗を 쥐어 짜듯이 흐르는 땀[많이 흐르는 땀]／その を〜 소맷자락을 쥐어 짜다(눈물을 몹시 흘리다). ②[액체(採液)]하다. ¶油を〜 기름을 짜다(a)기름을 채취하다／(b)(비행을 다시 저지르지 않도록) 몹시 야단치다. ②착취하다. ¶金を〜 돈을 착취하다／その女に〜られた 그 여자에게 몽땅 털렸다. ⑦(무리하게) 쥐어 나오게 하다. ¶知恵を〜 지혜를 짜내다／声を〜 목소리를 짜내다. ③좁히다. ⑦조르다;죄다. ¶袋の口を〜주머니 아가리를 조르다／ラジオのボリュームを〜 라디오의 볼륨을 [음량을] 낮추다. ¶압축하다. ¶捜査範囲を〜 수사 범위를 좁히다. ④(한쪽으로) 몰아서 동여매다. ¶幕を〜 막을 한편으로 몰아 동여매다. ⑤호되게 혼내다;야단치다. ¶先生に〜られる 선생님에게 야단맞다. ⑥흘치기염색을 하다.

*しぼ−る【搾る】⑤他 ①(세게 누르거나 하여) 짜(내)다. ¶乳を〜 젖을 짜다. ②호되게 거두다. ¶税金を〜 세금을 무리하게 징수하다.

しほん【紙本】名 (예전에) 붓으로 글을 쓰거나 그림을 그린 것. ↔絹本.

*しほん【資本】名 자본. ¶〜金 자본금. ──か【─家】名 자본가. ──しゅぎ【─主義】-shugi 名 자본주의. ──しゃ・かい【─社会】名 공산·社会.

*しま【島】(嶋) 名 ①섬. ②어느 한 동아리끼리나 세력 범위 따위처럼, 배타적인 곳. ③주위와 관계 없는 곳. ¶『取り付く〜もない』 발붙일[의지할] 데도 없다.

↔公法人.

*しま【縞】名 줄무늬. ¶〜のある布地 줄무늬가 있는 천.

しま【死魔】名 사마. ①죽음의 신;죽음이란 마물. =死に神. ②[佛] 불도를 닦는 데 방해가 되는) 죽음.

しまあい【縞合い】名 줄무늬의 색조(色調).

しまい【仕舞】名 (能楽에서) 반주·의상을 갖추지 않고 노래만으로 추는 약식의 춤.

しまい【仕舞い】(終い) 名 ①끝. ②최후;마지막. ¶映画を〜まで見る 영화를 끝까지 보다. ②파(罷)함;끝맺음. ¶今日はこれで〜です 오늘은 이것으로 끝입니다. ②매진(賣盡). =売り切れ。¶品切며.

*しまい【姉妹】名 자매. ¶兄弟〜 형제 자매／〜品 자매품／〜会社 자매 회사／〜都市 자매(결연을 한) 도시.

-じまい【仕舞い】(終い) ①[動詞에 否定의 "ず"를 붙여서 "…ずの"의 꼴로] 결국 아니 하고 맒. ¶행하지 않고 말았다[끝]. ②끝냄. ¶早場 일찍 일을 끝냄;가게를 일찍 닫음.

*しま−う【仕舞う】(終う) ─[五自 파하다;끝나다. ¶仕事が〜って帰る 일이 파하고 돌아가다[돌아오다]. ─[五他 ①끝내다. ⑦마치다;파하다. ¶仕事を〜 일을 파하다. ②(가게 따위를) 닫다. ¶店を〜 가게를 닫다(a)그날의 영업을 끝내다;(b)가게를 걷어치우다;폐업하다. ③넣어 두다;생기다. ¶道具を〜 연모를[연장을] 챙기다. ③안에 넣다;간수하다. ¶箱に〜 상자에 넣다／大切なものを〜って おく 잘 간수해 두다. ④[動詞連用形＋'て'를 받아서] ⑦그 동작이 (부주의 또는 고의로) 완료함을 나타냄 ¶해 버리다. ¶行って〜 가버리다／死んで〜·えばそれまでだ 죽어 버리면 그뿐이다[그것으로 끝이다]／忘れて〜った 잊어버렸다. ②동작이나 상태의 강조 표현으로 쓰임 ¶몹시 〜하다;완전히 〜해버리다. ¶あきれて〜 (몹시) 어안이 벙벙해진다. [参考] 口語에서는 '…てしまう'를 '…ちまう·ちゃう'라고도 한다.

しまうま【縞馬】名 얼룩말. =ゼブラ.

じまえ【自前】名 ①비용을 모두 자변(自辨)함;자기 부담. ¶交通費は〜だ 교통비는 자기 부담이다. ②기생이 독립해서 영업함;또, 그 기생. かえ.

しまか【縞蚊】名[蟲] 줄무늬모기. =やぶか.

しまかげ【島影】名 섬 그림자;(아련히 보이는) 섬의 모습.

しまがら【しま柄】(縞柄) 名 (옷감 따위의) 줄무늬.

じまく【字幕】名 (영화의) 자막. =タイトル.

しまぐに【島国】名 섬나라. ¶〜生え 섬나라 태생. ──こんじょう【─根性】-jō 名 섬나라 근성(시야가 좁고 포용력이 적은 반면, 단결성·독립성이 강하고 배타적인 기질).

しまだ【島田】'島田まげ'의 준말. ──まげ【──髷】女子의 머리 속발의 하나(주로 처녀나 결혼식 때에 틀

어 울림).

しまだい【縞鯛】 图【魚】‘石鯛ǐ¨(=
돌돔)’의 새끼 때 이름.

しまつ【始末】 □ 图 ①(나쁜 결과로서
의) 형편 ; 꼴. ¶何のしろあの〜だ 보
다시피 저 꼴이다 / 何をさせてもあ
の〜だ 무엇을 시켜도 저 모양이다.
②(일의) 전말 ; 자초 지종. ¶事ǐを
語たる 일의 자초 지종을 이야기하다.
□ 图 区他 ①일의 매듭 ; (뒤)처리 ; 처
치 ; 정리. ②〜をつける (일의) 끝매듭
을 짓다 / 〜に負ょえない 어떻게 해 볼
도리가 없다 ; 몹시 애먹이다 / ちゃん
と〜する 잘 챙겨서 정리하다. ③절약 ;
검약. ¶〜の良ょい 알뜰한 ; 빈틈없는 ;
조심성 많은 / 〜屋ゃ 알뜰꾼. ──しょ
【──書】-sho 시말서 ; 전말서.

しまった-matta 國 실패하여 몹시
분해할 때 내는 말 : 아차 ; 아뿔싸 ; 큰일
났다. ¶これは〜 아뿔싸 큰일났군. ↔
しめた. □ 图 区他 모르는 사이에 저지른
실패. ¶〜ことをした 아차하는 실수
를 저질렀다.

しまながし【島流し】 图 区他 ①유형(流
刑) ; 유배 ; 유적(流謫). =流罪ǐ·遠
島ǐ. ②벽지로 좌천시킴.

しまぬけ【島抜け】 图 区自 유
배된 죄인이 물래 (섬에서) 도망침 ;
또, 그 도망친 죄인. =島破ǐ.

しまへび【縞蛇】 图【動】산무
애뱀의 일종.

じまま【自まま】【自儘】ダナ【老】제
멋대로 함. =わがまま.

しまり【閉(ま)り】 图 문단속. =戸ǐじ
まり.　　　　　　　　　　　　　　【도.

しまり【絞(ま)り】 图 죄인(졸린) 정

しまり【締(ま)り】 图 ①느슨하지 않고
꼭 죄어 있음. ¶〜のわるいねじ 잘 죄
이지 않은 나사. ②긴장(緊張) ; 맺힌
데 ; 야무짐. ¶〜のない顔ゃ 야무진데
가 없는 얼굴. ③감독 ; 단속. ④절약 ;
검약 ; 낭비하지 않음. ¶彼がは〜のあ
る人ǐ 그는 낭비를 하지 않는 사람
이다. ⑤【閉(ま)り】문단속. ¶〜を
して寝ねる 문단속을 하고 자다. ⑥
끝맺음 ; 종결. ¶〜をつける 매듭【종
결】을 짓다.

しまりや【締(ま)り屋】 图 절약가 ; 또,
인색한 사람.　　　　　　　　　【ひらく・あく.

＊しま-る【閉(ま)る】 区自 닫히다. ↔

＊しま-る【絞(ま)る】 区自 (끈 따위로)
단단히 졸라지다.

＊しま-る【締(ま)る】 区自 ①【閉(ま)
る】단단히 죄이다(졸라지다) 단단히
매어지다. ¶帯ǐが〜 띠가 꼭 죄어지
다 / ねじが〜って動ǐかない 나사가
꼭 죄어서 움직이지 않는다. ②【閉(ま)
る】긴장하다 ; 야무지다. ¶〜った顔ゃ
(a) 야무진(맺힌 데 있는) 얼굴 ; (b)
긴장된 얼굴 / 〜った体格ǐ 꽉 째인
단단한 체격. ③견실하다. ㉠절약하
다 ; 알뜰하다 ; 인색하다. ¶よほど〜
らないと生活ǐができない 여간 절약
하지 않으면 생활을 할 수 없다 / 彼
ǐはなかなか〜っている 그는 어지간
히 인색하다. ㉡【閉(ま)る】 시세가 견
실하다. ㉢【小じまる】시세가 약간
오르다. ↔ゆるむ. ④【閉(ま)る】로도)
닫히다 ; 잠기다. ¶戸ǐが〜 문이 닫힐

다. ↔ひらく・あく. ⑤賃行이 좋아지
다 ; 착실해지다. ¶〜った人ǐ 건실한
사람.

＊じまん【自慢】 图 区他 자랑. ¶〜高慢
ǐ、ばかのうち 못난 놈일수록 난 체
한다 / 〜のど自慢 자랑 / 〜のど自慢 / 〜のど 노래
자랑 / 〜顔ゃ 자랑하는 듯한 얼굴 ; 난
체하는 얼굴 / 〜の料理ǐ 제일 잘하
는 요리. ──たらし-い -shi 厖 너무 뽐
내는 것 같다. ¶〜くて嫌ゃだ 너무 뽐
내는 것 같아서 싫다 / 〜帰朝ǐ 報告
ǐ 자랑조의 귀국 보고.

しみ【染み】 图【染ǐ】①물들음 ; 그 얼룩. ② 얼룩.
〜-抜ぬき 얼룩빼기 / 〜がつく 얼룩지
다. ②(노인의 피부에 생기는) 검버섯 ;
기미.

しみ【凍み】 图 ①어는 일 ; 얼음. ¶
〜-豆腐ǐ 언두부. ②영하의 기온. ¶
〜が强ǐい(ひどい) 한기가 지독하다.

しみ【衣魚・紙魚・蠹魚】 图 반대좀 ; 좀.

＊じみ【地味】ダナ (빛깔이나 모양
이) 수수함 ; 검소함. ¶〜な色ǐ 수수
한 색 / 〜に暮らゃす 수수하게〔검소하
게, 조용히〕 살다. ↔はで.

じみ【滋味】图〔음〕깊은 맛〔인
상〕. ¶〜掬ǐすべし 깊은 맛을 헤아리
시오. ②맛이 좋은〔자양이 많은〕 음식.

シミーズ 图 ⇒シュミーズ.

しみい-る【染み入る】 区自 〔雅〕 스며
들다 ; 배어들다. =しみこむ.

しみこ-む【染み込む】 区自 깊이 스며
들다 ; 배어들다. ¶水ǐが壁ǐの裏ǐま
で〜 물이 벽 뒤까지 스며들다 / 心ǐ
に〜 마음에 스며들다.

＊しみじみ【染染・沁染】 副 ①마음 속에
깊이 느끼는 모양. ②통절히 ; 절실히.
¶外国語ǐの必要ǐを〜感じる 외국어의 필요성을 절실히 느
끼다 / と喜びを味わう 마음 속
깊이 기쁨을 맛보다. ②곰곰이 ; 진지하
게. ¶〜考ǐえる 곰곰 생각하다. ③
조용하고 침착한 모양 : 차근차근. =し
んみり. ¶〜言ǐい聞ǐかす 차근차근
타이르다.

しみず【清水】 图 (샘솟는) 맑은 물.

しみち【地道】 图 ①견실한 방법 ;
(모험을 하지 않고) 착실히 나아가는
태도. ¶〜な人ǐ 착실한 사람 / 〜な商
売ǐ 견실한 장사.

しみつ-く【染み付く】 区自 ①얼룩이
지다 ; 쩔들다. ¶よごれが襟ǐに〜い
て取ǐれない 때가 옷깃에 쩔들어서 빠
지지 않는다. ②절이 배다 ; 젖어 들다 ;
배어 들다. ¶貧乏性ǐが〜가 가난뱅이
근성이 몸에 배다 ; 궁상 떨다.

しみったれ -mittare ダナ 〔俗〕①단
작스러움 ; 인색함. ②단작스러운 사
람 ; 노랑이 ; 구두쇠. ¶あんな〜は嫌
ǐいだ 저런 노랑이는 싫다. ③무기력
함 ; 초라함 ; 또, 그 사람.

しみった-れる -mittareru 下1自 〔俗〕몸
시 인색하게〔쩨쩨하게〕 굴다. ¶〜れ
たことを言ǐうな 쩨쩨한〔정떨어지는〕
소리 하지 마라!

しみとお-る【染み通る】【染み透る】-tōru

5自 ①속속들이 스며들다;깊이 배어들다. ¶骨髄の髄まで～ 골수[뼛속]까지 스며들다. ②길이 느끼다. ¶心ぶかく ── 마음 속 깊이 느끼다.

しみゃく【支脈】-myaku 图 지맥. ⇒主脈みゃく.

しみゃく【死脈】-myaku 图 사맥. ①죽음이 가까운 때의 약한 맥박. ②광물(鑛物)이 없는(바닥난) 광맥.

しみょう【至妙】-myō 图子 지묘;지극히 교묘함.

*し-**みる**【染みる】【滲みる】上一自 ①스며들다. ②배다;번지다. ¶紙きにインクが─ 종이에 잉크가 번지다/汗ぁせに─.みたハンカチ 땀이 밴 손수건. ©(열열) 자극하다;아프다. ¶煙ぶが目めに─ 연기가 눈에 스며 따갑다/傷口きぐちが─ 상처가 열알 아프다. ②(沁みる) 사무치다;깊이 느끼다. ¶親切しんせつが身みに─ 친절이 뼈에 사무치다. ②물들다;젖다. ¶悪習慣ぁくしゅうに─ 악습에 물들다.

し-**みる**【凍みる】上一自 얼어 붙다;얼어 붙을 정도로 차다.

-**じ-みる**【染みる】《名詞에 붙어서 上一段 活用의 動詞를 만듦》①배다;끼다;묻다;끼다. ¶汗ぁせ─ 땀이 배다/あか─ 때가 끼다. ②…처럼 보이다;…처럼 되다. ¶きちがい─ 미친 사람 같다/不良ふりょう─.みてきた 불량배처럼 되었다.

しみん【四民】图 사민. ①사·농·공·상의 네 계급의 사람. ②전(轉)하여, 모든 국민(國民).

***しみん**【市民】图 시민. ¶──運動うんどう 시민 운동/──階級かいきゅう 시민 계급. ──けん【──権】图 시민권. ──しゃかい【──社会】-shakai 图 시민 사회.

***じむ**【事務】图 사무. ¶──局きょく 사무국/──用品ようひん 사무용품/──をとる 사무를 보다. ──いん【──員】图 사무원. ──かん【──官】图 사무관. ──じかん【──次官】图 사무 차관(省しょうの=部ぶの事務 처리를 하는 차관). ──しつ【──室】图 사무실. ──しょ【──所】-sho 图 사무소. ¶法律りつ─ 법률 사무소. ──てき【──的】（ダナ)图 사무적. ¶〜な立場ばちは 사무적 입장/〜な処理とり 〔감정을 섞지 않는〕 사무적인 처리. ──とりあつかい【──取扱】图 서리(署理). ¶学長がくちょう ─ 학장 서리. ──や【──屋】图 사무가;사무 계통에 종사하는 사람의 속칭. ¶技術屋ぎじゅつや↔─.

じむ【寺務】图 사무;절의 사무;또, 그것을 취급하는 곳(중). ¶〜所しょ 사무소.

ジム 图 'ジムナジウム'의 준말;체육관;도장. ¶ボクシングの〜 권투[복싱] 연습장. ▷gymnasium.

***し-むける**【仕向ける】下一他 ①(특정한 태도로) 대하다. ¶意地悪いじわるく─ 짓궂게 대하다. ②(특정한 행동을 하도록) 작용하다;하게 하다. ¶同意どういをするように─ 동의하게 만들다. ③(상품 따위를 …곳으로) 발송하다;보내다. ¶品物しなものを注文先ちゅうもんさきに─ 물품을 주문처에 발송하다.

じむし【地虫】图 虫 풍뎅이나 딱

정벌레 따위의 유충. ＝ねきりむし. ②땅속에 사는 벌레의 총칭.

しめ【鴨】图 鳥 콩새.

***しめあ-げる**【締め上げる】下一他 ①(몸을) 세게 죄다;조르다. ¶首くびを─ 목을 조르다. ②(강하게) 추궁하다. ¶〜.げられて音ねを上あげる 심한 추궁을 받고 죽는 소리를 하다(항복하다).

***しめい**【使命】图 사명. ¶〜を全まっとうする 사명을 다하다 / 〜を帯びる 사명을 띠다.

しめい【死命】图 사명;죽음과 생명;사생(死生);죽음과 삶의 고비. ¶〜のち. ── を制せいする （상대방의) 생사를 좌우하는 급소를 자기 손에 쥐다.

***しめい**【氏名】图 씨명;성명;성과 이름. ＝姓名せい.

***しめい**【指名】图子 他 지명. ＝なざし. ¶〜投票とうひょう 지명 투표. ──を受うける 지명을 받다. ──てはい【──手配】图子 他 지명 수배.

じめい【自明】图子 자명. ¶〜の理り 자명한 이치.

しめかざり【しめ飾り】（注連飾り・七五三飾り）图 설을 맞는 표지로 금줄을 쳐, 장식함;또, 그 장식물.

***しめきり**【締め切り・締切】（〆切）图 ①마감;마감 날짜. ¶〜が近ちかく 마감 날이 다가오다. ②(閉め切り)(り)로도) 늘 닫혀 있음;항상 닫힌 채 있음. ¶〜の窓まど 언제나 꼭 닫혀 있는 창문.

***しめき-る**【閉め切る】5他 꼭 닫다;닫아 둔 채로 두다. ¶戸とを〜 문을 꼭 닫다(닫아두다).

***しめき-る**【締め切る】5他 ①(閉め切るロ도로)①전부 닫아 두다;완전히 닫다. ②오랫 동안 꽉 닫아 둔 채로 두다. ②마감하다. ¶募集ぼしゅうを〜 모집을 마감하다.

しめくくり【締めくくり】（締め括り）图 아귀;결말(結末);매듭. ¶〜がつかない 결말이 나지 않다.

***しめく-くる**【締めくくる】（締め括る）5他 ①꼭 묶다;단단히 동여매다. ②단속하다;감독하다. ¶若わかい連中ちゅうを─ 젊은 패들을 단속하다. ②매듭짓다;결말을 짓다;아귀짓다. ＝まとめる. ¶会議かいぎを─ 회의를 매듭짓다.

しめころ-す【絞め殺す】（締め殺す）5他 (목을) 졸라 죽이다.

しめし【示し】图 ①교시(教示);계시(啓示). ＝さとし. ¶神かみのお─ 하느님의 계시. ②모범;본보기. ＝みせしめ. ¶〜がつかない 좋은 본보기가 못 되다;나쁜 선례가 되다;나쁜 영향을 미치다.

しめじ【占地・湿地】图 植 송이과에 속하는 버섯의 하나(식용).

しめしあわ-せる【示し合（わ）せる】下一他 ①서로 미리 짜다. ¶集合場所しゅうごうばしょを〜 집합 장소를 미리 짜놓다? ②신호하여 서로 알리다. ¶目めで〜 눈짓으로 서로 알리다.

じめじめ 副 ①습기가 많은 모양;축축;친친;질퍽질퍽. ¶〜した土地とち 질퍽질퍽한 땅/〜した気候きこう 구중중한(구질구질한) 기후. ②음침한(스산한) 모양;음울한 모양. ¶〜(と)した性格せいかく 음침한 성격.

しめ-す【示す】 ⑤他 ①가리키다. ¶道ᵈを～ 길을 가리키다. ②보이다;나타내다. ¶反応ᵈᵃをᵈᵃ ～ 반응을 보이다;うでまえを～ 솜씨를 보이다.

しめ-す【湿す】 他 적시다;축이다; 녹이다.＝ぬらす.しめらせる. ¶布ᵖをᵖ湯でᵖ～ 천을 더운 물에 축이다.

しめすへん【示偏】 图 한자 부수의 하나:보일시변〔祈''祠''〕.

しめた 國 자기 뜻대로 되었을 때 기뻐서 하는 말:됐다. ¶～，うまい方法ᵖᵖを考ᵖᵖえると 됐다,좋은 방법을 생각해 냈다.↔しまった.

しめだか【締め高】〔〆め高〕 图 총액;합계.

しめだ-す【閉め出す】 ⑤他 문을 닫고 안에 들이지 않다.

しめだ-す【締め出す】 ⑤他 ①閉め出す)문을 열어 주지 않다.(비유적으로) 내쫓다. ¶舞台ᵖᵖから～ 무대에서 내쫓다;무대에 서지 못하게 하다. ②배제하다;따돌리다. ¶出身ᵖᵖの違ᵖᵖう人ᵖを～ 출신이 다른 사람을 따돌리다.

しめつ【死滅】 图 ス自 사멸.＝絶滅ᵖᵖ.

じめつ【自滅】 图 ス自 자멸.

しめつ-ける【締め付ける】 下1他 죄어 대다;세게〔단단히,꽉〕조르다. ¶帯ᵖを～ 띠를 단단히 조르다. ②잡죄다;엄격 관리·감독하다. ¶規則ᵖᵖで～ 규칙으로 죄어대다.

じめっぽ-い【湿っぽい】 -meppoi 形 ①좀 축축하다;눅눅하다. ¶一畳ᵖは눅눅한 다다미;~室内ᵖᵖ 습기찬 실내. ②음울〔침울〕하다;스산하다. ¶~気持ᵖᵖ 음울한 기분.

しめて【締めて】〔〆て〕 圓 합계하여;전부해서.

しめなわ【しめ縄】(注連縄·七五三縄·標縄) 图 금줄;인줄.＝しめ.図. ¶～を張ᵖᵖる 금줄을 치다.

しめやか ダナ ①고요하고 조용한 모양;차분한 모양. ¶~雨ᵖᵖ 소리없이 내리는 비. ②침울하고 구슬픈 모양. ¶葬儀ᵖᵖが~に行ᵖᵖわれた 장례식이 구슬프게 거행되었다.

しめり【湿り】 图 ①축축함;또,습기.=湿気ᵖᵖ. ②~をおびる 습기가 차다／のりが~がはいった 김에 누기가 찼다. ¶よいお～です 좋은〔단〕비입니다.

しめりけ【湿り気】 图 습기;수분.＝しっけ.

しめ-る【湿る】 ⑤自①축축〔눅눅〕해지다;촉촉히 젖다;습기 차다. ¶~った空気ᵖᵖ 습기찬 공기. ②우울〔침울〕해지다. ¶気持ᵖᵖちが~りがちになる 기분이 자꾸 우울해진다.

し-める【占める】 下1他 차지하다. ①자리잡다;점유〔점유〕하다. ¶場所ᵖᵖを～ 자리〔장소〕를 잡다／部屋ᵖᵖの半分ᵖᵖを～ 방의 반을 차지한다. ¶議席ᵖᵖを～ 의석을 차지한다;漁夫ᵖᵖの利ᵖを～ 어부지리를 얻다. ⑤배우다;잊지 않다. ¶味ᵖを~た 맛이 그만이어서 또 찾아오다(전체 속에서) 중요한 위치를〔비율을〕가지다. ¶根幹ᵖᵖを～ 근간을 이루다／大勢ᵖᵖを~意見ᵖᵖ 대세를 차지하는 의견.

し-める【閉める】 下1他 (문 따위를) 닫다.=とじる.↔ひらく·あける.

し-める【絞める】 下1他 ①단단히 매다〔묶다〕;졸라매다. ¶靴ᵖᵖのひもを～ 구두끈을 졸라매다. ②목을 졸라 죽이다. ¶首ᵖᵖを～ 목을 졸라 조르다.

し-める【締める】 下1他 ①죄다. ⑦緊める)(바싹)조르다;죄다;또,(졸라)매다. ¶ネクタイを～ 넥타이를 매다／ボルトを～ 볼트를 죄다. ⓛ(마음·행동을)다잡다.気ᵖを~めて掛ᵖᵖかる 마음을 단단히 작으하다. ⓒ잡죄다;엄히 단속〔감독〕하다. ¶社員ᵖᵖを～ 사원을 잡죄다〔단속〕하다. ②絞める)단단히 졸라매다;목졸라 죽이다. ¶鶏ᵖᵖを～ 닭을 (목졸라)잡다. ⑦(살림·예산 등)조리하게 하다;줄이다. ¶支出ᵖᵖを～ 지출을 줄이다／財布ᵖᵖのひもを～ 지갑끈을 바짝 죄다(돈을 아껴 쓰다)↔ゆるめる. ②閉める)로도)닫다;잠그다.=とじる. ¶戸ᵖを～ 문을 닫다／栓ᵖを～(a)고동을 잠그다(b)마개를 하다／店ᵖᵖを～ 가게를 닫다(가게를 드리다)(b)폐업하다.↔ひらく·あける. ③搾める)짜다.¶菜種ᵖᵖを~めて油ᵖᵖを取ᵖᵖる 유채를 짜서 기름을 내다. ④마감하여 합계를 내다;결산하다. ¶帳簿ᵖᵖを～ 장부를 마감하여 합계를 내다／~めて幾らだ 합쳐서 얼마냐"～めで'도도 쏨. ⑤거래·교섭·공사 따위의 낙착을 축하하여 손뼉을 치다. ¶取引ᵖᵖのまとまったしるしに手を~めていた だきましょう 거래가 성립된 표시로서 손뼉을 쳐 주시기 바랍니다. ⑥料)절이다. ¶酢ᵖで～ 초절이다.

しめる【締める】 助動〈口〉①사역을 나타냄:~하게 하다. ¶行ᵖᵖを～ 가게 하다／私ᵖᵖをして言ᵖᵖわしめれば 나로 하여금 말하게 한다면. ②경의〔敬意〕의 뜻을 나타냄:…하시다. ¶政務ᵖᵖを執ᵖᵖらしめ給ᵖᵖう 정무를 보살피시다.

しめわざ【締め技】 图 유도에서,조르기(기술).

しめん【死面】 图 ☞デスマスク.

しめん【紙面】 图 ①지면;신문지상. ¶～を割ᵖᵖく 지면을 쪼개다〔할애하다〕／～をにぎわす 지면을 장식하다(신문에 화젯거리가 되다). ②서면;편지.

しめん【誌面】 图 지면;잡지의 기사.

じめん【地面】 图 ①지면. ¶～にすわって遊ᵖᵖぶ子供ᵖᵖ 땅바닥에 앉아서 노는 어린이. ②토지.=地所ᵖᵖ. ¶広ᵖᵖい～ 넓은 토지.

しめんそか[四面楚歌] 图 사면 초가.

しめんたい【四面体】 图 사면체.

しも【下】 图 ①아래. ①허리 아래;아랫도리. ¶~半身ᵖᵖ 하반신. ②하류. ¶川下ᵖᵖに～の方ᵖᵖへこぎ進ᵖᵖむ 아래로 저어 나아가다. ③표현의 뒷부분;좀은 뜻으로는,和歌ᵖᵖ의 뒷구나 하이쿠ᵖᵖ의 마지막 구를 가리킨다. ④아랫사람;특히,군주·조정의 대한 신하·백성,고용주에 대한 하인·하녀. ¶～万民ᵖᵖに至ᵖᵖるまで 아래로 만백성에 이

르기까지. ②수도에서 먼 땅；시골；좁은 뜻으로는 西国ᡲ᠎・九州ᡲᡯᡲᡯ 지방을 가리킴. ⑥말석；아랫자리. ⇔上ᡲᡯ. ⑦부임. ¶～を女中ᡲᡵᡵᡯ 식모. ⑧대소변・월경(月經)；피. ¶～の世話をする대소변의 시중을 들다.

*しも【霜】图 ①서리. ¶～が降ᡲりる서리가 내리다(옛날에는, '～が降ᡲᡯる【置ᡲく】'라고 표현했음). ②횐머리. ¶頭ᡲᡵᡯに～を頂ᡲいて머리에 서리를 이다(하얗게 세다). ②서리를 맞음.

しも 副助 위에 붙는 말의 뜻을 강조하는 말. ¶今ᡲᡯ～ 방금；바야흐로／だれ～知ᡲっている누구나 다 알고 있다. ②예외도 있다는 뜻을 암시하는 데씀；부분적인 부정을 나타냄. ¶必ᡲならず～ 반드시는；望ᡲみなきに～あらず전혀 희망이 없는 것은 아니다.

しもいちだんかつよう【下一段活用】-yō 图【文法】동사의 어미가 五十音図ᡲᡯᡯᡯᡵ中ᡯ의 'え'단으로만 활용하는 일（'え・え・える・える・えれ・えよ'로 활용하는 越ᡲᡯゆ 따위). ⇔上一段だん活用.

しもがかる【下掛かる】 (下掛かる) ⓵自 이야기가 음란해지다（상스러워지다). ¶～した話ᡲᡵᡯᡵ 상스러운 이야기.

しもかぜ【霜風】图 서릿바람；서릿길이 쉬린 찬바람.

しもがれ【霜枯れ】图 (초목이) 서리를 맞아 마름；또, 그 시기（경치). ――どき【――時】图 ①초목이 조락（凋落）하는 겨울철. ②겨울의 장사 경기가 나쁜 때；또, 장사가 신통치 않을 때. しもがーれる【霜枯れる】下１自 (초목이) 서리를 맞아 시들다.

じもく【耳目】图①이목. ⓸귀와 눈. ¶～を驚ᡲかす（남의）이목을 놀라게하다. ⓺듣고 보는 견문을 넓히다／～の欲ᡲ이목지욕（耳目之慾）은 보고 듣는 데서 일어나는 욕망). ②앞잡이. ――となって働ᡲはたらく 남의 앞잡이로 일하다. ――を集ᡲめる 사람들의 관심을 모으다.

じもく【除目】图 平安だん 시대에, 대신이외의 모든 벼슬을 임명하는 의식.

しもごえ【下肥】图 인분뇨의 거름.

しもざ【下座】图 ①아랫자리；말좌；말석. ⇔上座ᡲᡯᡯᡯ. ――にひかえる 말석에서 대기하다.

しもじも【下下】图 신분・지위가 낮은 사람들；특히, 일반 서민. ¶～の事情ᡲᡵᡵᡯにうとい서민의 사정에 어둡다.

しもたや【しもた屋】【仕舞屋】图 상점가 안에 있는 여염집（본디, 장사하다가 폐업한 집).

しもづかえ【下仕え】图 옛날에, 귀족의 집에서 잡역을 하던 여자.

しもつかた【下方】图〈雅〉①아랫사람；신분이 낮은 사람. ＝しもじも. ②아래쪽.

しもつき【霜月】图〈雅〉 동짓달；음력 '11월'.

しもて【下手】图 ①아래쪽（강의）하류쪽；물 아래쪽. ②무대를 향해서 왼쪽. ⇔上手ᡲᡯ.

しもと【笞】图〈雅〉 태장（答杖）에 쓰던 나무로 만든 매；곤장.

*じもと【地元】图 ①그 고장；그 지방. ¶～の新聞ᡲᡵᡵᡯᡵᡯ 그 고장（지방）의 신문／～の警察署ᡲᡵᡵᡲᡵᡯ 그 지방（현지）경찰

서. ②자기의 생활〔세력〕근거지；자기가 살고 있는 지역.

しもとり【霜取り】图 전기 냉장고의서리 제거. ¶自動ᡲᡯ～装置ᡲᡯᡲᡯ 자동 서리 제거 장치.

しもにだんかつよう【下二段活用】-yō 图【文法】문어（文語）동사 활용(動詞)의 어미가 五十音図ᡲᡯᡲᡯ中ᡯ의 'う・え' 2단으로 활용하는 일（'え・える・ゆ・れ・えよ'로 활용하는 越ᡲᡯゆ 따위). ⇔上二段だん活用.

しものく【下の句】图 短歌ᡲᡯᡵ의 넷째와 다섯째 구（5・7・5 다음의 7・7의 구（句）). ⇔上ᡲᡯの句.

しもばしら【霜柱】图 서릿발.

しもはんき【下半期】图 하반기. ＝しもき ⇔上半期ᡲᡯ.

しもぶくれ【下ぶくれ】（下脹れ）图 아랫볼이 불룩함；또, 그런 얼굴.

しもふり【霜降り】图 ①서리가 내림. ②직물 따위의 하얀가 회끗회끗함. ¶～の夏服ᡲᡯᡵ 회끗회끗한 무늬가 있는 여름옷. ③쇠고기의 차돌박이. ④살짝데친 생선회・닭고기 따위.

しもべ【下部・僕】图〈雅〉 하인；종.

しもやけ【霜焼け】图 가벼운 동상（凍傷）. ¶足ᡲの指ᡲᡯが～になった발가락이 동상에 걸렸다.

しもやしき【下屋敷】图 大名ᡲᡯ・상급무사들의 교외에 지은 별저（別邸). ＝上屋敷ᡲᡯᡵᡵᡯ.

しもよ【霜夜】图 서리 내리는 추운 밤.

しもよけ【霜よけ】（霜除け）图 초목이서리에 맞지 않도록 짚으로 덮거나 함；또, 그 때 쓰는 물건. ＝霜がこい.

*しもん【指紋】图〈雅〉지문. ¶～を取ᡲる 지문을 채취하다.

しもん【試問】图 他ᡵ 시험. ¶～試験ᡲᡵᡵᡯ＝試験ᡲᡯᡵ. ¶口頭ᡲᡯᡯ～ 구두 시험. ②시험을 위한 질문.

しもん【諮問】图 他ᡵ 자문. ¶～機関ᡲᡵᡯ 자문 기관.

じもん【自問】图 自ᡯ 자문. ――じとう【――自答】-tō 图 自ᡯ 자문 자답.

*しや【視野】图 시야. ①눈의 넓이；시야. ¶～の広ᡲᡯい人ᡲᡯ 시야가 넓은 사람＝ささえぎる 시야를 가리다.

しゃ【射】sha 图〈雅〉 궁술（弓術).

しゃ【斜】sha 图 경사. ――に構ᡲえる ①칼을 비스듬히 들어 적을 겨누는 자세를 취하다. ②어떤 일에 대해서 충분한 태세를 취하다.

しゃ【社】sha 图 사；신사（神社）・회사・신문사의 준말. ¶～の方針ᡲᡯᡵᡯ 사의 방침.

しゃ【紗】sha 图 사；얇고 성기게 짠견직물의 일종（여름용 羽織ᡲᡯᡯ・모기장 등에 씀).

しゃ【舎】sha 图 사（'寄宿舎ᡲᡯ᠎᠎ᡲᡯ（＝기숙사）'의 준말.

しゃ【車】sha 图 차；수레. 参考접미어적으로도 씀. ¶三輪ᡲ～ 삼륜차. ②일본 장기에서 '飛車ᡲᡯ'의 준말.

-しゃ【者】sha ～...자；사람. ¶当事ᡯ～ 당사자／勤労ᡵᡯ～ 근로자.

*じゃ ja 助動 단정（断定）의 뜻을 나타냄. ¶わしはいや～ 나는 싫다／そう～ 그렇다／どう～ 어떠냐.

□腿 그림('では'의 전와). ¶～、さよ
うなら 그럼, 안녕／～、また 그러면,
또 (만나세). □連語 'では'의 전와(轉
訛). ¶ある～ないか 있지 않은가／それ～困る 그건 곤란하다.

じゃ【蛇】ja 名 사; 뱀. ¶の道∺はへ
び 뱀의 길은 뱀이 안다(동류(同類)의
(나쁜) 사람끼리는 서로 사정을 잘 안
다; 초록은 동색).

じゃあく【邪悪】ja- 名ナ 사악. ¶～
な考∹え 사악한 생각.

しゃあしゃあ shāshā トナ自 《俗》 넉
살이 좋아 부끄러움을 모르고 태연한
모양; 유들유들. ¶しゃあ、と～している 넉살좋게, 태연히 있다. ¶何∺ を言われても～している 무슨 말을 들어
도 유들유들 태연하다. □副 물이 따위
를 쏟는 소리의 형용; 좔좔; 찰찰.

じゃあじゃあ jāja 副 물이 기운차게 떨
어지는 모양; 억수같이／좔좔; 쫠쫠;
평평. ¶雨∹が～と降∹る 비가 억수같이
〔좔좔〕.

ジャーナリスト jā- 名 저널리스트. ▷
journalist.

ジャーナリズム jā- 名 저널리즘. ▷
journalism.

ジャーナル jā- 名 저널; 정기 간행물;
또, 그 간행물의 이름. ▷journal.

シャープ shā- 샤프. □ナ 날카로
움; 예리함. ¶～な人∹ 날카로운 사
람. □名 ①【樂】 반음 올리는 기호
(♯). ↔フラット. ②〔俗〕샤프 펜
실. ↔sharp.——ペンシル 샤프 펜
슬. ▷ever-sharp pencil.

シャーベット shābetto 名 셔벗; 과즙에
설탕·향료 따위를 넣어서 얼린 식품.
▷sherbet.

しゃい【謝意】shai 名 사의. ①감사의
뜻. ②사죄의 뜻.

ジャイアント jai- 名 자이언트; 거인;
대형; 위인. ¶～タンカー 대형 탱커.
▷giant. ——原.

しゃいん【社員】sha- 名 사원; 회사
원.

じゃいん【邪淫】ja- 名 사음; 부정하
고 음탕함; 불륜(不倫)의 정사(情事).

しゃうん【社運】sha- 名 사운.

しゃおん【謝恩】sha- 名 사은. ¶～
会 사은회.

しゃか【釈迦】sha- 名 석가. ①釈迦
牟尼∺(=석가모니)의 준말. ¶～三
尊∹ 석가 삼존／～如来∺ 석가 여래.
②『お～』 파치. ——に説法∺ 부처님
게 설법.——いちだい【——代】名 오
랜세월; 평생.物건이 단단해서 오래 감.

ジャガー ja- 名【動】 재규어(아메리카
표범). ▷jaguar.

*しゃかい【社会】sha- 名 사회. ——地
域∺～ 지역 사회／利益∹～ 이익 사
회／～活動∺ 사회 활동／～の窓∹は
지 앞 단추(완곡한 말씨)／～に出で
る 사회에 진출하다.——あく【——悪】
名 사회악.——うんどう【——運動】-dō
名 사회 운동.——か【——科】名 사회과.——かがく【——科学】名 사회 과학. ↔
自然∹科学·人文∺科学.——がく
【——学】名 사회학.——ぎょういく【——
教育】-kyōiku 名 사회 교육.——学
校∺教育, 사회 교육.——じぎょう【——事業】
-gyō 名 사회 사업.——しゅぎ【——主
義】-shugi 名 사회주의. ↔資本主義

——じん【——人】名 사회인. ——
せい【——性】名 사회성. ¶～があ
る問題∺ 사회성이 있는 문제. ——せ
いさく【——政策】名 사회 정책. ——
てき【——的】名ナ 사회적. ¶人間∺は
～な動物∹だ 인간은 사회적 동물이
다. ——ぶ【——部】名 (신문사 따위의)
사회부. ——ふくし【——福祉】名 사회
복지. ——ほけん【——保険】名 사회 보
험(건강 보험·고용 보험·노동자 재해
보상 보험·후생 연금 보험 따위).
——ほしょう【——保障】-shō 名 사회
보장. ¶～制度∺ 사회 보장 제도.
——みんしゅしゅぎ【——民主主義】
-minshushugi 名 사회 민주주의. ——め
ん【——面】名 사회면. ——もんだい
【——問題】名 사회 문제.

じゃがいも【じゃが芋】じゃが薯·馬鈴
薯 ja- 名【植】 감자. =ばれいしょ.

じゃかじゃか jakajaka 副 흥겹고 요란
스러운 모양.

じゃかすか ja- 副《俗》 주위의 사람이
놀랄 정도로 기세좋게 무엇인가 하는
모양; 마구. ¶～と投∹資する 제각 투자하다.

*しゃがむ shagamu 五自 웅크리다; 쭈그리
다; =うずくまる. ¶物陰∹の蔭∹に～ 몸을
숨기어 웅크리다.

しゃが-れる【嗄れる】sha- 下1自 ☞
しわがれる.

しゃかん【舎監】sha- 名 사감.

しゃがん【赭顔】sha- 名 불그스름한
얼굴. =あからがお.

じゃき【邪気】ja- 名 사기. ①악의(惡
意). =わるぎ. ¶～のない人 악의가
없는 사람. ↔無邪気∹. =ばれいしょ.
②병을 일으
킨다는 미신적인 나쁜 기운. ¶～を払
う사기를 물리치다. ▷감기?.

しゃきしゃき shakishaki 副 사물을 재빨
리 시원스럽게 처리하는 모양; 척척; 데
격데격; 민첩하게, =てきぱき. ¶何∺
事∺も～(と)かたづける 무슨 일이든
데격데격 처리하다.

しゃきっと shakitto 副 ①노인이 허리
가 곧고 정정해 뻐는 모양. ②시원시
원(또깡또깡)하고 야무진 모양.

しゃきょう【写経】shakyō 又自 사
경; 경문을 베낌; 또, 베낀 경문.

じゃきょう【邪教】jakyō 名 사교; 부
정한 종교. =邪宗∺. ¶淫詞∹～ 음
사 사교. ↔正教∹.

しゃきょり【射距離】shakyo- 名 사거
리. =射程∹. ▷金∹.

しゃきん【謝金】sha- 名 사례금. =礼
金∺.

しゃく【試薬】名【化】 물질을
화학적 방법으로 검출하는 데에 쓰는
약품. ¶試験삼아 써 보는 견본이 되
는 약. ——品∹ 시약품.

しゃく【勺】sha- 名 ①작. ⑦1홉(合)
의 1/10을 1인 약 0.018ℓ). ⑥1평의 1/10
분의 1(약 0.033m²). ②등산 노정(登
山路程)에서 合의 10분의 1.

しゃく【尺】sha- 名 ①척; 자(약 30.3
cm). ②길이; 기장. ¶～が長∺すぎる
길이가 너무 길다. ③자. ④것; 것;
——を打∹つ 자로 치수를 재다.

しゃく【酌】sha- 名 술을 잔에 따름.
¶～をする 술을 따르다.

しゃく【釈】sha- 名 ①해석; 주석. ②

중의 이름 또는 계명(戒名) 위에 붙이는 말.

しゃく【爵】sha- 图 작 ; 귀족의 계급 ; 작위(公爵(公爵)·백작(伯爵) 따위).

*****しゃく**【癪】sha- ─图名 울화, 화 ; 부아 ; 아니꼬움. ─かんしゃく. ¶～な話ばなし 울화통이 터지는 이야기 / 本当ほんとうに～な男おとこ 정말이지 아니꼬운 사나이다. ─图名 〈老〉〈癪〉 ; (위경련으로) 배·가슴 등에 일어나는 격통(激痛). ¶胸むねに障さわる 화(부아)가 나다 ; 아니꼽다. ─一種しゅ 울화의 원인.

しゃく【杓】sha- 图名 홀(笏) ; 속대(束帶)할 때 오른손에 드는 가늘고 긴 납은 판).

じゃく【持薬】图名 지약 ; 항상 복용하는 약 ; 항상 준비해 가지고 다니는 약.

じゃく【弱】ja- ─图名 약함 ; 약한 사람. ¶～をもって強きに当たる 약한 것으로써 강함에 맞서다. ─接尾 조금 모자람 ; 빠듯 ; …약. ¶十万円えん～ 십만 엔 좀 부족함 ; ～强つよ.

じゃく【寂】ja- ─图名 죽음 ; 입적(入寂). ─입적(入寂)하다.

しゃくすん【尺寸】sha- 图名 척촌 ; 극소. ＝せきすん. ¶～の地ち 촌토.

しゃくぜん【釈然】sha- ─ トタル 석연. ¶～としない 석연치 않다.

じゃくそつ【弱卒】ja- 图名 약졸. ¶勇将ゆうしょうの下もとに～なし 용장 밑에 약졸 없다.

じゃくたい【弱体】ja- 图名 약체. ¶～内閣ないかく 약체 내각.

しゃくち【借地】sha- ─图名 自他 차지. ¶～契約やく 차지 계약 / ～料りょう 토지 임대료[임차료].

じゃぐち【蛇口】ja- 图名 ①수도 꼭지 ; 수도 고동. ②배꾸둥이 모양의 꽃꽂이 그릇.

じゃくてき【弱敵】ja- 图名 약적 ; 약한 적. ↔強敵きょうてき. 「불경.

しゃくてん【釈典】sha- 图名 〖佛〗 석전.

*****じゃくてん**【弱点】ja- 图名 약점. ＝欠点けってん·短所たんしょ·弱よわみ. ¶～を突つく 약점을 찌르다 / ～につけこむ 약점을 이용하다.

じゃくでん【弱電】ja- 图名 약전. ¶～機器きき 약전 기기. ↔強電きょうでん.

*****しゃくど**【尺度】sha- 图名 척도. ①(물건을 재는) 자. ②기준 ; 표준. ¶人ひとは自分じぶんの～をもって他人たにんをはかる 사람은 자기 표준으로 남을 헤아린다. ③치수.

しゃくどう【赤銅】shakudō 图名 적동. ¶～の肌はだ 구릿빛 피부.

しゃくとりむし【尺取り虫】sha- 图名 〖蟲〗 자벌레. ＝寸すん取り虫. 參考 성충은 「しゃくが(くわ지자나방이ばがい)」.

しゃくなげ【石南花·石楠花】sha- 图名 〖植〗 석남.

じゃくにくきょうしょく【弱肉強食】jakunikukyōshoku 图名 약육 강식.

しゃくねつ【灼熱】sha- ─图名 自他 작열. ¶～する太陽たいよう 작열하는 태양.

じゃくねん【若年·弱年】ja- 图名 약년 ; 나이가 젊음[어림] ; 또, 그 사람. ＝弱齢れい. ¶私わたしの～の頃ころ 내가 젊었을 때. ↔老年ろうねん.

じゃくはい【若輩·弱輩】ja- 图名 ①젊은이 ; 청년. ＝若年じゃくねん. ②풋내기 ; 애송이. ＝青二才あおにさい.

しゃくはち【尺八】sha- 图名 ①퉁소(길이가 한 자 여덟 치이고 앞에 네 개, 뒤에 한 개의 구멍이 있음). ②폭이 한 자 여덟 치의 서화(書畫)용의 종이나 비단.

しゃくふ【酌婦】sha- 图名 작부.

しゃくぶく【折伏】sha- 图名 自他 〖佛〗 절복(악인·악법을 위력·설법·기도로써 불법(佛法)을 따르게 함).

*****しゃくほう**【釈放】shakuhō 图名 自他 석방. ¶仮かり～ 가석방. ↔拘禁こうきん.

しゃくや【借間】sha- 图名 방을 빌려 씀 ; 또, 그 방 ; 셋방. ＝間借まがり.

しゃくやく【赤熊·赭熊】 图名 ①붉게 물들인 야크소의 꼬리털 ; 또, 그와 비슷한 붉은 털(갓대·창·투구의 장식으로 씀). ②고수머리로 만든 다리.

じゃくまく【寂寞】ja- ─ トタル 적막.

じゃく-する【寂する】ja- サ変自 중이 죽다 ; 입적하다.

しゃくし【爵位】sha- 图名 작위.

しゃくぎ【釈義】sha- 图名 自他 석의 ; 뜻을 해석함 ; 또, 그 풀이.

しゃくざい【借財】sha- 图名 自他 차재 ; 빚. ＝借金きん. 「酸さん.

しゃくさん【弱酸】ja- 图名 약산.

しゃくし【杓子】sha- 图名 ①국자. ＝お玉たま. ¶～は耳みみかきにならず 국자는 귀이개가 되지 못한다(큰 것이 반드시 작은 것의 대신이 될 수는 없다). ─주격 ＝しゃもじ. 「飯杓子めししゃくし 밥주격. ─じょうぎ【─定規·─定木】-jōgi ダグ 한 가지 표준을 무엇에나 적용시키려고 하는 융통성 없는 방법·태도. ＝～なやり方かた (융통성 없는) 따 따른 방법.

しゃくじ【借字】sha- 图名 차자 ; 자의(字義)에 의하지 아니하고 훈만을 빌어다 쓴 글자. ↔正字せいじ.

じゃくし【弱志】ja- 图名 약한 의지 ; 의지가 약함. ¶～薄行はっこう 약지 박행. 「약함.

じゃくし【弱視】ja- 图名 약시 ; 시력이

じゃくしつ【弱質】ja- 图名 약질 ; 약한 성질[체질].

しゃくしゃく【綽綽】shakushaku トタル 작작 ; 침착하고 초조하지 않은 모양. ¶余裕よゆう～ 여유 작작.

じゃくじゃく【寂寂】jakujaku 图名 적적. ①조용하고 적적한 모양. ②마음을 번거롭게 하지 않는 모양. ¶空々くうくう～ 공종무종(괴로움이나 집착이 없어무아 무심(無我無心)임).

しゃくしょ【市役所】-sho 图名 시청.

しゃくじょう【錫杖】shakujō 图名 석장 ; 수행자가 짚고 다니는 지팡이.

じゃくしょう【弱小】jakushō 图名 약소. ①약하고 작음. ¶～国家こっか 약소 국가. ↔強大きょうだい. ②나이가 젊음 ; 나이가 어림. ＝年少ねんしょう. ¶～のころ 어렸을 때.

じゃくしん【弱震】ja- 图名 약진. 「震度」 3).

しゃく-する【釈する】sha- サ変他 해석하다 ; 해설하다.

せきばく. ¶～を破る鳥の声 적막을 깨뜨리는 새소리.

しゃくめい【釈明】sha- ㊀他 석명;
해명.

じゃくめついらく【寂滅為楽】ja-
적멸 위락(적멸의 경지를 참된 즐거움으로 삼는 일).

しゃくもち【しゃく持ち】(癪持ち)sha- ㊀
지병으로서 적(癪)을 앓고 있음;
또, 그런 사람.

しゃくや【借家】sha- ㊀ 차가;셋집.
=しゃっか. ¶～ずまい 셋집살이. ↔貸家.

しゃくやく【芍薬】sha- 【植】 작약.

じゃくやく【雀躍】ja-〔俗〕작약;
좋아서 날뛰며 기뻐함. =こおどり. ¶
欣喜～ 喜이 환희 작약.

しゃくよう【借用】shakuyō ㊀他 차용. ¶～証書 차용 증서.

しゃくりあげる【嚊(しゃく)り上げる】(嚊り上げる) sha- ㊁他 흑흑 흐느끼다.

しゃくりなき【しゃくり泣き】(嚊り泣き) sha- ㊁自 흑흑 흐느껴 욺.

しゃくりょう【借料】shakuryō ㊀ 임차료;세. =借(か)り賃(ちん).

しゃくりょう【酌量】shakuryō ㊀ ㊂他 작량;참작. ¶情状(じょう)～ 정상 참작.

しゃく・る【杓る・抉る】㊄他 ① 〔俗〕(물 등을) 떠내다;뜨다. =しゃくう.¶水(みず)を～って飲(の)む 물을 떠서 마시다. ②(가운데가 움푹하도록) 후비다;파다. ③치켜 올리다. ¶あごを～ 턱을 치켜 올리다.

しゃく・る【嚊る】㊄自 ①딸꾹질하다. ②흐느껴 울다.

しゃく・れる sha- ㊁自 가운데가 움푹 패다(들어가다). ¶～れたあご 주걱턱.

しゃくん【社訓】sha- ㊀ 사훈.

しゃけ【鮭】sha-〔老〕사형(자기 형을 남에게 일컫는 말). ↔愚弟(ぐてい).

しゃげき【射撃】sha- ㊀㊂他 사격. ¶～演習(えんしゅう) 사격 연습 / 実弾(じつだん)～ 실탄 사격.

しゃけつ【瀉血】sha- ㊀㊂自 사혈(치료의 목적으로 환자의 피를 일정량 뽑아 냄.

ジャケツ ja- ㊀ 재킷;털실로 짠 상의(上衣). ▷jacket.

ジャケット jaketto ㊀ 재킷. ①양복상의(上衣)의 한 가지(보통, 앞이 트임). ②레코드·책 따위를 씌워 두는 커버·판지. ▷jacket.

じゃけん【邪見】ja- ㊀ 사견. ①〔佛〕인과(因果)의 도리를 무시하는 그릇된 사고 방식. ②그릇된 틀린 견해(생각).

じゃけん【邪険】(邪慳)ja- ㉞ 매정하고 무자비하고도 거칢. ¶そう～にするな 그렇게 매정하고 무자비하게 굴지 마라.

しゃこ【硨磲】sha- ㊀【貝】거거.

しゃこ【蝦蛄】sha-〔俗〕갯가재.

しゃこ【鷓鴣】sha- ㊀【鳥】자고(새).

*しゃこ**【車庫】sha- ㊀ 차고.

しゃこう【射倖】(射幸)sha- ㊀ 사행;요행을 노림. ¶～心(しん)を助長(じょちょう)する 사행심을 조장하다. 注意 '射幸'으로도 씀은 대용 한자다.

しゃこう【斜坑】shakō ㊀ 사갱;앗셈;비스듬히 판 갱도. ↔立(たて)て坑(こう)·水平坑道(すいへいこうどう).

しゃこう【遮光】shakō ㊀㊂他 차광;빛을 가림. ¶～幕(まく) 차광막 / ～装置(そうち) 차광 장치.

しゃこう【社交】shakō ㊀ 사교. ¶～家(か) 사교가. ──かい【──界】㊀ 사교계. ──せい【──性】㊀ 사교성. ──ダンス ㊀ 사교 댄스;사교춤. ▷dance. ──てき【──的】㉞ 사교적. ¶～な性格(せいかく) 사교적인 성격.

じゃこう【麝香】jakō ㊀ 사향(사향노루 수컷의 배꼽과 향낭(香嚢)을 말린 향료;향수의 원료). ──あげは《──揚羽》㊀【蟲】 사향제비나비. ──じか《──鹿》㊀【鹿】 사향노루. ──ねこ《──猫》㊀ 사향고양이. ──ねずみ《──鼠》㊀【動】 사향뒤쥐).

しゃこく【社告】sha- ㊀㊂他 사고.

しゃさい【社債】sha- ㊀(회)사채.

しゃざい【謝罪】sha- ㊀㊂他 사죄.

しゃさつ【射殺】sha- ㊀㊂他 사살.

しゃし【奢侈】sha-〔文〕㊀ 사치. ¶～に流(なが)れる 사치에 흐르다.

しゃし【斜視】sha- ㊀ ①사시;사팔뜨기.=やぶにらみ. ②곁눈질.

しゃじ【謝辞】sha- ㊀ 사사. ①사례의 말. ②사과의 말.

しゃじく【車軸】sha- ㊀ 차축;차의 굴대. ──を流(なが)す 장대비가 내리다(비가 억수로 쏟아지는 형용).

しゃじつ【写実】shaji- ㊀ 사실. ──しゅぎ【──主義】-shugi ㊀ 사실주의. =リアリズム. ──てき【──的】㉞ 사실적. ¶～な描写(びょうしゃ) 사실적인 묘사.

じゃじゃうま【じゃじゃ馬】jaja- ㊀ ①난폭한 말. ¶～を馴(な)らす 사나운 말을 길들이다. ②방자하고 다루기 곤란한 사람(특히, 여자). ¶～ならし 사나운 여자(왈가닥) 길들이기.

しゃしゃらくらく【洒洒落落】shasha- ㉠ㄱ 【──タル】〔洒落(しゃらく)〕의 힘줌말. ¶～たる態度(たいど) 쇄락한 태도;시원시원한 태도.

しゃしゃり・でる shasha- ㊁自〔俗〕넉살좋게 앞에 나서다.

しゃしゅ【射手】shashu ㊀ 사수. ①궁수(弓手). =いて. ②사격수. ¶機関銃(きかんじゅう)の～ 기관총 사수.

しゃしゅ【社主】sha- ㊀ 사주.

しゃしゅ【車種】sha- ㊀ 차종.

じゃしゅう【邪宗】jashū ㊀ 사교(邪教)(특히, 江戸(えど) 시대에 기독교를 일컫던 말).

しゃしゅつ【射出】shashu- ㊀㊂自他 사출;내쏨;발사.

*しゃしょう**【車掌】shashō ㊀ 차장. ¶～専務(せんむ) 여객 전무.

しゃじょう【謝状】shajō ㊀ 사장. ①감사의 편지;감사장. ②사과의 편지. =わび状(じょう).

しゃしょく【写植】shasho- ㊀ 사식('写真植字(しゃしんしょくじ)'의 준말).

しゃしょく【社稷】sha- ㊀ 사직;국가. ¶～を憂(うれ)える 나라를 근심하다.

しゃしん【写真】sha- 名 사진. ¶〜班 사진반. /〜帖 사진첩. /〜をとる【写す】 사진을 찍다. 参考 넓은 뜻으로는 영화도 가리킴. ──き【〜機】名 사진기. ──しょくじ【〜植字】-shokuji【〜印】名 사진 식자. ──はん【〜製版】名 사진 제판. ──ばん【〜版】名 사진판.

しゃじん【車塵】sha- 名 차진；차가 지나간 다음 일어나는 먼지.

じゃしん【邪心】ja- 名 사심；사악한 마음.

じゃしん【邪神】ja- 名 사신；재앙을 내리는 요사스러운 신(神).

ジャズjazu- 名 재즈. ¶〜ソング 재즈 송. /〜バンド 재즈 밴드. ▷jazz.

じゃすい【邪推】ja- 名 ス他 사추；그 릇된 추측. ¶〜深い 남을 잘 의심하는 사람.

ジャストja- 副 저스트；'꼭, 정확히'의 뜻. ¶九時に〜 아홉 시 정각이다. ▷ just.

ジャスマークja- 일본 농림 규격에 합격된 농수산물·축산물에 붙이는 표지. ジャスマーク. ▷JAS mark.

ジャスミンja- 【植】재스민；또, 그 꽃에서 채취한 향료. ▷jasmine.

しゃ‐する【謝する】sha- ①サ変他 ① 사의(謝意)를 표하다；사례하다. ¶御苦労を〜 수고에 사의를 표하다. ②사과하다；사과하다. ¶無礼を〜 무례를 사과하다；거절하다. ¶面会を〜 면회를 거절하다. □サ変自 작별 인사를 하고 떠나가다.

しゃせい【社是】sha- 名 사시；회사 따위의 기본 방침(을 나타낸 말).

しゃせい【写生】sha他 사생. =スケッチ. ¶〜画 사생화.

しゃせい【射精】sha- 名 ス自 사정.

しゃせつ【社説】sha- 名 사설.

しゃぜつ【謝絶】sha- 名 ス他 사절.

じゃせつ【邪説】ja- 名 사설；해독을 주는 나쁜 언설.

しゃせん【斜線】sha- 名 사선；빗금.

しゃせん【車線】sha- 名 차선.

しゃせん【社線】sha- 名 민간 회사에서 경영하는 철도·버스 등의 노선. 参考【接尾語적으로도 쓰임】. =レーン. ¶四〜 사차선. /道路第〜 추월 차선.

しゃぜんそう【車前草】shazensō 名【植】질경이. =おおばこ.

しゃそう【車窓】shasō 名 차창.

しゃそく【社則】sha- 名 사칙.

しゃたい【車体】sha- 名 차체；보디. =ボディ.

しゃだい【車台】sha- 名 ①차대；차체(車體)를 받치는 대. ②차량의 수. ¶全〜数 전체 차량 대수.

しゃたく【社宅】sha- 名 사택.

しゃだつ【洒脱】sha- 名 ダ 쇄탈；산뜻하고 속됨이 없음. ¶一味〜 깔끔한 맛に見える 쇄탈하게 보이다.

しゃだん【社団】sha- 名 사단；공통의 목적으로 설립된 단체. ──ほうじん【〜法人】-hōjin 名 사단 법인.

しゃだん【遮断】sha- 名 ス他 차단. ¶〜機 (건널목의) 차단기.

しゃち【鯱】sha- 名 ①범고래. =サカマタ. ②☞しゃちほこ.

じゃち【邪知】【邪智】ja- 名 사지；간사한 지혜. =わるぢえ.

しゃちこ‐ばーる【鯱(こ)張る】sha- 五自〈俗〉☞しゃちほこばる.

しゃちほこ【鯱】sha- 名 성곽(城郭) 등의 용마루 양단에 장식해 놓는, 머리는 호랑이 같고 등에는 가시가 돋친 곤두선 물고기 모양의 장식물. ──だち【〜立ち】名 ス自 ①물구나무서기. =さかだち. ②있는 힘을 다함. =無理算段する ¶〜しても駄目だ 아무리 용써봐야 소용없다.

しゃちほこ‐ばーる【鯱張る】sha- 五自 ①법고래처럼 위엄 있게 도사리다. ②긴장하여 몸이 굳어지다.

しゃちゅう【社中】shachū 名 ①사중；사내. ②일본 전통 음악 사회에서의 동문(同門).

しゃちゅうだん【車中談】shachū- 名 차중담；정치인 등이 여행(유세) 중의 열차 안에서 하는 비공식 담화.

しゃちょう【社長】shachō 名 사장. ¶副〜 부사장. /〜室 사장실.

シャツsha- 名 셔츠. ¶アンダー〜 언더셔츠；속셔츠. ▷shirt.

じゃっか【弱化】jakka 名 ス自他 약화. ↔強化.

ジャッカルjakka- 名【動】재컬. ▷jackal.

しゃっかん【借款】shakkan 名 차관. ¶対日〜 대일 차관.

じゃっかん【若干】jakkan 名 副 약간；어느 정도；얼마간. ¶〜は いくらか.

じゃっかん【弱冠】jakkan 名 약관；남자의 20세；전하여, 어린 나이.

しゃっかんほう【尺貫法】shakkanhō 名 척관법.

じゃっき【惹起】jakki 名 ス他 야기；일으킴.

ジャッキjakki 名 잭；작은 기중기. ▷jack.

しゃっきりshakki- 副〈俗〉①확고하고 부동한 모양：따；우뚝. ¶腰が〜と立つ 허리가 쭉 펴지다. ②딱딱한 모양. ¶〜て幅の狭まい帯が 빳빳하고 폭이 좁은 띠. ③생기있고 분명한 모양.

しゃっきん【借金】shakkin 名 ス自 차금；돈을 꿈；또, 꾼돈；빚. ¶〜で首が回らない 빚 때문에 옴쭉을 못하다／〜を踏み倒す 빚을 떼먹다. ──とり【〜取り】名 빚쟁이.

ジャックjakku 名 ①잭；젊은이. ②수병(水兵). ③(카드놀이에서) 수병 그림이 그려진 카드. ④플러그를 꽂아 전기를 접속시키는 장치. ▷jack. ──イフ 재크나이프. ▷jackknife.

しゃっくり【吃逆·噦り】shakku- 名 딸꾹질 (소리). ¶〜が出る 딸꾹질이 나다.

じゃっこう【弱行】jakkō 名 약행. ¶薄志〜 박지 약행；의지가 약하고 실행력이 부족함.

じゃっこく【弱国】jakkoku 名 약국；약한 나라；약소국. ↔強国.

ジャッジjajji 名 저지；심판원；(권투·레슬링 따위의) 부심. ▷judge. □ 名 심판；판정. ▷judgement. ──ペーパー 名 (권투의) 저지 페이퍼. ▷judge paper.

シャッター shattā 图 셔터. ①사진기의 셔터. ¶～を切る 셔터를 누르다. ②덧문. ¶～をおろす 덧문을〔셔터를〕내리다. ▷shutter.

しゃっちょこだち【しゃっちょこ立ち】(鯱立ち) shatcho- 5自 〈俗〉물구나무서기. しゃちほこだち. ¶～してもかなわない 아무리 바동대도 당해 낼 수 없다.

しゃっちょこば-る【鯱張る】shatcho- 5自 〈俗〉☞しゃちほこばる.

シャットアウト shatto- 图ス他 ①내쫓음. ¶～を食う 내쫓기다. ②【野】상대방을 영패시킴. ¶～勝ち 완봉승. ▷shutout.

ジャップ jappu 图 〈卑〉잽; (미국인이) 일본 사람을 멸시하여 부르는 말. ▷Jap.

シャッポ shappo 图〈卑〉모자. ▷프 chapeau. ──を脱ぐ 항복하다.

しゃてい【射程】sha- 图 사정. ¶～距離ゥ 사정 거리.

しゃてい【舎弟】sha- 图〈老〉사제(남에게 자기 아우를 일컫는 말). ⇔舎兄ネャ.

しゃてき【射的】sha- 图 ①과녁을 목표로 활·총을 쏨. ②공기총으로 표적을 겨냥해서 쏘는 놀이. ¶～屋（湯ヤ）장난감총을 쏘는 오락장.

しゃでん【社殿】sha- 图 신전; 신사(神社)의 신체(神體)를 모신 건물.

しゃど【砂土】sha- 图 사토; 모래흙.

しゃど【赭土】sha- 图【鑛】자토; 석간주(石間硃). ＝あかつち.

しゃとう【斜塔】shatō 图 사탑. ¶ピサの斜塔 피사의 사탑.

***しゃどう**【車道】shadō 图 차도. ↔步道ボゥ・人道ジン.

じゃどう【邪道】jadō 图 사도. ①올바르지 못한 길〔방법〕. ↔正道ボゥ. ②사교(邪教). ③본래의 용도에서 벗어난 사용법.

しゃない【社内】sha- 图 ①회사 안(내부). ②신사(神社)의 경내나 건물 안. ↔社外カィ.

しゃない【車内】sha- 图 차내. ↔車外ガィ.

しゃなりしゃなり shanarishanari 副 〈俗〉거드름피우며 모양내고 걷는 모양; 간들간들. ¶～と歩いている 사뿐사뿐〔간들간들〕걷고 있다.

しゃにくさい【謝肉祭】sha- 图 사육제; 카니발. ＝カーニバル.

しゃにむに【遮二無二】sha- 副 마구; 앞뒤 생각없이; 무턱대고. ＝がむしゃらに. ¶～突進ジする 앞뒤 가리지 않고〔저돌적으로〕돌진하다.

じゃねん【邪念】ja- 图 사념; 잡념; 망념.

じゃのめ【蛇の目】ja- 图 ①굵은 고리 모양. ②【蛇の目傘ダサ】의 준말; 중앙과 둘레를 감색·적색 등으로 칠하고 중간은 백색 따위로 하여 굵은 고리 모양의 무늬를 놓은 우산. ──のすな【──の砂】(씨름에서) 원형의 씨름판 밖에 깔아 놓은 모래(여기 발이 닿으면 곧 자국이 나므로 승패를 알 수 있음).

しゃば【娑婆】sha- 图 사바. ①【佛】사바 세계. ②속세. ③군대·감옥 속에서 보는 외부의 자유스러운 세계; 바깥 사회. ──け【──気】속세의 명예·이익에 집착하는 마음. ＝しゃばき. ¶

~の多い人 속된 마음이 많은 사람(영예·금전 등에 욕심이 많은 사람).

ジャパニーズ ja- 图 재퍼니즈; 일본의; 일본 사람. ▷Japanese.

じゃばら【蛇腹】ja- 图 ①사진기・아코디언의 주름상자. ②접등(摺燈)이라는 부분. ③수도 고동에 끼우는 신축성있는 호스. ④바로 꼰 실과 외로 꼰 실을 합쳐 꼰 실; 또, 이 실을 깔아 놓고 같은 색의 실로 실땀이 안 보이게 꿰매어 박는다(옷 칼라 따위에 씀). ＝じゃばらぶせ. ⑤실내의 벽에 수평으로 두른 띠 모양의 장식적 돌출부.

しゃふ【車夫】sha- 图 차부; 인력거꾼. ＝くるまひき.

ジャブ ja- 图 잽; (권투에서) 계속적으로 가볍게 치는 공격(법). ▷jab.

じゃぶじゃぶ jabujabu 副 ①물을 휘젓는〔건너는〕모양〔소리〕; 철벅철벅; 첨벙첨벙. ¶～(と)洗濯たッする (빨래를) 첨벙첨벙 빨다.

しゃふつ【煮沸】sha- 图ス他 자비; 펄펄 끓음.

シャフト sha- 图 샤프트. ①축; 회전축. ②긴 자루. ▷shaft.

しゃぶ-る【舐る】sha- 5他 입안에 넣고 핥다〔빨다〕. ¶乳ネを～ 젖을 빨다／飴玉カをーりながら仕事ゴとをする 눈깔사탕을 우물거리며 일을 하다.

しゃへい【遮蔽】sha- 图ス他 차폐; 가림.

***しゃべ-る**【喋る】sha- 5自〈俗〉①재잘거리다; 지껄이다; 수다떨다. ¶～りまくる 마구(연해) 지껄여대다. ②입밖에 내다; (다른 사람에게) 말하다. ¶～ったら承知カしないぞ 입밖에 내면 가만 안둘테다.

シャベル sha- 图 삽. ＝ショベル・スコップ. ▷shovel.

しゃへん【斜辺】sha- 图 사변; 빗변.

しゃほう【社報】shahō 图 사보('社内報ネャサ(＝사내보)'의 구칭).

じゃほう【邪法】jahō 图 사법. ①부정하고 해로운 교법(教法); 사도(邪道). ②마법; 요술; 요술.

シャボテン sha- 图【植】☞サボテ ン.

しゃほん【写本】sha- 图 사본. ↔版本ボン・刊本カン.

シャボン sha- 图 비누; 석けん. ▷포 sabão. ──だま【──玉】비눗방울(곧 사라지는 덧없는 것에도 비유됨).

***じゃま**【邪魔】ja- 图ス自他 방해; 장애; 거추장스러움. ¶～者ェ 방해자／～が入ネる 방해가 끼다; 장애물이 생기다. ②('お～する'의 꼴로) 방문하다(겸사말). ¶お～いたしました 실례했습니다(방문하고 나올 때에 하는 인사말). 囯【──だて】【──立て】일부러 방해함; 가로 막음. ¶いらぬ～をするな 쓸데없이 방해를 놓지 마라. 囯【邪魔】【佛】수행(修行)을 방해하는 악마.

シャマニズム sha- 图 샤머니즘. ＝シャーマニズム. ▷shamanism.

しゃみせん【三味線】sha- 图 일본 고유의 음악에 사용하는 세 개의 줄이 있는 현악기; 삼현; ＝さみせん. ──をひく (a)三味線을 타다; (b)본심을 감추기 위해서 딴청을 부리다.

ジャム ja- 图 잼. ▷jam.

しゃめい【社命】sha- 名 사명；회사의 명령.

しゃめい【社名】sha- 名 사명；회사·신사(神社) 등의 이름.

*しゃめん【斜面】sha- 名 사면；경사면.

しゃめん【赦免】sha- 名 ㅈ他 사면；죄를 용서함. ¶ー状½ 사면장.

シャモ【軍鶏】sha- 名 【鳥】 싸움닭용의 몸집이 크고 성질이 사나운 닭.

シャモ sha- 名 아이누 사람이 일본인을 가리키는 말. ▷아이누 shamo.

しゃもじ【杓文字】sha- 名 〈宮中女〉주걱.；しゃもじ.

しゃもん【沙門】sha- 名 【佛】 사문；출가하여 수행(修行)하는 사람；불교의 수행승. 出家がゔ.；桑門½.

じゃもんせき【蛇紋石】ja- 名 【鑛】 사문석.

しゃよう【斜陽】shayō 名 ①사양；석양；ー日(=夕日)½.②몰락함；쇠퇴.¶ー産業½ 사양 산업.──ぞく【─族】 사양족(시세(時勢)에 뒤져 몰락한 상류 계급).

しゃよう【社用】shayō 名 사용.①회사의 용무.②신사(神社)의 용무.──ぞく【─族】사용족；회사 일을 빙자하여 사비(社費)로 유흥하는 자.

じゃよく【邪欲】ja- 名 ①부정한 욕망.②음란한 정욕；불의의 욕정.

しゃらく【洒落】sha- 名【ダナ】쇄락；마음·행동이 담박 솔직한 모양.¶ーな人½ 쇄락한 사람.

しゃらくさ·い【洒落臭い】sha- 形〈俗〉아는 체하다；시건방지다.¶ー事½を言ぷ 건방진 소리 하지 마라.

じゃらじゃら jarajara 副〈俗〉①동전 등이 맞부딪치는 소리；짤랑짤랑.¶銀貨½を〜させて歩くり 은전을 짤랑거리면서 다닌다.②옷·생김새가 빼듯거리고 천하게 색정적인 모양.¶ーした男²½ 기생 오라비 같은 남자.

じゃら·す ja- 名他 장난하게 하다；재롱부리게 하다.

じゃらつ·く ja- 五自 ①장난하다；까불다；새롱거리다.=ふざける.②짤랑거리다.=じゃれる.③짤랑거리다.

しゃり【舎利】sha- 名①불사리；불타·성자의 유골.②【仏】불사리.③화장하고 남은 뼈.③성장한 후에 실을 뽑지 못하고 하얗게 굳어 버린 죽은 누에.④〈俗〉흰 쌀알(쌀밥).¶銀½ー 흰 밥알.──とう【─塔】-tō 名 사리탑.

*じゃり【砂利】ja- 名 ①자갈；=ぎり.②어린이；조무래기 아이.

しゃりっと sharitto 副 ①차가운 느낌이 드는 모양；차꾼(차끈)；선뜩.¶ーしたはだざわりの生地½ 차끈한 감촉이 있는 옷감.②아삭아삭 씹히거나 싱그러운 느낌이 나는 모양；사각사각.

しゃりべつ【舎利別】sha- 名 사리별；시럽(syrup).

*しゃりょう【車両・車輛】sharyō 名　　　　車輛.

*しゃりん【車輪】sha- 名 ①차륜；수레바퀴.¶ー制動機½ 차륜 제동기.②배우가 열심히 연기함；전하여, 부지런히 일함.¶大½ー (a) 대활약[열연].(b) 대차륜(철봉 체조의 하나).

*しゃれ【洒落】sha- 名 ①신소리(가령 '富田½だ'라는 사람이 실수해서 분위기

가 이상해졌을 때 'とんだ事になったな(=큰일 났군)'하고 말하여 'とみた와 'とんだ'를 맞걸어 좌중을 웃기는 따위)；익살.¶ー を飛½ばす 익살을 하다；익살을 떨다.②깜찍하고 재치가 있음.¶ー者½ 멋쟁이.③『お~』 멋부림；성장(盛裝).

しゃれい【謝礼】sha- 名 사례.=お礼½.¶ー金½ 사례금.

しゃれこうべ【髑髏・曝首】sharekōbe 名 されこうべ.

しゃれこ·む【洒落込む】sha- 五自 큰 마음먹고 하다.¶正月½½はハワイ旅行½½と─ 설에는 큰 마음먹고 하와이 여행을 떠나기로 하다.

しゃれっけ【しゃれっ気】【洒落っ気】sharekke 名①멋을 부리려는 속셈.②익살기.⑦재치있는 언행으로 남을 깜짝 놀라게 하려는 마음.ⓒ재담으로 남을 웃기려는 여유 있는 기분.

しゃれぼん【洒落本】sha- 名 江戸½시대 중기에 유행된 화류계에서의 놀이와 익살을 묘사한 풍속 소설류.

しゃ·れる【洒落る】sha- 下1自 ①재치가 있다；세련되다；멋지다.¶ー·れた家½ 멋있는 집.②똑똑한 체하다；시건방지다.¶ー·れたことをぬかすな 건방진 소리 마라.③익살을 부리다.④멋을 내다；옷치레하다.¶ー·れて出½かける 멋을 내고 외출하다.

じゃ·れる【戯れる】ja- 下1自 (달라붙어서) 재롱부리다；장난치다.=戯½れる.

じゃれん【邪恋】ja- 名 사련；도리에 어긋난 사랑.　　▷도 shower.

シャワー shawā 名 샤워(로 목욕함).

シャン shan 名½ 쳔；미인(美人).¶トテー 굉장한 미인.　　▷도 schön.

ジャンク【戎克】janku 名 정크；중국의 (연해(沿海)·강에서 쓰는) 범선(帆船).　　▷junk.

ジャングル jan- 名 정글；밀림(密林).▷jungle.──ジム【─ジム】名 정글짐；놀이터 등에 있는 운동 시설의 하나.▷jungle gym.

じゃんけん【両拳】jan- 名 가위 바위 보.=いしけん.──ぽん【─pon】가위 바위 보를 할 때 내는 소리；가위바위보.

しゃんしゃん shanshan 副 ①(노인이 되어서도) 건강하여 일을 잘하는 모양；정정；꼬장꼬장.¶年½をとっても─している 나이를 먹었어도 정정하다.②(일이 일단락된 것을 축하하여) 여러 사람이 손뼉을 치는 모양；짝짝짝.¶ー と手拍子½を打つ 짝짝짝하고 손뼉을 치다.③방울 따위가 울리는 소리；짤랑짤랑.¶夢½の馬車½が─と 꿈의 마차가 짤랑짤랑하며.

じゃんじゃん janjan 副〈俗〉①연이어 기운차게 하는 모양；척척；한창；마구；쉴 새 없이.=どしどし.¶ー売½れる 불티 나듯이 팔리다.¶ー酒½を飲む 마구 술을 마시다.②종을 울리는 소리；땡땡.¶ー鐘½を鳴らす 댕댕 종을 울리다.

シャンソン shan- 名 상송.¶ー歌手½½ 상송 가수.　▷ㅍ chanson.

シャンツェ shantse 名 샨체；스키의 도약대.　　▷도 Schanze.

シャンデリア shan-chandelier. 图 샹들리에. ▷프

しゃんと shan- 副 ①자세 따위가 똑바른 모양 : 단정하게 ; 반듯하게. ¶上体を~伸ばす 상체를 반듯이 펴다. ②☞しゃんしゃん.

ジャンパー jampā 图 점퍼. ⑦잠바. ②(육상 경기·스키의) 점프 선수. ▷jumper. ──スカート 잠바 스커트(블라우스와 같이 입는, 어깨에서 아래의 스커트가 한데 붙은 여성·여아복). ▷일 jumper skirt.

シャンパン 【三鞭酒】 shampan 图 샴페인. =シャンペン. ¶~を抜く 샴페인을 터뜨리다. ▷프 champagne.

ジャンプ jampu 图 ス自 점프 ; 뜀 ; 도약. ▷jump.

シャンプー shampū 图 ス自 샴푸 ; 세발제(洗髮劑) ; 머리를 감음. ▷shampoo.

シャンペン shampen 图 ☞ シャンパン.

ジャンボ jambo 图 ①대형의 갱도 착암기. ②자동 확대·인화기(로 만든 사진). ~サイズ 점보사이즈. ③전하여, 대규모(‘マンモス’의 새로운 말씨). ¶~入学式 점보 입학식. ④☞ ジャンボジェット. ──ジェット jetto 점보 제트 ; 초대형 제트 여객기. ▷jumbo jet.

ジャンボリー jambo- 图 잼버리 ; 보이스카우트 대회. ▷jamboree.

ジャンル jan- 图 종류 ; 예술, 특히 문예 작품의 형태상 구별. ▷프 genre.

しゅ 【主】 shu 주. 一 图 ①주체. 客も従 그 주인에 그 신하(‘나다). ②군주 ; 주군. ¶~が~なら従も従 그 주인에 그 신하(‘나다). ③中心 ; 중요한 점. 攻撃を~にして戦う 공격을 주로 삼아 싸우다. ④【宗】 그리스도 ; 신. ¶わが~イエス 우리 주 예수. 二タル 중심이 되고 있는 모양. ¶~とする武器 주로 하는 무기. 三接頭 주요한 ; 주심의 ; 주된. ¶~産地 주산지. =副.

しゅ 【朱】 shu 图 주. ①주홍색(안료). ¶満面に~をそそぐ 얼굴이 홍당무가 되다. ②교정·인쇄에서 시문(詩文)을 고치는 붉은 글씨. ③江戸 시대의 화폐의 단위로는 一朱는 一両의 16분의 1. 一に交われば赤くなる 근묵자흑(近墨者黑) 사람은 사귀는 친구에 감화된다. 一を入れる 주필(朱筆)로 정정하다.

しゅ 【種】 shu 图 종. ①종자. ②종류. ¶この~の書物 이런 종류의 서책. ③생물 분류의 최하의 기초 단위. ¶~の起源 종의 기원.

-しゅ 【手】 shu ~수 ; 일·역할을 하는 사람. ¶交換~ 교환원 / 運転~ 운전사.

-しゅ 【首】 shu ~수 ; 시가(詩歌)를 세는 말. ¶和歌二十~ 和歌 20 수.

-しゅ 【株】 shu ~수 ; 나무를 세는 말. ¶さくら一~ 벚꽃나무 한 그루.

-しゅ 【酒】 shu ~주 ; 술. ¶果実~ 과실주 / 日本~ 일본 술.

じゅ 【寿】 ju 图 수. ①장수. ②나이. ¶百年の~を保つ 백 살의 수를 누리다. ③축하.

じゅ 【綬】 ju 图 수 ; 관직을 나타내는 표시 또는 훈장·포장 따위를 다는 데 쓰는 끈. ¶首相~の─を帶びる 수상의 관직에 오르다.

じゅ 【儒】 ju 图 ①유학자. ②유학 ; 유교. ¶~を学ぶ 유학을 배우다.

じゅ- 【從】 ju 종…; 위계(位階)에서 같은 계급자 중 정(正)의 다음. ¶~三位 종삼품. ➡正.

しゅい 【首位】 shui 图 수위 ; 수석. ¶~打者 【野】 수위 타자 / ~を占める 수위를 차지하다. ➡末位.

しゅい 【主意】 shui 图 주의. ①중심(으뜸)이 되는 뜻·생각 ; 주안(主眼). ②주지(主旨). 二이지(理知)나 감정보다 의지를 중요시하는 입장. ③자기가 섬기는 군주의 뜻.

しゅい 【趣意】 shui 图 취의 ; 취지. ¶来訪の~ 내방의 취지.

しゅいん 【主因】 shu- 图 주인 ; 주된 원인. ➡副因.

しゅいん 【手淫】 shu- 图 수음 ; 自慰. =オナニー.

しゅいん 【朱印】 shu- 图 주인 ; 인주에 묻혀서 찍은 도장. ──じょう 【─状】 -jō 图 무가(武家) 시대에 将軍의 주인을 찍은 공문서. =ごしゅいん. ──せん 【─船】 (근세 초기에) 해외 통상을 특허하는 朱印状을 가진 무역선.

しゆう 【市有】 -yū 图 시유. ¶~地~ 시유지.

しゆう 【私有】 -yū 图 사유. ¶~財産 사유 재산. ➡公有.

しゆう 【雌雄】 -yū 图 자웅. ①암컷과 수컷. 二異株 【植】 자웅 이주 ; 암수 따로그루 / 一異体 【動】 자웅 이체 ; 암수 딴몸 / 誰が烏の~を知らんや 그 뉘라서 까마귀의 자웅을 알 수 있으랴(구별이 잘 안 됨의 비유). ②⑦우열(優劣). ¶~を決する 자웅을 결하다. ⑤승부. ¶~を争う 승패를 다투다. ¶一を決する 자웅을 다투다.

しゆう 【詩友】 -yū 图 시우 ; 시로 맺어진 벗.

しゆう 【死囚】 shū 图 사수 ; 포로. ②수인(囚人). 参考 接尾語的으로도 씀. ¶死刑~ 사형수.

しゅう 【州】 shū 图 주. ①행정 구획의 하나. ⑦옛 중국에서 군(郡)의 상급. ¶四百余~ 四백여주(중국의 전토(全土)). ⑤일본에서는 ‘国(=지방)’에 해당. ⑤연방국을 구성하는 행정 구획. ¶オハイオ~ 오하이오 주. ②연방을 구성하는 행정 구획. ¶オハイオ~ 오하이오 주. ②(본디는 洲) 지구상의 (여섯) 대륙. ¶アジア~ 아시아 주.

しゅう 【秀】 shū 图 수 ; 빼어남 ; 평가에서 최상위. ¶成績は~だ 성적은 수다.

しゅう 【宗】 shū 三 图 종문(宗門) ; 종파. 二接尾 …종. ¶浄土~ 정토종.

しゅう 【週】 shū 一 图 주 ; 7일간. =ウイーク. ¶次の~ 다음 주.

しゅう 【衆】 shū 一 图 ①많은 사람. ¶皆の~ 여러분 / 村の~ 마을 사람들 / ~に先んずる 남들보다 앞서다. ②사람이 무리가 많음. ¶~をたのむ 다수의 힘을 믿다. 二接尾 사람을 나타내는 말에 붙어 가벼운 존경을 나타냄. =しゅ. ¶だんな~ 나리(들).

しゅう【集】shū 图 집 ; 시가 (詩歌)·문장 등을 모은 서책. ¶家 ^{か} の〜 가집 (家集). 接尾語的으로도 씀. ¶作品 ^{ひん} 〜 작품집.

じゆう【事由】-yū 图 사유. ¶特別 ^{とっ} な〜 특별한 사유.

*じゆう【自由】-yū 图 [ダナ] 자유. ¶言論 ^{げんろん} の〜 언론의 자유 / 〜世界 ^{せかい} 자유세계 / どうぞ御 ^{ご} 〜に 부디 마음대로(부디 하고 싶으신 대로 하십시오 ; 부디 편안한 자세를 취하십시오). ──いし【──意志】图 자유 의지. ──か【──化】图 자유화. ──か化〜統制 ^{とうせい} 化. ──がた【──形】图 자유형(경영(競泳)의 한 종목으로 영법에 제한이 없는데 보통, 크롤로 헤엄침). ──ぎょう【──業】-gyō 图 자유업(고용 관계에 의하지 않는 작가·의사·변호사 따위 전문적 직업). ──けい【──刑】图 자유형 ; 범죄자의 몸의 자유를 속박하는 형벌(징역·금고·구류의 세 가지가 있음). ──けいざい【──經濟】图 자유 경제. ↔統制 ^{とうせい} 經濟. ──し【──詩】图 자유시. ↔定型詩 ^{ていけいし}. ──じざい【──自在】图 [ダナ] 자유 자재. ──しゅぎ【──主義】-shugi 图 자유주의. ──ぼうえき【──貿易】-bōeki 图 자유 무역. ──ほうにん【──放任】-hōnin 图 자유 방임.

*じゅう【十·拾】jū 图 십. ①열. ¶〜に八九 ^{はっく} 십중 팔구. ②전부 ; 전체. ¶〜を聞 ^{き} いて〜を知 ^{し} る 하나를 듣고 열을 알다.

じゅう【從】jū 图 종 ; 딸린 것 ; 부수적인 것. ¶運動 ^{うんどう} を主 ^{しゅ} とし, 勉學 ^{べんがく} を〜とする 운동을 주로 삼고, 면학을 딸린 것으로 하다. ↔主 ^{しゅ}.

じゅう【柔】jū 图 부드러움 ; 보들보들함. ↔剛 ^{ごう}. ¶よく剛 ^{ごう} を制 ^{せい} す 부드러움이 능히 억셈을 누르다 ; 유능제강 (柔能制剛).

じゅう【重】jū 国图 ①중 ; 무거움 ; 중요함. ↔軽 ^{けい}. ②초중차대 (重且大). ②お〜의 꼴로 찬합. = 重箱 ^{じゅうばこ}. ¶〜の物 ^{もの} をとる 찬합의 것을 들다. ▣接頭 〜대단한. ¶〜電機 ^{でんき} 중전기 / 〜労働 ^{ろうどう} 중노동. ▣接尾 〜중(層). ¶五 ^{ご} 〜の塔 ^{とう} 오층탑.

*じゅう【銃】jū 图 총. ¶〜をとって戦 ^{たたか} う 총을 들고 싸우다.

-じゅう【中】jū 〜중 ; 〜동안 ; 가운데 ; 온. ¶世界 ^{せかい} 〜 온 세계 / 一日 ^{いちにち} 〜 하루 종일.

しゅうあく【醜悪】shū- 图 추악. ¶〜な顔 ^{かお} 추악한 얼굴.

じゅうあつ【重圧】jū- 图 중압. ¶悪税 ^{あくぜい} の〜にあえぐ 악세의 중압에 허덕이다.

*しゅうい【周囲】shū- 图 주위. ¶地球 ^{ちきゅう} の〜を回 ^{まわ} る 지구의 주위를 돌다 / 〜に花 ^{はな} を植 ^{う} える 주위에 꽃을 심다.

しゅうい【囚衣】shū- 图 죄수복.

しゅうい【拾遺】shū- 图 습유. ①빠진 것을 주워서 보충함 ; 또, 그리하여 된 것. ¶〜集 ^{しゅう} 습유집. ②시종 (侍從)의 당명 (唐名).

しゅうい【衆意】shū- 图 중의. 〜にもとづいて行 ^{おこな} う 중의에 따라 행하다.

じゅうい【重囲】jū- 图 중위 ; 엄중한 포위 ; 여러 겹의 포위.

じゅうい【獣医】jū- 图 수의 ; 수의사.

じゅういち【十一】jū- 图 [鳥] 매사촌 (두견이과의 새). = 慈悲心鳥 ^{じひしん}.

*じゅういちがつ【十一月】jū- 图 11월 ; 동짓달. ⇒霜月 ^{しもつき}.

しゅういつ【秀逸】shū- 图 수일. ①다른 것보다 빼어나게 뛰어남 ; 또, 그러한 것. ②입선 (入選)의 다음 순위. ¶훌륭한 和歌 ^{わか}·俳句 ^{はいく}.

じゅういつ【充溢】jū- 图 [自] 충일. ¶闘志 ^{とうし} が〜している 투지가 충일해 있다.

じゅういん【充員】jū- 图 [他] 충원 ; 부족한 인원을 보충함.

しゅうう【驟雨】shū- 图 취우 ; 소나기. = にわか雨 ^{あめ}·夕立 ^{ゆうだち}.

しゅううん【舟運】shū- 图 주운 ; 배에 의한 운송 (運送). ¶〜の便 ^{べん} 배편.

しゅうえき【就役】shū- 图 취역. ①임무에 새로 종사함. ②새로 만든 함선이 임무에 종사함. ③죄수가 형에 복역함. ¶〜金 ^{きん} 수역금.

しゅうえき【収益】shū- 图 수익.

しゅうえん【終演】shū- 图 [自] 종연 ; 연극·연주 따위가 끝남(를 끝냄). ↔開演 ^{かいえん}.

しゅうえん【終焉】shū- 图 종언. ①임종 ; 목숨이 다함. ②몸이 정착할 곳 ; 은거하여 여생(늘그막)을 보냄. ¶〜の地 ^{ち} ①그 사람이 죽은 고장. ②그 곳에서 죽으려고 정하여 있는 곳.

じゅうえん【重縁】jū- 图 중연 ; 친척이나 인척간의 혼인(결연).

じゅうおう【縦横】jū- 图 종횡. ①가로와 세로 ; 동서와 남북. ¶〜に走 ^{はし} る鉄道網 ^{てつどうもう} 종횡으로 뻗어 있는 철도망. ②흔히 '〜に'의 꼴로 마음대로 ; 자유 자재로. ¶〜に活躍 ^{かつやく} する 종횡으로[마음대로] 활약하다. ──じん【──無尽】图 종횡 무진. ¶〜の大活躍 ^{だいかつやく} 종횡 무진의 대활약.

じゅうおん【重恩】jū- 图 중은 ; 거듭 입은 은혜 ; 두터운 은혜.

しゅうか【衆寡】shū- 图 중과 ; 다수와 소수. ──敵 ^{てき} せず 중과 부적 (不敵).

しゅうか【臭化】shū- 图 [化] 브롬화 (Brom化). ¶〜カリウム [化] 브롬화칼륨 / 〜物 ^{ぶつ} 브롬화물(브롬과 다른 원소와의 화합물).

しゅうか【集荷·蒐荷】shū- 图 [自他] 집하 ; (농산물 등의) 짐이 모임 ; 짐을 모음 ; 또, 그 짐. ¶〜人 ^{にん} 집하인.

じゅうか【銃火】jū- 图 총화 ; 총기에 의한 사격. ¶〜を交 ^{まじ} える 사격을 주고받다(교전하다).

じゅうか【銃架】jū- 图 총가 ; 총대 (銃台 ^{だい}).

しゅうかい【周回·周廻】shū- 图 주회. 国图 [自] 돎. 国图 둘레 ; 주위. = まわり·めぐり.

*しゅうかい【集会】shū- 图 [自] 집회. ¶〜の自由 ^{じゆう} 집회의 자유.

しゅうかい【醜怪】shū- 图 추괴 ; 추하고 괴이함.

しゅうかいどう【秋海棠】shūkaidō 图 추해당.

じゅうかがくこうぎょう【重化学工業】jūkagaku kōgyō 图 중화학 공업.

*しゅうかく【収穫】shū- 图 [自他] 수확.

①農作物を収穫する。▼〜の時期。収穫の時期。②得ること；また、得た物；良き結果。▼旅行で得た〜＝旅行で得た収穫。「覚え」

しゅうかく【臭覚】 shū- 图 臭覚。＝嗅覚。

しゅうがく【就学】 shū- 图ス自 就学。▼〜児童。就学児童／〜年齢。就学年齢。──りつ【──率】图 就学率。

しゅうがく【修学】 shū- 图 修学。▼〜旅行。修学旅行。

じゅうかぜい【従価税】 jū- 图 従価税。↔従量税。

しゅうがつ【十月】 jū- 图 시월。＝神無月。「十感」

しゅうかん【収監】 shū- 图スヤ【法】 수감。

しゅうかん【習慣】 shū- 图 습관；관습。＝しきたり・ならわし。▼早起きの〜。일찍 일어나는 습관／早婚の〜。조혼의 풍습。

しゅうかん【終刊】 shū- 图 종간（신문・잡지 따위）。▼〜号。종간호。↔創刊。

しゅうかん【週刊】 shū- 图 주간。＝ウイークリー。▼〜誌。주간지／月刊・日刊など。──し【──誌】图 주간지。

しゅうかん【週間】 shū- 图 주간。▼〜天気予報。주간 일기 예보／交通安全〜。교통 안전 주간。

じゅうかん【縦貫】 jū- 图スヤ 종관；세로로（남북으로）통함。▼横断。

じゅうがん【重患】 jū- 图 중환；중병（환자）。

じゅうがん【銃丸】 jū- 图 총알；탄환。

じゅうがん【銃眼】 jū- 图 총안；사격이나 망을 보기 위해 성벽에 만든 작은 구멍。

しゅうき【周期】 shū- 图 주기。──うんどう【──運動】-undō 图 주기 운동。──てき【──的】ダナ 주기적。──りつ【──律】图 주기율。

しゅうき【秋季】 shū- 图 추계；가을철。▼〜運動会。추계 운동회。

しゅうき【秋期】 shū- 图 추기。▼〜株主総会。추기 주주 총회。

しゅうき【臭気】 shū- 图 취기；악취。＝臭味。▼〜ぷんぷん。악취가 코를 찌름／〜どめ。방취제；제취제（除臭剤）。

-しゅうき【周忌】 shū- 图 …주기。＝回忌。▼三〜。3주기。

しゅうぎ【衆議】 shū- 图 중의。▼〜に決（け）っする。중의에 따라（서）결정하다。──いん【──院】图 중의원（일본의 하원（下院））。＝衆院。▼〜議員。중의원 의원。▼参議院。

しゅうぎ【祝儀】 shū- 图 축의。①(ㄱ)축하의 의식。(ㄴ)婚礼。▼〜をあげる。결혼식을 올리다。②축의금；축하의 선물。▼祝（しゅく）。③팁；정표；행하。＝心づけ。

じゅうき【什器】 jū- 图 집기；(가장（家蔵））집물。

じゅうき【銃器】 jū- 图 총기。▼〜の不法所持（しょじ）。총기의 불법 소지。

じゅうきかんじゅう【重機関銃】 jūki-kanjū 图 중기관총。▼軽機関銃。

しゅうきゅう【蹴球】 shū- 图 축구。＝サッカー・フットボール。

しゅうきゅう【週休】 shūkyū 图 주휴。▼〜二日制。주휴 2일제。

しゅうきゅう【週給】 shūkyū 图 주급。▼〜制。주급제／月給。월급・日給。일급。

じゅうきょ【住居】 jūkyo 图 주거。▼〜変更届。주거 변경 신고（전입 전출 신고）。

しゅうきょう【宗教】 shūkyō 图 종교。▼新興〜。신흥 종교／〜家。종교가／〜教育。종교 교육／〜画。종교화。──かいかく【──改革】图 종교 개혁。──しん【──心】图 종교심；신이나 부처 따위를 믿는 마음。

しゅうぎょう【修業】 shūgyō 图スヤ 수업。＝しゅぎょう。▼〜年限（ねんげん）。수업 연한。

しゅうぎょう【就業】 shūgyō 图スヤ 취업。①일（을）함。▼〜規則。취업 규칙。②직업을 갖고 있음。▼〜人口（じんこう）。취업 인구／〜者（しゃ）。취업 인구（자）／失業。

しゅうぎょう【終業】 shūgyō 图スヤ 종업。①일정 기간의 학업을 마침。▼〜式。종업식。②일을 마침。▼〜時間。종업 시간。＝始業。

じゅうぎょう【従業】 jūgyō 图 종업；일에 종사함。──いん【──員】图 종업원。

しゅうきょく【終局】 shūkyo- 图 종국。①바둑의 끝판이 남。②일의 종말。▼事件（じけん）も〜を告げた。사건도 종국을 고했다。▼発端。

しゅうきょく【終曲】 shūkyo- 图【楽】 종곡。＝フィナーレ。▼序曲。

しゅうきょく【褶曲・皺曲】 shūkyo- 图【地】습곡。▼〜山脈。습곡 산맥／〜谷。습곡 골짜기。

しゅうぎょとう【集魚灯】 shūgyotō 图 집어등（밤에 물고기를 유인하는 등불）。

しゅうきん【集金】 shū- 图スヤ自 집금；수금。▼〜員。수금원。

しゅうきんぞく【重金属】 jū- 图 중금속（비중 4 이상의 금속）。↔軽金属。

しゅうく【秀句】 shū- 图 ①수구；훌륭한 俳句（はいく）（시구（詩句））。＝駄句。②동음이의（同音異義）의 말을 잘 이용한 재미있는 말「地口」。語呂合（ごろあわ）せ」따위。

しゅうぐ【衆愚】 shū- 图 중우；다수의 바보들。▼〜政治。중우 정치。

ジュークボックス jūkubokku- 图 주크 박스；자동식 전축（돈을 넣고 단추를 누르면 지정된 음악이 나옴）。▷미 jukebox。

シュークリーム shū- 图 슈크림（크림을 채운 과자 이름）。▷프 chou à la crème。

じゅうぐん【従軍】 jū- 图スヤ自 종군。▼〜看護婦（かんごふ）。종군 간호부／〜記者。종군 기자。

しゅうけい【集計】 shū- 图スヤ 집계。▼〜を出す。집계를 내다。

じゅうけい【従兄】 jū- 图 종형；사촌 형。↔従弟（じゅうてい）。

じゅうけい【重刑】 jū- 图 중형；무거운 형。

じゅうけい【銃刑】 jū- 图 총살형。

じゅうけいしょう【重軽傷】 jūkeishō 图 중경상；중상과 경상。

じゅうけいてい【従兄弟】 jū- 图 종형제；사촌 형제。＝従姉妹（じゅうしまい）。

しゅうげき【襲撃】 shū- 图スヤ 습격。

じゅうげき【銃撃】 jū- 图スヤ 총격。

しゅうけつ【終結】shū- 图 ストホ 종결. ①끝이 남. ¶ 争議ボが~した 쟁의가 종결되었다. ↔開始ボ. ②【数・論】가설(假設)에서 추론(推論)에 의해 얻는 결론; 귀결(歸結). ↔仮設ボ.

しゅうけつ【集結】shū- 图 ストホ 집결; 한곳에 모음[모임].

じゅうけつ【充血】jū- 图 ストホ 충혈. ¶ 目ボが~している 눈이 충혈되어 있다.

しゅうけん【集権】shū- 집권. ¶ 中央ボ~ 중앙 집권. ↔分権ボ.

しゅうげん【祝言】shū- 图 ①축언; 축사(祝辭). ②경사; 특히, 혼례(婚禮). ¶ ~を挙げる 혼례식을 올리다.

しゅうげん【衆言】shū- 图 중언; 여러 사람의 말. ¶ ~術ボ 총검술.

じゅうけん【銃剣】jū- 图 ストホ 총검. ¶

じゅうげん【重言】jū- 图 중언. ①같은 뜻이 겹치는 말투('ひにち'ぜ·'やみやたら'ぜ·'電車に乗車ボする' 따위). ②같은 자를 겹친 숙어; 첩자(疊字); 첩어('悠悠ボ' 따위).

じゅうけい【銃後】jū-〔전장의〕후방; 후방의 국민. ¶ ~の守りボ 후방의 대비. ↔前線ボ. ¶ ~に 친하게 교제함.

しゅうこう【修交】shūkō 图 ストホ 수교; 나라 간(間)에 친하게 교제함. ¶ ~条約ボ 수교 조약.

しゅうこう【修好】shūkō 图 ストホ 수호; 나라 간(間)에 친하게 교제함. ¶ ~条約ボ 수호 조약.

しゅうこう【就航】shūkō 图 ストホ 취항.

しゅうこう【終講】shūkō 图 ストホ 종강.

しゅうこう【醜行】shūkō 图 추행.

しゅうこう【集光】(聚光)shūkō? 图 집광; 광선을 한 곳에 모이게 함. ¶ ~器ボ 집광기.

しゅうごう【秋毫】shūgō 图 《다음에 否定의 말이 와서》추호; 티끌만큼; 조금. = わずか・いささか.

‡しゅうごう【集合】shūgō 目图 ストホ 집합; 한 자리에 모음[모임]. ¶ 休ボ時間ボに~する 휴식 시간에 그 모임; 떼. ↔解散ボ. ②【数】집합. ¶ 偶数ボの~ 짝수의 집합. ━めいし【──名詞】图 【語】 집합 명사. ━ろん【──論】图 【数】 집합론.

じゅうこう【獣行】jū- 图 수행; 짐승 같은 짓; 또, 성행위.

じゅうこう【重厚】jū- 图ボ 중후. ¶ ~な性格ボ 중후한 성격. ↔軽薄ボ.

じゅうこう【銃口】jūkō 图 총구; 총부리. ¶ ~を向けける 총구를 들이대다. ↔銃尾ボ.

じゅうごう【重合】jū- 图 ストホ 【化】 중합(한 화합물의 두 개 이상의 분자가 결합해서 분자량이 큰 새로운 화합물이 됨). ━たい【──体】图 중합체.

＊じゅうこうぎょう【重工業】jūkōgyō 图 중공업. ↔軽工業ボ.

じゅうごや【十五夜】jū- 图 십오야; 음력 보름날 밤; 또, 한가윗날의 밤.

じゅうこん【重婚】jū- 图 ストホ 중혼. ¶ ~罪ボ 중혼죄.

しゅうさ【収差】shū- 图 【理】 수차. ¶ 球面ボ~ 구면 수차.

ジューサー jūsā 图 주서; 주스를 만드는 전기 기구. ⑩juicer.

＊しゅうさい【秀才】shū- 图 수재. ①뛰어난 재능; 또, 그런 재능의 소유자. ↔鈍才ボ. ②大宝令ボボぜ 제도에서,

じゅうざい【重罪】jū- 图 중죄. ↔軽罪ボ. 〔→駢作ボ〕

しゅうさく【秀作】shū- 图 수작; 걸작.

しゅうさく【習作】shū- 图 ストホ 습작. =エチュード.

しゅうさつ【集札】shū- 图 집찰; 승객의 차표를 모음. ↔改札ボ.

じゅうさつ【銃殺】jū- 图 ストホ 총살. ¶ ~刑ボ 총살형.

しゅうさん【衆参】shū- 图 중의원과 참의원. ¶ ~両院ボ 중참(상하) 양원.

しゅうさん【集散】shū- 图 ストホ 집산. ¶ 離合ボ~ 이합 집산. ━ち【──地】图 집산지. ¶ 米ボの~ 쌀의 집산지.

じゅうさんや【十三夜】jū- 图 십삼야. ①음력 13일 밤. ②달맞이의 풍습이 있는 음력 9월 13일 밤; 또, 그 밤의 달. =後ボの月ボ.

しゅうし【修士】shū- 图 ①석사. =マスター. ¶ 文学ボ~ 문학 석사. ②가톨릭의 수(도)사.

しゅうし【宗旨】shū- 图 ①종지; 종교의 교의·취지. ②비유적으로, 신봉하는 주의·주장이나 취미·기호·직업(등의 부문). ━を変ボえる 종지를 바꾸다. ①믿고 있던 종지를 바꾸다. ②지금까지의 주의·직업·취미·생각 따위를 바꾸다.

しゅうし【収支】shū- 图 수지. ¶ ~がつぐわない 수지가 맞지 않다.

しゅうし【終止】shū- 图 ストホ 종지; 끝남; 끝; 마지막. ━けい【──形】图① 【文法】 동사·형용사·조동사의 활용형의 하나로, 문장의 끝에 쓰이는 꼴('花ボが咲くぜ(=꽃이 핀다)'의 '咲く' 따위). ②【楽】 종지; 카덴차. ━ふ【──符】图 종지부; 마침표. =ピリオド. ¶ ~を打つぜ 종지부를 찍다; 끝〔결말〕을 내다.

＊しゅうし【終始】shū- 图ぜ 시종; 내내; 줄곧. = ずっと. ¶ その間ボ守勢ボに~した 그 동안 수세로 시종하였다. ━いっかん【──一貫】-ikkan 副 ストホ 시종 일관.

しゅうじ【修辞】shū- 图 수사. =レトリック. ¶ ~学ボ(法ボ) 수사학(법).

＊しゅうじ【習字】shū- 图 ストホ 습자. =手習ボい. ¶ ~ペン 펜습자.

じゅうし【従姉】jū- 图 종자; 사촌 누이〔누나〕. ↔従妹ボ.

＊じゅうし【重視】jū- 图ストホ 중시. ¶ 人物ボを~する 인물을 중시하다. ↔軽視ボ. 〔→職ボ〕

じゅうじ【住持】jū- 图 【佛】 주지. =住職ボ.

じゅうじ【十字】jū- 图 십자. ①(十)자형. ②십자가(十字架). ③십자로; 네거리. =四ボつつじ・十字路ぜ. ④남십자성. ━を切るぜ 성호를 긋다. ━か【──火】图 십자화; 십자 포화. ━か【──架】图 십자가. ━を負ぜう 십자가를 지다 ((a)영원히 씻을 수 없는 죄를 짊어지다; (b)선천적인 불구의 자식을 낳는 등 부모로서 뼈아픈 고뇌를 갖다). ━ぐん【──軍】图 십자군. ①중세 유럽의 성지(聖地) 원정

군. ②전하여, 어떤 이상이나 신념에 입각한 집단적 투쟁·행동.

じゅうじ【従事】jū- 名 ス自 종사.

しゅうじつ【終日】shū- 名 (온)종일. =一日(いちにち)じゅう. ¶~読書(どくしょ)する 온종일 독서하다.

***じゅうじつ**【充実】jū- 名 ス自 충실. ¶~した生活(せいかつ) 충실한〔알찬〕생활. ↔空虚(くうきょ).

じゅうしまい【従姉妹】jū- 名 종자매. ↔従兄弟(じゅうけいてい).

じゅうしまつ〖十姉妹〗jū- 名〔鳥〕십자매.

じゅうしゃ【従者】jūsha 名 종자; 데리고 다니는 사람. =とも.

しゅうじゃく【執着】(執著) shūja- 名 ス自 〈老〉☞しゅうちゃく.

しゅうしゅぼうかん［袖手傍観］shū-shubō- 名 ス他 수수 방관. =拱手(きょうしゅ)傍観.

しゅうじゅ【収受】shūju 名 ス他 수수; 받아 들임. ¶金品(きんぴん)の~ 금품 수수.

しゅうしゅう【修習】shūshū 名 ス他 수습; 연수. ¶司法(しほう)~生(せい) 사법 연수생.

しゅうしゅう【収拾】shūshū 名 ス他 수습. ¶~がつく 수습이 되다.

****しゅうしゅう**【収集】(蒐集) shūshū 名 ス他 수집. =コレクション. ¶切手(きって)~ 우표 수집 / ごみ~車(しゃ) 쓰레기차 / ~癖(へき) 수집벽.

しゅうしゅう［啾啾］shūshū トタル 추추; 작은 소리로 훌쩍이며 우는 모양. ¶鬼哭(きこく)~たる雨夜(あまよ) 귀신이 우는 궂은 비 내리는 밤.

じゅうじゅう【重重】jūjū 副 ①거듭거듭. =重(かさ)ね重(がさ)ね. ¶失礼(しつれい)の段(だん)~おわびします 실례된 점 거듭거듭 사죄드립니다. ②아주 잘; 충분히. =よくよく. ¶~ごもっともだ 아주〔두말할 것 없이〕지당하다.

しゅうしゅく【収縮】shūshu- 名 ス自他 수축. ↔膨張(ぼうちょう).

しゅうじゅく【習熟】shūju- 名 ス自 습숙. ①익숙. ②익숙해져 습관이 됨.

じゅうじゅつ【柔術】jūju- 名 유술; 유도(柔道)의 전신. =やわら.

***じゅうじゅん**【柔順】jūjun 名 ダナ 유순. ¶~な妻(つま) 유순한 아내.

***じゅうじゅん**【従順】jūjun 名 ダナ 순종(順従); 온순함; 다소곳함.

しゅうしょ【週初】shūsho 名 주초. ↔週末(しゅうまつ).

しゅうじょ【醜女】shūjo 名 추녀. =しこめ·醜婦(しゅうふ). ↔美女(びじょ).

****じゅうしょ**【住所】jūsho 名 주소. ¶~録(ろく) 주소록. **―ふてい**【―不定】名 주소〔주거〕부정.

しゅうしょう【就床】shūshō 名 ス自 취침. =就寝(しゅうしん). ↔起床(きしょう).

しゅうしょう【愁傷】shūshō 名 수상; 슬퍼함; 비탄(悲嘆)함. ¶ご~さま 얼마나 애통하십니까《사람이 죽었을 때 문상하는 말》.

しゅうしょう【終章】shūshō 名 종장; 마지막장. ↔序章(じょしょう).

じゅうしょう【重唱】jūshō 名 ス他 중창. ¶三(さん)~ 삼중창.

じゅうしょう【重症】jūshō 名 중증. ¶~患者(かんじゃ) 중증 환자. ↔軽症(けいしょう).

***じゅうしょう**【重傷】jūshō 名 중상. =深手(ふかで). ↔軽傷(けいしょう).

じゅうしょう【銃傷】jūshō 名 총상. =銃創(じゅうそう).

じゅうしょうしゅぎ【重商主義】jūshō-shugi 名 중상주의. =マーカンティリズム. ↔重農主義(じゅうのうしゅぎ).

しゅうしょく【修飾】shūsho- 名 ス他 수식. ¶~語(ご) 수식어.

***しゅうしょく**【就職】shūsho- 名 ス自 취직. ¶~口(ぐち) 취직처 / ~難(なん) 취직난 / ~試験(しけん) 취직 시험. ↔退職(たいしょく).

しゅうしょく【秋色】shūsho- 名 추색; 추광(秋光); 가을빛; 또, 가을 경치. =しゅうしき. ¶~が深(ふか)まる 가을(빛)이 깊어가다〔짙어지다〕.

しゅうしょく【愁色】shūsho- 名 수색; 수심의 빛. ¶~が濃(こ)い 수심의 빛이 짙다.

じゅうしょく【住職】jūsho- 名〔佛〕주직; 주지(住持)(의 직).

じゅうしょく【重職】jūsho- 名 중직; 요직. ↔閑職(かんしょく).

しゅうじょし【終助詞】shūjo- 名〔文法〕구의 끝에 붙여 의문·감동·영탄 따위의 뜻을 나타내는 조사《口語에서는 'か·な·なあ·ぞ·さ·ね·よ·の·わ' 따위; 雅語에서는 'かな·かも·ばや·か·ぞ·な' 따위》.

しゅうしん【執心】shū- 名 ス自 집심; 집착심; 미련. ¶ずいぶんご~だね 상당히 악착 같네그려; 집념이 대단하시군.

しゅうしん【就寝】shū- 名 ス自 취침. ¶~時間(じかん) 취침 시간. ↔起床(きしょう).

しゅうしん【修身】shū- 名 수신. ①행실을 바르게 함. ¶~斉家(せいか) 수신 제가. ②2차 대전 종전전의 학과목의 하나《지금의 도덕에 해당》.

しゅうしん【終身】shū- 名 종신. =終生(しゅうせい). ¶~会員(かいいん) 종신 회원 / ~雇用(こよう) 종신 고용. **―けい**【―刑】名 종신형.

しゅうじん【囚人】shū- 名 수인; 죄수.

しゅうじん【衆人】shū- 名 중인. ①많은 사람들. ②보통 사람들. **―かんし**【―環視】名 중인 환시; 여러 사람이 봄. ¶~の中(なか)で 중인 환시리에.

しゅうじん［集塵］shū- 名 ス自 집진; 쓰레기를 모음. ¶~機(き) 집진기 / ~袋(ぶくろ) 쓰레기 모으는 봉지.

じゅうしん【銃身】jū- 名 총신; 총열.

じゅうしん【獣心】jū- 名 수심; 짐승 같은 마음. ¶人面(じんめん)~ 인면 수심.

じゅうしん【重心】jū- 名〔理〕(무게) 중심. **―を取(と)る** 중심을 잡다.

じゅうしん【重臣】jū- 名 중신. ¶~会議(かいぎ) 중신 회의.

シューズ shū- 名 슈즈; 단화(短靴). ¶レーン~ 레인 슈즈; 우화(雨靴). ▷shoes.

ジュース jū- 名 듀스; (배구·테니스·탁구 따위에서) 한 세트〔게임〕의 승부가 결정되기 직전에 동점이 되는 일. ¶~アゲーン 듀스 어게인. ▷deuce.

***ジュース** jū- 名 주스; 즙(汁); 액체. ¶レモン~ 레몬 주스. ▷juice.

しゅうすい【秋水】shū- 名 추수. ①가을철의 맑고 푸른 물. ②비유적으로, 티 없이 깨끗한 것; 특히, 날카로운〔날

이 시퍼런〕 칼.

じゅうすい【重水】jū- 图【化】중수;
중수소를 함유하는 물. ↔軽水^{けい}.

じゅうすいそ【重水素】jū-【化】중
수소.

しゅう-する【修する】shū- サ変他 ①닦
다;학습하다;수련하다. ¶身^みを―
몸을 닦다(수련하다)／学^{がく}を― 글〔학
문〕을 배우다. ②정돈하다;수리하다.
장식하다;꾸미다. ④(법회(法會)
따위를〕 열다;거행하다.

じゅう-する【住する】jū- サ変自 ①살
다. =住する. ②머무르다.

*****しゅうせい**【修正】shū- 图 ㄨ他 수정.
¶―案^{あん}を 수정안／～を加^{くわ}える 수정을
가하다. ――しゅぎ【――主義】-shugi
图 수정주의. ↔教条^{きょうじょう}主義.

しゅうせい【修整】shū- 图 ㄨ他 수정;
(사진 따위를) 손질해서 바로잡음.

しゅうせい【終世・終生】shū- 图 종생;
필생;일생 동안;평생. =一生^{いっしょう}・終
身^{しん}.

*****しゅうせい**【習性】shū- 图 습성. =く
せ. ¶動物^{どうぶつ}の～ 동물의 습성.

しゅうせい【集成】shū- 图 집성;
집대성(集大成).

じゅうせい【獣性】jū- 图 수성.①동물
의 성질. ②(인간의 성질 중) 이성을
잃은 본능적인 성질. 「리.

じゅうせい【銃声】jū- 图 총성;총소

じゅうぜい【重税】jū- 图 중세.¶～に
苦^{くる}しむ 중세에 시달리다.

しゅうせき【集積】shū- 图 ㄨ自他 집적;
다량으로 모음[모임]. ¶～地^ち 집적
지／～土^ど 집적토. ――かいろ【――回
路】【理】집적 회로. =IC^{アイシー}.

じゅうせき【重責】jū- 图 중책. ¶～を
全^{まっと}うする 중책을 완수하다.

しゅうせん【周旋】shū- 图 ㄨ他 주선;
알선;중개. ¶就職^{しゅうしょく}の～ 취직 알
선／～業^{ぎょう} 중개(소개)업／～人^{にん} 중
개(소개)인／～屋^や 중개(소개)소;또
그 업자(직업 소개소・복덕방 등).

しゅうせん【終戦】shū- 图 종전(특히,
일본의 경우 제2차 세계 대전의 패전
을 말함). ↔開戦^{かいせん}.

*****しゅうぜん**【修繕】shū- 图 ㄨ他 수선;
수리. =修復^{しゅうふく}. ¶靴^{くつ}の～ 구두 수
선／家^{いえ}の～ 집 수리.

しゅうぜん【愁然】shū- ㄸタル 수연;수
심에 잠긴 모양. ¶～として 수연히;
수심에 잠겨.

じゅうぜん【従前】jū- 图 종전;이전.
=今^{いま}まで. ¶～どおり 종전대로.

しゅうそ【宗祖】shū- 图 종조;종파의
개조(開祖). 「롬.

しゅうそ【臭素】shū- 图【化】취소;브

じゅうそ【重祚】jū- 图 ㄨ自 중조;재조
(再祚);다시 즉위함. =ちょうそ.

しゅうそう【秋霜】shūsō 图 추상.①가
을의 차가운 서리.②엄한 형벌의 비유.
번쩍이는 예리한 물건이나 백발(白髪)
의 비유. ――れつじつ【――烈日】추
상 열일. ¶～のごとき命令^{めいれい} 추상
(열일) 같은 명령.

しゅうぞう【収蔵】shūzō 图 ㄨ他 수장;
거두어 깊이 간직함.

じゅうそう【縦走】jūsō 图 ㄨ自 종주.
①산등성이를 타고 걸음. ②(산맥 따

위) 지형이 긴 쪽으로 또는 남북으로
연하여 있음. 「주지(住持)

じゅうそう【住僧】jūsō 图 주승.

じゅうそう【重奏】jūsō 图【佛】
¶四^{よん}～ 사중주.

じゅうそう【重曹】jūsō 图【化】중조
('重炭酸^{じゅうたんさん} ソーダ(=중탄산 소다)'
의 준말).

じゅうそう【銃創】jūsō 图 총창;총상
(銃傷). ¶貫通^{かんつう}～ 관통상.

しゅうそく【終息・終熄】shū- 图 ㄨ自
종식.

しゅうぞく【習俗】shū- 图 습속;습관
이나 풍속. =ならわし.

じゅうそく【充足】jū- 图 ㄨ他 충족.
¶欲望^{よくぼう}を～ 욕망의 충족／条件^{じょうけん}
を～させる 조건을 충족시키다. ――り
つ【――律】【哲】충족률.

じゅうぞく【従属】jū- 图 ㄨ自 종속.¶
～関係^{かんけい} 종속 관계. ↔自立^{じりつ}.――
く【――国】图 종속국;속국. =宗主国
^{そうしゅこく}独立国^{どくりつこく}. ――せつ【――節】
图【文法】종속절.↔対立節^{たいりつせつ}.

じゅうそつ【従卒】jū- 图 종졸;당번병
('従兵^{じゅうへい}'의 구칭).

しゅうたい【醜態】shū- 图 추태.

*****じゅうたい**【渋滞】jū- 图 ㄨ自 삽체;정
체;지체. ¶交通^{こうつう}の～ 교통의 정체.

じゅうたい【縦隊】jū- 图 종대. ¶四
列^{しれつ}～ 사열 종대. ↔横隊^{おうたい}.

じゅうたい【重体・重態】jū- 图 중태.

じゅうだい【十代】jū- 图 ①십대(teen-
age의 역어). ¶～の少女^{しょうじょ} 십대의
소녀.②열 번째의 대(代).③10대 (동
안).¶僕^{ぼく}の家^{いえ}は～の間^{あいだ}田舎^{いなか}に
住^すんでいる 우리집은 10대에 걸쳐 시
골에서 살고 있다

じゅうだい【重代】jū- 图 선조 대대.

*****じゅうだい**【重大】jū- 图 중대. ¶
～事件^{じけん} 중대 사건／～視^しする 중대
시하다.

しゅうたいせい【集大成】shū- 图 ㄨ他
집대성. =集成^{しゅうせい}.

*****じゅうたく**【住宅】jū- 图 주택. ¶
～地^ち 주택지／集団^{しゅうだん}～ 집단 주택／
～難^{なん} 주택난.

しゅうだつ【収奪】shū- 图 ㄨ他 수탈;
억지로 빼앗아 감.

しゅうたん【愁嘆・愁歎】shū- 图
ㄨ自他 수탄;근심하며 탄식함;울며 슬
퍼함. ――ば【――場】图 연극에서,한
탄하고 눈물을 흘리며 슬퍼하는 장면.

*****しゅうだん**【集団】shū- 图 집단. ¶
～検診^{けんしん} 집단 검진／～指導^{しどう} 집단
지도. ――あんぜんほしょう【――安全
保障】-shō 图 집단 안전 보장.

じゅうたん【絨緞・絨縅・絨毯】jū- 图 융
단. =カーペット. ¶～爆撃^{ばくげき} 융단 폭
격.

*****じゅうだん**【縦断】jū- 图 ㄨ他 종단. ¶
～面^{めん} 종단면／～飛行^{ひこう} 종단 비행.
↔横断^{おうだん}.

じゅうだん【銃弾】jū- 图 총탄;탄환.

しゅうち【周知】shū- 图 ㄨ他 주지. ¶
～の事実^{じじつ} 주지의 사실.

しゅうち【衆知・衆智】shū- 图 중지.
¶～を集^{あつ}める 중지를 모으다.

しゅうち【羞恥】shū- 图 수치. =恥^はじ
らい. ¶～心^{しん} 수치심.

しゅうちく【修築】shū- 名 他 수축.

*しゅうちゃく【執着】shūcha- 名 自 집착심. ＝しゅうじゃく. ¶～心 집착심.

しゅうちゃく【終着】shūcha- 名 自 종착. ¶～駅 종착역. ↔始発.

＊**しゅうちゅう**【集中】shūchū 名 自 他 집중. ¶～攻撃 집중 공격／～豪雨 집중 호우／人口 ^{じんこう} が都会 ^{とかい} に～する 인구가 도회 (지)에 집중하다. ↔分散 ^{ぶんさん}.

しゅうちゅう【集注】shūchū 집주. 一 名 自他 한곳에 모아 쏟음. ¶全力 ^{ぜんりょく} を～する 전력을 집중하다. 二 (集註) 名 서적의 주석을 모은 것.

じゅうちゅうはっく【十中八九】jūchū-hakku 십중팔구. ⇒じっちゅうはっく.

しゅうちょう【酋長】shū- 名 추장.

じゅうちん【重鎮】jū- 名 중진.

しゅうちんぼん【袖珍本】shūchimbon 名 수진본; 소매·포켓 등에 넣을 수 있을 정도의 작은 책. ＝しゅうちん.

じゅうづめ【重詰(め)】jū- 名 찬합 따위를 찬합에 담음; 또, 그 담은 요리.

しゅうてい【舟艇】shū- 名 주정; 작은 배. ¶上陸用 ^{じょうりくよう} ～ 상륙용 주정.

しゅうてい【修訂】shū- 名 他 수정. ¶～版 수정판.

じゅうてい【従弟】jū- 名 종제; 사촌 남동생. ⇔従兄 ^{じゅうけい} . 「적.

しゅうてき【衆敵】shū- 名 중적; 많은

じゅうてき【獣的】jū- ダナ 짐승 같은 모양.

*しゅうてん【終点】shū- 名 종점. ¶～まで行 ^{い} きます 종점까지 갑니다. ↔起点 ^{きてん} ·始点 ^{してん} .

じゅうてん【充填】jū- 名 他 충전; 가득히 채움. ¶虫歯 ^{むしば} にセメントを～する 충치에 시멘트를 충전하다.

*じゅうてん【重点】jū- 名 중점. ①사물의 중요한 점. ＝ウエート. ¶～を置 ^{お} く 중점을 두다. ②[理] 지렛대로 움직이려 하는 물체의 무게가 작용하는 점. ↔力点 ^{りきてん} ·支点 ^{してん} .

じゅうてん【充電】jū- 名 自他 충전. ¶～器 ^{き} 충전기. ↔放電 ^{ほうでん} .

じゅうでんき【重電機】jū- 名 중전기. ↔軽電機 ^{けいでんき} .

しゅうでんしゃ【終電車】shūdensha 名 (그 날 배차의) 마지막 전차. ＝終電 ^{しゅうでん} . ↔始発 ^{しはつ} 電車.

しゅうと【姑】shū- 名 시어머니; 또는 장모. ＝しゅうとめ.

しゅうと【舅】shū- 名 시아버지; 또는, 장인. ⇔しゅうとめ.

しゅうと【州都】shū- 名 주도; 주(州)의 청청(政廳)이 있는 도시.

しゅうと【宗徒】shū- 名 종도; 신자. 신도.

シュート shū- 名 自他 ①[野] 슈트;오른손(왼손) 투수가 던진 공이 타자 앞에 와서 오른쪽(왼쪽)으로 휘는 일; 또, 그 공. ②[축구·농구에서] 슛. ▷shoot.

ジュート jū- 名 주트; 황마(黃麻)의 섬유(마대의 原料 ^{げんりょう})를 만듦. ▷jute.

しゅうとう【周到】shūtō ダナ 주도. ¶用意 ^{ようい} ～ 용의 주도. ↔不用意 ^{ふようい} .

しゅうどう【修道】shūdō 名 自 수도.

¶～僧 수도승／～院 ^{いん} 수도원. 一(一士)名 (천주교에서) 수도사；수사 (修士). 参考 여성은 修道女 ^{じょ} .

じゅうとう【充当】jūtō 名 他 충당.

じゅうどう【柔道】jūdō 名 유도.

しゅうとく【拾得】shū- 名 他 습득. ¶～物 ^{ぶつ} 습득물.

しゅうとく【収得】shū- 名 他 수득 (습득한 물건 따위를 자기 소유로 함). ¶～罪 ^{ざい} 점유 이탈물 횡령죄.

*しゅうとく【修得】shū- 名 他 수득; 숙달해짐；배워서 몸에 익힘. ¶旋盤 ^{せんばん} の技術 ^{ぎじゅつ} を～する 선반 기술을 배워 익히다.

*しゅうとく【習得】shū- 名 他 습득. ¶言語 ^{げんご} を～期 ^{き} (유아의) 말을 배우는 시기. 「 ^{は} , 장모.

しゅうとめ【姑】shū- 名 시어머니; 또

*じゅうなん【柔軟】jū- ダナ 유연. ¶～なからだ 유연한 몸／～な考 ^{かんが} え方 ^{かた} 유연한〔신축성 있는〕사고 방식. ↔強硬 ^{きょうこう} .

＊**じゅうにがつ**【十二月】jū- 名 12월; 섣달. 師走 ^{しわす} . 「고기.

じゅうにく【獣肉】jū- 名 수육；짐승의

じゅうにし【十二支】jū- 名 십이지; 지 지(地支)〔子 ^{ね} (=자子), 丑 ^{うし} (=축), 寅 ^{とら} (=인), 卯 ^{う} (=묘), 辰 ^{たつ} (=진), 巳 ^{み} (=사), 午 ^{うま} (=오), 未 ^{ひつじ} (=미), 申 ^{さる} (=신), 酉 ^{とり} (=유), 戌 ^{いぬ} (=술), 亥 ^{い} (=해)). ⇒十干 ^{じっかん} .

じゅうにしちょう【十二指腸】jūnishichō 名 십이지장. ──ちゅう【──虫】名 십이지장충.

じゅうにひとえ【十二単】jū- 名 옛날 여관(女官)들의 정장(正裝)〔남자의 속대 (束帶)에 해당함〕.

*じゅうにぶん【十二分】jū- 名 십이분 ('十分 ^{じゅうぶん} (=십분·충분)'의 힘줌말). ¶～にいただきました 실컷 먹었(들 었)습니다.

*しゅうにゅう【収入】shūnyū 名 수입. ──支出 ^{ししゅつ} . ──いんし【──印紙】 名 수입 인지. ──やく【──役】名 市町 村 ^{しちょうそん} 의 회계 담당역(공무원).

しゅうにん【就任】shū- 名 自 취임. ↔辞任 ^{じにん} ·退任 ^{たいにん} ·離任 ^{りにん} .

じゅうにん【重任】jū- 名 自他 중 임함；연임함. 一 名 중임; 중책.

じゅうにん【住人】jū- 名 주민; 거주자.

じゅうにんといろ【十人十色】jū- 名 십 인 십색; 가지각색.

じゅうにんなみ【十人並】jū- 名 용모 따위가 보통임. ¶～の才能 ^{さいのう} 평범한 재능.

*しゅうねん【執念】shū- 名 집념; 앙심. ¶～ぶかい【──深い】形 집념이 강하 다; 성질이 깐깐하; 앙심을 품고 있음.

しゅうねん【周年】shū- 名 주년. ①만 (満) 1년；일주기(一周忌). ②〈수를 나타내는 말에 붙어〉. ¶創立 ^{そうりつ} 十 ^{じゅう} ～記念 ^{きねん} 창립 10주년 기념.

じゅうねん【十念】jū- 名 [佛] 십념. ①나무아미타불을 열 번 염불함. ②정 토종(淨土宗)의 중이 나무아미타불의 명호(名號)를 주어 신자가 되게 함.

じゅうねんいちじつ【十年一日】jū- 名

十年을 하루같이 꾸준함의 형용.

しゅうのう 【収納】 shūnō 图 [ス他] ①(현금·물품의) 수납. ②(농작물을) 거두어 들임.

じゅうのう 【十能】 jūnō 图 부삽.

じゅうのうしゅぎ 【重農主義】 jūnōshugi 图 중농주의. ↔重商主義じゅう.

しゅうは 【周波】 shū- 图 [理] 주파. ──すう 【──数】 -sū 图 [理] 주파수.

しゅうは 【宗派】 shū- 图 ①종파；분파(分派). ②유파(流派). ⇒流儀じゅう.

しゅうは 【秋波】 shū- 图 추파；流し目；色目など. ウインク. ──を送おくる 추파를 보내다.

しゅうばい 【集配】 shū- 图 [他] 집배. ¶~人じん【買】 집배원.

しゅうばい 【収買】 shū- 图 [他] 수매；물품을 거두어 사들임.

じゅうばこ 【重爆】 jū- '重爆じゅう爆撃機じゅう'의 준말. ↔軽爆けい.

じゅうばこ 【重箱】 jū- 图 찬합. ──の隅すみを楊枝ようじでほじくる 찬합의 구석을 이쑤시개로 후비다(자잘한 일에까지 간섭하다). ──よみ【──読み】 한자(漢字) 두 자로 되어 있는 숙어(熟語)의 윗자는 음(音)으로, 아랫자는 훈(訓)으로 읽는 법('重箱じゅう·団子だんご'로 읽는 따위). ↔湯桶ゆとう読み. 「金」.

じゅうたちきん 【十八金】 jū- 图 십팔금.

じゅうはちばん 【十八番】 jū- 图 가장 뛰어난 장기(長技). =おはこ. 參考 본디, 歌舞伎かぶき 배우 市川いちかわ 집안에 대대로 전해 내려온 인기 歌舞 18 가지를 이른 데서. 「막차. ↔始発しはつ.

しゅうはつ 【終発】 shū- 图 막차. **じゅうばつ** 【重罰】 jū- 图 중벌.

じゅうはっしりゃく 【十八史略】 jūhasshirya- 십팔사략.

じゅうはっぱん 【十八般】 jūhappan 图 중국의 십팔기(十八技)；또, 무예의 전반(全般).

しゅうばん 【終盤】 shū- 图 종반(선거·바둑 또는 경기 따위의). ¶~戦せん 종반전. ↔序盤じょ·中盤ちゅう.

しゅうばん 【週番】 shū- 图 주번. ──制せい 주번제.

じゅうはん 【従犯】 jū- 图 종범. ¶~者しゃ 종범자. ↔主犯しゅ·正犯せい.

じゅうはん 【重犯】 jū- 图 ①중범；軽犯けいはん. ②재범. ↔初犯しょ.

じゅうはん 【重版】 jū- 图 [ス他] 중판；재판. ↔初版しょ.

しゅうび 【愁眉】 shū- 图 수미；근심스러워 양미간(얼굴)을 찌푸림. =心配顔しんぱいがお. ──を開ひらく (근심으로) 찌푸렸던 얼굴을 펴다(상태가 호전되어 안심하다). =はしをさす.

じゅうひ 【従婢】 jū- 图 종비；계집종. **じゅうび** 【銃尾】 jū- 图 총미；총신의 뒷부분. ↔銃口じゅう.

しゅうひょう 【衆評】 shūhyō 图 중평；많은 사람의 비평. =世評せい.

*じゅうびょう 【重病】 jūbyō 图 중병. =重患じゅう.

しゅうふ 【醜夫】 shū- 图 추부；추남. **しゅうふ** 【醜婦】 shū- 图 추부；추녀. =醜女しゅう.

しゅうふう 【秋風】 shū- 图 추풍；あきかぜ. ↔春風しゅん.

しゅうふく 【修復】 shū- 图 [ス他] 수복；복원(復元) じゅふく. ¶~工事こうじ 복원 공사.

*じゅうふく 【重複】 jū- 图 [ス自] 중복('ちょうふく'의 새 말씨).

しゅうぶん 【秋分】 shū- 图 추분. ↔春分しゅん. ──てん【──点】 图 추분점. ↔春分点しゅんぶんてん. ──のひ【──日】 图 추분의 날(국민 축일의 하나；9월 23일경). 「キャンドル.

しゅうぶん 【醜聞】 shū- 图 추문；スキャンダル.

じゅうぶん 【重文】 jū- 图 ①[文法] 중문. ↔単文たん·複文ふく. ②'重要文化財じゅうようぶんかざい(=중요 문화재)'의 준말.

‡**じゅうぶん** 【じゅうぶん·十分·充分】 jū- 副 [ダナ] 십분；충분. ¶~いただきました 잘 먹었습니다(들었습니다). ↔不十分ふじゅうぶん. ──じょうけん 【──条件】 -jōken 图 충분 조건. ↔必要条件ひつよう.

じゅうへい 【従兵】 jū- 图 종병；(장교의) 당번병.

しゅうへき 【習癖】 shū- 图 습벽；버릇.

*しゅうへん 【周辺】 shū- 图 주변. ¶都市としの── 도시의 주변.

じゅうべん 【重弁】 jū- 图 [植] 중판(重瓣). =複瓣ふくべん. ↔やえざき. ¶~花か 중판화. ↔単弁たん.

じゅうぼいん 【重母音】 jū- 图 [言] 중모음；복모음；이중 모음.

しゅうほう 【週報】 shūhō 图 주보. =ウイークリー. ↔日報にっ·月報げっ.

しゅうぼう 【衆望】 shūbō 图 중망；많은 사람의 신망(기대). ¶~にこたえる 중망에 보답하다.

じゅうほう 【重宝】 jū- 图 중보；귀중한 보물. ⇒重宝ちょうほう②.

じゅうほう 【重砲】 jūhō 图 중포；구경이 크고 사정(射程)이 긴 대포.

じゅうほう 【銃砲】 jūhō 图 총포；시판되는 엽총·공기총 따위의 총칭. ¶~店てん 총포점. 「(ひ)인]. 下男げなん.

じゅうぼく 【従僕】 jū- 图 종복；남자종.

シューマイ shū- 图 [중국 요리의] 전만두의 일종. ▷중 焼売.

じゅうまい 【従妹】 jū- 图 종매；사촌누이 동생. ↔従姉じゅう.

しゅうまく 【終幕】 shū- 图 종막. ①[연극의 마지막 막. ↔序幕じょ. ②연극이 끝남. =はね. ↔開幕かい. ③사건의 종말. ¶~を告つげる 종막을 고하다(사건이 끝나다).

しゅうまつ 【終末】 shū- 图 종말；끝. =終尾じゅう. ¶~を迎むかえる 종말을 맞이하다. ──ろん【──論】 图 [宗] 종말론. =終末観しゅうまつかん.

しゅうまつ 【週末】 shū- 图 주말. =ウイークエンド. ¶~旅行りょこう 주말 여행. ↔週初しゅうしょ. 「(가득참.

じゅうまん 【充満】 jū- 图 [ス自] 충만. **じゅうまんおくど** 【十万億土】 图 [佛] 십만 억토(이승에서 극락까지의 사이에 있는 많은 불토(佛土)). ↔극락 세계. 「도 면밀함.

しゅうみつ 【周密】 shū- 图 [ダナ] 주밀；아주 면밀함.

しゅうみん 【就眠】 shū- 图 [ス自] 취면；잠이 듦. ¶~時間じかん 취면 시각.

*じゅうみん 【住民】 jū- 图 주민. ──ぜ

い【─税】图 주민세. ──とうろく
【─登録】-tōroku 图 주민 등록. ¶
～証ょう 주민 등록증.

しゅうむ【宗務】shū- 图 종무；종교상의 사무. ──所しょ 图 종무소.

しゅうめい【襲名】shū- 图 스他 습명；오래 된 점포의 상호 또는 예능 관계 따위에서 선대(先代)의 이름을 계승함. ──披露じゅ 선대의 이름을 계승하고 피로(공포)함. 〔오명.

しゅうめん【醜面・奥名】shū- 图 추명.

じゅうめん【渋面】jū- 图 불유쾌한 얼굴；찡그린 얼굴. ¶しかめつつ. ¶～をつくる 얼굴을 찡그리다.

じゅうもう【柔毛】jūmō 图 【植】융모；화판(花瓣) 등 표면에 난 가는 털.

じゅうもう【絨毛】jūmō 图 융모. ①【生】(소장(小腸)의) 융털돌기. ②【植】☞じゅうもう【柔毛】.

じゅうもつ【什物】jū- 图 ①집물；집기. ②비장(秘藏)의 보물. ＝什宝じっぽう.

しゅうもん【宗門】shū- 图〈老〉종문；종지(宗旨)；종파. ②종파. ──あらため【─改め】图 江戸えど 시대에 一 독교 금지를 위하여 실시한 전국민의 신앙 조사. 〔(모양)．＝十字じゅうじ.

じゅうもんじ【十文字】jū- 图 열십자.

しゅうや【終夜】shū- 图 종야；철야. ¶～運転 철야 운전.

しゅうやく【集約】shū- 图 스他 집약. ──のうぎょう【─農業】-nōgyō 图 집약 농업. ┌粗放そほう農業.

じゅうやく【重役】jū- 图 중역. ¶～会議じょ 중역 회의.

じゅうやく【重訳】jū- 图 스他 중역；이중 번역. ¶ギリシア神話しんわ을 英訳本えいやくほんで─した 그리스 신화를 영역판을 대본으로 중역한.

じゅうゆ【重油】jū- 图 중유. ¶～機関かん 중유 기관. ┌軽油けいゆ重油.

しゅうゆう【周遊】shūyū 图 스自 주유. ¶～天下てんか 주유 천하.

しゅうれい【終油礼】shū- 图【宗】병자 성사(가톨릭에서, 신부가 임종에 이른 중환자에게 베푸는 성사). 〔양.

*しゅうよう【修養】shūyō 图 스自他 수양.

*しゅうよう【収容】shūyō 图 스他 수용. ¶～人員じんいん 수용 인원. ②【法】수감. ──じょ【─所】图【法】수용소. ¶土地とち─法ほう 토지 수용법.

じゅうよう【重用】jūyō 图 스他 중용. ＝ちょうよう.

**じゅうよう【重要】jūyō 名ノ 중요. ¶～性せい 중요성 ／ ～な仕事ごと 중요한 일. ──し【─視】图 중요시. ┌軽視けいし. ──ぶんかざい【─文化財】图 중요 문화재. ＝重文じゅうぶん. ──むけいぶんかざい【─無形文化財】图 중요 무형 문화재. 〔양자재.

じゅうようし【重陽子】jūyō- 图【理】중양자.

じゅうしょく【獣欲・獣慾】jū- 图 수욕；동물적 욕망；특히, 성욕.

しゅうらい【襲来】shū- 图 스自 습래；내습. ＝来襲らいしゅう.

じゅうらい【従来】jū- 图 종래＝従前じゅうぜん. ¶～の方針ほうしん通とおり 종래의 방침대로.

しゅうらく【集落・聚落】shū- 图 ①취

락；도시나 촌락. ¶山やまの麓ふもとに小ちいさな 一 있다. ②군서(群棲) 동물 따위의 무리. ③【植】배양기(培養基) 안에서 번식한 세균의 집단. ＝コロニー. ¶バクテリアの～ 박테리아 집단.

じゅうらん【縦覧】jū- 图 스自 종람；마음대로 구경함. ¶～に供きょうする 자유롭게 구경하도록 하다.

*しゅうり【修理】shū- 图 스他 수리. ＝修繕しゅうぜん.

*しゅうりょう【修了】shūryō 图 스他 수료. ¶～証書しょ 수료증(서).

*しゅうりょう【終了】shūryō 图 스自他 종료；끝남. ┌開始かいし.

しゅうりょう【収量】shūryō 图 스他 수량；수확량. ¶反当たんあたり─ 단당(段当) 수확량.

しゅうりょう【秋涼】shūryō 图 추량. ¶가을의 서늘함(서늘한 바람). ¶～の候こう 추량지절. ②음력 8월의 딴이름.

じゅうりょう【十両】jūryō 图 씨름꾼의 계급의 하나(幕内まくうち와 幕下したの 중간；十両 이상이라야 「関取せきとり」라 일컬어짐).

じゅうりょう【重量】jūryō 图 중량. ①무게；무게가 무거움. ¶～級きゅう 중량급. ┌軽量けいりょう. ──あげ【─挙げ】图 역기(力技)；역도(力道). ──トン图 중량톤(噸). ＝ton.

じゅうりょうぜい【従量税】jūryō- 图 종량세(상품의 중량・용적・길이・개수 등을 표준해서 부과하는 세금). ┌従価税かぜい.

じゅうりょく【重力】jūryo- 图【理】중력. ¶～ダム 중력댐(단면이 삼각형에 가까운 콘크리트의 댐).

じゅうりん【蹂躙・蹂躪】jū- 图 스他 유린. ¶人権じんけん～ 인권 유린.

シュールレアリスム 图 쉬르리얼리즘；초현실주의. ＝シュールリアリズム. 프 surréalisme.

しゅうれい【秀麗】shū- 名ノ 수려. ¶眉目びもく～ 미목 수려함.

しゅうれい【秋冷】shū- 图 추랭；가을의 찬 기운. ¶～の候こう 추랭지절. ┌春暖しゅんだん.

しゅうれっしゃ【終列車】shūressha 图 종열차；막차. ┌始発しはつ列車.

しゅうれん【修練・修錬】shū- 图 스他 수련. ¶～を積つむ 수련을 쌓다.

しゅうれん【習練】shū- 图 스自他 습련；연습(練習). ¶～不足ぶそく 연습 부족.

しゅうろう【就労】shū- 图 스自 취로；노동에 종사함. ¶～日数にっすう 취로 일수.

*じゅうろうどう【重労働】jūrōdō 图 중노동. ┌軽労働けいろうどう.

しゅうろく【収録・輯録】shū- 图 스他 수록. ①채록(採録). ②녹음(録音)・녹화(録画)함.

しゅうろく【集録】shū- 图 스他 집록；모아서 기록함(기록한 것)；기록을 모음.

じゅうろく【重録】jū- 图 중록；많고 후한 봉록(俸禄)；큰 녹봉.

じゅうろくささげ【十六大角豆】jū- 图【植】광저기의 일종(깍지 속에 16-18

개의 열매가 있음). =さんじゃくささ
げ·ながささげ.

しゅうろん【宗論】shū- 图【佛】종론;
종파간의 토론(논쟁).

しゅうろん【衆論】shū- 图 중론. ¶
～を無視する 중론을 무시하다.

しゅうわい【収賄】shū- 图自他 수회.
¶～罪 수회죄. ↔贈賄.

*しゅえい【守衛】shu- 图 수위. ¶～を
置く 수위를 두다.

じゅえき【受益】ju- 图 수익. ¶～者は
負担金之 수익자 부담금.

じゅえき【樹液】ju- 图 수액.

しゅえん【主演】shu- 图 주연. ¶
～俳優だう 주연 배우. ↔助演じょ.

しゅえん【酒宴】shu- 图 주연;술 잔
치. =さかもり. ¶～を張る 주연을
베풀다.

しゅおん【主音】shu- 图【樂】으뜸
음. =キーノート.

しゅか【主家】shu- 图 주가;주인이나
주군의 집. =しゅけ. 　　　　「안」

じゅか【儒家】ju- 图 유가;유학자의

シュガー shu- 图 슈거;설탕. ¶～ポッ
ト 설탕통(그릇). ▷sugar.

しゅかい【主魁】shu- 图 ①수괴;(나쁜
짓·역모(逆謀) 따위의) 주모자; 장본
인;우두머리. ②さきがけ.

じゅかい【樹海】ju- 图 수해;바다처럼
넓게 퍼진 대삼림(大森林).

しゅがいねん【主概念】shū- 图【論】주
개념. =主辞しゅ.

しゅがいねん【種概念】shu- 图【哲】종
개념. ¶～は類概念がいに含がまれる
종개념은 유개념에 포함된다. ↔類概
念がいねん.

しゅかく【主客】shu- 图 주객. =しゅ
きゃく. ──てんとう【──転倒】-tō 图
自他 주객 전도. ↔賓だ客.

しゅかく【主格】shu- 图【文法】주격.

しゅかく【酒客】shu- 图 주객;술꾼. =
さけのみ·酒家ざ.

じゅがく【儒学】ju- 图 유학. =儒教
きょう. ¶～を修める 유학을 배우다.

しゅかん【主幹】shu- 图 주간;(한정된
일의) 주임;감독. ¶編集しゅう 편집
주간.

しゅかん【主管】shu- 图 ①주관;
또, 주관하는 사람. ¶～事項じ 주관
사항. ②주급. ②지배인.

**しゅかん【主観】shu- 图 주관. ¶～性
じょう 주관성. ↔客観ぎゃく. ──てき【──
的】-tō-na 주관적. ¶～な判断はん 주관적
판단. ↔客観的ぎゃくに.

しゅかん【手簡】(手翰) shu- 图 수한;
편지. =てがみ.

しゅかん【主巻】shu- 图 수권;첫째 권;
제1권. ¶～終巻しゅう.

しゅがん【主眼】shu- 图 주안(점). =
かなめ. ¶～点てん 주안점.

しゅき【手記】shu- 图 一 수기 口 자기
체험·감상 등을 적은 것. 口 獄中ちゅう
～ 옥중 수기. 三 图 又他 자기 손으로
씀; 또, 그 쓴 것.

しゅき【酒気】shu- 图 주기;술기운.
¶～を帯びる 주기를 띠다.

**しゅぎ【主義】shu- 图 주의. =イズム.
¶国家かの～ 국가주의/早起ばやき～ 일
찍 일어나는 주의. ──しゃ【──者】

-sha 图 주의자. ¶理想りそうの～ 이상주
의자.

しゅきゃく【主客】shukya- 图 주객. ①
☞しゅかく【主客】. ②주빈(主賓).

しゅきゅう【守旧】shukyū 图 수구;보
수. =墨守ぼく. ¶～派は 수구파.

しゅきゅう【首級】shukyū 图 수급;싸
움터에서 벤 적의 목. =しるし. ¶～を
あげる 수급을 올리다;적의 목을 베
다.

じゅきゅう【受給】jukyū 图 수급;급
여·연금·배급을 받음.

じゅきゅう【需給】jukyū 图 수급. ¶
～計画しゃく 수급 계획.

しゅきょう【主教】shukyō 图【宗】주
교. =ビショップ.

しゅきょう【酒興】shukyō 图 주흥. ¶
～を添える 주흥을 더하다.

*しゅぎょう【修行】shugyō 图自 수
행. ①【佛】불도를 닦음. ¶～の僧そう 수
행승. ②학문·기예를 연마함. ¶武者
むしゃ～ 무예를 익히기 위해 전국을 돌아
다님.

しゅぎょう【修業】shugyō 图自他
＜老＞☞しゅうぎょう.

しゅぎょう【授業】shugyō 图 주업;주
되는 직업. ¶副業ふくと 内職ない.

じゅきょう【儒教】jukyō 图 유교. =儒
学がく. ¶～思想しそう 유교 사상.

じゅきょう【誦経】jukyō 图 송경;독
경(讀經). =ずきょう.

*じゅぎょう【授業】jugyō 图 又自 수업.
¶～料りょう 수업료/学校がっの～を受ける
학교에서 수업을 받다.

しゅぎょく【珠玉】shugyo- 图 주옥. ①
진주와 보석. ②아름답고, 거룩한, 귀
한, 칭찬할 만한 것의 비유. ¶～の名
編へんの名 주옥 같은 명편.

しゅく【宿】shu- 图 ①여관·여인숙.
②머물름;묵음. ③역참(驛站). =宿
場ば·宿駅えき. ¶三島みと～ 三島
(=현 静岡県しずおかの 시)의 역참. ④
별자리. 　　　　　　　「합격」

しゅく【祝】shu- 축…. ¶～合格ごう 축

じゅく【塾】ju- 图 숙;사설 학교(서
당). =学舎がく. ¶英語ご の～ 영어 학
관.

しゅくあ【宿痾】shu- 图 숙아;지병;
오래된 병. =持病び.

しゅくい【祝意】shu- 图 축의;축하의
뜻. =祝意ゆ. 　　　　「대우.

じゅくぐう【塾遇】shugū 图 수우;특별

しゅくえき【宿駅】shu- 图 역참(驛站).
=宿場ば.

しゅくえん【宿怨】shu- 图 숙원. =宿
意い. ¶～を晴らす 숙원을 풀다.

しゅくえん【宿縁】shu- 图 숙연;
전세의 인연;숙인(宿因). ¶～があっ
てこの世よで結ばれる 전세의 인연이
있어서 이 세상에서 맺어지다.

しゅくえん【祝宴】shu- 图 축연. =賀
宴えん. ¶～をはる 축연을 베풀다.

しゅくが【祝賀】shu- 图 又他 축하. ¶
～式しき 축하식/～会かい 축하회.

しゅくがん【宿願】shu- 图 ①숙원. =
宿望ぼう. ¶～を果たす(達する) 숙
원을 이루다. ②【佛】전세(前世)에서
발원한 서원(誓願).

じゅくぎ【熟議】ju- 图 又他 숙의;충분

히 논의함. ¶～を重_{かさ}ねる 숙의를 거듭하다.

しゅくぐん【粛軍】shu-　图　ス自　숙군.

しゅくけい【粛啓】shu-　图（편지 서두에 쓰는 인사말로서）숙계；근계(謹啓).──しゅっけい.

じゅくご【熟語】ju-　图　숙어. ①둘이상의 한자의 결합으로 된 말(不思議_{しぎ}(=불가사의)・春風_{しゅんぷう}(=춘풍)' 따위). =熟字_{じゅくじ}. ↔単純語_{たんじゅんご}. ②둘이상의 말이 결합되어 관용(慣用)되는 말('はるかぜ(=봄바람)・売_うり物_{もの}(=팔물건)' 따위). =複合語_{ふくごうご}. ↔新造語_{しんぞうご}. ──しゅっけい.

しゅくごう【宿業】shukugō　图　〖佛〗숙업；현세에 와서 그 업보를 받는 전세에서의 행위；또, 그 업보. =すくごう.

しゅくごう【縮号】shukugō　图　〖化〗축합.

しゅくさい【祝祭】shu-　图　축제. ①축하의 제전(祭典). ②축전(祝典)과 제사.──じつ【──日】축제일；축일과 제일；국민의 축일.

しゅくさつ【縮刷】shu-　图　ス他　축쇄；축소판 인쇄. ──ばん【──版】축소판.

しゅくし【宿志】(夙志)shu-　图　숙지；숙망；일찍부터 품은 뜻.

しゅくし【祝詞】shu-　图　축사(祝辞)；축하의 말.

しゅくじ【祝辞】shu-　图　축사. ☞祝詞

じゅくし【熟柿】ju-　图　숙시；잘 익은 감. ──の落_おちるを待_まつ잘 익은 감이 떨어지기를 기다리다. ──くさ・い【──臭い】形 썩은 감냄새가 풍기다(술 취하거나 풍기는 냄새의 형용).

じゅくし【熟視】shu-　图　ス他　숙시；눈여겨 봄.

じゅくじ【熟字】ju-　图　☞じゅくご①.──くん【──訓】한자로 쓰인 말을 한 자씩 읽지 않고 전체로서 하나의 훈으로 읽는 것(今日_{きょう}・大人_{おとな}・落葉松_{からまつ} 따위).

しゅくじつ【祝日】shu-　图（나라에서 정한）축일. ──国民_{こくみん}の～ 국경일.

しゅくしゃ【宿舎】shukusha　图　숙사；숙소. ¶共同_{きょうどう}～ 공동 숙사.

しゅくしゃ【縮写】shu-　图　ス他　축사；축소하여 찍음.

しゅくしゃく【縮尺】shukusha-　图　ス他　축척. ¶五万分_{ごまんぶん}の一_{いち}の地図_{ちず}축척 5만분의 1의 지도. =現尺_{げんじゃく}.

しゅくしゅ【宿主】shukushu　图　〖生〗숙주. =やどぬし. ¶中間_{ちゅうかん}～ 중간 숙주.

しゅくしゅく【粛粛】shukushu-　[トタル]숙숙. ①고요한 모양. ②엄숙하고 긴장된 모양. ¶行列_{ぎょうれつ}が～と進_{すす}む 행렬이 엄숙하게 나아가다. ③조심하는 모양.

しゅくしょ【宿所】shukusho　图　숙소. =やど.

しゅくじょ【淑女】shukujo　图　숙녀. =レディー. ↔紳士_{しんし}.

しゅくしょう【祝勝】(祝捷)shukushō　图　축승；축첩(祝捷)；승리의 축하.

しゅくしょう【縮小】shukushō　图　ス他自 축소. ¶軍備_{ぐんび}～ 군비 축소. ↔拡大_{かくだい}・拡張_{かくちょう}.

しゅくず【縮図】shu-　图　축도. ¶人生_{じんせい}の～ 인생의 축도.

じゅく-す【熟す】ju-　[五自]①（과일 따위가）잘 익다. =うれる. ¶～したリンゴ 익은 사과. ②무르익다. ¶計画_{けいかく}が～ 계획이 무르익다. ③숙성(習熟)・숙련되다. ¶業_{わざ}に～ 일에 숙련되다.

しゅくすい【宿酔】shu-　图　숙취. =二日酔_{ふつかよ}い.

じゅくすい【熟睡】ju-　图　ス自 숙수；숙면；잠을 폭 잠.

しゅく-する【宿する】shu-　サ変自他 머물다；유숙하다；머물게 하다. =やどる・とまる・やどす.

しゅく-する【祝する】shu-　サ変他 축하하다. =祝_{いわ}う. 「じゅくす.

じゅく-する【熟する】ju-　サ変自☞

しゅくせ【宿世】shu-　图　☞すくせ.

しゅくせい【粛正】shu-　图　ス他 숙정；기율을 바로잡음. ¶官紀_{かんき}～ 관기 숙정／綱紀_{こうき}～ 강기 숙정.

しゅくせい【粛清】shu-　图　ス他 숙청. ¶血_ちの～ 피의 숙청.

しゅくぜん【粛然】shu-　[トタル]숙연. ①엄숙한 모양. ¶～たる儀式_{ぎしき}엄숙한 의식. ②조용하고 정연한 모양.

しゅくだい【宿題】shu-　图　숙제. ¶夏休_{なつやす}みの～ 여름 방학 숙제.

じゅくち【熟知】ju-　图　ス他 숙지；잘 앎. ¶～の仲_{なか}잘 아는 사이.

しゅくちょく【宿直】shu-　图　ス自 숙직. =とまり番_{ばん}. ¶～手当_{てあて}숙직 수당／～室_{しつ}숙직실. ↔日直_{にっちょく}.

しゅくてき【宿敵】shu-　图　숙적. ¶十年来_{じゅうねんらい}の～ 10 년래의 숙적.

しゅくてん【祝典】shu-　图　축전. ¶축하의 의식.

しゅくでん【祝電】shu-　图　축전. =弔電_{ちょうでん}.

しゅくとう【祝禱】shukutō　图　ス自 축도.

しゅくとう【粛党】shukutō　图　숙당.

じゅくとう【塾頭】jukutō　图　①사숙의 장[사장]. ②숙생의 우두머리；또, 고참 숙생.

しゅくとく【淑徳】shu-　图　숙덕；여성의 미덕. 「速読_{そくどく}.

じゅくどく【熟読】ju-　图　ス他 숙독. ↔

しゅくとして【粛として】shu-　副 숙연히. ¶～声_{こえ}なし 숙연히 소리도 없다.

しゅくば【宿場】shu-　图　江戸_{えど}시대에 주요 가도(街道)의 요소에 만든 역참(驛站). =宿駅_{しゅくえき}・宿駅_{しゅくえき}. ──まち【──町】역참을 중심으로 발달한 거리(市街). 「杯.

しゅくはい【祝杯】(祝盃)shu-　图 축

しゅくはく【宿泊】shu-　图　ス自 숙박. ¶～料_{りょう}숙박료.

しゅくふく【祝福】shu-　图　ス他 축복.

しゅくへい【宿弊】shu-　图　숙폐；오래된 폐단. ¶～を打破_{だは}する 숙폐를 타파하다.

しゅくほう【祝砲】shukuhō　图　축포.

しゅくぼう【宿望】shukubō　图　①오랫동안 품어 온 소망；숙원. ②오래 전부터의 명망.

しゅくめい【宿命】shu-　图　숙명. ¶～的_{てき}숙명적. ──ろん【──論】图 숙

명론 ; 영명론. ¶~者도 숙명론자.

しゅくや【夙夜】shu- 图圖 숙야. =朝夕ゅみ·あけくれ.

しゅくやくにん【宿役人】shu- 江戸ど 시대에 '宿場ぽ'를 감독한 관리.

じゅくらん【熟覧】ju- 图 ス他 숙람 ; 자세히 살펴봄.

じゅくりょ【熟慮】jukuryo 图 ス他 숙려, 숙고. ——だんこう【——断行】-kō 图 ス他 숙려 단행.

*__じゅくれん__【熟練】shu- 图 ス自 숙련. ¶未熟れ———こう【——工】-kō 图 숙련공. ↔見習工なゃない.

しゅくわり【宿割(り)】shu- 图 ス自 숙소의 할당. 「は 군주(영주).

しゅくん【主君】shu- 图 주군 ; 자기가 섬기는 군주.

しゅくん【主勲】shu- 图 수훈. ¶~甲ぢ 수훈 갑 / ~賞ぢ 수훈상.

しゅけい【主計】shu- 图 주계 ; 회계를 관장함 ; 또, 그 사람.

しゅげい【手芸】shu- 图 수예 ; 수공예.

じゅけい【受刑】ju- 图 ス自 수형. ¶~者る 수형자.

しゅけん【主権】shu- 图 주권. ——ざいみん【——在民】图 주권 재민. ——しゃ【——者】-sha 图 주권자.

しゅけん【主検】ju- 图 ス自 수검 ; 검사를 받음.

*__じゅけん__【受験】ju- 图 ス他 수험. ¶~生ぎ 수험생 / ~準備ぢ 수험 준비.

じゅけん【授権】ju- 图 【法】 수권 ; 일정한 권리·자격 등을 특정한 사람에게 부여하는 일. ¶~資本ぢ 수권 자본 / ~説ぢ 수권설.

しゅご【主語】shu- 图【文法】 주어. =述語ぢ. ②【論】 주사(主辭).

しゅご【守護】shu- 图 ス自 수호 ; 지킴. 图 鎌倉げ·室町ぢ 시대의 직명 〔각 지방의 경비·치안 유지를 담당했으나 뒤에 강대해져서 영주화(領主化)하였음). =守護職ぢゃ·じとう〔地頭〕. ——じん【——神】图 ①수호신. ②마스코트.

しゅこう【手工】shukō 图 수공. ①손으로 하는 공예·공작. ②소학교에서 배우는 '工作ぢ'(=공작)'의 구칭.

しゅこう【手交】shukō 图 ス他 수교. ¶抗議文ぢを~する 항의문을 수교하다. 「안주.

しゅこう【酒肴】shukō 图 주효 ; 술과 안주.

しゅこう【趣向】shukō 图 취향. ¶おもしろい—— 재미있는 취향 / ~を変ゅえる 취향을 바꾸다.

しゅこう【首肯】shukō 图 ス自 수긍. ¶彼ゃの論ぢには~しかねる 그의 이론에는 수긍할 수 없다. 「か.

しゅごう【酒豪】shugō 图 주호 ; 대주객.

じゅこう【受講】jukō 图 ス自直他 수강. ¶~者る 수강자. 「~工業 수공업.

しゅこうぎょう【手工業】shukōgyō 图

じゅごん【儒艮】ju- 图【動】 듀공 ; 인어(人魚)〔남태평양·인도양산(産)의 바다 짐승).

しゅざ【首座】shu- 图 ①상좌 ; 상석(上席). ②상좌(상석)에 앉을 자격이 있는 사람.

*__しゅさい__【主催】shu- 图 주최. ¶~者る 주최자. =共催ど.

しゅさい【主宰】shu- 图 ス直他 주재.

¶会ホを~する 회를 주재하다.

しゅざい【取材】shu- 图 ス他 취재. ¶~旅行ジ 취재 여행 / ~源ど 취재원.

しゅざや【朱鞘】shu- 图 주색으로 칠한 칼집. 「ざん.

しゅざん【珠算】shu- 图 주산. =たま

しゅさんち【主産地】shu- 图 주산지.

しゅさんぶつ【主産物】shusambu- 图 주산물 ; 주된 산물.

*__しゅし__【主旨】shu- 图 주지. ①주된 뜻. =主意ぢ. ②중심이 되는 논점(論點) ; 언설(言說)의 주안점.

*__しゅし__【趣旨】shu- 图 취지. =趣意ぢ.

*__しゅし__【種子】shu- 图 종자 ; 씨. ¶~植物ぢ 종자 식물〔顕花がい植物(=현화 식물)'의 고친 이름).

しゅじ【主事】shu- 图 주사 ; (관청·학교 등에서의) 主任ぢ. =事務ど~ 사무 주사(공무원 직무상의 호칭으로, 주사보의 위 ; 민간에서도 씀). 「년. =主辭ぢ.

しゅじ【主辭】shu- 图【論】 주사 ; 주개

じゅし【樹脂】ju- 图 수지. =やに. ¶合成ぢ~ 합성 수지. 「しゅぢい.

しゅじい【主治医】shu- 图 주치의. =

しゅしがく【朱子学】shu- 图 주자학.

しゅじく【主軸】shu- 图 주축. ¶放物線ばゃのの~ 포물선의 주축 / 大企業体ぢゃの~ 대기업체의 주축.

しゅしゃ【取捨】shu- 图 ス他 취사. ¶~選択ぢを 취사 선택. 「자 ; 유가.

しゅしゃ【儒者】jusha 图 유자 ; 유학

しゅじゃく【朱雀】shuja- 图 주작 ; 남방의 신. =すざく=玄武ぢ.

しゅしゅ【守株】shu- 图 수주 ; 수주(株守) ; 수주 대토(待兎)〔임기 응변의 재능이 없어서 진보 발전이 없음의 비유). =守株の愚ぐ.

しゅじゅ【侏儒·朱儒】shuju 图 ①주유 ; 난쟁이. =こびと. ②식견이 없는 사람을 비웃는 말.

しゅじゅ【種種】shuju 图多 갖가지 ; 여러 가지 ; 가지가지 ; 종종. ——いろいろ. 注意 副詞的으로 쓰는 수도 있음. ¶~あります 갖가지 있습니다.

じゅじゅ【授受】juju 图 ス他 수수 ; 주고받음 ; 주고받기. ¶金銭ぢゃの~ 금전의 수수.

しゅじゅう【主従】shujū 图 주종. ①주인과 종자. =しゅうじゅう. ¶~関係ぢ 주종 관계. ②주체와 종속 ; 주장이 되는 사물과 그에 딸린 사물.

*__しゅじゅつ__【手術】shuju- 图 ス他 수술. ¶~室ぢ 수술실.

じゅじゅつ【呪術】juju- 图 주술 ; 주법(呪法) ; 마술. =まじない·呪法ぢ.

しゅしょ【手書】shusho 图 ス自 수서 ; 친필 편지. 图 ス他 ①손으로 베낌 ; 또, 그것. =手写ぢ. ②손수 씀 ; 또, 그 것.

しゅしょ【手署】shusho 图 ス自 수서 ; 손수 서명함. =自署ど·サイン.

しゅしょ【朱書】shusho 图 ス他 주서 ; 붉은 글씨로 씀. ¶~で註ぢを加ゅえる 주서로 주를 달다. 「적.

しゅしょ【儒書】jusho 图 유서 ; 유학 서

しゅしょう【主唱】shusō 图 ス直他 주창 ; 주가 되어 주장함.

しゅしょう【主将】shushō 图 주장.

【首将】 전군의 총대장. ②(스포츠에서) 팀의 우두머리. ＝キャプテン. ⇔副将ふくしょう.

しゅしょう【首唱】shushō 名 ス自他 수 창; 먼저 주창함. ¶政界刷新せいかいさっしんを～する 정계 쇄신을 먼저 주장하다.

*しゅしょう**【首相】shushō 名 수상. ＝内閣ないかく総理大臣そうりだいじん. ¶～官邸かんてい 수 상 관저.

しゅしょう【殊勝】shushō ダナ ①기특(奇特). ¶～な心掛こころがけ 기특한 마 음씨. ⇔不心得ぶこころえ. ②〔佛〕 수승; 가 장 뛰어남. ━がお 〔━顔〕 名 어떠 나는 듯싶은 표정; 자랑스러운 얼굴.

しゅじょう【主上】shujō 名 주상(天皇てんのうの尊称).

しゅじょう【主情】shujō 名 주정; 이지(理知)나 지각 감정·정서를 중히 여김. ━てき 〔━的〕 ダナ 주정적. ⇔主知しゅち的.

しゅじょう【衆生】shujō 名〔佛〕 중생. ＝有情うじょう. ¶～済度さいど 중생 제도.

じゅしょう【受賞】jushō 名 ス自他 수 상; 상을 받음. ⇔授賞じゅしょう.

じゅしょう【授賞】jushō 名 ス自他 수 상; 상장·상품·상금 따위를 줌. ¶～式しき 수상식.

*しゅしょく**【主食】shusho- 名 주식. ⇔副食ふくしょく.

しゅしょく【酒色】shusho- 名 주색. ¶～にふける〔～に溺おぼれる〕 주색에 빠지다.

しゅしょく【酒食】shusho- 名 주식; 술과 식사.

しゅしん【主審】shu- 名 주심; 〔野やきゅう〕 구심(球審). ⇔副審ふくしん·線審せんしん·塁審るいしん.

しゅしん【主神】shu- 名 주신; 신사(神社じんじゃ) 등에 주가 되는 신.

しゅしん【朱唇】(朱脣) shu- 名 주순; 붉은 입술; 연지를 바른 붉은 입술; 입술(丹唇たんしん). ¶～をほころばせる (여자 가) 방긋 웃다.

しゅじん【主人】shu- 名 주인. ①자기가 섬기고 있는 사람; 업체의 임자. ②일가의 가구주. ¶ご～は御在宅ございたくですか 바깥양반은 계십니까. ⇔主婦しゅふ. ③아내가 남편을 일컫는 말. ④(손님에 대해) 손님을 접대하는 사람. ¶～役やく 주인 (노릇). ⇔客きゃく. ━こう 〔━公〕 名 ①사건·소설·극의 중심 인물. ＝ヒーロー. ②주인의 존칭.

じゅしん【受信】ju- 名 ス他 수신. ①무선 전신·무선 전화를 받음. ¶～装置そうち 수신 장치. ⇔送信そうしん. ②전보 ·우편물을 받음. ¶～人にん 수신인. ⇔発信はっしん. ━き 〔━機〕 名 수신기. ⇔発信機そうしんき. 〔틴. ＝サテン.

しゅす【繻子】shu- 名 수자; 공단; 새

じゅず【数珠】ju- 名 염주(念珠). ¶～をつまぐる 염주를 세어 넘기다. ━だま〔━玉〕 名 ①염주 알. ②〔植〕 염주. ━つなぎ〔━繋ぎ〕 많은 물건(사람)을 염주처럼 엮음.

しゅすい【取水】shu- 名 ス自 취수; 수원지에서 물을 끌어들임.

じゅすい【入水】ju- 名 ス自 물 속으로 투신 자살함. ＝にゅうすい·身投みなげ.

しゅずみ【朱墨】shu- 名 주묵; 붉은 빛깔의 먹.

しゅ-する【修する】shu- サ変他 (불도·

학문을) 닦다; 행하다. ¶仏事ぶつじを～ 불교 의식을[법사(法事)를] 행하다.

じゅ-する【誦する】ju- サ変他 읊다; 가락을 붙여서 읽다; 흥얼거리다. ＝口ずさむ·誦じゅする. ¶念仏ねんぶつを～ 염불을 외다/漢詩かんしを～ 한시를 읊다.

しゅせい【守勢】shu- 名. ¶～を取とる 수세를 취하다. ⇔攻勢こうせい.

しゅせい【酒精】shu- 名 주정; 알코올. ＝アルコール.

しゅぜい【酒税】shu- 名 주세.

じゅせい【儒生】ju- 名 유생. ①유학자. ②유학의 서생(書生)·학생.

じゅせい【受精】ju- 名 ス自 수정; 정받이. ━らん〔━卵〕 名 수정란. ＝有精卵ゆうせいらん. ⇔無精卵むせいらん.

じゅせい【授精】ju- 名 ス自 수정; 정자와 난자를 결합시킴; 인공적으로 수정(受精)시킴. ¶人工じんこう～ 인공 수정.

しゅせいぶん【主成分】shu- 名 주성분.

しゅせき【手跡】(手蹟) shu- 名 수적; 필적(筆蹟). 〔席えん〕 「旅.

しゅせき【酒席】shu- 名 주석; 연석(宴

しゅせき【主席】shu- 名 ①주인의 자리. ②정부의 최고 책임자. ¶国家こっか～ 국가 주석.

しゅせき【首席】shu- 名 수석. ¶～を争あらそう 수석을 다투다. ⇔次席じせき.

しゅせき【酒石酸】shu- 名〔化〕 주석산.

しゅせん【主戦】shu- 名 주전. ①싸우기를 주장함. ¶～論ろん 주전론. ②주력이 되어서 싸움. ¶～投手とうしゅ 주전 투수. 「襄そう.

しゅせん【酒仙】shu- 名 주선; 주호(酒

じゅせん【受禅】ju- 名 ス自 수선; 선제(先帝)의 양위(讓位)로 즉위함. ⇔簒奪さんだつ.

しゅせんど【守銭奴】shu- 名 수전노.

じゅそ【呪詛】(呪咀) ju- 名 ス他 저주. ＝のろい.

じゅぞう【受贈】juzō 名 ス自 수증; 기증 받음.

じゅぞう【受像】juzō 名 ス他 수상; 방송된 텔레비전 전파를 받아서 그것을 화면으로 바꿈; 또, 그 상(像). ¶～機き 수상기. ⇔送像そうぞう.

しゅぞく【種族】shu- 名 종족. ¶～保存ほぞんの本能ほんのう 종족 보존의 본능.

*しゅたい**【主体】shu- 名 주체. ¶言語げんご～ 언어 주체; 이야기하는 사람. ⇔客体きゃくたい. ━せい〔━性〕 名 주체성. ¶～を確立かくりつする 주체성을 확립하다. ━てき〔━的〕 ダナ 주체적.

*しゅだい**【主題】shu- 名 주제. ＝テーマ. ¶宗教しゅうきょうを～とした文学ぶんがく를 주제로 한 문학. ⇔副題ふくだい. ━か〔━歌〕 名 주제가. ＝テーマソング.

しゅだい【首題】shu- 名 ①최초의 제목. ¶～の件けんにつき 수제의 건에 관하여.

じゅたい【受胎】ju- 名 ス自 수태. ＝妊娠にんしん. ¶～調節ちょうせつ 수태 조절.

じゅたく【受託】ju- 名 ス他 수탁. ¶～者しゃ 수탁자.

じゅだく【受諾】ju- 名 ス他 수락. ¶申もうし出でを～する 제의를 수락하다. ⇔拒絶きょぜつ.

しゅたくぼん【手沢本】shu- 名 수택본；
고인(故人)이 애독[애장]한 책.

しゅたる【主たる】shu- 連体 주요
함.=おもな。¶～問題ばん 주된 문
제.

*しゅだん【手段】shu- 名 수단.=てだ
て.¶目的もばのためには～をえらばな
い 목적을 위해서는 수단을 가리지 않
는다.→目的もば.

しゅち【主知】shu- 名 주지；감정이나
정서보다 이지를 중히 봄.↔主情じょば.
主意じょば.――しゅぎ【――主義】-shugi
名 주지주의.――しゅてき【――説】주
지설.　　　　　「場じょ；종축 목장.

しゅちく【種畜】shu- 名 종축.¶～牧
しゅちにくりん【酒池肉林】shu- 名 주
지 육림；호사한 술잔치.

しゅちゅう【手中】shuchū 名 수중.¶
～に収おさめる 수중에 넣다.

じゅちゅう【受注・受註】juchū 名 ス他
수주；주문을 받음.↔発注はっ.

しゅちょ【主著】shucho 名 주저；주가
되는 저서.

しゅちょう【主潮】shuchō 名 주조；주
가 되어 있는 사조(思潮).

*しゅちょう【主張】shuchō 一 名 ス他
주장.¶～を貫つらぬく 주장을 관철하다／
～を曲まげない 주장을 굽히지 않다.
二 名 지론.

しゅちょう【主調】shuchō 名 〖樂〗주
조；기조(基調).=トニカ.参考 넓은
뜻으로는 회화(繪畵)・문예에서도 씀.
¶赤あかを～とした作品ひん 빨간 색을 주
조로 한 작품.――おん【――音】주
조음.=主音じょば・キーノート.

しゅちょう【腫脹】shuchō 名 종창.=
むくみ.

しゅちょう【首長】shuchō 名 수장；집
단이나 단체를 통솔하는 우두머리.=
かしら・おさ.¶地方じ～自治体たいの
지방 자치 단체의 장.

じゅつ【術】ju- 名 ①기술；기예；재
주；수.¶忍しのびの～ 둔갑술／～を競
きそう 기술을 다투다.②수단；방법.¶
うまい～はないかな 좋은 수는 없을
까.③계략；계책；꾀.¶～をめぐらす
계략을 꾸미다.④마술；마법.¶～に
かかる 마술에 걸리다.

しゅつえん【出捐】-shutsuen 名 ス他 출연；
돈이나 물건을 기부함.

しゅつえん【出演】shu- 名 ス自 출연.
¶～料じょう[料りょう] 출연자[료].

しゅっか【出火】shukka 名 ス自 출화.
¶～地点ち 발화 지점.→鎮火ちんか.

しゅっか【出荷】shukka 名 출하；
상품을 시장에 냄.↔入荷にゅう.

じゅっかい【述懐】jukkai 名 ス他 술
회.¶過去こを～する 과거를 술회하
다.

しゅっかん【出棺】shukkan 名 ス自 출
관；장례 때 관을 집 밖으로 내어 모심.

しゅつがん【出願】shutsugan 名 ス自 출
원.¶～者しゃ 출원자／～手続てつづき 출원
절차／～期間きかん 출원 기간.

しゅつぎょ【出漁】shutsugyo 名 ス自
출어.=しゅつりょう.

*しゅっきん【出勤】shukkin 名 ス自 출
근.¶欠勤けっ・退勤たい.

しゅっきん【出金】shukkin 名 ス自 출

금；돈을 냄；또, 낸 돈.¶～伝票でんぴょう
출금 전표.↔入金にゅう.

しゅっけ【出家】shukke 名 ス自〖佛〗
출가；집을 떠나 중이 됨；또, 그 사람.
↔在家ざいけ.

しゅつげき【出撃】shu- 名 ス自 출격.
¶～命令めい 출격 명령.

しゅっけつ【出欠】shukke- 名 출결；
출결；출석과 결석；출근과 결근.¶
～を取とる 출결을 조사하다.

しゅっけつ【出血】shukke- 名 ス自 출
혈.¶内ない～ 내출혈／～サービス 출혈
서비스（원가 이하로 판매함）.

しゅつげん【出現】shu- 名 ス自 출현.

しゅっこ【出庫】shukko 名 출고.一名
ス他 창고에서 물건을 냄.=蔵出くらだし.
二名 ス自他 차고에서 차가 나옴[차를
냄].↔入庫にゅう.

じゅつご【述語】ju- 名 술어.①문법상
의 술어[맺음말]；서술어.↔主語じゅ.②〖論〗
빈사(賓辭)・계사(繋辭)의 총칭.

じゅつご【術後】ju- 名 수술 후.¶～の
経過けいか 수술 후의 경과.↔術前ぜん.

じゅつご【術語】ju- 名 술어；학술어.

しゅっこう【出向】shukkō 名 ス自 출
향.①～に로 떠나감.②명령으로 다른
곳에 감[다른 곳의 일에 종사함].

しゅっこう【出港】shukkō 名 ス自 출
항.↔入港にゅう.　　　　「강.→休講きゅう.

しゅっこう【出講】shukkō 名 ス自 출
강.

しゅっこう【出航】shukkō 名 ス自 출
항；배나 비행기가 출발함.

じゅっこう【熟考】jukkō 名 ス他 숙
고.=熟慮じゅりょ.

しゅっこく【出国】shukko- 名 ス自 출
국.=しゅっごく.¶～管理かん 출국 관
리.↔入国にゅう.

しゅつごく【出獄】shu- 名 ス自 출옥.
¶仮か～ 가출옥.↔入獄にゅう.

しゅっこんそう【宿根草】shukkonsō 名
〖植〗숙근초；다년초(多年草)[백합・뿌
리・동・딴지 따위].

じゅっさく【術策】jussa- 名 술책.=は
かりごと・たくらみ.¶～を弄ろうする
술책을 부리다.

しゅっさつ【出札】shussa- 名 ス自 출
찰；（역에서）표를 팖.¶～口ぐち 출찰
구.

*しゅっさん【出産】shussan 名 ス自他 ①
출산；분만.=お産さん.¶～率りつ 출산율.②
②산출；산물이 나옴.

しゅっし【出仕】shusshi 名 ス自 출사.
①민간에서 나와 관직에 취임함.②근
무처에 나감；출근.

しゅっし【出資】shusshi 名 ス自 출자.
¶～金額きんがく 출자 금액.

しゅっしゃ【出社】shussha 名 ス自 출
사；회사에 출근함.↔退社たいしゃ.

しゅっしょ【出処】shussho 名 一名
①출처.=出所しょ.¶うわさの～ 소
문의 출처.②출생지.二名 ス自 ①출
옥；출감.→入所しょ.②（연구소・사무
소 등에）출근함.

しゅっしょ【出所】shussho 名 ①출처.
☞でどころ・しゅっしょ（出所）.②나
아가 벼슬하는 일과, 물러나 집에 있
는 일.¶～進退しんを明あきらかにする 거
취를 분명히 하다.

しゅっしょう【出生】shusshō 名 ス自

①출생.=しゅっせい.¶～届<ぎ 출생 신고.②(그 고장) 출신임.
しゅつじょう【出場】shutsujō [名][ス自] ①출장;경기・연기 등을 위해 그 장소에 나감.↔欠場は;・退場は;.②역 구내 등에서 나옴[나감].↔入場にゅう.
しゅつしょく【出色】shusshо- [名][色] 유달리 뛰어남.=抜群ば;.¶～の人物ぶ 출중한 인물/～の作品は 출중한 작품.
***しゅっしん**【出身】shusshin [名] 출신.¶～地ち 출신지/～校こ 출신교.
しゅっしん【出陣】shu- [名][ス自] 출진.↔帰陣きん.
しゅっすい【出水】shussui [名] 출수;큰물;홍수.=でみず.
しゅっすう【出数】jussū [名] 책략.=たくらみ.¶～権謀ばう 권모 술수.
***しゅっせ**【出世】shusse [名][ス自] 출세.①(입신) 출세.¶立身り;― 입신 출세.②(속세를 떠나 중이 됨) 또,중.=出世間にけん.③세상에 태어남.=出生にゅう.──うお【──魚】[名] 출세어.①성장함에 따라서 이름이 바뀌는 물고기(숭어 등).②コイ(=잉어)의 딴이름.──さく【─作】[名] 출세작.
しゅっせい【出征】shussei [名][ス自] 출정.¶～軍人ん 출정 군인.
しゅっせい【出生】shussei [名][ス自] ☞ しゅっしょう.
***しゅっせき**【出席】shusseki [名][ス自] 출석.¶～をとる 출석을 부르다[조사하다].↔欠席けっ.──ぼ【─簿】[名] 출석부.
しゅっせけん【出世間】shusse- [名][佛] 출세간.①속세를 떠나 중이 됨.=出世にゅう.②속세의 모든 번뇌를 떠남.=解脱だつ.↔世間けん.「術後ご」
じゅっぜん【術前】ju- [名] 수술 전.↔
しゅっそう【出走】shussō [名][ス自] ①출주;출분(出奔).②경주에 나감.¶～馬ば 출주마;경마에 출장한 말.
しゅったい【出来】shuttai [名] ①됨;생김.¶～者ん 출제자/～範囲はん 출제 범위.
しゅったつ【出立】shutta- [名][ス自] 길을 떠남;출발.=旅立だち.
***しゅっちょう**【出張】shutchō [名][ス自] 출장.¶～先さ 출장처/～を命めぜられる 출장 명령을 받다.──じょ【─所】-jo [名] 출장소.
しゅっちょう【出超】shutchō [名] 출초('輸出超過ゆしゅつ(=수출 초과)'의 준말).↔入超にゅう.
しゅってい【出廷】shuttei [名][ス自] 출정.
しゅってん【出典】shutten [名] 출전.=典拠きょ.¶～品ひん 출품.
しゅつど【出土】shu- [名][ス自] 출토.¶～品ひん 출토품.
しゅっとう【出頭】shuttō [名][ス自] ①출두;(소환되어) 관청 등에 나감.②출중(出衆).¶～人にん 출두인.=出衆にゅう.
しゅつどう【出動】shutsudō [名][ス自] 출동.¶～準備じゅん 출동 준비.
じゅつな-い【術無い】ju- [形][方] (어찌) 할 도리가 없다;어찌 할 바를 모르다;몹시 난감하다.¶～・がる 도리가 없어[난처해] 하다.②(번뇌 따위로) 괴로기 짝이 없다.
しゅつにゅう【出入】shutsunyū [名][ス自] 출입.=でいり.

しゅつば【出馬】shu- [名][ス自] 출마.①귀인이 말을 타고 외출함.②장수가 전장에 말을 타고 나감.=出陣じん.③전하여,(잔루 따위가) 현장에 나감.④(선거 따위에) 입후보함.
***しゅっぱつ**【出発】shuppa- [名][ス自] 출발.¶～時間かん 출발 시간/～早々そう 출발하자마자.──てん【─点】[名] 출발점.
しゅっぱん【出帆】shuppan [名][ス自] 출범.=ふなで・出港にゅう.
***しゅっぱん**【出版】shuppan [名][ス他] 출판.¶～業ぎょう 출판업/～社しゃ 출판사/自費じ 자비 출판/～物もつ 출판물.
しゅっぴ【出費】shuppi [名][ス自] 출비;지출.¶～を切りつめる 지출을 조리차하다[절약하다].↔入費にゅう.
しゅっぴん【出品】shuppin [名][自他 出]
じゅつぶ【述部】ju- [名][文法] 술부;주부를 설명하는 부분.↔主部ぶ.
しゅっぺい【出兵】shuppei [名][ス自] 출병;국외로 군대를 파견함.=派兵は.↔撤兵んぺい.
じゅっぺい【恤兵】juppei [名][ス自他] 휼병;돈이나 물건을 보내어 전쟁터에 있는 병사를 위로함.
しゅっぼつ【出没】shu- [名][ス自] 출몰.
しゅっぽん【出奔】shuppon [名][ス自] 출분;도망쳐 행방을 감춤.
しゅつらん【出藍】shu- [名][ス自] 출람.──の譽れ 출람지예;청출어람의 명예(선생보다 뛰어난 제자라는 평판[명예]).
しゅつりょう【出漁】shutsuryō [名][ス自] 출어;물고기를 잡으러 나감.=しゅつぎょ.
しゅつりょう【出猟】shutsuryō [名][ス自] 출렵;사냥하러 나감.
しゅつりょく【出力】shutsuryo- 출력.一[名] 원동기・발전기 따위가 일정 시간에는 유효 에너지(와트・마력 따위로 나타냄).¶一三十万まん キロワット 출력 30만 킬로와트.二[名][他] 컴퓨터가 처리한 데이터를 기계 밖으로 내보냄.
しゅつるい【出塁】shu- [名][ス自][野] 출루.¶～率りつ 출루율.
しゅと【首途】shu- [名][ス自] 출발;길을 떠남.=かどで・出立だつ.
しゅと【首都】shu- [名] 수도.=首府しゅ・都市と.──けん【─圏】 수도권.
しゅと【衆徒】shu- [名] 중도;많은 중(들);특히,승병(僧兵).=しゅうと.
しゅとう【種痘】shutō [名] 종두.=うえぼうそう.¶～を植うえる 종두를 접종하다.
しゅどう【主動】shudō [名][ス自] 주동.
しゅどう【手動】shudō [名][ス自] 수동.¶～式しき ポンプ 수동식 펌프.↔自動じどう.
しゅどう【主導】shudō [名][ス自] 주도.=リード.──けん【─権】[名] 주도권.=イニシアチブ.
じゅどう【受動】judō [名] 수동.↔能動のう.──たい【─態】[名][文法] 수동태.=受身うけみ.──態のう [名] 능동태げい.──的**てき**【─的】[ダナ] 수동적.↔能動的・自発的じはつ.
しゅとく【取得】shu- [名][ス他] 취득.¶不動産どうさん～税ぜい 부동산 취득세.

しゅどく【酒毒】shu- 图 酒毒; アルコール中毒(中毒)。

*しゅとして【主として】shu- 連語 主ロ。=主ゼに・專ゼもっぱら。

じゅなん【受難】ju- 图 区自 受難; 苦い意味では、キリストの受難をさす場合。¶～曲紫じゅなん曲 /～節紫じゅなん節。

ジュニア ju- 图 ①年少者。②《スタイル》ジュニアスタイル。③(人名)に付けて)彼の息子よ表わす。▷junior.

しゅにく【朱肉】shu- 图 印肉。

じゅにゅう【授乳】junyū 图 区自 授乳。¶～期_じゅにゅう期。

*しゅにん【主任】shu- 图 主任。①現場穏ば～現場主任。②公務員の職名のひとつ(ふつう4等級以上)。

しゅぬり【朱塗(り)】shu- 图 朱色を塗ること; また、そのようにした物件。

しゅのう【主脳・主脳】shunō 图 首脳。¶～会談穏 首脳会談。――ぶ【――部】图 首脳部; 幹部。

じゅのう【受納】junō 图 区他 受納。¶～伝票穏 受納伝票。

しゅはい【酒杯・酒盃】shu- 图 酒杯。=さかずき。

しゅはん【主犯】shu- 图 〈俗〉主犯。=正犯穏; ⇔共犯穏・従犯穏。

しゅはん【首班】shu- 图 首班; 第1の席次・地位; 特に、内閣の首席または大臣の首班。

じゅばん【襦袢】ju- 图 ☞ジバン。

*しゅび【守備】shu- 图 区自 守備。=守り。¶～陣ジ守備陣 /～が弱ポい守備が弱い。↔攻撃穏。

*しゅび【首尾】shu- 图 首尾。①事物の処ょはじめと終わり; 始終(始終); =終始(始終)。②事物の経過や結果; 経過; 成行。=てんまつ。¶～は上上ぴ゚ゃ結果は先々よい /～を語なるは首尾の始末を意味する用語だ。――よく 圖 順調に済み; 首尾; 成功裡に。¶交渉穏は――いった 交渉は順調に[よく]進んだ。

じゅひ【樹皮】ju- 图 樹皮; 木の皮。

ジュピター ju- 图 ジュピター; 古代ローマ神話の最高神。=ユピテル。▷Jupiter.

しゅひつ【主筆】shu- 图 主筆。

しゅひつ【朱筆】shu- 图 朱筆; 赤い墨物を塗る筆; 赤く朱で書き込む。―を加ええる; ―を入れれる 朱筆を加えたり; (原稿などを)訂正(訂正)する。

しゅびょう【種苗】shubyō 图 種苗; 種と苗。

じゅひょう【樹氷】juhyō 图 樹氷; 霧氷穏。=霧松(霧松)。

しゅひん【主賓】shu- 图 主賓。①正客(正客); 主たる客。=正客ゼ゚。↔陪賓穏。②主人と賓客(賓客); 主客。

しゅびん【溲瓶】shu- 图 しびん。

しゅふ【主婦】shu- 图 主婦。

しゅふ【首府】shu- 图 首府; 首都。

しゅぶ【主部】shu- 图 主部。①重要な部分。②【文法】文の構成部分として主語(主語)とその修飾語とから成る部分。↔述部穏。

じゅぶつ【儒物】jū- 图 儒物。

じゅぶつ【呪物】ju- 图 呪物; (未開の)民間で巫術(呪力)が有るとされる生活思考して崇拝する物件。¶～崇拝穏ょ呪物崇拝。

シュプレヒコール shu- 图 シュプレヒコール; 舞台の出演者らが(詩)や大詞よ合唱形式にて唱える方法; 転じて、集会や行進などにてスローガンなどを一斉に叫び出す事。▷ド Sprechchor.

しゅぶん【主文】shu- 图 主文。①文章中の主要な部分。②【法】判決文中の結論部分; 判決主文。

じゅふん【受粉】ju- 图 区自 受粉; 花粉をかぶること。¶。。。穏。。。 ""。

しゅへい【守兵】shu- 图 守兵; 守備兵。

しゅへい【手兵】shu- 图 手兵; (直接率いている)手下の兵卒。

しゅべつ【種別】shu- 图 区他 種別。=類別穏゚・種類分穏。。け。

しゅほう【主峰・主峯】shuhō 图 主峰; その山脈の中でも最も高く高い。

しゅほう【主砲】shuhō 图 主砲; 軍艦に装備した砲を無い中で、最も口径(口径)が大きく威力のある砲。

しゅほう【手法】shuhō 图 手法; 技巧。

しゅぼう【首謀・主謀】shubō 图 主謀者; 張本人。¶～者_゚主謀者。

じゅほう【呪法】juhō 图 呪法。①呪文を唱える法則。②呪術(呪術)。

じゅぼくどう【入木道】jubokudō 图 書道(書道)の別の名。

*しゅみ【趣味】shu- 图 趣味。①おもしろ味; 風趣。¶～のある絵_趣味のある絵; 趣の良い絵。/～のいい趣味 趣味の良い / ～が高尚な人 趣味が高尚な人だ。②趣向。¶～に合う_プ chemise。

シュミーズ shu- 图 シュミーズ; 肌着。▷

しゅみせん【須彌山】shu- 图【仏】須彌山; 世界の真ん中に高く聳え立つと伝わる山。=しゅみ・すみせん。

しゅみだん【須彌壇】shu- 图【仏】須彌壇; 寺の仏殿(仏殿)に設置された仏像を安置する場所; 仏座の蓮華。

しゅみゃく【主脈】shumya- 图 主脈; (山脈や鉱脈・葉脈)中心をなす筋; 幹。↔支脈穏。

*じゅみょう【寿命】jumyō 图 寿命。¶平均穏～ 平均寿命 /～が尽きるよ寿命が尽きる; 命が尽きる /この車穏はもう～が / 来ているこの車はもう寿命が来ている; また、その程度に苦労ごとや無理な経験をした。

しゅむ【主務】shu- 图 主務。¶～官庁穏ょ主務官庁。

しゅめい【主命】shu- 图 主名; 主人または君主の命令。=しゅうめい。

しゅもく【撞木】shu- 图 撞木; 鐘・磬穏などを打つ丁字形(丁字型)の棒物。=かねたたき。――ざめ【――鮫】图【魚】撞木鮫。――づえ【――杖】图 頭部(頭部)が丁字形(丁字型)になる杖物。=かせづえ。

しゅもく【種目】shu- 图 種目。¶競技穏ぴ゚ょの―― 競技種目。=「木」。

じゅもく【樹木】ju- 图 樹木。=立_たち。

しゅもくてき【主目的】shu- 图 主目的。

じゅもん【呪文】ju- 图 呪文。

*しゅやく【主役】shu- 图 主役。¶～を演ゼ゚ずる主役を務める。↔端役穏。脇役穏べ。

しゅやく【主薬】shu- 图 주약; 주제.
=主剤ぎい.

じゅよ【授与】-[スル]他 수여.

*しゅよう【主要】shuyō 图 주요. ¶
～輸出品ひん 주요 수출품.

しゅよう【腫瘍】shuyō 图 종양(암이나
육종 따위). ¶悪性ぁい～ 악성 종양.

しゅよう【須要】shuyō 名ダ 수요; 필수
(必須).

じゅよう【受容】juyō [スル]他 수용. ¶
～器官きん 수용 기관(눈・귀 따위) /
～性 수용성; 감수성 / 文化ぶんかの～力
りよく 문화의 수용력.

*じゅよう【需要】juyō 图 수요. ¶～者しゃ
수요자 /～供給きょうの法則ほうそく 수요 공
급의 법칙 /～の冷ひ え込こ み 수요의 냉
각. ↔供給きゅう.

じゅよう【需用】juyō 图 (전기・가스 따
위) 수용. ¶～家か 수용가 /～費ひ 수
용비(광열비나 늘 쓰는 소모품 따위의
비용). ¶[주로]―尾尾ひ.

しゅよく【主翼】shu- 图 (항공기의)

しゅら【修羅】shura 图 ①인도
의 귀신; ‘あしゅら(=아수라)’의 준
말. ②큰 목재나 큰 돌을 운반하는 수
레. —修羅ぐるま, 修羅-. —の寄手ちまた 수라
장; 전장(戦場). —の妄執しゅう 수라의
망집; 그칠 줄 모르는 원한이나 시기의
집념. —を燃もやす 몹시 시기(원망)
하다. —じょう【―場】-jō 图 수라
장. ―ば【―場】图 ①(연극・야담 따
위에서) 비장(悲壮)한 씨움의 장면. ②
～場しゅう.

シュラーフザック shurāfuzakku 图 슐라
프 자크; 슐라비늄 백. (등산 용구로의)
침낭. =寝袋ぶくろ. ▷도. Schlafsack.

ジュラルミン ju- 图 듀랄루민(알루미
늄에 동(銅)・마그네슘 따위를 섞은 경
합금(軽合金). 비행기 재료). ▷dural-
umin.

しゅらん【酒乱】shu- 图 주란; 심한
[주정].

じゅり【受理】juri 图[スル]他 수리. ¶辞
表ひょうを～する 사표를 수리하다.

しゅりけん【手裏剣】shu- 图 수리검;
손에 쥐고 적에게 던지는 작은 칼.

じゅりつ【樹立】ju- 图[スル自他] 수립.
¶記録るくを～する 기록을 수립하다.

しゅりゅう【主流】shuryū 图 주류. ¶
～派は 주류파 / 時代じだいの思潮しちょうの～ 시
대 사조의 주류. ↔支流りゅう.

しゅりゅうだん【手榴弾】shuryū-
图 수류탄. =てりゅうだん.

じゅりょう【酒量】shuryō 图 주량. ¶
～があがる 주량이 늘다.

しゅりょう【狩猟】shuryō 图[スル自] 수
렵; 사냥. =狩かり. ¶～家か 수렵가;
사냥꾼.

しゅりょう【首領】shuryō 图 수령; 우
두머리. =かしら・首魁かい.

じゅりょう【受領】juryō 图[スル]他 수
령; 영수. ¶～証しょう 수령증. 二图 (옛
날의) 지방 방백(守令方伯)(에) 임명
됨). =ずりょう.

*しゅりょく【主力】shuryo-图 주력. ¶
～部隊だい 주력 부대 /～艦かん 주력함.

じゅりん【儒林】ju- 图 유림; 유학자
들.

じゅりん【樹林】ju- 图 수림. =はやし.
¶～帯たい 수림 지대.

**しゅるい【種類】shu- 图 종류. ¶同おなじ
～の昆虫ちゅう 같은 종류의 곤충.

しゅるい【酒類】shu- 图 주류. ¶～販
売ばい 주류 판매. ¶[나이].

じゅれい【樹齢】ju- 图 수령; 나무의

しゅれん【手練】shu- 图 수련; 익숙한
솜씨. ¶～の早わざ 익숙한 재빠른
솜씨.

しゅろ【棕櫚】shu- 图[植] 종려나무.
¶～ぼうき 종려 빗자루. —ちく【―竹】
图[植] 종려죽(종려 비슷한 상록 관
목(灌木)?

じゅろうじん【寿老人】jurō- 图 일곱 복
신(福神)의 하나(긴 머리를 하고 지팡
이와 부채를 들고, 사슴을 데리고 있
는 작달막한 노인으로 장수(長寿)를 내
린다고 함). ¶[수화법].¶口話ごく.

しゅわ【手話】shuwa 图 수화. ¶～法ほう.

じゅわ【話話】ju- 图 수화. →送話そうわ.
―き【―器】图 수화기. ↔送話器わき.
¶[으뜸] 화음.

しゅわおん【主和音】shu- 图[楽] 주

しゅわん【手腕】shuwan 图 수완. =うでま
え・技量しりよう. ¶～家か 수완가.

しゅん【旬】shun 图 ①어패(魚貝)・야
채・과일 등이 가장 맛으는 철. ¶～の
もの 제철인 야채나 생선 /～外れ 제
철이 아님; 철이 지남. →はしり. ②전
하여, 적기(適期).

しゅん【舜】shun 图 순(임금). ¶堯ぎょう～
時代だい 요순 시대.

じゅん【純】jun 一图ダナ 순수; 순진.
¶～なガソリン 불순물이 섞이지 않은
가솔린 /～な男おとこ 순진한 사나이. 二
图接尾 순…; 순수한. ¶～日本式ほんしき 순
일본식.

*じゅん【順】jun 一图 순서; 차례. ¶
～を追おう 순서를 따르다 /～が来くる
차례가 오다. 二图ダナ ①온순함; 순
직(順直)함. ¶～な人ひとがら 온순한 인
품. ②당연함; 온당함. ¶老人ろうじんに席
せきを譲ゆずるのが～だ 노인에게 자리를 양
보하는 것은 당연한 일이다. ↔逆ぎゃく.
三图接尾 …순. ¶先着ちゃく～ 선착순.

じゅん【醇】jun 图ダナ ①술이 불순물
이 없고 진국임. ¶～な清酒しゅ 진국으
로 된 청주. ②인정이 두터움. ¶～な
人柄がら 순박한 인품.

じゅん-【準】jun 준…; 정식의 다음 차
례의; 비길 만한. ¶～会員いん 준회원 /
～決勝しょう 준결승.

じゅんあい【純愛】jun'ai 图 순애.

じゅんい【准尉】jun'i 图[軍] 준위.

*じゅんい【順位】jun'i 图 순위.

じゅんいつ【純一】jun'i- 图 순일. ¶
①순수함. ②거짓이나 꾸밈이 없음.
③～もっぱら.

しゅんえい【俊英】shun'ei 图 준영; 뛰
어나고 빼어남; 또, 그런 사람.

じゅんえき【純益】jun'eki 图 순익. =
純利じゅん.

じゅんえん【巡演】jun'en 图[スル自] 순
회 공연.

じゅんえん【順延】jun'en 图[スル]他 순연. ¶
雨天てん～ 우천 순연.

じゅんおう【順応】jun'ō 图[スル自] ☞
じゅんのう.

じゅんおくり【順送り】jun'o- 图[スル]他
차례차례로 보냄.

しゅんが【春画】shun- 图 춘화;춘화도.＝まくら絵ゑ.

じゅんか【純化・醇化】jun- 图 匜他自 순화. ¶国語ミを~する 국어를 순화하다.

じゅんか【馴化・淳化】jun- 图 匜他自 순화. ①정성어린 교육으로 감화함. 参考 법령에서는 '純化'로 씀. ②[美] 미학에서, 재료를 정리하여 쓸모있는 부분을 제거함.

じゅんか【順化・馴化】jun- 图 匜自 순화;생물이 기후나 풍토 따위에 차차 적응되어 감. 注意 '順化'로 씀은 대용 한자.

じゅんかい【巡回】jun- 图 匜自 순회. ¶～大使だで 순회 대사／～図書館らがん 순회 도서관.

しゅんかしゅうとう【春夏秋冬】shunka shūtō 图 춘하추동;사계(四季).

じゅんかつ【潤滑】jun- 图 윤활. ¶～油あ 윤활유.

*__しゅんかん__【瞬間】shun- 图 순간.＝瞬時じ. ¶～の できごと 순간에 일어난 일／~湯沸わかし器き 순간 온수기.

*__じゅんかん__【循環】jun- 图 匜自 순환. ¶悪~ 악순환／市内しない~バス 시내 순환 버스. ──き【──器】图 순환기. ¶~障害しやう 순환기 장애. ──しょう すう【小数】-shōsū 图【数】 순환 소수. ──ろんぽう【論法】-rompō 图 순환 논법.

じゅんかん【旬間】jun- 图 순간;십일 간. ¶~週間しゅう・月間げん.

じゅんかんごふ【准看護婦】jun- 图 보조 간호원.＝正看護婦かんごふ.

しゅんき【春季】shun- 图 춘계;봄철. ¶~修学旅行しゅうがくりょこう 춘계 수학 여행.↔秋季しゅう.

しゅんき【春期】shun- 图 춘기. ¶~株主総会かぶぬしそうかい 춘기 주주 총회.

しゅんき【春機】shun- 图 춘기;색욕, 색정. ──はつどうき【発動期】-dōki 图 춘기 발동기;사춘기.

しゅんぎく【春菊】shun- 图【植】 춘국;쑥갓.

じゅんぎゃく【順逆】jungya- 图 순역. ①순종과 배반;특히, 도리에 맞는 일과 어긋나는 일. ②순경(順境)과 역경.

じゅんきゅう【準急】junkyu- 图 준급('準急行じゅんきゅうこう列車れっしゃ'(=준급행 열차)의 준말).

じゅんきょ【準拠】junkyo 图 匜自 준거.

じゅんきょう【殉教】junkyō 图 匜自 순교. ¶~者しゃ 순교자.

じゅんきょう【順境】junkyō 图 순경.↔逆境ぎゃく.

じゅんぎょう【巡業】jungyō 图 匜自 순업;각지를 흥행하며 돌아다님. ¶地方ちほう~ 지방 순회 흥행.

じゅんきん【純金】jun- 图 순금.＝きんむく.「んむく.

じゅんぎん【純銀】jun- 图 순은.＝ぎん

じゅんきんじさん【準禁治産】jun-【法】 한정 치산.＝じゅんきんちさん. ¶~者しゃ 한정 치산자.

じゅんぐり【順繰り】jun- 图 순번;차례차례로. ¶~に順繰り(=순서를 좇음) 〔따름〕. ¶~に水みづを飲のむ 차례차례로 물을 마시다.

しゅんけいぬり【春慶塗】shun- 노송나무・전나무 바탕에 빨갛게 애벌칠을 한 다음 그 위에 투명한 칠을 해서 나뭇결이 보이도록 마무리함;또, 그렇게 만든 칠기(漆器).

しゅんけいやき【春慶焼】shun- 图 갈색 표면에 노란 유약(釉薬)을 띄엄띄엄 뿌린 도자기.

しゅんけつ【俊傑】shun- 图 준걸.

しゅんげつ【春月】shun- 图 춘월. ①봄밤의 으스름달. ②봄철.

じゅんけつ【純潔】jun- 图ナ 순결. ¶~教育きょういく 순결 교육;성교육.

じゅんけつ【純血】jun- 图 ①순혈.↔混血こん. ②순수한 혈액.

じゅんけっしょう【準決勝】junkesshō 图 준결승.

しゅんけん【峻険・峻嶮】shun- 图ナ 준험;험준함. ¶~な山やま 험준한 산.

しゅんげん【峻厳】shun- 图ナナ 준엄. ¶~な態度たいど 준엄한 태도.

じゅんけん【純絹】jun- 图 순견;正絹けん.

しゅんこう【竣工・竣功】shunkō 图 匜自 준공;낙성.＝落成らく.↔起工きこう・着工ちやく.

じゅんこう【巡航】junkō 图 匜自 순항. ¶~速度そくど 순항 속도;경제 속력／~ミサイル 순항 미사일.

じゅんこう【巡行】junkō 图 匜自 순행. ¶地方ちほう~ 지방 순행.

じゅんこう【巡幸】junkō 图 匜自 순행;天皇てんのうの 순행(巡行).

じゅんこう【順行】junkō 图 匜自 순행. ¶~運動うんどう【天】 순행 운동.

じゅんこく【殉国】jun- 图 순국. ¶~の烈士れっし 순국 열사.

*__じゅんさ__【巡査】jun- 图 순경. ¶交通こうつう~ 교통 순경／~部長ぶちょう 경사.

しゅんさい【俊才・駿才】shun- 图 준재;수재(秀才).＝英才えい.

じゅんさい【蓴菜】jun-【植】 순채;순나물.＝ぬなわ.

じゅんさつ【巡察】jun- 图 匜他自 순찰. ¶~隊たい 순찰대.

しゅんじ【瞬時】shun- 图 순시;순간. ¶~も休やすむことなく働はたらく 잠시도 쉬지 않고 일하다.　　〔追おひこし腹ばら.

じゅんし【殉死】jun- 图 匜自 순사.＝

じゅんし【巡視】jun- 图 匜他自 순시.

じゅんじ【順次】jun- 副 순차적으로;차례차례.＝逐次ちくじ.

じゅんしかん【准士官】jun- 图 준사관.

じゅんじつ【旬日】jun- 图 순일;10일 간.

じゅんしゅ【遵守・順守】junshu 图 匜他 준수. ¶法ほうを~ 법을 준수하다. 注意 '順守'로 씀은 대용 한자.

しゅんしゅう【俊秀】shunshū 图 준수;준재(俊才).＝英才えい.

しゅんじゅう【春秋】shunjū 图 춘추. ①봄과 가을. ②세월;성상(星霜). ¶~に富とむ 나이. ¶~高たかし 춘추(연세)가 높다. ④장래(의 세월). ⑤오경(五経)의 하나;중국 고대 노(魯)나라의 역사. ──に富とむ (나이가 젊어서) 앞길이 창창한 춘추의 필법. ──の筆法ひっぽう 춘추의 필법. ──じだい【時代】图【史】 춘추 시대.

しゅんじゅん [逡巡] shunjun 名 ㅈ though
준순; 망설임; 주저함; 머뭇거림. =
ちゅうちょ. ¶遅疑ᵍ〜 지의 준순; 의
심하여 망설임.

*じゅんじゅん [順順] junjun 名 『'に'가
붙어서 副詞的으로』차례차례; 차차로
조금씩. ¶〜に名前ᵍを言う 차례로
이름을 말하다 / 〜に分かってくる
조금씩 알게 되다.

じゅんじゅん [諄諄] junjun ㅏ たる 순
순; 잘 알아듣도록 반복해서 타이르는
모양. ¶〜と諭すᵍ 순순히 타이르다.

じゅんじゅんけっしょう [準準決勝]
junjunkesshō 준준결승.

*じゅんじょ [順序] junjo 名 순서. ¶
〜を乱すᵍ 순서를 어지럽히다. ¶〜を追
う [──数] -sū 名 【数】순서수; 순서
를 나타내는 수; 서수(序数). ↔基数ᵍ
──すうし [──数詞] -sūshi 名 基ᵍ
수 수사; 서수사(序数詞). ↔基数詞ᵍ
──だてる [──立てる] T1他 순서
를 정하다. ──よく 副 순서 있게; 차
례(대)로.

しゅんしょう [春宵] shunshō 春소;
봄밤. ──刻ᵍ値千金ᵍ 춘소 일각
치천금(봄밤의 한 때는 천금의 가치가
있음).

しゅんじょう [春情] shunjō ①春
정. =色情ᵍ. ¶〜を催すᵍ 춘정을
자아내다. ②춘색(春色); 봄 경치.

*じゅんじょう [殉情] junjō 名 순정; 모
든 것을 바치려는 사랑.

*じゅんじょう [純情] junjō 名ナ 순정;
꾸밈없는 마음(사랑). ¶〜可憐ᵍ 순
정 가련 / 〜な青年ᵍ 순진한 청년.

しゅんしょく [春色] shunsho- 춘
색; 춘경; 봄 경치. =春光ᵍ.

じゅんしょく [殉職] junsho- 名 ㅈ自
순직. ¶〜者 순직자.

じゅんしょく [潤色] junshoku 名 ㅈ他
윤색. ¶事実ᵍを〜して発表ᵍする
사실을 윤색해서 발표한다.

じゅん−じる [殉じる] jun- 上1自 ☞
じゅんずる(殉)

じゅん−じる [準じる] jun- 上1自 ☞
じゅんずる(準).

しゅんしん [春信] shun- 名 춘신; 봄
소식. =花信ᵍ.　　　　　　「정(春情).

しゅんしん [春心] shun- 名 춘심; 춘

*じゅんしん [純真] jun- 名ナ 순진. ¶
〜な青年ᵍ 순진한 청년.

*じゅんすい [純粋] jun- 名 ㅈ ダ 순수.
¶〜性ᵍ 순수성 / 〜な好意 순수한
호의 / 〜の江戸ᵍっ子 순(純)東京ᵍ
토박이 / 〜文学ᵍ 순수 문학 / 〜経済
学ᵍ 순수 경제학. ──りせい [──
理性] 名 【哲】순수 이성. ↔実践ᵍ理
性.

じゅん−ずる [殉ずる] jun- サ変自 ①무
엇을 위하여 목숨을 버리다; 순사하
다. =じゅんじる(殉). ¶国ᵍに〜 나라를
위하여 목숨을 버리다. ¶大臣ᵍに〜 (차관·국장 등이)
대신을 따라 함께 사직하다. ②거꾸로 같이
하다. ¶〜 이하 (것)에 준하다.

じゅん−ずる [準ずる] [准ずる] jun-
サ変自 준하다. =じゅんじる; 以下ᵍ
これに 〜 이하 이에 준한다.

しゅんせい [竣成] shun- 名 ㅈ自 준성;
준공. =竣工ᵍ·落成ᵍ.

じゅんせい [純正] [醇正] jun- 名ナ 순
정. ¶〜数学ᵍ 순정(순수) 수학 /
哲学ᵍ 순수 철학 / 〜化学ᵍ 순정 화
학 / 〜食品ᵍ 순정 식품.

じゅんせい [準星] jun- 名 【天】준성;
성운(星雲)의 폭발로 생겼다고 생각되
는 별.　　　　　　　　　　　「눈.

しゅんせつ [春雪] shun- 名 춘설; 봄

しゅんせつ [浚渫] shun- 名 ㅈ他 준
설. ¶〜船 준설선.

じゅんせつ [順接] jun- 名 ㅈ自 【文法】
순접(順態接続ᵍ'의 준말); 두 개
의 글 또는 구(句)가 이론상 순리적으
로 접속[연결]됨('雨ᵍ降って地ᵍ固ᵍ
まる(=비 온 뒤에 땅이 굳는다)'의 'て'
와 같은 접속 관계를 나타내는 것). ↔逆
接続ᵍ.

じゅんぜん [純然] jun- ㅏ たる 순연;
순전(純全); 섞임이 조금도 없음. ¶
〜たる芸術品ᵍ 순전한 예술 작
품.　　　　「名 준전시 체제.

じゅんせんたいせい [準戦体制] jun-

しゅんそく [俊足] shun- 名 준족; 뛰
어난 제자(사람); 준재. =俊才ᵍ.

しゅんそく [駿足] shun- 名 준족. ①
준마. ②발이 빠름; 또, 그런 사람.

じゅんそく [準則] jun- 名 준칙. ¶会
員ᵍの守るべき 〜 회원이 지켜야 할
준칙.

じゅんたいじょし [準体助詞] juntaijo-
名 【文法】여러 가지 말이나 구에 붙
어, 전체를 체언과 같은 작용을 하게
하는 조사('話すᵍのを聞くᵍ(=얘기하
는 것을 듣다)'의 'の' 따위).

じゅんたく [潤沢] jun- ①名 광
택; 윤. 二名ナ 풍족스러움. ¶〜な
資金ᵍ 윤택한 자금 / 品物ᵍが〜に出
回るᵍ 물건이 풍족하게 나돌다.

しゅんだん [春暖] shun- 名 춘난; 봄
날의 따뜻함. ↔秋冷ᵍ.

じゅんち [馴致] jun- 名 ㅈ他 순치. ①
익히게 함; 길들임; 순화(馴化). ¶
漢文ᵍに〜せしめる 한문에 익숙하게
하다. ②점차 어떤 상태에 이르게 함. ¶
弛緩ᵍした気分ᵍを〜して緊張ᵍ
に導ᵍく 이완된 기분을 차차로 긴장
되게 하다.

*じゅんちょう [順調] junchō 名ナ 순
조. ¶〜に回復ᵍする 순조롭게 회복
되다. ↔不調ᵍ.

じゅんて [順手] jun- 名 (기계 체조에
서) 철봉을 손바닥을 밑으로 해서 잡
는 방법. ↔逆手ᵍ.

しゅんと shun- 의기 소침하여 우울
한 모양; 침울하게; 풀이 죽어. ¶皆ᵍ
〜なってしまった 모두 침울해져 버
렸다.

じゅんど [純度] jun- 名 순도.

しゅんとう [春闘] shuntō 名 ('春季闘
争ᵍ(=춘계 투쟁)'의 준말); 봄에 행
하는 임금 인상 투쟁.

じゅんどう [蠢動] shundō 名 ㅈ自 준
동. ¶ゲリラの〜 게릴라의 준동.

じゅんとう [順当] jun- 名ダ 순당; 그
렇게 되는 것이 당연함. ¶そうあるの
が〜 그렇게 되는 것이 당연하다 /
〜に行ᵍけば 제대로 간다면.

*じゅんなん [殉難] jun- 名 순난; 국난
이나 (종교적) 재난을 당하여 공공을

위해 죽음.

じゅんに【順に】jun-　連語《副詞적으로》순서대로；차례로．━~に進む 차례로 나아가다／背ばいの~並ならぶ 키 순으로 늘어서다．

しゅんのう【春鶯】shunnō 名 춘앵；봄에 우는 휘파람새. =しゅんおう.

*****じゅんぱく**【純白】jumpa- 名刃他 순응．=じゅんおう．━時代だいに~する 시대에 순응하다．

じゅんぱく【純白】jumpa- 名刃 순백．=まっ白しろ.

*****じゅんばん**【順番】jumban 名 순번；차례．━~を待まつ 차례를 기다리다．

しゅんぴ【春肥】shumpi 名 춘비；봄비료．=はるごえ．

‡じゅんび【準備】jumbi 名刃他 준비．━をしたく．━~一体操たいそう 준비 체조／━運動どう 준비 운동／下じた~ 사전 준비．

しゅんびん【俊敏】shumbin 名刃ナ 준민；머리가 날카롭고 날렵함．━━をもって鳴なる 준민으로 이름나다．

しゅんぷう【春風】shumpū 名 춘풍；봄바람．=はるかぜ．━━━しゅうう【─秋雨】─shū 名 춘풍 추우；(긴) 세월━━たいとう【──駘蕩】─tō タル 춘풍 태탕；봄 경치가 화창하고 한가로운 모양(온화한 인품의 뜻으로도 쓰임)．

じゅんぷう【順風】jumpū 名 순풍．=追おい風かぜ．↔逆風ぎゃくふう．━━に帆ほを上あげる①돛에 돛을 달다．②일이 순조롭게 진행되다．

じゅんぷうびぞく【醇風美俗・淳風美俗】jumpū- 名 순풍 미속；인정이 두텁고 아름다운 풍속・습관．=良風りょうふう美俗ぞく．

じゅんふどう【順不同】junfudō 名 순서 부동；무순(無順)．=順序じゅんじょ不同．

しゅんぶん【春分】shumbun 名 춘분．↔秋分しゅうぶん．━━の日ひ 춘분의 날(국민 축일의 하나；3월 21일경)．━━てん【─点】 춘분점．↔秋分点しゅうぶんてん.

じゅんぶんがく【純文学】jumbun- 名 순(수) 문학．↔大衆たいしゅう文学．

じゅんぽう【旬報】jumpō 名 순보．↔日報じっぽう・月報げっぽう.

じゅんぽう【遵法・順法】jumpō 名 준법．━━精神せいしん 준법 정신．注意 「順法」로 씀은 대용 한자．

じゅんほうせき【準宝石】junhō- 名 준보석(수정(水晶)・마노(瑪瑙) 따위)．

じゅんぼく【純朴・淳朴・醇朴】jumbo- 名刃 순박．━~な人柄ひとがら 순박한 인품．

しゅんぽん【春本】shumpon 名 남녀의 정사 장면을 흥미 본위로 쓴 책．=エロ本ぼん.

しゅんみん【春眠】shummin 名 춘면．━━暁あかつきを覚おぼえず 봄은 밤이 짧고 몸이 노곤해서 쉽사리 잠이 깸．

しゅんむ【春夢】shummu 名 춘몽．①봄날의 꿈．②덧없는 인생．━人生じんせい━のごとし(일장) 춘몽과 같다．

しゅんめ【駿馬】shumme 名 준마．=駿足そく・駿馬はやうま・駿馬だりば．「무명．

じゅんめん【純綿】jummen 名；순**じゅんもう**【純毛】jummō 名 순모．━~の服地ふくじ 순모 양복감.

じゅんよ【旬余】jun-yo 名 순여；10여 일；열을 남짓．━━月余げつよ.

じゅんよう【準用】jun-yō 名他 준용；(법률 따위를) 유추(類推) 적용하다．

じゅんようかん【巡洋艦】juh-yō- 名 순양함.

じゅんら【巡邏】jun- 名刃他 순라．①순찰하여 돌아다님．=パトロール．②幕府ばくふ 말기에 江戸えど를 순찰 경비하던 순라군．　　　「날의 천둥．

しゅんらい【春雷】shun- 名 춘뢰；봄

しゅんらん【春蘭】shun- 名【植】①보춘화．=ホクロ．②봄에 꽃이 피는 난초의 총칭．

じゅんり【純理】jun- 名 순리．①순수한 이론이나 하리．━~に基もとづいて行動こうどうする 순리에 따라서 행동하다．

じゅんり【純利】jun- 名 순리；순이익．=純益じゅんえき.

じゅんりゅう【順流】junryū 名刃自 순류．①순로(順路)를 따라 흐름．↔逆流ぎゃくりゅう．②물의 흐름에 따름．

じゅんりょう【淳良】junryō 名 순량；꾸밈이 없고 선량함．

じゅんりょう【純良】junryō 名 순량；성질이 유순하고 착함．

じゅんりょう【純良・醇良】junryō 名刃 순수하고 양질(良質)임．

しゅんれい【峻嶺】shun- 名 준령．

じゅんれい【巡礼・順礼】jun- 名刃他 순례；여러 성지를 두루 참배함；또，그 사람．　　　「편력．=遍歴へんれき．

じゅんれき【巡歴】jun- 名刃他 순력；

しゅんれつ【峻烈】shun- 名刃ナ 준열．━~に批判ひはんする 준열하게 비판하다．

じゅんれつ【順列】jun- 名 순열．①순서；서열．②【数】몇 개의 것을 일정 순서로 배열함；그 총수．━━くみあわせ【─組合(わ)せ】 名【数】순열과 조합．

じゅんろ【順路】jun- 名 순로；올바른 〔순탄한〕길．=トナカイ．

じゅんろく【馴鹿】jun- 名【動】순

しょ【所】sho 一名①『事務所じむ(=사무소)・研究所けんきゅう(=연구소)・撮影所さつえい(=촬영소)』따위의 준말．②『事情じじょう~』소의 사정．二接尾 그 일이 행하여지는 또는 그 사물이 존재하는 곳；…소．=…化か．『営業えいぎょう~/登記とうき~』등기소．

しょ【書】sho 一名①글자를 씀(쓰는 방법)；또，그 작품；필적；서도(書道)．━~を習ならう 글씨를 배우다／見事みごとな~ 훌륭한 글씨．②책；서류．━~を読よむ 책을(서류를) 읽다．③편지；서간(書簡)．━~を送おくる 편지를 보내다．④『書経じょ(=서경)의 준말．『詩しい礼らい楽がく書しょ』 시서 예악．二接尾…서；책・서류의 뜻．『参考さんこう~ 참고서／始末しまつ~ 시말서；전말서．

しょ【暑】sho 名①더위．━~をさける 더위를 피하다．↔寒かん．②여름의 토왕지절(土旺之節)의 18일간．

しょ【署】sho 名①서；관청；관서．『警察署けいさつ(=경찰서)・税務署ぜいむ(=세무서)』따위의 준말．━~の方針ほうしん 서의 방침．参考 接尾語적으로도 씀．『消防しょうぼう~ 소방서／営林えいりん~ 영림서．③이름을 씀；서명함．

しょ【緒】 sho 名 실마리；단서；일의 시작. **―に就く** ①예정된 사업이 시작되다；일에 착수하다. ②(사업이) 본궤도에 오르기 시작하다.
しょ-【初】 sho 초…；처음의. ¶～対面 초대면.
しょ-【諸】 sho 제…；여러. ¶～問題 여러 문제.
じょ【時余】 名 시여；한 시간 남짓.
じょ【自余】(爾余) 名 이 밖；그 이외. ¶～の作品 이 밖의 작품.
じょ【女】 jo 여. ㊀名 ①여자. ②딸；젊은 미혼 여성. ¶松平氏の～ 松平씨의 여식. ㊁接頭 여자의 뜻. ¶～店員 여점원／～学生 여학생. ㊂接尾 여자 이름 밑에 붙이는 말：…여；…녀；…랑(娘). ¶うめ～ 매랑(梅娘)／みどり～ みどり녀. ⇔男.
じょ【序】 jo 名 서. ①서문；머리말. ¶～を書く 서문을 쓰다. ↔跋. ②순서. ¶長幼～あり 장유 유서. ③실의 처음 부분；실마리；처음. ④무악(舞樂)·能楽의 악곡에서, 첫부분.
じょ［恕］ jo 名 동정(심). ＝おもいやり. ¶忠～ 충서／仁～ 인서.
じょ-【助】 jo 조…；보조의 뜻. ¶～教授 조교수／～監督 조감독.
-じょ【所】 jo …소. ＝-しょ. ¶出張～ 출장소／収容～ 수용소.
しょあく【諸悪】 sho- 名 제악；온갖 나쁜 짓.
しょい【所為】 shoi 名 ①소위；행위；소행. ＝しわざ. ¶人間の～と思われない 인간의 소위라고 생각되지 않다. ②때문；까닭.
じょい【女医】 joi 名 여의(사).
じょい【叙位】 joi 名 서위；위계(位階)를 내림.
しょいこ『背負い子』 shoi- 名 (일종의) 지게. ＝しょいご.
しょいこ-む【しょい込む】(背負い込む) shoi- 5自 (귀찮은〔힘겨운〕일을) 떠맡다；부담하다. ¶やっかいな役を～ 귀찮은 일을 떠맡다.
しょいちねん【初一念】 sho- 名 초지(初志).
しょいなげ【しょい投げ】(背負い投げ) shoi- 名 〈俗〉유도의 수의 하나；어깨넘겨치기. ＝せおいなげ. **―を食う** 막판에 배반당하여 큰코 다치다〔골탕 먹다〕.
しょいん【書院】 sho- 名 서원. ①서재. ②절의 글방. ③(床の間 옆에 창 달린 퇴간이 있는) 손님〔사랑〕방；응접실. **―づくり【―造(り)】** 名〔建〕室町 시대에 발생하여 桃山 시대에 발달한 주택 건축 양식《현관·床の間·선반·장지문·맹장지가 있는 집 구조；현재 일본 주택의 일반적인 양식임》.
しょいん【諸因】 sho- 名 제인；여러 가지 원인.
しよう『仕様』 -yō 名 할 도리；수단；하는 방법；특히, 만드는 물품에 관해 요구되는 특정 형상·구조·치수·성분·정밀도·성능·제조법·시험 방법 등의 규정. ¶～を厳しく定める 규정을 엄격하게 정하다. **―がない** 할 도리가 없다；할 수 없다. ¶面白くて～がない 못 견디게 재미있다／暑くて～がない 더워서 못 견디겠다. **―がき【―書(き)】** 名 시방서(示方書).
***しよう【使用】** -yō 名 ス他 사용. ¶～価値 사용 가치／～料 사용료. **―しゃ【―者】** -sha 名 사용자. ①(물품의) 이용자. ＝ユーザー. ②고용주(雇用主). ¶～側 고용주측. ↔使用人·労働者. **―にん【―人】** 名 사용인；고용인(雇傭人). ↔使用者.
しよう【私用】 -yō 사용. ㊀名 사사로운 일. ¶～で出かけた 사용으로 외출했다. ㊁名 ス他 사사로이 씀. ¶官物を～する 관물을 사용하다. ⇔公用.
しよう【試用】 -yō 名 ス他 시용；시험적으로 씀. ¶～品 시용품.
しよう【止揚】 -yō 名 ス他 지양. ＝アウフヘーベン.
しよう【子葉】 -yō 名〔植〕자엽；떡잎. ¶単～植物 단자엽 식물.
しよう【枝葉】 -yō 名 지엽. ①가지와 잎. ②중요치 않은 일. ¶～末節 지엽 말절；하찮은 일. ⇔根幹.
***しょ-う『背負う』** shou 5他 ①〈口〉짊어지다. ＝せおう. ㉠등에 지다. ¶荷物を～ 짐을 짊어지다. ㉡(귀찮은 일을) 떠맡다. ¶借金を～ 빚을 짊어지다. ②《自動詞적으로》〈俗〉자부(自負)하다；우쭐하다.
しょう【小】 shō 소. ㊀名 ①작음；잚；짧음. ¶大は～を兼ねる 대는 소를 겸한다. ②작은 달. ㊁接頭 ①작음·적음의 뜻. ¶～資本 소자본. ②자식의 뜻. ¶～デュマ 소뒤마. ⇔大. **―の月** 작은 달. ↔大の月. **―の虫を殺して大の虫を助ける〔生かす〕** 큰 일·중요한 일을 하기 위해서 작은 일을 희생하다.
しょう【升】 shō 名 승；되. ¶土一～に金一～ 흙 한 되에 돈 한 되《금싸라기 땅값의 비유》.
しょう【生】 shō 名 〈老〉생；삶；목숨；생명. ＝いのち. ¶～を全うする 명대로 살다／～あるうちに 살아 있는 동안에／～あるもの必ず滅す 생자필멸(生者必滅).
しょう【抄】(鈔) shō 名 초. ①발초(拔抄)；초록(抄錄)《接尾語적으로도 씀》. ¶平家物語～ 平家物語(＝平家의 성쇠를 쓴 군담(軍談) 소설) 초록. ②고전(古典)의 주석서《接尾語적으로도 씀》. ¶史記～ 사기초.
しょう【性】 shō 名 ①㉠기질；성질；성미. ¶～が悪い 성질이 나쁘다／～こりも無い奴だ (a)제 버릇 개 못 주는 놈이다；(b)지독히 끈질긴 놈이다／～が合わない 성미가 맞지 않다. 参考 接尾語적으로도 씀. ¶苦労～ 걱정 잘하는 성질／凝り～ 골몰하는 성질／あぶら～ 지방질. ㉡체질. ¶寒さに弱い～だ 추위에 약한 체질이다. ㉢품질. ¶～の知れない品 품질을 알 수 없는 물품. ②(음양도(陰陽道)에서) 목·화·토·금·수의 오행(五行)을 사람의 생년월일에 배당한 것. ¶水の～ 수성. ③〔佛〕만물의 본체.
しょう【省】 shō 名 성. ①내각 아래의 국가 행정 기관의 하나《우리 나라의 부(部)에 해당》. ¶外務～ 외무성. ②

し

律令ウ)ウ²制〔制〕에서 중앙 관청. ¶兵部ῦ~ 병부성. ③중국의 최상급의 지방 행정 구획. ¶四川ゥ~ 사천성.

しょう【将】shō 图 장 ; 장수. ¶一軍ゥんの~ 일군〔전군〕의 장수 / ~を射ゥんとすればまず馬ゥを射ゥ よ 장수를 쏘려면 먼저 말을 쏘아라.

しょう【称】shō 图 ①칭 ; (보통 불리는) 이름 ; 호칭. ¶国父ゥく~の名ゥを得ゥる 국부라는 칭호를 얻다. ②칭찬〔칭송〕함. ¶海内無雙ゥいだいむ~의~が有ゥる 천하제일이라는 평판이 있다.

しょう【商】shō 图 ①장인, 장수, 图〔數〕상 ; 나눗셈에서 얻은 답 ; 몫. ¶次ゥの式ゥきの商ゥ을 言ゥえ 다음 식의 몫을 말하라. ↔積ゥき. ②중국 고대 왕조의 이름 ; 상나라. 图〔接頭〕~商 ; 장사·장수의 뜻. ¶雜貨ゥ~ 잡화상 / 小売ゥり~ 소매상.

しょう【章】shō 图 장. ①문장을 크게 나눈 단락. ¶~を改ゥめて述ゥべる 장을 바꾸어 기술하다. 图〔接尾〕①문장의 단락을 세는 말. ¶第一ゥ~ 제 1 장. ②훈장·포장·기장의 뜻. ¶功労ゥ~ 공로장.

しょう【笙】shō 图 생황〔笙簧〕(관악기의 하나). =笙ゥの笛ゥ.

しょう【勝】shō 图 ①승 ; 승리. ¶三ゥ~二敗ゥ 3 승 2 패. ↔負ゥ. ②지세〔地勢〕·경치가 좋음. ¶天下ゥ~の 천하의 명승(지).

しょう【証】shō 图 증 ; 증거 ; 증명. ¶後日ゥ~の~とする 뒷날의 증표로 삼다 / 確ゥたる~がある 확실한 증거가 있다. 参考 接尾語적으로도 씀. ¶受領ゥ~ 수령증 / 領収ゥ~ 영수증.

しょう【鉦】shō 图 ①징(연극 따위에 쓰는 금속 타악기). =しょうご〔鉦鼓〕. ③꽹과리.

しょう【賞】shō 图 상 ; 상품. =ほうび. ¶~をもらう 상을 받다 / ~に入ゥる 상에 뽑히다 / (b)장려함. 参考 接尾語적으로도 씀. ¶努力ゥ~ 노력상 / ノーベル~ 노벨상.

しょう【簫】shō 图 소(동양의 관악기).

しょう【少輔】shō 图 ①大宝令ゥ²²制〔制〕에서 省ゥ·省ゥ(省)의 次官ゥ(=次官)의 하위직(下位職). ②明治ゥ 초기에 각 성(省)의 大輔ゥ의 차위(次位). ↔大輔ゥ.

しょう-【少】shō 소… ; 적음의 뜻. ¶~人数ゥ 소인수 / ~적은 인원수(人員數). ↔多ゥ.

しょう-【正】shō 正 ; 바로 ; 알짜로 ; 정확히. ¶~一時ゥに出発ゥする 정각 한 시에 출발 / ~三合ゥ 알속 3 홉. ②품계(品階)의 동계(同階) 중에서 종(從)보다 위 ; 정…. ¶~二位ゥ 정 2 위. ↔從ゥ.

-しょう【相】shō …상 ; 대신(大臣). ¶自治ゥ~ 자치상.

-しょう【症】shō …증 ; 병의 성질 ; 증상. ¶胃酸過多ゥ~ 위산 과다증 / 狭心ゥ~ 협심증.

-しょう【唱】shō …창 ; 노래함. ¶三重ゥ~ 삼중창. ¶「地」→前葉ゥ.

じょう【次葉】jiyō 图 다음 지면〔페이지〕.

じょう【自用】jiyō 图 자용 ; 자기가 사용함 ; 또, 자기가 쓸 것.

じょう【滋養】jiyō 图 자양 ; 영양. ¶~分ゥ 자양분.

じょう【上】jō 图 상. 图〔一图〕①위. ¶~流ゥ 상류 ; 상급 ; 상등 ; 상품(上品). ¶~の~상지상(上之上) / うな井ゥの~ 고급 장어 덮밥 / これだけできれば~の部ゥだ 그만큼 할 수 있으면 상에 든다. ③(책의) 상권. ¶~下ゥ·下ゥ·下ゥ. ④올림니다'의 뜻으로 편지나 진상물(進上物)의 곁에 쓰는 말. 图〔接頭〕①훌륭함 ; 좋음. ¶~成績ゥゥ=성적. ②위의. ¶~半身ゥゥ 상반신. ↔下ゥ. 图〔接尾〕①…에 관하여 ; …面에서. ¶一身ゥ上の~ 신상 / 教育ゥ~ 교육상. ②…의 위.¶甲板ゥ~ 갑판 위.

じょう【条】jō 图 조목 ; 대문. ¶その~に誤字ゥがある 그 대문에 오자가 있다. 图〔接頭〕①…에 대하여 ; …이므로 ; …따라서 ; …고로. ¶…に候ゥゥ~ …이므로. ②…이라고 하지만. ¶…とは言ゥ'い~ …이라고 하지만. 图〔接尾〕①…조 ; 조목을 세는 말. ¶第八ゥゥ~ 제8조. ②줄 ; 줄기 ; 가늘고 긴 것을 세는 말. ¶一ゥ~の白線ゥゥ 한 줄기 흰 선.

じょう【状】jō 图 图 ①모양. ¶困惑ゥゥの~ 곤혹스러운 모양. ②상신서(上申書). ③편지. ¶この~の持参ゥゥ者ゥ 이 편지를 가져오는 자. 图〔接尾〕①…상 ; …모양의. ¶テーブル~の岩ゥ テ이블 모양의 바위. ②…장 ; 편지 ; 서류. ¶案内ゥゥ~ 안내장.

じょう【帖】jō 图 图 ①접책(摺冊). ¶~仕立ゥてにする 접책으로 만들다. ②'法帖ゥゥ'〔=법첩〕의 준말. 图〔接尾〕①종이·김을 세는 말(미농지는 48 매, 반지(半紙)는 20 매, 서양 종이는 12 매, 김은 10 매가 一帖ゥゥ). ¶몽롱·방패·막(幕) 따위를 세는 말.

じょう【尉】jō 图 图 能楽ゥゥ의 늙은이 역 ; 또, 그 탈. =おきな. ¶~姥ゥ.

じょう【情】jō 图 图 ①정 ; 감정. ¶~に訴ゥえる 감정에 호소하다. ②성심 ; 진심 ; 진정(眞情). ¶~を込める 정성을 다하다. ③인정(人情) ; 동정(同情) ; 애정. ¶~に厚ゥい 인정이 많다 / ~にもろい 정에 약하다. ④욕정(欲情). ¶~にふける 욕정에 빠지다. ⑤진상(眞相) ; 사정 ; 사태. ¶~を明ゥかす 실정(實情)을 밝히다. ⑥고집. ¶~の一つよい〔こわい〕人ゥ 고집이 센 사람. 一が移ゥる 차츰 애착을 느끼게 되다. 바해짐에 따라 자연히 애정을 갖게 되다. 一を通じる〔負ゥける〕정에 끌리다. 一を通ゥじる 정을 통하다. ¶남녀가 애정을 주고 받다. ②적과 내통하다.

じょう【場】jō 图 图 장소 ; 곳 ; 회장(會場). ¶~を圧ゥする 장내를 압도하다. 图〔接尾〕…장. ¶競技ゥ~ 경기장 / 運動ゥ~ 운동장.

じょう【嬢】jō 图 图《보통 'お~さん'의 꼴로》처녀 ; 색시 ; 미혼 여성. 图〔接尾〕①결혼 전 처녀의 높임말. ¶花子ゥゥ~ 花子양. ②여성의 뜻. ¶交換ゥゥ~ 교환양.

じょう【錠】jō 图 图 ①자물쇠. ¶南京ゥゥ~ 낭쇠 모양의 자물쇠 / ~をおろす 자물쇠를 채우다. ②정제(錠劑).

接尾 …정. ①정제를 세는 말;…알. ¶一回ホポ一〜 1회 1정. ②정제임을 나타내는 말. ¶糖衣 당의정.

じょう【判官】jô- 名 史 太宝令ホポ제(制)에서 제3등관(차관 아래). 注意 관청에 따라서 '丞·掾·尉'따위로 갈라씀.

-じょう【城】jô- …성. ¶姫路ポ〜 姫路성/不夜城ポ 불야성.

-じょう【帖】jô-【畳ポ】 세는 말:…장. ¶四ォ一半ポ 다다미 넉 장 반.

じょうあい【情合(い)】jô- 名 ①정분. ¶夫婦どうの〜 부부의 정분. ②서로 마음이 맞음.

じょうあい【情愛】jô- 名 정애; 귀여워함. ¶肉親ポの〜 육친의 애정.

しょうあく【掌握】shô- 名 장악. ¶政権ポを〜する 정권을 장악하다.

しょうい【傷痍】shôi 名 상이; 상처. =きず·けが. ¶〜軍人ポ 상이 군인.

しょうい【小異】shôi 名 소이; 약간의 차이. ¶大同ポ〜 대동 소이.

しょうい【焼夷】shô- 名 소이; 태워 버림. ―だん【――弾】名 소이탄.

*じょうい【上位】jô 名 상위. ¶〜の者ホ 상위자; 윗사람/女性ホポ〜 여성 상위. ↔中位ホポ·下位ホ.

じょうい【上意】jô- 名 상의; 임금(윗사람)의 뜻·명령. ¶〜一尉ポ주군의 명령을 받아 죄인을 죽임/〜下達ポ상의하달.

じょうい【情意】jôi 名 정의. ①감정과 의지. ②기분. ①기분. ¶〜投合ポ 서로 마음[기분]이 통합.

じょうい【攘夷】jôi 名 양이; 외적을 물리침; 특히, 江戸ポ幕府ポ말기에 일어난 외국인 배척 운동. ¶勤王ポ〜 근왕 양이; 안으로는 임금을 위하고 밖으로는 외적을 막아 물리침.

じょういん【承引】jô- 名 老 승낙. =承諾ポ.

しょういん【松韻】shô- 名 송운; 소나무를 스치는 바람 소리. =松籟ポ.

しょういん【勝因】shô- 名 승인. ↔敗因ポ.

しょういん【証印】jô- 名 ス他 증인; 증명하는 도장. 「院ポ下

じょういん【上院】jô- 名 상원. ↔下

じょういん【冗員】jô- 名 용원; 쓸데 없는 인원; 남아 돌아가는 사람.

じょううち【常打ち】jô- 名 ス他 일정한 장소에서 일정한 것을 흥행함. ¶小屋ポ 상설 흥행장.

しょううちゅう【小宇宙】shôuchû 名소우주. =미크로코스모스. ↔大宇宙ポ.

しょううん【商運】shô- 名 상운; 장사운.

しょううん【勝運】shô- 名 승운; 이길 운.

*じょうえい【上映】jô- 名 ス他 상영. ¶目下ポ〜中ポ목하 상영중.

しょうエネルギー【省エネルギー】shô- 名 석유·전력 등의 에너지 절약을 절약함. =省ポエネ. ▷도 Energie.

しょうえん【小宴】shô- 名 소연. ¶〜を張ポる 소연을 베풀다.

しょうえん【招宴】shô- 名 ス他 초연; 연회에 초대함; 또, 사람을 초대해서

베푸는 연회.

しょうえん【硝炎】shô- 名 소염. ¶〜剤ポ 소염제.

しょうえん【硝煙】shô- 名 초연. ¶〜弾雨ポ 초연 탄우; 초연이 자욱하고 탄알이 비오듯함(전장(戦場)의 광경)/〜がたちこめる 초연이 자욱하다.

*しょうえん【上演】jô- 名 ス他 상연.

じょうえん【情炎】jô- 名 정염.

しょうおう【照応】shôô 名 ス自 조응; 두 개의 물건이 서로 대응함.

しょうおん【消音】shô- 名 ス他 소음; 폭음이나 잡음을 없앰. ¶〜室ポ 방음실 /〜器ポ 소음기.

じょうおん【常温】jô- 名 상온. ①항상 일정한 온도. ②평상의 온도. ③氣 평균 기온.

しょうか【小火】shô- 名 소화; 작은 불. =ぼや. ↔大火ポ.

しょうか【小過】shô- 名 소과; 작은 허물〔과실〕. ↔大過ポ.

しょうか【唱歌】shô- 名 창가(구제(舊制) 소학교의 교과의 하나; 현재의 음악〕; 또, 그것을 위한 가곡.

しょうか【頌歌】shô- 名 송가; (신의 영광·군주의 덕·영웅의 공적 따위를) 칭송하는 노래.

しょうか【商家】shô- 名 상가. ①장사하는 집안. =店屋ポ. ¶〜の生ポれ 상가의 태생. ②상점; 가게.

しょうか【商科】shô- 名 상과. =商学部ポポ. ¶〜大学ポ 상과 대학.

しょうか【昇華】shô- 名 ス自 승화. ¶樟脳ポは〜する 장뇌는 승화한다/古典的ポポな美ポに〜される 고전적인 미(美)로 승화되다.

*しょうか【消化】shô- 소화. □ 名 ス自他 음식물을 잘 삭임. ¶〜液ポ 소화액/〜不良ポ 소화 불량. ② 名 ス他 ①충분히 이해해서 자기 것으로 함. ②품목이나 일을 끝(남김없이 처리함. ¶〜し切れないほど生産ポされる 다 소화시키지 못할 만큼 생산되다.

*しょうか【消火】shô- 名 ス自 소화. ¶〜器ポ(栓ポ) 소화기(전). ↔発火ポ.

しょうか【消夏】（銷夏） shô- 名 소하; 여름의 더위를 덜어 잊게 함. ¶〜読物ポは더위를 잊기 위해서 읽는 읽을거리. 注意 '消夏'로 씀은 대용 한자.

しょうか【漿果】shô- 名 植 장과(醬); 과 수분이 많은 과일. ↔堅果ポ.

しょうが【小我】shô- 名 소아; 자아(自我); 나. ↔大我ポ. 「생강.

しょうが【生薑·生姜】shô- 名

じょうか【城下】jô- 名 성하. ――の誓ポい【――の盟ポ】성하지맹(적에게 수도(首都)까지 침입당하여 하는 굴복적인 항복의 서약). ――まち【――町】성시(城市); 제후(諸侯)의 거성(居城)을 중심으로 하여 발달된 도시.

じょうか【上下】jô- 名 상원과 하원. ¶〜両院ポ 상하 양원.

じょうか【情歌】jô- 名 정가. ①연정의 노래; 연가. =恋歌ポ. ② ☞ どどいつ（都々逸）.

じょうか【情火】jō- 图 정화；불꽃같이 타오르는 정욕；욕정의 불길.

じょうか【浄化】jō- 图 ス他 정화. ¶ ―装置 정화 장치／―槽 정화조／街を―する 거리를 정화하다.

しょうかい【哨戒】shō- 图 ス他 초계；망보며 경계함. ¶ ―機 초계(비행)기／―艇 초계정.

しょうかい【商界】shō- 图 상계；상업계.

しょうかい【商会】shō- 图 상회；상사. 「商社」

*しょうかい【照会】shō- 图 ス他 조회. ―を問い合わせる.

*しょうかい【紹介】shō- 图 ス他 소개. ¶自己― 자기 소개／海外文学かいがいぶんがくの― 해외 문학의 소개. ――じょう【―状】-jō 소개장.

しょうかい【詳解】shō- 图 ス他 상해；상세하게 풀이함；상세한 해석. ↔略解りゃっかい.

*しょうがい【生涯】shō- 图 생애. ①일생；평생；종신. ¶ ―の事業 평생의 사업／―独身どくしんで通とおす 평생 독신으로 지내다. ②일생 중의 어느 시기. ¶公こうの― 공생애(공인으로서의 한 시기). ――きょういく【―教育】-kyōiku 图 평생 교육. 「部ぶ 섭외부.

しょうがい【渉外】shō- 图 섭외. ¶―

*しょうがい【傷害】shō- 图 ス他 상해. ¶―を致死ちしせしめる事件じけん 상해 치사(사건)／―を加くわえる 상해를 입히다.

*しょうがい【障害・障碍・障礙】shō- 图 장애；장해. ①방해；방해물. ¶胃腸いちょうの― 위장 장애. ②「障害競走きょうそう」의 준말. ――きょうそう【―競走】-kyōsō 图 (육상 경기・경마의) 장애물 경주. ――ぶつ【―物】图 장애물. ¶―を乗のり越こえる 장애물을 뛰어넘다. ――ぶつきょうそう【―物競走】-kyōsō 图 장애물 경주.

じょうかい【常会】jō- 图 상회；정례 회의；(국회의) 정기적인 집회.

じょうかい【場外】jō- 图 장외；회장 밖. ¶―ホーマー 장외 호머.＝場内じょうない. 「格.＝降格こうかく.

しょうかく【昇格】shō- 图 ス自他 승

しょうがく【小学】shō- 图 소학. ①「小学校しょうがっこう」의 준말；국민 학교. ②한학에서、 훈고(訓詁)・자서(字書)・운서(韻書)에 관한 연구. ――せい【―生】图 소학생；국민 학교 학생.

しょうがく【小額】shō- 图 소액；(단위로서) 액면이 작은 돈. ¶―紙幣しへい 소액 지폐. ↔高額こうがく.

しょうがく【少額】shō- 图 소액；(전체로서) 적은 금액. ↔多額たがく.

しょうがく【奨学】shō- 图 장학. ¶―部ぶ 장학부／―博士はかせ 장학 박사. ――きん【―金】shō- 图 장학금. 「生.＝－生学生.

じょうかく【城郭・城廓・城塘】jō- 图 성곽；성；성벽. ¶天然てんねんの― 천연의 성곽〔요새(要塞)〕.

*しょうがつ【正月】shō- 图 정월；설. ¶お―の晴はれ着ぎ 설빔／月〔舌したの― 고운 것을 보며〔맛있는 것을 먹으며、 재미있는 이야기를 들으며〕 즐기는 일).

*しょうがっこう【小学校】shōgakkō 图 소학교；국민 학교.

しょうかん【召喚】shō- 图 ス他 〔法〕소환. ＝よびだし. ¶〔法廷ほうていに～する 법정에 소환하다.

しょうかん【召還】shō- 图 ス他 소환；파견한 사람을 불러 돌아오게 함. ¶大使たいしを～する 대사를 소환하다.

しょうかん【償還】shō- 图 ス他 상환.

しょうかん【商館】shō- 图 상관；(외국 상인이) 상업을 하는 건물(주로 江戸えど 시대의 말씨).

しょうかん【将官】shō- 图 장관；장성급의 총칭；장군. 「청해 불러옴.

しょうかん【招喚】shō- 图 ス他 초환；

しょうかん【小官】shō- 图 소관. ㊀관리가 낮은 관리. ↔大官たいかん. ㊁代 관리가 자신의 겸칭으로 일컫는 말.

しょうかん【小寒】shō- 图 소한(24 절기의 하나). ＝寒かんの入いり. ↔大寒たいかん.

しょうがん【賞玩・賞翫】shō- 图 ス他 상완. ①(좋은) 물건을 귀중히 여겨 아끼고 즐김. ②물건의 맛을 칭찬하며 맛봄. 「やく.＝下僚げりょう.

じょうかん【上官】jō- 图 상관.＝うわ

じょうかん【乗艦】jō- 图 ス自 승함.

じょうかん【情感】jō- 图 ①정감；감흥；느낌；정서. ¶季節きせつの～ 계절의 정감. ②기분；감정. ¶国民こくみんの～に訴うったえる 국민의 감정에 호소하다.

じょうかんぱん【上甲板】jōkanpan 图 상갑판；(함선(艦船)의 맨 위층의 갑판.

*しょうき【正気】shō- 图 ①정기；제 정신；정상적인 정신 상태；진심. ＝本気ほんき. ¶―付つく (실신한 사람이) 제정신이 들다；정신을 차리다／―の沙汰さたとは思おもえない 제정신을 가진 사람의 짓이라고는 생각되지 않는다. ②술에 취해 있지 않음.＝しらふ.

しょうき【勝機】shō- 图 승기；이길 기회. 「略記りゃっき.

しょうき【詳記】shō- 图 ス他 상기. ↔

しょうき【鍾馗】shō- 图 종규；중국에서、 역귀(疫鬼)・마귀를 쫓아낸다는 신(神)(일본에서는 이 마귀상(인형)을 단오절에 장식함). ¶―ひげ 팁수룩하게 난 수염.

しょうぎ【商議】shō- 图 ス他 상의；협의；평의.＝相談そうだん・評議ひょうぎ.

しょうぎ【娼妓】shō- 图 창기；창녀；공창(公娼).

しょうぎ【勝義】shō- 图 (전의(転義)나 비유적인 용법이 아니고) 그 말이 지니는 본질적인 의미・용법.

しょうぎ【将棋・将碁】shō- 图 장기. ¶―盤ばん 장기판／―を指さす 장기를 두다. 注意 옛날에는 「将棋・象棋」로 썼음. ――だおし【―倒し】图 (장기짝이 잇따라 넘어지듯) 우르르 겹쳐 쓰러짐；장기뒤집.

しょうぎ【床几・床机】shō- 图 걸상；승창；거상(踞床). ¶―に腰こしをおろす 걸상에 앉다.

じょうき【上気】jō- 图 ス他 상기. ①피가 머리에 오름. ¶―した顔かお 상기된 얼굴. ＝逆上ぎゃくじょう. ②흥분 따위로 이성이나 정신을 잃음.＝狂気きょうき.

じょうき【上記】jō- 图 ス自 상기；앞

に適（てき）少ない物（もの）（글）.↔下記（かき）.

じょうき【条規】 jō- 图 조규；조문의 규정；법령의 규정.

じょうき【常軌】 jō- 图 상궤；상도(常道). **─を逸（いっ）する** 상도를 벗어나다.

じょうき【常規】 jō- 图 상규；통상의 규칙이나 규범.

＊じょうき【蒸気】 jō- 图 ①증기. ②〈機関（─きかん）〉증기 기관／〈─船（せん）〉증기선；기선(汽船). ②〈老〉'川蒸気船（かわじょうきせん）(=강이나, 호수를 항행하는 소형 증기선)'의 준말. ¶ぽんぽん──통통배；똑딱선. **─がま【─釜】** 기관(汽罐)；보일러. **─タービン** 증기 터빈. ▷turbine.

＊じょうぎ【定規・定木】 jō- 图 정규. ①자. ¶三角（さんかく）─ 삼각자／雲形（くもがた）─ 운형자. ②모범；본보기；사물의 표준. ¶─に当（あ）てたようなひと人 박은 듯한 사람.　　　　　　　「의리.

じょうぎ【情義】 jō- 图 정의；인정과

じょうぎ【情宜・情誼】 jō- 图 정의；친구나 사제간의 정의(情誼)〔친밀감〕. ¶─に厚（あつ）いひと人 정의가 두터운 사람.

しょうきぎょう【小企業】 shōkigyō 图 소기업. ↔大企業（だいきぎょう）.

じょうきげん【上機嫌】 jō- 〔ダナ〕 매우 좋은 기분；신명. ¶─で帰（かえ）った 신명이 나서 돌아온. **↔不機嫌（ふきげん）**.

しょうきぼ【小規模】 shō- 〔ダナ〕 소규모. ↔大規模（だいきぼ）.

しょうきゃく【消却・銷却】 shōkya- 图 〔ス他〕 소각. ①지워 없앰. ②막대한 양〔액（額）〕의 소비. ③빚을 갚음. =返却（へんきゃく）.

しょうきゃく【焼却】 shōkya- 图 〔ス他〕 소각；태워 버림. ¶─炉 소각로.

しょうきゃく【償却】 shōkya- 图 〔ス他〕 ①빚을 갚아 깨끗이 갚음；변제(辨濟)；상환. ¶負債（ふさい）の─ 부채의 상환. ②'減価償却（げんかしょうきゃく）(=감가 상각)'의 준말.

じょうきゃく【上客】 jōkya- 图 상객. ①상좌에 모실 손님 ＝正客（せいきゃく）. ②소중한 고객；큰 단골 손님. ↔上（じょう）得意（とくい）손님. ¶─を逃（のが）がさないように 큰 단골 손님을 놓치지 않도록.

じょうきゃく【乗客】 jōkya- 图 승객. ＝じょうかく. ¶バスの─ 버스 승객.

じょうきゃく【常客・定客】 jōkya- 图 상객；단골 손님；고객. ＝じょうかく・常（じょう）連（れん）.

しょうきゅう【昇級】 shōkyū 图 〔ス自〕 승급. ↔降級（こうきゅう）.

しょうきゅう【昇給】 shōkyū 图 〔ス自〕 승급. ¶定期（ていき）─ 정기 승급. ↔減給（げんきゅう）.

＊じょうきゅう【上級】 jō- 图 상급. ↔初級（しょきゅう）・下級（かきゅう）. ¶─官庁（かんちょう）상급 관청／─生（せい）상급생／─品（ひん）상급품／─裁判所（さいばんしょ）상급 재판소〔법원〕.

しょうきょ【消去】 shōkyo 图 〔ス他自〕 소거；지워버림；지워져 없어짐；사라짐. ¶─法（ほう）소거법. 　「장사의 경기.

しょうきょう【商況】 shōkyō 图 상황；

＊しょうぎょう【商業】 shōgyō 图 상업. ＝あきない. ¶─新聞（しんぶん）상업 신문；일반지(紙)／─美術（びじゅつ）상업 미술／

─放送（ほうそう）상업 방송／─を営（いとな）む 상업을 (경영)하다. **─ぎんこう【─銀行】** -kō 图 상업 은행. **─しゅぎ【─主義】** -shugi 图 상업주의.

じょうきょう【上京】 jōkyō 图 〔ス自〕 상경. ↔離京（りきょう）.

＊じょうきょう【状況・情況】 jōkyō 图 상황；정황. ¶報告（ほうこく）상황 보고／─判断（はんだん）상황 판단.

しょうきょく【小曲】 shōkyo- 图 소곡；짧은 악곡・시. ↔大曲（たいきょく）.

＊しょうきょく【消極】 shōkyo- 图 소극. ¶─策（さく）소극책／─性（せい）소극성. ↔積極（せっきょく）. **─てき【─的】** 〔ダナ〕 소극적. ↔積極的（せっきょくてき）. 　「금.

しょうきん【賞金】 shō- 图 상금；배상

しょうきん【賞金】 shō- 图 상금. ¶─を懸（か）ける 상금을 걸다.

じょうきん【常勤】 jō- 图 〔ス自〕 상근；상시 근무. ¶─者 상근자. ↔非常勤（ひじょうきん）.

しょうきんるい【渉禽類】 shō- 图 〔鳥〕 섭금류(백로 따위).

しょうく【章句】 shō- 图 장구. ①문장의 장과 구. ②문장의 단락.

しょうく【承句】 shō- 图 승구；(한시(漢詩)에서) 절구(絶句)의 제2구. ↔起句（きく）・結句（けっく）.

じょうく【冗句】 jō- 图 용구. ①쓸데없는 구절. ②익살스러운 문구；농담. 〔注意〕 원말은 'joke'의 취음.

じょうくう【上空】 jōkū 图 상공；하늘. ¶─に舞（ま）い上（あ）がる 하늘 높이 날아오르다.

しょうくうとう【照空灯】 shōkūtō 图 〔軍〕 조공등；탐조등. ＝サーチライト.

しょうくん【賞勲】 shō- 图 상훈.

しょうぐん【将軍】 shō- 图 ①장군. ②'征夷大将軍（せいいたいしょうぐん）(=幕府（ばくふ）의 실권자의 직위)'의 준말. **─け【─家】** 图 ①将軍家（しょうぐんけ）；公家（くげ）에 상대되는 말로, 幕府（ばくふ）를 말함. ②국정을 담당했던 '征夷大将軍（せいいたいしょうぐん）'을 일컬음.

＊じょうげ【上下】 jō- 상하. □图 ①위와 아래；상위(上位)와 하위(下位). ¶─に据（す）えれる 위아래로 흔들리다／─の区別（くべつ）なく 상하의 구별 없이. ②의복의 위아래로 한 벌. □图〔ス自〕오름과 내림；상행(上行)과 하행；승강(昇降). ¶物価（ぶっか）の─ 물가의 오르내림／大川（おおかわ）を─する舟（ふね）는 강을 오르내리는 배／熱（ねつ）が三十八度（さんじゅうはちど）を─を오르내린／列이 38도를 오르내린다. **─どう【─動】** -dō 图 상하동；상하로 흔들림〔진동함〕(가까운 지진일 때 느낌). ↔水平動（すいへいどう）.

しょうけい【小径・小逕】 shō- 图 소경；작은 길；좁은 길. ＝こみち.

しょうけい【小計】 shō- 图 소계；일부분의 합계(를 냄). ↔総計（そうけい）.

しょうけい【小憩・少憩】 shō- 图 〔ス自〕 소계；잠깐 쉼. ＝小休（しょうきゅう）み.

しょうけい【憧憬】 shō- 图 〔ス自〕 동경. ☞どうけい.

しょうけい【承継】 shō- 图 〔ス他〕 승계；계승；이음. ¶伝統（でんとう）を─する 전통을 계승하다.

しょうけい【勝景】 shō- 图 승경；절경.

しょうけい【象形】 shō- 图 상형. ①사

물의 모양을 본뜸. ②한자의 육서(六書)의 하나; 상형 문자. ──**もじ**【──文字】상형 문자. =繪畵文字ᵈᵃ゙ᵘ゙゙.

じょうけい【情景】jō- 名 정경; 광경. ¶涙ᵈᵃ゙ぐましい~ 눈물겨운 정경.

しょうげき【衝撃】shō- 名 충격. =ショック. ──**りょうほう**【──療法】ᵗᵃᵖ゙ᵘ゙ 충격 요법. ──**は**【──波】名【理】충격파.

しょうけつ【猖獗】shō- 名 ス自 창궐. ¶流感ᵈᵃᵍ゙が~をきわめる 유행성 감기가 몹시 창궐하다.

しょうけん【商権】shō- 名 상권.

しょうけん【正絹】shō- 名 순견; 본견; 비단. =本絹ᵈᵃᵍ.↔人絹ᵈᵃᵍ.

しょうけん【証券】shō- 名 증권. ¶~会社ᵈᵃᵍ 증권 회사; ~取引所ᵈᵃᵍᵈᵃᵍ 증권 거래소. ──**たい**【──台】名 증인대.

しょうげん【証言】shō- 名 ス他 증언.

しょうげん【象限】shō- 名【數】상한.

じょうけん【条件】jō- 名 조건. ¶売買ᵈᵃᵍ~ 매매 조건. ¶~を出すᵃᵘ゙す 조건을 제시하다. ──**つき**【──付(き)】名 조건부. ¶~で採用するᵗᵃᵖ゙ᵘ゙する 조건부로 채용하다. ──**はんしゃ**【──反射】-sha 名【生】조건 반사.

じょうげん【上弦】jō- 名 상현; 상현 달; 또, 그 모양.↔下弦ᵈᵃᵍ.

じょうげん【上限】jō- 名 상한. ¶~を設ᵈᵃᵍ゙ける 상한을 정하다.↔下限ᵈᵃᵍ.

しょうこ【商賈・商估】shō- 名 상고; ¶~상인. =商人ᵈᵃᵍᵇ.

しょうこ【小鼓】shō- 名 소고; 작은 북. =こつづみ.

しょうこ【鉦鼓】shō- 名 정고. ①진중에서 군호로 치던 북. ②아악에 쓰는 타악기의 일종. ③염불할 때 치는 소라(小鑼).

しょうこ【尚古】shō- 名 상고; 옛 문물과 제도를 숭상함.

しょうこ【称呼】shō- 名 칭호; 호칭; 부르는 이름; 부르기; =呼称ᵈᵃᵍ.

しょうこ【証拠】shō- 名 증거. =あかし. ¶~保全ᵈᵃᵍ 증거 보전. ──**がため**【──固め】증거를 굳힘; 증거가 되는 사물을 증명하기 위한 정리 준비함.

しょうご【正午】shō- 名 정오; 한낮. =まひる. ¶~の時報ᵈᵃᵍ 정오의 시보.

じょうこ【上古】jō- 名 상고. ¶~史ᵈᵃᵍ 상고사. 参考 일본에서는, 보통 大和ᵈᵃᵍ・奈良ᵈᵃᵍ 시대를 가리킨다.

じょうご【上戸】jō- 名 주호; 술부대. =酒飲ᵈᵃᵍᵇみ. ¶泣ᵃᵍき~술에 취하면 우는 버릇(이 있는 사람).↔下戸ᵈᵃᵍ.

じょうご【畳語】jō- 名 첩어; 같은 단어를 겹쳐 복합어(やまやま(=산(山)들; 많이)・泣ᵃᵍ泣ᵃᵍく(=울며불며) 따위).「=りょうご ̄.

じょうご【漏斗】jō- 名 누두; 깔때기.

しょうこう【商工】shō- 名 상공; 상공업. ¶~業ᵈᵃᵍᵇ 상공업. ──**かいぎしょ**【──会議所】-sho 名 상공 회의소.

しょうこう【商港】shōkō 名 상항.

しょうこう【商高】shō- 名 상고; '商業ᵈᵃᵍᵇ高等学校ᵈᵃᵍᵈᵃᵍ(=상업 고등 학교)'의 준말.「官ᵈᵃᵍᵇ.

しょうこう【将校】shōkō 名 장교. =士

しょうこう【小康】shōkō 名 소강. ¶~状態ᵈᵃᵍᵇ 소강 상태.

しょうこう【昇こう】【昇汞】shō- ス自【化】승홍; 염화(塩化)제 2 수은 (염색・사진 공업・소독용).

しょうこう【昇降】shōkō 名 ス自 승강. ¶~口ᵈᵃᵍ 승강구; ~機ᵈᵃᵍ 승강기; 엘리베이터. 「しょうもう.

しょうこう【消耗】shōkō 名 ス他 =

しょうこう【焼香】shōkō 名 ス自 소향; 분향; 특히, 불전(佛前)이나 영전 (靈前)에 분향함.

しょうこう【症候】shōkō 名 증후; 증상; 증세. =症状ᵈᵃᵍᵇ. ──**ぐん**【──群】名【醫】증후군. =シンドローム.

しょうごう【商号】shōgō 名 상호.

しょうごう【称号】shōgō 名 칭호. ①명칭. ②(명예로서의)자격의 호칭. ¶博士ᵈᵃᵍᵇの~ 박사의 칭호.

しょうごう【照合】shōgō 名 ス他 조합하여 확인함. ¶書類ᵈᵃᵍᵇの~ 서류의 대조.

じょうこう【上皇】jōkō 名 상황; 天皇ᵈᵃᵍᵇ의 양위(譲位) 후의 존칭. =太上天皇ᵈᵃᵍᵈᵃᵍᵈᵃᵍ.

じょうこう【条項】jōkō 名 조항; 조목. =くだり・箇条ᵈᵃᵍᵇ.

じょうこう【乗降】jōkō 名 ス自 승강; 타고 내림. =乗ᵃᵍり降ᵃᵍり.

じょうこう【情交】jōkō 名 ス自 정교. ①친한 교제; 정의(情誼). ②남녀간의 성교. 「位.

しょうこうい【商行為】shōkōi 名 상적행위(商的行為).

しょうこうねつ【猩紅熱】shōkō- 名 성홍열(법정 전염병의 하나).

しょうごく【生国】shō- 名 태어난 나라(고장); 고향. =しょうこく.

じょうこく【上告】jō- 名 ス自 상고. ①상신(上申). ②【法】상소의 하나. ──**しん**【──審】名 상고심.

しょうこり【性懲り】shō- 名 뉘우침; 깨달음; 질림. ──**もなく** 뉘우치고 삼가는 일도 없이.

じょうごわ【情ごわ】【情強】jō- 名 ダ ⟨老⟩옹고집; 고집이 셈. =強情ᵈᵃᵍᵇ.

しょうこん【傷痕】shō- 名 상흔; 상처 자국. =きずあと.

しょうこん【商魂】shō- 名 상혼. ¶たくましい~ 억척스러운 상혼.

しょうこん【性根】shō- 名 근기(根氣); 끈기. ¶~尽ᵈᵃᵍき果ᵃᵍてる 기진 맥진하여.

しょうこん【招魂】shō- 名 초혼. ¶~祭ᵈᵃᵍ 초혼제.

しょうさ【小差】shō- 名 소차; 약간의 (적은) 차이.↔大差ᵈᵃᵍ.

しょうさ【勝差】shō- 名 승차; (주로 프로 야구에서) 경기에 이긴 횟수의 차. =ゲーム差ᵈᵃᵍ.

しょうさ【証左】shō- 名 증좌; 증거; 증인. ¶それは彼ᵈᵃᵍが金持ᵈᵃᵍᵇである~である 그것은 그가 부자인 증거이다. 「정면의 자리.

しょうざ【正座】shō- 名 주빈의 자리.

じょうざ【上座】jō- 名 ⟨老⟩상좌; 상석; 또, 거기에 앉는 사람. =かみざ.↔下座ᵈᵃᵍ.

しょうさい【商才】shō- 名 상재; 장사 솜씨. ¶~にたける 장사 솜씨가 뛰어

なた。

しょうさい【詳細】shō- [ダナ] 상세；
자세함；자세한 내용。¶～に説明ぢする
る상세히 설명하다／～はまだわから
ない상세한 것은 아직 모른다。

しょうさい【小才】shō- [名] 소재；작은
재주；대수롭지 않은 재능。¶～を誇
ほる대수롭지 않은 재능을 자랑하다。➡
大才熊。

じょうさい【城塞・城砦】jō- [名] 성새；
성채（城砦）。=しろ・とりで。

じょうさい【浄罪】jō- [名ス自] [宗] 정
죄；죄를 깨끗이 씻음。

じょうざい【浄財】jō- [名] 정재；절이나
자선 사업 따위에 기부하는 깨끗한 돈
（기부받는 쪽에서 하는 말）。

じょうざい【錠剤】jō- [名] 정제；알약。
=タブレット。➡散剤熊・液剤熊。

じょうさく【上作】jō- [名] 상작。①훌
륭하게 만듦；훌륭한 솜씨。=上出来
ほう。↔下作熊。②풍작（豊作）。

じょうさく【上策】jō- [名] 상책。↔下策
筑。=捕策纂。　　　　　　［（城柵）；요새。

じょうさく【城柵】jō- [名] 성책；성채

じょうさし【状差(し)】jō- [名]（벽・기
둥 따위에 거는）편지꽂이。

しょうさつ【小冊】shō- [名] 소책；작고
얇은 책。➡大冊熊。

しょうさつ【笑殺】shō- [名ス他] 소살。
①일소에 부침；웃고 문제시하지 않음。
②크게 웃거나 웃음。

しょうさつ【蕭殺】shō- [トタル] 소삼（蕭
森）；소슬（蕭瑟）；（늦가을의 경치 따위
가）매우 쓸쓸한 모양。

しょうさん【消散】shō- [名ス自他] 소
산；사라져 없어짐；지워 흩뜨림。¶雲
霧さの如ごく～した운무처럼 흩어졌
다／臭気ばを～する악취를 지워 없
애다。

しょうさん【硝酸】shō- [名] [化] 질산
（窒酸）。¶～アンモニウム 질산 암모
늄／～塩ふ질산염／～カリウム 질산
칼륨；초석（硝石）／～銀ぎ질산은。

しょうさん【賞賛・称賛】
shō- [名ス他] 상찬（賞讃・称讃）；칭찬。¶口ぶを きわ
めて～する극구 칭찬하다。　「かうみ。

しょうさん【勝算】shō- [名] 승산。=勝

じょうさん【嬢さん】jō- 〈口〉『お～』
☞おじょうさま。

じょうさん【蒸散】jō- [名ス自] [植] 증
산；식물체내의 수분이 수증기로 되어
밖으로 발산함。¶～作用ぢ증산 작
용。

しょうし【将士】shō- [名] 장사；장졸（将
卒）；장병（전원）。

しょうし【焼死】shō- [名ス自] 소사；
타 죽음。¶～者ぐ소사자熊。

しょうし【生死】shō- [名] 〈老〉 생사。=
せいし。①생과 사；살리는 일과 죽이
는 일。=不明ぶ。생사 불명。➡
しょうじ（生死）。

しょうし【笑止】shō- [名] 가소로움。
¶～の至りだ가소롭기 짝이 없다／
～千万なば가소롭기 짝이 없음；딱하기
이를 데 없음。

しょうし【証紙】shō- [名] 증지。¶収入
にう～수입 증지。

しょうじ【商事】shō- [名] 상사。①상업
에 관한 일。¶～契約ぐ상사 계약。②

'商事会社ぢ（=商社 회사）'의 준말。

しょうじ【小事】shō- [名] 소사；사소한
일。¶大事ぢの前ぎの～큰 일 앞의 작
은 일。↔大事ぢ。

しょうじ【少時】shō- 一[名] 소시；어렸
을 때。=幼時だ。二[副] 잠깐 동안。=し
ばらく・しばし。

しょうじ【生死】shō- [名] 생사；윤
회。=輪廻りん。　——るてん【――流転】
[名ス自] [佛] 생사 유전。

しょうじ【省字】shō- [名] 생자。한자의
자체（字體）를 간이（簡易）하게 함；또，
그 한자。

*しょうじ**【障子】shō- [名]①'明あかり障子'
의 준말；장자；장지；미닫이（문）。¶
～紙ぶ（장지）문종이／鼻ぎの～――коэтэ・
～を張はる장지를 바르다。②옛날에
방에 칸을 막아 썼던 'ふすま・からか
み・ついたて' 따위의 총칭。——に目めあ
り장지에도 눈이 있다는 뜻말은 새가 듣
고 밤말은 쥐가 듣는다）。

じょうし【上司】jō- [名] 상사；상급의
관청（관리）；직장의 윗사람。

じょうし【上巳】jō- [名] 상사；음력 삼월
삼짇날의 桃ちの節句ぐ。=じょうみ。

じょうし【上梓】jō- [名ス自] 상재；도
서를 출판하는 일。=出版熊。

じょうし【上肢】jō- [名] 상지；두 팔。↔
下肢ぎ。

じょうし【城址・城趾】jō- [名] 성지；성
터。=しろあと。

じょうし【城市】jō- [名] 성시。=城下町
ぎ。

じょうし【娘子】jō- [名] 낭자。①처녀；
소녀。②여성。——ぐん【――軍】낭
자군。①[軍] 여군（부대）。=婦人軍
隊ぶ。②여성 집단이나 처녀의 무리
를 농으로 일컫는 말。

じょうじ【情交】jō- [名ス自] 정사。=心
中ぢ。　　　　　　　　　　　　「と。

じょうじ【情事】jō- [名] 정사。=いろご

じょうじ【常事】jō- [名] 상사；정해저
있는 일；평시의 일。

じょうじ【常時】jō- [名] 상시；언제나；
항상。=ふだん・つね。

じょうじ【畳字】jō- [名] ☞おどりじ。

しょうじ-いれる【招じ入れる】（請じ入
れる）shō- [下1他] 청해들이는 뜻；맞
이다。¶丁重だに～정중하게 맞아들
이다。

*しょうじき**【正直】shō- [ダナ] 정직。
¶ばか～우직（愚直）／～（なところ），
困こっているんだ사실은〔솔직히 말해
서〕난처하다。

*じょうしき**【常識】shō- [名] 상식。¶～
論ふ상식론／～的な人間ぶ상식적인
〔평범한〕사람／～家ぐ상식가；상식을
갖춘 사람。

しょうしつ【消失】shō- [名ス自] 소실。

しょうしつ【焼失】shō- [名ス自他] 소
실。¶一夜ぶにして家ぶを～し乞食ぶ
になる하룻밤 사이에 집을 불태우고
거지되다。

じょうしつ【上質】jō- [名] 상질；질이 좋
음。¶～紙ぶ상질지（서적 인쇄용지）。

じょうじつ【情実】jō- [名] 정실。¶～を
まじえる정실을 개입시키다。

しょうしみん【小市民】shō- [名] 소시
민；중산 계급。=プチブル・中産だ階
級ぶ。

しょうしゃ【商社】shōsha 图 상사；상사(商事) 회사. ¶外国との─と取引する 외국 상사와 거래하다.

しょうしゃ【照射】shōsha 图 ㋢自他 조사. ①(햇빛 따위가) 내리쬠. ②(광선 따위) 쬠. ¶食品に─ 조사 식품.

しょうしゃ【勝者】shōsha 图 승자；승리자. ↔敗者はい.

しょうしゃ【瀟洒・瀟灑】shōsha 【ナ】【夕ル】图 소쇄；산뜻함；맵시 있음. ¶─たる紳士 멋진〔산뜻한〕신사.

しょうじゃ【死者】──ひつめつ【必滅】 생자 필멸.

*しょうじゃ【乗車】shōja 图 ㋢自 승차. ¶─ロ 승차구. ↔下車か・降車か.
── けん【券】图 승차권.

じょうしゃ【浄写】jōsha 图 정사；정서(清書)；정서(浄書).

じょうしゅ【上酒】jōshu 图 상주；고급 주.

じょうしゅ【城主】jōshu 图 성주. ①성의 임자. ②江戸えど 시대, 한 지역의 영주는 아니되 성을 가지고 있는 大名だいみょう의 신분.

じょうしゅ【情趣】jōshu 图 정취. ¶この絵えには人をと魅了する─がある 이 그림에는 사람의 마음을 끄는 정취가 있다.

じょうしゅ【醸酒】jōshu 图 양주；술을 빚어 담금；또, 그 술.

じょうじゅ【成就】jōju 图 ㋢自他 성취. ¶念願ねんがんを─ 염원 성취.

しょうしゅう【召集】shōshū 图 ㋣他 소집. ¶役員やくいんを─する 임원을 소집하다. ──れいじょう【令状】-jō 图 소집 영장.

しょうしゅう【招集】shōshū 图 ㋣他 소집；불러서 모음；소집. ¶株主かぶぬしを総会そうかいに─する 주주 총회를 소집하다.

しょうじゅう【小銃】shōjū 图 소총. ¶自動じどう─ 자동 소총.

じょうしゅう【常習】jōshū 图 상습. ¶スリの─犯 소매치기 상습범.

じょうじゅう【常住】jōjū 图 ㋢自 ①상주. ¶─の僧そう 상주하는 중. ②(副詞的으로) 늘；언제나. ③(佛)생멸(生滅)의 변화가 없고 늘 존재함. ──ざ【─座臥】图 副 상주 좌와；자나 깨나；늘. ＝いつも.

しょうじゅつ【詳述】shōju- 图 他 상술. ＝略述りゃくじゅつ.

じょうじゅつ【上述】jōju- 图 ㋢他 상술；위(앞)에 말함. ＝前述ぜんじゅつ.

じょうじゅび【上首尾】jōshu- 图 (일이) 잘 됨；잘 진척됨. ¶万事ばんじ─に行いった 만사가 잘 되었다. ↔不首尾しゅび.

しょうじゅん【照準】shōjun 图 ㋢自 조준；겨냥. ¶─器き 조준기；가늠쇠.

*じょうじゅん【上旬】jōjun 图 상순. ↔中旬ちゅうじゅん・下旬げじゅん.

しょうしょ【小暑】shōsho 图 소서.

*しょうしょ【証書】shōsho 图 증서. ¶借用しゃくよう─ 차용 증서. ○─面めんが적힌 문서.

しょうしょ【詔書】shōsho 图 조서；조칙.

しょうじょ【少女】shōjo 图 소녀. ¶─趣味しゅみ 소녀 취미. ↔少年しょうねん.
── だん【─団】图 소녀단；걸스

카우트. ＝ガールスカウト.

じょうしょ【上書】jōsho 图 상서；상신(上申).

じょうしょ【浄書】jōsho 图 ㋢他 정서；청서(清書). ＝清書せいしょ.

*じょうしょ【情緒】jōsho 图 정서. ①사물에 부딪쳐서 일어나는 온갖 감정；또, 그와 같은 감정을 일으키게 하는 기분・분위기. ¶異国いこく〔～の 정서／下町したまち〜 서민들이 많이 사는 거리의 정취. ②(心) 희・노・애・락 따위의 감정. ¶─不安定ふあんてい〔障害しょうがい〕 정서 불안정(장애). 注意『じょうちょ』는 관용음. ── てき【─的】【ナ】 정서적.

じょうじょ【乗除】jōjo 图 ㋢他 〔数〕 승제；곱셈과 나눗셈.

しょうしょう【少少】shōshō 图 副 소소；조금；약간；사소．＝ちょっと. ¶─お待まちください 잠시 기다려 주십시오／砂糖さとうを─下さい 설탕을 좀 주십시오／─てれるな 약간 부끄러운데／─のことでは참치らない 여간한 일로는 지치지 않는다.

しょうしょう【悄悄】shōshō 【夕ル】 초초；풀이 죽은 모양；힘없는 모양. ¶─としおし／─として引ひき揚あげる 맥없이 물러나다〔돌아가다〕.

しょうしょう【蕭蕭】shōshō 【夕ル】 소소；(비오고 바람 불어) 으스스하고 쓸쓸함.

しょうじょう【症状】shōjō 图 증상. ¶禁断きんだん─ 금단 증상.

*しょうじょう【賞状】shōjō 图 상장.

しょうじょう【小乗】shōjō 【佛】 소승. ↔大乗だいじょう. ── ぶっきょう【─仏教】-bukkyō 图 소승 불교. ↔大乗だいじょう仏教.

しょうじょう【清浄】shōjō 图 청정. ①맑고 깨끗함. ＝せいじょう. ②(佛)번뇌나 죄가 없음. ¶─無垢むく／六根ろっこん─ 육근 청정(육근(六根)의 집착을 끊고 무애(無礙)의 묘용(妙用)을 발하여 깨끗해짐). ── かい【─界】图 〔佛〕극락 정토.

しょうじょう【猩猩】shōjō 图 성성. ①(動) ☞オランウータン. ②술을 좋아한다는 중국의 전설상의 짐승；성성이. ③술고래；술보. ── ばえ【─蠅】〔蟲〕초파리.

しょうじょう【鐘状】shōjō 图 종상；종 모양.

しょうじょう【蕭条】shōjō 【夕ル】 소조；단조롭고 쓸쓸함；적적한 모양. ¶─たる冬景色ふゆげしき 쓸쓸한 겨울 풍경.

じょうしょう【上昇】jōshō 图 ㋢自 상승. ¶物価ぶっかが─する 물가가 상승하다／─気流きりゅう에 乗のる 상승 기류를 타다(운이 트여 만사가 잘 되어 가는 데 비유됨). ↔下降かこう・低下ていか.

じょうしょう【上声】jōshō 图 상성(한자 사성(四声)의 하나).

じょうしょう【丞相】jōshō 图 승상；대신.

じょうしょう【常勝】jōshō 图 상승；늘 이김. ¶─将軍しょうぐん 상승 장군.

じょうじょう【上上】jōjō 图ナ 가장 좋음；더할 나위 없이 좋음. ¶─だ 결과는 더할 나위 없이 좋다／調子ちょうしは─ 상태는 그만이다. ↔下下

──きち【─吉】图 ①대길(大吉). ②(기예(技藝)의) 최상(급).

じょうじょう【上乗】jōjō 图ナ ①가장 뛰어남. ¶～の所ぢ 썩 좋은 곳. ②〔佛〕으뜸가는 가르침.

じょうじょう【上場】图図他〔經〕 상장. ¶～株ざ 상장주. ──がいしゃ【─会社】-sha 图 상장 회사.

じょうじょう【条条】jōjō 图 하나하나의 조목. ¶～審議ぎする 조목조목 심의하다.

じょうじょう【情状】jōjō 图 정상. ──しゃくりょう【─酌量】-shakuryō 图図他〔法〕 정상 작량(참작).

しょうじょうせ【生生世世】shōjō-图 생생 세세 ; 세세 생생(生生). ①생사(生死)를 되풀이하며 지내는 많은 세상. ②(副詞的으로) 현세나 후세나 ; 언제까지나.

しょうしょく【小食·少食】shōshoku 图ナ 소식 ; 적게 먹음. ↔大食だい·多食だい.

じょうしょく【常食】jōsho-图図他 상식. ¶米ごを～にする 쌀을 상식(주식)으로 하다. ②일정한 식사. ¶間食かんしょく「しょうずる(生).

しょう-じる【生じる】shō-圧1自他 **しょう-じる【招じる·請じる】**shōji-圧1他 しょうずる(招).

じょう-じる【乗じる】jō-圧1自他 じょうずる(乗).

しょうしん【傷心·傷神】shō- 상심. 图図他 마음을 상함. =心痛みん. ¶〔傷心〕상한 마음. ¶～の思むい 쓰라린 심사 / ～を慰なぐめる 상심을 달래다.

しょうしん【焦心】shō- 초심. 图図他 초사(焦思) ; 초조해 함. =焦慮りょ.

しょうしん【小心】shō- 图図他 소심. ¶～者ざ 소심한 자(사람) / ～な人間にんげん 소심한 인간.

しょうしん【小身】shō- 图 신분이나 지위가 낮음 ; 봉록(俸祿)이 적음 ; 또, 그러한 사람. ¶～者ざ 지체가 낮은 자. ↔大身だい. 「승진.

しょうしん【昇進·陞進】shō- 图図自 しょうしん【正真】shō- 정진 ; 진실 ; 거짓이 아님. =本当ほんとう. ¶～の品物しな 진품 ; 진짜. ──しょうめい【─正銘】-shōmei 图 거짓 없음 ; 진실 ; 진짜.

しょうじん【小人】shō- 图 소인. ①도량이 좁은 사람 ; 기량(器量)이 작은 사람. ↔君子くん. ②아이 ; 어린이. =子供こども. ③난쟁이. こびとき. ↔大身だい. ¶～閑居かんきょして不善ふぜんをなす 소인이 한가하면 자칫 나쁜 짓을 한다.

しょうじん【精進】shō- 图図自 정진. ①〔佛〕잡념을 버리고 정성껏 수행(修行)함. ②몸을 경결하게 하고 마음을 가다듬음. ③육식을 피하고 채식을 함. ¶～料理りょうり 야채 요리. ④마음을 쏟아 노력을 계속함. ──おち【─落(ち)】图 정진 기간(육식을 금하고 채식하는 기간)이 끝나고 평상시의 식사로 돌아감. =精進明あけ·精進落おとし. ──けっさい【─潔斎】-kessai 图図自 정진 결재 ; 목욕 재계. ──もの【─物】图 고기·생선 등이 없는 채소만의 음식. ↔なまぐさもの.

じょうしん【上申】jō-图図他 상신. ¶～書 상신서.

じょうじん【常人】jō-图 일반인 ; 보통〔여느〕사람. =なみの人ひと.

じょうじん【情人】jō- 정인 ; 연인(戀人). ; 애인 ; 정부(情夫) ; 정부(情婦). =こいびと.

しょうず【上手】jō- 图ナナ ①상수 ; 하는 일이 능숙함 ; 또, 그 사람. 지렛 なっ·말(애기) 잘 하는 사람. ⓒ솜씨가 좋음 ; 능란함. ¶慣なれ~ 상대방이 충분히 얘기하려 해도 ; 또, 그런 사람 / ～に立たち回まわる 잘 처신하다. ↔下手べた. ②(흔히 「お～」의 형こ로) 지렛말(을 함) ; 발림말(을 함). ¶お～を言いう 발림말을 함. ──の手てから水みずが漏もれる 원숭이도 나무에서 떨어진다. ──ごかし 발림 수작으로 실속을 차림 ; 또, 그런 사람.

しょうすい【小水】shō- 图 소수. ①적은 물. ②오줌 ; 소변. =小便べん.

しょうすい【将帥】shō- 图 장수.

しょうすい【憔悴】shō- 图図自 초췌. ¶～した顔ぉ 초췌해진 얼굴.

しょうずい【祥瑞】shō- 图 상서 ; 길조.

じょうすい【上水】jō- 图 상수. ①「上水道」の준말. ②깨끗한 물. ↔下水げすい. ──どう【─道】-dō 图 상수도. ↔下水道げすいどう.

じょうすい【浄水】jō- 정수. ㊀图 ①깨끗한 물. ②손 씻는 물. ㊁图図自他 위생상, 물을 깨끗이 함 ; 그, 물. ¶～池ち. ──ほう【─法】-hō 图 정수법(침전법·여과법·살균법 등이 있음).

しょうすう【小数】shōsū 图 소수. ──てん【─点】图〔數〕소수점.

しょうすう【少数】shō- 图 소수. ¶～派は 소수파 / ～民族みんぞく 소수 민족 / ～意見けんにとどまる 소수 의견에 머물다. ↔多数すう.

じょうすう【乗数】jōsū 图〔數〕승수 ; 곱자. ↔被ひ乗数. 「う〔定數〕①ⓒ.

じょうすう【常数】jōsū 图〔數〕ていす

しょう-する【称する】shō-ザ変他 ①일컫다 ; 칭하다 ; 말하다. ②칭찬(칭송)하다 ; 기리다. =ほめる. ¶その徳とを～て 그 덕을 칭송하다〔기리다〕. ③사칭(詐稱)하다. ¶遺族いぞくと～して金品きんをだまし取とる 유족이라고 사칭하여 금품을 사취하다.

しょう-する【証する】shō-ザ変他 ①증거를 세우다 ; 증명하다. ②보증하다.

しょう-する【頌する】shō-ザ変他 ①(공적을 문장으로 늘어놓아) 기리다. ②찬양하다. ¶新春しんを～す 춘을 찬양하다.

しょう-する【誦する】shō-ザ変他 ①송독(誦讀)하다. ②부르다. ¶万歳ばんざいを～ 만세를 부르다.

しょう-する【賞する】shō-ザ変他 칭찬〔완상(玩賞)〕하다. ¶善行ぜんこうを～ 선행을 칭찬하다 / 花はなを～ 꽃을 완상하다.

しょう-ずる【生ずる】shō- ㊀ザ変自 (초목이) 돋아 나오다 ; 나다. ¶芽めが～ 싹이 돋아 나오다. ②(사물이) 발

生하다 ; 생기다 ; 일어나다. ¶事故が~ 사고가 발생하다. □ サ変他 ①(돈 아)나오게 하다. ②생기게 하다. ¶事故を~ 사고를 일으키다.

しょう-ずる【招ずる・請ずる】 shō-サ変他 청하다 ; 초대하다 ; 청해들이다.

じょう-ずる【乗ずる】 jō- サ変自 (탈것 따위를) 타다 ; 기회를 포착하다 ; 때를 이용하다. = 乗のる・つける. ¶相手での弱点を~ 상대방의 약점을 이용하다 / 夜陰やいんに~ 야음을 틈타다. □ サ変他 【數】 승하다 ; 곱하다. ↔除じょする.

しょうせい【勝勢】 shō- 名 승세 ; 이길 듯한 형세. ¶~に乗じて 승세를 타고. ↔敗勢はいせい.

しょうせい【将星】 shō- 名 장성. ── 落(墜)つ 장성(장군)이 죽다.

しょうせい【小成】 shō- 名 소성 ; 작은 성공. ↔大成たい. ── に安んずる 작은 성공에 만족하다.

しょうせい【招請】 shō- 名 초청. ¶~状じょう 초청장 / ~講演えん 초청 강연 / ~に応じる 초청에 응하다.

しょうせい【焼成】 shō- 名 소성 ; 도토(陶土)를 높은 온도로 구워 도자기를 만듦.

しょうせい【小生】 shō- 代 소생. =愚生ぐ. 謙譲 윗사람에게는 쓰지 않음.

しょうせい【上製】 shō- 名 상제 ; 고급〔상등〕제품. ¶~品ひん 고급 제품. ↔並製へい.

*__しょうせい【情勢・状勢】__ jō- 名 정세 ; 형세. ¶~判断はんだん 정세 판단.

じょうせい【醸成】 jō- 名 양성 ; (술 따위를) 빚음 ; (상황을) 조성함. ¶酒さけを~する 술을 양조하다 / 不安ふあんを~する 불안을 조성하다.

しょうせき【硝石】 shō- 名 【化】 초석 ; 질산 칼륨.

しょうせき【上席】 shō- 名 상석 ; 상좌. 윗자리 ; 수석(首席). ↔上座ざ. ¶~の検事じ 수석 검사. ↔末席まつ.

じょうせき【定席】 jō- 名 ①정석 ; 지정석. ②상설 (常設)의 寄席席よ=재담・만담・야담의 연예장).

じょうせき【定跡】 jō- 名 (바둑의) 정석 ; 전하여, 일정한 방식(격식).

じょうせき【定跡】 jō- 名 (장기에서) 최선의 수법(手法). 〔기의 하나〕.

しょうせつ【小雪】 shō- 名 소설(24절기의 하나).

*__しょうせつ【小説】__ shō- 名 소설. ¶~家か 소설가 / 長編ちょうへん~ 장편 소설.

しょうせつ【小節】 shō- 名 ①〔樂〕 소절. ①작은 마디(節). ②〔樂〕 악보중에 종선으로 가른 한 부분 ; 마디. ③조그마한 절조(의리). ── にこだわる 작은〔하찮은〕 의리에 구애받다.

しょうせつ【詳説】 shō- 名 상설 ; 상술(詳述). ↔概説がい・略説りゃく.

じょうせつ【常設】 jō- 名 ス他 상설. ¶~館かん〔=舘〕 상설난 / ~館かん (영화) 상설관.

じょうぜつ【饒舌・冗舌】 jō- 名 ダ乃 요설 ; 다변(多辯). ── おしゃべり. ¶~を弄ろうする 요설을 놀리다 ; 수다스럽게 지껄이다. ↔寡言かげん.

しょうせっかい【消石灰】 shōsekkai 名 〔化〕 소석회 ; 수산화물(水酸化物) 칼슘.

しょうせん【商戦】 shō- 名 상전 ; 상업상의 경쟁.

しょうせん【商船】 shō- 名 상선. ¶~学校がっこう 상선 학교.

しょうせん【省線】 shō- 名 '国鉄こくてつ線せん'(=국유 철도선)'国電こくでん(=국유 철도 전차)'의 구칭.

しょうぜん【悄然】 shō- トタル 초연. ¶~として帰きる 초연히〔맥없이〕 돌아가다. 注意 '消然'으로 씀은 대용 한자.

じょうせん【上船・乗船】 jō- 名 ス自 승선 ; 배를 탐. ↔下船げせん.

じょうせん【乗船】 jō- 名 승선 ; 타고 있는 배. ¶女王じょおうの御~ 여왕이 타고 계시는 배.

じょうせん【定先・常先】 jō- 名 ス自 정선 ; 바둑에서, 언제나 선으로 두어 둠.

しょうせんきょく【小選挙区】 shōsenkyo- 名 소선거구. ↔大だ選挙区・中ちゅう選挙区. 「소전제.

しょうぜんてい【小前提】 shō- 名 〔論〕

しょうそ【勝訴】 shō- 名 ス自 승소 ; 소송에 이김. ↔敗訴はいそ.

じょうそ【上訴】 jō- 名 ス自 【法】 상소. ¶~放棄ほうき 상소 포기.

しょうそう【少壮】 shō- 名 소장 ; 젊고 혈기 왕성함. ¶~学者がく 소장 학자.

しょうそう【尚早】 shōsō 名 상조. ¶時期じき~ 시기 상조.

しょうそう【焦燥(焦躁)】 shōsō ス自 초조. =焦慮しょうりょ. ¶~にかられる 몹시 초조해지다. 注意 '焦躁'로 씀은 대용 한자.

しょうぞう【肖像】 shōzō 名 초상 ; 조소(彫塑). ── が【──画】 名 초상화.

じょうそう【上奏】 jō- 名 ス他 상주 ; 대신(大臣)・국회・관청 등이 天皇てんのうに게 말씀을 아뢰. ¶~文ぶん 상주문.

じょうそう【上層】 jō- 名 상층. ¶大気たいきの~ 대기의 상층 / ~の人々びとの意見けん 윗사람들의 의견. ↔下層かそう.

じょうそう【情操】 jō- 名 정조 ; 정서. ¶~教育きょういく 정서 교육.

じょうぞう【醸造】 jōzō 名 ス他 양조. ¶~業ぎょう〔酒しゅ〕 양조업〔주〕 / ~元もと 양조원.

*__しょうそく【消息】__ shōsoku 名 소식. = たより・知らせ. ¶~を絶たつ 소식을 끊다. ── し【──子】 名 〔醫〕 소식자(의료 기구의 하나). ── すじ【──筋】 名 어떤 방면의 정보에 밝은 사람. ── つう【──通】-tsū 名 소식통 ; 특히, 정계・외교계의 정세에 밝은 사람.

しょうぞく【装束】 shō- 名 장속 ; 옷차림. ── 旅たびの~ 여행의 옷차림 ; 또, 그옷. ¶火事かじの~ 불 끌 때의 옷차림 / 正月しょうがつの晴れ~ 설빔 / 白しろ~ 흰 옷 차림 ; 소복 / 死しに~ 수의(壽衣). 「長ちょう~ 소대장.

しょうたい【小隊】 shō- 名 소대. ── 長ちょう

*__しょうたい【正体】__ shō- 名 ①본디의 형체. ¶~をあばく 정체를 폭로하다. ②본심 ; 정상적인 정신 상태. ¶正気しょうき~ ; ──もなく酔よう 정신을 잃을 정도로 몹시〔억병으로〕 취하다 / ~を失うしなう 제 정신을 잃다.

しょうたい【招待】 shō- 名 ス他 초대 ; 초청. ¶~券けん 초대권.

しょうだい【商大】shō- 图 상대 ; 상과 대학. 　[⇨下肢]

じょうたい【上体】jō- 图 상체 ; 상반신.

*じょうたい【状態】jō- 图 상태. ¶健康ぱの～ 건강 상태.

じょうたい【常体】jō- 图【文法】문미 (文尾)를 'だ(=…だ)'나 'である(=…である)'로 끝내고 'です(=입니다)'를 쓰지 않는 문체. ↔敬体なぷ.

じょうたい【常態】jō- 图 상태 ; 정상적인 상태. ↔変態なぷ.

じょうたい【情態】jō- 图 정태 ; 마음의 상태 ; 외면과 내면의 상태. ━の副詞 사물의 상태를 나타내며 動詞를 수식·한정하는 부사('さっぱり·はっきり·じっと' 따위).

じょうだい【上代】jō- 图 상대 ; 아주 옛날 ; 상고(上古)(일본사(史)에서는 大和なぷ·奈良なぷ 시대).

じょうしゅ【城主】jō-①옛날, 성주 (城主)를 대신해서 성을 지키던 사람. ②城代家老ぷなぷぷ의 준말. ━がろう 【―家老】-rō 图 江戸시대에는, 성주인 大名なぷ의 부재중 일체의 정사를 도맡은 중신.

しょうたく【妾宅】shō- 图 첩택 ; 소실 (小室)집 ; 첩의 집. ¶～を構えるぷ 첩을 두다 ; 첩살림을 차리다. ↔本宅ほぷ.

しょうたく【沼沢】shō- 图 소택 ; 늪과 못. ¶～地ち 소택지.

*しょうだく【承諾】shō- 图 ス他 승낙. =承引なぷ·承知ぷ.

*じょうたつ【上達】jō- 一图 ス自 기능이 향상됨. ¶英語たが～する 영어 실력이 향상되다. 二图 ス自 상부에 전함. =上通なぷ. ↔下達なぷ. ↔下意ぷ～ 하의 상달. ↔下達たぷ.

じょうだま【上玉】jō- 图①(보석·물건의) 상등품. ②(俗) 미인(美人).

しょうたん【小胆】shō- 图 소담 ; 소심 ; 도량이 좁음. =小心ぷぷ. ↔大胆だん.

しょうたん【賞嘆】shō- 图 ス他 상탄 ; 크게 칭찬함. =称嘆ぷぷ.

じょうだん【昇段】jō- 图 ス自 승단.

しょうだん【商談】shō- 图 ス自 상담 ; 장사[거래] 얘기.

じょうたん【上端】jō- 图 상단 ; 위 끝.

じょうだん【上段】jō- 图 상단. ¶①段だんの一 선반(의) 윗단. ↔下段だん. ②방바닥을 한 단 높게 한 곳. ③상좌. ④(검도 따위에서) 칼을 머리 위로 높이 들어 겨눔. ↔下段だん·中段だん. ¶③단위(段位)가 높음. ¶柔道じゅぷの～の者 유도의 고단자.

*じょうだん【冗談】jō- 图 농담·농. ¶～にも程度ぷがある 농담에도 분수가 있다. ━ぐち【―口】 图 농담으로 하는 말[이야기]. ¶～をたたく 농지거리하다. ¶「～にして置く」 「불러서 오게 합.」

しょうち【召致】shō- 图 ス他 소치.

しょうち【招致】shō- 图 ス他 초치 ; 청하여 오게 함. ¶～運動だぷ 초치(유치) 운동.

＊しょうち【承知】shō- 图 ス他 ①알아 들음. ¶ご～の通りり 잘 아시는 바와 같이 / 万事ぱぷ～ 하고 ぷ에서 다하야겠다는 듯이 ぷ야 하고. ②(소망이나 요구를) 들어 줌 ; 동의 ; 승낙. ¶無

理ぱに～させる 억지로 동의하게 하다. ③용서. ¶嘘そをつくと～しないぞ 거짓말하면 용서 않겠다.

しょうち【勝地】shō- 图 승지 ; 경치 좋은 곳 ; 명승지.

じょうち【常置】jō- 图 ス他 상치 ; 늘 설치해 둠. ¶～委員会ぷぷ 상설 위원회.

しょうちくばい【松竹梅】shō- 图 송죽매 ; 솔·대·매화 나무(흔히, 상품이나 성적의 3가지 등급 표시로서 쓰임). =歳寒さんの三友ぷぷ.

じょうちゅう【情痴】jō- 图 정치 ; 이성을 잃을 정도로 색정(色情)에 빠짐.

じょうちゃん【嬢ちゃん】jōchan 图 『お』 여아(女兒)에 대한 경칭 : 아가씨 ; 아기씨. ¶お～, こっちおいで 아가, 이리 온 / お宅たくのお～は今年ぷぷはいくつになりますか 댁의 (어린) 따님은 금년에 몇 살이 됩니까.

しょうちゅう【掌中】shōchū 图 장중 ; 수중(手中) ; 손바닥 안. ¶～本ぷ 장중본 ; 손 안에 드는 작은 책[一冊ぷ·する 수중에 들어오다 ; 자기 것이 되다. ━の玉 ① 장중 보옥 ; 장중주(珠)(귀한 자식); 또, 귀중한 물건).

しょうちゅう【焼酎】shōchū 图 소주. =ちゅう.

じょうちゅう【条虫·絛虫】jōchū 图 조주 ; 항상 주재재주.

*じょうちょ【情緒】jōcho 'じょうちょ'의 관용음. ¶「小さな窓ぷ」

しょうちょう【小腸】shōchō 图 소장.

じょうちょう【消長】jōchō 图 ス自 소장 ; 성쇠. ¶国運ぷぷの～ 국운의 성쇠.

*しょうちょう【象徴】shōchō 图 ス他 상징 ; 표상(表象). =シンボル. ¶～詩 상징시 / ハトは平和ぷぷの～ 비둘기는 평화의 상징. ━しゅぎ【―主義】 -shugi 图 상징주의. =シンボリズム. ━てき【―的】 ダナ 상징적.

じょうちょう【長上】jōchō 图 연장자 ; 손윗 사람. =めうえ·としうえ.

じょうちょう【冗長】jōchō 图 ダナ 용장 ; 장황 ; 말이나 글이 쓸데없이 김. ¶～文ぷ 쓸데없이 길기만 한 글 /～な説明でぷ 장황하고 난잡한 설명. =簡潔ぷ.

じょうちょう【情調】jōchō 图 정조 ? 기분 ; 정취(情趣). =おもむき. ¶異国きぷ～ 이국 정취. ②(心) 감각에 따르는 쾌·불쾌의 감정. ¶不愉快ぷぷな～ 불쾌한 감정.

しょうちょく【詔勅】shōchoku- 图 조칙. =みことのり.

しょうちん【消沈·銷沈】shō- 图 ス自 소침 ; 사라져 없어짐. ¶意気いぷ～ 의기 소침. ↔揚揚よぷ.

じょうっぱり【情っ張り】jōppa- 图ナ 고집을 부림 ; 고집쟁이. =いじっぱり.

じょうづめ【常詰(め)】jō- 图 주야로〔常勤〕근무함 ; 또, 그 사람.

じょうてい【上帝】jō- 图 상제. ①천제(天帝). ②조물주.

じょうてい【上程】jō- 图 ス他 상정 ; 의안(議案)을 회의에 내어 놓음. ¶一括かつ(議案)を회의에 내어 놓음. ¶一括かつ～ 일괄 상정.

しょうてき【小敵】shō- 图 소적. ①약한 적. ②【少敵】소수의 적. ¶～たり

とも悔<ruby>く</ruby>やまず 소적이라 할지라도 갈보지 않다. ⇔大敵<ruby>たいてき</ruby>.

じょうでき【上出来】 jō- 名 (만듦새나 품질 따위가) 훌륭함; 또, 그것. ¶～の西瓜<ruby>すいか</ruby> 잘 익은 수박 / この絵は～の方だ<ruby>ほう</ruby>が 이 그림은 잘된 편이다. ⇔不出来<ruby>ふでき</ruby>.

しょうてん【商店】 shō- 名 상점. =みせ. ¶～街<ruby>がい</ruby> 상가; 상점 거리.

しょうてん【昇天】 shō- 名 自 승천. ①하늘 높이 올라 감. ¶旭日昇天<ruby>きょくじつ</ruby>～ 욱일 승천. ②(기독교에서) 죽음; 천당에 감.

しょうてん【衝天】 shō- 名 自 충천. (기세가) 하늘을 찌를 듯함. ¶意気<ruby>いき</ruby>～ 의기 충천.

しょうてん【焦点】 shō- 名 초점. ¶距離<ruby>きょり</ruby>～ 초점 거리 / 話題<ruby>わだい</ruby>の～ 화제의 초점 / ～を合<ruby>あ</ruby>わせる 초점을 맞추다.

しょうてん【賞典】 shō- 名 상전. ①상으로 주는 물건. ②상여(賞與)에 관한 규정; 포상 규정.

しょうでん【小伝】 shō- 名 소전; 간단한 전기(傳記). =略伝<ruby>りゃくでん</ruby>.

しょうでん【昇殿】 shō- 名 自 ①허가를 받아 신사의 신체(神體)가 있는 곳까지 들어감. ②중고(中古)시대, 5품 이상 및 일부 6품의 벼슬아치가 궁중의 清涼殿<ruby>せいりょうでん</ruby>의 殿上間<ruby>てんじょうのま</ruby>까지 들어가는 것이 허가되던 일.

しょうてんいん【小店員】 shō- 名 어린 점원('小僧<ruby>こぞう</ruby>(=점원 아이)'의 고친 이름).

じょうてんき【上天気】 jō- 名 날씨; 좋은 날씨.

じょうてんち【上天地】 shō- 名 맑게 갠 하늘.

しょうてんち【小天地】 shō- 名 소천지; 작은 세계. ⓐ인간 세계. ⓑ도시.

しょうと【商都】 shō- 名 상도; 상업 도시.

しょうど【焦土】 shō- 名 초토. ¶戦術<ruby>せんじゅつ</ruby>～ 초토 전술. ──と化<ruby>か</ruby>す; ──に帰<ruby>き</ruby>す 초토화하다.

しょうど【照度】 shō- 名 理 조도; 광선에 비치는 면의 명도(明度).

じょうと【譲渡】 jō- 名 他 양도.

じょうど【浄土】 jō- 名 정토. ①보살이 사는 깨끗한 나라; 극락 정토. ⇔穢土<ruby>えど</ruby>. ¶～宗<ruby>しゅう</ruby> 浄土宗의 준말.

じょうど【壌土】 jō- 名 양토; 경작에 적합한 검은 흙.

しょうとう【小刀】 shōtō 名 ①わきざし. ⇔大刀<ruby>だいとう</ruby>. ②주머니칼; 창칼. =こがたな.

しょうとう【消灯】 shōtō 名 自 소등. ¶～ラッパ 소등 나팔. ⇔点灯<ruby>てんとう</ruby>.

しょうとう【松濤】 shō- 名 송도; 송풍(松籟).

しょうどう【商道】 shōdō 名 상도; 상도덕.

しょうどう【唱道】 shōdō 名 他 창도; 앞장서서 주장함.

しょうどう【唱道】 shōdō 名 他 佛 창도; 앞서서 인도함; 설법해서 남을 불도에 끌어 들임.

しょうどう【蠢動】 shōdō 名 自他 ①무서워 떪. ②깜짝 놀라게 함.

しょうどう【衝動】 shō- 名 충동. 一時的<ruby>いちじてき</ruby>に かられる 일시적인 충동에 사로잡히다 / ～的な ニュース 충격적인 뉴스.

＊じょうとう【上等】 jōtō 名 상등; 고급; 훌륭함. ¶～船来品<ruby>くらい</ruby> 고급 오래품 / 極<ruby>ごく</ruby>～ 극상(품).

じょうとう【常套】 jōtō 名 상투; 예사로 하는 투. ¶～の文句<ruby>もんく</ruby> 상투적인 문구 / ～手段<ruby>しゅだん</ruby> 상투 수단.

じょうどう【常道】 jōdō 名 ①상도; 규칙에 따른 방법; 상궤(常軌). ¶民主政治<ruby>みんしゅせいじ</ruby>の～ 민주 정치의 상도. ②상투 수단; 예사일. ¶大言壮語<ruby>たいげんそうご</ruby>を～と する 호언 장담을 예사로 하다.

じょうとく【生得】 shō- 名 생득; 타고남; 천성(天性). =うまれつき. ¶～の憶病者<ruby>おくびょうもの</ruby> 타고난 겁쟁이.

しょうとく【頌徳】 shō- 名 송덕; 덕을 칭송함. ¶～碑<ruby>ひ</ruby> 송덕비.

＊しょうどく【消毒】 shō- 名 他 소독. ¶～薬<ruby>やく</ruby> 소독약 / 日光<ruby>にっこう</ruby>～ 일광 소독.

じょうとくい【上得意】 jō- 名 물건을 많이[비싸게] 사 주는 단골 손님.

じょうとくい【常得意】 jō- 名 단골 손님; 고객.

＊しょうとつ【衝突】 shō- 名 自 충돌. ¶事故<ruby>じこ</ruby>～ 충돌 사고 / 意見<ruby>いけん</ruby>の衝突 의견의 충돌 / 武力<ruby>ぶりょく</ruby>～ 무력 충돌.

しょうとりひき【商取り引き・商取引】 shō- 名 自 상거래.

じょうない【場内】 jō- 名 장내. ¶～禁煙<ruby>きんえん</ruby> 장내 금연.

じょうなごん【状納言】 shō- 名 옛날 벼슬 이름의 하나; 太政官<ruby>だいじょうかん</ruby>의 제3등관. ┏┈또, 그런 사람.

じょうなし【情無し】 jō- 名 무정함.

しょうに【小児】 shō- 名 소아; (어린) 아이. ¶～病<ruby>びょう</ruby> 소아병; 전화하, 유치하고 극단적임. ¶～科<ruby>か</ruby> 소아과. ──的理想主義<ruby>てきりそうしゅぎ</ruby> 소아병적 이상주의. ──まひ 『麻痺<ruby>まひ</ruby>』『醫』 소아마비.

じょうに【少弐】 shō- 名 太宰府<ruby>だざいふ</ruby>의 차관(次官)으로, 大弐<ruby>だいに</ruby>의 아래(옛 일본 관명의 하나). ┏┈의 살모지.

じょうにく【上肉】 jō- 名 상질(上質)의 소아.

しょうにゅうせき【鍾乳石】 shōnyū- 名 종유석. =いわつらら.

しょうにゅうどう【鍾乳洞】 shōnyūdō 名 종유동; 석회동(石灰洞).

しょうにん【上人】 shō- 名 ①지덕(智德)을 갖춘 고승(高僧); 대사. ②승려에 대한 경칭. ③승려 계급의 하나.

しょうにん【聖人】 shō- 名 佛 성인. ①지혜와 자비심이 많은 사람. ②덕망이 높은 중(의 존칭).

＊しょうにん【商人】 shō- 名 상인; 장사꾼. =あきんど. ¶～根性<ruby>こんじょう</ruby> 상인 근성 / ～臭<ruby>くさ</ruby>い 장사치 냄새가 난다. ──かたぎ 『気質<ruby>きしつ</ruby>』 상인 기질.

しょうにん【小人】 shō- 名 (목욕료·교통 기관·오락 시설 등에서) 소인; 어린이. ⇔大人<ruby>だいにん</ruby>.

しょうにん【証人】 shō- 名 증인. ①사실을 증명하는 사람. ¶～尋問<ruby>じんもん</ruby> 증인 심문 / ～台<ruby>だい</ruby> 증인대. ②보증인. =請け人<ruby>うけにん</ruby>.

＊しょうにん【承認】 shō- 名 他 승인.

じょうにん【常任】 jō- 名 상임. ¶～理事<ruby>りじ</ruby> 상임 이사 / ～委員会<ruby>いいんかい</ruby> 상임 위원회. ──する 他 늘 그 임무를 맡김.

しょうね【性根】 shō- 名 근본적인 마

음 가짐；근성. ¶～の卑(いや)しい人(ひと) 근
성이 비열한 사람／～がすわっている
마음 가짐이 제대로 되어 있다.

じょうねつ【情熱】jō- 图 정열. ¶～家(か)
정열가. ——てき【——的】[ダナ] 정열
적. ～なひとみ 정열적인 눈동자.

しょうねつじごく【焦熱地獄】shō- 图
【佛】초열 지옥.

*★**しょうねん**【少年】shō- 图 소년. ——老(ろう)
“いやすく学(がく)成(な)り難(がた)し” 소년 이로
(易老)하고 학난성(學難成)이라；늙기
는 쉬우나 배움을 이루기는 어렵다.
——だん【——団】图 소년단. ＝ボーイ
スカウト.

しょうねん【生年】shō- 图 〈老〉나이；
연령. ＝せいねん・とし.

じょうねん【情念】jō- 图 정념. ¶果(は)
てしなき愛(あい)の～ 끝없는 사랑의 정
념／～が涌(わ)く 정념이 솟다.

しょうのう【小農】shōnō 图 소농. ＝こ
びゃくしょう. ↔大農(だいのう).

しょうのう【小脳】shōnō 图 【生】소
뇌；작은 골.

しょうのう【笑納】shōnō 图 소납；남
에게 선물할 때 오죽잖은 물건이나 받
아 달라는 뜻의 말.

しょうのう【樟脳】shōnō 图 【化】장
뇌.

じょうのう【上納】jōnō 图 □ —[する他]
[ス他] 정부 기관에 납품함. □ —げね
んぐ(年貢)

じょうは【条播】jō- 图 [ス他] 조파；줄
뿌림；골뿌림. ＝すじまき.

じょうば【乗馬】jō- 图 [ス自] 승마；
말을 탐；또, 타고 있는 말. ¶～競技(きょ
うぎ)승마 경기. ↔下馬(げば)・下乗(げじょう).
＝乗用(じょうよう)の馬. ＝駄馬(だば)・挽馬(ばん
ば).

*★**しょうはい**【勝敗】shō- 图 승패. ＝か
ちまけ. ¶～は時(とき)の運(うん) 승패는 때의
운수.

しょうはい【賞盃】shō- 图 상배；상
배；상으로 주는 잔[컵]. ＝カップ・ト
ロフィー.

しょうはい【賞牌】shō- 图 상패；(상
으로 주는) 메달. ＝メダル.

*★**しょうばい**【商売】shō- 图 □ —[する自]
[ス自] 장
사. ＝あきない. ——屋(や) 图 장사꾼. □ —
[する] 图 〈俗〉직업；전문. ¶あなたのご～は
何(なに)ですか 당신의 직업은 무엇입니까.
——かたぎ【——気質】图 상인 (특유의)
기질；금전상의 이해에 민감한 성질. ——
がたき【——敵】(——仇) 图 상업상
의 경쟁자. ——がら【——柄】图 장
사의 종류. ——具장사로 인하여 얻어진 습
성；직업적인 습성. ——ぎ【——気】图
①장삿속. ②직업의식. ——づく【——
尽(づ)く】图 직업의식으로. ——にん【——人】
图 ①장사꾼. ＝あきんど. ②직업적인；
전문가. ＝くろうと. ③기생；접대부
(널리 화류계 여성). ＝商売女(しょうばいおんな).
¶～上(あ)がりの細君(さいくん) 화류계 출신의
마누라.

じょうはく【上膊】jō- 图 상박；상완
(上腕). ¶～骨(こつ) 상박골. ↔下膊(かはく).

しょうばつ【賞罰】shō- 图 상벌.

*★**じょうはつ**【蒸発】jō- 图 [ス自] 증발. ①
【理】액체 표면의 기화 현상. ¶～皿(ざら)
[理] 증발 접시[皿]. ②〈俗〉〈俗〉사
람의 행방이 묘연해짐；또, 가출. ¶
～事件(じけん) 증발[실종] 사건.

じょうはり【浄玻璃】jō- 图 정파리；흐
림이 없이 맑은 유리・수정. ——の鏡(かがみ)
정파리경；염라 대왕이 죽은 자의 생전
의 행위를 비추어 본다는 거울；전하
여, 남에게 속지 않는 안식(眼識).

*★**しょうばん**【相伴】shō- 图 □ —[する]
[ス自] 주
빈(主賓)의 상대역(役)이 되어 함께 대
접을 받음；또, 그 사람；비유적으로,
특히 노력을 안 해도 남과의 균형 관
계로 이익을 받음. □ —[する] 图 동반함；
또, 동반자.

しょうはん【上半】jō- 图 상반；위의
절반. ——部(ぶ) 상반부. ↔下半(かはん).

しょうはんしん【上半身】jō- 图 상반
신. ↔下半身(かはんしん).

*★**しょうひ**【消費】shō- 图 [ス他] 소비. ¶
～税(ぜい) 소비세／米(こめ)の～量(りょう) 쌀 소비
량. ↔生産(せいさん). ——くみあい【——組合】图 소
비 조합. ——ざい【——財】图 소
비재. ↔生産財(せいさんざい). ——しゃ【——者】
-sha 图 소비자. ¶～価格(かかく) 소비자 가
격／～物価指数(ぶっかしすう) 소비자 물가 지수.
——てき【——的】[ダナ] 소비적.

しょうび【焦眉】shō- 图 초미；매우 위
급함. ——の急(きゅう) 초미지급(焦眉之急)；
절박한 위험이나 급한 용무.

しょうび【賞美】shō- 图 [ス他] ①감상
함. ②맛있게 먹음.

しょうび【薔薇】shō- 图 장미(한문투
의 말씨). ＝ばら・そうび.

じょうひ【上皮】jō- 图 【生】상피；표피
(表皮). ＝うわがわ. ¶～組織(そしき)〈小体
(しょうたい)〉 【生】상피 조직(組織).

じょうひ【冗費】jō- 图 용비；헛된 비
용；낭비. ＝むだづかい.

じょうび【常備】jō- 图 [ス他] 상비；늘
준비하여 둠. ¶～軍(ぐん) 상비군／～薬(やく)
상비약. ＝常備(じょうび)・常備(じょうび).

じょうびだき【尉鶲】jō- 图 【鳥】때새.

しょうひつ【省筆】shō- 图 [ス自] ①문
장 중의 어구(語句)를 생략함. ②자획
을 생략함；생획(省畫).

しょうひょう【商標】shōhyō 图 상표.
＝トレードマーク. ¶登録(とうろく)～ 등록
상표. ——けん【——権】图 상표권.

しょうひょう【証票】shōhyō 图 증표；
증명하기 위한 전표 또는 표찰.

しょうひょう【証憑】shōhyō 图 증빙；
증거. ＝証拠(しょうこ). ¶～書類(しょるい) 증빙 서
류.　「부상과 질병.

しょうびょう【傷病】shō- 图 상병；

しょうひん【小品】shō- 图 소품. ¶風
景画(ふうけいが)の～ 풍경화의 소품. ——ぶん
【——文】图 소품문；스케치체의 문장；
단문(短文).

*★**しょうひん**【商品】shō- 图 상품. ¶～
価値(かち) 상품 가치. ——けん【——券】
图 상품권.

*★**しょうひん**【賞品】shō- 图 상품.

*★**じょうひん**【上品】jō- [ダナ] 고상함；품
위가 있음. ¶～な言葉(ことば) 고상한[점잖
은] 말／～ぶる 점잔빼다.

しょうふ【娼婦】shō- 图 창부；창녀；
매춘부. ＝売春婦(ばいしゅんふ). 「〈승묘함.

しょうぶ【尚武】shō- 图 상무；무예를

しょうぶ【菖蒲】shō- 图 【植】①창포.
②ハナショウブ(＝꽃창포)’의 속칭.
——の節句(せっく) 단오절.

*★**しょうぶ**【勝負】shō- 图 승부. □ —[する] 이김

과 짐. ¶～無なし 무승부. 二 名 ス自 승부를 겨룸；경기；시합. ¶一本いっぽん〔三本さんぼん〕～ 단판〔삼판〕승부. **──ごと【──事】** 名 (바둑·장기·카드 놀이 따위) 승부를 겨루는 놀이；도박；내기. **──し【──師】** 名 ①도박꾼. ②투기사(投機師)；듣보기 장수.

じょうふ【情夫】 jō- 名 정부；샛서방. ＝色男いろおとこ.

じょうふ【情婦】 jō- 名 정부. ＝色女いろおんな.

じょうぶ【上部】 jō- 名 상부. ¶～団体だんたい 상부 단체／画面がめんの～ 화면의 상부. ↔下部かぶ.

じょうぶ【丈夫】 jō- ダナ ①건강. ¶至いたって～です 매우 건강합니다. ②견고；튼튼함；단단함. ¶～な靴下くつした 튼튼한 양말／～な箱はこ 견고한 상자.

しょうふう【正風】 shōfū 名 ①바른 모습. ②정풍；전통적이고 정아(正雅)한 가체(歌體). ③☞しょうふう(蕉風).

しょうふう［蕉風］ shōfū 名 江戸えど 시대의 俳句はいく 작가인 松尾芭蕉まつおばしょう 및 그 문하생의 작풍(作風).

しょうふう【松風】 shōfū 名 송풍；솔 밭을 스쳐 부는 바람. ＝まつかぜ.

しょうふく［妾腹］ shō- 名 첩복；첩의 소생. ＝めかけばら.

しょうふく【承服】(承伏) shō- 名 ス自 승복；응낙하여 좇음.

じょうふく【常服】 jō- 名 상복；평상시의 의복.

じょうぶくろ【状袋】 jō- 名 〈老〉 종이 주머니；봉투. ＝封筒ふうとう.

しょうふだ【正札】 shō- 名 정찰；정가표. **──つき【──付(き)】** 名 ①정찰이 붙어 있음；정찰이 붙은 상품. ②비유적으로, 세상에 정평(定評)이 있음；또, 그 물건이나 사람. ¶～の悪党あくとう 정평 있는 악당.

じょうぶつ【成仏】 jō- 名 ス自 성불. ①죽어서 부처가 됨；또, 단순히 죽음. ②번뇌를 해탈하여 무상(無上)의 깨달음을 얻음.

しょうぶん【性分】 shō- 名 〈老〉 성분；천성；성품. ＝たち.

じょうぶん【条文】 jō- 名 조문；법률·규약 따위의 개조(箇條)로 적은 글. ¶～の解釈かいしゃく 조문의 해석.

じょうふんべつ【上分別】 jōfumbe- 名 훌륭한 생각；제일 좋은 생각；상책(上策).

しょうへい【傷兵】 shō- 名 상병；부상병.

しょうへい［哨兵］ shō- 名 초병；보초병.

しょうへい【将兵】 shō- 名 장병；장교와 사병.

しょうへい［招聘］ shō- 名 ス他 초빙.

しょうへき【障壁】 shō- 名 장벽；칸막이 벽；전하여, 방해가 되는 일. ＝じゃま·妨さまたげ.

しょうへき［牆壁］ shō- 名 장벽；울타리와 벽. ＝囲かこい.

じょうへき【城壁】 jō 名 성벽.

しょうへん【掌編】(掌篇) shō- 名 ☞コント.

しょうべん【小便】 shōben 名 ス自 ①소변；오줌. ＝尿にょう·ゆばり. ↔大便だいべん. ②〈俗〉 매매 계약을 중도에서 깨뜨림. **──くさ-い【──臭い】** 形 ①지린내 나다. ②젖비린내 나다；앳되고 미숙하다. ＝青臭あおくさい.

じょうへん【上編】(上篇) jō- 名 상편. ↔中編ちゅうへん·下編げへん.

じょうほ【譲歩】 jō- 名 ス自 양보. ¶一歩いっぽも～しない 일보도 양보하지 않다.

しょうほう【商法】 shōhō 名 ①장사하는 방법. ②〔法〕상법.

しょうほう【唱法】 shōhō 名 창법.

しょうほう【勝報】(捷報) shōhō 名 첩보；승보. ↔敗報はいほう.

しょうほう【詳報】 shōhō 名 상보. ↔略報りゃくほう.

しょうぼう【消防】 shōbō 名 ス他 소방；또, 소방 직원〔단원〕. ¶～自動車じどうしゃ 소방(자동)차／～署しょ 소방서／～士し 소방사.

じょうほう【上方】 jōhō 名 상방；위쪽；윗부분. ↔下方かほう.

じょうほう【定法】 jōhō 名 정법. ①정해진 법. ②늘 그리 하도록 정해진 방법；관례에 따른 법. ¶～通どおりバントで送おくる 정석대로 번트로 보내다.

じょうほう【乗法】 jōhō 名 ①〔數〕승법；곱셈；곱하기. ＝掛かけ算ざん. ↔除法じょほう. ②승마법. ＝乗のり方かた. ¶馬うまの～ 말타는 방법.

じょうほう【情報】 jōhō 名 정보. ＝インフォメーション. ¶株式かぶしき～ 주식 정보／～化か社会しゃかい 정보화 사회／～産業さんぎょう 정보 산업／～網もう 정보망. **──かくめい【──革命】** 名 정보 혁명；컴퓨터의 진보·보급에 따른 여러 분야의 변혁. **──けんさく【──検索】** 名 정보 검색(모아둔 각종 정보 중에서 필요한 것을 단시간내에 끄집어 낼 수 있게 만든 조직). ＝アイアール. **──サービス** 名 정보 서비스；컴퓨터를 사용하여 정보를 수집·가공·편집·배포하는 일. ▷service. **──しょり【──処理】** -shori 名 정보 처리；정보를 일정한 순서로 (자동적으로) 처리하여, 필요한 정보를 정리하는 작업. **──りょう【──量】** -ryō 名 정보량；정보 이론에서, 주어진 정보의 크기.

しょうほん【正本】 shō- 名 정본. ①원본. ＝せいほん. ↔写本しゃほん·副本ふくほん. ②(연극의) 극본；歌舞伎かぶき의 대본. ③(浄瑠璃じょうるり 따위의) 생략하지 않은 완전한 책. ＝丸本まるほん.

しょうほん【抄本】(鈔本) shō- 名 ①발췌해서 쓴 책. ↔原本げんぽん. ②초본；발췌한 문서·서류. ¶戸籍こせき～ 호적 초본. ↔謄本とうほん·原本げんぽん. ③사본. ＝写本しゃほん. ¶古こ～ 고사본.

しょうほん【証本】 shō- 名 증본；증거가 될 책.

しょうまい【正米】 shō- 名 정미. ①현재 있는 쌀. ②실지로 거래되는 쌀. ＝実米じつまい. ¶～市場しじょう 쌀시장／～取引とりひき 쌀의 실물 거래. ↔空米くうまい.

じょうまい【上米】 jō- 名 상미；상등미；좋은 쌀.

じょうまえ【錠前】 jō- 名 〈口〉 자물쇠. ＝錠じょう.

しょうまきょう【照魔鏡】 shōmakyō 名 조마경. 参考 사회나 인물의 나쁜 이면을 들춰내는 데 비유해서 쓰는 일이 많음.

しょうまん【小満】 shō- 名 소만(24절기의 하나).

じょうまん【冗漫】 jō- 名 ダナ 용만；장황(張皇)；지루함. ↔簡潔かんけつ.

しょうみ【正味】 shō- 名 정미. ①겉 포

장을 제외한 알맹이. ㉠알맹이의 무게. =正目ホゲ. ¶～100ᄀ゚ラム 정미 백 그램. ⇔風袋ホゲ. ㉡'正味値段ゲ゚゚゚'(=에누리 없는 값;도매값)'의 준말. ¶～は八掛ゖけた 도매값은 정가의 팔 할이다. ②실질. ¶～六時間ネ゚゚i い働ヲゲ 실질로서 여섯 시간쯤 일 한다.

しょうみ【賞味】shō- 图 区他 상미;음 식을 칭찬하면서 맛봄.

じょうみ【情味】jō- 图 정미. ①인정 미;인간미. =おもいやり. ②풍미(風味). ;정취. =おもむき.

じょうみゃく【静脈】jōmya- 图 정맥. ¶～注射ホゲ゚ 정맥 주사. ⇔動脈ゲ゚゚.

しょうみょう【小名】shō- 图 〔史名〕 ①鎌倉ゲ゚゚゚・室町ボゲ 시대에, 영지(領地)가 大名ゲゲ로만 적었던 무가(武家). ②江戸ゲ 시대에, 만석(萬石) 이하의 제후. ⇔大名ゲゲ.

しょうみょう【声明】shōmyō 图 〔佛〕 성명. ①고대 인도의 음운(音韻)·문법·주석의 학문. ②범패(梵明). =ぼんばい.

しょうみょう【称名・唱名】shōmyō 图 〔佛〕 창명;부처님의 이름을 욈.

じょうみん【常民】jō- 图 상민;평민, 일반 국민;서민.

しょうむ【商務】shō- 图 상무;상업상 의 용무. ¶～長官ゲ゚゚ 상무 장관.

じょうむ【乗務】jō- 图 승무. ¶～貝ゲ 승무원.

じょうむ【常務】jō- 图 상무. ①일상 업무. ②회사나 단체의 '常務ゲ゚取締役ゲゲゲゲ゚゚(=상무 이사)'·'常務理事ゲゲゲゲ゚゚(=상무 이사)' 등의 준말.

しょうめ【正目】shō- 图 〔老〕 정미;알 맹이의 무게. =正味ゲゲ.

しょうめい【正銘】shō- 图 참된 것;진 짜. ¶正真ゲ゚ ～ 거짓 없는 진짜.

しょうめい【召命】shō- 图 소명; (그리 스도교에서) 죄의 세계에서 살던 사람 이 하나님에 의해 구원됨.

***しょうめい**【照明】shō- 图 区他 조명. ¶～弾ゲ 조명탄 / 間接ゲゲ～ 간접 조명.

*‡**しょうめい**【証明】shō- 图 区他 증명. ¶印鑑ゲゲ～ 인감 증명 / 身分ゲゲ～書ゲ 신분 증명서.

しょうめつ【生滅】shō- 图 区自 생멸; 생사;나타남과 사라짐.

しょうめつ【消滅】shō- 图 区自他 소멸. ¶自然ゲゲ～ 자연 소멸 / 権利ゲゲ゚の～ 권 리의 소멸.

*‡**しょうめん**【正面】shō- 图 정면. =おも て. ¶～玄関ゲゲ 정면(전면(前面)) 현관 / ～攻撃ゲ゚〔衝突ゲゲ〕 정면 공격 〔충돌〕/ ～を見詰ゲゲる 똑바로 앞을 응시하다. ⇔側面ゲゲ·背面ゲゲ. ──きっ て〔─切って〕-kitte 連語 당당히;서 슴없이 맞대고. ¶～言ゲ 맞대 놓고 말하다.

***しょうもう**【消耗】shōmo 图 区自他 소 모. ¶兵力ゲゲゲの～ 병력의 소모 / 体 力ゲゲ゚の～ 체력의 소모 / ～戦ゲ 소모전 / 第一線ゲゲゲ゚では人命ゲゲも～品ゲに過ゲ ぎない 최전방에서는 인명도 소모품에 지나지 않는다.

じょうもく【条目】jō- 图 조목;조항; 항목.

じょうもの【上物】jō- 图 상(등)품.

しょうもん【声聞】shō- 图 〔佛〕 성문 (부처의 설법을 직접 듣거나 유교(遺 敎)를 배우거나 하여, 사제(四諦)를 깨 닫고 아라한(阿羅漢)이 되려는 수행자 (修行者)).

じょうもん【証文】jō- 图 증문;증거 가 되는 서류;증서. ¶取ゲ決ゲめた ～にする 결정된 일을 증거로 적어두 다 / ～が物ゲを言ゲゲ 증거가 입증하 다;증빙 서류가 진위를 가려준다. ──の出ゲし後ゲれ 증서를 뒤늦게 내놓 음(소읽고 외양간 고치기).

しょうもん【掌紋】shō- 图 장문;손금 으로 된 손바닥의 무늬.

しょうもん【蕉門】shō- 图 '松尾ゲ゚芭 蕉ゲゲゲ(=江戸ゲ 시대 전기(前期)의 유 명한 俳人ゲゲ)'의 문인(門人).

じょうもん【定紋】jōmon 图 가문(家 門)에 따라 정해져 있는 문장(紋章); 가문(家紋). =紋所ゲゲゲ.

じょうもん【縄文】jōmon 图 승문;새 끼줄무늬;일본 고대 토기에 만들어진 새끼줄 무늬. ¶～式ゲ土器ゲ 승문식 토 기.

じょうもん【城門】jōmon 图 성문.

しょうや【庄屋】shō- 图 江戸ゲ 시대, 마을의 정사(政事)를 맡아 보던 사람; 지금의 村長ゲゲ゚에 해당함(関西ゲゲ 지 방에서의 호칭). ⇒名主ゲゲ゚. 東国ゲゲ 지방에 서는 名主ゲゲゲ, 北陸ゲゲ 등지에서는 きも いり라고 함.

しょうやく【抄訳】shō- 图 区他 초역. ⇔全訳ゲゲ·完訳ゲゲ.

*‡**じょうやく**【条約】jō- 图 조약. ¶～を 結ゲぶ 조약을 맺다.

じょうやど【上宿】jō- 图 고급 여관.

じょうやど【定宿・常宿】jō- 图 단골 여 관;늘 묵는 여관.

じょうやとい【常雇(い)・常備(い)】jō- 图 장기간에 걸쳐서 고용됨(고용인, 농 삿집의 머슴). ⇔臨時雇ゲゲゲゲ.

じょうやとう【常夜灯】jōyatō 图 상야 등;밤새도록 켜놓은 등. =常灯ゲゲ゚.

*‡**しょうゆ**【醬油】shō- 图 장유;간장. = しょうゆう·むらさき·したじ.

しょうゆう【小勇】shōyū 图 소용;만 용;쓸데없는 용기. ⇔大勇ゲ゚.

しょうよ【賞与】shō- 图 상여;상으로 금품을 줌;또, 그 금품. =ボーナス. ¶～金ゲ 상여금;보너스.

じょうよ【丈余】jō- 图 장여;한 길 남 짓;열 자가 넘음.

じょうよ【剰余】jō- 图 잉여;여분. = 残ゲゲゲ・余剰ゲゲゲ. ¶～金ゲ 잉여금. ──か ち〔─価値〕 图 잉여 가치.

じょうよ【譲与】jō- 图 양여;양도. 「도.

しょうよう【商用】shōyō 图 상용. ¶ ～語ゲゲゲ 상업 용어 / ～文ゲゲ 상용문.

しょうよう【小用】shōyō ☞ こよう (小用).

しょうよう【慫慂】shōyō 图 区他 종용.

しょうよう【賞揚・称揚】shōyō 图 区他 칭양;칭찬.

しょうよう【逍遙】shōyō 图 区自 소요; 슬슬 거닐어 돌아다님;산책. =そぞろ 歩ゲき. 「침착한 동작을.

しょうよう【従容】shōyō 图 区タル 종용.

じょうよう【乗用】jōyō 图 승용.

─車じ승용차.

じょうよう【常用】jōyō 名 ス他 상용. ¶─語じ 상용어 / ~の万年筆まんねんひつ 늘 사용하는 만년필. ──かんじ【──漢字】名 일본의 상용 한자(1981년, '当用漢字とうようかんじ' 대신에 일상 사용의 표준으로 제정한 1945자의 한자). ⇨人名じんめい漢字かんじ ──たいすう【──対数】-sū 名 [數] 상용 대수〔로그〕.

しょうよく【小欲・少欲】【小慾・少慾】shō- 名 소욕 ; 욕심이 적음 ; 과욕(寡欲). ↔大欲たいよく・多欲たよく.

じょうよく【情欲】【情慾】jōyoku 名 정욕. ①색정(色情). ②[佛] 물욕(物慾).

しょうらい【招来】shō- 名 ス他 초래 ; 가져옴.

しょうらい【松籟】shō- 名 ①송뢰 ; 소나무에 부는 바람 (소리). =松韻しょういん. ②차를 달이는 물이 끓는 소리.

しょうらい【将来】shō- ─名 ス他 장래 : 미래 ; 전도. ¶近ちかい~ 가까운 장래. ─名 ス他 외국에서 가져 옴. ¶唐とうから~した宝物たからもの 당나라에서 가져 온 보물. ─を見越みこす 장래성을 내다보다. ──せい【──性】名 장래성. ¶~を見越みこす 장래성을 내다보다.

しょうらい【生来】【性来】shō- 副 ☞せいらい.

じょうらく【上洛】jō-名 ス自 京都きょうとで로 올라감.=上京じょうきょう・入洛じゅらく.

しょうらん【笑覧】shō-名 ス他 변변치 못한 것이나마 보아달라고 공손히 청할 때쓰는 말. ¶ご─に供きょうしますほど 드리겠습니다.

しょうらん【照覧】shō- 名 ス他 조람 ; 신불(神佛)이 굽어봄. ¶神々かみがみも ~あれ 신들이여, 굽어 살피소서.

じょうらん【上覧】jō-名 ス他 상람 ; 어람(御覧) ; 천자(天子)・将軍しょうぐん이 봄. ¶─相撲ずもう 江戸えど 성내에서 将軍의 임석하에 행해진 씨름.

じょうらん【擾乱】jō-名 ス自他 요란 ; 소란하고 어지러움.

しょうり【小吏】shō-名 소리 ; 낮은 벼슬아치 ; 아전(衙前). =こやくにん.

しょうり【掌理】shō-名 ス他 장리 ; 맡아서 처리함.

しょうり【勝利】【捷利】shō- 名 ス自 승리. =勝かち. ¶大だい~ 대승리 / ~投手とうしゅ(野) 승리 투수. ↔敗北はいぼく.

じょうり【条理】jō-名 조리. ¶~が立たたない言いい分ぶん 조리가 서지 않는 주장. 「리.

じょうり【情理】jō-名 정리 ; 인정과 도리. ¶~を尽つくして説とく 인정과 도리를 다해서 설득하다.

じょうりく【上陸】jō-名 ス自 상륙. ¶敵前てきぜん~ 적전 상륙 / ~用ようの舟艇しゅうてい 상륙용 주정.

しょうりつ【勝率】shō-名 승률.

しょうりゃく【商略】shō-名 상략 ; 상업상의 책략.

しょうりゃく【省略】shōrya-名 ス他 생략. ¶~文ぶん 생략문 / 以下いか~ 이하 생략.

じょうりゃく【上略】jōrya-名 ス他 상략 ; 전략(前略). ↔中略ちゅうりゃく・下略げりゃく.

じょうりゅう【上流】jōryū 名 상류. ¶~社会しゃかい 상류 사회 / ~に遡のぼる 상

류로 거슬러 올라가다. ↔下流かりゅう・中流ちゅうりゅう.

じょうりゅう【蒸留】【蒸溜】jōryū 名 ス他 증류. ¶~水すい 증류수 / ~酒しゅ 증류주(소주・위스키 따위). 注意 '蒸留'로 씀은 대용 한자. ⇨乾留かんりゅう.

しょうりょ【焦慮】shōryo 名 ス自 초조 ; 초사(焦思) ; 애태움. ¶~に駆かられる 몹시 애태우다.

しょうりょう【小量】shōryō 名 소량 ; 좁은 도량. =狭量きょうりょう. ↔大度たいど・大量たいりょう.

しょうりょう【少量】shōryō 名 소량 ; 적은 분량. ↔多量たりょう.

しょうりょう【渉猟】shōryō 名 ス他 섭렵 ; 여기저기 찾아다님 ; 전하여, 책을 널리 읽음.

しょうりょう【精霊】【聖霊】shōryō [佛] 정령 ; 사자(死者)의 영혼. =(み)たま. ──え【──会】名 盂蘭盆うらぼん의 딴이름. ──とんぼ【──蜻蛉】-tombo [蟲] 'アカトンボ(=고추잠자리)'의 딴이름. ──ばった【──飛蝗】-batta [蟲] 송장메뚜기.

しょうりょく【省力】shōryō 名 ス他 생력 ; 힘을 덞 ; 기계화・공통화 따위로 작업 시간과 노력을 덞. ¶~化か 생력화 / ~栽培さいばい 생력 재배.

しょうるい【生類】shō-名 ス他 생류 ; 생물 ; 동물. =せいるい・生いき物もの.

じょうるり【浄瑠璃】jō- 名 ①(일본의 가면 음악극의 대사를 영창(咏唱)하는 음곡에서 발생한 음곡에 맞추어서 낭창(朗唱)하는 옛 이야기(後에 義太夫節ぎだゆうぶし의 딴이름으로 됨). ②[佛] 정유리 ; 맑고 환한 유리(瑠璃).

しょうれい【奨励】【奬励】shō- 名 ス他 장려. ¶~金きん 장려금.

しょうれい【瘴癘】shō-名 [漢醫] 장려 (익숙지 않은 기후・풍토 때문에 일어나는 전염성의 열병).

じょうれい【条例】jō-名 조례 ; 지방자치 단체가 발포하는 법규.

じょうれい【常例】jō-名 상례 ; 늘 있는 예. =恒例こうれい.

じょうれん【常連】【定連】jō- 名 (어느 음식점이나 흥행장 따위의) 단골 손님. =定客じょうきゃく.

じょうろ【如雨露】jō-名 물뿌리개. = じょうご. ▷포 jarro.

しょうろう【鐘楼】shōrō 名 종루 ; 종각. =鐘かねつき堂どう. ¶~守もり 종지기.

じょうろう【上臈】jōrō 名 ①연공을 쌓은 지위가 높은 중. ↔下臈げろう. ②上臈女房にょうぼう(=2품・3품 되는 신분이 높은 여관(女官)의 준말). ③江戸えど幕府ばくふ의 여관(女官)의 직명(시녀 侍女)의 최고 위자). ④지체가 높은 부인.

しょうろく【抄録】shō-名 ス他 초록 ; 발초한 기록. =抜書ばっしょき.

しょうろく【詳録】shō-名 ス他 상록 ; 상세한 기록.

じょうろく【丈六】jō-名 입상(立像)의 키가 16척(尺)되는 불상(佛像). 参考 좌상(座像)으로는 좌고(座高) 8척으로 되는 불상을 말함.

しょうろん【詳論】shō-名 ス他 상론.

しょうわ【小話】shō-图 소화；짤막한 이야기；에피소드. =こばなし.

しょうわ【昭和】shō-图 서기 1926년 이후의 일본의 연호(年號).

しょうわ【笑話】shō-图 소화；우스개. =笑い話.

しょうわ【唱和】shō-图自 창화；한 사람이 주창하여 여러 사람이 이것에 따름；한 쪽에서 부르고 딴 쪽에서 화답함.

じょうわ【情話】jō-图 정화；정담. =人情話.　むつごと.

しょうわくせい【小惑星】shō-图〈天〉 소행성(小行星). =小遊星.

しょうわるい【性悪】shō-图ダ〈老〉 근성이 나쁨；또, 그런 사람. =いじわる.

しょえん【初演】sho-图ス他 초연；최초의 상연이나 연주.

じょえん【助演】jo-图自 조연. =主演.

ショー shō 图 쇼. ①구경거리；경(輕)연극；촌극(寸劇). ¶~ガール 쇼 걸. ②전람회. ¶ファッション~ 패션 쇼. ③영화의 상영). ¶ナイト~ 나이트 쇼；야간 상영／ロード~ 로드 쇼. show. ──ウインドー -windō 图 쇼 윈도；진열창. ▷show window. ──マン 图 쇼맨. ①쇼에 나오는 남자 배우. ②그때 그때의 효과만을 나타내고자 노리는 사람. ▷showman.

＊じょおう【女王】joō 图 여왕. ①여성의 왕；또, 왕후. =クイーン・女帝. ¶銀盤の~ 은반의 여왕／ビクトリア~ 빅토리아 여왕. ②본디, 내친왕(內親王)의 선지(宣旨)를 받지 못한 황족의 여자. ──ばち【──蜂】图 여왕 벌. ⇨はたらきばち.

しょおく【書屋】sho-图 ①서옥；서재(書齋)〔한문투의 말씨〕. =書斎. ②서점. ▷joke.

ジョーク jō-图 조크；농담. =しゃれ.

ショート shō- 图 쇼트. ¶~이 짧음. ¶~スカート 짧은 스커트／~タイム 짧은 시간／~パンツ 운동용(用)의 짧은 반바지. ↔ロング. ▷short. ①〈野〉'ショートストップ'의 준말；쇼트스톱；유격수. ¶~の強襲ヒット 유격수를 강습한 히트. ▷shortstop. ──サーキット【~サーキット】의 준말；단락；短絡图. ▷short circuit. ──ケーキ 图 쇼트케이크；서양 과자의 하나. ▷shortcake. ──ショート -shōto 图 재치있는 짤막한 이야기；장편(掌編). ▷short-short story.

ショール shō- 图 숄；어깨에 걸치는 여자용 목도리. ▷shawl.

しょか【諸家】sho- 图 제가. ①한 파(派)를 이루고 있는 여러 사람；특히, 전문가나 연구가. ②여러 집；많은 집.

しょか【書架】sho-图 서가；서도가；서예가.

しょか【書架】sho-图 서가；책꽂이.

しょか【初夏】sho-图 초하；초여름. =はつなつ. ¶晩夏より盛夏に. 「림.

しょが【書画】sho-图 서화；글씨와 그

しょかい【初回】sho-图 첫 번；제 1회. ¶~金 첫 불입금. 「소감.

しょかい【所懐】sho-图 소회；감상；

＊じょがい【除外】jo-图ス他 제외.

しょがかり【諸掛かり】sho-图 제 비용(諸費用).

しょがく【初学】sho-图 초학；처음으로 배움；또, 그 사람. =初心と・初学びと. ¶~者 초학자.

じょがくせい【女学生】jo-图 여학생.

しょかつ【所轄】sho-图他 소할；관할. ¶~区域 관할 구역／~署 관할서.

じょがっこう【女学校】jogakkō 图 여학교.

しょかん【初刊】sho-图 초간；첫 간행. ↔再刊.

しょかん【所感】sho-图 소감；감상. ¶~の行政 마음에 느낀 일.

しょかん【所管】sho-图他 소관. ¶~の行政 소관 행정／~庁 소관(관)청.

しょかん【書簡・書翰】sho-图 서간；서한；편지. =手紙. ¶~箋 편지지. ──ぶん【──文】图 서한문.

じょかん【女官】jo-图 여관；궁녀. =にょかん・にょうかん.

しょき【所期】sho-图 소기；기대하고 있는 바. ¶~の成績をあげる 소기의 성적을 올리다.

しょき【初期】sho-图 초기. ¶~微動ぶ〔지진의〕 초기 미동／文明ぶの~ 문명의 초기. ↔末期と.

しょき【書記】sho-图 서기. ¶~官 서기관／~局 서기국；정당·노동 조합 따위에서 일상적인 사무를 다루는 곳／~長 서기장；서기국의 장.

しょき【書紀】sho-图〈史〉 ①서기；역사를 기록한 책. ②日本書紀ぶの 준말；奈良と 시대에 만들어진 일본 최고(最古)의 정사(正史). =紀.

＊しょきゅう【初級】shokyū 图 초급；최초의 등급. ¶~会話が 초급 회화. ↔上級じょう・中級じゅう.

しょきゅう【初給】sho-图 초급；초봉. =初任給と.

じょきゅう【女給】jokyū 图〈卑〉여급. 参考 지금의 ホステス.

しょきょ【除去】jokyo 图ス他 제거.

しょきょう【書経】sho-图 서경；오경(五經)의 하나. =尚書しょう・書.

しょぎょう【所行・所業】shogyō图〈老〉소행. =しわざ・ふるまい.

しょぎょうむじょう【諸行無常】shogyō mujō 图〈佛〉제행 무상.

じょきょく【序曲】jokyo-图 서곡. =プレリュード・オーバーチュア. ↔終曲しゅう. 「グ. ▷み jogging.

ジョギング jo-图 조깅. =ジョッギン

しよく【私欲・私慾】shi-图 사욕. ¶私利し~ 사리 사욕.

しょく【食】sho-图 ①식사. ¶~に~と欠く 끼니를 거르다. 参考 接尾語적으로도 씀. ¶美容びょう~ 미용식. ②음식；먹는 양(量). ③~が進むむ 식욕이 증진하다；많이 먹히다. ③〈触〉천체가 다른 천체에 가리어 안 보임.

しょく【燭】sho-图 ①촉；광도(光度)의 단위. ¶五~ 5 촉. ②(등)불. ¶~を取る 불을 밝히다.

*しょく【職】sho- 一名 ①職業;しごと。¶～をさがす 職業を 求める/～を離れる 仕事を去る。②職務;職責。¶～を免ぜられる 免職される。③職能;手 仕事などで する仕事の能力。¶手に～をつける 職業上の技術を持つ。二接尾 匠色(匠色)。三左官さん～ 未分け。

しょく【蜀】sho- 名 中国の蜀国;蜀漢。「機構(起句)」。

しょく【初句】sho- 名 初句;첫 구절。

-しょく【色】sho- …씨。①色씨;色깔。¶保護しょく～ 保護色。②状態;模樣。¶地方ちほう～ 地方色。

しょくあたり【食当たり】(食中り)(食中り)sho- 名 食중독;食傷(食傷)。

しょくあん【職安】sho- 名 '公共こうきょう職業しょくぎょう安定所あんていしょ(=公共 職業 安定所)'の 준말。

しょくい【職位】sho- 名 職位。

しょくいき【職域】sho- 名 職域。①各 職業の 範囲。②職場(職場)。

しょくいん【職印】sho- 名 職印。¶学校長がっこうちょうの～が要いる 学校長の職印이 필요하다/～私印しいん。

*しょくいん【職員】sho- 名 職員。¶～室しつ(学校の)職員室/～会議かいぎ 職員会議。

しょくぐう【処遇】shogū 名 他 処遇。=あつかい。¶～問題もんだい 処遇 問題。

しょくえん【食塩】sho- 名 食塩;소금。¶～水すい 食塩水。

**しょくぎょう【職業】shokugyō 名 職業。=職しょく・生業なりわい。¶～意識いしき 職業 意識/～教育きょういく 職業 教育/～人じん 職業 군인。――あんていじょ【―安定所】-jo 名 職業 安定所=安定所・職安しょくあん。――てき【―的】ダナ 職業的な。――びょう【―病】-byō 名 職業病。――ふじん【―婦人】名 職業 여성。↔家庭かてい婦人。――やきゅう【―野球】-kyū 名 職業(프로) 야구。

しょくけ【職気】sho- 名 職気。(旺盛한) 職欲。=くいき。

しょくげん【食言】sho- 名 自 食言;빈말 이언。¶三日みっかもたたぬ中うちに～する 사흘도 못 가서 판소리하다。

しょくご【食後】sho- 名 食後。↔食前せん。「=とくぎい。

しょくざい【贖罪】sho- 名 自 贖罪。

しょくさん【殖産】sho- 名 殖産。¶～銀行ぎんこう 殖産 銀行。

しょくし【食指】sho- 名 食指;인지(人指);집게 손가락。=ひとさしゆび。――が動うごく ①식욕이 동하다。②탐욕을 내다;마음이 동하다。

*しょくじ【食事】sho- 名 自 식사。¶～の時間じかん 식사 시간/～に呼よばれる 식사에 초대 받다。

しょくじ【食餌】sho- 名 医 식이;먹을거리。¶～療法りょうほう 식이 요법。

しょくじ【植字】sho- 名 他 식자;조판(組版)。¶～工こう 식자공。参考 인쇄소 用語では '食事じ'와 음이 같으므로 '조쇼쿠지'로 읽음。

しょくしゅ【触手】sho- 名 촉수;더듬이。¶～厳禁げんきん 촉수 엄금。――を伸のばす 촉수를 뻗치다(야심을 가지고 대상물에 서서히 작용을 미치다)。

しょくしゅ【職種】shokushu 名 職종。

しょくじゅ【植樹】shokuju 名 ㅈ自 수;식목。¶～祭さい 식목일。

しょくじょ【織女】shokujo 名 직녀。①베짜는 여자。②'たなばた' 전설의 여주인공。③【天】'織女星じょ(=직녀성)'의 준말。

しょくしょう【食傷】shokushō 名 ㅈ自 ①식상;식체;체함。=食くいあたり。②싫증이 남;물림。¶～気味ぎみ이 물려 경향이 있다。

しょくしょう【職掌】shokushō 名 직장;직무;담당 직무。¶～がら・―柄 名 직무(의 성질)상。

しょくしん【触診】sho- 名 他 촉진;손으로 만져서 진찰함。↔聴診ちょうしん・打診しん。

しょくじん【食人】sho- 名 식인;인육을 먹음。=ひとくい。――しゅ【―種】-shu 名 식인종;미개한 인종이다。

しょく-する【嘱する】sho- サ変他 부탁하다;기대하다;위촉하다。¶後事こうじを～ 뒷일을 부탁하다。

しょく-する【属する】sho- サ変自 ☞ぞくする(属)。一サ変他 ☞しょくする(嘱)。

しょく-する【食する】sho- サ変他 먹다。=食たべる。一サ変他 ①본디는 蝕)【天】식분(食分)하다;이지러지다。②생활을 유지해 나가다。

しょくせい【職制】sho- 名 ①職制;職무상의 制度。②〈俗〉(공장・회사 등에서) 계장・과장 이상의 관리직으로; 또 그 직위에 있는 사람。

しょくせい【食性】sho- 名 식성。

しょくせいかつ【食生活】sho- 名 식생활。¶～の合理化ごうりか 식생활의 합리화。

しょくせき【職責】sho- 名 직책。¶～を果はたす 직책을 다하다。

しょくぜん【食膳】(食ぜん)(食膳)sho- 名 ①밥상;식탁。=おぜん。¶～に着つく 밥상을 대하다;식사하다。②요리。=膳部ぜんぶ。¶～に供そなえする 요리로 내놓다;밥상에 올리다。

しょくぜん【食前】sho- 名 식전。¶～に薬くすりを飲のむ 식전에 약을 먹다。食後ご。

しょくたい【食滞】sho- 名 ㅈ自 医 식체;체함。=食しょくもたれ。

しょくだい【燭台】sho- 名 촉대;촉가(燭架);촛대。

しょくたく【食卓】sho- 名 식탁。¶～に着つく 식탁에 앉다。

しょくたく【嘱託】sho- 名 他 촉탁。①청탁;청부;위탁。¶～殺人さつじん 촉부 살인。②임시로 일을 의뢰함; 또, 그 의뢰를 받은 사람。¶学校がっこうの～医い 학교의 촉탁의(사)。「作。

しょくち【初口】sho- 名 〈老〉 처음;시작。

じょくち【辱知】jo- 名 욕교(辱交)(자기가 그 사람과 잘 아는 사이임을 겸손하게 이르는 말)。

しょくちゅうしょくぶつ【食虫植物】shokuchū sho- 名 식충 식물。=食肉にく植物。

しょくちゅうどく【食中毒】shokuchū- 名 自 식중독。=食しょくあたり。

しょくつう【食通】shokutsū 名 식통;요

리 맛에 정통함; 또, 그런 사람. ¶～ぶる 식통 [음식(맛)에 대한 권위자]인 체하다.

しょくどう【食堂】shokudō 名 식당. ¶～車는 식당차／簡易な大衆ぬ～ 간이(대중) 식당.

しょくどう【食道】shokudō 名 식도. ¶～狭窄症ぎら 식도 협착.

しょくどうらく【食道楽】shokudō- 名 ☞ しょくどうらく.

しょくにく【食肉】sho- 名 ス自 식육; 식용육(食用肉). ¶～植物ぶ 식육 식물. ――もく【――目】名 動 식육목.

*しょくにん【職人】sho- 名** 직인; 장색(匠色); 공장(工匠) [목수·미장이·미싱사 따위]. ――かたぎ【――気質】名 장인 기질 [거칠고 외곬임이고 기분파이면서도 자기 기술에는 절대의 자신을 갖는 장색 특유의 기질].

しょくのう【職能】shokunō 名 직능. ①직업이나 직무상의 능력. ¶～給きゅ 직능급. ②(직업에 따라 고유한) 기능; 구실. ¶副詞ふの～ 부사의 기능／国会この～ 국회의 기능.

しょくば【職場】sho- 名 직장. ＝つとめ先きき. ¶～の花はな (a)직장의 꽃; (b)(일을 잘 못하는) 여직원／～を守もる 직장을 지키다.

しょくばい【触媒】sho- 名 化 촉매. ¶～作用きよ 촉매 작용[반응].

しょくはつ【触発】sho- 名 ス自 촉발. ¶物件에 닿아서 폭발함. ¶～水雷すい 촉발 수뢰. ━━ 名 ス自 어떤 자극을 받아 유발함. ¶情勢じょの急変きゅに～されて 정세의 급변에 자극되어.

しょくパン【食―】sho- 名 식빵. 注意 口語形은 'しょっパン'. ↔菓子ぶパン. ☞ pão.

*しょくひ【食費】sho- 名** 식비. ¶ホテルの～ 호텔의 식비.

*しょくひん【食品】sho- 名** 식품; 식료품. ¶～衛生法いいせい 식품 위생법／冷凍とう～ 냉동 식품／添加物こうか 식품 첨가물(방부제·식용 색소 따위).

しょくふ【織布】sho- 名 짜낸 피륙. ¶～機 직포기.

しょくぶつ【植物】sho- 名 식물. ¶～界かい 식물계／～学がく 식물학／～性(性) 기름. ↔動物ぶ. ――えん【――園】名 식물원. ――しつ【――質】名 식물질. ――ひりょう【肥料】名 식물질 비료. ↔動物質. ――せい【――性】名 식물성. ↔蛋白質たんぱく 식물성 단백질. ――にんげん【――人間】名 식물인간.

しょくぶん【食分・蝕分】sho- 名 天 식분; 일식·월식 때에 해나 달이 이지러진 정도. ＝度ぶ度.

しょくぶん【職分】sho- 名 ①직분. ＝役目やく·つとめ. ¶めいめいの～を守もる 각자의 직분을 지키다. ②能楽のう의 전문가. 【物各】.

しょくべに【食紅】sho- 名 홍색 식용

しょくぼう【嘱望・属望】shokubō 名 ス自他 촉망. ¶前途ぜんと가～される 전도가 촉망되다.

しょくみん【植民・殖民】sho- 名 ス自 식민. ――ち【――地】名 식민지. ¶～

**主義ぎ】식민주의.

しょくむ【職務】sho- 名 직무. ¶～を怠るた 직무를 태만히 하다. ――きゅう【――給】-kyū 名 직무급; 직책 수당. ――しつもん【――質問】 불심 검문. 参考 '不審尋問じんもん(＝불심 검문)'의 고친 이름.

しょくめい【職名】sho- 名 직명.

しょくもう【植毛】shokumō 名 ス他 식모. ①체모(體毛) 이식. ¶～術じゅ 식모술; 체모 이식술. ②솔·붓 따위에 털을 박음.

しょくもたれ【食靠れ】(れ) sho- 名 식체(食滯); 속이 트릿함. ＝食滞たい. ¶～する 食たべもの의 잘 소화되지 않는 음식.

*しょくもつ【食物】sho- 名** 식물; 음식물. ＝食たべ物もの. ――れんさ【――連鎖】名 生 식물 연쇄; 먹이사슬.

しょくやすみ【食休み】sho- 名 ス自 식후의 휴식; 식후에 쉼. ¶～する間が 식후 휴식하는 동안.

しょくゆ【食油】sho- 名 식유; 식용유.

しょくよう【食用】shokuyō 名 식용. ¶～油 식용유／～蛙がえる 식용 개구리／～酢ず 식초／～に供きょされる 식용으로 쓰이다.

しょくようじょう【食養生】shokuyōjō 名 ①건강 유지를 위해 영양을 섭취함. ②식이 요법. ＝食養ぶ.

しょくよく【食欲・食慾】(食慾) sho- 名 식욕. ¶～をそそる 식욕을 돋구다／～が起こる (a)식욕이 생기다; (b)(…하고 싶은) 마음이 동하다.

*しょくりょう【食料】shokuryō 名** ①식료; 음식값. ＝食たべ物もの. ②식대(食代). ――ひん【――品】名 식료품. ――てん【――店】名 식료품점.

*しょくりょう【食糧】shokuryō 名** 식량. ¶～事情むずか〔難じ〕 식량 사정〔난〕.

しょくりん【植林】sho- 名 ス他 식림; 식수 조림. ¶～事業ぎょう 식림 사업.

しょくれき【職歴】sho- 名 직력; 직업 경력.

しょくろく【食禄】(禄俸) sho- 名 식록; 녹봉(祿俸). ＝俸禄ぶほう.

しょくん【諸君】sho- 代 제군; 여러분; 제현. ¶紳士淑女しんししゅくじ～ 신사 숙녀 여러분. 参考 '君ぎたち(＝너희들)'보다는 공손하고 '皆ぶさん(＝여러분)'보다는 격식 차린 말씨.

じょくん【叙勲】jo- 名 서훈; 훈장 수여. ＝定期てい～ 정기 서훈.

じょけい【女経】sho- 名 초경; 첫월경. ＝初潮しょ.

しょけい【処刑】sho- 名 ス他 처형; 사형 집행. ＝しおき. ¶～台だい 처형대〔형〕대.

しょけい【庶兄】sho- 名 서형.

しょけい【諸兄】sho- 名 제형. ＝皆ぶさん. ↔諸姉しょ.

しょげい【書芸】sho- 名 서예; 서도.

しょげい【諸芸】sho- 名 제예; 여러 가지 예도(藝道)·기예(技藝).

じょけい【女系】jo- 名 여계; 모계(母系). ↔男系けい.

じょけい【叙景】jo- 名 서경(敍景); 자연의 경치를 시나 문장으로 나타냄. ¶～文ぶ 서경문.

しょげかえ-る【しょげ返る】(悄気返る)
sho- 五自〈俗〉몹시 기가 죽다；풀이
죽다.

しょげこ-む【しょげ込む】(悄気込む)
sho- 五自 기가 싹 죽어 버리다；아주
풀이 죽어 버리다. ⇨しょげる.

しょけつ【処決】sho- 名 ス他 처결. ①
결정하여 정함. ②결심함.

じょけつ【女傑】jo- 名 여걸；여장부.
=女丈夫やう.

しょ-げる【悄気る】sho- 下一自〈俗〉기
가 죽다；풀이 죽다；실망하여 맥이 빠
지다. ¶叱しかられて～げている 꾸지람
을 듣고 기가 죽어 있다.

しょけん【所見】sho- 名 소견. ①의견.
¶～を述のべる 소견을 말하다. ②보고
나서 얻은 결과〔사항〕. レントゲン
写真しゃしんによる～ 뢴트겐 사진에 의한
소견.

しょけん【書見】sho- 名 ス自〈老〉책
을 읽음；독서. ¶～台だい 독서대.

しょけん【諸賢】sho- 名 현명하신 여러분〔호칭〕. =皆みなさん. ¶読者
どくしゃ～ 독자 제현.

しょけん【緒言】sho- 名 서언；서론；
전하여, 서문；머리말. =まえがき・は
しがき・ちょげん.

しょげん【諸元】sho- 名 제원；기계류
의 성능 따위를 분석적(으로) 나타
낸 수치. ¶～表ひょう 제원표.

じょけん【女権】jo- 名 여권. ¶～拡
張かく 여권 신장(伸張).

じょげん【助言】jo- 名 ス自 조언. =口
添くちぞえ・助語ご. ¶～をする 조언을
하다.　　　　　　　　　　[＝まえおき]

じょげん【序言】jo- 名 서언；머리말.

しょこ【書庫】sho- 名 ☞しょこ.

じょご【助語】jo- 名 ①☞じょげん(助
言). ②【文法】조어；助動詞・助詞의 총
칭. =助辞じ.

しょこう【曙光】shokō 名 서광. ¶解
決かいの～ 해결의 서광〔징조〕. 注意 初
光'으로 쓴 대용 한자.

しょこう【初更】sho- 名 초경(오후
7-9시 사이). =戌いぬの刻こく.

しょこう【初校】shokō 名〔印〕초교.

しょこう【諸侯】sho- 名 제후. =大
名だいみょう. 　　　　　　　　　　　[「諸賢」；제군.

しょこう【諸公】shokō 名 제공；제위

しょこう【初号】shogō 名 초호. ①창간
호. 雑誌ざっしの～ 잡지의 제1호. ②초
호 활자.

じょこう【女工】jokō 名〈卑〉여공；여
자 직공. ↔男工だんこう・男子工.

じょこう【徐行】jokō 名 ス自 서행. ¶
～区間くかん〈運転〉서행 구간(운전).

じょごう【序号】jogō 名【数】제호；나
눗셈표(÷). =乗号じょう.

しょこく【諸国】sho- 名 제국；여러 나
라；또, 옛날 일본의 여러 지방.

しょこん【初婚】sho- 名 초혼；첫 결
혼. ↔再婚さいこん.

しょさ【所作】sho- 名 ①행위；소행；
태도；몸가짐. ②춤. ①しょさごと'의
준말. ──ごと【─事】名 ①연극 속
에 짜여진 특수한 표정을 나타내는
것. ②歌舞伎かぶきでの 주로 長唄ながうたの 반주
에 의한 춤・무용극. =振事ふり.

しょさい【所載】sho- 名 소재；인쇄물

에 기사가 실려 있음.

*しょさい【書斎】sho- 名 서재. ¶～に
こもる 서재에 들어 박히다.

*しょざい【所在】sho- 名 ス自 ①소재；있는
곳；거처(居處). =ありか. ¶～地ち 소
재지／責任にんの～ 책임의 소재／～を
くらます 행방을 감추다. ②소행；행
동. =しわざ. ¶かかる～をするとは
이런 짓을 하는데도. ③〈흔히, '～に'
의 형태로〉여기저기；도처에. ¶ここか
しこ・至いたる処しょ～ 여기저기. ──な-い【─無い】
形할 일이 없어 심심하다. ¶～顔かお 따
분한 표정.

じょさい【如才】jo- 名 빈틈；소홀；소
략(疎略). =ぬかり. ──な-い【─無
い】形붙임성이 있다；빈틈이 없다；눈
치〔약음〕빠르다. ¶～応対おうたい 붙임성
있는 응대.

じょさい【助祭】jo- 名 (가톨릭교의)
부제(副祭)〔司祭じさい의 다음 자리〕.

じょさいや jo- 名 여름에 거리를 돌아
다니며 약을 팔던 행상인. 参考 '定斎
屋じょうさい'의 전와(轉訛).

しょさん【初産】sho- 名 초산. =うい
ざん・しょざん. ¶～婦ぷ 초산부.

しょさん【所産】sho- 名 소산. ¶努力
りょくの～ 노력의 소산.

じょさん【除算】jo- 名 제산；나눗셈.
=割わり算ざん. ↔乗算じょう.

じょさんぷ【助産婦】josampu 名 조산
원. 参考 '産婆さんば'의 고친 이름.

しょし【庶子】sho- 名 서자. ↔しせい
し・嫡子ちゃく.

しょし【所思】sho- 名 소사；생각하는
바；생각；의견；소신(所信). ¶～の一
端たん 소신의 일단.

しょし【書肆】sho- 名 서사；책방；서
점. =本屋ほんや・書店てん.

しょし【書誌・書志】sho- 名 ①서지；
서적；도서. ②특정인 및 특정 제목에
관한 문헌의 (해설이 딸린) 목록(目
録). =ビブリオグラフィー. ──がく
【─学】名 서지학.

しょし【初志】sho- 名 초지. =初心しん.
¶～を貫徹かんてつする 초지를 관철하다.

しょし【諸氏】sho- 名 ス代 제씨；여러
분；제언(諸彦). =皆みなさん.

しょし【諸姉】sho- 名 숙녀 여러분. ↔
諸兄けい.　　　　　　　　　[「品」；소지품.

しょじ【所持】sho- 名 ス他 소지. ¶～

しょじ【諸事】sho- 名 제사；제반사；
모든 일. ¶～万端ばんたん 제사 만단；모든

*じょし【女史】jo- 名 여사.　　[1．일.

*じょし【女子】jo- 名 여자. ①〈계집아
이；딸. =娘むすめ. ②여인；여성. =おん
な・女性じょせい. ③〈従業員〉여자
종업원. ↔男子だんし. ──と小人しょうじんは養
やしない難がたし 여자와 소인은 친하게 하면
기어오르고, 경원(敬遠)하면 비뚤어지
기 쉬워서 다루기 힘들다는 뜻. ──が
くせい【─学生】名 여대생. ──だい
がく【─大学】名 여대；여자 대학.

じょし【序詞】jo- 名 서사. ①서문；머
리말. =まえがき・序文じょぶん. ②☞プロ
ローグ. ③和歌かか 따위에서 어떤 어구
를 인도하기 위하여 앞에 두는 두 구
절 이상의 수식 어구.

じょし【序詩】jo- 名 서시；머리말을 대

신해서 쓴 시.

じょし【助士】jo- 图 조수(助手). ¶機関款の～ 기관 조수.

じょし【助詞】jo- 图 조사; 토씨. ⇨て

じょじ【助字】jo- 图 조자; 조어(助語); 어조사(語助辭)〔한문법에서 '矣'・'乎'와 같이 글구나 글의 끝에 붙여 여러 가지 뜻을 더하는 말〕.助辭。

じょじ【助辭】jo- 图〔文法〕①조사(助詞)〔일본어 문법에서 助詞와 助動詞의 총칭〕. ②〔한문에서〕조자(助字).

じょじ【女児】jo- 图 여아; 계집아이. ↔男児款.

じょじ【叙事】jo- 图 서사. ¶～体款〔文효〕 서사체〔문〕. ↔叙情款等。──し〔事〕詩款等·劇詩款等。

しょしき【諸式・諸色】sho- 图 서식.

しょしき【諸式・諸色】sho- 图 ①갖추어야 할 여러 가지 필요한 물건. ¶結納款の～ 약혼 선물 교환에 필요한 여러 가지 물건. ②물가(物價).

しょしゃ【書写】shosha 图 ①서사; 글씨를 베낌. ②(초등학교·중학교에서) 모필·펜에 의한 습자(習字).

しょしゃ【諸車】shosha 图 제차; 모든 차. ¶～通行止款 제차 통행 금지.

しょしゅ【諸種】shoshu 图 제종; 여러 종류.

*****じょしゅ**【助手】joshu 图 ①조수. ¶～席款 조수석 /～を雇款う 조수를 고용하다. ②(대학의) 조교.

しょしゅう【初秋】shoshū 图 초추; 초가을. ¶～はつあき. ¶～の清款らしい空気款 초가을의 산뜻한 공기. ↔晩秋約. 中秋約.　　〔瓦수. 囚→男囚約〕

じょしゅう【女囚】joshū 图 여수; 여자 죄수.

しょしゅつ【所出】shoshu- 图 ①출생; 태생. ≒うまれ. ②출처; 나온 곳. ≒出所款る. ¶～を明款らかにする 출처를 밝히다.

しょしゅつ【庶出】shoshu- 图 서출; 서자. ↔めかけばら ≒嫡出款.

じょじゅつ【叙述】joju- 图 文他 서술. ¶ありのままに～する 있는 그대로〔사실대로〕 서술하다.

しょしゅん【初春】shoshun 图 초춘; 이른 봄; 초봄. ≒はつはる. ↔晩春款.

しょじゅん【初旬】shojun 图 초순; 상순. ≒上旬款る.　　〔기의 하나〕

しょしょ【処暑】shosho 图 처서(24절).

しょしょ【所所·処処】sho- 图 처처; 여기저기; 곳곳; =ところどころ·あちこち. ¶～方方款 방방 곡곡(坊坊曲曲); 여기저기.

しょしょ【諸所·諸処】shosho 图 제처; 여러 곳; 여기저기; 도처. ≒あちこち·ほうぼう.

しょじょ【処女】shojo 처녀. ──图 미혼 여성. =おとめ·きむすめ. ¶～を失款う 처녀성을 잃다. ↔童貞款. ──〔接頭〕최초의; 처음으로 하는; 인적 미답(人跡未踏)의. ¶～出版款 처녀 출판 /～作款 처녀작 /～航海款 처녀 항해. ──ち【──地】图 미개간토지. ──りん【──林】图 처녀림. =原生林款款.

しょしょう【書証】shoshō 图 서증. ↔人証款·物証款.

しょじょう【書状】shojō 图 서장; 편지.

じょじょう【女将】joshō 图 (여관이나 요정 따위의) 여주인; 마담. =おかみ.

じょじょう【叙情·抒情】jojō 图 서정. ¶～体款〔文効〕 서정체〔문〕/ ～味款 서정미. ↔叙事款. ──し【──詩】图 서정시. ＝リリック. ↔叙事款等·劇詩款等。──文章款 서정적 문장.

じょじょうふ【女丈夫】jojō- 图 여걸; 여걸. ↔偉丈夫款.

じょしょく【女色】josho- 图 여색; 정사(情事). ¶～におぼれる 여색에 빠지다 /～を遠款ざける 여자를 멀리하다.

じょじょに【徐徐に】jojo- 圖 서서히; 천천히; 점차; 점점. ¶一歩款を進める 서서히 걸어 나아가다 /機会款が～熟款して来る 기회가 점차 무르익어 오다.

しょしん【所信】sho- 图 소신. ¶～の一端款をのべる 소신의 일단을 말하다.　　〔手紙款. =うぶ.〕

しょしん【書信】sho- 图 서신; 편지. =

しょしん【初審】sho- 图 초심; 제1심급.

しょしん【初心】sho- 图 ①초심; 처음으로 배움; 아직 미숙함. =初学款. ¶～者款〔の者款〕 초심자; 처음 배워서 미숙한 사람. ②당초의 결심; 초지(初志). ¶～を通款す 초지를 관철하다. ──图 순진하고 때 묻지 않음; 숫보기.

しょしん【初診】sho- 图 초진. ¶～料款 초진료.

しょじん【庶人】sho- 图 서인; 서민.

じょじん【女神】jo- 图 여신. =めがみ.

じょすう【除数】josū 图 제수; 나누는 수. ↔被除数款款.

じょすうし【助数詞】josū- 图〔文法〕양수사(量数詞); (사물을 셀 때) 어떤 종류의 것인가를 나타내는 접미어(枚款=장·台款=대·組款=조) 따위).

じょすうし【序数詞】josū- 图〔文法〕서수사(第一款=첫째' '二款つ目＝두 개째' 따위). ↔基数詞款款.

しょ-する【処する】sho- ──图 ①변他 처(處)하다. ¶死刑款に～ 사형에 처하다. ②처리하다. ¶事款を～ 일을 처리하다. ──图 처世他 대처하다. ¶世款に～道款 세상에 처신하는 방법; 처세술 / 身款を～ 처신하다.

じょ-する【叙する】jo- ──图 変他 ①문장·시가(詩歌)로 나타내다; 말로 표현하다. ¶情景款を～ 정경을 표현하다 / 心中款を～ 심중을 이야기하다. ②(작위·훈위 등을) 수여하다. ¶功款一級款に～ 훈공 일급으로 서위하다.

じょ-する【除する】jo- ──图 变他 ①나눗셈하다; 나누다. =割款る. ②제거하다. =取款り除款く.

しょせい【庶政·諸政】sho- 图 서정; 여러 가지 정사(政事). ¶～一新款 서정 일신.

しょせい【書生】sho- 图 ①〈老〉학생. ②서생; 남의 집 가사를 돌보며 공부하는 사람; 学僕款. ③일생(筆生).

しょせい【処世】sho- 图 처세. =世渡款り. ¶～術款〔訓款〕 처세술〔훈〕.

じょせい【助勢】jo- 名 ス 조력；도와 줌。—手助け・加勢%。

じょせい【助成】jo- 名 ス他 조성；사업이나 연구의 완성을 도움。¶～金%。조성금。〔位.=娘%むこ。

＊＊じょせい【女性】jo- 名 ①여성；여자。↔ 女%・女子%。¶～ホルモン 여성 호르몬。—てき【─的】ナ 여성적。↔男性的%。

──ご【─語】 名 여성어(일본 말에서 공손한 말씨의「お」, 감탄사의「あら」, 終助詞의「…わ」따위)。

じょせい【女声】jo- 名 여성；여자 목소리。¶～合唱% 여성 합창。↔男声%。

しょせいじ【初生児】sho- 초생아；신생아。=新生児%。

じょせいと【女生徒】jo- 名 여자 학생。

しょせき【書籍】sho- 名 서적；책。¶～商% 서방。

じょせき【除籍】jo- 名 ス他 제적。¶～処分% 제적 처분。=入籍% 반대.

しょせつ【諸説】sho- 名 제설；여러 가지 설〔의견〕；학설(巷説)。¶～入り 乱%れる 여러 가지 설이 분분하다。

じょせつ【序説】sho- 名 서설；서론。哲学%～ 철학 서론。

じょせつ【除雪】sho- 名 ス自 제설。¶～作業% 〔車〕 제설 작업〔차〕。

しょせん【初選】sho- 名 초선。¶～議員% 초선 의원。↔再選%。

しょせん【初戦・緒戦】sho- 名 서전。¶～を飾%る 서전을 장식하다。注意 '初戦'으로 쓸 수 있는 대용 한자。注意 緒戦% 은 관용음으로는「ちょせん」。

しょせん【所詮】sho- 副 결국；필경；어차피；도저히；아무래도。=どうせ。¶～かなわぬ恋% 어차피 이룰 수 없는 사랑。

じょせん【女専】jo- 名 '女子%専門学校%(=여자 전문 학교)'의 준말。

しょぞう【所蔵】shozō 名 ス他 소장。¶～者% 소장자。＝本%。소장본。

じょそう【序奏】jo- 名 서주；전주；서곡。＝イントロダクション。─曲% 전주곡。

じょそう【助走】josō 名 ス自 조주；도움닫기。─ろ【─路】 名 조주로。

じょそう【女装】jo- 名 ス自 여장。↔男装%。女装束% 여장차림。

じょそう【除草】jo- 名 ス他 제초。¶草取%り。¶～器%〔剤%〕 제초기〔제〕。

しょそく【初速】sho- 名 〔理〕 초속；물체가 운동을 시작했을 때의 속도。

＊しょぞく【所属】sho- 名 ス自 소속함。¶大学%の建物% 대학에 소속된 건물%。

しょぞん【所存】sho- 名 〈老〉 생각；의견。＝考え・意見%。つもり。

じょそんだんぴ【女尊男卑】josondampi

＊しょたい【所帯・世帯】sho- 名 세대(世帯)；가구(家口)；가정(의 생계)；집안 살림。¶～を持%つ 집안 살림을 꾸려나가는 일 / ～主%살림을 꾸려나가는 일 / ～主% 가구주/ひとり所帯% 혼자 살림；독신 생활/女%所帯% (남자 없는)여자(들)만의 살림살이〔가정〕/～を持%つ 가정을 갖다／─崩%れ 새색시가 살림에 쪼들려 예쁜 맛이 없어짐。──じ─み る【──染みる】上1自 살림꾼 티가 나다；(쪼들려)살림 때가 다닥다닥 붙다；살림에 쩌들다。──どうぐ【─道具】-dōgu 名 살림 도구；세간。──も ち【─持(ち)】 名 ①가정을 가진 사람。②살림을 꾸려 나가는 일。¶～がいい 살림을 알뜰하게 꾸려 나가다。──やつれ【─窶れ】 名 ス自 살림에 쪼들려 궁한 티가 남；살림에 쩌듬。

しょたい【書体】sho- 名 서체。¶清朝%～ 청조의 서체／きちんとした～ 깔끔한 서체；또박또박한 글씨。

しょだい【初代】sho- 名 초대。＝第一代%。¶～大統領% 초대 대통령。

じょたい【女体】jo- 名 여체；여자의 육체。によたい。

じょたい【除隊】jo- 名 ス自 제대。¶満期%～ 만기 제대。↔入営%・入隊。¶初% 첫 대면。

しょたいめん【初対面】sho- 名 초대.

しょだな【書棚】sho- 名 서가(書架)；책장。＝本棚%。

しょだん【初段】sho- 名 초단。

しょだん【処断】sho- 名 ス他 처단；재결(裁決)。＝裁断%。¶～をくだす 처단을 내리다。

＊＊しょち【処置】sho- 名 ス他 처치；조처；조치。¶応急%～ 응급 조처。

しょちゅう【暑中】shochū 名 서중；삼복(三伏)。↔寒中%。──みまい──見舞】 名 복중(伏中) 문안。

＊じょちゅう【女中】jochū 名 〈卑〉 하녀(下女)；가정부；(여관・음식점 등의) 여자 종업원。＝お手伝%いさん。¶～奉公% 가정부로 일함。②(어른이 된) 여성。¶～衆% 아낙네들。③사관(仕官)하여 섬기는 여자。¶御殿%～ 궁중・将軍家%가(家)・大名%가에 출사(出仕)하고 있는 여자。

じょちゅう【除虫】jochū 名 제충。¶～剤% 제충제；살충제。──ぎく【─菊】 名 〔植〕 제충국。

しょちょう【初潮】shochō 名 초조；초경(初経)；첫 월경。

じょちょう【助長】jochō 名 ス他 조장；도움。¶表現力%％を～する 표현력을 돕다。

しょっかい【職階】shokkai 名 직계；직종과 직책의 중요성에 따라 정한 등급。

しょっかく【食客】shokka- 名 식객。＝しょっきゃく・居候%。

しょっかく【触覚】shokka- 名 촉각。

しょっかく【触角】shokka- 名 촉각；더듬이。¶触覚%。

しょっかん【触感】shokkan 名 촉감。

しょっき【織機】shokki 名 직기；베틀。＝はた(おり機)。¶棚% 찬장。

しょっき【食器】shokki 名 식기。¶～棚% 찬장。

ジョッキ jokki 名 조끼(손잡이 달린 맥주잔)。▷jug.

しょっきり〖初っ切り〗shokkiri 名 ①(흥행 씨름에서) 쇼적인 막전(幕前)기(오픈 게임)。②시초(始初)；시작；첫때。＝しょっぱな。¶～から負け%続%きの 첫판부터 내내 졌다。

ショッキング shokkingu ナ 쇼킹；놀라운 모양；충격적。¶～なニュース 충

격적인 뉴스. ▷shocking.

ショック shokku 图 쇼크；충격(충격). ¶～死ﾋ 쇼크사；충격사／～による振動ﾄﾞ 충격에 의한 진동. ▷shock.

しょっけん【職権】 shokken 图 직권. ¶～濫用ﾖﾝ 직권 남용／～をかさに着ﾁる 직권을 내세우다.

しょっけん【食券】 shokken 图 식권.

しょっこう【燭光】 shokkō 图 ①불꽃의 빛. ②【理】 촉광；촉(광도(光度)의 단위). ¶～工員ｺｳ 工員.

しょっこう【職工】 shokkō 图 직공；직공.

しょっちゅう【初中】 shotchū 副〈俗〉늘；언제나；부단히．=いつも. ¶～勉強ｷｮｳばかりしている 늘 공부만 하고 있다.

しょっつる shottsu- 图 秋田田ﾀ 지방 특유의 조미료(간장·도루묵을 담근 젓 같은 것을을 걸러서 간장 대신 씀).

──なべ【──鍋】 图 가리비의 조개껍 질에 'しょっつる'로 간을 맞춘 버섯·달래·야채·두부·도루묵 따위를 넣어 끓인 찌개 요리.

しょってる【背負ってる】 shotteru 連語〈俗〉잘난 체하다；우쭐거리다. ¶ずいぶ～ね 잘도 뽐내는군.

ショット shotto 图 숏. ①발사(發射)；사격. ②(테니스·골프에서) 공을 침；또, 그 친 공. ③(영화에서) 한 장면(의 촬영). =カット. ④한 모금의 술. ¶シングル～ (위스키 따위의) 한 모금에 마실 수 있는 분량／～グラス 숏 글라스；작은 유리잔. ▷shot.

しょっぱい【塩っぱい】 shoppai 形〈俗〉①짜다. =からい. ②인색하다；쩨쩨하다；깍쟁이다. =けちだ. ¶わい. ¶～おやじ 구두쇠의 영감. ③목선 소리를 하다. ¶～声ｺｴ 쉰 목소리. ④얼굴을 찌푸리다. ¶～顔ｶｵを する 얼굴을 찡그리다.

しょっぱな【初っ端】 【初っ端】 shoppana 图〈俗〉일의 실마리；처음 부분；제일 처음. =出鼻ﾊﾞﾅ. ¶～から 처음부터／～からつまずく 초장부터 실패하다.

しょっぴく shoppiku 5他〈俗〉☞しょびく.

ショッピング shoppingu 图 ☓图 쇼핑；물건을 삼；장보기. =買かい物もの. ¶～センター 쇼핑센터／～バッグ 쇼핑백；장바구니. ▷shopping.

ショップ shoppu 图 숍；상점；가게. ¶コーヒー～ 다방／フラワー～ 꽃집. ▷shop.

しょて【初手】 sho- 图 최초；처음；초장.=しょっぱな. ¶～から強ｽﾖﾉく出ﾃﾞる 처음부터 세게 나오다.

しょてい【所定】 sho- 图 소정. ¶～の 様式しきを 소정의 양식.

しょてん【書店】 sho- 图 서점；책방；또, 출판사. =本屋ﾎﾝ.

しょど【初度】 sho- 图 첫번째.

しょとう【初冬】 shotō 图 ①초동；초겨울. ↔晩冬ﾊﾞﾝ. ②음력 10월.

しょとう【初等】 shotō 图 초등. =初歩ﾎ. ¶～教育きょう 초등 교육. ↔高等ｺｳ中等ｼﾞｭｳ. ¶「り」. =はじめ.

しょとう【初頭】 shotō 图 초두；처머

しょとう【蔗糖】 shotō 图 자당；사탕수 수로 만든 설탕. =サッカロース. 注意 바르게는 'しゃとう'；'しょとう'는 관용.

しょとう【諸島】 shotō 图 제도；여러 섬.

しょどう【初動】 shodō 图 초동；초기 (早期). ¶～捜査そう 초동 수사.

しょどう【書道】 shodō 图 서도；서예. =習字しゅう.

じょどうし【助動詞】 jodō- 图【文法】 조동사；도움움직씨.

＊しょとく【所得】 sho- 图 소득. ¶国民 ﾐﾝ～ 국민 소득／～控除ｺｳ 소득 공제. ──ぜい【──税】 图 소득세.

しょなのか【初七日】 sho- 图 7일(재 (齋))；죽은 후 이레째(에 드리는 불 공). =なぬか.

じょなん【女難】 jo- 图 여난；여화(女 禍). ¶～の相ｿｳ 여난의 상.

しょにち【初日】 sho- 图 (영화·연극 등 흥행의) 첫날. ¶千秋楽せんしゅう. ──を出ﾀﾞす 계속해서 지고 있던 씨름꾼 이 그날 처음으로 이기다.

しょにん【初任】 sho- 图 초임；첫 임 관. ¶～給ｷｭｳ 초임급.

じょにん【叙任】 jo- 图 ☓他 서임.

しょねん【初年】 sho- 图 ①초년；첫해. ②초기；처음 될 동안. ¶昭和ﾜ～のに 昭和 초기에. ──へい【──兵】 图 초년병(1년 미만의 병사).

じょのくち【序の口】 jo- 图 ①시초；시 작. =発端ﾀﾝ. ②この暑ｱﾂさはまだ～に 過ｽ ぎない 이 더위는 아직 시작에 불 과하다. ②(일본 씨름에서) 최하위의 씨름꾼(序二段ﾀﾞﾝの 아래).

しょは【諸派】 sho- 图 제파；여러 당파 또는 분파.

しょば sho- 图〈俗〉(강패 세계의) 세력권. =縄張なわり. 参考 '場所ｼﾖ'를 거꾸로 말한 변말. ──だい【──代】 图 야시(夜市)·좌판 가게·노점의 상인들 이 불량배에게 무는 자릿세.

じょはきゅう【序破急】 jo- 图 무악(舞樂)·能楽のう의 序ｼﾞﾖ·破ﾊ·急ｷｭｳ의 삼 단계로 되는 구성 형식；전하여, 가곡이나 춤의 템포의 변화. 参考 사물의 전기 양상에도 씀.

しょばつ【処罰】 sho- 图 ☓他 처벌. ¶交通つう違反ﾊﾝで～される 교통 위반으로 처벌받는다.

しょはん【初犯】 sho- 图 초범. ↔再犯ﾊﾝ.

しょはん【初版】 sho- 图 초판. ¶～は 売ｳり切ｷれた 초판은 매진되었다. =再版ﾊﾝ·重版ﾊﾝ. ──けん【──権】 图 초판권. =復刻権ｹﾝ.

しょはん【諸般】 sho- 图 제반；여러 가 지. =さまざま·百般ﾊﾟﾝ. ¶～の事情 じょう 제반 사정／～の準備じゅんを整ｵﾄのえ る 제반 준비를 갖추다.

じょばん【序盤】 sho- 图 (바둑이나 장기 따위의) 초반；또, 비유적으로 초기의 상황. ¶～戦ｾﾝ 초반전. ↔中盤ﾊﾞﾝ·終盤ﾊﾞﾝ.

しょびく sho- 图 5他〈俗〉끌어당기다；강제로 끌고 가다；연행하다. =しょっびく. ¶犯人ﾆﾝを～ 범인을 연행하다.

しょひょう【書評】 shohyō 图 서평. ──らん【──欄】 서평란.

ジョブ jo- 图 (컴퓨터에서) 조브；작

업;처리 업무(연관성 있는 몇 개의 처리 프로그램을 일괄한 일의 단위). ▷ job.

しょふう【書風】shofū 图 서풍.=かきぶり·ふでつき. ¶ ～自由奔放 な～ 자유 분방한 서풍.

しょふく【書幅】sho- 图 서폭；붓글씨의 족자. ↔画幅 。

＊**しょぶん**【処分】sho- 图他 ①처분. ¶余 ったものを～する 남은 물건을 처분하다. ②처벌. ¶厳重 な～ 엄중한 처벌.

じょぶん【序文】jo- 图 서문. ↔跋文 。

ショベル sho- ①▷シャベル.shovel. ②셔블로더；자동 굴삭진차(掘進車). ▷shovel loader.

＊**しょほ**【初歩】sho- 图 초보；초학(初學). ¶初歩 の段階 にある 초보 단계. ¶ ～の段階 を諸行 초보 단계.

しょぼい sho- 形〈俗〉기대 이하의 내용으로 실망시키는 모양：맥빠지다；김새다. ¶あんまり～と言 うな 너무 김새는 말은 말아주게.

しょほう【処方】sho- 图他 처방. ¶医者 の～ 의사의 처방. ——せん【——箋】图 처방전；약방문.=処方書 。

しょほう【諸法】shohō 图 제법. ①〔佛〕우주의 일체 현상. =諸行 。=万有 。②여러 가지 법률·법칙. ¶ ——書 。

しょぼう【書房】shobō 图 ①책방. ②〔서재.

じょほう【除法】johō 图 제법；나눗셈. =割り算 。↔乗法 。

しょぼ-れる sho- 下1自〈俗〉기운이 없어〔기운을 잃고〕초라해지다.

しょぼしょぼ shoboshobo ①副 ①가랑비가 오는 모양：보슬보슬；부슬부슬. ②가랑비를 맞는 모양：촉촉히. ¶雨 に～と濡 れる 비에 촉촉이 젖다.

□ スヌ自①(특히, 노인의) 눈이 가물거리어 슴벅거리는 모양. ¶としより が目 を～させる 노인이 눈이 침침하여 슴벅거리다. ②힘이 빠져 기운이 없는 모양：노쇠하여 쓸쓸한 모양.=しょんぼり. ¶ ～歩 く 기운 없이 걷다／～と暮 らしている 쓸쓸하게 살고 있다.

しょぼ-れる sho- 下1自①비에 흠뻑 젖다. ②옷 따위가 초라하여 궁한 티가 나다. ¶ ～れたかっこう 꾀죄죄한 몰골.

しょぼつ-く sho- 五自①비가 부슬부슬 오다. ②눈이 가물가물하다；눈이 씀벅거리다. ¶ねぼけた まなこを～かせる 잠에 취한 눈을 씀벅거리다.

しょぼぬ-れる 《しょぼ濡れる》 sho- 下1自 비에 촉촉히 젖다.=そぼぬれる.

しょぼん sho- 副 기운이 없어 외롭게 보이는 모양：힘〔기운〕없이；쓸쓸히. ¶ ～として生彩 せ のない姿 で 쓸쓸하고 생기(生氣) 없는 모습.

じょまく【序幕】jo- 图 서막. ①연극 등의 첫 막. ¶ ～終幕 まで. ②사물의 처음；첫 단계.=口あけ. ¶ ～ 제막식.

じょまく【除幕】jo- 图 제막. ¶ ～式.

＊**しょみん**【庶民】sho- 图 서민.=大衆 ぃ. ——ぎんこう【——銀行】-kō 图 ①서민 은행(신용 조합 등). ②〈俗〉전당포.=質屋 . ¶六銀行 だぬ. ——てき【——的】ダナ 서민적. ¶ ～な趣味

(귀족 등의) 서민적 취미. ↔貴的 き.

しょむ【庶務】sho- 图 서무. ¶ ——課〔保〕서무과[계].

＊**しょめい**【署名】sho- 图 스自 서명. ¶ ～捺印 なお 서명 날인／～運動 なり 운동. ¶ ——

じょめい【助命】jo- 图 조명. ¶死刑囚 じんけう の～を嘆願 する 사형수의 구명을 탄원하다.

じょめい【除名】jo- 图 스他 제명. ¶ ～処分 は 제명 처분.

しょめん【書面】sho- 图 ①서면；서. ¶ ～で申 し入 れる 문서로 신용. ②편지. ¶ ～の趣 き 편지의 뜻용〔취지〕. ——しんり【——審理】图〔法〕서면 심리.

しょもう【所望】shomō 图 他〈老〉소망；소원(所願)；바라는 바. ¶ ～の品 を与 えるる 바라는 물품을 주다／茶 を～したい 차를 한 잔 주게.

＊**しょもつ**【書物】sho- 图 서책；책；서.=本 。

しょや【初夜】sho- 图 초야. ①①(신혼의) 첫날밤. ②처음 밤으로 밤을 지새운 이사갔던 첫날밤. ②초경 초저녁. ¶ ～の鐘 かね 초저녁 종소리. ②초저녁부터 야반중.↔後夜 ぅ.

しょや【除夜】sho- 图 제야；섣달 그믐날 밤. ¶ ～の鐘 제야의 종.

じょやく【助役】jo- 图 ①조역；주임자(主任者)의 보조자；대리. ②일본에서 '市·町·村 〔=시·읍·면〕'의 부시〔부읍, 부면〕장.②(철도청의) 조역.

＊**しょゆう**【所有】shoyū 图 스他 소유.=所持 じ. ¶ ～物 소유물／土地 の～者 토지 소유자. ——かく【——格】图〔文法〕소유격. ——けん【——権】图 소유권.

じょゆう【女優】joyū 图 여(배)우.

しょよう【初葉】shoyō 图 ①초엽. ¶明治 の～ 메이지 초엽.↔中葉 なぅ·末葉 なぅ. ②책의 첫장.

＊**しょよう**【所用】shoyō 图 소용. ①용무. ¶本人 ほん ～の間 がは 본인이 쓸 방안은. ②용건；볼일.=用事 じ. ¶ ～で外出 する 용건이 있어 외출하다. ③필요.=入用 ぅ. ¶ ～があって金 を借 りる 필요하여서 돈을 꾸다.

しょよう【所要】shoyō 图 소요. ¶ ～の経費 びさ 소요 경비〔자금〕.

＊**しょり**【処理】sho- 图他 처리；조처；처분.=処置 ち. ¶熱 ～ 열처리／適当 に～したまえ 적당히 처리하여. ¶

じょりゅう【女流】joryū 图 여류；여성. ¶ ～作家 ご 〔飛行家 ひこう〕여류 작가[비행가].

しょりょう【所領】shoryō 图 영지(領地)(로 소유하). ¶ ～の地 소유 영지.

じょりょく【助力】joryo- 图 스自 조력；힘을 보탬. ↔加勢 ぜぃ·加勢 ぜぃ.

しょりん【書林】sho- 图 서림；책사；서점(書店)(의 이름에 붙이는 말).

＊**しょるい**【書類】sho- 图 서류. ¶ ～選考 はぅ 서류 전형／重要 なぅ～ 중요 서류. ——そうけん【——送検】-sōken 图 스他 서류 송청. ↔身柄送検 さっ.

ショルダー shorudā 图 숄더；(양복의)

어깨. ¶~バッグ 숄더백 ; 어깨에 메는 핸드백형 가방. ▷shoulder.

じょれつ【序列】jo- 图 서열 ; 차례 ; 순서. ¶年功労~ 연공 서열.

じょれん【鋤簾】jo- 图 긴 손잡이가 달린 삼태기의 일종(흙·모래·자갈·쓰레기 따위를 긁어 모음).

じょろ【女郎】jo- 图〈口〉유녀 ; 창녀(娼女). =おいらん. ¶~を買う 유곽에서 창녀를 불러서 놂 / ~気 갈봇집. [注意] 'じょろう'는 'じょうろ'라고도 함.

じょろ【如露】jo- ☞ じょうろ(如雨露).

しょろう【初老】shorō 图 초로. ¶~の紳士 초로의 신사. [参考] 본디 40세의 딴이름 ; 현재는 보통 60세 전후를 가리킴.

じょろう【女郎】jorō 图 ① ☞ じょろ(女郎). ②여성. =女性ガ. ¶京ガ~ 京都ガ여자. ──ぐも【──蜘蛛】图〈動〉무당거미.

しょろん【緒論】sho- 图 ☞ じょろん(序論). [注意] 'ちょろん'은 관용음.

じょろん【序論】jo- 图 서론. =本論ガ. 結論ガガ.

しょんぼり shombo- 圖〈俗〉기운없이 풀이 죽은 모양 ; 풀이 죽어 ; 쓸쓸히 ; 기운없이. ¶仕事ガもみつからず~と家ガに帰ガ 일자리도 구하지 못하고 풀이 죽어 집으로 돌아옴(가).

しら【白】① ¶꾸밈이 없음. =まじめ. ② =しらふ. ③ =では話ガしにくい 맨정신으로는 얘기하기 어렵다. ──を切ガ 모르는 체하다 ; 딴 잡아떼다.

しら-【白-】①흰. ¶~あや 흰 능직물 / ~梅ガ(菊ガ) 흰 매화(국화). ②(염색이 나도 칠도 또는 글을 하지 않은) 본(에)바탕의 ; 민 ; 민짜의. ¶~木 껍질만 벗기고 칠하지 않은 나무 / 魚ガの~干し(간을 하지 않고) 그대로 말린 생선. ③술 취하지 않은. ¶~面(술 먹지 않은) 맹숭맹숭한 얼굴. ④白酒 ; 술 ; 거른 술. ¶~きうめん 아주 꼼꼼함.

シラー shirā 图〈樂〉무릎. ▷scilla.

じらい【地雷】图 지뢰. =地雷火ガガ. ¶~探知機ガガ 지뢰 탐지기.

じらい【爾来】图 이래 ; 그 후 ; 이후.

しらうお【白魚】图〈魚〉①뱅어. ②사백어. =しろうお.

*しらが【白髪】图 ①백발. ¶若ガ~ 새치. ↔黒髪ガ. ②머리카락처럼 잘게 찢은 삼이나 닥나무 껍질(제사나 혼사에 씀).

しらかし【白樫】图〈植〉떡갈나무.

しらかば【白樺】图 자작나무. =しらかば ⇒カバ.

しらかゆ【白かゆ】【白粥】图 흰 죽. =しらがゆ. =雑炊ガ.

しらかわよぶね【白河夜船】图 깊이 잠들어 아무 것도 모름. =しらかわよぶね. ¶~のうちに 세상 모르게 깊이 잠든 동안에.

しらき【白木】图 ①껍질을 벗기거나 깎기만 하고 칠하지 않은 나무. ②造ガリの神社ガ 백골집의 신전. ↔黒木 ガ. ──【白木】图 植 사람나무.

しらぎ【新羅】图〈史〉신라.

しらくも【白雲】图 ①흰 구름. ②〈醫〉두부 백선(頭部白癬)(어린애에게 많

음). =白癬ガガ.

しら-ける【白ける】下I自 ①바래서 허예지다 ; 퇴색하다. =あせる. ¶写真ガが~ 사진이 바래다. ②흥·분위기가 깨지다. ¶座ガが~ 좌흥이 깨지다.

しら-げる【白げる·精ガる】下I他 ①쓿다 ; 정미하다. ②米ガガを~ 현미를 쓿다. ②(세공품을) 닦아 윤내다.

しらこ【白子】图 ①(물고기의) 이리. ②선천성 백피증(白皮症) ; 피부 색소 결핍증의 사람·동물) ; 백인. =しろこ

しらこばと【白子鳩】图〈鳥〉산비둘기.

しらさぎ【白鷺】图〈鳥〉백로.

しらじら【白白】圖 ①날이 차차 밝아오는 모양. =しらしら. ¶夜ガが~(と)明ガける 날이 밝아 오다 ; 먼동이 트다. ②회게 보이는(보이는) 모양 ; 희끔하게 ; 희읍스름하게.

しらじら【白白】图〈흔히 '~と'의 꼴로〉①~しらしら. ¶~と明ガけて来ガた 밝아 오기 시작했다. ②흥이 깨지는 모양. ¶~とした心持ガになる 흥이 깨져서 따분한 기분이 되다. ③시치미를 떼는 모양.

しらじらし-い【白白しい·白白しい】-shī 圈 ①속이 빤히 들여다보이다. ¶~うそをつく 속이 빤히 들여다보이는 거짓말을 하다. ②시치미를 떼다 ; 빤한 것을 모르는 체하다. ¶~態度ガ 흥이 깨지지 모르는 체하는 태도. ③흥이 깨지다 ; 입맛 떨어지다. ──せる.

しら-す【白す】五他 알리다.

しらす【白子】图 멸치·청어·은어 따위의 길이 2~3 cm의 치어(稚魚). ──ぼし【──干し】【──乾し】图 뱅어포 ; 마른 멸치.

しらす【白州】【白洲】图 ①백주 ; 백사장 ; 흰 모래톱. ②江戸ガ 시대에, 재판하고 죄인을 조사하던 곳. =おしらす. ③현관·뜰·무대 앞 등에 흰 모래나 자갈이 깔린 곳.

しらず【知らず】連語 ①모르다. ¶余人ガガは~ 딴 사람이면 (또) 모르지만. ②(名詞 뒤에 붙어) 경험이 없음을 나타냄. ¶こわいもの~ 무서움을 모름.

じら-す【焦らす】五他 애태우다 ; 약올리다 ; 초조하게 하다. =じらせる. ¶そう~さないでくれ 그렇게 약올리지 말게.

しらずしらず【知らず知らず】〈不知不識〉圖 저도 모르는 사이에 ; 어느 새 ; 부지불식간에 ; 그만. =つい(つい).

*しらせ【知らせ】【報せ】图 ①알림 ; 통지. ②전조(前兆) ; 조짐. ¶虫ガの~ 예감.

‡しら-せる【知らせる】下I他 알리다 ; 통지하다 ; 통보하다. ¶暗ガに~ 넌지시(남몰래) 알리다 / 虫ガが~ 예감이 들다 / 目ガで~ 눈짓하다 ; 눈짓으로 알리다.

しらたま【白玉】图 ①백옥. ②〈雅〉진주. ③찹쌀가루로 만든 경단. ④白玉つばき의 준말. ──つばき【──椿】图〈植〉흰 꽃이 피는 동백.

しらちゃ-ける【白茶ける】shiracha- 下I自〈俗〉바래서 희읍스름해지다. =しらっちゃける.

しらっぱく-れる shirappa- 下I自〈俗〉

しらつゆ【白露】图 (희게 반짝이는) 이

しらとり【白鳥】图 ①(깃털이) 흰 새. 图[鳥] 백조; 고니. =はくちょう.

しらなみ【白波】【白浪】图 파도. ①흰 물결. 图〈雅〉도둑. ¶～稼業ぁぎ 도둑질. ──もの【白波物】图 가부키에서, 도둑을 주인공으로 한 작품.

しらに【白煮】图 ①흰살 생선의 뼈 따위를 소금만으로 익힘; 또, 그것. =うしお. ②(간장을 쓰지 않고) 설탕과 소금만으로 삶음; 또, 그것.

しらぬい【不知火】图 여름밤 九州九八代やしろ의 앞바다에 무수히 보이는 불빛(야광충의 탓이라고도 하고 고깃배의 불이라고도 함).

しらは【白刃】图 칼집에서 뺀 칼. =抜身みっ.

しらは【白羽】图 흰 깃이 달린 화살; 흰 화살깃. ──の矢やが立たつ 많은 사람 가운데서 특별히 뽑히다; 희생자가 되다; 또, 눈독들인 대상이 되다.

しらばく・れる 下一固〈俗〉모르는 체하다; 시치미 떼다. 图口語的 표현으로는 'しらっくれる·しらばっくれる'.

しらはた【白旗】图 백기. ①흰 바탕의 기[옛날에는 源氏ぜぢ의 기]. =しろはた. ②항복이나 열차의 통과 가능의 표시로서는 흰기. ──をふる[かかげる] 백기를 흔들다[달다][항복하다]. ↔赤旗ぁき.

しらびょうし【白拍子】-byōshi 图 平安へぢ 말기에 시작된 가무(歌舞); 또, 그 가무를 추는 슈녀(遊女). 参考후에는 매춘부의 딴이름으로도 쓰였음. ②(雅樂)·범패(梵唄)의 박자의 하나.

しらふ【白面·素面】图 술 취하지 않았을 때의 얼굴·태도). ──素面ぶの時はおとなしい 취하지 않을 때는 온순하다. ↔酔顔ぅいめ.

ジラフ 图[動] 지라프. ☞きりん①. ◇giraffe.

シラブル 图 실러블; 음절(音節). ◇syllable.

しらべ【調べ】图 ①조사함; 조사; 점검; 수사; 심문. ②음률; 가락; 음곡. ¶～がつく 충분히 조사가 끝나다. ③을 받는다. ④음률을 고름; 조율(調律). ⑤음악·시가의 가락; 음곡. ¶楽がの～ 음악의 가락 / 妙さな～ 갈미로운 음곡.

*しら・べる【調べる】下一他 ①조사하다. ②연구하다; 검토하다; 점검하다. ¶原因ぼを～ 원인을 조사하다 / 答案ぁを～ 답안을 검토하다. ⓑ(뒤져) 찾다; 수색하다. ¶辞書じょを～ 사전을 찾아보다 / ポケットを～ 호주머니를 뒤지다. ⓒ심문(문초)하다; 수사하다. ¶犯罪ぬを～ 범죄를 수사하다 / 犯人ぬを～ 범인을 문초하다. ③음을 골라 맞추어 고르다. ¶琴にの調子を～ 거문고의 가락을 고르다. ③음악을 연주하다. ¶琴にを～ 거문고를 타다.

しらほ【白帆】图 백범; 흰 돛. ¶～の船ぷ흰 돛(을 단) 배.

しらみ【虱·蝨】图[虫] 이. ¶～だらけの衣服ぷ이투성이의 옷.

しらみつぶし【虱潰し】图 이 잡듯이 샅

살이 잡거나 뒤짐. ¶～の捜査ぷ이 듯 철저한 수사.

しら・む【白む】自五 ①희어지다; 희 보이게 되다; 새벽이 되어 밝아지다. ¶夜がが～ 날이 새다. ②흥이 [분위기가] 어지다. =しらける. ¶座ぱが～ 좌의 흥이 깨어지다.

しらゆき【白雪】图〈雅〉백설; 흰 눈.

しらゆり【白ゆり】【白百合】图 흰 백합 꽃.

しらん【紫蘭·白及】图[植] 자란; 대 물.

*しり【尻·臀·後】图 ①궁둥이; 엉덩이 불기. =けつ·臀部でん. ②(지 따위의) 둔부에 댄 바대 / ～が抜ぬける (옷의) 둔부가 해어져 구멍이 나다. ②[본디 後] 뒤; 뒤쪽; 우래. =うしろ·あと. ¶女おなの～を追いまわす 여자 꽁무니[뒤]를 쫓아다니다 / ～を向むける 등을 [뒤를] 보이다; 도망치다. ③끝; 끝 부분; 마지막; 차례. ¶～はしまい. ⓑ 나와다──새끼줄의 끄트머리 / 幕尻じり(일본 씨름에서) 幕うちの 맨 끝자리 / 言葉はじり 말꼬리; ～から数ずる方けが早いら 꼴찌로부터 세는 것이 빠르다. ④(공기·병·냄비 위의) 밑(바닥). ¶底ず. ¶とくりの～ 술병의 밑바닥. ↔口ぐ. ⑤옷자락. =す. ⑥ 〈俗〉똥구멍. ──をからげる 치마 뒷자락을 걷어 올리다. ──を(일의) 뒷수습; 뒷쇄로. ──がまわって来くる (관제자로서) 책임·뒷수습을 떠맡게 되다. ──(사물의) 좋지 않은 결과; 여줄; 언질; 또, 불평. ──をもって行くく (…에 관하여) 불평하다. ──が重ぃい 궁둥이가 무겁다; 동작이 굼뜨다; 좀처럼 행동을 하려 하지 않다. ──が軽がい 엉덩이가 가볍다 [출랑거리다. ⓑ(여자가) 몸가짐이 헤프다. ──が長なが 궁둥이가[밑이] 질기다; (남의 집에) 오래 앉아 있다[눌어붙다]. ──から抜けする 보고 들은 일을 곧 잊어버리다. ──が割われる 숨긴 나쁜 일이 탄로 나다. ──に敷しく 아내가 남편을 우습게 보아 마음대로 휘두르다. ──につく (남의 수하[手下]에 들다. ②남의 뒤를 따라가다. ──を叩たたく ①남의 흉내를 내다. ②に火ひがつく 발등에 불이 떨어지다; (일이) 다급해지다. ──に帆ほを掛かける 꽁무니가 빠지도록 달아나다. ──を叩たたく ①격려하다. ②재촉(독려)하다. ③징계하다. ──をぬぐう 밑을 닦다; (남의 일의) 뒤치다꺼리를 [뒷수습을] 하다. ──を引くく ①지칠 줄 모르는 미련을 내다. ②(사물이) 꼬리를 끌다. ──をまくる 반항적[도전적]인 태도로 나오다.

しり【私利】图 사리; 개인적인 이익. ¶～私欲ぁ 사리 사욕. ↔公利ぅぃ.

じり【事理】图 사리; 사물의 도리. ¶～をわきまえる人ん 사리를 분별치 못하는 사람.

*しりあい【知(り)合い·知合】图 아는 사이[사람]; 친지(親知). =知人ん.

しりあ・う【知(り)合う】自五 서로 알(게 되)다; 아는 사이가 되다.

しりあがり【しり上げ·後上(がり)·尻上(がり)】图 ①사물의 상태가 끝으로 갈수록 좋아짐. ¶ことしの貿易えきは～だ 금년의 무역은 후반에 갈수록 호

조를 보이고 있다. ②말끝의 어조(語調)가 높아짐；끝을 올림. ¶～に物ᵇ을 言ᵘ"う 말끝을 올려서 말하다. ⇔しりさがり. ⇔《俗》(기계 제조에서) 거꾸로 오르기. ＝さかあがり.

シリーズ【名】시리즈. ①TV 프로·영화·소설 따위의 연속물. ¶～物ᵇ 연속물. ②차례로 출판되는 일련〔一連〕의 관련이 있는 책(문고〔文庫〕·총서 따위). ＝叢書ᵝᵒ. ③어느 기간 연속해서 행하는 운동 경기. ▷series.

しりうま【しり馬】〔尻馬〕【名】남이 탄 말 뒤에 탐. ──に乗ᵉる 남이 하는 대로 덩달아 따라 하다；덩달다.

しりえ【後方】【名】《雅》후방；뒤쪽. ＝うしろ. ⇔前ᵉ.

しりおし【しり押し】〔尻押し〕【名】[ス他] ①뒤에서 밀어 줌；후원함. ＝후원자. ②《俗》아침 러시 아워 때 붐비는 전철 승객을 뒤에서 밀어 넣어 주는 일；또, 그런 일을 하는 사람. ＝後取ᵇり.

じりおし【じり押し】【名】[ス他] 서서히 조금씩 밂(끈기 있게 해나가거나 교섭하는 뜻에도 비유됨).

しりおも【しり重】〔尻重〕【名】엉덩이가 무거움；동작이 둔함；또, 그런 사람. ＝ものぐさ. ⇔しり軽ᵝ.

しりからげ【尻紮げ】【名】[ス自] 옷자락을 걷어 지름. ＝しりはしょり.

しりがる【しり軽】〔尻軽〕【名】[ダ] ①(여자가) 몸가짐이 헤픔；바람기가 있음. ②아무 일에나 덥적거림；출랑거림；경솔함. ③동작이 활발함. ⇔しり重ᵝ.

じりき【地力】【名】그 자체가 본디 지니고 있는 힘；저력；실력. ¶～を発揮ᵇする 저력(실력)을 발휘하다.

じりき【自力】【名】자력. ①자기 혼자의 힘；독력〔独力〕. ¶～更生ᵝ 자력 갱생. ②《佛》불과(佛果)를 얻고자 자기 혼자 힘으로 수행함. ⇔他力ᵝ.

しりきれ【しり切れ】〔尻切れ〕【名】①뒷부분이 잘라져 있음. ②중도에서 끊어져 있음. ──とんぼ〔蜻蛉〕-tombo【名】①끝장을 내지 못하고 중도에서 그만둠. ¶演説ᵉが～になる 연설이 중도에서 끊어지다. ②무슨 일이든 오래 계속하지 못함；작심삼일；또, 그런 사람. ＝三日坊主ᵝ.

しりくせ【しり癖】〔尻癖〕【名】①오줌·똥을 잘 싸는 버릇；또, 그런 버릇. ②《俗》(여자가) 몸가짐이 헤픈 버릇. ¶～が悪ᵇい女ᵝ 아무하고나 잘 놀아나는 여자.

しりげ【しり毛】〔尻毛〕【名】항문에 난 털. ──を抜ᵘく 남의 방심을 틈타 불시에 어떤 일로 깜짝 놀라게 하다.

しりこそばゆい【尻擽い】【形】낯간지럽다；겸연쩍다；쑥스럽다. ＝しりこそばい.

しりこだま【しり子玉】〔尻子玉〕【名】옛날 항문(肛門)에 있다고 상상되었던 구슬.

*　**しりごみ**【後込み·尻込み】【名】[ス自] 뒷걸음질. ①뒤로 물러남. ②망설임；꽁무니를 뺌. ＝ちゅうちょ.

しりさがり【しり下がり】〔後下がり·尻下がり〕【名】①뒤쪽이 처짐. ¶～のアクセント 말끝이 내려가는 악센트. ②뒤로 갈수록 나빠짐. ¶成績ᵝが～に

悪ᵇくなって行ᵘく 성적이 갈수록 나빠진다. ⇔しりあがり.

じりじり【副】①서서히 조금씩 힘있게 나아가는 모양. ¶～と詰ᵗめ寄ᵝる 한발한발 다가서다. ②태양 따위가 내리쬐는 모양. ¶晴ᵝ. ¶太陽ᵝが～(と)照ᵗりつける 햇볕이 쨍쨍 내리쬐다. ③마음이 초조해지는 모양；바작바작. ¶～しながら待ᵗつ 바작바작 속을 태우며 기다리다.

しりすぼまり【尻窄まり】【名〔】①아래〔뒤〕로 갈수록 좁아짐〔가늘어짐〕. ②처음에는 당당하던 세력이 차츰 약해짐；용두 사미가 됨. ＝しりすぼみ. ¶～の成績ᵝ 차츰 나빠지는 성적.

*　**しりぞ-く**【退く】【五自】물러나다；물러서다. ①후퇴하다. ¶一歩ᵝᵇ～ 한 발 물러서다. ②(장소·지위 따위에서) 물러나다. ¶御前ᵝから～ 어전을 물러나다／政界ᵝから～ 정계에서 물러나다. ⇔進ᵘむ.

しりぞ-ける【退ける】【下1他】물리치다. ①멀리하다. ＝遠ᵝざける. ¶人ᵝを～けて 사람을 물리치고. ②격퇴하다. ＝撃ᵘ退ᵝめる. ¶敵ᵝの攻撃ᵝを～ 적의 공격을 물리치다. ＝進ᵝめる. ③(본디 斥ける·却ける) 거절하다. ＝拒ᵘむ. ¶頭ᵝから～ 전적으로 거절하다. ④(일·자리를) 그만두게 하다；면직시키다. ＝やめさせる. ⑤反対者ᵝᵇを～ 반대자를 해임하다. ＝いれる.

じりだか【じり高】【名】(거래에서) 시세가 조금씩〔차차〕오르는 상태. ＝じり安ᵝ·じり貧ᵝ.

しりつ【市立】【名】시립. ＝いちりつ. ¶～図書館ᵝ 시립 도서관.

*　**しりつ**【私立】【名】사립. ＝わたくしりつ. ¶～探偵ᵝ 사립 탐정／～学校ᵝ 사립 학교. ＝国立ᵝᵝ·公立ᵝᵝ·官立ᵝᵝ.

じりつ【而立】【名】이립；30세의 다른 이름.

じりつ【自立】【名】[ス自] 자립. ＝独立ᵝᵝ. ①홀로서기；독립. ¶～経済ᵝ 자립 경제. ⇔従属ᵝᵝ. ──ご【─語】【文法】자립어(일본어에서, 단독으로 문절〔文節〕을 구성할 수 있는 단어；助詞·助動詞 이외의 단어). ⇔付属語ᵝᵝ. ⇒独立語ᵝᵝᵝ.

じりつ【自律】【名】[ス自] 자율. ¶～神経ᵝᵝᵝ【生】자율 신경. ¶「の이다.

じりつ-く【五自】점점 초조해지다. ＝짜증.

しりっぱしょり【尻っ端折】-rippashori【名】《口》(활동하기 위하여) 옷자락을 걷어 올려 허리띠에〔허리춤에〕낌. ＝しりはしょり·しりからげ.

しりっぽ【尻っ方·尾尻】-rippo【名】①꽁무니(쪽)；끝쪽. ②《兒》짐승이나 연의 꼬리. ＝しっぽ.

しりとり【しり取り】〔尻取り〕【名】말잇기 놀이(앞 사람이 한 말의 끝소리로 시작되는 새로운 말들을 차례로 이어 가는 놀이).

しりぬ-く【知り抜く】【五他】모든 것을〔속속들이〕잘 알다. ¶財界ᵝᵝの内幕ᵝᵝを～いている人ᵝ 재계의 내막을 속속들이 잘 알고 있는 사람.

しりぬぐい【尻拭い】【名〕】남의 (실패나 실수의) 뒤처리〔뒤치다꺼리〕；뒷갈망.

じりひん【じり貧】【名】①(거래에서) 시

세가 조금씩 내려감. =じり安²³. ↔じり高³.
り高⁶, ②〈俗〉점차 가난해지거나 상황이 악화됨. ↔がん貧⁶.

しりふり【尻振り】〔尻振り〕图 영덩이를 흔듦. ¶～ダンス 토인의 엉덩이(를 흔드는) 춤.

しりめ【尻目】〔後目・尻目〕图 곁눈(질). =流¹⁴し目¹. **──にかける** 사뭇 얕보는 투로 상대들을 거들떠보지도 않은 채 유유히 나아가거나 무엇을 하다.

しりめつれつ【支離滅裂】图¹ 지리 멸렬. =めちゃくちゃ.

じりやす【じり安】图 시세가 점차 떨어짐. ↔じり高³.

しりゅう【支流】-ryū 图 ①지류; 샛강. えだがわ. ↔本流⁸⁸·主流⁸⁸. ②분파. 〔람의 독특한 방법〕.

じりゅう【自流】-ryū 图 자기류; 그 사람의 독특한 방법.

じりゅう【時流】-ryū 图 시류; 그 시대의 풍조(경향, 유행). ¶～に投¹⁴ずる 시류에 영합하다/～を抜²⁴く 시류를 앞지르다.

しりょ【思慮】-ryo 图 사려. ¶～分別²⁷ 사려 분별. 〔구의 자료.〕

しりょう【史料】-ryō 图 사료; 역사 연구의 자료.

しりょう【試料】-ryō 图 시료; 시험 재료. =サンプル.

‡**しりょう**【資料】-ryō 图 자료. =データ. ¶～集め 자료 모으기/～に使⁷⁷う 자료로 쓰다/～をそろえる 자료를 갖추다. 〔ば·えさ.〕

しりょう【飼料】-ryō 图 사료. =かい.

しりょう【死霊】-ryō 图 사령; 죽은 사람의 원령(怨霊)(혼). =しれい. ¶～が祟²⁴る 죽은 사람의 원령이 빌미를 부리다. 〔=生霊⁸⁴う.〕

しりょく【死力】-ryoku 图 사력; 죽을 힘. **──を尽²⁷くす** 사력을 다하다.

***しりょく**【視力】-ryoku 图 시력. ¶～検査²⁵を 시력 검사/～を失²⁷う 시력을 잃다.

しりょく【資力】-ryoku 图 자력; 재력. =財力⁸⁶. ¶～に物⁷⁸を言²⁷わせる 돈의 힘으로 밀어붙이다.

じりょく【磁力】-ryoku 图 〔理〕 자력. ¶～が働⁷⁷く 자력이 작용(을) 하다. **──けい**【─計】 图 자력계(計). **──せん**【─線】 图 자력선.

シリンダー 图 실린더; 기통(気筒). ▷ 〔sylinder.〕 [cylinder.

‡**し-る**【知る】〔知る〕 图⁵他 알다. ¶あす·～らぬ身³⁴ 내일을 기약할 수 없는〔내일은 어찌 될지 모르는〕몸/人²⁸を使²⁷うコツを～っている 사람을 부리는 요령을 알고 있다/身²⁴の危険⁸⁸を～ 신변의 위험을 알다〔깨닫다〕/恥²⁴を～れ 창피를〔부끄러움을〕알아라/推²⁴して～べし 미루어 알 만하다/미루어 알 수 있(을 것이)다/女²⁴を～ 여자를 알다(경험하다)/～らぬ間²⁴に 모르는 사이에/おれの～った事²⁴か 내가 알게 뭐야. 〔注意〕'～っている'의 구어적 말씨는 '～ってる'. **──らぬが仏²⁸** 모르는 것이 약〔혼히 경멸·조롱 투로 쓰임〕.

‡**しる**【汁】 图 ①즙; 물. ¶レモンの～

레몬 즙/～の多¹⁴い果物²⁸ 물이 많은 과일. ②국(물). ¶～の実⁴ 국 건더기/～物²⁸ 국; 국물이 많은 음식. 出²⁴し汁¹⁴ 말린 가다랑어나 다시마 등을 끓여 낸 국물. **──を吸²⁷う** ⑦최대의 몫을〔가장 알짜를〕차지(이익의 알짜를 독차지하다)/㉡남의 노력·희생으로 이익을 얻다.

シルエット -etto 图 실루엣. ①〔그림자〕 안에 검은 화상(畵像). =影絵²⁷. ②드레스의 입체적인 윤곽; 또 외형. ▷ フ silhouette.

シルク 图 실크; 비단; 명주; 명주실. ▷silk. ──**ハット** -hatto 실크해트. ──**ロード** 실크 로드(아시아와 유럽을 통하는 고대 동서 통상(通商) 도로). ▷Silk Road.

しるけ【汁気】 图 물기(의 정도). ¶小麦粉²³⁸をまぶして～をおさえる 밀가루를 묻혀서 물기가 내배지 못하게 하다.

しるこ【汁粉】 图 (새알심 따위를 넣은) 단팥죽. ¶氷²⁴じるこ 얼음 단팥죽.

‡**しるし**【印・標】 图 ①표(시); 표시. 안표. ¶チョークで～をつける 분필로 표를 하다. ㉡정표; 증표(證票); 증거. ¶ほんのお～で (변변치 않지만) 저 성의의 표시입니다〔선물할 때〕/愛情⁸⁴の～ 애정의 표시/기호; 부호; 마크. ¶会員⁸⁸の～をつけている 회원 배지를 달고 있다. ②상징. 平和⁸²の～, 는 평화의 상징. 비둘기. ③기색; 김새. ¶改心⁸⁸の～も見⁴ない 개심의 기색도 보이지 않다.

しるし【首・首級】 图 벤 적(敵)의 목.

しるし【験・徴】 图 ①효능(効能). ②효험(効験); 보람. =ききめ. ¶薬²⁴の～の 약의 효험. ③징조(徴兆); 조짐. =きざし. ¶妊娠²⁴の～ 임신의 징후. ③영험(靈驗).

-じるし【印】 …표(가 있는 것). ¶三角²⁸～ 삼각표 / ×²⁴~ 가위표. ②드러내 놓고 말하기가 거북한 것을 완곡하게 나타내는 말. ¶丸²⁸~ 동그라미; 돈 / キ～ 미치광이.

しるしばんてん【印ばんてん】〔印半纏・標半纏〕 등이나 깃 따위에 옥호(屋號)·성명 따위의 (표지)를 염색한 半纏⁴ひ. =はっぴ.

しる-す【印す・標す】 图⁵他 표하다. ⑦표시하다. ¶丸印²⁴を～して区別²⁴する 동그라미표를 하여 구별하다. ㉡안표(眼標)로 하다; 잊지 않도록 표시를 하다. ②자취를〔자국을〕남기다. ¶足跡⁸⁴を～ 발자취를 남기다.

しる-す【記す】〔誌す・識す〕 图⁵他 ①적다; 기록하다. ¶帳面²⁴に名²⁴を～ 장부에 이름을 적다. ②(마음에) 새기다; 기억하다. ¶心²⁴に～ 마음에 새기다.

ジルバ 图 지르박(사교춤의 일종). ▷jitterbug.

しるべ【知るべ】〔知る辺・知る方〕 图 아는 사람; 친지; 연고(자). =知合²⁸い·知人²⁴. ¶～もない土地²⁴ 친지〔아무 연고〕도 없는 고장.

しるべ【導べ・標】 길 안내; 길잡이; 도표. =案内²⁸·手引²¹き. ¶地図²⁴を～に進²⁴む 지도를 길잡이로 나아가다.

しれい【司令】 图⁵他 사령(관). ¶～

官ネ 사령관./〜塔ネ 사령탑.

しれい【指令】图 スﾃﾞ 지령. ¶〜書ネ 지령서.

じれい【事例】图 사례. ¶〜研究ネ 사례 연구.

じれい【辞令】图 사령. ①관리의 임면(任免); 임면장; 사령장. ②응대(應待)하는 말. ¶外交ネ〜 외교 사령; 겉치렛말.

じれこ‐む【焦れ込む】⑤回〈俗〉애(가)타다; 초조해하다; 속상하다; 속을 태우다. =いらだつ・あせる. ¶人ネを〜ませる 사람을 애태우다.

しれつ【歯列】图〈의학〉=はならび・はなみ. ¶〜矯正ネ 치열 교정.

しれつ【熾烈】图 ダﾅﾞ 치열; 격렬(激烈). ¶〜な競争ネ 치열한 경쟁.

じれつ‐く【じれ付く】【焦れ付く】⑤回 속이 타서〈애가 달아〉화를 내다.

じれった‐い【焦れったい】jirettai 图 안타깝다; 애타다; 속이 달아서〈답답해서〉 감질나다. =もどかしい・いらだたしい. ¶〜話ネ 감질나는 이야기.

しれっと shiretto 副〈俗〉〈평소와 같이〉 태도가 의연(依然)한 모양.

しれもの【痴れ者】图〈俗〉①천치; 바보; 또, 난폭자. ②어떤 일에 마음을 빼앗긴 사람(心醉)한 사람. ¶風流ネネネの〜 풍류에 심취한 사람.

し‐れる【知れる】丁丁回 ①알려지다. ¶知れ渡る 널리 알려지다. ①이름이 알려진〈유명한〉사람/人ネ〜ず手渡しネ 남모르게 건네다. ①발각되다; 판명되다. ¶真相ネはいまだに〜れない 진상은 아직껏 알려지지〈판명되지〉않다. ②알〈수 있〉다. ¶得体ネネの〜れぬ奴ネ 정체를 알 수 없는 녀석. ③「〜れた」뻔하다; 알고도 남을 있다. ¶〜れた事ネ〔よ〕뻔한 일이야. ④「…かも〜れない」…일지도 모른다. ¶あすは雨ネになるかも〜れない 내일은 비가 올지도 모른다.

し‐れる【痴れる】丁丁回 정신을 잃다; 얼이 빠지다; 멍청하게 되다. ¶酒ネに酔ネい〜 술에 취해서 정신을 잃다. 参考 단독으론 거의 안 쓰임.

じ‐れる【焦れる】丁丁回 초조해지다; 안달이 나다; 몸이 달다. ¶あいつ〜れているよ 저놈 안달하고 있어.

しれわた‐る【知れ渡る】⑤回 널리 알려지다. ¶一般ネネに〜った事実ネ〔ニ〕 일반에게〔널리〕알려진 사실.

しれん【試練・試煉】【試煉】图 시련. ¶〜を嘗ネめる 모진 고생〔호된〕치르다.

ジレンマ jiremma 图 딜레마. ①진퇴 양난(進退兩難). ¶〜におちいる〔突ネき当たる〕딜레마에 빠지다〔부닥치다〕. ②論〕양도 논법(兩刀論法). =ディレンマ⇨dilemma.

し‐ろ【白】图 ①백; 흰색. ①색이 흰〈양〉것. ①백인종. ①털보가 흰 고양이・개 따위; 흰동이. ①〈바둑에서〉흰 돌을 쥔 쪽. ¶〜を握ネる 백을 쥐다. ⇔黒ネ. ①〈俗〉범죄 혐의가 없음〔없어짐〕; 무죄; 결백. ⇔黒ネ.

し‐ろ【城】图 성. ¶〜を築ネく 성을 쌓다.

しろあり【白蟻】图【蟲】흰개미.

しろあん【白あん】【白餡】图〈흰 강낭

(콩이나 흰 광저기 따위로 만든) 흰 소.

*しろ‐い【白い】图 희다. ¶〜シャツ 흰〔깨끗한〕셔츠/〜い紙ネ〔아무 것도 써 있지 않은〕종이. 一目ネ 백안; 냉담・증오 등을 나타내는 눈. ¶〜歯ネを見ネせぬ 흰 이를 드러내지 않다〈조금도 웃지 않다〉. 一物ネ①눈. ②흰머리. ⇔黒髪. ③분. ¶黒白ネネ 흑백.

しろいし【白石】图〈바둑의〉흰 돌. ⇔

しろいろ【白色】图 백색; 흰 색.

しろうお【白魚・素魚】【魚】①백어(死白魚). =ちりめんざこ.

*しろうと**【素人】-rōto 图 ①〈비전문가; 생무지; 초심자; 풋내기; 생수. ¶この方面ネネではずぶの〜です 이 방면에 대해서는 전혀 생소합니다/〜目ネにも分ネかる 전문가가 아닌 보통 사람의 눈에도 알 수 있다. ¶利口ネ매우 하는 사람; 아마추어. =アマチュア. ¶〜芸ネ아마추어 기예/〜の域ネを出ネる 아마추어의 경지를 넘어서다. ②일반 가정의 여자; 여염집 여자. ⇔玄人ネ人ネ. 一すじ【〜筋】图 거래 시장에서 사정・정보에 어두운 일반 투자가들. 一ばなれ【〜離れ】图 スﾃﾞ回 초심자답지 않게 익숙해짐.

しろうま【白馬】图①백마; 부루말. ②〈俗〉탁주(濁酒); 막걸리.

しろうり【白瓜】图【植】월과(越瓜). 一あさうり 레쿄.

しろかき【代かき】【代掻き】图 スﾃﾞ回 씨

しろがすり【白がすり】【白飛白】图 흰 바탕에 흑〈감〉색의 짧고 가는 줄무늬가 들어 있는 천. ⇔紺ネがすり.

しろがね【銀・白金・白銀】【雅】①은(銀). ②은빛; 흰색. ③은화(銀貨).

しろきじ【白生地】图 아직 염색하지 않은 흰 천.

しろく【四六】图 사륙. ①4와 6; 4푼과 6푼. ②4와 6의 곱(24). ③「四六ネネ判ネ」의 준말. ④「四六文ネネ」의 준말. 一じちゅう【〜時中】-chū 图 온종일; 언제나. 一ばん【〜判】图【印】사륙판. 一ぶん【〜文】图 사륙문; 사륙변려문(四六駢儷文). ¶四六駢儷体ネネ 넉 자(字)・여섯 자의 대구(對句)로 쓴 문장의 한 체〕.=四六駢儷文ネネネ 四六駢儷体ネネ.

しろく【四緑】图 사록; 구성(九星)의 하나〈목성(木星)에 해당하며 방위로는 남동.

しろくび【白首】图 매춘부; 창녀.

しろくま【白熊】图【動】백곰; 흰곰; 북극곰.=北極熊ネネネ.

しろくろ【白黒】(一)图 흑백; ¶백과 흑. ②是〈是か非ネか〉옳고 그름; 무죄와 유죄. ¶〜を争ネう 잘잘못을 다투다. ¶〜映画ネ 흑백 영화. (二)图 スﾃﾞ〈俗〉〈놀라거나 고통스러워서〉눈을 희번덕거리다. ¶目ネを〜させる 눈을 희번덕거리다.

しろざけ【白酒】图 삼짇날에 쓰는 단

しろじ【白地】图〈천이나 종이 따위의〉흰 바탕; 흰 천.

しろしょうぞく【白装束】-shōzoku 图 흰 옷차림; 소복(素服)〈죽은 사람・자결할 사람 등이 입음; 옛날에는 신부

(新婦)가 또는 산모(産母)가 산실(産室)에서 입었음).

じろじろ 삼가는 기색없이 쳐다보는 모양; 빤히；유심히；뚫어지게; 말똥말똥. ¶人の顔を～と見る 남의 얼굴을 뚫어지게 보다.

しろじろと【白白と】副 새하얗게.

しろたばいばい【白田売買】图 아직 눈이 있을 때에(모도 내기 전에) 그 해의 산미(産米)의 매매 계약을 맺는 일. ⇒青田買 あおた.

しろたび【白足袋】图 일본식의 흰버선.

ジロット -rotto 图 ⇒じろりと.

シロップ -roppu 图 시럽; 짙은 사탕액; 또, 과즙에 향미·설탕을 넣은 음료. ▷ syrup. 네 siroop.

しろっぽ-い【白っぽい】 -roppoi 形 ① (전체적으로) 흰 빛을 띠다; 희어 보이다. ②(헌 책방 따위의 변말로) 초심자(풋내기, 아마추어)가 티가 나다. ⇔黒くろっぽい.

しろナンバー【白ナンバー】 -nambā 图 ⟨俗⟩자가용차 (의 흰 번호판). ▷number. ——タクシー 图 불법 영업 행위를 하는 자가용 차. =白タク. ▷taxi.

しろね【白根】图 땅 속에 묻힌 야채류의 흰 뿌리나 줄기.

しろねずみ【白鼠】(白鼠)图 ①흰 쥐. ②생쥐. =こまねずみ ③충실한 고용인. =黒くろねずみ·どぶねずみ. ④ 엷은 쥐색.

しろバイ【白バイ】图 ⟨俗⟩경찰의 백색 오토바이 (교통 단속·경계용).

しろば-む【白ばむ】五自 흰 빛을 띠다; 희어지다. ¶夜空よぞらが～ 밤하늘이 희붐해지다; 먼동이 트다.

しろぶどうしゅ【白葡萄酒】 -dōshu 图 백포도주.

しろへび【白蛇】图 ⟨動⟩백사; 흰뱀.

しろぼし【白星】图 ①흰 동그라미 표(지). ②(경기 따위에서) 승자(승리)의 표시. =勝ちの星じるし. ¶～をあげる 이기다; 승리하다. ⇔黒星くろぼし ③성공; 공(훈). ▷ xylophone.

シロホン图⟨樂⟩실로폰; 목금(木琴).

しろまめ【白豆】图⟨植⟩흰콩.

しろみ【白身】(白味)图①(달걀의) 흰자위; 난백(卵白). ↔黄身きみ ②고기·생선의 흰 부분; 또, 살이 흰 생선. =赤身あかみ ③재목의 흰 부분. =しらた. ⇔赤身あかみ.

しろみず【白水】图 쌀드물. =とぎみず·とぎしる.

しろみそ【白味噌】(白味噌)图 흰콩과 쌀로 쑨 메주로 담근 된장(빛이 희고 닮). ↔赤あかみそ.

しろむく【白無垢】图①위아래가 다 흰 복장(맑고 깨끗함을 뜻하며 흔히 경사(慶事)에 입었음). ②염색하지 않은 하얀 피륙.

しろもの【代物】图 ⟨俗⟩①상품; 물건. ¶とんだ―형편없는 물건. ②사람; 인물; 미인. ¶困った―だ 어쩔 수 없는 녀석이다 / なかなかの―だ 상당한 인물(미인)이다. ③대금(代金).

じろりと副 눈알을 굴리면서 쏘아 보는 모양; 힐끗. =じろっと. ¶～横目 よこでにらむ 힐끗 곁눈질로 쏘아 보다.

しろれんが【白れんが】(白煉瓦)图 흰

벽돌；내화(耐火)·내수(耐水) 벽돌.

しろん【史論】图 사론; 역사에 대한 론〔이론〕.

しろん【私論】图 사론; 사사로운 주장〔이론〕.

しろん【詩論】图 시론; 시에 대한 평론〔이론〕.

しろん【試論】图 시론. ①소론(小論)에세이. ②시험삼아 해 보는 논술(論述)〔논문〕.

じろん【持論】图 지론; 지설; 그 사람이 늘 주장하는 설〔주장〕. =持説せつ.

じろん【時論】图 시론. ①시사에 대한 의론(議論). ②한 시대의 여론; 당시의 세론.

しわ【皺·皴】图 ①주름; 구김살. ¶～だらけの服† 구김살 투성이의 옷 ~がよる 주름지다. ②잔물결；파문. ③水정상의 모순이나 폐해.

しわ【詩話】图 시화; 시에 대한 이야기.

しわ-い【吝い·嗇い】形〔関西から에서〕 인색하다; 다랍다. ¶～おやじ 다라운 영감이다.

しわがみ【しわ紙】(皺紙)图 바탕이 오글쪼글한 종이；그레이프 페이퍼(내킨·수예용).

しわが-れる【嗄れる】下一自 목이 쉬다〔잠기다〕. =しゎがれる.

しわくちゃ【皺苦茶】 -cha 图子 주름이 많은 모양; 몹시 구겨진 모양; 고기작고기작한 모양; 우글쭈글한 모양. ¶洋服ふくが～になる 양복이 몹시 구겨지다 / 顔かおを～にする 너무 기뻐서〔슬퍼서〕 웃은 것 같은 얼굴이 되다.

しわけ【仕分(け)】图他 구분; 분류.

しわけ【仕訳】图他 (부기의) 분개(分介). ——ちょう【―帳】-chō 图 분개장; (부기에서) 항목(項目)별로 대차(貸借) 관계를 날짜 순으로 적는 장부. ⇔付込帳つけこみ.

しわざ【仕業】图 소행; 짓. ¶彼かれの～に相違そういない 그의 소행에 틀림없다.

しわしわ图 물건이 눌려서 굽거나 오그러진 모양; 쭈글쭈글; 오글오글. ¶～なやかん 쭈글쭈글한 주전자.

じわじわ副 천천히 조금씩 확실하게 사물이 진행되는 모양; 쓱쓱쓱. ¶～(と)煮につめる 끄느름하게 졸이다 / ～と汗あせがにじみ出でる 진땀이 조금씩 땀이 배어 나오다 / ～と売うれだす 서서히 팔리기 시작하다.

しわす【師走】(雅)(臘) 설달; 음력 12월(양력 12월에도 쓰임). =極月ごく. ——ぼうず【――坊主】-bōzu 图 모양이 초라한 사람.

じわっと jiwatto 副 극히 자극을 주지않고 조용히 힘이 가해지는 모양: 지그시. ¶圧力あつりょくをかける 지그시 압력을 가하다.

しわぶき【咳】图 기침; 기침 소리.

しわよせ【しわ寄せ】(皺寄せ)图他 ①주름을 잡음. ②잘못된 일의 악영향이 딴곳〔딴데〕에 미치게 함. ¶赤字財政ざいせいの～ 적자 재정이 가져 오는 악영향〔여파〕.

じわりじわり 거리·간격을 조금씩 좁혀가는 모양: 한발짝한발짝. ¶～と寄よって来くる 한발짝한발짝 다가오다.

しわ-る【撓る】五自 휘어지다; 구부러

지다. ¶雪ᅘで竹ᅜᅟが〜 눈으로 대나무
가 휘다.

じわれ【地割れ】 名 ㉣㉒ (가물거나 지
진 때문에) 땅이 갈라짐.

しわんぼう【吝ん坊】-wambō 名㉣ (関
西ᅜᅟ 지방에서) ¶구두쇠；노랑이. =け
ちんぼう・しみったれ。¶〜のかきの
種ᅘ 구두쇠의 감씨(감씨도 아까워할
정도의 지독한 구두쇠).

＊**しん**【心】 名① ⑴마음；본심；정신. ¶
〜から愛ᅟする 진심으로 사랑하다 /
〜は親切ᅘ な人ᅜ 본심은 친절한 사
람 / 〜の強ᅜい男ᅜ 정신력이 강한 사
나이 / 寒ᅜさでからだが〜まで凍ᅟる
추위로 뼛속까지 얼다. ②精神；정신；마
음. ¶鉛筆ᅜᅟの〜——연필심 /ろうそく
の〜——초의 심지 / りんごの〜——사과의 속
(씨가 있는 부분) /バットの〜——공을 쳐
서 가장 멀리 갈 수 있는 야구 배트의
부분 / えりの〜——옷깃의 심. ③中心；중
앙. ¶柱ᅜᅟの〜——기둥의 중심. ㉣接尾
…심. ¶公德心ᅜᅟ 공덕심.

しん【申】 名 십이지(地支)의 아홉째；
원숭이.

しん【臣】 名 신하. =けらい. ↔君ᅜᅟ.
㉤㈑ 신；군주에 대한 신하의 자칭. ¶
〜が忠節ᅟᅜ の心ᅜᅟ 신하의 충성심.

＊**しん**【芯】 名①しん(心). ②가지
끝에 자라는 싹〔눈〕. ¶〜を摘ᅟむ 싹
〔눈〕을 꺾다〔따다〕.

しん【神】 名①신；하느님. ¶技ᅜᅟ
〜に入ᅟる 기예가 입신(入神)의 경지
에 이르다. ②정신；마음. ¶〜を悩ᅜ
ます 마음을 괴롭히다.

しん【真】 名①진실；참됨. ¶〜の友
情ᅜᅟ 진실한 우정 / 〜のやみ 암흑. ↔
偽ᅜ. ㉣副 진서；해서. ¶〜で書ᅟ く 진서
로 쓰다. ↔行ᅟ 草ᅟ. ㉣ 一に迫ᅟる 진짜
와 꼭 같다；생생하다.

しん【新】 名①새로움；새로운 것.
②신력(新暦)；태양력. ¶〜の正月ᅜᅟᅟ
신정；양력 설. ↔旧ᅜᅟ㉣頭 新…；
새로운—. ¶〜世界ᅜᅟ 신세계.

しん【親】 名①육친；근친. =みうち. ②
大義ᅟᅜ 。〜を滅ᅟす 대의 멸친(대의를
위해 육친도 버린다).

-しん【審】 …심；재판의 심리. ¶第二
だ〜 제2심.

じん【人】 名①평점 등에서 3단
계로 나누는 것 중 셋째. ↔天ᅟ・地ᅜᅟ .
㉣接尾 사람. ¶外国ᅜᅟ〜 외국인 / 経済
ᅜᅟ〜 경제인.

じん【仁】 名①인；유교에서, 윤리상의
이상. ¶身ᅟを殺ᅟして〜を成ᅟす 살신
성인(殺身成仁) 하다. ②⟨老⟩ 사람.
¶りっぱな⟨奇特ᅜᅟ ⟩なご〜 훌륭〔기특〕한
분. ③⟨植・生⟩ 씨.

じん【陣】 진. ㉠名①진；군사의 배치.
¶〜をしく 진을 치다. ②싸움. ¶夏ᅟ
のᅜ〜——여름의 싸움. ㉣接尾 집단. ¶
報道ᅟᅜᅟ〜——보도진. 名を取ᅟる ⑴진을
치다；군대를 배치하다. ⑵장소를 차
지하다.

ジン 진；양주(洋酒)의 하나. ▷gin.
——フィーズ -fizu 진피즈. ▷gin
fizz.

しんあい【信愛】 名 신애. ㉠名㉒ 믿고
사랑함. ㉣名 신앙과 사랑.

しんあい【親愛】 名㊀ 친애. ¶〜なる

諸君ᅜᅟ 친애하는 제군.

じんあい【仁愛】 名 인애；자애(慈愛).

じんあい【塵埃】 名①티끌；먼지.
②속세(俗世)；세속. ¶〜のちまたを
さけて山林ᅜᅟᅟに入ᅟる 속세를 떠나 산
속으로 들어가다.

しんあん【新案】 名 신안. ——とっきょ
【—特許】-tokkyo 名 '実用新案特
許ᅜᅟ ᅟ ᅟᅟ(=실용 신안 특허)'의 속칭.

しんい【真意】 名 진의；참뜻. ¶〜を
悟ᅟる 참뜻을 깨닫다.

しんい【神位】 名 신위. ⑴(궁중에서 정
해 모시는) 신들의 위계(位階). =神
階ᅜᅟ. ②제사 때 영혼을 봉안하는 곳.

じんい【人為】 名 인위. ¶〜をもって
自然ᅜ を征服ᅜᅟする 인위로써 자연을
정복하다. ↔自然ᅜᅟ・天然ᅜᅟᅟ・無為ᅜᅟ.
——てき【—的】 ㉐ナ 인위적.
¶〜な 인위적.

しんいき【神域】 名 신사(神社)의 경내
〔지역〕.

しんいり【新入り】 名㉣㉒ 신입；새로
들어옴；또, 그사람；신참(新參). =新
米ᅜᅟ. ¶〜の社員ᅜᅟ 신입 사원.

しんいん【心因】 名 심인；정신적 원인.
¶〜性ᅟᅟ疾患ᅜᅟᅟ 심인성 질환.

しんいん【真因】 名 진인；참된 원인.

＊**じんいん**【人員】 名 인원. ¶参加ᅜᅟ〜
참가 인원.

しんうち【真打(ち)】【心打(ち)】 名①
寄席ᅜᅟ에서 맨 나중에 출연하는 인기 있
는 출연자(지금은 만담가의 최고의 계
급). =しんとり. ②目ᅟᅟᅟ3번째ᅜᅟᅟ目ᅟᅟᅟ.
②비장(祕藏)해 두었던 최후의 출연
자.

しんえい【新鋭】 名㊀ 신예. ¶〜の選
手ᅜᅟ 신예 선수. ↔古豪ᅜᅟ.

しんえい【親衛】 名 친위. ¶〜隊ᅜᅟ 친
위대. 「張ᅟる 진을 치다.

じんえい【陣営】 名 진영；진지. ¶〜を

しんえつ【親閲】 名㉣他 친열；최고 상
관이 직접 검열·열병(閱兵)함. ¶天
皇ᅜᅟの御〜 天皇의 친열.

しんえん【深淵】 名 심연. ——に臨ᅟむが
如ᅜし 심연에 임하는 것 같다(매우 조
심스럽다).

しんえん【深遠】 名㊀ 심원. ¶〜な哲
理ᅜᅟᅟ 심원한 철리.

じんえん【人煙】【人烟】 名 인연；인가
(人家)의 연기；연하여, 인가. ¶〜ま
れな山中ᅜᅟᅟ 인가가 드문 산중.

じんえん【じん炎】【腎炎】 名 【醫】 신
(장)염.

しんおう【深奧】 shin'ō 名 심오；깊고
오묘함. ¶芸ᅜᅟを極ᅟめる 예술의
가장 심오한 경지에 이르다；예술의 극
치를 터득하다.

しんおう【震央】 shin'ō 名 진앙；진원
(震源)의 바로 윗 지점.

しんおん【心音】 名 【醫】 심음；심장의
고동 소리. ¶〜不整ᅟᅜᅟ 심음 부정(심
장의 고동 소리가 고르지 못함).

しんおん【唇音】 名 순음；입술 소리
('ぱ・ば・ま' 따위).

しんか【深化】 名㉣㉒㉒他 심화；깊어짐. ¶
심각하게 함；(이해 따위를) 깊게 함.

＊**しんか**【進化】 名㉣㉒㉒他 진화. ¶〜の過
程ᅜᅟ 진화 과정. ↔退化ᅟᅜᅟ. ——ろん
【—論】 名 진화론.

しんか【神化】 ㉠名①불가사의한 변

화. ②신(神)의 화육(化育)·덕화(德化). 三名 Ξ自他 신이 됨; 또, 신으로 삼음; 신격화.

しんか【神火】名 신화. ①성화. ¶─リレー 성화릴레이. ②불가사의한 불.

しんか【心火】名 심화. ¶─を燃やす 심화를 태우다.

しんか【真価】名 진가.

しんか【臣下】名 신하. =家来ฐ.

じんか【人家】名 인가. ¶─のまれな山中ฐ 인가가 드문 산중.

シンガーズ名 싱거; 가수; 성악가. ¶ジャズ─ 재즈 싱거. ▷singer.

しんかい【心界】名 심계; 마음의 세계. ↔物界ฐ.

しんかい【深海】名 심해. ↔浅海ฐ.

──**ぎょ【─魚】**-gyo 名 심해어.

しんがい【心外】名 심외; 의외(意外); 어처구니없음. ¶まことに~です 정말 의외의〔뜻밖의〕일입니다.

*__しんがい【侵害】__名 Ξ他 침해; 침범. ¶人権ฐฺ─ 인권 침해 / 領海ฐฺを~する 영해를 침범하다.

じんかい【人界】名 인계; 인간〔현실〕세계. =にんかい.

じんかい【塵界】名 진계; 속세.

じんかい【塵芥】名 진개; 먼지; 티끌. =ごみ·ちりあくた. ¶~処理場ฐฺ 쓰레기 처리 공장. 〔진 곳.

じんがい【塵外】名 진외; 속세와 멀어

じんかいせんじゅつ【人海戦術】-jutsu 名 인해 전술.

しんかいち【新開地】名 신개지. ①새로 개척한 토지. ②교외 등의 새로 시가가 된 곳.

しんがお【新顔】名 신참; 신인(新人). ¶─の社員ฐ 신입 사원. ↔古顔ฐ.

しんかく【神格】名 신격. ¶天皇ฐを~化する 천황을 신격화하다.

しんがく【心学】名 심학. ①중국 송대(宋代)의 유학. ②江戸ฐ 시대에 신도(神·儒)·불(佛)을 융합한 일종의 서민 도덕 교육. =道学ฐฺ.

しんがく【進学】名 Ξ自 진학. ¶─指導ฐฺ 진학 지도 / ~熱ฐ 진학열.

*__じんかく【人格】__名 인격. ¶~者ฐ(士ี) 인격자 / 二重ฐ~ 이중 인격 / ~形成期ฐ~ 인격 형성기; 인격 형성기.

──**か【─化】**名 Ξ自他 인격화. ¶인격이 아닌 것을 의사(意思)가 있는 인간으로 간주함.

じんがさ【陣笠】(陣笠)名 ①전립(戦笠)〔옛날에 졸병들이 전장에서 투구 대신 쓰던 일종의 전투모). 参考 江戸ฐ 시대에는 화재나 비상시에도 썼으며 장교급의 무사도 사용하였음. ②〈俗〉전립을 쓴 보졸이나 졸병 따위; 전하여, 〈세력자에 대하여〉졸개. ¶─議員ฐ 평당원(平黨員).

しんがた【新型·新形】名 신형. =ニュールック. ¶─自動車ฐฺ 신형 자동차. 〔고.

しんがっこう【神学校】-gakkō 名 신학

しんかぶ【新株】名〔經〕신주. =子株ฐ. ↔旧株ฐ. 〔충심으로.

しんから【心から】副 진정〔진심〕으로.

しんがら【新柄】名 새로 고안된 무늬.

¶今年ฐ~の~ 금년의 최신 무늬.

しんがり【殿】(殿)名 ①맨 뒤; 최후; 후미(後尾). ¶~を勤める 후위(後衛)를 말아 보다. ②맨 끝; 꼴찌. =どんじり.

しんかん【信管】名〔軍〕신관. ¶時限ฐ~ 시한 신관.

しんかん【神官】名 신관; 신직(神職). =神主ฐฺ.

しんかん【新刊】名 신간. ¶~書ฐ 신간(적).

しんかん【新館】名 신관.

しんかん【震撼】名 Ξ自他 진감; 흔들려 움직임; 흔들어 움직임. ¶天地ฐ를 ~をする大音響ฐฺ 천지를 뒤흔드는 큰 음향.

しんかん【辰韓】名〔史〕진한.

しんかん【森閑·深閑】トタル 삼한; 아무 소리도 없이 매우 고요한 모양. ¶~とした空気ฐ 매우 고요한 분위기.

しんがん【心眼】名 심안; 사물을 관찰·식별하는 마음의 작용. ¶~を開くฐ 심안을 열다. =肉眼ฐฺ.

しんがん【心願】名 심원; 염원(念願). ¶~を立てる 발원(發願)하다 / 多年ฐฺ의 ~が適ฐ는 오랜 세월의 염원이 이루어졌다.

しんかんせん【新幹線】名 신간선(주요 간선(主要幹線)의 수송력의 증가와 고속화를 목적으로 신설된 철도).

しんき【心機】名 심기. ──**いってん【─転】**-itten 名 심기 일전; 마음의 움직임이 바람직하게 바뀜.

しんき【心気】名 심기; 마음. ¶~常ฐならず (a)마음이 심상치 않다; (b)마음이 한결같지 않다.

しんき【辛気】名ᄼ(関西ฐ 지방에서)마음이 거림칙함; 마음이 내키지 않음. ¶~な仕事ฐ 마음이 내키지 않는 일. ──くさい【─臭い】形 마음대로 되지 않아 짜증이 나다; 주니나다; 애가 타다. ¶~人ฐ 따분한 사람; 탐탁스럽지 않은 사람.

しんき【新奇】名ᄼ 신기; 새롭고 기묘함; 또, 그런 것. ¶~を好むฐ 신기한 것을 좋아하다.

しんき【新規】名 신규. ¶~採用ฐฺ 신규 채용. ──まき直しฐ 처음부터 새로 다시함.

しんぎ【真偽】名 진위. ¶~をただす 진위를 규명하다〔따지다〕.

しんぎ【真義】名 진의; 참뜻.

しんぎ【信義】名 신의. ¶~を守るฐ 신의를 지키다.

しんぎ【審議】名 Ξ他 심의. ¶国語ฐฺ~会ฐ 국어 심의회.

しんぎ【神技】名 신기; 신의 조화; 묘한 기술. =神ฐわざ.

じんぎ【仁義】名 ①인의; 사람이 행하여야 할 도덕; 의리(義理). ¶~だてをする 의리를 세우다〔다하다〕/ ~には ずれる 인의에 벗어나다. ②노름꾼·노점상 등이 초대면 때에 행하는 특수한 형의 인사; 또, 그들의 예의. ¶~を切るฐ 의례적(儀體的)인 초대면 인사를 하다.

じんぎ【神祇】名 신기; 하늘의 신과 땅의 신; 천신 지기(天神地祇).

じんぎ【神器】名 신기; 특히, 일본 황위(皇位)의 상징인 세 가지 신기(神器ฐ).

（칼·구슬·거울）. ⇨三種<small>しゅ</small>の神器<small>じんぎ</small>.

しんぎく【新菊】图 ①새로 싹이 나온 국화. ②春菊<small>しゅんぎく</small>(=쑥갓)'의 와음.

しんげん【新紀元】图 신기원.

しんきじく【新機軸】图 신기축；지금까지와는 아주 다른 새로운 계획·고안.

ジンギスカンなべ【ジンギスカン鍋】图 칭기즈칸 요리〔화로 위에 석쇠를 걸쳐 놓고 숯불로 양고기 등을 구워 먹는 요리〕. =ジンギスカン料理<small>りょうり</small>. ▷Jinghis Khan.

しんきゅう【新旧】-kyū 图 신구. ①새 것과 이전 것. =新古<small>しんこ</small>. ¶~思想<small>しそう</small> 신구 사상. ②신력과 구력. ¶~二回<small>にかい</small>の正月<small>しょうがつ</small> 신구 두 차례의 설.

しんきゅう【進級】-kyū 图自 진급. ¶~試験<small>しけん</small> 진급 시험.

しんきゅう【針灸·鍼灸】-kyū 图 침구；침과 뜸. 注意「針灸」로 씀은 대용한자.

しんきょ【新居】图 새 주택；새 지은〔이사한〕 주택. ↔旧居<small>きゅうきょ</small>.

しんきょう【信教】-kyō 图 신교. 一の自由<small>じゆう</small> 신교의 자유.

しんきょう【新教】-kyō 图 신교；프로테스탄트. ↔旧教<small>きゅうきょう</small>.

*しんきょう**【心境】-kyō 图 심경. ¶~の変化<small>へんか</small> 심경의 변화.

しんきょう【進境】-kyō 图 진보(해서 도달)한 경지；향상한 모양·정도.

しんぎょう【心経】-gyō 图 '般若心経<small>はんにゃしんぎょう</small>(=반야 심경)'의 준말.

しんぎょうそう【真行草】-gyō 图 진행초；한자(漢字)의 글씨체인 진서(真書)〔해서〕·행서(行書)·초서(草書)의 총칭.

しんきょく【新曲】-kyoku 图 신곡. ↔古曲<small>こきょく</small>덩.

しんきょくめん【新局面】-kyokumen 图 신기축.

しんきろう【蜃気楼】-rō 图 신기루.

しんきん【宸襟】图 신금；천자의 마음. =叡慮<small>えいりょ</small>.

しんきん【心筋】图 심근；심장의 근육. ¶~炎<small>えん</small> 심근염. 一こうそく【——梗塞】-kōsoku 图 심근 경색(증).

しんきん【親近】图自 친근；친밀함. ¶~感<small>かん</small> 친근감. 一しゃ【——者】 图 측근(側近). ¶~者<small>しゃ</small> 측근자. ②친척；인척.

しんぎん【呻吟】图自 신음. ¶病床<small>びょうしょう</small>に~する 병상에서 신음하다.

しんく【辛苦】图自 신고；쓰라린 고생. =難儀<small>なんぎ</small>·辛酸<small>しんさん</small>. ¶艱難<small>かんなん</small>~ 간난 신고.

しんく【真紅·深紅】图 진홍. =まっか.

しんく【寝具】图 침구. =夜具<small>やぐ</small>.

じんく【甚句】图 7·7·7·5의 4구(句)로 된 일본 민요의 하나〔가락은 지방에 따라 다름〕.

しんくいむし【心食(い)虫】图 과수나 야채 따위의 해충(종류가 많으며 대개는 나방의 유충).

*しんくう**【真空】-kū 图 진공. ¶~管<small>かん</small> 진공관. 参考 실질이 없는 상태나 장소의 뜻에도 쓰임됨. ¶~状態<small>じょうたい</small>〔地带<small>ちたい</small>〕 진공 상태〔지대〕. 一そうじき【——掃除機】-sōjiki 图 진공 청소기.

じんぐう【神宮】图 신궁；신사의 명칭의 하나이며, 대개는 제신(祭神)이 황조(皇祖)·天皇<small>てんのう</small>의 것；특히, 伊勢<small>いせ</small>

의 皇大神宮<small>こうたいじんぐう</small>.

ジンクス图 징크스；불길함；터부. ¶~を破<small>やぶ</small>る 징크스를 깨다. ▷미 jinx.

シンクタンク图 싱크 탱크；두뇌 집단. ▷think tank.

シングル图 싱글. ①하나；단일；독신. ¶~ベッド 1인용 침대. ②'シングル幅<small>はば</small>(=양복감에서, 보통 폭이 71 cm의 것)'의 준말. ③'シングルブレスト(=외줄박이 단추의 양복)'의 준말. 片前<small>かたまえ</small>. ↔ダブル. ④'野<small>や</small>'シングルヒット(=싱글 히트；단타)'의 준말. ▷single.

シングルス图 싱글즈；(테니스나 탁구 따위에서) 단식 경기. =単<small>たん</small>. ↔ダブルス. ▷singles.

シンクロトロン图【理】싱크로트론(사이클로트론과 베타트론을 합하여 개량한 하전 입자(荷電粒子) 가속 장치). ▷synchrotron.

シンクロナイズドスイミング图 싱크로나이즈드 스위밍；수중(水中) 발레. ▷synchronized swimming.

しんくん【新訓】图〔한문체 또는 한자로만 쓰여진 고전(古典)의 새로운 훈독법. ②그 한자를 옛날에는 그렇게 읽지 않았던 것(예：'家'를 'やか'、'丙'를 'よごす'로 읽는 등). ↔古訓<small>こくん</small>·旧訓<small>きゅうくん</small>.

しんぐん【進軍】图自他 진군. ¶~ラッパ 진군 나팔.

じんくん【仁君】图 인군；어진 군주.

‡**しんけい**【神経】图 신경. ①〔细胞<small>さいぼう</small>〕 신경 세포 / ~炎<small>えん</small>〔系統<small>けいとう</small>〕 신경염〔系統〕 / が太<small>ふと</small>い 굵다(놀라지 않는 성질이다) / ~をとがらせる 신경을 곤두세우다. 一かびん【——過敏】图 신경 과민. 一しつ【——質】-shitsu 图〔ダナ〕 신경질. 一しょう【——症】-shō 图 ノイローゼ；신경증. 一すいじゃく【——衰弱】-jaku 图 신경 쇠약. 参考 통속적으로 정신 이상의 뜻으로도 쓰임. 一せん【——戦】 图 신경전. 一つう【——痛】-tsū 图 신경통.

じんけい【仁兄】图〔편지에서 동년배를 친근하게 부르는 말〕.

じんけい【陣形】图 진형；陣立<small>じんだて</small>て.

しんけいこう【新傾向】-kō 图 신경향.

しんげき【進撃】图自 진격. =進攻<small>しんこう</small>. ¶~命令<small>めいれい</small> 진격 명령.

しんげき【新劇】图 신극(かぶき·신파극 따위의 구극에 대하여, 외국의 근대극의 영향을 받아 나타난 새로운 연극). ↔旧劇<small>きゅうげき</small>.

しんけつ【心血】图 심혈；모든 정열；온 정신. 一を注<small>そそ</small>ぐ 심혈을 쏟다.

しんげつ【新月】图 신월. ①みかづき(三日月). ②동천(東天)에 솟아오르는 달. ③さく(朔).

じんけつ【人傑】图 인걸；걸물(傑物). =えらぶつ.

しんけん【神剣】图 ①신검；신에게서 받은 또는 신에게 바치는 신묘한 칼. ②일본의 세 가지 신기(神器)의 하나 ⇨ 草薙剣<small>くさなぎのつるぎ</small>.

*しんけん**【真剣】图 진검；진짜 칼. 一〔ダナ〕 진심(真心)·진지(真摯). ¶~味<small>み</small> 진지함；진지한 마음 / ~な態度<small>たいど</small> 진지한 태도；진지함 / なんだ~な 진정이야. 一しょうぶ【——勝負】-shōbu 图 ①진짜 칼을 쓰는 승부. ②

목숨을 전 승부;진지한 승부.
しんけん【親権】 图 친권. ¶～者ば 친권자.
しんげん【進言】 图 ㋅他 진언.
しんげん【森厳】 [名ダ] 삼엄;매우 엄숙한 모양.
しんげん【箴言】 图 잠언. ①훈계(訓戒)의 말[구(句)]. ②격언;금언.
しんげん【震源】 图 진원. ¶うわさの～地ば 소문의 진원지.
じんけん【人絹】 图 인견('人造絹糸ばん(=인조 견사)'의 준말); 레이온; 또, 그것으로 짠 피륙.
*__じんけん__【人権】 图 인권. ¶～擁護ばっ〔侵害ばん〕 인권 옹호〔침해〕 / ～を尊重ばっする 인권을 존중하다. ―**うりん**【―蹂躙】-jūrin 图 인권 유린. ―**せんげん**【―宣言】 图 인권 선언.
じんけんひ【人件費】 图 인건비.
しんげんぶくろ【信玄袋】 자루의 한 가지(보통, 헝겊으로 만들어 아가리를 끈으로 묶도록 되어 있으며 따따한 종이로 바닥을 댄 휴대용 큰 자루). =合切袋ばん.
しんこ【新香】 (새로 담근) 김치. =香ばの物・つけもの. ¶お～ 김치.
しんこ【糝粉・真粉・新粉】图 ①쌀가루. [参考] 넓은 뜻으로는 미숫가루도 뜻함. ②'しん粉もち'의 준말(쌀가루를 찐 다음에 쳐서 만든 떡).
しんご【新語】 图 신어;새말. ①신출어. ②신조어. ¶～辞典ばん 신어 사전.
じんご【人後】 图 인후;남의 뒤;남의 밑. ¶―に落ぢちない 남에게 (뒤) 지지 않다.
しんこう【信仰】-kō 图 ㋅他 신앙. ¶～心ば 신앙심 / ～生活ばん 신앙 생활.
しんこう【侵攻】-kō 图 ㋅自 침공;쳐들어 감.
しんこう【振興】-kō 图 ㋅他自 진흥. ¶産業ばっの～を図ばる 산업의 진흥을 꾀하다.
しんこう【深更】-kō 图 심경;심야;한밤중. =夜ばふけ.
しんこう【深耕】-kō 图 심경;땅을 깊이 갊.
しんこう【親交】-kō 图 친교;친(밀)한 교제. ¶～がある 친교가 있다.
しんこう【新興】-kō 图 신흥. ¶～勢力ばっ〔財閥ばっ〕 신흥 세력〔재벌〕. ―**しゅうきょう**【―宗教】-shūkyō 图 신흥 종교. 「격.
しんこう【進貢】-kō 图 ㋅他 진공;진상.
*__しんこう__【進行】-kō 图 ㋅自 진행. ¶～方向ば 앞으로 나아감. ―ちゅう【―中】の列車ばっ 달리는 열차. ―**けい**【―係】 图 ㋅自 일이 진척됨; 진척(進捗). ¶工事ばっの～ 공사의 진행(진척) /議事ばっの～ 의사 진행 /病気ばっが～する 병세가 진행(악화)하다.
しんこう【進講】-kō 图 ㋅他 진강;임금이나 귀인 앞에 나아가 강론함.
*__しんごう__【信号】-gō 图 ㋅自 신호기.=シグナル. ¶赤ば〔青ば〕～ 빨간〔푸른〕 신호. ―き【―機】 图 ㋅自 약속된 방법으로 알림;또, 그 표지. ¶目ばで～する 눈으로 신호하다. ―**き**【―機】 신호기.
*__じんこう__【人口】-kō 图 인구. ①사람

의 수. ¶―調査ばっ 인구 조사 /昼間ばっ～ 주간 인구. ②사람의 입;소문. ―**に膾炙ばっする** 널리 사람 입에 오르내리다[회자되다]; 널리 알려지다. ―**みつど**【―密度】 图 인구 밀도.
*__じんこう__【人工】-kō 图 인공. ¶～降雨ば 인공 강우 /～呼吸法ばん 인공 호흡법 /～授精ばっ 인공 수정. ↔自然ばん.天然ばん. ―**えいせい**【―衛星】 图 인공 위성. ―**えいよう**【―栄養】-yō 图 인공 영양. ―**かんみりょう**【―甘味料】-kammiryō 图 인공 감미료. ―**ききょう**【―気胸】-kikyō 〔醫〕인공 기흉('人工気胸療法ばん'(=인공 기흉 요법)'의 준말). ―**てき**【―的】 인공적.
じんこう【沈香】-kō 图 ①〔植〕침향나무(팥꽃나무과에 속하는 상록 교목). ②향료의 일종(침향나무로 만든 것).
しんこきゅう【深呼吸】-kyū 图 ㋅自 심호흡.
しんこく【新穀】 图 신곡;햅쌀. =新米ばん.
しんこく【神国】 图 신국;신이 기초를 닦고 신이 수호한다는 나라. ¶―日本ば 신국 일본(일본의 자칭(自称)).
*__しんこく__【申告】 图 ㋅他 신고;관청 따위에 알림. ¶～書ば 신고서 /転入ばん～ 전입 신고. 「〔法〕 신고죄.
しんこく【親告】 图 ㋅他 신고. ¶～罪ば.
*__しんこく__【深刻】 [名ダ] 심각. ¶～な発言ば〔表情ばっ〕 심각한 발언〔표정〕.
じんこっき【人国記】-kokki 图 각 지방 또는 府県ばっ별로 쓴 인물 평론기, 각 지의 풍속・지리 등을 国ば(=일본의 옛 행정 구획)별로 기록한 책. =じんこくき.
シンコム[SYNCOM] 图 신콤 위성(미국의 정지 (静止) 통신 위성). ▷Synchronous Communications Satellite.
しんこん【心根】 图 심근;마음 속. =こころね.
しんこん【心魂・神魂】 图 ①심혼; (온) 정신. ¶～を傾ばける 심혼을 기울이다. ②골수. ―**に徹ばする** 골수에 사무치다.
しんこん【身魂】 图 신혼;몸과 마음; 전신 전령(全身全霊). ¶～をなげうって 온몸과 마음을[온 정력을] 쏟아.
しんこん【新婚】 图 ㋅自 신혼. ¶～生活ばん 신혼 생활. ―**りょこう**【旅行ばっ】 신혼 여행[여행].
しんごん【真言】 图 진언. ①진실한 언설(言説);부처님의 말씀. ②주문(呪文). ③'真言宗ばっ'의 준말. ―**しゅう**【―宗】-shū 〔佛〕 진언종(불교의 한 파); 밀교(密教). =密教ばっ.
しんさ【審査】 图 ㋅他 심사. ¶～委員ばっ 심사 위원;資格ばっ～ 자격 심사.
しんさい【震災】 图 진재. ①지진에 의한 재해(災害). ②특히, 1923년 9월 1일의 関東ばっ 대진재(大震災)를 가리키는 일도 있음.
じんさい【人災】 图 인재;사람의 부주의로 말미암은 재해(災害). ¶洪水ばも半分ばん以上ばっは～だ 홍수도 저반은 인재다. ↔天災ばん.
じんざい【人材】 图 인재. =人物ばん. ¶有為ばっな～を登用ばっする 유위한 인재를 등용하다.
しんさく【振作】 图 ㋅他自 진작;진기(振起);떨쳐 일으킴;성하게 함;성해

を登用する 신인을 등용하다. ②신 사상을 가지고 시류(時流)에 앞서서 활약하는 사람.

しんじん【深甚】图 ダナ 심심 ; (뜻이나 마음이) 매우 깊음. ¶～な(る)謝意ˎˎを表すˎˎ 심심한 사의를 표하다.

じんしん【人心】图 인심 ; 민심. ～を失ˎˎ 인심을 잃다.

じんしん【人身】图 인신. ①인체. ¶～事故 인신 사고(다치거나 죽거나 하는 사고). ②개인의 신상. ――攻撃ˎˎ 인신 공격. ――ばいばい【――売買】图 ス自 인신 매매.

しんしんと剛 ①한기(寒氣)가 으쓱으쓱 몸에 스미는 모양. ¶寒気ˎˎが～身にしみる 한기가 으쓱으쓱 몸에 스미어 든다. ②눈이 조용히 계속 오는 모양.

しんすい【心醉】图 ス自 심취 ; 진심으로 사모하고 감동함 ; 또, 그것에 열중함.

しんすい【薪水】图 신수. ①땔나무와 물. ②부엌일 ; 취사(炊事)=炊事ˎˎ.

しんすい【浸水】图 ス自 침수. ¶～家屋ˎˎ 침수 가옥. [図 진수식.

しんすい【進水】图 ス自 진수. ¶～式

しんずい【心髓】图 심수. ①한가운데에 있는 수(髓). ②심중(中央). ¶法ˎˎの～ 법의 심수. ③마음속=心底ˎˎ.

しんずい【神髓・眞髓】图 신수 ; 진수 ; 사물의 참뜻 ; 그 길의 오의(奧義). ¶仏教ˎˎの～ 불교의 참뜻 / 音楽ˎˎの～ 음악의 신수.

じんすい【尽瘁】图 ス自 진췌 ; 자기 몸을 돌보지 않고 진력함.=尽力ˎˎ.

じんずうりき【神通力】jinzū- 신통력 ; 무슨 일이든지 자유 자재로 할 수 있는 힘.=じんづうりき.

＊しん-ずる【信ずる】サ変他 믿다. ①의심하지 않다 ; 신용하다. ¶～じて疑ˎˎわない 믿어 의심치 않다. ②신앙하다. ¶仏教ˎˎを～ 불교를 믿다.

しん-ずる【進ずる】サ変自 바치다 ; 진상(進上)하다 ; 진정(進呈)하다. ②《動詞 連用形＋「て」를 받아서》…하여 주다. 書ˎˎいて～ 써 주다.

じん-ずる【陣ずる】サ変自 진 치다.

しんせい【申請】图 ス他 신청. ¶～人ˎˎ〔書ˎˎ〕 신청인〔서〕.

しんせい【新星】图 신성. ①갑자기 나타나서 빛난 뒤, 점점 희미해져 가는 별. ②어떤 사회, 특히 연극·영화계에 나타난 갑자기 인기를 얻은 사람 ; 새로운 스타.

しんせい【新生】图 ス自 신생. ¶キ리ストの教ˎˎえによって～する 예수 그리스도의 가르침에 의해서 새로 태어나다. ――じ【――児】图 신생아.

しんせい【新制】图 신제 ; 새 제도〔체제〕.↔旧制ˎˎ.

しんせい【新政】图 신정 ; 새로운 정치.

しんせい【親政】图 ス自 친정 ; 임금이 친히 정치함 ; 또, 그 정치.

しんせい【親征】图 ス自 친정 ; 천자가 친히 정벌함.

しんせい【神政】图 신정 ; 신의(神意)에 의해서 종교의 수장(首長)이 나라를 다스리는 정치.=神権政治ˎˎ.

しんせい【神聖】图 ダナ 신성 ; 성스러움. ¶労働ˎˎˎˎの～ 노동의 신성 / ～な場所ˎˎ 신성한 장소 / ――同盟ˎˎ【史】신성 동맹. ――かぞく【――家族】图 신성 가족.=聖家族ˎˎˎˎ.

しんせい【心性】图 심성. ①마음 ; 정신. ②천성.

しんせい【真性】图 진성. ①진짜로 인정되는 병상(病狀).↔疑似性ˎˎˎˎ·仮性ˎˎ. ¶～コレラ 진성 콜레라. ②타고난 성질 ; 천성 ; 또, 생래(生來)의 순진한 마음. ③만물의 본체.

しんせい【真正】图 진정 ; 참됨.=しんしょう. ¶～の民主主義ˎˎˎˎ 진정한 민주주의.

＊じんせい【人生】图 인생. ¶～行路ˎˎ 인생 행로 / ～のための芸術ˎˎˎ 인생을 위한 예술. ――かん【――観】图 인생관. ――ろん【――論】图 인생론.

じんせい【人性】图 인성 ; 인간 본연의 본성(本然)의 성질.

じんせい【仁政】图 인정 ; 어진 정치.

しんせいがん【深成岩】图地 심성암.

しんせいしゅ【新清酒】-shu 图 合成酒ˎˎˎ〔=합성주〕의 고친 이름.

しんせいだい【新生代】图地 신생대.

しんせいめん【新生面】图 신생면 ; 새로운 분야·영역. ¶～を切り開くˎˎ 새로운 분야를〔영역을〕개척하다.

しんせかい【新世界】图 신세계. ①신대륙.↔旧世界ˎˎˎˎ. ②신천지.

しんせき【親戚】图 친척.=親類ˎˎ·みうち. ¶～に当たるˎˎ 친척(뻘)이 된다.

しんせき【人跡】图 인적. ¶～まれな奥山ˎˎ 인적이 드문 깊은 산 / ～未踏ˎˎˎの地ˎ 사람이 아직 발을 들여놓지 않은 땅. ――校ˎ 신설 고교.

しんせつ【新設】图 ス他 신설. ¶～高

しんせつ【新説】图 신설. ①새로운 의견〔학설〕.↔旧説ˎˎˎ. ②처음 듣는 이야기.

しんせつ【新雪】图 신설. ①새로 내린 눈.↔旧雪ˎˎˎ. ②새해의 첫눈.=初雪ˎˎˎ.

＊しんせつ【親切・深切】图 ダナ 친절. ¶～を尽くˎˎす 친절을 다하다 / ～ずくˎˎで 친절로써 / ～を無にˎˎする 친절을 저버리다.↔不親切ˎˎˎˎ. ――ぎ【――気】图 친절히 하고자 하는 마음. ――ごかし【――事】图 친절히 체하면서 자기 잇속을 차림.

しんせっきじだい【新石器時代】shin-sekki- 图 신석기 시대.↔旧石器時代ˎˎˎˎˎˎ.

しん-ぜる【進ぜる】下1他〔老〕☞しんずる(進).

しんせん【新撰】图 ス他 신찬 ; 새로 책을 찬수함 ; 또, 그 책.=新修ˎˎˎˎ. 注意 '新選'으로 씀은 대용 문자.

＊しんせん【新鮮】图 ダナ 신선. ¶～な空気ˎˎ 신선한 공기 / ～味ˎ 신선미 ; 신선한 맛.

しんせん【深浅】图 심천. ①깊고 얕음 ; 깊이. ②감정 등이 깊고 낮음 ; 높고 낮음. ③농담(濃淡) ; 깊고 옅음.

しんせん【神仙】图 신선.

しんぜん【神前】图 신전. ①신의 앞. ¶～に供えるˎˎ 신전에 바치다. ②신사(神社)의 앞.

しんぜん【親善】 图 친선. ¶～使節訟
천선 사절 / 国際訟～ 국제 친선.

じんせん【人選】 图 区直 인선. ¶～を
急ぐ 인선을 서두르다 / ～に当たる
인선을 맡다.

しんぜんび【真善美】 -zembi 图 진선
미.

しんそ【親疎】 图 친소; 친한 사람과 소
원(疏遠)한 사람; 친밀함과 소원함. ¶
～関係訟 친소 관계.

しんぞ【新造】 图 ①(혼히, ご～さんの
로) 남의 젊은 아내; 새댁. ②(江戸
時代에) 당년 20세 전후의 처녀. ◆年
増た. ③(江戸 시대에) 유곽에서 막 손
님을 받게 된 어린 창녀.

しんそう【新装・新粧】-sō 图 신장.

しんそう【深窓】-sō 图 심창; 깊이 들
어 있는 방; 심규(深閨). ¶～に育った
깊은 규중〔심규〕에서 자라다.

しんそう【深層】-sō 图 심층; 깊은 층.
―部た 심층부. ↔表層訟

＊しんそう【真相】 图 진상. ¶事件
訟の～ 사전의 진상.

しんぞう【心像】-zō 图〔心〕심상; 이
미지. =心象訟

＊＊しんぞう【心臓】 图 심장. ①염통.
¶～病た 심장병 /～移植手術ましょ
심장 이식 수술. ②(기계나 조직의) 중
심부; 원동력. ¶工場た の一部 공장
의 심장부. ③(俗) 배짱; 뱃심; 뻔뻔스
러움. ¶～の弱い男た が ずいぶん～だ
ね 배짱이 약한 남자 / ずいぶん～だ
ね 배짱이 대단하
군. ¶～が強い 심장이 강하다. ①심장
이 튼튼하다. ②배짱이 세다. ③뻔뻔
스럽다. ―まひ【麻痺】图 심장 마
비.

しんぞう【新造】-zō 国圀 区他 신조;
새로 지음(만듦). ↔しんぞ.
―ご【―語】图 신조어.

じんぞう【人造】-zō 图 인조; 인공. ¶
～人間た 인조 인간; 로봇 ◆宝石
宝 た 인조 보석. ↔天然た の. ―けんし
【―絹糸】图 인조 견사; 人絹かくレ
ーヨン. ―せんい【―繊維】图 인조
섬유(나일론·비닐론 등). ―し【―糸】

じんぞう【腎臓】-zō 图〔生〕
신장. ¶～結石た 신장 결석. ―えん
【―炎】图 신(장)염. =じん炎た.

しんぞく【親族】图 친족; 친척. =みう
ち·親類た. ―かいぎ【―会議】图
친족 회의.

じんそく【迅速】ダナ 신속; 재빠름.
¶～な行動た 신속한 행동.

しんそこ【心底·真底】图 ①심저; 마
음속. ¶～から感謝にゃする 마음속으
로부터 감사하다. ¶深く 낮은 곳; 그
중 깊은 곳. ②剾 참으로; 진심으로.
¶～愛する 진심으로 사랑하다. =心
んから.

しんそつ【真率】ダナ 진솔; 정직하고
가식이 없는 모양.

ジンタ 图〈俗〉서커스·영화관·선전 차
위에 쓰는 소수인의 악대.

＊しんたい【身体】图 신체; 몸. =から
だ. ¶～検査た 신체 검사 /～髪膚た
これを父母ただに受く 신체 발부는 부모
에게서 받은 것이다. ―しょうがい
しゃ【―障害者】-shōgaisha 图 신체
장애자. =身障者た.

しんたい【進退】图 진퇴. 국目 区自 ①행
동거리. ¶～両難りょ 진퇴 양난. ②행동

거지(行動挙止). ¶～の自由たを失な
う 행동의 자유를 잃다. 국图 (직무나
행동상의) 거취(去就). ¶～を同にゃ
する 진퇴를 같이하다. ――窮きまる
退 무궁해지다. ――うかがい【―何(い)】图
(관리 등이) 직무상 과실이 있을 때 그
퇴 문제를 상사에게 물어봄; 또, 그 때
문에 제출하는 문서.

しんだい【身代】图 (일신에 속한) 재
산. =身上たゃ. ¶～をつぶす 재산을
날리다.

＊しんだい【寝台】图 침대. =ベッド.
――しゃ【―車】图 침대차.

じんたい【人体】图 인체; 몸. ¶～の構
造た 인체의 구조.

じんたい【靱帯】图〔生〕인대; 관절을
견고하게 하고 그 운동을 제어(制御)
하는 탄력성 있는 섬유조.

じんだい【神代】图 일본 역사상 神武
天皇た んの 이전의 시대(신 の 시대라
고 일컬음). =かみよ. ↔人皇たの.

じんだい【甚大】ダナ 심대; 몹시 큼.
¶～な影響た 심대한 영향.

じんだいこ【陣太鼓】图 진중에서 진격
의 신호로 치던 북.

しんたいせい【新体制】图 신체제.

じんだいめいし【人代名詞】图 인대명
사. ↔指示代名詞だいしの. ―「大陸訟

しんたいりく【新大陸】图 신대륙. ↔旧

しんたく【信託】图 신탁. ¶金銭
訟～ 금전 신탁 /～会社たゃ〔銀行た
신탁 회사(은행). ――とうち【―統
治】-tōchi 图 신탁 통치.

しんたく【神託】图 신탁; 신의 계시;
탁선(託宣).

しんたく【新宅】图 ①새로 지은 집; 새
집. ↔旧宅たゅう ②분가(分
家); 별가(別家). =別宅た.

しんたつ【申達】图 区他 하달; 하급 관
청에 문서로 지시함; 하첩(下帖).

じんだて【陣立(て)】图 군세(軍勢)의
배치나 편제. =陣ぞろえ·陣構えた.

しんたん【心胆】图 심담; 마음; 간담.
――を寒むからしめる 간담을 서늘하게
하다.

しんたん【薪炭】图 신탄; 땔감; 시탄
(柴炭). ――ねんりょう【―燃料】图
연료비 /～商たゃ 신탄상.

＊しんだん【診断】图 진단. =見立
たて. ¶～書た 진단서 / 企業た～ 기
업 진단 /～を下くだす 진단을 내리다.

じんち【人知·人智】图 인지; 사람의
지혜. ¶～の及ばない所たゃ 인지가 미
치지 못하는 곳.

じんち【陣地】图 진지.

しんちく【新築】图 区他 신축. ¶～の
家た 신축한 집. ↔改築た·増築た.

じんちく【人畜】图 인축. ①인간과 가
축. ②몹시 인정없는 사람을 욕하는 말. =
人ひでなし.

しんちゃ【新茶】-cha 图 신차; 그 해의
새싹을 따서 만든 차.

しんちゃく【新着】-chaku 图 区自 신
착; 새로 도착함.

しんちゅう【心中】-chū 图 심중; 마음
속. ↔内心たゃ. ¶～ひそかに期きする
심중에 남몰래 기약하다.

しんちゅう【真鍮】-chū 图 진유; 놋
쇠; 黄銅たゃ. ¶～細工たく 유기 세공 /

金着がっせ～ 도금한 쇠붙.

しんちゅう【進駐】-chū 名 ス自 진주 ; 타국의 영토에 진군하여 그 곳에 머물 . ¶～軍ぐん 진주군.

じんちゅう【陣中】-chū 名 진중 ; 또, 전쟁 중. =勤務きんむ 진중 근무 / 敵軍てきぐんの～に乱入らんにゅうする 적진 속에 난입하다.

しんちょ【新著】-cho 名 신저 ; 새 저작〔저서〕. ↔旧著きゅうちょ・近著きんちょ.

しんちょう【伸長】-chō 名 ス自他 신장 ; (길이나 힘이) 늘어남 ; 늘림 ; 범음.

しんちょう【伸張】-chō 名 ス自他 신장 ; (세력·물체 따위가) 늘어나 넓게 퍼짐〔펼〕.=伸長しんちょう . ¶国力こくりょくの～ 국력의 신장 / ゴムの～性せい 고무의 신장성.

***しんちょう【身長】**-chō 名 신장 ; 키. =背丈せたけ・身長みのたけ.

しんちょう【清朝】-chō 名 청조. ①청(清)나라 조정. ②印 청조체(体)(활자(活字)). =せいちょう(かつじ).

***しんちょう【慎重】**-chō 名 ダナ 신중. ¶～を期する 신중을 기하다. ↔軽率けいそつ.

しんちょう【新調】-chō 名 ス他 신조. ㊀ 名 새로 맞춤 ; 또, 그것. ¶～の洋服ようふく 새로 맞춘 양복. ㊁ 名 신곡(新曲) ; 새로운 가락.

しんちょう【深長】-chō ダナ 심장 ; (뜻에) 깊이가 있고 복잡함. ¶意味いみ～ 의미 심장.

じんちょうげ【沈丁花】-chōge 名 植 서향(瑞香)〔관상용〕. =じんちょう.

しんちょく【進捗】-choku 名 ス自 진척. ¶～状況じょうきょう 진척 상황.

しんちん【深沈】-chin タル ①동요하지 않고 침착한 모양 ; 침정(沈静). ②밤이 고요히 깊어 가는 모양. =深々しんしん・沈々ちんちん.

しんちんたいしゃ【新陳代謝】-sha 名 ス自 신진 대사. ①(生)物質ぶっしつ代謝だいしゃ(=물질 교대)의 구칭. ②流行語りゅうこうごは～がはげしい 유행어는 신진 대사가 심하다.

しんつう【心痛】-tsū 名 ス自 심통 ; 근심 ; 걱정. ¶～の色いろが見みえる 심통하는 빛이 보이다.

じんつう【陣痛】-tsū 名 진통. ¶～期き 진통기.

しんてい【新訂】-tei 名 ス他 신정 ; 새로 정정(訂正)함. ¶～版ばん 신정판.

しんてい【心底】-tei 名 심저 ; 심중 ; 본심(本心). =しんそこ. ¶～を見抜みぬく 마음속을 꿰뚫어 보다.

しんてい【進呈】-tei 名 ス他 진정 ; 진상(進上). ¶無料むりょう～ 무료 진정.

じんていじんもん【人定尋問】-jimmon 名 인정 신문 ; 증인 신문에 앞서 본인 여부를 묻는 신문.

しんてき【心的】-teki ダナ 심적. ¶～傾向けいこう 심적 경향. ↔物的ぶってき.

じんてき【人的】-teki ダナ 인적. ¶～資源しげん 인적 자원 / ～証拠しょうこ 인적 증거 ; 인증. ↔物的ぶってき.

シンデレラ 名 신데렐라 ; ①서양 동화에 나오는 여주인공의 이름. ②뜻밖에 행운을 만난 사람의 뜻. ▷Cinderella.

しんてん【親展】 名 친전 ; 친피(親披).

=直披じきひ・ちょくひ.

しんてん【伸展】 名 ス自他 신전 ; 신장(伸張).

しんてん【進展】 名 ス自他 진전 ; 진행하고 국면이 전개되는 일. ¶事件じけんの～ 사건의 진전.

しんでん【寝殿】 名 ①옛날 天皇てんのう가 일상 기침한 정전. =南殿なんでん.②寝殿造しんでんづくり에서 주가 되는 건물(중앙에 위치하여 주인이 거처하면서 손님을 접대하는 곳). ━づくり【━造(り)】平安へいあん 시대의 귀족(貴族)들의 대표적인 주택 양식.

しんでん【神殿】 名 신전 ; 신사(神社)의 본전(本殿) ; 또, 궁중 삼전(三殿)의 하나로 천신 지기(天神地祇)를 모신 전각. ¶賢所かしこどころ・皇霊こうれい・━の 3殿. ↔田でん・本ほん.

しんでん【新田】 名 새로 일군 논. ↔本ほん.

しんでん【親電】 名 친전 ; 국가 원수가 자기 이름으로 보내는 전보.

しんでんず【心電図】 名 医 심전도. =心電計しんでんけい.

しんてんち【新天地】 名 신천지. =新世界しんせかい.

しんてんどうち【震天動地】-dōchi 名 천지를 뒤흔듦 ; 경천 동지(驚天動地).

しんと【信徒】 名 老 신도 ; 신자.

しんと 副 소리 하나 없이 아주 조용한 모양 ; 괴괴히 ; 잠잠히. ¶～したへや 괴괴한〔조용한〕 방.

しんど【深度】 名 심도 ; 깊이의 정도 . =深ふかさ. ¶～計けい 심도계. ↔標.

しんど【震度】 名 진도 ; 지진의 강도.

じんと 副 눈물이 날 정도로 감동된 모양 ; 뭉클. =じんじんと. ¶胸むねに～来くる 가슴이 뭉클해지다.

しんど-い 形 (関西方)①힘이 들다 ; 골치 아프다 ; 벅차다 ; 어렵다. ¶～仕事しごと 힘든 일 ; 골치 아픈 일.②지치다 ; 녹초가되다. ¶おお～ 아아 지쳤다.

しんとう【浸透】(滲透)-tō 名 ス自 ①침투 ; 젖어 들어감 ; 스며들어 속속들이 뺌.②化 삼투(농도가 다른 용액(溶液)이 반투막(半透膜)을 통해서 섞이는 현상). ¶～圧あつ 삼투압. 注意 '浸透'로 씀은 대용 한자.

しんとう【心頭】-tō 名 심두 ; 염두(念頭) ; 마음 (속). ¶～を滅却めっきゃくすれば火ひもまた涼すずし 어떤 고난을 당하여도 이것을 초월하여 염두에 두지 않으면 괴로움을 느끼지 않는다.

しんとう【振動・震盪・振蕩】-tō 名 ス自他 진탕 ; 흔들어〔흔들리어〕 움직임. ¶脳のう～ 뇌진탕.

しんとう【神道】 名 신도 ; 일본 민족의 전통적인 신앙. =かんながらの道みち.

しんとう【親等】-tō 名 친등 ; (친족 관계의) 촌수. =等とう親しん.

しんどう【神童】-dō 名 신동 ; 천재아.

しんどう【振動】-dō 名 ス自他 진동. ¶～子し 진동자 / ～電流でんりゅう 진동 전류 / ～計けい 진동계 / ～数すう 진동수.

しんどう【新道】-dō 名 신도 ; 새로 만든 길. ↔旧道きゅうどう・古道こどう.

しんどう【震動】-dō 名 ス自他 진동. ¶～がひどい 진동이 심하다.

じんどう【陣頭】-tō 名 진두. ¶～指揮しき 진두 지휘.

じんどう【人道】-dō 图 인도. ①사람이 지켜야 할 도리나 길；인륜(人倫). ¶～に反する 인도에 어긋나다. ②보도(歩道) ¶裏町後の～ 뒷골목 길／～を舗装詩する 보도를 포장하다. ↔車道 图 인도주의. ＝ヒューマニズム. ──てき【─的】ダナ 인도적. ¶～に取り扱ホゥう 인도적으로 다루다.

じんどう【仁道】-dō 图 인도；어진 길.

じんとうぜい【人頭税】jintō- 图 인두세(모든 사람에게 일률적으로 과하는 세금).

じんとく【人徳】图 인덕；그 사람이 지니고 있는 덕. ＝にんとく.

じんとく【仁徳】图 인덕. ＝にんとく.

じんとり【陣取(り)】图 진(땅) 빼앗기 놀이(아이들 놀이의 하나).

じんど-る【陣取る】图 진치다；또, 어떤 장소를 점거다(占據) 하다.

シンドローム 图 신드롬；증후군(症候群). ▷syndrome.

シンナー 图 시너；용제(溶劑)의 하나(페인트를 묽게 하거나 의복의 얼룩을 빼는 데쓰). ¶～遊びび 시너 냄새 맡기. ▷thinner.

しんなり 圖 しんなりと しなっと 부드럽고 나긋나긋한 모양；나긋나긋；낭창낭창.

しんに【真に】連語《副詞的으로》진실로；참으로. ＝まことに.

しんにち【親日】图 친일. ¶～派は 친일파. ↔抗日記·侮日記.

しんにゅう【之繞】-nyū 图 한자(漢字) 부수(部首)의 하나；책받침『速·遠』따위의 ‘辶’의 이름). ＝しんにょう. 注意 본디는 ‘辶’. ──をかける 일을 더 크게 만들다；정도가 더 크다. ＝輪やをかける.

*しんにゅう【侵入】-nyū 图 ス自 침입. ¶不法記な～ 불법 침입.

しんにゅう【浸入】-nyū 图 ス自 침입；(건물·토지에) 침수(浸水)함.

しんにゅう【進入】-nyū 图 ス自 진입.

しんにゅう【新入】-nyū 图 신입. ¶～生セ(社員トミ) 신입생(사원).

しんにょ【真如】图【佛】진여；우주 만물의 실체；영구 불변이며 현실 그 자체인 진리. ＝法界記·法性記.

しんにょう【之繞】-nyō 图 ☞ しんにゅう.

しんにん【信任】图 ス他 신임. ¶～状ジ 신임장／～投票トゥ 신임 투표／～の厚ぶい人 신임이 두터운 사람.

しんにん【新任】图 ス自 신임. ¶～のあいさつ 신임 인사. ↔先任記.

しんにん【親任】图 신임；임금이 친서(親署)해서 임명함.

しんねこ 图《俗》남녀가 남의 눈을 피한 곳에서(마주 보고) 속삭임；밀회(密會). ¶四畳半ホョゥょうどうで～をきめ込ごむ 좁은 방에 숨어서 속삭이고 있다.

しんねりむっつり -muttsuri 图 ス自《俗》자기 생각을 입 밖에 내어 시원스럽게 말하지 못하는 음성적인 성질(모양)；뚱한(꽁한) 모양.

しんねん【信念】图 신념. ¶必勝ジャゥの～ 필승의 신념.

*しんねん【新年】图 신년；새해. ＝新春

しん. ¶～おめでとうございます 과세 안녕하십니까；새해 복 많이 받으세요.

しんの【真の】連体《連体語的으로》참다운；진짜의. ¶～幸福諸ゥ 참다운 행복／～闇セ 암흑(暗黑)；캄캄칠흑 같은 어둠.

しんのう【親王】-nō 图 친왕《적출(嫡出)인 황자(皇子)·황손의 칭호》.

しんぱ【新派】shimpa 图 신파. ①새로 일으킨 유파. ②《新派劇》의 준말. ↔旧派キュゥ. ──げき【─劇】图 신파극《明治ゼ 시대 중기(中期)에 歌舞伎ブ에 대항하여 일어난, 현대 세상(世相)을 주제로 한 연극》. ↔新劇ゲャ.

シンパ shimpa 图『シンパサイザー』의 준말.

じんば【人馬】jimba 图 인마. ¶～殺傷ゥ 인마 살상.

**しんぱい【心配】shimpai 一图 ダナ ス直他 걱정；근심；심려. ＝気がかり. ¶～の種タ 걱정거리／いろいろ御ゴ～をかけて済すみません 여러 가지로 심려를 끼쳐드려 죄송합니다. 二图 ス直他 배려(配慮)；주선. ＝心ヲゃづかい. ¶良ょい地位ィを～してやる 좋은 자리를 주선해 주다.

じんばおり【陣羽織】jimba- 图 진중에서 갑옷 위에 입던, 비단·나사 따위로 만들고 소매가 없는 羽織カゥ.

シンパサイザー shimpa- 图 심퍼사이저；(공산주의 실천 운동에는 참가하지 않으나 뒤에서 원조하는) 공명자(共鳴者). ＝シンパ. ▷sympathizer.

しんぱつ【神罰】shimba- 图 신벌；천벌.

しんぱつ【進発】shimpa- 图 ス直 진발；(부대 등이) 출발함.

しんばり【心張り】shimbari 图 문·창문이 열리지 않게 버티는 버팀목《『心張り棒ボゥ』의 준말》. ＝つっかい棒ボゥ.

シンバル shimbaru 图《樂》심벌즈(타악기의 하나). ▷cymbals.

しんばん【新盤】图 신반；새로 발매된 레코드(판)；새 음반(音盤).

しんばん【侵犯】shimpan 图 ス他 침범. ¶領空ヶゥ 침범 영공 침범.

しんぱん【新版】shimpan 图 신판. ①내용과 체재를 새롭게 한 책. ↔旧版キュゥ. ②신간(新刊).

*しんぱん【審判】shimpan 图 ス他 심판. ＝しんばん. ¶～員ヶ(官ガ) 심판원(판)／最後ゴゥの～ 최후의 심판.

しんぱん【親藩】shimpan 图 江戸トゥ 시대, 将軍ジ 가문의 근친인 제후(諸侯)의 藩ハ.

しんび【審美】shimbi 图 심미. ¶～眼ガ 심미안. ──てき【─的】ダナ 심미적；미적. ¶～能力ヶッ 심미적 능력.

しんぴ【神秘】图 신비. ¶～主義デ 신비주의／自然ネゥの～ 자연의 주비. ──てき【─的】ダナ 신비적. ¶あの山ケは何をとなく～だ 저 산은 어쩐지 신비롭다.

しんぴ【真否】shimpi 图 진부；사실 여부. ＝真偽ゼ.

しんぴ【真皮】shimpi 图【生】진피；안팎 두겹으로 된 피부의 내층(內層). ↔表皮ゼ.

しんぴつ【真筆】shimpi- 图 진필；그 사람의 진짜 필적. ＝真跡キ·直筆ジ.

↔偽筆ぎ・代筆だい.

しんぴつ【親筆】shimpitsu 图 친필;귀인이 친히 쓴 필적.

しんぴょう【信憑】shimpyō ス自 신빙. ¶〜性せい 신빙성.

しんぴん【神品】shimpin 图 신품;몹시 뛰어난 작품[품위].

しんぴん【新品】shimpin 图 신품. ↔中古ちゅう・古物ふる.

じんぴん【人品】jimpin 图 인품. =人ひとがら・品ひん. ¶〜骨柄こっがらいやしからぬ紳士し 인품과 품위가 천하지 않은 신사;점잖은 신사.

しんぶ【深部】shimbu 图 심부.

しんぷ【神父】shimpu 图〖宗〗신부.

しんぷ【新婦】shimpu 图 색시;신부. =花嫁はなよめ. ¶新郎しんろう〜 신랑 신부.

しんぷう【新風】shimpū 图 신풍. ¶文学界ぶんがくかいに〜を吹き込こむ 문학계에 신풍을 불어 넣다. △古風こふう.

シンフォニー-fonī 图〖樂〗심포니;교향곡.=シンホニー. ¶〜オーケストラ 심포니 오케스트라. ▷symphony.

しんぷく【心服】shimpuku 图 ス自 심복. ¶部下ぶかを〜させる 부하를 심복시키다.

しんぷく【心腹】shimpuku 图 심복. ①가슴과 배. =마음(속). =心しん. ¶〜の病やまい①심복의 병;고질인 병. ②제거하기 어려운 적(敵)의 비유.

しんぷく【振幅】shimpuku 图〖理〗진폭. ¶〜が大きい 진폭이 크다.

しんぷく【震幅】shimpuku 图〖地〗진폭;지진의 흔들리는 폭.

しんふぜん【心不全】shimfuzen 图〖醫〗심부전.

じんふぜん【腎不全】jimfuzen 图〖醫〗신부전.

しんぶつ【神仏】shimbutsu 图 신불;신과 부처;또, 神道しんとうと 불교.

*__じんぶつ__【人物】jimbutsu 图 인물;인품(뛰어난) 사람;인재. =ひとがら. ¶〜画が 인물화 /登場とうじょう〜 등장 인물 /あの〜はスケールが大きい 저 사람은 통이 크다 /今いまになってこの〜の〜が分かる 곧 저 사람의 인품을 알게 된다 /なかなかの〜だ 상당한 인물이다.

シンプルshimpuru ダナ 심플. ①꾸밈이 없음[검소함;소박함]. ¶〜な生活かつ 검소한 생활. ②단순함;간단함. ¶〜な屋根やね 단조로운 지붕 /〜な柄がら 단순한 무늬. ▷simple.

*__しんぶん__【新聞】shimbun 图 신문. ¶日刊にっかん〜 일간 신문 /報道ほうどう〜 신문 보도 /〜記者きしゃ 신문 기자.──だね【──種】图 신문 기삿거리.──や【──屋】图 ①신문 판매·보급소;또, 그 종업원. ②신문장이;신문 기자를 얕잡아 이르는 말. =ぶんや.

じんぶん【人文】jimbun 图 인문;사람이 만들어 낸 문화;문물 제도. =じんもん. ¶〜地理学ちりがく 인문 지리학.──かがく【──科学】图 인문 과학;自然科学しぜんかがく・社会科学しゃかいかがくに対たいする 학문.──しゅぎ【──主義】-shugi 图 인본주의;휴머니즘. =ヒューマニズム.

じんぷん【人糞】jimpun 图 인분. =くそ.

しんぶんすう【真分数】shimbunsū 图〖數〗진분수.↔仮分数かぶん;帯分数たいぶん.

しんぺい【新兵】shimpei 图 신병.↔古兵こへい.

じんぺい【甚平】【甚兵衛】jimbei 图 길이가 짧고 소매가 없으며 앞에서 여미어 끈으로 매는 남자의 여름 겉옷. =じんべえ・甚兵衛羽織じんべえばおり.

しんぺん【新編】【新篇】shimpen 图 신편. ¶〜の国語教科書こくごきょうかしょ 신편 국어 교과서.

しんぺん【身辺】shimpen 图 신변. =身みのまわり. ¶〜雑記ざっき 신변 잡기 /〜小説しょうせつ 신변 소설.

*__しんぽ__【進歩】shimpo ス自 진보. ¶〜主義しゅぎ 진보주의 /すばらしい〜 눈부신 진보.↔退歩たいほ・退化たいか・保守ほしゅ.──てき【──的】ダナ 진보적. ¶〜な意見けん 진보적인 의견.↔保守的ほしゅてき.

しんぼう【信望】shimbō 图 신망. ¶〜が厚あつい 신망이 두텁다.

しんぼう【心房】shimbō 图〖生〗심방;심장 내부의 상반부(上半部). =心耳しんじ.↔心室しんしつ.

しんぼう【心棒】shimbō 图 ①굴대;회전축(軸). =心木しんぎ. ¶車くるまの〜 수레의 굴대. ②활동의 중심이 되는 것.

しんぼう【深謀】shimbō 图 심모;깊이 생각해서 세운 계략.

*__しんぼう__【辛抱】shimbō ス自 (어려움을) 참음;참고서 견딤. ¶つらいのを〜して働はたらく 괴로움을 참고서 일하다 /もう一二日いちにちにち〜して下ください 하루 이틀 더 참아(기다려) 주시오 /十年じゅうねん〜した店みせ 십년 동안 한곳에서 견디어낸 가게.──づよ・い【──強い】形 참을성이 많다. =がまん強つよい.──にん【──人】图 참을성이 강한 사람;참을성 있게 참는 사람.

しんぼう【信奉】shimpō ス他 신봉. ¶民主主義みんしゅしゅぎを〜する 민주주의를 신봉하다.

じんぼう【人望】jimbō 图 인망. ¶〜を失うしなう 인망을 잃다.

しんぼく [親睦] shimboku 图 ス自 친목. =懇親こんしん・友好ゆうこう. ¶〜会かい 친목회. ▷symposium.

シンポジウムshimpojūmu 图 심포지움.

シンボリズムshimbo- 图 심벌리즘;상징주의. ▷symbolism.

シンボルshimboru 图 심벌. ①상징(象徵);표상(表象). ②기호(記號);부호. ▷symbol.

しんぽん【新本】shimpon 图 신본. ①신간 서적. ②새 책. ↔古本こほん.

じんぽんしゅぎ【人本主義】jimponshugi 图 인본주의;휴머니즘;인도주의;특히, 인문주의.

しんまい【新米】shimmai 图 ①신미;햅쌀. ↔古米こまい. ② =しんまえ.

しんまえ【新前】shimmae 图 신참(新參);풋내기. =新米しんまい. ¶〜の若わかい記者きしゃ 풋내기 젊은 기자. =「기.

じんましん【蕁麻疹】jimma- 图 두드러기.

しんマルサスしゅぎ【新マルサス主義】shimmarusasushugi 图 신맬서스주의(인구 조정과 사회악의 방지를 위해 피임을 주장함). ▷Malthus.

しんみ【新味】shimmi 图 신미;새맛;새로운 느낌. ¶この句には〜がある 이 구(句)에는 새로운 맛이 있다.

しんみ【親身】【親味】shimmi ダナ 육친(肉親);근친;가까운 친척. ¶〜に

なって世話がするように육친처럼 （정성껏）돌봐 주다. =疎遠がる

しんみつ【親密】shimmi- 图 ダナ 친밀.

じんみゃく【人脈】jimmyaku 图 인맥；같은 계통에 속하는 사람의 연줄［모임］. ☞しんめい【身命】.

しんめい【身命】shimmyō 图 老

しんみょう【神妙】shimmyō 图 ダナ ①온순하고 얌전함；=すなお. ②~な態度がの 온순한 태도 ／ ～に勤める 얌전히 근무하다. ②기특할（奇特）함；청찬할 만함. =殊勝がる. 感心がる な心掛がけが기특한 마음씨. 囯신묘；불가사의. 囗 ～不可思議なる霊験が 신묘불가사의한 영험.

しんみり shimmiri 副 スェ 조용히；차분하게；은밀하게. =しみじみ. 囗 ～（と）話すؤ 조용히［차분하게］이야기하다. 囗마음이 침울하고 슬픈 모양；숙연하다. 囗주국의 국민.

しんみん【臣民】shimmin 图 신민；군.

じんみん【人民】jimmin 图 인민；국민. 囗 ～のための、～による、～の政治が 인민을 위한, 인민의, 인민의 정치. ——こうしゃ【──公社】-kōsha 图 인민공사. ——せんせん【──戦線】-sen 图 인민전선.

しんめ【新芽】shimme 图 새싹. =若芽が 囗 ～をふく 새싹이 트다.

しんめ【神馬】shimme 图 신사（神社）에 바친 말. =しんば・じんめ.

しんめい【神明】shimmei 图 신명；신. =かみ. 囗天地がに誓がう 천지신명에게 맹세하다. ——づくり【──造（り）】图 建 신사（神社）건축 양식의 하나로, 지붕은 박공（博栱）식이고, 중앙에는 계단이 있으며 기둥은 땅을 파서 세움（伊勢神宮がが대표적）. ⇨大社造がる・権現造がる.

しんめい【身命】shimmei 图 신명；몸과 목숨. =しんみょう. 囗 ～をなげうって 신명을 내던지고［바쳐］.

じんめい【人命】jimmei 图 인명. 囗 ～救助がっ 인명 구조.

じんめい【人名】jimmei 图 인명. =姓名が. 囗 ～録が 인명록 ／ ～事典がん【辞書】图 인명 사전. ——かんじ【──漢字】图 인명 한자（상용한자표 이외에, 인명으로 쓰기 위해 추가된 166자의 한자）. =名のり漢字がる.

シンメトリー shimme- 图 시메트리；대칭（對稱）；좌우의 균형（均衡）이 잡혀 있음. ▶symmetry.

じんめん【人面】jimmen 图 인면；사람의 얼굴（을 하고 있음）. 囗 ～獣心がんっ 인면 수심.

しんめんぼく【真面目】shimmemboku 囗 진면목；본래의 상태나 모양；진가（眞價）. =真骨頂がんっ. 囗 ～を発揮がっする 진가를 발휘하다. 囗 진실；진실；착실. =まじめ. 注意 「しんめんもく」라고도 함.

しんもつ【進物】shimmo- 图 진상품；선물. =贈物がる.

しんもん【審問】shimmon 图 スェ 심문. 囗 容疑者がぎを～する 용의자를 심문하다.

じんもん【尋問】【訊問】jimmon 图 スェ 신문. 囗 不審がん～ 불심 검문 ／ きびし

い～を受がける 준엄한 신문을 받다. ↔深夜がっ

しんや【深夜】shin'ya 图 심야. =よふけ・まよなか. 白昼がっ・早朝がっ.

じんや【陣屋】jin'ya 图 ①兵가（兵士）의 거소（居所）；병영（兵營）. ②위병（衛兵）의 대기소. ②중세 장원（莊園）의 관리자들의 관청. =郡代がっ（＝幕府がっ의 직할지를 지배하던 관리）나 代官がっ（＝지방 관리）따위의 관청. ②江戸が시대에 성（城）을 못 가진 영주（領主）의 처소.

しんやく【新約】图 신약. ①새로 맺은 약속. ②『新約聖書がしょ』의 준말. ↔旧約がっ. ——せいしょ【──聖書】-sho 图 신약 성서. ↔旧約聖書.

しんやく【新訳】图 スェ 신역；새로운 번역. ↔旧訳がっ.

しんゆう【心友】-yū 图 심우；서로 마음 속을 터놓고 지내는 친구.

しんゆう【真勇】-yū 图 진용；참된 용기. =大勇がっ.

しんゆう【親友】-yū 图 친우；친한 벗. 囗無二がの～ 둘도 없는 친구.

しんよう【信用】图 スェ 신용. ①신뢰함；믿고 씀. 囗 ～のある店が 신용이 있는 가게 ／ 社長がっを～される 사장의 신임을 받다. 囗신용 거래. 囗 ～で買がう 신용 거래로［외상으로］사다. ——がし【──貸し】图 신용 대부. ——きんこ【──金庫】图 신용 금고. ——くみあい【──組合】图 신용 조합. ——じょう【──状】-jō 图 신용장. ——とりひき【──取引】图 신용 거래. ——よう【──譲与】-yo 图 진용；=陣営がて. 囗堂々がたる～ 당당한 진용.

しんようご【新用語】-yōgo 图 신용어. 囗汚職がは漢城がの～である 오직은 독직의 새 용어이다. 囗... .

しんようじゅ【針葉樹】-yōju 图 침엽수.

しんらい【信頼】图 スェ 신뢰. 囗 ～性がっ【度が】신뢰성（도）. 囗 ～にこたえる 신뢰에 보답하다 ／ 自己がっの力がに～し過すぎる 자기 힘을 과신하다.

しんらい【新来】图 신래；새로움；또, 그 사람［물건］. 囗 ～の客が 처음 오는 손님. 囗소리.

じんらい【迅雷】图 图 신뢰；맹렬한 우레.

しんらつ【辛辣】图 ダナ ①신랄. 囗 ～な語調がっ 신랄한 어조. ②맛이 매우 쓰고 매움.

しんらばんしょう【森羅万象】-shō 图 삼라 만상.

しんり【審理】图 スェ 심리.

しんり【真理】图 진리. 囗永久がっに不易がる── 영구 불변의 진리 ／ 君がっの言がっうことには一面がっの～がある 너의 말에는 일리가 있다.

しんり【心理】图 심리. ①마음의 작용；의식의 상태나 변화. 囗群集がっ～ 군중 심리 ／ 小説がっの～ 심리 소설 ／ ～的がっ効果がっ 심리적 효과. ②『心理学がっがく』의 준말. ——がく【──学】图 심리학. =サイコロジー. ——児童がっ── 아동 심리학. ——せん【──戦】图 심리전（쟁）. =心理戦争がっ.

じんりき【人力】图 인력. ①인간의 힘. =じんりょく. ②『人力車がっ』의 준말. ——しゃ【──車】-sha 图 인력거.

しんりゃく【侵略】【侵掠】-ryaku 图

ズ他 침략. ¶～戦争ʊˀ 침략 전쟁.

しんりゅう【新柳】-ryū 图 새싹이 돋은 봄버들.

しんりょ【心慮】-ryo 图 심려; 사려. ¶深ʊ̀かい― 깊은 심려〔사려〕.

しんりょ【神慮】-ryo 图 신려; 신〔천자〕의 뜻〔마음〕. ＝神慮ʊˀ.

しんりょ【深慮】-ryo 图 심려; 깊은 생각〔사려〕. ¶～に欠ᵏく 깊은 생각이 없다. ↔浅慮ˀ.

しんりょう【診療】-ryō ズ他 진료.

――じょ【―所】-jo 图 진료소.

しんりょう【新涼】-ryō 图 신량; 초가을의 서늘한 기운. ＝秋涼ˀˀ.

しんりょく【深緑】-ryoku 图 심록; 짙은 녹색.

しんりょく【新緑】-ryoku 图 신록.

じんりょく【人力】-ryoku 图 인력으로는 ＝じんりき. ¶～に余ˀる仕事ᵏ 인력으로 감당할 수 없는 일.

じんりょく【尽力】-ryoku ズ自他 진력; 힘씀. ＝ほねおり・努力ˀˀ. ¶御ˀ―のおかげで 전력하여 주신 덕택으로 / できるだけ～する 될 수 있는 힘쓰다.

＊しんりん【森林】 图 삼림. ＝森ˀˀ. ¶～保護ˀ〔資源ˀˀ〕 삼림 보호〔자원〕.

じんりん【人倫】 图 ⓵인륜; 도덕. ～にそむく 인륜을 거역하다. ⓶인간; 사람.

＊しんるい【親類】 图 ⓵친척; 일가. ＝身内ˀˀ・親族ˀˀ・縁者ˀˀ. ¶遠ˀい―より隣ˀりの他人 먼 일가보다 가까운 이웃; 이웃 사촌; ～筋ˀˀ 친척뻘. ⓶동류(同類); 같은 종류. ¶猫ˀは とらの―だ 고양이는 호랑이의 동류다. **――き【―き(き)】** 图 친척의 성명·관계 따위를 적은 일람표(결혼할 때 서로 교환함). **――づきあい〖―付き合い〗** 图 ⓵친척간의 의리. ⓶친척과 같은 다정

한 교제.

＊じんるい【人類】 图 인류. ¶～愛ˀ 인류애 / ～学ˀ 인류학.

しんれい【心霊】 图 심령. ⓵영혼. ＝魂ˀˀ. ⓶心霊現象ˀˀˀ(＝심령 현상)'의 준말. ¶～学ˀ・～術ˀ 심령술.

しんれい【神霊】 图 ⓵신령; 신의 혼령. ⓶영묘한 덕.

しんれい【新例】 图 신례; 새로 공포된 예.

しんれい【新例】 图 신례; 새로운 예.

しんれき【新暦】 图 신력; 양력. ↔旧暦

しんろ【進路】 图 진로. ¶～指導ˀˀ 진로 지도 / 人生ˀˀ の～を誤ˀˀ る 인생의 진로를 그르치다. ↔退路ˀ.

しんろ【針路】 图 침로; 나아갈 길. ¶～を北ˀ に取ˀˀ る 북쪽으로 침로를 잡다.

しんろう【心労】 图 ズ自 심로; 정신적인 피로. ¶ご―をおかけしてすみません 걱정을 끼쳐드려 죄송합니다.

しんろう【辛労】 -rō 图 ズ自 신로; 신고(辛苦). ＝ほねおり・苦労ˀˀ.

しんろう【新郎】 -rō 图 신랑; ＝はなむこ. ↔新婦ˀ.

しんろう【塵労】 -rō 图 ⓵진로; 속세의 번거로움으로 고생. ¶～をさける 진로를 피하다. ⓶佛 번뇌(煩惱).

じんろく【甚六】 图 ⟨俗⟩ 호인; 바보; 얼간이. ¶総領ˀˀ の～ 바보 같은 맏아들〔장남을 욕할 때 쓰는 말〕.

しんろせん【新路線】 图 신노선.

＊しんわ【神話】 图 신화⟨現代ˀˀ の～(＝현대의 신화)'같이 근거 없으나 모두 믿고 있는 일을 가리키기도 함). ¶～学ˀ 신화학 / ～的ˀ 신화적 / 民主主義ˀˀˀ の～ 민주주의의 신화.

しんわ【親和】 图 ズ自 친화; 친목. ¶～力ˀˀ 化 친화력.

す ス

す 助動 ⟨方⟩ 'です(＝…ㅂ니다)'의 압축된 말씨. ¶ねぇん――よ 없어요 / 行ˀってもいい～か 가도 좋습니까.

す【州】【洲】 图 주; 토사가 물 속에 퇴적하여 강·호수·바다의 수면에 나타난 곳. ¶三角洲ˀˀ ― 삼각주. 注意'州'로 씀은 대용 한자.

＊す【巣】 图 ⓵새·짐승·곤충 따위의 집. ¶はちの― 벌집. ⓶⟨俗⟩사람이 사는 보금자리; 가정; 내 집. ¶愛ˀˀ の～ 사랑의 보금자리. ⓷소굴. ¶山賊ˀˀ の～ 산적의 소굴.

す【簀】 图 ⓵대나 갈대로 거칠게 역은) 깔개. ＝すのこ. ⓶(말총이나 가는 다란 철사로 잘게 역은) 그물. ¶水嚢ˀˀˀ ― 쳇불감.

す【簾】 图 (드리우는) 발. ＝すだれ.

＊す【酢】【酸】【醋】 图 ; 식초. ¶三杯酢ˀˀˀ ― 三杯酢ˀˀˀ ; 초·간장·술(초·소금·미림 또는 설탕을 적당히 섞은 초장. **――が過ˀ ぎた** 도가 지나쳤다. **――の, こんにゃくの**

①五十音図ˀˀˀ の'さ行ˀˀ'의 셋째 음. [su] ②[字源]'寸'의 초서체(かたかな'ス'는'須'의 오른쪽 초서체의 끝 부분).

이러쿵저러쿵 (이유를 붙이는 모양) ¶'四ˀ の五ˀ の'를 놓으로 한 말.

す【鬆】 图 ⓵무·우엉 등의 심(芯)에 바람 든 구멍. ¶～が入ˀ る 바람이 들다. ⓶주물(鋳物) 등의 공동(空洞).

す【尾毛】 图 붓(세공물(細工物)을 쓸 때 부르는) 이름.

す-【素】 頭〖名詞 앞에 붙음〗 ⓵아무것도 섞이지〔하지〕 않고 よ 그대로인 뜻을 나타냄: 맨…. ¶～泊ˀ り (밥은 먹지 않고) 자기만 하는 숙박; ～手ˀ 맨손 / ～顔ˀˀ 맨 얼굴 / ～焼ˀ き 질그릇. ⓶그저 단순한; 보잘것 없는; 하찮은. ¶～町人ˀˀˀ 미천한 시정(市井)아치. ⓷〖形容詞·形容動詞語幹에 붙어〗보통의 정도를 넘어 그저 놀랄 뿐임을 나타냄. ¶～速ˀˀ い 재빠르다; 날쌔다.

ず 助動 〖未然形에 붙음; 口語에서는 대개 連用形의 中止法으로, 또는 'ずに' 'ずと'의 꼴로 씀〗부정하는 뜻을 나타냄: …않다. ¶何ˀˀ も食ˀ わ―に寝ˀて

いる 아무것도 먹지 않고 누워 있다.
ず【図】名 ①그림;회화. ¶山水の～ 산수화. ②도면;도형. ¶～で示す 도면〔도형〕으로 보이다. ③〈俗〉(보기 흉한) 꼴;(형편없는) 모양·광경. ¶見られた～ではない 눈뜨고는 못 보겠다. ④〈俗〉모사(謀事);계획;꾀함. **—に当たる 계획〔예상〕이 들어맞다. **—に乗る** 생각대로 되어 우쭐대다. 「**高い** 거만하다.
ず【頭】名〈老〉머리. =あたま. **—が**
すあえ【酢あえ】(酢和え·酢韲え) 名 (야채) 초무침.
すあし【素足】名 맨발. ①신발을 신지 않은 발. =はだし. ②양말이나 버선을 신지 않은 발.
***ずあん【図案】**名 도안;디자인.
す-い【酸い】形 시다;산미가 있다. =すっぱい. **—も甘いもかみ分ける;—も甘いも知っている** 쓴맛 단맛 다 알다.
すい【水】㊀名 ①수;오행(五行)의 다섯째. ②'水曜日'의 준말. ③〈俗〉꿀·설탕 따위만 탄 얼음물. ㊁接尾 …수. ¶地下～ 지하수.
すい【粋】㊀名 가장 정도가 높은 부분. ¶科学の～を集める 과학의 정수를 모으다. ㊁ダナ ①사회나 인정에 통하고 이해심이 있는 모양. ¶～な扱い 인정의 기미를 아는 처리. ②풍류를 즐김;화류계·연예계의 사정에 밝아 행동이 멋진 모양. ↔やぼ. **—は身を食う** 풍류에 빠지면 패가 망신한다.
-すい【錘】방적 공장에서 방추를 세는 단위:…추. ¶五万～ 5만 추.
ずい『蕊·蘂』名 꽃술. =しべ.
ずい【髄】名 ①골. ¶骨の～まで冷える 뼛속까지 시리다. ②〔植〕㉠(줄기나 뿌리 중심에 있는) 고갱이. ㉡줄기의 빈 속 부분. ¶よしの～から天井をのぞく 견식이 좁음의 비유(우물 안 개구리와 같은 뜻).
すいあげポンプ【吸(い)上げポンプ】-pompu 名 흡입〔빨〕펌프. ▷네 pomp.
すいあ-げる【吸(い)上げる】下1他 ①빨아 올리다. ¶意見を～ 의견을 잘 듣고 시책면에 반영하다. ②남의 이익을 가로채다. 「압기.
すいあつ【水圧】名 수압. ¶～機 수
すいい【推移】名ス自 추이. ¶時代の～ 시대의 추이. 「계.
すいい【水位】名 수위. ¶～計 수위
ずいい【随意】名ダナ 수의;마음대로. ¶～科目 선택 과목 / ～に外出してよい 마음대로 외출해도 좋다. **—きん【—筋】**名 수의근;맘대로근. ↔不随意筋. 「위험 수역.
すいいき【水域】名 수역. ¶危険～
***ずいいち【随一】**名 제일;첫째. ¶文壇～の酒豪 문단 제일의 주호.
スイート 名ダナ 스위트. ▷sweet. **—ピー** 名〔植〕스위트 피;사향연리초. ▷sweet pea. **—メロン** 名〔植〕스위트 멜론;노랑참외. ▷일 sweet melon.
ずいいん【随員】名 수원;수행원. ¶大使の～ 대사의 수행원.
すいうん【水運】名 수운. ¶～の便 수운의 편의. ↔陸運.
すいうん【衰運】名 쇠운;쇠하여 가는 운명. ↔盛運.
ずいうん[瑞雲] 名 서운.
***すいえい【水泳】**名ス自 수영. 「액.
すいえき【すい液】(膵液) 名〔生〕췌
すいえん【水煙】名 ①수연;물보라. =みずけむり. ②〔佛〕탑의 구륜(九輪) 상부에 있는 불꽃 모양의 장식. 参考 불꽃은 화재를 연상하므로 이를 피해서 '水煙'이라 함.
すいえん【炊煙】名 취연;밥짓는 연기.
***すいおん【水温】**名 수온.
すいか【水火】名 수화. ①물과 불. ②홍수와 화재. ¶～の難 수재와 화재. ③물에 빠져 죽고 불에 타 죽는 것 같은 괴로움. ④매우 사이가 나쁨;빙탄(氷炭). ¶～の仲 의가 아주 좋지 않은 사이. **—も辞せず** 물불을 가리지 않다.
すいか『西瓜·水瓜』名〔植〕수박.
すいか[誰何] 名ス他 수하;보초병 등이 '누구냐' 하고 검문하는 일.
すいがい【水害】名 수해;수화.
すいがい[透い垣] 名 널빤지나 대나무로 사이를 띄워서 친 울타리. =すいがき. 「=にんどう.
すいかずら『忍冬』名〔植〕인동덩굴.
すいがら【吸い殻】名 ①(담배) 꽁초. ②주성분을 짜내고 남은 찌꺼기.
すいかん【水干】名 ①풀을 먹이지 않고 물에 담갔다가 널빤지에 붙여 말린 비단. ②狩衣의 하나(본디는 민간의 평상복;나중에는 公家의 사복(私服), 소년의 나들이옷).
すいかん【酔漢】名 취한;취객. =よっぱらい·よいどれ.
すいがん【酔眼】名 취안;술 취한 때의 몽롱한 눈. ¶～朦朧 취안 몽롱.
すいがん【酔顔】名 취안;취한 얼굴.
ずいかん【随感】名 수감;느껴지는 그대로(의 감상). ¶～録 수감록.
すいき【水気】名 ①물기. =みずけ. ②수증기. ③〈老〉수종. =水腫.
すいき【酔気】名 취기.
ずいき『芋茎』名 토란 줄기. =いもが
ずいき[瑞気] 名 서기. 　しら.
ずいき【随喜】名ス自 마음 속으로부터 고맙게 생각함. **—の涙** 고마움의 눈물. 「オーターポロ.
すいきゅう【水球】-kyū 名 수구. =ウ
すいぎゅう【水牛】-gyū 名〔動〕수우;물소. 「거;추천.
すいきょ【推挙】(吹挙) -kyo 名ス他 추
すいぎょ【水魚】-gyo 名 물과 물고기. **—の交わり** 수어지교(친밀한 교제·우정).
すいきょう【水郷】-kyō 名 수향;물가의 동리·마을;특히, 내나 호수 따위, 물의 경치가 좋아서 이름난 곳. =すいごう.
すいきょう『粋狂·酔狂』-kyō 名ナ 좀 색다른 것을 좋아함;또, 그런 사람. =ものずき.
すいぎょく[翠玉] -gyoku 名〔鑛〕취옥. =エメラルド.
すいぎん【水銀】名〔化〕수은. **—かんだんけい【—寒暖計】**名 수은 온도계. **—ちゅう【—柱】**-chū 名 수은주. **—とう【—灯】**-tō 名 수은등.

すいきんるい【水禽類】 图 수금류.

すいくち 【吸(い)口】 图 ①입에 물고 빠는 부분. ②(담뱃대·궐련의) 물부리. ③국 따위 마실 것에 띄워 향미를 더해 주는 것(유자·머위의 꽃줄기 등).

すいくん 【垂訓】 图 수훈; (종교가·정치가 등의) 중대한 의의를 지닌 가르침. ¶山上 인 の~(예수의) 산상 수

すいぐん 【水軍】 图 수군. ┌훈.

すいけい 【推計】 图 ㅈ他 추계; 추산. **──がく** 【──学】 图 추계통계학.

すいけい 【水系】 图 수계; 지표(地表)의 물이 흐르는 계통.

***すいげん** 【水源】 图 수원. ¶~地 ち 수원지/~池ち 수원지.

すいこう 【水耕】 图 ㅈ他 수경; 흙을 사용하지 않고 양분을 녹인 물로서 식물을 재배하는 일. ＝水栽培 さいばい. ¶~法 ほう 수경법.
 ┌【생각할.

すいこう 【推考】 -kō 图 他 추측하여

すいこう 【推敲】 -kō 图 他 퇴고. 注意 '推考'로 씀은 대용 한자.

すいこう 【遂行】 图 ㅈ他 수행. ¶責任 せきにん を~する 책임을 수행하다.

すいこう 【水行】 -gō ☞ すいぎょう.

すいこう 【随行】 图 ㅈ他 수행. ¶~員 いん 수행원.

すいこみ 【吸(い)込み】 图 ①빨아들이는 일. ②(하수도가 완비되지 못한 지역에서) 하수를 빨아들이게 하기 위해 파 놓은 구멍.

***すいこ-む** 【吸(い)込む】 5他 ①빨아들이다. ②들이쉬다. ¶息 いき を~ 숨을 들이쉬다.

すいさい 【水彩】 图 수채. ¶~画 が '水彩画'(＝수채화)의 준말. ＝水絵 え. ↔油彩 ゆさい.

***すいさつ** 【推察】 图 ㅈ他 추찰; 미루어 살핌〔헤아림〕. 추량하다. ¶~ から~すると 말하는 투로 추측컨대.

すいさん 【推参】 图 ㅈ自 ㉠청하는 일 없었는데 스스로 방문함(갑자기 방문함의 겸사말). ㈁图 무례한 행위; 당돌한 짓. ¶~な奴 やつ 무례한 놈.

すいさん 【推算】 图 他 ①추산; 어림으로 셈함. ¶約 やく 二千五 にせんご 百人 ひゃくにん と~される 약 2천 명으로 추산되다. ②추측하여 생각함.

すいさん 【水産】 图 수산. ↔陸産 りくさん.
 ──ぎょう 【──業】 -gyō 图 수산업.
 ──ぶつ 【──物】 图 수산물.

すいざん 【衰残】 图 쇠잔; 몹시 쇠약함. ¶~の身 み 쇠잔한 몸.

すいさんか- 【水酸化】 【化】 수산화. ¶~物 ぶつ 수산화물.

すいさんき 【水酸基】 图 【化】 수산기.

すいし 【水死】 图 ㅈ自 익사(溺死).

***すいじ** 【炊事】 图 ㅈ自 취사. ¶~場 じょう 취사장/共同 きょうどう ~ 공동 취사.

ずいじ 【随時】 图 수시; ①아무 때(고); 그때그때. ¶~書 か いている日記 にっき 그때그때 쓰고 있는 일기. 参考 흔히, 副詞로으로 씀.

すいしつ 【水質】 图 수질. ¶~検査 けんさ 수질 검사.

すいしゃ 【水車】 -sha 图 수차. ①물레방아. ¶~小屋 ごや 물방앗간. ②(관개용) 무자위. ＝水力 すいりょく 터빈.

すいじゃく 【垂迹・垂跡】 -jaku 【佛】 수적; 부처·보살이 중생을 구하기 위하여

신의 모습으로 환생(幻生)하는 일.

***すいじゃく** 【衰弱】 -jaku 图 ㅈ自 쇠약. ¶神経 しんけい ~ 신경 쇠약.

ずいじゅう 【随従】 -jū 图 ㅈ自 ①수종; (높은 분을) 따라다니며 시중듦; 또, 그 사람. ②남의 말을 듣고 그것에 좇음.

***すいじゅん** 【水準】 -jun 图 ①수준. ¶文化 ぶんか ~ 문화 수준/~が高 たか い 수준이 높다. ②'水準器 き'의 준말. **──き** 【──器】 图 수준기(수준기가 달린 망원경; 높낮이를 측량하는 기구). **──ぎ** 【──儀】 图

ずいしょ 【随所・随処】 -sho 图 도처. ¶~に見 み られる 어디서나 볼 수 있다.

すいしょう 【推奨】 -shō 图 ㅈ他 추장. ¶~に値 あたい する品物 しなもの 추장할 만한 물건.

すいしょう 【推賞・推称】 -shō 图 ㅈ他 추칭; 좋다고 (남에게) 칭찬함.

すいしょう 【水晶】 -shō 图 【鑛】 수정. ¶~体 たい 수정체/~時計 とけい 수정 시계.

すいじょう 【水上】 -jō 图 수상; 물위; 수면. ¶~競技 きょうぎ 수상 경기/~スキー 수상 스키/~生活者 せいかつしゃ 수상 생활자. ↔陸上 りくじょう.

すいじょう 【穂状】 -jō 图 수상. **──かじょ** 【──花序】 -jo 图 수상 화서.

***すいじょうき** 【水蒸気】 -jōki 图 수증기; 김.

すいしょく 【水食・水蝕】 -shoku 图 수식(유수(流水)·파도·빗물 등이 지표를 파괴 침식함). ¶~色 しょく ＝緑色 みどりいろ.

すいしょく 【翠色】 -shoku 图 (비) 취색; '녹색. ┌~を図 はか る …의 추진력을 펴하다

すいしん 【推進】 图 ㅈ他 추진. ¶/~力 りょく 추진력. **──き** 【──器】 图 추진기(스크루나 프로펠러).

すいしん 【水深】 图 수심.

すいじん 【粋人】 图 ①풍류를 즐기는 사람; 풍류인. ②㉠세상 물정에 정통한 사람; 트인 사람. ㈁화류계와 예술인들의 사회에 정통한 사람. ＝通人 つうじん. ↔やぼてん. ┌【地】스위스.

スイス 【瑞西】 【地】 스위스. ┌〖프

すいすい 圖 ①공중이나 수중을 상쾌하고 가볍게 나아가는 모양; 획획; 쑥쑥. ¶とんぼが~(と)飛 と ぶ 잠자리가 획획 날다. ②〈俗〉줄줄; 거침없이. ¶仕事 しごと が~はかどる 일이 척척 진척되다. ③바람이 경쾌히 부는 모양; 솔솔.

すい-する 【推する】 サ変他 추측〔짐작〕하다. ＝おしはかる.

すいせい 【すい星】 【彗星】 图 【天】 혜성. ＝ほうきぼし. ¶ハレー~ 핼리 혜성. **──のごとし** 혜성과 같다.

すいせい 【水星】 图 【天】 수성.

すいせい 【水生・水棲】 图 수서; 물에서 사는 일. ¶~動物 どうぶつ 수서 동물. ↔陸生 りくせい.

すいせい 【水生】 图 수생; 물에서 생겨남. ¶~植物 しょくぶつ 수생 식물.

すいせい 【水性】 图 수성. ¶~ペイント 수성 페인트. ↔油性 ゆせい.

すいせい 【水勢】 图 수세.

すいせい 【衰勢】 图 쇠세; 쇠퇴한 세력; 세력이 쇠하여〔여 가〕는 상태.

すいせいがん 【水成岩】 【鑛】 수성암. ＝堆積岩 たいせきがん.

すいせいむし【酔生夢死】 名 ス自 취생 몽사; 헛된 일생.

すいせき【水石】 名 수석.

すいせん【推選】 名 ス他 추선; 골라서 권함. ¶～状 추천장.

＊**すいせん**【推薦】 名 ス他 추천. ¶～状

すいせん【水仙】 名 【植】 수선; 수선화.

すいせん【水洗】 名 ス他 수세. ¶～便所 수세식 변소.

すいせん【垂線】 名 【數】 수선; 수직선.

すいせん【垂涎】 名 ス自 ①음식물을 탐내어 군침을 흘림; 몹시 탐냄. ¶～の的 탐나는 목표물[대상].

すいそ【水素】 名 【化】 수소. ¶～イオン 수소 이온 / ～爆弾 수소 폭탄.

すいそう【吹奏】 名 ス他 취주. ¶～楽 취주악.

すいそう【水槽】 名 수조; 물통; 물탱크.

すいそう【水草】 名 ス他 수초. ①물풀; 물속이나 물가에서 자라는 풀. ＝みずくさ. ②늪과 풀.

すいそう【水葬】 名 ス他 수장; 火葬

すいぞう【すい臓・膵臓】 名 췌장.

ずいそう【随想】 名 수상; 수감(随感). ¶～録 수상록.

すいそく【推測】 名 ス他 추측.

すいぞくかん【水族館】 名 수족관. 注意 口語形은 'すいぞっかん'.

すいたい【推戴】 名 ス他 추대.

すいたい【衰退・衰頽】 名 ス自 쇠퇴. ¶～の一途をたどる 쇠퇴 일로를 걷다.

すいたい【衰態】 名 쇠태; 쇠하여 조직이 무너지는 일.

すいたい【酔態】 名 취태. ¶～を演ずる 취태를 부리다.

すいだし【吸(い)出し】 名 ①빨아 냄. ②'吸い出しこうやく'의 준말; 고름을 빨아 내는 고약.

＊**すいだす**【吸(い)出す】 5他 빨아 내다. ¶うみを～ 고름을 빨아 내다.

すいたらし-い【好いたらしい】 -shī 形 (이성으로서) 마음이 끌리다; 호감이 가다.

すいだん【推断】 名 ス他 추단; 추리해서 단정함.

すいち【推知】 名 ス他 추지; 추리하여 앎.

すいちゅう【水中】 -chū 名 수중. ¶～撮影 수중 촬영 / ～カメラ 수중 카메라 / ～めがね 수중 안경. ↔水上みず・水底みそ.

ずいちょう【瑞兆】 -chō 名 서조; 길조.

すいちょうこうけい【翠帳紅閨】 sui-chō kō- 名 취장홍규; 귀부인의 침실.

＊**すいちょく**【垂直】 -choku 名 ダナ 수직. ¶～思考 수직 사고 / ～線 수직선 / ～分布 수직 분포. ↔水平すい.

＊**すいつく**【吸(い)付く】 5自 흡착하다; 딱 달라붙어 떨어지지 않다. ¶たこが吸盤すで 문어가 빨판으로 흡착하다 / 静電気すで ほこりが～ 정전기로 먼지가 달라붙다.

すいつける【吸(い)付ける】下1他 ①빨아서[끌어] 끌어당기다. ②담배를 남의 담뱃불 따위에 갖다 대어 빨아서 불을 붙이다. ③항상 같은 담배를 피우다.

スイッチ -itchi 스위치. 一 名 ①개폐기; 두꺼비집. ②전철기(転轍機). ＝ポイ

ント. 二 名他 스위치를 넣음; 다른 것으로 전환[변경]함. ¶投手とうを～する 투수를 바꾸다. ▷switch.

すいてい【水底】 名 수저; 물밑. ＝みずそこ.

＊**すいてい**【推定】 名 ス他 추정. ¶～年齢れい 추정 연령.

すいてき【水滴】 名 수적. ①물방울. ＝しずく. ②연적(硯滴). ＝水入みずれ.

すいでん【水田】 名 수전; 무논; 수답(水畓). ＝みずた.

ずいと 副 〈俗〉 갑자기 지나가다[이동하는] 모양: 쑥; 불쑥. ¶～通る 쑥 지나다.

すいとう【出納】 -tō 名 ス他 출납. ¶～係り 출납계(원) / ～簿ぼ 출납부.

すいとう【水痘】 -tō 名 【醫】 수두; 작은 마마. ＝みずぼうそう.

すいとう【水稲】 -tō 名 수도; 무논에 심는 벼. ↔陸稲とう.

すいとう【水筒】 -tō 名 수통; 빨병.

＊**すいどう**【水道】 -dō 名 ①상수도. ¶～料き 수도 요금 / ～工事 수도 공사 / ～を引く 수도를 끌다. ②상수도·하수도의 총칭. ③해협으로 된 곳. ④물길; 뱃길. ＝ふなじ.

すいどう【隧道】 -dō 名 수도; 굴; 터널. ＝トンネル. 注意 철도 관계에서는 'ずいどう'라고도 함.

ずいとくじ【随徳寺】 〈俗〉 뒷일은 아랑곳 하지 않고 종적을 감춤. ¶一目山散いっさん～ 안달음으로 내뺌.

すいとりがみ【吸(い)取り紙・吸取紙】 名 압지(押紙); 흡묵지(吸墨紙). ＝すいとりし.

＊**すいと-る**【吸(い)取る】 5他 ①흡수하다; 빨아 내다; 빨아들이다. ②착취하다; 졸라대어 빼[얻어] 내다. ③낚아치다.

すいとん【水団】 名 수제비.

すいなん【水難】 名 수난; 수해.

すいのみ【吸(い)飲み】 名 (吸い)呑み (환자가 누운 채로 마실 수 있게 만든) 긴 부리가 달린 그릇.

すいば【酸葉・酸模】 名 【植】 수영(뿌리는 피부병의 약이 됨. ＝すかんぽ.

すいばいか【水媒花】 名 수매화.

すいばく【水爆】 名 수폭; '水素ばく爆弾(＝수소 폭탄)'의 준말.

すいはん【垂範】 名 ス他 수범. ¶率先せん 솔선 수범.

すいばん【推輓・推挽】 名 ス他 추만; 추거(推挙). ＝推薦; 引立てき.

すいばん【水盤】 名 (꽃꽂이용) 수반.

ずいはん【随伴】 名 ス他 수반. ①손윗사람을 따라[모시고]감. ②어떤 일에 수반하여 일어남. 注意 'ずいばん'이라고도 함.

すいはんき【炊飯器】 名 취반기; 전기나 가스로 밥을 짓는 기구. ¶電気き～ 전기 밥솥.

すいび【衰微】 名 ス自 쇠미; 쇠퇴하여 미약해짐.

ずいひつ【随筆】 名 수필. ＝エッセー. ¶～文学 がく 수필 문학.

すいふ【水夫】 名 〈卑〉 수부; 뱃사람; 하급 선원. ＝船乗のり.

＊**すいぶん**【水分】 名 수분; 물기. ＝みずけ.

＊**ずいぶん**【随分】 副 ①대단히; 몹시; 아주; 꽤. ¶～暑あつい日だ 몹시 더운 날이다. ②('～だ''～な'의 꼴로) 〈俗〉 너

무함 ; 고약함. ¶～な仕打 こうち だ 지나친 처사다.

すいへい【水兵】图【軍】수병. ──ふく【─服】图세일러복 ; 또, 그 모양을 본뜬 웃옷.＝セーラー服.

すいへい【水平】图【ダ가】수평. ¶～思考 こう 수평 사고 / ～線 せん 수평선 / ～面 めん 수평면 / ～を保 たも つ 수평을 유지하다. ↔垂直 すいちよく. ──うんどう【─運動】-dō 图 수평 운동(신분적인 차별을 없애기 위한 사회 운동 ; 우리 나라의 형평 (衡平) 운동). ──どう【─動】-dō 图 수평동(지면이 좌우로만 흔들리는 지진). ↔上下動 じようげどう.

すいへん【水辺】图水辺 ; 물가.＝みずぎわ.

すいほ【酔歩】图취보 ; 술에 취하여 비틀비틀 걷는 걸음걸이.＝千鳥足 ちどりあし.

すいほう【水泡】-hō 图물거품. ─に帰 き す 수포로 돌아가다. ──おん【─音】图수방：ラッセル.

すいぼう【水防】-bō 图수해의 경계·방지. ¶～音 おん ：ラッセル.

すいぼう【衰亡】-bō 图 ㅈ自 쇠망 ; 쇠멸.　　　　　　　　〔＝すみえ.

すいぼくが【水墨画】图水墨화.

すいぼつ【水没】图水물. 물에 잠겨 묻힘. ¶ダム建設 けんせつ で─した村 むら 댐건설로 水물된 마을.

すいま【睡魔】图수마 ; 졸음.＝ねむけ. ¶～におそわれる 수마에 사로잡히다(몹시 졸리다).

すいま【水魔】图수마.

ずいまくえん【髄膜炎】图【醫】수막염 ; '脳膜炎 のうまくえん (뇌막염)'의 고친 이름.

すいみつ【水蜜】图수밀. ¶～桃 とう '水蜜桃 すいみつとう (수밀도)'의 준말.

すいみゃく【水脈】-myaku 图 ①水맥. 땅속의 물줄기. ②뱃길 ; 水로.＝船路 ふなじ.

*すい**みん**【睡眠】图ㅈ自수면.＝ねむり. ¶～時間 じかん 수면 시간 / ～不足 ぶそく 수면 부족 / ～薬 やく 수면약.

スイミング图스위밍 ; 수영. ▷swimming.

ずいむ【瑞夢】图서몽.

ずいむし【螟虫】图【蟲】명충 ; 마디충.＝めいちゅう.　　　　　　〔＝멸망함.

すいめつ【衰滅】图ㅈ自쇠멸 ; 쇠퇴하여

すいめん【水面】图水면 ; 물 표면.

すいもの【吸い物】图 (식사 때에 내는) 맑은 국.＝すましじる.

すいもん【水門】图수문 ; 물문.

すいやく【水薬】图물약.＝みずぐすり.

すいよ【酔余】图술취한 뒤(끝, 나머지). ¶～のけんか 술김의 싸움.

*すい**よう**【水曜】-yō 图수요(일). ¶～日 び 수요일.

すいよう【水溶】-yō 图水용. ¶～性 せい 水용성. ──えき【─液】图水용액. ¶食塩 しよくえん ～ 식염水.

すいようえき【水様液】suiyō- 图수양액. ①水같이 무색·투명한 액체. ②안구(眼球) 속의 무색·투명한 액체.

すいよ-せる【吸い寄せる】下1他빨아 당기다(비유적으로, 사람의 마음을 끄는 일에도 쓰임).

すいらい【水雷】图【軍】水뢰. ¶─艇 てい 水뢰정 / 魚形 ぎよけい ～ 어뢰 / 機械 きかい

기뢰. ↔地雷 じらい.

すいらん【翠巒】图취란 ; 푸른 산봉우리 ; 푸른 연산(連山).

*すい**り**【推理】图ㅈ他추리. ──しょうせつ【─小説】-shōsetsu 图추리 소설('探偵 たんてい 小説'의 고친 이름).

すいり【水利】图水리. ①水상 운송의 편리. ¶～の便 べん が悪 わる い 水리의 편 (선편)이 나쁘다. ②물의 이용. ¶～権 けん 水리권.

すいりく【水陸】图水륙. ¶～両用 りようよう 水륙 양용.

すいりゅう【水流】-ryū 图水류 ; 물의 흐름.　　　　　　　　〔수양버들.

すいりゅう【垂柳】-ryū 图【植】水류 ;

すいりゅう【翠柳】-ryū 图【植】푸른 버들.

すいりょう【推量】-ryō 图推양 ; 추측. ¶私 わたし ての─では 나의 추측으로는.

すいりょう【水量】-ryō 图水량.

すいりょく【水力】-ryoku 图水력. ¶～タービン 水력 터빈 / ～発電 はつでん 水력 발전.↔火力 かりよく.　　　　〔추진력.

すいりょく【推力】-ryoku 图【理】추력 ;

すいれい【水冷】图水냉 ; (실린더 등을) 물로 식힘. ¶～式 しき 水냉식.↔空冷 くうれい.

すいれん【水練】图水영(술, 연습). ¶畳 たたみ の上 うえ の─ 쓸데없는 것의 비유.

すいれん【睡蓮】图【植】수련.

すいろ【水路】图水로. ①송水로(送水路) ; 물길 ; 물의 통로. ②항로 ; 해로 ; 뱃길. ③(水상 경기에서) 경영(競泳) 코스. ¶長 ちよう ～ 장거리 수영 코스.

すいろん【推論】图ㅈ他추론.

スイング图ㅈ他①【野】스윙·타·팔·야구의 배트 따위를 흔듦(휘두름). ②【樂】재즈의 연주 형식의 하나 ; 또, 재즈.一スウィング.▷swing.

*す**う**【吸う】[5他]① (공기 따위를) 들이마시다. ②(유동식을) 마시다. 먹다. ③빨아들이다. ¶海綿 かいめん が水 みず を～ 해면이 물을 빨아들이다. ④빨다. ¶たばこを～ 담배를 피우다. ⑤묻어 당기다.

*す**う**【数】图ㅈ①수 ; 수효. ¶箱 はこ の～ 상자의 수 / ～をたのんで 수적 우세를 믿고.↔量 りよう. ②【數】수 ; 정수·분수·유리수·무리수·실수·허수의 총칭. ¶～の観念 かんねん 수의 관념. ③계산 ; 계수. ¶～にあかるい 계수에 밝다. ④운명 ; 일의 되어가는 형편. ¶勝敗 しようはい の～は判ば じ難 がた い 어느 쪽이 길지는 판단할 수 없다. 一接頭수…; 서넛 또는 대여섯의 수를 막연히 나타내는 말. ¶～万人 にん 수만 명.

*す**うがく**【数学】sū- 图수학. ¶初等 しよとう ～ 초등 수학 / ～的 てき 수학적.

すうき【数奇】sū- 名ナ수기 ; 기구·불우. ¶～な運命 うんめい 기구한 운명. 注意「すうき」라고도 함.

すうき【枢機】sū- 图추기. ①사물의 긴하고 중요한 곳 ; 사북.＝かなめ. ②중요한 정무(政務). ──けい【─卿】图추기경. ¶～会議 かいぎ ＝すうきょう.

すうけい【崇敬】sū- 图ㅈ他숭경.

すうこう【崇高】sūkō 图ナ숭고. ¶～美 び 숭고미 / ～な理念 りねん 숭고한 이념.

すうこう【趨向】sūkō 图추향 ; 경향 ; 동향. ¶～性 せい 추향성.

すうこく【数刻】 sū- 图 수각；몇 시간.

すうし【数詞】 sū- 图 【文法】 수사.

***すうじ【数字】** sū- 图 ①숫자. ¶アラビア ―ア라비아 숫자／に明るいⓐ숫자(계수)에 밝다. ②몇 (글)자. ¶ ～, 訂正するⓐ몇 자 고치다.

すうじ【数次】 sū- 图 수차；몇 차례. 몇 번. ＝数回ⓐ・数度ⓐ.

すうしき【数式】 sū- 图 수식.

すうじく【枢軸】 sū- 图 추축. ──こく【──国】图 추축국(2차 대전 중, 일본・독일・이탈리아의 삼국 동맹에 속한 나라).

すうじつ【数日】 sū- 图 수일；두셋 되는 대여섯 날.

すうすう sūsū 圖 ①곳숨 쉬는 소리：식식；색색；색색. ¶～(と)寝息ⓐを立てて眠るⓐ색색 곳숨을 쉬면서 자다. ②바람이 문틈을 통과할 때 나는 소리：솔솔；솔솔. ¶すきま風ⓐが～(と)吹き込むⓐ틈새기 바람이 솔솔 새어 들어오다.

***ずうずうし-い【図図しい】** zūzūshī 圈 뻔뻔스럽다. ¶～態度ⓐ뻔뻔스러운 태도.

ずうずうべん【ずうずう弁】 zūzū- 图 東北ⓐ지방 특유의 코맹맹이 소리의 말투(ジューズ, ジューーをズーズ라고 발음함). ＝東北弁ⓐⓐ.

すうせい【趨勢】 sū- 图 추세；동향. ＝成行ⓐ. 「あまた.

すうた【数多】 sū- 图 수다；たくさん. ＝

ずうたい【図体】 图 《俗》덩치；몸집. ¶～ばかり大きいⓐ덩치만 크다.

すうち【数値】 图 【数】수치；값. ¶～を求めるⓐ수치를 구하다.

スーツ sū- 图 슈트；여성복의 투피스로 상하가 같은 감으로 된 것. [參考] 최근에는 신사복 상하에도 일컬음. ▷suit. ──ケース 图 슈트케이스；여행용 소형 가방. ▷suitcase.「7,8 회.

すうど【数度】 sū- 图 수회；2, 3회의

すうとう【数等】 sūtō 图 ①몇 단계. ②《副詞的으로 써서》상당히；또, 월등히；훨씬. ¶このほうが～いいⓐ이쪽이 월등히 낫다.　　　　　「몇 해.

すうねん【数年】 sū- 图 수년；여러 해；

スーパー sūpā 图 ①초(超)…, …보다 위인, 뛰어난, 특대의, 더욱 …한'의 뜻. ¶スーパーインポーズ''スーパーマーケット''スーパーヘテロダイン'의 준말. ▷super. ──インポーズ -impōzu 图ス他【映】슈퍼임포즈；화면 위에 자막을 포개음；또, 그 자막. ▷superimpose. ──タンカー 图 슈퍼탱커(3만 톤 이상의 대형 유조선). ▷super tanker. ──ヘテロダイン 图 슈퍼헤테로다인；고감도 수신 장치. ▷superheterodyne. ──マーケット -ketto 图 슈퍼마켓. ＝スーパーストア. ▷supermarket. ──マン 图 슈퍼맨；초인(超人). ▷superman.

***すうはい【崇拝】** sū- 图ス他 숭배. ¶偶像ⓐ～ 우상 숭배.

***スープ** 图 수프. ▷soup.

すうみついん【枢密院】 sū- 图 추밀원(구헌법 시대의 24명으로 구성된 天皇ⓐⓐ의 자문 기관).

ズームレンズ 图 줌렌즈；초점 거리를

일정한 범위에서 변화시킬 수 있는 レ ズ. ▷zoom lens.

すうよう【枢要】 sūyō 图形 추요；가장 요긴하고 중요함；또, 그런 부분. ＝かなめ. ¶～な地位ⓐ 중요한 지위.

すうり【数理】 sū- 图 ①수학의 이론. ¶～経済学ⓐⓐ 수리 경제학. ②계산；계수적인 방면. ¶彼ⓐは～に明るいⓐ그는 수리(계수)에 밝다.

すうりょう【数量】 sūryō 图 수량；분량. ¶～が増すⓐ 수량이 늘다.

すうれつ【数列】 sū- 图 수열. ①【数】수의 계열. ¶等差ⓐ～ 등차 수열. ②몇 줄；두셋 또는 대여섯 줄.

***すえ【末】** 图 ①끝；마지막. ⓐ사물의 끝. ¶木末ⓐ；나뭇가지 끝. ⓒ어떤 기간의 끝(마지막). ¶年末ⓐ─ 한 해의 마지막. ↔初ⓐめ. ⓒ인생의 끝；말년. ¶～は不遇ⓐで終ⓐわった 말년은 불우하게 끝났다. ②형제 자매의 끝；막내. ¶これが～です 이 애가 막내입니다. ②먼 앞날；장래；미래. ¶～が頼ⓐ み 장래가 촉망되다. ③자손；후예. ④중요하지 않은 일. ¶そんな問題ⓐは～の─のこと 그런 것은 지엽적인 일이다. ⑤短冊ⓐ의 아래 구(句). ⑥末ⓐの世ⓐ(＝말세)의 준말. ¶世ⓐも～だ 세상도 말세다. [注意] ⑥은 본디 '李'로도 썼음.

ずえ【図会】 图 어떤 부문에 관한 책으로서 그림을 주로 한 것.　　「画ⓐ.

ずえ【図絵】 图《老》도화；그림. ＝図

すえおき【据(え)置き】 图 거치. ①그대로 놓아 둠. ──ちょきん【据置貯金】 -chokin 图 거치 저금(기한이 도래하지 않으면 찾을 수 없는 저금).

すえお-く【据え置く】 ⑤ 5他 ①움직이지 않도록 놓아 둔다. ¶仏像ⓐを～ 불상을 모셔 놓다. ②(변동할)(손때) 것을 그대로 두다. ¶料金ⓐを～ 요금을 그대로 두다. ③지금・채권 등을 일정 기간 거치해 두다. ¶장래가 두렵다.

すえおそろし-い【末恐ろしい】 -shī 圈

すえじじゅう【末始終】 -jū 圖《老》장래까지 죽；끝내내. ＝のちのちまで. ¶～添いⓐとげたい 오래오래 같이 살고 싶다.

すえずえ【末末】 图 ①《老》끝끝내；내내；장래. ＝のちのち. ¶～までも幸福ⓐでありますように 내내 행복하기를 복. [參考] 副詞的으로도 씀. ②《雅》 ⓐ후손；후손. ⓑ서민；하민(下民). ＝庶民ⓐⓐ・下ⓐⓐ万民.

すえぜん【据え膳】 图 금방 먹을 수 있게 차려 내놓음；또, 그 음식상. [參考] 준비를 완전히 하고 곧 일에 착수할 수 있도록 하는 일에도 비유됨. ──上げⓐ ぜん 극진히 대접받는 모양. ¶一食ⓐ わぬは男ⓐの恥ⓐ차려 놓은 밥상도 못 먹는 것은 남자의 수치(여자가 좋다는 데도 망설이는 것은 남자의 수치).

すえたのもし-い【末頼もしい】 -shī 圈 장래가 기대(촉망)되다；장래가 유망하다.

すえつ-ける【据え付ける】 下1他 설치하다；고정시켜 놓다.

すえっこ【末っ子】 -ekko 图 막내(둥이). ＝すえこ.　　　　　　「にばな.

すえつむはな【末摘花】 图【植】☞すえ

すえのよ【末の世】图 ①〈雅〉후세. ＝後世だ. ②말세(末世). ＝末世まっせ.

すえひろ【末広】图 ①점차로 끝 쪽이 퍼져감. ②접부채를 경사(慶事)에 선물로 할 때 쓰이는 이름. ＝扇子せんす. ③점차로 번영하는 일.

すえひろがり【末広がり】图 ☞すえひろ

すえぶろ【据え風呂】〖据え風呂〗图 큰 나무통에 아궁이가 달린 (가정용) 목욕통. ＝すいふろ・すえぶろ.

すえもの【据(え)物】图 장식으로 두는 것.
すえもの【陶物】图 오지그릇；도기.

***す－える**【据える】下1他 ①붙박다；설치하다. ¶機械きかいを～ 기계를 설치하다. ②(눈길 따위를) 쏟다. ¶목표もくひょうを～응시하다；눈여겨보다. ③차려 놓다. ¶膳ぜんを～ 상을 차려 놓다. ④자리잡게 하다；(a)자리잡고 눌러 앉다；(b)(어떤 지위에) 눌러 붙다；(c)차분히 일에 정신 쓰다. ¶어떤 지위에 앉히다；모시다. ¶会長かいちょうに～ 회장으로 모시다. ⑥(도장을) 찍다；날인하다. ¶判はんを～ 도장을 찍다. ⑦뜸을 뜨다. ¶灸きゅうを～ 뜸을 뜨다. ⑧(마음을) 가라앉히다. ⑨침착히 하다. ¶心こころを～えてよく見みろ 마음을 가라앉히고 잘 보라. ⓛ(감정을) 누르다. ¶腹はらを～えかねる 치미는 화를 참을 수 없다.

す－える【饐える】下1自 (음식물이) 쉬다；시큼해지다.

すおう【素襖・素袍】suō 图 마포(麻布)에 가문(家紋)을 넣은 의복(처음에는 서민의 평상복이었으나 나중에 무사의 평상복이 되었고, 江戸えど 시대에는 무사의 예복이 되었음). ＝ひたたれ.

すおう【蘇芳・蘇方・蘇枋】suō 图①〖植〗다목. ②다목나무를 삶은 검붉은 물감.

すおどり【素踊り】图 의상이나 가발을 쓰지 않고 춤을 춤；또, 그 춤.

すか图〈俗〉¶～を食くう 기대가 어그러지다. 「림.

ずが【図画】图 도화；그림；도면과 그

*スカート 图 스커트. ①(양장에서) 치마. ¶ミニ～ 미니스커트. ②기차・전차・자동차 등의 전면(前面) 아랫 부분을 덮은 철판(장애물을 배제하기 위한 것). ▷skirt.

スカーフ 图 스카프；목도리. ▷scarf.

スカイ 图 스카이；하늘；천공. ▷sky.
――ウェー－wē 图 스카이웨이；관망(観望) 도로. ▷skyway. ――ダイビング 图 스카이 다이빙. ▷sky diving. ――ライン 图 스카이라인. ▷skyline.

ずかい【図解】图图 도해. [참고] 도표나 그림에 의한 설명을 주로 한 책의 이름으로도 쓰임. 「骨ほねど.

ずがいこつ【頭蓋骨】图 두개골. ＝頭

スカウト 图曰 스카우트. ①운동부의 신인 선수・예능인 등을 골라서 빼내는 일, 또, 그것을 담당하고 있는 사람. ②图 'ボーイスカウト(＝보이스카우트)'・'ガールスカウト(＝걸스카우트)'의 준말. ▷scout.

すがお【素顔】图 ①맨 얼굴；화장하지 않은 얼굴；전하여, 있는 그대로의 상태(모습). ＝地顔じがお. ¶東京とうきょうの～ 東京의 참 모습. ②주기(酒氣)가 없는 얼굴. ＝しらふ.

すがき【素がき】〖素描き〗图 소묘；데생. ＝デッサン・そびょう.

すが－く【巣がく】〖巣掻く〗五自 거미가 줄을 치다.

すかさず【透かさず】連語《副詞的으로》사이를 두지 않고；기회를 놓치지 않고；곧；즉각；빈틈 없이.

すかし【透かし】图 ①틈을 만듦；성기게 만듦；틈을 만들어 놓은 곳. ②종이 틀에 비출 때 보이는 무늬・글자(지폐에 넣은 은화(隠畫) 따위). ③〈俗〉소리없이 뀌는 방귀. 「다.

すかす五自〈俗〉…체하다；시치미떼

すかす【賺す】五他 ①달래다；어르다. ¶おどしたり～したり으로近 달래며. ②속이다；어루꾀다.

***すか－す**【空かす】五他 '腹はらを～' 배를 곯다；배를 주리다.

***すか－す**【透かす】五他 ①틈새를 만들다；성기게 하다. ②(통해서) 보다. ¶木この間あいだを～して見みる 나무들 사이로 보다. ③틈새로 내보내다. ④빛에 비추어 훤히 보이게 하다. ⑤(방귀를) 소리 안 나게 뀌다.

すかすか自 아무 저항도 받지 않고 수월히 차례대로 지나가는 모양：척척；쏙쏙. ¶多数たすうの関門かんもんを～(と)通とおり過すぎる 많은 관문을 척척 통과하다. ¶ 틈이 많은(구멍이 숭숭 난) 모양. ¶水分すいぶんが少すくない의 すいか우 부분이 적고 구멍이 숭숭 뚫린 수박.

ずかずか副 서슴지 않고(거칠게) 나아가는 모양.

***すがすがし－い**【清清しい】-shī 图 상쾌하다；산뜻하다. ¶～い山やまの空気くうき 상쾌한 산의 공기.

*‖**すがた**《姿》【名詞】图 ①모습；형체；자태. ¶ありのままの～ 있는 그대로의〔숨김 없는〕 모습. ⓛ형편；상태. ¶病やめるアメリカの～ 병든 미국의 모습. ②차림. ¶寝巻ねまき～ 잠옷 차림. ③물고기・새의 살아 있을 때의 모습.

すがたえ【姿絵】图 초상화.

すがたみ【姿見】图 체경(體鏡).

すかっと-katto 副 ①선뜻 베는 모양：싹；싹둑. ②세련되고 산뜻한 모양：산뜻. ¶～した服装ふくそう 산뜻한 복장. ③후련한 모양.

すがめ【眇】图 ①〈卑〉사팔뜨기；やぶにらみ. ②〈卑〉애꾸눈. ＝めっかち. ③〈雅〉곁눈(질). ＝流ながし目め・横目よこめ.

すが－める【眇める】下1他 ①한 쪽 눈을 가늘게 뜨거나 감다. ②한 쪽 눈을 가늘게 뜨고(감고) 겨냥내다.

すがやか【清やか】ダ図 ①상쾌한 모양. ¶～な気分きぶん 상쾌한 기분. ②막힘없는 모양：すらすら. ¶～に答こたえる 술술 대답하다.

-すがら《흔히 名詞에 붙여 副詞的으로 씀》①처음부터 끝까지 죽；내내；계속해서. ¶夜よも～ 밤새도록. ②…하는 길(도중)에；…하는 김에. ¶旅たび～ 여행하는 길에. ③그대로. ¶身み～で逃にげる 맨몸으로 달아나다.

-ずから《名詞에 붙여 副詞를 만듦》…으로；그 사람 스스로의 …에 의해서. ¶口くち～ 입으로／おの～ 저절로／身み～ 몸소／手て～ 손수.

ずがら——すきや　　　　480

ずがら【図柄】图 (직물 따위의) 도안; 무늬. ＝模様。

すがりつ‐く【縋り付く】[5自] 매달리다; 달라붙다. ¶母親譴に～ 어머니에게 매달리다.

すが‐る【縋る】[5自] ①매달리다. ¶腕荩に～ 팔에 매달리다. ②의지하다; 기대다. ¶杖荩に～·って歩瑟く 지팡이를 의지하고 걷다.

すが‐れる【闌れる・尽れる・末枯れる】[下1自] 초목의 잎과 가지 끝이 마르기 시작하다; 전하여, 사람의 한창때가 지나서 노쇠해지다. ▷물 도감.

ずかん【図鑑】图 도감. ¶動物霐～ 동물 도감.

スカンク[名][動] 스컹크. ▷skunk.

ずかんそくねつ【頭寒足熱】图 두한족열; 머리는 차게 하고 발은 따뜻하게 하여 잠 잘 자는 건강법.

すかんぴん【素寒貧】-kampin [名] 〈俗〉 몹시 가난함; 또, 그 사람. ▷すいぴん。

すかんぽ【酸模・酸葉】-kampo[植] 괭이밥.

すき【鋤】图 가래.

すき【犂】图 쟁기.

すき【数寄・数奇】图 풍류; 특히, 다도 (茶道)나 和歌 따위를 즐김. ━を凝ら す 공들여 아취 있게 꾸미다.

すき【好き】[名] ①좋아함. ¶～な役者讄 좋아하는 배우. ▽きらい. ②호색 (好色). ¶あいつも～だなあ 저 놈도 색을 밝히는군. ③호기심. ¶～心讄 호기심. ④내키는 대로; 제 마음대로. ¶～にしやがれ 네멋대로 해라.

すき【隙】图 틈. ①빈틈; 빈 곳. ¶割り込む～もない 비집고 들어갈 틈도 없다. ②겨를; 짬. ¶～を見でて出かける 틈을 타서 외출하다. ③틈; 기회. ▷は隙. ④틈 기회. ¶一分荩の～도 없는 (대비) 자세. ▷木.

すぎ【杉・椙】图[植] 삼목(杉).

-すぎ【過ぎ】(①때를 나타내는 말에붙어) 지나감. ¶三時荩～ 3시 넘어 [지나]. ②動詞의 連用形에 붙어) 도 (度)가 지나침. ¶食べい～ 과식.

ずき【俗】(도망중인 죄인에 대한) 경찰의 주의(주배). ¶～がまわる 수배되다.

スキー图 스키. ¶サンド(砂筒)～ 샌드스키 / 水上鹮～ 수상 스키. ▷ski. ━ヤー图 스키어; 스키를 타는 사람. ▷skier.

すきいれ【漉き入れ】图 종이를 뜰 때 글자나 무늬를 넣는 일; 또, 그 종이.

すきおこ‐す【鋤き起こす】[5他] 가래로 흙을 파 일구다.

すぎおり【透き織(り)】图 비치도록 설피게 짬; 또, 그 직물; ＝すかしおり.

すぎおり【杉折(り)】图 삼목나무의 얇은 판자로 짠 상자(초밥·과자 따위를 담음).

すきかえ‐す【漉き返す】[5他] 재생지(再生紙)로 ＝宿紙讄.

すきかえ‐す【鋤き返す】[5他] 헌 종이를 녹여서 다시 떠 만들다.

すきかえ‐す【鋤き返す】[5他] 가래로 흙을 파 뒤집다.

すきかって【好きかって】【好き勝手】

-katte[名][ダナ] (제각기) 자기 좋을 대로만 하는 모양. ¶～な行動荩 멋대로의 행동.

すききらい【好き嫌い】图 호불호(好不好); 좋아함과 싫어함. ＝よりごのみ·えりごのみ. ¶だれにも～はある 누구에게나 좋아하고 싫어하는 것은 있다. ¶～が激讄しい 기호가 까다롭다; 가리는 것이 많다.

すきぐし【梳き櫛】图 참빗.

すぎごけ【杉蘚・杉苔】[植] 솔이끼.

すきごころ【好き心】图 ①호색한 마음. ②호기심.

すきごと【好き事】图 ①호색스런 언동. ②색다른 것을 좋아하는 행동.

すきこのみ【好き好み】图 취미;기호.

すきこの‐む【好き好む】[5自] 특히 좋아하다. ¶～んで自分이 좋아서, ¶～んで苦労讄する者荩はいない 좋아서 고생하는 사람은 없다.

すぎさ‐る【過ぎ去る】[5自] 지나가다. ①통과하다. ②(시일이) 지나가 버리다. ¶～った昔讄 지나간 옛날.

すきずき【好き好き】图 각자의 기호(嗜好). ¶それは～だ 그것은 각자의 기호(취미) 문제다.

ずきずき副 상처나 종기 따위가 쑤시면서 아픈 모양; 욱신욱신. ＝ずきんずきん. ¶頭荩が～(と)痛荩む 머리가 욱신거린다.

すきっと-kitto 副 개운[후련, 상쾌]한 모양. ¶～した気荩持ち 상쾌한 기분.

スキップ-kippu [名][ス自] 스킵; 번갈아한 발씩 가볍게 껑충껑충 뛰어 감.

すきとお‐る【透き通る】【透き徹る】-tōru [5自] ①비쳐 보이다; 투명하다. ¶～った空荩 맑은 하늘. ②소리가 맑다. ¶～った声讄 맑은 목소리.

すぎな【杉菜・杉菜】图[植] 쇠뜨기; 필두채(筆頭菜).

すぎない【過ぎない】連語〈…に～'의 꼴로〉…일[할] 뿐이다; …에 지나지 않다(불과하다). ¶ほんの子供荩に～ 아직 아이에 지나지 않다 / それは言讄いわけに～ 그건 핑계일 뿐이다.

すきなべ【鋤鍋】图 (운두가 얕은) 전골 냄비; 벙거짓골.

すきばら【すき腹】【空腹】图 공복; 기진(주린) 배. ＝空腹荩·すきはら·すきっぱら.

すきほうだい【好き放題】-hōdai [名][ダナ] 자기 좋을 대로 하는 모양. ¶～な暮讄らし 제멋대로의 생활.

すきま【透き間】【空間・隙間】图①(빈) 틈. ②겨를; 짬. ¶～を見でて手荩つだう 틈을 보아 거들다. ━かぜ【～風荩】(문·창문 등의) 틈새기 바람; 외풍.

すきみ【透き見】[ス自] 틈으로 들여다봄. ＝のぞみみ.

スキムミルク图 스킴 밀크; 탈지 우유. ＝スキンミルク. ▷skim milk.

すきもの【好き者】图 ①호색가. ②호사가; 호기심이 많은 사람.

すぎもの【過(ぎ)者】图 (결혼 따위의상대가) 과분함; 과분한 상대(거지).

すきや【数寄屋・数奇屋】图 ①다도(茶道)를 위해서 지은 건물; 다실(茶室). ②다실풍의 건물. ③장지에 바르는 미

농지의 딴이름.

すきやき 【すき焼(き)】【鋤焼·寿喜焼·数寄焼】图【料】전골. ¶牛肉ぎゅうの～ 쇠고기 전골.

スキャップ -kyabbu 图 스캡; 파업 이탈자(배반자). =スト破やぶり ▷scab.

スキャンダル sukyan- 图 스캔들. ▷scandal.

スキューバ sukyū- 图 스쿠바; 수중 호흡 장치; 수중폐(水中肺). ▷scuba.

すぎゆ~く 【過ぎ行く】 囯 ①지나가다; 시간이 경과하다.

ずきょう 【誦経】-kyō 囝囲【佛】송경; 독경.

＊**す~ぎる** 【過ぎる】 ┌囯┐ ①지나(가)다; 통과하다; 넘다. ¶門前ぜんを～가 앞을 지나가다. ②(시간·기한이) 지나다; 끝나다. ¶十年とせを～ぎて 10년 지나서. ③지내다; 살아 가다. ④(수준·정도를) 넘다; 지나치다. ¶独善どくぜんに～ 너무 독선적이다. ⑤분에 넘치다; 과분하다. ¶お前まえには～ぎた女房にょうぼう だ 너에게는 과분한 마누라다. 【参考】接尾語的으로 動詞連用形·形容詞語幹따위에도 붙임. ¶食べすぎる 너무 먹다; 과식하다 / 美うつくし～ 너무 아름답다.

─ぎたるは及およばざるが如ごとし 과유불급(過猶不及); (정도를) 지나침은 미치지 못한 것과 (정도를) 같다.

スキン 图【俗】 ①살갗; 피부. ②(콘돔의) 껍질. ──ダイビング 图 스킨 다이빙; 스포츠로서의 잠수. ▷skin diving.

ずきん 【頭巾】 图 두건 (복면처럼 얼굴을 가리는 것도 있음).

ずきんずきん 圓 머리·상처·종기 따위가 쑤시면서 아픈 모양; 욱신욱신. ¶歯はが～痛いたむ 이가 욱신거린다.

す~く 【好く】 囸囮 좋아하다(현대어에서는 주로 受動·否定形으로 씀). ¶～·かない奴やつ (보기) 싫은 놈 / 人ひとに～かれるたちだ 남이 좋아할 성품이다.

す~く 【梳く】 囸囮 (머리를) 빗다.

す~く 【漉く·抄く】 囸囮 (종이·김 따위를) 뜨다.

す~く 【結く】 囸囮 (그물을) 뜨다.

＊**す~く** 【透く】 囸囮 ①틈이 생기다; 틈새가 벌다. ¶戸とと柱はしらの間あいだが～ 문과 기둥 사이에 틈이 나다. ②성기다. ¶枝えだが～いている 가지가 성긴 듯성긴 나다. ③들여다보이다. ¶～·い て見みえる (환히) 들여다보이다. ④(속이) 후련해지다. ¶胸むねが～ 속이 후련해지다.

す~く 【空く】 囸囮 ①틈이 나다; 짬이 나다. ¶手てが～ 짬 (손) 이 나다. ②속이 비다. ¶腹はらが～ 배가 고프다. ⑥들성등성해지다. ¶バスが～ ～いている バス 비어 있다.

す~く 【鋤く】 囸囮 가래로 흙을 일구다.

＊**すぐ** 【直ぐ】 囸囮 ①곧; 즉시; 바로. ¶起おきると～に(─) 일어나자마자 곧 / 角かどを曲まがって～の店みせ 모퉁이를 돌아서 바로 그 가게 / 怒おこると～ 곧 가마. ──ナリ〔雅〕①곧음; 똑바름. =まっすぐ. ②순진함; 정직함.

──

─ずく 【尽く】【名詞에 붙여서】문제 해결(처리)의 유일한 수단·방법으로 함; …의 힘으로(힘을 빌어); …이란 수단에 의하여; …(만)으로. ¶腕うで～で完력으로; 힘으로 / 金かね～ 금력〔돈의 힘〕에 의함 / 相談そうだん～ 서로 의논하여 함.

すくい 【救い】 图 ①구(조); 구제; 도움. ¶～の手てをさしのべる 구원의 손길을 뻗치다. ②마음에 밝음과 편안함을 주는 것.

すくいがたい 【救い難い】 囲 ①구제하기 어렵다; 구제 불능이다. ¶～やつだ 구제 못 할 놈이다. ②어쩔 도리 없다.

すくい~す 【救い出す】 囸囮 구해 내다. 〔囸囮〕 떠(퍼)내다.

すくいだ~す 【すくい·出す】 囸囮 〔掬い·出す〕

すくいぬし 【救い主】图 ①구해 준 사람. ②【宗】구세주. =救世せいしゅ.

す~くう 【掬う·抄う】 囸囮 ①물·가루 모양의 것을 떠내다; 건져 올리다. ¶手てで水みずを～ 손으로 물을 떠내다 / スープを～ 국을 뜨다 / 網あみで金魚きんぎょを～ 그물로 금붕어를 건져올리다. ¶(움켜 떠올리듯) 급히 들어 올리다. ¶あしを～ 땐죽 걸다; 발을 걸다.

す~くう 【救う】 囸囮 구하다; 건지다. ①구원하다; 구제하다; 도와 주다. ·われない人間にんげんを 구제 못 할 인간? 世よを～ 세상(사람)을 건지다 / 貧民ひんみんを～ 그물로 감봉아를 건져올리다. ②溺おぼれかけた子供こどもを～ 물에 빠져 죽게 된 아이를 구하다. ③덮어 주다. ¶悩なやみを～ 고민을 덜어 주다.

す~くう 【巣くう】【巣食う】 囸囮 ①깃들이다; 둥지를 틀다. ②소굴을 이루고 있다. ¶町まちに～暴力団ぼうりょくだん 거리에 기생하는 폭력단.

スクーター 图 스쿠터 (작은 오토바이의 하나). ▷scooter.

スクープ 囸囮 스쿠프; 특종 (기사). =特種とくだね. ▷scoop.

スクーリング 图 스쿠링; 통신 교육 학생을 위한 단기간의 교실에서의 직접 수업. ▷schooling.

スクール 图스쿨. 학교. ¶～カラス 컬러; 교풍 / ～バス 스쿨 버스. ②학파; 학교. ▷school.

スクエアダンス sukwea- 图 스퀘어 댄스. ▷square dance.

すぐさま 【直(ぐ)様】 圓 곧; 즉각; 당장.

すくすく 圓 ①(나무 따위가) 기운차게 잘 뻗는〔자라는〕모양; 쑥쑥. ②아이가 건강하게 잘 자라는 모양; 무럭무럭.

すくせ 【宿世】 图【佛】숙세. ①전세(前世). =しゅくせ. ②の業ごう 숙세의 업. ②전세부터의 인연.

＊**すくな~い** 【少ない】〔尠い〕 囲 ①적다. ¶誤植ごしょくの～本ほん 오식이 적은 책 / 分量ぶんりょうが～ 분량이 적다. ②어리다; 나이가 적다. ¶年としが～子供こども 나이가 어린 아이. ⇔多おおい.

すくなからず 【少なからず】〔尠からず〕 圓 적잖이; 많이; 매우; 몹시. ¶～驚おどろいた 적잖이 놀랐다 / ～お金かねがある 적잖은 돈이 있다.

すくなくとも 【少なくとも】〔尠くとも〕 圓적어도. ¶二万円にまんえんにはなる 적어도 2만 엔은 된다 / ～考慮こうりょはしてほしい 적어도 고려는 해주기 바란다.

すくなくな-い【少なくない】〔尠くない〕形 적지 않다;많다.

すくなめ【少なめ】(少な目)名〔ダナ〕좀 적은 듯싶은 수량. ↔多あめ.

すくみあが-る【竦み上がる】⑤自 자지러지다;움츠러지다.

すく-む【竦む】⑤自 (긴장으로) 움츠러져 꼼짝 못하다;위축되다;자지러지다. ¶立たち～ 그 자리에 못박히다/身みの～思おもい 몸이 오그라드는 느낌.

-ずくめ【尽くめ】《名詞에 붙어서》온통 그것뿐임;그것만으로 이루어짐. ¶…ずくめ；…일색. …투성이. ¶黒くろの服装そう 검정 일색의 복장/つらい事ごと～の一年ねん 괴로울 뿐이던 한 해.

すく-める【竦める】下1他 움츠리다. ¶首くびを～ 목을 움츠리다.

すくよか【健よか】(ナナ)(무럭무럭 자라) 튼튼한 모양. =すこやか.

スクラップ-rappu 名 스크랩. ①(신문·잡지 따위의) 오려낸 기사. ¶～ブック 스크랩북. ②파쇄;고철. ▷scrap.

スクラム名 스크럼. ▷scrum.

スクリーン名 스크린. ①(映)은막;영사막. ⓑ영화;영화화. ②사진 제판에 쓰는 유리판. (사진에서) 필터. ④등사판에서, 테에 끼운 망사 같은 천. ⓑ데에 커튼 같은 천을 붙이기 위한 단단한 칸막이. ▷screen.

スクリプター名 스크립터;영화 촬영 시의 기록자(원). ▷scripter.

スクリプト名 스크립트;방송용 원고; 대본. ▷script.

スクリュー-ryū 名 스크루. ▷screw.

すぐ-る【選る】⑤他 골라 뽑다;선발하다. ¶えり～ 추리고 또 추리다.

すぐれて【勝れて·優れて】副 특별히; 뛰어나게;두드러지게. ¶～政治的せいじてきな問題もん 특히 (극히) 정치적인 문제.

すぐれな-い【勝れない·優れない】形 (건강·기분·병 따위가) 좋은 상태가 아니다;시원치 않다. ¶気分ぶん〔顔色かおいろ〕が～ 기분이 (안색이) 좋지 않다.

***すぐ-れる**【優れる】【勝れる·傑れる·秀れる】下1自 뛰어나다;우수하다;훌륭하다. ¶～れた人物ぶつ 훌륭한 인물.

すけ【助】①도움;조력. ②가세(加勢). ¶～びと 조력자. ②(寄席よせ에서) 真打うち의 보조. ③장관의 보좌·대리·직;차관(次官) ⑤大宝令たいほうりょう로 정해진 벼슬의 하나;관청에 따라 「輔·弼·亮·佐·介」따위로 구분하여 씀. ④(侍女) 상급의 궁녀. ⑤(俗) (깡패 사회에서) 정부(情婦)(넓은 뜻으로는 봉이 될 여자). ②接尾 다른 말에 붙여 인명(人名)처럼 쓰는 말. ¶飲のみ～ 술꾼/おっと合点ごてん承知しょうち의 ～ 그래 알았어, 승낙이야.

すげ【菅】(植)사초(莎草). =すげ.

ずけい【図形】 도형;그림.

スケート名 ①스케이트. ②〔ローラースケート(=롤러 스케이트)의 준말. ▷skate. ──ボード 스케이트보드. ▷skateboard. ──リンク 名 스케이트 링크;스케이트장(場). ▷skating rink.

スケール名 스케일. ▷scale.

すげか-える【すげ替える·挿げ替える】下1他 ①바꾸어 (갈아) 달다;갈아 끼우다. ¶鼻緒はなおを～ げ

──（오른쪽 칸）──

た(=왜나막신)의 끈을 갈아 달다. ②다른 사람으로 갈다. ¶幹部かんぶを～ 간부를 갈(아치우)다.

すげがさ【菅笠】名 사초로 만든 삿갓. =すがさ.

***スケジュール**-jūru 名 스케줄;일정(표);예정(표). ▷㋑ schedule.

ずけずけ副 (수긍·거절(거리낌) 없이 무뚝뚝하게 말하는 모양;툭툭. =つけつけ.

すけそうだら【助宗鱈·助惣鱈】sukesō-名(魚) ☞すけとうだら.

すけだち【助太刀】⑦自 ①결투나 복수 등에 조력하여 줌;또, 그 사람. ②가세(加勢);또, 그 사람.

***スケッチ** suketchi 名 ⊼他 스케치. ¶～ブック 스케치북;사생첩. ▷sketch.

すけとうだら【介党鱈】suketō-名(魚) 명태. =すけそうだら.

すげな-い【素気ない】形 매정하다;박정하다;쌀쌀하다. =つれない. ¶～く断ことわる 냉정하게 거절하다.

すけべい【助平·助兵衛】-bē 名〔俗〕호색함;호색가;색골;엽색가. =すけべ(い). ──こんじょう【──根性】-jō 名①호색 근성. ②갖가지 일에 손을 대고 싶어함;욕심쟁이 심보.

す-ける【透ける】下1自 ①틈이 생기다 (벌어지다). ②〔俗〕들여다보이다;비쳐보이다. ⓑ틈사이를 지나가다.

すげる【箝げる·挿げる】下1他 ①끼워 넣다(박다);끼우다. ¶鼻緒はなおを～る 코를 끼우다. ②(구멍에) 꿰다. ¶げたの緒おを～げた(=왜나막신)의 끈을 꿰어 달다.

スケルツォ -rutso 名(樂) 스케르초; 명랑·경쾌하고 리듬이 빠른 곡(曲). =諧謔曲かいぎゃくきょく. ▷이 scherzo.

すけん【素見】物 물건을 보기만 하고 사지 않음;눈요기만 함. =ひやかし.

スコア名 스코어. ①득점. ¶～ブック 스코어북/～ボード 스코어보드. ②(樂) 총보(總譜). ▷score.

***すご-い**【凄い】形 ①무섭다. ¶～顔かおをした男おとこ 무서운 얼굴을 한 사나이. ②굉장하다;대단하다. ¶～(ような)美人びじん 굉장한 미인/～暴あばら 지독히 덥다. ③오싹할이만큼 쓸쓸하다.

ずこう【図工】-kō 名 ①(학과의) 「図画ずが(=도화)·工作こうさく(=공작)」의 준말. ②도화(画工).

スコール名(氣) 스콜. ▷squall.

すごく【凄く】副 (俗) 굉장히;몹시;되게;참으로. =はなはだ·ひどく.

***すこし**【少し】副 조금;좀. =ちょっと·わずか. ¶～だけで間 に合あう 조금만 있으면 된다(충분하다). ¶～ =すこし.

すこし【少し】副 조금;좀. =약간.

すこしも【少しも】副 《否定의 말을 반하여》조금도;전혀(…않다). =いささかも·ちっとも. ¶～驚おどろかない 조금도 놀라지 않다.

***すご-す**【過す】⑤他 보내다. ①(시간을) 경과시키다·소비하다. ¶樂たのしい一時ときを～ 즐거운 한때를 보내다. ⓑ지내다. ¶その日ひその日ひを何なにを

とか～　그날그날을 이럭저럭 지내다. ②도를 넘기다. ¶酒을～ 술을 과음하다, 들다. ③《動詞連用形를 받아서》써버려 두다. ¶失敗を見～ 실패를 간과하다 / やり～して切りつける 그냥 되는대로 하고서 칼을 내리치다.

すごすご【悄悄】副 맥[기운]없이; 풀이 죽어. =しおしお. ¶～(と)引き下がる 풀이 죽어 물러나다.

スコッチ -kotchi 名 스카치. ①スコッチツイード의 준말〔스카치 트위드(斜紋織物)으로 짠 모직물〕. ②스코치위스키=(스카치 위스키)'의 준말. ▷Scotch.

スコップ -koppu 名 스쿱; (자루가 짧은 소형의) 삽. ▷네 schop.

すこぶる【頗る】副 대단히; 매우; 몹시.

すごみ【凄味】名 무시무시한 모양〔정도〕. ②위협적인 말; 으름장. ¶～をきかせる 위협하다; 으름장을 놓다.

すご-む【凄む】自五 무시무시한 태도로 위협하다.

すごも-る【巣ごもる】【巣籠(も)る】自五 (새·벌레 따위가) 둥지 속에 틀어박히다; 칩거(蟄居)하다.

すこやか【健やか】ダナ 튼튼함; 건전함; 건강함. =すくやか.

すごろく【双六】名 쌍륙; 주사위놀이.

スコンク 名 《俗》 스컹크; 영패(零敗). ▷미 skunk.

すさび【遊び·荒び】名 위안[소일]거리. ¶老いらくの～ 늘그막의 소일거리.

すさ-ぶ【荒ぶ】自五 ⇒すさむ.

*すさまじ-い【凄まじい】-ji 形 ①무시무시하다. ¶～權幕로 무서운 서슬. ②끔찍하다; 대단하다; 놀랍다. ¶～人氣로 굉장한 인기. ③터무니없다; 지독하다; 기가 막히다. ¶これが名作だとは─ 이것이 명작이라니 기가 막힌다(어이가 없다).

すさ-む【荒む】自五 거칠어지다. ㉠(자포자기하여) 생활이 무절제해지다. =すさぶ. ¶生活까지～ 생활이 거칠어[무절제해]지다. ㉡(기예의) 솜씨가 조잡해지다. ㉢…에 빠지다; 탐닉하다. ¶酒に～ 주색에 빠지다.

ずさん【杜撰】名ダナ ①두찬; (저작〔著作〕 따위의) 틀린 곳이 많고 거칢. ②날림. ¶～な工事 날림 공사.

*すし【寿司·鮨·鮓】名 ①초밥; 김밥. ②식초에 담근 어육(魚肉).

‡すじ【筋】名 ①줄기. ㉠(이야기·소설 따위의) 얼거리; 줄거리. ¶～を立てる (내용의) 얼거리를 잡다. ㉡힘줄; 심줄; 근육. ¶肩의～が凝る 어깨 저리거나 뭉치다. ㉢핏대. ¶額에 青い～を立てる 이마에 핏대를 세우다. ②금; 선. ¶手での～の金을 긋다 (무늬). ¶洋服での赤い～ 양복의 빨간 줄무늬. ③핏줄; 혈통; 가계(家系). ¶貴族의～を引く家柄을 귀족의 혈통을 이은 가문. (장래 뻗을) 소질. ③조리; 사리. ¶～を通す조리를 세우다. 〔말이야 할〕순서; 절차. ④관계자; 당국; 소식통(通) 소스. ¶その～からのお達し 당국으로부터의 시달. 〓接尾 ①《수를 나타내

는 말에 붙어서》가늘고 긴 물건을 세는 말: 가닥; 줄기. ¶―'一·'～の希望도 미료 없는 가닥의 희망도 없다. ②《地名 따위에 붙어》연(沿)한 곳; 연변; 일대. ¶街道에서～ 연도(沿道). ③《名詞에 붙어》…의 意向; 측근측의 의향 / 消息을～ 소식통. ④(특히·장기에서) 수순(手順); 순서. ¶読み～ 수읽기.

ずし【図示】名他 도시.

ずし【厨子·厨子】名 ①두 개의 문짝이 달린 궤〔장〕; 감실(龕室) 같은 것.

すじあい【筋合(い)】名 ①(사물에 대한 조리·근거·이유·도리. ¶話での～ 이야기의 조리. ②조리가 통하는 관계. ¶たのめる～はない 부탁할 만한 처지가 못 된다.

すじかい【筋交(い)】【筋違い】名 ①비스듬함; 비스듬히 교차함; 어긋맥김. ②【建】 지주(支柱).

すじがき【筋書】名 ①(소설·극·사전 따위의) 대강의 줄거리. ②미리 꾸며 놓은 계획. =もくろみ. ¶～通り運ぶ 꾸며 놓은 계획대로 진행함.

すじがね【筋金】名 ①(받침으로) 넣거나 끼우거나 붙이거나 하는 철근·철사 따위. ②확고한 신념 (이 있음). ──り〔~入り〕名 확고한 신념을 지니고 있음; 또, 그 사람.

ずしき【図式】名 도식. ¶～化が 도식화 / ~的 도식적. ──てき 図式.

すじこ【すじこ·筋子】名 연어 알젓.

すじちがい【筋違い】一ダナ ①사리〔도리〕에 어긋남. ②엉뚱함. ㉠절차에 어긋남. ㉡잘못 짚어〔생각〕함; 무관(계)함; 착오; 착각. ¶～の返事가 엉뚱한 대답. ③비스듬히 교차함; 어긋맥김. 二名自 (관절 따위 근육의) 접질림; 삠.

すじづめ【筋詰(め)】【鮨詰(め)】名 (좁은 데에) 빈틈없이 꽉 차 있음. ¶～教室에서 콩나물 교실.

すじば-る【筋張る】自五 ①힘줄이 당기다; 힘줄〔혈관〕이 붉어지다. ¶～った手 힘줄이 불뚝 불거진 손. ②말투나 태도가 딱딱해지다.

すじばね【筋骨】名 ①힘줄과 뼈; 근육과 골격. =きんこつ. ②연골(軟骨).

*すじみち【筋道】名 사리; 조리; 절차; 순서. ¶～を立てて話す 조리 있게 이야기하다.

すじむかい【筋向(か)い】名 비스듬히 마주 봄. =すじむこう. ¶～の家 비스듬히 마주 보는 건너편 집.

すじめ【筋目】名 ①접은 줄(금); (치마·스커트의) 주름. ②가문; 가계; 혈통; 내력. ③⇒すじみち.

すしや【すし屋·寿司屋】名 초밥집; 초밥 파는 사람.

*すじょう【素性·素姓·種姓】-jō 名 ①혈통; 집안; 태생; 성장 과정. ¶～が～だからね 태생이 태생이니까요. ②유래; 내력; 신원. ¶～の怪しい女が 정체가 의심스러운 여자; 본질. ¶荒い～ 거친 천성 / ～のいい技術이 바탕이 좋은 기술.

ずじょう【頭上】-jō 名 두상. ¶～注

意^{ちゅう} 머리 위 조심.

すじりもじり【副】 몸을 비비 꼬는 모양；또, 그러면서 데쓰는[보채는] 모양.

すす【煤】【名】①검댕；철매；매연. ②그을음. ③'すすいろ'(=노른 빛을 띤 엷은 검정색)'의 준말.

すず【鈴】【名】 방울. **―をはったような目** 크고 시원스러운 눈. **―を振^{ふ}るような声** 낭랑한 목소리.

すず【錫】【名】 주석(朱錫).

すず【数珠】【名】 염주(念珠). ＝じゅず.

すずかけ【鈴掛け・鈴懸け・篠懸け】【名】 ①가사(袈裟)；수도자가 옷 위에 입는 법의(法衣). ②【植】'すずかけのき(=플라타너스)'의 준말.

すずかぜ【涼風】【涼風】【名】 (초가을께의) 산들[선들]바람.

すすき【薄・芒】【名】【植】 참억새.

すすぎ【濯ぎ・漱ぎ】【名】 ①헹굼[질]. ＝そそぎ. ②발을 씻는 (더운) 물. ③세탁；빨래.

すずき【鱸】【名】【魚】 농어. **参考** 갓난 새끼를 'こっぱ', 유어(幼魚)를 'せいご', 조금 자란 것을 'ふっこ'라고 함.

すすぐ【濯ぐ・漱ぐ】【五他】 씻다. ①헹구다. ②(본디, 雪^{ゆき}) (누명・불명예를) 씻어 없애다. ＝そそぐ.

すすぐ【漱ぐ】【五他】 가시다；양치질하다.

すすける【煤ける】【下一自】 ①그을다. ②남과 찌들어 거무스름해지다. ＝すすばむ.

すずし-い【涼しい】【涼しい】 -shi 【形】 ①시원하다. ①선선하다；서늘하다. **―秋^{あき}の風** 시원한 가을 바람. ①맑고 깨끗하다；상쾌하다. **―ひとみ** 맑고 시원스러운 눈동자. ②산뜻하다. **―柄^{がら}の浴衣^{ゆかた}** 무늬가 산뜻한 옷. **―顔^{かお}** 나하고는 관계 없다는 얼굴.

すずしろ【清白・蘿蔔】【名】【植】'だいこん(=무)'의 옛이름. 〔「 」안이름.

すずな【菘】【名】【植】'かぶ(=순무)'의 옛이름(菁生り).

すずなり【鈴生り】【名】①(과실 따위가) 주렁주렁 달림. ②사람을 입구나 창문에서 넘쳐나옴；만원.

すすば-む【煤ばむ】【五自】＝すすける.

すすはらい【煤払い】【煤払い】【名】 천장의 그을음과 마루 밑의 먼지까지 털어 내는 대청소(흔히 연말에 함). ＝すすはき.

すすみ【進み】【名】 나아감；진행；진도.

すずみ【涼み】【涼み】【名】 바람을 쐼；납량(納涼).

すす-む【進む】【五自】①나아가다. ①(앞으로) 가다. **↔退^{しりぞ}く**. ①진출하다. **―文学方面^{ほうめん}に** 문학 방면으로 나아가다. ⓒ앞서다；진보[발달]하다. **―世^{よ}の中^{なか}が** 세상이 발달하다. **↔遅^{おく}れる**. ②진척[진행]하다. **―研究^{けんきゅう}が** 연구가 진행되다 / **病気^{びょうき}が** 병이 진행되다[악화되다]. **↔遅^{おく}れる**. ②나아지다；증진하다. **―食^{しょく}が** 식욕이 증진하다. ③오르다；승급[진급]하다. **―位^{くらい}が** 지위가 오르다. ④진학하다. **―文科^{ぶんか}に** 문과에 진학하다. ⑤(시계 따위가) 빠르다. **―時計^{とけい}が** 시계가 빠르다. **↔遅^{おく}れる**. ⑥(마음이) 내키다. **―気^{き}が―まない** 마음이 내키지 않다. ⑦《'～んで…する'의 꼴로》 자진해서[기

꺼이]…하다. **―～んで勉強^{べんきょう}する** 자진해서 공부하다.

すず-む【涼む】【涼む】【五自】 시원한 바람을 쐬다；납량(納涼)하다.

すすめ【勧め】【奨め】【名】①【薦め】로도】ⓐ추천. ①조언. **―医者^{いしゃ}の** 의사의 조언. ⓒ장려. **―学問^{がくもん}の** 학문의 장려. ②권유.

すすめ【薦め】【名】 추천(함)；천거.

すずめ【雀】【名】 참새. ①수다스러운 사람・출입이 잦아서 사정을 잘 아는 사람의 비유로도 씀. **―楽屋^{がくや}** 연극통(通)；전하여, 사회 사정에 통한 사람. **―の涙^{なみだ}ほど** 극히 적은 것의 비유；쥐꼬리만큼. **―雀^{すずめ}の涙^{なみだ}** 새발의 피. **―百^{ひゃく}まで踊^{おど}り忘^{わす}れず** 참새는 백 살이 되도록 춤추는 것을 잊지 않는다(세 살 적 버릇이 여든까지 간다).

すずめばち【雀蜂】【名】【蟲】 말벌. ＝くまんばち.

すす-める【勧める】【奨める】【下一他】 권(권고, 권유, 권장)하다. **―加入^{かにゅう}を** 가입을 권하다.

すす-める【薦める】【下一他】 추천[천거]하다.

すす-める【進める】【下一他】①앞으로 나아가게 하다. ①앞으로 움직이다. **―兵^{へい}を** 진군시키다. ①(시계를) 더 가게 하다. **↔もどす** (늦추다). ②나아가게 하다. **―工事^{こうじ}を** 공사를 진척시키다. ①진행하다. ①조사 따위를 진행시키다. **―調査^{ちょうさ}を** 조사를 진행[시키다]. ④(향상)시키다. ③진보[향상]시키다. ⑤승진시키다. **―官位^{かんい}を** 관위를 올리다.

すずやか【涼やか】【ナ】 시원한 모양；상쾌한 모양.

すずらん【鈴蘭】【名】【植】 은방울꽃.

すずり【硯】【名】 벼루.

すすり-なく【啜り泣く】【啜り泣く】【五自】 훌쩍거리며[흐느껴] 울다.

すずりばこ【硯箱】【硯箱】【名】 연상；벼룻집；연갑(硯匣).

すす-る【啜る】【五他】①훌쩍훌쩍 마시다；후루룩거리다. ②콧물을 훌쩍거리다.

ずせつ【図説】【名・ス他】 도설；그림을 넣은 설명；또, 그 책.

すそ【裾】【名】①옷자락；옷자락. **―～をからげる** 옷자락을 걷어 올리다. ②산기슭. ③하류(下流). ④머리털의 목덜미에 가까운 부분. ⑤맨 아래[끝 쪽].

すそご【裾濃】【名】〈雅〉아래로 내려갈수록 진하게 하는 염색법. ＝におい.

すその【裾野】【裾野】【名】 (화산의) 기슭이 완만하게 경사진 들판.

すそまわし【裾回し】【裾回し】【名】 옷단 안쪽에 대는 형겊.

すそみだし【裾見出し】【裾見出し】【名】 본문제 아래쪽에 두는 표제. **↔本^{ほん}見出し**.

すそもの【裾物】【名】 (거래에서) 하등품. **↔頭物^{かしらもの}**.

すそもよう【裾模様】【裾模様】-moyō 【名】 여자의 예복 따위의 단에 넣은 무늬；또, 그 옷.

すそわけ【裾分け】【名・ス他】 (얻은 물건 또는 이익의 일부를) 남에게 나누어 줌. ＝お福分^{ふくわ}け.

スター 图 スター；人気；人気 俳優〔歌手，選手〕. ＝花形ঞ. ¶─プレーヤー スター プレーヤー／～ダム スタダム；人気 スターの地位. ▷star.

スターティングメンバー -tingumembā 图 スタ─ティング メンバー；選手 交代が可能な団体 競技で，最初から出場する選手. ▷starting member.

*__スタート__ 互自 スタート；出発(点). ¶～ライン スタート ライン；出発線. ▷start.

*__スタイリスト__ 图 スタイリスト. ①おしゃ れに気を使い文章を書く人；めかしや. ②文 筆家(美文家). ③衣服・室内装飾などの デザイナー；また，それを指導・助言する 人. ▷stylist.

*__スタイル__ 图 スタイル. ①姿；恰好. ② 様式(型). ¶～満点ぷ スタイル 満点／ニュー～ ニュースタイル. ▷style. ──ブック -bukku 图 スタイル ブック；流行 服の形(型)を図示した本. ＝ファッションブック. ▷stylebook.

すだ-く 【集く】 五自 (虫など) 鳴く. 參考 本来の意味は，集まって鳴く；む れる.

スタグフレーション -shon 图 スタグフレーション；不況 続き の インフレ. ▷stagflation.

すたこら 副 ひたすら 急いで 歩く様子；一 目散. ¶～さっさと急いで 逃げる様子；ずんずん.

スタジアム 图 スタジアム. ▷stadium.

スタジオ 图 スタジオ. ▷studio.

すたすた 副 急いで休まず歩く様子；すたすた；せかせか.

すたずた 【寸△断】 ずたずたに切れた様子；寸断；切れ切れ. ¶服ঞが～に裂˘けた 服がずたずたに裂けた.

すだち 【巣立ち】 (幼鳥が育って) 巣立つ；子が親の元を離れて独立すること. ＝親元を離れて独立 すること.

すだ-つ 【巣立つ】 五自 ①(雛が巣立って) 親元を離れる. ②(親の元を離れて自立して社会に出る)；自立する. ＝卒業する.

スタッフ -taffu 图 スタッフ；担当者；メンバー. ▷staff.

スタティック -tatikku ダナ スタティック；静的 (静的の). ↔ダイナミック. ▷static.

スタミナ 图 スタミナ；精力；体力. ¶～の配分ぷ スタミナの配分. ▷stamina.

すた-る 【廃る】 五自 【方・雅】 ☞すたれる 【廃れ】 廃.

*__すた-れる__ 【廃れる】 下一自 ①使われなくなる；用いられなくなる. ②流行らなくなる. ③衰退する；落ちぶれる. ¶道義ঞが～ 道義が衰退する／男ঞが～ 男の体面を失う.

スタンダード ダナ スタンダード；標準；標準的. ▷standard.

スタンド 图 スタンド. ①売場(売場). ②ガソリン～ ガソリン スタンド；給油所. ②段式の観覧席. ③バーテンダーと客と の間にカウンターがある酒場. ¶～バー スタンド バー. ④インク～ インク スタンド. ⑤電気˘スタンド＝(電気スタンド)の略語. ▷stand. ──イン 图 【映】スタンドイン；主役(主役)の代役をする人. ▷stand-in. ──プレー 图 スタンド プレー；観客の人気を煽るような競技者(演者)の誇張的な動作. ▷stand play.

スタントマン 图 【映】スタントマン；危険な場面の代役(代役). ▷stunt man.

*__スタンプ__ -tampu 图 スタンプ. ▷stamp. ──インキ -inki 图 スタンプ インク；「印」. ▷steam.

スチーム 图 スチーム；蒸；蒸気(暖房 装置. ▷steam.

スチュワーデス suchu- 图 スチュワーデス；旅客機の女子 乗務員；エアガール. ＝エアガール・エアホステス. ▷stewardess.

スチロール 图 スチロール；合成 樹脂の一つ. ▷Styrol.

-ずつ 【宛】 数・量を表す言葉につく；づつ. ①同じ分量だけ割り当てる. ¶ひとりに千円づつ与ঞえる その人に千円ずつ与える. ②同じ分量だけ繰り返す. ¶少しঞ～食˘べる 毎日少しずつ食べる.

ずつう 【頭痛】 -tsū 图 頭痛；心痛；苦しみ. ▷ache.

すっからかん sukkara- 图 俗 すっかり 空っぽな様子；何一つ残さないこと；すっからかん. ¶～の空財布ぷ すっからかんの財布. ⇨すってんてん.

*__すっかり__ sukkari 副 完全に；全て. ¶～忘˘れていた～していた ～忘れていた.

すっきり sukkiri 上二图 すっきり. 爽快な様子. ¶～した服装する 爽快な気分.

ズック zukku 图 ズック. ①麻糸を太く縒って織った織物. ②ズック靴の略；運動靴；ズック化. ▷doek.

すっくと sukku- 副 ①力強く立ち上がる様子. ②真っ直ぐに立っている様子；すくっと. ¶～立˘っている立っている.

ずっしり zusshiri 副 ずっしり重い様子；物が重い様子. ¶～(と)重˘いカバン ずっしり重いカバン.

すってんころりと sutten- 副 勢いよく転ぶ様子；ぐう；転ぶ.

すってんてん sutten- 图 俗 すってんてん；ずっけなし；無一文.

すっと sutto 副 ①素早く動く様子；すっと. ②気分が晴れる様子；すっきり. ¶胸˘が～する 胸が晴れ晴れする.

*__ずっと__ zutto 副 ①ずっと；はるかに；一層. ¶～前ঞの話だが 一層前の話. ②まっすぐ. ¶彼ঞとは一緒˘にずっと 彼とずっと一緒にいる. ③休まず〔ずっと〕. ¶～奥˘へお通りঞください 奥のほうへお通りください.

すっとば-す 【すっ飛ばす】 五他 俗 むやみに飛ばす(走らせる).

*__すっぱ-い__ 【酸っぱい】 形 酸っぱい. ¶口ঞが～くなるほど言˘う 口酸っぱく言う. ⇨す.

すっぱだか 【すっ裸】 suppa-

①알몸뚱이；맨몸. ②빈털터리；무일푼.

すっぱぬ-く〖すっぱ抜く〗〖素っ破抜く〗suppa- [5他]〈俗〉뽑아 내다. ①秘密ᄝᅳを～ 비밀을 폭로하다. ②꼭对지르다. ＝だしぬく.

すっぱり suppari [副]①선뜻 끊는 모양：싹. ¶～(と)切ᄀる 싹둑 자르다. ②(지금까지 하던 일을) 아주 그만둬 버리는 모양：단호히；딱；깨끗이. ¶たばこを～(と)やめる 담배를 딱 끊다.

ずっぷり zuppuri [副] 물에 몽땅 잠기는 모양；또, 비 따위에 온몸이 젖는 모양；흠빽. ¶雨ᄝに～ぬれる 비에 흠빽 젖다.

すっぽか-す suppo- [5他]〈俗〉(해야 할) 약속・일 따위를 하지 않고 제쳐 놓다〔어기다〕. ¶約束ᄝ᠎を～ 약속을 어기다.

すっぽり suppori [副]①몽땅 덮는 모양：폭. ¶ふとんを～(と)かぶる 이불을 푹 뒤집어 쓰다. ②물건이 빠지거나 끼거나 하는 모양：쏙；싹；꽉. ¶人形ᄃᆖᄝの手ᄀが～ぬける 인형의 팔이 쏙 빠지다.

すっぽん〖鼈〗suppon [名]①〔動〕자라. ②극장의 花道ᄝᅳ에 있는 배우를 내보내는 문. ¶『月ᄀと～』 운니지차(雲泥之差)；천양지차.

すで〖素手〗[名] 맨손；빈손. ＝てぶら. ¶～で魚ᄝᅳをつかむ 맨손으로 물고기를 잡다.

すいいん〖捺印〗(증서 따위의) 날인을 위해 난외에 찍어 두는 도장.

すてうり〖捨て売り〗[名] 투매；밑지는 값으로 막 팖. ＝投売ᄝᅳり.

ステーキ [名] 스테이크. steak.

ステージ [名] 스테이지；무대；연단(演壇). ¶エプロン—에이프런ステージ；(불쑥 나온) 앞 무대. ▷stage.

ステーション -shon [名] 스테이션. ①정거장；역(驛). ②어떤 일을 맡아서 하는 곳. ¶サービス—서비스ステーション. ③방송국. ¶キー—키 ステーション. ▷station.

ステートメント [名] 스테이트먼트；성명(書). 「.

すてお-く〖捨て置く〗[5他] 내버려 두다；방치하다. ¶進言ᄝᅳを～ 진언을(받아들이지 않고) 내버려 두다.

すておぶね〖捨て小舟〗[名] 버려진 쪽배. ¶の立할 곳 없는 신세.

すてがね〖捨て金〗[名]①헛된 출비(出費)・투자；헛돈. ②버린 셈치고 빌려 주는 돈.

*__**すてき**〖素敵・素的〗[ダナ] 썩 뛰어남；매우 근사함；아주 멋짐. ¶～な洋服ᄝᅳᆖ 멋진 양복.

すてご〖捨て子〗〖棄て児〗[名] 아이를 버림；또, 그 아이；기아(棄兒).

すてぜりふ〖捨て台詞〗〖捨て台詞〗[名]①즉석 대사(연기자가 분위기에 따라서, 즉석에서 말하는 각본에 없는 대사). ②떠날 때 내뱉는 협박・모멸 따위의 대사. 「sticker.

ステッカー -tekkā [名] 스티커.

ステッキ -tekki [名] 스틱；지팡이. ▷stick. **—ガール** 스틱 걸；지팡이삼아 데리고 다니는 여자. ▷stick girl.

ステップ -teppu [名] 스텝. ①(기차・버스 따위의) 승강구 계단. ②댄스에서의 발놀림. ¶～を踏ᆖむ 스텝을 밟다. ③눈비탈・급경사를 오르내리기 위해 만드는 발(디딤)판. ④일의 단계의 하나 하다. ▷step.

ステップ -teppu [名]〔地〕 스텝；시베리아의 초원 (지대). ▷steppe.

すててこ [名]①무릎까지 오는 헐렁한 잠방이. ②すててこ踊ᄝᅳᆖ의 준말(코를 쥐었다가 떼는 시늉을 하면서 추는 우스꽝스러운 춤).

すてどころ〖捨て所〗[名] 버릴 (만한) 곳・시기(時期).

*__**すでに**〖既に〗〖已に〗[副] 이미；벌써；이전에. ¶～知ᄀっている 이미 알고 있다／～手遅ᄆ᠎ᆖれ다 때는 벌써 늦었다. ¶～にして. **—して** [接] 그러는 동안에；그러는 사이에.

すてね〖捨て値〗[名] (손익을 도외시하고) 막 파는 값；투매 가격；똥값.

すてばち〖捨て鉢〗[ダナ] 자포자기. ＝やけくそ.

すてみ〖捨て身〗[名] 목숨을 걺；필사의 각오로 전력을 다함. ¶～で戦ᄝᅳᆖう 필사적으로 싸우다.

*__**す-てる**〖捨てる〗〖棄てる〗[下1他] 버리다. ¶ごみを～ 쓰레기를 버리다／生命ᄝᅳᆖを～ 목숨을 버리다／～てて掛ᄀけ 내버려 둬라／家業ᄝᅳᆖを～てて遊ᄝᅳᆖび歩ᄝᅳく 가업을 버리고 놀러 다니다／恋人ᄃᆖᄝを～ 연인을 버리다／弟子ᄝᅳᆖを～ 제자를 저버리다／世ᄝᅳᆖを～ 세상을 버리다(출가하다)；은둔하다／悪心ᄝᅳᆖを～ 악심을 버리다. ↔拾ᄀう.

ステレオ [名] 스테레오. ①입체(음향) 장치. ↔モノラル. ③스테레오 レコードᄝᅳ의 준말. ▷stereo. **—カメラ** 스테레오 카메라；입체 사진기. stereo camera. **—タイプ** [名] 스테레오 타이프. ①〔印〕 연판(인쇄). ②판에 박은 문구；상투 수단. ▷stereotype. **—テープ** [名] 스테레오 テープ；입체 녹음 테이프. **—レコード** [名] 스테레오 レコード；입체 레코드. ▷stereo record.

ステンド グラス [名] 스테인드 글라스；무늬・그림이 있는 판유리. ▷stained glass.

ステンレス [名] 스테인리스；크롬강；불수강(不銹鋼). ▷stainless steel.

*__**スト**〖ストライキ(＝스트라이크)〗의 준말；동맹 파업. ¶ゼネ—총파업／ハン—단식 투쟁. ▷strike.

ストア [名] 스토어；상점；판매점. ¶チェーン—체인 스토어；연쇄 상점. ▷store. 「학파. ▷Stoa.

ストアがくは〖ストア学派〗[名] 스토아학파.

すどうふ〖酢豆腐〗-dōfu [名] 체하는 (체하는) 사람. ▷학파. ▷Stoa.

すどおし〖素通し〗-dōshi [名]①가린 것이 없어 앞이 훤히 보임. ②도수 없는 안경. ③전구(電球)의 유리가 투명한 것.

*__**ストーブ** [名] 스토브；난로. ▷stove.

ストーム 〔學〕 스톰；기숙사 등에서 학생들이 밤에 떠들썩하게 돌아다니며 소란을 피우는 일. ▷storm.

すどおり〖素通り〗-dōri [名]〔自〕(들르지 않고) 그냥 지나침.

ストーリー 名 스토리. ▷story.

ストッキング -tokkingu 名 스타킹. ↔ソックス. ▷stocking.

ストック -tokku ス他 스톡. ①저축〔비축〕함; 재고품; 저장품. ②수프의 원료인 고기 국물. ③공채(公債); 주(株). ④자본. ⑤〔植〕비단향꽃무릇. =あらせいとう. ▷stock.

ストック -tokku 名 스톡; 스키용 지팡이. =シュトック. ▷도 Stock.

ストップ -toppu ス自他 스톱; 정지(신호). ①ノン- 논스톱. ↔ゴー. ②정류소. ▷バス- 버스 정류소. ▷stop.
──**ウォッチ** -wotchi 名 스톱워치; 기초〔記秒〕 시계. ▷stop watch.

ストマイ 〔藥〕'ストレプトマイシン(=스트렙토마이신)'의 준말.

すどまり〔素泊(まり)〕名自 (식사는 안 하고) 잠만 자는 숙박. 「プ.

ストやぶり〔ストゥ破り〕ス他 스캐브

***ストライキ** 스트라이크; 동맹 파업〔休業〕. =スト. ▷strike.

ストライク 名 ①〔野〕 스트라이크. ↔ボール. ②(볼링에서) 한 번의 투구(投球)로 핀을 전부 쓰러뜨림. ▷strike.

ストライプ 名 스트라이프; (양복 따위의) 줄무늬. ▷stripe.「도.

ずどり〔図取り〕名他 도형(図形)을 그림.

ストリート 名 스트리트; 시가; 가로. ▷street. 「ショー 스트립쇼.

ストリップショー -rippushō 名 스트립 ▷strip show.

ストレート 名 스트레이트. ①계속적임. ▷～で勝つ 내리 이기다. ②(양주 따위를) 희석(稀釋)하지 않고 마시는 일. ③좌절이나 실패없이 곧장 나아감. ③직접적. ▷話を～に切り出す 이야기를 단도 직입으로 꺼내다. ⑤〔野〕 직구(直球). ⑥(권투에서) 팔을 쭉 뻗어 치는 일. ⑦〔野〕 연속 네 개의 볼을 던지는 일; 또, 연속 세 개의 스트라이크를 빼앗는 일. ▷straight.

ストレス 名 스트레스. ▷stress.

ストレッチ -retchi 名 스트레치. ①직선 코스. ▷ホーム- 홈스트레치. ②보트의 노를 한 번 저어 나가는 거리. ▷stretch.

ストレプトマイシン 〔藥〕 스트렙토마이신. ▷streptomycin.

ストロー 名 스트로; 빨대. ▷～ハット 스트로 해트; 밀짚 모자; 맥고 모자. ▷straw.

ストローク 名 스트로크. ①(보트에서) 노(櫓)의 한번 젓기. ②(수영에서) 손발로 한번 젓기. ③(골프 등에서) 공을 치는 일. ④(테니스에서) 땅에 한 번 맞고 뛰는 공을 치는 일. ▷stroke.

ストロンチウム -chūmu 名〔化〕 스트론튬; 은백색의 금속 원소. ▷strontium.

***すな**〔砂〕〔沙〕名 모래. =いさご. ──**かます** 씨름에서 상대를 넘어뜨려 바닥을 기게 하다. ──**をかむよう** 모래를 씹는 듯(음식·문장이 무미 건조한 모양).

***すなお**〔素直〕ダナ ①(비뚤어지지 않고) 고분고분함; 순직함; 순진함; 솔직함; 순후함. ▷～な子 고분고분〔순수, 순직〕한 아이. ②(특별히) 버릇이 없는 모양. ▷～な字を書く 잘 잡힌 지 않은 글씨를 또박또박 쓰다 / ～な踊り 버릇이 붙어 있지 않은 춤.

すなけむり〔砂煙〕名 모래가 날려 연기처럼 보이는 것. ▷～を立てて自動車が走る 모래 먼지를 날리며 자동차가 달리다.

すなご〔砂子〕名 ①〔雅〕 모래. =砂. ②'まきえ(=칠그릇에 그린 그림)'의 '色紙(=시가(詩歌)·그림을 그리는 종이)'·장지 등에 뿌리는 금·은 가루. ▷金へ 금박 가루. 「じ.

すなち〔砂地〕名 사지; 모래땅. =すな

スナック -nakku 名 ①가벼운 식사. ②'スナックバー'의 준말. ▷終夜ゃ～ 철야 스낵 바. ▷snack. ──**バー** 名 스낵 바; 간이 식당. ▷snack bar.

スナップ -nappu 曰名 스냅. ①똑딱단추; 프레스 단추. ②(골프·투구 따위에서) 공을 던지거나 칠 때의 손목의 힘 들임. 曰ス他 '스냅샷'의 준말. ▷snap. ──**ショット** -shotto 스냅숏. ①재빨리 사진을 찍음; 또, 그 사진. ②(남의) 시사적인 사진·인물을 즉흥적으로 촬영하는 일. ③스케치풍의 기사(記事). ▷snapshot.

すなどけい〔砂時計〕名 모래 시계.

すなどる〔漁る〕5他〔雅〕 물고기나 조개를 잡다. 「장; 모래톱.

すなはま〔砂浜〕名 (해변의) 모래 사

すなやま〔砂山〕名 모래 벌판.

すなぶくろ〔砂袋〕名 (방화·수방용) 모래주머니.

すなぶくろ〔砂嚢〕名 사낭. =きのう.

すなぶろ〔砂ぶろ〕〔砂風呂〕(온천의 증기 따위로 뜨겁게 한) 모래 찜질 설비.

すなぼこり〔砂ぼこり〕〔砂塵·砂埃〕名 모래 먼지; 사진(砂塵).

***すなわち** 接 ①〔即ち〕 즉; 곧; 단적(端的)으로 말하면; 바꿔 말하면; 다름이 아니라. ▷首相は～総理大臣である 수상 즉 총리 대신. ②〔即ち·則ち〕(…すれば의 뜻) …할 때는 (언제든지); …하면 곧. ▷戦えば～勝つ 싸우기만 하면 이긴다. ③〔乃ち〕 그래서; 그리고.

ずには zuniwa- 連語〔動詞の未然形に付いて〕…하지 않고는 못 배기다. ▷悲しくて泣か～ 슬퍼서 울지 않고는 못 배기다.

ずぬける〔図抜ける·頭抜ける〕下一自 유다르다; 두드러지다; 뛰어나다. ▷みなはずれる·ずばぬける. ▷～けて背すの高い人 유달리 키가 큰 사람.
──**に傷を持つ** 무언가 감추고 있다; 켕기는 데가 있다.

すねかじり〔脛嚙り·脛齧り〕名 부모의 신세를 짐; 또, 그런 사람.

すねもの〔脛者〕〔拗ね者〕名 세상과 엇동아진 사람; 비뚤어진 사람; 잘 토라지는 사람. =ひねくれもの.

***すねる**〔拗ねる〕下一自 (마음이) 비꼬이다; 앵돌아지다. ▷～ねて泣く子 앵돌아져 우는 아이.

ずのう〔頭脳〕-nō 名 두뇌. ①두뇌. ②판단력; 지력(知力). ▷～集団 두뇌 집단 / ～流出 두뇌 유출 / ～明晰 두뇌 명석. ③우두머리;

すのこ。=かしら。

すのこ【簀の子】图 ①竹や枝で間隔を置いて粗く編んだもの。②すのこ縁④の略。

——えん【——縁】图 竹または板の間を金属板の間を置いて作った縁側。

すのもの【酢の物】图 魚介や野菜に酢を混ぜた料理。

スパーク 图 スฺ他 スパーク；放電する時の。

スパート 图 スฺ自 スパート。『ラスト——ラストスパート；最終の奮力。▷spurt.

スパーリング 图 『公開——公開練習試合。▷sparring.

＊スパイ 图 スฺ他 スパイ；諜報。▷spy.

スパイク ①图 スฺ他 スパイク。①先の尖った滑り止め。②（排球で）相手にめがけて強く打ち込む攻撃法。▷spike. ②图 'スパイクシューズ' の略。

——シューズ shūzu 图 底に鋲をつけた競技用靴、スパイクがの略。▷spiked shoes.

スパゲッティ -getti 图 スパゲッティ；細くて穴のないマカロニ（イタリアの名物）。▷〔伊〕spaghetti.

すばこ【巣箱】图 （人が作った鳥・蜂の巣）小鳥や蜂の巣。

すばしこ—い 形 すばやい。=すばやい・すばしこい。

すばすば 副 ①煙草を続けて吸う様子；ぷかぷか。②簡単に切る様子；ざくり。③ためらいのない様子；でこぼこ。

ずばずば 副 こだわりなく物を言ったり言ったりする様子；ずけずけ。

すはだ【素肌】【素膚】图 ①素肌；裸。②下着を着ていない状態。

スパナ 图 スパナ（ナット・ボルトを締めたり緩めたりする工具）。▷spanner.

ずばぬ—ける【ずば抜ける・ずば抜ける】下一自 ①飛び抜けて優れる；抜きん出る。=ずぬける。

すはま【州浜・洲浜】图 ①（海岸に突き出た砂州がある）水辺。②①の形を表した台（この形に松などを装飾などに使う）。③州浜台③の略。▷州浜。

注意 州浜として用いる漢字。

すばや—い【素早い】形 すばやい；早い。=すばしこい。

＊すばらし—い【素晴らしい】shī 形 素晴らしい；立派だ；見事だ。

——成績 素晴らしい成績。

参考 連用形は口語では「非常に」（＝心；非常に・大きく）の意味で使う。『——暑い日』とても暑い日。

ずばり 副 ①さっと切る様子；さくり；すぱり。②的確に指摘する様子；ずばり。

すばる【昴】图 星座（28の宿の名）。=すばる・プレアデス。

スパルタしき【スパルタ式】图 スパルタ式；厳格な訓練・教育の方式。

——教育 スパルタ式教育。▷Sparta.

ずはん【図版】图 図版；本に載せる絵。

スピーカー 图 スピーカー（'ラウドスピーカー（＝拡声器）' の略）。参考 ①自分の噂などを広める人。

すピーチ 图 スピーチ；演説。『テーブル——テーブルスピーチ；卓上演説。▷speech.

スピード 图 スピード；速力；速度。『フル——全速力；speed. ——アップ -appu 图 スฺ自 スピードアップ；速力を増加する。▷speed-up.

スピッツ -pittsu 图 〔動〕スピッツ（犬の一種）。▷Spitz.

ずひょう【図表】-hyō 图 図表；グラフ。

スピリット -ritto 图 スピリット。①精神。②意気・勇気。③アルコール分が多い洋酒。▷spirit.

スフ 图 スフ；'ステープルファイバー（＝ステーブルファイバー）' の略；人造繊維。『——スフ 類似 ▷ 鳥類図鑑。

ずふ【図譜】图 図譜；図鑑。▷図鑑。

ずぶ【副】〔俗〕全然；ずっと。『——のしろうと全くの素人。

スフィンクス sufin- 图 スフィンクス；伝承、謎かけの人物。▷sphinx.

スプートニク 图 スプートニク；ソ連の人工衛星の名。▷露 Sputnik.

スプーン 图 スプーン＝さじ。『ティー——ティースプーン；茶匙。▷spoon.

ずぶと—い【図太い】形 （大胆で）図太い。ふてぶてしい。

ずぶぬれ【ずぶ濡れ】图 〔俗〕ずぶ濡れ；びしょ濡れ。▷濡。

ずぶりと 副 勢いよく深く突き刺さる様子。

スプリング 图 ①ばね。②弾力。③スプリングコート' の略。▷spring. ——キャンプ -kyampu 图 スプリングキャンプ；プロ野球で春に公式戦に先立ち行う練習。▷spring camp.

——コート 图 スプリングコート；あいオーバー。▷日 spring+coat.

スプリンクラー 图 スプリンクラー；散水器。▷sprinkler.

スプリンター 图 スプリンター；短距離走者。▷sprinter.

スプレー 图 スプレー；噴霧器。『——霧吹き' ▷spray.

スプロールげんしょう【スプロール現象】-shō 图 スプロール現象；都市の郊外へ無計画・無秩序に広がっていく現象。▷sprawl.

すべ【術】【雅】方法；手段；術。『なすを知らぬ どうしていいのかわからない。

スペア 图 スペア；予備品；余分。『——タイヤ スペアタイヤ。▷spare.

スペース 图 スペース。①余地；余白；場所。②間隔；字間；行間。③宇宙。▷space. ——ステーション -sutēshon 图 宇宙ステーション；宇宙基地。▷space station.

スペード 图 スペード；トランプの黒い♠マークの札。▷spade.

すべからく【須らく】副 当然；ぜひ。『——努力すべし 当然努力すべきだ。

スペクタクル 图 〔映・劇〕スペクタクル；壮観；見せ場。▷spectacle.

スペクトル 图 〔理〕スペクトル；スペクトラム。▷ spectre.

ずべこう【ずべ公】-kō 图 〔俗〕不良少女。

スペシャリスト -sharisuto 图 スペシャリスト

スト；전문가；특기를 가진 사람. ▷specialist.

スペシャル -sharu 图 스페셜；특별；특제(特製). ¶〜サービス 특별 서비스. ▷special.

すべすべ 【ス又】물건의 표면이 매끄러운 모양；매끈매끈. 廖若 '〜の肌ざ(=매끈매끈한 살결)'와 같이도 씀. ↔ざらざら.

すべた 图 〈俗〉추녀(醜女)；호박(여자에 대한 욕으로도 쓰임). ◆おんな.

すべっこい 【滑っこい】-bekkoi 厖 매끄럽다.

すべて 【総て・全て・凡て・都て】 图圓전부；모두；전체；모조리. ¶おれの〜をささげる 나의 모든 것을 바치다／あの調子だから困る〜 언제나 저 모양이니 곤란하다／解決は〜した 모두 해결했다.

すべら-す 【滑らす】(sらす) 固固미끄러지게 하다. ¶足を〜 발을 헛디디다／口を〜 입을 잘못 놀리다.

すべり-こむ 【滑り込む】(すり込む) 固固①〔野〕(주자(走者)가 베이스에) 미끄러져 들어가다. ②겨우 (시간에) 대가다. ③(미끄러져 들어가듯) 살짝 들어가다. 「럭대. =おすべり.

すべりだい 【滑り台】(すり台) 图미끄럼틀.

すべりだし 【滑り出し】(すり出し) 图미끄러지기 시작함；전하여, 첫 출발；첫 시작. =でだし. ¶事業との〜 사업의 시작.

すべりひゆ 【滑莧・馬歯莧】图〔植〕쇠비름.

スペリング 图 스펠(링)；철자법. =スペル・つづり(かた). ▷spelling.

すべ-る 【滑る】(する) 固固①미끄러지다. ¶坂道な で 비탈길에서 미끄러지다／そりで野を〜·って行く 썰매로 들판을 미끄러져 가다／戸なよく 문이 잘 여닫히다／花びんを落とす손이 미끄러져 꽃병을 떨어뜨리다／入学試験にな〜 입학 시험에 미끄러지다[떨어지다]. ②口を〜 무심코 입을 잘못 놀리다. ③言葉が〜 (입이 되려 말을) 무심코 말하다. ¶筆が〜 (써서는 안 될 것을) 나도 모르게 쓰다.
──ったの転んだのと 이러쿵저러쿵 말이 많은 모양.

すべ-る 【統べる】(総べる) 固固①총괄하다；통합하다. ②통솔・지배하다.

スペル 图 스펠. =スペリング. ▷spell.

スポイト 图 스포이트；액즙(液汁) 주입기. ▷네 spuit.

スポークスマン 图 스포크스맨；대변인. ▷spokesman.

スポーツ 图 스포츠. ¶ウィンター〜 겨울 운동 경기／〜カー 스포츠카. ▷sports. ──マン 图 스포츠맨. ▷sportsman. ──マンシップ -shippu 图 스포츠맨십. ▷sportsmanship.

スポーティー 【ス又】 스포티；(옷이) 활동적이고 경쾌한 모양. ↔ドレッシー. ▷sporty.

すぼし 【素干し】(素乾し) 图〔ス又〕음건(陰乾)；그늘에서 말림. =かげぼし.

ずぼし 【図星】图①과녁 중심의 흑점. ②급소；핵심. ③적중(的中)함. ──を指す 핵심을 찌르다；딱 알아맞추다.

スポット -potto 图 스포트. ①반점. ②장소；지점. ③スポットアナウンス'의 준말. ④スポットライト'의 준말. ▷(라디오・텔레비전에서) 프로 사이의 짧은 시간을 이용한 방송. ¶〜ニュース 스포트뉴스. ▷spot. ──アナウンス 图 스포트 아나운스；프로 사이에 끼우는 짧은 방송. ▷spot announce-ment. ──ライト 图 스포트라이트. ¶〜をあびる 각광을 받다. ▷spotlight.

すぼっと -potto 图①병마개 따위가 쉽게 빠지는 모양；쑥. ②구멍 따위에 갈은 크기의 물체가 수월하게 들어가는 모양；쑥.

すぼま-る 【窄まる】固固 ☞すぼむ.

すぼ-む 【窄む】固固오므라지다；오그라들다；차츰 좁아지다；쇠하다. ¶先のの〜んだズボン 끝이 좁아진 양복바지／勢いが〜 세력이 쇠하다.

すぼ-める 【窄める】下固他오므라뜨리다；오므리다；움츠리다.

ずぼら 【ナ又】〈俗〉흐리터분함；흘게 늦음. ¶〜な人 흐리터분한 사람.

ズボン 图 즈봉；양복 바지. ▷프 jupon.

スポンサー 图 스폰서；(민간 방송의) 광고주；전하여, 돈을 대는 사람. ▷sponsor.

スポンジ 图 스펀지. ▷sponge.

スマート 【ナ又】 스마트；말쑥함；단정하고 멋스러움. ▷smart.

すまい 【住まい】(住居) 图 주거；주소；사는 일；살이. ¶田舎住まい 시골살이／わび住まい 쓸쓸한 살림〔주거〕.

スマイル 图 스마일；미소. ▷smile.

すま-う 【住まう】固固 살(고 있)다.

すまし 【澄まし】(清まし) 图①(탁한 것을 가라앉혀서) 맑게 함；깨끗이 함. ②(술자리에서) 술잔 씻을 물. ④'澄まし汁'의 준말；(소금・간장으로 간을 한) 맑은 장국. =すまし汁(素湯).

すま-す 【澄ます】(清ます) 固固①깨끗이 하다；맑게 하다. ¶水を〜·して 汲み上げる물을 맑게 해서 퍼올리다. ②(칼날 따위를 갈아) 시퍼렇게 하다. ③맑은 소리를 울리다. ¶尺八をを吹く〜 尺八를 불어 맑은 소리를 울리다. ④마음을 가라앉히다；마음을 진정시키다. ⑦(사념(邪念)을 버리고) 마음을 가라앉히다. ¶心を〜 마음을 가라앉히다. ⓛ耳〔目〕を〜 주의를 집중시켜 듣다〔보다〕. ⑤시체하다；시치미 떼다；점잖빼다. ¶おつに〜 유난히 새침떨다. ⑥다른 動詞의 連用形을 받아서〕⑦완전히 하다；…하다；…되어 버리다. ¶大人になり〜 아주 어른이 되어 버리다. (마치 …처럼) 행세하다. ¶警官になり〜 경관인양 행세하다.

すま-す 【済ます】固固①끝내다；마치다；완료하다；다 갚다. ②때우다；해결하다. 「す(済).

すま-せる 【済ませる】下固他 ☞すます.

すまない 【済まない・済まぬ】連語미안하다. ¶ほんとうに〜ことをした 정말 미안하게 됐다.

すみ 【墨】图①먹. ②먹같이 갈아 쓰는 먹을 갈 것. ¶朱墨より주묵. ③墨色いろ(=먹빛)；검은 빛

갈]'의 준말. ¶～が薄い 먹빛이 엷다. ②먹물. ¶一面을に～を流るしたような空? 온통 먹물을 부은 듯한 하늘. ⑤그을음. ⑥(오징어·문어 따위의) 고락；먹물. ◐**墨縄**꾿(＝먹줄)'의 준말. **──と雪** 아주 딴판인 것의 비유. **──の衣**꾸 すみぞめのころも.

***すみ【炭】**名 숯；목탄.＝木炭岁.

***すみ【隅】**名(①모통이；귀퉁이.②구석.＝すみっこ.¶～から～まで搜索? すみずみ구석구석까지 찾다；샅샅이 뒤지다.**一に置けない** 허투루 볼 수 없다；여간 아니다.

すみ【済み】(名) 끝남；필(畢).[参考] 흔히, 名詞에 붙여서 '…ずみ'라고 함.¶**決裁**꿰꾸**〔予約**꿰꿀**〕済み** 결재[예약]필(畢).

すみいか【墨いか・墨烏賊】(名)(오징어(マイカ의 딴이름).

すみえ【墨絵】(名) 목화畵(墨畵)；수묵화.

すみか【住みか・住みか・栖】(名) 거처；살고 있는 곳；집.¶悪魔?の～ 악마의 소굴/かりの～ 임시로 사는 곳.[마.

すみがま【炭がま・炭窯】(名) 숯가마.

すみきる【澄み切る】[5自]맑아지다.¶～った秋空? 맑게 갠 가을 하늘.

すみこみ【住（み）込み・住込】(名) 고용주의 집〔직장〕에서 삶；입주(入住)；또, 그 사람；더부살이.☞通いる.

すみじ【墨字】(名) 점자(點字)에 대하여 보통 글자.

すみずみ【隅隅】(名) 구석구석；모든 곳.¶～までさがす 구석구석을 뒤지다.

すみぞめ【墨染め】(名)(①먹 빛옷.②치의(緇衣).③)깻빛 상복(喪服).**──の衣?** 검은 빛의 중 옷；상복(喪服).

すみだわら【炭俵】(名) 숯섬；숯가마니.

すみつき【墨付（き）】(名) 먹이 묻는 정도；또, 필적.☞おすみつき.

すみつ―く【住（み）着く】[5自]정주(定住)하다；그 자리에 자리잡고 살다.¶東京?に～ 東京에 정착하다.

すみっこ【隅っこ】-mikko (名)《口》구석.＝隅?.

すみつぼ【墨つぼ・墨壷】(名)(①(목수의) 먹（줄）통.②먹물을 담는 종지.

すみやきがま【炭焼（き）窯】(名)（숯불을 넣고 밀폐하여) 뜬숯을 만드는 단지.＝ひけしつぼ.

すみな―れる【住（み）慣れる】【住（み）馴れる】[下1自]오래 살아 정들다.¶～れた家 오래 살아 정든 집.

すみび【炭火】(名) 숯불.

すみません【済みません】[連語](①죄송합니다；미안합니다.¶どうも～ 대단히 죄송합니다.②고맙습니다.¶いつも～ 늘 고맙습니다.③부탁합니다.

すみやか【速やか】[ダナ]빠름；신속；조속.¶～な処置? 신속한 조치.

すみやき【炭焼（き）】(名)(①숯을 굽는 일[사람].②-窯? 숯가마.③)숯불구이.

すみれ【菫】(名)(①《植》제비꽃；오랑캐꽃.②～すみれ色? '(＝짙은 보랏빛)'의 준말.

すみわた―る【澄み渡る】[5自]（구름 한 점 없이) 맑게 개다.

****す―む【住む】**[5自]（①살다；거처하다.

②**《棲む》** 깃들이다.**一・めば都**꿈꿈 정들면 고향.

***す―む【澄む】【清む】**□[5自]맑아(아지)다.¶水가～ 물맑다；투명하다.¶～んだわやかな空気? 맑고 상쾌한 공기.↔濁る.②청명하다；晴る.③(소리가) 맑다.↔濁る.④깨끗하다.¶心꾸が～ 마음이 맑다.↔濁る.□[5自]청음(清音)으로 되다[발음하다].↔濁る.

***す―む【済む】**[5自]（①(일이) 완료되다；끝나다.¶試験?が～ 시험이 끝나다.②(그럭저럭) 해결되다；(잘) 되다.¶金?では～れ되지 않는 문제/上着?なしでも～ 윗옷 없이도 된다.③(주로, 否定·反語의 말을 수반하여) 변명이 되다[서다].¶あやまって～と思うか 사과로 끝난다고 생각하는가／世間?に対して～・まない 세상 사람에게 낯이 없다.④변제(返濟)하다；갚다.

スムース[ダナ]스무스；원활함；순조로움.＝スムーズ.▷smooth.

すめん【素面】(名)(①(검도(劍道)에서) 면(面)을 쓰지 않음.②(술 취하지 않은) 맨송맨송한 얼굴.＝しらふ.↔醉顔꿈꿈.

ずめん【図面】(名) 도면；설계도.

すもう【相撲・角力】-mō (名)①씨름.¶力相撲꿈꿈 수보다는 힘으로 겨루는 씨름／水入りの大相撲꿈꿈 좀처럼 판가름이 나지 않아 쉬었다 하는 씨름.②**すもう取り**꿈（＝씨름꾼)'의 준말.**一にならない** 실력차가 너무 나서 상대가 안 되다.

スモーキング(名) 스모킹；흡연；담배를 피움.¶～ルーム 흡연실／ノー～ 금연.▷smoking.

スモッグ -moggu (名) 스모그；연무(煙霧).¶～公害꿈 스모그 공해.▷smog.

すもも【李】(名)《植》자두；자두나무.

すやき【素焼（き）】(名) 도기(陶器)에 유약(釉藥)을 바르지 않고 저온(低熱)에 굽는 일；또, 그렇게 만든 그릇；질그릇；애벌구이.[근.

すやすや(副) 편안히 자는 모양；새근새근.

すよみ【素読み】(名)[ス他](마지막 교정에서 원고나 인용 문헌을 대조하지 않고) 그냥 쭉쭉 훑어 읽으면서 문맥을 조사하는 일.

すら(副助)《老》…조차(도).＝さえ.¶子?どもで～できる 아이들조차도 할 수 있다.

スラー【楽】슬러；이음줄.▷slur.

スライダー(名)《野》슬라이더.▷slider.

スライディング -dingu (名)[ス自]슬라이딩.①활주함.②《野》베이스에 미끄러져 들어감.③경조(競漕)용 보트에서 저을 때마다 좌석이 앞뒤로 미끄러지게 되어 있는 장치.▷sliding.**──システム**(名)《經》슬라이딩 시스템(물가의 변동에 따라서 노임을 증감하는 제도).＝スライド制?.▷sliding system.

スライド 슬라이드.□[名]①환등기.②계산척.③'スライドグラス'의 준말.□[名][ス自]①미끄러짐；미끄러지게 함.②スライド式 시스템을 채택함.《野》미끄러져 들어감.▷slide.**──グラス**(名) 현미경의 검경판(檢鏡板).＝

スライドガラス．▷slide glass.

ずらかる ⑤圓〈俗〉도망치다．

***ずら-す** ⑤他 비켜 놓다；특히，겹치지 않도록 비키다．¶机か을 ～책상을 비켜 놓다／日取とりを一日いちか～ 날짜를 하루 물리다．

***すらすら** 副 막힘 없이 원활히 진행되는 모양；술술；줄줄；척척；거침없이．¶難問なんを～と解く 어려운 문제를 척척 풀다．　　　　　「타자．▷slugger.

スラッガー -ragga 名〔野〕슬러거；강

スラックス -rakkusu 名 슬랙스；(여성용)좁은 바지．▷slacks.

すらっと -ratto 副 ⇨すらり．

スラム 名 슬럼；빈민굴．¶一街がい 슬럼가；빈민가．▷slum.

すらり ①막힘이 없는 모양；술술；쑥．¶～(と)大刀だいを抜ぬきはなつ 큰 칼을 쑥 빼들다／～(と)話はながまとまる 쉽게 합의를 보다．②〈'と'을 수반하여〉몸매가 가늘고 키가 큰 모양；날씬하게．¶～とした美人びん 날씬한 미인．

ずらりと 副〈俗〉여럿이 늘어선[앉은]모양；죽．¶～居いならぶ 죽 늘어[앉]다．　　　　　　　　　「語〕▷slang.

スラング 名 슬랭；비어；속어；은어〔隱

スランプ -rampu 名 슬럼프．¶～におちいる 슬럼프에 빠지다．▷slump.

***すり** 〔掏摸·掏児〕名 소매치기．

すり 〔刷〕〔印〕인쇄(의 됨됨이)；쇄(刷)．¶校正こうせい刷ずり 교정쇄／～がきれいだ 인쇄가 곱게 됐다．

ずりあがる 〔ずり上がる〕⑤圓①기어오르다；밀려 오르다．②조금씩 높은 지위로 올라가다．

すりあし 〔すり足〕〔摺足〕살짝 땅에 스치듯하는 걸음．¶～で歩あるく 사뿐사뿐 걷다．

スリー 名 스리；셋；세 개．▷three.

——ランホーマー 名〔野〕스리런 호머．＝スリーラン．▷three-run homer.

スリーピングバッグ -bakku 名 슬리핑백；침낭．＝シュラーフザック．▷sleeping bag.

スリーブ 名 슬리브；소매．▷sleeve.

すりうす 〔磨り臼〕名 맷돌．＝ひきうす．

すりえ 〔摺り餌〕名 (겨·생선·풀 등을)짓이긴 새 모이．

ずりおちる 〔ずり落ちる〕上一圓 흘러내리다[떨어지다]．¶眼鏡がねが～ 안경이 흘러 내리다．

すりかえる 〔すり替える〕〔摩り替える〕下一他 몰래 바꿔치다；살짝 바꾸다．

すりガラス 〔磨り硝子〕名 젖빛 유리；불투명 유리．＝つや消けしガラス·くもりガラス．▷く ni glas.

すりきず 〔擦(り)傷〕〔擦(り)疵〕名 찰상〔擦傷〕；생채기．

すりきり 〔すり切り〕〔摺(り)切り·摩(り)切り〕名 평미레질함；평미리침．↔山盛もり．

すりきれる 〔擦(り)切れる〕〔摩(り)切れる·摺(り)切れる〕下一圓 닳아서 떨어지다[줄다，끊어지다]．

すりこぎ 〔すりこ木〕〔摺り粉木〕①(확의)나무공이；막자．＝れんぎ．②

〈俗〉조금도 진보하지 않고 오히려 보하는 사람．

すりこむ 〔擦り込む〕①他(약 등을)문질러서 (스며들게) 바르다．②圓 아첨하여 환심을 사다．

すりこむ 〔すり込む〕〔摺り込む〕⑤他 갈아서 (섞어) 넣다．

すりこむ 〔刷り込む〕⑤他 다른 것을 인쇄하[여 넣]다；박[아 넣]다．¶さし絵えを～ 삽화를 넣어 인쇄하다．

ずりさがる 〔ずり下がる〕⑤圓 (느슨해져서) 흘러 내리다．¶靴下くつしたが～ 양말이 흘러 내리다．

すりつける 〔すりつける·擦り付ける〕〔摩り付ける〕下一他 문질러〔비벼〕대다．＝こすりつける．

スリッパ -rippa 名 슬리퍼．▷slippers.

スリップ -rippu 名①미끄러짐；특히，눈·비로 자동차 등이 미끄러짐．□名 여성 양장(洋裝)의 속옷의 하나．▷slip.

すりつぶす 〔磨り潰す·擂り潰す〕⑤他①갈아서 으깨다；(갈아[비벼] 뭉개다．②(재산 등을)탕진하다．

すりぬける 〔すり抜ける·擦り抜ける〕〔摺り抜ける〕下一圓①(사람들을 틈을) 빠져 나가다．②(꾸며 대어) 용케 피하다[면하다].

すりばち 〔すり鉢〕〔摺鉢·擂鉢〕名 (양념) 절구；철확．＝あたりばち．

すりひざ 〔摩〕膝·擦り膝〕名 ⇨ 無뒤膝걸음；앉은걸음.

すりへらす 〔磨り減らす〕〔擂り減らす〕⑤他①마멸시키다；닳리다；닳아 없애다；무지러뜨리다．②소모시키다．¶心身しんを～ (과로로) 심신을 소모시키다．

すりむく 〔擦りむく〕〔擦り剝く〕⑤他 스쳐서 껍질을 벗기다．¶ひざを～ 무릎을 깨다．　　　　　　　　　　　「쇄물．

すりもの 〔刷(り)物〕〔摺(り)物〕名 인

ずりょう 〔受領〕-ryō 名 平안さい 시대의 지방 장관．＝じゅりょう·ずりゃう．参考 전임자로부터 사무 인계를 받는 사람의 뜻．

すりよる 〔擦(り)寄る〕〔摩り寄る〕⑤圓①바짝 다가서다．②무릎[앉은]걸음으로 다가오다．

スリラー 名 스릴러；스릴을 주는 극·영화·소설．▷thriller.

スリル 名 스릴．¶一満点まんてん 스릴 만점．▷thrill.

す-る 〔掏る·掏摸る〕⑤他 소매치기하다．

す-る 〔刷る〕〔摺る〕他 박다；찍다．①(활판 따위로) 인쇄하다．②옷감에 염색본을 대고 문질러 무늬를 찍어 내다．

***す-る** 〔摩る·磨る·擂る〕⑤他 갈다；빻다；(으깨어) 가루를 내다．¶墨すみを～ 먹을 갈다／ごまを～ (a)깨를 빻다 (b)아첨하다．

***す-る** 〔擦る〕⑤他①문지르다；비비다．㋑닦다．㋺手てを～ 손을 비비다．㋩쓸다，대야스럽게．㋥(성냥 따위를) 긋다；켜다．②탕진하다．

‡**する** 〔為る〕サ変自他①㋑〈단독으로 또는 '…(を)する' '…을…する'의 꼴로〉하다．¶～ことなすこと 하는 일이 모

두·話^{は}を〜 이야기를 하다/数学^{すうがく}を勉強^{べんきょう}〜 수학을 공부하다. ㉲〈역(役)〉이나 직명(職名)에 'を' 붙인 꼴을 받아서 …의 노릇[구실]을 하다. ¶役員^{やくいん}を〜 임원(노릇)을 하다/人足^{にんそく}をして暮^{く}らす 인부 노릇하며 지낸다. ㉳㋐'…にする'의 꼴로, 또는 形容詞^{けいようし}連用形^{れんようけい}을 받아 …한 상태가 되게 하다(만들다) …의 지위로 삼다. ¶課長^{かちょう}に〜 과장으로 삼다/顔^{かお}を赤^{あか}〜 낯을 붉히다. ㋑'…に〜する'의 꼴로〉…의 상태가 되다. ¶びっくり〜 놀라다. ㋒'…を〜した''…を〜している''…としている'의 꼴로〉…의 상태이다. ¶青^{あお}い目^{め}をした女^{おんな}の子^{こ} 푸른 눈을 한 여자 아이/堂々^{どうどう}とした態度^{たいど} 당당한 태도/三日月^{みかづき}の形^{かたち}をしている 초승달 모양을 하고 있다. ㋓〈금액을 가리키는 말을 받아서〉…의 값이다; …하다. ¶この本^{ほん}は百円^{ひゃくえん}〜 이 책은 백 엔 한다. ㉴〈시간의 경과를 나타내는 말을받아서〉…지나면. ¶もう一月^{ひとつき}もすれば지금 한 달 지나면. ㉵'…がする'의 꼴로〉(일이) 일어나다; 생기다. ¶音^{おと}が〜 소리가 나다. ㉶'に''と'를 받아서〉느끼다; 생각하다; …으로 치다; …으로 삼고 있다. ¶お会^{あ}いする日^{ひ}を楽^{たの}しみに〜 만날 날을 낙으로 삼다/必要^{ひつよう}だと〜れている 필요하다고고 생각되고 있다. ㉷…(으)로 하다. ¶相手^{あいて}に〜 상대로 하다. ㉸…을 잡아 잡다. ¶私^{わたし}はパンにします 나는 빵으로 하겠습니다. ㉹…에 착수하다; …을 하다. ¶これから食事^{しょくじ}にします 이제부터 식사에 들어가겠습니다. ⑥〈형식화된 다음과 같은 용법이 있음〉㋐'お〜する'의 꼴로 動詞^{どうし}連用形^{れんようけい}을 중간에 가져와〉존경하는 사람 등에 대한 행위를 나타내는 데 씀. ¶お会^{あ}い〜 만나 뵙다. ㋑'…む(ん)とす'의 꼴로; 일어나려는 상태에 있다. ¶風吹^{かぜふ}かむとす 바람이 불려고 한다/雨^{あめ}が降^{ふ}ろうと〜 비가 오려고 한다/出^{で}ようと〜 나가려고 한다. ㋒'…と(に)して(は)'…とに'されば'의 꼴로〉…으로 한다면; …의 (입장·수준)으로서는. ¶社長^{しゃちょう}にすれば不満^{ふまん}もあろう 사장으로서는 불만도 있겠지/君^{きみ}の作品^{さくひん}としては出来^{でき}が悪^{わる}い 자네 작품으로서는 잘 안 된 편이다. ㋓〈'…としたことが'의 꼴로〉…답지 않게 된 것이; 다른 사람 아닌 …의 노릇이다. ¶私^{わたし}としたことがとんだそそうをいたしました 제가 (한답시고 한 것이) 엉뚱한 실수를 저질렀습니다.

ず-る ㊀⑤⑪ ①미끄러져 움직이다(내리다); 또, 앉아서 움직이다. ②어긋나다; 벗어나다; =ずれる. ③늘어붙다. ㊁他〈俗〉(질질) 끌다. =引^{ひ}きずる.

ずる 【狡】 ⓝ 교활함; 꾀부림; 또, 그런 사람. ¶〜がしこい 간사한[교활]. ‖

ずる-い 【狡い】 ⓕ 교활하다; 능글맞다; 뺀질거리다. =こすい. ¶〜事^{こと}をする 교활한 짓을 하다.

ずる-ける 【狡ける】 ⑤⑪ 게으름피우다; 꾀부리다; 빼슥거리다.

するする ⓐ ①미끄러지는(빠지는) 모양; (미끄러지듯) 지체없이 진척되는 모양: スルヌ; 쭈르르; 주르르. ¶いつの間^{ま}にか〜(と)抜^{ぬ}けてしまう 어느 틈에 스르르 빠져 버리다/猿^{さる}が〜木^{き}に登^{のぼ}る 원숭이가 주르륵 나무에 올라가다. ②잘 자라는 모양: 쑥쑥.

ずるずる ⓐ ①끌(리)거나 미끄러지는 모양: 질질; 주르륵. ¶〜(と)すそを引^{ひ}きずる 질질 옷자락을 끌다. ②일·시간 따위를 오래 끌고 가는 모양: 질질. ¶〜(と)期限^{きげん}がのびる 질질 기한이 지연되다. ¶〜(と)お会^{あ}いする日^{ひ} ‖ ──べったり -bettari ⓐⓥ 엉거주춤 결말이 나지 않는 모양: 질질 끄는 모양. ¶〜になる 자꾸 질질 지연만 되다. ¶질질 끌다.

すると 圀 ①그러자. =そうすると. ¶とびらがあいた。〜，若^{わか}い男^{おとこ}が〜からあらわれた 문이 열렸다. 그러자 젊은 남자가 안에서 나타났다. ②그러면; 그렇다면. =それでは·だとすると. ¶〜君^{きみ}は一人^{ひとり}むすこなんだね 그렇다면 자네 외아들이군.

‡**するど-い** 【鋭い】 ⓕ 날카롭다; 예리(예민)하다. ¶〜耳^{みみ} 예민한 귀. ⟷鈍^{にぶ}い.

するめ 【鯣】 ⓝ 말린 오징어. ‖．い.

するめいか 【鯣烏賊】 ⓝ〈動〉 오징어.

するりと ⓐ 미끄러지듯 빠지는(도망치는) 모양: 홀랑; 쑥; 슬쩍.

ずれ ⓝ (위치·시간 따위의) 어긋남; 엇갈림; 빗나감. ¶時間^{じかん}の〜 시간의 엇갈림/意味^{いみ}の〜 의미의 어긋남[다름]; 해석의 차이·時代^{じだい}の〜 시대〔세대〕의 차이.

すれあ-う 【擦れ合う】 ⑤⑤ ①맞스치다. ¶車体^{しゃたい}が〜 차체가 서로 스치다. ②(사이가 나빠서) 서로 으르렁대다(미워하다); 으드등거리다.

スレート ⓝ 슬레이트. ▷slate.

すれからし 【擦れ枯ら(ら)し】 ☞ すれっからし.

‡**すれすれ** 【擦れ擦れ】 ⓝⓕ ①거의 스칠 정도로 가까운 모양; 거의 한도〔한계〕에 이른 모양; 아슬아슬한 모양. ¶弾丸^{だんがん}が頭上^{ずじょう}を〜にとんだ 탄알이 머리 위를 스칠 듯이 날아갔다/〜の点数^{てんすう}で合格^{ごうかく}した 아슬아슬한 점수로 합격했다.

‡**すれちが-う** 【擦れ違う】 ⑤⑤ ①스치듯 지나가다. ¶列車^{れっしゃ}が〜 열차가 맞스치고 지나가다. ②〈俗〉엇갈리다.

すれっからし 【擦れっ枯らし】 ⓝ ①(사람이) 가스러짐; 닳고 닳음; 굴러먹음; 또, 그런 사람. ②무일푼이 됨; 또, 그 사람; 빈털터리.

すれば 圀 그러면; 그렇게 하면; 그렇다면. =そうすれば.

‡**す-れる** 【磨れる·擦れる】 ㊦⑪ ①무지러지다; 스쳐서 닳거나 끊어지다. ¶石^{いし}が〜れて丸^{まる}くなった 돌이 닳아서 둥글어졌다. ②(문질러·비비어서) 닳다. ¶墨^{すみ}が〜 먹이 갈리다.

‡**す-れる** 【擦れる】【摩れる】 ㊦⑪ ①스치다; 비비어지다; 닿다. ②(사람이) 가스러지다; 반드러지다; 닳고 닳다.

‡**す-れる** 【刷れる】【摺れる】 ㊦⑪ 인쇄가 다 되다.

‡**ず-れる** ㊦⑪ ①미끄러져 옮겨지다(빗나가다). ¶中心^{ちゅうしん}から〜 중심에서

びんがた。②(기준·표준 따위에서) 벗
어나 엇갈리다 ; 어긋나다. ＝食い違
う。¶話₁₂が～이야기가 엇갈리다 /
予定₁₂が一日₁₂～예정이 하루 어긋러
지다.

すろうにん【素浪人】surō- 〈蔑〉 의
지가치 없는 떠돌이.

スロー【ﾀﾞﾅ】슬로 ; 늦음 ; 느림. ▷slow.

スロー─モーション -shon 图슬로 모션. ①
동작이 느림 ; 굼뜸. ②고속도 촬영에
의한 영화의 화면)(느린 동작으로 나
타남. ▷slow motion.

スローガン 图슬로건 ; 표어. ▷slogan.

ズロース 图드로어즈 ; 여성용 팬츠.
▷drawers.　　　　　　　　┌▷slope.

スロープ 图슬로프 ; 비탈 ; 사면(斜面).

すわ【素破·驚破】國〈雅〉돌연한 일에
놀라서 내는 소리 ; 어이 ; 이크. ＝それっ。
¶～一大事₁₂이크 큰일 났다.

ずわいがに【ずわい蟹】图〔動〕바다참
게.

すわこそ【素破こそ·驚破こそ】國 ‘す
わ’의 힘줌말. ＝さてこそ。　┌‘すわ’의 힘줌말.

すわや【素破や·驚破や】國‘すわ’의 힘

すわり【座り】〔坐り〕图①앉음. ¶お～
しなさい 앉아요. ②안정 ; 앉음새. ¶
～のいいいす 안정감이 좋은 의자.

すわりこみ【座り込み】〔坐り込み】
图주저앉아 움직이지 않음 ; 눌러앉음
(넓은 뜻으로는, 농성). ¶～を行₁₂₃う 농성하
다.

すわりこ─む【座り込む】〔坐り込む】
⑤自들어가 앉다 ; 주저앉아 움직이지
않다 ; 연좌(농성)하다. ¶玄関₁₂に～
현관에 버티고 앉다.

すわりだこ【座りだこ】〔座り胼胝·坐り
胼胝】图(오랜 정좌(正座) 생활로 인
해) 발등 따위에 생긴 못.

＊すわ─る【座る】〔坐る〕⑤自①앉다. ㉠
자리에 엉덩이를 붙이다. ¶そこへ・～
れ 거기에 앉아라. ＝立つ。㉡어느 지
위·자리를 차지하다 ; 들어앉다. ¶あ
とがまに～후임 자리에 앉다 ; 후처로
들어앉다. ②㉠(…에) 단단히 자리잡
다. ㉡(배가) 얹히다 ; 좌초하다.

＊すわ─る【据わる】⑤自①자리잡고 움직
이지 않다. ¶肝₁₂が～った
人₁₂ 담찬 사람 / 覚悟₁₂が 각오가
(단단히) 서다. ②(도장이) 찍히다. ¶
印₁₂₃の～った証書₁₂は 날인이 된 증서.

スワン 图스완 ; 백조(白鳥). ▷swan.

すん【寸】图①길이 ; 치수. ¶～が足
りない 치수가 모자라다. ②길이의 단
위 ; 치.

すんいん【寸陰】图촌음. ¶～を惜₁₂し
む 촌음을 아끼다.

すんか【寸暇】图촌가 ; 극히 짧은 짬.
¶～を盗₁₂んで働₁₂く 촌가를 틈타 일
을 하다.

ずんぎり【ずん切り】〔ずん切り〕图토막
침 ; 통째썰기. ＝輪切り₂。

ずんぐり 图뭉퉁하고 짧음 ; 땅딸막함(뚱
퉁한) 모양. ¶～(と)した男₁₂ 땅딸막
한 남자 ; 땅딸보.

ずんぐりむっくり -mukkuri 圖‘ずんぐ
り’의 힘줌말. ＝きってこす。

すんげき【寸劇】图촌극 ; 토막극.

すんか【寸暇】图촌가 ; 촌가〔寸暇〕；
짧은 겨를 ; 약간의 틈.

すんこく【寸刻】图촌각 ; 촌음. ＝寸時

───

すんし【寸志】图촌지. ①정표 ; 하찮은
뜻. ②변변치 않은 선물. ¶～ですが
お納₁₂めください 변변치 않지만 소납
(笑納)해 주십시오. 〔参考〕흔히, 겸칭
으로 씀.

すんじ【寸時】图촌시 ; 촌각〔寸刻〕.

すんずん【寸寸】图圖조각조각 ; 토막
토막 ; 갈가리.

ずんずん 圖빨리 진행되는 모양 ; 일이
진척되는 모양 ; 빠르게 ; 척척 ; 쑥쑥 ;
자꾸자꾸 ; 꾸준히. ¶仕事₁₂が～進₁₂₃
む 일이 척척 진행되다 /～先₁₂へ歩₁₂
いて行₁₂った 자꾸(계속) 앞으로 걸어
갔다.

すんぜん【寸前】图촌전 ; 직전(直前) ;
바로 앞. ¶ゴール～で抜₁₂かれる 골
직전에서 앞질리다.

すんたらず【寸足らず】图①치수가
모자람 ; 키가 작음 ; 또, 그러한 사람.
¶～の장물₁₂ 치수가 모자라는 옷감.
②(비유적으로) 보통보다 어느 정도
떨어짐 ; 또, 그런 것.

すんだん【寸断】图ㄆ他촌단 ; 토막토
막 끊음 ; 갈기갈기 찢음.

すんてつ【寸鉄】图①작은 날붙
이. ¶身₁₂に～もおびず 몸에 무기라곤
지니지 않고. ②(마음에 파고 드는)
경구(警句). ¶人₁₂を殺₁₂す～ 한사람을
촌철 살인 (짤막한 경구가 사람의 마
음을 찔러 감동시키기).

すんでに【既に】圖하마터면 ; 까딱하
면. ＝あやうく。¶～ひかれるところ
だった 하마터면 치일 뻔했다.

すんでのこと【既の事】連語하마터면 ;
자칫하면 ; ＝すんでに。¶～に断₁₂ると
ころだった 하마터면 거절할 뻔했
다.

すんでのところ【既の所】連語☞すん
でのこと. 〔注意〕‘～で’로도 씀.

すんど【寸土】图촌토 ; 척토(尺土).
¶～もゆずらず 촌토도 양보치 않고.

すんなり 圖①날씬하게 ; 매끈하게 ; 나
굿나굿하게. ¶～した足₁₂ 매끈한 다
리. ②척척 ; 순조롭게 ; 쉽게. ¶～(と)
受け入れる 순조로이 받아들이다. ③
순진한 모양.

すんびょう【寸秒】sumbyō 图촌초 ; 촌
각. ¶～を争₁₂う 촌각을 다투다.

すんびょう【寸描】sumbyō 图촌묘 ; 짧
은 묘사 ; 스케치. ¶人物₁₂～ 인물 촌
묘.

すんぴょう【寸評】sumpyō 图촌평 ; 단
평 ; 짧은 비평.

すんぶん【寸分】sumbun 图조금 ; 극
소(極小). ¶～の差₁₂ 극소한 차이. ¶
【すんぶん】圖〔다음에 否定이 옴〕조
금도. ¶～ちがわない 조금도 다름이
없다. 〔注意〕‘すんぷん’이라고도 함.

ずんべらぼう zumberabō 〈俗〉①
흐릿한〔흐게늦은〕사람 ; 헐렁이. ②표
면이 밋밋한 모양. ＝のっぺらぼう。

＊すんぽう【寸法】sumpō 图①길이의 치
수 ; 척도. ②目₁₂ 눈대중 치수. ②
〈俗〉작정 ; 순서 ; 계획. ¶万事₁₂₃は一
通₁₂り行₁₂った 만사는 계획대로 되었
다. ③형편 ; 모양 ; 상태.

すんよ【寸余】图촌여 ; 한 치 남짓.

すんわ【寸話】图짧은 이야기. ¶財界
₁₂ 재계의 토막 이야기.

せ　セ

①五十音図(ごじゅうおんず)의 'さ行(ぎょう)'의 넷째 음. 〔se〕②〔字源(じげん)〕'世'의 초서체(かたかな 'セ'는 '世'의 초서체).

せ【瀬】 图 ①여울. =はやせ. ②물이 얕아 걸어서 건널 수 있는 곳. =浅瀬(あさせ). ↔淵(ふち). ③기회; 경우. ¶会(あ)う~を待(ま)つ 만날 기회를 기다리다. ④입장; 처지; 체면. ¶立(た)つ~が無(な)い 체면이 서지 않는다.

*せ【背】图 ①등. ¶敵(てき)に~を見(み)せる 적에게 등을 보이다; 도망치다. ②뒤. ¶山(やま)を~にして立(た)つ 산을 등지고 서다. ③산등성이. =やね. ¶山(やま)の~ 산등성이. ④신장; 키. =せい. ¶~が高(たか)い 키가 크다. 一に腹(はら)はかえられぬ 배를 등과 바꿀 수는 없다(당면한 큰 일을 위해서는 딴 일에는 일체 마음을 쓸 수 없다). 一を向(む)ける 등을 돌리다; 전하여, 모르는 체하다; 배반하다; 돌아서다.

せ【畝】 图 묘(토지 면적의 단위; 단(段)의 10분의 1; 30평).

せ【是】 图 도리에 맞음; 옳음. ↔非(ひ). 一が非(ひ)でも 어떻게 해서라도; 무슨 일이 있어도; 꼭. =ぜひとも.

ぜ【終助】〔終止形에 붙어서〕 친근한 사람끼리 가볍게 다짐을 하거나 주의를 환기하는데 씀. ¶さあ行(い)こう~ 자, 가자꾸나. 〔대보기〕

せい【丈】 图 높이; 키. ¶~くらべ 키재기.

*せい【所為】图 원인; 이유; 탓. ¶失敗(しっぱい)を不運(ふうん)の~にする 실패를 불운 탓으로 돌리다.

せい【勢】 图 세; 세력; 특히, 군세; 병력. ¶~のは約(やく)五万(ごまん) 적의 병력은 약 5만.

*せい【姓】图 ①성; 성씨. =みょうじ. ②かばね 를 冒(おか)す 남의 성을 사칭하다; 딴 성으로 행세하다; 남의 집 가문으로. ¶~を冒(おか)す

*せい【性】图 ①성질; 성격; 본성(本性). ¶習(なら)い~となる 습관이 천성이 된다. ②남녀·자웅의 구별; 섹스. ¶~にめざめる 성에 눈뜬다. ③〔言〕인도 유럽어에서, 관사·명사·대명사 등에 있는 남성·여성·중성의 구별. =ジェンダー.

せい【正】 图 ①올바름; 바름. =正(せい)道. ¶~を踏(ふ)む 정도를 걷다. ↔邪(じゃ). ②〔数〕정수(正数). =プラス. ¶~の整数(せいすう) 정의 정수. ↔負(ふ).

せい【生】 생. 一图 ①삶; 인생. ¶~の哲学(てつがく) 생(삶)의 철학. ↔死(し). ②생명; 목숨. ¶~を受(う)ける 태어나다. ¶~活(かつ) 생활; 생계. ¶~をいとなむ 생을 영위하다; 생활하다. 二图 생물. ¶~るらが喜(よろこ)び 우리들의 기쁨.

せい【精】 图 정. ①기력; 원기; 정력. ¶~をつける 원기를 돋우다. ②자세함; 정밀; 정교. ¶~をきわめる 더없이 정교하다. ↔粗(そ). ③정령(精霊). ¶森(もり)の~ 숲의 정. ④순수한 것; 정수; 엑스. ¶日本美術(にほんびじゅつ)の精(せい) 일본 미술의 정수. ⑤정액. ¶~を漏(も)らす 누정(漏精)하다. 一が出(で)る 힘써 일하다; 일

에 힘쓰다. 一を入(い)れる 정성을 들이다; 정력을 쏟다. 一を出(だ)す 열심히 일하다; 끈기 있게 일하다.

せい【静】 图 정; 고요; 조용함. ¶動中(どうちゅう)~あり 동중정. ↔動(どう).

ー**せい【世】** …세. ¶ナポレオン三(さん)~ 나폴레옹 3세 / 沖積(ちゅうせき)~ 충적세.

ー**せい【製】** …제; 만든 재료·회사명·국명을 나타내는 말. ¶金属(きんぞく)~ 금속제 / アメリカ~ 미국제.

*せい【税】图 세; 세금. ¶~の取(と)り立(た)て 세금징수; 징세 / 遺産(いさん)に~がかかる 유산에 세금이 부과된다.

*せい【贅】图 ①사치. =奢(おご)り. ¶~をつくす (온갖) 사치를 다하다. ②쓸데없음. =むだ. ¶~を省(はぶ)く 낭비를 없 애다.

せいあい【性愛】 图 성애. 一애다.

せいあく【性悪】 图 성악. 一せつ

【─説】 图 성악설. ↔性善説(せいぜんせつ)

せいあつ【制圧】 图 区他 제압. ¶敵(てき)を~する 적을 제압하다. 〔案(あん).

せいあん【成案】 图 성안. ↔草案(そうあん)・試

せいい【勢威】 图 세위; 권세와 위엄.

せいい【征夷】 图 정이; 오랑캐를 정벌함. 一たいしょうぐん【─大将軍】-taishōgun 图 ①〔奈良(なら)시대〕북방 아이누족 정벌을 위해 파견된 군대의 총수. ②鎌倉(かまくら)시대 이후, 무력과 정권을 쥔 幕府(ばくふ)의 주권자(主権者)의 직명. =将軍

せいい【誠意】 图 성의. =まごころ.

せいいき【聖域】 图 성역.

せいいき【声域】 图 성역; 음역(音域).

せいいき【西域】 图 서역. =さいいき.

せいいく【生育】 图 区自 생육; 키움; 나서 자라다.

せいいく【成育】 图 区自 성육; 자람.

せいいっぱい【精いっぱい】【精一杯】 -ippai 副 力 힘껏; 최대한으로; 고작. ¶~勉強(べんきょう)する 힘껏 공부하며 / 食(た)べていくのが~だ 입에 풀칠하는 게 고작이다.

せいいん【成因】 图 성인.

せいいん【成員】 图 성원. =メンバー.

せいいん【正員】 图 정(회)원. ↔客員(きゃくいん)

せいうけい【晴雨計】 图 청우계. =気圧計(きあつけい)・バロメーター.

セイウチ【海象】 图 動 해마(海馬). ▷ロ sivuch.

せいうん【星雲】 图 성운. 一せつ

【─説】 图 〔天〕성운설. 〔의 뜻.

せいうん【青雲】 图 『~の志(こころざし)』 청운

せいうん【盛運】 图 성운. ↔衰運(すいうん).

せいえい【精鋭】 图 名 정예. 〔애.

せいえい【精英】 图 ①정예. ②순수한 아리따움〔요염함〕.

せいえん【声援】 图 区他 성원. ¶熱烈(ねつれつ)な~を送(おく)る 열렬한 성원을 보내다.

せいえん【製塩】 图 区自 제염.

せいおう【西欧】seiō 名 서구. ①서유럽. ↔東欧ゟ. ②서양(西洋). ──てき【──的】ダナ 서구적.

せいおう【聖王】seiō 名 성왕. =聖主

せいおん【清音】名 ①청음；맑은 음. ②일본 말에서 탁음부(濁音符)·반(半) 탁음부를 붙이지 않은 かな가 나타내는 음('バ·パ'에 대하여 'ハ', 'ヅ'에 대하여 'ス' 등). ↔濁音ゟ·半濁音ゟ.

せいおん【静穏】名 온온；평온(平穏). ──な空気ゟ 정온한 공기.

せいか【勢家】名 세가；세도가.

*せいか【成果】名 성과. ──をあげる 성과를 올리다.

せいか【青果】名 청과；'青果物ぶ゙つ(=청과물)'의 준말.

せいか【声価】名 성가；평가；명성. ¶──を高ゟめる 성가를 높이다.

せいか【正価】名 정가；정찰(正札).

せいか【正貨】名【経】정화；본위 화폐. =本位貨幣ばい. ──じゅんび【──準備】-jumbi 名【経】정화 준비.

せいか【正規】名 정규；정규(필수) 과정.

せいか【生花】名 ①생화. ↔造花ゟ. ②꽃꽂이. =いけばな.

せいか【生家】名 생가；実家ゟ. ↔さと.

せいか【盛夏】名 성하. =真夏ゟ. ↔初ゟ·晩夏ゟ゙は.

せいか【精華】名 정화；정수(精髄).

せいか【聖火】名 성화.

せいか【聖歌】名 성가；찬송가.

せいか【製靴】名 제화. ¶──業ゟ 제화 업.

せいか【臍下】名 제하；배꼽 밑. ──たんでん【──丹田】名 제하 단전；아랫배. =丹田ゟ゙ん.

せいが【清雅】名ダナ 청아. ──な音声ゟゟ 청아한 음성.

せいかい【聖界】名 성화；종교화(宗教画).

せいかい【政界】名 정계. ¶──を去ゟる 정계를 떠나다.

せいかい【正解】名スた 정해. ↔誤解ゟ゙·曲解ゟ゙く.

せいかい【精解】名スた 정해；상세. ↔略解ゟ゙く.

せいかい【盛会】名 성회；성대한 모임.

せいかいいん【正会員】名 정회원.

せいかいけん【制海権】名 제해권. ↔制空権ゟ゙う.

せいかがく【生化学】名 생화학. =生物ゟ

*せいかく【正確】名ダナ 정확. ¶──な時計ゟゟ 정확한 시계.

せいかく【精確】名ダナ 정확；정밀하고 정확함. ¶──な時計ゟゟ 정확한 시계.

せいかく【正格】名 정격. ①바른 규칙〔격식〕. ②【文法】'正格活用ゟ゙う'의 준말. ↔変格ゟ. ──かつよう【──活用】-yō 名 정격 활용. =変格活用ゟ

‡せいかく【性格】名 성격. ¶──が合ゟわない 성격이 맞지 않는다. ¶──的 ダナ 성격적. ──びょうしゃ【──描写】-byōsha 名 성격 묘사.

せいかく【政客】名 정객. =政治家ゟ゙い.

せいきゃく

ぜいかく【製革】名スた 제혁.

せいがく【正楽】名 정악.

せいがく【声楽】名【楽】성악. ↔器楽ゟ゙く. ──か【──家】名 성악가. ──きょく【──曲】-kyoku 名 성악곡. =器楽曲ゟ゙く.

ぜいがく【税額】名 세액.

‡せいかつ【生活】名スた 생활. ¶──が立ゟたない 생활이 부지되지 않다. ──か【──化】名スた 생활화. ──きゅう【──給】-kyū 名【経】생활급. ↔能率給ゟゟゟ. ──く【──苦】名 생활고. ──けん【──圏】名 생활권. ──なん【──難】名 생활난. ¶──で苦ゟしむ 생활난으로 고생하다. ──ねんれい【──年齢】名 생활 연령. =歴ゟ年齢. ──ひ【──費】名 생활비. ──ようしき【──様式】-yōshiki 名 생활 양식.

せいかっこう【背格好】〔背恰好〕-kakkō 名 키와 몸집. =せかっこう. ¶──がそっくりだ 몸집이 꼭 닮았다.

せいかん【生還】名スた 생환. ¶無事ゟ に──する 무사히 생환하다. =帰還ゟ.

せいかん【性感】名 성감. =帯ゟ性感.

せいかん【清閑】名 청한. ¶──を楽ゟ しむ 청한을 즐기다.

せいかん【静観】名スた 정관. ¶事態ゟを──する 사태를 정관하다.

せいがん【精悍】ダナ 정한. ¶──な目ゟつき 에리하고 사나운 눈.

せいかん【正眼・青眼】名 검도에서 칼끝이 상대방의 눈을 향한 자세. =中段ゟゟの構ゟえ. ¶──に構ゟえる 正眼의 자세를 취하다. ↔大上段ゟゟゟゟ.

せいがん【青眼】名 ①=せいがん(正眼). ②청안；환영하는 마음을 나타내는 눈매. ↔白眼ゟゟ.

せいがん【誓願】名スた 서원；비원(悲願). ¶彌陀ゟ゙の──미다의 서원(비원).

せいがん【請願】名スた 청원. ¶──休暇ゟゟゟ 청원 휴가. ──けん【──権】名 청원권.

ぜいかん【税関】名 세관. ¶──がやかましい 세관이 까다롭다. ¶製品ゟ 제외제.

せいがんざい【制がん剤】〔制癌剤〕名 제암제.

*せいき【世紀】名 세기. ¶──の祭典ゟゟ 세기의 제전 / 幾ゟ──にわたって 몇 세기에 걸쳐서. ──まつ【──末】名 세기말. ¶──的な傾向ゟゟゟ 세기말적인 경향.

せいき【西紀】名 서기；서력.

せいき【性器】名【生】성기. =生殖器ゟゟゟく.

せいき【正規】名ダナ 정규. =正則ゟ゙く. ¶──の課程ゟ゙ 정규의 과정 / 軍ゟ正規.

せいき【正気】名 정기. ¶──군.

せいき【盛期】名 한창의 시기. ¶リンゴ収穫ゟゟゟゟの──사과 수확의 한창때.

せいき【精気】名 정기. ①만물의 생성하는 원기. ¶宇宙ゟゟの──우주의 정기. ②정력. ¶──が切ゟれる 정력이 없어지다. ③사물의 순수한 기운. ④정신과 기력. ⑤정신；혼(魂). ⑥정령(精霊)；영기(霊気).

せいき【生気】名 생기；활력；활기. ¶──を取ゟりもどす 생기를 되찾다.

*せいぎ【正義】名 정의. ¶──感ゟ 정의감 / ──派ゟ 정의파.

せいぎ【盛儀】名 성의. =盛典ゟ. ¶結婚ゟゟの御ゟ——(귀하의) 성대한 결혼식.

せいきゅう【性急】-kyū ダナ 성급. ¶せっかち. ¶──に過ゟぎる 너무 성급하다.

‡せいきゅう【請求】-kyū 名スた 청구；요구. ¶──額ゟ 청구액 / ──を容ゟれる

청구를 받아들이다. ──**けん**【──権】图【法】청구권. ──**しょ**【──書】图 -sho 청구서.

せいきょ【逝去】-kyo 图 区目 서거.

せいぎょ【制御・制馭】-gyo 图 区他 제어. ＝コントロール. ¶～し易ぃ 제어하기 쉽다.

せいぎょ【生魚】-gyo 图 생어. ①(신선한) 생선. ＝鮮魚ざ. ②산 물고기. ＝活魚ぎ・稚魚ぎ.

せいぎょ【成魚】-gyo 图 성어. ↔幼魚げょ

せいきょう【政教】-kyō 图 정교 ; 정치와 종교[교육]. ──**ぶんり**【──分離】图 정교 분리.

せいきょう【正教】图 정교. ①바른 가르침・종교. ↔邪教じゃ・禁教ぎ. ②러시아 기독교의 자칭 ; 그리스 정교.

せいきょう【盛況】-kyō 图 성황. ¶大ぃ～ 대성황.

せいきょう【精強】-kyō 图な 정강 ; 우수하고 강함. ¶～な軍隊んた 정강한 군대.

せいぎょう【成業】-gyō 图 区目 성업 ; 학업・사업 등을 성취하는 일.

せいぎょう【正業】-gyō 图 정업 ; (도박 따위가 아닌) 올바른 직업.

せいぎょう【生業】-gyō 图 생업 ; 직업. ＝なりわい.

せいぎょう【盛業】-gyō 图 성업.

せいきょういく【性教育】-kyōiku 图 성교육 ; 순결 교육.

せいきょうかい【正教会】-kyōkai ☞せいきょう【正教】②.

せいきょうと【清教徒】-kyōto 图 청교도. ＝ピューリタン.

せいぎょき【盛漁期】-gyoki 图 성어기. ＝豊漁期ほうぎょき.

せいぎょく【政局】-kyoku 图 정국. ¶～を担当する 정권을 장악하다 ; 새로이 정부를 조직하다.

せいぎょく【青玉】-gyoku 图【鑛】청옥. ＝サファイア.

せいきん【精勤】图 区目 정근. ¶～賞しょう 정근상.

ぜいきん【税金】图 세금.

せいく【成句】图 성구. ①관용구. ＝イディオム・慣用句. ②숙어 ; 금언. ¶故事じ～ 고사 성구.

せいくうけん【制空権】-kūken 图 제공권. ↔制海権せかい.

せいくらべ【背比べ・背競べ】-kurabe 키 대보기. ＝たけ(せ)くらべ. ¶どんぐりの～ 도토리 키 재기 ; 모두 비슷비슷하여 특별히 두드러진 것이 없음.

せいけい【成型】图 区自他 성형 ; 틀에 넣어 프레스로 눌러 만듦.

せいけい【成形】图 区自他 성형. ──**しゅじゅつ**【──手術】-shujutsu 图【醫】성형 수술 ; 흉곽 성형.

せいけい【政経】图 정경 ; 정치 경제. ¶～学部ぶ 정경 학부.

せいけい【整形】图 区他【醫】정형. ¶～手術じゅつ 정형 수술. ⇒せいふく(整復). ──**げか**【──外科】-geka 图 정형 외과. ⇒せいけい(成形).

せいけい【生計】图 생계 ; 생활. ¶文筆ひつで～を立たてる 문필로 생계를 유지하다. ──**ひ**【──費】图 생계비.

せいけい【西経】图 서경. ↔東経とう.

せいけつ【清潔】图 ダナ 청결. ¶手てを～にする 손을 깨끗이 하다. ↔不潔ぶっ.

せいけん【政権】图 정권. ¶～を握にぎる 정권을 잡다 / ～に恋々なんする 정권에 연연해 하다.

せいけん【政見】图 정견.

せいけん【聖賢】图 ①성현. ¶～のおしえ 성현의 가르침. ②청주와 탁주.

せいげん【制限】图 区自他 제한. ──**せんそう**【──戦争】-sō 图 제한 전쟁.

せいげん【正弦】图【數】정현 ; 사인 (sine).

せいげん【誓言】图 区目 서언 ; 군말. ＝誓語ざご. ──を費つやすまでもない 새삼스레 말할 필요도 없다.

ぜいげん【税源】图 세원.

せいご【正誤】图 정오. ¶～を表ひょうす 올바름과 그릇됨. ¶～表ひょう 정오표. ¶～ 区自他 잘못을 고쳐 바르게 함.

せいご【生後】图 생후.

せいご【成語】图 성어. ①고어(古語)로 널리 인용되는 말. ¶故事じ～ 고사성어. ②숙어 ; 관용어.

せいこう【性行】-kō 图 성행 ; 성질과 품행. ＝身持みち.

せいこう【性向】-kō 图 성향 ; 성질의 경향 ; 기질. ＝気質きっ. ¶消費ひ～ 소비 성향.

せいこう【性交】-kō 图 区目 성교.

せいこう【成功】-kō 图 区目 성공. ↔失敗ぱい.

せいこう【正攻】-kō 图 区他 정공. ──**ほう**【──法】-hō 图 정공법.

せいこう【生硬】-kō 图ダナ 생경. ¶～な文章しょう 생경한(딱딱한) 문장. ↔洗練れん.

せいこう【政綱】-kō 图 정강.

せいこう【盛行】-kō 图 区目 성행.

せいこう【精巧】-kō 图ダナ 정교.

せいこう【精鋼】-kō 图 정강 ; 정련한 강철.

せいこう【製鋼】-kō 图 区目 제강.

せいごう【正号】-gō 图【數】양(陽)의 기호(＋). ＝プラス. ↔負号ごう.

せいごう【整合】-gō 图 区自他 정합. ①꼭 들어맞음 ; 꼭 맞춤. ②이론에 모순이 없음.

せいこううどく【晴耕雨読】seikō- 图 区目 청경 우독(전원(田園)에 한거하는 문인의 생활 등을 말함).

せいこうかい【聖公会】seikō- 图 성공회.

せいこうとうてい【西高東低】seikōtō- 图【氣】서고 동저(우리 나라・일본 부근의 전형적인 겨울철 기압 배치). ＝東高西低ひくい.

せいこく【正鵠】图 정곡 ; (사물의) 급소・핵심. ──を射いる 정곡을 찌르다. ──を得うる 핵심을 파악하다.

せいこつ【整骨】图 정골 ; 접골. ＝骨つぎ. ──**いん**【──院】图 접골원.

ぜいこみ【税込み】图 区他 (급료・요금 등에서) 세금을 포함한 액수. ¶～で一万円いちまんえん 세금을 포함한 1만 엔. ──**て**【──手取り】

せいこん【成婚】图 区目 성혼.

せいこん【精根】图 정력 ; 끈기 ; 기력 ; 힘. ¶～が尽つきる 정력이 다하다.

せいごん【誓言】名 ス自 서언；(신불에게) 맹세함；또, 그 말.

せいさ【精査】名 ス他 정사；자세히 조사함.

せいざ【星座】名〔天〕성좌；별자리. ──ず【──図】名 성좌도. ＝星図せいず.

せいざ【正座】(正坐) 名 ス自 정좌；바로 앉음. ＝端座たんざ. ↔あぐら.

せいざ【静座】(静坐) 名 ス自 정좌；마음을 편히 하고 앉음.

*せいさい【制裁】名 ス他 제재.

せいさい【正妻】名 정처；정실(正室). ＝本妻ほんさい. ↔妾めかけ・内妻ないさい.

せいさい【精細】名 ダナ 정세；세밀. ¶～に調しらべる 세밀하게 조사하다.

せいさい【生彩】名 생채；생기；생생한 빛・기운. ¶～を欠かく 생기가 없다.

せいさい【精彩】名 정채；(색채 따위가) 두드러지게 뛰어남. ¶～を放はなつ 정채를 발하다.

せいさい【聖祭】名〔宗〕성제；(가톨릭의) 제례(祭禮) 의식.

せいざい【製材】名 ス自 제재.

せいざい【製剤】名 제재；제약(製藥).

*せいさく【政策】名 정책.

*せいさく【製作】名 ス他 제작. ¶～所じょ 제작소／～品ひん 제작품.

せいさく【制作】名 ス他 제작；예술 작품・방송 프로그램 등을 만듦；또, 그 작품.

せいさつ【省察】名 ス他 성찰.

せいさつ【生殺】名 ス他 생살. ──よだつ【──与奪】名 생살 여탈. ¶～の権けんを握にぎる 생사 여탈권을 쥐다.

せいさん［凄惨］名ナ 처참.

せいさん【成算】名 성산；성공할 가능성.

せいさん【清算】名 ス他 청산. ──とりひき【──取引】名 (증권 거래에서) 청산 거래. ↔実物取引じつぶつとりひき. ──にん【──人】名〔法〕청산인.

せいさん【精算】名 ス他 정산；금액을 자세히〔최종적으로〕 계산함. ¶運賃うんちんを～する 운임을 정산하다. ↔概算がいさん.

せいさん［正餐］名 정찬. ＝ディナー.

せいさん【聖餐】名〔宗〕성찬. ──しき［──式］名 (기독교에서) 성찬식.

**せいさん【生産】名 ス他 생산. ──かんり【──管理】名 생산 관리. ──ざい【──財】名 생산재. ↔消費財しょうひざい. ──せい【──性】名 생산성. ──だか【──高】名 생산고. ──てき【──的】ダナ 생산적. ──ひ【──費】名 생산비. ──ぶつ【──物】名 생산물. ──りょう【──量】-ryō 名 생산량. ──りょく【──力】-ryoku 名 생산력.

せいさん【青酸】名〔化〕청산. ──カリ『──加里』名〔化〕청산 칼리；시안화 칼륨. ▷네 kali.

せいざん【青山】名 청산. ①나무가 푸르고 무성한 산. ②뼈를 묻을 곳；묘지. ¶人間にんげんいたる所ところ～あり 인간 도처 유청산(人間到處有青山).

せいさんかくけい【正三角形】名 정삼각형. ＝せいさんかっけい.

せいさんざい【制酸剤】名 제산제.

せいし【姓氏】名 ①성씨. ＝みょうじ. ②姓かばね와 氏うじ.

せいし【正史】名 정사. ①국가에서 편수한 역사책. ↔外史がいし・野史やし. ②정확한 사실의 역사. ↔稗史はいし.

せいし【青史】名 청사；역사(책).

せいし【正使】名 정사；수석 사신. ↔副使ふくし.

せいし【正視】名 ス他 정시. ①바로 봄. ¶～するに忍しのびない光景こうけい 차마 바로 볼 수가 없는 광경. ②〔醫〕정시안(眼).

せいし【生死】名 생사. ＝しょうじ・しょうし. ¶～のせとぎわ 생사의 간두／～の境さかいをさまよう 생사의 기로를 헤매다.

せいし【精子】名〔生〕정자；정충(精蟲). ＝精虫せいちゅう. ↔卵子らんし.

せいし【製糸】名 제사.

せいし【製紙】名 제지.

せいし【誓詞】名 서사；맹세하는 말. ＝誓言せいごん.

せいし【制止】名 ス他 제지；말림.

せいし【静止】名 ス自 정지；멈추어 움직이지 않음. ──えいせい【──衛星】名 정지 위성.

せいし【静思】名 ス自 정사；조용히 생각함.

せいじ【正字】名 ①정자. ↔俗字ぞくじ・略字りゃくじ・誤字ごじ. ②한자 본래의 바른 용법(‘米べい’가 쌀을 뜻하는 따위；미국의 뜻으로 씀은 취음). ↔当あて字じ. ──ほう【──法】-hō 名 정자법；정서법. ＝正書法せいしょほう.

**せいじ【政治】名 정치. ¶～性せい 정치성／議会ぎかい～ 의회 정치／～屋や 정치꾼. ──か【──家】名 ①정치가. ＝政客せいかく. ②〈俗〉 정치적 수완이 있고 술수에 능한 사람. ＝やり手て. ──がく【──学】名 정치학. ──たいせい【──体制】名 정치 체제. ──てき【──的】ダナ 정치적. ──はん【──犯】名 정치범. ＝国事犯こくじはん.

せいじ【政事】名 정사. ¶～を司つかさどる 정사를 맡아 보다.

せいじ【青磁】(青瓷) 名 청자；청자기. ＝あおじ. ↔白磁はくじ.

*せいしき【正式】名 ダナ 정식. ＝本式ほんしき. ↔略式りゃくしき. ¶～裁判さいばん〔法〕정식 재판.

せいしき【制式】名 제식；정해진 양식. ＝きまり.

せいしき【整式】名〔數〕정식.

**せいしつ【性質】名 성질. ＝たち. ¶柔和にゅうわな～ 유화〔온유〕한 성질.

せいしつ【正室】名 ①정실. ＝正妻せいさい. ↔側室そくしつ. ②객실(客室)(앞마당을 향한 큰 방). ＝表おもてざしき.

せいじつ【聖日】名〔宗〕성일；(기독교에서) 주일；일요일.

*せいじつ【誠実】名 ダナ 성실.

せいじゃ【正邪】-ja 名 정사；선악. ¶事ことの～をわきまえない 일의 옳고 그름을 분별하지 못하다.

せいじゃ【聖者】-ja 名 성인；성자.

せいじゃく【静寂】-jaku 名ナ 정적. ¶～な夜よるの町まち 고요한 밤거리.

ぜいじゃく［脆弱］名ナ 취약；무르고 약함. ¶～な構造こうぞう 취약한 구조.

せいしゅ【清酒】-shu 名 청주. ①맑은 술. ↔濁酒だくしゅ. ②정종. ＝日本酒にほんしゅ. ↔合成酒ごうせいしゅ.

せいじゅ【聖寿】-ju 名 성수.

せいじゅう［西戎］-jū 名 서융；중국 서방의 이민족.

ぜいしゅう【税収】-shū 名 세수.

せ

せいしゅく【星宿】 -shuku 图【天】성수. =星座ざ.

せいしゅく【静粛】-shuku 图グナ 정숙. ¶ご～ねがいます 정숙하시기 바랍니다.

せいじゅく【成熟】-juku 图ス自 성숙. ¶心身ん ともに～する 심신이 함께 성숙하다. ―き【―期】 청춘기.

せいしゅん【青春】-shun 청춘. ¶～時代 청춘 시대.

せいじゅん【正閏】-jun 图 정윤. ①평년과 윤년. ②정통(正統)과 비정통.

せいじゅん【清純】-jun 图ナ 청순.

せいしょ【清書】-sho 图ス他 청서; 정서(淨書). =きよ書がき.

せいしょ【青書】-sho 图 청서; 영국의 의회나 추밀원(樞密院)이 제출하는 보고서; 블루북(blue-book).

せいしょ【聖書】-sho 图 성경. =バイブル.

せいしょ【誓書】-sho 图 서약서; 서원서(誓願書). =誓紙ぎ.

せいしょ【盛暑】-sho 图 성서; 성하(盛夏). =盛夏げ.

せいじょ【聖女】-jo 图 성녀; 청순·고결한 이상적인 여성.

せいしょう【制勝】-shō 图ス自 제승; 눌러 이김. =克勝.

せいしょう【政商】-shō 图 정상. ¶～の輩がら 정상배.

せいしょう【清祥】-shō 图 편지에서 상대방의 건강과 만복을 축하하는 인사의 말. ¶ますます御～の段だん 일익 건승하시라는 말씀.

せいしょう【斉唱】-shō 图ス他 제창.

せいじょう【政情】-jō 图 정정; 정치 정세; 정계 내막.

せいじょう【性情】-jō 图 ①성질과 심정. ②타고난 본성. =気だて.

せいじょう【性状】-jō 图 성상. ①(사람의) 성질과 행동. ②(물건의) 성질과 상태.

せいじょう【正常】-jō 图ナ 정상. ¶～的発達だつ 정상적 발달. ↔異常.

せいじょう【清浄】-jō 图ナ 청정. =しょうじょう.↔不浄じょう.

せいじょうき【星条旗】-jōki 图 성조기.

せいしょうねん【青少年】-shōnen 图 청소년.

せいしょく【生殖】-shoku 图ス他 생식. ―き【―器】 생식기. =性器せい. ―さいぼう【―細胞】-bō 图 생식 세포.

せいしょく【生食】-shoku 图ス他 생식.

せいしょく【生色】-shoku 图 생기(生氣). ―を失ろう 생기를 잃다.

せいしょく【聖職】-shoku 图 성직.

せいしょく【製織】-shoku 图 제직; 직조(織造). ―き【―機】 직조 기계.

せいしん【誠心】-shin 图 성심. =まごころ.

せいしん【精神】-shin 图 ①精神法の～ 헌법 정신. ↔肉体にく·物質ぶっ. ―一到いっ何事なん か成ならざらん 정신일도하사 하불성(精神一到何事不成)이리오. ―えいせい【―衛生】 정신 위생. ¶～に悪わるい 정신 위생에 나쁘다. ―か【―科】 정신과. ―しゅぎ【―主義】-shugi 图 정신주의. ↔物質ぶっ主義. ―てき【―的】グナ 정신

적. ―ねんれい【―年齢】图【心】정신 연령; 지능 연령. ↔生活かつ年齢 暦齢れい. ―はくじゃく【―薄弱】-jaku 图【心】정신 박약. ¶～児童どう 정신 박약아. ―びょう【―病】-byō 图【心】정신병. ―者しゃ 정신병자. ―ぶんせき【―分析】图【心】정신 분석. =サイコアナリシス. ―ぶんれつしょう【―分裂症】-shō 图【心】정신 분열증. ―りょうほう【―療法】-ryōhō 图【医】정신 요법. ―りょく【―力】-ryoku 图 정신력. ↔体力たい. ―ろうどう【―労働】-rōdō 图 정신 노동. ↔肉体にく労働.

せいしん【生新】图 생신; 싱싱하고 새로움. ¶～の気 생신한 기운.

せいしん【清新】グナ 청신.

せいじん【成人】图ス自 성인. ¶～式 성인식/～教育きょう 성인 교육. ―の日ひ【―の日】성인의 날(만 20세가 된 사람을 축하하고 격려하는 날; 1월 15일). ―びょう【―病】-byō 图 성인병.

せいじん【聖人】图 ①성인. ②청주(清酒). ③고지식하고 융통성 없는 사람을 조롱조로 하는 말). =かたぶつ.

せいず【星図】图【天】성도. =恒星図こう.

せいず【製図】图ス他 제도. ―き【―機】 제도기.

せいすい【盛衰】图 성쇠. ¶栄枯えい ～は世よの習ならい 영고 성쇠는 세상의 정해진 일. =濁水だく.

せいすい【清水】图 청수. =しみず.

せいすい【静水】图 정수; 정지(静止)해서 움직이지 않는 물. ¶～圧あつ 정수압. ↔流水すい.

せいすい【精粋】图 정수; 가장 순수하고 좋은 부분. ¶伝統芸術げいじゅつの～ 전통 예술의 정수.

せいずい【精髄】图 정수; 핵심; 진수(眞髄); 가장 중요한 부분. ¶文学がくの～ 문학의 정수.

せいすう【整数】-sū 图【数】정수. ↔分数すう·小数しょう. =整数.

せいすう【正数】-sū 图【数】정수. ↔負数.

せい・する【制する】サ変他 ①누르다; 제압하다; 억제하다. ¶機先きを～ 기선을 제하다/怒いかりを～ 노여움을 억제하다. ②지배하다; 휘어잡다. ③제정하다. ¶憲法けんを～ 헌법을 제정하다. ④절제하다. ¶食しょくを～ 음식을 절제하다.

せい・する【征する】サ変他 치다; 정벌하다. ¶叛徒とを～ 반도를 정벌하다.

せい・する【製する】サ変他 만들다; 제조하다. =製造ぞうする·つくる.

せいせい【生成】图ス自他 생성. ¶～品ひん 생성품. ↔粗製せい.

せいせい【精製】图ス他 정제. ¶～品ひん 정제품. ↔粗製せい.

せいせい【清清】图ス自 ①상쾌한 모양. ¶気き が～(と)する 기분이 시원하다(상쾌하다).

せいせい【済済】トル 제제; 많고 성한 모양. =さいさい. ¶多士し～ 다사제제.

せいせい【精精】副 ①힘껏; 힘 있는 한; 가능한 한. ¶つとめて～勉強べんきょうしなさい 열심히 공부하시오. ②기껏(해서); 겨우; 고작(해서). =たかだか·やっと. ¶毎日まい暮くらして行ゆく

のが～だ その日その日を 살아가는 게 고작

ぜいせい [税制] 图 세제. ～ [이다.

ぜいせい [税政] 图 세정.

せいせいどうどう [正正堂堂] -dōdō トタル ①정정 당당. ¶～と戦ᢌう 정정 당당하게 싸우다. ②군대의 진용이 갖추어져 사기가 왕성한 모양.

*せいせき [成績] 图 성적. ＝できばえ. ¶～表ᢌ 성적표 / 所期ᢌ の～を上ᢌげる 소기의 성적을 올리다.

せいせき [聖蹟] 图 성적. ①(종교상의) 사적(史蹟)·유적. ②천자가 행차했던 고장.

せいせつ [正切] 图 [数] 탄젠트.

せいぜつ [凄絶] 图 처절.

せいせっかい [生石灰] -sekkai 图 [化] 생석회. ＝きいしばい·きせっかい.

せいせん [生鮮] 图② 싱싱함; 신선함. ¶～度ᢌ 신선도 / ～食料品ᢌᢌ 신선한 식품.

せいせん [精選] 图② 정선.

せいぜん [善善] 图 성선. ↔悪性ᢌᢌ.
——せつ [——説] 图 성선설.

せいぜん [生前] 图 생전. ↔死後ᢌ.

せいぜん [整然] トタル 정연. ¶～と行進ᢌᢌする 정연히 행진하다.

せいぜん [井然] トタル 정연; 가지런히 구획된 모양. ¶～と区劃ᢌられた敷地ᢌ 정연하게 구획된 부지.

せいそ [精粗] 图 정추(精麤); 정밀함과 거칢; 상세함과 조잡함.

せいそ [清楚] 图② 청초.

せいそう [悽愴] 图② 처창. ①처참한 모양. ②쓸쓸한 모양.

せいそう [成層] -sō 图 성층; 충층이 겹침. ——けん [——圏] 图 성층권. ↔対流圏ᢌᢌ. ——[——團].

せいそう [政争] -sō 图 정쟁; 정권 다툼.

せいそう [星霜] -sō 图 성상; 세월; 年月ᢌ. ¶幾ᢌ～を重ᢌねる 여러 성상을 거듭하다.

せいそう [清掃] -sō 图他 청소.

せいそう [清曹] -sō 图 맑고 상쾌함. ＝[——装].

せいそう [正装] -sō 图自 정장.

せいそう [盛装] -sō 图自 성장; 또, 그 차림새. ↔微服ᢌᢌ.

*せいぞう [製造] -zō 图他 제조.
——ぎょう [——業] -gyō 图 제조업.
——もと [——元] 图 제조원.

せいそく [正則] 图 ①정식. ＝正式ᢌᢌ. ↔変則ᢌ. ②정칙; 바른 법칙[規則ᢌ].

せいそく [生息·栖息] 图自 ①생식; 생존; 번식함. ¶トキの～状况ᢌ 따오기의 생식 상황. ②[棲息·栖息] 서식. ¶～地 서식지.

せいぞく [聖俗] 图 성인과 속인; 종교적인 것과 세속적인 것.

せいぞろい [勢ぞろい] [勢揃い] 图自 (어떤 목적적으로) 군대나 많은 사람이 한 곳에 모임; 또는, 모여야 할 사람이 모두 모임.

*せいぞん [生存] 图自 생존. ＝生存ᢌ.
——きょうそう [——競争] -kyō-sō 图 생존 경쟁. ——けん [——権] 图 생존권.

せいたい [生態] 图 생태.
——がく [——学] 图 생태학. ＝エコロジー.
——けい [——系] 图 생태계.

せいたい [生体] 图 생체. ¶～解剖ᢌᢌ 생체 해부. ↔死体ᢌᢌ.

せいたい [成体] 图 성체; 생식 능력이 있을 만큼 발육이 다 된 동물.

せいたい [聖体] 图 성체. ①임금의 몸. ＝玉体ᢌ. ②[宗] 예수의 몸.

せいたい [政体] 图 정체.

せいたい [声帯] 图 성대. ¶～模写ᢌᢌ 성대 모사(묘사).

せいたい [静態] 图 정태. ¶～経済学ᢌᢌᢌ 정태 경제학. ↔動態ᢌᢌ.

*せいだい [盛大] ダナ 성대.

せいだい [盛代] 图 국운이 왕성한 시대. ＝盛世ᢌᢌ.

せいだい [聖代] 图 성대; 성세. ＝聖世ᢌ.

せいだい [正大] 图自 정대; 정당하고 당당한 모양. ¶公明ᢌᢌ～ 공명 정대.

せいたく [請託] 图他 청탁.

せいたく [清濁] 图 ①청탁; 맑음과 흐림. ②군자와 소인; 선인과 악인. ③청음(清音)과 탁음(濁音).

*ぜいたく [贅沢] ダナ 사치; 또, 비용이 많이 듦. ¶～な生活ᢌᢌ 사치스런 생활 / ～を言ᢌう 사치스런 소리를 하다. ↔質素ᢌ.

せいだ—す [精出す] [5自] 열심히 일하다; 노력하다. ¶商売ᢌᢌに～ 장사에 힘쓰다.

せいたん [生誕] 图自 생탄; 출생; 탄생; 생신. ＝たんじょう.

せいたん [政談] 图 정담. ①정치에 관한 담론(談論). ②정치나 재판의 실제로 있었던 사건을 제재(題材)로 한 설화(話).

せいだん [清談] 图 청담; 취미·예술·학문 따위에 관한 이야기.

せいだん [星団] 图 [天] 성단.

せいたんさい [聖誕祭] 图 [宗] 성탄절. ＝クリスマス.

せいち [聖地] 图 [宗] 성지.

せいち [生地] 图 생지; 출생지. ↔死地ᢌ.

せいち [聖地] 图 [宗] 성지. 地ᢌ.

せいち [精緻] ダナ 정치; 정교하고 치밀함. ¶～な研究ᢌ 정밀한 연구.

せいちく [笹竹] 图 성죽(50개의 대오리로 되어 있는 점대).

せいちゃ [製茶] -cha 图自他 제차; 찻잎을 가공함; 또, 그 찻잎.

せいちゅう [成虫] -chū 图 성충. ↔幼虫ᢌᢌ. [——子ᢌᢌ].

せいちゅう [精虫] -chū 图 정충. ＝精子ᢌ.

せいちゅう [掣肘] -chū 图他 철주; 견제; 제약(制約); ＝牽制ᢌᢌ. ¶～を加ᢌえる 제약을 가하다.

せいちゅう [正中] -chū 图 ①한가운데. ②치우침이 없는 일. ③[天] 천체가 정남(正南) 또는 정북(正北)에 오는 일; 자오선 통과. ——[——す] 图自 바로 맞음. ＝的中ᢌ.

せいちょう [性徴] -chō 图 성징; 남녀·자웅의 신체상의 특징. ¶一次ᢌ[二次ᢌ]～ 일차[이차] 성징.

*せいちょう [生長] -chō 图自 생장; 초목 따위가 자람. ——てん [——点] 图 [生] 생장점; 성장점.

*せいちょう [成長] -chō 图自 성장. ¶高度ᢌ～ 고도 성장 / 子供ᢌᢌ は부ᢌᢌ い 아이들은 성장이 빠르다. ——か ぶ [——株] 图 성장주; 발전이 기대되

は 회사의 주(株).

せいちょう【声調】-chō 图 ①성조；목소리의 가락. ＝ふしまわし. ②시가(詩歌)의 가락. ＝(중국어 등의) 악센트.

せいちょう【正調】-chō 图 정조；바른 곡조. ↔変調^ん.

せいちょう【整腸】-chō 图 정장. ¶～剤^ざ 정장제.

せいちょう【整調】-chō 🗌图 (보트레이스에서) 타수(舵手)와 마주 앉아 다른 노잡이의 속도를 조절하는 사람; 정조수(手).

せいちょう【静聴】-chō 图他 정청；조용히 들음.

せいちょう【清聴】-chō 图他 혜청(惠聴)；남이 자기 이야기를 들어줌의 공손한 말씨.

せいちょう【清澄】-chō 图形 청징；맑고 깨끗한 모양. ¶～な朝^あの空気^{くう} 맑고 깨끗한 아침 공기.

せいつう【精通】-tsū 图自 정통.

せいてい【制定】图他 제정.

せいてき【政敵】图 정적.

せいてい【清適】图 청적；심신이 상쾌하고 편안함(편지에서 상대방의 무사하고 건강함을 기뻐하는 말).

せいてき【静的】图形 정적. ¶～な描写^{しゃ} 정적인 묘사. ↔動的^{てき}.

せいてき【性的】图形 성적. ¶～衝動^{しょう}どう【──衝動】-shōdō 图 성적 충동.

せいてつ【聖哲】图 성철；지덕이 높고 사리에 밝은 사람；성인 군자.

せいてつ【西哲】图 ①서양의 뛰어난 철학자·사상가. ②西洋哲学^{せいよう}（＝서양 철학）의 준말.

せいてつ【製鉄】图自 제철.

せいてん【晴天】图 청천；맑게 갠 하늘. ↔雨天^{うてん}·曇天^{どんてん}.

せいてん【青天】图 청천；푸른 하늘. ──の霹靂^{へき} 청천 벽력. ──はくじつ【──白日】图 청천 백일.

せいてん【盛典】图 성전；성대한 의식〔잔치〕. ＝盛儀^{せいぎ}.

せいてん【聖典】图〖宗〗성전；성경(불교의 성전, 기독교의 성서 등).

せいでん【正殿】图 정전. ①왕이 임어하여 조회(朝會)를 행하는 궁전. ＝表御殿^{おもてご}. ②신사(神社)의 본전(本殿).
　　　　　　　　　　　　　　　　　　［↔動電気^{でん}.］
せいでんき【静電気】图〖理〗정전기.

せいと【征途】图自他 정도；장도；여행길. ¶～にのぼる（つく）장도에 오르다.

せいと【生徒】图 학생(중·고교 학생).

せいと【聖徒】图 성도；기독교도.

せいど【制度】图 제도.

せいど【精度】图 정도；정밀도.

せいど【西土】图 서쪽 나라. ①서양. ②인도(印度).

せいとう【征討】-tō 图他 정토；정벌；토벌. ＝征伐^{ばつ}.

せいとう【政党】-tō 图 정당. ──せいじ【──政治】-tō 图 정당 정치.

せいとう【正当】-tō 图形 정당. ↔不当^ふ·失当^{しっ}. ──ぼうえい【──防衛】-bōei 图〖法〗정당 방위. ［答^{とう}.］
せいとう【正答】-tō 图自 정답. ↔誤
せいとう【正統】-tō 图 정통. ⇒オーソドックス. ──は【──派】图 정통파.

せいとう【青鞜】-tō 图 청탑；여류 문학가；또, 여성 해방을 주장하는 여성 지식인. ──は【──派】图 청탑파.

せいとう【清蕩】-tō 图自他 청탕；조당을 정제함；또, 정제한 화설탕. ＝粗糖^そ.

せいとう【製糖】-tō 图自他 제당.

せいどう【生動】-dō 图自 생동；생명력이 약동함. ¶～感^{かん} 생동감.

せいどう【正道】-dō 图 정도. ¶～を踏^ふみ）はずす 정도를 벗어나다. ↔邪道^{じゃ}·奇道^き. ［방법·솜씨.］
せいどう【政道】-dō 图 정도；정치의
せいどう【聖堂】-dō 图 성당. ①문묘(文廟)。＝聖廟^{びょう}. ②〖宗〗교회당.

せいどう【青銅】-dō 图 청동；정련한동；또, 동을 정련함. ↔粗銅^そ う. ──き【青銅器】〖化〗청동기. ＝からかね·ブロンズ. ──き【──器】청동기.

せいどう【制動】-dō 图他 제동. ＝ブレーキ. ──き【──機】图 제동기.

せいとく【生得】-toku 图 생득；타고 난성(天性). ＝しょうとく·うまれつき.

せいとく【盛徳】-toku 图 성덕；훌륭한 덕.

せいとく【聖徳】-toku 图 성덕. ①천자의 덕. ②매우 뛰어난 지덕(知德).

せいどく【西独】-doku 图 서독. ＝西^{にし}ドイツ. ↔東独^{とう}.　　　　　　　［↔濫読^{らん}.］
せいどく【精読】图他 정독. ＝熟読^{じゅく}
*****せいとん**【整頓】图他 图 정돈.

せいにく【生肉】图 생육；날고기. ＝なまにく.

せいにく【精肉】图 정육；식육. ＝上肉^{じょう}. ¶～店^{てん} 정육점.

ぜいにく【贅肉】图 ①(혹 따위의) 쓸데없는 살덩어리. ②군살；군더더기 살. ¶～を落^おとす 군살을 빼다.

せいねん【成年】图 성년. ＝丁年^{てい}. ↔未成年^み.

せいねん【生年】图 ①생년；태어난 해. ↔没年^{ぼつ}. ②나이. ＝しょうねん.　[日】gappi 图 생년월일.
──がっぴ【──月日】──
せいねん【盛年】图 성년；한창때(의 나이). ＝わかざかり. ［壮年^{そう}.］
*****せいねん**【青年】图 청년. ＝少年^{しょう}·

せいのう【性能】-nō 图 성능.

せいは【制覇】图自他 제패. ¶全国^{ぜん}ぜく～を目^めざす 전국 제패를（우승을）노리다. ［当 정파.］
せいは【政派】图 정파. ＝政党^{せい}
せいはい【成敗】图 성패. ¶～は時^{とき}の運^{うん} 성패는 그때의 운.

せいばい【成敗】图 ①처벌함；징계함. ¶けんか両^{りょう}～ 싸움은 쌍방을 다 처벌함. ②판가름함；다스림. ＝神^{かみ}の～ 신의 심판.

せいはく【精白】图 정백；깨끗하게 쓿어서 희게 함. ──まい【──米】图 정백미；정미.

せいばく【精麦】图自他 정맥；보리를 쓿어서 희게 함；또, 그 보리쌀.

せいはつ【整髪】图自 조발(調髪)；이발. ＝理髪^り.

せいばつ【征伐】图他 정벌. ＝征討^{とう}.

せいはん【正犯】图 정범（범죄의 주범）. ¶共同^{きょうどう}～ 공동 정범. ↔従犯^{じゅうはん}.

せいはん【製版·整版】名 ス自他 〔印〕 제판 ; 조판(組版).
せいはんごう【正反合】-gō 名〔哲〕정반합(변증법의 중심 개념).
せいはんたい【正反対】名 ダナ 정반대.
せいひ【正否】名 정부 ; 옳고 그름.
せいひ【成否】名 성부 ; 성불성. ¶ ~を卜する 성공 여부를 점치다.
せいび【精微】名ナ 정미 ; 세밀하고 자세함. =精緻.
せいび【精美】名ナ 정미 ; 뛰어나고〔순수하고〕 아름다운 모양.
せいび【整備】名 ス他自 정비.
ぜいびき【税引き】名 세금 공제. =ぜいびき. ⇒税込み.
せいひつ［静謐］名ナ 정밀 ; 세상이 조용하고 태평함. =太平.
せいひょう【製氷】-hyō 名 ス自 제빙. ¶ ~工場 제빙 공장.
せいひょう【青票】-hyō 名 (국회 등에서) 반대 투표에 쓰는 푸른 표〔용지〕. =あおひょう. ↔白票.
せいびょう【性病】-byō 名 성병. =花柳病. 「(文廟).
せいびょう［聖廟］-byō 名 성묘 ; 문묘
せいひれい【正比例】名 ス自 정비례. =比例. ↔反比例·逆比例.
せいひん【正賓】名 정빈 ; 주빈(主賓). =正客.
せいひん【清貧】名 청빈. ¶ ~に甘んじる 청빈에 만족하다.
⁑**せいひん**【製品】名 제품.
せいふ【正負】名 정부. ①〔數〕음수와 양수 ; 또, 그 부호. ②음극과 양극.
⁑**せいふ**【政府】名 ①정부. ¶ ~の機関 정부 기관. ②☞ないかく(内閣). ――まい【――米】名 정부미.
せいぶ【西部】名 서부. ¶ ~劇〔映画〕 서부극〔영화〕. 参考 좁은 뜻으로는, 미국의 서부 지방. ↔東部.
せいふう【清風】-fū 名 청풍 ; 맑은 바람. ¶ 財界に~を吹き入れる 재계에 새바람을 불어 넣다.
せいふく【制服】名 제복. =ユニホーム. ↔私服.
⁑**せいふく**【征服】名 ス他 정복.
せいふく【正副】名 정부. ¶ ~二通の願書 정부 2통의 원서 / ~議長 정·부의장.
せいふく【整復】名 ス他 골절(骨折)·탈구(脱臼) 등을 정상 상태로 고침 ; 접골(接骨). ⇒整形.
⁑**せいぶつ**【生物】名 생물. =いきもの. ↔無生物. ――がく【――学】名 생물학.
せいぶつ【静物】名〔美〕정물. ――が【――画】名〔美〕정물화.
ぜいぶつ［贅物］名 췌물 ; 쓸데없는〔사치스러운〕 물건.
せいふん【製粉】名 ス自他 제분.
⁑**せいぶん**【成分】名 성분. ¶ 薬の~ 약의 성분 / 文の~ 문장의 성분.
せいぶん【成文】名 성문. ¶ ~化 성문화. ――ほう【――法】-hō 名〔法〕성문법. ↔不文法.
せいぶん【正文】名 정문 ; (주석·이유서 등에 대해) 문서의 본문.
せいへい【精兵】名 정병. 「せ.
せいへき【性癖】名 성벽 ; 버릇. =く
せいべつ【性別】名 성별.
せいべつ【生別】名 ス自 생별 ; 생이별. =いきわかれ. ¶ 夫と~する 남편과 생이별하다. 「경질.
せいへん【政変】名 정변 ; 또, 내각의
せいへん【正編】(正篇) 名 정편 ; (속편에 대해) 먼저 편집된 책. =本編. ↔続編.
せいぼ【生母】名 생모 ; 친어머니. =うみのはは·実母.
せいぼ【聖母】名〔宗〕성모 (마리아).
せいぼ【歳暮】名 ①세모 ; 세밑 ; 연말. =年末. ↔歳旦. ②세의(歳儀)(를 보냄)(한햇 동안 신세진 보답으로 연말에 선물을 보냄). ¶ お~をする 세의를 보내다.
せいほう【製法】-hō 名 제법.
せいぼう【制帽】-bō 名 제모.
せいぼう【声望】-bō 名 성망 ; 명성과 인망(人望).
ぜいほう【税法】-hō 名〔法〕세법.
せいほうけい【正方形】-hōkei 名 정방형 ; 정사각형.
せいほん【正本】名 정본. ①원본과 똑같은 효력을 갖는 문서. ②전사(轉寫) 또는 부본(副本)의 원본. ↔副本.
せいほん【製本】名 ス他 제본.
せいまい【精米】名 ス自 정미. =精白米·白米. ↔玄米.
***せいみつ**【精密】名 ダナ 정밀. ――きかい【――機械】名 정밀 기계.
せいみょう【精妙】-myō 名 ダナ 정묘. ¶ ~な細工 정묘한 세공.
せいむ【政務】名 정무. ¶ ~多端の時 정무 다단한 때. ――じかん【――次官】名 정무 차관. ↔事務次官.
ぜいむ【税務】名 세무. ¶ ~課 세무과. ――しょ【――署】-sho 名 세무서.
⁑**せいめい**【生命】名 생명 ; 수명 ; 목숨. =いのち·寿命. ¶ 政治~ 정치 생명. ――せん【――線】名 생명선. ――ほけん【――保険】名 생명 보험. ――りょく【――力】-ryoku 名 생명력.
せいめい【清明】청명. ㊀ ダナ 맑고 밝음. ㊁ 名 24 절기의 하나.
せいめい【声明】名 ス自他 성명. ¶ 共同~ 공동 성명. ――しょ【――書】-sho 名 성명서. =ステートメント.
せいめい【声名】名 성명 ; 명성. =名声·声望. ¶ ~とみに上がる 평판이 갑자기 높아지다.
せいめい【盛名】名 성명 ; 성화(聲華). =名声. ¶ ~を馳せる 성명〔명성〕을 떨치다.
⁑**せいめい**【姓名】名 성명. =氏名. ¶ ~を名乗る 성명을 밝히다〔대다〕. ――はんだん【――判断】名 성명 판단.
ぜいもく【税目】名 세목 ; 세금의 종목.
せいもん【正門】名 정문. =表門. ↔裏門.
せいもん【声門】名 성문(좌우의 성대(聲帶) 사이에 있는 숨구멍). ¶ ~閉鎖音 성문 폐쇄음.
せいもん【声紋】名 성문. ⇒指紋.
せいもん【誓文】名 서약문〔서〕. =誓紙. ――ばらい【――払(い)】名 関西 지방에서 음력 10월 20일에 행하던 포목상(布木商) 등의 염가 대매출.
せいや【聖夜】名 성야 ; 크리스마스 이

ブ。=クリスマスイブ。

*せいやく【制約】图 ㋓他 제약;제한.
¶時間ゖんの〜を受うける 시간의 제약
을 받다.

せいやく【製薬】图 ㋓自 제약. =製剤

せいやく【誓約】图 ㋓他 서약. =誓約

せいゆ【精油】정유. ㊀图 ㋓自 석유를
정제(精製)함;또, 그 석유. ㊁图
㊀정제한 방향유(芳香油)。¶
椿ぱきの〜 동백의 정유。

せいゆ【製油】图 ㋓自 제유.

せいゆ【聖油】 성유(가톨릭교에서
세례 따위 의식에 쓰는 기름.

せいゆ【声喩】图 의성(擬聲);의성어
('ばたばた・ばたん'따위)。=オノマト
ペ・擬声語ぎせいご.

せいゆう【政友】-yū 图 정우;정견(政
見)을 같이 하는 벗.　「「꿋꿋한 벗.

せいゆう【清友】-yū 图 청우;사람이 깨

せいゆう【声優】-yū 图 성우.

せいよ【声誉】图 성예;명망. =誉ほまれ・
名声めいせい.

*せいよう【西洋】-yō 图 서양. ↔東洋
とうよう。──が【─画】 서양화。=洋画
ようが。──日本画にほんがに〜 서양인。──じん【─人】图
서양인. =欧米人おうべいじん.

せいよう【静養】-yō 图 ㋓自 정양.

せいよく【制欲】【制慾】图 ㋓自 제욕.
=禁欲きんよく.　　　　「欲よく.

せいよく【性欲】【性慾】图 성욕. =情
じょ

せいらい【生来】 副 ㋐(性来)날 때부
터;선천적으로. =うまれつき。¶〜正
直しょうな男おとこ 천성이 정직한 사나이
다. ②생래;난 후로;본디부터.
〜病気びょうきをしたことがない 生後 병
을 앓아본 적이 없다.

**せいり【整理】图 ㋓他 정리. ①질서를
바로잡음. ¶場内じょうない〜 장내 정리. ②
불필요한 것을 없앰. ¶人員じんいん〜 인원
정리.

せいり【生理】图 ①생리. ¶〜現象
げんしょう 생리 현상. ②월경(月經)。=メン
ス. ¶〜休暇きゅうか 생리 휴가 / 〜帯たい 생
리대. ③생리학. ──がく【─学】图
생리학. ──てき【─的】㋖ナ 생리적.

ぜいり【税吏】图 세리;세무 관리.

せいりがく【性理学】图 哲 성리학. =
宋学そうがく.

せいりし【税理士】图 세무사(稅務士).

*せいりつ【成立】图 ㋓自 성립.

ぜいりつ【税率】图 세율. =課税かぜい率

せいりゃく【政略】-ryaku 图 정략. ¶
〜を用もちいる 정략을 쓰다. 参考 넓은
뜻으로는 단순히 'かけひき(=흥정)'의
뜻으로도 쓰임. ──けっこん【─結婚】
-kekkon 图 정략 결혼;정략혼.

せいりゅう【清流】-ryū 图 청류;맑게
흐르는 물. ↔濁流だくりゅう.

せいりゅう【整流】-ryū 图 ㋓他 電
정류. ¶〜器き 정류기 / 〜管かん 정류관.

せいりゅうとう【青竜刀】-ryūtō 图 청
룡도;청룡 언월도(靑龍偃月刀).

せいりょ【征旅】-ryo 图 ①원정군;정
벌군. ②싸우러 떠나는 (먼) 길.

せいりょう【清涼】-ryō 图 청량;맑
고 시원함. ──いんりょうすい【─飲
料水】-ryōsui 图 청량 음료수. ──ざ
い【─剤】图 청량제.

せいりょう【精良】-ryō 图 정량;빼

어나게 좋음. =つぶより.

せいりょう【声量】-ryō 图 성량.

*せいりょく【勢力】-ryoku 图 세력. ¶
〜圏けん 세력권.

せいりょく【精力】-ryoku 图 정력.
──てき【─的】㋖ナ 정력적.

せいるい【声涙】 성루;목소리와 눈
물. ──ともに下くだる 감격한 나머지 울
며 호소함.

せいれい【制令】图 제령;제도와 법
령. =法度はっと・おきて.

せいれい【政令】图 정령;각령(閣令).

せいれい【精励】图 ㋓自 정려;힘을 다
하여 부지런히 일(공부)함. ¶刻苦こっく
〜 각고 정려.

せいれい【精霊】图 정령. ①죽은 사람
의 영혼. ②삼라 만상(森羅萬象)에 깃
들어 있다고 생각되는 신령. =精霊しょうりょう。③
만물의 근원이 된다는 기운.

せいれい【聖霊】图 宗 (기독교에서)
성령;성신(聖神). ──こうりんさい
【─降臨祭】-kōrinsai 图 宗 성신(聖
神) 강림 축일.

せいれい【生霊】 图 생령. ①백성. =人
民じんみん。②살아 있는 사람의 원령(怨
靈)。=いきりょう. ↔死霊しりょう。=生命せいめい.

せいれき【西暦】图 서력;서기. =西紀
せいき.

せいれつ【整列】图 ㋓自 정렬.　「しい.

せいれつ【凄烈】㋖ナ 격렬한 모양.
¶〜な戦闘せんとう 몹시 처절한 전투.

せいれつ【清冽・清洌】㋖ナ 청렬;물
이 맑고 찬 모양.

せいれつ【清烈】图 청렬. =廉潔れんけつ.
¶〜潔白けっぱくな人ひと 청렬 결백한 사람.

せいれん【精錬・製錬】【精錬】图 ㋓他
정련.

せいれん【精練】图 ㋓他 정련. ①잘 훈
련(단련)함. ¶軍隊ぐんたいを〜する 군대
를 정련하다. ②동식물의 섬유에서 불
순물을 제거하여 순도를 높임(표백이
나 염색의 준비 작업).

せいろ【蒸籠】图 시루;찜통(바닥에 댓
그레를 댄 것;솥 위에 얹어 팥밥·만두
따위를 찌는 데 씀)。=せいろう.

せいろう【晴朗】-rō 图 청랑;맑고
명랑함. ¶〜な空そら 청랑한 하늘.

せいろう【青楼】-rō 图 청루;유곽. =
女郎屋じょろうや・遊郭ゆうかく.

ぜいろく【贅六】图 빈틈이 없는 깍정
이란 뜻으로, 東京とうきょう 지방 사람이 京
都きょうと・大阪おおさか 지방 사람을 비웃는
말. =才六さいろく. ↔江戸っ子えどっこ.

せいろん【世論】图 세론;여론. =せろ
ん. ¶〜をおこす 여론을 불러일으키
다.

せいろん【政論】图 정론.　　　「다.

せいろん【正論】图 정론. ¶〜を吐はく
정론을 말하다. ↔曲論きょくろん.

ゼウス 图 제우스(그리스 신화의 최고
신). ▷Zeus.

*セーター 图 스웨터. ▷sweater.

*セーフ 图 세이프. ①【野】 주자(走者)
가 삶. ②(테니스에서) 공이 정해진 선
내(線内)에 들어감. ↔アウト. ③감신
히 살아남. ▷safe.

セーフティー -ti 图 세이프티;안전;무
사. ▷safety. ──レザー 图 세이프티
레이저;안전 면도기. ▷safety razor.

セーラー 图 세일러. ①〜セーラー服ふくの
준말. ②선원;(좁은 뜻으로는) 수

病. ▷sailor. **──ふく**【──服】图 세일
러복；수병복.

セール 图 세일；매출(賣出). ¶バーゲ
ン～ 바겐세일；염가 대매출. ▷sale.

セールス 图 세일즈；판매. **──マン** 图
salesman. 세일즈맨；외판(사)원. ▷
sales.

せおいなげ【背負い投げ】图 ①(유도
에서) 업어치기. ②막판에 가서 배신
하거나 배신당하는 일. ¶～をくう 막
판에 가서 골탕먹다. 注意 「しょいなげ」
라고도 함.

*せお-う【背負う】5他 짊어지다；지
よう. ①등에 메다；업다. ¶子供ぎを
～ 아이를 업다. ②(괴로운 일·책임을)
지다；떠맡다. ¶責任詤を～ 책임(빚)
을 떠맡다.

せおよぎ【背泳ぎ】图 배영；송장헤엄.
＝背泳荫；バックストローク.

セオリー 图 ①학설；이론. ②가설(假
說). ▷theory.

せかい【世界】图 세계. ¶～地図쭹 세
계 지도／学問의の～ 학문의 세계.
──かん【──観】图 세계관. **──ぎん**
こう【──銀行】-kō 图 세계 은행；국
제 부흥 개발 은행. ＝世銀챵. **──こっ**
か【──国家】-kokka 图 세계 국가.
──し【──史】图 세계사. **──たいせ**
ん【──大戦】图 세계 대전. **──てき**
─的】ダナ 세계적.

せがき【施餓鬼】图【佛】아귀도(餓鬼
道)에 빠지거나 연고자가 없는 사자(死
者)의 영을 위한 법회.

せか-す【急かす】5他 ☞せかせる.

せかせか 图 ①말씨·동작 등이 성급하
여 침착하지 못한[불안한] 모양. ¶
～(と)歩ぐ 성급하게 걷다. ②대범
〔확실〕하지 않은 모양. ＝こせこせ.

せか-せる【急かせる】下1他 재촉하
다；서둘게 하다. ¶あまり～ので 너무
재촉해서.

せかっこう【背格好】-kakkō 图 ☞せ
いかっこう.

ぜがひでも【是が非でも】連語 ☞ぜ
ひ. 「ひ圖.

せが-む 5他 졸라대다；지싯거리다.～
ねだる. ¶母ははに～んで買かってもら
う 어머니를 졸라서 사 달라다.

せがれ【倅·伜·悴】图 ①내 아들；가아
(家兒)〈자기 아들의 겸칭〉. ②남의
아들이나 연소한 남자를 낮추어 부르는 말.
¶この小~め 이 조랍 친구야. ③〈음
경〔陰莖〕의 은어〈隱語〉.

せがわ【背皮·背革】图 양장 책의 등에
붙이는 다룸가죽.

セカント【数】시컨트. ▷secant.

セカンド 图 세컨드. ①제2；두번째. ②
【野】2루(手). ③(권투에서) 선수 보
조자. ＝セコンド. ④초(秒)；초침. ＝
セコンド. ▷second. **──ハンド** 图 세
컨드 핸드；중고품；고물. ＝セコハン.
▷second hand. **──ラン** 图【映】세컨
드런；재개봉(再開封)(관). ↔
ファーストラン. ▷second run.

*せき【席】图 ①자리；좌석. ¶～につく
자리에 앉다／～をはずす 자리를 뜨
다. ②회장(會場). ¶公開꾾の～で 공
개 석상에서. **─の暖ぬまる暇ぃも**
ない 너무 바빠 자리에 앉아 있을 틈
도 없다.

*せき【咳】图 기침. ¶～が出でる 기침
이 나다.

*せき【堰】图 보；봇둑；제언(堤堰). ＝
いせき. **─を切きる** ①둑을 터뜨리다.
①많은 사람이 노도처럼 일시에 밀려
닥치다. ③쌓인 감정을 터뜨리다.

*せき【籍】图 적；호적. ¶～を抜ぬく
(호)적에서 빼다／～を入いれる 호적
에 올리다.

せき【積】图【数】적；곱. ¶～を求める
적을 구하다.

せき【関】图 ①관문(關門). ＝関所첡.
¶箱根둃の～ 箱根의 관문. ②가로막
는 것. ¶人目눈の～ (사람을 방해하
는) 남의 이목. ③☞せきとり.

せきあく【積悪】图 적악. ¶～の報ぃ
적악의 응보. ↔積善훟.

せきあ-げる【咳き上げる】下1自 ①흘
록거리다；몹시 기침하다. ②흐느껴 울
다；목메어 울다. ＝しゃくりあげる.

せきあ-げる【塞き上げる】下1自 ①보
를 막아 물이 붇게 하다. ②막아 역류시키다.

せきうん【積雲】图【気】적운；뭉게구름.
＝むらくも；つみくも.

せきえい【石英】图【鉱】석영.

せきえい【隻影】图 척영；단 하나의 그
림자；편영(片影). ¶～すら認ぬめず
그림자 하나 보이지 않다.

せきえん【積怨】图 적원；쌓이고 쌓인
원한. ¶～を晴はらす 적원을 풀다.

せきがいせん【赤外線】图【理】적외
선.

せきがく【碩学】图 석학. ＝大ぶ学者ぶ.

せきがし【席貸し】图 を自 대석(貸
席)；(상을 받고) 좌석을 빌려 줌；또,
그 영업. ＝貸席홥.

せきがはら【関が原】图 운명을 전 싸
움；운명이 좌우되는 중대한 경우·장
소. ¶今度꾾の試合ぁ는～だ 이번 시
합이 운명을 결정하는 시합이다. 参考
岐阜県의 지명；이곳 싸움에서 승리
한 徳川家康앶やす이 일본의 전권을 잡
게 됐다. **─の戦たたい** 関が原의 싸움；
운명을 전 싸움.

せきがん【隻眼】图 척안. ①외눈. ＝片
目뎌め. ②일가견(一家見). ¶～を
持もつ〔有ゆうする〕 일가견을 가지다.

せきぐん【赤軍】图 적군；소련의 정규
군(正規軍).

せきご【隻語】图 한 마디의 말；짤막한
말. ¶片言껟～たりとも洩もらさじと
謹聴껟する 한 마디도 놓칠세라 귀
를 기울이다.

せきこ-む【咳き込む】5自 심한 기침
이 계속해서 나다；콜록거리다. ＝せき
入いる.

せきこ-む【急き込む】5自 조급히 굴
다；서둘러대다；안달하다. ＝あせる.
¶～んで話はす 몹시 흥분해서 이야기
하다.

せきさい【積載】图 を他 적재. ¶～量
릐よう 적재량.

せきざい【石材】图 석재.

せきさん【積算】图 を他 적산. ①누계
(累計)；총합계. ②(공사 비용 등을)
견적함；(예산의) 정확한 산출. ¶～
表ひょう 적산표.

せきじ【席次】图 석차. ＝席順쑨.

せきじ【昔時】图 옛날；왕년(往年).

せきじ【関路】图 관문(關門)으로 통하는 길.

せきしつ【石室】图 석실; (고분의) 석조실.=いしむろ・岩室ホシ.

せきじつ【昔日】图 석일; 옛날. =むかし.昔時ホッ.

せきしゅ【赤手】-shu 图 적수; 맨손; 빈손.=からて・徒手ピ.素手ピ. ──くうけん【──空拳】-kūken 图 적수 공권.=徒手ピ空拳.

せきじゅうじ【赤十字】-jūji 图 적십자. ¶──社ャ 적십자사.

せきしゅつ【析出】-shutsu 图 ⊠自他 석출. ①용액 또는 가스에서 고체가 분리되어 나옴. ②화합물을 분석해서 어떤 물질을 분석해 냄. ¶毒物ヺゥを一 독물을 석출하다.

せきしょう【石筍】【鑛】석순.

せきじゅん【席順】-jun 图 석순; 석차.=席次ザ.

せきしょく【赤色】-shoku 图 적색. ──テロ 적색 테러.▷terror.

せきしん【赤心】图 적심; 진실; 단심.=真心ミ゙. ¶──を披瀝セキする 진심을 피력하다.

せきずい【せき髄】【脊髄】图【生】척수; 등골.

せきすん【尺寸】图 척촌; 약간의 길이・넓이.=しゃくすん. ¶──の地ᵗ 손바닥만한 땅; 촌토.

せきせい【赤誠】图 적성; 단성(丹誠).=まごころ.

せきせきいんこ【脊黄青鸚哥】图【鳥】잉꼬.

せきせき【寂寂】⊠タルᴺ 적적.=じゃくじゃく. ¶──たる夜半ᶜⁿ 적적한 야반.

せきせつ【積雪】图 적설. ──りょう【──量】-ryō 图 적설량.

せきぜん【積善】图 적선.=積悪ガ. ──の家ᴵに余慶ᵍᴴ あり 적선지가(積善之家) 필유여경(必有餘慶). ¶くり.

せきぞう【石造】-zō 图 석조.=石づくり.

せきぞう【石像】-zō 图 석상.

せきぞく【石鏃】图 석촉; 돌살촉.

せきた-てる【せき立てる】【急き立てる】⊡下一他 재촉하다; 독촉하다; 북어치다; 다그치다. ¶早足ᵈゃで一と── 빨리 하라고 재촉한다.

*__せきたん__【石炭】【鑛】석탄. ¶──殻ガ 석탄이 탄 찌꺼기. ──ガス【化】석탄 가스.▷gas. ──さん【──酸】图【化】석탄산.=フェノール.

せきち【尺地】图 척지; 매우 좁은 땅; 촌토.=寸土ド.

せきちく【石竹】图【植】석죽; 패랭이꽃.=からなでしこ. ──いろ【──色】图 엷은 분홍색.=ピンク.

せきちゅう【せき柱】【脊柱】-chū 图 척주; 등뼈.=脊椎テ骨・背骨ネ゙.

せきちん【赤沈】图【生】적침(＇赤血球沈降速度チン゙ュ゙の 준말).=血沈キッ.

せきつい【脊椎】图 척추(脊柱).=せきちゅう. ②脊椎骨 척추ネ゙(=척추ネ゙)의 준말. ──どうぶつ【──動物】-dōbutsu 图 척추 동물.

せきてっこう【赤鉄鉱】-tekkō 图【鑛】적철광.

せきてん【釈奠】图 석전; 석전제(釈奠祭).=しゃくてん. ¶──(墓前) 墓前ゼ.

せきとう【石塔】-tō 图①석탑. ②묘석.

せきどう【赤道】-dō 图 적도. ¶──を通過ガする 적도를 통과하다. ──さい【──祭】图 적도제.=せきどうまつり.

せきどうこう【赤銅鉱】-dōkō 图【鑛】적동광.

せきとく【碩徳】图 석덕; 덕이 높은 사람; 특히, 고승(高僧).

せきとして【寂として】 圖 괴괴하여; 적막하여.=せきとして. ¶──声ᵉを出ᴰさし 괴괴하여 소리하나 없다.

せきと-める【せき止める】【塞き止める】⊡下一他 (흐르는 물 따위를) 막다.

せきとり【関取】图 十両ᶜ゙゙゙ 이상 씨름꾼의 경칭(우리 나라의 장사급).

せきにん【責任】图 책임. ¶──を果ᴴす 책임을 다하다. ──かん【──感】图 책임감.

せきねつ【せき熱】图 적열; 빨갛게 달굼.=しゃくねつ. ¶し.

せきねん【昔年】图 석년; 옛날.=むかし.

せきねん【積年】图 적년; 여러해, 多年ᶦゃ・累年ᵈ゙. ¶──の恨ᴹみ 여러 해 쌓인 원한.

せきのやま【関の山】图 최대 한도; 고작.=せいぜい. ¶二万円ゼゃやるのが──万 엔 주는 것이 고작이다.

せきはい【惜敗】图 ⊠自 석패.

せきばく【寂漠】【寂莫】图 ⊡タルᴺ 적막.=さびしく.

せきばらい【咳払い】图 ⊠自 헛기침을 함. ¶えへんと一をする 에헴하고 기침하다.

せきはん【赤飯】图 팥을 넣은 찰밥(경사스런 날에 먹음).=おこわ・こわめし.

せきばん【石版】图【印】①석판. ②石版印刷ゼゃ(=석판 인쇄)의 준말. ──が【──画】图 석판화.

せきばん【石盤・石板】图①석반; 석판. ②슬레이트.

せきひ【石碑】图 석비.①비석.=いしぶみ. ②묘석(墓石).=はかいし.

せきひん【赤貧】图 적빈; 몹시 가난. ¶──洗ᵃ゙うが如ᵈ゙し 어찌나 가난한지 아무 것도 가진 게 없다.

せきふ【石斧】图 석부; 돌도끼.

せきぶつ【石仏】图 석불; 돌부처.=いしぼとけ. ¶微分ブン.

せきぶん【積分】图 ⊠他【數】적분.

せきへい【積弊】图 적폐.

せきべつ【惜別】图 석별. ¶──の情ᵍⁿ にたえない 석별의 정을 누를 수 없다.

せきまつ【席末】图 석말; 말석. ──を汚ᵍゃ゙す 말석을 더럽히다.

せきむ【責務】图 책무. ¶負ᴹわされた一は重ᴹゃい 지워진 책무는 무겁다.

せきめん【石綿】图 석면.=いしわた.

せきめん【赤面】图 ⊠自 적면. ¶ほめ

られて~した 칭찬을 받아서 얼굴이 뜨거웠다.

せきもり【関守(り)】 名 〈雅〉 관문지기.

*__せきゆ__【石油】 名 석유. ──**かがく**【──化学】 석유 화학. ──**ゆい**【──乳剤】-nyūzai 名 석유 유제(비눗물을 석유에 타서 젖빛으로 만든 것; 구충·소독제로 씀).

せぎょう【施行】-gyō 名 〈佛〉 보시(布施).

せきらら【赤裸裸】 ダナ 적나라. ──**むき**だし.

せきらんうん【積乱雲】 名 〈氣〉 적란운. =쎈비구름. =入道雲ぐも·かみなりぐも.

せきり【赤痢】 名 〈醫〉 적리(이질의 하나).

せきりょう【席料】-ryō 名 자릿세. =席代だい.①입장료.

せきりょう【寂寥】-ryō 名 적료; 고요하고 쓸쓸함. ¶~とした風景けい 적료한 풍경.

せきりょく【斥力】-ryoku 名 〈理〉 척력. ──引力ひきりょく.

せきりん【赤りん】【赤燐】 名 〈化〉 적린(성냥 제조용). =黄りんこう.

せきれい【鶺鴒】 名 〈鳥〉 척령; 할미새. =いしたたき.

せきろう【石ろう】【石蠟】-rō 名 석랍; 파라핀. =パラフィン.

せきわけ【関脇】 名 씨름꾼의 계급의 하나(大関おおぜきの 밑, 小結むすびの 위). =せきわき.

せ‐く【咳く】 五自 기침하다. =しわぶく. ¶しきりに~ 몹시 기침하다.

せ‐く【塞く·堰く】 五他 ①(물줄기 따위를) 막다. ②(사람의 사이를) 떼어 놓다. ¶親おやに~·かれた恋こい 부모가 반대하는 사랑.

せ‐く【急く】 五自 ①조급히 굴다; 서두르다; 안달하다. ¶急きがせぐ. ¶気きが~ 마음이 조급해지다. ②급해지다; 심해지다. ¶息いきが~ 숨이 가빠지다.

せぐくま‐る【踡る】 五自 몸을 응크리다. =かがむ.

セクシー ダナ 섹시; 성적(매력이 있는 모양). ▷sexy.

セクショナリズム sekusho-리즘; 분파(파벌)주의. =セクト主義しゅぎ·なわばり根性こんじょう. ▷sectionalism.

セクション -shon 名 섹션; 분할된 부분; 부문; 과(科); 절(節); 항(項); (신문·잡지의) 난(欄); 면. ▷ section. ──**ペーパー**【────】名 모눈 종이. =方眼紙ほうがんし § section paper.

セクト 名 섹트; 종파; 당파; 학파. ▷ sect. ──**しゅぎ**【──主義】-shugi 名 분파주의; 섹트主義しゅぎ.

せぐりあ‐げる【せぐり上げる】 下一自 흐느끼다. =せきあげる·しゃくりあげる.

せぐろいわし【背黒鰯】 名 〈魚〉かたくちいわし(=멸치)의 딴이름.

*__せけん__【世間】 名 세간; 세상. ①사회; 세상 (사람)들. ¶~がうるさい 남 [세상]의 입이 시끄럽다. ②활동·교제의 범위. ③〈佛〉속세. ¶~と縁えんを断たつ 속세와 인연을 끊다. ──**がひろ**い

①발이 넓다. ②아는 게 많다. ──**を狭**せまく**する** 남의 신용을 잃어 사귀는 사람이 적게 되다. =見みえを張はる. ──**ぎ**【──気】 名 세상에 대한 체면을 생각하는 마음. ──**さわがせ**【──騒がせ】 名 세상을 떠들썩하게 함; 또, 그 사람. ──**し**【──師】 名 〈俗〉 처세에 능하고 약게 구는 사람. ──**しらず**【──知らず】 名 세상 물정에 어두움; 또, 그런 사람. =世間見みず. ──**ずれ**【──擦れ】 名 스自 세상 사는 고생에서 닳고 닳음. ──**てい**【──体】 名 세상 [남들]에 대한 체면. =外聞がいぶん. ──**なみ**【──並】 名 세상 사람과 같은 식·정도; 보통; 평범. ──**ばなし**【──話】 名 세상 이야기; 잡담. =雑談ざつだん·よもやま話ばなし. ──**みず**【──見ず】 ☞ せけんしらず.

ぜげん【女衒】 名 (江戸えど 시대의) 뚜쟁이.

せこ【勢子】 名 (사냥에서) 몰이꾼.

せこ【世故】 名 세상 물정; 세간의 풍속·습관. ──**にたける** 세상 물정에 밝다; 세재(世才)가 있다.

セコイア【植】세쿼이아(삼목(杉木)과에 속하는 세계 최대의 상록수; 건축재). ▷sequoia.

セコハン 名 〈俗〉 중고품('セカンドハンド'의 준말). ⇒おふる.

セコンド 名 세컨드. ①秒びょう; 시계의 초침. ¶~を刻きざむ音おと (시계의) 똑딱거리는 소리. ② ☞ セカンド ③. ▷ second.

せさい【世才】 名 세재; 세상 물정에 관한 지식; 처세를 위한 지혜(知惠). =俗才ぞくさい.

セし【氏】 名 ──**氏し**.

せし【摂氏】【攝氏】 名 섭씨(攝氏). ⇔華氏かし.

せじ【世事】 名 세사; 세상 물정. =俗事ぞくじ. ¶~にうとい〔たける〕 세상 물정에 어둡다[밝다]. ──**ぜし**【世事】.

せじ【世辞】 名 (상냥하게 들맞추는) 인사(말); 간살. =おせじ. ──**もの**【──者】 名 아첨꾼; 간살쟁이; 따리꾼.

セシウム【化】세슘(알칼리 금속 원소의 하나). ▷cesium.

せし‐める 下一他 〈俗〉 감쪽같이 집어세다; 교묘하게 가로채다. ¶まんまと~められてしまった 감쪽같이 먹히고 말았다.

せしゅ【施主】-shu 名 ①〈佛〉 시주. ¶供養くようの~ 공양의 시주. ②시공주(施工主). ⇒せぬし.

せしゅう【世襲】-shū 名 세습.

せじょう【世上】-jō 名 세상=世よの中なか·世間けん. ¶~の風説うわさ 세상의 풍설.

せじょう【世情】-jō 名 세정; 세상 물정(인정). ¶~にうとい 세상 물정에 어둡다.

せじょう【施錠】-jō 名 ス自 자물쇠채움.

せじん【世人】 名 세인; 세상 사람들.

せすじ【背筋】 名 ①등줄기; 등골. ¶~をのばす 기지개를 켜다; 허리를 펴다 / ~が寒さむくなる 오싹해지다. ②〈裁〉 등솔기. =背縫ぬい.

ゼスチュア -chua 名 제스처. =ジェスチュア. ①몸짓; 손짓. =みぶり·手てまね. ②(무엇을 하는 체하는) 시늉; 그런 체하는 행동. ¶ただの~だ 그저

시늉뿐이다. ▷gesture.

ぜぜ【世世】图 세세；대대로 여러 세상.＝よよ・代々愛意。¶〜の跡을 대대로 여러 세상을 거쳐온 발자취.

ぜせい【是正】图ㄈ他 시정.

せせこましい -shī 圏①(답답하도록) 비좁다.＝せまくるしい。¶この部屋㶑は〜 이 방은 비좁아서 답답하다. ②사소한 일에 안달하다；좀스럽다；곰상스럽다. ¶〜考愛えかた 옹졸한 사고방식.

ぜぜひひ【是是非非】图 시시비비.
──しゅぎ【──主義】-shugi 图 시시비비주의.

せせらぎ【細流】图 얕은 여울；또, 그 여울에 졸졸 흐르는 물(소리).

せせら‐わらう【せせら笑う】(冷笑う・嘲笑う) 5他 비웃다；코웃음치다；냉소하다.＝あざ(けり)わらう.

せせ‐る【挵る】5他①쑤시다；후벼내다. ＝ほじくる. ②만지작거리다；가지고 놀다. ＝いじる・もてあそぶ.

せそう【世相】-sō 图 세상；세태. ¶〜は乱㶑れている世相이 어지럽다.

せぞく【世俗】图①세속.¶〜に媚㶑びる세속에 영합하다. ②세속 사람；속인(俗人). ──てき【──的】ㄊナ 세속적；속된. ¶〜の尊敬㶑 세속의 존경.

せそん【世尊】图【佛】세존；석가(釋迦).

せたい【世帯】(家口・所帯)图 살림；세대.＝しょたい. ──ぬし【──主】图 가구주；세대주.

せたい【世態】图 세태.＝世相㶑. ¶〜人情愛 세상의 (돌아가는) 인정.

せだい【世代】图①어떤 연령층. ＝ゼネレーション. ②여러 대；여러 연대의 층. ──こうばん【──交番】-kōban 图【動・植】세대 교번.

せたけ【背丈】图①신장；키(풀어쓴 말씨). ＝せい・身長愛. ¶〜が伸㶑びる키가 자라다. ②옷기장.¶〜着㶑た.

せち【世智】(世知)图①세지.①세상을 살아가는 지혜.俗㶑に〜・世㶑にたける 처세에 밝다. ②【佛】속세의 지혜.

せちがら‐い【世知辛い・世智辛い】圏①세상 살아가기가 힘들다；밥벌이 살기가 어렵다.¶〜世㶑の中㶑を 살아가기 힘든 세상. ②타산적이다；쩨쩨하다；인색하다. ③교활하여 빈틈이 없다；야박하다.

せつ【拙】㊀图ㄊナ 서투름；졸렬함. ¶〜の〜なるもの 졸렬하기 이를 데 없는 것.↔巧㶑. ㊁图 저；소생.

せつ【節】①절；시나 문장의 단락. ¶詩㶑の〜 시의 한 절. ②이음매；마디. ¶〜をなす 마디를 이루다. ③【文法】절.¶従属愛〜 종속절. ④절개；신념.¶〜を曲㶑げない 절개를 굽히지 않다. ⑤때；시기. ¶その〜はよろしく 그 때에 잘 부탁합니다. ⑥적당한 정도；適度㶑さ. ¶〜をまもる 절도(節度)를 지키다. ⑦(接尾語的으로) 절；곡조.¶浪花㶑〜 나니와부시.

せつ【説】图 설；주장；의견.¶お──ごもっともな 지당하신 의견입니다/〜をなす 설을 이루다. 参考 接尾語的으로도 씀.¶地動㶑〜 지동설.

せつあく【拙悪】图ナ 졸악；서투르고

됨됨이(결과)가 나쁨. ¶〜な作品㶑 졸작(拙作).↔巧妙愛.

せつえい【設営】图ㄈ他 설영；어떤 일을 하기 위해 미리 시설·건물을 만듦. ¶観測基地愛の〜 관측 기지의 설영.

せつえん【雪冤】图ㄈ自 설원；원죄(冤罪)를 씻음.

ぜつえん【絶縁】图ㄈ自 절연.──たい【──体】图 절연체.＝不導体愛.↔導体愛. ¶〜山㶑 주의의 화/좌익화.

せっか【赤化】sekka 图ㄊ自他 적화；공산주의로 인한 화(禍).

せっか【赤禍】sekka 图 적화；공산주의로 인한 화(禍).

ぜっか【絶佳】zekka 图ナ 절가；(경치가) 뛰어나게 아름다움. ¶風光㶑〜 풍광절가.

ぜっか【舌禍】zekka 图 설화；구설수.

せっかい【節介】sekkai 图ㄊナ 쓸데없는 참견.＝おせっかい. ¶いらぬ〜をやくな 쓸데없는 참견을 마라.

せっかい【切開】sekkai 图ㄈ他 절개.

せっかい【石灰】sekkai 图 석회.＝いしばい. ──がん【──岩】图 석회암.＝石灰石愛. ──ちっそ【──窒素】-chisso 图 석회 질소.

ぜっかい【雪害】图 설해.

ぜっかい【絶海】zekkai 图 절해. ¶〜の孤島㶑 절해의 고도.

せっかく【石槨】sekkaku 图 석곽. ①관을 넣는 석조의 곽(槨). ②돌을 쌓아 가운데에 시체를 넣은 방.

せっかく【刺客】sekkaku 图 자객. 注意 'しかく'는 관용음.

＊せっかく【折角】sekkaku 副 ①모처럼. ㉠애써(서)；별러서.¶〜の努力㶑が無㶑になった 모처럼의 노력이 허사가 되었다／〜・・・だから 〜・・・のに 의 꼴로 일부러；애써서.＝わざわざ. ¶〜来㶑てくれたのに留守㶑にして 모처럼(일부러) 와 주셨는데 부재중(不在中)이어서／〜用意愛したんだから食㶑べて行㶑ってくれ 모처럼 준비했으니 먹고 가게. ㉡애써 주어서 감사한 모양. ¶〜の厚意愛 모처럼의 후의. ㉢('〜の'의 꼴로) (겨우 얻은) 소중한 것；귀중한.¶〜の休日愛も雨㶑でつぶれた 모처럼의 휴일도 비 때문에 망쳤다. ㉣('〜だが' '〜ながら' 따위의 꼴로) 남의 제의·호의를 거절하는 말.¶〜だが断愛る 모처럼이지만 사절하겠네. ②애써；힘써；부지런히. ¶〜勉強愛したまえ 힘써 공부하게나. ③부디；아무쪼록.¶〜ごきげんよう 부디 안녕하십시오.

せっかち【急勝】sekka- 图ナ 성급함；안달；또, 그런 사람.＝性急愛. ¶〜な人㶑 성급한 사람.

せっかん【折檻】sekkan 图ㄈ他 (어린이 등을) 엄하게 꾸짖음；징계함. ¶不良㶑の息子愛を〜する 행실 나쁜 자식을 꾸짖다.¶간절히 간함.

せっかん【切諫】sekkan 图ㄈ他 절간；간함.

せっかん【摂関】sekkan 图ㄈ他 섭정(攝政)과 関白愛.

せつがん【接岸】图ㄈ自他 접안；선박이 안벽(岸壁) 또는 육지에 닿음.

せつがんレンズ【接眼レンズ】图 접안렌즈.＝対眼愛レンズ.↔対物愛レンズ. ▷lens.

せっき【石器】sekki 图 석기. ——じだい【——時代】图 석기 시대.

せっき【節季】sekki 图 ①(음력 7월 보름의) 우란분(盂蘭盆)이나 연말에 앞서 상점에서 상품의 구매·매상·대차 관계의 총결산을 하는 시기. ②특히, 연말. ¶ ～大売出^{うりだ}し 연말 대매출.

せっき【節気】sekki 图 절기(계절의 구분;또, 그 전환점을 가리키는 날).

せつぎ【節義】图 절의.

せっきゃく【接客】sekkyaku 图 自 접객. ——ぎょう【——業】-gyō 图 접객업.

せっきょう【説教】sekkyō 图 自 ①설교. ②(교훈적인) 잔소리.

せっきょう【説経】sekkyō 图 自 ① 【佛】 설경. ② ☞ せっきょうぶし. ——ぶし【——節】 일본의 중세기에 일어난 語^{かた}り物^{もの}の 일종. ＝説経浄^{じょう}るり.

ぜっきょう【絶境】zekkyō 图 절경;인가와 멀리 떨어진 곳. 「——規.

ぜっきょう【絶叫】zekkyō 图 自他 절규.

*せっきょく【積極】sekkyoku 图 적극. ↔消極. ——せい【——性】图 적극성. ——てき【——的】ダナ 적극적.

せっきん【接近】sekkin 图 自 접근.

せっく【節句·節供】sekku ‘五節句^{ごせっく}(＝다섯 명절)’(의 하나)(현재는 특히 3월 3일과 5월 5일을 일컬음). ¶ なまけ者^{もの}の——働き 게으름뱅이 명절날 일하기(평소 게으른 사람은 남이 놀 때 일부러 바쁜 듯이 일함).

ぜっく【絶句】zekku 절구. 一图 한시(漢詩) 형식의 하나;기·승·전·결(起·承·轉·結)의 4구로 되어 있음(1구 5자의 오언 절구(絶句)와 7자의 칠언 절구가 있음). ＝律詩^{りっし}. 二图 自 도중에서 말이 막힘;또, 배우가 대사를 잇어버려 말이 막힘. ¶やじられて——する 야유를 받고 말문이 막힘.

セックス sekku- 图 自 ①性^{せい};性^{せい}섹스. ▷sex. 「掘.＝いわや^{がん}.

せっくつ【石窟】sekku- 图 석굴;바위

ぜっけ【絶家】zekke 图 自 절가;대가 끊어짐[끊어진 집]. ＝ぜっか.

*せっけい【設計】sekkei 图 他 설계. ——ず【——図】图 설계도.

せっけい【雪渓】sekkei 图 설계;눈이 연중 녹지 않는 높은 산골짜기.

ぜっけい【絶景】zekkei 图 절경;아주 좋은 경치.

せっけいもじ【楔形文字】sekkei- 图 설형 문자. ＝くさびがたもじ.

せっけっきゅう【赤血球】sekkekkyū 图 【生】적혈구. ＝白血球^{はっけっきゅう}.

せっけん【席巻·席捲】sekken 图 他 석권. ＝せっかん. 「견.＝引見^{いんけん}.

せっけん【接見】sekken 图 他 접

*せっけん【石鹼】sekken 图 비누. ＝シャボン.

せっけん【節倹】sekken 图 自他 절검;검약(倹約)；절약. ＝節約^{せつやく}.

せっけん【切言】sekken 图 他 간곡한 설득;간절한 충언.

せつげん【節減】图 他 절감. 「판.

せつげん【雪原】图 설원;눈 덮인 벌

ぜつご【絶後】图 ①절후. ②空前^{くうぜん}～の機会^{きかい} 전무 후무한 기회. ↔空前

せつ. ②숨이 끊어진 뒤. ¶ ～によみがえる 죽었다 살아나다.

せっこう【拙稿】sekkō 图 졸고;자기 원고의 겸칭. 「¶～兵 척후병.

せっこう【斥候】sekkō 图 ス他 척후.

せっこう【石工】sekkō 图 석공;석수. ＝石屋^{いしや}·いしく. 「ス.

せっこう【石膏】sekkō 图 석고. ＝ギプ

せっこう【接合】-gō 图 ス自他 접합.

ぜっこう【絶交】zekkō 图 ス自 절교.

ぜっこう【絶好】zekkō 图 절호.

せっこく【石刻】sekkoku 图 석각. ①돌에 새김. ②돌에 새겨 인쇄한 것. ¶ ～本^{ぼん} 석각본.

せっこく【石斛】sekkoku 图【植】석곡 (石斛);석(石)풀꽃. ＝いわぐすり.

せっこつ【接骨】sekkotsu 图 ス他 접골. ＝骨接^{ほねつ}ぎ·整骨^{せいこつ}.

ぜっこん【舌根】zekkon 图 설근. ①혀 뿌리. ②【佛】(육근(六根)의 하나로서의) 혀.

せっさ【切磋】sessa 图 ス自 절차;학문·수양을 닦음. ——たくま【——琢磨】图 ス自他 절차 탁마((a)학문·수양을 닦는 데 전심(專心)함;(b)또는 같이 공부하는 친구끼리 서로 돕고 격려하여 진보·향상되어 감.

せっさく【切削】sessaku 图 他 절삭;금속을 자르고 깎음.

せっさく【拙作】sessaku 图 졸작(자기 작품의 겸칭으로 쓰는 수가 많음).

せっさく【拙策】sessaku 图 졸책(자기 계책의 겸칭으로도 씀).

ぜっさん【絶賛·絶讃】zessan 图 ス他 절찬. ¶ ～を博^{はく}した 절찬을 받았다.

せっし【切歯】sesshi 图 ス自 절치;이를 악묾;이를 갊. ——やくわん【——扼腕】图 ス自 절치 액완;이를 갈며 팔을 걷어 붙이고 벼름.

せっし【摂氏】sesshi 图 섭씨. ＝セし.

せつじ【接辞】图 접사;접두어·접미어의 총칭.

*せつじつ【切実】图 ダナ 절실.

せっしゃ【拙者】sessha 代 자기의 겸칭;나. ¶ ～にはわからん 나로서는 모르겠다.

せっしゅ【接種】sesshu 图 他 접종.

せっしゅ【摂取】sesshu 图 他 섭취.

せっしゅ【窃取】sesshu 图 他 절취;몰래 훔침.

せっしゅ【節酒】sesshu 图 ス自 절주.

せつじゅ【接受】-ju 图 ス他①접수. ②외교 사절을 받아들임.

せっしゅう【接収】sesshū 图 ス他 접수. ①국가 등이 개인의 소유물을 접수함;징발. ¶ ～解除^{かいじょ} 접수 해제. ②받아들임.

せっしょ【切所】sessho 图 절소(絶所);산길 따위의 험악한 절벽.

せつじょ【切除】-jo 图 ス他 절제;잘라냄. 「충.

せっしょう【折衝】sesshō 图 ス自 절

せっしょう【摂政】sesshō 图 섭정.

せっしょう【殺生】sesshū 一图 ス他 살생. ①생물을 죽이는 일. ②【佛】십악(十惡)의 하나. 二ダナ 잔인함. ＝残酷^{ざんこく}. ——かい【——戒】图 살생계.

せつじょう【雪上】-jō 图 설상;눈 위. ——しゃ【——車】-sha 图 설상차.

ぜっしょう【絶唱】zesshō 图 절창;아주 훌륭한 시가(詩歌).

ぜっしょう【絶勝】zesshō 图 절승.

ぜつじょうか【舌状花】-jōka 图【植】설상화.

＊せっしょく【接触】sesshoku 图 ㄨ自 접촉.

せっしょく【節食】sesshoku 图 ㄨ自 절식. ¶——戦 절식투쟁.

せつじょく【雪辱】-joku 图 ㄨ自 설욕.

ぜっしょく【絶食】zesshoku 图 ㄨ自 절식;단식. ＝断食.

＊せっすい【節水】sessui 图 ㄨ自 절수.

＊せっ·する【接する】sessuru □サ変他 접하다. ①접촉하다. ㉠만나는;교제 (응대)하다. ¶多数くの人びとに～ 많은 사람을 접하다. ㉡인접하다;(맞)붙다. ¶円えんに――直線ちょくせん 원에 접하는 직선／家いえに――した土地とち 집에 인접한 토지. ②(이성을) 경험하다. ¶男おとこに～ 남자와 접하다;남자를 알다. ②다루어 경험해 보다. ¶かつて～した事ごとのない難事件けんを 여태까지 겪어본 적이 없는 어려운 사건. ③(소식 등을) 받다. ¶急報きゅうほうに～ 급보에 접하다. ㉠半変へん[(몸의 일부를) 바싹 가까이 대다. ¶かおを～して語かたる 얼굴을 맞대고 이야기하다. ②잇다;대다. ～つなぐ;접하다. ¶ひもの両端りょうたんを～ 끈의 양끝을 잇다. ③잇달다. ¶くびすを～して至いたる 반드시 잇달아 오다.

＊せっ·する【摂する】sessuru □サ変他 ①대행하다. ¶政事せいじを～ 정사를 대행하다. ②겸무(兼務)하다;경하다. ③(거두어들이다);섭취하다. ＝とりいれる. ¶栄養えいようを～ 영양을 섭취하다.

＊せっ·する【節する】sessuru サ変他 제한하다;절제하다.

＊ぜっ·する【絶する】zessuru サ変自 절하다;초월하다;…로 할 수 없다. ¶古今こきんに～名作めいさく 고금에 다시 없는 명작／言語ごんごに～ 말로는 다할 수 없다;이루 말할 수 없다. ¶養生じょうを～

せっせい【摂生】sessei 图 ㄨ自 섭생.

せっせい【節制】sessei 图 ㄨ自 절제.

ぜっせい【絶世】zessei 图 절세.

せっせつ【切切】□タル□ 간절함;절실함.¶～たる思おもいに禁じえない 그지없는 마음／帰心ききん～ (고향에) 돌아가고 싶은 마음이 간절함／～たる願ねがい 절실한 소원.

せっせと sesseto 副 〈俗〉열심히;부지런히.¶～働はたらく 부지런히 일하다.

せっせん【折線】sessen 图 절선;꺾은금.＝おれせん.

せっせん【雪線】sessen 图【地】설선.＝恒雪線こうせつせん.　　　　　　　　　　[数]

＊せっせん【接線】(切線) sessen 图【数】접선.

せっせん【拙戦】sessen 图 졸전;(지지않을 것을 지는) 서투른 싸움[시합].

＊せっせん【接戦】sessen 图 ㄨ自 접전.

せっせん【截然】□タル□ 절연.¶～と 확연한 모양.＝判然はんぜん.¶～たる差異さい 칼로 자른 듯 분명한 차이. ②깎은 듯이 솟은 모양.

せつぜん【舌戦】zessen 图 설전;언쟁;논전.＝口論こうろん.¶～を展開てんかいする……筆戦ひっせん.

せっそう【節操】sessō 图 절조;지조.＝みさお.

せっそく【拙速】sessoku 图ナ 졸속.↔

＊せつぞく【接続】setsuzoku 图 ㄨ自 접속. ――ご【――語】图 접속어. ――し【――詞】图 접속사. ――じょし【――助詞】-joshi 图 접속 조사(앞말이 뒷말과 어떠한 관계로 이어지는가를 나타내는 조사).

せつぞくどうぶつ【節足動物】sessokudō- 图【動】절지 동물.

せった【雪駄·雪踏】setta 图 눈이 올 때신는 신발(대나무 껍질로 만든 ‘ぞうり’ 밑바닥에 가죽을 대고, 뒤꿈치에 쇠붙이를 박은 것).＝せきだ.

＊せったい【接待】settai 图 ㄊ他 접대.＝もてなし.

せつだい【設題】图 ㄨ自 설제;설문.

ぜったい【舌苔】zettai 图【醫】설태.

＊ぜったい【絶対】zettai 图 ①절대. ¶～の地位ちい 절대적 지위. ↔相対そうたい. ②《副詞的ふくしてきに》절대로. ㉠무조건;무슨 일이 있어도. ¶～服従ふくじゅうせねばならぬ 절대로 복종하지 않으면 안 된다. ㉡결코. ¶～そうじゃない 결코 그렇지 않다. ¶①단언코;반드시;꼭. ¶～出席しゅっせきするよ 반드시 출석하겠다. ――おんど【――温度】图 절대 온도. ――けん【――権】图【法】절대권. ――しゃ【――者】-sha 图 절대자(신). ――しゅぎ【――主義】-shugi 图 절대주의. ――たすう【――多数】-sū 图 절대 다수. ¶～で可決かけつする 절대 다수로 가결. ↔比較ひかく多数. ――ち【――値】图 절대치. ――てき【――的】ナ 절대적. ↔相対的そうたいてき. ――りょう【――量】-ryō 图 절대량.

ぜつだい【舌代】图 말을 대신하는 인사의 글[간단한 문서].＝しただい.

ぜつだい【絶大】zettai 图ナ 절대;아주 큼.¶～な権力けんりょく 절대적 권력.

ぜったいぜつめい【絶体絶命】zettai- 图ナ 도저히 면할 길 없는 어려운 처지.¶～の窮地きゅうちに追おいつめられる 도저히 면할 길 없는 궁지에 몰리다.

せったく【拙宅】settaku 图 자기 집의 겸칭.

＊せつだん【切断】(截断) setsudan 图 ㄨ他 절단.

ぜったん【舌端】zettan 图 혀끝;전하여, 말(투);변설.＝舌頭ぜっとう.

せっち【接地】setchi 图 ㄱ'‾ 어스.

＊せっち【設置】setchi 图 설치.

＊せっちゃく【接着】setchaku 图 ㄨ自他 접착. ――ざい【――剤】图 접착제.

＊せっちゅう【折衷·折中】setchū 图 ㄨ他 절충.¶～案あん 절충안. 注意 '折中'로 씀은 대용 한자.

せっちょ【拙著】setcho 图 졸저;졸작(拙作)(자기 저서의 겸칭).↔貴著きちょ.

ぜっちょう【絶頂】zetchō 图 절정.

せっちん【雪隠】【雪隠】setchin 图 변소;뒷간.＝かわや·便所べんじょ. ――だいく【――大工】图〈俗〉서투른 목수. ――づめ【――詰め】图 ①(일본 장기에서) 궁을 외통수로 몰아 넣음. ②(상대를) 막다른 골목으로 몰아 넣음.

せっつ·く【責付く】settsuku 5団〈俗〉서둘러 대다;재촉〔독촉〕해 대다;졸라대다.＝せがむ.

せっち【設定】settei 图 ㄨ他 설정.

＊せってん【接点】(切点) setten 图①【数】접점. ②접촉점. ¶東西文明とうざいぶんめいの～マカオ 동서 문명의 접촉점 마카오.

③【電】두 회로 사이에 전류를 흐르게 하거나 차단하는 접촉 부분.

せつでん【節電】图 图 절전.

*セット setto 图 세트. ─图 ①(도구 등의) 한 벌; 일식(一式). =ひとそろい．──一式 き. ¶コーヒー― 커피 세트. ②(테니스·배구 등에서) 한 시합 중의 하나의 승부. ¶第三谷゜〜第3세트. ③【劇·映】무대 장치; 촬영을 위한 장치·소품 따위. ¶オープン― 옥외(屋外) 세트. ─ロケ. ④라디오의 수신기. ─图 ㋨他 ①조립함. ¶カメラを―する 카메라를 조립하다. ②파마를 한 다음에 머리의 모양을 다듬음. ¶〜した髪ぶ세트한 머리. ③기계 따위를 조립함. ¶ラジオを―する 라디오를 조립하다. ▷set.

せつど【節度】图 절도.

せっとう【窃盗】settō 图 ㋨他 절도.

ぜつとう【舌端】 zettō 图 ㋩설두; 혀끝. =舌端だた゜②변설(辯舌).

ぜっとう【絶倒】zettō 图 ㋩自 절도. ¶抱腹谷゜〜 포복 절도.

ぜっとう【絶島】zettō 图 절도; 낙도. ¶孤島(孤島)― =はなれじま．

せっとうご【接頭語】settōgo 图 접두어; 접두사. ＝接頭辞びきゃ．↔接尾語

ゼットき【Z旗】zettoki 图 만국 신호에서 로마자 Z를 나타내는 신호기. ─を揭げる; ─をあげる Z기(旗)를 올리다; 결전 태세에 들어가다(긴급한 사태를 이겨내기 위하여서 전원(全員)에게 크나큰 노력을 요구한다). ▷득.

*せっとく【説得】settoku 图 ㋨他 설득.

せつな【刹那】 图 찰나; 순간. =瞬間じょん. ¶あわやの―に 아차하는 순간. =劫ごっ. ──しゅぎ〔――主義〕-shugi 图 찰나주의.

せつな-い【切ない】 形 애달프다; 괴롭다; 안타깝다; 견딜 수 없는 심정이다. ¶〜思い 안타까운 심사 / 〜声どゅ 애달픈 목소리.

せつなる【切なる】連体 간절한. ¶〜願がっ 간절한 소원.

せつに【切に】 副 간절히; 진심으로. =心ちゃから·ねんごろに. ¶〜お願ねっい します 간절히 부탁합니다.

せっぱ【説破】seppa 图 ㋨他 설파; 논파(論破).

せっぱく【切迫】seppaku 图 ㋩自 절박. ①임박; 긴박. ¶期日ぎっが―する 기일이 임박하다 / ―した空気いっがみなぎる 긴박한 공기가 감돌다. ②조금씩 빨라짐.

せっぱく【雪白】seppaku 图 ㋨설백; 순백. =まっしろ·純白じゃん. ¶〜の布巾 새하얀 천. ②(정신·행위의) 결백.

せっぱつま-る【切羽詰(ま)る】seppa-5 图 国 궁지에 몰리다; 막히다; 다급해지다.

せっぱん【折半】seppan 图 ㋨他 절반; 반분함. ＝二等分どきっ.

ぜっぱん【絶版】zeppan 图 절판.

せつび【設備】 图 ㋨他 설비; 시설. ──とうし〔――投資〕-tōshi 图 설비 투자.

ぜつび【絶美】图 图 절미; 더 없이 아름다움.

せつびご【接尾語】 图 접미어; 접미사. ＝接尾辞び．↔接頭語きっ゜

せっぴつ【拙筆】 图 졸필; 서투른 글자(자기 필적의 겸칭).

ぜっぴつ【絶筆】 zeppi- 图 절필. ①죽기 직전에 마지막으로 쓴 필적〔작품〕. ②붓을 놓고 다시는 쓰지 않음. =擱筆紗゜

ぜっぴん【絶品】zeppin 图 절품; 일품(逸品). ¶우수한 물건이나 작품.

せっぷ【節婦】seppu 图 절부; 절개가 곧은 부인. =貞女びゃ.

せっぷく【切腹】 图 ㋩自 할복 자살. =はらきり·割腹びゃ.

せっぷく【説服】seppuku 图 ㋨他 설복. =説得どゃ.

せつぶん【節分】 图 입춘(立春) 전날(2월 3·4일경). 콩을 뿌려서 잡귀(雜鬼)를 쫓는 행사를 함.

せっぷん【接吻】 图 ㋩自 입맞춤; 키스. =口ごっづけ·キス.

ぜっぺき【絶壁】 zeppeki 图 절벽.

せっぺん【切片】seppen 图 절편; 조각; 파편. =きれ(はし).

せっぺん【雪片】seppen 图 눈송이.

せつぼう【切望】-bō 图 ㋨他 갈망.

せっぽう【説法】seppō 图 ㋨他 ①(佛) 설법. =説経びゃ. ¶釈迦ぶゃに―부처님한테 설법; 공자 앞에서 문자 쓰기. ②타이름; 훈계함. =意見びゃ.

*ぜつぼう【絶望】-bō 图 ㋩自 절망. ↔希望じゃ.──てき〔――的〕【ダナ】절망적.

ぜっぽう【舌鋒】zeppō 图 설봉; 날카로운 말.

せつまい【節米】图 ㋩他 절미.

ぜつみょう【絶妙】-myō 图ナ 절묘.

ぜつむ【絶無】图ナ 절무; 皆無なに. ¶そういう例は~だ 그러한 예는 전혀 없다.

*せつめい【説明】图 ㋨他 설명.──てき〔――的〕【ダナ】설명적. ¶〜な演説いっ 설명적인 연설.──ぶん〔――文〕图 설명문; 해설문.

ぜつめい【絶命】图 图 절명; 목숨.

ぜつめつ【絶滅】图 ㋩自他 절멸; 근절.

せつもう【雪盲】-mō 图 설맹; 설안염(雪眼炎). =ゆきめ.

せつもん【設問】图 ㋩自 설문.

*せつやく【節約】图 ㋨他 절약.

せつゆ【説諭】图 ㋨他 설유. ¶じん.

せつよう【摂要】-yō 图ナ 긴요. =かん.

せつり【摂理】图 ①신(神)의 의지. ¶自然ぶゃの― 자연의 섭리. ②대신하여 처리하고 다스림.

せつり【節理】图 ①조리(條理); 사리(事理). =筋道ぶゃ. ②맥결의 표면에의 색채나 결. ③(鑛) (암석의) 절리.

*せつりつ【設立】图 ㋨他 설립; 설치.

ぜつりん【絶倫】图 절륜. =抜群むで. ¶精力やゃくの―な男きで 정력 절륜한 사나이.

せつれつ【拙劣】图ナ 졸렬.

せつろん【切論】图 ㋨他 열심(열렬)히 논함. ¶ーの겸칭).

せつろん【拙論】图 졸론(자기의 의론의 겸칭).

せと【瀬戸】图 ①좁은 해협. ②「瀬戸物ぶゃ」「瀬戸際ぶゃ」의 준말.──ぎわ〔――際〕图 (승부·성패(成敗)·생사

등) 운명의 갈림길 ; 고빗사위. ──びき
【──引(き)】图 철제 기구가 녹슬지 않
도록 사기칠[법랑]을 입히는 일 ; 또,
그 제품. =ほうろう鉄器ᔉ౯. ──もの
【──物】图じとき. 图どさ기 ;
사기그릇. ──やき【──焼】图 愛知県
ﾛﾏﾛ瀬戸 지방에서 만드는 도자기.

せど【背戸】图 집의 뒷문. =裏口ᔉ᷉.

せどう【世道】sedō 图 세도. ¶～人心
ᔉᒑの退廃ᒉᒑ 세도 인심의 퇴폐.

せどうか【旋頭歌】sedōka 图 일본의 和
歌ᔉ 형식(形式)의 하나(上句(上句)와
下句(下句)가 각각 5·7·7로 합해서 6
구(句)로 됨). =混本歌ᔉᔉᔉ.

せなか【背中】图 ①등. ──【──】图 뒤편,
뒤. =うしろ. ──あわせ【──合(わ)
せ】图 ①서로 등을 맞대고 반대 방향
을 향함. ②표리(表裏) 관계에 있음.
③사이가 나쁨. 　　　　　　「かね.

ぜに【銭】图 ①엽전. ②돈. =金ᔉ·お
ぜにがめ【銭亀】图【動】남생이 새끼.
ぜにごけ【銭苔】图【植】우산이끼.
ぜにさし【銭差し】【銭緡】图 (엽전을
꿰는) 돈꿰미. =さし·ぜにつら.
ぜにん【是認】图国他 승인. ↔否認ᔉᔉ.
せぬい【背縫(い)】图国他 옷의 등솔기
를 꿰맴 ; 또, 등솔기.
せぬき【背抜き】图国他 (남자의 여름
양복 상의(上衣) 따위의) 등에 안짚을
대지 않고 지음 ; 또, 그 상의.
ゼネスト【総(同盟)罷業】图 총파업을
벌이다. =ゼネラルストライキ. a general strike.
ゼネレーション　-shon 图 제네레이션 ;
동시대(의 사람들) ; 세대. ¶～の違ᔉ
い 세대차. ▷generation.
せのび【背伸び】图国自 ①발돋움(함).
=せいのび. ②(능력 이상의 일을 하
려고) 발버둥침. ¶棚ᔉの本ᔉは～を(して)
も届ᔉかない 선반의 책은 발돋움해도
닿지 않는다. ③자기 실력 이상의 일
을 하려고 애씀.
セパード图 세퍼드(개의 한 품종). ▷
shepherd dog.
せばまる【狭まる】国自 좁아지다 ; 좁
혀지다. 　　　　　　「広ᔉめる.
せばめる【狭める】下一他 좁히다. ↔
セパレーツ图 세퍼레이츠. ①【裁】같
은 천 또는 다른 천으로 아래위 입
을 수 있게 만든 여성복(수영복).
②(스테레오 장치·가구 따위의) 세
트의 것을 자유로이 짝맞추어 쓸 수 있
게 만든 것. ▷separates.
せばんごう【背番号】-gō 图 배번 ; 운동
선수의 유니폼의 등에 붙이는 번호.
せひ【施肥】图国自 시비. ¶麦ᔉ に～
を行ᔉう 보리에 비료를 주다.
ぜひ【是非】①图 시비 ; 옳고 그름. =
よしあし. ¶～をわきまえる 옳고 그
름을 분별하다. □图国他 사물의 시
비를 가림. 一に及ばず 하는 수 없다 ;
부득이하다. =やむをえない. ──(も)無ᔉい
부득이하다. ──图副 아무쪼록 ; 제발 ; 꼭.
なにとぞ·かならず. ¶～お会いしま
い 꼭 만나고 싶다 / ～お願ᔉいします
제발 부탁합니다. ──とも 副 꼭 ; 무슨
일이 있어도('是非'의 힘줌말).
セピア图 세피어 ; 암갈색 ; 또, 그 빛의
그림 물감. ▷sepia.
せひょう【世評】-hyō 图 세평.

せび‐る 5他 조르다 ; 강요하다. ¶小ᔉ
づかいを～ 용돈을 조르다.
せびれ【背びれ】【背鰭】图등지느러미.
*せびろ【背広】图 신사복(저고리·조끼·
바지로 이루어짐).
せぶみ【瀬踏み】图国自 (일을 하기 전
에) 우선 시험해 봄 ; 미리 떠봄.
ゼブラ【斑馬】图 제브라 ; 얼룩말. =しまうま.
▷zebra. 　　　　　　　　　　「脊柱).
せぼね【背骨】【脊骨】图 =せきちゅう
*せま‐い【狭い】形 좁다. ¶～庭ᔉ 좁은
뜰 / 見識ᔉが～ 견식이 좁다. ↔広ᔉ
い.
せまい【施米】图国他 (빈민이나 중에
게) 쌀을 나눠 줌 ; 또, 그 쌀.
せまきもん【狭き門】图 좁은 문. ①수
행(修行)이나 신앙 등의 관문을 넘기
어려움의 비유 ; 난관. ②입학이나 취직
등이 어려운 일[굊]. =難関ᔉ.
せまくるし‐い【狭苦しい】-shī形 비좁
아 답답하다 ; 옹색하다. ¶一所ᔉでご
ざいますが 옹색한 곳이지만.
*せま‐る【迫る】【逼る】国自 ①다가
오다[가다]. ①육박하다. ¶首席ᔉに～
=成績ᔉが 수석에 육박하는 성적 / 真
ᔉに～ 박진감이 있다. ②닥쳐오다. ¶
敵ᔉが～·って来ᔉる 적이 닥쳐오다 /
夕暮ᔉが～ 황혼이 다가오다. ②좁혀
지다. =せばまる. ¶距離ᔉが～ 거리
가 좁혀지다. ③막히다. ¶息ᔉが～ 숨
이 막히다[차다]. ④부대끼다. ¶貧
ᔉに～ 가난에 쪼들리다. ──5他 강요
하다 ; 핍박하다. ¶必要ᔉに～·られ
て 부득이한 필요로 해서 / 辞職ᔉを～
사직을 강요하다.
せみ【蟬】图 ①매미. ②고패.
セミ‐ 세미 ; 반(半)…. ──semi-. ──コ
ロン 세미콜론. ▷semicolon. ──ド
キュメンタリー‐kyumentari 图 세미
[다큐멘터리 ; 방송·영화 따위에 극적
사실을 섞은 반 기록적인 작품. ▷
semidocumentary. ──プロ 图 세미프로
로 ; 반프로. =セミプロフェッショナ
ル. ▷semiprofessional.
ゼミ图 'ゼミナール'의 준말.
せみくじら【背美鯨】图【動】참고래.
せみしぐれ【蝉時雨】图【蝉時雨】图 사
방에서 요란하게 울어대는 매미 소리.
セミナー图 세미나. ①연수회(研修
会) ; 강습회. ¶経営ᔉ～ 경영 세미
나. ②☞セミナール. ▷seminar.
ゼミナール图 제미나르. (대학 등에서
의) 교수 지도 아래 행하는 학생의 공
동 연구·연습. =セミナー. ▷ゼ Se-
minar.　　　　　「꿈추. =亀背ᔉᔉ.
せむし【傴僂】图【卑】구루 ; 곱사등이.
せめ【責め】图 ①(벌로 주는) 육체적·
정신적 고통 ; 고문. =せっかん. ②책
임 ; 임무. ¶～を負ᔉわせる 책임을 지
우다 / …の～に任ᔉじる …를 (자기
의) 임무로 떠맡기다.
せめい‐る【攻め入る】5自 (적진·적국
에) 쳐들어가다. =討ᔉちいる.
せめうま【責め馬】图 말을 타서 길들
임 ; 또, 그 말.
せめおと‐す【攻め落(と)す】5他 함락
시키다 ; 공략(攻略)하다. ②〈俗〉설
복(說服)하다. =説ᔉきふせる.
せめおと‐す【責め落(と)す】5他 ①책

(責)하여 굴복시키다. ②닦달하여 자백시키다.

せめか-ける【攻め懸ける】下1自 (많은 군사가) 일제히 쳐들어가다.

せめく【責め苦】名 심한 괴로움; 모진 고문; 시련.

せめ-ぐ【鬩ぐ】五自 원한을 품고 서로 싸우다. ¶兄弟が牆に～ 형제가〔집 안〕끼리 싸우다. ━五他 괴롭히다.

せめくち【攻め口】名 ①공격 방법; 공격의 실마리. =攻め方矣. ┌곳.

せめぐち【攻め口】名 공격이 용이한

せめこ-む【攻め込む】五自 공격해 들어가다.

せめさいな-む【責めさいなむ】【責め苛む】五他 심하게 괴롭히다. ¶良心芝炒に～まれる 양심의 가책을 받다.

せめだいこ【攻め太鼓】名 (옛 싸움에서) 공격 신호로 치던 북.

せめた-てる【攻め立てる】下1他 (쉴 새 없이) 공격을 퍼붓다.

せめ-たてる【責め立てる】下1他 ①몹시 책하다〔비난하다〕; 몰아 세우다. ②심하게 독촉하다.

せめつ-ける【責め付ける】【責め付ける】下1他 호되게 책하다.

＊せめて【切めて・迫めて】副 하다못해; 그런대로; 적으나마; 적어도; 애오라지. ¶～気持発だけでも汲くんでください 애오라지 정성〔마음〕만이라도 헤아려 주십시오./～論語益ぐらいは読まねばなるまい 적어도 논어 정도는 읽어야 할거야.

せめても【切めても・迫めても】副 'せめて'의 힘줌말. ¶～の償ぷ゚い 부족하나마 그런대로의 속죄./～の心芝゚やり 유일한 위안.

せめどうぐ【攻め道具】-dōgu 名 공격 용구〔用具〕. =攻益゚め具仝.

せめどうぐ【責め道具】-dōgu 名 고문 용구〔拷問用具〕. =責益゚め具仝.

せめぬ-く【攻め〔め〕抜く】五自 ①공격하여 함락시키다. ¶城妚を～ 성을 공략하다. ②맹렬히 끝까지 공격하다.

せめぬ-く【責め抜く】五他 끝까지 책하다〔괴롭히다〕.

せめのぼ-る【攻め〔め〕上る】五自 ①(수도〔首都〕 쪽으로) 쳐올라가다. ¶都妚へ～ 서울로 쳐올라가다. ②높은 곳으로 쳐올라가다.

せめよ-せる【攻め〔め〕寄せる】下1自 (많은 공격 병력이) 적진〔敵陣〕가까이로 밀고 들어가다.

せめよ-る【攻め〔め〕寄る】五自 가까이까지 쳐들어 오다〔가다〕.

＊せ-める【攻める】下1他 공격하다; 진격하다. ⇔守益る・防妚ぐ.

＊せ-める【責める】下1他 ①(잘못 등을) 비난하다; 나무라다; 책망하다. =なじる. ②(유체적・정신적으로) 괴롭히다; 고통을 주다. ¶債芝゚に～められる 빚쟁이에게 시달리다. ③재촉하다; 조르다. =せがむ. ¶借金芝゚゚を早くく返兌゚せと～ 빚을 빨리 갚으라고 재촉하다. ④말을 타서 길들이다.

セメンシナ【植】名 세메신나; 시네나뇨를 之 ①산토닌. =サントニン・セメン円芝.▷라 semen cinae.

＊セメント名 시멘트.▷cement.

せもつ【施物】名 빈민(貧民)이나 중에게 베풀어 주는 물건.

せやく【施薬】名 시약; 가난한 사람에게 베풀어 주는 약.

せよ【施与】又他 ①시여. ¶貧民誉に品物袋を～する 빈민에게 물건을 베풀다. ②시주함.

ゼラチン名 ①〔化〕젤라틴. ②'ゼラチンペーパー(=무대 조명용 색투명지)'의 준말.▷gelatine.

ゼラニウム -nyūmu 名〔植〕제라늄. =てんじくあおい.▷geranium.

せり【競り】【糶り】名 ①경쟁. ②경매(競賣). =せりうり. ¶～に出すꜟ゚ 경매에 부치다〔내놓다〕.

せり【迫り】【劇】무대나 花道益의 일부를 도려서 그 부분만 오르내리게 하는 장치. =せり上ばげ.

せりあ-う【競り合う】五他 서로 다투다; 경쟁하다.

せりあ-げる【せり上げる】【迫り上げる】下1他 밑에서 차츰 밀어올리다; 차츰 크게 하다.

せりあ-げる【競り上げる】下1他 서로 다투어 값을 올리다.

ゼリー名 젤리. =ジェリー. □①과자의 하나(넓은 뜻으로는, 그와 유사한 약품도 가리킴). ②과즙(果汁)에 설탕을 넣어 조린 식품. ⇒jelly.

せりいち【競り市】【糶り市】名 경매 시장.

せりうり【競り売り】【糶(り)売り】又他 경매. =競売院゚.

せりうり【せり売り】【糶(り)売り】名 행상; 도붓장사; 도붓장수.

せりおと-す【競り落す】【糶り落(と)す】五他 경락(競落)하다.

せりだし【せり出し】【迫り出し】名〔劇〕무대에 구멍을 뚫고 밑에서 준비한 무대 장치나 배우를 무대 위로 밀어 올림; 또, 그 장치. =せ(迫)り.

せりだ-す【せり出す】【迫り出す】五他 밀어내다; 위 또는 앞으로 밀어 올리다. ¶からだを～ 몸을 밀어내다. ━五自 어느새 앞으로 나오다. ¶おなかが～ 배가 나오다.

せりふ【台詞・科白・白】名〔劇〕대사. ━ト書益゚. ②틀에 박힌 말. ③①언사. =言゚い草닉. ¶あいつの～が気にくわない 저 놈의 언사가 마음에 안든다. ⓒ변명. =言゚い分けꜟ.

せりょう【施療】-ryō 名又自 시료; 무료 치료.

せ-る【競る】【糶る】五他 ①(값을) 다투다; 경쟁하다. =争ꜟ゚う. ②(경매에서) 서로 다투어 값을 올리다〔내리다〕.

せる助動〔下一段型〕으로 활용함; 五段活用動詞의 未然形에 붙음; 上一・下一・カ変動詞는 'させる'를 쓰고 サ変에서는 전체가 'きせる'의 꼴이 됨) 사역을 나타낸다. ¶入學芝兌に～ 입학시키다. ②상대편이 하는 대로 내버려 두다의 뜻을 나타냄. ¶勝手発゚に言゚わ～ 멋대로 지껄이다.

セル名 세루; 사지(소모사(梳毛絲)로 짠 모직물).▷네 serge.

セルフ名 셀프; 자기.▷self. ━サービス名 셀프 서비스; (대중 식당・슈퍼마켓 등의) 자급식(自給式) 판매 방법.

▷self-service. **—タイマー** 名 셀프 타이머; (사진기의) 자동(自動) 셔터. ▷self-timer.

セルロイド 名〔化〕〔본디, 商標名〕셀룰로이드. ▷celluloid.

セルロース 名 셀룰로오스. ＝セルローズ. ☞せんいそ. ▷cellulose.

セレナーデ 名 세레나데; (소)야곡. ＝小夜曲·セレナード. ▷도 Serenade.

セロ 名 ☞チェロ. 「프 zéro.

*__ゼロ__〖零〗名 제로; 영(零). ＝れい. ▷

ゼロックス zerokkusu 名〔商標名〕제록스; 전자 복사기(로 복사한 것). ▷Xerox.

セロハン 名〔본디, 商品名〕셀로판. ＝セロファン. ▷cellophane. 「celery.

セロリー 名〔植〕셀러리. ＝セロリ. ▷

*__せろん__【世論】名 세론; 여론. ＝せいろん·輿論.

__せわ__【世話】名 スル他 ①도와줌; 보살핌; 시중듦. ¶病人の～をする 환자의 시중을 들다 / 大きにお～だ 쓸데없는 참견이다. ②소개〔알선〕함. ¶就職を～する 취직을 알선하다. ③폐; 신세; 귀찮은 일. ¶～をかける 폐를 끼치다. **—が無い 다루기 쉽다; 손쉽다. **—が焼ける** 손이 가서 성가시다; 시중들기가 힘들다. **—になる** 폐를 끼치다; 신세를 지다; 남의 도움을 받다. **—を焼く** (수고를 아끼지 않고) 보살펴〔애써〕 주다. **—ずき**【—好き】名 남의 일을 잘 돌봐 줌; 또, 그런 사람. **—にん**【—人】名 ☞せわやく. **—やく**【—役】名 ①보살펴 주는〔시중드는〕 사람. ②(단체 등의) 사무를 처리하고 그 운영을 맡아 보는 사람. ＝せわ人·幹事.

せわ【世話】名 ①세상 소문. ¶下～ 항간(巷間)에 떠도는 소문〔말〕. ②일상 생활의 모양. ③속담. ＝ことわざ. ④속된 말. ＝俗語. **—もの**【—物】名 (浄瑠璃·歌舞伎에서) 주로 서민을 주인공으로 하여, 당시의 세태(世態)를 묘사한 것. ↔時代物.

せわしーい〖忙しい〗-shī 形 ①바쁘다; 틈이 없다. ＝いそがしい. ②조급하다; 성급하다. ＝せわしない.

せわしなーい〖忙しない〗形 'せわしい②'의 힘줌말.

せわり【背割り】名 ①물고기의 등을 가르는 일; 또, 그렇게 한 생선. ＝背開き. ②羽織나 양복 윗도리의 등솔기 아랫 부분을 터 놓는 일.

せん［詮］名 ①효과; 보람. ＝ききめ. ¶～ない努力 보람 없는 노력. ②수단; 방법. ¶～無し 어쩔 도리가 없다. **—ずる所** 결국.

せん【先】선. ㊀名 ①앞; 이전; 예전. ¶～を越す 앞지르다; 선수(先手)를 치다. ↔後. ②(바둑에서) 선번; 선수. ＝先手. ¶～をとる 선을 잡다. ㊁接頭 이전의; 먼저의. ¶～場所 먼저의 장소.

**__せん__【千】名 천; 수많음의 비유.

せん［撰］名 スル他 찬; 시가(詩歌)·문장을 골라내어 편집함.

*__せん__【栓】名 ①마개. ¶穴に～をさす 구멍에 마개를 끼우다. ②수도 따위의 개폐 장치. ＝コック. ¶消火～ 소화전.

**__せん__【線】名 선. ①가늘고 긴 것. ¶銅の～ 동선; 구리 철사. ②줄; 금. ¶～を引く 줄〔금〕을 긋다. ③(교통기관의) 노선. ¶この～の通勤者 이 노선의 통근자. ④대강의 방침. ¶国策の～に沿う 국가 시책의 노선을 따르다. ⑤경계; 한계. ¶どこで～を引くか 어디에서 선을 그을까〔경계를 지을까〕. ⑥수준. ¶いい～に達した 괜찮은 수준에 달했다.

せん［腺］名 선; 생물체내의 분비선; 샘. ¶甲状～ 갑상선 / ホルモンの～ 호르몬(분비)선.

せん【選】名 가려냄; 선발. ¶～に入る 입선하다 / ～に漏れる 선발에서 빠지다.

ぜん【前】전. ㊀名 이전; 앞. ¶～に申したとおり 이전에 말씀드린 바와 같이 / ～から 전부터. ㊁接頭 ①전의. ¶～社長 전 사장. ②…보다 이전. ¶～近代的 전근대적. ㊂接尾 …의 앞(전). ¶入学～ 입학 전. ⇔後.

ぜん【善】名 선; 올바르고 착함. ↔悪. **—は急げ** 좋은 일은 서둘러라.

ぜん【漸】名 조금씩 나아감. ¶～を以って進む 차츰차츰 순서대로 나아가다. **—を追って** 조금씩; 차츰.

ぜん【禅】名〔佛〕선; 좌선. ¶～の境地 선의 경지.

ぜん〖膳〗㊀名 (밥)상. ＝おぜん. ¶お～を囲む (밥)상을 둘러앉다. ㊁接尾 공기에 담은 밥을 세는 말. ¶一～の飯 한 사발의 밥.

ぜん-【全】전…. ①전부; 전체. ¶～国民 전국민. ②모두. ¶～八巻 모두 여덟 권.

ぜんあく【善悪】名 선악.

せんい【戦意】名 전의.

せんい【遷移】名 スル自 천이. ＝転移.

*__せんい__【繊維】名 섬유. ¶～工業 섬유 공업 / ～製品 섬유 제품. **—そ**【—素】名 섬유소《섬유의 탄수화물》. ＝セルローズ.

せんい【船医】名 선의《항해중의 배를 타고 근무하는 의사》.

*__ぜんい__【善意】名 선의.

ぜんいき【全域】名 전역; 온 지역〔영역, 분야〕. ¶～にわたって 전역에 걸쳐서.

せんいつ【専一】名 ①전일; 전념. ¶勉強を～にする 공부에만 전념하다. ②제일 중요하게 여김. ¶御自愛～に 무엇보다 우선 몸조심하여 주십시오. 「マドロス.

せんいん【船員】名 선원. ＝ふなのり·

ぜんいん【全員】名 전원. ＝総員.

せんうん【戦雲】名 전운. ¶～低く垂れこめる 긴박한 전운이 감돌다《싸움이 임박함》.

せんえい【先鋭】(尖鋭) 名ナ 첨예; 전하여, 급진적임. 注意 '先鋭'는 대용 한자. **—か**【—化】名 スル自 첨예화; 급진화.

ぜんえい【前衛】名 전위. ¶～部隊 전위 부대 / ～絵画 전위 회화.

せんえき【戦役】名 전역; 전쟁. ＝戦争.

せんえつ [僭越] 图⊿ 참월；분수에 지나친 일을 함；또, 그러한 태도. ¶～てしゃばり. ¶～な態度ﾀﾞで 건방진 태도. —ながら 외람되지만.

せんえん [遷延] 图⊿亘 천연.

せんおう [専横] sen'ō 图⊿ 전횡. ¶～な振舞ﾏｲを する 제멋대로 횡포를 부리다.

せんおく [千億] 图 천억；대단히 많음.

せんおん [顫音] 图 전음；=トリル.

ぜんおん [全音] 图〖楽〗전음；온음. ↔半音ﾊﾝ.

ぜんおんかい [全音階] 图〖楽〗전음계；온음계. ↔半音階ﾊﾝ.

せんか [戦火] 图 전화；전쟁(으로 인한 불). ¶～に見舞ﾐﾏわれる 전쟁을 만나다／～を交える 교전하다.

せんか [戦渦] 图 전화；전쟁의 소용돌이. ¶～にまきこまれる 전쟁에 휩쓸려 들다.

せんか [戦禍] 图 전화. =戦災ｻﾞｲ.

せんか [戦果] 图 전과.

せんか [泉下] 图 천하；황천；구천(九泉)；저승. ¶～の人ﾋﾄとなる 저승 사람이 되다；황천으로 가다.

せんか [専科] 图 전과；전문의 학과과정. ¶声楽ｶﾞｸの～ 성악 전과.

せんか [選科] 图 선과.

せんが [線画] 图 선화. ①선만으로 그린 그림；백묘(白描). =デッサン. ②선화를 촬영한 영화.

ぜんか [前科] 图 전과. ¶～者ﾓﾉ 전과자／～五犯ﾊﾝ 전과 5범.

ぜんか [善果] 图〖仏〗선과. ¶善因ﾆﾝ～ 선인 선과. ↔悪果ｱｯｶ.

ぜんか [全科] 图 전과；전교과.

せんかい [旋回] [旋廻] 图⊿亘 선회.

せんかい [仙界] 图 선계. ☞せんきょう(仙境).

せんかい [浅海] 图 천해；얕은 바다(바다 깊이 200 m까지의 것). ¶～魚ｷﾞｮ 천해어. ↔深海ｼﾝ.

せんがい [選外] 图 선외. ¶～佳作ｶｻｸ 선외 가작.

ぜんかい [全壊] [全潰] 图⊿亘 전괴；완전 파괴됨. ¶～家屋ｵｸ 전파 가옥. ↔半壊ﾊﾝ.

＊ぜんかい [全快] 图⊿亘 전쾌；완쾌.

ぜんかい [全開] 图⊿亘他 전개；(꼭지·고동 등을) 전부 틀어놓음. ↔半閉ﾍﾞﾝ.

ぜんかい [前回] 图 전회；전번. =前度ﾄﾞ.

せんがき [線がき] [線描き] 图 선묘；특히, 일본화(日本畫)의 화법의 하나. →没骨法ﾎﾞｯｺﾂ.

せんかく [仙客] 图 선객；선인(仙人)；전하여, 학(鶴).

せんかく [先覚] 图 선각. ¶～者ﾓﾉ 선각자.

せんがく [先学] 图 선학；학문상의 선배. ↔後学ｺﾞｸ.

せんがく [浅学] 图 천학(자기 학식의 겸사말로도 씀). —ひさい [—非才] [—菲才] 图 천학 비재.

ぜんがく [全学] 图 그 대학 전체. ¶～集会ｶｲ 대학 전체 집회.

ぜんがく [全額] 图 전액. ↔半額ｶﾞｸ.

ぜんがく [禅学] 图〖仏〗선학.

せんかし [仙花紙·泉貨紙] 图 선화지.

せんかた 〖詮方·為ん方〗 图 취할 방법；

せんすべ =せんすべ. ¶～尽ﾂきて 어쩔 도리가 없어；백계(百計)가 다하여. —な—い [—無い] 形 (어찌) 할 도리가 없다；할 수 없다. =しかたがない.

せんかん [戦艦] 图 전함；전투함.

せんかん [潜函] 图 (토목이나 건축 기초 공사에서의) 잠함；정동(井筒)；케송(caisson). =ケーソン.

せんかん [専管] 图⊿亘他 전관. —すいいき [—水域] 图 전관 수역.

せんかん [潜艦] 图 잠(수)함('潜水艦ﾕｲﾊﾞﾝ'의 준말).

せんがん [洗眼] 图⊿亘 세안；눈을 씻음.

せんがん [洗顔] 图⊿亘 세안；세수；얼굴을 닦아냄.

ぜんかん [全巻] 图 전권.

ぜんかん [前官] 图 전관. ↔現官ｶﾝ. —れいぐう [—礼遇] 图–gū 图 전관 예우；전관 대우.

ぜんかん [善感] 图⊿亘 선감. ①우두(따위)가 잘 됨. ↔不善感ﾝﾞｶﾝ②자극을 받기 쉽고 감동하기 쉬움.

せんき [戦旗] 图 전기.

せんき [戦記] 图 전기. ¶～が熟ﾂﾞｸす 전기가 무르익다.

せんき [戦記] 图 전기；=軍記ｷ.

せんき [疝気] 图〖漢医〗산기；산증. ¶他人ﾆﾝの～を頭痛ﾂｳに病ﾔむ 남의 일을 쓸데없이 걱정하다. —すじ [—筋] 图 ①산기가 생기는 근육. ②⟨俗⟩잘못 생각함；헛짐작.

せんぎ [先議] 图他 선의；먼저 심의함. ¶～権ｹﾝ 선의의권.

せんぎ [詮議] 图⊿亘他 전의. ①평의(評議)하여 일을 결정함. ②죄인의 문초. =吟味ﾐ. ¶～人ﾆﾝ 범인 수사.

ぜんき [全期] 图 전기.

＊ぜんき [前期] 图 전기. ↔後期ｺﾞｷ.

ぜんき [前記] 图 전기；전술. ↔後記ｺﾞｷ.

せんきゃく [先客] -kyaku 图 선객.

せんきゃく [船客] -kyaku 图 선객.

せんきゃくばんらい [千客万来] sen-kyaku-라이 图 천객 만래；많은 손님이 잇따라 찾아옴. ¶この 사는 궁전.

せんきゅう [仙宮] -kyū 图 선궁；신선.

せんきゅう [船級] -kyū 图 선급；배가 항해에 견딜 수 있는 정도에 따라 매긴 등급.

せんきゅう [選球] -kyū 图⊿亘〖野〗선구. —がん [—眼] 图 선구안.

せんきょ [占居] -kyo 图⊿亘他 점거.

＊せんきょ [占拠] -kyo 图⊿他 점거；점령.

せんきょ [船渠] -kyo 图 선거. =ドック.

＊せんきょ [選挙] -kyo 图⊿他 선거. —く [—区] 图 선거구. —けん [—権] 图 선거권. ↔被選挙権ﾋｾﾝｷﾖ. —にん [—人] 图 선거인.

せんぎょ [鮮魚] -gyo 图 선어；(물이 좋은) 생선.

せんきょう [仙郷·仙境] -kyō 图 선경；선계. =仙界ｶｲ.

せんきょう [宣教] -kyō 图⊿亘 선교. —し [—師] 图 선교사；전도사.

せんきょう [戦況] -kyō 图 전황.

せんぎょう [専業] -gyō 图 전업. ①전문 직업(사업). ②국가가 허가한 독점 사업. —のうか [—農家] -nōka 图 전업 농가. ↔兼業ｷﾞﾖｳ農家.

せんぎょう【賤業】-gyō 图 천업.

せんきょく【戦局】-kyoku 图 전국.

せんきょく【選曲】-kyoku 图スシ自 선곡.

せんきょく【選局】-kyoku 图スシ自 선국; (수신기를 조절(調節)하여) 방송국을 고르는 일.

せんぎり【千切(り)】〖繊切(り)〗图 채침; 또, 그 채친 것. =千六本ﾛﾂ. ¶大根ﾈﾝを~にする 무를 채치다.

せんきん【千金】图 천금. ¶一獲ﾜﾂ~を夢みる 일확 천금을 꿈꾸다.

せんきん【千鈞】图 천균; 아주 무거움. =万鈞ﾊﾝ. ──の重ﾏみ 아주 큰 무게.

ぜんきん【前金】图 ☞まえきん.

せんく【先駆】图スシ自 선구(자). =パイオニア. ①전구(前驅) =さきがけ. ──しゃ【──者】-sha 图 선구자; 선각자.

せんぐ【船具】图 선구; (항해에 필요한) 배의 용구. =ふなぐ.

ぜんく【前駆】图スシ自 전구; 행렬 등의 전방을 기마로(탐정의 것) 선도할; 또, 그 사람. =先ﾏﾂ導ﾄﾞ・先駆ﾏﾂ隊ﾀﾞ.

せんぐう【遷宮】-gū 图スシ自 신전(神殿)을 고쳐 지을 때 신령(神靈)을 옮기는 일[의식]. =遷座祭.

せんくち【先口】图 먼저 순번(신청, 청약); 선약. ¶~の約束ﾐﾂがある 선약이 있다. ↔後口ﾇﾁ.

せんくん【先君】图 선군. ①선왕(先王). ②망부(亡父). ⇨先考ﾊﾟ.

ぜんぐん【全軍】图 전군.

せんぐんばんば【千軍万馬】-bamba 图 ①천군 만마. =大軍ﾀﾞﾝ. ②실전 경험이 풍부함; 온갖 경험이 많음.

せんげ【宣下】图スシ他 선지(宣旨)를 내림.

ぜんけ【禅家】图 선가. ①선종(禅宗). ②선사(禅寺). ③선승(禅僧).

せんおうぎ【扇形】图 선형; 부채꼴. =おうぎがた.

せんけい【線形】图 선형; 선상. =線状ﾊﾟ. ──どうぶつ【──動物】-dōbutsu 图 선형 동물. =円形ﾊﾟ動物.

せんけい【線形・線型】图【数】 선형. =せんがた. ──しそう【──思想】 선형 사상.

ぜんけい【全景】图 전경; 전체의 경치.

ぜんけい【前景】图 전경. ↔背景ﾊﾟ.

ぜんけい【前掲】图スシ他 전게; 전술.

せんけつ【先決】图スシ自 선결. ──もんだい【──問題】图 선결 문제.

せんけつ【専決】图 전결.

せんけつ【鮮血】图 선혈. ¶~ﾞ血ﾂ.

*__せんげつ__【先月】图 선월; 지난달. ↔来月ﾉﾂ.

ぜんげつ【前月】图 ①전월; 지난달. =先月ﾅﾂ. ↔翌月ﾉﾂ. ②이전 달.

せんけん【先見】图スシ他 선견; 앞을 내다봄. ──の明ﾒﾂ 선견지명.

せんけん【先遣】图スシ他 선견. ──たい【──隊】图 선발대.

せんけん【先賢】图 선현; 선철. =先哲ﾂﾋ・前賢ﾌﾟﾝ.

せんけん【嬋娟】〖タル〗형 선연; 자태가 곱고 아름다운 모양. ¶~たる美人ﾋﾝ 선연한 미인.

せんけん【専権】【擅権】图 전권.

せんげん【千言】图 천언. ¶~万語ﾊﾟを費ﾂやす 수없이 많은 말을 하다.

*__せんげん__【宣言】图スシ他 선언.

ぜんけん【全権】图 전권. ──いいん【──委員】图 전권 위원. ──こうし【──公使】-kōshi 图 (특명) 전권 공사. ──たいし【──大使】图 (특명) 전권 대사. =特命ﾒﾂ全権大使.

ぜんけん【前件】图 전건. ①전기(前記)의 조목; 전술한 사항(물건). ②【論】여건. =与件ﾃﾝ. ⇨後件ﾊﾟ.

ぜんげん【前言】图 전언. ①앞서 한 말. ¶~を取消ﾄﾘﾂす 전언을 취소하다. ②옛사람의 한 말. ──往行ﾜﾂ 옛 사람의 언행.

ぜんげん【善言】图 선언; 가르침이 되는 좋은 말. ¶~嘉言ﾊﾟ 선언 가언.

ぜんげん【漸減】图スシ自他 점감. =逓減ﾃﾝ. ↔漸増ﾂﾞ.

せんけんてき【先験的】〖ダナ〗【哲】 선험적. =先天的ﾊﾟﾝﾏﾂ. ──かんねんろん【──観念論】ﾊﾟﾝﾈﾝ 선험적 관념론. ↔後天的ﾌﾟﾝﾏﾂ.

せんこ【千古】图 천고. ①~不滅ﾂﾟの英雄ﾀﾞ 천고 불멸의 영웅. =ふえき【──不易】图 천고 불역(불변). ──ふえき【──不易】图 천고 불역(불변).

せんご【先後】图 선후; (시간·순서 등의) 앞뒤; 전후. =前後ﾊﾟ・あとさき. 二图スシ自 ☞ぜんご(前後).

せんご【戦後】图 전후; 특히, 제 2차 세계 대전이 끝난 후. ¶~派ﾊﾟ 전후파. ↔戦前ﾊﾟﾝ.

*__ぜんご__【前後】图 전후. 一图 앞뒤. ①(시간·공간상의) 전후. ¶~左右ﾟﾟ 전후 좌우 / 夏休ﾅﾂﾔﾟみの~ 여름 휴가[방학] 전후. ②전후 사정. ¶~の考ﾐﾝ가もなく 앞뒤 생각도 없이. 二图スシ自 ①전후함. ¶相ﾐﾂ~して到着ﾁﾂﾏﾂする 앞서거니 뒤서거니(잇따라) 도착하다. ②순서가 뒤바뀜. ¶話ﾊﾟﾝが~する 이야기 순서가 뒤바뀌다. 三〖接尾〗정도; (頃); 내외; 안팎; 쯤. =内外ﾏﾂ. ¶十人ﾋﾟﾝ~ 10 명 내외 / 七時ﾄﾞ~ 7시쯤 / 千円ﾜﾂ~ 천 엔 안팎. ──ふかく【──不覚】图 (의식을 잃어서) 전후 사정을 전혀 모르게 되는 일. ¶~に眠ﾈﾟりこける 정신 없이 자다.

ぜんご【善後】图 선후; 뒷수습. ¶~処置ﾁﾞ 선후 조치 / ~策ﾟﾟを講ﾟﾟずる 선후책을 강구하다.

せんこう【先考】-kō 图 선고; 망부(亡父). =先君ﾎﾟﾝ.↔先妣ﾋﾟ.

せんこう【先攻】-kō 图スシ自 (야구 따위의) 선공. ↔先守ﾅﾂ・後攻ﾟﾟ.

せんこう【先行】-kō 图スシ自 선행. ¶~法規ﾎﾟﾝ 선행 법규 / 本隊ﾊﾟﾝより~する 본대보다 앞서 가다.

せんこう【穿孔】-kō 图スシ自 천공; 구멍을 뚫음; 또, 그 구멍. ──き【──機】 图 천공기. =さんこう機ﾟﾟ.

*__せんこう__【専攻】-kō 图スシ他 전공.

せんこう【専行】-kō 图スシ他 전행; 전단. ¶独断ﾀﾞﾝ~ 독단 전행. ¶一ﾟﾟﾟ.

せんこう【戦功】-kō 图 전공. =軍功ﾟﾟﾝ.

せんこう【浅紅】-kō 图 분홍; 엷은 홍색. =ピンク. ¶~色ﾟﾟ 선홍색.

せんこう【鮮紅】-kō 图 선홍. ¶~色ﾟﾟ 선홍색.

せんこう【繊巧】图名形 섬교; 섬세하고 교치(巧緻)함.

せんこう【潜行】 -kō 图 区自 잠행; 잠입. ¶犯人は市内ないに～中ちゅう 범인은 시내에 잠입중.

せんこう【潜航】 -kō 图 区自 잠항. ① 수중을 항공함. ②물래 항해함.

せんこう【潜幸】 图 区自 잠행; 미행(微行).

せんこう【線香】 -kō 图 ①선향. 향. =蚊取なとり線香 注意 'せんこう'라고도 함.

せんこう【選考】〔銓衡・詮衡〕 -kō 图 区他 전형. ¶書類しょるいの～ 서류 전형. 注意 '選考'는 대용 한자.

せんこう【選鉱】 -kō 图 区自 선광.

せんこう【閃光】 -kō 图 섬광. =スパーク. ━でんきゅう【閃光電球】-den-kyū 图 (사진 촬영용) 섬광 전구; 플래시. =フラッシュ.

ぜんこう【全校】 -kō 图 전교.

ぜんこう【前項】 -kō 图 전항. ↔後項こう.

ぜんこう【善行】 -kō 图 선행. ¶～を積つむ 선행을 쌓다. ↔悪行あっこう.

ぜんごう【前号】 -gō 图 전호. ¶～から 続つづく 전호에서 계속. ━次号じごう.

せんこく【先刻】 图 아까; 조금 전. = さきほど・さっき. ¶～は失礼しつれいしました 아까는 실례했습니다. ↔後刻ごく. ②〔副詞的に〕이미; 벌써. = とうに. ¶～御承知ごしょうちの通とおり 이미 아시는 바와 같이.

せんこく【宣告】 图 区他 선고.

せんこく【戦国】 图 전국.

ぜんこく【全国】 图 전국.

せんこつ【仙骨】 图 선골; 범속(凡俗)하지 않은 골상(骨相)(=風采ふうさい).

ぜんこん【善根】 图〔佛〕선근; 공덕(功徳). =善業ごう.

ぜんざ【前座】 图〔講談こうだん・落語らくご 등에서〕真打うちに 앞선 견습 출연; 또, 그 사람.

せんさい【先妻】 图 선처; 전처. ↔後妻ごさい.

せんさい【戦災】 图 전재.

せんさい【浅才】 图 천재; 비재(菲才)(자기 재주의 겸칭). =悪才ばんさい.

せんさい【繊細】 图 ㄞ 섬세. ①결이 곱고 미세함(優美한 모양). =華奢きゃしゃ②模様もよう·감정이 곱고 예민한 모양. =デリケート. ¶～なさつ.

せんざい【千載・千歳】 图 ①천재; 천세; 천년. =千年ねん. ②名なを～に残のこす 이름을 천세에 남기다. ¶能楽のうがくの翁おきな다음에 나와서 춤추고 노래하는 역(役). ━いちぐう【──一遇】 -gū 图 천재 일우.

せんざい【前栽】 图〈雅〉①앞뜰에 심은 화초; 또, 화초를 심은 뜰; 뜰앞수귀; ㅇ재래. =青もの. ━もの【──物】图 야채; 푸성귀. =あおもの.

せんざい【洗剤】 图 세제.

せんざい【煎剤】 图 약초를 달여낸 물약(한약 따위). =せんじぐすり.

せんざい【潜在】 图 区自 잠재. ↔顕在けん. ━いしき【──意識】 图 잠재 의식. ━てき【──的】 ㄞ 잠재적.

ぜんざい【善哉】 国 ① 善哉ぜんざいもち(= 팥고물을 한 떡)의 준말. ②〔関西かんさい 지방 등에서〕단팥죽. =いなかじるこ.

□ 國『よきかな'의 뜻: 좋을진저; 좋구나(좋다고 칭찬하는 말).

*****せんさく**〔穿鑿・詮索〕 图 区他 천착. ① 구멍을 뚫음. ②세세한 점까지 깊이 파고 듦. ¶過去かこを～する 과거를 꼬치 꼬치 캐다. ③〔계사자가〕어떤 일에 대해 이러니저러니 참견함[억측함]. ¶～ずき 천착하기 좋아함.

せんさく〔詮索〕 图 区他 탐색함; 추구함; 파고[캐고] 듦.

センサス 图 센서스. ①인구 조사; 국세(國勢) 조사. ②실태 조사; 일제 조사. ¶農業のうぎょう～ 농업 센서스. ▷census.

ぜんさつ【禅刹】 图 선찰. =禅寺でら.

せんさばんべつ【千差万別】 -bambetsu 图 천차 만별.

せんし【先師】 图 선사. ①돌아간 스승. ②선현(先賢).

せんし【先史】 图 선사; 유사 이전. ━じだい【──時代】 图 선사 시대. ↔歴史れき時代.

せんし【戦史】 图 전사.

せんし【戦士】 图 전사. ①전사(兵士へい'(=병사)'의 미칭). ②産業さんぎょう～ 산업 전사.

せんし【戦死】 图 区自 전사.

せんし【戦時】 图 전시. ━たいせい【──体制】 图 전시 체제. ↔平時へい.

ぜんし【全姿】 图 전체 모습. ¶～を写うつす 전체 모습을 찍다.

ぜんし【全紙】 图 ①ぜんぱん(全判). ②모든 신문. ③(신문)지면 전체. ④〔写〕인화지 크기의 일종(102 cm×122 cm).

ぜんし【前史】 图 ①전사. ¶資本主義しほんしゅぎ発達はったつ～ 자본주의 발달 전사. ②선사(先史).

ぜんじ【善事】 图 선사. ①착한[좋은] 일. ②경사스러운 일. =吉事きちじ. ↔悪事あくじ.

ぜんじ【禅師】 图〔佛〕선사. (治).

ぜんじ【全治】 图 区自 ☞ぜんち(全治).

ぜんじ【漸次】 圓 점차; 차차; 점점. = 次第しだいに・だんだん.

せんじぐすり【煎じ薬】 图 탕약; 탕제. =湯薬ゆやく=湯薬とうやく.

せんしつ【船室】 图 선실. =キャビン・ケビン.

せんじつ【先日】 图 요전(날). ━らい 【──来】 圓 일전부터; 요 며칠째.

ぜんじつ【禅室】 图 선실. ①선방(禅房)(좌선(坐禅)하는 방). ②주지(住持)의 방; 전하여, 주지. ③불문에 들어간 귀인.

*****ぜんじつ**【前日】 图 전일. ①전날. ↔翌日よくじつ. ②요전; 일전. =先日せんじつ.

せんじつめる【せんじ詰める】〔煎じ詰める〕图 ㄞ①(한약 따위를) 바싹 달이다. ②전하여, 끝까지 따져 보다. 요약하다. ¶～めれば 따지고 보면 (결국).

せんしばんこう【千思万考】 -kō 图 区他 천사 만고.

せんしばんこう【千紫万紅】 -kō 图 천자 만홍. =百花繚乱りょうらん.

せんしばんたい【千姿万態】 图 천자 만태; 온갖 자태.

せんじもん【千字文】 图 천자문.

せんしゃ【戦車】 -sha 图 전차; 탱크. =タンク. 자.

せんじゃ【撰者】 -ja 图 찬자; 작자; 편

せんじゃ【選者】-ja 名 선자 ; 뽑는 사람.

ぜんしゃ【前者】-sha 名 전자. ↔後者

ぜんしゃ【前車】-sha 名 전차 ; 앞차. ↔後車. ――の轍を踏む 전철을 밟다.

せんじゃく【繊弱】-jaku 名ダ 섬약. ¶～の体質 섬약한 체질.

ぜんしゃく【前借】-shaku 名ス他 전차 ; 가불. ＝まえがり・さきがり.

せんしゅ【先取】-shu 名ス他 선취. ＝さきどり. ¶～点 선취점.

せんしゅ【先守】-shu 名 〔野〕 선수(비) ; 먼저 수비를 함. ↔先攻.

せんしゅ【船首】-shu 名 선수 ; 뱃머리. 이물. ＝へさき・みよし. ↔船尾.

せんしゅ【船主】-shu 名 선주. ＝ふなぬし.

せんしゅ【僧主】-shu 名 참주.

せんしゅ【繊手】-shu 名 섬수 ; 가냘픈 여자의 손.

＊せんしゅ【選手】-shu 名 선수. ――けん【―権】名 선수권. ――むら【―村】名 선수촌. ＝オリンピック村.

せんしゅう【千秋】-shū 名 천추 ; 千年. ¶一日千秋の思い 하루가 천추 같은 생각. ――ばんぜい【―万歳】名 천추 만세(축복하여 축원하는 말). ＝せんしゅうばんざい. ――らく【―楽】名 (씨름・연극 등) 흥행의 최종일. ＝らく. ↔初日.

＊せんしゅう【先週】-shū 名 전주 ; 지난주. ↔来週.

せんしゅう【専修】-shū 名ス他 전수.

せんしゅう【撰修】-shū 名ス他 찬수 ; 편수. ＝編修.

せんしゅう【選集】-shū 名 선집. ↔全集. 一 名 선주 민족. 二 名 〔佛〕 전주(住持). ↔後住.

せんじゅう【専従】-jū 名ス自 전종 ; 오로지〔전적(全的)으로〕 그 일에만 종사함. ¶農業～者 농업에만 종사하는 자.

せんしゅう【撰集】-jū 名 찬집.

ぜんしゅう【前週】-shū 名 전주 ; 지난주. ＝先週. ↔来週.

＊ぜんしゅう【全集】-shū 名 전집. ↔単行本・選集.

ぜんしゅう【禅宗】-shū 名 선종(불교의 일파).

＊せんじゅつ【戦術】-jutsu 名 전술.

＊せんじゅつ【撰述】-jutsu 名ス他 찬술 ; 저술. ＝著述.

ぜんじゅつ【前述】-jutsu 名ス自 전술. ＝先述. ↔後述.

せんしょ【選書】-sho 名 선서 ; 어떤 목적에 맞게 모은 책들 ; 또, 그의 하나.

せんじょ【仙女】-jo 名 선녀. ＝せんにょ.

ぜんしょ【全書】-sho 名 전서. ¶六法～ 육법 전서.

ぜんしょ【前書】-sho 名 전서. ①먼저 쓴 책〔문장〕. ②먼저 낸 편지.

ぜんしょ【善処】-sho 名ス他 선처.

ぜんしょ【善所・善処】-sho 名 〔佛〕 극락. ¶後生～ 후생에 극락에 태어남.

せんしょう【僭称】-shō 名ス他 참칭. ¶王を～する 왕을 참칭하다.

せんしょう【先勝】-shō 一 名ス自 선승. 二 名 '先勝日'의 준말 ; 〔陰陽道에서〕 급한 일・송사 등에 길(吉)하다는 날. ＝せんかち. ↔先負.

せんしょう【戦勝・戦捷】-shō 名ス自 전승. ＝かちいくさ. ↔戦敗.

せんじょう【戦場】-jō 名ス自 전상. ――し【―死】名 전상사.

せんじょう【戦場】-jō 名 전장 ; 싸움터. ¶～の露と消える 전장의 이슬로 사라지다.

せんじょう【洗浄・洗滌】-jō 名ス他 세정 ; 세척. ¶～器 세척기. 注意 '洗滌'는 바르게는 'せんでき'.

せんじょう【扇情・煽情】-jō 名ス自 선정. '扇情'로 씀은 대용 한자. ――てき【―的】ダナ 선정적.

せんじょう【船上】-jō 名 선상 ; 배의 위. ¶～席 ～; すじ.

せんじょう【線条】-jō 名 〔雅〕 선조.

ぜんしょう【前生】-shō 名 〔佛〕 전생 ; 전세. ＝前世生. ↔後生.

ぜんしょう【前哨】-shō 名 전초. ――せん【―戦】名 전초전.

ぜんしょう【全焼】-shō 名ス自 전소. ＝丸焼けまる. ↔半焼はん.

ぜんしょう【全勝】-shō 名ス自 전승. ↔全敗はい.

ぜんじょう【禅定】-jō 名 〔佛〕 선정. ¶～に入る 선정에 들어가다. ②행자(行者)의 입산 수도.

ぜんじょう【禅譲】-jō 名 선양 ; 제왕(帝王)이 그 왕위를 세습하지 않고 덕 있는 사람에게 양위하는 일.

せんじょうち【扇状地】-jōchi 名 〔地〕 선상지.

せんじょうとう【前照灯】-shōtō 名 전조등. ＝ヘッドライト. ↔尾灯びう.

せんじょうばんたい【千状万態】senjō- 名 천상 만태 ; 천태 만상.

せんしょく【染色】-shoku 名ス自他 염색. ――たい【―体】名 〔生〕 염색체. 「색과 직조.

せんしょく【染織】-shoku 名 염직 ; 染色과 織造.

ぜんしょく【前職】-shoku 名 전직. ¶現職げん～ 달이다.

せん-じる【煎じる】上1他 (약・차 따위) 달이다.

せんしん【先進】-shin 名 선진 ; 선배. ＝後進. ↔後進こう. ――こく【―国】名 선진국. ↔後進国こう・発展途上国とじょう.

せんしん【専心】-shin 名ス自 전심. ＝専念. ¶～学を励ます 전심하여 배우는 데 힘쓴다. 注意 副詞的으로도 씀.

せんしん【潜心】-shin 名ス自 잠심 ; 몰두. ＝沒頭ぼっとう. 「길. ＝ちひろ.

せんじん【千尋・千仞】-jin 名 천심 ; 천길.

せんじん【先人】-jin 名 선인. ①예사람 ; 이전 사람. ↔後人こう・今人こん. ②선조(先祖) ; 망부(亡父). ＝祖先せん・亡父ぼう.

せんじん【先陣】-jin 名 선진. ①전진 〔先陣〕. ＝先手せん. ↔後陣こう. ②맨 앞장 ; 선봉(先鋒). ＝先駆さき. ¶～争あらそい 선봉(선두) 다툼.

せんじん【戦陣】-jin 名 전진. ①싸움터 ; 전장(戦場). ＝戦場せん. ②싸우기 위하여 진을 침 ; 전열.

せんじん【戦塵】-jin 名 전진.

ぜんしん【全身】图 전신; 온몸. ━━**半身**½% ━━**ぜんれい**【━全霊】图 전신전령; 몸과 마음 전부. ¶━をささげる 온몸과 마음을 바치다.

ぜんしん【前身】图 전신. ↔後身½%.

ぜんしん【前進】图▽自 전진. ↔後退.

ぜんしん【漸進】图▽自 점진. ↔急進. ━━**てき**【━的】 ↔後進½½.

ぜんしん【善心】图 선심. ①선량한 마음. ↔悪心½%. ②〔佛〕보살의 마음. =ぼだい心½.

ぜんじん【全人】图 전인; 지식·감정·의지가 잘 조화된 사람. ━━**きょういく**【━教育】-kyōiku 图 전인 교육.

ぜんじん【前人】图 전인; 이전〔과거〕사람. ━━**みとう**【━未到·━未踏】-mitō 图 전인 미답.

せんしんばんく【千辛万苦】图▽自 천신 만고.

せんす【扇子】图 선자; 접부채; 쥘부채.

センス 图 센스. ①미묘한 감각. ②지각; 분별력; 사려. ▷sense.

せんすい【泉水】图 ①뜰에 만든 연못. ②천수; 샘솟는 물; 샘. =わき水½·いずみ.

せんすい【潜水】图▽自 잠수. ━━**かん**【━艦】图 잠수함. ━━**ふ**【━夫】图 잠수부. ━━**ふ**【━量】图▽半数量?

せんすう【全数】-sū 图 전수; 전부의 수.

せんすべなし【為ん術なし】連語 어쩌할 방법이〔도리가〕없다; 하는 수 없다.

せん-する【宣する】▽変他 선언하다.

せん-する【撰する】▽変他 찬하다; 저술하다. ━━「で」에서 글을 짓다.

せん-する【選する】▽変他 많은 것 중에서 고르다.

せんずるところ【詮ずる所】連語 요컨대; 생각건대; 결국. =つまり·要するに.

ぜんせ【前世】图〔佛〕전세. ↔後世½%.

せんせい【先生】图 선생（의사·국회의원 등의 경칭으로도 쓰임）; 스승. ¶친구간이나 멸시의 뜻으로도 종종 쓰임. ¶あの━にやらせろ 저 친구〔녀석〕에게 시켜 보자.

せんせい【宣誓】图▽他 선서.

せんせい【専政】图▽他━━いたい【━政体】图 전제 정치. ━━**せいじ**【━政治】图 전제 정치.

せんせい【先制】图▽他 선제. ━━**こうげき**【━攻撃】图 선제 공격.

せんせい【戦勢】图 전세.

せんせい【占筮】图▽他 점서; 복서〔卜筮〕. ━━「せい時代」「占筮 시대」.

ぜんせい【全盛】图 전성. ¶━時代½½. ━━**じだい**【━時代】 옛날. =むかし. ②☞ぜんぜ.

ぜんせい【善政】图 선정. ━を敷ゝく 선정을 펴다. ↔悪政½%.

ぜんせいき【前世紀】图 ①전세기. ¶━の遺物½% 전세기의 유물. ②태고적.

せんせいじゅつ【占星術】-jutsu 图 점성술.

せんせいりょく【潜勢力】-ryoku 图 잠세력.

センセーション-shon 图 센세이션; 감동; 대평판〔大評判〕. ▷sensation.

せんせき【戦跡】图 전적.

せんせき【戦績】图 전적.

せんせき【泉石】图 천석; 뜰에 있는 연못과 돌.

せんせき【船籍】图 선적. ¶━不明½% 선적 불명.

せんせつ【前説】图 전설. ①이전에 말한 설〔說〕. ②옛 사람의 설. ③서설〔序說〕. =まえせつ.

せんせん【先占】图▽自 선점. ━━**しゅとく**【━取得】-shutoku 图▽自 선점 취득.

せんせん【宣戦】图▽自 선전. ¶━布告½% 선전 포고.

せんせん【戦線】图 전선.

せんせん【潺潺】タル 잔잔; 얕은 물이 졸졸 흐르는 모양. ¶━たる谷川訟の音を 졸졸거리는 시냇물 소리.

せんせん-【先先】☞せんぜん. ¶━月ゝ 지지난달 / ━ 日ゝ 그저께.

せんぜん【戦前】图 전전; 특히, 2차 대전. ¶━派½% 전전파. ↔戦後½%.

ぜんせん【全線】图 전선. ①（철도 등의）선〔線〕의 전부. ¶━不通½% 전선 불통. ②전전선〔全戰線〕.

ぜんせん【前線】图 전선. ¶寒冷½%━ 한랭 전선 / 梅雨½━ 장마 전선.

ぜんせん【善戦】图▽自 선전.

ぜんぜん【全然】副 ①〔부정하는 말을 수반하여〕전혀; 全〔く·まるっきり. ¶━読ゝめない 전혀 못 읽(겠)다. ②〔俗〕〔否定의 말을 수반하지 않고〕단연; 대단히. =いいえ 썩 좋구나 / ━おもしろい 정말 재미있다.

ぜんぜん-【前前】전전. =せんせん-. ¶━年ゝ 전전해 / ━月ゝ 전전달.

せんせんきょうきょう【戦戦恐恐】〔戦戦兢兢〕-kyōkyō タル 전전 긍긍. ¶首ゝにならないかと─としていた 해고당하지 않을까 하고 전전 긍긍하고 있었다.

せんそ【践祚】图▽自 천조; 세자〔世子〕가 왕위를 계승함. =即位½½.

せんぞ【先祖】图 선조; 조상. ¶━代代½% 선조 대대. ━━**がえり**【━返り】图〔生〕격세 유전〔隔世遺傳〕.

せんそう【戦争】图▽自 전쟁. =いくさ. ¶冷ゝ━ 냉전. ━━**はんざいにん**【━犯罪人】图 전쟁 범죄인. =戦犯½½.

せんそう【船倉】〔船艙〕-sō 图 선창; 화물창; 윗갑판 밑의 짐 싣는 곳. =ふなぐら.

せんそう【船窓】-sō 图 선창; 배의 창.

せんぞう【潜像】-zō 图〔理〕잠상.

ぜんそう【前奏】-sō 图▽自 ①전주. =序奏½%. ②예고; 전조〔前兆〕. =前触ゝれ. ━━**きょく**【━曲】-kyoku 图〔樂〕전주곡.

ぜんそう【禅僧】-sō 图 선승; 선종〔禪宗〕의 중.

ぜんぞう【漸増】-zō 图▽自 점증. ↔漸減½%.

せんそく【船側】图 선측.

せんぞく【専属】图▽自 전속.

ぜんそく【喘息】图〔醫〕천식.

ぜんそくりょく【全速力】-ryoku 图 전속력. =全速½%.

ぜんそん【全損】图 전손. ¶━担保½% 전손 담보.

センター 图 센터. ▷center.

せんたい【船隊】图 선대; 선단〔船團〕.

せんたい【船体】 图 선체. 「こけ.
せんたい【蘚苔】 图【植】선태；이끼. =
せんだい【先代】 图 선대. ①전대(前代). ②당주(當主)의 한 대 전(前)주인. ③습명(襲名)한 예능인(藝能人)등의 한 대(代) 앞 사람. 「船臺」
せんだい【船台】 图 (조선소의) 선대
*ぜんたい【全体】 图 전체. ↔部分党.
──しゅぎ【──主義】-shugi 图 전체주의. ↔個人主義党党.
*ぜんたい【全体】 图 ①원래(부터)；본디. =もともと. ¶──君党が間違ちがっているのが悪い 원래 네가 잘못돼 있는 거다. =一体党；全体. ¶──どういうつもりだ 도대체 어쩔 셈이냐. 「船臺」
ぜんだい【前代】 图 전대；전세. ↔後代党. ──みもん【──未聞】 图 전대미문. =空前党.
せんたいしょう【線対称】-shō 图【数】선대칭.
*せんたく【洗濯】 图スエ 세탁. =せんだく. ──き【──機】세탁기. ──ソーダ【化】세탁(용) 소다. ▷soda.
せんたく【選択】 图スエ 선택.
せんだつ【先達】 图スエ ①먼저 통달하여 남을 인도하는 일；또, 그 사람；선배. ②선도자(先導者)；안내인.
せんだって【先達て】-datte 圓 앞서；얼마 유동의 전에. =さきごろ・このあいだ. ¶──来た人 요전에 온(왔던) 사람.
ぜんだて【膳立て】 图スエ ①상 차림；식사 준비. ②(보통 「お」를 붙여서) 사전에 준비를 갖추는 일.
ぜんだま【善玉】 图 (옛 소설이나 사건 등에 나오는) 선인(善人). ¶──悪玉党 선인과 악인.
せんたん【仙丹】 图 선단；불로 불사(不老不死)한다는 영약.
せんたん【先端】 图 선단. =さき・はし. ¶棒党の──막대기의 선단. ↔後端党.
せんたん【尖端】 图 첨단. ①(칼따위의) 뾰족한 끝. ②시대·유행의 선두. ¶時代党の──を切る〔行ゆく〕 사대의 첨단을 가다. 注意「先端」으로 씀은 대용 표기. 「전위를 열다.
せんたん【戦端】 图 전단. ¶──を開ひらく
せんたん【選炭】 图スエ 선탄.
せんだん【専断・擅断】 图スエ 전단.
せんだん【栴檀】 图【植】①멀구슬나무=おうち. ②백단향의 딴이름. =びゃくだん. ──は双葉党より芳かんし 될성부른 나무는 떡잎부터 알아본다.
せんだん【船団】 图 선단. 「本位.
せんだん【前段】 图 전단. ↔後段党.
せんち【戦地】 图 전지；전장.
センチ【糎】 图 센티. ①미터법에서, 그 단위의 100분의 1을 뜻함. ②'센티메ートル'의 준말. ▷centi-.
センチ【ダナ】센티('센티멘탈'의 준말). ¶──な人党 센치한 사람.
ぜんち【全知・全智】 图 전지. ¶──全能党の神党 전지 전능한 신.
ぜんち【全治】 图スエ 전치；완쾌(完快). =ぜんじ・全快党.
ぜんち【前置詞】 图 전치사.
ぜんちしき【善知識・善智識】 图【佛】선지식；고승(高僧).
センチメートル【糎】 图 센티미터. =セ

ンチ. ▷프 centimètre.
センチメンタル【ダナ】 센티멘털；감상적. =センチ. ¶──な歌 감상적인 노래. ▷sentimental.
せんちゃ【煎茶】-cha 图 달인(엽)차.
せんちゃく【先着】-chaku 图 선착. ──じゅん【──順】-jun 图 선착순. 「과.
せんちゅうは【戦中派】-chūha 图 전중
ぜんちょ【前著】 图 전저；전의 저서. =旧著党. ↔新著党・近著党.
せんちょう【船長】-chō 图 ①배의 승무원의 우두머리. ②배의 길이. ↔船幅党.
せんちょう【全長】-chō 图 전장.
*ぜんちょう【前兆・前徴】-chō 图 전조；조짐. =きざし・まえぶれ.
せんつう【疝痛】-tsū 图【醫】산통.
ぜんつう【全通】-tsū 图 전통；전선 개통. ¶路線党が──する 전노선이 개통되다.
せんて【先手】 图 선수. ①먼저 수를 쓰는 일. ¶──を打うつ 선수를 치다. ②앞서 진격하는 부대. ↔後手党.
せんてい【先帝】 图 선제；선대의 천자.
せんてい【剪定】 图スエ ①전정；전지(剪枝). =整枝党. ②토벌하여 평정.
せんてい【選定】 图スエ 선정. 「함.
せんてい【船底】 图 선저；배의 밑바닥. =ふなぞこ.
ぜんてい【前庭】 图 전정；앞뜰；또, 앞쪽 평평한 곳. =まえにわ. ↔後庭党.
*ぜんてい【前提】 图 전제. 「う.
せんてき【洗滌】 图 선척.
ぜんてき【全的】【ダナ】전적('全面党的'・全般的党党'(=전면적·전반적)'의 준말).
せんてつ【先哲】 图 선철；선현. =前哲党.
せんてつ【銑鉄】 图 선철；무쇠. =ずく・ずく党 鉄党. 「哲党.
せんてつ【前哲】 图 =せんてつ(先
せんてつ【前轍】 图 전철. ──を踏ふむ 전철을 밟다. 「刹党. =禅林党.
ぜんてら【禅寺】 图【佛】선사；선찰(禪
せんてん【先天】 图 선천. ¶──性党 선천성. ↔後天党. ──てき【──的】【ダナ】선천적. ↔後天的党.
*せんでん【宣伝】 图スエ他 선전. ¶──屋党 허풍쟁이 / ~ビラ 선전 삐라.
ぜんてんこう【全天候】-kō 图 전천후. ──き【──機】전천후기.
センテンス 图 센텐스；문장(文章). ▷sentence. 「김.
せんと【遷都】 图スエ 천도；도읍을 옮
セント【仙】 图 센트(1 달러의 100분의 1). ▷cent.
セント【聖】 图 세인트；성인(聖人)；성도(聖徒)(사람 이름 앞에 붙여서 씀). =セイント. ¶~フランシス 성(聖)프란체스코. ▷Saint；St.；S.
せんど【先途】 图 ①운명의 갈림길(이 되는 중요한 때). =せとぎわ. ¶ここを~と戦たたう 지금이 승패를 결할 때다 하고 싸우다. ②전도(前途)(종국적인) 결말. ③(옛날에) 집안의 문벌에 따라 결정되어 있던, 최고의 벼슬.
せんど【鮮度】 图 선도；지난번；요전. =さきごろ・せんだって. ¶~はお世

話様ばなしでした 전번엔 폐가 많았습니다.

せんど【鮮度】 名 (신)선도；야채·어육 등의 신선한 정도. ─いき.

ぜんと【前途】 名 전도.

ぜんど【全土】 名 전토.

*****せんとう**【先頭】 -tō 名 선두. ¶～を 切きる 선두에 서다. ↔後尾こうび.

せんとう【尖塔】 -tō 名 첨탑；뾰족탑.

*****せんとう**【戦闘】 -tō 名 ス自 전투.
── **き**【─機】 名 전투기.

せんとう【銭湯】(洗湯) -tō 名 (俗) 공중 목욕탕. ＝ふろや·湯屋ゆや.

せんどう【先導】-dō 名 ス他 선도. ¶～車しゃ 선도차.

*****せんどう**【煽動】(扇動) -dō 名 ス他 선동. ＝アジテーション. 注意 '扇動'로 씀은 대용 표기.

せんどう【船頭】 -dō 名 뱃사공. ＝船夫せんぷ·かこ·ふなこ. ──多おおくして船ふね 山やまに登のぼる 사공이 많으면 배가 산으로 올라간다.

せんどう【顫動】-dō 名 ス自 전동. ¶～音おん 전동음. ¶──落おちる.

ぜんとう【漸騰】-tō 名 ス自 점등. ↔漸落ぜんらく.

ぜんどう【善導】-dō 名 ス他 선도.

ぜんどう【禅堂】-dō 名 (佛) 선당.

ぜんどう【蠕動】-dō 名 ス自 연동. ¶～運動うんどう 연동 운동 / うじ虫むしが～する 구더기가 꾸물거리다.

ゼントルマン【gentleman】 名 젠틀맨；신사. ＝ジェントルマン. ↔レディー. ▷gentleman.

せんない【詮無い】 形 도리 없다；할수 없다. ¶言いっても─ことだが 말해야 소용없지만.

せんない【船内】 名 선내. ↔船外せんがい.

せんなり【千なり】(千生り·千成り) 名 조롱조롱 열매가 열림. ──びょうたん【─瓢箪】-byōtan 名 호리병박의 일종 (수많은 작은 열매가 열림).

せんなん【善男】 名 (佛) 선남. ＝善男子ぜんなんし. ──ぜんにょ【─善女】-nyo 名 (佛) 선남 선녀.

ぜんに【禅尼】 名 (佛) 선니；불문에 들어간 여자. ＝禅定尼ぜんじょうに·禅門尼ぜんもんに.

せんにく【鮮肉】 名 선육；신선한 고기. ＝生肉なまにく.

せんにち【千日】 名 ①천 일. ¶～の功こう 천일지공. ②많은 날；여러 날. ──こう【─紅】-kō 名 (植) 천일홍. ＝千日草せんにちそう.

せんにゅう【潜入】-nyū 名 ス自 잠입.

せんにゅう【先入】-nyū 名 선입. ¶～かん【─観】名 선입관；고정 관념. ＝先入主せんにゅうしゅ·先入見せんにゅうけん. ¶[じょ.

せんにょ【仙女】-nyo 名 선녀. ＝せんにょ·善男ぜんなん~ 선남 선녀.

せんにょ【善女】-nyo 名 (佛) 선녀. ¶善男ぜんなん~ 선남 선녀.

せんにん【仙人】 名 선인. ①신선. ②욕심 많은 사람. ──そう【─草】-sō 名 (植) 참으아리.

せんにん【千人】 名 ①천 사람. ②많은 사람. ──りき【─力】 名 천 사람의 힘이 있음；굉장히 힘셈；또, 천 사람의 힘을 얻은 것만큼 마음이 든든함.

せんにん【先任】 名 선임. ↔後任こうにん·新任しんにん.

*****せんにん**【専任】 名 ス他 전임. ↔兼任けんにん.

せんにん【選任】 名 ス他 선임.

ぜんにん【善人】 名 ①선인. ↔悪人あくにん. ②호인；호인물. ＝お人よし.

ぜんにん【前任】 名 전임. ¶～者しゃ 전임자. ↔後任者こうにんしゃ·新任にんしゃ.

せんねつ【潜熱】 名 잠열. ①내부에 잠겨 외부에 나타나지 않는 신열(身熱). ②(理) 물체가 융해·기화(氣化)할 때 흡수하고, 응결할 때 내는 열.

せんねん【先年】 名 몇 해 전；연전(年前). ＝往年おうねん. ↔後年こうねん.

*****せんねん**【専念】 名 ス自 ①전념；전심. ＝専心せんしん. ②실현되기만을 기원함. ¶病気びょうきの平癒へいゆを～する 병이 완쾌되기만을 기원함.

ぜんねん【前年】 名 전년. ①작년；지난 해. ②(어떤 시점을 기준으로 한) 바로 전해.

せんのう【先王】-nō 名 선왕. ①선대의 왕. ②옛날의 성왕(聖王). ＝せんおう.

せんのう【洗脳】-nō 名 ス他 세뇌.

ぜんのう【全能】-nō 名 전능. ¶全知ぜんち~ 전지 전능.

ぜんのう【全納】-nō 名 ス他 전납. ＝完納かんのう. ↔分納ぶんのう.

ぜんのう【前納】-nō 名 ス他 전납；예납(豫納). ↔後納こうのう.

せんば【前場】 zemba (거래소에서의) 전장. ↔後場ごば.

せんばい【専売】 名 ス他 전매. ──とっきょ【─特許】-tokkyo 名 ①전매 특허('特許せんきょ(＝특허)'의 구칭). ②(俗) 특기；장기(長技). ＝おはこ.

*****せんぱい**【先輩】 sempai 名 선배. ↔後輩こうはい·同輩どうはい.

せんぱい【戦敗】 sempai 名 ス自 전패；패전. ¶～国こく 패전국. ↔戦勝せんしょう.

ぜんぱい【全敗】 zempai 名 ス自 전패. ↔全勝ぜんしょう.

ぜんぱい【全廃】 zempai 名 ス他 전폐.

せんぱく【浅薄】 sempaku 名 ダナ 천박. ¶[ね.

せんぱく【船舶】 sempaku 名 선박. ＝ふ

*****せんばつ**【選抜】 semba- 名 ス他 선발. ＝よりぬき. ¶～試験しけん 선발 시험 / ～チーム 선발팀.

せんぱつ【先発】 sempa- 名 ス自 ①먼저 출발함. ¶～隊たい 선발대. ↔後発こうはつ. ②(野) (선수가) 경기 개시 때부터 나옴. ＝～メンバー 선발 멤버.

せんぱつ【洗髪】 sempa- 名 ス自 세발. ＝かみあらい. ¶[역색.

せんぱつ【染髪】 sempa- 名 ス自 머리 염색.

せんばづる【千羽鶴】(千羽鶴) 名 ①종이로 접은 학을 많이 이어 단 것；또, 많은 학을 그린 무늬.

せんまん【千万】 名 ①(接尾語적으로) 천만；더할 수 없음；격심함. ¶ひきょう~ 비겁 천만. ②(副詞的으로) 여러 가지(로). ＝いろいろ(に). ¶～手てを尽つくして 여러 모로 손을 쓰다.

せんぱん【先番】 名 ①먼저 해야 할 차례. ②(바둑·장기에서의) 선수.

せんばん【旋盤】 semban 名 선반. ＝レース·ダライ盤ばん. ¶──工こう 선반공.

せんぱん【先般】 sempan 名 전번；지난번；일전；요전. ＝さきごろ·このあい

だ. ¶～来ら 전번부터. ↔今般☆.

ぜんぱん【戦犯】sempan 图 전범('戦争ξ☆犯罪人☆☆'(=전쟁 범죄인)'의 준말).

ぜんぱん【前半】图 전반. =ぜんはん. ↔後半ξ☆. **――せん**【――戦】图 전반전. ↔後半戦☆.

ぜんぱん【全判】zemban 图 전판 ; 전지(全紙). ¶【A㎡(B판)―― A(B)전판.

ぜんぱん【全般】zempan 图 전반. **――てき**【――的】図圖 전반적.

せんび【戦備】sembi 图 전비.

せんび【船尾】sembi 图 선미 ; 고물. =とも. ↔船首ξ☆ ; ――とう【――灯】图 선미등. ↔船首灯☆.

せんび【先妣】sempi 图 선비 ; 돌아가신 어머니. ↔考ぢ.

ぜんび【戦費】sempi 图 전비.

ぜんび【善美】zembi 图名 선미. ¶～をつくした建築☆ 선미를 다한 건축.

ぜんぴ【前非】zempi 图 전비 ; 전비(先非). ¶～を悔くいる 전비를 뉘우치다.

せんびきこぎって【線引(き)小切手】sembikikogitte 图【商】횡선 수표. =横線ξ☆小切手.

せんびょう【線描】sembyō 图【美】선묘 ; 선만으로 그림. =せんがき・デッサン. ――へい【――平】 선후묘.

せんぴょう【選評】sempyō 图他 선평.

せんびょうしつ【腺病質】sembyō- 图〔医〕선병질. ――なびん.

せんびん【船便】sembin 图 선편. =ふなびん.

ぜんびん【前便】zembin 图 (바로) 전번의 편지. =先便☆. ↔後便☆.

せんぷ【先負】sembu 图 '先負日☆☆'의 준말 ; (음양도(陰陽道)에서) 급한 일이나 송사(訟事) 등에 나쁘다 하여 피하는 날. ↔先勝ξ☆.

せんぷ【宣布】sembu 図他 선포.

せんぷ【宣布】sembu 図他 선포.

せんぷ【先夫】sempu 图 선부 ; 전부 ; 전남편. =前夫ξ☆.

＊ぜんぶ【全部】zembu 图 전부 ; 모두. ¶～そろう 전부 갖추어지다 ; 다 모이다. ¶～できた 다 되었다. 參考 副詞적으로도 씀. ↔一部☆.

ぜんぶ【膳部】zembu 图 상에 차려 나오는 음식 ; 요리. =食ξ☆事.

せんぷう【旋風】sempū 图 선풍. =つむじかぜ. ¶～的な人気ぎ 선풍적인 인기. =ファン.

せんぷうき【扇風機】sempūki 图 선풍기.

せんぷく【潜伏】sempuku 図自 잠복. **――き**【――期】图 잠복기.

せんぷく【船幅】sempuku 图 선폭 ; 배의 폭의 제일 넓은 곳. ↔船長☆☆

せんぷく【船腹】sempuku 图 ①배의 동체(胴體) 부분. ②배의 적재능력. ③(수송 기관으로서의) 선박. ¶自国☆ ～ 자국 선박.

せんぷく【全幅】sempuku 图 전폭. ¶～の信頼ξ☆ 전폭적인 신뢰.

せんぷり【千振り】semburi 图 ①【植】용담과의 월년초(越年草)(자주색으로 쓴물 따위). ②【動】시베리아잠자리.

ぜんぶん【撰文】sembun 図自 찬문 ; (비문 따위의) 문장을 지음 ; 또, 그 문장.

せんぶん【線分】sembun 图【数】선분.

ぜんぶん【全文】zembun 图 전문. ¶～削除ぢ 전문 삭제.

ぜんぶん【前文】zembun 图 전문. ①(편지의) 첫머리의 인사말 부분. ②(강령・규약 따위의) 서문(序文). ¶憲法☆☆の～ 헌법의 전문. ③전에 쓴 문장・편지.

せんぶんひ【千分比】sembunhi 图 천분비(기호 ; ‰).

せんぶんりつ【千分率】sembun- 图 천분율. =千分比☆☆.

せんべい【煎餅】sembei 图 밀가루・쌀가루 등을 반죽하여 구운 납작한 과자. ¶～ぶとん【――布団】图 솜이 적고 보잘것없는 얇은 이불.

せんぺい【先兵】(尖兵) sempei 图 첨병. 注意 '先兵'로 씀은 대용 한자.

せんべつ【選別】sembe- 图他 선별. =よりわけ.

*せんべつ**【餞別】sembe- 图自他 전별 ; 전별금(金品) ; 또, 그것을 줌. =はなむけ.

せんべん【先鞭】semben 图 선편 ; 앞지름 ; 선수. **――をつける** 선수를 쓰다.

ぜんぺん【全編】(全篇) zempen 图 전편.

せんぺんいちりつ【千篇一律】(千篇一律) semben- 图自 천편 일률.

せんぺんばんか【千変万化】sempen- 图自 천변 만화.

ぜんぼう【羨望】zembō 图他 선망. ¶～的ぎの となる 선망의 대상이 되다.

*せんぼう**【先方】sembō 图 ①상대편 ; 상대방. =むこう・当方☆☆. ②저쪽 ; 앞쪽. ――て.

せんぽう【先鋒】sempō 图 선봉. =さきて.

せんぽう【戦法】sempō 图 전법.

ぜんぼう【全貌】zembō 图 전모. =全容ξ☆. ――方ξ☆.

ぜんぽう【前方】zempō 图 전방. ↔後方ξ☆.

せんぼうきょう【潜望鏡】sembōkyō 图 잠망경. =ペリスコープ.

せんぼつ【戦没】(戦歿) sembo- 图自 전몰. ¶～将士ξ☆ 전몰 장병.

せんぼう【潜望】sembo- 図自 ①물 속에 잠김. ②잠수함이 잠항함.

ぜんぽん【善本】zempon 图〔서지학(書誌學)에서〕 보존이 좋고 본문의 제본이 오랜 희구서(稀覯書).

せんぼんじめじ【千本湿地】sembon- 图【植】'しめじ'의 딴이름.

せんまい【洗米】semmai 图 세미 ; 깨끗이 씻은 쌀. =あらいごめ・かしよね.

ぜんまい【薇】zemmai 图【植】고비.

ぜんまい【発条・撥条】zemmai 图 태엽 ; 용수철. =ばね・発条☆☆・スプリング. ¶～ばかり 용수철 저울.

せんまいづけ【千枚漬(け)】semmai- 图 순무를 얇게 썰어 미림・누룩 등에 담근 김치(京都ぢ 특산).

せんまいどおし【千枚通し】semmaidō- 图 여러 겹의 종이를 뚫는 데 쓰는 송곳.

せんまんむりょう【千万無量】semman-muryō 图 수없이 많음 ; 헤아릴 수 없음.

せんみつ【千三つ】semmi- 图 ①거짓말쟁이 ; 허풍쟁이. =うそつき・ほらふき. ②복덕방 ; 거간꾼.

せんみょう【宣命】semmyō 图 옛날, 한 문체로 쓴 조칙(詔勅)에 대해서, 宣命体ぎょうで 쓴 조칙. ――たい【――体】图《宣命然》・祝詞なな 등에 일본식으로 두체(吏讀体)(語尾・助動詞・助詞 등은 '万葉ばながな'로 작게 썼음).

せんみん【賤民】semmin 图 천민.

せんみん【選民】semmin 图 선민. ¶～思想な 선민 사상.

せんむ【専務】semmu 图 전무. ¶～車掌ほう 여객 전무. ――とりしまりやく【――取締役】图 전무 이사. =専務充.

せんめい【鮮明】semmei 图 ダナ 선명. ――き【――器】图 선면기. ――じょ【――所】-jo 图 선면소; 화장실.

せんめい【闡明】semmei 图 スサ 천명; 밝힘.

せんめつ【殲滅】semme- 图 スサ 섬멸; 무찌름.

*ぜんめつ【全滅】zemme- 图 スサ 전멸.

せんめん【洗面】semmen 图 スサ 세면; 세수. ¶～道具どう 세면 도구. ――き【――器】图 세면기. ――じょ【――所】-jo 图 세면소; 화장실.

ぜんめん【全面】zemmen 图 전면. ――てき【――的】ダナ 전면적.

ぜんめん【前面】zemmen 图 전면. ¶～攻撃だき 전면 공격. ↔後面だ.

せんもう【旋毛】semmō 图 선모; 돌돌 말린 털(머리의 가마). =つむじ.

せんもう【繊毛】semmō 图 섬모. ①가는 털. ②세포의 표면에 나온 가는 털 모양의 돌기. ¶～運動どう 섬모 운동.

**せんもん【専門】semmon 图 전문. ¶～医ぃ 전문의／～語ご 전문어／～学校 전문 학교／～科目☆ 전문 과목／～家☆ 전문가.

せんもん【前門】zemmon 图 전문; 앞문. ――のとら, 後門だの おかみ 앞문의 범 뒷문의 늑대(앞뒤로 재난을 당함).

ぜんもん【禅門】zemmon 图 선문. ①선종(의 종문). ②불문에 든 남자. ↔禅尼だ.

ぜんもんどう【禅問答】zemmondō 图 ①〔佛〕선문답. ②제삼자가 알아들을 수 없는 문답이나 멍청한 대답 등을 가리 킴.

せんや【戦野】sen-ya 图 전야; 싸움터; 전장(戦場). 「제.

ぜんや【前夜】zen-ya 图 전야. ¶～祭ど(戦場).

せんやく【先約】sen-yaku 图 선약.

せんやく【仙薬】sen-yaku 图 선약; 영약(靈藥).

せんやく【煎薬】sen-yaku 图 탕약; 탕제(湯劑). =せんじぐすり.

ぜんやく【全訳】图 スサ 전역. ↔抄訳

せんゆう【占有】-yū 图 スサ 점유.

せんゆう【専有】-yū 图 スサ 전유; 독점. ひとりじめ. ↔共有なな.

せんゆう【戦友】-yū 图 전우.

せんよう【占用】-yō 图 スサ 점용.

せんよう【宣揚】-yō 图 スサ 선양.

*せんよう【専用】-yō 图 スサ 전용. ¶社長なな の～車 사장의 전용차. ↔悪用ない. 「도; 전내용.

ぜんよう【全容】-yō 图 スサ 전용; 전모.

せんら【全裸】图 알몸; 발가숭이. =まるはだか☆だか. =半裸体ない.

ぜんらく【漸落】图 スサ 점락. ↔漸騰ぎる.

せんらん【戦乱】图 전란. 「しだ.

せんり【戦利】图 ①전승. ②전리. ――ひん【――品】图 전리품.

せんりがん【千里眼】图 천리안.

せんりつ【戦慄】图 スサ 전율.

せんりつ【旋律】图 선율. =ふし・メロディー.

ぜんりつせん【前立腺】图〔生〕전립선('摂護腺ぜ'의 고친 이름).

せんりゃく【戦略】-ryaku 图 전략. ↔中略なた・後略だ.

ぜんりゃく【前略】-ryaku 图 전략. ↔中略なた・後略だ.

せんりゅう【川柳】-ryū 图 江戸だ시대 중기에 前句付けで에서 독립된, 5·7·5 의 3구 17음으로 된 짧은 시(풍자나 익살이 특색임).

せんりょ【千慮】-ryo 图 천려. ――の一失じっ 천려 일실. 「각. ――の一失じっ 천려 일실. 「각.

ぜんりょ【深慮】图 심려.

せんりょう【浅慮】-ryo 图 천려; 얕은 생각.

せんりょう【千両】-ryo 图 천량.

【せんりょう【植】죽절초(竹節草)(홀아비꽃대과의 상록 관목(灌木).
――やくしゃ【――役者】-sha 图 ①천냥짜리 배우; 뛰어난 배우. ②눈부신 활약으로 주목을 끄는 사람.

*せんりょう【占領】-ryō 图 スサ 점령. ¶～軍ぐ 점령군／国だ 점령국.

せんりょう【染料】-ryō 图 염료; 물감.

せんりょう【線量】-ryō 图〔理〕선량; 방사선의 분량.

せんりょう【選良】-ryō 图 선량. ①뛰어난 사람을 선출함; 또, 그 사람. ②'代議士だて'(=국회 의원)의 딴이름.

せんりょう【全量】-ryo 图 전량.

ぜんりょう【善良】-ryo 图 선량. ¶不良らう・悪質なく. 「투 능력.

*ぜんりょく【全力】-ryoku 图 전력. ¶～をつくす 전력을 다하다.

せんりん【善隣】图 선린. ¶～友好なく 선린 우호.

ぜんりん【禅林】图〔佛〕선림. =禅寺なで. 「류.

せんるい【鮮類】【藓類】图〔植〕선류.

せんれい【先例】图 선례; 전례; 관례. ¶～をひらく 선례를 만들다.

せんれい【洗礼】图 세례.

せんれい【鮮麗】ダナ 선려; 선명하고 아름다운 모양. ¶～な色な 고운 빛깔.

ぜんれい【前例】图 전례. ¶～に従だう 전례에 따르다.

せんれき【戦歴】图 전력. ¶輝なかしい～ 빛나는 전투 경력.

ぜんれき【前歴】图 전력. ¶結核なの ～がある 결핵을 앓은 전력이 있다.

せんれつ【戦列】图 전열. =戦線ぱな形. ¶～に加くわわる 전열에 참가다(가담)하다.

せんれつ【鮮烈】ダナ 선명하고 강렬한 모양. ¶～な印象なか〈色彩ぎ〉 선명한 인상〈색채〉.

ぜんれつ【前列】图 전열. ↔後列だな.

*せんれん【洗練・洗煉・洗湅】图 スサ 세련. ¶～された紳士だ〈趣味なの〉 세련된 신사(취미).

せんろ【線路】图 선로; 궤도(軌道). ¶～工事だ 선로(보선) 공사／工夫ふう 선로공; 보선공.

ぜんわん【前腕】图 전완; 전박(前膊). ¶～骨な 전박골.

そ ソ

そ【祖】［名］조. ①선조. ¶六代{{だい}}の~/6대조. ②개조(開祖); 원조; 시조. ③ 시조; 근본.

そ【租】［名］조. ①전세(田税). ¶~を 納{{おさ}}める 조를 바치다. ↔庸{{よう}}・調{{ちょう}}. ②조세; 연공(年貢).

そ【素】［名］［数］소. ¶~の整数{{せいすう}} 소 의 정수.

ソ【蘇】［名］'ソ連{{れん}}(＝소련)'의 준말. ¶ ~との交渉{{こうしょう}}을 일소 교섭.

ソ［名］［楽］솔; 장음계의 제5음; 사음. ▷이 sol.

ぞ［終助］《終止形에 붙어》①〈스스로 강하게 다짐하는 뜻을 나타냄. ¶あれ 変{{へん}}だ~ 이 이상한데 / きょうは負{{ま}}け ない~ 오늘은 지지 않을 테다. ②〈대 등하거나 손아랫 사람에게 하면서 남 자가〉자신의 생각을 강하게 주장함을 나타냄. ¶そら投{{な}}げる~ 자 던진다 / ぼくの番{{ばん}}だ~ 내 차례야 / 先{{さき}}に行{{い}} く~ 먼저 갈 테다. ②［副助］《疑問의 말과 함께》부정(不定)의 뜻을 나타냄. ¶だれ~に頼{{たの}}もう 누구에게 부탁할 까. 三［係助］《古》강조하여 지시하는 말. ¶これ~まさしく 이것이야말로.

そあく【粗悪】［名］조악. ¶~品{{ひん}} 조 악품. ↔精巧{{せいこう}}.

そい【素衣】［名］소의; 흰옷.

そい【粗衣】［名］조의. ¶~粗食{{そしょく}} 조 의 조식.

そい【疎意】［名］소의; 격의(隔意).

そいじゃ-ja ［接］《俗》그럼. ＝それじゃ.

そいつ【其奴】［代］《俗》그놈; 그것. ¶ ~の素行{{そこう}}을 그 놈의 소행 / ~を取{{と}} ってくれ 그것을 잡아 주게. ↔あいつ・ こいつ・どいつ.

そいとげる【添い遂げる】［下一自］①백 년 해로하다. ¶仲睦{{なかむつ}}まじく～金婚{{きんこん}}을 좋게 해로하다. ②〈소원대로〉부부가 되다. ¶どんな反対{{はんたい}}に会{{あ}}っても～ 어떤 반대에 부닥쳐도 부부가 되겠다.

そいね【添い寝】［名・自スル］〈자는 사람〉곁에 붙어 잠; 결잠. ¶乳{{ちち}}を飲{{の}} ませながら～をする 젖을 빨리며 결잠 을 자다. ＝そいぶし.

そいぶし【添い臥し】【添い臥し】［名・ 自スル］결잠자기. ②여자가 남자와 동 침하기.

そいん【素因】［名］소인. 원인. ¶そ れが不良化{{ふりょうか}}の～をなしている 그 것이 불량화의 소인이 되고 있다. ② 그 병에 걸리기 쉬운 소질.

そいんすう【素因数】-sū ［名］소인 수.

***そう**【沿う】［五自］①따르다. ¶川{{かわ}}に ～って河{{かわ}}る 강을 따라서〔끼고〕내려 가다. ②어떤 물건의 주위에 따르다. ¶ 湖{{みずうみ}}に～村{{むら}} 호숫가의 마을.

そう【添う】［五自］①〔어떤 것 에〕더하다; 첨가하다. ¶趣{{おもむ}}が～ 멋 이 더해지다. ②곁에 떨어지지 않다.

①五十音図{{ごじゅうおんず}}'さ行{{ぎょう}}'의 다 섯째 음. ［so］②【字源】한자 '曾'의 초서체{{かたかなの'ソ'}} 는 '曾'의 윗 부분).

①付{{つ}}き～ 곁에 따르다; 시중들다. ③ 부부로서 함께 살다. ¶連{{つ}}れ～相手{{あいて}} 함께 지내는 상대. ⑦(기대・목적에) 부합되다〔따르다〕. ¶父{{ちち}}の希望{{きぼう}}に ～ 아버지의 희망에 어긋나지 않도록 하다 / 目的{{もくてき}}に～ない 어떤 목적에 부합되지 않는다.

そう【僧】［名］승; 승려・스님; 중. ¶ ～の身{{み}}で 승려의 몸으로. ↔俗{{ぞく}}.

そう【層】［名］층. ①커. ¶石炭{{せきたん}}の ～ 석탄층 / 選手{{せんしゅ}}の～が厚{{あつ}}い 선수 층이 두텁다 / ～をなす 층이 지다; 층 을 이루다. 地{{ち}}(地層). ¶粘土{{ねんど}}の ～ 점토층 / 沖積{{ちゅうせき}}～ 충적층. ②계 층. ¶貧民{{ひんみん}}の～ 빈민층 / 知識{{ちしき}}～ 지식층.

そう【想】［名］상. ①생각; 구상. ¶佛{{ぶつ}} ～を練{{ね}}る 구상을 가다듬다. ②【佛】 대상을 마음으로 생각해 내는 정신력. ③망상. ¶～を捨{{す}}てる 망상을 버리다.

そう【相】［名］상. ①생김새; 모습; 특히, 인상(人相). ¶万物流転{{ばんぶつるてん}}の～ 만물 유전의 상 / 女難{{じょなん}}の～ 여난의 상. ②【文法】문법의 한 범주로 피동・ 가능・사역 등의 뜻. ¶～の助動詞{{じょどうし}} 상(相)의 조동사 / 使役{{しえき}}～ 사역상.

そう【筝】［名］쟁〔거문고 비슷한 13줄의 현악기〕. ＝筝の琴{{こと}}.

そう【草】［名］초. ①기초(起草); 초 안. ¶～を起{{お}}こす 기초하다. ②초서 (草書). ¶～で書{{か}}く 초서로 쓰다. 真{{しん}}・楷{{かい}}・行{{ぎょう}}.

***そう**［副］그렇게; 그리. ¶～して 下{{くだ}}さい 그렇게 해 주십시오 / ～いう 話{{はなし}} 그러한 이야기 / 値段{{ねだん}}も～高{{たか}} くない 값은 그리 비싸지 않다. 〓［感］ 상대의 말에 긍정・놀람・반신 반의 등 의 기분을 나타내는 말; 그래; 정말. ¶ あら、～어머나, 그래 / ほんとに、～? 정말 그래. 〓［副］間屋{{とんや}}が卸{{おろ}}さない 그렇게 엿장수 마음대로는 안 된다.

そう-【総】［名］총…. ¶～収入{{しゅうにゅう}} 총수 입.

-**そう**［名］《'～だ'・'～な'に'의 꼴 로》①動詞나 助動詞'(さ)せる'・(ら) れる'의 連用形, 形容詞・形容動詞나 助 動詞'たい'・'ない'의 語幹(語幹)을 받 아》…모양임; …듯 함; 〔당장에라도〕 …ㄹ 것 같음. ¶訳{{わけ}}があり～な顔{{かお}} 가 닭이 있어 뵈는 얼굴 / 怒{{おこ}}られ～だ 야 단 맞을 것 같다 / 雨{{あめ}}が降{{ふ}}り～だ〔당장 곧〕비가 올 듯하다. ②用言이나 어 떤 범위의 助動詞의 終止形을 받음. 活 用形는 連用형 밖에 쓰지 않음》…라 고라고 한다; …라더군, ¶あの人{{ひと}}は行{{い}} く～です 저 사람은 간다고 합니다.

そう【荘】［名］장; 여관・아파트 따위 에 붙이는 이름. ¶若葉{{わかば}}～ 若葉장.

そう【艘】［名］척(隻). ¶小舟{{こぶね}}三{{さん}}～ 작은 배 세 척.

ぞう【像】zō ［名］상. ①부처・사람 따위

의 조각·그림. ②〔理〕빛의 반사·굴절에 의해 비치는 물체의 형상. ¶鏡 κ_{κ} 가~을 写 ^{h} す 거울이 상을 비추다.

ぞう【増】zō- 图증 ; 畾 ; 증가. ↔減.

ぞう【利益】은五割 κ_{κ} の~ 이익은 5 할 증가. ↔減.

ぞう【藏】zō 一图소장(所藏). 個人 κ_{κ} の~ 개인 소장. 二接尾 …소장. ¶国立博物館 $_{\kappa_{\kappa\kappa\kappa}}^{\kappa}$ ~ 국립 박물관 소장.

ぞう【象】zō 图動 코끼리.

そうあい【相愛】sō-图 상애 ; 서로 사랑함. ¶相思 $^{\sigma}_{\sigma}$ ~の仲 $_{\kappa\kappa}$ 서로 사랑하는 사이.

そうあげ【総揚げ】sō-图 ス他 있는 기생을 모두 불러 놓고 놂. ¶芸者 κ_{κ} を~にする 기생을 총동원시키다.

そうあたり【総当(た)り】sō-图 ス自①참가자 전원과 시합을 하는·일. ¶リーグ戦 κ ~制 전원 시합제. ②전원이 당첨되도록 되어 있음 ; 또, 그런 제비뽑기.

そうあん【僧庵】sō-图 승암 ; 암자.

そうあん【草庵】sō-图 초암 ; 초가집. =草 κ_{κ} の庵 κ_{κ}. ¶山中 $\kappa_{\kappa\kappa}$ に~を結 $\kappa_{\kappa\kappa}$ ぶ 산중에 초암을 짓다.

そうあん【草案】sō-图 초안 ; 초고. ¶憲法 $\kappa_{\kappa\kappa}$ の~ 헌법 초안. ⇨成案 κ_{κ}.

そうあん【創案】sō-图 ス他 창안.

そうい【僧位】sōi 图 승위 ; 조정에서 내리는 중의 품계(法印 κ_{κ}·法眼 κ_{κ}·法橋 κ_{κ} 등 8등급이 있음). ⇨僧官 κ_{κ}.

そうい【僧衣】sōi 图 승의. ⇨そうえ.

そうい【総意】sōi 图 총의. ¶国民 $\kappa_{\kappa\kappa}$ の~によって 국민의 총의에 의해서 /~にもとづく 총의에 의거한.

そうい【創意】sōi 图 창의. ¶~に富 κ む 창의성이 풍부하다. ¶創見 κ_{κ}.

そうい【創痍】sōi 图①창이 ; 칼 상처. ¶満身 κ_{κ} ~ 만신 창이. ②격심하게 입은 손해.

***そうい**【相違・相異】sōi 图 ス自 상위 ; 다름 ; 틀림. ¶一点 κ の~もない점에 ~にして 기대와는 달리. ──ない《…に~ない'의 꼴로》 틀림없이 …이다. ¶かれに~ない 틀림없이 그다.

ぞうい【贈位】zōi 图 ス他 증위. ¶功 κ のある死者 κ_{κ} に~する 유공한 사자(死者)에게 증위하다. ⇨贈官 κ_{κ}.

そういうsōyū 連体 그런(투의). ¶~話 κ_{κ} 그러한 이야기.

そういっそう【層一層】sōissō 圓 가일층 ; 더욱더. ¶援助 κ_{κ} が~必要 $_{\kappa}$ になる 원조가 가일층 필요하게 되다.

そういん【僧院】sō-图①승원 ; 절. ②(기독교의) 수도원. ¶パルムの~ 파름의 수도원.

そういん【総員】sō-图 총원 ; 전원. ¶~出動 $\kappa_{\kappa\kappa}$ 전원 출동 / 百名 κ_{κ} の総員 100명 /~起 κ こし五分前 $\kappa_{\kappa\kappa}$ 전원 기상 5 분 전.

ぞういん【増員】zō-图 ス他①증원. ↔減員 κ_{κ}. ②증원된 인원. ¶警察官 $\kappa_{\kappa\kappa}$ を~する 경찰관을 증원하다. ↔減員 κ_{κ}.

そううん【層雲】sō-图 層 〔氣〕층운. ⇨雲 κ_{κ} "구름 ; 안개구름.

そうえ【僧衣】sōe 图 승의 ; 중의 옷 ; 법복. ⇨法衣 κ_{κ}.

ぞうえい【造営】zō-图 ス他 조영(궁정·사찰 따위를 지음). ¶神殿 κ_{κ}

~に取 κ りかかる 신전의 조영에 착수하다.

ぞうえん【増援】zō-图 ス他 증원. ¶~部隊 κ_{κ} 증원 부대.

ぞうえん【造園】zō-图 ス自 조원. ¶~技師 κ 조원 기사.

ぞうお【憎悪】zō-图 ス他 증오. =憎しみ. ¶~の念 κ 증오감.

そうおう【相応】sōō 图 ス自 상응 ; 걸맞음. =相当 κ_{κ}. ¶身分 κ_{κ} ~のくらし 분에 맞는 살림 / 彼 κ に~した役 κ 그에게 맞는 역할. ↔不相応.

そうおく【草屋】sō-图 초옥 ; 초가집 ; 전하여, 누추한 집. 參考 흔히, 자기 집의 겸사말로 쓰임.

***そうおん**【騒音・噪音】sō-图 소음. ¶~のちまた 시끄러운 거리 / 都会 κ_{κ} の~ 도회의 소음.

そうか【僧家】sō-图 승가. ①절. ②승(僧) ; 중. "少し κ

***ぞうか**【増加】zō-图 ス自他 증가. ↔減.

***ぞうか**【造化】zō-图 조화. ¶~の妙 κ_{κ} 조화의 묘 /~の戯 κ_{κ} れ 조물주의 장난. ②천지 ; 우주. ──の神 κ_{κ} 조화의 신 ; 조물주.

ぞうか【造花】zō-图 조화. ↔生花 κ.

ぞうか【雑歌】zō-图 (가집(歌集)의 분류에서) 춘·하·추·동이나 만가(挽歌)에 들지 않는 和歌 κ_{κ} 나, 그런 노래를 모은 것. =雑 κ の歌 κ.

そうかい【壮快】sō-图 ダナ 장쾌. ¶~な試合 κ_{κ} 장쾌한 경기.

そうかい【爽快】sō-图 ダナ 상쾌. ¶~な朝 κ_{κ} 상쾌한 아침.

そうかい【掃海】sō-图 ス他 〔軍〕소해. ¶~作業 κ_{κ} 소해 작업 /~艇 κ_{κ} 소해정.

そうかい【桑海】sō-图 상해 ; 상전 벽해. "해〔桑田碧海〕.

そうかい【総会】sō-图 총회. ¶定期 κ ~ 정기 총회 / 株主 $\kappa_{\kappa\kappa}$ ~ 주주 총회. ──や 총회꾼.

そうがい【霜害】sō-图 상해 ; 서리 해. ¶~が大 κ_{κ} きかった 상해가 컸다.

そうがかり【総掛(か)り・総懸(か)り】sō-图①전원이 달려들어 함. ¶~で大掃除 $\kappa_{\kappa\kappa}$ をする 전원이 달려들어 대청소를 하다. ②총공격. ③(필요한) 총경비.

そうがく【総画】sō-图 (한자(漢字)의) 총획. ¶~索引 κ_{κ} 총획 색인.

そうがく【奏楽】sō-图 ス自他 주악. ¶楽隊 κ_{κ} が~を始 κ_{κ} める 악대가 주악을 시작하다.

そうがく【総額】sō-图 총액. =全額 κ_{κ}·総高 κ_{κ}. ¶予算 κ_{κ} の~ 예산 총액.

ぞうがく【増額】zō-图 ス他 증액. ¶予算 κ_{κ} の~ 예산의 증액. ↔減額 κ_{κ}.

そうかつ【総括】sō-图 ス他 총괄. ¶~的 κ 총괄적 / 意見 κ_{κ} を~する 의견을 총괄하다. ──しつもん【──質問】图 총괄 질문(국회·위원회에서 심의되는 의안 전반에 걸친 종합적 질문).

そうかな【草仮名】sō-图 한자 초서체에서 생긴 간략한 かな(変体 $\kappa_{\kappa\kappa}$ がな와 平 κ_{κ} がな의 총칭).

そうかん【僧官】sō-图 승관 ; 승직(僧正 κ_{κ}·僧都 κ·律師 κ 따위의 총칭). ⇨僧位 κ_{κ}.

そうかん【創刊】sō- 图 ス他 창간. ¶
～号칭 창간호. ↔廃刊칭.

そうかん【壮観】sō- 图 장관；위관(偉
観). ¶実칭に～だ 실로 장관이다.

そうかん【相関】sō- 图 ス自 상관. ¶
～概念칭 상관 개념 / ～係数칭 상관
계수 / 成績칭と注意力칭は～する
성적과 주의력은 관련이 있다. ⇨相対
칭. ──かんけい【─関係】图 상관
관계.

そうかん【総監】sō- 图 총감. ¶警視
칭～ 경시 총감.

そうかん【送還】sō- 图 ス他 송환. ¶
強制칭送還 강제 송환.

そうがん【双眼】sō- 图 쌍안；양쪽 눈.
¶～鏡칭 쌍안경. ↔隻眼칭.

ぞうかん【贈官】zō- 图 ス自 증관；죽은
뒤에 조정에서 벼슬을 줌；또, 그 벼
슬. ⇨贈位칭.

ぞうかん【増刊】zō- 图 ス他 증간. ¶
臨時칭～ 임시 증간.

ぞうがん【象眼】【象嵌】zō- 图 ス他 상
감. ①금속·도자기 등의 표면에 무늬
를 파고 그 속에 금·은·적동(赤銅) 등
을 채우는 기술；또, 그런 작품. ¶～細
工칭 상감 세공. ②[印] 연판 수정.

そうき【想起】sō- 图 ス他 상기. ¶大
戦칭を～する 대전을 상기하다.

そうき【早期】sō- 图 조기. ¶～診断
칭 조기 진단.

そうき【総記】sō- 图 총기. ①전체를
통틀어서 씀；또, 그런 기사. ②도서
10진 분류법의 분류류(目)의 하나；특
정 분야로 분류할 수 없는 백과 사전·
신문·잡지 따위.

そうぎ【争議】sō- 图 ス他 쟁의. ¶～権칭 쟁
의권 / 賃칭あげ～ 노임 인상 쟁의.

そうぎ【葬儀】sō- 图 장례식. ¶
～社칭 장의사. ──や【─屋】 장의
사；또, 그 일을 업으로 하는 사람.

ぞうき【臓器】zō- 图 장기；내장 기관.
¶～移植칭 장기 이식.

そうきゅう【早急】sōkyū 图 ダナ↔
きっきゅう(早急).

そうきゅう【躁急】sōkyū 图 ダナ 조급.
¶～な性質칭 조급한 성질.

そうきゅう【蒼穹】sōkyū 图 창궁；창공
(蒼空). ＝あおぞら・青天칭.

そうきゅう【送球】sōkyū 송구. 一图
ス自 ①[野] 공을 잡아 던져 보냄. ¶
～が下手칭な 송구가 서툴는. ②[축구·
농구에서] 패스(pass). ＝パス. 二图
☞ハンドボール.

そうきょ【壮挙】sōkyo 图 장거. ¶世
界칭一周칭の～ 세계 일주의 장거.

そうぎょ【草魚】sōgyo 图 [魚] 초어(중
국 원산의 잉어과에 속하는 식용 담수
어). ＝ソーヒィ.

そうぎょう【創業】sōgyō 图 ス自 창
업. ¶～記念칭 창업 기념 / ～の功労
者칭칭 창업의 공로자. ⇨守成칭.

そうぎょう【操業】sōgyō 图 ス自 조업.
¶八時間칭～ 8시간 조업 / ～短縮칭
칭 조업 단축. ¶明け方칭.

そうきょう【早暁】sōkyō 图 첫새벽.

ぞうきょう【増強】zōkyō 图 ス他 증강.
¶兵力칭칭～ 병력 증강.

そうきょく【箏曲】sōkyoku 图 거문고
를 타서 연주하는 음악；그 곡. ＝琴曲
칭. [数] 쌍곡선.

そうきょくせん【双曲線】sō- 图 [数]

そうきん【送金】sō- 图 ス他 송금. ¶
～を受칭け取칭る 송금을 받다 / 小切
手칭で送금 수표 / 為替칭칭 송금환.

＊ぞうきん【雑巾】zō- 图 걸레. ¶～が
け 걸레질.

そうく【痩躯】sō- 图 수구；여윈〔수척
한〕몸. ＝痩身칭の～ / ～鶴칭のごとし 학
처럼 여윈 몸이다.

そうく【走狗】sō- 图 주구；앞잡이. ¶
権力칭칭の～ 권력의 앞잡이.

そうぐ【装具】sō- 图 장구；장신구；장
비. ¶登山칭の～ 등산 장비.

そうぐう【遭遇】sōgū 图 ス自 조우；우
연히 만남. ¶事故칭に～する 사고를
만나다 / ～戦칭 조우전.

そうくつ【巣窟】sō- 图 소굴. ＝ねじ

そうけ【宗家】sō- 图 ①큰집；본
가. ＝そうか·本家칭. ¶～に当칭たる家
柄칭 종가가 되는 가문. ②한 유파의
정통(正統)을 전하는 중심되는 집. ＝
家元칭.

ぞうげ【象牙】zō- 图 상아. ¶～塔칭 상
아탑 / ～質칭 상아질.

そうけい【早計】sō- 图 조계；경솔한
생각. ¶～に過칭ぎる 너무 성급한〔경솔
한〕생각이다.

＊そうけい【総計】sō- 图 ス他 총계. ¶
～を出칭す 총계를 내다. ↔小計칭칭.

そうげい【送迎】sō- 图 송영；보내
고 맞이함. ＝送칭り迎칭え. ¶～用칭
バス 송영용 버스.

ぞうけい【造詣】zō- 图 조예. ¶～が
深칭い 조예가 깊다.

ぞうけい【造形】【造型】zō- 图 ス自 조
형. ¶～芸術칭칭〔美術칭칭〕 조형 예술
〔미술〕. ──び【─美】 조형미.

そうけだ・つ【寒気立つ・総毛立つ】sō-
5自 (추겁거나 무서워서) 오싹 소름이
끼치다. ¶その場面칭을 見칭て思칭わず
～った 그 장면을 보고서 나도 모르
게 소름이 끼쳤다.

ぞうけつ【造血】zō- 图 ス自 조혈. ¶
～作用칭 조혈 작용 / ～剤칭 조혈제.

ぞうけつ【増結】zō- 图 ス他 증결(열차의
증결. ¶三両칭칭～ 삼량(三輛) 증결.

ぞうけつ【増血】zō- 图 ス自他 증혈. ¶
～剤칭 증혈제.

そうけっさん【総決算】sōkessan 图 총
결산. ¶年度末칭칭の～ 연도말의 총결
산. ⇨立칭.

そうけん【創建】sō- 图 ス他 창건. ¶

そうけん【創見】sō- 图 창견. ¶～に
富칭む論文칭 창견이 풍부한 논문. ＝
創意칭.

そうけん【双肩】sō- 图 쌍견；양어깨.
¶未来칭칭は青年칭칭の～にかかってい
る 미래는 청년의 양어깨에 달려 있다.

そうけん【壮健】sō- 图 ダナ 장건. ＝
たっしゃ·強健칭. ¶～に暮칭す 건강
하게 지내다.

そうけん【送検】sō- 图 ス他 송검(送
庁). ¶書類칭칭～ 서류 송청 / 犯人칭칭
を～する 범인을 송청하다.

そうげん【草原】sō- 图 ①초원. ＝くさ
はら. ¶広々칭칭とした～ 넓디넓은 초

原. ②[地] ステップ.＝ステップ.

*ぞうげん【増減】zō- [名][自他] 증감. ¶
預金高などの～を調べる 예금고의 증
감을 조사하다.　　　　　[창고업.

*そうこ【倉庫】sō- [名] 창고. ¶～業う

*そうご【相互】sō- [名] 상호. ―えんじょ【――援助】
条約じょうやくに～ 상호 원조 조약 / ～作用さよう
상호 작용 / ～に助け合う 서로서로
돕다. ――がいしゃ【――会社】-sha [名]
상호 회사(상호 보험을 목적으로 하는
특수 회사 ; 비영리 법인). ＝相互保険
会社ほけんがいしゃ. ――ぎんこう【――銀行】-kō
[名] 상호 은행(무진(無盡) 업무를 주로
하는 은행).

そうごう【壮語】sōkō [名][自] 장언 ; 장담.
¶大言たいげん～ 대언 장담 ; 흰소리.

そうご【造語】zō- [名][自] 조어. ¶
～法ほう力 조어법(造語) / ～成分ぶん
조어 성분.

そうこう【倉皇・蒼惶】[蒼惶] sō- [名] 창황 ;
허둥댐. ¶～として帰路きろにつく 창황
히 귀로에 오르다. 参考 흔히, '～とし
て'의 꼴로 副詞句로 쓰임.

そうこう【壮行】sōkō [名] 장행 ; 출발을
성대히 함. ¶～会かい (출발에 임한) 장
행회.

そうこう【走行】sōkō [名][自] (자동차 따위
의) 주행. ¶～距離きょり 주행 거리.

そうこう【奏功】sōkō [名][自] ①주공 ;
뜻을 이룸 ; 일에 성공함. ②공을 세움.

そうこう【奏効】sōkō [名] 주효 ; 효
력이 나타남. ¶注射ちゅうしゃが～した 주사
가 주효했다.

そうこう【操行】sōkō [名] 조행 ; 품행. ＝
身もち. ¶～が悪わるい 품행이 나쁘다.

そうこう【糟糠】sōkō [名] 조강 ; 거친 음
식. ――のつま【――の妻】[――の妻] 조강지
처. ¶～を堂どうよりおろさず 조강지
처는 불하당(不下堂).

そうこう【草稿】sōkō [名] 초고 ; 초안 ;
원고. ＝下書したがき. ¶～本ぼん 초고본 /
～なしに演説えんぜつする 초고〔원고〕 없이
연설하다.

そうこう【送稿】sōkō [名] 송고.

そうこう【装甲】sōkō [名][自] 장갑. ¶～自
動車どうしゃ 장갑(자동) 차.

そうこう【相好】sōkō [名] 얼굴 표정을.
＝かおつき. ――をくずす (엄한 표정을
풀고) 싱글벙글하다.

**そうごう【総合・綜合】sōgō [名][他] 종
합. ¶～計画けいかく／～開発かいはつ 종합 계획〔개
발〕／～雑誌ざっし 종합 잡지 / ～して考かん
がえると 종합하여 생각하면. ↔分析.
――げいじゅつ【――芸術】-jutsu
[名] 종합 예술. ――しょうしゃ【――商
社】-shōsha [名] [經] 종합 상사. ――だ
いがく【――大学】 종합 대학. ――か
科大学だいがく 종합 대학. ――てき【――的】[ダナ] 종
합적. ¶～な観察かんさつ 종합적인 관찰. ↔
分析的.

そうこうげき【総攻撃】sōkōgeki [名][他]
총공격. ¶最後さいごの～ 최후의 총공격.

そうこく【相克・相剋】[相剋] sō- [名][自] 상
극. ¶大力たいりょく・모순된 것의 상극 /
理性りせいと感情かんじょうの～ 이성과 감정의
상극 ; 두 상대를 이기려고 다툼.
③(오행(五行)설에서) 나무는 흙에,
흙은 물에, 물은 불에, 불은 금에, 금
은 나무에 이김. ↔相生しょう.

──

ぞうごく【造石】zō- [名] 술·간장 따위의
양조 석수 석수(石數). ¶～高だか (술·간장
따위의) 양조량〔고〕.

そうこん【早婚】sō- [名][自] 조혼. ¶
私わたしは～の方ほうです 저는 조혼인 편입
니다. ↔晩婚ばんこん.

そうごん【荘厳】sō- [名][ダナ] 장엄. ¶
～な儀式ぎしき 장엄한 의식.

ぞうごん【雑言】zō- [名][自] 욕지거
리. ＝ぞうげん. ¶悪口あっこう～のかぎり
をつくす 갖은 악담을 다하다.

*そうさ【捜査】sō- [名][自他] 수사. ¶特
別とくべつ～ 특별 수사／～陣じん 수사진.

*そうさ【操作】sō- [名][他] 조작. ¶金
融きんゆう～ 금융 조작 / 人工じんこう・遠隔えんかく
・人間にんげん〔원격〕 조작／機械きかいを～する 기
계를 조작하다.

ぞうさ【造作・雑作】zō- [名] ①번거로
움 ; 수고스러움. ¶お～をかけました
번거로움을 끼쳤습니다／何なんの～もな
く 손쉽게. ②(老) 대접 ; 접대. ＝もて
なし. ¶なんの～もなくて 아무 대접
도못 해서. ③방법 ; 수단. ――ない[形]
쉽다 ; 문제 없다 ; 간단하다. ＝たやす
い. ¶あんな奴やつを負まかすのは～ ; 그렇
다 저마한 놈에게 이기는 건 식은 죽
먹기다.

そうさい【相殺】sō- [名][他] 상쇄 ; 에
끼기. ＝帳消ちょうけし. ¶貸かし借かりを～
する 대차를 상쇄하다.

そうさい【総裁】sō- [名][他] 총재.
党とうの～ 당의 총재.

ぞうさい【惣菜・惣菜】[惣菜] sō- [名] 반찬 ; 부
식물 ; 나물. ¶お～ 반찬／～料理りょうり
나물 반찬.

*そうさく【創作】sō- [名][他] ①창작.
¶～家か 창작가(소설가) / りっぱな～
훌륭한 창작. ②꾸며낸 일 ; 거짓.
彼かれの～だよ 그가 꾸며낸 일이야.

*そうさく【捜索】sō- [名][他] 수색. ¶
～隊たい 수색대 / 家宅かたく～ 가택 수색.

ぞうさく【造作】zō- [名] ①집을
지음 ; 건축. ¶～をする 집을 짓다. ―
만듦 ; 제작. ③집의 내부 장치를 하거
나 선반·계단 등을 설치함 ; 또, 그 장
치나 물건. 二[名] 〈俗〉 용모 ; 얼굴 생
김새 ; 이목구비. ¶おかしな～の顔かお
이상하게 생긴 얼굴.

そうさつ【相殺】sō- [名][他] ①서로 죽
임. ②☞そうさい(相殺).

ぞうさつ【増刷】zō- [名][他] 증쇄 ; 추
가 인쇄. ＝ましずり. ¶好評こうひょうにつ
き～する 호평이므로 추가 인쇄하다.

そうざらい【総浚い・総浚い】[総浚い] sō- [名]
[自他] 전체적인 복습(특히, 공연 하
루 전의) 총예행 연습. ＝総げいこ.

そうざん【早産】sō- [名][他] 조산. ¶
～児じ 조산아.

ぞうさん【増産】zō- [名][自他] 증산. ¶
～にはげむ 증산에 힘쓰다. ↔減産げんさん.

そうし【壮士】sō- [名] 장사. ①씩씩한
남자. ¶ひとたび去さって、また帰かえ
らず장사 한번 떠나더니 오지 않도다.
②폭력으로 사건 교섭이나 협박을 일
삼는 건달. ¶～風ふうの男おとこ 깡패 차림
의 사나이.

そうし【創始】sō- [名][他] 창시. ¶～
者しゃ 창시자.

そうし【相思】sō- [名] 상사. ――そうあ

い【──相愛】-sōai 상사 상애. ¶
〜の仲蕊 서로 사모하고 사랑하는 사
이.

そうし【草紙・草子・双紙】【冊紙・冊子】
sō- 图 ①맨 책. =冊子本蕊。●巻*き
物蕊・巻子蕊○②닭은 삽화를 실은 江
戸《시대의 대중 소설. ③かな로 쓰인 이
야기 책(일기・수필 따위도 포함). ④
습자 연습장. ¶手習鷺い草紙〈 습자
연습장. ⑤초고(草稿).

＊そうじ【掃除】sō- 图 ㅈ他 소제; 청소.
¶ふき〜 걸레질 / 大鷺〜 대청소.

そうじ【相似】sō- 图 ㅈ自 상사. ①(성
질・형상이) 서로 닮음. ②〔数〕닮음.
¶〜形蕊 상사형; 닮은꼴. ③〔生〕발생
이나 구조 모양은 다르나 외관상으로는
같은 기관(器官)(곤충의 날개와 박쥐
의 날개 따위). →相同蕊

そうじ【増試】zō- 图 ㅈ自 증자. ¶〜
の決定鷺 증자의 결정. ↔減資蕊

そうしき【葬式】sō- 图 장례식. =葬
らい。¶〜に行*く 장례식에 가다.

＊そうしき【総指揮】sō- 图 총지휘. ¶
〜官螺 총지휘관.

そうじしょく【総辞職】sōjisho- 图 ㅈ自
총사직. ¶内閣螺〜 내각 총사직.

そうした sō- 連体 그런. ¶〜事態蕊
그러한 사태.

そうしつ【喪失】sō- 图 ㅈ自 상실. ¶
記憶蕊〜 기억 상실. →得手恋。

＊そうして【然して】sō- ㅣ接 ①그리고;
그리고 나서; 그 연후에. =そして. それ
から。¶勤鷺めの帰鷺りに デパートに
寄纖った。──これを見なつけたのです 근
무를 마치고 돌아오는 길에 백화점에
들렀다. 그리고 이것을 발견하였지요.
②그리고 또한. ¶楽蕊しく〜有意義蕊
に過ごしてそうして楽しく過ごす 듯있게.
──② 連語 그와 같이 해서; 그렇게 해서.
¶下髪きから〜上髪まで 주십시오 /
〜つくるものだ そうして 만드는 것
이다. ──みると【──見ると】瞻 그렇
다면; 그러면; 그것으로 판단하면 보면.

そうじて【総じて】【惣じて】sō- 副 대
개; 대체로; 일반적으로; 원래. 概蕊
して; およそ・がんらい。¶一言蕊えば
일반적으로 말하면 / 〜世*の中をという
うものは 원래 세상이란 것은.

そうしゃ【掃射】sōsha 图 ㅈ他 소사.
¶機銃蕊〜 기총 소사.

そうしゃ【操車】sōsha 图 ㅈ自 (철도
차량의) 조차. ¶〜場蕊 조차장.

そうしゃ【壮者】sōsha 图 장자; 젊은이.

そうしゃ【相者】sōsha 图 관상가.

そうしゃ【走者】sōsha 图 주자; 러너.
=ランナー。¶第一蕊〜 (릴레이의)
제일 주자 / 一播蕊〔野〕 야(野)

そうしゅ【双手】sōshu 图 쌍수. =もろ
て。¶〜をあげて賛成蕊する 쌍수로
찬성하다. →隻手蕊

そうしゅ【宗主】sōshu 图 종주. ──け
ん【──権】图 종주권. ──こく
【──国】图 종주국. →従属国蕊

＊そうじゅう【操縦】sōjū- 图 ㅈ他 조종.
¶〜桿蕊(士) 조종간(사).

ぞうしゅう【増収】zōshū 图 ㅈ自 증수.
↔減収蕊

そうじゅうせつ【双十節】sōjū- 图 (중
국의) 쌍십절(10월 10일)

そうじゅく【早熟】sōju- 图字 조숙
(과일 따위가) 올림. =ませ. ¶〜な子
供蕊 조숙한 아이 / 〜の桃蕊 을 되는 복
숭아. ↔晩熟蕊

そうしゅつ【創出】sōshu- 图 ㅈ他 창
출. ¶文化蕊かの〜 문화의 창출.

そうしゅん【早春】sōshun 图 조춘; 이
른봄; 초봄. =初春蕊。¶〜のにおい
이른봄의 향내. ↔晩春蕊

そうしょ【草書】sōsho 图 초서. =崩鷺
し字. ¶〜で書*く 초서로 쓰다. ↔楷
書蕊・行書蕊

そうしょ【叢書】sōsho 图 총서. =シ
リーズ。¶経済学蕊 경제학 총서.

ぞうしょ【蔵書】zōsho 图 장서. =蔵本
蕊。¶〜印蕊 장서인. ──か【──家】
图 장서가.

そうしょう【創傷】sōshō 图 창상; 칼 상
처. =きりきず。

そうしょう【宗匠】sōshō 图 (和歌蕊・俳
句蕊・茶道蕊 등의) 선생. ¶生花
蕊の〜 꽃꽂이 선생.

そうしょう【相生】sōshō 图 상생
(오행설(五行説)에서, 목(木)에서 화
(火), 화에서 토(土), 토에서 금(金),
금에서 수(水), 수에서 목(木)이 생성
(生成)함). =そうじょう。→相克蕊

そうしょう【左右称】sōshō 图 좌
右蕊〜 좌우 상칭. =シンメトリー。

そうしょう【総称】sōshō 图 총
칭. =総名蕊。¶彫刻蕊や絵画蕊・建
築蕊などを〜して造形美術蕊という
う 조각・회화・건축 따위를 총칭해서 조
형 미술이라고 한다.

そうじょう【僧正】sōjō 图 〔仏〕 승정
(승관(僧官)의 최상급으로, 僧都蕊의
위. 大蕊僧正・僧正・権蕊僧正의 세 가지
가 있음).

そうじょう【奏上】sōjō 图 ㅈ他 주상;
상주. ¶上奏蕊・奏聞蕊と同蕊。

そうじょう【相乗】sōjō 图 ㅈ他 상승.
¶〜効果蕊 상승 효과.

そうじょう【騒擾】sōjō 图 ㅈ自 소요;
소동. ──ざい【──罪】图 소요죄.

ぞうしょう【蔵相】zōshō 图 장상. =大
蔵大臣蕊蕊蕊。

そうじょうのじん【宋襄の仁】sōjō-
連語 송양지인(쓸데없는 동정).

ぞうじょうまん【増上慢】zōjō- 图 ①
〔仏〕증상만; 깨닫지 못하고 깨달은
것처럼 생각하며 뽐냄; 또, 그러한 사
람. ②실력도 없으면서 으스댐; 또, 그
러한 사람. ¶〜の직무.

そうしょく【僧職】sōsho- 图 승직; 승려

＊そうしょく【装飾】sōsho- 图 ㅈ他 장
식. ¶〜品蕊 장식품 / 室内蕊〜 실내
장식. ──おん【──音】〔楽〕장식
음; 꾸밈음. ──びじゅつ【──美術】
-bijutsu 图 장식 미술.

そうしょく【草食】sōsho- 图 ㅈ自 초
식. ↔肉食蕊・穀食蕊。──どうぶつ
【──動物】-dobutsu 图 초식 동물. ↔肉
食動物.

ぞうしょく【増殖】zōsho- 图 ㅈ他 증
식. ¶細胞蕊の〜 세포의 증식 / 資産
蕊の〜 자산 증식 / うなぎの〜をする
장어의 증식을 하다.

そうしん【喪心・喪神】sō- 图 ㅈ自 상
심; 기절. ¶〜状態蕊 실신 상태.

そうしん【痩身】sō- 图 수신 ; 여윈 몸. ¶~法號 살빼는 법.　　　　「そうみ.

そうしん【総身】sō- 图 전신 ; 온몸. =

そうしん【送信】sō- 图 图直 송신. = 発信號. ¶~機 송신기. ↔受信號.

そうしん【増進】sō- 图 图他 증진. ¶学力钦~ 학력 증진 / 食欲铃~ 식욕 증진. ↔減退號.

そうしんぐ【装身具】sō- 图 장신구.

そうず【僧都】sō- 图 승관(僧官)의 하나(僧正詮의 아래, 律師리의 위). =そうづ.

そうすい【送水】sō- 图 图他 송수. ¶~管탄 송수관.

そうすい【総帥】sō- 图 총수 ; 총대장.

ぞうすい【増水】zō- 图 图直 증수. ¶~期탄 증수기 / 刻々辺に~しつつある 시시각각 증수하고 있다. ↔減水號.

ぞうすい【雑炊】zō- 图 채소와 된장을 넣고 끓인 죽. ¶~をする 잡탕죽을 훌훌 마시다.　「탄.

そうすう【総数】sōsū 图 총수. =全数

そう-する【奏する】- 图変他 ①(임금에게) 아뢰다 ; 상주하다. ②(음악을) 연주하다. =かなでる. ¶舞楽赞を~ 무악을 연주하다. ③이루다 ; 効果がある 효과가 있다. ¶効ぎを~ 주효(奏効)하다.

そう-する【草する】- 图変他 초잡다 ; 초고를 쓰다 ; 기초(起草)하다. ¶憲法設を~ 헌법을 기초하다.

ぞう-する【蔵する】zō- 图変他 갖다 ; 간수(간직, 소장)하다 ; 지니다 ; 품다.

そうせい【早世】sō- 图直 요절 ; 조사(早死) ; 요졸. ¶若死한かに.

そうせい【早生】sō- 图直 조생. ①조산(早産). ¶~児ピ 조생아. ②(과일 따위가) 일됨. =わせ. ↔晩生號.

そうせい【創世】sō- 图 창세. =開闢びぐ. ──【──記】图 图宗 (구약 성서의) 창세기.

そうせい【創製】sō- 图他 창제.

そうせい【双生】sō- 图 ──じ【──児】图 쌍생아 ; 쌍둥이. =ふたご. ¶一卵性탄にはんの~ 일란성 쌍생아.

そうせい【叢生・簇生】sō- 图 图直 총생 ; 족생. =群生號.

そうせい【総勢】sō- 图 총세 ; 전체의 인원수 ; 총원.

ぞうせい【造成】zō- 图他 조성. ¶山林铃铃の~ 산림의 조성.　「減税號.

ぞうぜい【増税】zō- 图直 증세. ↔

そうせき【僧籍】sō- 图 승적. ¶~に入いる 승적에 들다 ; 출가하다 ; 중이 되다.

そうせきうん【層積雲】sō- 图 图気 층적운 ; 두루마리구름 ; 층쌘구름. =くもり雲.　　　　　「立だつ.

そうせつ【創設】sō- 图他 창설. =創設設탄. ↔各説設탄.

そうぜつ【壮絶】sō- 图 장절 ; 장렬.

ぞうぜつ【増設】zō- 图 图直 증설.

そうぜん【蒼然】sō- ┏タル 창연. ①색깔이 푸른 모양. ②에스름한 모양. ¶古色ピ~たる 고색 창연한. ③저녁 때의 어둑어둑한 모양. ¶暮色ピ~ 모색 창연.

そうぜん【騒然】sō- ┏タル 소연 ; 시끄러운 모양. ¶物情びぅ~ (세상) 물정

이 어수선함.

ぞうせん【造船】zō- 图 图直 조선. ¶~所탄 조선소 / ~技術탄 조선 기술.

そうせんきょ【総選挙】sōsenkyo 图 총선거. ¶~に備そえる 총선거에 대비하다.

そうそう【葬送・送葬】sōsō 图 장송. = 野辺에の送탄り. ──きょく【──曲】-kyoku 图 장송곡.

そうそう【草創】sō- 图 초창. ①(사업 등의) 시작. =草分힌け. ¶~期탄 초창기. ②절이나 신사(神社) 따위를 처음으로 세움.

そうそう【草草・匆匆】sōsō 图 초초 ; 총총. ①간략한 모양. ¶~に切힌り上げる 총총히 끝내다. ②갑자스러워 충분히 대접을 못 하는 모양. =そこつ. ③바쁜 모양. ¶~の日々탄 바쁜 날날. ④(편지 끝에 바삐 썼다는 뜻을 나타내어) 이사날리 ; (이만) 총총.

そうそう【早早】sō- 图 副 ①서두르는 모양 ; 부랴부랴. ¶~に立たち去きる 부랴부랴 떠나다 / ~に立たち去きれ 썩 물러가거라. ②(새로운 상황을 가리키는 말을 받아) (하)자마자 ; 곧. ¶新年ピ~ 신년초부터. ③이른 시작. ¶~から 이른 시각부터.

そうそう【蒼蒼】sōsō ┏タル 창창. ¶~たる大樹탄 창창한 큰 나무.

そうそう【層層】sōsō ┏タル 층층. ¶~累々탄 층층 겹겹.

そうそう【然う然う】sōsō 一 副 《뒤에 否定이나 反語가 따라서》 그렇게 언제까지나 (자주, 많이). ¶~待待てない 그렇게 마냥 기다릴 수 없다 / ~貸かしてやれるものか (빌려달라대서) 그렇게 자꾸 빌려 줄수 있는가. 图副 『そう를 겹친 말』 二曰 그래그래 ; 네 네 ; 아, 참(긍정할 때, 또는 생각이 떠올랐을 때 하는 말). ¶~, 去年쟁의 今頃탄だ 그래그래, 작년 이맘때다 / ~, いつかの万円탄을 갚아 주지 않았잤다 참, 일전의 만 엔을 갚아 주지 않겠다.

そうぞう【創造】sōzō 图他 창조. ¶~力炸 창조력 / 天地탄の~ 천지의 창조. ↔模倣賴. ──せい【──性】图 창조성. ──てき【──的】┏タナ 창조적. ¶~能力炸 창조적 능력.

そうぞう【想像】sōzō 图他 상상. ¶~上ピの人物铃 상상상의 인물 / ~に難铃くない 상상하기 어렵지 않다 / ~もつかない 상상도 못 하다 / ~を超铃える 상상을 초월하는.

そうぞうし-い【騒騒しい】sōzōshī 厖 시끄럽다 ; 떠들썩하다. =さわがしい. ¶~街탄 시끄러운 거리 / 世탄の中쟁が~ 세상이 시끄럽다.

そうそく【総則】sō- 图 총칙. ¶民法紛탄 민법 총칙. ↔細則炸.　「속인.

そうぞく【僧俗】sō- 图 승속. =僧려お

そうぞく【相続】sō- 图 图他 상속. ¶遺産캐~ 유산 상속 / 跡目탄を~ 가독 상속. ──ぜい【──税】图 상속세.

そうそつ【倉卒・草卒】〈怱卒〉sō- 图 창졸. ¶~の間탄 창졸지간.

そうそふ【曾祖父】sō- 图 증조부. =ひいじじ.　　　　　　「いばば.

そうそぼ【曾祖母】sō- 图 증조모. =ひ

そうそん【曾孫】sō- 图 증손. =ひまご.

そうだ sō- 励動 ☞=そう.

そうだ sō- 連語 그렇다 ; 그러하다. ¶それも～ 그도 그렇다.

そうたい【早退】sō- 图 入自 조퇴. =早引き・早びけ.

そうたい【相対】sō- 图 상대. ↔絶対. ——せいげんり【—性原理】图 상대성 원리. ——せいりろん【—性理論】图 상대성 이론. ——てき【—的】ダナ 상대적. ¶～価格を 상대적인 가격. ↔絶対的.

そうたい【総体】sō- 图 ①총체, 전체. ②そうたい《副詞的으로》⑦총체적으로 ; 남김 없이 ; 전부. ⑦전부 ; 残りなく 다 ; 도무지 ; 도대체 ; 원래. ¶このクラスは～よくできる 이 반은 총체적으로 성적이 좋다. ⑤〈俗〉도대체 ; 원래 ; もともと. ¶～無理な話だ 도대체 무리한 이야기다.

そうだい【壮大】sō- 图 ダナ 장대 ; 웅대 ; 웅장. ¶～な景色を 웅장한 경치.

そうだい【総代】sō- 图 대표 ; 대리. ¶卒業生そつぎょうせい～ 졸업생 대표.

*ぞうだい【増大】zō- 图 入自他 증대. ¶需要じゅよう輸出ゆしゅつの～ 수요(수출)의 증대 / 不安ふあんが～する 불안이 더해지다. ↔減少げんしょう.

そうたいきゃく【総退却】sōtaikyaku 图 총퇴각.

そうだか【総高】sō- 图 (수량·금액의) 총액. ¶売り上げ～ 매상 총액.

そうだがつお【宗太鰹·惣太鰹】sō- 〔魚〕 물치다랑어. =(うすゐ)がつお.

そうだち【総立ち】sō- 图 (모인 사람이) 전부 일어섬 ; 총기립. ¶～になる 모두 일어서다.

そうそう【送達】sō- 图 入他 송달.

そうだつ【争奪】sō- 图 入他 쟁탈. ¶優勝杯ゆうしょうはい～戦 우승배 쟁탈전.

そうたん【操短】sō- 图 '操業そうぎょう短縮たんしゅく(=조업 단축)'의 준말.

**そうだん【相談】sō- 图 入他 상담 ; 상의 ; 의논. =談合だんごう. ¶人生じんせい～ 인생 상담 / ～相手あいて 의논 상대 / ～の乗る 상의할 일이 있다 / ～に乗のる 상담에 응하다. ——じょ【—所】-jo 图 상담소. ——ずく【—尽く】图 의논으로 ; 의논해서 결정함. ¶～できめる 의논해서 (의논 끝에)정하다. ——やく【—役】图 (회사 등의) 상담역.

そうだん【装弾】sō- 图 장탄.

*そうち【装置】sō- 图 入他 장치. ¶舞台ぶたい～ 무대 장치 / 換気かんき～ 환기 장치 / 冷暖房れいだんぼう～ 냉난방 장치.

そうち【送致】sō- 图 송치.

ぞうちく【増築】zō- 图 入他 증축. =建増たてまし. ¶～工事こうじ 증축 공사.

そうちょう【早朝】sōchō 图 조조 ; 이른 아침. ¶～割引わりびき 조조 할인.

そうちょう【総長】sōchō 图 총장. ¶参謀さんぼう～ 참모 총장 / 検事けんじ～ 검찰 총장 / 大学だいがくの～ (사립 종합) 대학 총장 (국립·공립은 'がくちょう(=학장)'가 정식 명칭).

そうちょう【荘重】sōchō ダナ 장중. ¶～な音楽おんがく 장중한 음악 / 式しきを～に取とり行おこなう 식을 장중하게 거행하다.

ぞうちょう【増長】zōchō 图 入自 ①증

장 ; 점점 심해짐〔더해 감〕 ; 특히, 좋지 못한 것이 자꾸 늚. ¶遊あそぶ癖くせが～する 노는 버릇이 심해지다 / ぜいたくの風ふうが～する 사치스런 경향이 더해 가다. ②우쭐해서 거만하게 굶. ¶一度いちどほめられたら、すぐ～する 한번 칭찬을 받으면 곧 우쭐해진다.

そうで【総出】sō- 图 총출동. ¶一家いっか～で 온 가족이 총출동하여.

そうてい【壮丁】sō- 图 장정. ¶～を集あつめて訓練くんれんする 장정을 모아 훈련하다.

そうてい【想定】sō- 图 入他 상정. ¶…という～のもとに …이라는 상정하에 / ～敵国てきこく 가상 적국.

そうてい【漕艇】sō- 图 조정 ; (경기용) 보트를 저음. ¶～競技きょうぎ 조정 경기.

そうてい【装訂·装釘·装幀】sō- 图 入他 장정. ¶内容ないように ふさわしく～する 내용에 걸맞게 장정하다.

ぞうてい【贈呈】zō- 图 入他 증정. ¶記念品きねんひんの～式 기념품 증정식.

そうてん sō- 励動 ☞=そう·そうだ.

そうてん【装填】sō- 图 入他 장전. ¶弾薬だんやくを～する 탄약을 장전하다.

そうてん【争点】sō- 图 쟁점. ¶法律ほうりつ上じょうの～の 법률상의 쟁점.

そうてん【総点】sō- 图 총점 ; 총득점.

そうでん【相伝】sō- 图 入他 상전. ¶一子いっし～(=기술·기예 등의) 비법(秘法)을 한 자식에게만 전함 / 医いを家業かぎょうとして～する 의술을 가업으로 전하다.

そうでん【送電】sō- 图 入自 송전. ¶～線せん 송전선. ↔受電じゅでん.

そうと【壮図】sō- 图 장도 ; 雄図ゆうず. ¶宇宙旅行うちゅうりょこうの～ 우주 여행의 장도.

そうと【壮途】sō- 图 장도. ¶～に上のぼる〔つく〕 장도에 오르다.

そうとう【争闘】sōtō 图 入自 쟁투 ; 투쟁 ; 싸움.

そうとう【掃討·掃蕩】sōtō 图 入他 소탕. ¶～戦せん 소탕전.

**そうとう【相当】sōtō 图 入自 상당 ; 상응 ; 해당 ; 어울림. ¶能力のうりょくに～する給料きゅうりょう 능력에 상당하는 급료 / 子供こどもに～する仕事しごと 아이에게 어울리는 일 / それ～の処置しょち 그에 알맞은 조처. 二副 ダナ (정도가) 어지간한 모양 ; 상당히. ¶～な家庭かてい(문벌·재산 등이) 상당한 집안 / ～な人ひと 어지간한 사람 / ～に苦くるしい 상당히 괴롭다 / ～の腕前うでまえ 상당한 솜씨.

そうとう【総統】sōtō 图 총통.

そうとう【相同】sōdō 图 〔生〕 상동 ; 서로 다른 생물의 기관이 외관상의 차이는 있으나 발생 및 체계적으로는 동일함(새의 날개와 짐승의 앞발 따위). ↔相似そうじ.

*そうどう【騒動】sōdō 图 入自 소동. ¶お家いえ～ (大名だいみょう 등의) 집안 싸움 / 上うえを下したへの～ 야단 법석.

ぞうとう【贈答】zōtō 图 入他 증답. ¶～品ひん 선사물.

そうどういん【総動員】sōdō- 图 入他 총동원. ¶国家こっか～ 국가 총동원.

そうとうしゅう【曹洞宗】sōtōshū 〔

〔佛〕曹洞宗(禪宗)の一派；鎌倉時代初期の僧 道元ぽが宋(宋)の國 如淨エムから法を授かり日本に傳ふ。=そうとうしゅう。

そうとく【総督】sō- 图 총독。¶─府ホ 총독부。

そうとも sō- 國 그렇고 말고；정말로 그렇다.

そうなめ【総なめ】(総嘗め) 图 ①모조리 (핥듯이) 휩쏢。¶火ヒが村Hを─にした 불이 온 마을을 휩쓸었다。②(대항하는 상대를) 모조리 이김。

‡**そうなん**【遭難】sō- 图 ス自 조난。¶─者ジ 조난자／─信号ジ 조난 신호。

ぞうに【雜煮】zō- 图 (정월에 먹는) 떡국。¶─を祝ぷ 떡국을 먹고 신년을 축하하다.

そうにゅう【挿入】sōnyū 图 ス他 삽입。¶─薬ナ 삽입약。──く【──句】 삽입구.

そうにょう【走繞】sōnyō 图 한자 부수 (部首)의 하나；달아날주(走) 변의 '起' '越' 따위의 '走'의 이름.

そうねん【壯年】sō- 图 장년。=盛年ホン。「少年ホン・老年ホン。

そうねん【想念】sō- 图 상념；생각。¶─を考チメる『とりとめもない─ 걷잡을 수 없는 상념.

そうは【争覇】sō- 图 ス自 쟁패。¶─戦ホ 쟁패전.

そうは【走破】sō- 图 ス自 주파。¶マラソンの全ジコースを─する 마라톤의 전 코스를 주파하다.

* **そうば**【相場】sō- 图 ①시세。⑦시가。=市価シ；時価シ。¶─の上ボがり下ボがり 쌀값의 오르내림／米コの闇ミ゛─だ 쌀의 암시세는 …이다。①(俗) 값어치。¶通ジョの─ 일반적인 시세•평가。②(俗) 일반적 통념。¶夏ジゆは暑ジいものと─が決まっている 여름은 으레 덥게 마련이다。③미두；現물 없이 투기적으로 하는 거래；공거래。¶─に手を出すぢ 미두에 손을 대다.

ぞうはい【増配】zō- 图 ス他 증배。

ぞうはい【増配】zō- 图 (배급•배당의) 증배。¶二割ブの─ 2할의 증배。↔減配ハイ。

そうはく【蒼白】sō- 图 창백。

そうはく【糟粕】sō- 图 조박。①술지게미。②찌꺼기。—をなめる 조박을 핥다《남의 학설이나 수법의 모방에 그쳐 새로운 맛•창안이 없다》.

そうはつ【双発】sō- 图 쌍발。¶─旅客機ジ 쌍발 여객기。→単発ホッ。

そうはつ【総髪】sō- 图 머리털을 모두 빗어 넘겨 뒤통수에서 묶은 남자의 머리형《江戸ド시대에 의사•수도승•노인 등이 매었음》。=そうがみ。

ぞうはつ【増発】zō- 图 ス他 증발。¶汽車ジを─する 기차를 증발하다.

そうばな【総花】sō- 图 (요릿집 등에서) 손님이 종업원 일동에게 주는 팁；전하여, 당사자 전원에게 고루 이익•은혜를 주는 일。¶─をまく 전원에게 팁을 주다；전원에게 고루 혜택이 돌아가게 하다。──しき【─式】 图 전원에게 혜택이 고루 돌아가게 하는 방식。¶─経営ケ 전원 수혜식 경영。──てき【──的】(ダナ 전원에게 혜택이 돌아가도록 하는 모양.

そうばん【早晩】sō- 圓 조만간(에)。¶どうせ─知レれることだ 어차피 조만간 알려질 일이다.

そうはん【造反】zō- 图 ス自 반역；반항；조직에 대한 비판[거역]。参考 본디 중국어。──ゆうり【──有理】─yūri 图 반역에는 도리가 있다(모 택동의 말).

そうび【装備】sō- 图 ス他 장비。¶重ジゆ─ 중장비／近代的ナキ─ 근대적 장비。「〔薔薇〕.

そうび【薔薇】sō- 图〔植〕⇨しょうび

そうひょう【総評】sōhyō 图 총평。①전체에 대한 비평。②「日本ジ労働組合ゴ総評議会ジ(=일본 노동 조합 총평의회)」의 준말.

そうびょう【宗廟】sōbyō 图 종묘。

ぞうひょう【雑兵】zōhyō 图 졸병。=陣かさ.

そうふ【送付】sō- 图 ス他 송부。¶書類ジを─する 서류를 송부하다。↔返付プ。

ぞうふ【臓腑】zō- 图 장부；내장；오장 육부。=はらわた。

そうふう【送風】sōfū 图 ス他 송풍。¶─機キ(管プ) 송풍기(관)。「─衣。

そうふく【僧服】sōfu- 图 승복。=僧衣

ぞうふく【増幅】zō- 图 ス他 ①증폭。¶─作用ジ 증폭 작용／高ジ周波数ジ─ 고주파 증폭。──き【─器】 图 증폭기.

ぞうぶつ【造物】zō- 图 조물。①천지간의 모든 것。②「造物主ジゆッ」의 준말。──しゅ【─主】-shu 图 조물주.

そうへい【僧兵】sō- 图 승병《특히 平安ンン시대 말기의 延暦寺ジリョク(=滋賀ジ県ン에 있는 천태종의 총본산)•興福寺ジフク(=奈良ン에 있는 법상종(法相宗)의 대본산) 등 큰 절의 승병을 가리킴》.

ぞうへい【造幣】zō- 图 조폐。──きょく【──局】zō- 图 조폐국《大蔵省ジゆ(=대장성) 소속》.

そうへき【双璧】sō- 图 쌍벽。¶経済界ジイの─ 경제계의 쌍벽.

そうべつ【送別】sō- 图 ス自 송별。¶─会カ 송별회／─の辞ジ 송별사。↔留別ベツ。

ぞうほ【増補】zō- 图 ス他 증보。¶─版ン 증보판／旧版ジの間違マちがを訂正ジ~する 구판을 정정 증보하다.

そうほう【双方】sō- 图 쌍방；양쪽。=両方ホ。¶─の意見ン 쌍방의 의견。──こうい【─行為】-kōi 图〔法〕쌍방 행위(계약 등)。↔単独タ行為.

そうほう【奏法】sōhō 图 주법；연주법。

そうぼう【僧坊•僧房】sōbō 图 승방《절에 부속한 중이 거처하는 집》.

そうぼう【忽忙】sō- 图 총망；매우 바쁨。¶─の間ン 총망지간(忽忙之間).

そうぼう【蒼茫】sōbō トル 창망。¶─たる大海ジ 창망한 대해.

ぞうほう【増俸】zōhō 图 ス自 증봉。¶二割ブ─にする 봉급을 2할 올리다。↔減俸ホ。

そうほん【草本】sō- 图〔植〕초본。①풀。¶一年生ンシ─ 일년생 초본。↔木本ホン。②초고(草稿)。초안。「蔵書ン。

ぞうほん【蔵本】zō- 图 장본；장서。=

そうほんざん【総本山】sō- 图 ①〔佛〕총본산；총본사. ②전하여, 사물의 중심이 되는 곳；사물을 총괄하는 곳.

そうまくり【総まくり】【総捲り】sō- 图スル ①전부 걷어 올림. ②비유적으로, 모조리 비평을 가함；(가십 따위를) 모두 폭로함. ③모두 기재(記載)함；기록 실음.

そうまとう【走馬灯】sōmatō 图 주마등. ─回るわどうろう.

そうみ【総身】sō- 图 전신；온몸. ＝そうしん. ¶～にしみわたる 온몸에 스며들다ー「무탈.

そうむ【総務】sō- 图 총무. ¶～部 총―.

そうむ【総務】sō- 图 쌍무. ¶～契約 쌍무 계약. ─片務がむ.

そうめい【聡明】sō- 图ダナ 총명. ¶～な子供うも 총명한 아이.

そうめいきょく【奏鳴曲】sōmeikyoku 图〔樂〕주명곡；소나타. ＝ソナタ. ¶ピアノ～ 피아노 소나타.

そうめつ【掃滅】【剿滅】sō- 图スル 소멸. ¶～作戦さくせん 소멸 작전.

そうめん【素麺・索麺】sō- 图 실 국수.

そうもく【草木】sō- 图 초목. ¶山川せんせん～ 산천 초목. ─ばい【─灰】초목회.

そうもつ【臓物】zō- 图 내장；특히, 소・돼지・새・생선 따위의 내장. ＝もつ. ¶～料理りょうり 내장(내포) 요리.

そうもよう【総模様】sōmoyō 图 전체에 무늬가 있음；또, 그 무늬. ¶～の袖そで 온통 무늬가 박힌 긴 소매의 일본옷.

そうもん【桑門】sō- 图 상문；중. ＝沙門しゃもん.

そうもん【相聞】sō- 图 万葉集まんようしゅう 부(部)의 하나；창화(唱和)・증답(贈答)의 노래를 모은 것(주로 연가(恋歌)가 많음). ↔挽歌ばんか.

そうゆ【送油】sō- 图スル 송유. ¶～管く 송유관.

ぞうよ【贈与】zō- 图スル 증여. ¶不正ふせいな～を受うける 부정한 증여를 받다. ─ぜい【─税】증여세.

そうよう【搔痒】sōyō 图スル 소양；가려움. ¶隔靴かっか～の感かん 신 신고 발바닥 긁기(성에 안 차는 느낌).

そうよく【双翼】sō- 图 쌍익. ①양날개. ②비행기ㅡ를 張はって大空おおぞらを旋回せんかいする 소리개가 양날개를 펴고 하늘을 선회하다. ②좌우 양쪽의 부대.

そうらん【争乱】sō- 图 쟁란；내란으로 세상이 혼란함. ¶～の世よ 난세(乱世).

そうらん【総覧】【綜覧】sō- 图スル 전체에 걸쳐 훑어 봄. 二スル 어느 사항에 관계되는 것을 망라한 책. ¶電気工学でんきこうがく～ 전기 공학 총람.

そうらん【総攬】sō- 图スル 총람；한 손에 잡아 통괄함. ¶国務こくむを～する 국무를 총람하다.

そうらん【騒乱】sō- 图 소란；소동. ¶～が起おこった 소동이 일어났다. ─ざい【─罪】소란죄.

そうり【総理】sō- 图スル 사무를 통할 관리함. ─图 '内閣ないかく総理大臣だいじん(＝내각 총리 대신)'의 준말. ─ふくそうり 부총리. ─だいじん【─大臣】图 총리 대신. ＝首相しゅしょう.

*ぞうり【草履】zō- 图 (일본) 짚신；ー들. ¶わら～ 짚신 / ～をはく 짚신을 신다. ─むし【─虫】图 蟲 짚신벌레.

*そうりつ【創立】sō- 图スル 창립. ＝創設そうせつ. ¶～記念日きねんび 창립 기념일.

そうりょ【僧侶】sōryo 图 승려. ＝僧そう.

そうりょう【爽涼】sō- 图ダナ 상쾌하고 시원함. ¶～の気き 상량한 기운.

そうりょう【総量】sōryō 图 총량. ─きせい【─規制】图 총량 규제(기업체에서 배출하는 공해 물질의 총량을 일정 수치 이하로 규제하는 일).

そうりょう【総領】【惣領】sōryō 图 한 집안의 계승자；장남；전하여, 맏자식. ¶～息子むすこ 장남；맏아들 / ～娘むすめ 맏딸.

そうりょう【送料】sōryō 图 송료. ＝送おくり賃ちん. ¶小包こづつみ～ 소포 송료.

ぞうりょう【増量】zō- 图スル 图自他 증량. ¶薬くすりの～ 약의 증량. ─げんりょう.

そうりょうじ【総領事】sōryōji 图 총영사. ¶～館 총영사관. ─領事りょうじ.

そうりょく【総力】sōryoku 图 총력. ＝全力ぜんりょく. ¶～戦せん 총력전 / ～を傾かたむける 총력을 기울이다.

そうりん【相輪】sō- 图〔佛〕상륜；탑의 맨 꼭대기 부분에 있는 금속제의 장식. ＝九輪くりん.

ぞうりん【造林】zō- 图スル 조림. ¶～対策たいさく 조림 대책. ─営林えいりん.

ソウル【地】서울. ＝Seoul.

ソウル【Soul】图 솔. ①영혼. ②'ソウルミュージック(＝솔뮤직)'의 준말. ▷soul.

そうるい【藻類】zō- 图 조류. ＝も. ¶海かい～ 해조류；바닷말.

そうれい【壮齢】sō- 图 장령；장년(壮年). ＝壮年そうねん.

そうれい【壮麗】sō- 图ダナ 장려. ¶～な大建築だいけんちく 웅장하고 아름다운 대건축.

そうれい【葬礼】sō- 图 장례；장의. ＝葬式そうしき.

そうれつ【壮烈】sō- 图ダナ 장렬. ¶～な戦死せんしを遂とげる 장렬한 전사를 하다. ─「コース.

そうろ【走路】sō- 图 주로；코스. ＝

そうろう【候】sōrō スル ①候 〔雅〕'あり(＝있다)' 'おり(＝있다)'의 겸손한 말투. ¶お前まえに～ 어전에 있나이다. ②(助動詞的으로) ㉠'に''(て)' 'で' 또는 形容詞型 活用語등의 連用形에 붙어서》 …입니다. ¶都みやこの者ものにて～ 서울 사람이올시다. ㉡《動詞型 活用語尾에 붙어서》…ㅂ니다. ¶参まいり～ 가겠나이다.

そうろう【早老】sōrō 图 조로；길늙음.

そうろう【早漏】sōrō 图スル 조루. ＝そうろうしょう 조루증.

そうろうぶん【候文】sōrō- 图 '候そうろう'라는 말을 사용하는 문어문(文語文)(주로, 편지에서는 문어체).

そうろん【争論】sō- 图スル 쟁론；논쟁.

そうろん【総論】sō- 图 총론. ─各論かくろん.

そうわ【挿話】sō- 图 삽화；일화(逸話)；에피소드. ＝エピソード.

そうわ【送話】sō- 图スル 송화. ↔受話じゅわ. ─き【─器】图 송화기. ↔受話器じゅわき.

そうわ【叢話】sō- 图 총화 ; 이야기를 모은 것.　　　　　　　「=總話記」

そうわ【総和】sō- 图 ㅈ回 총화 ; 총계.

ぞうわい【贈賄】zō- 图 ㅈ回 증회 ; 뇌물을 줌. ↔~罪 증회죄. ↔收賄罪.

そえ【添え】(副)图 ①곁들임 ; 첨부 ; 첨가. ②곁에 따르게 함 ; 또, 따르는 사람. ③부축. 보좌. ④꽃꽂이에서, 주되는 가지에 곁들여 꽂는 가지.③반찬 ; 부식.

そえがき【添え書】(副)图 ㅈ回 첨서. ①(서화(書畫) 등에 그 유래 따위를) 곁들여 넣음 ; 또, 그 글. ②추신(追伸) ; 추제(追啓). ↔書き添え.

そえぎ【添え木】(副)图 ㅈ回 받침대 ; 덧방나무 ; (특히) 부목.

そえぢ【添え乳】图 ㅈ回 아기의 옆에 누워서 젖을 먹임. ¶母親ﾊﾞﾝ~して やるとすぐ眠ﾈﾑる 어머니가 옆에 누워서 젖을 물리면 곧 잠이 든다.

そえもの【添え物】图 ①첨물(添物) ; 곁들이는 물건 ; 전하여, 있으나마나한 존재. ¶あの重役ﾔﾞﾙは~き 저 중역은 있으나마나한 존재다. ②경품. ③반찬 ; 부식. ③おかず.

＊そーえる【添える】(副える)下1他 ①첨부하다 ; 붙이다 ; 달리다. ¶手紙ﾃﾞﾐﾝ を~て渡ﾜﾀ편지를 첨부하여 건네주다/景品ﾋﾞﾝを~품을 붙이다. ②곁들이다. ¶花ﾊﾅを~ 꽃을 곁들이다/おかずを~て食ﾀべる 반찬을 곁들여서 먹다. ③더하다 ; 곁들다. ③おもむきを~ 정취(情趣)를 곁들다 ; ¶力ﾁｶﾗを~ 거들다 ; 口ﾝ를~ 말을 거들다 ; 주선하다/手ﾃﾞを~てやる 손으로 부축해 주다.

そえん【疎遠】图ㅈ 소원. ¶平生ﾍﾞｲﾔﾝは~な親戚ﾝﾝ 평소는 소원한 친척. ↔親密ﾐﾂ.

ソークワクチン【薬】 소크 백신(소아 마비 예방 접종약). ▷Salk vaccine.

ソース 图 소스. ¶ホワイト~ 화이트소스/ベシャメル~ 베샤멜 소스. ▷sauce.━━**バン** 图 소스팬 ; 긴 자루가 달린 움푹한 냄비. ▷saucepan.

ソース 图 소스 ; 근원 ; 출처(出處). ¶ニュースの~ 뉴스의 소스. ▷source.

ソーセージ 图 소시지. =ちょうづめ. ▷sausage.

ソーダ 图 소다. ①(化) 탄산소다. ②〈俗〉 나트륨 화합물의 총칭. ③'ソーダ水ﾞ'의 준말. ▷soda.━━**すい**【──水】图 소다수. ━━**せっかい**【──石灰】-sekkai 图 소다 석회. ━━**ばい**【──灰】图 소다회(종이·유리·비누의 원료).

ソープレスソープ 图 소플레스소프 ; 중성 세제. ▷soapless soap.

ゾーン 图 존. ①지역 ; 지대 ; 구역. ②범위. ¶ストライク~ 스트라이크 존. ▷zone.

そかい【租界】图 조계(2차 대전 전에 중국의 개항(開港) 도시에서 외국인에게 치외 법권 지역으로 개방되었던 구류지). ¶共同ﾄﾞｳ~ 공동 조계. ▷租借ｼｬｸ.

そかい【疎開】【疏開】图ㅈ自他 소개. ¶強制ﾀﾞｲ~ 강제 소개/郷里ﾘ~に~する 고향으로 소개하다.

そかい【素懐】图 소회 ; 평소의 소원. =素志ｼ. ¶~の一端ﾝﾝﾀﾞをのべる 소회의 일단을 말하다/~を遂ﾄﾞげる 평소에 품고 있던 소원을 이루다.

そがい【疎外】图ㅈ回 소외. ¶人間ﾝﾝ~ 인간소외/친구에게서 소외당하다. ━━**かん**【──感】图 소외감.

そがい【阻害·阻碍·阻礙】图ㅈ回 조해 ; 저해(沮害). ¶産業ﾝﾝﾞの発展ﾞﾝ を~する 산업의 발전을 저해하다.

そかく【疎隔】图ㅈ自他 소격 ; 소원(疏遠). ¶感情ﾝﾞﾝﾝの~を来ﾞたす 감정의 소격을 가져오다.

そかく【阻隔】图ㅈ他 조격 ; 방해하여 사이를 막음 ; 가로막혀 서로가 뜻하지 못하게 됨(함). ¶二人ﾝﾞﾝの間ﾀｲﾝ を~する 두 사람 사이를 소원하게 하다.

ぞく【組閣】图ㅈ回 조각. ¶一本部ﾞﾝ 조각 본부/~に着手ｼｭする 조각에 착수하다.

そが-れる【殺がれる】下1回 ①깎이다. ②(기세 따위가) 꺾이다 ; 약해지다. ¶気勢ﾞﾞを~ 기세를 꺾이다/興味ﾞを~ 흥미가 깨지다.

そがん【訴願】图ㅈ回【法】 소원. ¶不当ﾀﾞな行政処分ｼﾞﾝ の取消ﾝﾞを~する 부당한 행정 처분의 취소를 소원하다.

そきゃく【阻却】-kyaku 图ㅈ他 조각 ; 방해함.

そきゅう【遡及·溯及】-kyū 图ㅈ回 소급. ¶終戦ﾝ の時ﾄｷ まで~する 종전 시까지 소급하다.

そく【息】图①자식 ; 아들(한문투의 말씨). ¶手前ﾏﾞﾝ どもの~が저희들 자식이/安井氏ﾝﾞﾝの~ 安井씨의 아들. ②이자. ¶~を生ｳﾞ이자를 낳다.

そく【即】图 즉 ; 곧 ; 바로. ¶生ﾞﾝ死ｼ 생즉사/個人ﾝﾞの幸福ﾌﾞが~社会ｶｲ の幸福 개인의 행복이 곧 사회의 행복.

-そく【束】①벼 열 단. ②(반지(半紙) 200장. ③100을 단위로 일컫는 수사(數詞). ¶~묶음ﾞﾟ…단ﾝﾞ…다발. ¶まき~ 장작 한 뭇ﾞ…장작 한 단.

-そく【足】①~족 ; 켤레. ¶くつした二ﾆ ~ 양말 두 켤레.

そーぐ【殺ぐ·削ぐ】5他①뾰족하게 자르다 ; 엇비다 ; 후리다. ¶竹ｹﾞを~ 대를 엇비다 ; (머리카락의) 끝을 잘라내다 ; 치다. ¶びんを~ 살쩍을 치다. ③깎아(베어) 내다. ¶ゴボウの皮ｶﾞを~ 우엉 껍질을 깎아내다/耳ﾐｻを~ 귀를 베어 내다. ④깎다 ; 줄이다. ¶気勢ﾞﾝを~ 기세를 꺾이다/興味ﾞを~ 흥을 깨다/興味ﾞを~-がれる 흥미가 깨지다.

＊ぞく【俗】〔─〕图①풍습 ; 습속 ; 통속. ¶東国ﾞﾞの~ 일본 동부 지방의 풍속. ②속인. 《~を僧ｿﾞ 속인》に~ 속인으로 되돌아간다 ; 환속한 중. ¶~にまじわる 속세와 ¶~を棄ﾂてて仏ﾞﾝにすがる 속세를 버리고 부처에 의존하다. 〔二〕 ｸﾞﾅ①속된 ; 천함. ¶~な表現ﾞﾝﾝ〔人間ﾞﾝ〕 속된 표현[인간]/有名人ﾞﾝ ほど~である事ﾞが多ﾞﾟい 유명인일수록 속된 사람[속물]일 경우가 많다. ↔속된 사람[속물]일 경우가 많다. ↔

雅^{が}。②ありふれ;一般的임. ¶～に言^{い}うね 흔히 그렇게 말하지 / ～にいう狐雨^{きつねあめ}은 흔히 말하는 여우비라는 거야.

ぞく【属】图 속. ①뒤따름;붙따르는 것;부속. ②부하. ③같은 부류(同類). ④속관(属官). ⑤생물 분류상의 한 단계(科와 種의 중간).

ぞく【族】图 ①같은 뿌리에서 갈라진 것;일족(一族). ②어떤 범위 안의 같은 종류의 것. ③도죽. ¶～は현 들の것. ¶アパッチ～ 아파치족／ツングース～ 퉁구스족／동아리;그룹. ¶ヒッピー～ 히피족／社用^{しゃよう}～ 사용족.

ぞく【粟】图 벼; 녹(祿)＝또, 좁쌀(알). ¶～を食^{は}む 벼슬하여 녹을 먹다. ——(編). (編).

ぞく【続】图 ①계속(함). ②속편(続)

ぞく【賊】图 ①역적;반역자. ¶～を討^{う}つ 역적을 치다〔토벌하다〕／～と呼^{よ}ばれる 역적으로 불리다／天下^{てんか}の～ 천하의 역적. ②도둑. ¶～を捕^{とら}える 도둑을 잡다／～に入^{い}られる 도둑에게 들다.

ぞくあく【俗悪】图ナ 속악. ¶～な音楽^{おんがく} 속악한 음악.

そくい【即位】图ス自 즉위. ¶～式^{しき} 즉위식. ⇔践祚^{せんそ}。 ⇔退位^{たいい}。

そくいん【惻隠】图 측은. ¶～の情^{じょう} 측은한 마음.

そぐ・う【適う】图五自 ⟨否定する말을 붙여⟩ 어울리다; 걸맞다. ¶君^{きみ}に～わない発言^{はつげん} 자네에게 걸맞지 않는 발언.

ぞくうけ【俗受け】图ス自 대중의 마음에 듦; 속된 인기를 얻음. ¶～を狙^{ねら}った映画^{えいが} 일반의 인기를 노린 영화.

ぞくえい【続映】图ス他 연속 상영. ¶五週間^{ごしゅうかん}～の記録^{きろく}를 5주간 연속 상영의 기록／後編^{こうへん}は次週^{じしゅう}～ 후편은 다음 주에 속영함.

ぞくえん【俗縁】图 속연;속인(俗人)으로서의 연고 관계;중의 친척·연고자. ¶～を絶^{た}つ 속(된) 인연을 끊다／～につながる 속된 인연에 묶이다.

ぞくえん【続演】图ス他 속연. ¶好評^{こうひょう}により～する 호평에 따라 계속 공연하다.

そくおう【即応】sokuō 图ス自 즉응. ¶事態^{じたい}に～して臨機^{りんき}の処置^{しょち}를 取^{と}る 사태에 즉응해서 임기 조처를 취하다／時代^{じだい}の要求^{ようきゅう}に～する教育^{きょういく} 시대의 요구에 즉응하는 교육.

ぞくおん【促音】图〖文法〗 촉음;2음 사이에 끼어, 막히는 것 같은 느낌을 주는 소리〔「きって(切手)」「ラッパ」따위의「っ」「ッ」로 작게 써서 나타냄〕. ＝つまる音^{おん}。 ――がな 【――仮名】图 촉음을 나타내는 かな〔「っ」로 따위〕.

ぞくおん【属音】图〖楽〗속음; 딸림음. ⇔下属音^{かぞくおん}。

そくおんびん【促音便】-ombin 图〖文法〗「ち」「ひ」「り」따위가 促音^{そくおん}으로 변하는 음편〔「立^{た}ちて」가「立^{た}って」,「成^{な}りて」가「成^{な}って」로, 副詞의「やはり」가「やっぱり」, 名詞의「とと」가「とっと」, 音化^{おんか}「か」가「ぞっか」로 되는 따위〕. ⇒音便^{おんびん}。

そくが【側芽】图 측아;곁눈. ＝わき

め・腋芽^{えきが}。

ぞくが【俗画】图 속화; 속된 그림.

ぞくがい【賊害】图 图他 살상; 죽임. 图 적해; 도둑에게 입은 손해.

ぞくがく【俗学】图 속학; 통속적이며, 천박하고 가치가 없는 학문.

ぞくがく【俗楽】图 속악. ①민중의 음악; 「三味線^{しゃみせん}」「箏^{こと}」따위의 곡과 속요(俗謡) 따위의 총칭. ↔雅楽^{ががく}。②저속한 음악·음곡.

ぞくがん【俗眼】图 속안; 속인의〔속된〕눈; 세속의 눈.

ぞくぐん【賊軍】图 적군; 반란군. ¶勝^{か}てば官軍^{かんぐん}, 負^{ま}ければ～ 이기면 충신이요, 지면 역적이라. ↔官軍^{かんぐん}。

ぞくけ【俗気】图 속기;속된 마음·기분;속취(俗臭). ¶～の多^{おお}い男^{おとこ}를 속기가 많은 남자／～が強^{つよ}い 속취가 많다／仏門^{ぶつもん}에 들어가도～が抜^{ぬ}けない 불문에 들어가서도 속취가 가시지 않다. 注意口語에서는「ぞっけ」「ぞっき」로 발음.

そくげん【塞源】图ス自 색원. ¶抜本^{ばっぽん}～ 발본 색원.

ぞくげん【俗言】图 속언〔한문투의 말에 대해〕. ①속어. ↔雅言^{がげん}。②세상의 소문〔평판〕.

ぞくげん【俗諺】图 속언; 속담; 이언(俚諺). ¶「貧^{ひん}すれば鈍^{どん}する」という～がある 「가난하면 우둔해진다는 빈자 소인(貧者小人)이라」는 속담이 있다.

ぞくご【俗語】图 속어. ①구어. ↔雅語^{ががく}。②비속어; 은어(隠語). ＝スラング. ↔標準語^{ひょうじゅんご}・共通語^{きょうつうご}。

そくざ【即座】图 즉좌; 그 자리; 즉석; (그) 당장. ¶～の応答^{おうとう}를 즉석에서의 응답／～に答^{こた}える 즉석에서 대답하다.

そくさい【息災】图ナ 식재. ①〖仏〗(부처의 힘으로) 재앙을 막음. ②건강함; 무사함. ¶無病^{むびょう}～ 무병 식재; 병없이 무사함.

ぞくさい【俗才】图 속재; 세재(世才). ＝世才^{せさい}。

そくさん【速算】图ス他 속산. ¶～表^{ひょう} 속산표.

ぞくし【即死】图ス自 즉사. ¶高^{たか}い所^{ところ}からおちて～した 높은 곳에서 떨어져서 즉사하였다.

*そくし【即時】图副 즉시; 즉각. ¶～通話^{つうわ} 즉시 통화／～払^{ばら}い 즉시불／～採用^{さいよう}する 즉각 채용하다.

ぞくし【賊子】图 적자. ①반역자. ¶乱臣^{らんしん}～ 난신 적자. ②불효자.

ぞくじ【俗字】图 속자. ¶当用^{とうよう}漢字^{かんじ}は～를 母体^{ぼたい}として制定^{せいてい}された 당용 한자는 속자를 모체로 하여 제정되었다. ↔正字^{せいじ}。

ぞくじ【俗事】图 속사; 세상 일. ＝世事^{せじ}。¶～に追^{お}われて 속사에 쫓겨서.

ぞくじ【俗耳】图 속이; 세상 사람들의 귀. ＝俚耳^{りじ}。¶彼^{かれ}の高邁^{こうまい}な意見^{いけん}은～に入^{い}るまい 그의 고매한 의견은 속된 귀〔세상 사람들〕에는 먹혀 들지 않을 게다.

ぞくしつ【俗室】图 측실; 귀인의 첩. ＝そばめ. ↔正室^{せいしつ}。

そくじつ【即日】图副 즉일; (바로) 그

日；当日。¶～開票ボッ〔名〕当日 開票／～実施ボッする 즉일로 실시하다.

そくしゃ【速写】-sha〔名〕ス他 속사.

そくしゃ【速射】-sha〔名〕ス他 속사. ——ほう【——砲】-hō〔名〕 속사포.

そくしゅう【俗臭】-shū〔名〕 속취；세속 적인 냄새. ¶～ぷんぷんたる坊主ボケ 속취를 물썬 풍기는 중.

ぞくしゅう【俗習】-shū〔名〕 속습；세속 적인 풍습. ¶日常生活ボッジッでは～に 従タがわなければならぬこともある 일 상 생활에서는 속습을 쫓지 않으면 안 될 경우도 있다.

ぞくしゅつ【続出】-shutsu〔名〕ス自 속 출. ¶事故ビの—— 사고의 속출／けが 人ジが～する 부상자가 속출하다.

そくじょ【息女】-jo〔名〕 귀한 집 딸／令 嬢（令嬢）；남의 딸에 대한 경칭. ¶ご～ 따님.

そくしょう【俗称】-shō〔名〕ス他 속칭. ①통 칭（通称）. ¶警察官ボッジのことを「 おまわり」という 경찰관을 속칭 '오마 와리'라고 한다. ②중이 되기 전의 이 름. =俗名ボッ.

ぞくしょう【賊将】-shō〔名〕 적장. ¶～ を捕タらえる 적장을 잡다.

ぞくじょう【俗情】-jō〔名〕 속정. ①세상 일（物情）. ¶～に通ツする 俗情에 환하다. ②속되고 천한 마음.

そくしん【促進】〔名〕ス他 촉진. ¶工事ボの～ 공사의 촉진／計画ボを～する 계획을 추진하다. ⇨すいしん（推進）.

そくしん【測深】〔名〕 측심. ¶～器ガ 측 심기.

ぞくしん【俗信】〔名〕 속신；민간에 행해 지는 미신적 신앙.

ぞくじん【俗人】〔名〕 속인. ①출가（出 家）하지 않은 보통 사람. ↔僧ボ. ②풍 류를 모르는 사람. ③생각·취미가 속 되고 천한 사람；속물. ⇨俗物ボ.

ぞくじん【俗塵】〔名〕 속진. =紅塵ボ·黄 塵ボ. ¶～を避サけて山ヤにこもる 속 진을 피하여 산에 들어박히다.

そくせいじょうぶつ【即身成仏】-jōbu-tsu〔名〕ス自〔仏〕 즉신 성불；내세를 기 다리지 않고, 이승에서 산 채로 부처 가 되는 일（진언종（真言宗）의 교의）.

そく-する【則する】ス変自他 （그것을 기 준으로 하여）따르다；준거하다. ¶法ボに～して 법에 의거하여.

そく-する【即する】ス変自他 꼭 맞다；입 각ボケする. ¶事実ボに～して考カンえる 사실에 입각해서 생각하다.

ぞく-する【属する】①サ変自 （어떤 범 위 안에）속하다；딸리다. ¶人間ジンは 哺乳類ボニ…に～ 인간은 포유류에 속한 다. ①サ変他 맡기다；부탁하다；기대 하다. ¶望ボみを～ 촉망（嘱望）하다.

そくせい【促成】〔名〕ス他 촉성. ↔抑制 ——さいばい【——栽培】〔名〕ス他 촉 성 재배. ↔抑制栽培ボザイ.

そくせい【速成】〔名〕ス他 속성. ¶～ 教授ボッ 속성 교수／～教育ボケ 속성 교육／～醤油ボェ 속성 간장.

そくせい【即製】〔名〕ス他 즉제；즉석 제 작. ¶～の品ボ 즉제품.

ぞくせい【属性】〔名〕 속성. ¶人間ボンの ～ 인간의 속성.

ぞくせい【族生】【簇生】〔名〕ス自 족생；

총생. =叢生ボ. ¶ささが～する 조릿 대가 족생하다.

そくせき【即席】〔名〕 즉석；인스턴트. ¶～演説ボ 즉석에서 연설하다／ ～料理ボ 즉석 요리.

そくせき【足跡】〔名〕 족적；발자취. ¶足 자국. =あしあと. ②업적. ¶輝カガやか しい～ 빛나는 업적.

ぞくせけん【俗世間】〔名〕 속세간；속세. ¶～ではそれは通ツじない 속세간에서 는 그것은 통하지 않는다.

ぞくせつ【俗説】〔名〕 속설. ¶～による と 속설에 의하면.

そくせん【側線】〔名〕 측선. ①철도 선로 의 본선 이외의 대피선 따위의 선로. ②〔動〕옆줄（어류·양서류（両棲類）의 몸 양옆에 줄져 있는 감각기（器）.

そくせんそっけつ【速戦即決】-sokke-tsu〔名〕ス自 속전（즉전（即戦）） 즉결；속 전 속결. ¶～主義ボ 속전 즉결주의.

ぞくぞく【側側】【惻惻】〔トル〕측연（惻 然）한 모양；사무치게 느끼는 모양. ¶ ～として心ロを うつ 사무치게 가슴에 와닿다.

ぞくぞく〔副〕①추위를 느끼는 모양：오 슬오슬；오싹오싹. ¶背中ボが～する 잔등이 오싹거리다. ②소름이 끼치는 모양；기름 따위로 가슴이 설레는 모 양. ¶～するほどうれしい 가슴 설렐 만큼 기쁘다.

ぞくぞく【続続】〔副〕 속속；잇따라. ¶ ～（と）入荷ボッする 속속 입하하다.

そくたい【束帯】〔名〕 속대（平安ボッ 시대 이후, 天皇ボケ 및 문무 백관이 정무（政 務）를 볼 때나 의식 때 입던 정장）. ¶ 衣冠ボ～ 의관 속대；사모 관대.

そくだい【即題】〔名〕 즉제. ①그 자리에 서 대답하거나 하는 문제. ↔宿題ボ. ¶ 제목을 내주고, 그 자리에서 시가·문 장을 짓게 함. =席題ボ. ↔兼題ボ. ¶～詩 시. =兼題ボ. ③작곡하면서 즉석에서 연주함. ¶～曲ボ 즉제곡.

そくたつ【速達】〔名〕ス他 속달（速達ボッ郵便 ボッの준말）. ¶～で送ボッる 속달로 보내 다. ——ゆうびん【——郵便】-yūbin 〔名〕 속달 우편.

そくけつ【即決】〔名〕ス他；즉석 결 단（단안）. ¶～の要ボがある 즉석에서 결정을 내릴 필요가 있다／～を下クだす 즉석에서 단안을 내리다.

そくだん【速断】〔名〕ス他 속단. ¶～を 要ボする 속단을 요하다／そう思ボう のは～である 그렇게 생각하는 것은 속 단이다／～は禁物ボだ 속단은 금물.

ぞくだん【俗談】〔名〕①속된 이야기；잡 담. =世間話ボ. ②풍류가 없는 이야 기. ↔雅談ボ.

そくち【測地】〔名〕 측지. ¶～学ガ 측지학／売買ボのために～する 매매 하기 위해서 토지를 [땅을] 측량하다. ——せん【——線】 측지선（곡면 위의 2점을 최단 거리로 맺는 선）.

ぞくちょう【族長】-chō〔名〕 족장；가장 （家長）.

ぞくっぽ-い【俗っぽい】-kuppoi〔形〕 속 되다；통속적이다；상스럽다. ¶～流 行歌ボジ 속된 유행가／～言ゴい方ボ 속된 말씨.

*そくてい【測定】 名他 측정. ¶〜器^き
測定器 / 体力^{りょく} 측정기 / 体力^{りょく}
差^さ 측정 오차 / 距離^{きょり}を〜する 거리
를 측정하다.

*そくど【速度】 名 속도. ¶〜違反^{いはん} 속
도 위반 / 制限^{せいげん}〜 제한 속도 / 仕事^{しごと}
の〜がおそい 일하는 속도가 느리
다 / 〜を増^ます 속도를 늘리다 / 〜を
落^おとす 속도를 줄이다. ──けい【─
計】 名 속도계.

そくとう【即答】-tō 名自 즉답. ¶
〜を避^さける 즉답을 피하다.

そくとう【速答】-tō 名自 즉답. ¶
〜を望^{のぞ}む 즉답을 바랍니다.

そくとう【即騰】-tō 名自 즉등. ¶
物価^{ぶっか}が〜する 물가가 즉등하다. ↔
続落^{ぞくらく}

そくとう【賊党】-tō 名 적당. =賊徒^{ぞくと}.

ぞくどく【続読】 名他 속독. ¶〜術^{じゅつ}
속독술. =熟読^{じゅくどく}する.

ぞくに【俗に】 副 속되게; 흔히; 보통세
상에서; 일반적으로. ¶〜言^いえば 속
되게 말하면 / 〜いう 세상에서 흔히 말
하는.

ぞくねん【俗念】 名 속념. ¶〜を去^され
속념을 버려라.

ぞくのう【即納】-nō 名他 즉납.

そくばい【即売】 名他 즉매; 직매(直
賣). ¶書画^{しょが}展示^{てんじ}〜会^{かい} 서화 전시
즉매회.

ぞくはい【俗輩】 名 속배; 속된 무리들.
¶〜どもはわからない 속된 무리들은
모른다.

そくばく【束縛】 名他 속박. ¶〜を
脱^{だっ}する 속박을 벗어나다 / 自由^{じゆう}を
〜する 자유를 속박하다 / 時間^{じかん}に
〜される 시간에 얽매이다. ↔解放^{かいほう}

そくはつ【束髪】 名 속발; (특히, 明治^{めいじ}
時代^{じだい} 이후 유행했던) 트레머리라.
¶〜の女性^{じょせい} 트레머리의 여성.

ぞくはつ【続発】 名自 속발; 연발.
¶事故^{じこ}の〜 사고의 연발 / 殺人^{さつじん}事
件^{じけん}が〜する 살인 사건이 속발하다.

ぞくばなれ【俗離れ】 名自 (생각이나
행동이) 세속과 떨어져 있음; 탈속(脫
俗). =世間離^{せけんばな}れ. ¶彼^{かれ}は〜した人
間^{にんげん}だ 그는 탈속한 사람이다.

そくひつ【速筆】 名 속필. ↔遅筆^{ちひつ}

ぞくぶつ【俗物】 名 속물. ¶〜根性^{こんじょう}
속물 근성 / あいつは全^{まった}くの〜だ
저 놈은 순 속물이라네.

ぞくぶつてき【即物的】 ダナ【心】 즉물
적(구체적인 대상에 직접 관련시켜 생
각하는 태도 따위). =ザッハリッヒ.
¶〜な描写^{びょうしゃ} 즉물적 묘사.

ぞくへん【続編】(続篇) 名 속편. ↔正
編^{せいへん}・本編^{ほんぺん}.

そくほ【速歩】 名 속보; 빠른 걸음. =は
やあし.

そくほう【速報】-hō 名他 속보. ¶
開票結果^{かいひょうけっか}を〜する 개표 결과를
속보하다. ──ばん【─板】 名 속
보판.

そくみょう【即妙】-myō 名 임기 응변;
즉석의 기지(재치). ¶頓^{とん}智^ち・頓才^{とんさい}.

ぞくみょう【俗名】-myō 名 속명. ①중
이 되기 전의 이름. =法名^{ほうみょう}. ②(고

인(故人)의) 살아 있을 때의 이름. ↔
戒名^{かいみょう}. ③俗称^{ぞくしょう}.

ぞくむ【俗務】 名 속무; 세속의 번잡스
러운 일. =俗用^{ぞくよう}. ¶〜にわずらわされ
る 속무에 시달리다.

ぞくめい【俗名】 名 속명. ①☞ぞく
みょう. ②속된 명성. ③(동식물 등의)
통속적인 이름(학명 등이 아닌).

*そくめん【側面】 名 측면. ①角柱^{かくちゅう}
の〜 각주의 측면 / 敵軍^{てきぐん}の〜を突^つ
く 적군의 측면을 찌르다 / 彼^{かれ}にそん
な〜もあった 그에게 그러한 측면도 있
었다 / 〜的^{てき}な見方^{みかた}に過^すぎない 측
면적인 견해에 지나지 않다. ↔正面^{しょうめん}
・背面^{はいめん}. ──こうげき【──攻撃】
-kōgeki 名他 측면 공격. ──ず
【──図】 名 측면도.

ぞくよう【俗謡】-yō 名 속요. ①통속적
인 노래(가요곡・유행가 따위). =俗歌^{ぞっか}.
②小唄^{こうた}나 민요 따위 속곡(俗
曲). ¶地方^{ちほう}に伝^{つた}わっている〜 지
방에 전해지고 있는 속요.

ぞくらく【続落】 名自 (시세・물가 따
위의) 속락. ¶相場^{そうば}が〜する 시세가
속락하다. ──リ【─리】.

ぞくり【俗吏】 名 속리 ;속된(속물) 관리.

ぞくり【属吏】 名 속리; 하급 관리(공무
원). =属僚^{ぞくりょう}・属官^{ぞっかん}.

*そくりょう【測量】-ryō 名他 측량. ¶
〜技師^{ぎし}(船) 측량 기사(선) / 三角^{さんかく}
〜 삼각 측량 / 〜術^{じゅつ} 측량술 / 土
地^{とち}を〜する 토지를 측량하다.

ぞくりょう【属僚】-ryō 名 속료; 하급
관리. =属吏^{ぞくり}.

ぞくりょう【属領】-ryō 名 속령.

*そくりょく【速力】-ryoku 名 속력. ¶
〜スピード. ¶最大^{さいだい}〜 최대 속력 /
〜をあげる 속력을 올리다 / 全^{ぜん}〜で
走^{はし}る 전속력으로 달리다.

ソクレット-retto 名 소크렛(어린이용
의 짧은 양말). ↔socklet.

そくろう【足労】-rō 名(「ご〜」의 꼴로)
걷는 수고. ¶ご〜をねがいます 오시
기 바랍니다 / ご〜でした 오시느라고
[다녀오시느라고] 수고했습니다.

ぞくろん【俗論】 名 속론. ¶〜と闘^{たたか}
う 속론과 싸우다. ↔卓見^{たっけん}.

そぐわない【適わない】 連語 어울리지
[맞지] 않다; 적합하지 않다. ¶顔^{かお}つ
きに〜やさしい声^{こえ} 얼굴에 어울리지
않는 상냥한 목소리.

そけい【素馨】 名【植】☞ジャスミン.

そげき【狙撃】 名他 저격. ¶〜兵^{へい}
저격병 / 要人^{ようじん}を〜する 요인을 저격
하다.

ソケット -ketto 名 소켓. ↔socket.

そ−げる【削げる・殺げる】 下1自 깎이
다; 깎여지다 / 頰^{ほほ}が〜 볼이
홀쭉해지다 / 岩角^{いわかど}が風雨^{ふうう}に〜げ
て丸^{まる}くなる 바위 모서리가 비바람에
닳아서(깎이어) 둥그렇게 되다.

そけん【訴権】 名【法】 소권(소송을 제
기할 권리). ¶国民^{こくみん}には〜がある 국
민에게는 소권이 있다.

そこ【其処・其所】 代 거기. ①〈장소・위
치〉 그 곳. ¶〜で待^まっていろ 거기서
기다려라 / 〜に置^おいたのか 거기에 놓
았는가 / 〜に書^かいてある 거기에 써
있다. ↔ここ・あそこ・かしこ. ②〈시

기·상태·상황》그장면; 바로 그때. ¶
～で幕*ぉ*がおりた 거기서 막이 내렸다. ¶
③《내용·요점》그것. 그점. ¶～が大
切*たい*だ 거기가 중요하다 / ～が知*し*り
たい 그 점을 알고 싶다 / ～へ行*ゆ*くと
그 점에 있어서는 / ～が彼*かれ*のえらい
ところで 그 점이 그의 위대한 점이다.

そこ【底】⑧ ㉠밑〔바닥〕. ㉡밑〔신의〕.
川底*かわぞこ*の～ 강바닥 / 海底*かいてい*の～ 바다 밑바
닥 / ～の厚*あつ*いなべ 바닥이 두꺼운 냄
비 / 桶*おけ*の～が抜*ぬ*ける 통 밑이 빠지
다 / 谷*たに*の～におちる 골짜기 밑으로
〔아래로〕 떨어지다 / ～を払*は*う 바닥
을 털다〔바닥이 나다〕. ㉢〔신의〕 창.
¶～を張*は*りかえる 바닥을 갈아 대다;
창갈이하다. ㉣바닥 시세〔'底値*そこね*'의
준말〕. ¶ここらが～だろう 이쯤이 바닥
(시세)일걸. ㉤不景気*ふけいき*の～
が見*み*えた 불경기도 바닥이 보이
게 됐다. ㉥속. ¶心*こころ*の～ 마음속·
地*ち*の～ 땅속. ㉦속마음; 마음씨. ¶
～を割*わ*って話*はな*す 마음을 털어 놓고
이야기하다. ⑧〔한도〕끝. ¶～の
知*し*れない馬鹿*ばか* 가량도 못할〔형편 없
는〕 바보. ——が浅*あさ*い 바닥이 얕다; 내
용이 빈약하다; 깊이가 없다. ——知*し*れ
ぬ 밑〔바닥〕을 알 수 없는; 끝없는. ¶
～知*し*れぬやみ 끝없는 어둠. ——を押*お*す
다짐하다; 다짐을 놓다. ——をつく ①
바닥이 나다. ②바닥 시세가 되다. ③
점점 나쁜 상태로 되어 파탄 직전에 가
까워지다. ——をはたく 바닥을 털다;
속엣것을 다 써버리다.

そご【祖語】⑧ 조어; 모어(母語). ＝同
祖語*どうそご*. ¶ゲルマン～ 게르만 조어.

そこい【底意】⑧ 저의; 속마음; 속셈.
＝したごころ. ¶～のない話*はなし* 저의
없는 말.

そこいじ【底意地】⑧ 근성(根性); 마
음보. ——わる-い【——悪い】⑱ 마음
보가 나쁘다.

そこいら【其処いら】代 〈俗〉거기 어
디; 그 근방(근처). ＝そこら. ¶その
家*いえ*は～だ 그 집은 그 근처 어디다.

そこいれ【底入れ】⑧ 函〈經〉 최저
〔바닥〕 시세까지 떨어짐.

そこう【素行】-kō ⑧ 소행; 평소의 행
실〔품행〕. ¶～がわるい 품행이 나쁘
다.

そこう［遡行・溯行］-kō ⑧ 函 소행;
거슬러 올라감(배를 타거나 걸어서).
¶川*かわ*を～する 강을 소행하다.

そこきみわる-い【底気味悪い】⑱ 어쩐
지 기분이 나쁘다. ¶～いんぎんさ 어
쩐지 기분나쁜〔징그러운〕 은근함.

そこく【祖国】⑧ 조국. ¶～愛*あい* 조국
애 / ～の土*つち*を踏*ふ*む 조국(의) 땅을 밟
다.

そこしらず【底知らず】ダナ 밑바닥을
모름; 한도를 모름. ¶～の酒飲*さけの*み
가량없는 술꾼; 술고래.

そこしれない【底知れない】連語 (깊이
를〕 알 수 없는; 정체모를; 수수께끼
의. ＝底知れぬ. ¶～恐怖*きょうふ* 한없는
공포.

そこそこ ⑧ ①《주로 接尾語적으로 씀》
될까말까; 안팎; 정도. ¶四十*しじゅう*～の
紳士*しんし* 40 안팎의 신사. ②《副詞적으
로》대충대충 하고 손을 떼는 모양; …

하는 둥 마는 둥 …할 겨를도 없이. ¶
あいさつも～に 立*た*ち去*さ*る 인사도 하
는 둥 마는 둥 떠나다.

そこぢから【底力】⑧ 저력. ¶～のあ
る声*こえ* 저력 있는〔굵고 낮은〕 목소리 /
～を発揮*はっき*する 저력을 발휘하다.

そこつ【粗忽】ダナ ①경솔함. ¶
～者*もの* 경솔한 사람. ②(부주의로 저지
른〕 실례; 잘못. ＝粗相*そそう*.

そこづみ【底積み】⑧ 밑에 실음; 또,
그짐. ＝下積*したづ*み. ¶～の荷物*にもつ* 밑바
닥에 실은 짐. ↔上積*うわづ*み.

そこで【其処で】接 ①바로 앞의 말을
받아서》그래서. ¶ひどく疲*つか*れた. ～
早*はや*く寝*ね*た 몹시 피곤했다. 그래서
일찍 잤다. ②《말을 바꿀 때》그런데;
한데; 그러면. ＝さて. ¶～、君*きみ*に尋*たず*
ねる事*こと*が有*あ*る 그런데, 자네에게 물
어 볼 것이 있네 / ～、これからどうす
るか그러면, 이제부터 어떻게 하겠나.

そこな-う【損なう】⑤他 ①손상하다.
㉠파손하다; 깨뜨리다; 부수다. ¶器
物*きぶつ*を～ 기물을 파손하다 / 面目*めんぼく*を
～ 체면을 손상하다. ㉡(건강·기분 따
위를〕 상하게 하다; 해치다. ¶きげん
を～ 기분을 상하게 하다 / 健康*けんこう*を～
건강을 해치다. ②살상하다. ¶人*ひと*を～
살상하다; 살상하다. ③〈動詞의
連用形에 붙어서〉…하지 못하다.
㉠(그동사의) 실패하다; 잘못하다. ¶
やり～ 잘못하다; 실패하다 / 聞*き*き～
잘못 듣다; 못 듣다. ㉡〈그 동작을 할
기회를〉 놓치다; 잃다; …을 못하고 말
다. ¶展覧会*てんらんかい*を見*み*～ 전람회를
못 보다 / 言*い*い～ 말할 기회를 놓치
다. ㉢…을 뻔하다. ¶おぼれ～ 빠져
죽을 뻔하다.

そこなし【底無し】⑧ ①바닥이 없음;
밑이 없음. ¶～の沼*ぬま* 깊이를 알 수 없
는 늪. ②한(끝)이 없음. ¶酒*さけ*を～に
飲*の*む 술을 한없이 마시다.

そこに【底荷】⑧ (배의) 바닥짐.

そこぬけ【底抜け】⑧ ①밑바닥이 빠
져서 없음. ¶～のおけ 밑빠진 통. ②
《俗》얼간이. ¶この～め이 얼간아.
③모주꾼. ¶～上戸*じょうご* 모주망태. □
①한이 없고 극도로 지나침. ¶～の
楽天家*らくてんか* 극단적인 낙천가 / ～のお
人*ひと*よし 무골 호인.

そこね【底値】⑧ 바닥 시세; 최저 가
격. ↔天井値*てんじょうね*. ┌う.

そこ-ねる【損ねる】⑤他 ☞そこな-
そこのけ【其処退け】⑧ 《흔히 体言에
붙어서》…에 못지 않음; …도 무색할
〔능가할〕 정도. ¶本職*ほんしょく*～の腕前*うでまえ*
전문가 못지 않은 솜씨 / 学者*がくしゃ*～のも
のしり 학자들 뺨칠 정도의 박식.

そこはかとなく 連語 이렇다 할 이유도
없이; 공연히; 왠 그런지〔어딘지〕 모르
게. ¶～悲*かな*しみがこみ上*あ*げる 공연
스레 슬픔이 복받치다.

そこばく【若干】副 약간; 얼마큼. ＝そ
くばく. ¶～の不安*ふあん* 약간의 불안 /
～の金*かね*を与*あた*える 얼마큼의 돈을 주
다.

そこひ【底翳・内障眼】⑧〈醫〉내장(内
障). ¶黒*くろ*～ 흑내장 / 白*しろ*～ 백내장.

そこびえ【底冷え】⑧ 뼛속까지 추위가
스며듦; 또, 그런 추위. ¶～のする夜*よる*

ょ 지독히 추운 밤.

そこびかり【底光り】图 자自 깊은 속에서 나는 [광택, 힘]. ¶～のする人品た 그윽한 인품.

そこびきあみ【底引(き)網】【底曳(き)網】图 저인망; 저예망(底曳網). ＝トロール.

そこまめ【底まめ・底肉刺】图 발바닥이 부르터 생긴 물집. ¶～ができた 발바닥이 부르텄다.

そこら【其処ら】代 ① 그 근방[근처]. ¶～にあるだろう 그 근방에 있겠지. ② 그 정도. ¶まあ～が適当だ 글쎄 그 정도가 적당하다. ——あたり——[─辺り]代 그 근방[근처]. ＝そこらへん・そこいら.

そさい【蔬菜】图 소채; 채소; 야채; 푸성귀. 靑物類.

そざい【素材】图 소재. ¶小説ょうの～ 소설의 소재.

ソサエティー -ti 图 소사이어티. ① 사회. ② 사교계. ¶ハイ～ 상류 사교계. ③ 학회; 협회. ▷society.

そざつ【粗雑】ダナ 조잡; 雑ざつ. ¶～な計画ょ 조잡한 계획. ↔精密ょ; 綿密めん.

そさん【粗餐】图 조찬; 소찬(素饌). ＝素飯. ¶～を呈したい 조찬을 대접하고 싶다.

そし【祖師】图 조사; 개조(開祖). =開山ざん・開祖ょ. ¶お～様ま 조사님.

そし【阻止】【沮止】图 자他 저지. ¶侵入にゅうを～をする 침입을 저지하다.

そし【素志】图 소지; 평소의 생각[뜻]. ＝宿志ょ; 素懐ょ. ¶～をつらぬく 평소의 뜻을 관철하다.

そじ【素地】图 소지; 바탕; 기초. ＝下地ょ.

ソシアリスト 图 소셜리스트; 사회주의자. ▷socialist.

ソシアリズム 图 소셜리즘; 사회주의. ▷socialism.

ソシアルダンス 图 소셜 댄스; 사교춤. ↔ステージダンス. ▷social dance.

ソシオロジー 图 소시올러지; 사회학. ▷sociology.

＊＊そしき【組織】图 자他 조직; 体内たい ～ 체내 조직 / 社会ゃ～ 사회 조직 / 暴力ょ～ 폭력(적인) 폭력 / ～を挙げて取り組む 조직을 총동원하여 대처하다. ——てき——[─的]ダナ 조직적. ¶～な活動どう 조직적인 활동 / ～変化ゃ 조직적 변화.

そしたら腰 그렇게 하니까; 그러자. ＝そうしたら・すると.

＊そしつ【素質】图 소질. ¶詩人とんの～ 시인의 소질 / 天才の～ 천재적 소질.

＊そして腰〔口〕그리고('そうして'의 준말). ¶戦たたかい，～勝かって 싸워라, 그리고 이겨라.

そしな【粗品】图 조품; 변변치 못한 물건(선물의 겸칭).

そしゃく【咀嚼】-shaku 图 자他 저작. ① 씹음. ¶よく～して食たべる 잘 씹어서 먹다. ② 음미함.

そしゃく【租借】-shaku 图 자他〔法〕조차. ¶～地ち〔権けん〕조차지〔권〕.

＊そしょう【訴訟】-shō 图 자自 소송. ¶

~を起ょす 소송을 제기하다.

そじょう【俎上】-jō 图 조상; 도마 위. ——の魚ょ 도마에 오른 고기.

そじょう【訴状】-jō 图〔法〕소장. ¶～を読よむ 소장을 읽다.

そしょく【粗食】-shoku 图 조식; 나쁜 식사. ¶粗衣ぃ～ 조의 조식. ↔美食しょく.

そしらぬ【素知らぬ】【素知らぬ】連語 모르는 체하는. ¶～顔がで 모른 체하고; 시치미를 떼고.

そしり【謗り・誹り・譏り】图 비방; 비난. ¶軽率りつな～を免まぬがれない 경솔하다는 비난을 면할 수 없다.

そし-る【謗る・誹る・譏る】五他 비난[비방]하다; 나쁘게 말하다; 나무라다. ¶互たがいに～り合う 서로 비방하다.

そすい【疎水】【疏水】图 소수; 간척·급수·운송 등을 위해 만든 수로(水路).

そすう【素数】-sū 图〔數〕소수.

そせい【粗製】-sei 图 조제. ↔精製ぃ.

そせい【組成】-sei 图他 조성. ¶化合物ぶっの～を調しらべる 화합물의 조성을 조사하다.

そせい【蘇生】-sei 图 自 소생. ¶～させ

そぜい【租税】图 조세. ¶～を納ぉめる 조세를 바치다(물다).

そせき【礎石】图 초석. ＝いしずえ. ¶議会政治じいの～を築きく 의회 정치의 기초를 쌓다.

＊＊そせん【祖先】图 조선; 선조; 조상. ¶～を祭まる 선조를 모시다. ↔子孫そん.

そそ【楚楚】トタル 자히: 청초; 맑고 고운 모양. ¶～たる令嬢じょ 청초한 아가씨.

そそ副 바람이 조용히 부는 모양; 솔솔. ¶～吹ふく風か 솔솔 부는 바람.

そそう【阻喪】【沮喪】-sō 图 자自 저상; 기운을 잃음. ¶意気き～する 의기가 저상하다.

そそう【粗相】-sō 图 자自 (덤비다가) 실수함. ＝そこつ. ¶～のないように注意ちゅうしなさい 실수가 없도록 조심해라.

そぞう【塑像】-zō 图 소상; 찰흙·석고 따위로 만든 상. ¶～を造つる 소상을 만들다.

＊そそ-ぐ【注ぐ】【灌ぐ】──五自 ① 흘러 들어가다. ⑦(물·눈물·비·눈 따위가) 쏟아지다. ⑥(비가) 내리다; 비가 쏟아지다. ⑥(햇빛이) 쬐다. ¶光かが降ふり～ 햇빛이 내리쬐다. ──五他 ① 쏟다. ⑦(눈물을) 흘리다. ¶涙なだを～ 눈물을 흘리다. ⑥집중시키다. ¶全力ちを～ 전력을 다하다 / 目のを～ 주목(注目)하다. ②(물을) 대다. ¶田たに水みずを～ 논에 물을 대다 / ～(물 따위를) 주다; 뿌리다. ④(액체를) 붓다; 따르다. ¶コップに水みずを～ 컵에 물을 따르다.

そそ-ぐ【雪ぐ・濯ぐ】五他 ① (오명을) 씻다; 설욕(雪辱)하다. ＝すすぐ. ¶恥はじを～ 치욕을 씻다; 설욕하다. ②(물로) 헹구다; 씻다; 가시다. ＝すすぐ. ¶口くちを～ 입을 가시다; 양치질하다.

そそくさ副 침착하지 못하고 서두르는 모양; 총총히; 허둥지둥. ¶～とその場ばを立たち去さる 총총히 그 자리를 떠

そそけだ・つ【そそけ立つ】 ⑤自 ①けばだつ。②髪の毛が乱れる。③悪寒が走る；오싹해지다。＝そそけづ。④おそろしくて～ 무서워서 소름이 끼치다。

そそ・ける 下1自 ①☞けばだつ。②髪などがほつれて乱れる；(머리털이) 부스스하게 일어나다。¶ ・けた髪 흐트러진 머리。

そそっかし・い -sokkashī 形 경솔하다；덜렁덜렁하다。¶ ～・屋 덜렁이／動作が～ 동작이 경솔하다。

そそのか・す【唆す】 ⑤他 꼬드기다；부추기다；교사(教唆)하다。¶悪事を～ 못된 짓을 부추기다。

そそり た・つ【そそり立つ】【聳り立つ】 ⑤自《雅》 우뚝 솟다；용립(聳立)하다。

そそ・る ⑤他 돋우다；자아내다。¶食欲を～ 식욕을 돋우다／涙を～ 눈물을 자아내다。

そぞろ【漫ろ】 副 ダナ ①까닭 없이 마음이 움직이는 모양；어쩐지；공연히。¶～乱れをもよおす 절로 불쌍한 마음이 들다。②마음이 가라앉지 않는 모양。

そぞろあるき【そぞろ歩き】【漫ろ歩き】 名 ス自《雅》 만보(漫步)；산책。

そぞろに【漫ろに】 副 까닭 없이 마음이 쏠리는 모양；자꾸。¶～悲しくなる 공연히 슬퍼지다。

そだ【粗朶】 名 섶나무 가지。

そだち【育ち】 名 ①성장。¶～がおそい 성장이 늦다／春先より～がいい(悪い) 예년보다 성장이 좋다(나쁘다)。②육성의 방식；성장기의 환경·교육 따위。¶～がよい 교육을 잘 받고 자라다。《接尾語的으로》 …에서(으로) 자랐음〔자란 사람〕。¶東京～の人 도쿄 태생(太生)의 사람。子供～の 도회지에서 자란 아이／浜っ子～ 해변에서 자란(자란 사람)。

そだ・つ【育つ】 ⑤自 자라다다；성장하다。¶健康に～ 건강하게 자라다。

そだて【育て】 名 양육(養育)；육성。

そだてのおや【育ての親】 名 기른 부모；양부모。＝育ての親より。낳은 부모보다 길러 준 부모(가 낫다)。↔生みの親。

そだ・てる【育てる】 下1他 양육[육성]하다；키우다；기르다。¶子供を～ 아이를 [자식을] 기르다／ばらを～ 장미를 키우다。

そち【措置】 名 ス他 조치。조처。¶臨機応変の～ 임기 응변의 조처／適当に～する 적당히 조치하다／～をとる 조치를 취하다。

そち【其方】 代 ①거기；그쪽。＝そちら・そっち。②《古》 너；그대。＝おまえ・なんじ。

そちこち【其方此方】 代 여기저기；이쪽저쪽·여기저기·이쪽저쪽。¶ガラスの破片が散っている～ 여기저기에 유리 조각이 흩어져 있는。

そちゃ【粗茶】-cha 名 좋지 못한 차。¶～を一つ○○ 변변치 못한 차지만 한 잔(드시죠)。

そちら【其方】 代｜그쪽。①그 곳；거기。¶～にはございます 그쪽에 있습니다／～に行きました 그쪽으로 갔습니다。②그쪽의 것。¶～を

見せてください 그쪽(것)을 보여주십쇼。③상대방이나 상대방 쪽의 사람을 가리키는 말。¶～さん 그쪽 분／～はお変わりありませんか 그쪽은 변한 것 없으십니까／～はどうお考えですか 그쪽은 어떻게 생각하시는가요。⇨あちら・こちら・どちら。

そ【粗】 名 ①실수。¶～のない人 실수 없는 사람。②낭비。¶金のお使い方に～がない 돈 쓰는 데 낭비가 없다。

そ【卒】 名 졸。①병졸；병사。②'卒業(＝졸업)'의 준말。¶大学～ 대학졸。

そ【訴追】 名 ス他《法》 소추；기소(起訴)。¶～条件 소추 조건。

そつう【疎通・疏通】-tsū 名 ス自《雅》 우뚝 솟다；소통。¶意思の～ 의사 소통／双方の意見が～する 쌍방의 의견이 소통하는。

そっか【足下】 sokka 一 名 족하。①발 아래。¶～にふみにじる 발 아래 짓밟다。②편지 받을 사람 이름 밑에 쓰는 존칭。二《老》 족하；귀하(윗동배인 상대방에게, 주로 편지에서 씀)。＝あなた・貴殿さん。¶～の御告(書) 귀하의 충고。

ぞっか【俗化】 zokka 名 ス自 속화。¶古都の～を防ぐ 고도의 속화를 막다。

ぞっかい【俗界】 zokkai 名 속계；속세。¶～の衆生さん 속세의 중생。

ぞっかい【続開】 zokkai 名 ス他 속개。¶競技を～をする 경기를 속개하다。

ぞっかん【俗間】 zokkan 名 속간；속세(俗世)。＝世間さん。

そっき【速記】 sokki 名 ス他 속기。속기술로 씀。¶～者 속기자／～録 속기록／演説を～する 연설을 속기하다。二名 '速記術(＝속기술)'의 준말。

ぞっきぼん【ぞっき本】 名枠本 zokki-名《俗》 덤핑책；싸구려 책。

そっきゅう【速球】 sokkyū 名《野》 속구。¶～投手 속구 투수。

そっきょう【即興】 sokkyō 名 즉흥。¶～曲 즉흥곡／～詩 즉흥시／～詩人ん 즉흥 시인。━てき【━的】 ダナ 즉흥적。¶～なやりとり (시 따위의) 즉흥적인 주고받음／～に書く 즉흥적으로 쓰다。

ぞっきょう【卒業】-gyō 名 ス他 ①졸업。¶～証書ん 졸업 증서〔논문〕／もう恋愛なんかはとっくに～した 이제 연애 같은 건 벌써 졸업했다。②어떤 예정된 일을 끝내다。¶ピアノの初歩は～した 피아노의 초보는 마쳤다。

ぞっきょく【俗曲】 zokkyo- 名 ス他 속곡(三味線ん에 맞추어 부르는 端歌た・都々逸등 따위)。¶～の名수。「(卽錢)」맞돈。

そっきん【即金】 sokkin 名 즉금；현금。

そっきん【側近】 sokkin 名 측근。¶～の奸か 측근의 간신／～筋かん 측근자。

ソックス【即金】 sokkusu 名 속스；양말(여성용의 경우는 짧은 양말)。⇨ストッキング。

そっくり sokku- 一 副 ①전부；몽땅；모조리。¶～もらおう 전부 받겠다(얻겠

다〕 / ～食べてしまう 몽땅 먹어 치우
다. 〓그대로. ─～のまま 그냥 그
대로. 〓デ〗 꼭 닮다. 〓父親ੰ̇に
～だ 부친을 빼쏘았다. 〓三自 그
대로임 ; 고스란함.

そっくりかえる【反っくり返る】sok-
ku- ⑤自《俗》몸을 뒤로 젖뜨리다(으
스대는 모양). ¶いすに～っているや
つの si잔에 턱 버티고 앉아 있는 자. ⇨
そりかえる.

そけ【素っ気】sokke 图 그 본디의 성
질을 느끼게 하는 어느 정도의 요소〔냄
새〕 ; 기미(氣味). ¶～(の)ないあいさ
つ 쌀쌀맞은〔붙임성 없는〕 인사. ⇨
そっけない・そっけもない.

そっけない【素っ気無い】sokke- 圈 무
정하다 ; 인정머리 없다 ; 냉담하다. ¶
쌀쌀맞다. ¶～返事 쌀쌀맞은 대답 /
～く断ᆫる 매정하게 거절하다.

そっけもない【素っ気も無い】sokke-
連語 물풍(沒風)스럽다 ; 무미 건조하
다. ¶何ᆫの～ 아무 멋도 없다.

そっこう【即効】sokkō 图 즉효. ¶
～薬 즉효약.

そっこう【測候】sokkō 图 측후 ; 기상의
관측. ─じょ【──所】-jo 图 측후소.

そっこう【速効】sokkō 图 속효. ↔遅
効ᆫ.

ぞっこう【続行】zokkō 图ス他 속행.
¶試合ᆫを～する 경기를 속행하다.

そっこく【即刻】sokkoku 副 즉각 ; 곧 ;
즉시. =ただちに・即時ᆫで. ¶～返答
せよ 즉각 대답하라. ⇨後刻ᆫ.

ぞっこく【属国】zokko- 图 속국.

そっこん【即今】sokkon 副 즉금 ; 목하 ;
지금. ¶～の世情ᆫ 즉금의 세정.

ぞっこん zokkon 副《俗》마음속으로부
터 ; 홀딱. ¶～ほれ込む 홀딱 반해 버
리다.

そっせん【率先】sossen 图ス自 솔선.
¶～して 솔선하여 / ～垂範ᆫ 솔선
수범.

そつぜん【卒然・率然】sotsuzen トタル 졸연 ;
돌연 ; 갑자기. ─突然ᆫ. ¶～と(して)
졸연히 / ～と悟ᆫる 홀연히 깨닫다. ②
경솔[당돌]한 모양.

そっち【其方】sotchi 代 ⇨そちら. ¶
～はないすか 너는 무엇으로 할래.

そっちのけ【其方退け】sotchi- 图 ①뒷
전으로 돌림 ; 내동댕이침 ; 거들떠보지
않음. ¶宿題ᆫは～で遊ᆫぶ 숙제는
뒷전으로 돌리고 놀다. ②못지 않음 ;
능가함. ¶くろうと～の腕前ᆫ 전
문가도 무색할 솜씨.

そっちゅう【卒中】sotchū 图〈醫〉졸
중 ; 뇌졸중. =脳卒中ᆫ.

そっちょく【率直【卒直】sotcho- ダナ
솔직. ¶～な態度ᆫ 솔직한 태도.

そっと sotto 副 살짝 ; 가만히 ; 몰래. ¶
～歩ᆫく 가만히 걷다 / ～寄ᆫる
살짝 다가가다 / ～のぞく 몰래 엿
보다.

そっと zotto 副 춥거나 무서워서 소름
이 끼치는 모양 ; 오싹. ¶その話ᆫを
聞ᆫいて～した 그 이야기를 듣고서 소
름이 끼쳤다. ─しない 탐탁하지 않
다. ¶洋food는 余ᆫり～しない 양식
은 별로 탐탁지 않다.

そっとう【卒倒】sottō 图ス自 졸도.
¶その場ᆫに～してしまった 그 자리에
졸도해 버렸다.

そっぱ【反っ歯】soppa 图 뻐드렁니 ; 옥
니.

そっぽ【外方】soppo 图 다른 쪽 ; 딴
쪽. ¶～を見ᆫる 딴 쪽을 보다.
─を向ᆫく 외면하다.

そで【袖】sode 图 ①소매. ②대문 양쪽의
기타리. ③책상 양쪽의 서랍. ¶両袖ᆫ
～の机 양소매 책상. ④무대의 옆.
─にすがる 소매자락에 매달리다(동
정을 바라다 ; 도움을 청하다). ─にす
る 소홀히 하다 ; 거들떠보지 않다.
─の滴ᆫ 소매에 떨어지는 눈물. ─の
下ᆫ 뇌물. ¶～の下を使ᆫう 뇌물을 쓰
다. ─の露ᆫ 소매가 눈물에 젖음을 이
름. ─ふり合ᆫうも多生ᆫ の縁ᆫ 소
매가 서로 스치는 것도 전생의 인연.
─を絞ᆫる 소매가 젖도록 울다.
─を連ᆫ ねる 함께 가다 ; 행동을 함께
하다. ─を通ᆫす 옷을 입다. ─を引
ᆫく 소매를 잡아당기다(a)살짝 주의시키
다. (b)몰래 꾀어 내다.

そでがき【袖垣】sode- 图 대문 따위
에 붙여, 낮게 만든 울타리.

そでぐち【袖口】sode- 图 소맷부리.

そでごい【袖乞い】sode- 图 구걸 ; 구걸(함).
동냥(함). ¶～をする 구걸하다. 「목」.

そてつ【蘇鉄】〈植〉sotetsu 图〈植〉소철.

そでなし【袖無し】sode- 图 소매 없는 것.
특히, 소매 없는 羽織ᆫ. =ちゃんちゃ
んこ. ②양복에서 소매가 없는 것. =
ノースリーブ.

そでみだし【袖見出し】sode- 图
(신문 따위의) 부록제(副欄題) ; 부제.
─本ᆫ見出し.

そと【外】图 ①밖 ; 바깥 ; 겉 ; 외부(外部).
¶～づら 외면 / ～で遊ᆫぶ 바깥에서
놀다 / ～は寒ᆫい 밖은 춥다 / ～仕
事ᆫする 밖에서 식사하다. ↔なか・
うち・ほか.　　　　　　　　「ば.

そとうば【卒塔婆】sotō- 图 ⇨そとう
み【外海】.

そとうみ【外海】sotō- 图 외해 ; 외양. =がい
かい. ↔内海ᆫ.

そとがこい【外囲い】sotō- 图 바깥 울타리.

そとがまえ【外構え】sotō- 图 (건물의) 겉구
조 ; 외부 구조 ; 외관 ; 바깥 구조[모
양]. ¶～の立派ᆫな家ᆫ 바깥 꾸밈새
가 훌륭한 집.

そとがわ【外側】图 바깥쪽 ; 외면 ; 외
측 ; 겉면. ¶～は立派ᆫ ペンキ塗ᆫり
にする 외면은 모두 뺑끼칠로 하다. ↔
内側ᆫ.

そとぎらい【外嫌い】图 밖에 나가기를
싫어하고, 집 안에만 들어박혀 있음 ;
또, 그런 사람.

そとく【素読】图ス他 소독 ; 글뜻을 도
외시하고 음독하기. ¶論語ᆫの～ 논
어의 소독.

そとづら【外面】图《俗》①외면. =外
面ᆫ. ¶～だけは立派ᆫ 겉만은 훌
륭하다. ②남(외부 사람)과 대하는 태
도나 표정 ; 타인에게 주는 인상. ¶内

面＠はいいが～の悪＠い人＠だ 집안 식구에게는 좋은데 대인 관계는 좋지 않은 사람이다. ↔内面＠ろ.

そとのり【外のり】【外法】㉈ (그릇·되따위의) 겉으로 잰 치수; 바깥 치수. ↔内＠のり.

そとば【卒塔婆·卒都婆·率塔婆】㉈【佛】솔도파(率堵婆). =そとうば.

そとびらき【外開き】㉈ 안에서 밖으로 밀어서 열게 된 문이나 창. ↔内開＠き.

そとぶろ【外ぶろ】【外風呂】㉈ 건물 밖에 따로 설치한 욕장.

そとまご【外孫】㉈ 외손; 외손자. ↔内孫＠まご.

そとまわり【外回り】【外廻り】㉈① (바깥) 주위. ¶家＠の―をかたづける 집 주위를 치우다. ②외근(外勤); 밖을 나돌아다니며 하는 일. ¶―の仕事＠は 밖에 나다녀며 하는 일. ↔内勤.

そとみ【外見】㉈ 겉보기; 외견; 외관(外觀). =がいけん. ¶―は悪＠くはない 외관은 나쁘지는 않다 / ～だけでは 分＠ならない 겉보기만으로는 알 수 없다.

そとも【外も】【外面】㉈ ①외면; 바깥(쪽). ②산의 북쪽. ③뒤쪽.

そとわに【外わに】【外鰐】㉈ 팔자걸음; 발장다리. ↔内＠わに.

ソナー【sonar】 ㉈ (수중) 음파 탐지기. ▷sonar ; sound navigation ranging.

そなえ【供え】【お―】제물(祭物); 공물(供物); (특히) 제물로 바치는 떡.

そなえ【備え】㉈①준비; 대비. ¶非常口＠への―が要＠る 비상구의 준비가 필요하다 / ～あれば憂＠いなし 유비무환. ②방비; 경비(警備); 밖을 나에 대(對)하여 ～を固＠める 외적에 대비하여 방비를 굳게 하다 / ～を立＠て直＠す 방비를 [진용을] 재정비하다.

そなえつ‐ける【備え付ける】㉑① 설치(비치)하다. ¶ホールにテーブルを～ 홀에 테이블을 비치하다.

そなえもの【供(え)物】㉈ 제물(祭物); 공물(供物). =くもつ.

そな‐える【供える】㉑① 바치다; 올리다. ¶お神酒＠を神前＠に～ 신전에 제주(祭酒)를 바치다. ②이바지하게 하다.

そな‐える【備える】㉑①준비하다; 대비하다. ¶試験＠に～えて勉強＠する 시험에 대비하여 공부하다 / 将来＠に～ 장래에 대비하다. ②갖추다; 구비(비치)하다; 마련하다. ¶必要品＠を～ 필요품을 갖추다. ⓑ(具える) (인격·교양 등을) 지니다. ¶德＠を身＠に～ 덕을 몸에 갖추다.

ソナタ ㉈【樂】소나타; 주명곡(奏鳴曲). ▷이 sonata. ――けいしき 【――形式】 ㉈ 소나타 형식.

ソナチネ ㉈【樂】소나티나(간단한 형식의 소나타); 소주명곡(小奏鳴曲). ▷이 sonatine.

そな‐わる【備わる】㉓①구비되다; 비치되다. ¶内容＠と形式＠が～ 내용과 형식이 갖추어지다 / 暖房装置＠が～・っている 난방 장치가 (갖춰져) 있다. ②(具わる) (인격·교양 따위가 몸에) 갖춰지다. ¶資格＠が～ 자격이 갖추어지다.

ソネット【-netto】㉈ 소네트; 14행으로 된 영시(英詩). ▷sonnet.

そね‐む【嫉む】㉈ 시기[질투]하다; 시새우다. =ねたむ. ¶成績＠の良＠いともだちを～ 성적이 좋은 친구를 시새우다.

その【園】【苑】㉈【雅】동산. ①정원; 뜰. ¶花園＠の 화원. ②장소. ¶エデンの～ 에덴 동산 / 学＠びの～ 배움의 동산; 학교.

その【其の·夫の】 ⒜㉉ ⒛ ¶～辺＠り その 근처[근방] / ～事＠は皆＠が知っている その 일은 모두가 알고 있다 / ～花＠を御覧＠なさい その 꽃을 보아라. ⒝ の·かの·この·どの. ⒛ 딱이 들어 나오지 않을 때에, 잇는 말: 저…; 에…. ¶実＠は～ 실은 저….

そのう【嗉嚢】-nō ㉈ 소낭; 멀떠구니.

そのうえ【其の上】 ⒝ ¶接続詞的＠으로》 더구나; 게다가; 또한. ¶天気＠もいいし～風＠も涼＠しい 날씨도 좋고 게다가 바람도 시원하다.

そのうち【其の内】 ⒝ ¶副詞的＠으로》①일간; 가까운 시일 안에; 때가 되면. ¶～またうかがいます 일간 또 찾아뵙겠습니다. ②머지않아. =やがて. ¶～帰＠ってくるだろう 머지않아 돌아오겠지. ③그럭저럭 (하는 사이에). ¶～に夕飯＠の支度＠ができた 그러는 동안에 저녁 식사 준비가 되었다.

そのかわり【その代(わり)】【其の代(わり)】 ⒝ ¶副詞的＠으로》그 대신. ¶頭＠はいいが～変＠わり者＠だ 머리는 좋으나 그 대신 괴짜다.

そのくせ【其の癖】 ⒝ ¶接続詞的＠으로》그런데도; 그럼에도 불구하고. ¶金持＠ちなのに～とても인색하다 부자이면서도 그런데도 아주 인색하다.

そのご【その後】【其の後】 ⒝ 그뒤; 이후. ¶～いかがですか その 후 안녕하십니까.

そのじつ【その実】【其の実】 ⒝ ¶副詞的＠으로》기실; 사실은; 실은. ¶～あまり損＠はない 기실 별로 손해는 없다.

そのすじ【その筋】【其の筋】 ⒝ ①그 방면[계통]; 그 길. ¶～の大家＠な 그 방면의 대가. ②당국; 특히 경찰. ¶～のお達＠し 당국의 지시(指示).

そのた【その他】【其の他】 ⒝ 기타; 그 밖에; 그 밖의 것. =そのほか. ¶～大勢＠な 기타 여러 사람.

そのため【其の為】 ⒝ ¶副詞·接続詞的＠으로》그 때문에; 그 덕에.

そので【その手】【其の手】 ⒝ ①그런 수단; 그 계략. ¶～は食＠わない 그 수에는 안 넘어간다. ②그런 종류. ¶～の品＠ら 그런 종류의 물건.

そのば【その場】【其の場】 ⒝ 그 자리; 그 장면; 그 때. ¶～をつくろう 그 자리를 얼버무리다 / ～になってみないと その 때가 돼 보지 않으면. ②즉석; 즉시. ¶～で契約＠する 그 자리[즉석]에서 계약하다. ――かぎり 【――限り】 ⒝ 그 때뿐. ¶～の約束＠な 그 때뿐인 약속. ――しのぎ 【――凌ぎ】 ⒝ 일시 모면; 임시 처변

（處變）. ¶～の対策㌍ 임시 처변의 대책. ──のがれ【──逃れ】 連語 일시 모면; 어물어물 넘김; 임시 변통（방편）. ＝一時㍑のがれ. ¶～にそうを言㌂ 임시 방편으로 거짓말을 하다.

そのひ【その日】【其の日】 連語 그 날; 그 당일. ──かせぎ【──稼ぎ】 連語 ① 날품팔이. ② そのひぐらし. ──ぐらし【──暮（ら）し】 連語 하루 벌어 하루 사는 생활; 여유 없는 하루살이. ¶～の生活㍑ 하루살이의 생활.

そのへん【その辺】【其の辺】 連語 ① 그 근처; 그 근방. ¶～は大㍑きな家㍑㌍が多㍑い 그 근처에는 큰 집이 많다. ② 그쯤; 그 정도. ¶～にして止㌂めなさい 그쯤 해두어라.

そのほう【そのほう・その方】【其の方】 -hō 代 그 방면. ＝そちら.

そのほか【其の外】 連語 그 외.

そのまま【其の儘】 連語 ①（그냥）그대로. ¶～引㍑き継㌂ぐ 그대로 물려받다. ② 즉시. ¶～ひきかえす 즉시 돌아가다. ③（接尾語的으로）꼭 닮음. ¶死㍑んだ親父㌍㌍～の風貌㌍㌍ 죽은 아버지 그대로의 풍모. 曰 변하지 않음.

そのみち【その道】【其の道】 連語 그 방면; 그 길; 사계（斯界）. ¶～の大家㍑ 사계의 대가 / ～の通人㍑㍑ 그 길에 통달한 사람 / ～にかけては手㍑が達㍑する 그 길에 있어서는 솜씨가 비상하다.

そのむかし【その昔】 連語 그 옛날; 아득한 옛적.

そのもの【その物】【其の物】 連語 ①（문제가 되어 있는）바로 그것. ¶～ではないが, よく似㍑ている 바로 그것은 아니나 아주 닮았다. ②（本言 또는 體言（漢字）로 된 形容動詞에 붙어 接尾語的으로）바로 그것, 그 자체（위의 말을 강조하는 말）. ¶金㍑が悪㍑いのではない 돈 그 자체가 나쁜 것은 아니다 / 彼㍑は誠実㍑㍑だ 그는 성실 바로 그것이다.

＊そば【側・傍】 名 ① 곁; 옆. ¶テーブルの～ 테이블 옆 / ～から口㌍を出㍑す言㌍ばす 옆에서 말참견하다. ②（動詞에 붙어）… 하자마자; 금방. ¶教㌍㌍える～から忘㍑れる 배우는 족족 잊어버린다.

＊そば【蕎麦】 名 ① 메밀 국수（'そばきり'의 준말）. ⇨うどん. ②【植】메밀.

そはい【鼠輩】 名 서배; （쥐새끼같이）하찮은 무리.

そばがき【蕎麦掻き】 名 뜨거운 물로 되게 반죽한 일종의 메밀 수제비（뜨거운 것을 국물에 찍어 먹음）. ＝そばねり.

そばかす【蕎麦滓】 名 메밀겨. ＝そばがら.

そばかす【雀斑】 名 주근깨. しら.

そばがら【そば殻】【蕎麦殻】 名 메밀 껍질（베갯속 따위로 씀）. ＝そばがわ.

そばだつ【峙つ】 自五 높이[우뚝] 솟다. ¶高㍑く～山㍑ 우뚝 솟은 산.

そばだてる【欹てる・側てる】 下一他 （귀를）쫑긋 세우다; 기울이다. ¶耳㍑を～ 귀를 기울이다; 주의해서 듣다.

そばづえ【側杖・傍杖】 名 후림불. ¶～を食㌂う 후림불에 걸려 들다; 관계 없는 일에 봉변을 당하다.

そばめ【そば目】【側目】 名 ① 결눈으로 봄; 곁눈질. ②제삼자의 눈.

そば-める【側める】 下一他〈雅〉（옆으로）돌리다; 외면하다. ＝そむける. ¶目㌍を～ 외면하다.

そばゆ【そば湯】【蕎麦湯】 名 ① 메밀가루를 더운 물에 푼 메밀 당수. ②（머밀 국수를 삶아 낸）국수물.

ソビエト 名 ① 소비에트. ¶最高㍑㍑～ 소비에트 최고 회의（소련의 국회）. ② 'ソビエト社会主義㍑㍑㍑㍑共和国㍑㍑㍑連邦'（＝소비에트 사회주의 공화국 연방）의 준말. ▷ Soviet. ──れんぽう 【──連邦】-rempō ▷【地】소비에트 연방. ＝ソ連邦.

＊そび-える【聳える】 下一自 우뚝 솟다; 치솟다. ＝そばだつ. ¶山㍑が～ 산이 우뚝 솟다 / 雲㍑に～峰㌍㍑ 구름 위에 우뚝 솟은 산봉우리.

そびやか-す【聳やかす】 五他 우뚝 솟게 하다. ¶肩㌍を～ 어깨를 으쓱거리다（으스대는 모양）.

そびょう【素描】 -byō 名他【美】소묘; 데생. ＝デッサン. ¶絵㍑の～ 그림의 소묘.

そびょう【粗描】 -byō 名他 조묘; 줄거리만 대충 묘사함.

そ-びれる 動詞 連用形에 붙어 下一段 活用의 動詞를 만듦）（…할）기회를 놓치다; …하려다가 못 하다. ¶言㍑い～ 말할 기회를 놓치다 / 寝㌍㍑～ 잠을 설치다.

そひん【粗品】 名 ☞そしな.

＊そふ【祖父】 名 조부; 할아버지. ＝おじいさん. ↔祖母㍑.

ソファー sofā 名 소파; 긴의자. ▷ sofa.

ソフィスト sofisu- 名 소피스트; 궤변가; 궤변학자. ＝sophist.

そふく【素服】 名 소복.

ソフト 一 ダ ナ 소프트; 부드러움. ¶～な感㌍ 부드러운 감촉[느낌]. 二 名 ①'ソフト帽'의 준말. ⑤'ソフトドリンク'의 준말. ⓒ'ソフトクリーム'의 준말. ⓓ'ソフトウェア'의 준말. ▷ soft. ──ウェア -wea 名（컴퓨터의）소프트웨어. ↔ハードウェア. ▷ software. ──クリーム 名 소프트 크림（동결 빙결（水結）되지 않은, 부드러운 아이스크림）. ▷ soft icecream. ──シューズ -shūzu 名 소프트 슈즈; 부드러운 감촉의 여성용 가죽 구두. ▷ soft shoes. ──タッチ -tatchi 名 소프트 터치; 부드러운 감촉[필치]. ▷ soft touch. ──トーン 名（라디오 등의）소프트 톤; 부드러운 음조. ▷ soft tone. ──ドリンク 名 소프트 드링크; 알코올 분이 없는 청량 음료수. ▷ 米 soft drink. ──ぼう 【──帽】-bō 名 소프트 모자（펠트 중절모（中折帽）. ▷ 米 soft ball. ──ボール 名 소프트 볼; 연식 야구（공）. ▷ 米 soft ball.

そふぼ【祖父母】 名 조부모.

ソフホーズ 名 소프호스（소련의 국영 농장）. ↔コルホーズ. ▷ 러 sovkhoz.

ソプラノ 名【樂】소프라노. ¶～歌手㍑ 소프라노 가수. ▷ soprano.

そぶり【素振り】 名 소행; 기색. ＝けはい. ¶あやしい～ 수상쩍은 거동 / 不満㍑を～に見㍑せる 불만을 태도에 나타내 보이다 / も見㍑せない 내색도 않다.

＊そぼ【祖母】 名 조모; 할머니. ＝おばあさん. ↔祖父㍑.

そほう【粗放・疎放】-hō 图 ダナ 조방; 거칠고 맺힌 데가 없는 모양. ¶~な 計画ᴷᵃᵏᵘ 엉성한 계획／~な性質ˢᵉⁱˢⁱᵗˢᵘ 덜 렁덜렁한 성질. ──のうぎょう【──農 業】-nōgyō 图 조방 농업. ↔集約農業

そぼう【粗暴】-bō 图 ダナ 조포; 거칠 고 난폭한 모양. ¶~な人間ⁿⁱⁿᵍᵉⁿ 난 폭한 인간이나.

そほうか【素封家】-hōka 图 벼슬은 없 으나 재산이 많은 사람; 재산가; 큰 부자.

ソホーズ 图 ☞ソフホーズ. ﹇자.

*そぼく【素朴・樸朴】图 ダナ 소박. ¶~ な人ʰⁱᵗᵒ이나 소박한 인품.

そぼそぼ 剾 ①(비가) 부슬부슬 내리는 모양. ②초라한 모양.

そぼ-つ【濡つ】⑤自 ①촉촉하다. ¶ 霧雨ᵏⁱʳⁱˢᵃᵐᵉに~ 가랑비에 촉촉하게 젖다. ②(비 따위가) 촉촉하게 내리다.

そぼぬ-れる【そぼ濡れる】下1自 촉촉 히 젖다. ¶霧雨ᵏⁱʳⁱˢᵃᵐᵉに~ 이슬비에 촉촉 히 젖다.

そぼふ-る【そぼ降る】⑤自 (비 따위가) 부슬부슬 내리다.

そぼろ 图 ①(실 모양의 물건이) 흩어 져 엉클어지는 모양. ¶~髪ᵍᵃᵐⁱ 엉클어 진 머리. ②찐 생선을 으깨어서 말린 식품.

そほん【粗笨】图ナ 조잡함; 엉성함. ¶ ~な計画ᵏᵉⁱᵏᵃᵏᵘ 엉성한 계획.

そまぎ【そま木】【杣木】图 멧갓의 나 무; 멧갓에서 베어낸 재목.

そまごや【そま小屋】【杣小屋】图 나무 꾼의 오두막집.

*そまつ【粗末】图ナ ①허술하고 나쁨; 변변치 않음. ¶~な着物ᵏⁱᵐᵒⁿᵒ 허술한 옷／お~でした (선물한 물건 따위가) 변변치 못했습니다. ②「~にする」의 꼴로〕소홀히 다루는 모양. ＝ぞんざい. ¶お金ᵏᵃⁿᵉを~にする 돈을 아 끼지 않다／親ᵒʸᵃを~にする 부모를 소 홀히 하다.

そまびと【そま人】【杣人】图 나무꾼; 초부(樵夫). ＝きこり.

*そま-る【染まる】⑤自 물들다. ¶ 手ᵗᵉが黒ᵏᵘろく~ 손이 검게 물들다／悪ᵃ ᵏᵘに~ 악에 물들다.

そみつ【粗密・疎密】图 소밀. ¶人口 ⱼⁱⁿᵏᵒᵘの~ 인구의 소밀.

そ-む【染む】⑤自 물들다. ¶ 悪習ᵃᵏᵘˢʰᵘᵘに~ 악습에 물들다(젖다). ②(강하게) 마음을 끌리다; 마음에 들 다. ¶気ᵏⁱに~・まぬ結婚ᵏᵉᵏᵏᵒⁿをする 마 음에 없는 결혼을 하다.

そむ-く【背く】【反く・叛く】⑤自 ①등 지다. ¶ 背ᵏⁱを向ける; …을 뒤로 하 다. ¶太陽ᵗᵃⁱʸᵒᵘに~・いて立ᵗᵃつ 태양을 등지 고 서다. ⓛ(관계하지 않고) 멀리하다. ¶世ʸᵒを~ 세상(세속)을 멀리하다. ② 어기다; 거스르다. ¶信頼ˢʰⁱⁿʳᵃⁱ〔約束ᵞᵃᵏᵘˢᵒᵏᵘ〕 に~ 신뢰를〔약속을〕어기다／法律ʰᵒᵘʳⁱᵗˢᵘ に~ 법률을 어기다; 법률에 어긋나 다／親ᵒʸᵃの意ⁱ"に~・いて 부모의 뜻을 거역하여. ③배반하다. ⓕ떠나다; 버 리다. ¶恋人ᵏᵒⁱᵇⁱᵗᵒに~・かれる 연인에게 배신당하다. ⓛ반역〔모반〕하다. ¶国ᵏᵘ ⁿⁱに~ 나라에 모반하다.

そむ-ける【背ける】下1他 (등을) 돌리 다; 외면하다. ¶顔ᵏᵃᵒを~ 외면하다.

───

そめ【染め】图 염색. ¶~がきれいに 上ᵃが上ᵃᵍᵃったᵗᵗᵃ 염색이 곱게 되었다.

-ぞめ【初め】《動詞 連用形에 붙여 名 詞를 만듦》①처음으로 …하기; 새해 들어 첫번째로 하는 일. ¶逢ᵃい~ 처 음 만남. ②난 지 또는 생겨난 지 처음 임. ¶食ᵗᵃべ~ 처음 먹음.

そめあ-げる【染め上げる】下1他 염색 해 내다.

そめいと【染め糸】图 색실.

そめいよしの【染井吉野】图【植】왕벚 나무. ﹇빛. ↔織ᵒおり色ⁱ色.

そめいろ【染め色】图 염색한 빛깔; 물든

そめがえ-す【染め返す】⑤他 (퇴색 한 것을) 다시 염색하다. ＝染め直すⁿᵃᵒˢᵘ.

そめがら【染め柄】图 염색해 낸 무늬 조무늬.

そめぬ-く【染め抜く】⑤他 ①속속들 이 물들이다. ②무늬만 바탕 빛깔로 남 기고 다른 부분을 염색하다.

そめもの【染め物】图 염색; 염색물. ¶ ~屋ʸᵃ 염색집; 물집.

*そ-める【染める】下1他 ①물들이다; 염색하다. ¶髪ᵏᵃᵐⁱを黒ᵏᵘろく~ 머리를 검 게 염색하다. ②(붓 따위에) 먹을 먹 이다; (그림물감 따위를) 칠하다. ③ (부끄러워) 붉히다. ¶ほおを~ 뺨을 붉히다. ④마음을 쏟다(기울이다). ¶ 科学ᵏᵃᵍᵃᵏᵘに心ᵏᵒᵏᵒʳᵒを~ 과학에 마음을 쏟 다. ⑤(일에) 관계하다; 손을 대다.

-そ-める【初める】《動詞 連用形에 붙 어, 下一段 活用 動詞를 만듦》…하기 시작하다; 처음으로 …하다. ¶明ᵃけ ~ 날이 밝아 오다／思ᵒᵐᵒい~ 사모하기 시작하다／子供ᵏᵒᵈᵒᵐᵒが歩ᵃʳᵘき~ 애가 걸 음마를 시작하다.

そもう【梳毛】-mō 图 소모. ¶~糸ⁱᵗᵒ

そもさん【作麼生・什麼生】剾【佛】어 떠냐; 자 어떤가(선종(禪宗)에서 대 답·설명을 재촉할 때 쓰는 말).

そもそも【抑】 一接 도대체; 대저. ¶ ~人間ⁿⁱⁿᵍᵉⁿというものは… 대저 인간이 라는 것은…. 二剾 처음; 애초. ¶そ れが~いけない 그것이 애초부터 잘못 이다. 三图 최초; 처음; 첫째. ¶~の 始ʰᵃⁿᵃまりから 애당초부터; 처음부터.

そや【粗野】图ダナ 조야. ＝がさつ. ¶ ~な人間ⁿⁱⁿᵍᵉⁿ 거칠고 촌스러운 사람. ↔ 優雅ʸᵘᵘᵍᵃ

そやつ【其奴】代【老】그놈. =그자; =그 녀석.

そよ 剾 조용히 바람이 불어 움직이는 모양. ¶~吹ᶠᵘく風ᵏᵃᶻᵉ 산들바람／~と もしない 바람 한 점 없는; (나뭇잎 따 위가) 조금도 흔들리지 않다.

*そよう【素養】-yō 图 소양. ¶音楽ᵒⁿᵍᵃᵏᵘ の~ 음악의 소양.

そよが-す【戦がす】⑤他 ①살랑살랑 소리나게 하다; 산들산들 흔들리게 하 다. ¶草木ᵏᵘˢᵃᵏⁱを風ᵏᵃᶻᵉが~ 초목을 살랑거 리게 하는 바람. ②설레게 하다. ¶心ᵏᵒ ᵏᵒʳᵒを~ 마음을 설레게 하다.

そよかぜ【そよ風】【微風】图 미풍; 산 들바람.

そよ-ぐ【戦ぐ】⑤自 ①살랑거리다; 가 볍게 흔들리다. ¶風ᵏᵃᶻᵉに~あし 바람에 흔들거리는 갈대. ②전율하다.

そよそよ 剾 산들산들; 살랑살랑. ¶春 風ʰᵃʳᵘᵏᵃᶻᵉが~(と)吹ᶠᵘく 봄바람이 산들산 들 불다.

そら【空】 🈩[名]①하늘. ㉠공중; 허공. ¶～の旅ढ 하늘〔공중〕 여행／～を飛ぶ 하늘을 날다／～に輝ぐく太陽ฐ 하늘에 빛나는 태양. ㉡날씨. ¶定ほめない秋ढの～ 변덕스러운 가을 날씨／ひと雨ढ来そうな～だ 한 차례 비가 올 것 같은 하늘〔날씨〕이다. ㉢(생각하는 대상으로서의) ～쪽; ～방향. ¶故郷ढの～ 고향 하늘. ②(허공에 뜬) 신세; 처지. ¶旅ढの～で正月シढを迎ढえる 타향에서 설을 쇰. ③허공에 뜬 상태. ㉠(마음이) 들뜸. ¶足ढも～に 들뜬(정신없는) 발걸음으로. ㉡건성. ¶うわさの～ 건성. ㉢생각; 기분. ¶その時ढには～もなかった 그 때에는 산 것 같은 기분도 없었다. ⑤거짓. ¶～を言ढう 거짓말을 하다. ⑥책 따위를 보지 않고 욈.＝宙ढ. ¶～で読ढむ 보지 않고 읽다; 외다. 🈔[接頭][動詞 連用形이나 形容詞 따위에 붙어서] ①[そら]공연히; 어쩐지; ～なんとなく. ¶～恐ढろしい 어쩐지 두렵다. ②보람없는; 헛된. ¶～だのみ 헛된 희망(기대). ③거짓; 헛. ¶～寝ढ 거짓잠／～げんか 공연히 싸우는 체하기. ④사실상의 관계가 없음. ¶他人ढの～似ढ (관계도 없는) 남남끼리 꼭 닮음. ¶飛ढぶ鳥ढも落ढとす 나는 새도 떨어뜨리다. ──を使ढう 엄포부리다. ②딴전을 부리다.

そら 🈴[感] 주의·지시·놀람을 나타내는 말: 아; 저런; 봐라; 자. ¶～バスが来ढた 아 버스가 왔다／～行ढくぞ 자, 간다.

そらいびき【空鼾】 [名] 헛코(골기).＝かりいびき.

そらいろ【空色】 [名] ①하늘빛. ②하늘 모양. ¶～があやしい 날씨가 수상하다.

そらうそぶく【空嘯く】 [五自] ①하늘을 쳐다보고 코방귀뀌다(남을 우습게 보는 건방진 태도). ②모르는 체하다.＝そらとぼける. ¶そんなことはないと～ 그런 일은 없다고 딱 잡아떼다.

そらおそろしい【そら恐ろしい】(空恐ろしい) -shi [形] 어쩐지 무섭다(두렵다).

そらおぼえ【空覚え】 [名] ①〈老〉 암기(暗記); 욈. ②어렴풋한(아련한) 기억.＝うろおぼえ.

そらごと【空事】 [名] 거짓.

そらごつ【空言・虚言】 [名] 헛소리; 거짓말. ¶～を言ढう 거짓말을 하다.

***そらす【反らす】** [五他] ①(반대 방향으로) 휘게 하다. ②뒤로 젖히다. ¶胸ढを～ 가슴을 펴다.

***そらす【逸らす】** [五他] ①(방향을) 딴데로 돌리다. ¶顔ढを～ 얼굴을 돌리다／話シढを～ (화제를) 딴 데로 돌리다. ②빗나가게 하다; 피하다. ¶まとを～ 과녁을 빗맞히다. ③놓치다. ¶好機ढを～ 좋은 기회를 놓치다. ④《주로 否定을 수반하여》 남의 기분을 상하게 하다.

そらぞらしい【空空しい】 -shi [形] ①짐짓 시치미떼다(모르는 체하다). ¶～様子ढをする 시치미떼다; 모르는 체하다. ②빤히 속이 들여다보이다. ¶～うそ〔おせじ〕 빤한 거짓말(공치사).

そらだのみ【そら頼み・空頼み】 [名] 헛기대. ¶この旱天ढढに雨ढを待ढつなんて～だ 이 가뭄에 비를 기다리다니 헛된 기대다.

そらとぼける【空惚ける】 [下1自] 짐짓 모르는 체하다; 시치미떼다.

そらに【空似】 [名] 혈연 관계가 없는 남남끼리 얼굴 생김새가 닮음. ¶他人ढढの～ 남남끼리 우연히 닮음.

そらね【空寝】 [名][ス自] 거짓 잠; 뉘잠.＝たぬき寝入ढり.

そらね【そら音】(空音) [名] ①우는 소리의 시늉. ¶鶏ढの～ 우는 소리 시늉. ②〈俗・老〉 거짓말.＝うそ. ¶～を吐ढく 거짓말을 하다.

そらねんぶつ【そら念仏】(空念仏) -nembutsu [名] 공염불; 거짓 염불.

そらのみこみ【空呑み込み】 [名][ス他] 지레짐작.＝早ढのみこみ.

そらへんじ【そら返事】(空返事) [名] 건성으로 하는 대꾸; 무책임한 대답.

そらまめ【蚕豆・空豆】 [名][植] 잠두; 누에콩.

そらみみ【空耳】 [名] ①헛들음; 잘못들음; 환청(幻聴). ¶～だったかな 내가 헛들었나. ②못 들은 체함. ¶具合ढढの悪い時ढには～を使ढう 불리할 때에는 듣고도 못 들은 체하다.

そらもよう【空模様】 -yō [名] 날씨; (비유적으로) 사물이 되어 가는 상태; 형세; 형편. ¶政界ढढの～ 정계의 형세／～があやしい 날씨가 이상하다.

そらゆめ【そら夢】(空夢) [名] ①헛꿈; 거짓 꿈.↔まさ夢ढ. ②공상.

そらよみ【そら読み】(空読み) [名][ス他] (보지 않고) 욈; 좍좍 암송함.＝暗唱ढする. ¶～んずる.

そらんじる【諳んじる】 [上1他] 암기하다. ＝暗唱ढする; 암기하다.＝そらんずる.

そらんずる【諳んずる】 [サ変他] 〈老〉 외다; 암기하다.＝暗唱ढする; 암記ढする. ¶～まで読ढむ 욀 때까지 읽다.

そり【反り】 [名] ①휘어짐; 뒨 모양. ¶～が強ढい 너무 휘었다／板ढに～がある 널이 뒤로 있다. ②칼이 활 모양으로 휜 상태(정도). ③성질; 성격; 기풍. ──が合ढわない 뜻이 맞지 않다.

そり【橇】 [名] 썰매.

そりかえる【反り返る】 [五自] ①뒤다('る'의 힘줌말). ¶表紙ढढが～ 표지가 뒤다. ②(거만하게) 몸을 뒤로 젖히다.＝ふんぞり返ढる.

そりこむ【そり込む】(剃り込む) [五他] 바짝 깎다. ¶～ばし.

そりはし【反り橋】 [名] 홍예다리.＝そり

そりみ【反り身】 [名] 몸을 뒤로 젖힘. ¶～になる (거만하게) 몸을 뒤로 젖히다.

そりゃく【粗略・疎略】 -ryaku [名][ダナ] 소략; 소홀. ¶～に扱ढう 아무렇게나 다루다.↔丁重ढढに; ていねい.

そりゅうし【素粒子】 soryū- [名][理] 소립자. ¶──ろん【─論】 소립자론.

***そる【剃る】** [五他] 깎다; 면도하다. ¶頭ढढを～ 머리를 박박 밀다／ひげを～ 수염을 깎다; 면도하다.

そる【反る】 [五自] ①(활 모양으로) 휘다; 젖혀지다; 뒤다. ¶表紙ढढが～ 표지가 뒤다／板ढが～ 판자가 뒤다. ②몸 따위가 뒤로 젖혀지다.＝のけ反ढ

る。¶指$_{ゆび}$がよく～ 손가락이 잘 잦혀지다. 〖ル, 도 Sol.

ゾル 名〔化〕졸(콜로이드 용액). ↔ゲル

ゾルレン 名〔哲〕졸렌. ①도덕적 의무. ②당위(當爲).＝当為$_{とうい}$. ⇔ザイン. 도 Sollen.

それ 【其れ】 ㊀代 ①그것. ¶～だよ(바로) 그것일세/君$_{きみ}$が持$_{も}$っている ～をくれ 네가 갖고 있는 그것을 다오/～をいつ聞$_{き}$いたの 그걸 언제 들었니/～はぼくのだ 그것은 내 것이다/ ～は―として 그것은 그렇다 치고/ ～はそうと 그것은 그렇고(화제를 바꿀 때의 말)/～もそうだ 그(것)도 그렇다〔그럴싸하다〕/～とこれとは別問題$_{もんだい}$ 그것과 이것과는 별개의 문제다. ②X현재 화제로 되어 있는 사물을 가리켜〕그, 그 때 ; 그런 일. ¶～からというものは 그 이래 ; ～以来$_{いらい}$会$_{あ}$っていない 그(때) 이후로 만나기 못했다. ㊁X물건을 촉구하거나 힘합(氣合)을 넣을 때 내는 말〕야 ; 자 ; 봐라. ～そら. ¶～また叱$_{しか}$られるぞ 그 봐라, 또 꾸중듣는다/～行$_{い}$け 자, 가거라/～投$_{な}$げるぞ 자, 던진다.

それ 【其れ】 接 ①(한문 훈독(訓讀) 투의 문장에서) 허두에 쓰는 말. ¶～孔子$_{こうし}$は聖人$_{せいじん}$にして 대저 공자는 성인으로서, ②어조(語調)를 고르는 데에 쓰는 말. ¶もし～自由$_{じゆう}$あらずんば 만일 자유가 없다면.

それがし 【某】 代 ①모(某) ; 아무개. ②〈古〉 저 ; 본인 ; 제가 사람(남자가 썼음). ¶～はこのあたりに住$_{す}$む僧にて候$_{そうろう}$ 본인은 이 근처에 사는 중이올시다.

それから 連語 ①그 다음에 ; 그리고(또). ¶～野球$_{やきゅう}$をした 그리고 야구를 했다/りんごも、～梨$_{なし}$も好$_{す}$きだ 사과도, 그리고 또 배도 좋아한다. ②그 뒤 ; 그 이래. ¶～気$_{き}$が変$_{へん}$になった 그 뒤부터 정신이 이상해졌다. ③이야기를 재촉하는 말 ; 그래서. ¶～どうしたの 그래서 어떻게 했어.

それきり 【其れ限り】 連語 ①그(것)뿐 ; 그것으로 끝. ＝それかぎり・それだけ. ¶～でしまいだ 그것뿐(으로 막판)이다. ②그것을 마지막으로 ; 그 때 이후. ¶～姿$_{すがた}$をあらわさない 그 뒤로 모습을 나타내지 않는다.

それくらい 【其れ位】 連語 그 정도 ; 그 만큼 ; 그쯤. ＝それほど. ¶～の事$_{こと}$で 그쯤의 일로/～にしておけ 그쯤 해둬라.

それこそ 連語 화제의 핵심이 되는 곳을 가리키는 말 ; 그야말로 ; 틀림없이. ¶手$_{て}$を出$_{だ}$したら～おまえの負$_{ま}$けだ 손만 대면 그야말로 넌 지는 것이다.

それしき 【其れ式】 連語 그 정도 ; 그쯤. ＝それくらい. ¶～のことに驚$_{おどろ}$くな 그쯤 일에 놀라지 마라.

それじゃ -ja 接〈口〉그러면 ; 그렇다면 ; 그럼. ＝それでは・それじゃあ. ¶～行$_{い}$って来$_{く}$る 그러면 갔다 오겠다.

それそうおう 【それ相応】【其れ相応】 -sōō 連語 그에 알맞음 ; 그에 상응함 ; 웅분. ¶～の謝礼$_{しゃれい}$ 웅분의 사례.

それそうとう 【それ相当】【其れ相当】

-sōtō 連語 그에 상당함 ; 그에 어울림 ; 그 정도〔나름〕.

*それぞれ 【夫れ夫れ・其れ其れ】 名副 (제)각기 ; 각자 ; 저마다. ¶～のおの ～각자/～の性格$_{せいかく}$ 각자의 성격.

それだから 接 그러므로 ; 그래서. ¶～して 그러므로 해서 ; 그러니까.

それだけ 【其れ丈】 連語 ①그만큼 ; 그 정도 ; 그 나름 ; 그 만큼 크다. ②그것뿐 ; 그것만. ＝それきり. ¶～だ 그것뿐이다.

それだけに 接 그런 까닭에(더더욱) 그(런) 만큼. ¶期待$_{きたい}$が大$_{おお}$きかった. ～落胆$_{らくたん}$も一方$_{ひとかた}$ならなかった 기대가 컸었다. 그런 만큼 낙담도 보통이 아니었다.

それっきり 【其れっ限り】 -rekkiri 連語 'それきり'의 힘줌말. ¶～顔$_{かお}$を見$_{み}$せない 그 뒤로 얼굴을 보이지 않는다.

*それで 接 그래서. ①그런 까닭에 ; 그로(인)해서. ¶金$_{かね}$がなかった. ～仕方$_{しかた}$なく 돈이 없었다. 그래서 하는 수 없이. ②다음 이야기를 재촉하는 말. ¶～どうしました 그래서 어떻게 했습니까. ③화제를 바꿀 때 쓰는 말 : 그런데. ¶～実$_{じつ}$は 그런데 실은.

*それでは -wa 接 그러면 ; 그럼 ; 그렇다면. ¶～これから始$_{はじ}$めます 그럼 이제부터 시작하겠습니다/～しかないだろう 그렇다면 할 수 없겠지.

それどころか 【其れ所か】 連語 그렇기는커녕 (오히려). ¶～, 自分$_{じぶん}$があぶない 그렇기는커녕 자신이 위험하다.

*それとも 【其れ共】 接 그렇지 않으면 ; 아니면 ; 혹은 ; 또는(둘 중 하나를 택할 때). ＝あるいは・もしくは. ¶～行$_{い}$きますか, ～やめますか 가겠습니까 아니면 그만두겠습니까.

それなら 接 그렇다면 ; 그러면. ¶～お断$_{ことわ}$りします 그렇다면 사양(사절)하겠습니다.

それなり 連語 ①그대로 ; 그것(뿐)으로. ¶話$_{はなし}$は～になった 이야기는 그뿐으로 그런 대로. ②그나름 ; 그런 대로. ¶～の努力$_{どりょく}$ははしたつもりだ 그런 대로의 노력은 했다고 생각한다. ──けり 連語〈俗〉그것으로 끝나버림 ; 그대로 내버려 둠 ; 그대로임. ¶別$_{わか}$れた～だ 헤어진 채 그대로이다〔종무소식이다〕.

*それに 接 ①그런데도 ; 그러함에도. ¶今日$_{きょう}$は熱$_{ねつ}$があります～主人$_{しゅじん}$は仕事$_{しごと}$ばかりさせます 오늘은 열이 있습니다. 그런데도 주인은 일만시킵니다. ②게다가 ; 더욱이. ──しても 接 (그게) 그렇다 치더라도. ¶～来$_{く}$るのがおそい 그렇다 치더라도 오는 것이 늦다.

それは -wa 連語 매우 감동하거나 놀라서 무어라 형언할 수 없는 경우의 감정 표현 ; 정말로 ; 참말로 ; 대단히. ¶その人$_{ひと}$は～美$_{うつく}$しい人でした 그 분은 그야말로 아름다운 분이었습니다.

*それほど 【それ程】【其れ程】 連語 그렇게 ; 그다지 ; 그만큼 ; 그 정도 ; 그쯤. ¶～そんなに・きほど. ¶～いたく〔難$_{むずか}$しく〕ない 그다지 아프지〔어렵지〕 않다.

それゆえ 【それ故】【其れ故】 接 그러므

ろ；そのなら；その ため に；その かくから。¶～にその 件にに 対しては そのらなら その 前に ついては.

*そ-れる【外れる・逸れる】[1自] 빗(나)가다；빗맞다；벗어나다；일탈하다. ¶矢ゃが～ 화살이 빗나가다.

ソロ 名 솔로. ①독주(獨奏)；독창；독주곡；독창곡. ¶ピアノ～ 피아노 솔로. ▷이 solo. ②（單獨）；단독 공연. ▷이 solo.

そろい【揃い】[一]名（빠짐없이）모두 갖추어짐；갖추어진 것；가지런함. ¶お～でお出掛かけ 모두 같이 외출함. [接尾]《순수 일본말 數詞에 붙어서》벌. ¶一枚～ 한 벌.

-ぞろい【揃い】《名詞에 붙어서》（동류(同類)가）가지런함；갖추어져 있음；모두 모여 있음. ¶悪人だんら～の一家が 악인들만 모여 있는 집안.

**そろ-う【揃う】[5自] ①갖추어지다. ¶機械きかいが～ 기계가 갖추어지다／部件ぶひんが～ 조건이 갖추어지다／手袋ぶくが～ 없는 장갑이 짝이 맞지 않다. ②（모두 한 곳에）모이다；（인원 따위가）차다. ¶人数にが～ 인원이 차다(다 모이다). ③잘 어울리다. ¶よ～った夫婦ふ 잘 어울리는 부부. ¶일치하다；맞다. ¶足並ぷなみが～ 보조가 맞다／調子ぶが～ 장단[가락]이 맞다.

そろう【疎漏・粗漏】-rō 名 소루；소홀해서 빠진 것이나 실수가 있음. =てぬかり・手落おち. ¶準備びに～には な い 준비에 소루함이 없다.

**そろ-える【揃える】[1他] ①가지런히（정돈）하다；같게 하다. ¶大おおきさ（長さ）を～ 크기[길이]를 같게 하다. ②갖추다. ¶商品を豊富ぶに～ 상품을 풍부히 갖추다. ③채우다. ¶定足数ぶを～ 정족수를 채우다. ④일치시키다. ¶列れつを～ 열을 맞추다／足を～えて歩ぁる く 발을 맞추어 걷다.

*そろそろ【徐徐】[副] ①조용히 서서히 걷거나 진행시키는 모양；슬슬；살그머니. =しずしず. ¶～（と）歩あるく 슬슬 걷다. ②시간이 다 되어가는 모양. =もうつけつけぼつぼつ. ¶이제 슬슬. ¶～出掛かけよう（시간이 되어가니）이제 슬슬 나가 보자. ¶이제 곧. =まもなく. ¶もう～晩飯ばんはんだ 이제 곧 저녁 먹을 시간이다.

ぞろぞろ [副] ①많은 사람이 무질서하게 줄지어 움직이는 모양；줄줄；우르르. ¶子供どもが～とついてくる 어린이가 줄줄 따라오다. ②길게 끌리는 모양；질질. ③벌레가 기어가는 모양；꿈실꿈실.

*そろばん【算盤・十露盤】名 ①주판. ¶～を置おく 주판을 놓다. ②（주판）셈. ③손익 계산；수지；이해 타산. ¶～が合あわない (a)계산[셈]이 맞지 않다；(b)수지가 맞지 않다. ――ずく 名 무엇이든《끝까지》타산적으로 대하는 태도. ¶～の仕事ごと 타산적인 일.

そろりと [副] ①살짝；슬쩍；사르르. =するりと. ¶身みをかわす 슬쩍 몸을 비키다. ②슬슬；슬슬. =そろそろ.

ぞろりと [副] ①하나로 잇따라 있는 모양；주렁주렁；주저리주저리. ¶茎くきをひっぱるとじゃがいもが～出でて来きた 줄기를 잡아 당기니 감자가 주렁주렁 달려 나왔다. ②사람이나 책이 한 곳에 모여 있는 모양. ¶みんなそろって～出でかける 모두 모여 함께 외출하다. ③화려한 옷을 눈에 띄게 잘 차려입은 모양；번지르르；화려하게. ¶～したなりで歩あるく 화려한 옷차림으로 걷다.

そわそわ [副] 침착하지 못한 기분이나 태도를 나타내는 모양；안절부절. ¶～して 들뜬(불안한) 모양. ¶～した様子ようす 마음이 불안정한 태도[모양].

そわつ-く [5自] 마음이 들뜨다；안절부절하다；싱숭생숭하다. ¶～いて失敗ばいばかりする 침착하지 못해 실패만 한다.

そん【孫】名 손；손자；자손. ¶五世ごせ～ 5대손.

**そん【損】名[又他] 손해. ¶～が大きい 손해가 크다／寝坊ぼうして～をした 늦잠자는 바람에 손해를 보았다. ¶…するだけが～だ 할수록 손해다. ↔得とく・益えき. ⇨そんする（損）.

そん【村】名 촌. =むら. ¶本もと邸にら로도） 시골. ②마을；촌락. ③지방 자치 행정의 최소 단위[면에 해당]. そんえい【村営】名 村そん（=면）에서 경영(經營)함.

そんえい【尊影】名 상대의 사진·초상(肖像)의 높임말；존영.

そんえき【損益】名 손익. =損得そん. ――かんじょう【――勘定】-jō 名 손익 계정. ――けいさんしょ【――計算書】-sho 名 손익 계산서. ¶お宅たく.

そんか【尊家】名 존가；귀대(貴宅). =

そんかい【村会】名『村議会そんぎの구칭. ¶～議員ぎん 면의원.

そんかい【損壊】名[又自他] 손괴；파괴. ¶家屋かの～ 가옥의 손괴.

*そんがい【損害】名 손해. ¶人的てき～ 인적 손해／台風たいふうによる～ 태풍으로 인한 손해／～を与あたえる 손해를 입히다／膨大ぼうだいな～をこうむる 방대한 손해를 입다. ¶～파손. =破損はそん. ――ばいしょう【――賠償】-shō 名 손해 배상. ――ほけん【――保険】名 손해 보험.

ぞんがい【存外】[副][ダテ] 의외(意外)；예상 외로. ¶～な成功せいこう 뜻밖의 성공／～手で手ごわい相手あいてだ 예상 외로 힘겨운 상대다.

そんがん【尊顔】名 존안. =おかお. ¶～を拝はいする 존안을 뵙다.

そんき【損気】名 손해보는 성질. ¶短気たんきは～ 급한 성질은 손해보는 성질이다.

そんぎかい【村議会】名 면의회《최하급의 지방 자치 단체인 村そんの의결 기관》. ¶～議員ぎん 면의회 의원.

そんきん【損金】名 손해본 돈. ¶～袋ぶくろ（연회석 따위에서）화대 봉투. =益金きん.

ソング 名 송；노래. ¶テーマ～ 주제가／ヒット～ 히트송. ▷song.

**そんけい【尊敬】名[又他] 존경. ――ご【――語】 존경어. ⇨けんじょうご ていねいご. ――ひょうげん【――表現】

-hyōgen 图 존경(을 나타내는) 표현 〔'お帰りになる(=돌아오시다)' 따위〕.

そんげん【尊厳】名士 图 존엄. ¶国体の~を保つ 국체의 존엄을 보전하다 / 法いの~を傷つける 법의 존엄을 훼손하다. ──し【─死】图 존엄사(식물 인간의 상태가 오래 계속될 경우, 가족의 의료 중단의 의사에게 요청하고 재판을 통해 인정 받았을 때의 사망을 이르는 말).

そんごう【尊号】-gō 图 존호(특히, 왕・왕비・상왕의 칭호).

そんざい【存在】名自动 图 존재. ¶偉大だいな~ 위대한 존재 / ~は価値かなり 존재는 (즉) 가치이다 / 人間ほがの~の意味がみ 인간의 존재 의미 / 人間ほんは社会的そう存재이다. ──りゆう【─理由】-riyū 图〔哲〕존재 이유. ¶~が薄いる 존재 이유가 희미해지다. ──ろん【─論】图〔哲〕존재론.

*ぞんざい【存在】ダナ 일을 소홀히 함; 겉날림; 조략(粗略); 난폭함. ¶やり・おろそか. ¶~な掃除での仕方かた に書かく 글씨를 아무렇게나 쓰다 / ~な話しぶり 난폭한 말투.

ぞんじ【存じ】名 알고 있음. ──承知しよう; 御おろ~ですか 알고 계십니까 / 御おれ~のとおり 알고 계신 바와 같이. ⇨ぞんち(存知)

ぞんじあげる【存じ上げる】下1他 '知しる(=알다)' '思おう(=생각하다)'의 겸사말. ¶お名前までは よく~げていますが 존함은 잘 알고 있습니다.

*そんしつ【損失】名自他 图 손실. ¶~を被こるる 손실을 보다; 손해를 입다 / 彼かの天折だは国家こっかの~だ 그의 요절은 국가의 큰 손실이다.

そんじゃ【村社】-sha 图 마을 수호신을 모신 신사(神社); 서낭당. ¶── 〔堂〕

そんじゅく【村塾】-juku 图 서당(書─)

そんしょ【損所】-sho 图 파손된 곳; 부서진 곳. ¶~を調らべる 파손된 곳을 조사하다.

そんしょう【尊称】-shō 图 존칭; 높임말; 경칭. ↔卑称ひ.

そんしょう【損傷】-shō 名自他 손상. ¶~を与えるる 손상을 입히다.

そんじょう【尊攘】-jō 图 '尊王攘夷そんのうじょい'의 준말; 〔江戸幕府えばくまつ 말기의〕天皇てんのう를 받들고 외국인을 배척하던 국수주의적 정치 사상.

そんしょく【遜色】-shoku 图 손색. ¶~がない 손색이 없다. ¶外国がいの製品さひんと比べくてべ少しも~がない外国製品과 비교하여 조금도 손색이 없다.

ぞんじより【存じ寄り】图 ①思おいつき(=문득 생각남) '考かんえ(=생각)' '意見けん(=의견)' 따위의 겸사말. ¶~を申もうしあげただけです 생각(의견)을 말씀드렸을 뿐입니다. ②知しり合ない(=친지) '知っている所ところ(=아는 데)' 따위의 겸사말. ¶~をたずねてみましょう 친지를 방문해 봅시다.

そん-じる【損じる】㈠上1他 ①손상하다. =こわす. ②상하다; 상하게 하다. =こわす. ¶器物ぶつを~ 기물을 파손하다. ㈡해치다. =そこねる. ¶

父ちの機嫌けんを~ 아버지의 심기를 상하게 하다 / 健康けんこうを~ 건강을 해치다 / 名声めいを~ 명성을 손상하다. ⓒ적게 하다; 줄이다. ¶価値かちを~ 가치를 떨어뜨리다. ②動詞連用形에 붙여서〕실수하다; 실패하다; 잘못하다. ¶そこねる. ¶書きき~ 잘못 쓰다. ㈡上1自 부서지다; 상하다. =こわれる・いたむ. ¶んずむ.

そんすう【尊崇】-sū 名自他 존숭; 마음속 깊이 존경함. ¶~の念ねん 존숭의 대상.

そん-する【存する】㈠サ変自 있다. ①존재하다; 살아 있다; 남아 있다. ¶人類じるの~限ぎり 인류가 존재하는 한, なお疑問ぎんが~ 아직 의문이 (남아) 있다. ②(…을 결정하는 것은)…에 있다(달렸다). ¶幸福ふくは満足そくに~ 행복은 만족에 있다. ㈡サ変他 간직하다; 보존하다; 남겨 두다. ¶美風だふうを~ 미풍을 보존하다 / 意義ぎを~ 뜻을 간직하다 / ゆとりを~ 여유를 남겨 두다.

そん-する【損する】サ変他 손해 보다. ¶百円ひゃく~ 백 엔 손해보다.

そん-ずる【損ずる】サ変自他 ☞そんじる(損).

ぞん-ずる【存ずる】㈠サ変他〔老〕①'知しる(=알다)'의 겸사말. ¶知しらぬ・ぜめの一点張てんばり 끝까지 모른다고 모른다로 일관함 / それは~じません でした 그것은 알지 못했습니다. ②'思おう(=생각하다・여기다)'의 겸사말. ¶おめでとう~じます 경사스럽게 생각합니다 / ぜひ伺がいたく~じます 꼭 찾아뵙고 싶습니다.

そんせい【村勢】(面勢)(면의 인구(人口)・산업・경제・교육 시설 등의 종합적 상태). ¶~一覧いちん 면세 일람.

そんぞう【尊像】-zō 图 ①존귀한 상(像). ¶仏ほとの~ 부처의 존상. ②남의 상의 높임말.

そんぞく【存続】名自他 존속. ¶~期間だきん 존속 기간 / ~が必要ひつだ 존속이 필요하다.

そんぞく【尊属】图 존속. ¶~殺人そっじん 존속 살인 / 直系けい~ 직계 존속. ↔卑属ひ.

そんたい【尊体】图 ①존체. =おからだ・ご尊像ぞう. ②불상(仏像)의 높임말.

そんだい【尊大】ダナ 거만함; 건방짐. =おうへい. ¶~な態度ど 건방진 태도; ~にかまえる 거만하게 나오다 / ~にふるまう 거만하게 행동하다.

そんち【存置】图 존치; 그냥 둠; 그대로 놓아 둠. ¶けんきゅうの~ 연구소의 존치. ↔廃止はい.

ぞんち【存知】名他 알고 있음. =承知しよう; ¶さようなことは~しない そ런 것은 알고 있지 않다.

そんちょう【村長】-chō 图 村ぞん(=면)의 장. ¶~を勤めるる 면장으로 일하다.

*そんちょう【尊重】-chō 名他 존중. ¶人権じんけん~ 인권 존중 / 世論せろんを~する 여론을 존중하다 / 少数けうの意見けんを~する 소수의 의견을 존중하다.

そんどう【村道】-dō 图 지방 자치 단체

の　하나인　村ら(＝면)의 비용으로 만들
고 유지하는 길. ＝国道ᆢ·県道ᆢ
**そんとく【損得】图 손득；손실과 이득；
손익；득실. ¶～を拔ᇘ°かる仕事ᆢ
ᆢ 손익을 도외시하고 하는 일／～
を考ᆢえる 손익을 생각하지 않다.

**そんな 曰運体〈口〉그러한；그런；그와
같은．＝そのような．¶～わけで 그런
까닭으로〔경위로〕／～때문에는 그러한
때에는／～ことは知ᇺらない 그런 일
모른다． 囙運語「そんなことは有ᇡり
ません(＝그런 일은 없습니다)」의 압
축된 말씨(상대방 말에 대한 강한 否
定을 나타냄)／「迷惑ᇙなんかじゃな
い，いいえ，～폐를 끼치는 것 아닐까
요．아니，천만에요．

**そんなこんな 連語 이것저것；여러가지
사정．¶～でいそがしい 여러가지 사
정으로 바쁘다．

**そんなに 副 그렇게(까지)．¶～簡単
ᇍなに行ᇼくか 그렇게 간단히 될까．

**そんなら 腰〈口〉그러면；그렇다면．＝
それなら.

**そんのう【尊皇·尊王】-nō 天皇ᆢを
존경하고 天皇 중심으로 생각함．──
じょうい【攘夷】-jōi 图 ＝そん
じょう【尊攘】．ᆢ佐幕開国ᆢᆢᇈ

**そんぱい【存廃】图 sompai 존폐；보존
과 페지．¶～について議論ᇇする 존
폐에 대하여 토론하다．

**そんぱい【存否】sompi 图 존부．①존재함
과 존재하지 않음；존페．＝存廃ᇇᆢᇈ
②생존(전재) 여부．¶遭難者ᇂ®ᆢ®の
～を尋ᇡねる 조난자의 생존 여부를 묻
다．

**そんぴ【尊卑】sompi 图 존비；신분의
귀천．¶上下ᇮᇂ®～の別ᇐ 상하 귀천의
차별．

**そんぷ【村夫】sompu 图 촌부；시골 남

자．「너．

**そんぷ【村婦】sompu 图 촌부；시골 부

**そんぷ【尊父】sompu 图 존부；춘부장．
¶ご一様ᇮ 춘부장님．↔尊母ᇗᇈ

**ぞんぶん【存分】zombun 副 뜻대로；생
각대로；마음껏；흡족하게．¶～にこ
らしめる 마음껏 혼내 주다／思ᇹう～
に働ᇪく 마음껏 일(활동)하다．

**そんぼう【存亡】sombō 图 존망．＝ぞん
ぼう·興廃ᇫᇈ ──の秋ᇅ 존망지추．＝存
亡の機ᇅ．¶危急ᇟᆢᇅの秋ᇅ 위급 존
망지추．

**そんめい【尊名】sommei 图 존함．¶
御～はかねがね何ᆢずっていました 존
함은 전부터 듣고 있었습니다.

**ぞんめい【存命】zommei 图ᇐ自 존명；
생존해 있음．¶父ᇗᇈの～中ᇆᇹは 부친
생존시에는．

**そんもう【損耗】sommō 图ᇐ自他 손모．
¶機械ᇪᆢの～ 기계의 손모／～をきた
す 손모를 초래하다．

**そんよう【尊容】-yō 图 ①존용；신불·
귀인의 용자(容姿)의 높임말．②존안；
남의 용자의 높임말．¶～に接ᆢする 존
안을 대하옵고．

**そんらく【村落】图 촌락；마을．＝む
ら．──共同体ᇂᇮᆢᆢ 촌락 공동체．

**そんりつ【存立】图ᇐ自 존립．¶国家
ᇋの存立 국가의 존립／～する限ᇡり 존
립하는 한．

**そんりつ【村立】图 지방 자치 단체인
村ᇡの설립；면립(面立)．

**そんりょう【損料】-ryō 图 손료；임차
료(의복·기물(器物) 따위의 세낸 값)．
¶～を払ᇤう(取ᇲる) 손료를 물다(받
다)．　　　　「인．

**そんろう【村老】-rō 图 촌로；시골 노

た　タ

①五十音図ᇅᆢᇮ 'た行ᆢ'의 첫
째 음．[ta] ②[字源]'太'의 초
서체(かたかな 'タ'는 '多'의 윗
부분을 딴 것)．

**た 助動 《用言 및 用言과 같은 形으로
활용하는 助動詞의 連用形에 붙음．撥
音便ᇤᆢᇮび，ガ行ᆢ·ナ行ᆢ·バ行ᆢ五段ᆢ에
연결되는 경우에는 'だ로 됨〕①말하
고 있는 사항에 대해 말하는 이의 確
認의 뜻을 나타냄．⑦어떤 일이 실현
(實現)된다, 확실히 그렇다는 뜻을 나
타냄．¶勝負ᇅ®あっ——승부가 났다／
雨ᇤが降ᇿったら取ᇲりやめる 비가 오
면 중지한다／あしたは月曜ᇇᆢだっ
——っけ 내일은 월요일이었지．⑥그 실
현을 요구하는 뜻 및 가벼운 명령．¶
さあ，どい——자，비켜．⑥무엇이 완료
됨의 뜻．¶春ᇅが来ᇅ——봄이 왔다／勉
強ᇮも遊ᇂびも——っていい 공
부를 다 하면은 놀러 가도 좋다．¶決
意(決意)를 나타냄．¶よし，ぼくが買
ᇤ——좋아, 내가 샀다(산다)．②어떤
일의 발생·존재가 과거에 속한다든가
또는 그것을 경험하고 있는 뜻을 나
타냄．¶若ᇤい時ᇅは美人ᇈだっ——젊
었을 때는 미인이었다／そう言ᇹう話

ᇂも出ᇖ——그런 말도 나왔다／新聞ᇂᇮ
はもう読ᇿんだ 신문은 벌써 읽었다／
私ᇛたちがやっ——も出来ᇅなかっ——내가
했더니 안 되었다／この辺ᇍは昔ᇪᆢは
寂ᇋしかったろう 이 근처는 옛날엔 쓸
쓸했을 테지．③동작·작용 또는 그 결
과가 어떤 상태로 존속한다는 뜻을 나
타냄．¶さび—刀ᇅ녹슨 칼／絵ᆢにか
い—女ᇂ 그림에 그린 여자．參考 ①
ᆢⓒ는 終止形으로만 씀．參考 ④는 連
体形으로만 씀．

**た【田】图 논．＝たんぼ．¶我ᇤが~に
水ᇅを引ᇤく 아전 인수(我田引水)．↔
畑ᇾᇈ

**た【他】图 ①다름；타(남의) 것．다른
것．＝ほか．¶～の例ᇈ 다른 예．②다른
사람；남．¶おのれを責ᇖめ，～を
責ᇖめない 스스로를 책하고, 남을 책
하지 않다．③다른 곳．＝よそ．¶居ᇮ
ᆢを~に移ᇩす 거처를 다른 곳으로 옮기
다．

**た【多】曰 많음．¶～をたのんでら

んぼうする 수가 많음을 믿고 난폭한 짓을 하다. ↔少[すく]ない. ━接頭 다…; 많은. ¶～方面[ほうめん] 다방면. ━とする 무시할 수 없는 것으로 높이 사다. ¶好意[こうい]を～とする 호의를 고맙게 여기다.

た- ⦅動詞·形容詞 앞에 붙여서⦆ 어조를 강하게 하는 말. ¶～やすい 아주 쉽다 / あられ～ばしる 눈보라가 세차게 치다.

だ 助動 ①体言[たいげん] 및 그에 준하는 말에 붙어서 긍정적으로 인정하고 단정하는 뜻을 나타내는 말: 다; 이다. ¶これは本[ほん]だ 이것은 책이다 / 私[わたし]はピンポン～ 나는 탁구(를 치겠)다. ②間投助詞的인 용법⦆ 한 마디 한 마디 힘주어 말하는 뜻을 나타낸. ¶これは～ 이건 말이야; …은 말씀이야. ¶それで～ 그래서 말씀이야 / これは～, なかなか実行[じっこう]がむずかしいこれは～ 말이다; 좀처럼 실행이 어렵다. ③撥音便[はつおんびん] 및 の行[ぎょう]·五段の i 音便으로 연결된 경우의 'た'의 꼴. ¶読[よ]ん～ 읽었다 / 漕[こ]い～ 저었다. →た 助動.

だ 【打】图【野】 타격. ¶～の第一人者[にんしゃ] 타격의 제 1 인자. ↔投[とう].

ダーウィニズム dāwi- 图【生】 다위니즘; 다윈주의. ▷Darwinism.

ダーク 图⦅ダナ⦆ 어두운; 검은. ¶～ブルー 다크 청색; 암청색. 回接頭 ①무지한. ②비밀의; 암흑의. ▷dark.

ダーク-ホース 图 다크 호스. ①경마에서, 실력은 모르지만 유력하다고 지목되는 말. ②실력은 확실치 않지만 유력시되는 경쟁자. ¶政界[せいかい]の～ 정계의 다크 호스. ▷dark horse.

ターゲット tāgetto 图 타겟; 표적; 목표. ▷target.

ダース 【打】图 다스; 타(打). ¶鉛筆[えんぴつ]二[に]～ 연필 두 다스. ▷dozen.

タータントラック -torakku 图【商標名】 타탄 트랙; 전천후 트랙의 일종. ▷Tartan Track.

ダートコース 图 더트 코스; (경마의) 흙으로 된 주로(走路). ▷dirt course.

タートルネック -nekku 图 ①(털셔츠 따위의) 터틀 넥; 자라목. ＝とっくり(えり). ▷turtle neck.

ターニング 图 터닝; 선회; 회전; 전환; 모퉁이. ▷turning. ━ポイント 图 터닝 포인트; 중대한 전환점; 분기점. 전기(轉機). ¶人生[じんせい]の～ 인생의 전환기. ▷turning point.

ターバン 图 터번. ①인도인이나 회교도들이 머리에 감는 수건. ②(여성용의) 터번 모양의 모자. ▷turban.

ダービー 图 더비. ①런던에서 해마다 열리는, 네 살 먹은 말의 대경마. ②(경마의) 특별 레이스. ③〈俗〉(프로 야구에서) 수위 다툼. ¶ホームラン～ 홈런 더비. ▷Derby.

タービン 图 터빈. ¶蒸気[じょうき]～ 증기 터빈. ▷turbine.

ターボジェット -jetto 图 터보 제트(항공기용 제트 엔진의 일종). ▷turbojet.

ターミナル 图 터미널. ①철도·버스 따위 터미널의 종점. ¶バス～ 버스 종점. ②공항(空港)에서 온갖 사무를 위한 시설이 집합된 장소. ¶～ビル 공항 종합 청사. ▷terminal.

タール 图【化】 타르; '코올타르(＝콜타르)'의 준말. ▷tar.

ターン 图 丑直 턴. ①선회(旋回). ②진로를 바꿈. ¶クイック～ 쿽턴. ③(수영에서) 풀 한 쪽 끝에서 되짚어 도는 일. ▷turn. ━テーブル 图 턴테이블 (전축의 레코드를 얹어서 도는 부분). ▷turntable.

たい 【度い】助動 ⦅動詞와 助動詞 'せる' 'させる' 'れる' 'られる'의 連用形에 붙음. 形容詞型 活用을 함⦆ 희망의 뜻을 나타내는 말. ¶…したい 하고 싶다. ¶行[い]～ 가고 싶다 / 酒[さけ]が飲[の]み～ 술이 먹고 싶다 / 外[そと]へ出[で]たがる 밖에 나가고 싶을 게다 / ぼくも行[い]きたくなった 나도 가고 싶어졌다 / 来[き]たければ来[こ]い 오고 싶으면 오너라. ¶⦅'れ' 'られ' '下[くだ]され' 'なされ' 등에 붙을 경우⦆ …하여 주기 바란다; 해 주셨으면 싶습니다. ¶明日[あす]来[こ]られ～ 내일 와 주셨으면 싶습니다.

たい 【体】曰图 ①몸. ＝からだ·み. ¶～をかわす 몸을 홱 비키다 / ～を引[ひ]く 굽혔던 자세를 바로하다. ②모양; 형태. ¶～をなさない 형태를 이루지 못하다; 꼴사납다. 回接尾 ①図面[ずめん]の～ 매우 난처한 모습. 回接尾 신불(神佛)의 상(像)을 세는 말: 개; 좌(座). ¶三[み]つの石仏[いしぼとけ] 세 개의 석불. ━を成[な]す 제대로 형태를 갖추다. ¶やっと研究発表[けんきゅうはっぴょう]の～を成す 겨우 연구 발표의 형태를 갖추다.

たい 【対】曰图 대. ①성질이 반대임; 대, 그것. ¶苦[く]の～は楽[らく] 괴로움의 반대는 안락. ②대등(한 자격). ¶…と～で戦[たたか]う …와 맞서 싸우다 / 社長[しゃちょう]と～で話[はな]す 사장과 마주하여 이야기하다. ③경기 등의 대전 편성을 나타내는 말. ¶赤組[あかぐみ]～白組[しろぐみ] 홍군 대 백군. ④비교를 나타냄. ¶三[さん]～二[に] 3 대 2. 回接尾 대…; '대에'의 뜻. ¶米[べい]～輸出[ゆしゅつ] 대미(對美) 수출.

たい 【隊】图 대. ①정렬한 일단의 사람. ¶～を組[く]む 대를 짜다; 대오를 짓다. ②부대; 군대. ¶～に帰[かえ]る 부대로 돌아가다. 回接尾 부대. ¶探険[たんけん]～ 탐험대.

たい 【鯛】图【魚】 도미. ¶えび[で]～をつる 새우로 잉어를 낚다(적은 노력으로 많은 이익을 얻다. ━の尾[お]よりいわしのあたま 도미의 꼬리보다는 정어리의 대가리(쇠꼬리보다는 닭 대가리가 낫다.

たい 【他意】图 타의; 다른 생각; 다른 뜻. ¶～はいだかない 딴 마음을 품지 않다 / ～はない 타의는 없다.

タイ 图 타이. ①'ネクタイ'의 준말. ¶～ピン 넥(넥)타이핀. ②'タイ記録[きろく]'의 준말. ▷tie. ━アップ -appu 图 丑直 타이업; 협력함; 제휴. ¶～を結[むす]ぶ tie-up. ━きろく ━【記録】图 타이 기록. ━スコア ━【スコア】图 타이 스코어; 동점. ▷tie score. ━ピン 图 타이핀; 넥타이핀. ▷tiepin.

だい 【大】曰图 대. ①큼; 넓음. ¶～の男[おとこ] 몸이 큰 남자. ②성함; 뛰어남. ¶今日[こんにち]の～をなす 오늘의 번성함을 이루다. ③큰 달. ＝大[だい]の月[つき]. ④큰 칼; 대도. ＝大刀[だいとう]. ¶大小[だいしょう]②.

中ゲ・小ゲ・. 三接頭①큰. ¶～工場
ゲゲ 대공장. ②뛰어난 ; 훌륭한. ¶～
人物ゲゲ 대인물 ⇔小ゲ. ②심한 ; 대
단한. ¶～好物ゲゲ 아주 좋아하는 음
식 ／～失敗ゲゲ 대실패. 三接尾①…의
크기. ¶実物大ゲ～ 실물 크기. ②대학.
¶女子ゲ～ 여대(女大). 一は接頭②
兼ゲねる 대는 소를 겸한다(큰 것이면
작은 것 대신으로 쓸 수 있음이라).

だい【代】대. 一接尾①제왕·가주·경
영자 등이 그 지위에 있는 동안. ¶
祖父ゲゲの家ゲ 조부 대에서 지
은 집／～がかわる 대가 바뀌다. ②
대금. ¶～は本ゲの一 책 값／お～はあ
とで 대금은 나중에. ②전화의「代表番
号ゲゲゲ」(=대표 번호)의 준말.
一三接尾①시대 ; 시기. ¶古生ゲ～
고생대／1950年代ゲゲ～の世相ゲ
1950년대의 세태. ②나이의 범위. ¶
三十ゲゲ～の男ゲ 삼십대의 남자. ②
値ゲ ; 값. ¶洋服ゲ～ 양복값.

*だい【台】一名①높은 전각(殿閣). ②
물건·음식을 그 위에 얹는 것 ; 또, 그
위에 사람이 올라 적당한 높이를 유지
하는 것. ¶～にのぼって号令ゲゲを掛
ゲける 대상(臺上)에 올라 구령을 하
다. ③무엇을 받치는 토대(가 되는
것). ¶カステラを～にしたケーキ 카
스텔라를 바탕으로 한 케이크. 三名
(臺木). ¶つぎ木ゲの～ 접목용의 대목.
一三接尾…대(臺). ①차(車)나 기계를
세는 말. ¶自動車ゲゲ十ゲ～ 자동차
10대. ②값·금액의 단계. ¶千円ゲゲ
～の品ゲ 천 엔대의 물건. ③약간 높은
곳 ; 대지(臺地). ¶富士見ゲ～ 富士山
ゲゲを바라보기 좋은 대지. ④널 밑에
다리를 달아 높게 한 것. ¶手術ゲゲ～
수술대.

だい【題】제. ①책의 이름 ; 글제 ; 제
목 ; 표제. ②문제 ; 과제.
だい【第】… 접두 ; 순서를 나타내는 수에
붙이는 말. ¶～一号ゲゲ 제일호／韓国
ゲゲ～一 한국 제일／[diazine].
ダイアジン 名【藥】다이아진.
たいあたり【体当(た)り】名ス自①자
기 몸을 힘껏 상대방에게 부딪쳐 타격
을 줌. ¶～を食ゲわせる 자기 몸을 부
딪쳐서 쓰러뜨리다. ②기를 쓰고 덤빔.
¶～で仕事ゲをする 기를 쓰고 일하
다.
たいあつ【耐圧】名 내압 ; 압력에 견딤.
ダイアリー 名 다이어리 ; 일기(日記).
▷diary.
ダイアローグ 名 다이얼로그 ; 대화(對
話). 회화(會話). ▷dialogue.
たいあん【大安】名'大安日ゲゲゲ'의 준
말(민간 신앙에서, 여행·결혼 등 만사
에 좋다는 대길날(大吉日)). =だいあ
ん.
たいあん【対案】名 대안. ¶～を出ゲす
대안을 내놓다.
だいあん【代案】名 대안. ¶～を考ゲ
える 대안을 궁리하다.
たいい【大尉】名【軍】대위. 注意 옛날
군에선 'だいい'라 했음.
たいい【大意】名 대의 ; 대강의 뜻. ¶
～をつかむ 대의를 파악하다.
たいい【体位】名 체위. ①체격·건강·
체능의 정도. ¶～の向上ゲゲをはかる

체위 향상을 꾀하다. ②몸의 위치 ; 자
세.(姿勢)
たいい【退位】名ス自 퇴위. ¶王様ゲゲ
が～する 임금님이 퇴위하다. ⇔即位
ゲゲ.　　　　　　　　　　　「제의 의미.
だい【題意】名 제의 ; 제목의 뜻 ; 문
*たいいく【体育】名 체육. ¶～館ゲ 체
육관／～大会ゲゲ 체육 대회. ⇔德育ゲゲ
知育ゲゲ. ——のひ【——の日】名 체육의
날(10월 10일).
*だいいち【第一】名副①제일. ○첫번
째 ; 가장 중요한 것. ¶～号ゲ 제 1 호／
～の事件ゲゲ 첫째의 사건／健康ゲゲが
～だ 건강이 제일이다. ○가장 뛰어난
것. ¶世界ゲゲ～の詩人ゲゲ 세계 제일의 시
인. ②【だいいち】②【副詞で的으로】무엇
보다도 ; 우선. ¶そうしたくても～金
ゲがない 그렇게 하고 싶어도 우선 돈
이 없다. —～いんしょう【——印象】
-inshō 名 첫인상. —～ぎ【——義】名
제일의 ; 제일차적인 것 ; 가장 중요한
근본적인 의의. ¶～的ゲな問題ゲゲ 제일
의적인 문제. —～じ【——次】名 제 1
차. —～さんぎょう【——産業】名 제 1
차 산업. —～せん【——線】名 ⇒だい
いっせん. —～にんしゃ【——人者】
-sha 名 제일인자. —～にんしょう
【——人称】名 제 1 인칭. =自称ゲゲ. —
～りゅう【——流】-ryū 名 제일류.
だいいっせん【第一線】-issen 名 제일
선. ①최전선 ; 최전방. ②최선두. ¶政
界ゲゲの～で活躍ゲゲする 정계의 제일선
에서 활약하다.
だいいっぽ【第一歩】-ippo 名 제일보 ;
첫걸음. ¶～を踏ゲみ出ゲす 제일보를
내딛다.
だいいっぽう【第一報】-ippō 名 제일
보 ; 첫 보도 ; 첫 보고.
たいいん【太陰】名 태음 ; 달. ↔太陽
ゲゲ. ——れき【——暦】名 (태)음력. =
陰暦ゲゲ. ↔太陽暦ゲゲゲ.
*たいいん【退院】名ス自 퇴원. ①병자
가 병원에서 나감. ¶全快ゲゲして～す
る 완쾌해서 퇴원하다. ②【佛】주지의
자리를 물러나 은거함. ③국회 의원이
의회에서 나와 돌아감. ↔登院ゲゲ.
たいいん【隊員】名 대원.
だいいん【代印】名 대인 ; 대리 도장.
¶～を押ゲす 대리 도장을 찍다.
だいいん【題詠】名 제영 ; 미리 제목을
정해 놓고 읊음 ; 또, 그 시가(詩歌).
たいえき【体液】名【生】체액(혈액·림
프·뇌척수액 등).
たいえき【退役】名ス自 퇴역. ¶～軍
人ゲ 퇴역 군인. 「트 식품. ▷diet.
ダイエット -etto 名 다이어트 ; 다이어
*たいおう【対応】taiō 名ス自 대응. ①
서로 마주 봄 ; 대응하는 관계에 있음.
②상대의 움직임·상황 변화에 따라 대
처함. ¶～策ゲを考ゲえる 대응책을 강
구하다. ③균형이 잡혀 있음. ¶収入
ゲゲ～にした支出ゲゲ 수입에 대응하는
지출.
だいおう【大王】daiō 名 대왕. ¶えん
ま～ 염마(열라) 대왕.
だいおうじょう【大往生】-ōjō 名ス自
고통없이 편안히 죽음 ; 또, 훌륭한 죽
음. ¶～を遂ゲげる 편안히〔장하게〕죽
다.

*たいおん【体温】 名 체온. ──けい【──計】名 체온계.

だいおんじょう【大音声】-jō 名 우렁찬 목소리. ¶──に呼ばわる 크게 소리쳐 부르다.

たいか【大火】 名 대화；큰 불. ¶──に見舞われる 큰 화재를 만나다. ↔小火.

たいか【大家】名 대가. ①거장(巨匠)；중진(重鎮). ¶画壇の── 화단의 대가. ②큰 집；또, 부잣집；대갓집.

たいか【大過】 名 대과. ¶──なく過ごす 대과없이 지내다.

たいか【対価】 名 대가. ¶──としてもらう 대가로 받다.

たいか【耐火】 名 내화. ¶──ガラス 내화 유리. ──れんが【──煉瓦】 名 내화 벽돌.

たいか【退化】 名 ㉠自 퇴화. ¶──器官 퇴화 기관. ↔進化.

たいか【滞貨】 名 ㉠自 체화；운반치 못해 밀린 화물；또, 팔리지 않아 쌓인 상품. =ストック. ¶──一掃 체화 일소.

たいが【大河】 名 대하；큰 강. ──しょうせつ【──小説】-shōsetsu 名 대하 소설.

だいか【代価】 名 대가. ¶勝利の──승리의 대가. ¶──を払う 대가를 치르다.

タイガー 名 타이거；호랑이. ⇒tiger.

*たいかい【大会】 名 대회. ¶野球──야구 대회 / ~を乗り切る 대회를 치뤄내다.

たいかい【大海】 名 대해；큰 바다. =だいかい・おおうみ. ──の一粟 창해(滄海)의 일속.

たいかい【退会】 名 ㉠自 퇴회；탈회. ¶協会から~する 협회에서 탈회하다. ↔入会.

たいがい【大概】 ㉠名 ①대강；개략. =だいたい. ¶~の説明 대강의 설명. ②대부분；보통. =たいてい. ¶~の家庭 대부분의 가정. ③어지 간한 정도. =たいてい. ¶ふざけるのも~にしろ 까부는 것도 정도껏 해라. ㉡たいがい 副 대충；대강. ¶仕事とも~かたづいた 일도 대충 정리되었다. ②대개；보통. ¶朝は~散歩をする 아침은 대개 산책을 한다. ③아마；대체로. ㉢たぶん. ¶明日は~晴れると思う 내일은 대체로 갤 것으로 본다.

たいがい【体外】 名 체외. ¶──受精 체외 수정. ↔体内.

たいがい【対外】 名 대외. ¶──的 대외적／~交渉 대외 교섭. ↔対内.

だいがい【大害】 名 대해；큰 피해.

*たいかく【体格】 名 체격. ¶──検査 체격 검사／がんじょうそうな~ 튼튼해 보이는 체격.

たいがく【退学】 名 ㉠自 퇴학. =退校. ¶中途~ 중도 퇴학／~処分 퇴학 처분.

*だいがく【大学】 名 ①최고 학부. ¶~生 대학생／駅弁~ 지방의 신설 대학(진용이 약한 보잘 것 없는 대학). ②사서(四書)의 하나. ──いん【──院】名 대학원.

たいかくせん【対角線】 名 대각선；맞모금.

だいかぞく【大家族】 名 대가족. =核家族.

たいがため【体固め】名 (레슬링·유도 등에서) 굳히기(조르기·누르기·꺾기 따위).

だいかつ【大喝】 名 ㉠自 대갈；큰 소리로 꾸짖음. =たいかつ. ¶一喝~갈 일성.

だいがっこう【大学校】-gakkō 名 대학 정도의 학교로서 학교 교육법에 의하지 않은 것. ──防衛~방위 대학교.

たいかのかいしん【大化の改新】 名 〖史〗 645년에 中大兄皇子가 中臣鎌足과 함께 蘇我氏의 일족을 멸망케 한 정변.

だいがわり【代替わり】 名 (왕·호주·경영주 따위의) 대가 바뀜.

たいかん【大官】 名 대관；고관. ↔高官. =小官.

たいかん【大観】㉠名 대관. ㉡他 전체를 봄；또, 대국(大局)을 널리 보고 판단함. ㉢名 ①광대한 경치. ②⇒たいかん(大鑑).

たいかん【大鑑】 名 대감；한 책으로 볼 수 있도록 모은 책. ¶美容~ 미용 대감.

たいかん【体感】 名 체감. ──おんど【──温度】 名 체감 온도.

たいかん【耐寒】 名 내한. ──くんれん【──訓練】 名 내한 훈련. ↔耐暑.

たいかん【退官】 名 ㉠自 퇴관. ↔任官.

たいがん【大願】 名 ⇒だいがん.

たいがん【対岸】 名 대안；건너편 강가. ¶~の火災視する 강건너 불보듯하다. ──の火事 대안의 불；내게 무관한 일.

たいがん【対顔】 名 ㉠自 대면(対面).

だいかん【大寒】 名 대한. ¶~の寒さ 대한 추위. =小寒.

だいかん【代官】 名 〖史〗 江戸시대 幕府가 직할지의 지방관.②어떤 관직의 대리.

だいがん【大願】 名 〈老〉 대원；큰 소망. ──じょうじゅ【──成就】-jōju 名 ㉠自 대원 성취.

たいかんしき【戴冠式】 名 대관식.

だいかんみんこく【大韓民国】 名 〖地〗 대한 민국.

たいき【大気】 名 대기. ──おせん【──汚染】 名 대기 오염. ──けん【──圏】 名 대기권.

たいき【大器】 名 대기；큰 그릇；그릇이 큰 사람. =小器. ──ばんせい【──晩成】 名 대기 만성.

たいき【待機】 名 ㉠自 대기.

たいぎ【大義】 名 대의. ──めいぶん【──名分】 名 대의 명분.

たいぎ【大儀】 名 대의；중대한 의식(儀式). =大典.

たいぎ【大技】名 체기(유도·씨름·레슬링·권투 따위).

たいぎ【大儀】ダナ ①남 또는 아랫 사람의 수고를 위로하는 말；수고. =ごくろう. ¶~ながら 수고롭지만／~であった 수고했다. ②수고스러운 모양；피곤하고 나른한 모양. ¶~な仕事는 힘든 일／行くのも~가 는 것도 귀찮다.

だいぎ【代議】 图 ㅈ他 대의. ──いん【──員】图 대의원. ──し【──士】图 대의사; 국회 의원('衆議院けぎ議員ぎ(=중의원 의원)'의 속칭).

だいぎ【台木】图 대목. ①접본(椄本); 밑나무. ②받침나무.

だいきぎょう【大企業】-gyō 图 대기업. ↔小しょう企業.

たいぎご【対義語】图 대의어(뜻이 정반대거나 짝을 이루는 말).=対語ご·対意語いぎ. ↔同義語どうぎ.

だいきち【大吉】图 ①대길. ↔大凶. ②'大吉日だいち(=대길일)'의 준말.

だいきぼ【大規模】图 ㄷ기 대규모.

たいぎゃく【退却】-kyaku 图 ㅈ自 퇴각; 후퇴.=進撃しんげき.

たいぎゃく【大逆】-gyaku 图 대역.=たいぎゃく.──無道どう 대역 무도.──罪ざい【──罪】图 대역죄.

*たいきゅう【耐久】-kyū 图 내구.¶~力りょく 내구력 / ~消費財しょうひざい 내구 소비재.

だいきゅう【大弓】-kyū 图 대궁; 정식의 활.=半弓はんきゅう.

だいきゅう【代休】-kyū 图 ㅈ自 대휴; 휴일에 출근한 대신으로 휴가를 얻음; 또, 그 휴가.

たいきょ【大挙】-kyo 图 대거. ①여럿이 함.=そうきょ. ②~して事ことに当あたる 여럿이 일을 처리하다(《副詞的に》 크게; 대규모로. ¶~来襲しゅうする 대거 내습하다.

たいきょ【退去】-kyo 图 ㅈ自 퇴거.=たちのき.¶~命令めいれい 퇴거 명령.

たいきょう【対共】-kyō 图 대공.

たいきょう【胎教】-kyō 图 태교.

たいきょう【退京】-kyō 图 ㅈ自 퇴경; 이경(離京). ↔入京にゅう.

たいきょう【滞京】-kyō 图 ㅈ自 체경.¶~中ちゅう 체경중.

たいぎょう【大業】-gyō 图 대업.¶世界平和せかいへいわの~ 세계 평화의 대업.

たいぎょう【怠業】-gyō 图 ㅈ自 태업전.=サボタージュ.¶~戦術せんじゅつ 태업 전술.

だいきょう【大凶】图 대흉.①대흉.¶大吉だいきち.②(大兇)더없이 큰 죄악; 대악인(大悪人).

だいきょうじ【大経師】-kyōji 图 표구사(表具師).=経師きょう·経師屋きょうじ.

たいきょく【大局】-kyoku 图 대국; 전체적 입장에서 본 판국; 대세(大勢).¶~的見地ちてきんち 대국적 견지.

たいきょく【太極】-kyoku 图 태극; 만물이 태어나는 우주의 근원.

たいきょく【対局】-kyoku 图 대국; 바둑이나 장기를 맞겨룸.

たいきょく【対極】-kyoku 图 대극.¶~に立たつ 대의 극〔점〕.

だいきらい【大嫌い】 ㄷ기 몹시 싫음.¶私わたしたちは甘あまい物ものは~ 나는 단것은 아주 질색이다.

たいきん【大金】图 대금; 큰돈.¶~をもうける 큰돈을 벌다.

たいきん【退勤】图 ㅈ自 퇴근. ↔出勤しゅっきん.

**だいきん【代金】图 대금.──ひきかえ【──引換】图 대금 상환(相換).

たいく【体軀】图 체구; 体たいを~に 달다つき 堂々どうどうたる~ 당당한 체구.

*だいく【大工】图 목수; 또, 그 일.¶日曜にちよう~ 취미삼아 일요일날 집에서 목수일을 하는 사람.

たいくう【対空】-kū 图 대공.¶~ミサイル 대공 미사일.=対地ちい.

たいくう【滞空】-kū 图 ㅈ自 체공.¶~記録きろく 체공 기록 / ~時間じかん 체공 시간.

たいぐう【対偶】-gū 图 대우; 둘이 서로 짝을 이룬 것('夫婦ふうふ·左右さゆう' 따위).=対つい.

*たいぐう【待遇】-gū 图 ㅈ他 대우. ①대접; 서비스.¶~の悪わるい旅館りょかん 서비스가 나쁜 여관. ②처우.¶~改善かいぜん 처우 개선 / 課長かちょう~ 과장 대우.──ひょうげん【──表現】图 대우 표현; 상대방의 신분·연령 등에 따라 존경어 혹은 겸양어 따위를 쓰는 말씨.

*たいくつ【退屈】 图ㄷ기 ㅈ自 지루함; 따분함; 무료함.¶~な人ひと 따분한 사람 / ~心理しんり 심리적 / 雨あめで~する 비로 따분해하다.

たいぐん【大軍】图 대군.¶~を率ひきいる 대군을 거느리다.

たいぐん【大群】图 대군; 큰 떼.¶にしんの~ 청어 떼.

たいけ【大家】图 대가; 대갓집; 부잣집; 세도있는 집안.=たいか.

たいけい【大兄】图 대형. 参考 주로 남자 사이의 서간문(書簡文)에 쓰임. ↔小弟しょうてい.──科학때 과학대계.

たいけい【大系】图 대계.¶科学かがく~.

たいけい【大慶】图 대경; 매우 경사스러움.

たいけい【体刑】图 ①직형; 몸에 고통을 주는 형벌. ②자유형.¶~を受うける 체형을 받다. ↔財産刑ざいさんけい.

たいけい【体形】图 体刑.¶形태.

*たいけい【体系】图 체계.=システム.¶学問がく~ 학문 체계 / ~化か 체계화.──てき【──的】ㄷ기 체계적.

たいけい【体型】图 체격의 형(型).¶~に合あわせる 체형에 맞추다.

たいけい【隊形】图 대형.¶戦闘せんとう~ 전투 대형.

だいけい【台形】图【数】사다리꼴('梯形けいの 고친 이름).

たいけつ【対決】图 ㅈ自 대결.¶世紀せいきの~ 세기의 대결 / 原告げんこく와 被告ひこくを~をさせる 원고와 피고를 대질시키다.

だいけつ【代決】图 ㅈ他 대결; 대리 결재.

たいけん【大権】图 대권; (구헌법에서) 天皇てんのうの統治権とうちけん.

*たいけん【体験】图 ㅈ他 체험.¶~談だん 체험담.~を生いかす 체험을 살리다.

たいけん【帯剣】图 ㅈ自 대검. します た.¶~を吐はく 큰소리치다.──そうご【──壮語】-sōgo 图【文法】체언(명사·대명사의 총칭). ↔用言ようげん.

たいげん【体現】图 ㅈ他 체현; 구현.¶理想りそうを~する 이상을 체현하다.

だいげん【代言】图 ㅈ他 대언; 본인

대신으로 그의 주장을 진술해 줌.
□ 图 '代言人セメシ*'의 준말; 변호사의 구칭(舊稱). ¶三百ῤ~ 엉터리 변호사.

だいげん【題言】图 제언; 제사(題詞).

だいげんすい【大元帥】图 대원수. ¶~陛下ゲ 대원수 폐하.

たいこ【太古】图 태고. =おおむかし. [参考] 보통, 유사 이전을 말함.

*__たいこ__【太鼓】图 북. ──をたたく 북을 치다; 전하여, 맞장구치며 비위를 맞추다. ──いしゃ【──医者】-isha 말만 잘하고 의술은 시원찮은 의사. ──ばし【──橋】가운데가 반원형으로 불룩한 다리; 홍예다리. ──ばら【──腹】图 올챙이배; 똥배. ──ばん【──判】图 큼직한 도장; 전하여, 확실한 보증. ¶~を押ザ 절대로 틀림없다고 보증을 하다. ──もち【──持(ち)】图 ①연회석에 나가 자리를 흥겹게 하는 것을 업으로 하는 남자. ──幇間ズ 图 ②남에게 빌붙는 사람을 비웃어 이르는 말.

たいご【大悟】ス自 대오; 크게 깨달음. =だいご.

たいご【対語】 □图 대어; 서로 짝을 이루는 말. =ついご·対義語ゲ. [参考] 行ヅン(=가다)와 帰ジ을(=돌아오다),東西ブン(=동서)의 동과 서, 花鳥ブ(=화조)의 꽃과 새 따위. □图 ス自 마주 앉아 이야기함.

たいご【隊伍】图 대오. ¶~を組 む 대오를 짓다.

たいこう【大公】-kō 图 대공.

たいこう【大功】-kō 图 대공; 큰 공로.

たいこう【大綱】-kō 图 대강. ①대강령; 대본(大本). =おおもと. ②골자; 윤곽. ¶計画ゲクの~ 계획의 윤곽(대강)을 보이다. ──細目ゲ

たいこう【大閤】图 태합; 섭정ジ(摂政)이나 太政大臣ゲの의 높임 말; 특히, 豊臣秀吉ゲを 일컬음.

たいこう【体腔】-kō 图 체강.

たいこう【対抗】ス自 대항. ¶~意識ゲ 대항 의식 / クラス~ 클래스 대항. ②(경마나 자전거 경기에서) 우승 후보나 우승을 다툴 것으로 예상되는 말이나 선수. ──ば【──馬】图 대항마; 경마에서 우승 후보의 말과 결승을 다투는 말; 전하여, 상대하여 경합하는 인물. ──本命馬ゲ-

たいこう【対校】-kō图 ①학교간의 대항. ¶~試合ジ 학교 대항 경기. □图 ス自 대조하여 교합(校合)·교정(校正)함.

たいこう【退校】-kō 图 ス自 퇴교; 퇴학. =退学ゲ. ──処分ゲ 퇴교 처분.

だいこう【代行】图 ス他 대행. ¶学長ゲの~ 학장 대행.

だいこう【代講】-kō 图 ス自 대강; 또, 대리 강사. ¶~を頼む 대강을 부탁하다.

だいこう【題号】图 제호.

たいこうぼう【太公望】-kōbō 图 태공망; 강 태공(姜太公); 낚시꾼의 딴이름.

たいこく【大国】图 ①대국; 큰 나라. ¶米ゲ·ソの二~ 미·소 양대국 / ~主

義ゲ 대국주의. ↔小国ズ. ②大宝令ゲゲ에서 일본의 각 지방을 大国ズ·中国ゲゲ·小国ゲ·下国ズ의 4등급으로 나눈 제 1급의 지방.

だいこく【大黒】图 ①'大黒天ゲ'의 준말. ②〈俗〉중의 아내. ──てん【──天】【佛】 대흑천 〔삼보 (三寶)를 사랑하고 음식을 넉넉하게 하는 신 (神)〕; 칠복신(七福神)의 하나〔복덕 (福徳)의 신〕. ──ばしら【──柱】집 중심에 있는 굵은 기둥. 한 집안·나라·단체의 기둥(이 되는 중심 인물).

だいこくでん【大極殿】图 平安ゲ 시대에 天皇ゲ가 정무를 보던 정전(正殿).

だいごみ【醍醐味】图 ①더없는 맛; 묘미 (妙味); 참다운 즐거움. ¶読書ゲの~ 독서의 참맛 / 釣ゲの~ を味わう 낚시질의 참맛을 맛보다. ②【佛】 석가 여래의 깊고 깊은 가르침.　　「침.

だいごれつ【第五列】图 (ス.제)오열; 간

だいこん【大根】图 ①【だいこん】 무우. ②연기가 서투름; 또, 그 배우. ③여자의 굵은 다리. ──おろし【──下ろし】〔(=卸(し)〕图 ①무를 강판에 간 것. ②강판. ──やくしゃ【──役者】-sha 图 연기가 서투른 배우.

たいさ【大佐】【軍】(구 일본군의) 대좌; 대령(大領). [注意] 해군에서는 'だいさ'라고 했음.

たいさ【大差】图 대차; 큰 차. ¶~ない 대차 없다. ↔小差ズ.

たいざ【対坐·対座】图 ス自 대좌. ¶賓客ズと~する 손님과 마주 앉다.

たいざ【退座】图 ス自 ①퇴석; 자리에서 물러감. ②극단(劇團)에서 탈퇴함. =退団ゲ.

だいざ【台座】图 대좌(臺座); 불상(佛像)을 안치하는 대.

たいさい【大祭】图 대제. ①대제〔큰 제사로 치르는 제전. ↔例祭ゲ〕. ②天皇ゲ가 친히 지내는 제사.

たいざい【大罪】图 대죄; 큰 죄. =だいざい. ¶~を犯おす 큰 죄를 짓다.

*__たいざい__【滞在】图 ス自 체재; 체류. ──期間ゲ 체재 기간.

だいざい【題材】图 제재; 소재(素材).

たいさく【大作】图 ①뛰어난 작품. =傑作ゲ. ②큰 작품. ↔小品ゲ.

*__たいさく__【対策】图 대책. ¶~を講ずる 대책을 강구하다.

だいさく【代作】图 ス他 대작. ¶論文ゲの~をたのむ 논문의 대작을 부탁하다.　　「책. ↔小冊ゲ.

だいさつ【大冊】图 대책; 크고 두꺼운

たいさん【耐酸】图 내산. ¶~合金ゲ 내산 합금.

たいさん【退散】图 ス自 퇴산. ①피하여 달아남. ②모여 있던 사람들이 모두 되돌아감.

たいざん【大山·太山】图 대산; 태산. ──鳴動ゲ してねずみ一匹ゲ 태산 명동에 서일필. [注意] '泰山鳴動…'라고 쓸 때도 있음.

たいざん【泰山】图 태산. ①크고 높은 산. ②중국 산동성(山東省)의 명산. ──の安ゲを磐石ゲに置く 태산 같은 반석 위에 올려 놓다.

だいさん【代参】图 ス自 대참; 본인 대

(우측 여백에 세로로 **た**)

신 참배자 ; 또, 그 사람.
だいさん【第三】图 제삼. ¶~の事件
型 제 3 의 사건. ――かいきゅう
【―階級】-kyū 图 제 3 계급 ; 평민 계
급. ――ごく【―国】图 제삼국 ; 당사
국 이외의 나라. ↔当事国そうじ. ――ごく
じん【―国人】图 제삼국인(특히, 일
본에 있는 한국인 및 중국인을 가리
킴). ――じさんぎょう【―次産業】
-gyō 图 제 3 차 산업. ――しゃ【―者】
-sha 图 당사자. ――せかい【―世
かい【―世界】图 제 3 세계(발전 도
상국). ――せだい【―世代】图 제삼세
대; 컴퓨터의 발전 단계에서, 집적 회
로를 주부품으로 하는 단계. ――にん
しょう【―人称】-shō 图【文法】제3
인칭. ――のひ【―の火】图 제3의
불; 원자핵 반응에 의한 열 에너지의 딴
이름.

たいさんぼく【大山木・泰山木】-sambo-
ku 图【植】양옥란(洋玉蘭)[목련과).
たいし【大志】图 대지 ; 큰 뜻. ¶~を
抱いだく 큰 뜻을 품다.
*__たいし__【大使】图 대사('特命全権大
使とくめいぜんけん'의 준말). ――かん【―館】图
대사관.
たいし【太子】图 태자 ; 특히, 聖徳しょうとく
태자(太子)의 일컬음.
たいじ【対峙】图 ス自 대치 ; 대립.
たいじ【胎児】图 태아.
*__たいじ__【退治】图 ス他 퇴치. ¶根こ
そぎ~する 모조리 퇴치하다.
だいし【大師】图 대사. ①부처나 보살
의 존칭. ②나라에서 고승에게 내리는
이름. 특히, 弘法こうぼう대사[진언종(眞
言宗)의 개조(開祖)]의 일컬음.
だいし【台紙】图 대지(臺紙)(사진이나
그림을 붙이는 두꺼운 종이).
だいし【台詞】图 대사. =せりふ.
だいし【題詞】图 ☞だいじ【題辞】.
だいし【題詩】图 제시. ①제목에 의해
서 시를 지음 ; 또, 그 시. ②책의 권
두에 쓰는 시.
*__だいじ__【大事】 一图 ①큰일. ○대사.
国家こっかの～ 국가의 대사. ○위험한
일. ¶～をひき起こす 큰일을 일으키
다. ○小事しょう. ②신중. ○[ダナ] ○소
중함. =大切たいせつ. ¶～な万年筆まんねんひつ 소
중한 만년필 / からだを~にする 몸을
소중히 하다. ②요긴함 ; 그것이 ~하
다. ○중요한 점 ; 거기에 중요한 점이
있다. ――の前まえ
の小事しょうじ 큰일을 앞에 두고 작은 일
(a)큰 일도 작은 일로 해서 깨지나 주의하라.
(b)큰 일을 앞에 두고 하찮은 일에 구
애받지 마라. ――をとる 신중을 기
하다. ――ない【―無い】形 지장[상
관)없다 ; 걱정없다.
だいじ【題字】图 제자 ; 제서(題書).
だいじ【題辞】图 제사(題辞). ①책 권두
에 쓰는 말 ; 제사(題辞).
ダイジェスト -jesuto 图 ス他 다이제스
트 ; 요약(要約). ¶~版 요약판.
だいじきょう【大慈教】-kyō 图【宗】대자.
だいしぜん【大自然】图 대자연. ¶
～の懐ふところにいだかれる 대자연의 품에
안기다.
*__たいした__【大した】連体 대단한. ①엄
청난 ; 굉장한. ¶～美人びじん 대단한 미

인 / ～実力じつりょくだ 대단한 실력이다.
～ものだ 대단하다. ②[뒤에 否定을 수
반하여] 이렇다할 정도의 ; 특별한. ¶
～男おとこではない 그리 대단한 사나이는
아니다 / 彼かれの英語えいごは~ものではな
い 그의 영어는 별것 아니다.
*__たいしつ__【体質】图 체질. ¶特異とくい～
특이 체질 / ～改善かいぜん 체질 개선.
たいしつ【対質】图 대질. ¶～尋
問じんもん 대질 신문.
たいして【大して】副 [뒤에 否定語를
따라서] 그다지 ; 별로. =さほど. ¶
～勉強べんきょうもしない 별로 공부도 안 한
다.　　　　　　　　　　　〔対〕
たいして【対して】連語 ☞たいする.
たいしゃ【大社】图 대사. ①신분이 높
은 신사(神社) ; 특히, 出雲いずも大社의
일컬음. ――づくり【―造り】图 가
장 오래된 형식의 신사(神社) 건축 양
식(出雲大社의 본전(本殿)이 대표적
임).　　　　　　　　　　〔殿〔殿式〕〕
たいしゃ【大赦】-sha 图 대사 ; 일반 사
たいしゃ【代謝】-sha 图 ス自 대사. ¶
新陳しんちん～ 신진 대사.
たいしゃ【退社】-sha 图 ス自 퇴사. ①
퇴직. ↔入社にゅうしゃ. ②퇴근. ↔出社しゅっしゃ.
だいじゃ【大蛇】-ja 图 대사 ; 큰 뱀. =
おろち・うわばみ.
たいしゃく【帝釈】-shaku 图【佛】'帝
釈天たいしゃくてん'의 준말 ; 불법(佛法)을 수호하는 신.
――てん【―天】
图 제석천 ; 불법(佛法)을 수호하는 신.
たいしゃく【貸借】-shaku 图 ス他 대
차. ○~関係かんけい 대차 관계. ――たい
しょうひょう【―対照表】-shōhyō 图
대차 대조표.
だいしゃりん【大車輪】-sharin 图 대
차륜. ○큰 수레바퀴. ○(기계 제조의)
대차. ○일심 전력함. ¶～で仕上しあげ
る 일심 전력 일을 끝내다.
たいしゅ【太守】-shu 图 태수. ①옛 중
국의 지방 장관. ②옛날에 황족의 임
지(任地)로 되어 있던 上総かずさ・常陸
ひたち・上野こうずけ 세 지방의 장관. ③한 지방
이상의 봉토를 가진 영주(領主). =国
守しゅ・太守しゅ.
たいじゅ【大儒】-ju 图 대유 ; 대학자.
たいじゅ【大樹】-ju 图 대수 ; 큰 나무.
¶寄よらば～の陰かげ 이왕 의지하려면 큰
사람에게 기대라는 뜻.
*__たいしゅう__【大衆】-shū 图 대중. ¶勤
労きんろう～ 근로 대중. ――か【―化】
图 ス自他 대중화. ¶～したスポーツ 대중
화된 스포츠. ――し【―紙】图 대중
지 ; 일반 신문. ――せい【―性】图 대
중성. ――てき【―的】[ダナ] 대중적. ¶
～娯楽ごらく 대중적 오락. ――でんたつ
【―伝達】图 대중 전달. =マスコミュ
ニケーション. ――ぶんがく【―文学】
图 대중 문학.
たいしゅう【体臭】-shū 图 체취. ¶男
おとこの～ 남자의 체취 / 彼かれの～の強つよく
出でた歌うた 그의 체취가 강하게 풍기는
노래.
*__たいじゅう__【体重】-jū 图 체중 ; 몸무
게. ¶～を量はかる 몸무게를 달다.
たいしゅつ【退出】-shutsu 图 ス自 퇴
출 ; 물러남. ¶御前ごぜんを~する 어전을
물러나다.
たいしゅつ【帯出】-shutsu 图 ス他 대

出;(비치된 책 등을) 가지고 나감. ¶
～禁止ᄒ 대출 금지.
たいしょ【大暑】-sho 图 대서. ①혹서
(酷暑). ②24 절기의 하나.
たいしょ【太初】图 图 태초.
たいしょ【対処】-sho 图自 대처. ¶
危機局ᄒᄒᄒᄒに～する 위기〔난국〕
에 대처하다.
だいしょ【代書】──图 图他〈老〉
대서;대필. =代筆ᄒ. ┌图 '代書人ᄒᄒ'
의 준말. ──にん〔──人〕图 대서인.
参考 '司法書士ᄒᄒᄒᄒ(=법무사)·行政書
士ᄒᄒᄒᄒ(=행정 서사)'의 구칭.
たいしょう【大正】-shō 图 대정.日本
皇ᄒ 시대의 연호(1912-26).
***たいしょう**【大将】-shō 图 图 ①대장. ¶
陸軍ᄒᄒ 육군 대장 / お山ᄒの～ (작
은 집단에서) 혼자 우쭐하는 사람;독
불 장군 / 餓鬼大将ᄒᄒᄒ 골목 대장.
②남을 친밀하게 또는 회롱조로 일컫
는 말:이 사람;이 친구. ¶おい、～ど
うした 이봐, 이 사람아 어떻게 되了
야 / このごろ～ちっとも来ᄒないな 요
음 이 친구 통 나타나지 않는데.
たいしょう【大笑】-shō 图自 대
소. =おおわらい. ¶呵呵ᄒᄒ～ 가가 대
소.
たいしょう【大勝】【大捷】-shō 图自
대승;대첩. ¶～を博ᄒする 크게 이기
다. ↔大敗ᄒ.
たいしょう【大賞】-shō 图 대상.
たいしょう【対称】-shō 图 대칭. ①둘
사이에 대응ᄒ하는 것이 있고 균형이 잡
힘. ②〔數〕두 개의 점·선·도형 따위
가 서로 맞선 위치에 놓임. ③〔文法〕
제 2 인칭. ↔自称ᄒ;他称ᄒ.
***たいしょう**【対象】图 대상. ①목
적;상태. ¶研究ᄒᄒᄒの～ 연구의 대
상 / 子供ᄒᄒを～とした放送ᄒ 어린이
를 대상으로 한 방송. ②〔哲〕인식 작
용의 목적이 되는 것;객체;객관.
***たいしょう**【対照】-shō 图 대조. ──图
图他 딴 것과 맞추어 비교함. ──图
图他 ～する 원본과 대조하다. ¶原簿
ᄒᄒと～する 원부와 대조하다. =コント
ラスト. ¶おもしろい～をなしている 재
미있는 대조를 이루고 있다. ──てき
──的 图ᄒ 대조적. ¶～な性格ᄒᄒ
대조적인 성격. ┌キャラバン.
たいしょう【隊商】-shō 图 대상. =
たいじょう【退場】-jō 图 图自 퇴장. ↔
入場ᄒᄒ;登場ᄒ;出場ᄒᄒ.
だいしょう【代償】图 대상;대가
(代償). ¶高価ᄒな～を払ᄒう 비싼 대
가를 치르다.
だいしょう【代将】-shō 图 (미국 등의
군제에서) 준장(准將).
だいしょう【大小】图 ①대소. ¶
～さまざまの道具ᄒᄒᄒ 대소 각종의 도
구 / 事ᄒᄒの～ 일의 대소를 가
리지 않고. ②허리에 차는 큰 칼과 작
은 칼. ③큰 북과 작은 북.
だいじょう【大乗】-jō 图〔佛〕대승. ↔
小乗ᄒᄒ. ──的 图ᄒ 대승
적;대국적. ¶～見地ᄒᄒ 대승적 견지.
だいじょうかん【太政官】-jōkan 图
太宝令ᄒᄒᄒᄒ로 정해진 관제〔여러 관청을
총관(總管)하고 정치를 통리(統理)
함). =だいじょうかん.

だいじょうだいじん【太政大臣】daijō-
图 太政官ᄒᄒᄒᄒ의 최고의 장관. =だい
じょうだいじん.
だいじょうだん【大上段】-jōdan 图 ①
(검도에서) 칼을 머리 위로 높이 쳐든
자세. =上段ᄒᄒᄒ. ¶～にふりかぶる
(칼 따위를) 머리 위로 높이 쳐들다.
②위압적인 태도. ¶～の発言ᄒᄒ 고압
적인 발언.
たいしょうてき【対症的】taishō- 图ᄒ
대증적. ①표면적인 증상에 따라 치료
하는 모양. ¶～療法ᄒᄒ 대증적 요법.
②근본적인 해결책이 아닌, 나타난 상
황에 따라서 처리하는 모양.
だいじょうふ【大丈夫】-jōfu 图 대장
부. =ますらお·偉丈夫ᄒᄒᄒ.
***だいじょうぶ**【大丈夫】だいじょうぶ·大丈夫】
-jōbu 图ᄒ ①괜찮음;걱정없음;틀림
없음. ¶火事ᄒᄒにあっても～な建物ᄒᄒ
ᄒᄒに任ᄒせておけばᄒ その에게 맡겨 두
면 안심이다〔틀림없다〕/ この水ᄒは飲ᄒ
んでも～でしょうか 이 물은 마셔도
괜찮을까요. 图〔副詞的으로〕 틀림없
이;꼭. ¶～成功ᄒᄒするよ 꼭 성공할
걸세 / あの人ᄒには～任ᄒᄒせておける
저 사람에게는 안심하고 맡길 수 있다.
だいじょうみゃく【大静脈】-jōmyaku
图〔生〕 대정맥.
たいしょく【大食】-shoku 图 图自 대
식. =おおぐい. ¶小食ᄒᄒ. ──かん
──漢 图 대식한.
たいしょく【耐食】【耐蝕】-shoku 图 내
식;부식(腐蝕)에 견딤. ¶～性ᄒ 내식
성.
たいしょく【退色】【褪色】-shoku 图
图自 퇴색. ¶あざやかな色ᄒᄒほど～し
やすい 선명한 색일수록 퇴색하기 쉽
다.
***たいしょく**【退職】-shoku 图 图自 퇴
직. ¶～を願ᄒうᄒ 퇴직 수당. ──きん
ᄒᄒᄒ. ──ねんきん〔──年金〕图 퇴직
연금.
たいしょこうしょ【大所高所】-sho kōsho
图 넓고 큰 시야에 섬. ¶～から考ᄒ
える 대국적 시야에서 생각하다.
だいじり【台尻】【台尻】图 개머리판.
たい-じる【退治る】上1他〈俗〉퇴치하
다.
たいしん【大身】图 신분이 높거나 녹
봉이 많음;또, 그 사람. ↔小身ᄒᄒ.
たいしん【耐震】图 내진;지진에 견딤.
¶～建築ᄒᄒ 내진 건축.
たいじん【大人】图 대인. ①거인(巨
人). ¶～国ᄒ 거인국. ②小人ᄒᄒ.小人 ②
론;성인. =だいにん·おとな. ↔小人
ᄒᄒᄒᄒ. ③덕이 높은 사람. ↔小人
ᄒᄒ. ④벼슬이 높은 사람. ↔小人ᄒᄒ.
⑤아버지나 스승·학자를 존경해서 부르는 말.
たいじん【対人】图 대인. ¶～関係
ᄒᄒ 대인 관계.
たいじん【対陣】图 图自 대진. ¶敵味
方ᄒᄒᄒᄒが～する 적과 아군이 대진하다.
たいじん【退陣】图 图自 퇴진. ¶～각;
후퇴. ¶会長ᄒᄒᄒの～を求ᄒめ
る 회장의 퇴진을 요구하다.
だいしん【代診】图 图他 대진;대리 진
찰;또, 그 사람.
だいじん【大尽】图 ①(江戸ᄒ 시대에)

た

큰 부자의 일컬음. ②화류계에서 호유(豪遊)하는 사람. ――風を吹ふかす 짐짓 호기 있게 놀다.

*だいじん【大臣】图 대신. ①장관. /外務がい～ 외무 대신 / 伴食ばんしょく～ 실권 없는 장관. ②太政官だいじょうかん의 최상급의 벼슬아치. ＝おとど.

だいしんさい【大震災】图 대지재; 대지진의 재해. 参考 1923년 9월 1일의 関東かんとう 대지재를 가리키는 일이 많음.

だいじんぶつ【大人物】-jimbutsu 대인물. ↔小人物しょうじんぶつ.

だいす【台子】图 다정자(茶亭子).

だいず【大豆】图 대두; 콩.

たいすい【大酔】图 ス自 대취.

たいすい【耐水】图 내수; 물에 견딤. ¶～性せい 내수성.

たいすう【大数】-sū 图 ①대수; 큰 수; 다수(多数). ②개수(概数). ③어림수. ④副詞的 대략; 대충.

たいすう【対数】-sū 图 数 로그; 로가리듬.

たいすう【代数】-sū 图 대수. ①세대(世代)의 수. ②代数学だいすうがく의 준말.

たいすう【台数】-sū 图 대수. ¶自動車どうしゃの生産せいさん～ 자동차의 생산 대수.

だいすき【大好き】ダナ 매우 좋아함.

たい-する【体する】サ変他 명심하여 지키다. ¶師しの教おしえを～ 스승의 가르침을 명심하여 지키다.

*たい-する【対する】サ変自 ①대하다. ①마주 보다. ¶道みちをはさんで～ 길을 사이에 두고 마주 대하다. ⑥짝이 되다; 대조가 되다. ¶善ぜんに～悪あく 선에 대한 악. ⑥관하다. ¶政治せいじに～関心かんしん 정치에 대한 관심. ⑥응하다. ¶親切しんせつな態度たいどで客きゃくに～ 친절한 태도로 손님을 대하다. ⑥맞서다. ¶強敵きょうてきに～ 강적에 맞서다. ⑪〈흔히 '…に～して'의 꼴로〉 …에 대하여〔관하여〕. ¶質問しつもんに～して答こたえる 질문에 대해서 답하다. ②비하다. ¶品質ひんしつに～して安やすい値段ねだん 품질에 비해 싼 값. ③대답하다. ¶問といに～ 질문에 대답하다.

たい-する【帯する】サ変他 허리에 차다; 몸에 지니다. ¶両刀りょうとうを～ 쌍칼을 차다.

だい-する【題する】サ変他 ①제목을 붙이다. ②표제(表題)나 제자(題字)·제사(題辞) 등을 쓰다.

たいせい【大成】图 ﹇ス他 ①홍륭히 이록함. ②집대성(集大成)함. ¶研究けんきゅうを～する 연구를 집대성하다. ﹇二ス自 크게 성공함. ¶物理学者ぶつりがくしゃとして～する 물리학자로서 대성하다. ↔小成しょうせい.

たいせい【大政】图 대정; 천하의 정치.
――ほうかん【―奉還】-hōkan ﹇图 1867년 江戸幕府えどばくふ가 정권을 明治天皇めいじてんのう에게 반환한 일.

たいせい【大声】图 대성; 큰 소리. ¶～孔子こうしの 「おごえ.

たいせい【大勢】图 대세. ¶～はすでに決きっに할する 대세는 이미 결정되었다 /～に従したがう 대세에 따르다.

たいせい【退勢・頽勢】图 퇴세; 쇠퇴

하는 형세. ¶～を挽回ばんかいする 퇴세를 만회하다.

*たいせい【態勢】图 태세. ¶準備じゅんび～ を整ととのえる 준비 태세를 갖추다.

たいせい【体勢】图 몸의 자세. ¶有利ゆうりな～ 유리한 자세.

*たいせい【体制】图 체제. ¶戦時せんじ～ 전시 체제 / 資本主義しほんしゅぎ～ 자본주의 체제 /～派は 체제파; 지배자측 그룹.

たいせい【対生】图 ﹇ス自 植 대생; 마주나기. ↔互生ごせい.

たいせい【胎生】图 生 태생. ↔卵生らんせい.

たいせい【耐性】图 내성. ¶～菌きん 내성균 /～が出来できる 내성이 생기다.

たいせき【体積】图 체적; 부피.

たいせき【退席】图 ﹇ス自 퇴석. ¶会かいの途中とちゅうで～した 도중에서 퇴석하였다. ＝出席しゅっせき

たいせき【堆積】图 ﹇ス自他 퇴적. ¶落葉らくようの～ 낙엽의 퇴적. ――がん【―岩】퇴적암; 수성암.

たいせき【滞積】图 ﹇ス自 적체(積滞); (화물이나 일 따위가) 밀려 쌓임.

たいせつ【大雪】图 대설. ①큰 눈. ＝おおゆき. ②24절기의 하나. ↔小雪しょうせつ

たいせつ【大切】ダナ ①중요. ①귀중; 소중. ¶～な宝たからもの 귀중한 보물 / 命いのちの～にする 목숨을 소중히 하다. ⑥필요. ¶～な条件じょうけん 꼭 필요한 조건. ②조심. ¶～に扱あつかう 조심해서 다루다. ⑥고비. ¶今日きょう・明日あすが～なところです 오늘 내일이 고비입니다. 「대전. 「대전.

たいせん【大戦】图 대전; 특히, 세계

たいせん【対戦】图 ﹇ス自 대전. ¶～成績せいせき 대전 성적.

たいぜん【大全】图 대전. ¶料理法りょうりほう～ 요리법 대전.

たいぜん【泰然】トタル 태연. ¶～じゃく【―自若】-jijaku トタル 태연자약.

だいせん【題簽】图 제첨; 책 이름을 써서 표지에 붙이는 종이나 헝겊.

だいぜんてい【大前提】图 대전제. ↔小前提しょうぜんてい

たいそう【大葬】-sō 인산(因山).

たいそう【大喪】-sō 대상; 天皇てんのう가 복상(服喪)하는 상사.

たいそう【大宗】-sō 대종. ①사물의 대본(大本). ②사계의 대가. ¶画壇がだんの～ 화단의 대종.

*たいそう【体操】-sō 체조; (교과로서의) 체육의 옛이름. ¶器械きかい～ 기계 체조.

*たいそう【大層】-sō ﹇﹇圓 매우; 굉장히; 대단히. ¶～暑あつい 매우 덥다. ﹇二ダナ 어마어마함; 과장됨. ¶～なごちそう 어마어마한 성찬. ――らしい -rashī 彫 俗 대단한 것처럼 꾸미다; 홍감부리다. ¶かすり傷きずに～く包帯ほうたいをする 생채기에다 야단스럽게 붕대를 감다.

たいぞう【退蔵】-zō 图 ス他 퇴장; 쓰지 않고 두어 둠. ＝死蔵しぞう. ¶～品ひん 퇴장품.

だいそう【代走】-sō 野 대주; 대주자. ＝ピンチランナー.

だいぞうきょう【大蔵経】-zōkyō 图

【佛】대장경.

だいそうじょう【大僧正】-sōjō 图 대종사(大宗師)〖승직의 최고 지위〗.

だいそれた【大逸れた】運体 아주 도리에 벗어난; 당치않은; 엉뚱한; 엄청난. ¶～考ぷえ 당치 않은(엉뚱한) 생각／～罪ぷを犯おかす 엄청난 죄를 범하다.

たいだ【怠惰】图 태타; 나태; 태만. ¶～な生活ぶ 나태한 생활. ↔勤勉ぶ.

だいだ【代打】图【野】대타; 대타자. =ピンチヒッター.

だいたい【代替】图他 대체. ¶～品ぷ 대체품／～エネルギー 대체에너지. ▷energy.

だいたい【大腿】图 대퇴. ¶～骨ぷ 대퇴골／～部ぷ 대퇴부.

だいたい【大隊】图【軍】대대.

だいたい【大体】图副 대체(로); 대강. =おおよそ・あらまし. ¶～の原則ぷ 대강의 원칙／事件ぷが～かたづいた 사건은 대강 처리되었다／～において意見ぷが一致ぷした 대체로 의견이 일치했다. 〔二圃 도대체; 도시; 본시; 본래. ¶～おまえが悪ぷいのだ 도시 네가 나쁘다.

だいだい【橙】图 ①【植】등자(나무). ②だいだい色の준말.——いろ【—色】오렌지색; 주황색.

だいだい【代代】图 대대; 역대. =よよ. ¶～の老舗ぷ 대대로 내려오는 노포.

だいだいてき【大大的】图 대대적. ¶～に宣伝ぷする 대대적으로 선전하다.

だいだいり【大内裏】图 옛날의 平安京ぷ 등의 대궐 구역〖중앙에 内裏ぷが 있고, 그 주위에 각 관아가 있었음〗.

だいたすう【大多数】-sū 图 대다수. ¶～の意見ぷ 대다수의 의견.

たいだん【対談】图 자自 대담. ¶～記事ぷ 대담 기사.

*だいたん【大胆】ダナ 대담. ¶～にも単身ぷで敵陣ぷに乗のり込こむ 대담하게도 단신 적진에 뛰어들다／～なデザイン 대담한 디자인.——ふてき【—不敵】 대담 무쌍. ¶～なふるまい 대담 무쌍한 행동.

だいだんえん【大団円】图 대단원; 끝. =大尾ぷ; フィナーレ. ¶～をつげる 대단원을 고(告)하다.

たいち【大地】图 대지.

たいち【対地】图 대지. ¶～攻撃ぷ 대지 공격. ↔対空ぷ.

だいち【対置】图他 대조적인.

だいち【台地】图 대지; 주위보다 높은 평지. ¶溶岩ぷ～ 용암 대지.

*だいち【大地】图 땅.

たいちょ【大著】-cho 图 대저.

たいちょう【退庁】-chō 图 자自 퇴청. ¶～時間ぷ 퇴청 시각. ↔登庁ぷ.

たいちょう【退潮】-chō 图 자自 ①썰물. =ひきしお. ②쇠퇴. ¶景気ぷ～ 경기 퇴조.

たいちょう【隊長】-chō 图 대장.

たいちょう【体長】-chō 图 (동물의) 체장; 몸의 길이.

たいちょう【体調】-chō 图 (스포츠에서) 몸의 상태. =コンディション.

だいちょう【台帳】-chō 图 ①대장; 원부(原簿). ¶土地ぷ～ 토지 대장. ②연극의 대본; 극본(劇本).

だいちょう【大腸】-chō 图 대장; 큰창자. ¶～菌ぷ 대장균.

たいちょうかく【対頂角】taichō- 图【數】맞꼭지각.

タイツ图 타이츠; 끝이 양말로 되어 있는 몸에 꼭 붙는 좁은 바지; 또, 그런 옷. ▷tights.

*たいてい【大抵・大底】图副 ①대개; 대부분; 대강. ¶～の事ぷは知しっている 대강은 알고 있다. ◯정도껏; 적당히. ¶いたずらも～にするがいい 장난도 정도껏 해야지. ◯정말; 아주. ¶もう～いやになった 이제 정말이지 싫증이 났다. ◯아마. ¶～大丈夫ぷだろう 아마 괜찮을 테지. ◯〔밑에 否定의 말을 수반하여〕보통. ¶～ではない 보통이 아니다／～の事ぷじゃ承知ぷすまい 여간 한 일로는 승낙하지 않을 걸(세).

たいてき【大敵】图 대적. ①강적. ②수많은 적. ↔小敵ぷ.

たいてき【対敵】图 자自 대적. ¶～行動ぷ 대적 행동.

たいてん【大典】图 대전. ①중대한 의식. ¶大礼ぷ; 御ぷ～ 즉위식 따위. ②중대한 법전. ¶不磨ぷ(不朽ぷ)の～ 불마(불후)의 대전〖헌법(憲法)의 일컬음〗.

たいてん【退転】图 자自 퇴전. ①전보다 나빠짐. ②【佛】修行ぷ의 게을리하여 아랫자리로 떨어짐. ↔不退転ぷ.

たいでん【帯電】图 자自【理】대전; 전기를 띰. ¶～体ぷ 대전체.

たいと【泰斗】图 태두; 권위자. ¶物理学ぷの～ 물리학의 태두. 参考 「泰山北斗ぷ」(=태산 북두)의 준말.

タイト图 ダナ 타이트; 팽팽함; 몸에 꼭 낌. ¶～スカート 타이트 스커트. ▷tight.

たいど【態度】图 태도. ¶試験ぷにのぞむ～ 시험에 임하는 태도／堂々ぷたる～ 당당한 태도／～を改あらためる 태도를 고치다.

たいとう【台頭・擡頭】-tō 图 자自 대두. ①머리를 치켜 듦; 진출. ¶新人ぷんの～ 신인의 대두／機運きうんが～する 기운이 대두하다. ②문장에서 경의를 표할 때 줄을 잡아 쓰되 다른 줄보다 몇 자 올려 쓰는 법.

たいとう【対当】-tō 图 자自 대당. ①대립. ②상당; 상응. ¶～額ぷ 맞먹는 액; 상당액.

*たいとう【対等】-tō 图 대등. ¶～の資格ぷ 대등한 자격／～に扱あつかう 대등하게 다루다.

たいとう【帯刀】-tō 图 대도; 칼을 참; 또, 그 칼. ——ごめん【—御免】江戸ぷ 시대에 무사 이외의 공로자에게 특별히 대도를 허가한 일.

たいとう【駘蕩】-tō トタル 태탕; 화창함. ¶春風ぷ～ 춘풍 태탕.

たいどう【胎動】-dō 图 자自 태동. ¶～期ぷ 태동기／保守合同ぷんの～が

見"られる 보수 합동의 태동이 보이
다. ‖반.
たいどう【帯同】-dō 图〔他〕대동 ; 동
진 칼. ‖わきざし．‖小刀なな．
だいとう【大刀】-tō 图 대도 ; 큰 칼.
진 칼. ‖わきざし．‖小刀なな．
だいどう【大同】-dō 图 대동. 一图 대체
로 같음. 一图 합동함. ——しょ
うい【—小異】-shōi 图 대동소이.
——だんけつ【—団結】图〔自〕대동
단결.
だいどう【大道】-dō 图 대도. ①큰
길 ; 대로. ‖～演説なな 가두 연설 ;
~商人はなる 노점 상인. ②사람으로서
행해야 할 바른 길 ; 근본 도덕.
だいどうみゃく【大動脈】-dōmyaku
대동맥. ‖国鉄ごなの～국철의 대동맥.
⇔大静脈なな.
だいとうりょう【大統領】-tōryō 图
대통령. ②〔俗〕친밀감을 나타내어 부
르는 말 ; 특히, 연기나 훌륭한 배우에
게 친밀감을 갖고 지르는 소리.
たいとく【体得】图〔他〕체득. ‖受験
なびのこつを～する 수험의 요령을 체득
하다.
たいどく【胎毒】图〔医〕태독.
だいとく【大徳】图〔佛〕대덕 ; 덕이 높
은 중. ‖だいとこ.
だいどく【代読】图〔他〕대독. ‖祝辞
なぶを～する 축사를 대독하다.
‡**だいどころ**【台所】图 ①부엌 ; 주방. =
だいだころ・くりや. ②살림 ; 가계(家
計). ‖～が苦しい 살림이 어렵다 /
会社なの～は火"の車なる 회사의 재
정 형편은 말이 아니다.
タイトル【title】图 타이틀. ①표제 ; 제목. ②
영화의 자막. ③직함 ; 칭호. ④선수권
(보유자로서의 자격). ▷title. ——バック
-bakku 타이틀 백 ; 자막의 배경.
▷ title back. ——マッチ-matchi 타이
틀 매치. ▷title match.
たいない【体内】图 체내. ⇔体外ない.
たいない【対内】图 대내. ‖～問題なな
내내 문제 / ～の影響なな 대내적 영
향. ⇔対外ない.
たいない【胎内】图 태내. ‖胎外ない.
だいなごん【大納言】图 ①〔史〕太政官
なないの 차관(次官). =亜相なる. ②
〔植〕팥의 한 품종.
だいなし【台無し】图 엉망이 됨 ; 못쓰
게 됨 ; 잡침. ‖服~になった 옷이
엉망이 되었다.
ダイナマイト【dynamite】图 다이너마이
트 ; 화약의 일종. ▷dynamite.
ダイナミック【—mikku】ダナ 다이내믹 ;
동적(動的) ; 역학적. ▷dynamic.
だいなん【大難】图 대난 ; 큰 재난(곤
난). ‖小難なな.
だいに【大弐】图〔史〕옛 일본의 大宰
府なぶの 상위의 차관(次官).
だいに【第二】图 제이. ——ぎ【—義】
图 제이의 ; 근본적인 것이 아님. =
一的な問題なぶは 제이의적인〔이차적인〕
문제. ⇔第一義なない. ——じ【—次】
图 제 2차. ——さんぎょう【—産業】
제 2차 산업. ——にんしょう【—人称】-shō 图 제
2인칭.
たいにち【滞日】图〔自〕체일 ; 일본에
머무름.
たいにち【対日】運体 대일. ‖～貿
易なぶ 대일 무역.
だいにゅう【代入】-nyū 图〔他〕〔数〕

たいにん【大任】图 대임 ; 막중한 임무.
‖～を果たす 대임을 다하다.
たいにん【退任】图〔自他〕퇴임. ⇔就
任なな. ‖名代なな.
だいにん【代人】图 대리인(代理人).
ダイニング【dining】图 ①식사(食事)
②'ダイニングルーム'의 준말. ▷dining.
——キッチン-kitchin 图 다이닝 키친 ;
주방과 식당을 겸한 양실. ▷일 dining
kitchen. ——ルーム-rūmu 图 다이닝룸(식당으
로 쓰는 방). ▷dining room.
たいねつ【耐熱】图 耐熱. ‖～鋼なない 내
열강 / 汽車なな 내열 행군.
だいの【大の】運語〔連体詞적으로〕①
큰. ‖～男なな カ다란 사나이. ②매우 ;
대단한. ‖～好物なない 매우 좋아하는
것 / ～なかよし 대단히 친한 친구.
たいのう【滞納】【怠納】-nō 图〔他〕체
납. ‖～者 체납자.
だいのう【大脳】-nō 图〔生〕대뇌. ‖
小脳なな. ——ひしつ【—皮質】图 대
뇌 피질.
だいのう【大農】-nō 图 대농. ①대규모
농업. ②호농(豪農) ; 큰 농가. ⇔小農
なな.
だいのう【代納】-nō 图〔他〕대납.
たいは【大破】图〔他〕대파.
だいば【台場】图 江戸なな 시대 말기에 바
다를 방비하기 위해 만든 포대.
たいはい【大杯】【大盃】图 대배 ; 큰 잔.
たいはい【大敗】图〔自〕대패. ‖～を
喫なぶする 참패를 맛본다. ⇔大勝なな.
たいはい【退廃】【頽廃】图〔自〕퇴폐 ;
道義どなが～する 도덕이 퇴폐하다（／
一的な音楽なな 퇴폐적인 음악.
だいばかり【台ばかり】【台秤】图 대칭 ;
앉은뱅이 저울. =かんかん.
たいはく【太白】图 태백. ‖'太白星なぶ
의 준말. ②정제한 백설탕. =白下なない.
——せい【—星】图 태백성 ; 금성.
だいはちぐるま【大八車・代八車】图 두
세 사람이 끌어야 할 만큼 큰 짐수레. =
だいはち.
たいばつ【体罰】图 체벌. ‖～を与える
체벌을 주다.
たいはん【大半】图 태반 ; 과반 ; 대부
분. ‖～を占める 태반을 차지하다.
たいばん【胎盤】图〔生〕태반.
だいばんじゃく【大盤石】【大磐石】-jaku
图 대반석. ‖～の備なえ 반석같이 튼
튼한 방비. ‖え.
たいひ【堆肥】图 퇴비 ; 두엄. =つみご
え.
*だいひ【対比】图〔他〕대비. ①비교(比
較) ; 겨눔. ②대조. ——てき【—的】ダナ
대비적 ; 대조적. ‖ドイツ人などとフラ
ンス人との国民性なぶは～だ 독일
사람과 프랑스 사람과의 국민성은 대
조적이다.
たいひ【退避】图〔自他〕대피. ‖～所な
대피소 / 普通列車なぶが特急なびを～
する 보통 열차가 특급을 대피하다.
たいひ【退避】图〔自〕퇴피. ‖～命令なぶ
위험을 피함. ——命令なぶ 퇴피 명령.
たいひ【貸費】图 대비 ; (학비 따위의)
비용을 빌려 줌. ——せい【—生】图
대여 장학생. ‖終"わり.
たいび【大尾】图 대미 ; 종국 ; 결말.
タイピスト【—】图 타이피스트. ▷typist.

だいひつ【代筆】 名 ス他 대필. =代書. ¶手紙☆を～する 편지를 대필하다. ↔直筆☆.

*たいびょう【大病】-byō 名 큰 병; 중병. ¶～をわずらう 중병을 앓다.

だいひょう【大兵】 名 우람스러운 몸집; 또, 그 사람. ¶～肥満☆な 몸집이 크고 뚱뚱함. →小兵☆.

*だいひょう【代表】-hyō 名 ス他 대표. ¶日本☆を～する 일본을 대표하다 / ～作☆ 대표작 / ～者 대표자. ──てき【──的】 ダナ 대표적. ¶～な作品☆ 대표적인 작품.

だいひょうばん【大評判】-hyōban 名 대평판; 평판이 대단함(자자함).

ダイビング 名 ス自 다이빙. ¶スキン－スキン 다이빙 / スカイ－ 스카이 다이빙. ▷diving.

たいぶ【大部】 一 名 イ (책이나 문서의) 분량이 많음. 一 ス自 (～の文書☆) 두툼한 문서. 二 名 대부분.

*タイプ 타이프. 一 名 형〈型〉; 유형. ¶学者☆の～ 학자 타이프. 二 名 ス他 'タイプライター'의 준말; 또, 타자기로 치는 일. ──ライター 타이프라이터; 타자기. ▷typewriter.

*だいぶ【大分】 副 상당히; 어지간히; 꽤. =だいぶん. ¶成績☆は──よくなった 성적은 꽤 좋아졌다 / ～病気☆が悪☆い 상당히 심하다.

*たいふう【台風】〈颱風〉-fū 名 태풍. ¶～の被害☆ 태풍의 피해. ──のめ【──の目】 名 태풍의 눈. ①〈氣〉태풍의 중심부에 생기는 잔잔한 구역. ②격동 속의 중심 〈인물〉.

だいふうし【大風子】-fūshi 名〈植〉 대풍차나무.

だいふく【大福】 名 ①대복; 큰 복. ②부자의 많은 복이 많음. ¶～長者☆ 복 많은 부자. ③'大福もち'의 준말. ──ちょう【──帳】-chō 상가〈商家〉의 매매 원장〈元帳〉. ──もち【──餅】 팥소가 든 찹쌀떡.

たいぶつ【対物】 名 대물. ──レンズ 名〈理〉 대물 렌즈. ──接鏡☆レンズ. ▷lens.

だいぶつ【大仏】 名 대불; 큰 불상.

*だいぶぶん【大部分】 名 대부분; 거의. ¶住民☆による──주민의 대부분 / 仕上☆がった 거의 완성되었다. ↔一部分☆.

だいぶん【大分】 副 ☞だいぶ.

たいへい【大兵】 名 대병; 대군〈大軍〉. ¶～をひきいて 대군을 거느리고.

たいへい【太平】〈泰平〉 名イ 태평. ¶天下☆～ 천하 태평. ──らく【──楽】 名〈俗〉 태평스럽게 아무렇게나 나 정임. ¶～を並☆べる 제멋대로 지껄여 대다.

たいべい【対米】 連体 대미〈對美〉. ¶～関係☆ 대미 관계.

たいへいよう【太平洋】-yō 名 태평양. ──せんそう【──戦争】-sō 名 태평양 전쟁.

たいべつ【大別】 名 ス他 대별. ¶二☆つに～される 둘로 대별된다. ↔細別☆.

たいへん【対辺】 名〈數〉 대변; 맞변.

*たいへん【大変】 名イ 큰일; 대사건. ¶このたびの～ 이번의 큰 변고 / そいつは～だ 그것 참 큰일이다.

*たいへん【大変】 副 ダナ 몹시; 매우; 대단히. ¶～な費用☆ 엄청난 비용 / ～な人出☆ 대단한 인파다 / ～な試合☆ 매우 힘든 경기 / ～失礼☆しました 실례가 많았습니다.

*だいべん【大便】 名 대변; 똥. =くそ. ↔小便☆.

だいべん【代弁】 名 ス他 대변. ①대신 변상함〈辯償〉. ②①은 본디 '代辨'. ②본인을 대신하여 의견을 말함. ¶～者 대변자다. 注意 ③은 본디, '代辯'.

たいほ【退歩】 名 ス自 퇴보. ↔進歩☆.

*たいほ【逮捕】 名 ス他 체포. ¶～状☆ 체포장; 구속 영장.

*たいほう【大砲】-hō 名 대포. ¶もう～.

*たいぼう【大望】-bō 名〈老〉=たい☆ぼう.

*たいぼう【待望】-bō 名 ス他 대망. ¶～の雨☆ 대망하던 비.

たいぼう【耐乏】-bō 名 ス自 내핍. ¶～生活☆ 내핍 생활.

たいぼうあみ【大謀網】daibō- 여러 척의 배로 치는 큰 자루 모양의 정치망〈定置網〉.

たいほうりつりょう【大宝律令】 -hō-ritsuryō 名〈大宝律令〉 원년〈701년〉에 정한 율〈律〉 6권·영〈令〉 11권의 명칭.

たいほうりょう【大宝令】-hōryō 名 大宝律令☆의 '영〈令〉'의 준말.

たいぼく【大木】 名 대목; 큰 나무. ¶松☆の～ 큰 소나무.

たいほん【大本】 名 대본. =おおもと☆. ¶国政☆の～ 국정의 으뜸.

だいほん【台本】 名 대본; 극본.

だいほんえい【大本営】 名 대본영; 전시에 天皇☆의 밑에 두었던 최고 통수부〈統帥府〉.

だいほんざん【大本山】 名〈佛〉 대본산; 한 종파의 말사〈末寺〉들을 다스리는 절; 또는 총본산〈總本山〉의 다음 가는 절.

たいま【大麻】 名 ①伊勢☆ 신궁〈神宮〉이나 그 밖의 신사〈神社〉에서 주는 부적〈符籍〉. ②ぬさ☆. ③〈植〉 대마; ④ 대마초.

タイマー 名 타이머. ▷timer.

たいまい【大枚】 名〈俗〉 대금〈大金〉; 많은 금액. ¶～五百万円☆ 거금 5백만 엔.

たいまい【瑇瑁·玳瑁】 名〈動〉 대모.

たいまつ【松明】 名 횃불. ¶～をともす 횃불을 켜다.

*たいまん【怠慢】 名イ 태만. ¶職務☆ ～ 직무 태만. ↔勤勉☆.

だいみょう【大名】-myō 名 넓은 영지〈領地〉를 가진 무사〈武士〉; 특히, 江戸☆ 시대에 봉록〈俸祿〉이 1만 석 이상인 무가〈武家〉. ──ぎょうれつ【──行列】-gyōretsu 名 江戸☆ 시대에 大名☆가 많은 사람을 거느리고 행차하던 일; 비유적으로, 많은 사람을 거느리고 가는 일.

*タイミング 名 타이밍. ¶～をはずす 타이밍을 놓치다 / ～がいい 타이밍이 좋다. ▷timing.

タイム 图 타임. ①시각；시간. 『百㍍メートル競走㍑の〜をはかる 백 미터 경주의 타임을 재다. ②일시 시합 중지(시간). 『〜を要求㍑する 타임을 요구하다. ▷time. ──アップ -appu 图 타임업；규정 시간이 끝남. ▷time's up. ──テーブル 图 타임 테이블. ①행사 예정표. ②발차 시각표. 『timetable. ──レコーダー 图 타임 레코드；출퇴근의 시각을 카드에 기록하는 기계. ▷time recorder.

タイムリー 【ダナ】 타임리；때맞춤；시의 적절함. 『〜なくわだて 타임리한〔때맞춘〕계획. ▷timely. ──ヒット -hitto 图【野】타임리 히트；적시 안타(安打). 『칙명.

たいめい【大命】图 대명；천자의 명령.

たいめい【待命】图 ①명령을 기다림. ②공무원이 무보직으로 대기함. 『〜大使㍑ 대기 대사.

だいめい【題名】图 제명；제목.

だいめいし【代名詞】图 대명사. ①【文法】대이름씨. ②〈俗〉대표적·전형적인 것.

たいめん【体面】图 체면；면목. 『〜を傷㍑つける 체면을 손상하다 / 〜を保㍑つ 체면을 유지하다.

たいめん【対面】图 ㋥圁 대면. 『親子㍑の〜 부모와 자식의 대면. ──こうつう【──交通】-kōtsū 图 대면 교통；南無南無㍑은 오른쪽, 차는 왼쪽으로 통행하는 따위의 교통.

たいもう【大望】-mō 图 대망. =たいぼう. 『〜をいだく 대망을 품다.

だいもく【題目】图 ①제목；주제. 『会議㍍の〜 회의의 주제. ②【佛】日蓮㍑宗(宗)에서 南無妙法㍑蓮華㍑経㍑=나무 묘법 연화경)의 7자。 『おだいもく.

タイヤ 图 타이어. ▷tire.

ダイヤ 图 다이아. ①다이아몬드'의 준말. 『赤㍑い一끝／黒㍑い〜 석탄. ②트럼프의 빨간 마름모 무늬가 있는 카드. ③다이아그램'의 준말.

たいやく【大厄】图 큰 액운. ②액년(厄年) 중에서 가장 중한 해(남자는 42세, 여자는 33세).

たいやく【大役】图 대역；큰 역(할)；중대한 임무. 『〜をおおせつかる 큰 임무가 부여되다.

たいやく【大約】图 圁 대략；대강；약.

たいやく【対訳】图 圁 대역. 『英和㍑〜 영일(英日) 대역 ／ 〜辞書㍑ 대역 사서.

だいやく【代役】图 대역. 『〜をつとめる 대역을 맡아 하다.

ダイヤグラム 图 다이어그램；도표(圖表)；열차의 운행표；또, 그에 의한 열차의 운행 조직. 『ダイヤ. ▷diagram.

ダイヤモンド 图 다이아몬드. ①鑛㍑금 강석(金剛石). 『ダイヤ②. ③【野】내야(內野). ▷diamond.

ダイヤル 图 다이알. ①라디오 수신기의 눈금. 『〜を合㍑わせる 다이얼을 맞추다. ②자동 전화의 숫자판. 『〜を回㍑す 다이얼을 돌리다. ▷dial.

たいよ【貸与】图 ㋥他 대여. 『學費㍑の〜 학비의 대여 ／ 制服㍑が〜される 제복이 대여되다.

たいよう【大洋】-yō 图 대양；대해；큰 바다. =おおうみ.

たいよう【大要】-yō 图 대요；대강；요지. =あらまし. 『事件㍑の〜 사건의 대요.

たいよう【太陽】-yō 图 태양；해. ──けい【──系】图 태양계. ──ぞく【──族】图 자유 분방한 남녀 교제를 하는 청소년들. ──でんち【──電池】图 태양 전지. ──とう【──灯】-tō 图 태양등；수은등. ──れき【──暦】图 태양력(曆)；양력. ↔太陰暦㍑㍑.

たいよう【耐用】图 圁 내용；(기계 따위가) 사용에 견딤. ──ねんすう【──年数】-sū 图 내용 연수.

だいよう【代用】-yō 图 ㋥他 대용. ──しょく【──食】-shoku 图 대용식. ──ひん【──品】图 대용품.

たいよく【大欲】【大慾】图 대욕. ①원대한 욕심；큰 욕심. ②대단히 욕심이 많음. 『〜非道㍑ 대욕 무도(無道)；도리에 어긋나게 욕심부림. ↔小欲㍑㍑. ──は無欲㍑に似㍑たり ①대욕을 가진 자는 자잘한 이익 따위는 거들떠보지도 않으므로 도리어 무욕(無慾)처럼 보인다. ②대욕을 가진 자는 욕심에 눈이 어두워져 손해를 보기 쉽다.

だいよん【第四】图 제 4. ──せかい【──世界】图 제4세계；후발 낙후 개도국. ──せだい【──世代】图 제4 세대；제 3 세대에 이은 컴퓨터의 발전 단계(고밀도 집적 회로가 사용되어, 초(超)소형화됨).

たいら【平ら】㊀【ダナ】평평함；평탄함. 『〜な道㍑ 평탄한 길. ㊁【图】①【平】산간의 평지. 『〈お〉〜に㍑の꼴로》(꿇어 앉지 않고) 편한 자세를 취함. 『どうぞお〜に 어서 편히 앉으십시오.

たいらか【平らか】㊀【ダナ】① ☞ たいら㊁. ②세상이 평온 무사함. 『〜な世㍑の中㍑の 평온한 세상. ③마음이 평온함. 『心中㍑㍑が〜でない 심중이 평온치 못하다. 『평정되다.

たいら-ぐ【平らぐ】⑤圁 평온해지다 ；.

たいら-げる【平らげる】他㊀【下一】①평정하다. 『賊㍑を〜 반적을 평정하다. ②〈俗〉먹어치우다. 『ビールを五本㍑〜 맥주 다섯 병을 깨끗이 비우다.

たいらん【大乱】图 대란；큰 난리.

だいり【内裏】【內裏】图 ①天皇㍑㍑이 사는 대궐；금중(禁中). =皇居㍑. ②내 裏㍑びな의 준말. ──びな【──びな】图 天皇㍑㍑·후후의 모습을 본떠서 만든 남녀 한 쌍의 인형.

だいり【代理】图 ㋥他 대리. 『校長㍑〜 교장 대리 ／ 〜人㍑ 대리인 ／ 〜を務㍑める 대리를 맡아 보다. ──てん【──店】图 대리점. ──ぶ【──部】图 대리부；(잡지나 신문 등의) 본업 이외의 상품의 대리 판매부.

だいりき【大力】图 圁 대력；대단히 힘이 셈；또, 그 사람.

たいりく【大陸】图 대륙. 『アジア〜 아시아 대륙. ──せいきこう【──性気候】-kō 图 대륙성 기후. ──だな【──棚】图 대륙붕(─棚)(大陸の─的). 【ダナ】대륙적. ①대륙 특유의 상태. ②잔일에 구애되지 않고 대범한 성질. ↔島国㍑㍑㍑. ──ぶんがく【──文学】

图 대륙 문학; 유럽에서, 주로 독일·프랑스 문학.

だいりせき【大理石】图 대리석.

＊**たいりつ**【対立】图 ㅈ自 대립. ¶～が深まる 대립이 심화되다 /利害が～する 이해가 대립하다.

たいりゃく【大略】-ryaku 图 대략. ① 대강.＝おおよそ・あらまし. ¶～をのべる 대강을 말하다. ②(副詞的으로) 대체로; 대충. ¶～次の通りです 대략 다음과 같습니다.

たいりゅう【対流】-ryū 图【理】대류. ¶～作用 대류 작용. ──**けん**【──圏】图 대류권.＝成層圏.

たいりゅう【滞留】-ryū 图 ㅈ自 체류. ①체재.＝逗留・滞在. ②사물이 정체함.

たいりょう【大猟】-ryō 图 사냥에서 새·짐승 따위를 많이 잡음.

たいりょう【大量】-ryō 图 ①다량.＝少量. ②큰 도량.＝大度. ¶～の人 도량이 큰 사람. ──**せいさん**【──生産】图 ㅈ他 대량 생산.＝量産.

たいりょう【大漁】-ryō 图 풍어.＝豊漁.←→不漁. ──**びんぼう**【──貧乏】-bimbō 图 풍어 가난(어획물이 너무 많아서 값이 떨어져 수입이 주는 일).

＊**たいりょく**【体力】-ryoku 图 체력. ¶～が衰える 체력이 떨어지다. ──**せいしんりょく**【──精神力】图 정신력.

たいりん【大輪】图 꽃송이가 큼.＝大いりん. ¶～の朝顔 꽃송이가 큰 나팔꽃. ──**こがた**【──小型】图.

タイル图 타일. ¶～を張る 타일을 깔다; 타일을 붙이다. ▷tile.

たいれい【大礼】图 대례; (황실의) 중대한 의식(儀式); 특히, 즉위(即位)의 의식.＝大典. ¶御～ 즉위의 대례. ──**ふく**【──服】图 대례복.

ダイレクト图 다이렉트; 직접. direct. ──**メール**图 다이렉트 메일(개인 앞으로 직접 우송하는 선전 광고). ▷direct mail. 〔대역을 흘뜨리다.

たいれつ【隊列】图 대열. ¶～を乱す

たいろ【退路】图 퇴로; 도망 길. ¶～を断つ 퇴로를 끊다.←→進路.

たいろう【大老】-rō 图 대로; 존경받는 노인. ②江戸 시대에 将軍을 보좌했던 최고 직명.

だいろっかん【第六感】-rokkan 图 제육감.＝勘; 直感; 육감. ¶～で当てる 육감으로 맞히다.

＊**たいわ**【対話】图 ㅈ自 대화. ¶国民との～ 국민과의 대화.

だいわれ【台割れ】图 (증권 시세 따위가) 백 엔대에서 90 엔대로 되는 따위로 한 자리 아래로 떨어짐.

たいわん【台湾】图【地】대만.

たう【多雨】图 다우; 비가 많음. ¶高温多～ 고온 다우. 〔秋).

たうえ【田植(え)】图 모내기; 이앙(移

たうち【田打ち】图 봄갈이.

ダウン图 ㅈ自他 다운. ①내림. ¶コスト─コスト 다운; 원가 절감.←→アップ. ②ノックダウン의 준말. ③(컴퓨터 등이) 고장·사고로 작동하지 않음. ▷down.

たえ-**る**【絶え入る】⑤自 숨이 끊어지다; 죽다. ¶～ような声 숨이 넘어가는 듯한 소리.

たえがた-**い**【耐え難い・堪え難い】⬚ 참기 어렵다; 견딜 수 없다. ¶～労働 견디기 어려운 노동.

だえき【唾液】图 타액; 침.＝つば.

たえざる【絶えざる】連体 끊임없는; 부단한. ¶～研究 부단한 연구.

たえしの-**ぶ**【耐え忍ぶ・堪え忍ぶ】⑤他 감내하다.

＊**たえず**【絶えず】連語 늘; 끊임없이. ¶～努力する 끊임없이 노력한다.

たえだえ【絶え絶え】⬚ナ ①끊어질 듯한 모양; 끊일락말락한 모양. ¶息も～に 숨이 막 끊어질 듯이. ②가끔 중단되는 모양.＝とぎれとぎれ. ¶～に聞こえる 간간이 들린다.

たえて【絶えて】連語 (밑에 否定語가 와서) 조금도; 전혀. ¶～音もさたがない 전혀 [통] 소식이 없다.

たえま【絶え間】图〈雅〉끊어진(멈춘) 사이; 짬; 틈새. ¶雲い の～から 구름 사이에서. ──**な**-**い**【──無い】⬚ 끊임없다. ¶～努力 끊임없는 노력.

た-**える**【耐える・堪える】下1自①견디다. ㉠(괴로움을) 참다. ¶痛みに～ 아픔을 참다. ㉡(외부의 힘·자극 등에) 견디다; 버티다. ¶重さに～ 무게에 견디다. ②～을～할 수 있다; ～할 만하다. ¶感るに～えた(～えない)立派な行為さ 감격할 만한(감동해 마지 않는) 훌륭한 행위 / 鑑賞に～ 감상할 만하다 / 聞くに～えない 차마 듣고 있을 수 없다. ③감당하다. ¶重任に～ 중임을 감당하다.

＊**た**-**える**【絶える】下1自 끊어지다. ①(계속되던 동작·작용·상태가) 끝나다; 다 되다; 떨어지다. ¶送金が～ 송금이 끊어지다 / 食糧が～ 식량이 떨어지다 / 息が～ 숨이 끊어지다(죽다) / 仲が～ 사이가 멀어지다 / 心配が～えない 걱정이 끊이지 않다. ②(계속된 것이) 끊기다. ¶道が～ 길이 끊어지다.

だえん【楕円・橢円】图 타원('長円える'(＝장원)'의 구칭).

＊**たお**-**す**【倒す】⑤他 ①쓰러뜨리다. ¶花瓶んを～ 꽃병을 쓰러뜨리다. ㉡(본디, 薨す・薨す로도)죽이다. ¶一刀えのもとに 단칼에 베어 쓰러뜨리다. ㉢지우다. ¶優勢な候補者ぃを～ 우세 후보를 누르다. ②타도하다. ¶政府を～ 정부를 쓰러뜨리다. ㉠무너뜨리다. ¶あばら家を～ 낡은 집을 헐물다. ㉡떼어먹다. ¶踏み倒たおす. ¶千円えを～ 된 천 엔을 떼먹었다.

たおやか⬚ナ〈雅〉숙부드러운 모양; 단아하고 얌전한 모양. ¶～な乙女ぁ 우아한 처녀.

たおやめ【手弱女】图〈雅〉숙부드러운 여자; 우아하고 아름다운 여자.＝たよわらお.

たお-**る**【手折る】⑤他 (꽃·가지 따위를) 손으로 꺾다; 비유적으로, 정부(情婦)나 첩으로 삼다.

＊**タオル**图 타월; 수건; 또, 그 천. ¶～

のパジャマ 타월 천의 잠옷. ▷towel.

＊たお-れる【倒れる】 [下一自] 쓰러지다. ①넘어지다. ¶『家』が～ 집이 쓰러지다／つまずいて～ 발이 걸려 넘어지다. ②무너지다；망하다；도산하다. ¶政府が～ 정부가 쓰러지다／会社が～ 회사가 쓰러지다[망하다]. ③몸져 눕다. ¶過労で～ 과로로 쓰러지다. ④〈본디, 『仆れる・斃れる・殪れる로도〉죽다；또, 죽음을 당하다. ¶凶弾に～ 흉탄에 쓰러지다. ⑤지다. **――れて後やむ** 죽을 때까지[끝끝내] 〈노력하다〉.

たか【高】 [名] ①분량；수량；금액. ¶請求の～ 청구액／売上げの～ 매상고／生産高ごの～ 생산량. ②정도. ¶～の知れた人間 대수롭지 않은 인잔. ③〈구がついて 副詞的に〉기껏해야；고작. ＝たかだか. ¶～が課長ごぐらいで 고작 과장직으로／～が百円はの品物に 겨우 백 엔 짜리 물전. ④〈接頭語的・接尾語的으로〉높음；오름. ¶中高なかだ가운데가 높음／～げた 굽 높은 나막신. **～が知れている** 뻔한 일이다；대수로운 것이 아니다. **――を括くる** 깔〔앝, 하찮게〕보다.

たか【鷹】 [名] 매. **――は飢うえても穂ほは摘まず** 매는 굶주려도 이삭을 쪼아 먹지 않는다〔지조가 있는 사람은 아무리 궁핍하여도 비열한 짓은 안 한다〕.

たか【多寡】 [名] 다과；다소. ¶金額の～ 금액의 다과.

たが【箍】 [名] 테. **――がゆるむ** 테가 헐거워지다〔나이를 먹어 능력이 쇠하거나 긴장이 풀리다는 뜻으로도 쓰임〕.

-だか【高】 ☞ たか(高)①④.

だが [腰] 그러나；그렇지만. ¶～ね 그런데 말이야／本ほんがほしい. ～金かねがなくて買かえない 책을 갖고 싶다, 하지만 돈이 없어 사지 못한다.

＊たか-い【高い】 [形] 높다. ①위쪽에 있다；위로 솟다. ¶～山やま 높은 산／鼻はなが～ 코가 우뚝하다〔우쭐하다・빼기다의 뜻으로도 씀〕. ⑤〈키가〉크다. ¶背せが～ 키가 크다. ②〈자존심이〉강하다；도도하다. ¶気位きぐらいが～ 자존심이 강하다／頭あたまが～ 거만하다. ⑤〈지위・능력・격이〉윗길이다. ¶位くらいが～ 지위가 높다／目めが～ 안목이 높다. ㉠인기・명성이 높다. ¶評判ひょうばんが～ 평판이 높다[자자하다〕. ④수치가 크다. ¶血圧けつあつが～ 혈압이 높다. ㉠정도가 높다. ¶～文化ぶんか 높은 문화. ◎소리・진동이 크다. ¶～声こえで話はなす 큰 소리로 이야기하다. ⇔低ひくい. ②〈값이〉비싸다. ¶～価格かかく 높은[비싼〕가격／～くつく 비싸게 치이다[먹히다〕. ⇔安やすい.

たかい【他界】 [名] [自] 〈婉曲〉 타계；죽음. ＝死去きょ.

＊たがい【互い】 [名] ①『に』가 붙어 副詞가 되어〉서로；교대로. ¶～に知らせる 서로 알리다／～に話はなしあう 서로 의논하다. ②〈혼히 『お』를 앞에 가져와〉서로；쌍방. ¶『お～(さま)』등의 꼴로〉피차 마찬가지임. ¶困こまるのはお～さまだ 곤란하기는 피차 일반이다.

だかい【打開】 [名] [又他] 타개. ¶～策 타개책／危機きを～する 위기를 타개하다. ▽호선(互先).

たがいせん【互(い)先】 [名] 〈바둑·장기〉 호선(互先).

たがいちがい【互(い)違い】 [ナノ] 엇갈림；어긋남 (함). ¶左右さゆうの足あしを～に出だす 좌우의 발을 번갈아 내밀다.

たかいびき【高いびき】 [名] [高鼾] 크게 코를 곪〔고는 소리〕.

たが-う【違う】 [五自] 〈古〉틀리다；어긋나다. ¶『ねらい・わず 목표が〕[기대에〕어긋나지 않고／寸分すんぶ・わね 조금도 틀리지 않다／法ほうに～ 법에 어긋나다.

たが-える【違える】 [下一他] ①틀리게〔다르게〕하다. ¶やり方ほうを～ 방식을 다르게 하다. ②어기다. ¶約束やくそくを～ 약속을 어기다.

たかが【高が】 [連語] [副詞的으로] ☞ たか(高)③.

たかがり【たか狩(り)】 [名] [鷹狩(り)] 〈매사냥.

たかく【多角】 [名] 다각. **――けい【――形】** [名] 다각형. ＝たかっけい・多辺形へんけい. **――てき【――的】** [ナノ] 다각적. ¶～に検討けんとうする 다각적으로 검토하다.

たがく【多額】 [名] 다액；고액. ¶～納税者のうぜいしゃ 고액 납세자. ⇔少額しょうがく.

たかげた【高げた】 [名] [高下駄] 굽 높은 왜나막신. ＝あしだ.

＊たかき【高き】 [名] 높이. ¶背せの～ 키.

たかさご【高砂】 [名] 다정한 노부부의 전설을 다룬 謡曲ようきょく』의 하나〔축복하는 뜻으로 혼례에서 많이 불림〕.

だしし【駄菓子】 [名] 막과자.

たかしお【高潮】 [名] 고조；해일(海溢).

たかしまだ【高島田】 [名] 일본 여자들의 높이 치켜올린 머리 모양〔처녀들의 머리형으로, 신부의 정장용 正裝用임〕.

たかだい【高台】 [名] 고대；돈대. ¶～に家いえを建たてる 돈대에 집을 짓다.

＊たかだか【高高】 [副] 기껏〔해야〕；고작. ＝せいぜい・たかが. ¶『出席者しゅっせきしゃは～百人ひゃくにんだ 출석자는 기껏해야 백 명이다.

たかだかと【高高と】 [副] 매우 높은 모양；드높이. ¶『旗はたを～上あげる 기를 드높이 올리다.

だかつ【蛇蝎・蛇蠍】 [名] 사갈；뱀과 전갈 〈아주 싫어하는 것의 비유〕. ¶～視しする 사갈시하다.

たかつき【高坏】 [名] 음식을 담는 굽달린 그릇.

だがっき【打楽器】 [名] -gakki [楽] 타악기.

たかて【高手】 [名] 상박(上膊). **――こて【――小手】** 뒷짐결박. ¶～に縛しばり上あげる 팔을 꺾어 뒷짐결박하다.

たかどの【高殿】 [名] ①고루(高樓)；높고 큰 전각. ②이층〔삼층〕집.

たかとび【高飛び】 [名] [又] 줄행랑〔침〕；멀리 도망침.

たかとび【高跳び】 [名] 높이뛰기.

たかとびこみ【高飛(び)込み】 [名] 〈수영 경기의〉 하이 다이빙.

たかな【高菜】 [名] [植] 갓.

たかな-る【高鳴る】 [五自] 크게 울리다；고동치다. ¶～太鼓たいこ 크게 울려 퍼지는 북소리／胸むねが～ 설레는 가슴.

＊たかね【高値】 [名] 값이 비쌈；비싼 값.

또, 거래소에서 당일의 가장 높은 시세. ↔安值*?*

たかね【高根】(高嶺) 图 고령; 높은 산봉우리. **─の花** 높은 산의 꽃; 그림의 떡(보기만 할 뿐 손에 넣을 수 없는 것). ¶庶民*然*には~の花だ 서민에게는 그림의 떡이다.

たがね【鏨・鑻】图 (금공용】(金工用) 정.

たが-ねる【縮ねる】下1他 매동그리다; 뭉뚱그리다; 다발로 묶다. =つかねる. (과. ~ハト派*ハ*)

たかは【タカ派】(鷹派) 图 매파; 강경.

たかばなし【高話】图 ㋥他 큰 소리로 이야기함; 또, 그 이야기.

たかはり【高張り】图 '高張*かり*ちょうちん*然*の준말. **──ちょうちん**(一提灯)-jōchin 장대 끝에 높게 매다는 큰 초롱.

たかひく【高低】图 ①고저; 높낮이. ②울퉁불퉁함.

たかびしゃ【高飛車】-sha ダナ 고압적(인 태도). ¶~に出*で*る 고자세로〔고압적으로〕 나오다.

たかぶ-る【高ぶる】(昂る) 五自 ①항진(亢進)하다; 흥분하다. ¶神経*然*が~ 신경이 곤두서다 / 胸*むな*が 부아가 끓다. ②우쭐거리다; 뽐내다. ¶~った態度*然*で 우쭐하게 하는.

たかまきえ【高蒔絵】(高蒔絵)图 옻칠 바탕에 금은박(金銀箔)으로 무늬를 돋보이게 한 그림.

たかまくら【高まくら】(高枕)图 고침. ①베개를 높이 하고 잠; 또, 안심하고 잠. ②높은 베개.

たかま-る【高まる】五自 높아지다. ¶関心*かんしん*が~ 관심이 높아지다 / 非難*ひなん*の声*こえ*が~ 비난의 소리가 높아지다.

たかみ【高み】(高処・高見)图 높은 곳. **──の見物** ①높은 곳에서 구경함; 제삼자의 입장에서 방관함; 강건너 불구경.

たかめ【高目】图 ①좀 높은〔비싼〕듯함. ¶~を突*つ*く (야구에서) 좀 높은 듯한 공을 던지다. ↔低*ひく*め・安*やす*め.

たがめ【田亀】(鼈)图 물장군(虫).

たか-める【高める】下1他 높이다. ¶効率*然*を~ 효율을 높이다 / 声*こえ*を~ 목소리를 높이다. ↔低*ひく*める.

タガヤサン【鉄刀木】图(植)철도목(콩과(科)의 교목).

たがや-す【耕す】五他 (논밭을) 갈다.

たから【宝】(財)图 ①보물; 보배. ¶~探*さが*し 보물찾기. ②(俗)'お~*さま*' 돈. **──の持*も*ち腐*ぐさ*れ** 우수한 물건이나 재능을 썩임〔활용하지 못함〕.

たから圈 그러므로; 그러니까; 그래서. ¶かれは, うそをつく。~, 信用*しんよう*できない 그는 거짓말을 한다. 그래서, 신용할 수 없다 / ~言*い*わないことじゃない 그러니까〔그러기에〕 내가 뭐라 그랬어. **──と言*い*って** 그렇다고 해서; 그렇다고 하더라도.

たからか【高らか】ダナ (음성이) 높은 모양; 드높이; 소리 높이. ¶声*こえ*も~に歌*うた*う 목소리도 드높이 노래 부르다.

たからがい【宝貝】图(貝) 자패(紫貝).

たからくじ【宝くじ】(宝籤)图 복권.

たからぶね【宝船】图 ①보물을 싣고 일곱 복신(福神)이 타고 있는 돛단배의 그림. ②보물선.

たからもの【宝物】图 보물. =ほうもつ. (람).

たかり【集り】图(俗) 등쳐 먹는〔사는〕 것.

たか-る【集る】五自 ①꾀〔어들〕다; 모여 들다. ¶ありが~ 개미가 꾀다. ¶(俗) ㋥등쳐먹다; 협박하거나 치근대어 금품을 우려 내다. ㋡한턱 쓰게 하다. ¶後輩*こうはい*に~・られる 후배에게 졸리어 한턱 쓰다.

-たがる (動詞)나 助動詞'（さ)せる'·'（ら)れる'의 連用形에 붙어 五段活用動詞를 만듦 (제삼자가) …하고 싶어하다. ¶たべ~ 먹고 싶어하다 / 来*こ*~ 오고 싶어하다 / 読*よ*み~ 읽고 싶어하다. (다정 다감.)

たかん【多感】名ダ 다감. ¶多情*たじょう*~.

だかん【兌換】图 ㋥他 태환; 지폐를 본위 화폐와 바꿈. **──けん**(一券)图 태환권. **──しへい**(一紙幣)图 태환지폐. =だかんさつ. ↔不換紙幣*然*.

*たき**【滝】图 폭포. =瀑布*ばくふ*. ¶~の糸*いと* 폭포 줄기.

たき【多岐】名ダ 다기; 여러 갈래로 갈림; 다방면에 걸침. ¶複雑*ふくざつ*~な 복잡 다기하다.

たぎ【多義】图 다의; 여러 가지의 뜻.

たき【唾棄】图 ㋥他 타기. ¶~すべき男*おとこ* 타기할 남자.

だき【惰気】图 타기; 게으른 마음.

だきあ-う【抱き合う】五他 서로 껴안다; 서로 얼싸(부동켜)안다.

だきあが-る【炊き上（が）る】五自 (밥 따위가) 다 끓다〔되다〕.

だきあわせ【抱き合（わ）せ・抱合せ】图 ①서로 껴안게 함. ②抱合せ販売*はんばい*(=끼워 팔기)'의 준말.

たきおとし【たき落（とし）】(焚き落とし)图 장작이 다 탄 뒤에 남은 불; 깜부기불. =おき.

たきぎ【薪】图 땔나무; 장작. =まき.

たきぐち【たき口】(焚く口)图 아궁이.

たきぐち【滝口】图 ①폭포물이 떨어지기 시작하는 곳. ②옛날에 궁중의 경비를 맡던 무사.

だきこ-む【抱き込む】五他 ①껴안다; 끌어안다; 부둥키다. ②(자기 편에) 끌어 넣다; 포섭하다. ③말려들게 하다; 연루(連累)시키다.

タキシード图 턱시도(남자의 야회용 약식 예복). ▷tuxedo.

たきし-める【たき染める】(焚き染める)下1他 (향을 살라) 옷에 향내가 배어들게 하다.

だきし-める【抱き締める】下1他 꽉〔바싹〕 껴안다; 부둥켜안다.

だきすく-める【抱きすくめる】(抱き竦める)下1他 꼼짝 못 하게〔꽉〕 껴안다.

たきだし【たき出（し）】(炊き出し)图 ㋥自 (화재 따위 비상시에 사람들에게) 밥을 지어 나누어 줌.

だきつ-く【抱き付く・抱き着く】五自 달려들어 안기다; 달라붙다; 부둥키다.

たきつけ【焚き付け】图 불쏘시개.

たきつ-ける【焚き付ける】下1他 ①불

を 붙이다〔지피다〕. ②부추기다; 쏘삭 거리다; 꼬드기다; 부채질하다.

たきつぼ【滝壺】图 용소(龍沼); 용추(龍湫).

だきとめる【抱き留める】下一他 짝 껴 안아 움쩍 못하게 하다〔말리다〕.

だきね【抱き寝】图他 안고 잠.

たきび【焚き火】焚(き)火 图 ①모닥 불; 화톳불. ②횃불. =かがり火.

たきもの【薪物】焚(き)物 图 땔감; 장작; 연료(燃料). =たきぎ.

だきゅう【打球】-kyū 图 타구; 공을 침; 또, 그 공.

た-ぎょう【他郷】-kyō 图 타향.

た-ぎょう【た行】-gyō 图 た행; 五十音図의 'たちてと'의 줄.

だきょう【妥協】-kyō 図自 타협. ¶~案 타협안 / ~的な態度 타협적 인 태도.

たきょく【多極】-kyoku 图 다극; 세력 이 분산되어 서로 대립하고 있는 모양. ──か【──化】图자 다극화. ¶外交の~ 외교의 다극화.

たぎ-る【滾る・激る・沸る】五自 ①끓 다. 그글부글 끓어 오르다. ②흥분 해서 치밀어 오르다. ¶血が～ 피가 끓다〔용솟음치다〕. ②(급류가 되어) 소용돌이〔굽이〕치다. ¶～り落ち る水 소용돌이치며 떨어지는 물.

た-く【炊く】五他 ①(쌀 따위를 삶아) 밥을 짓다. =飯をたく. 밥을 짓다. ②〔方〕익히다.

た-く【焚く・燒く】五他 ①불을 때다〔피우다〕. ¶石炭を～ 석탄을 때 다 / ふろを～ (불을 때서) 목욕물을 데우다. ②(향을) 피우다. 注意 ②는 '焚く'로도 씀.

たく【宅】图 ①댁; (사는) 집. =す まい. ¶あの方のお～は 저 분의 댁 은. ②우리집. ¶うちの～に自기 남편 을 일컫는 말. ¶～はただいま出ていま す 바깥양반은 부재중입니다.

たく【卓】 图 탁자; 테이블.

だ-く【抱く】五他 ①(팔·가슴에) 안 다. ¶子供を～ 어린애를 안다 / 人形を～いて寝る 인형을 안고 자다. ②전하여, (마음 속에) 품다. =いだく.

だく【駄句】图 서투른〔시시한〕 俳句〔보.

だくあし【跑足】图 (승마에서) 말의 구

たくあつかい【宅扱い】图 택송(宅送)(철도 운송에서, 15 kg까지의 소화 물을 보내는 사람의 집에서부터 받는 사람 집까지 보내 줌).

たくあん【沢庵】图 'たくあんづけ'의 준말; 다꾸앙; 왜무짠지; 단무지. = たくわん.

たぐい【類·比·匹】图 같은 무리〔무리〕; 유(類); 유례. ¶この～の品 이런 유 의 물건 / よたものの～ 깡패 족속.

たくいつ【択一】图 택일. ¶二者~ 이자택일〔양자 택일〕.

たぐいない【類ない】形 유례가 없다.

たくえつ【卓越】图自 탁월. ¶～し た技術は 탁월한 기술은.

だくおん【濁音】图 탁음; 일본의 かな 에 점을 찍어 나타내는 음('ダ'의 음에 대한 'タ'의 음 따위). ↔清音·半濁

音. ──ぷ【──符】图 탁음 부호. =濁点.

たくさん【沢山】副 ダナ①(수나 분량 이) 많음. ¶～の人가 많은 사람 / 食べる 많이 먹다. ②충분함; 더 필요 없음. ¶もう～だ 이것으로 충분하다; 이제 됐다. 〔소.

たくじ【託児】图 탁아. ¶～所 탁아

たくしあ-げる【たくし上げる】下一他 걷어 붙이다〔올리다〕. ¶そでを～ 소 매를 걷어올리다.

タクシー图 택시. ¶～を拾う 택시를 잡다. ▷ハイヤー. ▷taxi.

たくしき【卓識】图 탁식; 탁견(卓見).

たくしこ-む【たくし込む】五他①(비 죽이 나온 속옷 따위를) 절러〔끌어〕 넣 다. ②(금전 따위를) 수중에 그러모으 다.

たくしゅつ【卓出】-shutsu 图自 탁출; 뛰어남; 걸출. ¶～した意見けん 특 출한 의견.

たくしょ【謫所】-sho 图 적소; 귀양 사 는 곳; 유배지. =配所けん.

たくじょう【卓上】-jō 图 탁상. ¶～電話 탁상 전화 / ～日記けん 탁상 일기.

たくしょく【拓殖·拓植】-shoku 图自 척식; 개척과 식민(植民). ¶～会社がい 척식 회사.

たくしん【宅診】图自 택진(의사가 자택에서 환자를 진찰함). ↔往診けん.

たく-す【託す】托す五他 ⇒たくす る(託する). 〔水濁けん.

だくすい【濁水】图 탁수; 흐린 물. ↔清

たく-する【託する】托する サ変他 ① 맡기다; 부탁하다. ¶後事ごを～ 뒷일 을 부탁하다 / 親類るに子供를～ 친척에게 아이를 맡기고. ②칭탁(稱 托)하다; 핑계대다. ¶口実을～ 구실을 삼다. =かこつける. ¶病気けんに～して任しを のがれる 병을 빙자〔청탁〕하여 책임을 면하 다. ③어떤 형식을 빌어 나타내다. ¶ 心情ごを詩歌けんに～ 심정을 시가를 빌어 나타내다.

たくせつ【卓説】图 탁설; 뛰어난 설 (說). ¶名論けん～ 명론 탁설.

たくぜつ【卓絶】图자 탁절; 견줄 데 없이 뛰어남.

たくせん【託宣】图 탁선; 신탁(神託).

たくそう【託送】-sō 图他 탁송.

だくだく【諾諾】图《흔히 '～と(して)' 의 꼴로》 낙낙; 남의 말에 네네하고 순순히 따르는 모양. ¶妻子の言ごとに 네々～として従けんう 아내의 말에 그저 네네하고 따르다.

だくだく副 (땀이나 피가) 몹시 흐르 는 모양; 줄줄. ¶汗が～(と)流れる 땀이 줄줄 흐르다. 〔지 조성.

たくち【宅地】图 택지. ¶～造成けん 택

だくてん【濁点】图 탁음을 나타내는 부 호〔'ぎ' 'だ' 등의 '″'〕. =濁音符けん. にごり. ↔半濁点.

タクト图【樂】택트. ①박자(拍子). ② 지휘봉. ▷tact. ─を取る ①연주를 지휘하다. ②지휘〔지시〕하다.

たくはつ【托鉢】图自 탁발. ¶～僧けん 탁발승.

たくばつ【卓抜】图自 탁발; 탁월. ¶～した才能けん 탁월한 재능 / ～な着想ご 특출난 착상.

だくひ【諾否】图 낙부. ¶～を問ニ゚う
승낙 여부를 묻다.

たくぼく【啄木】图【鳥】딱따구리. =
きつつき.　　　　　　　　　　　「ずり.

たくほん【拓本】图 탁본; 탑본. =石エ゚

たくま【琢磨】图【ス他】탁마. ¶切磋ミ゚サ
～する 절차 탁마하다(오로지 학문·기
예에 힘씀).

*たくまし-い【逞しい】-shi 形 ①몸이
억세 보이다; 늠름하다; 헌걸차다. ¶
～若者ニ゚の 늠름한 젊은이. ②씩씩하다;
왕성하다. ¶～気魄ニ゚ 씩씩한 기백 /
～食欲ニ゚ 왕성한 식욕.

たくみ【工·匠】图【雅】①장색【匠色】.
장인【匠人】. ②목수; 조각사【師】.

*たくみ【巧み】图【ダナ】교묘함; 솜씨
가 좋음. ¶～な嘘ウ゚をつく 교묘한 거
짓말을 하다 /～に売リ゚つける 교묘
히 팔아 넘기다. ②图 ①기교; 정교함;
공들임. ¶～がない 기교가 없다 /
～を凝ニ゚らす 몹시 공들이다. =【工み】
제교; 계략. =たくらみ.¶～を見破ミ゚
る 계략을 간파하다.

たく-む【工む·企む·巧む】⑤他 꾸미
다. ①고안하다; 기교를 부리다. ¶～
まぬ美゚シき 꾸미지 않은 아름다움 /
～まざる 꾸밈없는; 자연스러운. ②
꾀하다; 흉계를 꾸미다.

たくらみ【企み】图【못된】계획; 흉계.

*たく-らむ【企らむ】⑤他 계획하다; 꾀
하다; 못된 일을 꾸미다. ¶陰謀ボ゚を
～ 음모를 꾸미다.

たぐりこ-む【手繰り込む】⑤他 ①끌
어당기다; 당겨 넣다(들이다). ②남의
것을 야금야금 제것으로 만들다.

だくりゅう【濁流】-ryū 图 탁류. ↔清
流リ゚ュ゚ウ.

たぐ-る【手繰る】⑤他 ①잡아 채다. =ひったく
る. ②걷다; 걷어올리다. ¶そで를 ～
し上゚げる 소매를 걷어올리다.

*たぐ-る【手繰る】⑤他 ①(양손으로 번
갈아) 끌어당기다. ¶糸イ゚を～ 실을 끌
어당기다. ②더듬어 찾다. ¶記憶ニ゚を
～ 기억을 더듬다.

たくろん【卓論】图 탁론; 탁설.

たくわえ【蓄え·貯え】图 ①비축【餘
蓄】; 저장; 또, 그렇게 한 것. ¶～가
できた 여축이 생겼다. ②저금; 저축.

*たくわ-える【蓄える·貯える】⑤他
①(만일을 위해) 대비해 두다; 저장【貯
蓄】하다; 모으다. ¶天水゚ス゚を～ 빗물
을 모으다. ¶～쌓다(아두)
다. ¶実力ニ゚ョ゚を～ 실력을 길러두
다. ②弟子ニ゚を～ 제자를 두다. ©
(수염 등을) 깎지 않고 두다. =はや
す. ¶ひげを～ 수염을 기르다. ③얻
다; 妾゚カ゚を～ 첩을 두다.

たくわん【沢庵】☞たくあん.

たけ【丈】【長】图 ①키. ¶背゚セ゚の～が
伸びる 키가 자라다. ②기장; 길이.
¶上着ギ゚の～ 상의의 기장. ③【たけ】
…의 모두; 전부. ¶心ニ゚の～を尽ツ゚く
す 온 정성을 다하다.

*たけ【竹】图【植】(나무) ①대나
무로 만든 관악기(피리 등). —のカ
ーテン 죽(竹)의 장막(중공). —を割
ったよう 성미가 대쪽같이 곧은 모양.

たけ【茸】图【植】버섯. =きのこ.

たけ【他家】图 타가; 다른 집; 남의 집.

—たけ《動詞連用形に付いて 形容動詞 語
幹を作る》…하고 싶은 듯한 모양. ¶
食゚タ゚べ～な顔゚カ゚つき 먹고 싶어하는 표
정.

だけ【丈】副助 ①정도·범위의 한계를
나타냄. ○…만큼; …정도. ¶取リ゚
取リ゚なさい 원하는 만큼 가져라 /
好゚ス゚きな 食゚タ゚べる 먹고 싶은 만큼 먹
다. ○(…할 수 있는) 한; (할 수 있는)
데까지. ¶できる～努力リ゚する 할 수
있는 한 노력하다. ○…만; …만은.
¶これ～は確ニ゚かだ 이것만은 확실하다 /
君ニ゚に～話ニ゚す 너에게만 이야기한
다 / ふたり～でやろう 둘이서만 하자.
□…로; 따름. ¶行ニ゚ってみた～だ (그
저) 말해 봤을 뿐(따름)이다. ②…하
는 만큼; …하면 할수록. ¶書゚カ゚けば書゚カ゚
く～、うまくなる 쓰면 쓸수록 능숙
해지다. ②(「～に」「～の…が」ある」の형으로)
행동의 대가(代價)가 충분함; 보람이
있음. ¶…할이만큼; 했으니까; 역시.
¶がんばった～あって 成績ニ゚が上゚ア゚
がった 期待゚キ゚タ゚していた～に失望ニ゚も
大キ゚い 기대한 만큼 실망도 크다 더
욱 실망도 크다. ③《否定型十「～に」の
형으로》…하므로 더욱 …의 뜻을 나타
냄; …(한)만큼. ¶予想゚ヨ゚ソ゚しなかった
～に喜ニ゚び゚も大キ゚い 예상치 않았
던 만큼 기쁨도 크다.

たげい【多芸】图 다예. ¶～多才ニ゚
다예 다능; 다재 다능.

たけうま【竹馬】图 죽마; 대말.

たけがり【竹狩(り)】【茸狩(り)】图
【ス自】버섯 따기.

たけかんむり【竹冠】-kammuri 图 한자
부수의 하나; 대죽머리(「笞」「算」등의
「⺮」의 이름).

*だげき【打撃】图 타격. ¶～を受ウ゚ける
《こうむる》타격을 받다 / 決定的゚テ゚ナ゚
な～を与゚ア゚える 결정적인 타격을 주다.

たけくらべ【丈比べ】图【ス自】키 재보
기. =せいくらべ.

たけざいく【竹細工】图 죽세공(품).

たけざお【竹ざお】【竹竿】图 (대)장대.

たけしま【竹島】图【地】우리 나라 독
도(獨島)의 일본 이름.

たけだけし-い【猛猛しい】-shi 形 ①용
맹스럽다; 사납다. ¶～顔ニ゚つき 사나
운 얼굴. ②뻔뻔스럽다. ¶盗人ニ゚の～
도둑이 매를 든다.　　　　　　「질.

たけつ【多血】图 다혈. ¶～質ニ゚ 다혈

だけつ【妥結】图【ス自】타결. ¶交渉ニ゚
ョ゚が～した 교섭이 타결되다.

たけづつ【竹筒】图 (잘라서 마디를 도
려낸) 대통; 죽통; 대롱.

だけど 接【俗】'だけれども(=그렇지
만)'의 준말. =だけども.

たけとんぼ【竹とんぼ】【竹蜻蛉】-tombo
图 도르래(장난감의 하나).

たけなわ【闌·酣】图 ①방금(方酣);
(바야흐로) 한창; 절정. ¶宴゚ウ゚・エ゚～の時ニ゚
연회가 바야흐로 한창일 때. ②한창 때
를 막 넘어선 무렵. ¶齢゚ヨ゚ワ゚・イ゚～なり 나
이가 한창 때를 막 넘어서다.

だに【丈に】副助 だけ.

たけのこ【竹の子】【筍·笋】图 죽순. ¶
雨後ニ゚の～ 우후 죽순. —いしゃ【—
医者】-isha 图 (돌팔이만도 못한)

애송이〔풋내기〕 의사. **——せいかつ**
【——生活】② 꽂감 꼬치에서 꽂감 빼
먹듯하는 생활. =売り食い.

たけべら〔竹べら〕② 대주걱.

たけみつ〔竹光〕② 죽도(竹刀).¶竹刀.

たけや〔竹屋〕② 대나무 가게〔장수〕.

たけやぶ〔竹＝藪·竹＝籔〕② 대숲; 대
밭.¶に矢を射'る 반응 없는 무익한
일의 비유. =대울타리.

たけやらい〔竹矢来〕② 대나무 바자울.

たけやり〔竹槍·竹鎗〕② 죽창.¶
〜戦術の 죽창 전술〔시대에 뒤떨어진
것의 비유〕.

たけりた-つ〔哮り立つ〕⑤自 사납게 울
부짖다.¶포효(咆哮)하다.

たけ-る〔哮る〕⑤自 포효하다; 사납게
울부짖다.¶ほえ 사납게 울부짖다.

たけ-る〔猛る〕⑤自 사납게 날뛰다;〔설
치다.¶り狂`う 荒波` 사납고 거
센 파도.

た-ける〔長ける〕下一自 (어떤 면에)
뛰어나다; 원숙하다.¶世故`に 세
상 물정에 능하다.

た-ける〔闌ける〕下一自 한창때가 되
다; 또, 한창때를 약간 지나다.¶年`
が·けている 한창 나이이다.

だけれども も〔接〕 그러나; 그렇지만;
(이)지마는. =だが·だけど.

たげん〔多言〕② 다언; 말이 많
음.¶〜を要`しない 다언을 요하지
않다.

たげん〔多元〕② 다원.¶——方程`式
〔——方程式〕 다원 방정식.——一元`に二元`
に 다원을 일원으로. ←→一元.

たほうそう〔——放送〕-hōsō ② 다원
방송(많은 방송국을 연결시켜서 하나의
통일된 방송을 함).¶犬`.

だけん〔駄犬〕② 똥개의 개; 똥개. =雑
り.

たこ〔凧·紙凧·紙鳶〕② 연.¶いかのぼ
り.¶〜を揚`げる 연을 날리다.

たこ〔蛸·章魚〕② ①〔動〕 낙지;문어.
¶まだこ 왜문어. ②달구. =どうづき.

たこ〔胼胝〕② (손에 생기는) 못.¶
ペンだこ 펜대를 쥐는 손가락에 박이
는 못.——ができる 못이 박이다. ¶
같은 말을 여러 번 들어서 싫증이 나
다.¶耳`に〜ができる 귀에 못이 박
이다.〔리기〕.

たこあげ〔凧揚げ〕〔凧揚げ〕② 연날
리기.

たこあし〔蛸足〕② 문어발처
럼 여기저기 흩어짐.¶——大学`の 분산
되어 있는 대학.〔음〕.

たこう〔多幸〕-kō ② 다복; 행복이 많
음.

だこう〔蛇行〕-kō ②自 사행;꾸불
꾸불 나아감.¶——運転`갈짓자 운
전 /〜河川` 꾸불꾸불한〔S자형〕 하
천.〔학식〕.

たこうしき〔多項式〕takō- ②〔数〕 다
항식.

たこく〔他国〕② ①타국; 다른 나라. =
国外うちこく.

たこくせききぎょう〔多国籍企業〕-gyō
② 다국적 기업.

たこつぼ〔蛸壺〕② ①문어나 낙지를 잡
는 항아리. ②개인용 참호.

たこにゅうどう〔たこ入道〕〔蛸入道〕
-nyūdō ②〈俗〉 ①낙지. ②중대가리;
몽구리. =たこ坊主`·たこにゅう.

たこのき〔蛸の木〕〔植〕 판다누스.

たこはい〔蛸配〕〔蛸配〕② 'たこ配当
はい' (=주식 회사에서 배당할 이익도 없

는데(회사 신용을 유지하기 위해) 배
당을 하는 일)'의 준말.

たごん〔他言〕② 他 (누설해서는 안
될 것을) 다른 사람에게 말함. =口外
ごか·たげん.¶みだりに〜するな 함부
로 다른 사람에게 말하지 마라.

たさい〔多才〕②ナ 다재.¶多芸多`
の人`と 다예 다재〔다재 다능〕한 사람.

たさい〔多彩〕②ナ 다채.¶〜な催`
し 다채로운 행사.

だざいふ〔太宰府·大宰府〕② 옛날 筑
前ちくぜん 지방에 설치되었던 관청〔九州
きゅうしゅう·壱岐`き·対馬`つしまを 관할하고 외적을
막으며, 외교에도 관계하였음〕. =ださい
ふ.

たさく〔多作〕② 又他 다작.¶①작품을
많이 만듦.¶——家`か 다작가.¶←→寡作`か.
②농작물을 많이 경작함.¶——農`のう 다
작농.

ださく〔駄作〕② 태작; 졸작.¶←→名作`.

たさつ〔他殺〕② 他 타살.¶一体`いったい 타살
체 /の疑`うたがい 타살의 혐의. ←→自殺`.

ださん〔打算〕② 又自 타산.¶〜的`てき
に行動`する 타산적으로 행동하다.

たざんのいし〔他山の石〕[連語] 타산지
석.¶友人`の失敗`を~とする 친
구의 실패를 타산지석으로 삼다.

***たし**〔足し〕② 보탬; 소용; 도움.¶研
究費`けんきゅうひの~にする 연구비에 보태
다 /何`の~にもならない 아무 보탬
〔도움〕도 안 된다.

たし〔多士〕② 다사.——せいせい
【——済済】② 다사 제제.

たじ〔多事〕② 다사.¶〜多端`たたん 다사
다단 /〜多難`たなん 다사 다난.

たじ〔他事〕② 타사;나의 일;딴 일. ¶
〜ながら 여념이 없다.

だし〔出し〕② 'だし汁`じる' 또는 '煮出
にだし汁`じる'의 준말〔다시마·가다랑어포·
멸치 등을 끓여 우린 국물, 음식의 맛
을 내는 데 쓰임〕. ②(비유적으로) 자
기 이익을 위해서 이용하는 미끼;구
실;잡이; 방편;수단.¶に使`う 자기
방편으로 삼다.¶に使`う 미끼〔앞잡
이, 구실〕로 쓰다.

だし〔山車〕② 축제(祭祭) 때 끌고 다
니는 장식한 수레. =だんじり.

だしいれ〔出し入れ〕② (금전·물품의)
출납;내고 들임. =出納`すいとう.¶商品`の
の~は倉庫係`そうこがかりで取り扱`あつかう 상품
(의) 출납은 창고계에서 취급한다.

だしおし-む〔出し惜しむ〕⑤他 (손해
보기 싫어서) 내기를 아까워하다.

***たしか**〔確か〕〔慥か〕②ナ ①확실
함.¶틀림없음; 믿을 수 있음.¶〜な
約束`やくそく 확실한 약속 /〜な品`틀림없
는 물건〔진짜〕 /〜な人`확실한〔믿을
수 있는〕 사람 /〜筋`すじからの情報`
じょうほう 믿을 만한 소식통의 정보. =たしか
함.¶〜な錠前`じょうまえ 든든한 자물쇠. ←→不
確`ふたしか. ②정확함.¶彼女`の英語`えいごは〜だ
그의 영어는 정확하다. ←→不確`ふたしか.
──圖【たしか】확실히; 분명히; 틀림없
이.¶彼`は大学`だいがくをやめたはずです
よ 그는 분명히 대학을 그만두었을 텐
데요.

***たしか-める**【確かめる】〔慥かめる〕

□1他 확실히〔분명히〕하다; 확인하다. ¶意向ﾂを〔真偽ﾊ〕を~ 의향을〔진위를〕확인하다.

だしがら 【出し殻】 名 우려 낸 찌꺼기. ¶かつおの~ 우려낸 가다랑어포의 찌꺼기.

だしき-る 【出し切る】 5他 (있는 것을) 전부 내다. ¶実力ﾘﾖを~ 있는 실력을 전부 발휘하다.

だしこんぶ 【出し昆布】 【出し昆布】 -kombu 名 국물〔맛〕을 우려내는 데 쓰는 다시마. =だしこぶ.

たしざん 【足し算・加し算】 名 덧셈; 가산. =加ﾍ算・寄ﾖせ算ﾝ. ↔引ﾋき算ﾝ.

だししぶ-る 【出し渋る】 5他 (내야 할 금품 따위를) 내기를 꺼리다; 내지〔주지〕 않으려고 하다.

たしだか 【足し高】 名 부족을 채우는 금액; 보태는 액수.

たしどじ 【たヌ路】 상대방에게 압도되어서 비틀거리거나 절절매는 모양; 비틀비틀; 멈칫멈칫; 주춤주춤. ¶なぐられて~となる 얻어맞아서 비틀비틀하다/ ~の体だ 절절매는 상태다.

たしつ 【多湿】 名ﾀﾞ 다습.

たじつ 【他日】 名 타일; 훗날; 딴 날; 다음의 다른 날.

たしなみ 【嗜み】 名 ①소양; 기호; 특히, 예도(藝道)에 대한 취미. ¶~が上品ﾋﾝな嗜好ﾋﾟ 취미가 고상하다. ②조심성; 몸가짐; 행실. ¶~のないふるまい 조심성이 없는 행동/ 女だは~が大事だ 여자는 몸가짐이 소중하다.

たしな-む 【嗜む】 5他 ①즐기다; 취미를 붙이다; 소양을 쌓다. ¶芸能だを~ 예능에 소양을 쌓다. ②조심〔조심〕하다. つつしむ. ¶少しは~んだらどうだ (a)조금쯤 배워〔소양을 쌓아〕두는 것이 어때; (b)좀 삼가는 것이 어때.

たしな-める 【窘める】 下1他 반성을 구하다; 나무라다; (좋은 말로) 타이르다.

だしぬ-く 【出し抜く】 5他 (남의 틈을 노리거나 속이고서) 앞지르다; 앞지르다; 꼭뒤지르다.

だしぬけ 【出し抜け】 ダﾆ 불의(不意); 불시; 불쑥; 느닷없음. 「足ﾋし高ﾀﾞ.

たしまえ 【足し前】 名 벌충액.

だしもの 【出し物(演し物)】 名 상연물; 상연(上演)하는 작품(의 종류). =レパートリー.

たしゃ 【多謝】 -sha 名 ㊀ ス自 깊이 사례〔감사〕함. ¶御厚意ﾓﾆを~ する 호의를 깊이 감사하다. ㊁ 깊이 사과함.

だしゃ 【打者】 -sha 名 〔野〕타자. =バッター. ¶強ﾂﾖ~ 강타자. 「약.

だじゃく 【惰弱(懦弱)】 -jaku 名ﾀﾞ 나

だじゃれ 【駄洒落】 -jare 名 서투른〔시시한〕익살. ¶~を飛ばす 시시한 익살을 부리다.

だしゅ 【舵手】 -shu 名 타수; 키잡이.

たじゅうほうそう 【多重放送】 -jū hōsō 名 다중 방송.

たしゅみ 【多趣味】 -shumi 名ﾀﾞ 다취미; 취미가 많음.

だじゅん 【打順】 -jun 名 〔野〕타순. =ラインアップ. 「곳. =よそ.

たしょ 【他所】 -sho 名 타처; 딴 데; 다른 곳.

たしょう 【他生】 -shō 名 〔佛〕타생; 전생과 내세. ↔今生ﾆ. ─の縁ﾆ 이 세상 일이 아니라 전생에서 맺어진 인연. 参考 「多生ﾀ의 縁ﾆ」과 혼용. ➡袖ﾃﾞﾆ. 「징.

たしょう 【他称】 -shō 名 〔文法〕제삼인

*たしょう 【多少】 -shō 다소. ㊀ 名 많음과 적음. ¶~を問ﾄﾞわず 다소를 불문하고 / ~にかかわらず 다소에 관계없이. ㊁ 副 ①좀; 약간; 얼마쯤. ¶~はいくらか. ¶~を知ﾆ~ている 좀 알고 있다. ②어지간히; 꽤. =かなり. ㊂ 名ﾉ의 知れた人ﾆ 兩 이름이 알려진 사람.

たじょう 【多情】 -jō 名ﾀﾞ 다정. ①(마음이) 변하기 쉬움; 바람기. =移ﾂﾘり気ﾋ. ¶~の男ﾄﾞは 마음이 잘 변하는 사나이; 바람둥이. ②(다정) 다감함. ¶~多感ﾝな 多情 다감. ──ぶっしん 【─仏心】 -busshin 변덕기는 있으나 박정하지는 않은 성질.

だじょうかん 【太政官】 dajō- 名 ➡だいじょうかん.

だじょうだいじん 【太政大臣】 dajō- 名 ➡だいじょうだいじん.

だじょうてんのう 【太上天皇】 -jōtennō 名 상황(上皇)(양위한 天皇ﾉ의 높임말). =だじょうてんのう・上皇ﾂﾞ.

たじろ-ぐ 5自 질리다; 절절매다; 멈칫〔주춤〕하다. ¶相手ﾃﾞの気勢ﾀﾞに~ 상대의 기세에 질리다.

*だしん 【打診】 名 ス他 타진; (상대방을) 떠봄. ¶~器ﾂﾞ 타진기 / 意向ﾓﾆを~ する 의향을 타진하다.

たしんきょう 【多神教】 -kyō 名 다신교. ↔一神教ﾝﾖﾕ.

*た-す 【足す】 5他 ①더하다. ↔引ﾋく. ②보태다; 채우다. ¶不足分ﾝﾃﾞを~ 부족분을 채우다. ③다치다; 끝내다. ¶用ﾖﾋを~ (a)볼일을 보다; (b)용변을 보다. ㊁어떤 목적에 이용하다. ¶研究だﾝの用ﾖﾋに~ 연구에 이용하다.

‡だ-す 【出す】 ㊀ 5他 ①내다. ㉠내놓다; 꺼내다. ¶財布ﾌを~ 지갑을 꺼내다. ↔入ﾚれる. ㉡대절·제공하다. ¶茶ﾁﾔを~ 차를 내다. ㉢돈 따위를 주다. ¶金だﾝを~ 돈을 내다〔(a)투자하다; (b)추렴을 내다〕/ 千円だﾝ~して買ﾝﾟう 천 엔을 내고 사다. ㉣제출·출품하다. ¶願書ﾖﾝを~ 원서를 내다 / 展覧会だﾝﾗﾝﾝﾆに~ 전람회에 출품하다. ㉤새로 차리다. ¶店ﾐﾝを~ 가게를 내다. ㉥(…에) 힘·마음을 쏟다. ¶精だ~(힘껏) 열심히 일하다 / 知恵ﾁﾞを~ 지혜를 짜내다. ㉦세에 더하다. ¶速力ﾘﾖを~ 속력을 내다. ㉧출판하다; 또, 출판물에 싣다. ¶本だﾝを~ 책을 내다 / 広告ﾞを~ 광고를 내다. ㉨발생시키다. ¶火事だﾝ(被害だﾝﾞ)を~ (피해를) 내다. ㉩(이제껏 없던 것을) 새로이 낳게 하다. ¶赤字ﾅﾝﾞを~ 적자를 내다 / 新記録だﾝﾞを~ 신기록을 내다 / 意見ﾝを~ 의견을 내다 / 声明ﾒﾝﾞを~ 성명을 내다. ㉪(鉄ﾂﾞを)~山ﾔﾏ 철을 생산하는 광산. ㉫출발·출범시키다. ¶舟だﾝﾋﾟを~ 배를 내다. ②내밀다. ㉠밖으로 뻗(치)다. ¶

舌<small>した</small>を~ 혀를 내밀다 / ひとの女<small>おんな</small>に~ 남의 아내(애인)에게 손을 대다(간통하다). ⑧나타내다. ¶会場<small>かいじょう</small>に顔<small>かお</small>を~ 회장에 얼굴을 내밀다. ③드러내다. ¶喜<small>よろこ</small>びを顔<small>かお</small>に~ 기쁨을 얼굴을 드러내다. ④분명히 하다. ¶証拠<small>しょうこ</small>を~ 증거를 대다. ⑤내걸다; 내달다. ¶旗<small>はた</small>を~ 기를 내걸다. ⑥보내다; 부치다. ¶手紙<small>てがみ</small>を~ 편지를 부치다 / 電報<small>でんぽう</small>を~ 전보를 치다(부치다) / 使<small>つか</small>いに~ 심부름을 보내다. ⑦내보내다. ¶奉公<small>ほうこう</small>に~ 고용살이로 내보내다. ⑧口<small>くち</small>を~, ⑨말참견하다. ⑧쓸데없는 말을 지껄이다. □■国 《動詞連用形を 받아》 …하기 시작하다. ¶歩<small>ある</small>き(泣<small>な</small>き, 笑<small>わら</small>い)~ 걷기(울기, 웃기) 시작하다.

*たすう 【多数】 -sū 图 ①다수. ¶~を占<small>し</small>める 다수를 차지하다. ↔少数<small>しょうすう</small>. ──けつ 【─決】 图 다수결. ¶~で押<small>お</small>し切<small>き</small>る 다수결로 밀어붙이다.

だすう 【打数】 -sū 图 【野】 타수; 타자로서 타석에 선 횟수.

*たすかる 【助かる】 ⑤圓 ①살아나다; (위험에서) 벗어나다. ¶命<small>いのち</small>が~ (죽을) 목숨이 살아나다 / 危<small>あや</small>うく~ 가까스로 살아나다. ②(부담·희생·고통 등이 덜리어) 도움이 되다; 편해지다. ¶手数<small>てすう</small>が省<small>はぶ</small>けて~ 수고가 덜려져 편하다.

たすき 【襷】 图 ①양어깨에서 양겨드랑이로 걸쳐 'X'자 모양으로 걸어매는 일본옷의 옷소매를 걷어매는 끈. ⇒帯<small>おび</small>. ②어깨띠. ¶~をかける 어깨띠를 두르다.

たすけ 【助け】 图 도움; 구원; 구조. ¶~を求<small>もと</small>める声<small>こえ</small> 구원을 청하는 소리. ──を借<small>か</small>りる 도움을 빌리다(받다).

たすけあ-う 【助(け)合う】 ⑤圓 서로 협력하다.

たすけぶね 【助(け)船】 图 ①구조선. ②조력; 도움.

*たす-ける 【助ける】 下①他 ①《救ける》 구조하다; 살리다. ¶命<small>いのち</small>を~ 목숨을 살리다. ②《佐ける》 돕다; 거들다. ¶父<small>ちち</small>の仕事<small>しごと</small>を~ 아버지의 일을 돕다 / 消化<small>しょうか</small>を~ 소화를 돕다.

たずさ-える 【携える】 下①他 ①휴대하다; 손에 들다; 지니다. ¶手<small>て</small>みやげを~ 간단한 선물을 손에 들다. ②함께(데리고) 가다. ③함께 손을 잡다; 제휴하다. ¶互<small>たが</small>いに手<small>て</small>を~ えて行<small>ゆ</small>く 서로 손을 잡고 가다.

たずさわ-る 【携わる】 ⑤圓 (어떤 일에) 관계하다; 종사하다. ¶文筆<small>ぶんぴつ</small>に~ 문필에 종사하다.

ダスト シュート -shūto 图 더스트 슈트 (고층 건물에서 쓰레기를 버려 아래로 내려뜨리는 굴뚝 모양의 큰 구멍). ◁ dust chute.

たずねあ-わせる 【尋ね合(わ)せる】 下①他 물어서 확인하다; 문의(조회)하다.

たずねびと 【尋ね人】 图 (행방·거처를 몰라) 찾는 사람; 심인. ¶~の名<small>な</small>を 찾는 사람의 이름.

たずねもの 【尋ね物】 图 (분실 등으로) 찾는 물건. =捜<small>さが</small>し物<small>もの</small>. 「もの.

たずねもの 【尋ね者】 图 ☞ おたずね

*たず-ねる 【訪ねる・尋ねる】 下①他 찾다; 방문하다. =おとずれる. ¶先生<small>せんせい</small>の家<small>いえ</small>を~ 선생님 댁을 방문하다.

*たず-ねる 【尋ねる】 《訊ねる・質ねる》 下①他 ①(더듬어) 찾다. ¶母<small>はは</small>を~ 旅<small>たび</small>に出<small>で</small>る 어머니를 찾아서 길을 떠나다. ②묻다. ¶答<small>こた</small>え〔安否<small>あんぴ</small>〕を~ 답을(안부를) 묻다.

だ-する 【堕する】 サ変自 빠지다; 타락하다.

たぜい 【多勢】 图 다세; 많은 사람. =おおぜい. ──に無勢<small>ぶぜい</small> 중과 부적.

だせい 【惰性】 图 ①타성; 지금까지의 습관. ¶~的 타성적 / 今<small>いま</small>までの~ で 이제까지의 타성으로. ② ☞ かんせい 【慣性】

たせん 【他薦】 ス他 타천; 남이 추천함. ↔自薦<small>じせん</small>.

たそう 【─sō】 ［ナ］ 《動詞連用形に 붙어서》 …하고 싶어하는 (듯함). ¶食<small>た</small>べ ~な顔<small>かお</small>つき 먹고 싶어하는 얼굴.

たそがれ 【誰そ彼・黄昏】 图 황혼. =夕<small>ゆう</small>ぐれ. 지금(요즘)의 거리 / ~時<small>どき</small> 황혼때; (인생의) 황혼기.

だそく 【蛇足】 图 사족; 군더더기. ¶~を加<small>くわ</small>える 사족을 붙이다.

たた 【多々】 圖 다다; 수가 많은 모양. =たくさん. ¶~ある 많이 있다. ──ますます弁<small>べん</small>ず 다다 익선.

*ただ 【只】 图 무료; 거저. ¶~で もらう 거저 얻다. ──より高<small>たか</small>いものはない 공짜보다 비싼 것은 없다.

*ただ 【只・唯】 □副 ①보통; 예사. ¶~の人<small>ひと</small> 보통 사람 / ~のからだではない 홀몸이 아니다(임신중임). ②그냥. ¶~では済<small>す</small>まないぞ 그냥 끝나지는 않는다(무사하지 않을 게다). ③단지; 다만. ¶~の百円<small>ひゃくえん</small> 단돈 백 엔. □接 《흔히 'だけ' 'ばかり' 'のみ' 나 'しか' 에 否定語를 수반하여》 다만; 단(지); 오직; 그저; 오로지. ¶~命令<small>めいれい</small>に従<small>したが</small>うだけだ 그저 명령에 따를 뿐 / ~泣<small>な</small>いてばかりいる 그저 울고만 있다. □接 단(지); 다만. ¶いい子<small>こ</small>だよ; ~わがままなのが欠点<small>けってん</small>だ 좋은 아이야. 다만 멋대로 구는 것이 흠이다.

*ただ 【徒】 連体 (한 일이) 헛된; 헛…. ¶~ばねおり 헛된 애씀; 헛수고.

だだ 【駄々】 图 응석; 떼. ¶~っ子 떼장이 / ~をこねる 떼를 쓰다.

だだい 【多大】 ［ナ］ 다대. ¶~の 戦果<small>せんか</small>をあげた 다대한 전과를 올렸다.

だたい 【堕胎】 ス自 타태; 낙태. =妊娠中絶<small>にんしんちゅうぜつ</small>. ¶~罪<small>ざい</small> 타태(낙태)죄.

ただいま 【唯今・只今】 □■副 ①이(제로) 지금; 현재. =目下<small>もっか</small>. ¶~のところでは 지금의 형편으로는(상태로는). ②방금; 이제 막. =たったいま. ¶~出<small>で</small>かけました 방금 나갔습니다. □感 집에 돌아왔을 때의 인사말('~帰<small>かえ</small>りました(=지금 돌아왔습니다)'의 준말).

たた-える 【称える・讃える】 下①他 칭찬(찬양)하다; 기리다. =ほめる. ¶徳<small>とく</small>を~ 덕을 기리다.

たた-える 【湛える】 下①他 ①가득 (히) 채우다(담다). ¶池<small>いけ</small>に水<small>みず</small>を~ 못에

物を가득히 채우다. ②(얼굴에) 띠우다;나타내다. ¶満面に笑みを～ 만면에 웃음을 띠우다.

＊**たたかい**【戦い】图 싸움. ①전쟁;전투. ¶果てしなき～ 끝없는 전쟁. 투기〔闘技〕;경기;승부. ¶孤独との～ 고독과의 싸움.

＊**たたかい**【闘い】图 투쟁;싸움. ¶労使との～ 노사의 투쟁.

＊**たたか-う**【戦う】自国 싸우다. ①전쟁하다;전투하다. ②적군과 싸우다. ¶槍で～ 창으로 싸우다. ②투쟁하기 위하여 싸우다. ¶正義のために～ 정의를 위하여 싸우다. ③겨루어 다투다. ¶優勝をかけて～ 우승을 놓고 싸우다.

＊**たたか-う**【闘う】自国 싸우다. ①(곤란 따위에) 버티다. ¶寒さと～ 추위와 싸우다 /病気と～ 투병하다.

たたき【叩き·敲き】图①두들김;두드림;때림;또, 그 사람. ¶太敲き북잡이. ②태형〔笞刑〕. ②다진 고기;또, 그 요리. ¶あじの～ 다진 전갱이.

たたき【三和土】图 (현관·부엌 등의) 시멘트 바닥;회삼물〔灰三物〕 바닥.

たたきあげる【叩き上げる】【叩き上げる】下一他 잔뼈가 굵다;갖은 고초를 겪어 성공하다. ¶職工から一げた社長と 직공으로부터 잔다리 밟아 올라간 사장.

たたきうり【叩き売り】【叩き売り】图 싸구려 팔기;투매〔投賣〕.

たたきおこ-す【叩き起こす】【叩き起こす】五他①문을 두드려서 (자고 있는) 집안의 사람을 깨우다. ②(자고 있는 사람을) 두드려 깨우다. ¶急用で～ 급한 일로 두드려 깨우다.

たたきだいく【叩き大工】【叩き大工】图 서투른 목수.

たたきつ-ける【叩き付ける】【叩き付ける】下一他 내동댕이치다;내던지다. ¶地面に～ 땅바닥에 내동댕이치다 /辞表を～ 사표를 내던지다. 三他 세차게 내리치다.

たたきのめ-す【叩きのめす】五他 때려 죽이다.

＊**たた-く**【叩く·敲く】五他①치다. ⊙두드리다. ¶手で～ 손으로 /太鼓〔북〕を打つ/テーブルを～ 테이블을 두드리다. ⓛ때리다;(비유적으로) 비난〔공격〕하다. ¶醜行を新聞で～ 추행을 신문이 때리다. ②묻다;들어보다;알아보다. ¶意向を～ 의향을 떠보다. ③값을 깎다. ＝値切る. ¶～いて買う 값을 후려 깎아 사다. ④심한 말을 함부로 해대다. ¶陰口を～ (본인이 없는 데서) 험담을 해대다. ⑤다 써 버리다;털다. ¶財布の底を～ 지갑의 돈을 톡톡 다 털다. ⑥(고기를 연하게 하기 위하여 칼등 따위로) 다지다.

ただごと【徒事·只事·唯事】图 보통일;예삿일. ¶～ではない 보통일[예삿일]이 심상치 않다. ━変事する.

＊**ただし**【但し】接 단;다만. ¶～付きき 단서가 붙음;조건부

＊**ただし-い**【正しい】形 옳다;바르다;맞다. ¶～答え 옳은 답 /姿勢を～ 바른 行ない 올바른 행실 /姿勢を～ 바른

ただしがき【但し書】图 단서. ¶～をつける 단서를 붙이다.

ただ-す【正す】五他 바로잡다;고치다. ¶誤りを～ 잘못을 바로잡다 /襟を～ 옷깃을 여미다. ②(시비 등을) 밝히다;가리다. ¶是非を～ 시비를 가리다.

ただ-す【糾す·糺す】五他 (조사해서) 밝혀 내다;조사(규명)하다. ¶罪を～ 죄를 밝히다.

ただ-す【質す】五他 묻다;질문하다. ¶疑問点を～ 의문점을 묻다.

たたず-む【佇む】自国 잠시 멈춰 서 있다.

＊**ただちに**【直ちに】副①곧;즉각;당장. ＝すぐ. ¶～出発せよ 곧 출발하라 /応答せよ 즉시 응답하라;당장~직접. ＝じかに. ¶「い;음석받이.

だだっこ【駄駄っ子】dadakko 图 떼쟁이.

だだっぴろ-い【だだ広い】【徒っ広い】dadappi-i 形《俗》그저 넓다;휑뎅그렁하다. ¶～部屋 휑뎅그렁한 방.

ただでさえ【只でさえ】副 그렇지 않아도. ＝ただえ. ¶～うるさいのに 그렇지 않아도 성가신데[귀찮은데].

ただならぬ【徒ならぬ·徒ならぬ】連語《連体詞的으로》①심상치 않은. ¶～顔色と 심상치 않은 안색. ②보통 관계가 아닌;사람끼리;～仲と 서로 사랑하는 사이. ③‘…も～の꼴로》…이상으로 정도가 큼;…도 이만저만이 아닌. ¶犬猿の～仲と 견원지간도 이만저만이 아닌 사이(아주 나쁜 사이).

ただのり【只乗り】自国 공짜로 탐;무임 승차.

ただびと【只人·直人·徒人】图 보통〔여느〕사람;범인〔凡人〕;또, 벼슬·신분이 낮은 사람.

＊**たたみ**【畳】图①다다미;왜돗자리. ②왜나막신·짚신 따위의 겉에 붙이는 얇은 대〔竹〕. ¶～の上で死ぬ 왜자기 집에서 죽다(자연사로 하다).

たたみおもて【畳表】图 골풀 돗자리(다다미의 거죽에 댐).

たたみがえ【畳替(え)】图 다다미의 겉자리를 갈아 대는 일.

たたみか-ける【畳みかける·畳み掛ける】下一①(여유를 주지 않고) 다그쳐 말을 붙이거나 행동을 하다. ¶～けて質問する 다그쳐 질문하다.

たたみこ-む【畳み込む】五他①접어 넣다. ②마음속 깊이 간직하다. ¶胸の中に～ 가슴속 깊이 간직하다.

たたみすいれん【畳水練】图 다다미 위에서 수영 연습하듯, 방법만 알 뿐 실제로는 도움이 안 됨. ＝畑水練いれん.

＊**たた-む**【畳む】五他①접(치)다. ⊙접어 개다. ¶かさを～ 우산을 접다. ⓛ개다;키키다. ¶ふとんを～ 이부자리를 개다. ②걷어 치우다. ¶店を～ 가게를 걷어 치우다. ③(마음 속에) 간직하다. ¶胸に～ 가슴 속에 간직하다. ④《俗》죽이다. ＝殺す. ¶～んでしまえ 없애 버려라.

ただもの【徒者·只者】图 평범한〔여

느] 사람 ; 보통 내기 . ¶～ではない
보통내기가 아니다 . ↔くせ者㌔.

*ただよ‐う【漂う】⑤自 떠돌다 . ①표류
하다 . ¶海㌔に～木片㌔が바다에 떠도는
나뭇 조각 . ②유랑하다 . ＝さまよう .
¶～い歩㌔く 떠돌아다니다 . ③감돌
다 . ¶暗雲㌔㌔が～먹구름이 떠돌다 .

ただよわ‐す【漂わす】⑤他 ①떠돌게
[감돌게] 하다 ; 표류하게 하다 . ¶ムー
ドを～무드 [분위기] 가 감돌게 하다 .
②띄우다 . ¶憂㌔いの色㌔を～근심의
빛을 띄우다 .

たた‐り【祟り】图 지벌 ; 빌미 ; 앙화 (殃
禍) ; [뒤] 탈 . ¶あとの～が恐㌔ろしい
뒤탈이 무섭다 / 弱㌔より目㌔に一目㌔ の 엎
친 데 덮치기 ; 설상 가상 .

たた‐る【祟る】⑤自 앙벌 [지벌] 입다 .
(비유적으로) 탈이 되다 . ¶怨霊㌔㌔
が～원귀의 앙화를 입다 / 徹夜㌔が㌔
が～って 밤샘이 탈이 되어 .

ただ‐れる【爛れる】下1自 ①문드러지
다 ; 진무르다 . ¶傷㌔が～상처가 진무
르다 . ②탐닉하다 ; 탐닉하다 . ¶酒㌔に
～れた生活㌔술에 빠진 생활 .

たたん【他端】图 타단 ; 다른 한쪽 끝 .

たたん【多端】图 다단 ; 분주함 . ¶
多事㌔㌔ 다사 다단 .

*たち【質】〈口〉질 (質) ; 성질 ; 체
질 ; 품질 . ¶涙㌔もろい～곧잘 눈물
을 흘리는 성격 ; 정에 약한 성격 / ～の
悪㌔いできもの 악성의 종기 .

たち【太刀 · 大刀】图 (허리에 차는) 큰
칼 ; 환도 (環刀) ; 군도 ; 검 ; 칼 . ＝刀㌔㌔.

たち‐【立ち · 発ち】 图 動詞 또는 動詞連
用形의 전성 (轉成) 名詞에 붙어서 의미
를 강조하다 . ¶～別㌔れ 작별 ; 이별 /
～騒㌔ぎ 소란을 피우다 / ～至㌔る (중
대한 사태에) 이르다 . 参考 ¶立㌔ち食㌔
い (=서서 먹음) 등과 같이 , 선다는 뜻
으로 쓰는 경우도 있다 .

-たち【達】〈사람 · 생물을 가리키는 말
에 붙어서 複数를 나타냄〉…들 . ¶
子供㌔ら―아이들 / 君㌔ら―자네들 / 虫㌔
―벌레들 . 注意 연락 (連濁) 으로 'だち'
로 되기도 함 .

たちあい【立ち合い】图 (씨름에서)
시작하려고 마주 일어섬 ; 또 , 그 순간 .

たちあい【立ち会い】图 입회 . ¶立㌔
석함 . ¶警察官㌔㌔㌔の～のもとに 경찰
관 입회하에 . ②모여 있음 ; 또 , 모여
있는 손님 . ¶お～の衆㌔모이신 여러
분 . ¶(거래소에서) 거래원이 모여 매
매를 함 . ―えんぜつ【――演説】图 합
동 연설 . ―にん【――人】图 입회인 ;
참관인 .

*たちあ‐う【立ち合う】⑤自 승부를
맞겨루다 ; 또 , 격투하다 .

*たちあ‐う【立ち会う】⑤自 (증인 등
으로) 입회하다 . ¶参考人㌔㌔㌔として
～참고인으로 입회하다 .

たちあおい〖立葵〗图〖植〗접시꽃 . =
はなあおい .

*たちあが‐る【立ち上がる】⑤自 ①일
어서다 . ㉠일어나다 . ¶椅子㌔㌔から～
의자에서 일어서다 . ㉡높게 일어서다 . ¶打
撃㌔から～타격에서 다시 일어서다 . ②
(행동을) 시작하다 ; 나서다 . ¶救済
㌔㌔に～구제에 나서다 . ②떠오르다 .
¶煙㌔㌔が～연기가 떠오르다 .

たちい【立ち居】〈起〔た〕居〉图 기거
(동작) . ――ふるまい【立ち居振〔る〕
舞い · 立〔ち〕居振舞〕图 기거 동작 ; 행
동 거지 . 〔寮〕.

たちいた【裁〔ち〕板】图 재단판 (板) 〔대

たちい‐る【立〔ち〕入る】⑤自 ①(안에)
들어가다 ; 출입하다 . ¶～り禁止㌔㌔
출입 금지 / ～り検査㌔㌔ 현장 검사 .
②관계 [간섭] 하다 . ¶～사로운 일에 깊이
件에 관계하다 . ③사사로운 일에 깊이
파고 들다 .

たちうお【太刀魚】图〖魚〗갈치 .

たちう‐ち【立〔ち〕撃ち · 立〔ち〕射ち】
图又自 (총 따위의) 서서 쏘기 .

たちうち【太刀打ち】图又自 칼싸움 ;
전하여 , (실력으로) 맞섬 ; 맞겨룸 .

たちおうじょう【立〔ち〕往生】dachiōjō
图又自 ①선 채로 죽음 . ②선 채로가
도 오도 못함 . ¶雪㌔中㌔で～する 눈
속에 갇히어 꼼짝 못 하다 . ③(질문 따
위로) 절절 맴 .

たちおく‐れる【立〔ち〕後れる · 立〔ち〕
遅れる】下1自 ①뒤늦게 일어서다 . ②
뒤 [뒤져] 지다 . ¶近代化㌔㌔㌔㌔が～근
대화가 뒤되다 .

たちかえ‐る【立〔ち〕返る】⑤自 (본디
의 장소 · 상태로) 되돌아오다 [가다] . ＝
(た)ちもどる . ¶本心㌔に～본심으로
되돌아오다 .

たちがれ【立〔ち〕枯れ】图 (초목이) 선
채로 말라 죽음 ; 또 , 그 초목 .

たちかわり【立〔ち〕替〔わ〕り】〈立ち代
〔わ〕り〉图 교대 ; 교체 . ＝入㌔れかわ
り . ――いりかわり【――入り替〔わ〕り】
連語 ¶いれかわりたちかわり .

たちかわ‐る【立〔ち〕替〔わ〕る】〈立ち代
〔わ〕る〉⑤自 교대 [교체] 하다 ; 갈마들
다 . ＝入㌔れ替㌔わる . 「교대 .

たちき【立〔ち〕木】图 입목 ; 서 있는

たちぎえ【立〔ち〕消え】图 ①(불이) 타
다 말고 꺼짐 . ②(일 · 계획 등 중도
에서) 흐지부지가 됨 .

たちぎき【立〔ち〕聞き】图又自 (멈춰
서서) 엿들음 .

*たちき‐る【断〔ち〕切る】⑤他 끊다 ; 잘
라 버리다 . ¶交際㌔㌔を～교제를 끊
다 .

たちき‐る【裁〔ち〕切る · 裁〔ち〕截る】
⑤他 (종이 · 천 따위를) 자르다 ; 절단하
다 ; (옷감 등을) 마르다 .

たちぐい【立〔ち〕食い】图又他 입식 ;
서서 먹음 .

たちぐされ【立〔ち〕腐れ】图 ①(기둥 ·
나무 따위가) 선 채로 썩음 . ②(건물
따위가) 손질을 하지 않아 황폐해서 쓸
수가 없게 됨 .

たちこ‐める【立〔ち〕込める · 立〔ち〕籠
める】下1自 (안개 · 연기 · 구름 등이)
자욱이 끼다 .

たちさき【太刀先】图 ①칼끝 . ＝きっ
さき . ②(칼을 휘두르거나 논쟁을 할
때의) 기세 ; 서슬 .

たちさばき【太刀捌き】〖太刀捌き〗
图 칼 쓰는 솜씨 .

たちざま【立ちざま · 立ち様】图 일어
서는 순간 [찰나] .

たちさ‐る【立〔ち〕去る】⑤自 떠나 [가]
다 ; 물러가다 . ＝立㌔ち退㌔く . ¶故郷
㌔㌔を～고향을 떠나다 .

た

たちさわ-ぐ【立(ち)騒ぐ】5自 ①서서 떠들다. ②뒤떠들어대다 ; 시끄럽게 떠들다. ¶観客ﾚが—— 관객이 뒤떠들다.　　　　　　　　　　　[소변.
たちしょうべん【立(ち)小便】名 한뎃
たちす-く-む【立ちすくむ・立ち竦む】5自 (두려움에) 선 채 움직이지 못하다 ; 그 자리에 못박히다.
たちせき【立(ち)席】名 입석. =立座席
たちだい【裁(ち)台】名 재단대 ; 마름 질판.
たちつく-す【立ち尽(く)す】5自 내내 서다. 다 서다.
たちづめ【立ちづめ・立(ち)詰め】名 (하는 수 없이) 계속 섬 ; 내내 섬. ＝た ちどおし.　　　　　　　　[の.
たちどおし【立(ち)通し】名 ☞たちづ
たちどころに【立ち所に】副 당장 ; 즉 시 ; 이내 ; 곧. ＝ただちに. ¶——痛ﾏみ が消ﾏえる 당장 통증이 없어지다.
*たちど-まる【立ち止(ま)る】5自 멈추 어 서다. ¶店先ﾋﾟﾟに—— 가게 앞에 멈 추어 서다.
たちなお-る【立(ち)直る】5自 ①다시 일 어서다. ⑴(기우뚱했다가) 도로 일어 서다 ; 몸을 가누다. ②회복하다. ¶景 気ﾚが—— 경기가 회복되다.
たちながし【立(ち)流し】名 서서 일하게 된 설거지대 ; 싱크대.
たちなら-ぶ【立(ち)並ぶ】5自 ①줄 지어(나란히) 서다. ②어깨를 나란히 하다 ; 필적하다.
たちぬい【裁(ち)縫い】名 ス自 재봉 ; 바 느질. ＝さいほう.
だちょう【駝鳥】-chō 名【鳥】타조.
たちの-く【立(ち)退く】5自 떠나감 ; 물 러감 ; 퇴거. ¶強制ﾚﾟ～ 강제 퇴거.
*たちの-ける【立(ち)退ける】5自 떠나게 하다 ; 물러나다(가다). 떠나다. ¶生ﾟま れ故郷ﾟを～ 태어난 고향을 떠나다.
たちのぼ-る【立(ち)上る】5自 (연기 등이) 오르다 ; 떠오르다. ¶湯気ﾟが～ 김이 오르다.　　　　　　　　　[마심.
たちのみ【立(ち)飲み】名 서서(선 채)
*たちば【立場】名 ①설 곳 ; 발판. ＝足 場ﾟば. ¶～をかためる 발판을 굳히다. ②입장 ; 처지 ; 조건 ; 등 견지 ; 관점. ¶～を異ﾟにする 입장을 달리하다 / ～を失ﾟう (a)존재 이유가 없어지다 ; (b)面목이 없어지다 / ～を取ﾟる 입장 을 취하다.　　　　　　　[재단 가위.
たちばさみ【裁ちばさみ・裁(ち)鋏】名
たちはだか-る【立ちはだかる】5自 ① 가로막아 서다 ; 앞길을 가로막다. ②(곤란・ 장애 등이) 가로놓이다. ¶厚ﾟい障壁 ﾟﾟが～ 두꺼운 장벽이 가로놓이다.
たちばな【橘】名【植】①こうじ・こみ かん(=홍귤나무)'의 옛이름. ②귤나 무.
たちばなし【立(ち)話】名 서서 하는 이 야기. ¶道ﾟで～をする 길에 서서 애 기하다.
たちばん【立(ち)番】名 서서 망을 봄 ; 또, 그 사람. ¶～の警官ﾟﾟ 입초(立 哨) 경관.
たちふさが-る【立ちふさがる】・【立(ち)塞 がる】5自 가로막아 서다 ; 앞을 가로 막다. ＝たちはだかる.
たちふるまい【立ち振(る)舞い・立(ち) 振舞】 ☞たちいふるまい.

*たちまち【忽ち】副 홀연 ; 곧 ; 금세 ; 갑 자기. ¶～のうちに 깜짝할 사이에 / ～売ﾟり切ﾟれる 순식간에 다 팔리다.
たちまちのつき【立(ち)待ちの月】名 음력 17일 밤의 달. ＝たちまちづき.
たちまわ-り【立(ち)回り】・【立(ち)廻り】 名 ス自 ①돌아다님. ②연극・영화에서 난투 장면 ; 또, 그 연기 ; 전하여, 드잡 이 ; 씨움. ¶大ﾟ～を演ﾟずる 격투(난 투)를 벌이다.
たちまわ-る【立(ち)回る】・【立(ち)廻 る】5自 ①여기저기 돌아다니다(뛰어 다니다). ②약삭빠르게 굴다. ¶如才 ﾟなく～ 약삭빠르게 처신하다. ¶(피 해 다니다가) 들르다. ④(연극에서) 난 투를 벌이다.
たちむか-う【立ち向(か)う】5自 ①마 주 대해 서다 ; 당면(직면)하다. 향하 다 ; 대항하다. ②敵ﾟに～ 적에 맞서 다.
たちもど-る【立ち戻る】5自 (다시) 되돌아오다(가다). ¶本論ﾟﾟに～ 본 론으로 되돌아오다.
たちもの【断ち物】名 (신불에게 소원 을 빌 때) 어떤 음식을 일정 기간 동 안 금기(禁忌)하는 일 ; 또, 그 음식물.
たちもの【裁(ち)物】名 마름질 ; 또, 그 종이나 옷감. ＝裁断ﾟﾟ. ¶～をする 마 름질을 하다 / ～板ﾟﾟ 마름질판.
たちゆ-く【立(ち)行く】5自 ①(경 영・살림이) 그럭저럭 되어(나)가다. ②가다 ; 출발하다. ③(雅) 세월이 지나 가다.
たちよ-る【立(ち)寄る】5自 ①다가 서다. ②(지나는 길에) 들르다. ¶帰ﾟ りにお～りください 돌아오는 길에 들르십시오.
たちわざ【立(ち)技】名 유도・레슬링 등에서, 선 자세로 상대방을 넘기는 수. ↔寝ﾟわざ.
だんちん【駄賃】名 ①심부름 값 ; お～ (특히, 어린이에게 주는) 심부름 값. ②짐삯. ⇨ゆきがけ.
たちんぼう【立ちんぼう】-bō 名 내처 서 있 음. ¶電車ﾟﾟが込ﾟんで～のままで行ﾟ った 전차가 붐벼 내내 선 채로 갔다.
*た-つ【建つ】5自 (건물 등이) 세워지 다. ¶銅像ﾟﾟが～ 동상이 서 있다.
*た-つ【立つ】5自 ①일어서다 ; 일어 나다. ¶いすから～ 의자에서 일어서 다. ②서다. ⑤(곧게) 서 있다. ¶ ～って映画ﾟﾟを見ﾟる 서서 영화를 보 다 / 霜柱ﾟﾟが～ 서릿발이 서다 / ポ ストが～っている 우체통이 서 있다. ⑤어떤 위치(지위)에 있다. ¶人ﾟの 上ﾟに～ 남의 위에 서다 / 教壇ﾟﾟに～ 교단에 서다(교사가 되다). ⓒ설립되 다. ¶会社ﾟﾟが～ 회사가 설립되다. ②열리다. ¶市ﾟが～ 장이 서다. ②정 해지다. ¶計画ﾟﾟが～ 계획이 서다 / 見通ﾟﾟしが～ 전망이 서다. ②조리가 닿다. ¶理屈ﾟが～ 이치가 닿다. ② 손상되지 않다. ¶顔ﾟﾟが～ 체면이 서 다. ②높은 곳에 뜨다. ¶にじが～ 무 지개가 서다. ②기준・판단이 서다. ¶ 見分ﾟﾟけが～ 분간이 서다. ②값이 정 해지다. ¶値ﾟﾟが～ 금이 서다. ③나서 다. ¶選挙ﾟﾟに～ 선거에 (후보로) 나

서다. ④곤두서다. ¶毛が～ 털이 곤두서다 /気が～ 신경이 곤두서다 ; 흥분하다. ⑤(눈에) 띄다 ; 두드러지다. ¶人目に～ 남의 눈에 띄다. ⑥자립하다 ; 살아가다. ¶三十で～ 나이 삼십에 자립하다. ⑦나다. ⑦떨어지다. ¶うわさが～ 소문이 나다. ⑥감정이 치밀다. ¶腹が～ 화가 나다. ⑥발생하다. ¶煙が～ 연기가 나다. ⑥원만치 못하다. ¶角が～ 모가 나다. ⑧일다 ; 끼다. ¶波が～ 물결이 일다 /霧が～ 안개가 끼다. ⑨뜨다. ⑦(起つ) 자리를 뜨다 ; 席を～ 자리를 뜨다. ⑥(発つ) 출발하다 ; 떠나다. ¶旅に～ 길을 떠나다. ⑩오르다. ¶人気に～ 인기가 오르다. ⑪(沸つ) 끓다. ¶ふろが～ 목욕물이 끓다, ⑫꽂히다 ; 박이다 ; 걸리다. ¶とげが～ 가시가 박이다. ⑬떨어나다 ; 잘 쓰다. ¶筆が～ 글을 잘 쓰다. ⑭잠기다 ; 닫혀 있다. ¶戸が～・っている 문이 닫혀 있다. ⑮유지되다 ; 돼 나가다. ¶くらしが～ 그럭저럭 생활을 해 나가다. ⑯먹혀 들어가다. ¶歯が～・ない. ⇒は(歯). ⑰소용에 닿다 ; 役に～ 도움이 되다 ; 쓸모가 있다.
──鳥跡を濁さず 나는 새는 뒤를 어지럽히지 않는다(떠날 때 뒤처리를 깨끗이 하라는 뜻).

*た─つ【断つ】⑤他 끊다. ①자르다. ¶二に～・ち切る 두 토막으로 자르다. ②금기하다. ¶塩を～ 소금을〔차를〕 끊다. ⇒断ち物. ③(술·담배 따위를) 끊다. ¶酒を～ 술을 끊다. ④차단하다.

*た─つ【絶つ】⑤他 끊다. ①끊다. ¶縁を～ 인연을 끊다 /命を～ 목숨을 끊다. (a)〔자살하다〕 ; (b)〔죽이다〕 /あとを～ 대〔후사〕를 끊다. ②없애다 ; 뿌리 뽑다. ¶害を～ 악을 뿌리 뽑다.

た─つ【裁つ】⑤他 마르다 ; 재단하다.

*た─つ【経つ】⑤自 (시간·때가) 지나다 ; 경과하다. ¶年月が～ 세월이 가다.

たつ【辰】名 진 ; 지지(地支)의 다섯째.

たつ【竜】名 용. ⇒りゅう(竜).

だつ─【脱】 탈─. ¶～サラリーマン 탈샐러리맨.

だつい【脱衣】名 ㇲ自 탈의. ¶～場 탈의장. ¶～場命 탈의명.

だつえい【脱営】名 ㇲ自 탈영. ¶～兵 탈영병.

だっかい【脱会】 dakkai 名 ㇲ自 탈회. ¶～届を出す 탈회 신고. ↔入会で.

だっかい【奪回】名 他 탈환 ; 奪還. ⇒奪還.

たっかん【達観】 takkan 名 他 달관. ¶人生を～する 인생을 달관하다.

だっかん【奪還】 dakkan 名 他 탈환 ; 奪回. ¶陣地を～する 진지를 탈환하다.

たつき【活計·方便】名 ①수단 ; 방편 ; 특히, 생계. ¶の지탈 데. =たづき.

だっきゃく【脱却】 dakkya- 名 ㇲ自他 탈각 ; 벗어남. ¶危機を～する 위기를 벗어나다. ¶(ピンポン).

だっきゅう【卓球】 takkyū 名 탁구. =ピンポン.

だっきゅう【脱臼】 dakkyū 名 ㇲ自 〔醫〕 탈구 ; (뼈마디가) 통겨짐. ¶肩の骨が～する 어깨뼈가 탈구되다.

ダッキング dakkingu 名 더킹 ; (권투에서) 상대방 공격을 피해 몸을 아래로 숙이는 동작. ▷ducking.

ダッグアウト daggu- 名 〔野〕 더그아웃. =ダグアウト. ▷미 dugout.

タッグマッチ taggumatchi 名 태그매치. =タグ・マッチ. ▷tag match.

たづくり【田作り】名 〔雅〕 논 경작 ; 논농사.

タックル takku─ 名 ㇲ自 (미식 축구·럭비 등에서) 태클. ▷tackle.

たっけん【卓見】 takken 名 탁견.

たっけん【達見】 takken 名 달견.

だっこ【抱っこ】 dakko 名 안음 ; 안김. ¶ 탈항 ; 밑이 빠짐.

だっこう【脱肛】 dakkō 名 ㇲ自 〔醫〕

だっこう【脱稿】 dakkō 名 ㇲ自 탈고. ¶ようやく～した 겨우 탈고했다. ↔起稿. ¶～機 ㇲ自 탈고기.

だっこく【脱穀】 dakko- 名 他 탈곡.

だつごく【脱獄】名 ㇲ自 탈옥. =脱牢. ¶～・破獄囚 ㇲ─囚 탈옥수.

だつサラ【脱サラ】名 '脱サラリーマン(=탈샐러리맨)'의 준말.

たっし【達し】【達示】名 시달. ¶そのすじのお～により 당국의 시달에 따라.

だつし【脱脂】 dasshi 名 ㇲ自 탈지. ¶～綿 탈지면 /～粉乳 탈지 분유.

だつじ【脱字】名 탈자. ¶誤字や～が多い 오자나 탈자가 많다.

たっしゃ【達者】 tassha 名 ㄴ ①능숙함 ; 잘함. ¶腕の～ 뛰어난 솜씨 /英語が～だ 영어가 능숙하다. ②건강함 ; 튼튼함. ¶～に暮らす 건강하게 지내다. ③〔俗〕 빈틈없음.

だっしゅ【奪取】 dasshu 名 他 탈취.

ダッシュ dasshu 名 대시. ㊀①문장에 쓰는 '─'의 기호. ②〔수학 등에서〕로마자의 오른쪽 어깨에 치는 ' ' '의 기호. ㊁(경기·단거리 경주 등에서) 돌진함. ▷dash.

だっしゅつ【脱出】 dasshutsu 名 ㇲ自 탈출. ¶～色=色抜る.

だっしょく【脱色】 dassho- 名 ㇲ自 탈색.

たつじん【達人】名 달인. ¶명인. ¶剣術などの～ 검술의 달인. ②인생을 달관한 사람.

だっすい【脱水】 dassui 名 ㇲ自 탈수. ¶～機 탈수기 /～状態 탈수 상태.

*たっ─する【達する】 tassuru ㊀サ変自 달하다. ①도달하다 ; 이르다. ¶幸福に道= 행복에 이르는 길 /目的地に～ 목적지에 이르다 / …の水準に～ …의 수준에 달하다. ②통하다. ¶その道に～した人 그 길에 통달한 사람. ㊁サ変他 ①달(성)하다 ; 이루다. ¶目的を～ 목적을 달하다 /望みを～ 소망을 이루다. ②시달하다. ¶その旨を～ 엄중히 그 뜻을 시달하다.

だっ─する【脱する】 dassuru サ変自他 ①벗어나다. ¶束縛から～ 속박에서 벗어나다. ②(정도를) 넘어서다. ¶素人の域を～ 아마추어의 영역을 벗어나다. ③빠뜨리다 ; 빠지다. ¶一行を～ 한 줄을 빠뜨리다. ④벗다.

たつせ 【立つ瀬】 連語 설 곳; 입장. ¶ ─がない 설 곳이 없다; 입장이 난처하다.

たっせい 【達成】 tassei 名 ㅈ他 달성. ¶目標 ²⁸의 ～ 목표 달성.

だっせき 【脱籍】 dasseki 名 ㅈ自 탈세. ¶ ─行為 ⁴ᵘ 탈세 행위.

＊だっせん 【脱線】 dassen 名 ㅈ自 탈선. ¶ ─転覆 ⁴⁴ 탈선 전복.

だっそ 【脱疽】 dasso 名 醫 탈저. =壊疽 ⁶². ¶ ─兵 ⁴ᵘ 탈주병.

だっそう 【脱走】 dassō 名 ㅈ自 탈주.

だつぞく 【脱俗】 名 ㅈ自 탈속. ¶出家 ²² して 출가 탈속하다.

＊たった 【唯】 tatta 副 〈口〉 겨우; 단지; 다만; 그저. ¶ ─わずか・ほんの. ¶ ─の十円 ²² 단지 10 엔 ～ ─これだけか 겨우 이것뿐이냐.

だったい 【脱退】 dattai 名 ㅈ自 탈퇴. ¶ ─声明 ²⁶ をだす 탈퇴 성명을 내다.

＊たったいま 【たった今】 tatta-ima 副 이제 막; 방금. ¶ ─帰 ⁴ったばかりです 방금 [이제 막] 돌아온 길입니다.

たつたひめ 【立田姫・竜田姫】 名 〈雅〉 가을의 여신(女神). =佐保姫 ⁴⁴.

タッチ tatchi 名 ①닿음; 댐. ¶ ノー ─ 노터치 / ワン ─ の差 ² 극히 경미한 차. ②관여함. 三他 ①기법. ¶(피아노・그림・조각 등에서) 기법. ¶見事 ²ⁿ な ─ 훌륭한 터치 / あらい ─で描 ²く 거친 터치로 그리다. ②감촉. ¶やわらかな ─ 부드러운 감촉. ▷touch.
──アウト 名 ㅈ他【野】터치 아웃. ▷일 touch out.
──ライン 名 (축구・럭비 경기장의) 터치라인. ▷touchline.

だっちょう 【脱腸】 datchō 名 ㅈ自【醫】 탈장. =ヘルニア.

たって 【立って】 tatte 副 굳이; 꼭; 억지로; 무리하게. ¶ ─お望みとあれば 굳이 바라신다면 / ─のお願 ²いだ (억지로라도 들어 주었으면 하는) 간절한 부탁이다.

たって 連語 〔…하더라도; …(다고)해도〕 ─ても. ¶笑 ²われ ─いいよ 웃음 거리가 된다 해도 좋다. ¶か려 하여도; ─해 보았자. ¶今 ²さら言 ²─もうおそい 이제 와서 말해 보았자 이미 늦었다.

＊だって datte 一 連語 ①〔…라(해)도; 일지라도〕 ─ても. ¶猿 ²も木 ²から落 ²ちる子 원숭이(라)도 나무에서 떨어지는 수가 있단 말야 / 子供 ²にに ─できる 어린애라도 할 수 있다. ○─も또한〔역시〕. ¶私 ²に ─いやですよ 나도 또한 싫습니다. ○─とて. ¶君 ²は ─ ぼく ─ 자네건 나건. ②〔疑問을(최소단위를) 나타내는 말에 붙어서〕으레 그러함을 나타냄 …도; …든. ¶どこ ²で ─行 ²ける 어디에든 갈 수 있다 / 一円 ²² ─借 ²りはしない 일엔(한푼도 뭐어 쓰지는 않는다. ③〔'たって'가 i音便 ²⁶이나 撥音便 ²ⁿ 다음에 올 때의 꼴; …해 봤자〕 ─、…도。─、…도。¶読 ²ん ─わかるものか 읽어 봤자 알 턱이 있나.

二 接〔俗〕 하지만; 돌아도; 그러나; 그런데; 하기는; 그럴 것이. ¶ ─いやよ 그래도 싫단 말예요 / 勉強 ²しなさい. ─眠 ²いんですもの 공부해라. 하지만 졸린걸요.

だっと 【脱兎】 datto 名 탈토. ¶ ─の勢 ²いい 탈토지세; 매우 빠름의 비유. ¶ ─のごとく 탈토와 같이; 쏜살같이.

たっとい 【尊い・貴い】 tattoi 名 ⇒とうとい. ¶入党 ²² ⇒ ².

＊たっとぶ 【尊ぶ・貴ぶ】 tatto- 五他 ⇒とうとぶ.

たづな 【手綱】 名 (고삐). ¶ ─をとる 고삐를 잡다 / ～をしめる 고삐를 죄다; 전하여, 지나치지 못하게 하다.

たつのおとしご 【竜の落(と)し子】 名【魚】해마(海馬).

だっぱん 【脱藩】 dappan 名 ㅈ自 무사가 자기가 속했던 藩 ²을 뛰쳐 나와 낭인(浪人)이 됨.

だっぴ 【脱皮】 dappi 名 ㅈ自 탈피; 허물 벗음. ¶旧態 ²²² からの ─ 구태로부터의〔인습으로부터의〕탈피.

たっぴつ 【達筆】 tappi- 名 달필. =能筆 ²². ↔悪筆 ²².

タップダンス tappu- 名 탭댄스. ▷tap dance.

＊たっぷり tappu- 副 ①충분한 모양; 듬뿍; 폭; 많이; 좋이. ¶ ─(と)眠った 폭 잤다 / 皮肉 ²を ─言 ²ㄴ方 ² 몹시 빈정거리는 말투 / あいきょうが ─ 애교가 넘쳐 흐른다. ②충분하고 여유가 있는 모양; 넉넉. ¶ ─した服 ² 낙낙한 옷.

たつべん 【達弁】 名 달변. =能弁 ²². ↔訥弁 ²².

だつぼう 【脱帽】 ─bō 名 ㅈ自 ①탈모. ②경의를 표함; 항복함.

だっぽう 【脱法】 dappō 名 탈법. ¶ ─行為 ⁴ᵘ 탈법 행위. ¶ つむじかぜ.

たつまき 【竜巻】 名 맹렬한 회오리바람.

だつもう 【脱毛】 ─mō 名 ㅈ自他 탈모. ¶ ─症 ²² 탈모증.

＊だつらく 【脱落】 名 ㅈ自 탈락. ①(페이지 등이) 빠짐. ②낙오. ¶ ─者 ² 탈락자; 낙오자.

だつりゅう 【脱硫】 ─ryū 名【化】탈황; 유황 성분을 제거함. ¶ ─装置 ² 탈황 장치.

だつりょく 【脱力】 ─ryoku 名 탈력. ¶ ─感 ² 탈력감; 허탈감.

だつろう 【脱漏】 ─rō 名 ㅈ自 탈루; 빠짐. =もれ;ぬけ. ¶ ─部分 ²² 탈루 부분.

たて 【楯・盾】 名 방패. ¶ ─に取 ²る 구실(방패)로 삼다; 트집거리로 삼다. ──の反面 〔半面〕사물의 일면만을 보아서는 올바른 판단을 할 수 없음의 비유. ──の両面 ²² 사물의 표리(겉과 속). ──を突 ²く 반항하다; 적대하다.

＊たて 【縦・竪・経】 名 ①세로. ¶ ─に書 ²く 세로 쓰다 / 首 ²を ─に振 ²る 고개를 끄덕이다(승낙하다). ↔横 ². ②'たていと(=경실)'의 준말. ↔ぬき. ──から見 ²ても横 ²から見 ²ても 어느 모로 보나. ──の関係 ² 종적 관계.

たて 【殺陣】 名 연극이나 영화의 난투 장면. =たちまわり. ⇒たてし.

たて- 【立て】 頭 ①(역할 등을 나타내는 명사 앞에 붙여서〕첫째・최고위의 뜻을 나타냄. ¶ ─役者 ² 으뜸 배우. ②세워 있음. ¶ ─看板 ² 입간판.

-たて 【立て】 尾〔動詞運用形을 받아서〕体

言을 만듦》막〈갇〉…함. ¶焼ᵎ°き〜の魚ᵘᵒ갓 구운 생선／生ᵘ°み〜の卵ᵃ゙ᵗ゙낳은 달걀／ペンキ塗ᵘり〜갓 칠한 페인트.

たで【蓼】图【植】(버들)여뀌. ─食²う虫ᵘ°も好ᵘ°き好ᵘ°き 오이를 거꾸로 먹어도 제멋 ; 갓 쓰고 박치기해도 제멋.

だて【伊達】图 ①겉멋 듦 ; 멋 부림. ¶─姿ᵃ゙로 멋 부린 모습／〜のめがね멋으로 쓴 안경. ②짐짓 호기〔위세〕를 부림 ; 협기. ＝おとこだて. ─の薄着ᵘ°ᵗ゙따뜻해 뵈는 것이 싫어서 추워도 얇게 입음.

-だて【立て・立て】①《動詞連用形을 받아서 名詞를 만듦》특별히(일부러, 필요 이상으로)…함을 나타냄. ¶とがめ〜をする 대고 나무라다 ; 트집잡다／かばい〜 싸고 돎. ②《수를 나타내는 말을 받아서 名詞를 만듦》우마차를 끄는 마소의 수. ¶二頭ᵗ゙〜の馬車ᵘᵗ゙ 쌍두 마차. ⑥한 번 흥행에 상영(상영)하는 작품 수. ¶二本ᵘ゙〜の映画ᵃ゙ 두 편짜리 영화.

-だて【建(て)】건물의 양식이나 층수를 나타냄. ¶一戸ᵗ゙〜 독채／二階ᵃ゙〜 이층 건물.

たてあな【縦穴】【竪穴】图 수혈(竪穴). ¶〜住居ᵘ°ᵗ゙수혈 주거(석기 시대의 움집)／〜横穴ᵃ゙.

たていた【立(て)板】图 기대 세워 놓은 판자. ─に水ᵘ°を流ᵃ゙す청산 유수.

たていと【経糸】图 경사 ; 날실. ↔横糸ᵘ°〈ぬき糸ᵃ゙.

たてうり【建(て)売り】图 팔 목적으로 집을 지어서 팖 ; 또, 그 집 ; 집장사. ¶〜の住宅ᵃ゙住᷆집장수 집.

たてか─える【立(て)替える】下1他 입체하다 ; 대신 치르다. ¶代金ᵃ゙ᵗ゙を〜 대금을 입체하다.

たてか─える【建(て)替える】下1他 (건물을) 고쳐 짓다 ; 개축하다.

たてがき【縦書(き)】图 종서. ↔横書ᵃ゙きᵗ゙【대어 세워 놓다】

たてか─ける【立(て)掛ける】下1他 기대어 세워 놓다.

たてかぶ【立株】【建株】上場ᵃ゙상장주(上場株). ¶〜の会社ᵃ゙ᵗ゙상장 회사.

たてがみ【鬣】图 갈기. ¶〜をなでる 갈기를 쓰다듬다.

たてき─る【立て切る】【閉て切る】5他 ①(문이나 장지문 따위를) 꽉 닫아 버리다. ¶障子ᵃ゙を〜 장지를 꽉 닫다. ②칸막이를 하다. ¶〜がこぎ.

***たてぐ**【建具】图 창호. ¶〜屋ᵃ゙ 창호방.

たてぐみ【縦組(み)】图【印】활자를 세로 짜기. ↔横組ᵘ゙み.

たてこう【立(て)坑】【縦坑・竪坑】-kō 图【鑛】수갱(竪坑) ; 수직갱. ↔横坑ᵃ゙プ.

たてごと【たて琴】【竪琴】图 ☞ハ一プ.

たてこ─む【立て込む】5自 (사람이) 붐비다 ; (일이) 몰리다. ¶場内ᵃ゙가〜 장내가 붐비다／仕事ᵃ゙が〜 일이 (겹쳐) 몰리다. ¶빼이 들어서다.

たてこ─む【建て込む】5自 건물이 빽빽이 들어서다.

たてこ─める【立て込める】【閉て籠める】下1他 (문·장지문 따위를) 꽉 닫다.

たてこも─る【立てこもる】【立て籠もる】5自 (집안에) 들어(틀어)박히다 ;

농성(籠城)하다. ¶一日ᵘ゙°じゅう家ᵃ゙に〜 온종일 집에 들어박히다.

たてし【立て師】【殺陣師】图 배우에게 살인·난투 장면의 연기를 가르치는 사람.

たてじま【縦じま】【縦縞】图 세로(의) 줄무늬. ↔横ᵃ゙じま.

だてしゃ【だて者】【伊達者】图 ①멋쟁이 ; 호사바치. ＝ダンディー. ②짐짓 호기(협기)를 부리는 사람.

たてつ─く【盾突く】【楯突く】5自 반항하다 ; 대들다 ; 말대꾸하다. ¶親ᵃ゙に〜부모에게 대들다.

たてつけ【立て付け】【建て付け】图 장지·창·문의 여닫는 상태. ¶戸ᵗ゙の〜が悪ᵃ゙い 문의 여닫이가 나쁘다. ②☞たてつづけ.

たてつづけ【立て続け】图 제속 ; 연이어 ; 잇따라. ¶〜に負ᵃ゙ける 거푸 지다.

たてつぼ【立坪】图 (흙·자갈 등의) 6척〔약 1.8 m〕입방의 체적.

たてつぼ【建坪】图 건평. ↔地坪ᵘ°延ᵃ゙へ坪ᵃ゙ᵗ゙.

たてお─す【立て通す】-tōsu 5他 어떤 태도를) 끝까지 견지하다.

たてなお─す【立て直す】5他 ①본래의 (좋은) 상태로 돌리다 ; 고쳐(다시) 세우다 ; 다시 일으키다. ¶計画ᵃ゙を〜계획을 다시 세우다／景気ᵃ゙を〜 경기를 다시 일으키다.

たてなお─す【建て直す】5他 ①다시 짓다 ; 개축하다. ②재건하다.

たてね【建値】【建値段】「たてねだん」의 준말 ; 매매 기준 가격. ¶〜の引ᵃ゙き下ᵘ゙げ 매매 기준 가격의 인하.

たてひき【立て引き】图 서로 고집부려 다툼. ¶こうなっては〜ずくだ 이쯤 되면 오기로라도 질 수 없다.

たてひざ【立て膝】图 한쪽 무릎을 세우고 앉음 ; 또, 그 자세. ¶〜をする 한쪽 무릎을 세우고 앉다.

たてふだ【立(て)札】图 팻말 ; 패목. ＝高札ᵃ゙. ¶〜を立てる 팻말을 세우다.

***たてまえ**【建て前】【建】〈俗〉상량(上棟)-. ＝むねあげ.

***たてまえ**【建て前・立て前】图 (표면상의) 기본 방침 ; 원칙. ¶〜と本音ᵘ゙とは違ᵃ゙う 표면상의 방침과 본심과는 다르다. ↔ほんね.

だてまき【だて巻】【伊達巻】图 ①여성용의 폭 좁은 속띠(띠 밑에 맴). ②다진 생선과 달걀을 섞어서 두껍게 말아 부친 식품(주로 정월용). ＝【薬】.

たてまし【建(て)増し】【建て増し】图 ☞ぞうちく増築(増ᵃ゙ᵗ゙).

たてまつりもの【奉り物】图 공물 ; 진상품.

たてまつ─る【奉る】5他 ①【献る】바치다 ; 헌상하다. ¶みつぎ物ᵘ゙を〜 공물을 바치다. ②《動詞의 連用形에 붙어서》…해 드리다(올리다). ¶つつしんで賀ᵃ゙し〜 삼가 축하를 올리다／頼ᵘ゙み〜부탁 드리다. ③(편의상) 받들다 ; 모시다. ¶社長ᵃ゙に〜 (편의상) 사장으로 받들다.

＊**たてもの**【建物】图 건물 ; 건축물. ¶〜を建ᵃ゙てる 건물을 세우다.

たてやく【立(て)役】图 '立ᵃ゙(て)役者ᵃ゙ᵘ゙'의 준말.

たてやくしゃ【立(て)役者】-sha 名 (극단의 중심이 되는) 중요한 배우; 주역; 전하여, 중심 인물.

-だてら《신분 등을 나타내는 名詞에 붙어서》…답지 않음; …한 주제. ¶女~に 여자 주제에.

**た-てる【立てる】 一 下1他 ①세우다. ㉠곧추 서게 하다. ¶ひざ〔柱〕を~ 무릎〔기둥〕을 세우다/耳を~ 귀를 세우다. ㉡내세우다. ¶候補者を~ 후보자를 내세우다/新説を~ 신설을 내세우다. ㉢(뜻 따위를) 정하다. ¶志を~ 뜻을 세우다/計画を~ 계획을 세우다. ㉣(체면 등을) 유지하다. ¶顔を~ 낯을 세우다. ㉤분명하게 나타내다. ¶証拠を~ 증거를 세우다/誓いを~ 맹세하다. ㉥날카롭게 하다. ¶のこぎりの目を~ 톱날을 세우다. ㉦가게 하다; 보내다. ¶使者を~ 사자를 보내다. ㉧꾸려나가다. ¶生計〔暮らし〕を~ 생계를 세우다. ㉨도리를 다하다. ¶義理を~ 의리를 지키다. ②내다; 나게 하다. ¶泡〔湯気〕を~ 거품〔김〕을 내다/爆音を~ 폭음을 내다/腹を~ 화를 내다/うわさを~ 소문을 내다. ③일으키다. ㉠일게 하다. ¶砂煙を~ 모래 바람을 일으키다. ㉡소원 따위를 빌다. ¶願を~ 발원하다. ④(절조를) 지키다. ¶操を~ 지조〔정조〕를 지키다. ⑤꽂다. ¶花を~ 꽃을 꽂다/矢を~ 화살이 꽂히게 하다. ⑥돋치다. ¶とげを~ 가시가 돋치다. ⑦놓다. ¶びんを~ 병을 (세워) 놓다. ⑧《沸てる》 끓이다; 데우다. ¶湯を~ 물을 끓이다; 또, 목욕물을 데우다. ⑨소용이 되게 하다. ¶役に~ 소용이 닿게 하다; 도움이 되게 하다. ⑩떨치다. ¶身を~ 입신〔출세〕하다/名を~ 이름을 떨치다/手柄を~ 공로를 세우다. ⑪섬기다. ¶あにき分に~ 형뻘로 섬기다. ⑫(편지 따위를) 띄우다. ¶手紙を~ 편지를 띄우다.
二 接尾《動詞連用形를 받아서 下一段活用의 複合動詞를 만듦》표현을 강조하기 위하여 붙이는 말: 연해〔마구〕…(해)대다. ¶呼び~ 연해 불러 대다/わめき~ 마구 떠들어 대다.

**た-てる【建てる】 下1他 ①(건물·나라 등을) 세우다; 설립하다. ¶家を~ 집을 짓다/銅像を~ 동상을 세우다.

た-てる〖閉てる〗 下1他 (미닫이·문 따위를) 닫다. ¶ふすま〔戸〕を~ 미닫이를〔문을〕 닫다.

だてん【打点】 名〔野〕타점. ¶~王 타점왕.

だでん【打電】 名 ス自 타전. ¶父に~する 아버지에게 전보를 치다.

**たとい〖仮令·縦令〗 副《뒤에 'とも' 'ても' 따위를 수반하여》 설령; 설사; 가령; 비록… (하더라도). =たとえ·よしんば. ¶~雨が降っても 설사 비가 온다 할지라도/~除名されようが 설사 제명당하더라도/~それがほんとうにしても 비록 그것이 정말이라 할지라도.

だとう【打倒】 -tō 名 ス他 타도.

*__だとう__【妥当】 -tō 名ナ ス自 타당. ¶~性 타당성/~な意見 타당한 의견.

たどうし【他動詞】 tatō- 名 타동사. ↔自動詞.

たとえ【例え】 名 예(例). ¶適切な~ 적절한 예.

*__たとえ__〖譬·喩〗 名 비유; 또, 비유한 것. ¶~話 비유 이야기; 우화(寓話)/~を引いて話す 비유를 들어 이야기하다.

**たとえ〖仮令·縦令〗 副 ☞たとい.

*__たとえば__【例えば】《譬えば》 副 예를 들면; 예컨대.

*__たと-える__【例える】《譬える·喩える》 下1他 예를 들다; 비유하다. ¶美人を花に~ 미인을 꽃에 비유하다.

たどく【多読】 名 ス他 다독. ¶精読と~ 정독과 다독.

たどたどし-い〖辿辿しい〗 -shī 形 더듬거리다; 뒤뚝거리다; 불안하다. ¶~足どり 불안한 걸음걸이/~話しぶり 더듬거리는 말투.

たどりたどり〖辿り辿り〗 副 고생고생하여; 간신히.

たどりつ-く【たどり着く】《辿り着く》 5自 길을 묻고 물어〔고생 끝에〕 겨우 다다르다.

たどりよみ【たどり読み】《辿り読み》 名 떠듬떠듬 읽음.

*__たど-る__〖辿る〗 5自 ①더듬다. ㉠더듬어 찾다. ¶地図を~って… 지도를 짚어 가며…. ㉡줄거리를 더듬어 가다. ¶記憶を~ 기억을 더듬다. ②(목적지까지) 가다; (고생해 가며) 다다르다. ¶家路を~ 집으로 돌아가다.

たどん〖炭団〗 名 숯가루를 뭉친 땔감. ¶~に目鼻 (숯덩이에 눈코를 붙인 것처럼) 용모가 추함의 비유.

たな〖店〗 名 ①상점; 가게. ¶~を出す 가게를 내다. ②셋집. ¶~賃 집세/~借り 세들기; 또, 세든 사람.

たな【棚】 名 ①선반; 시렁. ¶~をつる 선반을 달다〔매다〕. ②㉠육지의 완만한 경사가 바다 속으로 뻗은 곳. ¶大陸~ 대륙붕. ㉡산의 경사가 완만한 곳; 또, 층진 골짜기. **—からぼたもち 굴러온 호박《뜻밖에 굴러온 행운의 비유》. **—に上げる** 선반에 얹다; 전하여, 짐짓 모른 체하고 문제삼지 않다; 내버려 두다.

たなあげ【棚上げ】 名 ス他 ①보류해 둠; 뒤로 미뤄 둠. ②수요 조절을 위해서 상품을 시장에 내지 않고 일시 저장해 둠.

たなおろし【棚卸(し)】《店卸(し)》 名 ス自他 ①재고 정리〔조사〕. ②남의 결점을 일일이 들어 헐뜯음.

たなこ【たな子】《店子》 名 (집주인의 입장에서 본) 세든 사람. ↔大家·家主.

たなご〖鱮〗 名〔魚〕①납자루《붕어 비슷한 민물고기》. ②망성어. =うみたなご.

たなごころ〖掌〗 名 손바닥. =てのひら. **—を返す** 손바닥을 뒤집다. ①일이 쉽고 간단하다. ②(태도가) 싹 바뀌다. **—を指す** 손바닥을 보듯 사물이 매우 명백함의 비유.

たなざらえ【棚ざらえ】《棚浚え》 名 ス自他 재고 정리를 위한 염가 판매; 떨이. =たなざらい.

たなざらし【店晒し】图 상품이 팔리지 않아 점두(店頭)에 놓아 둔 채로 있음; 또, 그 물건. 「やちん。

たなちん【店賃】图 집세.

たなばた【七夕・棚機】图 ①베틀; 직기 (織機). ②たなばた祭り(=칠석제, 七夕祭)'의 준말. ③たなばた津女 (=직녀(성))'의 준말.

たなびく【棚引く】国 (구름이나 안개 따위가) 가로 길게 뻗치다.

たなぼた【棚牡丹】图 (俗) 'たなからぼたもち'의 준말. ¶—式で 횡재나 기다리는 사고 방식.

たなん【多難】图 다난. ¶多事≥—の 年≥ 다시 다난한 해.

*たに【渓・谷】图 ①산골짜기. ②골짜기 모양을 이룬 것; 골. ¶気圧ੈの —기압골·빌딩의 골짜기.

だに【壁蝨】图 ①【動】진드기. ②(깡패 따위) 진드기같이 기생하여 남들이 싫어하는 사람. ¶町ੈの —거리의 불량배.

だに【副助】(雅) (…까지)도; …조차. ¶夢੯に ‐見੯ず 꿈에서조차 보지 못하다 / 犬੯も ‐恩੯を 知੯る 개도 은혜를 안

たにあい【谷あい】【谷間】图 골짜기. =たにま. ¶—のゆり 골짜기에 핀 백합.

たにかぜ【谷風】图 (낮에 산허리 쪽으로 치부는) 골짜기 바람. ↔山風੯の.

たにがわ【谷川】图 골짜기를 흐르는 내; 계류(渓流).

たにく【多肉】图【植】다육; 살이 많은. ¶—果੯(質੯) 다육과(질).

たにし【田螺】图【貝】우렁이.

たにそこ【谷底】图 골짜기의 밑바닥. =谷੯あい੯.

たにま【谷間】图 (산) 골짜기. =谷੯あい੯.

*たにん【他人】图 타인; 남. ¶赤੯の— 생판 남 / —の身੯の上੯ 피는 물보다 진하다. ——の空似੯ 전연 남인데도 용모가 많이 닮음. ——の飯੯を食੯う 남의 집밥을 먹다(부모 곁을 떠나 실사회의 경험을 쌓다). ——ぎょうぎ ——行儀—gyōgi【ナ形】(남처럼) 서먹서먹한 행동함; 또, 그 행동.

たにんず【多人数】图 많은 사람. =おおぜい·たにんずう. ¶—の家族੯ 식구 많은 가족. ↔小人数੯੯.

たぬき【狸】图 ①【動】너구리. ②(とらぬ—の皮算੯용੯(など੯) 너구리 굴 보고 피 물돈내 쓰다; 독장수 구구. ②잔사귀(능구렁이 같은) 사람. ¶—ばばあ 교활한 할망구 / —じじい(おやじ) 능구렁이 영감. ③たぬきねいり'의 준말. ¶—ねいり 【狸寝入り】图 国 자는 체함; 꾀잠. =そらね੯.

たぬきねいり【狸寝入り】图 国 자는 체함; 꾀잠. =そらね੯.

*たね【種·種】图 ①종자; 씨. ¶—違い੯の兄弟੯੯ 씨(아비) 다른 형제 / —のよい馬੯ 씨가(혈통이) 좋은 말 / —をまく 씨를 뿌리다. ②(사물의) 종자; 재료. ¶話੯の੯ 이야깃거리. ④(요술 따위의) 술법; 수. ¶—が尽੯きる (술)수가 다하다. ⑤요리의 재료 (감). ¶おでん੯の —꼬치 요리의 재료. —を宿੯す 임신하다.

たねあかし【種明(か)し】图 요술 따위

たねあぶら【種油】图 종유; 평지 씨에서 짠 기름. =菜種油੯੯.

たねいも【種芋】图 씨감자; 씨고구마.

たねうし【種牛】图 종우; 씨 (받이) 소.

たねうま【種馬】图 종마; 씨 (받이) 말.

たねがしま【種子(が)島】图 国【地】九州੯南쪽의 섬. ②(江戸੯시대의) 화승총(火繩銃). 参考 포르투갈인(人)에 의해 이 섬에 처음 전해진 데서.

たねがわり【種変(わ)り】【胤変(わ)り】图 ①씨 다른 형제 자매. =たねちがい੯. ↔腹変੯で. ②식물의 변종이 생김; 또, 그 변종. ¶—の顔颜੯ 변종 같은 인팔꽃.

たねぎれ【種切れ】图 재료가 떨어짐. ¶—になる 재료가 떨어지다.

たねほん【種本】图 저작이나 강의의 기초로 하는 남의 저작; 토대가 된 책; 대본(臺本).

たねまき【種まき】【種蒔き·種播き】图 国 ①씨뿌리기; 파종(播種). ②(5월 2일 전후의) 볍씨를 모판에 뿌림.

たねもの【種物】图 초목의 씨; 씨앗. ¶—商੯ 종자상.

たねもみ【種籾】图 볍씨. =種稷੯੯.

たねん【他念】图 타념; 딴 생각. ——なく 副 한결같이; 오로지.

たねん【多年】图 다년. ¶—草੯ 다년초 / —の恨੯み 다년간의 원한.

だの【連語】《体言과 活用動詞의 語幹, 그 밖의 活用語의 끝맺는 형에 붙어서》 사물을 열거하는 데 씀; …(이)라든가; …라〔다〕거나 …다느니. ¶山੯·海੯に出掛੯ける 山이라든가 바다라든가에 가다 / 寂੯しい—つらい—と 쓸쓸하다느니 괴롭다느니 하며.

たのう【多能】tanō 图 다능. ¶多芸੯の人੯ 다재 다능한 사람.

*たのしい【楽しい】【愉しい】-shi 즐겁다. ¶—わが家੯ 즐거운 우리집 / —く過੯ごす 즐겁게 지내다. ——苦੯しい.

たのしがる【楽しがる】国 즐거워하다; 즐거운 듯이 행동하다.

たのしみ【楽しみ】图 즐거움; 낙; 취미. ¶読書੯の 독서의 즐거움 / 老後੯の੯ 노후의 낙 / 子供੯を生੯きる 자식을 낙으로 삼고 살다.

*たのしむ【楽しむ】五他 ①즐기다. ¶人生੯을〔つり〕을 — 인생을 〔낚시를〕 즐기다. ②기뻐하다; 좋아하다.

たのしめる【楽しめる】下1国 즐길 수 있다. ¶けっこう 그런대로 즐길 수 있다.

だの 接 그런데; 그런데도.

*たのみ【頼み】图 ①부탁; 청. ¶—がい 부탁할 보람 / せっかくの—だから 모처럼의 부탁이니까. ②의지(依支); 믿음; =たより. ¶—にならない 믿을 수가 없다; 의지가 안 된다. ——の綱੯ 믿고 의지하는 것.

たのみこむ【頼み込む】五他 신신 부탁〔당부〕하다. たのみ入੯る.

たのみすくない【頼み少ない】[형] 믿을 수 없다; 마음이 놓이지 않다; 불안하다. =心細੯い.

*たのむ【頼む】五他 ①부탁하다. 〔다음

청하다 ; 의뢰하다.　¶頭ﾗ*を下*げて
～ 머리 숙여 부탁하다 / 医者ﾗに*を～
의사를 (와 달라고) 부탁하다.　ⓛ일을
맡기다 ; 위임하다.　ⓛすを～집 맡주
기를 부탁하다.　②(본디는, 恃む) 믿
다 ; 의지하다.　¶自*らを～스스로 믿
다 ; 자부하다 / ～に足*らず 족히 믿을
바가 못 되다.

たのもう [頼もう]=mō 國 옛날에, (무
사 등이) 남의 집을 방문(訪問)하여 안
내를 청할 때 쓰던 말: 이리 오너라.
⇨どうれ②.

たのもし [頼母子] 名 계(契) ('たのも
し講ﾗ'의 준말). =無尽ﾗ.

*たのもし-い** [頼もしい]=shi 形 믿음직하
다 ; 미덥다 ; 기대할 만하다.　¶─働ﾗ
きぶり 믿음직스러운 활약.　↔頼ﾗり
ない.

たのもしげ [頼もしげ] 形ﾅ 믿음직함.
¶～な男ﾗ 믿음직스러운 남자.

‡たば [束] 名 다발 ; 단 ; 묶음.　¶花ﾗ─
꽃다발 / 一*の 한 단(묶음).　─になって
てかかる 메지어서 (한꺼번에) 덤벼들
다.　¶～ 계곱 타파.

だは [打破] 名他 타파.　¶階級ﾗ*の～
계급 타파.

だば [駄馬] 名 ①헛길의 말.　②짐말(
복마(卜馬).=荷馬ﾗ.

たばか-る [謀る] 5他 ①궁리하다.　¶
(이것 저것) 생각하다.　②(계략을 써
서) 속이다 ; 속임수를 쓰다.

*たばこ** [煙草·烟草·莨] 名 담배.　①연
초.　¶巻*き～ 궐련 / 刻*み～ 살담배.
②(잎) 가지과의 일년초.　▷포 tabaco.
──せん [──錢] 담뱃값(전하여, 약
간의 돈(사례)).──ぼん [──盆] 名
담배합(盒).

たばさ-む [手挟む] 5他 ①손으로 집
어 들다 ; 겨드랑이에 끼다.

*たばた** [田畑·田圃] 名 논밭 ; 전답.

たはつ [多発] 名 自 다발.　¶빈발.
¶事故*─地域*으 사고 다발 지역.　□
名 (항공기에서) 발동기가 많이 있음
(3개 이상).　¶～式* 다발식.　¶─単発
た'.

たばねがみ [束ね髪] 名 (뒤에
서) 묶은 머리. =そくはつ.

*たば-ねる** [束ねる] 1他 ①묶다 ; 한
뭉치로〔묶음으로〕 하다.　¶髪*を～ 머
리를 묶다.　②통솔(統卒)하다.　¶家*
を～ 집안을 통솔한다.

*たび** [度] 名 ①때 ; 번.　¶この～は 이
번은.　②때(마다.=時*ごと.　¶見る
る～に 볼 적마다.　③회(回) ; 번.　¶ひ
と～ 한번 / いく～か 몇 번인가.

*たび** [旅] 名 여행.　¶果*てしない～
끝없는 여행 / ～に出*る 여행(길)을
떠나다.　──の恥*はかき捨*て 여행길에
에는 아는 사람은 없고 오래 머물지도
않으므로 무슨 짓을 하건 상관 없다.
──は道*づれ世*は情*け 여행에는 길
동무, 세상살이에는 인정이 중요하다.

*たび** [足袋] 名 일본식 버선.

たびあきない [旅商い] 名 행상.　¶～に
出*る 행상을 나가다.

たびかさな-る [度重なる] 5自 거듭되
다.　¶～失敗ﾗ 거듭되는 실패.

たびがらす [旅烏] 名 ①정
처 없는 나그네.　②뜨내기 ; 타향인(타
향 사람을 천하게 일컫는 말).　¶しが

ない─の身ﾗ 하찮은 뜨내기 몸(신세).

たびげいにん [旅芸人] 名 유랑 연예
인.

たびごころ [旅心] 名 여심. ①여정(旅
情).　②여행하고 싶은 마음.

たびごと [度ごと] [度毎] 名 때마다 ;
매번.

たびごろも [旅衣] 名 〈雅〉 여행할 때
에 입는 옷 ; 여행복.　　　　「여행지.

たびさき [旅先] 名 여행하고 있는 곳 ;

たびじ [旅路] 名 〈雅〉 여로 ; 여행길.　¶
死出*の～ 죽음의 길 ; ～につく 여로에
오르다.

たびじたく [旅支度·旅仕度] 名 ①여
행 준비(채비).　②여행 차림 ; 여장(旅
装).　¶～を揃ﾗえる 여장을 갖추다.

たびそう [旅僧]=sō 名 행각승(行脚
僧) ; 떠돌이 중.

たびだ-つ [旅立つ] 5自 여행을 떠나
다 ; 여로에 오르다.

*たびたび** [度度] 副 여러 번 ; 자주 ; 누
차.　¶～しばしば.　¶～の訪問ﾗ*으 여러 번
의 방문.　　　　　「는 피로.

たびづかれ [旅疲れ] 名 여행으로 오

たびにっき [旅日記]=nikki 名 여행 일
기.　　　　　　　　　「まくら.

たびね [旅寝] 名 自 객지 잠. =旅ﾗ

たびはだし [足袋はだし] [足袋跣] 名
(나막신이나 짚신을 신지 않고) 버선
발로 (지면을) 걸음.　¶～で逃*げ出*
す 버선발로 도망치다.

たびびと [旅人] 名 〈雅〉 여행자 ; 나그
네 ; 旅*客. =旅行者ﾗ*で.

たびまくら [旅まくら] [旅枕] 名 〈雅〉
객지 잠. =旅寝ﾗ.

たびまわり [旅回り] 名 自 (연예인 ·
상인 등이) 여행하여 돌아다님.　¶～の
芸人ﾗ으 지방을 순회하는 연예인.

たびらこ 名 [植] ☞ほとけのざ.

ダビング 名 더빙.　▷dubbing.

タフ 形ﾅ 터프 ; 튼튼함 ; 완강함.　▷
tough.　──ガイ 名 터프가이 ; 강인한
[억센] 사나이.　▷tough guy.

タブー 名 터부 ; 금기(禁忌).　▷taboo.

たぶさ [髻] 名 상투. =もとどり.

タフタ 名 태피터 ; 호박단(琥珀緞)
▷taffeta.

だぶだぶ 副 形ﾅ ①옷 따위가 커서 몸
에 맞지 않는 모양 : 헐렁헐렁.　¶～の
オーバー 헐렁헐렁한 오바.　②너무 살
쪄서 뒤룩뒤룩거리는 모양.　¶～に太*った
人* 뒤룩뒤룩 살찐 사람.　③물 등 액
체가 흔들리는 모양 : 출렁출렁.　¶～と
音*を立*てる 출렁출렁 소리를 내다.

だぶつ-く 5自 ①(물 따위가) 출렁이
다.　②(옷이 커서) 헐렁거리다.　¶オー
バーが～ 외투가 헐렁거리다.　③(돈·
상품·구직자 등이 많이) 남아돌다.

だぶや [だぶ屋] 名 〈俗〉 암표상.　参考*
'だぶ'는 '札ﾗ(=표)'을 거꾸로 읽은 변
말.　　　　　　　　　「루끼다. =だます.

たぶらか-す [誑かす] 5他 속(이)다 ; 어

ダブリューシー [WC] =ryūshi 名 (공중)
변소 ; 화장실.　▷water closet.

ダブ-る 5自 ①중복되다 ; 겹(처)
지다.　¶物ﾗが～って見*える 물체가
이중으로 보이다.　②(學) 유급(낙제)
하다.　¶一年*ﾗを～ 한 해 유급하다.　④
[野] 더블플레이를[병살(併殺)을] 하

다. 参考 double 에서 만든 動詞.
ダブル 名 더블. ①이중；이배(二倍). ¶〜スコア 더블 스코어 / 〜スチール【野】더블 스틸 / 〜パンチ【拳】더블 펀치 / 〜ヘッダー【野】더블헤더. ②2인용의 (의 것). ¶〜ベッド 더블베드. ③'ダブルブレスト'의 준말. ④위스키 등을 담은 작은 잔 두 잔분. ▷double. ──プレー 名【野】더블 플레이；병살(併殺). =ゲッツ. ▷double play. ──ブレスト 名 더블 브레스트(옷섶을 많이 겹치고 양쪽에 단추를 단 양복 저고리나 외투). =ダブル. ▷double-breasted.
ダブルス 名 더블스；(테니스・탁구 등의) 복식 경기. =複試合ひくしあい. ↔シングルス. ▷doubles.
タブレット -retto 名 타블렛；정제(錠剤). ▷tablet.
タブロイドばん【タブロイド判】名 타블로이드판(신문지의 2분의 1 크기). ▷tabloid.

た
たぶん【他聞】名 타문；남이 들음. ──をはばかる 남이 듣는 것을 꺼리다.
たぶん【多分】〔一〕名 많음；다량. ¶〜の分まい 출자. ☞ごたぶん. 〔二〕たぶん 副〔다음에 추측의 말을 수반하여〕대개；아마. =たいてい・おそらく. ¶彼では〜来ないだろう 그는 아마 오지 않을 게다.
たべごろ【食べ頃】名 먹기에 적당함；또, 그 때；제철. ¶柿かきが〜になった 감이 제철이 되었다.
たべざかり【食べ盛り】名 한창 먹을 나이. =食くい盛さかり.
たべすぎ【食べ過ぎ】名 ス他 과식(過食). ＝食くい過すぎ. 「わずぎらい.
たべぎらい【食べず嫌い】名【食ず嫌い】.
たべもの【食べ物】名 음식물；먹을것. ＝しょくもつ・くいもの. ¶〜屋や 음식점；식료품 가게. ↔飲のみ物もの.
たべよごす【食べ汚す】⑤他 깨끗이 먹지 않아 주위를 지저분하게 하다. =くいちらす. ¶〜しの御飯ごはん 지저분하게 먹다 남긴 밥.
＊たべる【食べる】下①他 ①먹다. 다. ¶飯めしを〜 밥을 먹다. ②생활하다. ¶何をして〜べているのか 무엇을 해서 먹고 사나.
だべ・る【駄弁る】⑤自〈俗〉쓸데 없는 잡담을 하다；수다 떨다. 参考 '駄弁だん'을 動詞化한 말.
たべん【多弁・多辯】名ダ 다변；말이 많음. ↔寡黙かもく・無口むくち.
だべん【駄弁】名 쓸데 없는 잡담. ＝むだぐち. ¶〜を弄ろうする 쓸데 없는 잡담을 늘어놓다. 「かくけい.
たへんけい【多辺形】名 다변형. ☞多角形.
だほ【拿捕】名ス他 나포.
＊たほう【他方】-hō 名 ①타방；다른 방향(쪽, 방면). ¶〜の言いい分ぶんも聞きいて みる 다른 쪽의 말도 들어 보다. ②〔副詞的으로〕한편；또 한편으로 보면；또, 이와 반대로. ¶彼は、こうも考かんがえるが一方で、こうも考かんがえられる 한편 이렇게도 생각할 수 있다. 「뽐.
たぼう【多忙】-bō 名ダ 다망；매우 바쁨.
たぼう【多望】-bō 名ダ 다망；유망함.
たほうめん【多方面】tahō -面 名ダ 다방면.
「타박상.
だぼく【打撲】名ス他 타박. ¶〜傷しょう 타박상.
だぼはぜ【だぼ鯊】名【魚】검정망둑.

だぼら【駄法螺】名〈俗〉터무니없는 큰 것말；허풍. ¶〜を吹ふく 허풍을 떨다.
＊たま【玉】名 ①옥. ㉠주옥；특히, 잔주. ¶〜を磨みがく 옥을 갈다. ㉡전하여, 아름다운 것；귀중한 것. ¶〜のような男おとこの子こ 옥동자. ☞玉ぎょくの. ②구슬. ¶〜なす汗あせ 구슬 같은 땀. ③(눈물이나 이슬의) 방울. ¶露つゆの〜 이슬방울. ④알. ㉠둥근 것；구형의 것. ¶目めの〜 눈알 / ガラスの〜 유리알 / 百円えん玉だま 백 엔짜리 주화. ㉡달걀. ¶お〜 달걀. ㉢소롱알. ¶そろばんの〜をはじく 주판 알을 튀기다. ㉣(안경・카메라 등의) 렌즈. ¶眼鏡めがねの〜 안경 알 / ㉤호치키스의 〜〔針바늘〕. ⑤〔국수의〕사리. ¶うどんを三〜 국수 사리를 세 개. ⑥きんたま의 준말；불. ¶馬うまの〜を抜ぬく 말의 불을 까다. ⑦〈俗〉기생・창녀 등의 절대 부；또, 미녀. ＝ぎょく. ⑧なかなかいい〜だ 제법 미녀다. ⑨〔못된 계략 따위의〕臭くさい〜 냄새나는 〜 / 悪わるい〜を〜にして 말을 미끼로 해서. ──と砕くだける 옥쇄하다.
──にきず 옥에 티. ¶磨みがかざれば玉たまなし 옥도 닦고 갈지 않으면 광채가 없듯이, 사람도 배우지 않으면 훌륭히 될 수 없다. ──を転ころがすよう 옥(子슬)을 굴리듯이(아름다운 목소리의 비유).
たま【球】名 ①공；볼. ¶〜を投なげる 공을 던지다. ②タマ. ¶〜をつく 당구를 치다. ③전구(電球). ¶〜が切きれた 전구가 끊어졌다.
たま【弾】名 총알；탄알. ¶〜をこめる 총알을 재다. 「い.
たま【霊・魂】名 넋；영혼. ＝たましい.
＊たま【偶】副 어쩌다가 일어나는 모양；드문 모양. ¶〜の機会きかい 드문 기회 / 〜の休やすみに会あう 갖는 휴일（휴일）に会あう 어쩌다가〔이따금〕만나다.
たま-う【賜う】【給う】⑤他 주시다；내리시다. ¶おほめのことばを〜 찬사를 내리시다.
たまえ【給え】連語〔動詞의 連用形에 붙어〕온건하게 명령하는 뜻. ¶来こい 〜 오게 / 読よみ〜 읽게.
たまがき【玉垣】名 신사(神社)의 울타리. ＝みずがき. 「す.
だまかす【騙かす】⑤他〈俗〉☞だま
たまかずら【玉葛】名 ①덩굴풀의 총칭；또, 칡의 딴이름. 「베개. ＝てまくら.
たまくら【玉鬘】名 ①옛날에, 많은 구슬을 꿰어 머리에 늘이던 장식. ②☞かもじ.
たまぐし【玉ぐし】【玉串】名 ①비쭈기나무 가지에 (닥나무 섬유로 만든) 베 또는 종이 오리를 달아서 신전(神前)에 바치는 것. ②【植】비쭈기나무의 미칭. ＝てまくら.
たままくら【手まくら】【手枕】名〈雅〉팔베개；혼비백산하다.
たま-げる【魂消る】下①自〈俗〉깜짝 놀라다；혼비백산하다.
たまご【卵】【玉子】名 ①알. ¶〜を産うむ 알을 낳다. ②달걀；계란. ¶〜形がた 달걀 모양 / 〜焼やき 계란부침. ③아직 제 구실을 못 하는 사람〔단계의 것〕. ¶医者いしゃの〜 햇병아리 의사. ──に目め

鼻_{はな}이 달걀에 눈 코가 박힌 것같이 희고 귀여운 얼굴.

たまさか【偶さか】副 ①드물게;어쩌다. ¶~の休みを어쩌다 있는 휴일. ②우연히;뜻하지 않게. ¶~出会った우연히 만났다.

たましい【魂】【靈】-shī 名 ①혼;영혼;넋. ②정신;기력;마음;얼. ¶武士_{ぶし}の~の一 무사의 얼;곧, 칼/~のすわった人_{ひと}침착(대담)한 사람. ──を入れ替_かえる 마음을 바로잡다;개심하다.

だましうち【騙し討ち】【騙し討_ち】名 속여서 불시에 침. ¶~にする 감쪽같이 속이다.

だましこ─む【だまし込む】(騙し込む) 5他 감쪽같이 속이다.

たましだ【玉歯朶】【植】단발고사리.

たまじゃり【玉砂利】-jari 名 굵은 자갈.

***だま─す**【騙す】5他 ①속이다.=あざむく. ¶人_{ひと}を~ 사람을 속이다. ②달래다.=なだめる. ¶泣_なく子_こを~ 우는 아이를 달래다. ③호리다. ¶狐_{きつね}に~される 여우한테 홀리다.

***たまたま**【偶・偶偶】副 ①가끔;이따금;때때로.=時_{とき}おり. ¶~出会_{であ}う人가끔 만나는 사람. ②(마침 그 때) 우연히;때마침. ¶~居合_{いあ}わせる 마침 그 자리에 있다.

たまつき【玉突(き)】【撞球】名 당구.=ビリヤード. ──場_{じょう}당구장. ¶~衝突_{しょうとつ}(자동차의) 연쇄 충돌.

たまたもんじゃない tamatta monja-nai 連語 'たもんじゃない(=견딜 수 없다)'를 강조하여 이르는 말.

たまつばき【玉椿】【植】①つばき(=동백나무)'의 미칭. ②광나무.

たまてばこ【玉手箱】名 ①옛날에 浦島太郎_{うらしまたろう}라는 사람이 용궁의 선녀한테 얻었다는 상자. ②쉽게 열어 보일 수 없는 소중한 물건.

たまな【玉菜】【植】☞キャベツ. ②모란채.

たまに【偶に】副 ☞たま.

たまねぎ【玉葱】【植】양파.

たまの【玉の】連語 ①구슬〔옥〕 같은. ¶~汗_{あせ}구슬 땀. ②옥으로 만든〔장식한〕. ¶~さかずき 옥배(玉杯). ③값 다운;훌륭한. ¶~かんばせ 옥안(玉顏). ──こし【一輿】連語 귀인이 타는 아름답게 꾸민 가마;덩. ¶~に乗_のる 덩을 타다(미천한 집의 여자가 부귀한 집안으로 시집가다).

たまのり【玉乗り・球乗り】名 커다란 공위에 올라서서 발로 공을 굴리는 곡예;또, 그것을 하는 사람.

たまへん【玉偏】名 한자 부수의 하나;구슬옥변(球'理'등의 'E'의 이름).

たまぼうき【玉ぼうき】【玉箒】-bōki 名 쓸어 담는데─는 것의 미칭(美稱). ¶酒_{さけ}は うれいの─ 술은 시름을 덜어주는 것.

たままつり【霊祭(り)】【魂祭(り)】名 조상의 영혼을 집에 맞이하여 지내는 제사.

たまむかえ【霊迎え】【魂迎え】名 うらぼん의 음력 7월 13일 밤에) 영혼을 집에 맞아들임;또, 그 의식. ↔霊送_{たまおくり}り.

たまむし【玉虫】名 ①(蟲) 비단벌레.

②(たまむし色_{いろ}의) 준말. ──いろ【─色】名 ①비단벌레의 날개빛같은 광선빛에 따라 녹색이나 자줏빛으로 변하는 빛깔;양색. ②애매한 표현의 비유. ¶今度_{こんど}の協定_{きょうてい}は─だ 이번 협정은 이현령 비현령이다.

たまもの【賜物・賜・賚】名 ①하사품. ②(좋은) 보람;덕택. ¶苦心_{くしん}の─ 고생한 보람.

たまや【霊屋】【廟】名 영혼을 모신 건물;사당;영묘(靈廟). ¶お─ 사당.

たまよけ【弾よけ】【弾避け】名 방탄(防彈);또, 탄알을 막는 물건. ──御守_{おまもり} 탄환을 막는 부적.

***たまらな─い**【堪らない】連語 ①참을〔견딜〕 수 없다. ¶全_{まった}く─ 정말 참을 수 없다/暑_{あつ}くて─ 더워서 못 견디겠다. ②뭐라고 할 수 없을 정도로 좋다. ¶仕事_{しごと}のあとの一杯_{いっぱい}は─ 일한 뒤의 한잔 술은 아주 그만이다.

たまり【溜り】名 ①덩이;괸 곳. ②대기실;집합소. ③(たまりじょうゆ(=(보리를 섞지 않고) 콩만으로 담은 진간장)'의 준말.

たまりか─ねる【堪り兼ねる】下1自 견딜〔참을〕 수없게 되다. ¶とうとう─ねて殴_{なぐ}りつけた 마침내 참다 못해 때렸다.

たまりこく─る【黙りこくる】5自 잠자코 있다;끝내 말이 없다.

たまりこ─む【黙り込む】5自 잠자코 있다;입을 다물고 있다.

たまりば【たまり場】【溜(ま)り場】名 대기실;집합소.=たまり②.

***たま─る**【堪る】5自 ①否定·反語가 따라서) 참다;견디다. ¶これぐらいでへこたれては─もんか 요[이] 정도로는 못 참고 녹초부를 성싶으냐.

***たま─る**【溜まる】5自 (한 곳에) 모이다. ①괴다. ¶水_{みず}が─ 물이 괴다. ②(재산 등이) 늘다. ¶お金_{かね}が─ 돈이 모이다. ③쌓이다;밀리다. ¶借金_{しゃっきん}が─ 빚이 쌓이다/仕事_{しごと}が─一方_{いっぽう}だ 일이 (밀려) 쌓이기만 한다.

***だま─る**【黙る】5自 ①말을 하지 않다. ¶~って本_{ほん}を読む잠 묵묵히 책을 읽다. ②(손을 쓰지 않고) 가만히 있다. ¶~っていても売_うれる 가만히 있어도 팔린다.

たまわ─る【賜(わ)る】【給(わ)る】5他 ①윗사람에게서 받다. =いただく. ②내려 주시다. =くださ(れ)る. ¶陛下_{へいか}の─った杯_{さかずき}폐하께서 내려 주신 잔. 〔民〕.

たみ【民】〔民草〕名 ①백성;국민. ②신민(臣民). ↔君主(君主).

ダミー〔裁〕名 더미.〔裁〕(양복점의) 동체(胴體) 모형;장식용 인형. =人台_{じんだい}. ②(영화 따위의) 대역(代役) (인형). ▷dummy.

たみぐさ【民草】〔雅〕民초;백성.

だみごえ【だみ声】【濁声】名 ①탁성;탁한 목소리. ②사투리 섞인 발음.

だみん【惰眠】名 타면. ──をむさぼる 게으른 잠을 탐하[무위 도식하다].

***ダム**【ダム】▷dam. ──サイト【ダム サイト】名 댐 용지(用地). ▷damsite.

たむけ【手向(け)】名 ①공물(供物)(을 바치는 일). ¶霊前_{れいぜん}に~の花_{はな}を捧_さげる 영전에 꽃을 올리다. ②전별(餞

別). =はなむけ.

たむ-ける【手向ける】下1他 ①신불 앞에 공물(供物)을 바치다. ②전별(錢別)을. ¶送別霎の辭を~ 송별사를 보내다.

たむし【田虫】名〈俗〉백선(白癬).

たむろ【屯】사람이 모임; 모인 곳; 특히, 진영(陣營).

‡ため【為】名 ①이익·행복 등 유리한 것; 위함. ¶子゙゙の~を思う 자식의 이익·행복)을 생각하다 /~になる本゙유익한 책. ②그 사항이 다음에 활동하는 것의 목적임을 나타냄; 위함. ¶失敗讋なしないために를 위해 실패하지 않기 위하여서는 / 念゙の~に斷りわっておくが다짐을 위해 미리 말해 두지만. ③그 사항이 다음에 진술하는 일의 근거(원인, 이유)가 됨을 나타냄: 때문; 이유; 원인. ¶美゙うしいが~の災難゙아름답기 때문에 당하는 재난 / 君゙のために損じをした너 때문에 손해를 보았다. ④体言+'の'가 이어져서)…에게서. ¶私゙の~にはおじに当たる人゙だ내 쪽 아저씨뻘이 되는 사람이다. ~にする 무언가 이익(다른 목적)이 있어 일부러 하다. ¶かれの好意゙は~にするところがあるようだ 그의 호의는 무언가 다른 목적이 있는 것 같다.

‡だめ【駄目】㊀名 바둑의 공배(空排). ㊁名·形動 ①소용(효과) 없음; 쓸데없음. ¶いくらやっても~だ 아무리 해도 소용없다. ②나쁘거나 부적당함; 할 수 없음. ¶~なやつ 할 수 없는 놈 / のうたいごはんが~になる 어제 지은 밥이 못 먹게 되다 / 敎師゚として는~だ 교사로서는 부적격이다. ③불가능. ¶水泳゚は~まるっきり~だ 수영은 전혀 안 된다. ④못씀. ¶~になる 못쓰게 됨. ⑤좋지 않음. ¶遊゙んでいては~だ 놀고 있어서는 못쓴다. ⑥못쓰게 됨. ¶機械゚が~になる 기계가 고장나다. ──を押゙す (바둑에서) 공배를 메우다. 전하여, (거의 틀림없는 것을) 재다짐하다. ──を出゙す (연극 등에서) 배우에게 연출상의 주의를 주다.

*ためいき【為息】(溜め息)名 한숨. ¶~をつく 한숨을 쉬다. 「지.

ためいけ【為池】(溜め池)名 저수지.

だめおし【駄目押し】名・スル自 ①(확실을 기하기 위해) 다시 다짐함. ②(경기 등에서) 대세가 결정된 뒤에 더 득점하여 승리를 굳힘. ¶~の二点゚゙ 승리를 굳힌 두 점.

ためし【例】名 선례; 례. ¶~がない出來事゙ 선례가 없는 일.

ためし【試し】(験し)名 시험; 시도. ¶一算゙゙【數】검산.

ためしに【試しに】副 시험삼아. =試ゐみに. ¶~やってみる 시험삼아 해보다.

‡ため-す【試す】(験す)五他 시험해 보다. ¶力量゙をょゔ゙を~ 역량을 시험해 보다.

ためつすがめつ【矯めつ眇めつ】(矯めつ眇めつ)連語 (이모저모로) 자세히 뜯어보는 모양; 꼼꼼한 모양.

ためて【為て】(老)(그) 때문에; 그러므로; 그래서; 고로.

‡ためら-う【躊躇う】五自 주저하다; 망설이다. ¶打゙ち明ける앞゙のを~ 털어놓기를 망설이다.

*た-める【貯める・溜める】下1他 ①모으다. ㉠저축하다. ¶金゙を~ 돈을 모으다. ㉡담아두다. ¶雨水゚゚を~ 빗물을 모아 두다. ②밀리게 하다. ¶宿題゙゙を~ 숙제를 미루어 두다.

た-める【矯める】下1他 ①(굽은 것을) 바로잡다; 교정(矯正)하다. ¶松゙の枝゙を~ 소나무 가지를 바로잡다. ②(나쁜 성질 등을) 고치다. ¶悪゙い癖゙を~ 나쁜 버릇을 고치다.

ためん【他面】名 ①타면; 다른 면(방면). ②(副詞的으로) 한편. =他方誼.

ためん【多面】名 다면. ①많은 평면. ②여러 면. ¶~性゙ 다면성. ──てき【一的】ナ(タ) 다면적. ¶~な活動 다면적인 활동.

たもあみ【たも網】(攩網)名 사네(?); 산태. =たも. 「다모亡(?)

たもう【多毛】-mō名 다모. ¶~症゙゙【一症】다모증. ←→毛作を?

たもうさく【多毛作】tamō-名【農】다모작. ←→一毛作る?;二毛作る?

たもくてき【多目的】名 다목적. ¶~ダム 다목적 댐.

*たも-つ【保つ】五他 ①가지다; 보유하다. ②지키다. ㉠(상태를) 유지하다. ¶健康゙(若若さ)を~ 건강(젊음)을 유지하다. ㉡보전하다. ¶国゙(身を)~ 나라를 보전하다. ──五自 유지되다; 견디다. ¶三日髱と~まい 사흘도 못 갈 것이다.

たもと【袂】名 ①소맷자락; 소매. ②㉠(산 따위의) 기슭. ¶山゙の~ 산기슭. ㉡열; 곁. ¶橋゙の~ 다리 옆. ──を分゙かつ ①예별(決別)하다; 헤어지다. ②친구와 결교하다.

だもの【駄物】名〈俗〉보잘것없는 시시한 물건. =だぶ゙こ.

*た-やす【絶やす】五他 끊어지게 하다. ①끊다; 없애다. ¶絶゙~つ. ¶子孫鏡を~ 자손이 끊어지지 하다. ②없어지고 아직 보충하지 않다. ¶きらす. ③火゙を~・さないようにする 불이 꺼지지

*たやす-い【容易い】形 ①쉽다; 용이하다. ¶~く金をもうける 쉽게 돈을 벌다. ②경솔하다.

たゆう【太夫・大夫】-yū名 ①能゚・歌舞伎゚゚・浄瑠璃゙゚ 등의 상급(上級) 예인. ②歌舞伎゚゚에서 여성역을 하는 남자 배우. ③(江戸゙゙ 시대의) 최고급의 차녀.

たゆ-む【弛む】五自 방심하다; (마음이) 느즈러지다; 해이하다. ¶うまず~・まず 한결같이; 꾸준히.

たよう【他用】-yō名 타용. ①다른 용도. ¶~に供゙゚する 다른 데에 쓰다. ②다른 볼일.

たよう【多用】-yō名 ①볼일이 많음. =多忙゚。 ¶御゙~中 바쁘신 중. ②많이 씀.

たよう【多様】-yō名・ナ(タ) 다양. =さまざま. ¶~多種゙一. 「많음. =よくばり.

たよく【多欲】(多慾)名 욕심이 많음.

*たより【便り】名 ①소식; 편지. ¶花゙の~ 화신(花信) /~をよこす 소식을

보내다. ②편의 ; 편리.

たより【頼り】图 ①의지 ; 의지〔의뢰〕하는 사람·물건. ¶つえを~に歩きながら지팡이를 의지해서 걷다. ②연줄 ; 연고 ; 인연. =つて·てづる·ゆかり. ¶~を求めまて就職する연줄을 구해서 취직하다.

たよりない【頼りない】連語 ①의지할 곳〔사람〕이 없다. ②믿음직스럽지 못하다 ; 믿을 수 없다. ¶~人物み대 미덥지 못한 인물. ─英語さえ어설픈 영어.

‡**たよ-る**【頼る】五自 ①의지〔의뢰〕하다 ; 믿다. ¶つえに~って歩く지팡이에 의지하고 걷다. ②연고를 찾아가다.

たら【樅】图〔植〕=たらのき. 〔注〕

たら【鱈】图〔魚〕대구.

たら㊀係助 ①(가벼운 비난이나 친밀감을 담아) 남을 화제로 올릴 때에도 ; (글셈)…냐며. =てば. ¶田中ちゃんったら案外と親切じゃないのね 田中ちゃん 말야 의외로 친절하군. ②예사 정도 이상임을 나타내는 말. ¶きたないって話にならない 더럽기가 말도 못할 정도야. ㊁間助 ①(안타까운 기분으로) 부르거나 요구할 때 씀 ; …라니까. =てば. ¶早くしろ~빨리 하라니까. ②〈女〉완곡하게 '하면 어떻냐'고 명령하거나 권고하는 말. ¶ひまなら手伝ったら 한가하면 당신도 좀 거들면 어때요. ③〈女〉정나미가 떨어진 기분을 나타냄. ¶まあ, あなたっ~ 어머나, 당신도 참 / 私たっ~ 나 원 ; 나 참. ㊂助動형 'た'의 假定形.

*たらい**【盥】图 대야. ¶洗濯だらい 빨래 대야.

たらいまわし【たらい回し】【盥回し】图〔俗〕①〈어느 사물·사람을〉차례로 돌림 ; 목제 돌리기. ②容疑者よウ의 ~ (구류를 계속하기 위하여 구류 기간이 찬 뒤 다른 경찰서로 돌리는 일). ③결정적인 책임을 지지 않음. ¶~したらわし내.

*だらく**【堕落】スイ自 타락. ¶~僧.

*だらけ**【体言に付いて】…투성이. ¶借金だけ~빚투성이 / 傷たず~상처투성이.

*だら-ける**㊀下1自 ①(심신이) 해이해지다 ; 나른해지다. ¶気分だが~기분이 해이해지다. ②게을러지다. ¶~けず勉強べんする 열심히 공부하다. ③칠칠치 못하다 ; 흐늘게늘다.

たらこ【たら子】【鱈子】图 대구알 ; 또, 명란젓. 〔注意〕'たらのこ'라고도 함.

だらし【대개 '~がない' '~のない'의 꼴로〕사물을 단정하게 하는 야무짐. ¶しまりしだら. ¶~のない女だな칠칠치 못한 여자. ☞だらしない.

-たらし-い-shi【나쁜 상태를 나타내는 名詞나 形容動詞 어간에 붙여 形容詞를 만듦〕…한 느낌이 들다 ; …스럽다 ; …롭다. ¶嫌味味~ 밉살스럽다 / 貧乏ぼう~ 궁상스럽다.

だらしな-い形 야무지지〔칠칠치〕 못하다 ; 흐늘게늘다. ¶~着こなし 칠칠치 못한 옷입음새 / ~負けた方 어이없는 패배 / 女だに~ 여자에게 무르다. ☞だらし.

*たら-す**【垂らす】五他 ①늘어뜨리다 ;

드리우다. ¶幕をま~을 막을 드리우다. ②흘리다 : 듣게 하다. ¶よだれを~ 침을 흘리다.

たら-す【誑す】五他〈俗〉①달래다. ②(달콤한 말로) 속이다 ; 꾀다. ¶~し 감쪽같이 속이다.

-たらず【足らず】接尾〈…의 작용이〉 충분하지 못함. ¶知恵ちえ~ 지혜가 모자람. ②그 수량에 아직 이르지 못함. ¶十人にん~で 10명이 채 못 되는 수로 ; 8·9명 정도다.

たらたら副 ①액체가 방울져 떨어지는 모양 : 뚝뚝 ; 줄줄. ¶~(と)汗をを流す 땀을 뚝뚝 흘리다. ②달갑지 않은 말을 장황하게 늘어놓는 모양. ¶~お世辞じを言う 장황하게 겉치레의 말을 늘어놓다.

だらだら副 ①'たらたら①'의 힘줌말 : 줄줄. ¶血をを~と流すなが 피를 줄줄 흘리다. ②완만한 경사가 길게 뻗어 있는 모양. ¶~坂 완만하고 긴 비탈. ③질력이 나도록 길게 끄는 모양 : 질질. ¶~した演説えん을 지루하게 질질 끄는 연설.

タラップ-rappu图 트랩. ¶~に上るのぼ 트랩에 오르다. ▷네 trap.

だらに〔陀羅尼〕图〔佛〕다라니.

たらのき【樅の木】图〔植〕두릅나무.

たらのこ【たらの子】【鱈の子】☞たらこ.

たらばがに【鱈場蟹】图〔動〕무당게.

たらふく【鱈腹】副〈俗〉배불리 ; 배가 터지게 ; 실컷. ¶~食べる 실컷 먹다.

だらり副(물건이) 힘없이 늘어진 모양 : 축. ¶舌したを~とたらす 혀를 축 늘어뜨리다.

-たり【人】〈일본 고유의 数詞에 붙어서 사람의 수를 나타내는 말〉: 사람. ¶よっ~ 네 사람 / み~ 세 사람.

たり接助〔動詞·形容詞·形容動詞의 連用形에 붙음. 撥音便 꼴에 붙을 때는 'だり'로 됨〕①나열하여 서술할 때 씀 : 혹은…, …고, …고. ¶見~聞いい~した事 보거나 듣거나 한 일 / 曇ったりか~っったり 더웠다 추웠다하는 기후 / 飛んだり跳ねね~ 이리 뛰고 저리 뛰고 한다. ②예로서 들고 그 밖에도 비슷한 것이 있음을 암시할 때 씀 : …거나 ; …든지. ¶うそをつい~などしてはいけない 거짓말을 하거나 해서는 못 쓴다. ③권유·명령의 뜻을 나타냄 : …거라. ¶さあ, どい~, どい~ 자 비켜라, 비켜. ▷"ん". ▷dahlia.

ダリア图〔植〕달리아. ☞テンジクボタ

たりかつよう【タリ活用】-yo⒱る图〔文法〕문어 形容動詞의 활용의 하나, 'た·たり〔と〕·たり·たる·たれ·た⒱'처럼 어미가 변화하는 것(堂々々と⒱り들).

たりき【他力】图 타력. ①남의 조력. ↔自力じ. ②〔佛〕他力本願ぼ에 의지함의 준말. ──ほんがん【──本願】图〔佛〕타력 본원 : 비유적으로, 남의 힘을 빌려 일을 이루려고 하는 일.

たりつ【他律】图 타율. ¶~的な 타율적. ↔自律じ.

だりつ【打率】图〔野〕타(격)율.

たりない【足りない】連語 모자라다.

①부족하다. ¶努力どが~ 노력이 부족하다 / 取るに~意見ぷ 하찮은 의견. ②〔머리가〕둔하다. ¶~やつ 아둔한 놈.

たりゅう【他流】-ryū 名 타류; 다른 유파. ¶~試合ぷ 다른 유파 사람과의 무술 시합. ↔自流号.

たりょう【多量】-ryō ダナ 다량, 少量げ. 「〔의 힘〕

だりょく【惰力】-ryoku 名 타력; 타성

た-りる【足りる】上一自 ①충분하다, 충분하다. ¶一人ぷで~ 혼자서 충분하다. ②충족되다. ¶衣食は号に~ 쓰기〔의식〕에 부족함이 없다. ③가치가 있다; 〔족히〕…할 만하다. ¶信頼たにするに~ 신뢰하기에 족하다, 족히 신뢰할 만하다. ⇒たりない. 注意関西な등지에서는 '足たる'로 五段活用함.

た-る【足る】五自〈文〉たりる. ①賞ぷするに~ 칭찬할〔상줄〕만하다 / 論ぷずるに~・らん 족히 논할 거리가 못 된다. ②만족하다. ¶~ことを知しり 만족할 줄을 알아라.

たる助動 문어(文語) 조동사(助動詞) 'たり'의 連体形; 또, 그것이 구어(口語)에 남은 것; 적어도 …로서의 자격〔입장〕을 갖추고 있는; …인; …된. ¶教師ぷ~者ぷ 교사된 자.

*たる【樽】(술・간장 따위를 넣어 두는) 나무 통. ¶~酒ぷ 통술 / ~抜ぷ 통의 뚜껑을 뺀.

*たる-い 形 ①だるい. ②느슨하다; 느즈러지다. ¶繩まが~ 새끼줄이 느슨하다.

*だる-い【懈い】形 나른하다; 께느른하다. ¶からだが~ 몸이 나른하다.

たるき【垂木】[椽・桷] 名【建】서까래.

だるま【達磨】名 ①오뚝이. ②오뚝이처럼 손발이 없는 둥근 물건. ¶~ストーブ 중배가 부른 둥근 난로. ~〈俗〉매춘부. ¶~屋ぷ 갈봇집.

たるみ【弛み】名 ①느슨함; 느즈러짐; 늘어짐; 해이(한 정도).

*たる-む【弛む】五自 느슨해지다; 〔마음이〕느즈러지다; 〔밑으로〕늘어지다; 이완(弛緩)하다. ¶目ぷの皮ぷが~ 〔졸려서〕눈가죽이 늘어지다 / 心まが~ 마음의 긴장이 풀어지다.

たれ助動〈雅〉('たり'의 命令形)→되어라; …이어라. ¶よき青年ぷ~ 좋은 청년이 되어라.

たれ【垂れ】名 ①늘어트림; 드리움; 흘림. ¶帯ぷの~ 띠의 늘어트림. ②드리운 물건; 드림; 느림. ②〔장어구이・참새구이・전골 등에 쓰는〕조미한 국물. ①한자 구성상의 이름; 밑('广ぷ'(=엄호밑)' '厂ぷ'(=민엄호밑) 'ナ ぷ'(=병질앝)' 따위].

-たれ【垂れ】('それ는 '똥싸개' 'はなたれ(=코흘리개)'에서 유추하여 부정적인 뜻을 강조하기 위해서 붙이는 말). ¶あほ(ばか)~ 바보 자식.

だれ【誰】代 누구. ¶~ひとり 누구 하나 / ~も彼かも~ 누구나 모두; 너나없이 / ~の目ぷにも明らかな 누구의 눈에도 명백한〔누가 봐도 명백한〕.

だれか【誰か】連體 누군가. ¶~来またようだ 누군가 왔나 보다. ──さん 名 아무개씨(氏)〔놀리는 말로〕. ¶~とは

違ぷう 누구하고는〔너와는〕다르다. ──なしに 누구누구 할 것 없이; 누구나.

だれぎみ【誰気味】[弛気味] 名ダナ ①긴장이 풀린 듯한 느낌. ②(증권 시세의) 내림세 기미.

たれこ-む【垂れ込む】5他〈俗〉밀고하다.

たれこ-める【垂れ込める】[垂れ籠める]下1自 ①(구름・안개 등이) 낮게 드리우다〔깔리다〕. ¶雲が一面ぷに~ 구름이 온통 낮게 깔리다.

だれしも【誰しも】連體 누구든지; 누구라도; 누구나('だれも'의 힘줌말).

だれだれ【誰誰】代 아무개; 모(某).

だれだれ【誰誰】代 ①누구누구. ¶~が来またか 누구누구가 왔나. ②(代名詞적으로) だれだれ. ¶~の住まいのあと 누구누구가 살던 자리.

たれながし【垂(れ)流し】名 ①대소변을 아무 데나 갈겨 놓음. ②폐수(廃水)나 유해물질을 하천에 방류함.

たれまく【垂(れ)幕】名 현수막. ↔引ぷき幕.

*た-れる【垂れる】一下1自 ①늘어지다. ①드리워지다. ¶雲が低びく~ 구름이 낮게 끼다. ②(같이) 처지다. ¶前髪ぷが~ 앞머리가 늘어지다. ②늘다; 떨어지다. ¶しずくが~ 물방울이 듣다. 二下1他 ①늘어뜨리다; 드리우다. =たらす. ¶幕ぷ(つり糸ぷ)を~ 막〔낚싯줄〕을 드리우다. ②숙이다; 수그리다. ¶首ぷを~ 고개를 숙이다. ③나타내 보이다; 주다; 내리다. ¶模範ぷを~ 모범을 보이다 / 教ぷえを~ 가르침을 내리다. ③남기다. ¶名ぷを後世ぷに~ 이름을 후세에 남기다. ④〔放ぷれる〕대소변을 보다; 방귀를 뀌다. ¶へ~ 방귀를 뀌다.

だ-れる【堕れる・弛れる】下1自 ①긴장이 풀리다; 해이해지다. ¶気分ぷが~・れてくる 기분이 해이해지다. ②싫증나다. ③주식 시세 따위가 내리다. ¶相場ぷが~ 시세가 내리다.

タレント名 탤런트. ¶~候補ぷ 탤런트 후보. ▷talent.

タロいも【タロ芋】名【植】타로토란(태평양 여러 섬에서 널리 주식으로 먹음). ▷폴리네시아어 taro.

たろう【太郎】-rō 名 ①맏아들에게 붙이는 이름; 또, 장남. ¶一郎ぷ二太郎ぷ. ②으뜸을 나타내는 말. ¶~月ぷ 정월 / 坂東ぷ~ 利根川ぷの 딴이름(関東ぷ 지방에서 가장 큼). ──かじゃ【──冠者】-ja 名〈狂言〉등에서) 大名ぷ를 좇아 최고의 하인.

だろう-rō 助動〈体言 및 이에 준하는 것, 또 動詞・形容詞와 그 형으로 활용하는 助動詞의 連体形에 붙어서〉①어느 사항이 추측에 의해서 진술되고 있음을 나타냄; …겠다; …겠지. ¶雪ぷが降るる~ 눈이 오겠다. ②〔흔히, …から…の~의 꼴로〕어느 사항의 원인・이유가 됨을 추측함에 씀; …(한 것)이겠지〔일 테지〕. ¶甘いぷい物ぷを食べすぎたから, 虫歯ぷが出来たの~ 단것을

너무 먹어서 충치가 생긴 것이겠지.

タワー 图 타워 ; 탑. ▷tower.

たわい 【他愛】图《'~がない' '~もありません' 등 否定語가 따라서》①제 정신. ¶~もなく酔ぅう 정신없이 취하다. ②사려 분별. ¶~もないしぐさ 분별〔철〕없는 짓. ③반응 ; 씹맛. ¶~もない試合ぁ 맥없는 경기 / ~なく負まける 너무 쉽게〔싱겁게〕패하다.

たわけ 【戯け・白痴】图①희롱 ; 농 ; 희롱거리는 언동. ¶~をつくす 마구 희롱거리다〔까불다〕. ②たわけ者もの(=바보, 천치)의 준말.

たわーける 【戯ける】下一自《雅》까불다 ; 희롱거리다 ; 특히, 음란한 언동을 하다.

たわごと 【戯言・囈言】图 농담 ; 시시한〔허튼〕소리 ; 돼, 잠꼬대. ¶~・ばか話ぢゎ. ~を言いう 허튼〔잠꼬대 같은〕소리를 하다.

たわし 【束子】图 수세미 ; 솔솔.

たわ-む 【撓む】五自(막대・가지 등이) 휘다 ; 늘어지다. ¶雪ゆきで木きの枝えだが~ 눈으로 나뭇가지가 휘다.

たわむれ 【戯れ】图 장난 ; 농(談). ¶運命ぁめぃの~ 운명의 장난 / ~にやってみる 장난삼아 해보다.

たわむ-れる 【戯れる】下一自 희롱〔해롱〕거리다. ①까불다 ; 놀다 ; 장난하다. ¶ねこがまりに~ 고양이가 공을 가지고 놀다. ②노닥거리다 ; 농(談)을 하다. ¶新あらたまれて~ 농담하며 놀다 ; 희롱하다. ¶女おんなに~ 여자를 희롱하다 / 男おとこに~ 사내와 새롱거리다.

たわ-める 【撓める】下一他 휘게 하다. ¶枝えだを~ 나뭇가지를 휘다.

たわら 【俵】图 (쌀・숯 등을 담는) 섬. ¶米こめだわら 쌀섬.

タワリシチ 图 타바리시치 ; 동료 ; 동지ざ. ▷ tovarishch.

たわわ 【撓】ダナ 휠 정도임. ¶枝えだに実みの実みる 가지가 휘어지게 열매가 맺다.

たん 【反】【段】图①필ひき ; 피륙을 세는 단위 ; 1反はんは 경척(鯨尺)으로 길이 2장(丈) 6척(尺)〔약 10 m〕이상, 폭 9치 5푼(약 36 cm)이상〔'1反'으로 어른의 옷 한 벌을 만들 수 있음). ②단 ; 논발이나 산림의 면적의 단위 ; '1反'은 300보(步), 1정(町)의 1/10〔약 10 아르). ¶~当あたり 단당.

たん 【単】图《~シングルス. ~でも複ふくでも優勝ゆぅしぁうする 단식에서도 복식에서도 우승하다. ↔複ふく.

たん 【胆】图①담. ②담력 ; 기력. ¶一いちが据すわる 담차다 ; 사물에 동(動)하지 않음. ¶~甕ぁぃの如じ ; 一いちの如じ(력)이 몹시 크다. ¶~を練ねる 담력을 기르다〔쌓다).

たん 【短】 二图①짧음. ②결점 ; 단점. ¶長ちょうをのばし~をおぎなう 장점을 키우고 결점을 메우다. 三接頭 짧은 ; 단.... ¶~距離ぁり 단거리 ↔長ちょう.

たん 【嘆】图①탄식 ; 한탄. ¶羊ひぃ羊やうの~ 망양지탄. ②감탄함. ¶~を発はっする 탄성을 하다.

たん 【痰】图 담 ; 가래. ¶~つば타구.

たん 【端】图 끝 ; 실마리 ; 시작. ¶争ぁらそいの~をひらく 분생의 실마리를 열

다. ~を発はっする 발단하다 ; 실마리가 되다.

だん 【男】图①아들. ¶A氏しの~ A씨의 아들. ↔女じょ. ②남작(男爵)

＊だん 【段】图①단. ㉠상하의 구획. ¶二にだ組くみ. 【印】2단조ぉ/上じょうの~にのせる 윗단에 얹다〔싣다). ㉡계단. ¶~をのぼる 계단을 오르다 / 石いしの~ 돌 층계. ㉢(유도・검도・바둑 등의) 등급. ¶~があがる 단이 오르다 ; 승단하다 / ~が違ちがう 단이 다르다. ㉣(문장의) 단락. ¶文章しょうの~を切きる 문장의 단락을 짓다. ②국면 ; 때 ; 경우 ; 단계. ¶いざという~になると 일단 유사시가 되면. ㉡장ぃ ; 일. ¶この~のよろしくお願ねがい申もうし上あげます 이 점〔일〕에 대해서 잘 부탁드립니다. ㉢정도. ¶知しっている~ではない 알고 있고 있을 정도가 아니다.

だん 【断】图(안)결단. ¶~をくだす 단(안)을 내리다 / ~を迫せまられる 단을 내리도록 강요당하다.

だん 【暖】图 ; 따뜻함. ↔寒かん. ~を取とる 몸을 녹이다.

だん 【談】图 이야기 ; 담화. ¶~におよぶ 이야기가 마침 … 에 연급되자. ~に上のぼる「에 오르다.

＊だん 【壇】图 단. ¶~にのぼる 단(상)

だんあたり 【反当(た)り・段当(た)り】 图 단당(段当り). ¶~三石ざんの産出ゆっ 단당 석 섬의 소출.

だんあつ 【弾圧】图ㅈ他 탄압.

だんあん 【断案】图 단안. ¶~を下くだす 단안을 내리다.

＊たんい 【単位】图 단위. ①수량의 기준량. ¶申込もうしこみ~ 신청(청약) 단위. ②학점. ¶八やっ～足たりない 8학점 부족하다. ──ごかん【─互換】图 학점 호환 / 학생이 다른 대학에서 취득한 학점을 재학중인 대학에서 인정됨.

だんい 【段位】图(유도・바둑 등의) 단위 ; 단수. ¶将棋しょうぎの~ 장기의 단수.

だんい 【暖衣】图 난의 ; 따뜻한 옷. ¶~飽食ぃく 포의 포식.

たんいつ 【単一】图 단일. ¶~組合くみあい 단일 조합.

だんう 【弾雨】图 탄우. ¶~の中なかをくぐる 탄우 속을 뚫고 나가다.

だんうん 【断雲】图 단운 ; 조각구름. ~ちぎれぐも.

たんえき 【胆液】图 담액 ; 쓸개즙.

たんおん 【単音】图 단음. ①【言】음성의 최소단위. ②【樂】하모니카의 소리나는 구멍이 한 출로만 된 것. ↔複音ふくおん.

たんおんかい 【短音階】图【樂】단음계. ↔長音階ょうぉんかい.

たんか 【担架】图 담가 ; 들것. ¶~にのせる 들것에 싣다.

たんか 【単価】图 단가.

たんか 【炭化】图【化】탄화. ¶~水素すぃ 탄화 수소.

たんか 【啖呵】图 날카롭고 위세 좋은 말. ~を切きる 기세 등등하게 마구 몰아세우다.

たんか 【短歌】图 단가 ; 和歌ゎかの 한 형식(5,7,5,7,7의 5구(句) 31음(音)을 기준 삼음). [参考] 흔히 和歌라고 하면

이를 가리킴. ⇨長歌ﾁﾖｳ. ⇨上ｶﾐの句ﾀ·下ｼﾓの句ﾀ.

だんか 【檀家】 图 【佛】 단가; 일정한 절에 속하여 시주를 하며 절의 재정을 돕는 집; 또, 사람; 시주. =檀越ﾀﾞﾝ.

タンカー 图 탱커; 유조선. ▷tanker.

だんかい 【団塊】 图 단괴; (광물 등의) 덩어리; 뭉치. =かたまり.

*だんかい 【段階】 图 단계. ¶仕上ﾞｱげの~にさしかかる 끝마무리 단계에 접어들다.

だんかい 【暖海】 图 난해. ↔寒海ﾝ.

だんがい 【断崖】 图 단애; 낭떠러지.

だんがい 【弾劾】 图 ｽ他 탄핵. ¶~演説ｴﾝｾﾂ 탄핵 연설. ──さいばんしょ 【──裁判所】 -sho 탄핵 재판소.

たんかいとう 【探海灯】 -tō 탐해등; 해상 탐조등. =サーチライト.

たんかだいがく 【単科大学】 图 단과 대학. =カレッジ. ↔総合大学ﾀﾞｲｶﾞ.

たんがん 【単眼】 图 단안. ①한쪽 눈. ②【動】 홑눈. ↔複眼ﾌｸｶﾞ.

たんがん 【嘆願】【歎願】 图 ｽ他 탄원. ¶~書ｼﾖ 탄원서.

*だんがん 【弾丸】 图 탄환; 총알. ¶~列車ﾚﾂ 탄환 열차／~を装塡ｿｳﾃﾝする 탄환을 장전하다.

たんき 【単軌】 图 단선 궤도. ¶~鉄道ﾃﾂﾄﾞｳ 단궤 철도. ↔複軌ﾌｸ.

たんき 【単記】 图 단기; 후보자중 한 사람만 골라 투표 용지에 그 성명을 쓰는 일. ¶~投票ﾄｳﾋﾖｳ 단기 투표. (명) 투표. ↔連記ﾚﾝ.

たんき 【単騎】 图 단기. ¶~で敵陣ﾃｷﾞﾝに行ﾕｸ 단기로 적진에 가다.

たんき 【短気】 图 ｽﾞ 성마름; 급한 성질. =気ｷみじか·せっかち. ¶~な人 성질이 급한 사람／~を起ｵｺす 참지 못하고 성마르게 굴다. ──は損気ｿﾝ 성마르게 굴면 결국 자기 손해다.

たんき 【短期】 图 단기. ¶~の契約ｹｲﾔｸ 단기 계약. ↔長期ﾁﾖｳ. ──だいがく 【──大学】 图 ☞たんだい(短大).

だんき 【断機】 图 단기; 베틀에 짜던 실을 끊음. ──の戒ｲﾏしめ 단기지계.

だんき 【暖気】 图 난기; 따뜻한 기운〔기후〕.

だんぎ 【談義】 图 ｽ自 ①【佛】 설법(説法). ②사리를 타이름; 설교. ¶長ﾅｶﾞ장황한 설교. ③잔소리; 훈계.

たんきゅう 【単級】 -kyū 단급(두메나 낙도의 분교 등에서 학년이 다른 아동을 한 학급으로 편성한 것). ¶~学校ｶﾞﾂｺｳ 단급 학교.

たんきゅう 【探求】 -kyū 탐구; 더듬어 구함. ¶平和ﾍｲﾜの~ 평화의 탐구.

たんきゅう 【探究】 -kyū ｽ他 탐구; 사물의 본질 따위를 규명함. ¶真理ｼﾝﾘの~ 진리의 탐구.

だんきゅう 【段丘】 -kyū 【地】 단구. ¶海岸ｶｲｶﾞﾝ~ 해안 단구.

だんきょう 【団協】 -kyō '団体協約ﾀﾞﾝﾀｲｷﾖｳﾔｸ(=단체 협약)'의 준말.

たんきょり 【短距離】 -kyori 단거리. ¶~競走ｷﾖｳｿｳ 단거리 경주. ↔長距離ﾁﾖｳ.

たんく 【短軀】 图 단구. =短身ﾀﾝｼﾝ·ちび.

*タンク 图 탱크. ①저장 용기. ¶ガス~ 가스 탱크. ②전차(戦車). ▷tank.

──ローリー 탱크로리. ▷tank lorr

タングステン 图 【化】 텅스텐. ¶~鋼ｺｳ 텅스텐 강. ▷tungsten.

たんぐつ 【短靴】 图 단화. ↔編ｱみ上ｱげ靴ｸﾂ·長靴ﾅｶﾞ.

たんけい 【端倪】 ｽ他 『すべからず』 헤아릴 수 없다; 추측할 수 없다.

だんけい 【男系】 图 남계 ; 남자 계통. ¶~相続ｿｳｿｸ 남계 상속. ↔女系ｼﾞﾖ.

*だんけつ 【団結】 图 ｽ自 단결. ¶大ﾀﾞｲ~ 대단결. ──けん／だいどうだんけつ 【──権／大同──】 = 대동 단결.

*たんけん 【探検·探険】 图 ｽ他 탐험. ¶~家ｶ 탐험가／~隊ﾀｲ 탐험대.

たんけん 【短剣】 图 ①단검; 단도. ②(시계의) 단침. ↔長剣ﾁﾖｳ.

たんけん 【短見】 图 단견; 얕은 소견. =浅見ｾﾝ.

たんげん 【単元】 图 단원. =ユニット. ¶~学習ｶﾞｸｼﾕｳ 단원 학습.

*だんげん 【断言】 图 ｽ他 단언. =明言ﾒｲ. ¶~できる 단언할 수 있다.

たんこ 【炭庫】 图 탄고; 석탄 창고.

たんこ 【淡湖】 图 담호; 담수호. ↔鹹湖ｶﾝ.

たんご 【単語】 图 단어; 낱말. ¶~帳ﾁﾖｳ 단어장.

たんご 【端午】 图 단오. ¶~の節句ｾｯｸ 단오절.

タンゴ 图 【樂】 탱고. ▷tango.

だんこ 【断固】【断乎】 トタル 단호히; 단연코. ¶~たる決意ｹﾂｲ 단호한 결의.

*だんご 【団子】 图 단자; 경단(瓊團). ¶~鼻ﾊﾞﾅ 경단같이 동그래진 코; 주먹코／花ﾊﾅより~ 금강산도 식후경.

たんこう 【単行】 -kō 图 단행; 단독으로 행함. ¶~犯ﾊﾝ 단독범. ──ぼん 【──本】 图 단행본. ↔全集ｾﾞﾝｼﾕｳ·叢書ｿｳ.

たんこう 【炭坑】 -kō 图 탄갱. ¶~浸水ｼﾝｽｲ 탄갱 침수.

たんこう 【炭鉱】【炭礦】 -kō 图 탄광.

たんこう 【淡紅】 -kō 图 담홍; 엷은 홍색; 분홍. ¶~色ｼﾖｸ 담홍색; 분홍빛.

だんこう 【団交】 图 '団体交渉ﾀﾞﾝﾀｲｺｳｼﾖｳ(=단체 교섭)'의 준말.

だんこう 【男工】 图 남공; 남자 직공. ↔女工ｼﾞﾖ.

だんこう 【断交】 图 ｽ自 단교. ¶経済的ｹｲｻﾞｲﾃｷ~ 경제 단교.

だんこう 【断行】 图 ｽ他 단행. ¶値下ﾈｻﾞげを~する 가격 인하를 단행하다.

だんこう 【断郊】 -kō 图 ｽ自 단교; 교외나 들판을 가로지름. ¶~競走ｷﾖｳｿｳ-kyōsō ☞クロスカントリー.

だんごう 【談合】 -gō 图 ｽ自 ①상의; 의논. =相談ｿｳﾀﾞﾝ. ¶膝ﾋｻﾞとも~ひざ(膝); 담합; 입찰(入札)〔도급〕을 미리 협정함. ¶~ずく 의논해 정함. =相談ｿｳﾀﾞﾝずく.

たんこうしき 【単項式】 tankō- 图 【數】 단항식. ↔多項式ﾀｺｳ.

たんこぶ 【たん瘤】 〔俗〕 혹. =こぶ(たん). ¶~を取ﾄる 혹을 떼다.

だんこん 【男根】 图 남근; 음경(陰莖). =ペニス. ↔崇拝ｽｳﾊｲ 남근 숭배.

だんこん 【弾痕】 图 탄흔; 탄환 자국.

たんさ 【探査】 图 ｽ他 탐사. ¶内情ﾅｲｼﾞﾖｳを~する 내정을 탐사하다.

たんざ【端座】【端坐】图 ス自 단좌；정좌. =正座する.

だんき【段差】图 단차；(바둑·장기 등의) 段(단위) 차. ¶～があり過ぎる 단차가 너무 난다.

ダンサー 图 댄서. ▷dancer.

たんさい【淡彩】图 담채；엷고 산뜻한 채색. ¶～画⁰ 담채화.

だんさい【断裁】【断截】图 ス他 재단；재단. ¶～機⁰ 재단기.

だんざい【断罪】图 ス自 단죄；유죄 판결을 내림.

たんさいぼう【単細胞】-bō 图 ①〔生〕단세포. ②〈俗〉단순한 머리·인간의 뜻으로도 비유됨.

たんさく【単作】图 ス他〔農〕단작. =一毛作⁸. ¶米⁰の地帯⁰ 벼의 단작 지대.

たんさく【探索】图 ス他 탐색. ¶犯人⁰の～ 범인의 탐색.

たんざく【短冊】【短尺】图 ①글씨를 쓰거나 물건에 매다는 데는 쓰는 조붓한 종이. ②〔短歌⁸・俳句⁸〕등을 쓰는 조붓하고 두꺼운 종이.

たんさん【炭酸】图〔化〕탄산. ¶～ガス 탄산 가스／～水⁰ 탄산수. ¶〔─紙〕탄산지；복사지. =カーボンペーパー. ¶　　　 　광산；탄광.

たんざん【炭山】图 탄산；석탄이 나는 광산.

たんし【短詩】图 단시；짧은 시.

たんし【短資】图 단기 재무의 자금〔"短資金⁸"의 준말〕. =コール.

たんし【端子】图〔電〕단자. =ターミナル.

たんし【譚詩】图 담시(자유로운 형식의 서사시). =バラード.

たんし【嘆辞】图 탄사. ①탄식의 말. ②칭찬의 말.

*だんし【男子】图 남자. ①사나이·아이. ②사나이；남성. ¶～の一言⁸⁸ 남자의 일언이다. ↔女子⁰.

だんじ【男児】图 남아. =男子⁸⁸. ↔女児⁰.

たんしあい【単試合】图 단식 경기. =シングルス. ↔複試合⁸⁸.

タンジェント -jento 图〔数〕탄젠트. ▷tangent.

たんじかん【短時間】图 단시간. ↔長時⁸⁸.

たんしき【単式】图 단식. ①간단한 방식(형식). ¶～印刷⁸⁸ 단식 인쇄. ②単式簿記⁸의 준말. ↔複式⁸⁸. ¶〔─しあい〕〔─試合〕图 단식 경기. ¶〔─ぼき〕〔─簿記〕图 단식 부기. ↔複式簿記⁸⁸.

だんじき【断食】图 ス自 단식. ¶～療法⁸⁸⁸ 단식 요법.

だんじこ-む【談じ込む】自⁵ 강경하게 상대와 담판하다.

たんじつ【短日】图 단일；낮의 짧은 해. ¶～植物⁸⁸⁸ 단일 식물. ↔長日⁸⁸. ¶〔─の間⁸⁸〕은 기간.

たんじつげつ【短日月】图 단시일. だんじて【断じて】副 ①(다음에 부정의 말이 따라서) 단(단코)；단연코. ¶～そんな事⁸⁸はない 결코 그런 일은 없다／～許⁸さない 단연코 용서 않는다.

②단호히；꼭；반드시. ¶～やりとげる 꼭 해내다.

たんしゃ【単車】-sha 图 모터가 달린 이륜차(오토바이 따위). ↔四輪車⁸⁸⁸.

たんしゃ【炭車】-sha 图 탄차；석탄 운반차.

だんしゃく【男爵】图 남작.

だんしゅ【断酒】-shu 图 ス自 단주；금주.

たんしゅう【反収】【段収】-shū 图 1 단보당 평균 수확고.

たんじゅう【胆汁】-jū 图 담즙. =胆液⁸⁸.

たんじゅう【短銃】-jū 图 단총；권총. =ピストル. ¶～をかまえる 권총을 겨누다.

*たんしゅく【短縮】-shuku 图 ス他 단축. ¶～授業⁸⁸⁸⁸ 단축 수업. ↔延長⁸⁸.

*たんじゅん【単純】-jun 图 ダナ 단순. ¶～な考え⁸⁸（男だ⁸）단순한 생각(사나이)／～化する 단순화하다. ↔複雑⁸⁸. ¶複合語⁸⁸⁸. ──へいきん【──平均】图 단순 평균(주가)；그날의 주가(株価)의 평균. ↔ダウ平均⁸⁸.

*たんしょ【短所】-sho 图 단처(短處)；단점；결점. ¶～を改⁸める 단점을 고치다. ↔長所⁸⁸.

たんしょ【端緒】【端初】-sho 图 단서；실마리. =いとぐち·手⁸がかり. ¶～が開⁸かれる 단서가 열리다.

*だんじょ【男女】-jo 图 남녀. =なんにょ. ¶～の別⁸ 남녀의 구별／～共学⁸⁸⁸⁸〔同権⁸⁸〕남녀 공학(동권). ──七歳⁸⁸にして席を同じうせず 남녀 7세 부동석(不同席).

たんしょう【単子葉】-shiyō 图〔植〕단자엽；외떡잎. ¶～植物⁸⁸⁸ 외떡잎 식물. ↔双子葉⁸⁸.

たんしょう【単勝】-shō 图 단승(경마나 경륜(競輪)에서 1등만을 맞히는 일). =単⁸. ¶～式⁸ 단승식. ↔連勝⁸⁸.

たんしょう【探勝】-shō 图 ス自 탐승. ¶～客⁸ 탐승객. ¶長大⁸⁸.

たんしょう【短小】-shō 图⁸ 단소. ↔長大⁸⁸.

たんしょう【嘆称·嘆称】【歎賞·歎称】-shō 图 ス他 탄상；감탄해 칭찬함. =賞賛⁸⁸.

*たんじょう【誕生】-jō 图 ス自 탄생. ¶～日⁸＝日⁸（誕）생일. ──日⁸（祝）생일(날). ¶お～が過⁸ぎる 첫돌이 지나다.

だんしょう【男娼】-shō 图 남창. =かげま.

だんしょう【断章】-shō 图 단장. ①시문의 단편. ②남의 시문의 일부를 인용함.

だんしょう【談笑】-shō 图 ス自 담소. ¶～裡⁰に 담소리에.

だんじょう【壇上】-jō 图 단상. ¶～で立往生⁸⁸⁸する（말문이 막혀）단상에서 쩔쩔매다.

たんしょうとう【探照灯】-shōtō 图 탐조등. =サーチライト.

たんしょく【単色】-shoku 图 단색. ¶～の生地⁸⁸ 단색천.

だんしょく【男色】-shoku 图 남색；남

자의 동성애(同性愛); 비역. =ホモ・なんしょく.

だんしょく【暖色】-shoku 图 난색. =温色^{ぬん}. ↔寒色^{かん}・冷色^{れい}.

たん-じる【嘆じる】【歎じる】 上1他 ☞たんずる(嘆). 「る(断).

だん-じる【断じる】 上1他 ☞だんずる(断).

だん-じる【弾じる】 上1他 ☞だんずる(弾). 「る(談).

だん-じる【談じる】 上1自 ☞だんず

たんしん【単身】 图 단신; 혼자. ¶~敵地^{てき}に乗り込^こむ 단신 적지에 뛰어들다.

たんしん【短身】 图 단신; 작은 키. =短軀^{たんく}. ↔長身^{ちょう}. 「長針^{ちょうしん}.

たんしん【短針】 图 시침(時針). ↔

*たんす【箪笥】 图 옷장; 장롱. ¶~の引き出^だし 장롱 서랍.

*ダンス 图 댄스; 춤; 특히, 사교춤. ¶~ホール 댄스홀 / ~パーティー 댄스 파티; 무도회 / ソーシャル~ 사교 댄스. ☞dance.

たんすい【淡水】 图 담수; 민물; 단물. ¶~まみず 図 민물; 맑은 물 / ~魚^{ぎょ} 민물고기 / ~湖^こ 담수호. ↔鹹水^{かんすい}・塩水^{えんすい}.

だんすい【断水】 图 ス自他 断水 되다. ¶水道^{どう}が~される 수도가 단수되다.

たんすいかぶつ【炭水化物】 图 【化】 탄수화물.

たんすう【単数】 -sū 图 단수; 홑수. ↔複数^{ふくすう}.

たん-ずる【嘆ずる】【歎ずる】 サ変他 ①한탄하다. ②개탄하다. ③감탄(칭찬)하다.

だん-ずる【断ずる】 サ変他 ①판단을 내리다; 단정하다. ②판가름하다; 처단하다. ≒さばく. ¶罪^{つみ}を~ 죄를 처단하다.

だん-ずる【弾ずる】 サ変他 ①〈현악기를〉타다; 켜다. ¶琴^{こと}を~ 거문고를 타다. ②규탄하다; 지탄하다.

だん-ずる【談ずる】 サ変自 ①이야기하다; 상의하다. ¶~し合^あう 서로 애기하다. ②담판하다. ③힐책하다; 따지다. 「여, 채색한 그림.

たんせい【丹青】 图 단청; 색채; 전하

たんせい【丹誠】 图 단성; 진심; 성심. =まごころ・赤心誠^{せきしん}・丹心^{たんしん}.

たんせい【丹精】 图 ス他 정성; 정성을 다함(들임). ¶~して育^{そだ}てる 정성껏 키우다. 「花^{はな} 단성화.

たんせい【単性】 图【生】단성. ¶~

たんせい【嘆声】【歎声】 图 탄성. ¶~をもらす 탄성을 내다.

たんせい【端正】 图 ダナ 단정. ¶~に整理^{せいり}する 단정하게 정리하다.

たんせい【端整】 图 〈용모 등이〉단정함. ¶~な顔^{かお}だち 단정한 얼굴.

たんぜい【担税】 图 담세. ¶~力^{りょく} 담세(능)력.

だんせい【男声】 图 남성. ¶~合唱^{がっ}^{しょう} 남성 합창. ↔女声^{じょせい}.

‡**だんせい**【男性】 图 남성. ¶頼^{たの}もしい~ 믿음직한 남성. ↔女性^{じょせい}. ——てき ——的 ダナ 남성적. ↔女性的^{じょせいてき}.

だんせい【弾性】 图【理】탄성. ¶~体^{たい} 탄성체. ↔可塑性^{かそせい}・剛性^{ごうせい}.

たんせき【旦夕】 图 단석. ①아침 저녁; 조석; 전하여, 늘; 평소. =平生^{へいぜい}. ②시기가 절박함. ¶命^{いのち}~に迫

る 목숨이 단석에 임박하다.

たんせき【胆石】 图【醫】담석. ¶~症^{しょう} 담석증. 「交^{こう}~ 국교 단절.

だんぜつ【断絶】 图 ス自他 단절. ¶~

たんせん【単線】 图 단선. ¶~軌道^{きどう} 단선 궤도. ↔複線^{ふくせん}.

たんせん【丹前】 图 솜을 두껍게 넣고 소매 넓은 일본 옷(방한용의 실내복). 또, 잠옷으로 쓰임). =どてら.

たんぜん【端然】 タトル 단연; 바르고 단정함. ¶~とすわる 단정히 앉다.

だんぜん【断然】 图 ス自 단연; 선이 히 전선이 끊김.

*だんぜん【断然】 ①副 단연; 명백히; 호히; 결연히; 딱. ¶~たる態度^{たいど} 연한 태도 / ~(と)反対^{はんたい}する 단연히 대하다. ②副 클래스에. ¶~クラスの一ト ブだ 단연 클래스의 톱이다.

たんそ【炭疽】 图【醫】탄저. ¶~病^{びょう} 탄저병. 「物^{ぶつ} 탄소 화합물.

たんそ【炭素】 图【理】탄소. ¶~化合

だんそう【男装】 图 ス自 남장. ¶~の美人^{びじん} 남장 미인. ↔女装^{じょそう}.

だんそう【断層】 图 단층. ¶~地震^{じしん} 단층 지진. 参考 비유적으로 쓰는 경우도 많음. ¶世代^{せだい}の~ 세대 (간)의 단층.

だんそう【弾奏】 -sō 图 ス他 탄주.

だんそう【弾倉】 图【理】탄창.

たんそく【嘆息】【歎息】 图 ス自 탄식; 한탄; 한숨. =ためいき.

*だんぞく【断続】 图 ス自 단속. ¶~的^{てき}な砲声^{ほうせい} 단속적인 포성.

だんそんじょひ【男尊女卑】-johi 图 남존 여비. ↔女尊男卑^{じょそんだんぴ}.

たんたい【単体】 图【化】단체; 한 가지 원소로만 돼 있는 물질(金·은 등).

たんだい【短大】 图「短期大学^{たんきだいがく}」의 준말. (=초급 대학)의 준말.

‡**だんたい**【団体】 图 단체. ¶~交渉権^{こうしょうけん} 단체 교섭권 / ~を組^くむ 단체를 조직하다. 「대림.

だんだい【暖帯】 图 난대. ¶~林^{りん} 난

だんだら【段だら】 图 얼룩덜룩한 가로 무늬. ¶~縞^{じま} 가로 무늬가 얼룩덜룩한 직물.

たんたん【坦坦】 タトル 탄탄; 〈땅·도로 등이〉평탄한 모양. ¶~たる道^{みち} 탄탄대로 / ~たる半生^{はんせい} 순탄한 반생.

たんたん【眈眈】 タトル 탐탐; 날카롭게 노리는 모양; 虎視^{こし}~ 호시 탐탐.

たんたん【淡淡】 タトル 담담; 〈맛·기분 따위가〉담박한 모양. ¶~とした味^{あじ}態度^{たいど} 담담한 맛(태도).

‡**だんだん**【段段】 图 ①〈口〉계단; 층계. =階段^{かいだん}. ¶石^{いし}の~ 돌층계. ②副 <老> 이 일 저 일; 여러 가지; 각 조목. ¶お申^{もう}しつけの~ 분부하신 여러 일. ——ばたけ ——畑 图 계단식 밭.

だんだん【段段】副 차차; 점점. ¶~と夜^よが明^あけてくる 점차 밤이 밝아오다. 「機^き 전파 탐지기.

たんち【探知】 图 ス他 탐지. ¶電波^{でんぱ}

*だんち【団地】 图 단지. ¶~族^{ぞく} 단지 족; 단지에 사는 사람들 / 工業^{こうぎょう}~ 공업 단지.

だんち【暖地】 图 난지. ↔寒地^{かんち}.

だんちがい【段違い】 图 ダナ 현격한 차이. ¶~の実力^{じつりょく} 현격한 차가 나

는 실력. ②높이가 다름. ¶～平行棒
고저(高低)[이단] 평행봉.

だんちゃく【弾着】-chaku 名 탄착. ¶
～点½ 탄착(지)점.

たんちょ【端緒】-cho 名 ‘たんしょ(＝
단서)’를 잘못 읽는 새로운 말.

たんちょう【丹頂】-chō 名【鳥】두루
미.

たんちょう【単調】-chō 名 ダナ 단조.
¶～な生活½½ 단조로운 생활.

たんちょう【短調】-chō 名【樂】 단
조. ＝모–ル. ↔長調½½½.

だんちょう【団長】-chō 名 단장. 使
節団½½½の～ 사절단의 단장.

だんちょう【断腸】-chō 名 ¶～
の思い½½ 단장의[애끓는] 술품.

たんつば【痰唾】名 가래침. ¶～を吐
く 가래침을 뱉다.

たんつぼ【痰壺】名 타구(唾具).

たんてい【探偵】-ス他 탐정. ¶名½の
～ 명탐정.

たんてい【短艇・端艇】名 단정. ＝ボー
ト・はしけ.

だんてい【断定】-ス他 단정. ¶～を
下½す 단정을 내리다.

たんてき【端的】ダナ 단적. ¶～に言
½うと 단적으로 말하면.

たんでき【耽溺】名 탐닉; 빠짐.
¶酒色½½に～する 주색에 빠지다.

たんでん【丹田】名 단전; 배꼽 아래;
아랫배. ⇨臍下½½

たんでん【炭田】名 탄전.

たんと副【俗・老】많이; 잔뜩. ＝たく
さん. ¶～お飲½み 많이 마셔요.

たんとう【担当】-名ス他 담당. ¶
～区域½½ 담당 구역 ／ ～者½ 담당자.

たんとう【短刀】-tō 名 단도; 비수. ＝
あいくち. ↔長刀½½

だんとう【暖冬】-tō 名 난동. ¶～異
変½½ 난동 이변; ／ 이상 난동.

だんとう【弾頭】-dō 名 탄두. ¶～兵
器½½ 탄두 병기.

たんとうちょくにゅう【単刀直入】-tō-
chokunyū 名 단도 직입. ¶～に言½う
단도 직입적으로 말하면.

たんどく【丹毒】名【醫】단독.

たんどく【単独】名 ス他 단독. ¶～犯½
단독범 ／ ～行動½½ 단독 행동.

たんどく【耽読】名 ス他 탐독.

だんどり【段取(り)】名 일을 진행시키
는 순서·방도; 절차. ¶～をきめる 일
의 순서·방법을 미리 정하다.

だんな【旦那・檀那】名 ①주인. ㉠
집안의 주장. ¶大家½½の若な～ 대갓집
의 젊은 주인. ㉡남편; 바깥 어른.
¶～様½½はお元気½½でいらっしゃいます
か 바깥 양반께선 안녕하십니까. ㉢나
리. ㉣영감; 첩의 남편. ¶～がある 영
감이 있다. 남자에 대한 경칭.
㉤불량배들이 경관을 부르는 높임말.
③장사치가 남자 손님을 부르는 높
임말. ¶～, 싸게 しておきます 손
님, 싸게 해 드리겠습니다. ④【佛】단
나; 시주(施主) ＝ 단가(檀家). ¶～
【―芸】부자나 큰 가게 주인 등이
여기(餘技)로 익혀둔 예능.

たんなる【単なる】連体 단순한. ―ただ
の. ¶～うわさにすぎない 단순한 풍
문에 지나지 않는다.

たんに【単に】副 단지；다만；그저.

***たんにん**【担任】ス他 담임. ＝受½け
持½ち. ¶学級½½ 학급. 담임.

だんねつ【断熱】名 ス自 단열. ¶～材½½
단열재.

たんねん【丹念】ダナ 단념；성심；공들
임；정성 들여 함. ＝入念½½. ¶～に
作½る 공들여[정성껏] 만들다.

だんねん【断念】名 ス他 단념.

たんのう【胆のう】【胆嚢】-nō 名 담낭;
쓸개.

たんのう【堪能】-nō 〓名½ (그 길에)
뛰어남；능함. ¶～に～だ 글씨에 뛰어나
다. 〓名 ス自 충분함；만족함. ¶もう
～した 이제 충분하다.

たんぱ【短波】tampa 名 단파. ↔中波
½½½·長波½½½

たんぱく【淡泊・淡白】tampa- ダナ
담박；담백. ①느낌·맛·빛깔이 담담한
모양. ¶～な味½는 담박한 맛. ↔濃厚½½.
②(성질 등이) 소탈한 모양. ¶～な
態度½½½ (술직) 담백한 태도.

たんぱく【蛋白】tampa- 名 단백. ¶
～質½ 단백질 ／ ～尿½½ 단백뇨.

たんぱつ【単発】tampa- 名自 단발. ①
동기가 하나임. ↔双発½½·多発½½. ②
한 발씩 쏨. ¶～銃½½ 단발총. ↔連発
½½.

だんぱつ【断髪】dampa- 〓名 ス自 단
발. ¶～令½ 단발령식. 〓名 ス他 단발 머리.
¶～娘½½ 단발 머리 처녀.

タンバリン tamba- 名【樂】탬버린. ▷
tambourine.

だんぱん【談判】dampan 名 ス自 담
판. ＝かけあい. ¶～は 직접 담판.

たんび【度】tambi 【口】~ 때 ～たび
(度). ¶見½る～に 볼 적마다.

たんび【耽美】tambi 名 탐미. ¶～主
義½½ 탐미주의.

たんび【嘆美・歎美】tambi 名 ス他 탄
미；감탄하여 칭찬함. ＝嘆賞½½½.

たんぴょう【短評】tampyō 名 단평；촌
평. ¶～を下½す 단평을 내리다.

だんびら【段平】dambi- 名〈俗〉(폭이
넓은) 칼. ¶～を振½り回½す 칼을 휘
두르다.

ダンピング dampin- 名 ス自 덤핑；투
매. ＝投売½½り. ▷dumping.

-**たんぶ**【反歩】【段歩】tambu 단보(段
歩)(300평) ¶五½～の畑は 5 단보의
밭. ⇨たん(反)②.

ダンプカー dampu- 名 덤프카；덤프 트
럭. ＝ダンプ. ▷dumpcart.

だんぶくろ【段袋】dambu- 名 ①큰 자
루. ②통이 넓은 양복바지.

タンブリング tambu- 名 텀블링. ▷
tumbling.

たんぶん【単文】tambun 名 ①간단한
글. ②【文法】단문. ↔重文½½·複文
½½.

たんぶん【探聞】tambun 名 ス他 탐문.

たんぶん【短文】tambun 名 단문；짧은
글. ↔長文½½½.

たんぺいきゅう【短兵急】 tampeikyū
ダナ 갑작스러움；느닷없음. ＝だしぬ
け. ¶～な要求½½½ 성급한[느닷없는]
요구. ▷dumbbell.

ダンベル dambe- 名 덤벨；아령(啞鈴).

たんぺん【単弁】tamben 名【植】단판

(単瓣);흩꽃잎. ¶～花⁰ 단판화. ↔重弁⁰⁰⁰.

たんぺん【短編】(短篇) tampen 图 단편. ¶～小説⁰⁰⁰ 단편 소설. ↔長編⁰⁰⁰.

だんぺん【断片】 dampen 图 단편;조각. 「각. =切⁰れはし.

*****たんぼ**【田圃】 tambo 图〈口〉논. =田⁰. ¶～道⁰ 논(두렁)길.

たんぽ【担保】 tampo 图【法】 담보. =抵当⁰⁰. かた. ¶～物件⁰⁰ 담보 물건.

たんぽ【湯婆】 tampo ⇒ゆたんぽ.

たんぼいん【単母音】 tambo- 图 단모음. ↔重母音⁰⁰⁰.

たんぼう【探訪】 tambō 图 ㅈ他 탐방. =たんほう. ¶～記事⁰ 탐방 기사.

*****だんぼう**【暖房】(煖房) dambō 图난방. ¶～器具⁰ 난방 기구. ↔冷房⁰⁰⁰.

だんボール【段ボール】 dambō- 图골판지(板紙). 「[들이고.

たんぽぽ【蒲公英】tampo- 图【植】 민 タンポポ tampon 图 탐폰. =綿球⁰⁰⁰. ▷도 Tampon.

たんほんい【単本位】 tambon-i 图【經】단본위. ¶～制⁰ 단본위제. ↔複本位⁰⁰.

たんまつ【端末】 tamma- 图 단말(기);단말 회로의 전류가 드나드는 전선의 끝). ¶～機⁰ 단말기 /～装置⁰⁰⁰ 단말 장치.

だんまつ【断末魔】(断末摩) damma- 图 단말마;임종. =死⁰にぎわ. ¶～の苦痛⁰⁰ 단말마의 고통.

たんまり tamma- 圓〈俗〉잔뜩;듬뿍;많이. ¶～チップをもらう 듬뿍 팁을 받다.

だんまり【黙り】 damma- 图〈俗〉무언;침묵;또, 침묵을 지켜 좀처럼 말이 없는 사람.

たんめい【短命】 tammei 图 단명. ¶～内閣⁰⁰ 단명 내각 /～に終⁰わる 단명으로 끝나다. ↔長命⁰⁰⁰.

だんめつ【断滅】 dammetsu 图 ㅈ自他 단멸;단절하여 멸망함[멸망시킴].

だんめん【断面】 dammen 图 단면. ¶～図⁰ 단면도 /社会⁰⁰の～⁰ 사회의 한 단면.

たんもの【反物】 tammo- 图 피륙;전여, 옷감. ¶～屋⁰ 포목점;드팀전.

たんや【鍛冶】(鍛冶) tan-ya 图 ㅈ他 대장일. かじ. ¶～鉄⁰⁰を 달구어진 쇠를 달구다.

だんやく【弾薬】 dan-yaku 图 탄약. ¶～庫⁰ 「우. =女優⁰⁰⁰. 약고.

だんゆう【男優】 -yū 图 남우;남자 배우.

たんよう【単葉】 -yō 图 단엽. ¶～機⁰ 단엽기. ↔複葉⁰⁰.

たんらく【短絡】 tanraku 图【電】 단락;합선(合線). =ショート.

だんらく【段落】 danraku 图 단락. ¶～にくき⁰ 단락으로 구분하다 /～をつける 단락을 짓다.

だんらん【団欒】 danran 图 ㅈ自 단란. ¶一家⁰⁰ 일가 단란.

たんり【単利】 图 단리. ¶～法⁰⁰ 단리법 /～計算⁰⁰ 단리 계산. ↔複利⁰⁰.

たんりゃく【胆略】 -ryaku 图 담략.

だんりゅう【暖流】 -ryū 图 난류. ↔寒流⁰⁰.

たんりょ【短慮】 -ryo 图ナ 단려. ①얕은 생각;천박(淺薄)한 사려. ②〈老〉파한 성질;성급함. =きみじか. ¶～を起⁰こしては損⁰だ 성마른 짓을 하면 손해다.

たんりょく【胆力】 -ryoku 图 담력. =度胸⁰⁰;きもっ玉⁰.

だんりょく【弾力】 -ryoku 图 탄력. ¶～性⁰ 탄력성 /～の強⁰いゴム 탄력성이 강한 고무.

たんれい【端麗】 图ナ 단려. ¶容姿⁰⁰な 용자 단려.

*****たんれん**【鍛錬·鍛練】 tanren 图 ㅈ他 단련;연마. ¶心身⁰⁰を～する 심신을 단련한다.

だんろん【談論】 图 담론.

だんわ【暖和】 图ナナ 난화;날씨가 따뜻함과 화창함.

だんわ【談話】 danwa 图 ㅈ自 담화. ¶～室⁰ 담화실 /首相⁰⁰の～ 수상의 담화 /～形式⁰⁰で発表⁰⁰する 담화 형식으로 발표하다. ⌐ご─語】图 담화어;이야기할 때의 말.

ち チ

①五十音図⁰⁰⁰⁰의 'た行⁰⁰'의 둘째 음.[chi] ②[字源] '知'의 초서세(かたかな 'チ'는 '千'의 전체).

*****ち**【千】 图〈雅〉천. =せん. ¶もも～ 백천(百千)(많음의 형용).

*****ち**【地】 图 ①땅;지. ⑦지면;지상(地上). 대지. ¶天⁰と～の差⁰ 하늘과 땅의 차;천양지차. ⓛ토지;지방. ¶景勝⁰⁰の～ 경승의 지. ⓒ장소. ¶安住⁰⁰の～ 안주의 땅. 소재지. ⓔ영토. ¶～を割⁰く 땅을〔영토를〕분할하다. ②위치;입장;처지. ¶労使⁰⁰の～を変⁰えると 노사가 입장을 바꾸면. ③책·화물·족자의 밑부분. ──に落⁰ちる 땅에 떨어지다;스러지다;쇠(퇴)하다. ──を払⁰う 땅을 쓸 듯이) 아주 없어지다.

ち【治】 图 ①세상이 잘 다스려짐. ↔乱⁰. ②정치;정사. ──に居⁰て乱⁰を忘⁰れず 치세에 있어 오히려 난세를 잊

지 않는다(평화스러운 때에도 방심 않고 비상시에 대비한다).

ち【知】(智) 图 ①지혜;슬기;사고력;이성(理性). ¶～余⁰って勇⁰足⁰⁰らず 슬기는 넘치되 용기는 모자라다 /～に働⁰けば角⁰が立⁰つ 이성에 치우치면 모가 난다. ②계략;지략(智略). ¶～にたけた人⁰ 지략에 뛰어난 사람. 注意 '知'로 쓰는 대용 한자.

*****ち**【血】 图 ①혈액.⑦~にまみれる 피투성이가 되다 /～が上⁰がる 옥라르다;흥분〔상기〕하다 /～を吐⁰く 피를 토하다. ②혈통;핏줄. ¶～は水⁰より濃⁰い 피는 물보다 진하다. ──が通⁰う 피가 통하다;인간으로서의 정감(情感)이 서로 오가다. ──が沸⁰く (감격·흥분으로) 피가 끓다〔용솟음치

다). ―で―を洗ポう 피로 피를 씻다가. 골육 상쟁(骨肉相爭)하다. ――と汗セの結晶 피와 땀의 결정. ―の出ゅるよう 피나는(피맺히는) 고생의 비유. ―のにじむよう 피나는것. ―もない피나다. ―も涙ダもない 피도 눈물도 없다(인정이 없고 매몰하다). ―を受うける 문학자의 지위 평가다. ―をすする ①(피로써) 맹세하다. ②남의 고혈을 빨다. ―を吐クく思いが 독한 괴로움(말못할 고통). ―を引ひ く汲筋はょ゛(액능)을 이어받다. ―を見みる피를 보다(유혈 사태를 내다). ―を分わける 피를 나누다: 부모 자식・형제의 사이.

チアガール 名 치어걸. ▷cheer girl.
ちあん 【治安】 名 치안. ¶~を保たもつ 치안을 유지하다.
ちい 【地位】 名 지위 : 신분 ; 처지. ¶『社会的ぎゃの― 사회적 지위 / 教師ぎゃの― 교사의 지위(신분) / 文学史上ぎゃんしょうの― 문학사상의 지위(평가).
ちい 【地衣】 名 【植】 지의 ; 석화(石花). ―こけ. ――るい 【―類】 名 【植】지의류.
ちいき 【地域】 名 지역. ¶~代表たいひょう〔社会ぎゃの〕 지역 대표(사회).
ちいく 【知育】【智育】 名 지육. ⇔德育とくいく・体育たいいく.
チーク 名 【植】 티크(버마・타이 등 지방의 원산으로, 건축・가구・선박・차량 용재). ▷teak.
***ちいさ-い** 【小さい】 chi― 形 ①작다. ¶―声ごえ 작은(목)소리 / ~くなる작아지다(겁이 나거나 사양하거나 하여 위축되는 뜻으로도 씀) / ~事どに こだわる 조그만 일에 구애되다 / 人物じぶが~ 인물(그릇)이 작다. ②적다. ¶影響えいきょうが~ 영향이 적다 / 三倍さんばいに~ 3은 5보다 적다. ③어리다 : 나이 값을 못 한다. ¶~かったころ 어렸을 때. ⇔大おおきい.
ちいさな 【小さな】 chi― 連体 작은. ―小ちいさい. ¶~家いえ자그마한 집.
チーズ 名 치즈. ▷cheese.
チーム 名 팀. ¶~カラー 팀 컬러(팀의 성격. ▷team. ――ワーク 名 팀워크. ▷teamwork.
***ちえ** 【知恵】【智慧】 名 지혜 ; 꾀. ¶~の持もちぐされ 지혜를 갖고도 썩힘 / ~を借かりる 지혜를 빌리다 ; 의견을 묻다. 꼬드기다. ――しゃ 【―者】 ―sha 名 지혜자 ; 지혜가 뛰어난 사람. ――のわ 【―の輪】 名 여러 개의 고리를 꺼었다 뺐다 하며 노는 장난감. ――ぶくろ 【―袋】 名 ①지혜 주머니 ; 두뇌. ¶~を絞しぼる 온갖 지혜를 다 짜내다. ②(동료 중에서 가장) 지혜가 있는 사람. 꾀보 ; 꾀주머니.
チェア chea 名 체어 ; 의자. ¶アーム~ 안락 의자. ▷chair.
チェーン chēn 名 체인. ①쇠사슬. ¶自転車じてんしゃの― 자전거의 체인. ②거리를 재는 단위(길이 약 20m 12cm 정도도). ③(영화 따위의) 흥행망이나 동일 자본에 의한 직계의 상점・극장. ▷chain. ――ストア 名 체인 스토어 ; 연쇄 (상)점. ▷chain store.

チェス chesu 名 체스 ; 서양 장기. ▷chess.
ちえっ chē 感 기대에 어긋나 마음에 마땅치 않음을 때 내는 말 : 체.
チェック chekku 名 체크. 一名 他 ①수표. ②바둑판 무늬. 一名 ㅈ他 ①표를 함 ; 또, 대조하여 검사함. ②(상대방의 공격 등을) 견제하여 저지함. ▷check. 「버저. ▷cherry.
チェリー cheri 名 【植】 체리 ; 빛나무.
チェリスト che― 名 첼리스트 ; 첼로 연주자. ▷cellist. 「cello.
チェロ chero 名 【樂】 첼로. ―セロ.
ちえん 【遅延】 名 ㅈ自 지연.
チェンジ chenji 名 ㅈ他自 체인지. ①교체(交替) ; 바꿈. ¶イメージ~ 이미지를 바꿈. ②(야구 따위에서) 공격과 수비를 바꿈. ▷change. ③『チェンジコート』의 준말 : (테니스 등에서) 코트를 바꿈. ▷change court.

***ちか** 【地下】 名 지하. ¶~に眠ねむる父ちち지하에 잠든 아버지(돌아가신 아버지) / ~組織ぞしき 【運動うんどう】 지하 조직(운동). ――に潜ひそむ 잠입한다(비밀로 비합법적인 정치 활동을 하다). ――がい 【―街】 名 지하 상가. ――しげん 【―資源】 名 지하 자원. ――しつ 【―室】 名 지하실. ――すい 【―水】 名 지하수. ――てつ 【―鉄】 名 『地下鉄道ちかてつどう(=지하 철도)'의 준말. ――どう 【―道】 名 ㅈ 지하도.
ちか 【地価】 名 지가 ; 땅값.
ちか 【治下】 名 (통)치하.
***ちか-い** 【近い】 形 가깝다. ¶~距離きょり 가까운 거리. ①시간상으로 멀지 않다. ¶学校がっこうに~ 所しょ 학교에 가까운 곳 / ~うち 근간(에) / 일간 / 六十ろくじゅうに~ 나이 육십에 가깝다. ⓑ혈연적으로 멀지 않다. ¶~親族しんぞく 가까운 친척. ②친한다. ¶ごく~間柄あいだがら 극히 가까운(친한) 사이. ③성질・내용이 비슷하다. ¶猿さるは人間にんげんに~ 원숭이는 인간에 가깝다. ④(수량 등이) 거의 …에 육박하다. ¶一万円いちまんえんに~お金かね 일 만 엔에 가까운 돈. ¶~目めが 근시이다. ⇔遠とおい.
ちかい 【誓(い)】 名 맹세(의 말). ¶~を破やぶる 맹세를 저버리다.
ちかい 【地階】 名 고층 건물의 지하층.
***ちがい** 【違い】 名 틀림 ; 차이 ; 상이. ¶性格せいかくの― 성격의 차이.
ちがいだな 【違い棚】 名 두 개의 판자를 아래 위로 높낮이게 매어 단 선반(床とこの間まに 흔히 설치함).
ちがいない 【ちがいない・違いない】 連語《…に~の형으로》 틀림없다 / 확실하다. ¶きっとそうに~ 꼭 그러함에 틀림없다(틀림없이 그럴 것이다).
ちがいほうけん 【治外法権】 ―hōken 名 【法】 치외 법권.
***ちか-う** 【誓う】 5他 맹세하다 ; 서약하다. ¶神かみにかけて~ 신을 두고 맹세하다.
***ちが-う** 【違う】 5自 ①다르다. ＝異ことなる. ¶性格せいかくが~ 성격이 다르다 / これ君きみのと~か 이것 자네 것과 다른가 ; 자네 것이 아닌가. ②틀리다 ; 잘못〔그릇〕되다. ＝まちがう・あやまる. ¶それでは話はなしが~ 그러면 이야기가 틀

린다.③어긋나다;접질리다.=はずれ
る.¶足ᇰの筋ᇰが～·った 발목이 접질
렸다.④비정상이 되다;이상하다.¶
気ᇰが～ 정신이 돌다.⑤《複合動詞
의 連体形으로》교차하다;엇갈리다.
¶すれ～(사람·차량 따위가 서로)스
쳐 지나가다.

ちが-える【違える】下一他①다르게〔달
리〕하다.¶今ᇰまでとやり方ᇰを~ 지
금까지와는 방식을 달리하다.②잘못
…하다;틀리게 하다.=まちがえる·
誤ᇰる.¶答ᇰを~ 답을 틀리다／
道ᇰを~·えた 길을 잘못 들었다.③어
기다;위반하다.¶約束ᇰを~ 약속을 틀
어기다.④어긋나게 하다;접질리다.
¶首ᇰの筋ᇰを~ 목을 접질리다.⑤이
간질하다.¶悪ᇰく言ᇰって二人ᇰの
仲ᇰを~ 나쁘게 말하여 두 사람 사이
를 갈라놓다.⑥교차시키다.¶枝ᇰと
枝ᇰを~ 가지와 가지를 엇갈 물리다.

*ちか-く【近く】□名①가까운 곳;근
처.¶~の店ᇰ 근처의 상점.②《接尾
語的으로》수량이 …에 가깝게.¶百
人ᇰ~ 한데 모여진 백명 가까이 모였
다.□副 근간;머지않아.¶~そう
なる 머지않아 그렇게 된다.

ちかく【地核】名 지핵;지심(地心).↔
地殻ᇰ.

ちかく【地殻】名 지각;지피(地皮).↔
~変動ᇰ名 지각 변동.↔地核ᇰ.

*ちかく【知覚】名ス他 지각.¶~神経
ᇰ 지각 신경.

ちがく【地学】名 지학.

*ちかごろ【近頃】(近頃)名 최근;요
사이;근래;요즈음.

ちかし-い【親しい】(親しい)-shi 形 친
하다;친밀하다.=親ᇰしい.

ちかぢか【近近】副 근근;머지않아;일
간.¶きんきん,近ᇰ~式ᇰをあげる予定
ᇰです 일간 식을 올릴 예정입니다.

ちかづき【近づき】(近附き)名 친밀히
교제함;친지.¶お～のしるしまでに
사귀게 된 정표로／～がない 친분이 없
다.

ちかづ-く【近づく】(近付く)下自 접근
하다.①가까이 가다;다가오다.¶冊
ᇰᇰが~ 배가 접근하다／夏ᇰが~ 여름이
다가오다.②친해지다;가까이 사귀
다.¶~·かない方ᇰがよい 가까이 하
지 않는 것이 좋다.③닮아가다;비슷
해(가까워)지다.¶だいぶ本物ᇰに
~·いてきた 어지간히 진짜와 비슷해
졌다.↔遠ᇰざかる.

ちかづ-ける【近づける】(近付ける)
下一他①가깝게 하다.¶本ᇰに目ᇰを
~ 책에 눈을 가까이 대다.②가까이
하다.¶女ᇰを~·けない 여자를 가까이
못 하다.

ちかって【誓って】-katte 副 맹세코.
①반드시;기어이;꼭.=必ᇰらず.¶
~成功ᇰしてみせる 꼭 성공하여 보이
겠다.②절대로;결코.=決ᇰして.¶
~そんな事ᇰはしない 맹세코 그런 일
은 안 한다.

ちかまわり【近回り】(近廻り)名 지름
길로 감.¶~(を)して先ᇰに着ᇰく 지
름길로 가서 먼저 닿다.↔遠回ᇰり.

*ちかみち【近道】(近路)名 지름길.①
가까운 길.→ぬけ道ᇰ.↔遠道ᇰ.②첩

경(捷徑);빠른 길.=はやみち.

ちかめ【近目】(近目)名(보통보다)
까움;또,그 느낌〔정도〕.↔遠ᇰ目ᇰ.

ちかめ【近目】(近眼)名 근시안.=き
んがん,近ᇰ眼ᇰ.→遠目ᇰ.②비유적으로,
박한 식견;천견(淺見).

*ちかよ-る【近寄る】[5]自 접근하다.①
가까이(다가)가다〔오다〕.→近付ᇰ
ᇰᇰ.¶~·って見ᇰる 다가가서 보다.②
근처(가까이)하다.¶不良ᇰᇰに~ 불
량자와 가까이하다.

‡ちから【力】名 힘.①근육의 힘;체력.
¶~が強ᇰい 힘이 세다.②능력;실
력;역량.¶数学ᇰᇰの~がある 수학
실력이 있다.③의지.¶むすこを~と
する 아들을 힘으로 여기다;아들을의
지하다.④효능;효력.¶くすりの~
약의 효능.⑤기운;정력.¶~を出ᇰす
힘을 내다.⑥권력;세력.¶~の政治
ᇰ 힘의 정치.⑦폭력;완력.¶~づ
く で 우격다짐으로;완력으로;강제로.
⑧(강하게)느껴지는〔영향을 미치는〕
작용.¶~を入ᇰれて言ᇰう 힘주어 말
하다;강조하여 말하다.──及ᇰばず 힘이
못 미치다;방도가 없다;할수 없다.
──に余ᇰる 힘에 부치다.──を入ᇰれる
①(하는 일에)힘을 쏟다.②(남을위
해)힘을 쓰다;도와주다.──を合ᇰわせ
る 힘을 합하다;협력하다.──を落ᇰと
す 낙심(낙담)하다.──を貸ᇰす 힘이
되어주다;도와주다.

ちからいっぱい【力一杯】(力一杯)
-ippai 副 힘껏.

ちからおとし【力落（と）し】名 실망하
여 기운이 빠짐;낙담함.¶さぞ～でご
ざいましょう 오죽이나 낙심이 되시겠
습니다.

ちからくらべ【力比べ】(力競べ)名
ス自 힘겨룸;힘〔기량〕겨루기.

ちからこぶ【力こぶ】(力瘤)名 알통.
──を入ᇰれる 중요시하여 열심히 진력
〔원조〕하다.

ちからしごと【力仕事】名 힘을 쓰는
일;육체 노동.

ちからぞえ【力添え】名 조력;원조.

ちからだのみ【力頼み】名 도와 주리라
믿고 의지함.¶君ᇰを～にしている 자
네만 믿고 있네.

ちからだめし【力試し】名(체력이나능
력을)시험해 봄.¶~にやってみる 시
험삼아 해보다.

ちからづく【力づく】(力付く)[5]自 기
운이 나다;용기가 나다.

ちからづ-ける【力づける】(力付ける)
下一他 기운을 내도록 북돋아 주다;또,
격려(위로)하다.

ちからづよ-い【力強い】形①마음 든
든하다.=気ᇰづよい.¶彼ᇰが居ᇰるの
で~ 그가 있어서 마음 든든하다.②
힘차다.¶~声ᇰ 힘찬 목소리.

ちからぬけ【力抜け】(力脱け)名 낙심
함;힘이 빠짐;맥이 풀림.¶~がする
맥이 빠지다.

ちからまかせ【力任せ】ダナ①전력을

だ하는 모양. ¶～に投げつける 힘
껏 내던지다. ②힘을 믿고 설치는 모
양.
ちからまけ【力負け】图 저절①힘을 지
나치게 들여서 도리어 실패함. ②힘이
달려 짐.
ちからみず【力水】图 (씨름할 때) 씨
름꾼이 입에 머금어 힘을 내는 물. =
化粧水^{ひょうすゐ}. ¶～ 「그 셈.
ちからもち【力持(ち)】图 힘이 셈; 또,
ちからわざ【力業】图 ①힘으로 하는 기
술. ②육체 노동.
ちかん【痴漢】图 치한.　　　「음.
ちかん【置換】图 저他 치환; 바꾸어 놓
ちき【知己】图 지기; 지인(知人); 친
지. ¶～の言^{げん} 지기지언(나를 알아 주
는 말).
ちき【稚気·穉気】图 치기; (어른에게서
남아 있는) 어린애 같은 기분. ¶言
"うことが～を帶びている 치기어린
말을 하다.
-ちき 사람의 상태를 나타내는 말에 붙
어 '～같은 녀석'의 뜻을 나타냄. ¶と
ん～ 얼간이.
ちぎ【千木】图 고대의 건축에서 지붕
위의 양끝에 X자 형으로 교차시킨 길
다란 목재(현재는 신사(神社)의 지붕
에만 쓰임).
ちぎ【地祇】图 지기; 지신(地神); 국
토의 신. ↔天神^{てん}.
*** ちきゅう**【地球】-kyū 图 지구. ¶～物
理学^{がく} 지구 물리학. ——かがく【—
科学】图 지구 과학. ——ぎ【—儀】
图 지구의. ——じょう【—上】-jō 图
지구상.
ちぎょ【稚魚】-gyo 图 치어. ↔成魚^{せいぎょ}.
ちきょう【地峡】-kyō 图 지협; 두 육지
를 잇는 좁은 육지. ¶パナマ～ 파나
마 지협.
ちぎょう【知行】-gyō 图 ①봉건 시대에
무사들에게 지급되었던 봉토; 또, 봉
록(俸祿). ②지행; 지식과 행위. =知
行^ち. ——とり【—取り】图 봉건 시
대에 녹(祿)을 토지로 받음; 또, 그 사
람; 또, 봉록으로 생활하던 사람.
ちきょうだい【乳兄弟】-kyōdai 图 젖형
제; 같은 젖을 먹고 자란 남남끼리.
ちぎり【契り】图 ①약속; 특히, 부부
의 약속(인연)을 맺음. ②전세(前世)
로부터의 인연. ——を結^{むす}ぶ ①서로 약
속하다. ②(부부의) 인연을 맺다.
ちぎ-る【契る】⑤他 장래를 굳게 약속
하다; 특히, 부부로서의 인연을 약속
하다.
***ちぎ-る**【千切る】⑤他 ①잘게 찢다; 찢
어 발기다; 잘게 째다. ②손
이를 뜯다. ②비틀어 들다. ¶みかん
を～ 귤을 비틀어 따다. ③接尾語的
으로》힘주는 말. ¶ほめ～ 몹시 칭찬
하다 / 引^ひき～ 잡아 뜯다[떼다, 찢
다].
ちぎれぢぎれ【千切れ千切れ】图副 갈
기갈기. =きれぎれ. ¶思^{おも}い～になっ
た 기가 갈기갈기 찢어졌다.
ちぎ-れる【千切れる】下1自 조각조각
〔갈가리〕 찢어지다; 잡아 뜯은 것 같은
상태가 되다. ¶ひもが～ 끈이 뚝 끊
어지다 / 耳^{みみ}が～れそうな추
워서 귀가 떨어져 나갈 것 같다.
チキン 图 치킨. ①병아리. ②닭고기.

¶～ライス 치킨라이스. ▷chicken.
***ちく**【地区】图 지구. ¶風致^{ふうち}～ 풍치
지구.
ちくいち【逐一】副 축일. ①하나하나;
차례대로. ¶～検討^{けんとう}する 차례로 하
나하나 검토하다. ②하나하나 자세히.
¶～報告^{ほうこく}する 하나하나 자세히 보
고하다.
ちぐう【知遇】-gū 图 지우; 인격이나
식견을 인정받아 후대를 받음. ¶～を
受^うける 인정받아 후한 대접을 받다.
ちくおんき【蓄音機】图 축음기. ¶
～をかける 축음기를 틀다.
ちくごやく【逐語訳】图 축어역; 글자
하나하나를 충실히 번역함; 또, 그 번
역. ↔意訳^{いやく}.　　　「き.
ちぐさ【千草】图 여러 가지 풀. =ちぐ
ちくざい【蓄財】图 축재. ¶～に
たける 축재에 능하다.　　　「산업.
ちくさん【畜産】图 축산. ¶～業^{ぎょう} 축
ちくじ【逐次】图 축차; 순서를 따라서;
순차(順次); 하나하나; 차차.
ちくしゃ【畜舎】-sha 图 축사. =家畜
小屋^{こや}.
ちくしょう【畜生】-shō 图 ①축생; 짐
승; =けもの. ②남을 욕할 때 쓰는
말; 빌어먹을; 개새끼. ¶こん～ 이 개
새끼.
ちくじょう【築城】-jō 图 저自 축성; 성
을 쌓음; 또, 진지를 만듦.
ちくじょう【逐条】-jō 图 축조. ¶～審
議^{しんぎ}する 축조 심의하다.
ちくせき【蓄積】图 저他 축적. ¶資
本^{ほん}の～ 자본 축적.
ちくぞう【築造】-zō 图 저他 축조.
ちくちく副 ①뾰족한 것으로 콕콕 찌
르는 모양; 또, 콕콕 찔리듯이 아픈 모
양; 콕콕; 따끔따끔. ¶腹^{はら}が
～痛^{いた}む 배가 쿡쿡 쑤시다 / 目^めが～す
る 눈이 따끔거리다. ②촘촘히 바느질
하는 모양.
ちくでん【蓄電】图 저自 축전. ¶～器^き
〔池^ち〕 축전기〔지〕.
ちくでん【逐電】图 저自 도망쳐 행방을
감춤; 출분(出奔). =ちくてん.
ちくねん【逐年】副 축년; 해가 갈수록;
매해. ¶～向上^{こうじょう}する 해마다 향상
하다.　　　　　「〔醫〕 축농증.
ちくのうしょう〔蓄膿症〕-nōshō 图
ちくば【竹馬】图 죽마. =たけうま.
——の友^{とも} 죽마지우(고우); 소꿉 동무.
ちぐはぐ 图 ①짝이 맞지 않음; 짝짝
이. ¶～の手袋^{てぶくろ} 짝짝이 장갑. ②뒤
죽박죽; 조화가 안 잡힌 모양. ¶言"う
ことが～だ 말의 앞뒤가 안 맞는다.
ちくび【乳首】图 젖꼭지; 유두(乳頭);
또, 이와 비슷하게 만든 것. =ちくび.
ちくりと副 ①바늘 따위로 찌르는 모
양; 콕; 따끔하게. ¶はちに～刺^さされた
る 벌한테 따끔하게 쏘이다. ②조금;
약간. ¶～痛^{いた}い 조금 아프다 / ～皮肉
^{ひにく}を言"う 슬쩍 비꼬다.
ちくりょく【畜力】图 축력; 가
축의 노동력.　　　　　「축.
ちくるい【畜類】图 축류; 짐승; 가
ちくわ【竹輪】图 '지^ちくわかまぼこ'의
준말; 으깬 생선살을 길쭉하게 빚어 대

꼬챙이에 꿰어 굽거나 전 관(管) 모양
의 음식.

ちけい【地形】⑧ 지형. ¶—図 지형
도.

チケット -ketto ⑧ 티켓;입장권·승차
권·회수권 따위의 표. ▷ticket.

ちけむり【血煙】⑧ 피보라. 피살 때
를 연기에 비유한 말. ¶—を立てて
倒れる 피를 내뿜으며 쓰러지다.

ちご【稚児】(児)⑧①신사나 사찰의 축
제 때의 행렬에 때때옷을 입고 참가하
는 어린이. ②남색(男色) 상대의 소년;
연동(戀童) ③〈古〉절 문무 고관 집이나
사찰에서 심부름을 하던 소년.

ちこう【地溝】-kō ⑧ 단층(斷層)
사이에 생긴 좁고 길게 꺼진 땅.

ちこく【治国】⑧ 나라를 다스림.
¶—平天下 치국 평천하.

*__ちこく__【遅刻】⑧ ㄷ自 지각.

ちさい【地裁】⑧『地方裁判所』의 준말;지법(地法).

ちさん【治山】⑧ 치산;치수. ¶—治水 치수.

ちさん【地産】⑧ ㄷ自 늦게 옴.

ちし【地誌】⑧ 지지. ¶郷土の—
향토의 지지. ＝ちえぼ.

ちし【智歯】⑧ 지치;사랑니. ＝おやしらず.

ちし【致仕】⑧ ㄷ自①(나이 많
아서) 관직을 사직함. ②⑧ 70세의 딴
이름.

ちし【致死】⑧ 치사. ¶過失—과실
치사. —りょう【—量】-ryō ⑧치사
량.

ちじ【知事】⑧ 지사(都·道·府·県의
의 장관).

ちしお【血潮·血汐】⑧①(흘러나오
는) 피. ②열혈(熱血)·열정(熱情)의
비유. ¶若い—がたぎる 젊은 피가
끓다.

*__ちしき__【知識】⑧ 지식. ¶欲に燃
える 지식욕에 불타다. —かいきゅう
【—階級】-kyū ⑧지식 계급;지식층.
＝インテリ (ゲンチア). —さんぎょ
う【—産業】-sangyō ⑧ 지식 산업.
—じん【—人】⑧지식인.

ちじき【磁気】⑧ 지자기;지구 자체
가 가지고 있는 자기.

ちじく【地軸】⑧ 지축. ¶—を揺るが
す響き 지축을 뒤흔드는 울림.

ちしつ【地質】⑧ 지질. ¶—学 지질
학. —じだい【—時代】⑧ 지질 시
대.

ちしゃ【萵苣】-sha ⑧〖植〗상치. ＝ちさ.

ちしゃ【治者】-sha ⑧①치자;통치
자. ②주권자.

ちしゃ【知者·智者】-sha ⑧①지자.
¶—は水を楽しむを好み, 仁者は山を
楽しむな 지자는 요수(樂水)하고 인자
는 요산(樂山)하느니라. ②〖佛〗지식
이 높은 이.

*__ちじょう__【地上】-jō ⑧ 지상.①지면의
위. ¶—権 지상권. ②이 세상. ¶—の
楽園 지상 낙원. ↔天上.

ちじょう【痴情】-jō ⑧ 치정. ¶—関
係 치정 관계.

ちじょう【知情意】-jōi ⑧ 지정의(지
성·감정·의지).

ちじょく【恥辱】-joku ⑧ 치욕. ＝は
じ.·はずかしめ. ¶—をうける 치욕을
당하다.

ちじん【地神】⑧ 지신;지기(地祇);땅

을 맡은 신. ＝くにつかみ. →天神.

ちじん【痴人】(癡人) ⑧ 치인;바보.
¶—の夢を説く 횡설수설하
다.

ちじん【知人】⑧ 지인;지기. ＝知り
あい.

ちしんじ【遅進児】⑧ 지진아. ¶学業
— 학업 지진아.

*__ちず__【地図】⑧ 지도. ¶世界—세계
지도.

ちすい【治水】⑧ 치수. ¶—治山 치수.

ちすじ【血筋】⑧ 핏줄.①혈통. ¶—は
争えないものだ 핏줄은 속일 수 없
다. ②혈관.

ちせい【地勢】⑧ 지세.

ちせい【治世】⑧ 치세.①잘 다스려진
세상. ¶堯舜の— 요순의 치세. ↔
乱世.②ㄷ自 군주로서 통치함;또,
그 기간.

ちせい【知性】⑧ 지성. ¶—人 지성
인. —てき【—的】〔ナ〕지성적.

ちせき【地籍】⑧ 지적. ¶—調査
지적 조사.

ちせつ【稚拙】〔ナ〕치졸;서투름.
¶—な絵 서툰 그림. ＝老巧.

ちそ【地租】⑧ 지조;토지에 과하는 수

ちそう【地層】-sō ⑧ 지층. ¶—益世.

ちそう【馳走】-sō ⑧ㄷ自ごちそう의
로)①손님을 대접함. ¶冬至は暖かな
な火が何よりのごちそう 겨울에는 따
뜻한 불이 무엇보다 좋은 대접이다. ②
맛있는 요리;성찬. ¶ごーが出る 맛
난 음식이 나오다.

ちそく【遅速】⑧ 지속;더딤과 빠름.

*__ちたい__【地帯】⑧ 지대. ¶工業（安
全）— 공업（안전）지대.

ちたい【痴態】⑧ 치태;추태.

ちたい【遅滞】⑧ㄷ自 지체. —なく 지
체없이.

ちだい【地代】⑧〈老〉지대;땅세.

ちたび【千度】⑧〈雅〉천 번;여러 번.

ちだるま【血だるま】（血達磨）⑧ 피투
성이.

チタン タン ⑧ 티탄;티타늄（금속 원소의 하
나）. ＝チタニウム. ▷도 Titan.

*__ちち__【父】⑧①비유적으로 개
조(開祖)나 선구자. ¶近代医学の
の— 근대 의학의 아버지. ↔母胞. ②（기
독교에서）하나님.

ちち【乳】⑧ 젖;또, 유방. ¶—を吸う
젖을 빨다.

ちち【遅遅】〔タル〕지지.①사물의 진
도가 늦음. ¶—として進まない 지지
지 부진（遅遅不進）의 진척이 맴. ②¶
春日— 봄날이 한가롭고 긺.

ちちいろ【乳色】⑧ 젖빛;유백색.

ちちうえ【父上】⑧ 아버지의 높임말;
아버님. ↔母上.

ちちおや【父親】⑧ 부친. ↔母親.

ちちかた【父方】⑧ 아버지 쪽의 혈통;
부계（父系）. ↔母方.

ちちぎみ【父君】⑧ 아버지의 높임말;
아버님. ↔母君.

ちちくさ-い【乳臭い】〔形〕젖내 나다;비
유적으로, 유치（미숙）하다. ¶—意見
유치한 의견. ＝くび.

ちちくび【乳首】⑧ 젖꼭지;유두. ＝ち
くび.

ちちくる【乳繰る】〔俗〕（남녀가
남몰래）장난하다;새롱거리다. 정교
(情交)하다.

ちちご【父御】图 상대방(의) 아버지의 높임말 ; 엄친 ; 어르신네 ; 춘부장. ↔母御芸.

ちぢこま-る【縮こまる】⑤ā 움츠리다 ; 앙당그리다 ; 오그라지다 (몸이) 오그라들다. ¶身☆が〜思いな 몸이 오그라드는 느낌.

ちちのひ【父の日】图 아버지의 날(6월 셋째 일요일).

ちちはは【父母】图 부모 ; 아버지 어머니 ; 어버이 ; 양친. =ふぼ.

*__ちぢま-る__【縮まる】⑤ā ①오그라(줄어)들다. ¶服地⇔が〜 옷감이 줄어들다. ②시간·거리 따위가 짧아지다. ¶寿命⇔が〜 수명이 짧아지다.

ちぢみ【縮み】图 ①오그라듦. ↔伸 のび. ②「縮み織り」의 준말.

ちぢみおり【縮み織(り)】图 바탕에 오글오글 잔주름이 생기도록 짠 옷감 ; 또, 그렇게 짜는 법. =ちぢみ.

ちぢ-む【縮む】⑤ā ①주름이 지다. 쪼글쪼글해지다. ②줄어들다 ; 오그라들다. ¶伸のびたり・んだりする 늘었다 줄었다 하다. ③두려워서 움츠러지다 ; 위축되다. ¶すみに〜 구석에 움츠리고 있다. =伸のびる.

*__ちぢ-める__【縮める】下一他 ①줄이다 ; 단축하다. ¶寿命⇔を〜 수명을 단축시키다 / 着物⇔のたけを〜 옷길이를 줄이다. ②움츠리다 ; 首⇔を〜 목을 움츠리다. ③찌푸리다 ; 眉⇔の間⇔を〜 양미간을 찌푸리다. =伸のびる.

ちちゅう【地中】-chū 图 지중 ; 땅 속 ; 지하. =地下ᅘ ; =地上ᅘ.

ちぢれげ【縮れ毛】图 고수머리 ; 곱슬머리. =ちぢれっけ.

*__ちぢ-れる__【縮れる】下一ā ①주름이 지다 ; 오그라지다 ; 주름이 지다 ; 곱슬곱슬해지다. ¶〜れている布⇔を伸のばす 주름진 천을 펴다 / 髪⇔が〜れている 고수머리다. ②작아지다 ; 좁아지다.

ちつ【帙】图 질 ; 서질 ; 갑. 图책이 상하지 않도록 싸는 책갑(冊匣).

ちつ【膣】图 질 ; 여자 생식기의 일부.

チッキ chikki 图 책 ; 철도 여객시 그 승차권을 써서 보내는 수화물(手貨物) ; 또, 그 수화물(相換證). ↔check.

ちっきょ【蟄居】chikkyo [名]スā ①칩거. ②江戸⇔ 시대, 무사에게 가하던 근신형(刑). ②벌레 등이 땅 속에 숨어 있음.

ちっこう【築港】chikkō 图スā 축항.

*__ちつじょ__【秩序】-jo 图 질서. ¶安寧⇔ 안녕 질서 / 〜を立てて話⇔す 조리를 세워서 이야기하다.

ちっそ【窒素】chisso 图 질소. 一ひりょう【─肥料】-ryō 图 질소 비료.

*__ちっそく__【窒息】chissoku 图スā 질식. 一じょうたい【─状態】 질식 상태.

ちっちゃ-い chitchai 形〈俗〉조그마하다. ちいさい.

ちつづき【血続き】图 혈연(血緣).

ちっと chitto 副〈俗〉약간 ; 조금. ¶〜は痛⇔いだろう 조금은 아플 게다 / 〜やそっとのことでは驚⇔かない 웬만한 일로는 놀라지 않다.

ちっとも chitto- 副〈뒤에 否定語가 따름〉조금도 ; 전혀 ; 잠시도. ¶〜変ちらない 변하지 않다 / 〜だまって おらない 잠시도 입을 다물고 있지 않다.

チップ chippu 팁. 一图①행하(行下) ; 해웃값 ; 화대. =こころづけ. ¶〜をはずむ 팁을 두둑하게 주다. ②볼펜 따위의 심(의 끝). ③【野】던진 공이 타자 배트에 스치는 일. ¶ファウル─ 파울팁. ◁tip.

ちっぽけ chippoke [名]〈俗〉자그마하고 보잘것 없음 ; 사소함 ; 소규모. ¶〜な体⇔さ 자그마한 몸집 / 〜だが活気⇔の ある会社⇔ 소규모지만 활기 있는 회사.

ちてい【地底】图 지저 ; 대지(大地)의 맨 밑바닥.

ちてき【知的】图 〜な顔⇔を した少女⇔ 지적인 얼굴을 한 소녀.

ちてん【地点】图 지점 ; 곳. ¶折返芸ᅘ─ 반환 지점 ; 되돌아오는 지점.

ちと 副〈俗・老〉약간 ; 좀 ; 잠깐. =ちっと. ¶〜おかしいぞ 좀 이상한데.

ちどうせつ【地動説】chidō- [天] 지동설. ↔天動説⇔.

ちとせ【千年・千歳】图 천세 ; 천 년 ; 또, 길고 긴 세월 ; 영원. ¶松☆は〜の 緑⇔を保ちつ 소나무는 영원한 푸르름을 간직한다. 「밀바닥.

ちどめ【血止め】图 지혈(止血) ; 또, 약. ─ぐすり【─薬】图 지혈제(劑).

ちどり【千鳥】图【鳥】물떼새. ─あし【─足】图 술취해서 비틀거림 ; 또, 그 걸음 ; 갈지자 걸음. 「─銳敏⇔ᅘ

ちどん【遅鈍】图 지둔함 ; 느리고 둔함.

ちなまぐさ-い【血生ぐさい】形 피비린내 나다 ; 또, 피를 보듯이 참혹하다.

ちなみに【因みに】副 덧붙여서 (말하면) ; 이와(그와) 관련하여. =ついでに言⇔えば.

ちな-む【因む】⑤ā 인연(연관) 짓다 ; …을 기념키 위해서 하다. ¶生⇔まれた土地⇔に〜んで名⇔をつける 태어난 곳을 관련지어 이름을 짓다.

ちぬだい【茅渟鯛】图〈関西方〉【魚】〈くろだい(=감성돔)〉의 딴이름. =ちぬ.

ちぬ-る【血塗る・釁る】⑤ā ①희생〔산 제물·적)의 피를 제기(祭器)에 발라 신에게 제사지내다. ②전투·살상 등으로 피를 흘리다. ¶〜られた日曜日⇔ 피의 일요일.

ちねつ【地熱】图 ☞じねつ.

ちのあめ【血の雨】连語 혈우 ; 큰 유혈 사건. ¶〜を降⇔らす 많은 사람을 살상하여 피바다를 만들다.

*__ちのう__【知能・智能】chinō 图 지능. ¶〜が低⇔い 지능이 낮다. ─けんさ【─検査】图 지능 검사. =멘탈 테스트. ─しすう【─指数】-sū [心] 지능 지수(기호 : I.Q.). ─はん【─犯】图 지능범. ↔強力犯ᅘᅘ.

ちのうみ【血の海】连語 피바다.

ちのけ【血の気】图 ①핏기. ②혈기 ; 원기. ¶〜が引⇔く 핏기가 가시다. ¶〜が多⇔い 혈기 왕성하다. 「루.

ちのなみだ【血の涙】图 피눈물 ; 혈루.

ちのみご【乳飲(み)子・乳呑(み)子・乳児】图 젖먹이 ; 유아(乳兒).

ちのみち【血の道】图 ①혈맥(血脈). ②'婦人病⇔ᅘᅘ(=부인병)'의 딴이름.

ちのめぐり【血の巡り】连語 ①피의 순

環. ②두뇌의 작용. ¶~のわるいやつ 머리가 둔한 녀석 / ~がいい 머리가 영리하다(좋다).

ちのり【地の利】[連語] 지리(地利);차 지한 땅의 위치가 유리함. ¶~を得 える 유리한 위치의 지점을 차지하다 / ~は人의 和에 しかず 지리는 인화만 못하다.

ちはい【遅配】[ス自他] 지배;배달(배 당, 지급)이 정규 기일보다 늦음.

ちばし−る【血走る】[5自] ①피가 내뻗 다. ②핏발이 서다;안구(眼球)가 충혈 되다. 寝不足もある 철야해서 눈이 충혈될 수 험생도 있다.

ちばなれ【乳離れ】[名][ス自] 젖떼기;이 유(離乳);또, 그 시기.

ちび〖名〗〈俗〉키가 작음;꼬마. ¶~の 癖に 어린 주제에 / うちの~がね 우리 집 꼬마가 말일세.

ちびちび[副]〈俗〉단번에 힘차게 하지 않고 조금씩 하는 모양. ¶∼酒を飲む 술을 홀짝 홀짝 마시다 / 金을 ~と使う 돈을 조 금씩 쓰다.

ちびっこ【ちび子】-bikko〖名〗〈俗〉꼬 마야이;꼬마.

ちひょう【地表】-hyō〖名〗지표.

ちびりちびり[副]〈俗〉☞ちびちび.

ちび−る[5他]①(오줌을) 지리다. ②쩨쩨하게 (다랍게) 굴다.

ち−びる【禿びる】[上1自]닳아서 무지러지 다. ¶~びた筆 몽당붓 / ~びたげ た 앞쪽이 무지러진 왜나막신.

ちひろ【千尋】〖名〗〖雅〗천심;천길;헤 아릴 수 없는 깊이. ¶~の海底없에 沈まむる 천길 바닷밑에 가라앉다.

ちぶ【恥部】〖名〗치부;음부;전하여, 남 에게 알리기 거북한 곳.

ちぶさ【乳房】〖名〗유방.

チフス〖窒扶斯〗〖名〗티푸스. =チブス. 発疹¾チフス = 발진티푸스 / 腸チ フス = 장티 푸스. ▷독 Typhus.

ちへい【地平】〖名〗지평. ①대지의 평면 ②水면. —面な지평면. ②지평선. ¶∼のか なた 지평선 너머. —せん【—線】〖名〗 지평선.

ちへん【地変】〖名〗지변;지이(地異). = 地異. 天災¾ = 천재 지변.

ちほ【地歩】〖名〗지보;지반;입장;위 치. ¶確実¾な~を占める 확실한 지 반을 차지하다.

*‡**ちほう**【地方】-hō〖名〗지방. ①어느 일 정한 지역. ¶∼議会─의 銀行─의 지방 의회〔은행〕/ 関西¾∼ 関西 지방. ②수도(首都) 이외의 지역. =いなか.

──ぎょうせい【──行政】-gyōsei 〖名〗 지방 행정. **──けんさつちょう**【──検 察庁】-chō〖名〗지방 검찰청. **──こう きょうだんたい**【──公共団体】-kō-kyō dantai〖名〗지방 공공 단체. **──こう むいん**【──公務員】-kōmuin〖名〗지방 공무원. **──さいばんしょ**【──裁判所】 -sho〖名〗지방 법원. **──し【──紙】** 〖名〗지방지;지방 신문. ↔中 央紙 **──じちたい**【──自治 体】〖名〗지방 자치(단)체. **──しょく** 【──色】-shoku〖名〗지방색. **──ぜい** 【──税】〖名〗지방세. **──ぶんけん**

──ぶんけん【──分権】〖名〗지방 분권. ↔中央集権

ちほう【痴呆】chihō〖名〗치매;백치. "치.

ちぼう【知謀·智謀】chibō〖名〗지모;지 혜스러운 계략.

ちまう[連語]〈俗〉…해버리다;…해치우 다('てしまう'의 막된 말씨). ¶いやん なっ─ 싫어진다 / そんな無理¾をする と死んぢまうぞ 그렇게 무리하다가는 죽는다.

ちまき【粽】〖名〗띠나 대나무 잎으로 말 아서 찐 떡(단옷날에 먹음).

ちまた【巷·岐】〖名〗①길이 갈리는 곳; 전하여, 번화한 거리;시가(市街). ¶ 歓楽꼬의 ~ 환락의 거리 / ~の声¾소 민의 소리;여론. ②사람이 많이 모이 는 장소. ¶戦たいの~ 싸움터.

ちまつり【血祭(り)】〖名〗출전할 때, 적 의 스파이 혹은 포로 따위를 죽여, 사 기를 북돋우는 일. —に上げる 희생 의 제물로 바치다.

ちまなこ【血眼】【血目】〖名〗혈안.

ちまみれ【血まみれ】【血塗り】[ダナ] 피 투성이가 됨. =血¾だらけ.

ちまめ【血豆】〖名〗피가 섞인 물집.

ちまよ−う【血迷う】[5自] 너무 흥분하 서 이성을 잃다〔눈이 뒤집히다〕. ¶ ~った犯人¾ 눈이 뒤집힌 범인.

ちみ【地味】〖名〗지미;지질;토지의 생 산력(土産).

ちみち【血道】〖名〗혈맥;혈관. —を上 げる 이성(異性)이나 도락 따위에 함 빡 빠지다.

ちみつ【緻密】[ダナ] 치밀. ¶~な計画 치밀한 계획.

ちみどろ【血みどろ】[ダナ] ☞ちまみ れ.

ちめい【地名】〖名〗지명. "れ.

ちめい【知名】〖名〗지명;이름이 널리 알려짐;또, 그런 사람. ¶~度が高 こい 저명도가 높다. —無名¾な.

ちめいしょう【致命傷】-shō〖名〗치명상. ¶~を与える 치명상을 입히다.

ちめいてき【致命的】[ダナ] 치명적.

ちもく【地目】〖名〗〖法〗지목. ¶~の変 更¾ 지목 변경.

ちもり【地守】〖名〗토지를 지키는 사람.

*‡**ちゃ**【茶】cha〖名〗①차. ¶~を入れる 차를 달이다. ②다도(茶道). ¶~を 習¾う 다도를 배우다. ③다색;갈색. ¶~に塗る 갈색으로 칠하다. ④바 보 취급함. —にする ①바보 취급하 다;얕보다. ②이용해 먹고 내버려 두 다. —を立てる 차를 끓이다〔타다〕. —を濁にす ☞おちゃ. —を引ひく 기생· 창녀가 손님이 없어 공치고 있다.

ちゃ[連語]①…이면;…하면('ては' 의 변화). ¶∼いっ─いけない 가면 안 돼. ②…이란('といったら'의 압축된 말씨). ¶∼おもしろい─ありません 재미란 더할 나위 없습니다.

チャーターchā-〖名〗〖ス他〗차터;전세 행기〔선박〕;또, 그 계약. ¶~機 전 세기. ▷charter.

チャーチchā-〖名〗처치;교회;예배당. ▷church.

チャートchā-〖名〗차트. ①(지도·해도 따위의) 도면. ②일람표. ▷chart.

チャーハンchā-〖名〗☞やきめし. ▷중 炒飯.

チャーミングchā-[ダナ] 차밍;매력이

チャーム chā- 名 他 참; 매력(魔力); 매력; 매혹함. ▷charm.

チャイナ chai- 名 ①차이나; 중화 민국; 중국. ¶~タウン 차이나 타운; 중국인 거리. ▷China. ②사기 그릇; 도자기. ▷china.

チャイム chai- 名 차임. ①[樂] 5-12 개가 한 벌로 되어 있는 조율(調律)된 종(소리); 또, 그 음악. ②차임벨. ▷chime.

*ちゃいろ【茶色】cha- 名 다색; 갈색. ¶~の服 갈색옷.

ちゃ-う chau 連語〈俗〉'てしまう(=…해)버리다'의 변화. ¶行''～ 가버리다／見''ちゃった 보고 말았다／そんな事を言''うヾ死'ヾちゃうから そんな事を言ヾ死ヾちゃうから 그런 말을 하면 죽어버릴 테니까.

ちゃうけ【茶請(け)】cha- 名 차에 곁들여 내는 과자 따위. =茶菓子''.

ちゃかい【茶会】cha- 名 다화회(茶話會); 차를 마시는 모임. =茶の湯の会.

ちゃがし【茶菓子】cha- 名 ☞ちゃうけ.

ちゃかす【茶化す】cha- 五 他〈俗〉①농으로 돌려 버리다; 얼버무리다; (농 비슷한 말로 얼버무려) 넘겨 버리다. ¶うまく～して逃''げる 적당히 얼버무리고 달아나다(피하다).

ちゃかちゃか chakachaka 副〈俗〉(성격·행동 따위가) 침착하지 못하고 수선하며 떠들썩한 모양; 덜렁덜렁. ¶~した人 덜렁거리는 사람.

ちゃかっしょく【茶褐色】chakasshoku 名 다갈색.

ちゃがま【茶がま】【茶釜】cha- 名 차를 끓이는 솥. →ちゃたま.

ちゃき【茶器】cha- 名 차기. →ちゃどうぐ.

ちゃきちゃき chakichaki 名〈俗〉①정통; 순수; 적류(嫡流). =生粋''. ¶~の江戸''っ子 순 에도 토박이. ②동료 중에서 위세를 떨치는 사람. =頭''がか위치하는 소리; 삭독삭독. =ちょきちょき.

ちゃく【着】chaku 착. 名 ①도착함. ¶早朝''の~ 아침 일찍이 도착함. 二[接尾] ①옷을 세는 말; 벌. ¶夏服''～一着 여름 한 벌. ②도착 순서를 세는 말. ¶第一''～ 제1착.

ちゃくい【着意】cha- 名 자 自 착의. ①주의(注意). ②착상(着想).

ちゃくい【着衣】cha- 名 자 自 착의. ①입고 있는 옷; 옷을 입음. ↔脱衣''.

ちゃくえき【着駅】cha- 名 자 自 착역. ¶~払''い 도착역에서 (운임(運賃)을) 지불.

ちゃくがん【着岸】cha- 名 자 自 착안; (배가) 강 언덕[해안]에 닿음.

ちゃくがん【着眼】cha- 名 자 自 착안. ¶すばらしい～ (a)멋있는 관찰; (b)멋있는 아이디어. 一点[名] 착안점. 「석. =着眼点''.

ちゃくざ【着座】cha- 名 자 自 착좌; 착석.

ちゃくし【着子】cha- 名 ①적자; 적손(嫡孫). ↔庶子''. ②적사(嫡嗣). =あとつぎ.

*ちゃくじつ【着実】cha- 名 ダナ 착실. ¶~な進歩''た 착실한 진보. 「수. ちゃくしゅ【着手】chakushu 名 자 自 착

ちゃくしゅつ【嫡出】chakushutsu 名 적출; 본처 소생. ¶~子 적출자. ↔庶出''との.

ちゃくしょく【着色】chakushoku 名 자 自 착색; 채색. ¶人工''~ 인공 착색／~剤 착색제.

ちゃくしん【着信】cha- 名 자 自 착신; 편지 등이 닿음. →発信''.

ちゃくすい【着水】cha- 名 자 自 착수; 물위에 내림. →離水''.

ちゃく-する【着する】【着する】cha- 自 サ変他 ①도착하다; 닿다; 이르다. =つく・とどく. ②달라붙다; 부착(附着)하다. =くっつく. ③집착하다. 二サ変他 착용하다; 입다. =着る.

ちゃくせい【着生】cha- 名 자 自 [植] 착생; 다른 것에 부착하여 생육함. ¶~植物たき 착생 식물.

ちゃくせき【着席】cha- 名 자 自 착석.

ちゃくそう【着想】chakusō 名 착상. =思''いつき・アイデア.

ちゃくそん【嫡孫】cha- 名 적손; 적자(嫡子)의 적자.

ちゃくち【着地】cha- 名 자 自 착지. ①착륙(장소). ②도착지. ③〈비유〉~地점 착지 불(佛). ↔発地''は점. ④(기계 체조에서) 연기를 마치고 땅으로 내려섬.

ちゃくちゃく【着着】chakuchaku 副 착착; 한걸음 한걸음. =一歩''一歩''. ¶~成功''に近''づく 착착 성공에 가까워지다. 「[嫡子]

ちゃくなん【嫡男】cha- 名 적남; 적자.

ちゃくにん【着任】cha- 名 자 自 착임; 임지(任地)에 도착함; 새 임무를 맡음.

ちゃくばらい【着払い】cha- 名 (우편물·배달물의 요금을 수취인(受取人)이 지불하는)

ちゃくふく【着服】cha- 名 착복. 一[名] 자 自 옷을 입음; 또 그 옷. 二[名] 자 自 몰래 제 것으로 함. ¶公金''を~する 공금을 착복하다.

ちゃくぼう【着帽】chakubō 名 자 自 착모. ①모자를 씀. ↔脱帽''だよ. ②공사장에서 안전 헬멧을 씀. 「주목」.

ちゃくもく【着目】cha- 名 자 自 착목. =着眼''.

ちゃくよう【着用】chakuyō 名 자 他 착용; 옷 따위를 입음. ↔脱''離衣.

ちゃくりく【着陸】chakuriku 名 자 自 착륙.

ちゃくりゅう【嫡流】cha- 名 적류. ①본가의 혈통. ↔庶流''. ②정통의 유파(流派). =嫡嫡''.

チャコ【茶コ】【裁コ】 초크; 옷감을 마를 때 표기하기 위하여 쓰는 분필. ▷chalk.

ちゃさじ【茶さじ】【茶匙】cha- 名 찻숟가락. =ティースプーン.

ちゃじ【茶事】cha- 名 차사; 다회(茶會)를 하는 방·건물. =数奇屋''れ.

ちゃじん【茶人】cha- 名 다도(茶道)를 좋아하는 사람; 다도에 통한 사람; 전하여, 풍류인(風流人).

ちゃだい【茶代】cha- 名 ①찻값. ②팁. =チップ. 「받치는 접시.

ちゃたく【茶托】【茶托】cha- 名 찻잔을

ちゃだんす【茶だんす】【茶簞笥】cha- 名 찻장(茶欌).

ちゃっか【着荷】chakka 名 ¶苺''が大量に~した 딸기가 대량 입하됐다.

ちゃっか【着火】chakka 名 자 自 他 착

화. ——てん【—点】图 착화점; 발화
점. =発火点ぼ.

ちゃっかり 副〈俗〉(잇속을 바
라고) 빈틈없이 행동하는 모양; 야나리
모양. ¶——したやつ 약아빠진 놈; 약바
리; 깍쟁이.

チャック chakku 图 척〈공구(工具)·가
공물 따위를 고정시키는 일종의 죄여
바이스〉. ▷chuck. 　　「일 Chack.

チャック chakku 图〈商標名〉지퍼.

ちゃづけ【茶漬(け)】chazuke 图 밥에
더운 차를 붓는 일; 또, 그런 밥. ¶
——にして食べる 찻물에 말아서 먹다.

ちゃっけん【着剣】chakken 图 ス目 착
검; 총끝에 칼을 꽂음.

ちゃっこう【着工】chakkō 图 ス目 착
공; 공사를 시작함. ↔竣工しゅん.

ちゃつみ【茶摘み】cha- 图 찻잎을 따
는 일; 또, 그 사람. ¶~歌うた 찻잎을
따며 부르는 민요.

ちゃどう【茶道】chadō 图 다도. ①차
를 끓이거나 마시는 예법. =さどう. ②
┗ちゃぼうず(茶坊主)

ちゃのき【茶の木】cha- 图〈植〉차나무
〈어린 잎은 홍차의 원료〉.

ちゃのま【茶の間】cha- 图 ①가족이 식
사하는 방. ②다실(茶室)

ちゃのみ【茶飲み】(茶呑み)cha- 图 ①
차를 잘 마심; 또, 그런 사람. ②찻잔
('茶飲ちゃみ茶わん'의 준말). ——とも
だち【——友達】图 ①허물없이 사귀는
친구. ②노후(老後)〈늘그막〉에 의좋은
부부. ——ばなし【——話】图 차를 마
시면서 부담없이 주고받는 세상 이야
기; 한담(閑談). =茶話さわ.

ちゃのゆ【茶の湯】cha- 图 다도(茶道)
〈손님을 초대하여 차를 끓여서 대접하는
예의 범절〉. =茶道さどう.

ちゃばしら【茶柱】cha- 图 엽차를 찻잔
에 부을 때 곧추 뜨는 차의 줄기〈길조
(吉兆)라 함〉.

ちゃばたけ【茶畑】cha- 图 차나무 밭.

ちゃばん【茶番】cha- 图 ①차 시중을
드는 사람. ②茶番狂言ばんきょう의 준말.
——きょうげん【——狂言】-kyōgen 图
①손짓·몸짓으로 좌중을 웃기는 익살
극. =茶番劇げき. ②속이 빤히 들여다 보
이는 짓.

ちゃびん【茶瓶】(茶罐)cha- 图 ①차관(茶
罐); 찻주전자. =やかん. ②〈方·蔑〉
대머리; 대머리〈얕보는 말〉. ③다도구
(茶道具) 일습을 넣어 가지고
다니는 도구.

ちゃぶだい【ちゃぶ台】(卓袱台) cha-
图 다리가 낮은 밥상.

ちゃぶや【ちゃぶ屋】(卓袱屋)cha- 图
무역항 등에서 하급 선원이나 외국인
등을 상대로 하는 선술집.

チャボ【矮鶏】cha- 图〈鳥〉당닭〈찖과
에 속하는 애완용 닭〉.

ちゃぼうず【茶坊主】chabōzu 图 ①무
가(武家)에서 다도(茶道)를 맡아 보던
사람. ②권력자에게 빌붙어 으스대는
자들 among의 뜻.

ちやほや 副 얼러주는 모양; 상대를 추
어올리는 모양; 얼씨러는 모양; 알랑
알랑. ¶~と御機嫌ごきげんを取とる 추어
올려 비위를 맞추다 / 子供こどもを~する
아이를 오냐오냐 하다.

ちゃみせ【茶店】cha- 图 다점; (차나
과자를 먹으며 휴식(休息)할 수 있는)
찻집. =かけぢゃ.

ちゃめ【茶目】cha- 图ダナ 익살맞은
장난을 함; 또, 그렇게 하는 성질; 또,
그런 사람. ¶~っ子こ 장난꾸러기 애 /
~っ気き 장난기.

ちゃや【茶屋】cha- 图 ①재료로서의
찻잎을 파는 가게. =葉茶屋はぢゃ. ②
┗ちゃみせ. ③요정(料亭). =水茶屋
みずぢゃ. ¶~遊あそび 요정 유흥 / ~酒ざけ 요
정에서 마시는 술. ④씨름터·극장 따
위에 부속되어 손님을 유숙시키거나 안
내하거나 하는 집. =引手茶屋ひきてぢゃ. ⑤
(다도에서) 다실.

ちゃらかす cha- 他五 찰랑거리며 어
떤 의향을 나타내다; 자랑스럽게 보여
주다. ¶金かねを~せて承諾しょうだくを迫せま
る 돈을 내비치면서 승낙을 강요하다.

ちゃらんぽらん charampo- 图ダナ〈俗〉
들떠서 되는 대로 함; 또, 그런 말.
¶~なやり方かた 아무렇게나 되는 대로
하는 방식.

チャルメラ cha- 图〈樂〉차르멜라; (메
밀국수 노점상이 부는 날라리. ▷포
charamela.

ちゃわ【茶話】cha- 图 다화; 차를 마시
면서 주고받는 한담(閑談). =茶飲ちゃの
み話ばなし. さわ. ¶~会かい 다화회.

*ちゃわん【茶わん】(茶碗)cha- 图 찻종;
밥공기. ¶~酒ざけ 큰 잔술 / 茶飲ちゃわん
碗むし 찻종 / 茶碗蒸ちゃわんむし 밥공기.

ちゃん【父】chan 图〈俗〉(하층 사회에
서) 아빠. =おやじ.

-ちゃん chan 《名詞에 붙여서》 친근감을
주는 호칭('さん'보다 다정한 호칭). ¶
おかあ~ 엄마 / おば~ 할머니 / 太
郎たろう~ 太郎야.

チャンス chan- 图 찬스; 기회; 호기(好
機). ¶~メーカー 찬스 메이커. ▷
chance.

ちゃんちゃらおかし-い chancharaoka-
shi 形〈俗〉우습기 짝없다; 가소롭다.
¶あいつの言いうことなんか~くて聞きい
ていられない 저 자의 하는 말은 말
같잖아서 듣고 있을 수 없다.

ちゃんちゃん chanchan ㊀〈兄〉마지
막; 끝. =おしまい. ㊁副 ①규칙바르
게 하는 모양: 척척. ②날붙이가 부딪
는 소리: 쟁쟁.

ちゃんちゃんばらばら chanchan- 图
〈俗〉칼싸움 (소리). =ちゃんばら.

*ちゃんと chan- 副 ①정확하고 틀림이 없
는 모양. ①단정하며; 빈틈없이; 착실
하게. =きちんと. ¶~した職業しょくぎょう
착실한(여염된) 직업 / 仕事しごとを~
ます 일을 야무지게 끝내다 / ~すわる
단정하게 앉다 / ~並ならぶ 나란히 정렬
하다. ②확실히; 정확히며; 분
명히. ¶~知しってるぞ 다 〔빤히〕 알고
있단 말이다 / 勘定かんじょうは~合あっている
그 계산은 정확히 맞는다 / 書留かきとめで
~着ついた 등기 우편은 확실히〔어김없
이〕 배달되었다.

チャンネル chan- 图 채널; 텔레비전 방
송국에 할당된 주파수. ¶~権けん 채널
권. ▷channel.

ちゃんばら chambara 图〈俗〉칼싸움;
난투. =ちゃんちゃんばらばら. ¶~

映画が(역사극의) 칼싸움 영화.

チャンピオン champion 图 챔피언. 선수(권 보유자). ①우승자. ¶──シップ 챔피언십；선수권. ③제일인자. ▷ champion.

ちゃんぽん champon 图 짬뽕. ①한데 섞음. ¶酒류とビールをかわるむ飲む 종을 먹고 또 맥주를 마시다. ②【料】국수·고기·야채 따위를 섞어 끓인 중국 요리의 하나.

ちゆ【治癒】图ス自 치유.

ちゆう【知勇】【智勇】-yū 图 지용；지혜와 용기. ¶──兼備ぶ 지용 겸비.

ちゆう【知友】-yū 图 지우；친구. 지己え.

ちゅう【中】chū 图. 曰图 ①⑦가운데；사이；중간. ¶──以上に下がる 중이하로 떨어지다. ①중간 정도；좋지도 않고 나쁘지도 않음. ¶──の物건 중치의 물건. ¶↑上·↓下. ②중간쯤의 크기. ¶大는·小는. ③치우치지 않음；중용(中庸)；중도. ¶──を失わず 중용을 잃지 않다. ④「中学校がこう」의 준말. ¶──학교(=중학교)'의 준말. 曰接尾 ①가운데；속；안. ¶空気き~のほこり 공기 중의 먼지. ②안에 있음. ¶今週しゆう~ 금주중. ③지금 그 상태에 있음；도중. ¶お話し~ 이야기하는 도중；통화중. ④과녁에 맞음. ¶百発ぱ百ぴゃく~ 백발 백중.

***ちゅう**【宙】chū 图 ①하늘；허공；공중. ¶計画かくを~に浮うかべる 계획이 공중[허공]에 뜨다(흐지부지 되다) /~を飛ぶとで帰る 공중을 날듯이[부리나케] 돌아오다 /~に迷まよう 허공을 헤매다(어쩔 줄을 모르다). ②(글씨를 보지 않고) 외어서 말함. ¶そら、~で言う 보지 않고 말하다；암송하다.

ちゅう【忠】chū 图 ①충실. ②군주를 섬기는 정성. ¶君に~、親おやに孝こう 임금에는 충성, 어버이에게는 효도.

ちゅう【注】【註】chū 图 주；풀이；주해. ¶~を付つける 주해를 붙이다.

ちゅう【酎】chū 〈俗〉「焼酎しょうちゅう(=소주)'의 준말.

ちゅう chū 連圏 〈俗〉…라 하는('という'의 변화). =つう. ¶分かった~に 알았다니까 /なん~こと (이거) 무슨 짓이냐；어떻게 된 일이냐(원 세상에). ¶──英に ~명.

ちゅう-【駐】chū 주…；주재하는.

***ちゅうい**【注意】chū 图ス自 주의；경계；충고. ¶車くるまに注意して渡わたる 차를 조심하여 건너다 /用心ようじんしたまえと~された 조심하라고 주의를 받았다. ──じんぶつ【──人物】-jimbutsu 图 요주의 인물. ──ほう【──報】-hō 图気 주의보. ──きょうふう【──強風】-kyōfū 图 강풍 주의보.

チューインガム chūin- 图 추잉검；껌. =ガム. ▷ chewing gum.

***ちゅうおう**【中央】chūō 图 중앙. ¶~部ぶ 중앙부 /~暖房だんぼう 중앙 난방 /~政府せいふ 중앙 정부. ──ぎんこう【──銀行】-ginkō 图 중앙 은행. ──しゅうけん【──集権】-shūken 图 중앙 집권. ↔地方分権ちほうぶんけん. ──ひょうじゅんじ【──標準時】-hyōjunji 图 중앙 표준시. ──ぶんりたい【──分離帯】帯 图 중앙 분리대.

ちゅうおし【中押し(し)】chū- 图 (바둑에서) 불계(不計). ¶──勝がち 불계승 /──負ゖ 불계패.

ちゅうおん【中音】chū- 图 ①중음；높지도 낮지도 않은 음. ②【樂】알토；또, 테너.

ちゅうか【中華】chū- 图 ①중화；중국인이 자기 나라를 가장 훌륭하다고 생각함；또, 그 호칭. ¶──思想しそう 중화사상. ②중국. ¶──料理りょうり 중국 요리；청요리.

ちゅうかい【仲介】chū- 图ス他 중개. =なかだち·あっせん. ¶株かぶの売買ばいを~する 주식 매매를 중개하다.

ちゅうかい【注解】【註解】chū- 图 주해.

ちゅうがい【虫害】chū- 图 충해.

ちゅうがえり【宙返り】chū- 图ス自 ①공중제비；재주 넘기. =とんぼがえり. ②비행기의 공중 회전. =ループ.

ちゅうがく【中学】chū- 图「中学校がっこう'의 준말. ──せい【──生】图 중학생.

ちゅうがた【中型】chū- 图 중형；중간 정도의 형(型). ↔大型おおがた·小型こがた.

ちゅうがた【中形】chū- 图 중형；중간 정도의 크기. ↔大形おおがた·小形こがた.

ちゅうがっこう【中学校】chūgakkō 图 중학교.

***ちゅうかん**【中間】chū- 图 중간. ¶──派は 중간파 /~点てんで引ひき返かえした 중간 지점에서 되돌아왔다. ──し【──子】【理】중간자. =メソン. ──しゅくしゅ【──宿主】-shukushu 图生 중간 숙주. ──しょく【──色】-shoku 图 중간색. =間色かんしょく.

ちゅうき【昼間】chū- 图 주간；낮. =ひるま. ↔夜間やかん. ──じんこう【──人口】-jinkō 图 주간 인구.

ちゅうき【中期】chū- 图 중기；중간 시기. ↔前期ぜんき·後期こうき. ¶初期しょき·末期まっき.

ちゅうき【中気】chū- 图〈老〉 =ちゅうぶ(中風).

ちゅうき【注記】【註記】chū- 图ス他 주기；주를 달음. 또, 단 것.

ちゅうぎ【忠義】chū- 图 충의；충절. ──がお【──顔】图ス自 충성스러운 듯한 표정.

***ちゅうきゅう**【中級】chūkyū 图 중급. ¶上級じょうきゅう·下級かきゅう·初級しょきゅう.

ちゅうきょう【中共】chūkyō 图 중공. ¶~共産党きょうさんとう(=중국 공산당)'의 준말. ──ぐん【──軍】图 중공군.

ちゅうきょう【中京】chūkyō 图 名古屋しや의 딴이름. ¶「中 근무함.

ちゅうきん【忠勤】chū- 图 충근；충실 근무.

ちゅうきん【鋳金】chū- 图 주금；금속을 부어 만드는 일；또, 그 기술.

ちゅうきんとう【中近東】chūkintō 图【地】중근동；중동과 근동의 총칭.

ちゅうくう【中空】chūkū 图 중공. ①중천(中天). ¶~のなぞら, ~の一角を さす 중천의 일각을 가리키다. ②텅 비어 있음；공허. ¶かうんどう, ~になった古木ぶ 속이 빈 고목.

ちゅうぐう【中宮】chū- 图 ①황후의 거처；전하여, 황후 또는 三后こう. ②황후와 동격인 후(后).

ちゅうぐらい【中ぐらい】【中位】chū-图 중위; 중간 정도. =ちゅうくらい.

*__ちゅうけい__【中継】chū- 图 ㋜他 중계. =なかつぎ. ¶ ～貿易綜ᇂ 중계 무역 / ～放送綜ᇂ 중계 방송.

*__ちゅうけん__【中堅】chū- 图 중견. ①중심 인물. ¶ ～幹部綜ᇂ 중견 간부. ②【野】중견수. =センター.

ちゅうげん【中元】chū- 图 중원; 음력 7월 15일; 백중날; 백중 때의 선물.

ちゅうげん【中間】chū- 图 무가(武家)의 하인(신분은 侍綜ᇂ와 小者綜ᇂ와의 중간).

ちゅうげん【忠言】chū- 图 ㋜自 충언; 충고. =忠告綜ᇂ. ¶ ～耳綜ᇂに逆綜ᇂらう 충언은 귀에 거슬린다.

ちゅうこ【中古】chū- 图 ①중고. ¶ ～車綜ᇂ 중고차 / ～品綜ᇂを買綜ᇂう 중고품을 사다. ②중고 시대.

ちゅうこう【中興】chūkō 图 ㋜他 중흥.

ちゅうこう【忠孝】chūkō 图 충효.

ちゅうこう【鋳鋼】chūkō 图 주강; 단강(鍛鋼); 주조된 강철.

*__ちゅうこく__【忠告】chū- 图 ㋜自 충고; 충언. =忠言綜ᇂ.

ちゅうごく【中国】chū- 图 ①나라의 중앙부. ②일본의 山陽綜ᇂ・山陰綜ᇂ 지방. ③중국. ¶ 二綜ᇂつの一 두 개의 중국. ━ご【一語】中国语; 중국어. ━じん【一人】图 중국인; 중국 사람.

ちゅうごし【中腰】chū- 图 반쯤 일어선 자세; 엉거주춤한 자세.

ちゅうざ【中座】chū- 图 ㋜自 (담화・집회 따위에서) 도중에 자리를 뜸.

ちゅうさい【仲裁】chū- 图 ㋜他 중재; 중간에 들어 쌍방을 화해시킴; 또는 그 사람. =調停綜ᇂ. ¶ ～の労綜ᇂを執綜ᇂる 중재 역할을 맡다.

ちゅうざい【駐在】chū- 图 ㋜自 ①주재. ¶ 海外綜ᇂ～員綜ᇂ 해외 주재원. ②㋒'駐在所綜ᇂ'(=주재소; 파출소)의 준말. ㋓(俗) 파출소[지서] 순경.

ちゅうさんかいきゅう【中産階級】chū-san kaikyū 图 중산 계급. =有産綜ᇂ階級・無産綜ᇂ階級.

*__ちゅうし__【中止】chū- 图 ㋜他 중지. ━ほう【一法】-hō 图 【文法】중지법(連用形綜ᇂの한 용법; 山綜ᇂは青綜ᇂく, 水綜ᇂは清綜ᇂし(=산은 푸르고 물은 맑다)의 '青綜ᇂ' 따위). =連用中止綜ᇂ.

*__ちゅうし__【注視】chū- 图 ㋜他 주시; 주목. =注目綜ᇂ.

ちゅうじ【中耳】chū- 图 【生】중이; 고막과 내이(內耳)의 중간 부분. ¶ ～炎綜ᇂ 중이염.

ちゅうじき【昼食・中食】chū- 图 〈老〉중식; 점심. =昼飯綜ᇂ・ちゅうしょく.

ちゅうじく【中軸】chū- 图 중축; 사물의 중심. ¶ 会社綜ᇂの一となる 회사의 중심 인물이 되다.

*__ちゅうじつ__【忠実】chū- ㋖ナ 충실. ¶ ～な記述綜ᇂ 충실한 기술.

*__ちゅうしゃ__【注射】chūsha 图 ㋜他 주사. ¶ ～薬綜ᇂ[器綜ᇂ] 주사약[기] / 予防綜ᇂ～ 예방 주사.

*__ちゅうしゃ__【駐車】chūsha 图 ㋜自 주차. ¶ ～禁止綜ᇂ 주차 금지 / ～場綜ᇂ 주차장.

*__ちゅうしゃく__【注釈】【註釈】chūshaku 图 주석; 주해. =注綜ᇂ・注解綜ᇂ.

ちゅうしゅう【中秋】chū- 图 중추; 음력 8월 15일. =一名月綜ᇂ 중추 명월.

ちゅうしゅう【仲秋】chū- 图 중추. ①가을의 한창때; 한가을. ↔初秋綜ᇂ・晩秋綜ᇂ. ②음력 8월의 딴이름.

ちゅうしゅつ【抽出】chūshu- 图 ㋜他 추출; 빼냄. ¶ 見本綜ᇂ～法綜ᇂ 견본 추출법. ⇨サンプリング.

ちゅうしゅん【仲春】chūshun 图 중춘; 음력 2월. ↔初春綜ᇂ・晩春綜ᇂ.

*__ちゅうじゅん__【中旬】chūjun 图 중순; 上旬綜ᇂ・下旬綜ᇂ의 ━상.

ちゅうしょう【中傷】chūshō 图 중상.

ちゅうしょう【中小】chūshō 图 중소. ━きぎょう【一企業】-gyō 图 중소 기업.

ちゅうしょう【中称】chūshō 图 【文法】중칭(말하는 사람으로부터 그리 멀리 떨어지지 않은 사물・방향・장소를 가리키는 데 쓰는 지시 대명사의 이름. 'それ・そっち・そこ・そちら' 따위). =近称綜ᇂ・遠称綜ᇂ.

*__ちゅうしょう__【抽象】chūshō 图 ㋜他 추상. ¶ ～名詞綜ᇂ 추상 명사. ↔具体綜ᇂ. ━か【一化】图 추상화; 具象綜ᇂ. ━てき【一的】㋖ナ 추상적. ¶ ～な事綜ᇂ 추상적인 것 ↔具象綜ᇂ的・具体的.

ちゅうじょう【柱状】chūjō 图 주상; 기둥 모양.

ちゅうじょう【衷情】chūjō 图 충정; 진정; 정성이 어린 심정. =まごころ.

*__ちゅうしょく__【昼食・中食】chūshoku 图 주식; 점심. =昼飯綜ᇂ・ちゅうじき. ↔朝食綜ᇂ・夕食綜ᇂ.

*__ちゅうしん__【中心】chū- 图 중심. ①한가운데; 한복판. =まんなか. ¶ ～角綜ᇂ[線綜ᇂ]【数】중심각(선)・一人物綜ᇂ 중심 인물 / 地球綜ᇂの～ 지구의 중심 / 文化綜ᇂの～ 문화의 중심. ②(문제가 되어 있는) 가장 중요한 곳(사물). ¶ ～議題綜ᇂ 중심 의제 / この話綜ᇂでは～を外綜ᇂれている 이 이야기는 중심[핵심]을 벗어나 있다. ━がい【一街】图 중심가. ━ち【一地】图 중심지.

ちゅうしん【忠心】chū- 图 충심.

ちゅうしん【忠臣】chū- 图 충신. ¶ ～は二君綜ᇂに仕綜ᇂえず 충신은 불사이군. ↔逆臣綜ᇂ.

ちゅうしん【注進】chū- 图 ㋜他 주진; 변고(變故)를 급히 보고함; 급보(急報).

ちゅうしん【衷心】chū- 图 충심; 충정. ¶ ～より感謝綜ᇂする 충심으로 감사하다. ━国綜ᇂ.

ちゅうしんこく【中進国】chū- 图 중진국.

ちゅうすい【注水】chū- 图 ㋜自 물을 부음[따름; 뿌림].

ちゅうすい【虫垂】chū- 图 【生】충수; 충양 돌기(蟲様突起). ━えん【一炎】【医】충수염; 〈俗〉맹장염.

ちゅうすう【中枢】chū- 图 중추; 가장 중요한 부분. ━しんけい【一神経】图【生】중추 신경. ↔末梢神経綜ᇂ.

ちゅう-する【注する】【註する】chū-㋖変綜ᇂ他 주석(註釈)하다; 주석을 달다.

ちゅうせい【中世】chū- 图 중세(일본에서는 平安綜ᇂ 시대 말기에서 室町綜ᇂ 시대까지).

ちゅうせい【中性】chū- 图 중성; 중간

の 성질. ①남자 같은 여자; 또, 여자 같은 남자. ②(독일어 등의 문법에서) 남성·여성 이외의 성. ③【化】산성도 알칼리성도 아닌 성질. ――し【―子】 名【理】중성자. ＝ニュートロン. ――せんざい【―洗剤】名 중성 세제.

ちゅうせい【中正】chū- 名 ダナ 중정; 한쪽에 치우치지 않고 옳음.

ちゅうせい【忠誠】chū- 名 충성. ＝まごころ.

ちゅうぜい【中背】chū- 名 중키. ¶ 中肉ぱぱ~ 보통 몸집에 중키. ――だい. ――せい【―世】名【地質】충적세.

ちゅうせいだい【中生代】chū- 名 중생

ちゅうせき【柱石】chū- 名 주석; 의지하는 중요한 사람; 기둥.

ちゅうせき【沖積】chū- 名 충적; 흐르는 물에 의하여 토사가 쌓임. ¶ ～平野や 충적 평야; 퇴적 평야 / ～層そ 충적세. ――せい【―世】名【地質】충적세.

ちゅうせつ【忠節】chū- 名 충절.

ちゅうぜつ【中絶】chū- 名 ス自他 중절. ①중도에서 그만둠; 중단(中斷). ¶ 持続をく 지속을 중절. ――てき【―的】ダナ

ちゅうせん【抽選·抽籤】chūsen 名 ス他 추첨되다. ＝くじびき. ¶ ～に当たる 당첨되다. 注意 '抽選'으로 씀은 대용 한자.

ちゅうせんきょく【中選挙区】chūsen-kyoku 名 중선거구.

ちゅうぞう【鋳造】chūzō 名 ス他 주조(자). ↔鍛造だ造.

ちゅうそつ【中卒】chū- 名 중졸(자). '中学がっ卒業そつ(者)ぎ'＝중학 졸업(자)'의 준말.

ちゅうたい【中退】chū- 名 ス自 중퇴. '中途退学とがっ(＝중도 퇴학)'의 준말.

ちゅうたい【中隊】chū- 名【軍】중대. ↔大隊だい·小隊とう.

ちゅうたい【紐帯】chū- 名 유대. ＝じゅうたい.

ちゅうだん【中断】chū- 名 ス自他 중단. ¶ 話はが～する 이야기가 중단되다. ――継続つぐ.

ちゅうだん【中段】chū- 名 ①중단. 중간 정도의 단(段). ②(검도에서) 높지도 않고 얕지도 않은 중간 높이로 칼을 겨누는 자세. ↔上段ぎ·下段ぎ.

ちゅうちゅう chūchū 名 ダ⌒ 児 찍찍; 또, 쪽. ⌒ 副 ①찰싹·쥐의 울음 소리; 찍찍; 쩍쩍. 쪽음직이는 소리; 후루룩; 홀짝홀짝.

*ちゅうちょ【躊躇】chūcho 名 ス自 주저; 망설임. ＝ためらい.

ちゅうっぱら【中っ腹】chūppara 名 화가 치밀. ¶ ～でとび出すす 울컥 치밀어 뛰어나다.

ちゅうづり【宙づり】(宙吊り·宙釣り) chū- 名 공중에 매달림.

ちゅうてつ【鋳鉄】chū- 名 주철.

ちゅうてん【中点】chū- 名【数】중점.

ちゅうてん【中天】chū- 名 중천. ＝なかぞら.

ちゅうと【中途】chū- 名 중도. ¶ ～駅ぎ 중간역 / 研究けんが ～で倒される 연구의 중도에서 쓰러지다. ――はんぱ【―半端】-hampa 名 ダナ 중도무이. ¶ ～な態度ぎ 이도 저도 아닌 (어중간한) 태도.

ちゅうとう【中東】chūtō 名【地】중동. ↔東とう·近東とう.

ちゅうとう【中等】chūtō 名 중등. ¶ ～教育ぎ 중등 교육.

ちゅうとう【柱頭】chūtō 名 주두. ①【建】기둥머리; 대접받침. ②【植】암술머리.

ちゅうどう【中道】chūdō 名 ①중도. ㉠길 가운데; 중도(中道). ㉡【仏】중용(中庸); 극단에 치우치지 않고 온당함. ¶ ～派は 중도파 / ～を歩あるく 중도를 걷다. ②富士山ふじの중략(中略)을 다는 수행자의 길. ¶(お)～めぐり 富士山 중턱길을 돌며 수행하는 일.

*ちゅうどく【中毒】chū- 名 ス自 중독. ¶ 食しょく～ 식중독 / ガス～ 가스 중독.

ちゅうとん【駐屯】chū- 名 ス自 주둔. ＝駐留ちゅう. ¶ ～軍ん 주둔군.

ちゅうなごん【中納言】chū- 名 옛날 벼슬의 하나; 太政官だじょうかの 차관으로, 大納言だ의 아래. ＝黄門ぇ.

ちゅうにく【中肉】chū- 名 ①알맞게 살이 찜. ¶ ～中背ぜい 보통 몸집에 중키. ②중치(중간치) 고기. ¶ 牛うの～ 쇠고기.

ちゅうにち【中日】chū- 名 ①중일; 중국과 일본. ②【仏】피안(彼岸)의 7일간의 중간 날(춘분과 추분).

ちゅうにち【駐日】chū- 名 ス自 주일; 일본에 주재함.

ちゅうにゅう【注入】chūnyū 名 ス他 주입. ――教育ぎ 주입식 교육 / 薬液やくの～ 약액 주입.

ちゅうねん【中年】chū- 名 중년. ¶ ～の紳士ぃ 중년 신사.

ちゅうのう【中脳】chūnō 名【生】중뇌; 간뇌(間腦)와 소뇌 사이에 있는 뇌의 한 부분.

ちゅうのう【中農】chūnō 名 중농.

ちゅうは【中波】chū- 名【理】중파. ↔長波ちょう·短波たん.

ちゅうは【中破】chū- 名 ス自他 중파; 반쯤 부서짐. ↔小破とう·大破だ.

ちゅうばいか【虫媒花】chū- 名【植】충매화; 곤충에 의하여 수분(受粉)이 되는 꽃. ↔風媒花かばい·鳥媒花ばい.

ちゅうばん【中盤】chū- 名 중반. ¶ ～戦せ 중반전. ↔序盤じょ·終盤しゅう.

ちゅうぶ【中部】chū- 名 중부. ――ちほう【―地方】-chihō 名 중부 지방. ①일본에서는 本州しゅう 중앙부의 지방.

ちゅうぶ【中風】chū- 名【漢医】중풍. ＝中気ちゅう·ちゅうぷう.

チューブ chū- 名 튜브. ¶ ～入りの歯みがき 튜브에 든 치약 / 自転車ぎの～ 자전거(의) 튜브. ▷tube. ――て。

ちゅうふく【中腹】chū- 名 중복; 산 중턱.

ちゅうぶらりん【宙ぶらりん·中ぶらりん】chū- 名 ダ⌒ ①공중에 매달린 모양. ¶ 人形にぎが軒先ぎに～になっている 인형이 추녀에 매달려 있다. ②어중간함; 이도 저도 아님. ¶ ～の状態ぎ 어중간한 상태.

ちゅうぶる【中古】chū- 名 중고. ＝ちゅうこ; 또는 중고품. ¶ ～新品ぴぃ.

ちゅうべい【駐米】chū- 名 ス自 주미; 미국에 주재함.

ちゅうへん【中編】(中篇) chū- 名 중편. ①장편과 단편의 중간 정도의 분

量の 것. ↔短編₂₂・長編₂₂. ②3편
중의 중간 편; 전편과 후편 사이의 1편.
↔前編₂₂・後編₂₂.

ちゅうぼう【厨房】chūbō 名 주방; 부
엌; 조리실. =だいどころ.

ちゅうぼく【忠僕】chū- 名 충복; 충실
한 종.

ちゅうみつ【稠密】chū- 名ナ 조밀.
¶人口ぼ─ 인구 조밀.

*ちゅうもく【注目】**chū- 名ス自他 주목.
¶─の的になる 주목의 대상이 되다.

ちゅうもん【註文・注文】chū- 名ス他
①주문. ¶─を取る 주문을 받다. ②
희망; 조건. ¶─をつける 조건을 붙이
다. ──さき【──先】名 주문[거래]선.
──とり【──取(り)】名 주문받으러 다
님; 또, 그 사람. ──ながれ【──流れ】
名 주문품을 찾아가지 않음; 또, 그물
품.

ちゅうや【昼夜】chū- 名 주야. ①밤과
낮. ¶─の別₂₂₂ 주야의 구별. ②《副詞的に》주야
로; 밤낮으로; 늘. ¶─仕事₂₂にはげ
む 밤낮으로 일에 힘쓰다. ──を分かたず
밤낮을 가리지 않고; 조금도 쉬지 않
고. ──を分かてず 굳게 지키어;
끊임없이. ──けんこう【──兼行】
-kenkō 名ス自 주야 겸행; 밤낮으로 쉬
지 않고 계속 행함.

ちゅうゆ【注油】chū- 名ス自 주유.

ちゅうゆう【忠勇】chūyū 名 충용. ¶
─無双₂₂ 충용 무쌍.

ちゅうよう【中庸】chūyō 名 ①중용.
어느 쪽에도 치우치지 않고 중도를 지
킴. ¶─をえた行動 중용을 지킨 행
동. ②사서(四書)의 하나.

ちゅうよう【中葉】chūyō 名 중엽; 중간
쯤. =なかごろ. ¶十五世紀₂₂₂の─
15세기 중엽.

*ちゅうりつ【中立】**chū- 名ス自 중립.
¶─を堅く守る 중립을 굳게 지키
다. ──こく【──国】名 중립국. ¶永
世₂₂──-- 영세 중립국.

チューリップchūrippu 名 튤립; 울금
향. =うっこんこう. ▷tulip.

ちゅうりゃく【中略】chūryaku 名ス他
중략. ⇒上略₂₂₂・下略₂₂₂.

*ちゅうりゅう【中流】**chū- 名 중류.
¶川の─ 강의 중류 / ─家庭 중류
가정. ⇒上流₂₂₂・下流₂₂₂.

ちゅうりゅう【駐留】chūryū 名ス自 주
류; 주둔. ¶─軍₂₂ 주둔군.

ちゅうろう【中老】chū- 名 ①중(中)
노인; 중늙은이. ②무가(武家)의 중신
(重臣)으로서 家老₂₂ 다음의 사람.

*ちゅうわ【中和】**chūwa 名ナ 중화.
ス自他《理》(산성과 알칼리성이) 서로
융합하여 그 특성을 잃음. ②중성으로
침이 없이 올바르고 온화함.

ちよ【千代】chi- 名《雅》천년; 영구;
영원. ¶─に八千代に 천세 만세에; 영원히.

ちょ【著】cho 名 저; 저술; 저서. ¶A
氏₂₂の─ A씨의 저서.

ちょ【緒】cho 名 처음 =실마리. =いと
ぐち・しょ《관용음으로 ちょ의 관용음[慣
用音]》. ──に就く 일이 시작되다.

ちょいちょいchoichoi 副《俗》①때때
로; 가끔. =たびたび《俗》. ¶─
訪問₂₂する 때때로 방문하다 / ─着₂₂

간단한 외출복. ②날렵한 모양. ¶─
飛び移る 가볍게 옮아다니다.

ちょいとchoi- 一副《俗》조금; 약간.
¶─参っ たな(이것) 좀 난처하게 됐
는데. 一感 여성이 친근한 사람을 부르
는 말; 이봐요. ¶─, おまえさん 잠
깐 나 좀 봐요.

ちょう【丁】chō 一名 ①(주사위 눈의) 짝
수(도박에서 쓰는 말). ¶─か, 半₂₂か
짝수냐 홀수냐. ↔半₂₂. 一接尾 ①(동
양의 재래식 제본법에 의한) 책의 장
수를 세는 말; 장(앞과 2페이지). 注意
「張」의 대용 한자. ②두부・곤약을 세는
말; 모. ¶とうふ₂₂一─ 두부 한모. ③
요리한 접시[그릇] 따위를 세는 말; 그
릇; 접시. ¶─₂₂─ あがり 한 그릇 다
됐습니다.

ちょう【兆】chō 名 ①조; 억의 만 배.
②징후; 조짐. ¶低落₂₂の─ 저락할
조짐.

ちょう【庁】chō 名 ①관청. ¶えん
まの─ 염마(閻魔)청. 一接尾 관청
을 나타내는 말. ¶検察₂₂ 검찰청.

ちょう【町】chō 名 ①지방 자치 단체
의 하나. ②시가지의 소구획.

ちょう【朝】chō 名 ①조정. ¶─に
仕える 조정에 나가다[출사하다]. ②
조현(朝見). ¶─を廃する 천자의 출
사 조신(외국 사신)과의 접견을 폐지
하다. 一接尾 ─조. ①한 천자의 다스
리는 기간. ¶玄宗₂₂─ 현종조. ②황
조의 계속 기간. ¶南北朝₂₂ 남북조.

ちょう【長】chō 一名 ①우두머리.
¶人に─たる器₂₂₂ 남의 위에 설 만한
그릇[인물]. ②연상자. ¶五年₂₂の─
5년 연상임. ③장점; 나음. ¶一日₂₂₂
の─がある 일일지장이 있다; 조금 낫
다. 一接尾 ①장고. ②─조정. ¶─
장거리. 一接尾 ①장; 기다란. ¶─距離
장거리. 三接尾 조직・단체의 우두
머리. ¶支店₂₂─ 지점장.

ちょう【腸】chō 名 장; 창자. =はらわ
た. ¶─が強い 장이 튼튼하다.

ちょう【蝶】chō 名 나비. =ちょうちょ
う. ¶─よ花₂₂よと育てる 금이야 옥
이야 하고 키우다.

ちょう【調】chō 名 ①옛 세제(税
制)에서, 조세로서 내는 그 땅의 소출.
¶租庸₂₂─ 조용조. 一接尾 ①가락;
장단. ¶七五₂₂─ 칠오조. ②취향; 경
향. ¶復古₂₂─ 복고조.

ちょう-【超】chō 접두 ①초; 뛰어난 모양.
¶─特急₂₂ 초특급.

-ちょう【帳】chō- 접미─장; 장부・치부책 등
을 나타내는 말. ¶日記₂₂─ 일기장 /
写真₂₂─ 사진첩.

-ちょう【挺】chō 접미 ①총・쟁기・괭이・먹
초・가위 등을 세는 말; ···정; 자루.¶鉄
砲₂₂─ 총 열 자루. 参考「丁」로 쓸 수
은 대용 한자. ②가마・인력거 등 긴 채
가 있는 탈것을 세는 말; 채.

ちょうあい【寵愛】chō- 名ス他 총애;
특별히 귀여워함.

ちょうあい【帳合(い)】【丁合(い)】
名ス自他 ①(현금이나 상품과 장부를)
대조하여 계산을 맞춤. ②장부에 기
입함; 치부함. ──を取る ①장부에 기
입하여 손익을 계산하다. ②책의 낙장
의 유무를 조사하다.

ちょうあく【懲悪】chō- 名 징악; 악한

자를 징계하다. ¶勧善懲～ 권선 징악.

ちょうあし〖蝶足〗chō- 图 상(床) 다리의 일종 ; 다리 모양이 마치 나비가 날개를 펴고 있는 것 같은 상.

ちょうい〖弔意〗chōi 图 조의. ¶～を 表わす 조의를 표하다.

ちょうい〖弔慰〗chōi 图他 조위. ¶～金 조위금.

ちょういん〖調印〗chō- 图自 조인. ¶～式 조인식.

***ちょうえき**〖懲役〗chō- 图他 징역. ¶無期~ 무기 징역.

***ちょうえつ**〖超越〗chō- 图自他 초월. ¶利害を～する 이해를 초월하다. ——する 图他 초월적. ¶～な存在 초월적인 존재.

ちょうえん〖長円〗chō- 图 타원. 注意 '楕円だ'의 고친 이름.

ちょうえん〖腸炎〗chō- 图医 장염. ¶～ビブリオ 장염 비브리오.

ちょうおん〖長音〗chō- 图 장음 ; 길게 내는 소리. ¶～符 장음부 ; 긴소리 표. ↔短音だ.

ちょうおんかい〖長音階〗chō- 图楽 장음계. ↔短音階ん.

ちょうおんそく〖超音速〗chō- 图 초음속. ¶～機 초음속 (비행)기.

ちょうおんぱ〖超音波〗chōompa 图 초음파.

ちょうか〖町家〗chō- 图① 町人た(=江戸時代에 상공업에 종사한 사람)의 집 ; 장사꾼의 집 ; 저자. =まちや. ¶～が立ちんで込むあたり 저자가 빽빽이 들어선 곳 ; 저잣거리.

ちょうか〖超過〗chō- 图自 초과. ¶～料金ん 초과 요금.

ちょうか〖長歌〗chō- 图① 和歌んの 한 형식(5・7의 구를 반복 뒤에 5・7・7의 구로 맺는 시가(詩歌)). =ながうた. ② 長唄んの 시가.

ちょうかい〖懲戒〗chō- 图他 징계. ¶～処分に 징계 처분.

ちょうかい〖町会〗chō- 图① 町議会ん(=町村 んの 회의)의 구칭. ② 町村んの 일을 협의・실행하는 자치회(自治会). =町内会ん. 「朝禮んの 모임.

ちょうかい〖朝会〗chō- 图 조회 ; 조례.

ちょうかいぼへん〖朝改暮変〗chō- 图 조개 모변 ; 조령 모개(朝令暮改).

ちょうかく〖弔客〗chō- 图(弔)객 ; 문상객. =ちょうきゃく.

ちょうかく〖頂角〗chō- 图数 정각 ; 꼭지각. ↔底角ん.

ちょうかく〖聴覚〗chō- 图生 청각. ¶～器 청각기.

***ちょうかん**〖朝刊〗chō- 图 조간. ↔夕刊ん.

ちょうかん〖腸管〗chō- 图 장관.

ちょうかん〖長官〗chō- 图① 장관(특히, 気象庁んちょう 등을 外国(外局)의 장. ② 지방 장관 ; 지사(知事).

ちょうかん〖鳥瞰〗chō- 图 조감 ; 俯瞰かん. ¶～図 조감도.

ちょうき〖弔旗〗chō- 图 조기.

ちょうき〖長期〗chō- 图 장기. ¶～計画 장기 계획 / ～予報ん〖気〗장기 예보. ↔短期ん.

ちょうきゃく〖弔客〗chōyaku 图 ☞

ちょうきゃく〖弔客〗chō- 图 조객.

ちょうきょう〖調教〗chōkyō 图他 조교 ; 짐승을 훈련시킴. ¶～師 조련사.

ちょうきょうさく〖腸狭窄〗chōkyō- 〖医〗장협착.

ちょうきょり〖長距離〗chōkyo- 图 장거리. ¶～電話ん〖競争きょう〗장거리 전화(경주). ↔短距離きょり.=中距離きょり.

ちょうきん〖超勤〗chō- 图 '超過勤務きんむ(=초과 근무)'의 준말. ¶～手当ん 초과 근무 수당.

ちょうきん〖彫金〗chō- 图自他 조금 ; 끌로 금속에 조각함 ; 또, 그 기술. ¶～師〖工〗조금사(공).

ちょうぎん〖丁銀〗〖挺銀〗chō- 图 江戸えど 시대 은화의 하나 ; 해삼처럼 생겼고, 무게로 또는 끊어서 썼음. ↔小粒こ.

ちょうけい〖長兄〗chō- 图 장형 ; 맏형. ↔末弟まつ.

ちょうけい〖長径〗chō- 图 장경 ; 타원에 있어서 가장 긴 직경. ↔短径たん.

ちょうけし〖帳消し〗chō- 图他 삭칠. ¶① (셈이 다 끝나서) 장부의 기록을 지움 ; 탕침. ¶～になる 대차(貸借) 없이 되다 ; 채무가 소멸되다 ; 삭제되다. ② 상쇄하고 남음이 없음 ; 에낌 ; 서로 득실이 없음. ¶せっかくの名声 んが～になった 모처럼의 명성이 사라지고 말았다.

ちょうけん〖長剣〗chō- 图 장검 ; 진칼. ② (시계의) 장침. =分針ふん. ↔短剣たん.

ちょうげんじつしゅぎ〖超現実主義〗chōgenjitsushugi 图 초(超)현실주의. =シュールリアリズム.

ちょうこう〖兆候・徴候〗chōkō 图 징후 ; 징조 ; 징조. =きざし・前ぶれ.

ちょうこう〖朝貢〗chōkō 图 조공.

ちょうこう〖聴講〗chōkō 图他 청강. ¶～生 청강생.

ちょうこう〖長考〗chōkō 图自 장고 ; 오래 생각함. ¶～にふける 오랜 동안 생각에 잠기다.

ちょうごう〖調合〗chōgō 图他 조합 ; (약 따위를) 조제함. ¶～香料こう〖薬〗조제(인공) 향료.

***ちょうこうぜつ**〖長広舌〗chōkōzetsu 图 장광설. =広長舌こうちょう. ¶～を振るう 장광설을 늘어놓다.

***ちょうこく**〖彫刻〗chō- 图自他 조각. ¶～家か 조각가.

ちょうこく〖超克〗chō- 图自他 초극 ; 곤란을 극복함.

ちょうこん〖長恨〗chō- 图 장한 ; 평생의 (원)한.

***ちょうさ**〖調査〗chō- 图他 조사. ¶世論ん～ 여론 조사 / ～に乗り出す 조사에 나서다.

ちょうざい〖調剤〗chō- 图他 조제. ¶～師 조제사 ; 약사. 「상어.

ちょうざめ〖蝶鮫〗chō- 图魚 용(龍)

ちょうさん〖朝餐〗chō- 图 조반 ; 조반(朝飯) ; 아침밥.

ちょうさんぼ〖朝三暮四〗chōsambo- 图 조삼 모사. 「もじ.

ちょうし〖弔詞〗chō- 图 조사. =弔辞

ちょうし〖弔詩〗chō- 图 조시.

***ちょうし**〖調子〗chō- 图① 가락. ㉠곡조 ; 장단. ¶～が合っていない 가락

이 맞지 않다. ⓛ상태 ; 기세. ⟪からだ
の～ 몸의 컨디션 / ～をつける 기세를
돋우다. Ⓒ(사물의) 궤도에 오름. ⟪
ようやく～が出る 점차 가락이 나다 ;
점차 본궤도에 오르다. ②(방)식 ; 요
령. ⟪～を飲みこむ 요령을 터득하
다 / その～でやれ 그 식[요령]으로 곧
장 해라 / ～を変えて 그렇게 해보는 방법
을 바꾸어 해 보다. ③(그 사람의 말·
문장이 갖는) 독특한 스타일 ; 표현 ;
투 ; 논조. ⟪原文ばんの～を生かした
翻訳やくを 원문의 표현을 살린 번역 / 言
葉ばの～ 어조(語調). ②어세(語勢).
⟪はげしい～で食ってかかる 무서운
기세로 대들다. ⟪～に乗のる ①일이 순
조로이 진행되다[본궤도에 오르다].
②우쭐해지다 ; 신명이 나다. ──を合あ
わせる ①장단(가락)을 맞추다. ②기
계의 움직임 따위를 조정하다. ③상대
방의 태도·기분·기세에 맞추다 ; 맞장
구치다. ──を取とる ①가락[장단]을 맞
추다. ②사물을 적절히 보전[유지]하
다. ──づく 5回 가락이 나다 ; 궤도
에 오르다 ; 전하여, 우쭐해지다. ──は
ずれ──外れ ①가락이 맞지 않음
이. ②표현·행동이 보통과 달라 이상
함. ──もの──者 ②경박한 사
람 ; 비위나 분위기를 적당히 잘 맞
추는 자. ⟪お～ 살살이.

ちょうし【銚子】chō- 图 ①거위병 ; 술
병. ＝とくり. ⟪お～をつける 술을 데
우다. ②(술을 따르기 위해 긴 자루가
달린) 귀때 그릇.

ちょうし【長子】chō- 图 장자 ; 장남.

ちょうし【長詩】chō- 图 장시. ↔短詩
たん.

ちょうじ『丁子・丁字【(植)】chō- 图 (植)정향
나무. ⟪ちょうじ油ゆ(＝정향유)'의
준말.

ちょうじ【寵児】chō- 图 총아. ⟪時代
だいの～ 시대의 총아.

ちょうじ【弔辞】chō- 图 조사(弔詞).

ちょうじく【長軸】chō- ☞ちょう
けい(長径).

ちょうじぜん【超自然】chō- 图 초자연.
⟪～の現象げんしょう 초자연의 현상.

ちょうじめ【帳締(め)】【帳メ】chō- 图
ス他 결산(決算).

ちょうしゃ【庁舎】chōsha 图 청사.

ちょうじゃ【長者】chōja 图 장자. ①연
장자 ; 손윗사람. ②부호 ; 재산가. ⟪
百万ばん～ 백만 장자. ③노인. ⑦씨
족을 통솔하는 사람. ＝氏うじの上える.
장로(長老).

ちょうしゅ【聴取】chōshu ス他 청
취. ①(사정을 잘) 들음. ②라디오 방
송을 들음. ＝聴取ちょうしゅ. ⟪率りつ 청취율.

ちょうじゅ【長寿】chōju 图 장수. ＝
長生ながい. ⟪不老ふろう～ 불로 장수 / ～
村むら 장수촌.

ちょうしゅう【徴収】chōshū ス他 징
수. ⟪源泉げんせん～ 원천 징수.

ちょうしゅう【徴集】chōshū ス他 징
집. ⟪壮丁ていを～する 장정을 징집한
다.

ちょうしゅう【聴衆】chōshū 图 청중.

ちょうじゅう【鳥獣】chōjū 图 조수 ;
금수.

ちょうじゅう【鳥銃】chōjū 图 조총.

ちょうじゅう【弔銃】chōjū 图 조총.

ちょうしょ【調書】chōsho 图 조서.
⟪～を取とる 조서를 받다.

*ちょうしょ【長所】chōsho 图 장점(長
點) ; 미점(美點). ↔短所たん.

ちょうじょ【長女】chōjo 图 장녀 ; 맏
딸.

ちょうしょう【嘲笑】chōshō ス他 조
소 ; 비웃음. ⟪世間けんの～の的まとなる
세상의 조소거리가 되다.

ちょうじょう【長上】chōjō 图 장상 ; 연
장자 ; 윗사람.

ちょうじょう【長城】chōjō 图 ①장성.
②만리 장성.

*ちょうじょう【頂上】chōjō 图 ①정상 ; 절
정. ＝てっぺん. ⟪～会談かいだん 정상 회
담.

*ちょうしょく【朝食】chōsho- 图 조식 ;
조반. ＝あさめし.

ちょうじり【帳じり】【帳尻】chō- 图 장
부끝 ; 기재된 장부의 끝 ; 전하여, 결산
(의) 결과. ⟪～が合あわない 장부끝이
맞지 않다 / ～を合あわせる 결산을 맞
추다. 　　　　ちょうずる

ちょう-じる【長じる】chō- 1回 ☞

ちょうしん【寵臣】chō- 图 총신 ; 사랑
받는 신하. 　　　　의 신하.

ちょうしん【朝臣】chō- 图 조신 ; 조정

ちょうしん【聴診】chō- ス他 청진.
⟪～器き 청진기. 　　　　키.

ちょうしん【長身】chō- 图 장신 ; 큰

ちょうしん【長針】chō- 图 장침 ; 분침.
↔短針たん.

ちょうじん【超人】chō- 图 초인. ──て
き【的】グナ 초인적. ⟪～な活動
どう 초인적인 활동.

ちょうず『手水』chō- 图 ①세숫물.
⟪～鉢ばち 손 씻을 때를 떠놓는 푼주 / ②변소 ;
を使つかう 손이나 얼굴을 씻다. ②변소 ;
용변(用便). ⟪～に行いく 변소에 가
다 / ～に立たつ 용변보러 가다.

ちょうすい【潮水】chō- 图 조수.

ちょうすう【丁数】chōsū 图 (주로 일
본식의) 책의 장수. ①둘로 나뉘는 수 ;
짝수. ＝偶数ぐうすう.

ちょう-する【弔する】chō- サ変他 조문
하다 ; 조상하다. ＝とむらう.

ちょう-する【徴する】chō- サ変他 ①…
에 비추어 보다 ; 증거를 구하다. ⟪歴
史しに～して 역사에 비추어서. ②구
하다. ⟪各方面かくほうめんの意見いけんを～ 각
방면의 의견을 모으다. ③불러 모으다.
⟪兵こうを～ 군사를 징집하다. ⟪세금
따위를) 거두다 ; 징수하다.

ちょう-ずる【長ずる】chō- サ変自 ①성
장하다 ; 크다. ⟪～に及およんで 성장하
에 이르러서. ②뛰어나다. ⟪技芸げいに
～ 기예에 뛰어나다. ③나이가 위다.

ちょうせい【町制】chō- 图 지방 자치
단체로서의 町ちょうの 제도.

*ちょうせい【調整】chō- 图 ス他 조정.
⟪税金ぜいの年末ねんまつ～ 세금의 연말 조
정 / 意見いけんの～ 의견의 조정.

ちょうせい【調製】chō- 图 ス他 조제.
⟪当店とうてんの～ 당 상점의 제품.

ちょうせい【長生】chō- 图 장생 ;
장수. ＝長命ちょうめい・ながいき.

ちょうせい【長逝】chō- 图 ス自 〈婉曲〉
장서 ; 영면(永眠).

ちょうぜい【徴税】chō- 图 ス自 징세.

¶~吏^り 세리(税吏). ↔納税^ば.
ちょうせき【朝夕】chō- 图 조석. ①아침 저녁. =あさゆう. ¶～はめっきり 寒^{さむ}くなりました 아침 저녁으로가 꽤 못 추워졌습니다. ②(副詞的으로) 늘; 언제나. =いつも・ふだん. ¶～ただこ の事^{こと}を… 늘〔항상〕 그저 이 일 만을…. ――の煙^{けむり} 밥짓는 연기; 생계.
ちょうせき【長石】chō- 图〔鑛〕장석.
ちょうせき【潮汐】chō- 图 조석; 조수 의 간만(干滿). ¶~発電^{はつでん} 조석 발 전(조력(潮力) 발전 / ～表^{ひょう} 조석표 〔각지의 해수 간만의 변화를 표로 한 것〕.
*ちょうせつ**【調節】chō- 图 ㋡他 조절. ¶産児^{さんじ}～ 산아 조절 / 音量^{おんりょう}～ 음 량 조절.
ちょうぜつ【超絶】chō- 图 ㋡自 초절. ①다른 것보다 월등히 뛰어남. ②〔哲〕 인식이나 경험 밖에 존재하는 것.
*ちょうせん**【挑戦】chō- 图 ㋡自 도 전. =チャレンジ. ¶新記録^{きろく}に～す る 신기록에 도전하다.
ちょうせん【朝鮮】chō- 图 조선; 한국 (의 옛이름). ――あさがお【―朝顔】 图〔植〕 흰독말풀. ――うぐいす【― 鴬】 图〔鳥〕 꾀꼬리. ――ご【―語】 图 조선어; 한국어. ――にんじん【― 人参】 图 고려 인삼. ――ぶな【―鮒】 图〔魚〕 버들붕어. ――もじ【―文字】 图 조선 문자; 한글.
ちょうぜん【超然】chō- ㋣タル 초연. ¶世評^{せひょう}に～たる態度^{たいど} 세평에 초연 한 태도.
ちょうそ【彫塑】chō- 图 조소. ㊀图 조각 과 소상(塑像). ㊁图〔彫〕 조각의 원 형인 소상(塑像); 또, 그것을 만듦.
ちょうぞう【彫像】chōzō图 조상; 조각 한 상. ――画像^{がぞう}.
ちょうそく【長足】chō- 图 장족. ――の 進歩^{しんぽ} 장족의 진보.
ちょうだ【長打】chō- 图〔野〕 장타; 2 루타 이상의 안타(安打). ¶～力^{りょく} 장 타력. ↔短打^{たんだ}.
ちょうだ【長蛇】chō- 图 장사; 길고 큰 뱀; 전하여, 길고 큰 것의 형용. ¶～の 陣^{じん} 장사진. ――を逸^{いっ}す 아까운 인물· 물건·기회를 놓치다. ――短小^{たんしょう}む.
ちょうだい【長大】chō- 图・㋣ナリ 장대. ↔
*ちょうだい**【頂戴】chōdai 图 ㋡他 ①
(남, 특히 윗사람한테서) 받음('もらう (=받다)・食^たべる(=먹다)'의 뜻의 공 손한 말씨). ¶ありがたく～します 감 사히 받겠습니다〔먹겠습니다〕/ ～物^{もの} 의お菓子^{かし}で (선물 따위로) 받은 과자〔 十分^{じゅうぶん}に〕～いたしました 많이 먹었습 니다 / お目玉^{めだま}〔おこごと〕を～する 야단을 듣다; 사살〔꾸지람〕을 듣다. ② (文末에 'ちょうだい'만으로) (…해) 주십시오; 주세요. ¶お静^{しず}かに～ 조용히하세요. ¶ おやつを～ 간식을 주세요 / 早^{はや}くして～ 빨리 좀 해주세요. 〔장탁식〕
ちょうたいそく【長大息】chō- 图 장탄식.
ちょうたつ【調達】chō- 图 ㋡他 조달. ¶資金^{しきん}を～する 자금의 조달.
ちょうだつ【超脱】chō- 图 ㋡自 초탈. ¶俗事^{ぞくじ}を～する 속사를 초탈하다.
ちょうたん【長嘆】(長歎)【chō- 图 ㋡自 장탄; 장탄식.

―――

칼이나 기타 금속끼리 계속해서 맞갖거 리며 맞부딪치는 소리; 쨍강쨍강.
――はし【―発止】-hasshi 图 ①맹 렬하게 서로 칼싸움하는 모양; 또, 그 소리. ②한치의 양보도 없이 서로 심 하게 토론함.
ちょうちょう【喋喋】chōchō 圖 첩첩; 재잘거리는 모양. =べちゃくちゃ. ――喃喃^{なんなん} 남녀가 서로 마음이 맞아 재 미있게 이야기하는 모양.
ちょうちん【提灯・挑灯】chōchin ①제등; 초롱(불); 등롱. ¶―行列^{ぎょうれつ} 등불〔제등〕 행렬. ②〈俗〉 콧물방울. ――に釣鐘^{つりがね} ①모양은 비슷하여도 비할 바가 못 됨. ②전혀 어울리지 않음. ――を持^もつ 남을 위해 선전하다; 남의 앞잡이 노릇을 하다.
ちょうつがい【蝶番】chō- 图 ①경첩. ②관절의 이음매.
ちょうつけ【帳つけ・帳付(け)】chō- 图 ㋡自 ①장부에 기입함; 또, 그 일을 하 는 사람. ¶宿屋^{やどや}の～をする 여관의 서기노릇을 하다. ②외상; ――で飲^の む 외상으로 술을 마시다. 〔注意 'ちょ うづけ'라고도 함〕
ちょうづめ【腸詰(め)】chō- 图 ☞ ソーセージ.
ちょうづら【帳づら】(帳面)chō- 图 장 부에 기재된 숫자. ¶～を合^あわせる 장부의 숫자를 맞추다.
ちょうてい【朝廷】chō- 图 조정.
ちょうてい【調停】chō- 图 ㋡他 조 정. =仲裁^{ちゅうさい}. ¶～委員^{いいん} 조정〔중 재〕위원.
ちょうてき【朝敵】chō- 图 조적; 역적; 국적(國賊).
ちょうてん【頂点】chō- 图 정점. ①〔數〕꼭지점. ¶三角形^{さんかっけい}の～ 삼각 형의 정점. ②꼭대기; 절정; 정상. =い ただき. ¶人気^{にんき}の～に達^{たっ}する 인기 의 절정에 달하다.
ちょうでん【弔電】chō- 图 조전.
ちょうと【長途】chō- 图 장도; 먼 길.
ちょうと【丁と】chō- 图 물건을 치거나 부딪는 소리를 나타내는 말; 딱 (하 고). ¶～打^うつ 딱 하고 치다.
ちょうど【調度】chō- 图 세간; 살림살 이; 가장 집물(家藏什物). ――ひん 【―品】 图 가구 따위 살림 기구.
ちょうど【丁度・恰度】chō- 圖 ①꼭; 정확히. =ジャスト・きっちり. ¶千円^{せんえん}に～なる 꼭 천 엔이 되다 / ～よい ぐあい 꼭 알맞음. ㋺마치. ¶～あつ らえたようにできた 흡사 맞춘 물건처 럼 되었다. ②마침; 알맞게. =おりよ く. ¶～よいところへ来^きた 마침 잘

わった。③방금；바로；막。¶~今帰ったところだ 방금 막 돌아온〔간〕참이다。　　　　　　　　　　　　「파。
ちょうとうは【超党派】chōtō- 名 초당
ちょうとっきゅう【超特急】chōtokkyū 名 초특급 (열차)；또, 일을 아주 빨리 처리함에도 비유함。
ちょうな【手斧】chō- 名 목재를 전목칠 때쓰는 큰 자귀。= ておの。　　「들。
ちょうなん【長男】chō- 名 장남；맏아
ちょうにん【町人】chō- 名 도시에 사는 상인(商人)・공장 계급의 사람들(근세 사회 계층의 하나)。
──まち【町】chō- 名 町人의 거리(城下町した か에서 부근의 상인・장인들이 한데 모여 생활한 거리)。
ちょうネクタイ《蝶ネクタイ》chō- 名 나비 넥타이。▷necktie.
ちょうのうりょく【超能力】chōnōryoku 名 초능력　　　　　　　　　　　「一短波
ちょうは【長波】chō- 名 장파。↔短波
ちょうば【嘲罵】chō- 名 スイ他 조매；비웃고 욕함。
ちょうば【帳場】chō- 名 (상점이나 여관의) 장부를 기입하고 회계를 보는 곳；카운터。
ちょうばいか【鳥媒花】chō- 名 조매화；조류에 의하여 꽃가루가 매개되는 꽃。↔虫媒花ちゅうばいか・風媒花ふうばいか。
ちょうはつ【徴発】chō- 名 スイ他 징발。¶食糧しょくりょうを~する 식량을 징발하다。
ちょうはつ【挑発・挑撥】chō- 名 スイ他 도발。¶戦争せんそう~者 전쟁 도발자。
ちょうはつ【調髪】chō- 名 スイ他 조발；이발(理髪)。¶~師 이발사。
ちょうはつ【長髪】chō- 名 장발。
*ちょうばつ【懲罰】chō- 名 スイ他 징벌。¶~を受うける 징벌을 받다。
ちょうはん【丁半】chō- 名 주사위의 짝수와 홀수；또, 그것으로 승부를 결정하는 노름。　　　　　　　　「장미게。
ちょうびけい【長尾鶏】chō- 名 〔鳥〕
ちょうふ【貼付・貼附】chōfu 名 스イ他 첩부。= てんぷ。
-ちょうぶ【町歩】chō- … 정보。¶二百にゃくの田 2백 정보의 논。
ちょうふく【重複】chō- 名 スイ自 중복。= じゅうふく。¶話はなが~する 이야기가 중복되다。
ちょうぶつ【長物】chō- 名 장물；길기만 하고 쓸모가 없는 것。¶無用むようの~ 무용지장물。　　　　　　　　「弔詞)。
ちょうぶん【弔文】chō- 名 조문；조사(弔詞)。
ちょうぶん【長文】chō- 名 장문；긴 글〔문장〕。↔短文たんぶん。
*ちょうへい【徴兵】chō- 名 スイ自 징병。¶~検査けんさ 징병 검사 / ~制度せいど 징병 제도。
ちょうへん【長編】【長篇】chō- 名 장편。¶~小説しょうせつ 장편 소설。↔短編たんぺん・中編ちゅうへん。
*ちょうぼ【帳簿】chō- 名 장부。¶~をつける 장부를 기입(記入)한다 / ~を締切しめきる 장부 기장을 마감하다。
ちょうぼ【徴募】chō- 名 징모。
ちょうぼ【朝暮】chō- 名 조모；아침 저녁；조석(朝夕)。=あさゆう。
ちょうほう【諜報】chōhō 名 첩보。¶~活動かつどう(機関きかん) 첩보 활동〔기관〕。

ちょうほう【調法】chōhō 名 ダナ 쓰기에 편리함。= 重宝ちょうほう. ¶~な道具ぐ 편리한 도구。
*ちょうほう【重宝】chōhō 名 スイ他 ①편리함；편리하게 여김。= 調法ちょうほう. ¶口には~なものきき 입란 편리한 것이야。②(회소 가치가 있어서) 소중히 여김；(편리해서) 아낌。¶昔むかしに~がられる人ひと 모두가 귀하게 여기는 사람。③요긴함。¶~している 요긴하게 쓰고 있다。 二 名 중보(重寶)；귀중한 보물。
ちょうぼう【眺望】chōbō 名 スイ他 조망；전망(展望)。= ながめ。¶~のきく高たかだい 전망이 좋은 돈대。
ちょうほうけい【長方形】chō- 名 직사각형。
ちょうほんにん【張本人】chō- 名 장본인。
ちょうみ【調味】chō- 名 スイ自 조미。
ちょうむすび《蝶結び》chō- 名 나비 매듭；끈이나 리본 등이 나비 모양이 되도록 매듭짓는 방법。
-ちょうめ【丁目】chō- …が(街)。¶二 にー三番地ばんち 2가 3번지。
ちょうめい【澄明】chō- 名 (물이나 공기 따위의) 맑음。
ちょうめい【長命】chō- 名 장명；장수。= ながいき・長寿ちょうじゅ。↔短命たんめい。
*ちょうめん【帳面】chō- 名 장부；필기장；노트。──かた【一方】名 ①장부를 기재하고 정리하는 사람。②江戸えど 시대, 모든 관청이나 영지의 장부를 검사하던 관리。──づら【一面】장부상에 기재된 숫자。= 帳ちょうづら。
ちょうもん【弔問】chō- 名 조문。¶~客きゃく 조문객。
ちょうもん【聴聞】chō- 名 スイ他 청문。①설교・설법・연설 등을 들음。②공청(公聽)。③(가톨릭교에서) 신자의 참회를 들음。──かい【一会】 청문회；공청회(公聽會)。
ちょうもん【頂門】chō- 名 『~の一針いっしん 정문의 일침；아픈 데를 찌르는 따끔한 교훈(敎訓)。
ちょうや【朝野】chō- 名 조야；정부(관계자)와 민간(인)；전국민。¶~あげての歓迎かんげいを 거족적인 환영。
ちょうやく【調薬】chō- 名 スイ自 조약；약의 조제(調剤)。
ちょうやく【跳躍】chō- 名 スイ自 도약。¶~競技きょうぎ 도약 경기(넓이뛰기・높이뛰기 등의 총칭)。
ちょうよう【徴用】chōyō 名 スイ他 징용。
ちょうよう【重陽】chō- 名 중양(절)；음력 9월 9일。= 菊きくの節句せっく。
ちょうよう【長幼】chō- 名 장유；노소(老少)。──の序じょ 장유 유서(有序)。
ちょうらく【凋落】chō- 名 スイ自 조락；이울；영락(零落)。¶~の秋とき 조락의 가을。
ちょうり【調理】chōri 名 スイ他 조리。①요리함。¶~室しつ 조리실。②사물을 잘 처리・정리함。──し【一師】 名 운것。
ちょうりつ【町立】chō- 名 町ちょうが 세운 것。
ちょうりつ【調律】chō- 名 スイ他 (악기의) 음률을 고름。──し【一師】名 조율사。
ちょうりゅう【潮流】chō- 名 조류。¶~が速はやい 조류가 빠르다 / 時代じだいの~に乗のる 시대의 조류를 타다。

ちょうりょく【張力】chōryo- 图【理】장력；인장력(引張力). ¶表面緑影~ 표면 장력.

ちょうりょく【聴力】chōryo- 图 청력；듣는 힘. ↔視力緑.

ちょうるい【鳥類】chō- 图 조류.

ちょうれい【朝礼】chō- 图 조례.

ちょうれいぼかい【朝令暮改】chō- 图 图自 조령 모개. ¶政府緑の~に国民はぶは困惑認するような 정부의 조령 모개에 국민은 곤혹을 느끼고 있다.

ちょうれん【調練】chō- 图 图他 조련；훈련.

ちょうろう【嘲弄】chōrō 图 图他 조롱.

ちょうろう【長老】chōrō 图 장로. ①어떤 방면에 경험이 많고 존경 받는 사람；대선배. ¶学界緑の~ 학계의 장로. ②학식과 경험이 많고 깨달음이 깊으며 덕망 있는 중. ③기독교 성직의 한 계급.

ちょうわ【調和】chō- 图 图自 조화. ¶~の美ぷしき조화의 아름다움／部内緑の~をはかる 부내의 인화(人和)를 도모하다.

ちょうわき【聴話器】chō- 图 청화기；보청기(補聴器).

チョーク chō- 图 초크；백묵；분필. ［chalk.

ちよがみ【千代紙】图 색(色)무늬가 있는 수공용 종이.

ちょき【猪口】〈兄〉(가위바위보의)가위. ↔ぐう・ぱあ.

ちょきん【貯金】cho- 图 图自他 저금. ¶~箱緑 저금통／~通帳緑緑 저금 통장／~を引き出す 저금을 찾다.

ちょこ【猪口】cho- 图①작은 술잔. =猪口緑. ¶~に酒らをつぐ 작은 술잔에 술을 따르다. ②회나 초친 음식을 담는 잔 모양의 작은 접시.

ちょく【勅】cho- 图 图天；천자의 말(명령)；조칙. ¶~を賜たまわる 칙명(勅命)을 받다.

ちょく【直】cho- □图 바름；곧음. ¶~を重んずる곧게 삶을 존중하다. ↔曲緑. □ダナ①직설적임. ¶~な言い方緑 직설적인 말투. ②소탈함；선선함. ¶~な人ぷ 선선한 사람. ③값이 쌈. ¶~な店せ 헐한 가게. □接頭 直…. ¶~輸入緑 직수입.

ちょくえい【直営】cho- 图 图他 직영. ¶~事業緑 직영 사업.

ちょくおん【直音】cho- 图 요음緑緑・促音緑緑・撥音緑緑 이외의 보통음골음.

ちょくげき【直撃】cho- 图 图他【軍】직격. ¶~弾がん 직격탄.

ちょくげん【直言】cho- 图 图他 직언；믿는 바를 거침없이 말함. ¶あえて~する 감히 직언하다. ［書］

ちょくご【勅語】cho- 图 칙어；직서(勅書).

ちょくご【直後】cho- 图 직후. ¶朝飯縁らの~ 조반 직후. ↔直前緑緑.

ちょくさい【直截】cho- □ダナ ☞ちょくせつ（直截）②.

ちょくさい【直裁】cho- 图 图他 직재. ①즉각 재결함. ②본인이 직접 재결함.

ちょくし【勅使】cho- 图 칙사.

ちょくし【直視】cho- 图 图他 직시. ¶現実緑を~する 현실을 직시하다.

ちょくしゃ【直射】chokusha 图 图自他 직사. ¶~光線緑緑 직사 광선／~砲緑

직사포. ↔曲射緑緑.

ちょくしゃ【直写】chokusha 图 图他 직사；있는 그대로 묘사함.

ちょくしょ【勅書】chokusho 图 칙서.

ちょくじょ【直叙】chokujo 图 图他 직서；감상 따위를 섞지 않고 그대로 진술함.

ちょくじょう【直上】chokujō 图→图 바로 위. =まうえ. ¶~の上官談が 직속 상관. □图 图自 똑바로 위；또, 똑바로 올라감. ↔直下緑ぷ.

ちょくしん【直進】cho- 图 图自 직진.

ちょくしん【直心】cho- □ダナ①(주저하지 않고) 곧 결제함. ②표현이 완곡하지 않고 솔직함. 注意 'ちょくさい'는 관용음.

ちょくせつ【直接】cho- □图 직접. □图 图自 사이에 아무것도 끼지 않고 접함. □图 图他 딴 것을 거치지 않고 곧바로. ¶~の原因緑ん 직접 원인／~選挙緑緑 직접 선거／学校緑から~映画館緑緑に行く 학교에서 곧장 영화관으로 가다. ↔間接緑ん. □副 직접적으로만 쓰임. ¶~ぜい【―税】직접세. ↔間接税緑緑ん. ¶～てき【―的】□ダナ 직접적임. ↔間接的緑緑んぺ.

ちょくせん【勅撰】cho- 图 图他 칙찬. 칙명으로 시가나 문장 따위를 추려서 책을 만듦. ↔私撰緑緑ん.

ちょくせん【直線】cho- 图 직선. ¶~コース 직선 코스／~距離緑緑 직선 거리. ↔曲線緑緑ん.

ちょくぜん【直前】cho- 图 직전. ¶出発緑緑~ 출발 직전. ↔直後緑緑ぷ.

ちょくそう【直送】cho- 图 图他 직송. ¶産地緑緑~の品ぷ 생산지에서 직송한 물건.

ちょくぞく【直属】cho- 图 图自 직속. ¶~上官緑緑 직속 상관.

ちょくだい【勅題】cho- 图①칙제；天皇緑が 내는 시가의 제목(특히 신년 초의 歌御会緑緑緑緑ん에서의 제목). ②天皇緑가 친필의 액자.

ちょくちょう【直腸】chokuchō 图【生】직장；곧은창자.

ちょくちょく chokuchoku 副〈俗〉이따금；가끔. =ちょいちょい. ¶~来くる 간간이 (찾아) 온다.

ちょくつう【直通】cho- 图 图自 직통. ¶~電話緑緑 직통 전화.

ちょくとう【直答】chokutō 图 图自 직답. ①즉석에서 곧 대답함；즉답. ②직접 대답함. =じきとう.

ちょくばい【直売】cho- 图 图他 직매. ¶産地緑緑~ 산지 직매.

ちょくほうたい【直方体】chokuhō- 图 직방체；직 6면체. ［ことのり］

ちょくめい【勅命】cho- 图 칙명；=みことのり.

ちょくめん【直面】cho- 图 图自 직면. ¶困難緑緑に~する 곤란에 직면하다.

ちょくやく【直訳】cho- 图 图他 직역. =逐語訳緑緑緑. ↔意訳緑緑.

ちょくゆ【勅諭】cho- 图 칙유；天皇緑が 내리 가르칠 칙교(勅敎).

ちょくゆ【直喩】cho- 图 직유 (법)(수사법의 修辞法緑緑緑하나로, 'たとえば'ような' 따위를 씀). ↔隠喩緑緑ん.

ちょくゆしゅつ【直輸出】chokuyushu- 图 图他 직수출. ↔直輸入緑緑ぷ.

ちょくゆにゅう【直輸入】chokuyunyū 名 ス他 직수입。↔直輸出ゆしゅつ。

ちょくりつ【直立】chokuritsu 名 ス自 직립；똑바로섬〔곧추〕섬；높이솟아오름。¶〜浮動ふどうの姿勢せい、직립부동의자세。——えんじん【——猿人】名 ス自 직립원인。

ちょくりゅう【直流】chokuryū 직류。一名곧은흐름；또、곧게흐르는호름。↔曲流きょく。二名항상방향이일정한전류。↔交流こう。

ちょくれつ【直列】cho- 名 ス自 직렬；전지등의양극(陽極)과음극(陰極)을교대로연결함。=並列へい。

ちょげん【緒言】cho- ☞しょげん【緒言】。注意「しょげん」의관용음。

ちょこざい【猪口才】cho- 名ダ〈俗〉잔꾀가있고건방짐；주제넘음。¶〜なやつ약아빠진놈；시건방진녀석。

ちょこちょこ chokochoko 副〈俗〉①종종걸음치는모양。¶〜(と)歩くきく종종걸음으로걷다。②종스럽게촐랑거리는모양。¶〜した人と촐랑이；촐랑이；탈랑쇠。③이따금、가끔。=ちょい ちょい。

ちょこなんと cho- 副〈俗〉작은것이혼자가만히(앉아)있는모양。¶店番みせばんの小僧こぞうが〜すわっていた점원아이가오도카니앉아있었다。

ちょこまか cho- 副 ス自〈俗〉거동이침착하지못한모양；촐랑촐랑、쫄래쫄래。¶〜した人と쫄랑이。②곰상스러운모양。

チョコレート cho- 名 초콜릿。▷cho-

ちょさく【著作】cho- 名 ス他自 저작；저술。——けん【——権】名 저작권。

ちょしゃ【著者】cho- 名 저자；작자。

ちょじゅつ【著述】choju- 名 ス他自 저술。=著作。

ちょしょ【著書】chosho 名 저서。

ちょすい【貯水】cho- 名 ス自 저수。¶〜量りょう저수량。——ち【——池】名 저수지(池)。

ちょぞう【貯蔵】chozō 名 ス他 저장。¶〜のきく食品しょくひん저장할수있는식품。

ちょたん【貯炭】cho- 名 ス他 저탄。¶〜場ば저탄장。

ちょちく【貯蓄】cho- 名 ス他 저축。¶〜預金よきん저축예금。

ちょっか【直下】chokka 직하。一名바로아래〔밑〕。=ました。二名 ス他自 똑바로내려감〔떨어짐〕。¶急転きゅうてん〜급전직하。▷直上じょう。

ちょっかい chokkai 名〈俗〉①고양이따위가조심스럽게앞발로톡긁어당기는일。②쓸데없는간섭；또、참견。=おせっかい。——をかける(잘들지어떨지)시험삼아해보다。——を出だす(쓸데없이)끼어참견〔간섭〕하다。②반장난조로여자에게손을대다。

ちょっかく【直覚】chokkaku 名 ス他 직각；직관(直覺)적으로앎。

ちょっかく【直角】chokkaku 名ダ〈數〉직각。——さんかっけい【——三角形】—sankakkei 名 직각삼각형。=ちょっかくさんかくけい。

ちょっかつ【直轄】chokka- 名 ス他

ちょっかっこう【直滑降】chokkakkō 名 ス自(スキーで) (스키에서)직활강；사면(斜面)을곧장타고내려감。

ちょっかん【直観】chokkan 名 ス他 직관。¶真理しんりを〜する진리를직관하다。——てき【——的】ダナ 직관적。

*****ちょっかん**【直感】chokkan 名 ス他 직감。¶〜が当あたる직감이들어맞다。

チョッキ chokki 名 조끼；동의(胴衣)。=ベスト。▷ jaque.

ちょっきゅう【直球】chokkyū 名【野】직구。=ストレート。↔曲球きょく・変化球へんか。

ちょっくら chokku- 副〈俗〉조금；잠깐。=ちょっと。¶〜行いって来くる잠깐다녀오다。

*****ちょっけい**【直径】chokkei 名 직경；지름。=さしわたし。

ちょっけい【直系】chokkei 名 직계。¶尊属そんぞく〔卑属ひぞく〕직계존속〔비속〕。↔傍系けい。

ちょっけつ【直結】chokketsu 名 ス自他 직결。¶生産地せいさんちへの販売はんばいルート생산지직결의판매루트。

ちょっこう【直行】chokkō 一名 ス自 직행。①도중에머물거나들르지않고목적지에곧장감。=列車れっしゃ직행열차。②에돌지않고생각한대로행함。二名 정직한〔올바른〕행위。

ちょっこう【直航】chokkō 名 ス自(배・비행기의)직항。

*****ちょっと**【一寸・鳥渡】chotto 一副①조금；좀；약간。¶もう〜右みぎ좀더오른쪽。②사소(경미)한모양。¶〜の事ことでも사소한일에도。③잠깐。¶〜잠시。¶〜お待まち下さい잠깐기다려주십시오／〜来こい잠깐(이리)와。⑥뜻。¶〜聞きくと언뜻들으니。⑦어지간히；상당히。¶〜いける口くち패술이드는편。⑤否定語ごを伴ともなって좀처럼；쉽사리；여간해서는。¶〜できないことだ여간해서는할수없는일이다。二感《호칭으로》여보세요；이봐요；잠깐。¶〜あなた여보、잠깐。

ちょっとした【一寸した】chotto- 連体①평범한；대수롭지않은。¶〜かぜ대단치않은감기／親切しんせつ大수롭지않은친절。②어지간(상당)한；참한；괜찮은；깔끔한。¶〜家いえ괜찮은집／〜財産ざいさん상당한재산。

ちょっとみ【一寸見】chotto- 名 언뜻봄；잠깐본느낌。¶〜はよいが언뜻보기는좋다。

ちょっぴり choppi- 副〈俗〉조금；약간。=少すこし(ばかり)。¶〜からい좀맵다。

ちょとつ【猪突】cho- 名 ス自 저돌。¶〜的に突進とっしんする저돌적으로돌진하다。

ちょびひげ【ちょび髭】cho- 名 코밑에조금기른수염。

ちょぼぐち【ちょぼ口】cho- 名 작게오므린입。

ちょめい【著名】cho- 名ダ 저명；유명。¶〜の士し저명인사。

ちょりゅう【貯留】〔瀦溜〕choryū 名 ス他自 저류。¶〜水すい저류수。

ちょろ-い cho- 形〈俗〉①엽다；잔단

하다 ; 별것 아니다. ¶ ~仕事 쉬운 일 / ~奴だ 별것 아닌 놈이다. ②미지근하다. ¶ ~やり方ではだめだ 미지근한 방법으로는 안 된다. 「냉이.

ちょろぎ 〖草石蚕〗 cho- 名 〔植〕 두루미

ちよろず 〖千万〗 名 〈雅〉 한없이 많음. =せんまん. ¶ ~の神 뭇 신들.

ちょろちょろ chorochoro 副 ①물이 졸졸 흐르고 있는 모양 : 졸졸. ¶ 水が~と流れる 물이 졸졸 흐르다. ②작은 불꽃을 내고 있는 모양 : 홀홀. ¶ ~と燃える 홀홀 타다. ③작은 것이 재빠르게 돌아다니는 모양 : 조르르 ; 쪼르르. ¶ ねずみが~する 쥐가 쪼르르 돌아다니다.

ちょろまか-す cho- 5他 〈俗〉 눈을 속여 후무리다 ; 속이다. ¶ 売り上げ金を~ 매상금을 후무리다.

ちょろん 【緒論】 choron 名 서론. 注意 'しょろん'의 관용음.

ちょん chon 一 名 ①(연극을 시작할 때나 끝날 때) 치는 딱딱이. ②일의 끝 ; 또, 면직 ; 해고. ¶ ~になる (a)일이 끝나다 ; (b)해고되다. ③지혜〔머리〕가 모자람 ; 또, 그 사람. ¶ ばかでも~でも 천치든 바보든. ④표지로 찍는 점. ¶ ~を打つ (a)점을 찍다 ; 종지부를 찍다 ; (b)일을 끝내다. ↔丸. ⑤약간 ; 잠깐. 二 副 ①물건을 간단히 자르는 모양 : 싹독. ¶ 首を~と切り落とす 목을 댕강 자르다. ②한 점에 머물러 있는 모양. **―の間** 〈俗〉 잠깐 동안 ; 눈깜박할 사이.

チョンガー chon- 名 〈俗〉 총각 ; 독신남자 ; 장가 안 든 남자. ▷한 總角.

ちょんぎ-る 【ちょん切る】 chon- 5他 〈俗〉 싹독 자르다 ; 함부로 자르다 ; 해고하다. ¶ 棒の先を~ 막대 끝을 뚝 자르다 / 社員の首を~ 사원의 목을 자르다《해고하다》.

ちょんまげ 〖丁髷〗 chommage 名 江戸 시대의 남자가 하던 상투의 한 가지 ; 지금은 하급 씨름꾼이 하고 있음 ; 또, 그 상투의 사람.

ちらか-す 【散らかす】 5他 흩뜨리다 ; 어지르다. ¶ 部屋を~ 방을 어지르다.

ちらか-る 【散らかる】 5自 흩어지다 ; 어지러지다. =散らばる. ¶ 部屋が~っている 방이 어지러져 있다.

ちらし 【散らし】 名 ①어지름 ; 흩뜨려 놓음. ¶ 模様を~にする 뿌린 것같이 불규칙적으로 무늬를 넣다. ②광고로 뿌리는 종이 ; 삐라. =ひきふだ.

ちらしがみ 【散らし髪】 名 여성의 산발한 머리.

ちらしこうこく 【散らし広告】 -kōkoku 名 전단 광고 ; 삐라.

****ちら-す** 【散らす】 5他 ①흩뜨리다. ㉠어지르다 ; 어수선하게 하다. ¶ 気を~ 정신〔마음〕을 어수선하게 하다. ㉡흩뿌리다 ; 흩어지게 하다. ¶ ビラを~ 삐라를 흩뿌리다〔도르다〕 / 髪を~ 머리를 흩뜨리다. ②퍼뜨리다. ¶ うわさを撒き~ 소문을 퍼뜨리다. ③패배시키다. ¶ 敵を~ 적을 패산(敗散)시키다. ④사그라뜨리다 ; 말려 붙이다. ¶ 膿を~ 고름을 수술하지 않고 삭히다 / 盲腸を冷やして~ 맹장을 얼음찜질하여 가라앉히다. ⑤《動詞의 連用形에 붙어 接尾詞적으로》 동작이 거친 모양 ; 또는 함부로〔마구〕 하는 모양을 나타냄. ¶ 食い~ 마구 먹어대다 / どなり~ 고함을 쳐대다.

ちらちら 副 ①작은 것이 날리는 모양 : 팔랑팔랑. ¶ 雪が~(と)降る 눈이 조금씩 날리다. ②작은 빛이 약하게 깜박거리는 모양 : 깜박깜박. ¶ 遠方に~灯火が見える 멀리 깜박이는 불빛이 보이다. ③눈(앞)이 아물아물한 모양 ; 또, 어른거리는 모양 : 아물아물 ; 가물가물 ; 어른어른. ¶ 目が~する 눈이 아물아물하다. ④어쩌다 듣는 모양 : 가끔 ; 이따금. ¶ 彼のうわさを~耳にする 그의 소문을 이따금〔가끔〕 듣는다.

ちらつ-く 5自 ①눈이 조금씩 날리다. ¶ 小雪が~ 가랑눈이 조금씩 날리다. ②아물〔가물〕거리다 ; 어른거리다. ¶ こどもの顔が~ 아이 얼굴이 어른거린다.

ちらっと chiratto 副 흘긋 ; 잠깐 ; 언뜻. 參考 'ちらと·ちらりと'의 힘줌말.

***ちらば-る** 【散らばる】 5自 ①흩어지다. ¶ 机の上が~っている 책상위가 (어지럽게) 흩어져 있다. ②산재하다. ¶ 支店が全国に~っている 지점이 전국에 산재해 있다.

ちらほら 副 드문드문 보이는 모양 : 드문드문 ; 여기저기 ; 하나둘씩. ¶ 桜が~咲き始めた 벚꽃이 하나둘 피기 시작하였다 / うわさが~聞こえる 소문이 간간이〔드문드문〕 들리다.

ちらり 副 《흔히 'と'를 수반하여》 언뜻 ; 번뜻 ; 흘끗. ¶ ~と一瞥をくれる 흘끗 한 번 쳐다보다.

ちり 名 냄비 요리의 일종《어육(魚肉)을 두부·야채와 같이 냄비에다가 끓여서 초간장에 찍어 먹는 요리》. =ちりなべ. ¶ ふぐ~ 복냄비.

***ちり** 〖塵〗 名 티끌. ①먼지 ; 쓰레기. ¶ ~ひとつ落ちていない部屋 먼지 하나 없는 방 / 良心などは~ほどもない 양심 따위는 티끌만큼도 없다. ②(번거롭고 더러운) 속세 ; 티끌 세상. **―の世** 티끌 같은 세상 ; 속세간. **―も積もれば山となる** 티끌 모아 태산.

***ちり** 【地理】 名 지리. ¶ 人文~ 인문지리 / この辺の~に明るい 이 근방 지리에 밝다. **――てき** 【――的】 ダナ 지리적.

ちりあくた 〖塵芥〗 名 쓰레기. ①진개 ; 먼지. ②무가치한 것. ¶ ~にも及ばぬ人間 쓰레기만도 못한 인간.

ちりか-ける 【散りかける】 下1自 (꽃이) 지기 시작하다.

ちりかご 〖塵籠〗 名 휴지통. =くずかご. 「지.

ちりがみ 【ちり紙】〖塵紙〗 名 휴지 ; 수

ちりし-く 【散り敷く】 5自 꽃이 떨어져 온통 깔리다.

ちりちり 副 쪼글쪼글 ; 오글오글 ; 오글쪼글. ¶ ~した髪の毛 오글오글한 머리털.

ちりぢり 〖散り散り〗 名 여기저기 흩어진 모양 : 뿔뿔이. ¶ ~ばらばら 산산조각 / ~になる 뿔뿔이 흩어지다.

ちりとり【ちり取り】【塵取(り)】 图 쓰레받기. =ごみとり.

ちりば-める【鏤める】 下1他 아로새기다;(보석 따위를)온통 박아 넣다. ¶宝石を―・めた冠炎 온통 보석을 박은 왕관.

ちりはらい【ちり払い】【塵払い】 图 먼지떨이;총채. =(ちり)はたき.

ちりめん【縮緬】 图 견직물의 일종;바탕이 오글오글한 비단. ¶―紙 오글오글하게)주름(진)종이. ――じゃこ【――雑魚】-jako 图 뱅어포. =ちりめんざこ・しらすぼし.

ちりゃく【知略】【智略】-ryaku 图 지략;슬기로운 계략. =才略 紫く.

ちりょ【知慮】【智慮】-ryo 图 지려;앞일을 꿰뚫어 보는 지혜.

ちりょう【治療】-ryō 图他 치료.

ちりょく【知力】【智力】-ryoku 图 지력. ¶―を働いかせる仕事 紫 머리를 쓰게 하는 일.

＊ち‐る【散る】 5自 ①떨어지다;꽃잎이 지다. ¶紅葉 紫が― 단풍잎이 지다 / 花 紫と― 꽃처럼 지다(벚꽃이 지듯 깨끗하게 전사하다). ②흩어지다. ¶ガラスの破片 紫が― 유리 조각이 산산이 흩어지다 / 波 紫が― 파도가 산산이 부서지다 / 人 紫が―って行くゆ 사람들이 뿔뿔이 흩어져 가다. ③마음이 산란해지다. ¶気 紫が― 마음이 산란하다. ④퍼지다. ㉠소문이 퍼지다. ¶うわさが町 まちに― 소문이 온동네에 퍼지다. ㉡물이 퍼지다;물이 번지다. ¶インキが― 잉크가 퍼지다. ⑤없어지다. ㉠퍼져 없어지다;흩어져 없어지다. ¶雲 紫が―・り失せて青空 紫になる 구름이 걷히어 파란 하늘이 되다. ㉡(독·종기 따위가)가라앉다. ¶腫れ 紫[痛み 紫]が― 부기가[통증이]가라앉았다.

ちわ【痴話】 图 치화;남녀간의 정담(情談);전하여, 남녀의 정사 이야기.

ちん【亭】 图 (중국풍의)정자. =あずまや.

ちん【狆】 图【動】일본 개의 일종(몸집이 작고 이마가 튀어 나왔으며 털이 긴 애완용 개). =ちんころ.

ちん【珍】 ダナ 진기함; 또, 그것. ¶山海 紫の― 산해 진미.

ちん【賃】 一 图 임금;품삯. ¶―上げ 임금 인상. 二 接尾 삯;요금. ¶汽車―紫 기차 요금 / 手間―紫 품삯;노임.

ちん【朕】 代 짐;제왕·天皇 紫の의 자칭(自稱).

ちん 副 トタル ①침착하게 시침떼고 있는 모양. ¶―とすましてすわる 시침떼고 앉았다. ②코를 푸는 소리. ¶―と鼻 紫をかむ 힝하고 코를 풀다. ③징이 나 방울을 울리는 모양;땡땡;징징. ¶―(ちん)とかねを鳴らす 땡땡하며 종을 울리다.

ちんあげ【賃上げ】 图 図自 임금 인상. ¶―闘争 紫 임금 인상 투쟁. ↔賃下 しげ.

ちんあつ【鎮圧】 图 図他 진압. ¶デモ隊 紫を―する 데모대를 진압하다.

ちんか【沈下】 图 図自他 침하. ¶地盤 紫が―する 지반이 내려앉다.

ちんか【鎮火】 图 図自他 진화;소화. ¶

出火 紫 から・発火 はつ―.

ちんがし【賃貸し】 图 図他 임대함;세를 놓음. =ちんたい. ↔賃借 紫り.

ちんがり【賃借り】 图 図他 임차함;세로 빌림. ¶―のピアノ 세로 빌린 피아노. ↔賃貸 紫し.

ちんき【珍奇】 ダナ 진기. ¶―な事件 紫 진기한 사건 / ―な男 紫 별난 남자.

チンキ【丁幾】 图 정기(어떤 약품을 알코올로 묽게 한 액체). =チンク. ¶ヨード 옥도 정기. ▷네 tinctuur.

ちんきゃく【珍客】-kyaku 图 진객(진)귀한 손님. =ちんかく.

ちんきん【賃金】 图①【法】임차료;임대료. ②사용료. =借り 紫り貸 紫し. ②☞ちんぎん(賃金).

＊ちんぎん【賃銀・賃金】 图 임금;보수;품삯. =労銀 紫 か. ¶―労働 紫 임금 노동.

チンクゆ【チンク油】 图 화상을 입었을 때 바르는 기름약. ▷도 Zink.

ちんこ【珍】 图①〈児〉자지. ②몸이 작은 사람;아이;어린이.

ちんこう【沈降】-kō 图 図自 침강;침하. ¶―海岸 紫 침강 해안 / 赤血球 球 紫 の―速度 紫 적혈구의 침강 속도. ↔隆起 紫 か.

ちんころ【狆ころ】 图①☞ちん(狆). ②강아지의 애칭.

ちんこん【鎮魂】 图 図 진혼;위령. ¶―曲 紫 진혼곡 / 위령 미사곡 / ―祭 紫 위령제. ――か【――歌】 진혼가.

ちんざ【鎮座】 图 図自 진좌. ①신령이 그 자리에 임함. ¶この宮 紫に―まします神 紫 이 사당에 진좌하여있는 신(神). ②〈俗〉듬직하게 자리 잡고 있음.

ちんさげ【賃下げ】 图 図自 임금 인하. ↔賃上 紫げ.

ちんし【沈思】 图 図自 침사;생각에 잠김. ¶―黙考 紫 침사 묵고;심사 묵고.

ちんじ【珍事】 图 진사. ①뜻밖의 일[사건]. ②〈본디 椿事〉춘사;뜻밖의 큰 사건[사고].

ちんしごと【賃仕事】 图 삯일.

ちんしゃ【陳謝】-sha 图 図他 진사;해명하고 사과함.

ちんしゃく【賃借】-shaku 图 図他 임차;요금을 내고 빌림. =ちんがり. ¶―地 紫 임차지. ↔賃貸 紫.

ちんじゅ【鎮守】-ju 图①(그 고장·절·서족 등을)진호하는 신(神). 또, 그를 모신 사당. ②진수;군사를 주재시켜 그 지방을 진호함(鎮護함).

ちんじゅつ【陳述】-jutsu 图 図他 진술. ¶―書 紫 진술서. ――のふくし【――の副詞】連語 부정(否定)·추측·금지의 문 표현 등 말하는 이의 진술 곧 판단의 표명과 호응하는 부사(例 全然 紫 みたくない'의 全然, 'たぶんだめだろう'의 たぶん 따위).

＊ちんしょ【珍書】-sho 图 진서.

＊ちんじょう【陳情】-jō 图他 진정. ¶―書 紫 진정서.

ちんせい【沈静】 ダナ 図自 침정;마음이 가라앉고 조용함;또, 그렇게 됨. ↔興奮 紫.

ちんせい【鎮静】 图 図自他 진정. ¶―剤 紫 진정제.

ちんせき【沈積】图 ㅈ自 침적；가라앉
아 쌓임.

ちんせつ【珍説】图 진설. ①진귀한 이
야기. ②색다른〔괴상한〕의견；어리석
은 의견.

ちんせん【賃銭】图 품삯；임금.

ちんたい【沈滞】图 ㅈ自 침체. ¶─し
た空気ᔐᕐ 침체한 분위기.

ちんたい【賃貸】图 임대. ＝ちん
がし. ¶─価格ᐟᔙ 임대 가격. ↔賃借
ᒯᔞᒥᕐ

ちんたいしゃく【賃貸借】-shaku 图
【法】임대차(계약).

ちんだん【珍談】图 진담；진귀한 이야
기；전하여, 우스꽝스러운 이야기.

ちんぷくりん【珍紛漢】chimpun- 图ᐦ
〈俗〉종잡을 수 없음；또, 그런 말；횡
설 수설. ＝ちんぷんかんぷん. 「ご.

ちんぷんかんぷん【珍紛漢】chimpun-
图ᐦ 〈俗〉종잡을 수 없음；또, 그런 말；횡
설 수설. ＝ちんぷんかんぷん.

ちんちゃく【沈着】-chaku 图ㄷナ 침
착. ¶─な人ᔞ 침착한 사람.

ちんちょう【沈重】-chō 图ㅈ他 진중；
진기하고 귀중함；귀중하게 여김. ¶
─がる 귀중히 여기다.

ちんちょうげ【沈丁花】-chōge ☞じ
んちょうげ.

ちんちん 一副图 ①〈兒〉자지. ②질투＝
やきもち. ③(아이들의) 앙감질. ＝片
足足ᒯᕐつぎ・けんけん. 二副 말이 짧
음. ＝つんつるてん. ¶─の着物ᑌᒐ 깡
똥한 옷.

ちんみ【珍味】图 진미. ¶山海
ᒯᕐの─ 산해 진미.

ちんみょう【珍妙】chimmyō 图ㄷナ 진묘；
기묘(奇妙)；이상야릇함. ¶─な考ᔙᔞ
え 이상야릇한 생각.

ちんちん 一副图 ①〈兒〉자지. ＝
やきもち.

ちんぽつ【沈没】chimbo- 图 ㅈ自 침몰.
①물 속에 가라앉음. ②〈俗〉일하다 말
고 술이나 여자에게 혹하여 숨에 곤드레함.

ちんぼん【珍本】chimpon 图 진본.

ちんまり chimmari 副 작고 아담한 모
양. ＝こじんまり. ¶─した家ᐦ 작고
아담한 집.

ちんちゃく【沈着】-chaku 图ㄷ
タル 밤이 깊어 조용
한 모양；쥐죽은 듯 고요한 모양. ¶
夜ᔞは─とふける 밤은 고요히 깊어만
가다.

ちんつう【沈痛】-tsū 图ᐦ 침통. ¶─
なおもちを浮ᔙる 침통한 얼굴.

ちんつう【鎮痛】-tsū 图 진통. ¶─剤ᔜᕐ
진통제.

ちんてい【鎮定】图ㅈ他自 진정；진압.

ちんでん【沈澱】〔沈溺〕图ㅈ自 침전.
¶─物ᔞᕐ 침전물. ─鉱物／川底ᔝᑌ
の砂ᔙᒯ 강바닥에 침전하다. 〔注意〕'沈澱'로
로 씀은 대용 한자.

ちんどんや【珍呑屋】图 ①이상한
복장을 하고 악기를 울리면서 거리를
돌아다니며 선전・광고하는 사람. ＝ひ

ちんみ【珍味】图 진미. ¶山海
ᒯᕐの─ 산해 진미.

ちんむるい【珍無類】chimmu- 图ㄷナ
진무류；비할데 없이 진기함.

ちんもく【沈黙】chimmoku 图 ㅈ自 침
묵. ¶─を守ᔙる 침묵을 지키다.

ちんもん【珍問】chimmon 图 진문；색
다른 질문. ¶─奇答ᔞᒥ 진문 기답.

ちんれつ【陳列】图 ㅈ他 진열. ¶─台
ᔞᕐ 진열대／─窓ᔜ 진열창；쇼윈도.

ちんろうどう【賃労働】-rōdō 图 임금
노동；삯일.

ろめや. ②자기 선전만 하는 사람.

ちんにゅう【闖入】-nyū 图 ㅈ自 틈입；
돌연 무단히 들어감.

ちんば【跛】chimba 一图 ①절름발이.
＝足ᔞの不自由ᒯᔙな人ᔞ. ②짝이
맞지 않음；균형이 잡혀 있지 않
음. ¶─の靴下ᔝᐦ 짝짝이 양말.

チンパニー chimpa- 图【樂】팀파니.
＝(북구형의) 타악기의 일종. ＝ティンパ
ニ. ▷이 timpani.

チンパンジー chimpanjī 图【動】침팬
지. ＜ちんしょうじょう. ▷ chimpan-
zee.

ちんぴら chimpi- 图 〈俗〉①어릴 주제
에 남 체하는 자；꼬마놈. ②불량 소년・
소녀；졸때기. ¶졸개；(거물급이 아
닌) 송사리；피라미.

ちんぴん【珍品】chimpin 图 진품.

ちんぷ【陳腐】chimpu 图ㄷナ 진부.
¶─な考ᔙᔞ 진부한 생각.

ちんぶん【珍聞】chimbun 图 진문；진
기한 이야기；이상한 소문.

ちんぽ chimpo 图 〈兒〉자지. ＝ちんぽこ.

つ ツ

①五十音図ᔝᔜᔞᕐ 'た行ᔙᔞ'의 셋
째 음. [tsu] ②〔字源〕'川'의 초
서체(かたかな 'ツ'도 같은 자원
이라 함).

つ【津】图〈雅〉나루터；항구. ＝ふなつ
きば・わたしば.

-つ【箇・個】〈순일본어 数詞 'ひと'에서
'ここの'까지에 붙여서〉수치(數値) 그
자체, 또는, 개수나 연령(年齢)을 나
타내는 말. ¶ここの─になる子ᐦ 아
홉 살이 되는 아이.

つ接助〈'…つ…つ'의 형으로〉동작・작
용이 상대와 서로 번갈아 행하여지는
것을 나타냄；…도 하고 …도 하다. ¶
追ᔞい─追ᔞわれ 쫓고 쫓기며／差ᔙ
し─差ᔙされ─酒ᔙを飲ᔙむ 권커니 작
커니 술을 마시다.

ツアー 图 투어. ①관광 여행. ②간단
한 여행；소풍. ¶スキー─ 스키투어.
▷tour.

つい【終】图〈雅〉마지막；마감. ¶끝；최
후. ＝最後ᔝ. ¶─のたのみ所ᒯ 최후
로 믿는 곳. ②임종；죽음. ¶─の別
れ 마지막 이별；영결.

*つい【対】图 ①쌍；짝；(둘로 된) 한
별；한 쌍. ＝そろい・ペア. ¶─な
쌍(짝)을 이루다. ②＝ついく(對句).
二接尾 둘로써 한 쌍〔짝〕을 이루는 것
을 세는 말. ¶花立ᔙて一ᐦ 꽃병 한
쌍.

*つい 副 ①(시간적·거리적으로) 조금 ; 바로. ¶~先ᶜだって 바로 전에 / ~そこです 바로 거기입니다. ②무의식중에 ; 어느덧 ; 그만 ; 무심결에. ¶~居ᵃねむ りす.うっかり. ¶~となってしまう 자신도 모르게 그만 소리지른다.

ついえ 【費え】 图〈老〉①비용. ②낭비. ¶時間ᵏの~ 시간의 낭비.

つい・える 【費える】 下一自 ①줄다 ; 적어지다. ②허비되다.

つい・える 【潰える】 下一自 ①무너지다 ; 궤멸하다. ¶将来ᵏへの夢ᵘも~・えた 장래에의 꿈도 무너졌다.

ついおく 【追憶】 图 ㅈ他 추억. ¶~にふける 추억에 잠기다.

*ついか 【追加】 图 ㅈ他 추가. ¶~予算ᵏ 추가 예산.

ついかい 【追懐】 图 ㅈ他 추회 ; 지난 일을 생각하며 그리워함. =追憶ᵏ.

ついき 【追記】 图 ㅈ他 추기 ; 덧붙여 씀 ; 또, 그 글.

*ついきゅう 【追及】 -kyū 图 ㅈ他 ①(도망치는 적을) 뒤쫓음. ¶逃ᵏげる敵軍ᵏを~する 달아나는 적군을 뒤쫓다. ②(책임 따위를) 추궁함. ¶責任ᵏを~する 책임을 추궁하다.

ついきゅう 【追求】 -kyū 图 ㅈ他 ①추구. ¶快楽ᵏの~ 쾌락의 추구. ②追加請求ᵏ(=추가 청구)'의 준말.

*ついきゅう 【追究·追窮】 -kyū 图 ㅈ他 추구. ¶真理ᵏを~ 진리의 추구.

ついきゅう 【追給】 -kyū 图 ㅈ他 추급 ; 추가해서 지급함 ; 또, 그 급여.

ついく 【対句】 图 대구 ; 어격(語格)이나 뜻이 상대되는 둘 이상의 구.

ついけい 【追啓】 图 추계 ; 추신. =追伸ᵏ.

ついげき 【追撃】 图 ㅈ他 추격. =おい うち. ¶~戦ᵏ 추격전.

ついご 【対語】 图 ㉾たいご(対語).

ついこつ 【椎骨】 -gō 图 시호(諡號).

ついこつ 【椎骨】〔椎骨〕 图〔生〕 추골 ; 척추골(脊椎骨).

ついし 【追試】 图 ㅈ他 추시. ①전 사람이 한 실험을 한 번 더 그대로 확인함. ②'追試験ᵏ(=추가 시험)'의 준말.

ついし 【墜死】 图 ㅈ自 추사 ; 추락사.

ついじゅう 【追従】 -jū 图 ㅈ自 추종. =追随ᵏ. ¶世論ᵏに~する 여론에 추종하다.

ついしょう 【追従】 -shō 图 ㅈ自 아부 ; 아첨 ; 빌붙음 = おべっか. ──わらい〔──笑い〕 图 아첨하는 웃음.

ついしん 【追伸】 图 추신 ; 추백(追白). =おって書ᵏ.

ついずい 【追随】 图 ㅈ自 추종 ; 남이 한 일을 뒤에서 따라감. ¶~を許ᵘさない 타의 추종을 불허하다.

ツイスト 图 트위스트(춤). twist.

ついせき 【追跡】 图 ㅈ他 추적. ¶~調査ᵏ 추적 조사.

ついぜん 【追善】 图 ㅈ他〔佛〕추선 ; 죽은 사람의 명복을 빎 ; 또 불사(佛事)함. =追福ᵏ.

ついそ 【追訴】 图 ㅈ他 추소 ; 추가 제소.

ついぞ 【終ぞ】 副《否定의 말이 뒤따라》여태까지 한 번도. ¶~聞ᵏいたことが

ない 여태껏 한번도 들은 적이 없다

ついそう 【追想】 -sō 图 ㅈ他 추상 ; 회고. =追憶ᵏ.

ついぞう 【追贈】 -zō 图 ㅈ他 추증 ; 사후에 관위(官位)나 시호(諡號) 등을 내림.

*ついたち 【一日】〔朔·朔日〕 图 초하루. ¶六月ᵏの~ 유월 초하루. ↔みそか.

ついたて 【衝立】 图 ①'衝立ᵏ障子ᵏ(=장지)'의 준말. ②방의 칸을 막기 위해 세워 두는 판자로 만든 가구 ; 칸막이 ; 가리개.

ついちょう 【追徴】 -chō 图 ㅈ他 추징. ¶~金ᵏ 추징금.

ついて 【就いて】 連語 ①Ⓧ('…に~'의 꼴로) ㉠…에 관(關)하여 ; …을 대상으로. ¶風俗ᵏに~の研究ᵏ 풍속에 관한 연구. ㉡(매)…당(當). ¶ひとりに~千円ᵏ 한 사람당씩. ②Ⓧ'~は'의 꼴로) ㉠(그 일에) 관해서 는(에). ¶上記ᵏに~は 상기의 건에 관해서는. ㉡그런 사정이므로 ; 그러므로 ; 그래서 ; 따라서. ¶近ᵏく発行ᵏいたします. ~は御推薦ᵏの辞ᵘをいただきたく 근일 발행합니다. 그래서 추천의 말씀을 받고요.

ついで 【序】 图 ①(그 일에 이용하기) 좋은 기회 ; 계제. ¶~がない 계제가 없다. ②순서 ; 차례.

ついで 【次いで】〔尋いで〕 一 副 뒤이어 ; 잇따라서 ; 계속하여 ; 그 다음에. ¶相ᵃい~起ᵏる 잇따라 일어나다. 二 接 그 다음에. …次ᵏに. ¶校長ᵏ先生ᵏのあいさつがあり, ~来賓ᵏの祝辞ᵘがあった 교장의 인사가 있고, 다음에 내빈의 축사가 있었다.

ついでに 【序(で)に】 副 (…하는) 김에 ; (…하는) 기회〔계제〕에. ¶~やってしまう 하는 김에 해버리다.

ついて・る 下一自〈俗〉행운이 붙어 있다 ; 재수 좋다(은다). =ついている.

ついとう 【追討】 -tō 图 ㅈ他 추토 ; 적도(賊徒) 따위를 뒤쫓아가서 무찌름.

ついとう 【追悼】 -tō 图 ㅈ他 추도. ¶~会ᵏ 추도회.

ついとつ 【追突】 图 ㅈ自 추돌. ¶~事故ᵏ 추돌 사고.

ついな 【追儺】 图 입춘 전날 밤 볶은 콩을 집안에 뿌려 악귀를 내쫓는 행사(우리 나라의 구나(驅儺)와 비슷한 행사).

*ついに 【遂に·終に·竟に】 副 ①드디어 ; 마침내 ; 결국. ¶~完成ᵏを見ᵃた 드디어 완성을 봄. ②《否定하는 말이 따라서》최후까지 ; 끝끝내 ; 끝까지. 내(終乃). ¶~口ᵏをきかなかった 끝내 말을 하지 않았다.

ついにん 【追認】 图 ㅈ他 추인.

ついば・む 【啄む】 五他 (새가) 쪼다 ; 쪼아 먹다.

ついひ 【追肥】 图〔農〕추비. =おいごえ.

ついび 【追尾】 图 ㅈ他 추미 ; 추적.

ついふく 【追福】 图 ㅈ他〔佛〕☞ついぜん.

ついぼ 【追慕】 图 ㅈ他 추모.

*ついほう 【追放】 图 ㅈ他 추방. ¶悪書ᵏ~ 악서 추방 / 公職ᵏ~ 공직 추방.

ついや・す 【費やす】 五他 ①쓰다 ; 써없애다 ; 다 소비하다. ¶全財産ᵏを~

전재산을 써버리다. ②낭비하다; 허비하다. ¶時間を～だけ損だ 시간을 허비할수록 손해다.

*ついらく【墜落】名 ス自 추락.

ついろく【追録】名 ス他 추록; 나중에 덧붙여 기록함.

ツインベッド -beddo 名 트윈 베드; 1인용 침대의 한쌍. ↔シングルベッド. ▷twin bed.

つう【通】tsū ㊀名 ダナ ①통; 그 방면에 훤함〔정통함〕; 또, 그 사람. ¶～を振り回す 그 방면의 지식〔통임〕을 과시하다. ②세상 물정, 특히 남녀 관계에 훤히 트임; 또, 그 사람. ¶あの人は～だ 저 사람은 멋과 물정에 환한 사람이다. ③신통력. ¶～を失う 신통력을 잃다. ㊁接尾 …통. ①편지·문서를 세는 말. ¶履歴書二～ 이력서 두 통. ②그 방면에 정통한 사람. ¶消息～ 소식통.

ツー 名 '둘·두 개'의 뜻. ▷two. ——アウト 名〔野〕투아웃. ▷two out. ——ダン 名〔野〕투아웃; 이사(二死). =ツーダウン. ▷일 two down. ——ピース 名 투피스. ↔ワンピース. ▷two-piece dress. ——ラン 名〔野〕투런; 타자를 포함한 두 사람의 주자(에 의한 득점). ¶～ホーマ 투런 호머. ▷two runners.

つういん【通院】tsūin 名 ス自 통원; 병원 따위에 다님.

つういん【痛飲】tsūin 名 ス他 통음; 술을 아주 많이 마심.

つううん【通運】tsūun 名 통운. =運送. ¶～会社 통운 회사.

つうか【通貨】tsū- 名〔經〕통화. ¶～収縮 통화 수축(디플레이션) / ～膨脹 통화 팽창(인플레이션).

*つうか【通過】tsū- 名 ス自 통과. ¶急行列車～駅 급행 열차 통과역 / 検査を～する 검사를 통과하다.

つうかあ tsūkā 名〈俗〉서로 잘 통함(척하면 척하는 사이).

つうかい【痛快】tsū- 名 ダナ 통쾌. ¶～極まる 통쾌하기 짝이 없다.

つうかい【通解】tsū- 名 ス他 통해; 문장 전체를 해석함; 또, 그 서적; 통석(通釋).

*つうがく【通学】tsū- 名 ス自 통학. ¶～定期券 통학 정기권 / ～生 통학생.

つうが-る【通がる】tsū- 5自 ①(그 방면에) …통인 체하다; (…에 관해) 정통한 체하다. ②물정에 통하고 트인 사람인 체 행동하다.

つうかん【通関】tsū- 名 ス自 통관. ¶～手続き 통관 절차.

つうかん【痛感】tsū- 名 ス他 통감. ¶責任を～する 책임을 통감하다.

つうき【通気】tsūki 名 환기; 통풍. ¶～装置 환기 장치.

つうぎょう【通暁】tsūgyō 통효. ㊀名 ス自 정통; 환하게 앎. ㊁名 철야; 밤새움.

*つうきん【通勤】tsū- 名 ス自 통근. ①근무처에 다님. ¶～列車 통근 열차. ②집에서 다니면서 근무함. ↔住み込み.

つうく【痛苦】tsūku 名 통고. =苦痛.

つうけい【通経】tsū- 名〔醫〕통경. ¶～剤 통경제.

つうけい【通計】tsū- 名 ス他 통계; 총계. =総計.

つうげき【痛撃】tsū- 名 ス他 통격. ¶～を加える 통격을 가하다.

つうこう【通交】tsūkō 名 ス自 통교; 나라끼리 친교를 맺음. 注意 '通好'로도 씀.

つうこう【通好】tsūkō 名 ス自 통호; 친교를 맺음.

*つうこう【通行】tsūkō 名 ス自 통행. ①왕래. ¶右側～ 우측 통행. ②세상에서 널리 쓰임. ¶～の法律 통행되는 법률.

つうこう【通航】tsūkō 名 ス自 통항; 배의 통행.

つうこく【通告】tsū- 名 ス他 통고; 통지. ¶最後～ 최후 통고.

つうこく【痛哭】tsū- 名 ス自 통곡.

つうこん【痛恨】tsū- 名 통한; 몹시 한스러움〔원통함〕.

つうさん【通算】tsū- 名 ス他 통산. =通計. ¶～成績 통산 성적 / ～一年 통산 1년.

つうさんしょう【通産省】tsūsanshō 名 통산성('通商産業省(=통상산업성)'의 준말; 우리 나라 상공부에 해당).

つうじ【通じ】tsūji 名 통함. ①대소변의 배설; 통변. =便通. ②(타인의 의사에 대한) 납득; 이해.

つうじ【通事·通辞·通詞】tsūji 名 통사. ①통역(江戸 시대의 통역·번역의 총칭). ¶オランダ～ 네덜란드 통사. ②중간에 서서 말을 전함.

つうじて【通じて】tsū- 副 통하여; 통틀어; 일반적으로.

つうしゃく【通釈】tsūsha- 名 ス他 ☞つうかい(通解).

つうしょう【通称】tsūshō 名 통칭. ①일반적으로 통용되는 명칭. =通り名. ②보통 부르는 이름; 속칭.

つうしょう【通商】tsūshō 名 ス自 통상. ¶～条約 통상 조약.

つうじょう【通常】tsūjō 名 통상. ①특별히 하는 것이 아님. ¶～国会 통상 국회(우리 나라의 정기 국회). ②보통. 注意 ②는 副詞로도 쓰임. ¶～, そうは言わない 보통 그렇게는 말하지 않는다. ⇔特別·臨時.

⁑つう-じる【通じる】tsū- ㊀ 上1自 ①통하다. ㉠연결〔연락〕되다; 이르다. ¶山頂へ～道 산정으로 통하는 길. ㉡통로로 옮겨가다. ¶電流が～ 전류가 통하다 / 大便が～ 대변이 통하다. ㉢(교통 기관이) 다니다. ¶鉄道が～ 철도가 통하다. ㉣훤히〔잘〕 알다; 정통하다. ¶国際情勢に～ 국제 정세에 (정)통하다. ㉤(상대에게) 잘 전달되다; 이해되다. ¶意味が～ 의미가 통하다 / 気心が～·じ合う 마음이 서로 통하다. ㉥널리〔잘〕 알려지다. ¶世間に～·じている名前 세상에 널리 통하는 이름. ㉦(남녀가) 밀통하다; 간음하다. ㉧내통하다; (은밀히) 관계를 맺다. ¶敵と～ 적과 내통하다. ②통용하다. ¶聴衆の全部に～話 청중 모두에게 통용되는 이야기. ㊁上1他 ①통하(게 하)다. ㉠다니게 하다; 내다. ¶鉄

道路監を～ 철도를 통하다. (ㄴ)(상대가) 알도록 하다；전하다. ¶意思監を～ 의사를 통하다. (ㄷ)(그 곳에) 미치게 하다. ¶友情監を～を 우정을 통하다. (ㄹ) 通路を通して 옮겨가게 하다. ¶電流監を～ 전류를 통하다. (ㅁ)중간에 세워 개재시키다. ¶友だちを～じて 依頼監する 친구를 통해 부탁하다. (ㅂ) (상대와) 몰래 통하다；밀통하다. ¶情事監を～ 정을 통하다. (ㅅ)〔흔히 '…を～じて'의 꼴로〕널리 전체에 걸쳐. ¶一年監を～じて 일년을 통하여. (ㅇ) 내وي다；내신다.

‡**つうしん** 【通信】 tsū- 名 ス自 통신.
——えいせい 【衛星】 名 통신 위성.
——きかん 【機関】 名 통신 기관.
——きょういく 【教育】-kyōiku 名 통신 교육. ——し 【士】 名 통신사.
——しゃ 【社】-sha 名 통신사.
——はんばい 【販売】-hambai 名 ス他 통신 판매（전화·우편으로 주문받는 판매 방법）. ——ぼ 【簿】 名 통신부；성적표（'通知表監監監(=생활通지표)'의 구칭）. ——もう 【網】-mō 名 통신망.

つうじん 【通人】 tsū- 名 ①어떤 일에 통달한 사람. ＝ものしり. ②물정, 특히 화류계 사정에 환하고 속이 틔어 멋 있는 사람. 「うじる.
つう-ずる 【通ずる】 tsū- サ変自他
つうせい 【通性】 tsū- 名 통성；일반적〔공통된〕 성질. ¶鳥類監の～ 조류의 통성.
つうせつ 【痛切】 tsū- 名 ダナ 통절. ①뼈에 사무치ート 느낌. ②매우 적절함.
つうせつ 【通説】 tsū- 名 통설.
つうそく 【通則】 tsū- 名 통칙. ①일반에 적용되는 규칙. ↔変則監. ②(同一 법규 중에서) 전체에 통하는 규칙. ＝細則監.
つうぞく 【通俗】 tsū- 名 통속. ¶ ～化監 통속화 / ～小説監 통속 소설 / ～性監 통속성. ——てき 【—的】 ダナ 통속적. ¶～な記事監 통속적인 기사.
つうだ 【痛打】 tsū- 名 ス他 통타.
つうたつ 【通達】 tsū- 一 名 ス他 통지；통고. 二 名 ス自 (사물에 깊이) 통함；정통. 「通보監.
つうたん 【痛嘆・痛歎】 tsū- ス自他
‡**つうち** 【通知】 tsū- 名 ス他 통지；알림. ＝しらせ. ——ひょう 【—表】-hyō 名 생활 통지표. ＝通信簿監監監·通知簿監監 따위의 고친 이름.
つうちょう 【通帳】 tsūchō 名 통장. ＝かよいちょう.
つうちょう 【通牒】 tsūchō 名 ス他 통첩. ¶最後監～ 최후 통첩.
つうてん 【痛点】 tsū- 名 【生】 통점；피부 감각 중 아픔을 느끼는 곳.
つうどく 【通読】 tsū- 名 ス他 통독. ↔精読監.
つうねん 【通年】 tsū- 名 연중；일년 내
つうねん 【通念】 tsū- 名 통념. ¶社会監～ 사회 통념.
つうば 【痛罵】 tsū- 名 ス他 통매；몹시 욕을 퍼부음；통렬히 비난함.
つうはん 【通販】 tsū- 名 ス他 '通信監監販売監(=통신 판매)'의 준말.

つうふう 【通風】 tsūfū 名 ス自 통풍；환기. ¶~孔監 통풍(바람) 구멍 / ~装置監 통풍(환기) 장치 / ～のよい部屋監 환기가 잘되는 방.
つうふう 【痛風】 tsūfū 名 【醫】 통풍. 参考 통속적으로 '帝王病監監監監監(=제왕병)'라고 함.
つうぶん 【痛憤】 tsū- 名 ス自 통분.
つうぶん 【通分】 tsū- 名 ス他 【數】 통분.
つうへい 【通弊】 tsū- 名 통폐；공통된 폐해. ＝通患監.
つうべん 【通弁】(通辯) tsū- 名 ス自他 통변('通訳監監(=통역)'의 옛이름).
つうほう 【通報】 tsūhō 名 ス他 통보. ¶ ～しる監 '気象監～ 기상 통보.
つうぼう 【通謀】 tsūbō 名 ス自他 통모；공모(共謀).
‡**つうやく** 【通訳】 tsū- 名 ス自他 통역. ¶同時監~ 동시 통역 / 英語監の～ 영어 통역.
つうよう 【痛痒】 tsūyō 名 통양；아픔과 가려움. ¶～を感監じない監 통양을 느끼지 않다；아무렇지도 않다.
‡**つうよう** 【通用】 tsūyō 名 ス自 통용. ①세상에서 널리 인정되어 통함. ¶～語監 통용어. ②일반에게 널리 쓰임. ＝流通監監. ③〔貨幣監監의 화폐의 통용. ③무엇에나 두루 쓸 수 있음. ＝共用監監. ④어느 기간 동안에 쓸 수 있음. ¶切符監監の～期限監 표의 통용 기한. ⑤ 출입함；통행. ¶～門監 통용문.
つうらん 【通覧】 tsū- 名 ス他 통람；전부를 대충 훑어봄.
つうりき 【通力】 tsū- 名 통력；신통력. ＝神通力監監.
ツーリスト 名 투어리스트；관광객；여행자. ▷tourist.
つうれい 【通例】 tsū- 一 名 통례；관례. 二 副 일반적으로；보통.
つうれつ 【痛烈】 tsū- 名 ダナ 통렬；호됨. ¶～な非難監 통렬한 비난.
‡**つうろ** 【通路】 tsū- 名 통로；보도；길. ＝とおりみち.
つうろん 【痛論】 tsū- 名 ス他 통론；준엄하게 논하고 비판함；또, 그 논(論).
つうろん 【通論】 tsū- 名 ス他 통론. ¶言語学監監~ 언어학 통론 / それは天下監の～だ 그것은 천하의 통론이다.
つうわ 【通話】 tsū- 名 ス自 통화. ¶～料監 통화료 / 即時監~ 즉시 통화 / ～監～ 한 통화.
*つえ 【杖】 名 ①지팡이. ＝ステッキ. ¶ ～をつく 지팡이를 짚다. ②의지하는 것. ¶むすこを～とたのむ 아들을 지팡이처럼 의지하다. ③곧장(옛날 형구). ——とも柱監とも 의지하는〔믿는〕 사람이나 일. ——を引監く 지팡이를 끌다；산책하다. ——柱監 ①지팡이와 기둥. ②크게 의지가 되는 사람〔것〕. ¶～とたのむ 의지하다.
つか 【束】 名 ①약간；조금. ¶～の間監 잠깐 사이. ②〔建〕'つか柱監'의 준말；들보와 마룻대 사이에 세우는 짧은 기둥；동자 기둥；쪼구미. ③〔印〕 술〔제본했을 때의 책의 부피〕. ——がある 책의 부피가 나다.
つか 【柄】 名 ①(칼이나 활의) 손잡이；

칼자루. ②굿대.

つか【塚】【冢】图 총. ①흙 무더기;둔덕. ¶一里いちり塚づか 이정표로 삼기 위해 십 리마다 만들어 둔 둔덕. ②무덤;묘. ¶首塚くびづか 적군의 목을 묻은 무덤. 參考단순히 '墓はか(=무덤)'의 뜻으로도 씀. ¶~を築きずく 무덤을 만들다.

つが【栂】图【植】솔송나무.

つかい【使い】图 ①씀;사용. ②심부름;심부름꾼;사자(使者). ¶~を立たてる 사자를 보내다 / ~に出でる 심부름를 보내다 / 神様かみさまのお~ 신의 사자(使者).

つがい【番】图 ①한 쌍;특히 암수 한 쌍;부부. =対つい. ¶~の鳥とり 한쌍의 새. ②つがいめ('관절'의 준말);관절.

づかい【遣い】《名詞에 붙어》①사용;씀;쓰는 법〔품〕;쓰는〔부리는〕사람. ¶むだに 無駄むだ~の金かね~が荒あらい 돈 씀씀이가 헤프다 / 人ひと~がうまい 사람을 잘 부리다. ②목소리 등의 상태. ¶息いき~ 숨결. ③気き~ 마음씀;배려;걱정.

つかいかた【使い方】图 사용법.

つかいこなす【使いこなす】他 보람 있게 쓰다;잘 다루다;자유 자재로 쓰다;구사(驅使)하다.

つかいこ-む【使い込む】他 손익게 쓰다;손때나게 오래 쓰다. =使つかいなれる.

つかいこ-む【遣い込む】他 ①공금 따위의 써서는 안 될 돈을 쓰다. ¶会社かいしゃの金かね~ 회사 돈을 써버리다. ②예산〔제한〕이상으로 쓰다.

つかいさき【使い先】图 심부름 간 데.

つかいな-れる【使い慣れる】【使い馴れる】下一自 늘 써서 손에 익다.

つかいはた-す【使い果(た)す】他 다 써버리다.

つかいみず【使い水】图 허드렛물.

つかいみち【使い道】【使い途】图 ①용도. ②사용법;쓰는 법.

つがいめ〔つがい目【番目】图 관절;마디.

つかいもの【使い物】图 ①소용되는 물건〔사람〕. 소용(所用). ¶~にならない 소용이 되지 못하다;쓸모없다. ②〔使つかい物ものに〕〔お〕が붙어서〕선물. ~贈物おくりもの·進物しんもつ. ¶お~にする 선물로 하다.

つかいわ-ける【使い分ける】下一他 ①때와 장소에 따라 구별지어 행동〔처리〕하다. ②상대방이나 목적에 따라 자기 달리 적당히 쓰다. ¶敬語けいごを~ 경어를〔상대방에 따라 구분해서〕잘 쓸 줄 알다.

‡**つか-う**【使う】他 ①쓰다. ②〔재료·도구·수단으로〕사용하다. ¶ペンを~ 펜을 사용하다 / 頭あたまを~ 머리를 쓰다 / 鉄てつを~って作つくる 쇠를 사용하여 만들다. ①〔遣つかう로도〕소비하다. ¶お金かねを~ 돈을 쓰다. ⓒ부리다. ¶人ひとを~ 사람을 부리다. ③써서 …하다. ¶扇おうぎを~ 부채질하다 / 湯ゆを~ 목욕하다. ②먹다. ¶弁当べんとうを~ 도시락을 먹다.

‡**つか-う**【遣う】他 ①써내다. ¶進物しんもつを~ 진상물을 보내다. ②쓰다. ⓣ〔使つかうロ로도〕사용하다;소비하다. ¶

本ほんに金かねを~ 책에 돈을 쓰다. ⓛ마음 등을 쓰다. ¶気きを~ 마음〔신경〕을 쓰다. ⓦ말하다. ¶英語えいごを~ 영어를 쓰다〔하다〕. ③〔人形ひとぎょうと로도〕솜법 따위를 부리다. ¶手品てじなを~ 요술을 부리다. ④가장하다. ¶居留守いるすを~ 집에 있으면서 없다고 따돌리다.

‡**つか-える**【支える・閊える】下一自 ①막히다;메다. ¶言葉ことばが~ 말이 막히다 / どぶが~ 하수구가 막히다. ②받히다. ¶頭あたまが天井てんじょうに~ 머리가 천정에 받히다. ②밀리다;정체(停滞)하다. ¶仕事しごとが~えている 일이 밀려 있다. ③사용중이다. ¶電話でんわが~えている 전화를〔다른 사람이〕사용중이다. ⓣ더듬거리다. ¶~·え~を言いう 더듬더듬 말을 하다. ⑥걸리다;뻐근하다. ¶肩かたが~ 어깨가 걸리다.

つか-える【仕える】【事える】下一自 시중들다;봉사하다;섬기다. ¶神かみに~ 신에 봉사하다 / 宮中きゅうちゅうに~ 궁중에 출사하는 사람.

つが-える【番える】下一他 ①둘을 서로 맞추다. ¶はずれた関節かんせつを~ 어긋난 관절을 맞추다 / 雌雄しゆうを~ 암수를 짝짓다. ②화살을 시위에 메기다. ③서로 약속하다;약속을 교환하다.

つかがしら【つか頭【柄頭】图 칼자루의 끝에 붙이는 쇠붙 장식.

つかさど-る【司どる・掌る】他 맡다. ①〔직무로서〕취급하다;담당하다. ②관리(관장)하다;지배하다.

つか-す【尽かす】他 『あいそを~』정나미가 떨어지게 하다.

つかずはなれず【付かず離れず】連語 어중간함;붙지도 떨어져 있지도 않음. ¶~の関係かんけい의가〔그다지〕좋지도 나쁘지도 않은 사이.

つかつか副 서슴〔거침〕없이 앞으로 나아가는 모양;성큼성큼. ¶~(と)는 いってくる 서슴지 않고〔거침없이〕들어오다.

つかぬこと【付かぬ事】連語 전연 관계 없는 일;엉뚱한 일.

つか-ねる【束ねる】下一他 ①다발로 묶어〔어무〕다. ¶古てがみ手紙がらを~·ねておく 묶은 편지를 묶어두다. ②낄팔짱 끼다. ¶手てを~ 팔짱을 낀 채 보고 있다〔수수 방관하다〕.

つかのま【束の間】图 잠깐동안;순간. ¶~も忘わすれない 한 순간도 잊지 않다.

*‡**つかま-える**【捕まえる】【捉まえる】下一他 붙잡다;붙들다. ¶犯人はんにんを~ 범인을 붙잡다.

*‡**つかま-える**【摑まえる】下一他 꽉 쥐다. ¶袖そでを~·えて離はなさない 소매를 꽉 쥐고 놓지 않다.

つかま-せる【摑ませる】下一他 ①쥐어 주다;뇌물을 주다. =つかます. ①わいろを~ 뇌물을 쥐어 주다. ②나쁜 물건을 사게 하다.

*‡**つかま-る**【捕まる】【捉まる】下一自 (붙)잡히다. ¶犯人はんにんが~ 범인이 붙잡히다. ↔のがれる.

*‡**つかま-る**【摑まる】下一自 꽉 잡다;붙잡다. ¶枝えだに~·ってぶらさがる 가지를 꽉 잡고 매달리다.

つかみあ-う【つかみ合う】(摑み合う)⑤自 마주〔서로〕붙잡다;싸우다;드잡이하다. ¶往来^{おうらい}の真中^{まんなか}で ─ 길 한복판에서 붙어 싸우다.

つかみかか-る【つかみ掛(か)る】(摑み掛(か)る)⑤自 붙잡으려 들다;전(轉)하여, 맹렬하다. ¶暴漢^{ぼうかん}が∼って来^きた 폭한이 덤벼들었다.

つかみがね【つかみ金】(摑み金)名 대충 어림친 금액. =つかみきん.

つかみだ-す【つかみ出す】(摑み出す)⑤他 ①집어 내다. ②잡아 내다;붙잡아 내다.

つかみどころ【つかみ所】(摑み所)名 ①붙잡을 데. ②(가치 평가를 할 경우의) 기준점. ━がない ①매달릴〔잡을 만한〕데가 없다. ②막연하다;요령 부득이다.

つかみほん【つか見本】(束見本)名 (印) 가제본(假製本);부피 견본.

*つか-む【摑む・攫む】⑤他 잡다. ①(손으로) 쥐다;붙잡다. ¶雲^{くも}を∼ような話^{はなし} 구름을 잡는 것 같은 허황된 이야기. ②손에 넣다;수중에 거두다. ¶大金^{たいきん}を∼ 큰 돈을 잡다. ③포착하다. ¶機会^{きかい}を∼ 기회를 잡다 / 幸運^{こううん}を∼ 행운을 잡다 / 人^{ひと}の弱点^{じゃくてん}を∼ 남의 약점을 잡다. ④(사물의 진상・내용 등을) 파악하다. ¶大意^{たいい}を∼ 대의를 파악하다.

つか-る【浸かる】⑤自 (액체 속에) 잠기다;침수되다. ¶海水^{かいすい}に∼ 바닷물에 잠기다 / ふろに∼ 목욕물에 몸을 담그다.

つか-る【漬かる】⑤自 (김치 따위가) 맛이 들다;익다.

つかれ【疲れ】名 피로. ¶∼がたまる 피로가 쌓이다.

*つか-れる【疲れる】下1自 ①지치다;피로해지다. ¶∼てくたびれる. ¶神経^{しんけい}が∼ 신경이 피로해지다. ②오래 사용해서 약해지다;낡아지다;진이 빠지다. ¶∼れた洋服^{ようふく} 낡은 양복 / ∼れた油^{あぶら} (오래 되어서) 진이 빠진 기름.

つか-れる【憑かれる】下1自 들리다;씌다;홀리다. ¶きつねに∼ 여우에 홀리다.

つかわ-す【遣わす】⑤他 ①보내다;파견하다. ¶使者^{ししゃ}を∼ 사자를 보내다. ②《動詞의 連用形+'て'의 아래에 붙여서》…하여 주다. ¶ほめて∼ 칭찬해 주다.

つき【(俗)運】名〔運〕행운. ¶∼が回^{まわ}ってくる 운이 돌아오다.

*つき【月】名 ①달. ¶∼のかさ 달무리. ↔日. ②달빛. ¶∼が明^{あか}るい 달(빛)이 밝다. ③(책력상의) 한 달;월. ¶∼が変^かわる 달이 바뀌다. ④월정;경도. ⑤(약 10개월의) 임신 기간. ¶∼が満^みちて生^うまれる 달이 차서 태어나다. ━とすっぽん 하늘과 땅〔만큼의 차이〕;천양지차. ━にむら雲^{ぐも}, 花^{はな}に風^{かぜ} 호사다마(好事多魔).

つき【槻】名〔植〕둥근느티나무. =つきげやき・つきのき.

つき【つき・付(き)】(附き)名 ①붙음.

부착성(付着性). ¶∼のいいのり 붙는 풀. ②불붙음;인화성(引火性). 발화성(發火性). ¶∼が悪^{わる}いライター 불이 잘 붙지 않는 라이터. ③배합;어울림. ¶∼の悪^{わる}いネクタイ 어울리지 않는 넥타이. ④붙임성. ¶∼の悪^{わる}い붙임성이 없다. ⑤시중듦;또, 그 사람. ¶お∼の人^{ひと} 시중꾼.

つき【付き・就き】接助〔'に'의 꼴로〕①…에 관하여. ¶この点^{てん}に∼ 이 점에 관하여. ②…때문에;…으로 인해. ¶雨天^{うてん}に∼ 우천으로 인해. ③…에 대하여;…당(當). ¶ひとりに∼百円^{ひゃくえん} 한 사람당 백 엔.

-つき【付(き)】①붙어 있음;달려 있음;…부. ¶家具^{かぐ}付^つき 경품부. ②(모양). ¶顔^{かお}付^つき 얼굴 모양;인상.

*つぎ【次】名 다음;버금. ¶∼の間^ま 다음 방 / 部長^{ぶちょう}の∼にえらい 부장 다음으로 높다 / ∼の時代^{じだい} 다음 시대.

つぎ【継ぎ】名 (바대나 작은 천 조각을 대서) 기움;또, 그 바대. ¶∼をする (바대를 대서) 깁다.

-づき【付(き)】〔지위를 나타내는 名詞에 붙어〕…에 소속함;…에 소속되어 보좌하는 사람. ¶社長^{しゃちょう}付^つき秘書^{ひしょ} 사장 (전속의) 비서.

つきあい【付き合い・交際】名 교제함;교제상의 의리. ¶お∼ 의리상의 교제 / 長^{なが}い∼ 오랜 동안의 교제.

*つきあ-う【付き合う】⑤自 ①교제하다;사귀다. ¶長^{なが}く∼ 여러 해 동안 사귀다. ②(의리나 교제상) 행동을 같이 하다. ¶映画^{えいが}を∼ 영화를 같이 구경하다.

つきあたり【突き当(た)り・突当り】名 ①충돌;마주침. ②막다른 곳;길이 막힌 곳. ¶∼の部屋^{へや} 맨 끝방.

*つきあた-る【突き当(た)る】⑤自 ①(맞)부딪치다;충돌하다. ¶壁^{かべ}に∼ 벽에 부딪치다 (낭관에 봉착하여 더못 나아가게 되다). ②막다른 곳에 이르다. ¶∼って右^{みぎ}に曲^まがる 막다른 곳에서 오른쪽으로 구부러지다.

つきあわ-せる【突き合(わ)せる・突合せる】下1他 ①맞대다. ¶ひざを∼ 무릎을 맞대다〔간담하다〕. ②대조하다. ¶帳簿^{ちょうぼ}を∼ 장부를 대조하다. ③대질시키다.

つぎあわ-せる【継ぎ合(わ)せる・継合せる】下1他 ①맞붙이다;맞잇다;때우다. ②잇대어 꿰매다. ¶きれを∼ 헝겊을 잇대어 꿰매다.

つきうす【搗臼】名 절구.

つきおくれ【月後れ・月遅れ】名 ①(월간 잡지 따위의) 발매중인 것보다 이전에 나온 호;지난 달 호. =バックナンバー. ②음력으로 쇠어오던 행사를 양력 그 날로 하지 않고 한 달늦추어 행하는 일.

*つきおと-す【突き落(と)す】⑤他 (떼) 밀어 떨어뜨리다. ¶橋^{はし}から∼ 다리에서 밀어 떨어뜨리다.

つきかえ-す【突(き)返す】⑤他 ☞つっかえす.

つきかげ【月影】名 월영. ①달빛. ↔日影^{ひかげ}. ②《雅》(달빛에 비친) 그림자.

つきがけ【月掛(け)】图 다달이 일정한 돈을 부어 나감; 또, 그돈. ¶~貯金៶៷ 월계 적금. ↔日掛៶៷け.

つきがた【月形】图 월형; 반달형.

つきがわり【月代(わり)】图 ①달이 바뀜. ¶明日៵៷からは~で五月゠゠になる 내일부터는 달이 바뀌어서 5월이 된다. ②한 달마다 교체함. ¶~のプログラム 한 달마다 바뀌는 것.

つぎき【接(ぎ)木・継(ぎ)木】图 접목. ⇨さし木.

つきぎめ【月決(め)】【月極(め)】图 월정(月定); 한 달에 얼마로 정함. ¶~給与゠゠ 월정 급여.

つきぎょうじ【月行事】-gyōji 图 ①그 달의 행사; 월중 행사. ②매달 교대로 (노동) 조합 따위의 사무를 보는 직무.

つききり【付ききり】【付き切り】图 항상 옆에 붙어 있음. =付きっきり. ¶~で看病៵៷する 늘 붙어서 병구완하다. 「つゆくさ.

つきくさ【月草】【鴨跖草】图〔植〕

つきくず-す【突(き)崩す】⑤他 ①질러 무너뜨리다. ②맹렬하게 공격하여 적의 방비를 무너뜨리다.

つきぐち【注(ぎ)口】(간장·기름 따위를) 따르기 위해 붙인 부리; 귀때.

つきげやき【槻】图〔植〕 둥근느티나무. =つき【槻】.

つきごし【月越し】图ス自 그 달에서 다음 달로의 勘定゠゠; 달 넘긴 계산; 전 달 계산서. 「이.

つきごと【月毎】【月每】图 매달; 다달

つぎこ-む【注ぎ込む】【注ぎ込む】⑤他 ①부어 넣다; 주입(注入)하다. ②(무엇을 하기 위하여) 많은 비용을 들이다(쏟아 넣다).

つぎざお【継ぎ竿】① 이음 낚싯대. ②【継ぎ棒】끼웠다 떼었다 할 수 있는 三味線゠゠゠의 대.

***つき-さす**【突(き)刺す】⑤他 ①(날카로운 것으로) 푹 찌르다. ②찌르듯이 마음에 와 닿다. ¶~ようなことば 마음을 찌르는 듯한 말.

つきしたが-う【付(き)従う】【附(き)随う】⑤自 ①뒤따라가다; 수행하다. ②부하가 되다; 복종하다.

つきずえ【月末】图 월말. =げつまつ. ↔月始៵៷め. 「다.

つきすす-む【突き進む】⑤自 돌진하

***つきそい**【付(き)添い】图 곁에서 시중 〔수발〕듦; 또, 그 사람. ¶~看護婦៵゠ 곁에서 시중드는 간호원; 딸린 간호원. ——にん【付添人】图 시중〔수발〕 드는 사람.

つきそ-う【付(き)添う】⑤自 곁에서 시중〔수발〕 들다; 곁에 따르다. ¶病人៵゠に~ 환자 곁에서 시중들다.

つきだい【接(ぎ)台・継(ぎ)台】图〔植〕대목臺(臺木); 접본(接本). =つぎほ. ②발판.

つきだし【突(き)出し】图 ①밀어냄; 특히, 씨름에서 손바닥으로 상대방을 씨름판 밖으로 밀어내는 일. ②(일본 요리에서) 처음에 내놓는 가벼운 안주; 전채(前菜). ③처음으로 그 업(業)에 발을 디딤; 첫발(을) 디딤; 또, 그 사람.

***つきだ-す**【突(き)出す】⑤他 ①(떼) 밀

어내다. ¶土俵゠゠の外゠へ~ 씨름판 밖으로 떼밀어 내다. ②(앞으로) 내밀다. ¶げんこつを~ 주먹을 쑥 내밀다. ③(경찰서 등에) 끌고 가다; 넘기다. ¶犯人៵゠を警察゠゠へ~ 범인을 경찰에 넘기다.

つぎた-す【継(ぎ)足す】⑤他 (나중에) 더 늘이다〔보태다, 잇다〕.

つきたらず【月足らず】(태아가) 조산(早産)함; 조산아; 미숙아.

つきづき【月月】图 매달; 다달(이)(副 詞的으로도 씀).

つぎつぎ【次次】(副 차례차례; 계속함); 잇달. ¶事故゠゠が~に起きる 사고가 연달아 일어나다 / ~と客゠゠がある 잇따라 손님이 오다. (参考)助詞'に''と''の' 따위를 수반하여 씀.

つきつ-ける【突きつける】【突き付ける】下一他 들이대다; (거칠게) 내밀다. ¶ピストルを~ 권총을 들이대다 / 証拠゠゠を~ 증거를 들이대다.

つきつ-める【突き詰める】【突き詰める】下一他 ①끝까지 파고들다〔밝혀 내다〕; 추구하다. ¶原因゠゠を~ 원인을 밝혀내다. ②골똘히 생각하다. ¶~めてノイローゼになる 너무 외곬으로 생각하여 노이로제가 되다.

***つき-でる**【突(き)出る】下一自 ①뚫고 나오다. ¶針゠が~ 바늘이 뚫고 나오다. ②튀어 나오다; 내밀다; 돌출하다. ¶ひたいが~ 이마가 튀어나오다.

***つき-とおす**【突(き)通す】-tōsu ⑤他 내뚫다; 꿰뚫다. ②(비유적으로) 끝까지 …하다. ¶主張゠゠を~ 끝까지 주장하다.

つき-とめる【突(き)止める】下一他 (끝내) 밝혀내다; 알아내다. ¶住所゠゠を~ 주소를 알아내다.

つきなみ【月並(み)】【月次】一 图 평범함 (속되고) 진부함. ¶~な文句゠゠ 평범한 문구 / ~調゠ 틀에 박힌 평범한 투의 俳句゠゠. 二 图 월례. ¶~会゠ 월례회.

***つぎに**【次に】副 다음에; 그리고 나서. ¶その~ 그 다음에.

つきぬ-く【突(き)抜く】⑤他 관통하다; 내뚫다; 꿰뚫다.

つきぬ-ける【突(き)抜ける】下一自 관통하다; 꿰뚫고 나가다; 빠져 나가다; 통과하다.

つきの-ける【突きのける】【突き除ける】下一他 밀어 젖히다. 「도.

つきのさわり【月の障り】图 월경; 그

つぎのま【次の間】图 곁방; 큰방 옆에 붙어 있는 작은 방; 협실.

つきの-める【突きのめる】⑤他 (뒤에서) 앞으로 떼밀어 넘어뜨리다.

つきのもの【月の物】图〈老〉몸엣것; 월경.

つきのわ【月の輪】① 图〈雅〉둥근 달; 월륜; 둥근 달 모양. ②〔佛〕가사(袈裟)의 가슴 부분에 다는 고리 모양의 장식. ③흑곰(반달가슴곰)의 목에 있는 초승달 모양의 흰 털이 난 부분. ——ぐま【——熊】图〔動〕흑곰; 반달가슴곰. =クロクマ.

つぎは【継ぎ歯】图 ①(썩은 이를 깎아 내고) 이를 이어 넣음; 또, 그런 이. ②(통나막신 따위의 굽이 닳았을 때)

아교로 굽을 덧댐; 또, 그 부분. 注意 'つぎば'라고도 함.

つぎはぎ【継ぎはぎ】【継ぎ接ぎ】 图 ①(옷에 조각 따위를) 잇거나 붙여 기움. ②남의 문장을 그러모아 하나의 문장을 만듦. ¶「文末詳」.

つきはじめ【月初め】 图 월초; 초승.

つきは-てる【尽き果てる】 下一自 다하다. ¶あいそもこそも――정나미고 무어고 다 떨어지다.

つきばらい【月払(い)】 图 월불; 월부.

つきばん【月番】 图 월번; 한 달씩 하는 당번.

*つきひ【月日】 图 월일. ①달과 날; 날짜. ②시일; 세월. ¶「楽しい～を送る」즐거운 세월을 보내다. ③해와 달.

つきびと【付き人】 图 (연예인 등의) 따라다니며 시중드는 사람. =付っけ人ど.

つきべつ【月別】 图 월별.

つきへん【月偏】 图 한자(漢字) 부수(部首)의 하나; 달월변('服' '胖' 따위의 '月'의 이름).

つぎほ【接ぎ穂・継ぎ穂】 图 ①〔植〕접수; 접붙일 나무. ②말을 이을 기회; 말을 계속할 계제. ¶「話ばの～がない」이야기를 이을 계제가 없다.

つきまいり【月参り】 图 又自 매월 1회씩 신사나 절에 참배함. =月詣づもうで.

つきましては 〔〕就きましては〕 -wa 連語 'ついては(=그 일에 관해서; 그런고로)'의 공손한 말씨.

つきまと-う【付き纏う】 国 又自 항상 따라다니다. ①붙어 다니다; 떨어지지 않다. ¶変ぺな男ぞに～・われる 이상한 사나이가 따라다니다. ②영향을 주다. ¶最初びの失敗はが最後でまで～ 최초의 실패가 마지막까지 영향을 미치다.

つきみ【月見】 图 달구경; 완월(玩月) (좁은 뜻으로는 음력 팔월 보름과 구월 열사흗날 밤의 달구경을 가리킴). =観月かん. ――そう【――草】 -sō 图 ①달맞이꽃. ②おおまつよいぐさ(=큰 달맞이꽃) 'まつよいぐさ(=금달맞이꽃)'의 속칭. =よいまちぐさ.

つきめ【尽き目】 图 다할 때; 종말; 끝판. ¶運びの～의 종말.

つぎめ【継ぎめ・継ぎ目】 图 ①이에 쌈; 이음매; 이은 자리. =つなぎめ. ②호주 상속(인). =あとめ・あとつぎ. ③관절.

つきもど-す【突(き)戻す】 国他 ①つっかえす.

つきもの【付き物】 图 따라(붙어) 다니는 것. =付属物ぞ. ¶学者がに貧乏びは～だ 학자에게 가난은 따라다니기 마련이다.

つきもの【憑き物】 图 사람에게 들린 악령(惡靈)이나 마귀. =もののけ.

つぎもの【継ぎ物】 图 (조각을 대서) 집는 일; 기워야 할 것.

つきやく【月役】 图 월경; 멘스.

*つきやぶ-る【突き破る】 国他 ①미어뜨리다; 찢다. ②돌파하다; 뚫다. ③밀어 무너뜨리다.

つきやま【築山】 图 석가산(石假山).

つきゆび【突き指】 图 又自 손가락을 세게 부딪쳐 삠.

(오른쪽 단)

つきよ【月夜】 图 월야; 달밤. ――に釜ぉを抜ぬかれる 달밤에 밥솥을 도둑맞다(지나치게 방심함의 비유). ――にちょうちん 달밤에 초롱불 (불필요함의 비유).

つきよみ【月夜見・月読】 图 〔雅〕달의 딴이름(밤을 지배하는 달의 신 '月読命つくよみの'의 준말). 注意 'つくよみ'라고도 함.

*つ-きる【尽きる】 上一自 다하다. ①진(盡)하다; 떨어지다. ¶運びが～ 운이 다하다 / あいそが～ 정(情)이 떨어지다. ②끝나다. ¶林びが～きて広びい道ちへ出る 숲이 끝나고 넓은 길로 나오다. ③「…に～」의 형태로〕…이외의 아무 것도 없다; 그것으로 더할 말을 다하다. ¶冥加みが～に～더할 나위 없는 복을 누리다.

つきわり【月割】 图 ①월당(月當); 월 평균. ②월부(月賦).

*つ-く【付く】 国自 ①(값에) 해당되다; (금이) 매겨지다; 나다; 치이다. ¶値びが～ 값이 붙다(매겨지다) / 高びいものに～ 비싸게 치이다. ②행운이 따르다; 재수가 있다. ¶勝かち運びが～ 이기는 승운이 따르고 있다.

*つ-く【付く・附く】 国自 ①붙다. ⑦달라 붙다; 매달리다. ¶子供びが～・いて離ぼれない 어린애가 매달려 떨어지지 않다. ⓑ묻다. ¶泥びがズボンに～ 흙탕(물)이 바지에 묻다. ⓒ접착하다. ¶こののりはよく～ 이 풀은 잘 붙는다. ②(힘 등이) 보태지다; 더해지다. ¶力び(実力びつ)が～ 힘(실력)이 보태다(나다). ⓔ붙이 붙다. ¶火びが～ (a)불이 붙다; (b)불이 커지다. ¶(살이) 오르다. ¶肉びが～ 살이 붙다. ㉮덧붙다. ¶景品びが～ 경품이 붙다. ⓞ꾀어들다. ¶虫びが～ 벌레가 붙다〔꾀다〕. ③따르다. ¶護衛びが～ 호위가 붙다. ④딸리다. ¶病人びに看護婦がが～ 환자에게 간호원이 딸리다. ⑦일이 잡히다. ¶仕事びが手びに～・かない 일이 손에 잡히지 않다. ⓑ치다; 생기다. ¶利子びが～ 이자가 붙다. ⑤(지식·교양·기술 등이) 자기 것이 되다. ¶知識びが身みに～ 지식이 몸에 붙다. ⓑ이름(따위가) 붙여지다. ¶あだ名びが～ 별명이 붙다. ⑥생기다. ⑦나다. ¶知恵びが～ 슬기가 나다; 약아지다 / 道びが～ 길이 나다(트이다). ⓑ(버릇 등이) 들다. ¶癖びが～ 버릇이 들다. ③(감각 기관에) 들어오다. ¶目びに～ 눈에 띄다 / 耳びに～ 귀에 들어오다 / 鼻びに～ 냄새가 나다(비유적으로도). ⓑ가설되다. ¶電話びが～ 전화가 들어오다. ⓒ(기계·전기 등이) 작동하다; 켜지다. ¶電灯びが～ 전등불이 들어오다(켜지다). ④따르다. ¶父びに～・いて行ゆく 아버지를 따라 가다. ⑤(물이) 들다. ¶色びが～ 물이 들다. ⑥気びに～(기입)되다; 치부되다. ¶通信簿つうしんぼに～ 생활통지표에 기입되다. ⑦알맞게 되다. ¶お燗がが～ 술이 알맞게) 따근히 데워지다 / 種痘びが～ 우두가 잘되다. ⑧(정신이) 나다(들다). ¶気びが～ (a)알아 차리다; 깨닫다; (b)제 정신이 들다. ⑨배당(할당)되다. ¶役びが～

～ 역할〔소임〕이 배당되다. ⑩(결심 따위가) 서다. ¶決心が～ 결심이 서다. ⑪매듭을 짓다; 처리되다. ¶かたが～ 결말이 나다. ⑫자리 잡다; 뿌리박다. ¶根が～ 뿌리를 박다. ⑬《'…に～·き'의 형태로》 …이므로〔이어서〕; …이기 때문에. ¶日曜に～·き休業 일요일이므로 휴업.

⁑つ-く 〖即く〗 5他 ①왕위에 오르다; 즉위하다. ②…에 따라가다; 뒤를 따르다.

⁑つ-く 〖吐く〗 5他 ①숨을 쉬다. ¶ため息を～ 한숨을 쉬다. ②말하다. ¶うそを～ 거짓말을 하다. ③토하다. ¶へどを～ 게우다.

⁑つ-く 【就く】 5他 ①들다. ¶床に～ 잠자리에 들다. ②오르다. ㉠그 자리〔직위〕에 앉다; 취임하다. ¶社長の座に～ 사장 자리에 앉다. ㉡(길에) 오르다; 출발하다. ¶帰途に～ 귀로에 오르다. ③종사하다; 취직〔취업〕하다. ¶教職に～ 교직에 종사하다. ④착수하다; 붙다. ¶仕事に～ 일에 착수하다. ⑤따르다. ㉠좇다; 편이 되다. ¶強い方に～ 강한 쪽에 붙다. ㉡끼다. ¶塀に～·いて曲がる 담을 따라〔끼고〕 돌다. ㉢…밑에서 배우다; 사사(師事)하다. ¶先生に～·いて習う 선생 밑에서 배우다. ⑥《'…に～·き' '…に～·いて'의 형태로》 …에 관하여; …에 대하여; …마다. ¶新薬に～·いての話 신약에 관한 이야기 / 荷物一個に～·き二百円の手数料 화물 한 개당 2백 엔의 수수료.

⁑つ-く 〖憑く〗 5自 (심령·마귀 따위가) 들리다; 씌다. ¶キツネが～ 여우에게 홀리다.

⁑つ-く 〖搗く·舂く〗 5他 ①찧다; 빻다. ¶米を～ 쌀을 찧다. ②치다. ¶もちを～ 떡을 치다.

⁑つ-く 〖浸く〗 5自 (물에) 잠기다; 침수되다. ¶どろ水に～ 흙탕물에 잠기다.

⁑つ-く 【漬く】 5自 ☞つかる(漬). ¶このシロウリはよく～·いている 이 월과는 잘 담가졌다(맛이 잘 들었다).

⁑つ-く 〖点く〗 5自 ①불이 켜지다. ¶電灯が～ 전등불이 켜지다. ②(불이) 붙다. ¶火が～ 불이 붙다.

⁑つ-く 【突く】 5他 ①찌르다. ㉠(날카로운 것으로) 찌르다. ¶やりで～·き殺す 창으로 찔러 죽이다. ㉡내지르다. ¶ひじでわきを～ 팔꿈치로 옆구리를 쿡 찌르다. ㉢(본디 衝く) (기세 등이) 하늘을 찌르다. ¶意気天を～ 의기 충천하다. ㉣(본디 衝く) 공격하다. ¶弱点を～ 약점을 찌르다 / 虚を～·かれる 허를 찔리다. ㉤(본디 衝く) 자극하다. ¶鼻を～におい 코를 찌르는 냄새. ㉥말 따위가 나오다. ¶口を～·いて出る 말이 갑자기 입 밖으로 튀어나오다. ②㉠(뿔로) 받다. ¶角で～ 뿔로 받다. ㉡찍다. ¶判を～ 도장을 찍다. ③(본디 撞く) 치다. ㉠소리를 내다. ¶鐘を～ 종을 치다. ㉡(공을) 튀기다. ¶球を～ 당구공을 치다. ④밀다. ㉠떠다밀다. ¶相手の胸を～ 상대의 가슴을 떠밀다. ㉡밀어서 뽑아내다. ¶ところてんを～ 우무를 (통에서) 밀어 가늘게 뽑아 내다. ⑤내리〔덮쳐〕 누르다. ¶胸を～急坂 가슴을 덮쳐 누를 것 같은 가파른 언덕. ⑥(본디 衝く) (장애를) 무릅쓰다. ¶ふぶきを～·いて進む 눈보라를 무릅쓰고 나아가다. ⑦짚다; 괴다. ¶杖を～ 지팡이를 짚다. ⑧다 떨어지다. ¶底を～ (a)바닥이 나다; (b)바닥 시세가 되다.

⁑つ-く 【着く】(著く) 5自 ①닿다. ㉠도착하다. ¶目的地に～ 목적지에 닿다. ㉡접촉하다; 박히다. ¶頭が天井に～ (키가 커서) 머리가 천장에 받히다〔닿다〕. ②자리를 잡다; 앉다. ¶席に～ 자리에 앉다.

-つ-く 《擬声語·擬態語에 붙어 五段活用動詞를 만듦》 소리·동작·모양이 그렇게 되어짐을 나타냄. ¶がた～ 덜커덕거리다.

つく 〖木菟〗 名 〔鳥〕 부엉이.

つ-ぐ 【次ぐ】(亜ぐ) 5自 ①뒤를 잇다. ②다음가다; 버금가다. ¶社長に～実力者 사장 다음가는 실력자.

***つ-ぐ** 〖注ぐ〗 5他 쏟다; 붓다; 따르다. ¶酒を～ 술을 따르다.

***つ-ぐ** 【接ぐ】 5他 ①접목하다. ②이어 붙이다. ¶骨を～ 뼈를 잇다; 접골하다.

***つ-ぐ** 【継ぐ】 5他 ①잇다. ㉠(본디 承ぐ·嗣ぐ로도) 계승하다; 상속하다. ¶王位を～ 왕위를 계승하다. ㉡(모자라는 것을) 이어 보태다. ¶糸を～ 실을 잇다. ㉢(끊이지 않도록) 뒤를 이어대다. ¶炭を～ 숯을 더 얹다. ㉣잇대다; 연잇다. ¶夜を日に～ 밤낮을 연잇다(밤낮을 가리지 않고 무엇을 함의 비유). ②(接ぐ로도) 해진 곳을 깁다. ¶くつ下のあなを～ 양말 구멍을 깁다.

-づ-く 《名詞에 붙어서 五段動詞를 만듦》 …의 경향이 생기다. ¶色気～ (여자에) 성적 매력이 생기다.

⁑つくえ 【机】 名 책상. =デスク.

つくし 〖土筆·筆頭菜〗 名 〔植〕 토필; 뱀밥. =つくしんぼ.

-づくし 【尽(く)し】 《名詞에 붙어서》 ①그 종류의 것을 전부 열거함; 그것을 열기한 것. ¶国～ 여러 나라를〔지방을〕 다 열거함. ②있는 모든 것을 다함. ¶心～ 마음〔정성〕을 다함.

***つく-す** 【尽(く)す】(竭(く)す) 5他 ①다하다. ㉠있는 대로 다하다. ¶親切を～ 친절을 다하다. ㉡(남을 위해) 애쓰다; 진력하다. ¶国の為に～ 나라를 위해서 진력하다. 參考 ㉡은 自動詞적인 용법. ㉢끝까지 다하다; 끝내다. ¶義務を～ 의무를 다하다. ②《動詞連用形에 붙어서》 끝까지 …하다; 다 …하여 버리다; …해치우다. ¶まんじゅうを食べ～ 찐빵을 다 먹어 치우다.

つくだに 【つくだ煮】(佃煮) 名 〔料〕 (생선·조개·해초 등의) 조림의 하나.

***つくづく** 〖熟〗 副 ①곰곰이. ¶～と将来のことを考える 곰곰이 장래의 일을 생각하다. ②눈여겨; 뚫어지게; 지그시. ¶～(と)見入る 지그시〔뚫어지게〕 보다. ③정말; 아주; 절실

ひ. ¶〜いやになった 정말 싫어졌다.

つくつくぼうし 【つくつく法師・蟪蛄・寒蟬】-bōshi 【名】【蟲】애매미. =おうしいつくつく.

*つぐな-う 【償う】 [5他] 갚다. ①보상하다; 변상하다. ¶損失ぎを〜 손실을 보상하다. ②(금품·노력의 제공 등으로) 죄나 잘못을 씻다. ¶出家いゝして罪をを〜 출가하여 속죄하다. ☞'つぐのう'라고도 함.

つくねいも 【仏掌薯】【植】불장서(마의 한 가지). =とろろいも.

つく-ねる 【捏ねる】[下1他] (손으로) 빚어 둥글게 하다; 빚다.

つくねんと 【副】 멍하니; 우두커니; 쓸쓸히. ¶〜すわっている 멍하니 (정신 없이) 앉아있다.

つくば-う 【蹲う】[5自] 웅크리다; 쭈그리다. =しゃがむ.

つぐみ 【鶫】【鳥】개똥지빠귀(티티새, 또는 백설조라고도 하는 철새).

つぐ-む 【噤む】[5他] 다물다; 말하지 않다. ¶口をを〜 입을 다물다.

つくも 【九十九・江浦草】【名】【植】'太蘭くゝ(큰골풀이)'의 딴이름.

つくよ 【月夜】【雅】☞つきよ.

つくり 【旁】【名】한자(漢字) 구성상의 명칭; 방(한자의 오른쪽 부분). ↔偏へ.

*つくり 【作り】【名】①만듦. ②제작자; 제작품. ③몸매; 몸집. ¶小作ぶり 작은 몸집[체격]. ④만듦새; 될됨이. ¶この品ぶは〜がいい 이 물건은 될됨이가 좋다. ⑤몸단장; 화장; 꾸밈새. ¶お〜にひまがかかる 몸단장에 시간이 걸리다. ⑥일부러 꾸밈; 가장; 거짓. ¶〜笑いら 억지 웃음. ⑦농작물. ⑧생선회. [注意]⑤たいの生ゝけ作りつ 도미회. [注意]⑤는 본디 関西ぶん 방언.

*つくり 【造り】【名】집·정원·연못 등을 만듦; 또, 그 사람[만듦새; 구조]. ¶〜がしっかりしている家ゝ 구조가 단단한 집.

-づくり 【作り・造り】《名詞 밑에 붙어서》①만든 것; 만듦(앞에 나온 말을 재료로 하여). ¶粘土ねん〜のお茶碗 찰흙으로 만든 탈. ②방법을 다하여 만들기. ¶村むら〜 마을 만들기.

-づくり 【造(り)】《名詞 밑에 붙어서》건축양식.

つくりあ-げる 【作り上げる・造り上げる】[下1他] 만들어 내다. ①다 만들다; 완성시키다. ②(거짓으로) 만들어 내다; 날조[조작]하다.

つくりごえ 【作り声】【名】꾸민(가짜) 목소리; 가성(假聲).

つくりごと 【作り事】【名】①만든 것. ②꾸며낸 일; 조작한 일; 거짓말.

つくりだ-す 【作り出す・造り出す】[5他] ①만들기 시작하다. ⑦생산하다. ¶自動車どゝを〜 자동차를 생산하다. ⓛ이루어 내다. ⓒ창작[창조]하다; 발명하다. ¶新型ゝの機械ゝを〜 신형의 기계를 만들어 내다.

つくりつけ 【作りつけ・作り付け】【名】붙박이. =또, 그렇게 만든 물건. ¶〜の本棚たな 붙박이[제물] 책장.

つくりなお-す 【作り直す・造り直す】

[5他] 고쳐 만들다; 다시 만들다.

つくりばなし 【作り話】【名】만들어낸 이야기; 조작한[꾸며낸] 이야기.

つくりもの 【作り物】【名】①모조품; 인조품; 가짜. ¶〜の真珠たゝ 인조[모조]진주. ②농작물. ③能楽ゝの 무대 장치.

つくりわらい 【作り笑い】[名][ス自] 거짓웃음; 억지 웃음; 선웃음; 헛웃음. =そらわらい.

*つく-る 【作る】[5他] ①만들다. ⑦(재료를 써서) 만들어 내다; 제작[제조]하다. ¶木ゝで机つを〜 나무로 책상을 만들다. ⓛ조직하다; 설립하다. ¶会社ゝを〜 회사를 만들다. ⓒ마련하다. ¶法律ほうを〜 법률을 만들다 / 暇ひゝを〜 틈을 내다[만들다]. ⓔ(열 등을) 형성하다; 짓다. ¶列れを〜 열을 짓다. ⓕ새로 사귀다. ¶男ゝを〜 정부를 만들다. ⓖ창시(創始)하다. ¶流行ゝを〜 유행을 만들다. ⓗ재배하다; 경작하다. ¶野菜さゝを〜 야채를 재배하다. ⓘ기르다; 육성하다. ¶よい習慣ゝを〜 좋은 습관을 기르다. ⓙ출판하다. ¶本ゝを〜 책을 만들다. ⓚ(글·등을) 짓다[쓰다]; 작성하다. ¶詩しを〜 시를 짓다. ⓛ적기하다. ¶敵をを〜 적을 만들다. ⓜ이룩하다; 장만하다. ¶財産たゝを〜 재산을 만들다. ⓝ요리를 하다. ¶夕食ゝを〜 저녁밥을 짓다. ②(아이를) 낳다. ¶子こどもを〜 아이를 낳다. ③화장하다. ¶年とより若かく〜 나이보다 젊게 화장하다. ⓛ거짓 지어내다. ¶笑いゝ顔ゝを〜 억지 웃음을 짓다. ④꾸미다. ¶家庭ゝを〜 가정을 꾸미다. ¶時ゝを〜(닭이) 홰를 치다(일정한 시각에 울다).

*つく-る 【造る】[5他] 만들다. ①짓다; 꾸미다. ¶家ゝを〜 집을 짓다. ⓛ건조하다. ¶船ふゝを〜 배를 만들다. ⓒ(술을) 빚다; 양조하다. ¶酒さゝを〜 술을 빚다. ③창조하다. ¶神ゝが宇宙ゝを〜 하느님께서 우주를 창조하시다. ④양성하다; 키우다. ¶人間ゝを〜 인간을 만들다.

*つく-ろう 【繕う】[5他] ①고치다; 수선[수리]하다; 깁다. ¶着物もののかぎ裂ざきを〜 옷의 찢어진 곳을 깁다. ②겉을 꾸미다. ⓛ가다듬어 꾸미다; 보기 좋게 하다. ¶身みなりを〜 옷차림을 매만져 꾸미다. ⓛ(그 자리를) 얼버무리다; 꾸며 대다; 감싸다; (그럴싸하게) 얼버무리다. ¶その場ゝを〜って그 자리를 얼버무려 대어 모면하다; 미봉하다. ⓒ남의 앞에서) 체면을 세우다. ¶人前ゝを〜 체면을 세우다.

つけ 【付け・附け】【名】①계산서; 청구서. =書かきつけ. ¶〜を会社ゝにまわす 계산서를 회사로 돌리다. ②(장부에 기입해 두고) 외상으로 구입함. ¶〜にする 외상으로 하다 / 〜で買うう 외상으로 사다. ¶〜が回るる 계산서가 돌아오다; 또, 비유적으로, 이전의 실수를 나중에 치름[지경이 되다].

つけ 【就け・付け・附け】 接助 『…に〜의 꼴로』…에 관련하여; …(한) 경우에도. ¶暑あいに〜寒さいに〜 더우나

추우나.

-つけ【就け・付け・附け】《動詞の 連用形に붙어서》늘 그 일을 하고 있는 뜻을 나타냄：늘 …하고 있음. ¶行♀き～の店♀늘 가는 상점；단골 가게.

つげ【告げ】图 ①('お～'의 꼴로) 신불(神佛)의 계시(啓示). =託宣♀각알림.

つげ【黄楊・柘植】图【植】회양목.

-づけ【づけ・付け】【附(け)】①붙임；또, 붙인 것. ②'さん・で呼♀ぶ 씨를 붙여 부르다. ¶四月一日♀♀～で発令♀라 4월 1일부로 발령.

-づけ【漬(け)】절인〔담근〕것；절임；담, 즙♀♀♀. ¶茶♀♀～ 절인 차.

つけあがる【付け上がる】【附上る】5固 상대방이 점잖거나 관대함을 기화로 버릇없이 굴다；기어오르다.

つけいる【付け入る・附入る】5固 기회를 잘 타다；틈타다. =つけこむ. ¶弱点♀♀に～ 약점을 틈타다〔기화로 삼다〕.

つげぐち【告げ口】图(又固) 일러 바침；고자질；밀고.

*__つけくわ─える__【付け加える】【附加える】下1他 보태다；덧붙이다；첨가하다. ¶一言♀♀～えておきます 한마디 첨가해 두겠습니다.

つけげんき【付(け)元気】【附元気】图 허세；헛 기세.

つけこ─む【付け込む・附込む】5固 ①기회를 타다；틈타다；허점을 이용하다；…을 기화로 삼다. =つけいる. ¶無知♀♀に～ 무지를 기화로 삼다. ②(장부에 분개 따위 하지 않고)차부〔기장〕하다. ③(장부에) 사실보다 많은 금액을 기입하다.

つけこ─む【漬け込む】5他 (김치・절이 등을) 담그다.

つけだし【付け出し】【附出(し)】图 (외상 대금의) 청구서；계산서.

つけた─す【付け足す】5他 첨가하다；덧붙이다.

つけたり【付けたり】(付・附)图 덧붙인 것；부록. =付録♀♀. ¶参考 정의를 나타내기 위해 첨가하는 작은 물품 따위；또는, 명목・구실의 뜻으로도 쓰임. ¶～の品物♀♀ 정표.

つけつけ圖(俗) 서슴없이 밉살스럽게 말하는 모양；거침없이；톡톡. ¶相手♀♀構♀わず～言♀う 상대가 누구든 톡톡 말하다. 注意 'ずけずけ'는 이의 힘줌 말.

つけね【付け値】【附値】图 (손님이) 부르는 값. ↔言♀い値♀♀.

つけね【付け根】【附根】图 물건이 붙어 있는 부분. ¶足♀♀の～ 발목 (부분).

つけねら─う【付け狙う】【附狙う】5他 늘 뒤쫓아다니며 노리다；기회를 노리다.

つけぶみ【付け文】【附文】图(又固) 연애편지 (를 몰래 보냄).

つけまつげ【付けまつげ】【附睫】图 (만들어) 붙인 속눈썹.

つけまわ─す【付け回す【付け廻す・附廻す】5他 악착스럽게 따라다니다.

つけめ【付け目・附目】图 착안점；노리는 곳；목표. =めあて・ねらい. ¶そこ

が彼♀らの～だ 그곳이 바로 그들이 노리는 곳이다. ¶金♀♀が～で結婚♀♀する 돈을 노리고서 결혼하다.

つけもの【漬物】图 (왜)김치；야채 절임. =こうのもの.

つけやき【付(け)焼き】【附(け)焼】图【料】간장을 발라서 구음；또, 그 식품.

つけやきば【付焼(き)刃】【附焼(き)刃】图 없는 실력을 임시로 꾸미거나 갑작스레 만들어 내는 일；또, 그 태도；벼락 지식；고식책；임시 변통. ¶～はすぐはがれる 벼락 지식은 금방 그 한계가 드러난다.

*__つ─ける__【つける・付ける】【附ける】下1他 ①붙이다. ㉠(바짝 갖다) 대다. ☞つ〈着〉ける. ㉡부착시키다；달다. ¶胸♀♀にブローチを～ 가슴에 브로치를 달다. ㉢들러붙게 하다. ¶のりで～ 풀로 붙이다. ②따르게〔딸리게〕 하다. ¶家庭教師♀♀を～ 가정 교사를 딸리게 하다. ㉢덧붙이다；첨가하다. ¶利子♀♀(条件♀♀)を～ 이자를〔조건을〕붙이다. ㉥이름짓다. ¶あだ名♀を～ 별명을 붙이다. ㉦(点ける) 점화하다. ¶火♀を～ 불을 붙이다. ②익히다；숙달시키다. ¶職♀を身♀♀に～ 직업상의 기술을 익히다. ③묻히다. ¶手♀にインクを～ 손에 잉크를 묻히다. ④(일기를) 쓰다. ¶日記♀♀を～ 일기를 쓰다. ⑤'乗♀りの～' (…로) 타고 가다；타서 익숙해지다. ¶自動車♀♀を～ 자동차를 타고 가다. ⑥뒤따르다；뒤를 밟다；미행하다. ¶あとを～ 뒤를 밟다. ⑦정하다. ¶見当♀♀を～ 가늠을 하다；대강 짐작을 하다. ⑧북돋우다；회복시키다. ¶元気♀♀を～ 기운을 북돋우다. ⑨(点ける) 켜다. ¶電灯♀♀を～ 전등(불)을 켜다. ⑩통하게 하다. ¶道♀♀を～ 길을 내다. ㉠획하다. ¶連絡♀♀を～ 연락을 취하다. ⑪(신경을 집중시켜) …하다. ¶気♀を～ 조심하다；정신차리다. ⑫맺을 내다；매듭을 짓다. ¶かたを～ 결말을 내다. ⑬관계를 맺다. ㉠갖게 하다. ¶関係♀♀を～ 관계를 맺다；끈으로 매다. ㉡끌어들이다. ¶味方♀♀に～ 제편에 끌어들이다. ⑭(편지를) 부치다. ¶恋文♀♀を～ 연애 편지를 보내다. ⑮할당하다. ¶役♀を～ 역을 할당하다. ⑯(連歌♀♀・俳諧♀♀에서) 앞의 구와 연결되는 글귀를 읊다. ¶上♀の句♀に下♀の句♀を～ 윗구에 아랫구를 읊다.

*__つ─ける__【即ける】下1他 왕위에 앉히다〔오르게 하다〕.

*__つ─ける__【就ける】下1他 ①지위를 〔자리에〕앉히다；취임시키다. ¶社長♀♀の地位♀♀に～ 사장 자리에 앉히다. ②(일을) 하게 하다；종사시키다. ¶任務♀♀に～ 임무에 종사케 하다. ③지도를 받게 하다. ¶先生♀♀に～ 선생에게 지도를 받게 하다.

*__つ─ける__【浸ける】下1他 (물에) 잠그다；담그다；축이다. =ひたす.

*__つ─ける__【漬ける】下1他 (김치 등을) 담그다；절이다. ¶菜♀を～ 김치를 담그다.

*__つ─ける__【点ける】下1他 (불을) 붙이다；스위치를 틀어 켜다. ¶火♀を～ 불

을 붙이다 ; 電氣 등을 ~ 전등을 켜다.

つ-ける【着ける】 下1他 ①대다. ⑦갖다 붙이다. ¶舟を岸 に ~ 배를 강기슭에 대다. ⑭닿게 하다. ¶手 を 地面 に ~ 손을 땅에 대다. ②(자리 등에) 앉히다. ¶席 に ~ 착석시키다. ③(몸에) 걸치다 ; 입다 ; 차다. 身 に ~ (a)옷을 입다. (b)장식으로 걸치다(달다). (c)(학문・기술・교양 등을) 익혀서 자기 것으로 하다. ④짐을 싣다. ¶車 に ~ 차에 싣다.

＊-つ-ける 名詞, 또는 動詞에 ‘(さ)せる・(ら)れる’가 따른 것의 連用形에 붙어서 ① 늘 ……하고 있다 ; …하는(하는) 버릇이다. ¶おやじにはどなられ つ けている 부친에겐 늘 꾸지람을 듣고 있다. ①(어세(語勢)를 강조하는) ¶しっかり ~ 꾸짖어 대다. ②(動詞의 連用形에 붙어서) (감각으로) 알아내다. ¶見 ~ 찾아내다 ; 발견해내다.

つ-げる【告げる】 下1他 ①고하다 ; 알리다. ¶晩を鐘を——鐘の音 새벽을 알리는 종소리 / 別れを ~ 이별을 고하다.

-っこ kko ≪動詞 連用形에 붙여서 名詞를 만듦≫ ①……겨루기. = ……比 べ. ¶にらめ ~ 눈싸움. ②서로 ……함(하기). ¶なぐり ~ 서로 때리기.

-っこ-い kkoi ≪名詞 등에 붙여서 形容詞를 만듦≫ 그러한 気(氣)를 강하게 띠고 있다. ¶あぶら ~ 기름기가 많다 / やに ~ 진이 많다 ; 끈적끈적하다.

＊つごう【都合】 -gō 一名 ①다른 일과의 관계 ; 형편 ; 사정. ＝ぐあい. ¶…… によっては 사정〔상황〕에 따라서는. 二他 어떻게 (든) 함 ; 변통 ; 융통. ¶…… を ~ する お金を ~ する 돈을 마련하다. 三目 도합 ; 총계. ＝しめて. ¶ ～ 百人 분 도합 백 명.

つごもり【晦日・晦】 〔雅〕 (음력으로) 그믐 (「月隠 비 ラ り」의 준말). =みそか・つもごり. ↔ついたち.

つじ【辻】 名 ①네거리 ; 십자로. ＝十字路 비 ビラ . ②길가 ; 길거리 ; 가두 ; 노상 (路上). ＝みちばた. ¶ ~ 演説 노상 연설.

つじうら【辻占】 名 ①점괘가 쓰인 종이 조각. ②길흉의 전조 (前兆)〔조짐〕.

つじかご【辻駕籠】 名 옛날, 길가에서 기다리다가 손님을 태우는 가마.

つじぎり【辻切り】 〔辻斬(り)〕 名 五他 옛날, 무사(武士)가 칼을 시험하거나 검술을 수련하거나 밤거리에 나가 통행인을 베던 일 ; 또, 그 사람.

つじごうとう【辻強盗】 〔辻強盗〕-gōtō 名 노상 강도.

つじつま【辻褄】 名 ①사리 (일의) 이치 ; 조리 (條理). ②계산. ——が合う 조리가 서다 ; 둥이 맞다 ; 이치에 닿다. ¶話 ……の ～が合わない 이야기의 앞뒤가 맞지 않다.

つじどう【辻堂】 〔辻堂〕-dō 名 길가의 작은 불당(佛堂).

つじまち【辻待ち】 〔辻待ち〕 名 (인력거 등이) 노상에서 손님을 기다림.

つた【蔦】 名 담쟁이덩굴.

-づたい【伝い】 ……을 따라서〔타고〕…… 을 연하여. ¶線路 비 ビ ～の道 선로를 끼고 가는 길.

つた-う【伝う】 五自 어떤 것을 매개로,

또는 따라서 이동하다 ; 타다. ¶はしご を ……って登る 사다리를 타고 오르다.

つたえ【伝え】 名 ①(말로) 전하는 것 ; 전언 (傳言). ②구전 (口傳) ; 전설.

つたえ-きく【伝え聞く】 五他 전해 듣다 ; 소문으로 듣다.

つた-える【伝える】 下1他 전하다. ①(매개물을 거쳐서) 미치게 하다 ; 전도 (傳導)하다. ¶振動を ～ 진동을 전하다. ②(사람을 통하여) 알리다 ; 전언하다. ¶真実 비 ド を ～ 진실을 전하다〔알리다〕. ③전파하다 ; 전래하다. ¶キリスト教 비 ド を ～ 그리스도교를 전파하다. ④물려주다 ; 전수 (傳授)하다. ¶秘法 비 ド を ～ 비법을 전 (수)하다 / 財産 비 ド を子孫 비 ド に ～ 재산을 자손에게 물려주다.

つたかずら【蔦葛・蔦蔓】 〔蔦葛・蔦蔓草〕(덩굴 식물의 총칭). =かずら.

つたな-い【拙い】 形 ①서투르다 ; 졸렬하다. ¶絵 ～ 서투른 그림. ②어리석다 ; 변변찮다 ; 무능하다. ¶ ～私の 변변찮은 저. ③운수가 나쁘다 ; 불운하다. ¶武運 비 ド く 무운이 나빠서〔싸움에 져서〕.

つたもみじ【蔦紅葉】 〔蔦紅葉〕 名 〔植〕①단풍든 담쟁이덩굴잎. ②いた やかえで (=고로쇠나무)의 딴이름.

つたわ-る【伝わる】 五自 전해지다. ①(매개물을 거쳐서) 작용이 미치다〔전도 (傳導)하다〕. ¶振動が ～ 진동이 전하여지다. ②전달되다 ; 소문이 전하여지다. ¶うわさが ～ 소문이 전하여지다. ③전해 내려오다 ; 전래하다. ¶代々家 に ～ / 代々家宝 비 ド の家 ～ 대대로 전해 내려온 가보 / 漢字 ド が ～って来た ころ 한자가 전래되었던 무렵. ④어떤 것을 따라 옮겨가다. ¶てすりを ～ってあるく 난간을 따라 걷다.

＊つち【土】 名 ①흙 ; 토양. ¶よく肥 ～えた ～ 기름진 땅. ②〔地〕대지 ; 육지. ¶異国 비 ド の ～を踏 ～む 이국 땅을 밟다. ③지상 (地上) ; 지면 (地面). ¶草 ～が ～をはう 풀이 지면을 뻗어가다. ——一升 金一升 金の 땅 한 되에 금이 한 되(도시의 땅값이 매우 비쌈의 비유). ——がつく 〔相撲〕 씨름에서, 지다.

つち【槌・鎚】 名 망치 ; 마치. ＝ハンマー. ¶金 ド 의 마치 쇠망치.

つちいっき【土一揆】 -ikki 名 〔室町시대의〕 농민 폭동. ＝どいっき.

つちいろ【土色】 名 흙빛 ; 사색 (死色). ¶ ～の顔 흙빛〔사색〕이 된 얼굴.

つちか-う【培う】 五他 ①(초목을) 북주다 ; 배토 (培土)하다. ②(힘・성질 등을) 기르다 ; 배양하다. ¶克己心 비 ド を ～ 극기심을 기르다.

つちくさ-い【土臭い】 形 ①흙내 나다. ②시골티가 나다 ; 촌스럽다. ＝どろくさい・やぼくさい.

つちぐも【土蜘蛛】 〔土蜘蛛〕 名 ①〔動〕땅거미. ＝じぐも. ②옛날 일본에 혈거 (穴居)한 선주 (先住) 민족의 이름.

つちくれ【土くれ】 〔土塊〕 名 〔雅〕 흙덩어리. ＝つちくれ. ¶ ……이.

つちけむり【土煙】 〔土煙〕 名 흙먼지.

つちつかず【土付かず】 〔土付かず〕 名 (씨름에서) 그 시즌 중 한 번도 안 짐.

つちのえ [戊] 图 무(천간의 다섯째).

つちのと [己] 图 기(천간의 여섯째).

つちふまず【土踏まず】图 ①발바닥의 장심(掌心). ②(俗) 차만 타며, 조금도 걷지 않음.

つちへん【土偏】图 한자 부수의 하나 : 흙토변('地·場'등의 '±'의 이름).

つちぼこり【土ぼこり】【土埃】图 흙먼지.

つちやき【土焼(き)】图 질그릇.

*つつ【筒】图 통. ①속이 비고 긴 관(管). ②(본디 銃로도) 총신(銃身) : 포신(砲身)(옛날에는 소총·대포를 일컬었음). ¶ ～を撃つ 총(포)소리, ③우물 안 둘레의 벽 ; 관정(管井)의 토관(土管). ＝井戸側がわ・いづつ.

つつ【接助】《動詞나 動詞型活用의 助動詞의 連用形에 붙어서》①두 가지 일을 동시에 행하는 것을 나타내는 말 : …하면서. ＝…ながら. ¶ 思おもい～歩あるく 생각하면서 걷다. ②…에도 불구하고 : …であり～. ＝…ながら. ③…하면서도. ¶ 危険 きけんを知しり～(も)行おこなった 위험을 알면서도 했다. ③'～ある'의 꼴으로》동작과 작용이 진행중임을 나타냄 : …중이다 ; …하고 있다. ¶ 雨あめが降ふり～ある 비가 오고 있다. ④동작의 반복을 나타내는 말 : 몇 번이고 …하면서. ¶ ふりかえり～ 몇 번이고 뒤돌아 보면서.

つつ——《つ.突っ·突っ》《俗》 동사 위에 붙어서 감정을 강하게 나타내는 말 : 막 ; 푹. ¶ ～つく 마구 찌르다 / ～はしる 빨리 달리다.

つつうらうら【津津浦浦】图 전국 도처 ; 방방곡곡.

つつが【恙】图 ①병 ; 탈. ②＝つつがむし.

つっかえ-す【突っ返す】tsukka- 五他《口》①되밀쳐 버리다 ; 내밀어 붙이다. ②받지 않고 물리치다 ; 퇴짜 놓다. ¶ 贈おくり物ものを～ 선물을 물리치다 / 書類 しょるいを～ 서류를 퇴짜 놓다.

つっかか-る【突っかかる·突っ掛かる】《突っ掛(か)る》tsukka- 五自 ①달려들다 ; 덤벼들다. ②대들다 ; 반항하다. ③트집 잡다 ; 시비를 걸다. ④걸리다. ⑤부딪(치)다.

つっか-ける【つっかける·突っかける】《突っ掛ける》tsukka- 一下一他 ①《신을》 아무렇게나 신다 ; 발끝에 꿰어 신다. ②몹시 부딪치다. 一下一自 갑자기 행동을 취하다 ; 단숨에 하다.

つつが な-い【恙無い】形 무양하다 ; 무사하다 ; 이상없다. ¶ ～く暮くらす 탈없이(무사히) 지내다.

つつが むし【恙虫】图《動》털진드기의 일종(일본 특유의 토질병을 매개함).

つづき【続き】图 ①이음 ; 연결. ¶ 文章 ぶんしょうが～が悪わるい 문장의 연결이 나쁘다. ②계속(하는 부분). ¶話はなしの～ 이야기의 계속. ③《名詞와 합해서》接尾語적으로》잇따름 ; 연속. ¶ 雨あめ～の天気 てんき비가 계속 오는 날씨.

つづきがら【続き柄】图 친족 관계 ; 혈족 관계. 注意흔히, '즉가라'라고도 함.

つづきもの【続き物】图 소설·방송 등의 연속물 ; 연재물.

*つつ-く《突く》五他 ①《가볍게》 쿡쿡 찌르다. ¶ 棒ぼうの先さきでくさむらを～ 막대기 끝으로 풀숲을 쿡쿡 찌르다. ②가볍게 여러 번 쿡쿡 쪼다 ; 또, 그렇게 해서 먹다. ¶ 鳥とりが粟あわを～ 새가 조를 쪼아 먹다. ③《결점 따위를》 들추어 내다 ; 쑤시다. ＝ほじくる. ¶ 人ひとの欠点 けってんを～ 남의 결점을 들춰내다. ④꼬드기다 ; 쑤석거리다 ; 부추기다. ＝そそのかす. ¶ 友達 ともだちを～いて株かぶを買かわせる 친구를 쑤석거려 주를 사게 하다. ⑤《보통 受身형꼴로》 ～いて泣なかす 약한 자를 지분거려 울리다.

*つづ-く【続く】五自 ①《시간적·공간적으로》 계속하다 ; 계속되다. ㉠잇따르다 ; 연달다. ¶ 雨あめが五日いつか も～ 비가 닷새 동안이나 계속되다 / 松並木 まつなみきが～ 소나무 가로수가 죽 계속되다. ㉡뒤를 잇다. ¶ 金かねが～かなくて事業じぎょう中止 ちゅうしだ 돈이 달려서 사업 중단이다. ㉢이어지다 ; 연결되다. ¶ 道どうが向むこうまで～ 길이 저쪽까지 계속되다. ②《에 뒤따르다, ㉠뒤에 오다. ¶ あとに～者もの 뒤따르는 자. ㉡버금가다 ; 다음가다. ＝次つぐ. ¶ 石油せきゆに～資源 しげん 석유에 버금가는 자원.

つづけざま【続けざま】《続け様》图 계속해서《연달아》 일어남 ; 또, 그 모양. ¶ ～のくしゃみ 연달은 재채기.

つづ・ける【続ける】他下一 계속하다. ¶ ～けて踊おどる 계속해서 춤추다.

つっけんどん【突慳貪】tsukken- 形動통명스러운 모양 ; 무뚝뚝한 모양 ; 無愛想ぶあいそ한 모양. ¶ ～な返事 へんじ 통명스러운 대답.

つっこみ【突っ込み】tsukko- 图 ①파고 듦 ; 철저하게 파헤침《추구함》; 전하여, 뛰어 드는 열의. ¶ まだまだ～が足たりない 아직도 파고드는 열의가 모자라다. ②모개로 매매함 ; 도거리로 다룸. ＝こみ. ¶ 大小 だいしょう～で売うる 대소를 가리지 않고 모개로 팜.

*つっこ-む【突っ込む】tsukko- 一五自 ①돌입하다. ¶ 敵中 てきちゅうに～ 적중에 돌입《돌격》하다. ②깊이 파고들다. ¶ ～んだ話はなし 깊이 파고드는 이야기. 一五他 ①처넣다 ; 처박다. ¶ 何なにでもひきだしに～ 무엇이고 서랍에 처넣다. ②《잘못·문제점을》 날카롭게 찌르다 ; 추궁하다. ¶ ～んだ質問 しつもん 예리한 질문 ; 핵심을 찌른 질문. ③《깊이》 관계하다. ¶ 事件 じけんに首くびを～ 사건에 깊이 관여하다.

つっころば-す【突っ転ばす】 tsukko- 五他 냅다 밀어 넘어뜨리다. ¶ ～きこ ろばす.

つつさき【筒先】图 통형(筒型)인 물건의 끝. ①호스의 끝 ; 또, 그것을 잡는 소방수. ②포신(砲身)의 부리 ; 총부리. ¶ ～をそろえる 총부리를 나란히 하다.

つつじ【躑躅】图《植》철쭉 ; 진달래.

つつしみ【慎み】【敬み】图 삼감 ; 조심성 ; 조신함 ; 신중함.

つつしみぶかい【慎み深い】《敬み深い》形 조심성이 많다 ; 신중하다 ; 조신하다 ; 얌전하다.

*つつし-む【慎む】(敬む) ⑤他 ①삼가다；조심하다. ¶言葉ぱを～ 말을 삼가다／酒ぱを～ 술을 삼가다. ②〈雅〉재계(齋戒)하다；금기(禁忌)하다.

*つつし-む【謹む】⑤他 황공해하다；경의를 표하다.

つつしんで【謹んで】副 삼가. ¶～お受けいたます 삼가 받잡습니다.

つつそで【筒そで】(筒袖) 图 통소매；또, 그런 옷.

つった-つ【突っ立つ】tsutta- ⑤自 ①우뚝 서다. ¶煙突ぱが～っている 굴뚝이 우뚝 서 있다. ②우두커니 서다. ③꽂히다；박히다. ¶矢ぱが～ 화살이 꽂히다.

つつっと -tsutto 副 (결음걸이가) 미끄러지듯이 빨리 나아가는 모양：쑥；척.

つっと tsutto 副 ①갑자기 움직이거나 동작을 하는 모양：척；쑥；불쑥；우뚝. ¶～立ちどまる 우뚝 멈춰 서다.

つつどり【筒鳥】(鳥) 벙어리뻐꾸기.

つつぬけ【筒抜け】图 ①(비밀 따위가) 곧바로 누설됨. ②겨를없이 지나가 버림；마이동풍(馬耳東風)；쇠귀에 경읽기. ¶いくら忠告ぱしても右gからへ～だ 아무리 충고해 봤자 한 귀로 듣고 한 귀로 흘림. ③(옆에서) 말 소리가 죄다 들리는 일.

つっぱ-ねる【突っぱねる】(突っ撥ねる) tsuppa- ①他 냅다 밀다；되밀쳐버리다；모질게 밀쳐 버리다. ②딱 거절하다；퇴짜 놓다. ¶要求ぱうを～ 요구를 딱 거절하다.

つっぱり【突っ張り】tsuppari 图 ①떠받침；버팀；또, 받침목[대]. ②(씨름에서) 손바닥으로 상대를 씨름판 밖으로 밀어내는 일.

*つっぱ-る【突っ張る】tsuppa- 回他 ①떠받치다；버티다；떠받치다. ¶小屋ぱを丸太ぱ棒ぱで～ 오두막을 통나무로 버티다. ⓑ끝까지 버티다(우기다). ¶最後ぱまで～ 끝까지 버티다. ②(씨름에서) 팔을 뻗어 손바닥으로 상대방을 내밀치다. ⑤自 ①(발·허리 따위의) 근육이 땅기다(켕기다)：켕기다；땅기다. ¶足ぱが～ 발이 땅기다.

つつまし-い【慎ましい】-shi 形 조심성스럽다；조심하다；얌전(음전)하다；수줍다.

つつましやか【慎ましやか】(ナリ) 음전；얌전. ¶～な令嬢ぱ 음전한 따님.

つづまやか【約まやか】(ナリ) ①간단함；간명(간략)함. ②비품고 작은 모양. ③(본디는 倹ぱやか) 검소한 모양. =質素ぱ. ③삼가는 모양.

つづま-る【約まる】⑤自 짧아지다；줄어들다；간단해지다.

つつみ【堤】图 ①제방；둑. =土手ぱ・堤防ぱ. ②〈雅〉저수지.

*つつみ【包(み)】图 싸는 일；싼 물건；보따리；보퉁이. ¶一紙ぱ包装지.

つづみ【鼓】(楽) 장구；북. ¶～を打ぱつ 장구를 치다.

つつみがくし【包み隠し】(包み隠し) 图 ①싸서 보이지 않게 함. ②비밀로 하다；숨기다.

つつみこむ【包み込む】(包む) 图 ①싸다；포장하다. ¶ふろしきで～ 보자기로 싸다. ②감추다；숨기다；비밀로 하다.

¶真相ぱぱを～ 진상을 숨기다. ③에워싸다；포위하다. ¶なぞに～まれる 수수께끼에 싸이다. ④돈을 종이에 싸서 주다. ¶謝礼ぱに千円ぱを～ 사례로 천 엔을 싸서 주다.

つづ-める【約める】①他 ①줄이다. ⓐ짧게 하다. ¶背丈ぱを～ 웃기장을 줄이다. ②간단히 하다；요약하다. ¶～めて言ぱえば 간단히 말하면. ③절약하다. ¶～めた生活ぱ 절약[긴축] 생활.

つづら【葛】图(植) ①☞つづらふじ. ②☞つづらこ.

つづら【葛籠】图 옷농(籠)；옷고리짝 (이전에는 댕댕이덩굴의 덩굴로 만들었지며, 후에는 대나무와 노송나무의 얇은 판으로 엮어 만들어 그 위에 종이를 발랐음).

つづらおり【갈지자 꼬부랑길·葛折】图 꾸불꾸불한 산길；구절양장(九折羊腸).

つづらふじ【葛藤】图(植) ①댕댕이덩굴. ②방기.

つづり【綴り】图 ①철(綴)함；철한 것. ②글을 지음；또, 지은 글. ¶詩ぱ의 一連(一連)의 시. ③つづり字ぱ(=철자)의 준말.

つづりあわ-せる【つづり合(わ)せる】(綴り合(わ)せる) ①他 하나로 철하다.

つづりかた【つづり方】(綴り方) 图 ①작문；글짓기(소학교에서의 作文ぱ(=작문)의 구칭). ②철자법.

*つづ-る【綴る】⑤他 ①철하다. ¶書類ぱうを～ 서류를 철하다. ②꿰매다. ③(글을) 짓다. ¶文章ぱを～ 문장을 짓다. ④철자(綴字)하다.

つづれ【綴れ】图 ①잇대고 기운 옷；누더기 옷. =ぼろ. ②つづれ織ぱり의 준말；몇 가지 색실로 무늬를 짜 넣은 직물(떠감·숄용).

つづれにしき【綴れ錦】图 화조(花鳥)·인물 등을 수놓는 비단(京都ぱ의 西陣ぱ산이 유명함).

つて【伝·伝手】图 ①연고；연줄；인연. =手ぱづる・コネ. ¶～を求ぱめる 연줄을 찾다. ②인편；편. =一人ぱづてことづて. ¶～に聞ぱく 인편에 듣다.

って tte 助 ①(인용[引用]을 가리키는 'と'에 해당되어) …라고；…냐고. 彼がぱが主役ぱだ～言ぱってましたよ 그가 주역이라고 하던데요／知ぱらない～言ぱったよ 모른다고 하던데. ②('と いう(もの)'의 압축된 말로서.) …라는 것은；…란. ¶あなた～ひどい人ぱだわ 당신이란, 지독한 사람이군요. ③('という'의 압축된 말로서.) …라고 하는. ¶腕ぱは日本ぱ一ぱだ～うわさだ 솜씨는 일본서 제일이라는 소문이다. 注意③은 'てえ'って'え'라고도 함. ④('といって'의 압축된 말로서.) …하면서；…면서；…(고) 해서. ¶映画ぱを見ぱに行ぱく～出ぱかけました 영화를 보러 간다면서 나섰지요. ⑤('としても'의 압축된 말로서.) …(고) 해도(하여도)；…하더라도. ¶よした方ぱがいいぜ, 今ぱ行ぱった～まにあわないよ 그만두는 게 좋겠어. 이제 간댔자 이미 늦었어. ⑥('と言ぱわれても'의 압축된 말로서.) …(고) 말을 들어도；…(냐고) 물어 오더라도. ¶どうするか～,

ぼくにだって分（わか）らないよ 어떻게 할 것이냐고 물어도 나로서도 모른다. ⑦《'…ということだ'(=…라는 것이다)'의 변화로》…대;…래;…는데;…라(고) 한다는군;…라더라. ¶この本（ほん）はとてもおもしろい―이책 굉장히 재미있다더라. ⑧상대방의 말을 반문하면서 그 따위 일을 왜 하겠느냐는 뜻으로 써서》뭐？；뭐라구요？¶えっ？死（し）んだ―― 뭣！죽었다구？⑨《'대로'(다시는) 그런 짓은 아니한다는 주체(主體)의 기분을 나타내어서》(누가)―한대(아니한다)；(누가)…라고 했어(하지 않는다). ¶だれか行（ゆ）く―누가 간대(안 간다).

ってば tteba【連語】'と言（い）えば'의 전와(轉訛)로》…로 말하면. ①화제(話題)를 제시하는 데 씀. ¶海（うみ）―、きのうはずいぶん荒（あ）れたね 바다, 그렇지 어제는 몹시 거칠었지. ②문장 끝에 붙어서 몹시 안타까운 마음을 강조해서 말하는 데 쓰임》…는데;…라니까. ¶だめだ―안 된다는데;안 된다니까.

つと【苞】图 ①짚 따위로 싼 것. ＝わらづと. ②图《（집에 갖고 가는) 선물；토산물. ＝家（いえ）づと.

つと【都都】图 ① じっと. ②자꾸. 자주.

つと【都・都度】图 그 때마다；할 때마다. ＝たびごと（に）. ¶その―の注意（ちゅうい）する 그 때마다 주의하다. ¶り.

つどい【集い】图 모임；회합. ＝集（つど）う.

つど・う【集う】（五自） 모이다；회합하다；집회되다. ＝集（あつ）まる.

つとに【夙に】圖 일찍. ①《雅》아침 일찍. ②일찍부터；훨씬 이전부터；벌써부터. ③《雅》어렸을 때부터.

*つとめ【務め】【勉め】图 의무；임무；책무；본분. ¶親（おや）としての―부모로서의 도리.

*つとめ【勤め】【勉め】图 ①근무함；또, 그 일；근무. ¶―に出（で）る 근무(하러 나가다. ②《佛》근행（勤行）. ③창녀로서의 직업. ¶―勤（ごん）奉.

つとめぐち【勤め口】【勉め口】图 직장.

つとめさき【勤め先】【勉め先】图 근무처；직장.

つとめて【努めて】【勉めて】圖 가능한 한；될 수 있는 대로；애써. ¶―事（こと）を荒（あら）だてない 되도록 일을 시끄럽게 하지 않다.

つとめにん【勤め人】【勉め人】图 월급쟁이. ＝サラリーマン.

*つと・める【努める】【勉める・力（つと）める】（下I他）힘쓰다；노력하다；진력하다다；애쓰다. ¶完成（かんせい）に―완성에 힘쓰다.

*つと・める【務める】（下I他）역을（임무를）맡다；역할을 다하다. ¶案内役（あんないやく）を―안내역을 맡다.

*つと・める【勤める】（下I他）①종사하다；근무하다. ¶会社（かいしゃ）に―회사에 근무하다. ②역할・임무를 다하다. ③《佛》근행하다.

*つな【綱】图 ①밧줄. ＝ロープ. ¶―をたぐる 밧줄을 당기다. ¶―（つな）（줄）. ¶命（いのち）の―생명의 줄. ③《씨름에서》横綱（よこづな）(=씨를 샘피언). ¶―を張（は）る《締（し）める》横綱가 되다.

つながり【繋がり】图 연계（連繫）. ①이어짐；또, 그것；연결. ②관계；유

대. ¶血（ち）の―혈연 관계.

*つなが・る【繋がる】（五自）①이어지다. ㉠연결되어；붙어 있다. ¶首（くび）が― 목이 부지하다（a）목이 잘리지 않고 있다；（b）계속 그 직에 남아 있다. ㉡연이어；계속되다. ㉢人（ひと）の群（む）れが― 인파가 계속되다. ㉣맺어지다. ¶心（こころ）と心が― 마음과 마음이 맺어지다. ㉤핏줄이 같다. ¶血（ち）が― 혈연 관계에 있다. ②관계가 있다；연루（연계）되다. ¶事件（じけん）に―人（ひと）びと 사건에 연루된 사람들. ③묶이다. ¶恩愛（おんあい）のきずなに― 은애의 굴레에 매이다. ④《俗》홀레하다；교미（交尾）하다.

*つな・ぐ【繋ぐ】（五他）①묶어 놓다；가두다. ¶船（ふね）を― 배를 매달다／獄（ごく）に― 옥에 가두다. ②（하나로）잇다；연결하다. ¶電話（でんわ）を― 전화를 연결하다. ③（維（つな））끊어지지 않도록 하다；보존하다. ¶命（いのち）を― 목숨을 보존하다.

つなそ【黄麻】图《植》황마.

つなひき【綱引】【綱曳（き）】（ス自）①줄다리기. ②（인력거 따위를）급하게 몰 때, 수레 채에 줄을 달고 한 사람이 더 끄는 것；또, 그 사람.

つなみ【津波】【津浪・海嘯】图 해소；해일.

つなわたり【綱渡り】（スゑ）줄타기；비유적으로, 모험（을 함）.

つね【常】图 ①항상；늘. ¶―に常（つね）に 항상／人（ひと）の心（こころ）は―ならぬ 사람의 마음이란 늘 변하기 있는 것이다. ②늘（혼히）있음；상사（常事）. ¶人情（にんじょう）の―だ 인지상정이다. ③평소（의 습관）；일과. ＝ふだん. ¶―の服（ふく）平복／―のごとく 평소（어느 때）와 같이. ④평범；보통. ¶世（よ）の―の 세상의 평범한 사람. ⑤（恒）늘 변함 없음；일정함. ¶―ならぬ 덧없다. ¶―なき人（ひと）の世（よ）무상하인간 세계. ②보통과（평소와）다르다. ¶―ならぬ身（み）임신한 몸.

つねづね【常常】图 평상시；평소. ¶―の心掛（こころが）け 평소의 마음가짐. 圖 항상；언제나；늘；평소（부터）. ＝いつも. ¶私（わたし）は―こう思（おも）っていた 나는 평소에 이렇게 생각하고 있었다.

*つねに【常に】圖 늘；항상；언제나. ＝ふだん・いつも. ¶君（きみ）の行動（こうどう）は―正（ただ）しい 너의 행동은 항상 올바르다／―元気（げんき）だ 늘 건강하다.

つねひごろ【常ひごろ】【常日頃】图 圖 늘；평소. ¶―の努力（どりょく）평소의 노력.

つね・る【抓る】（五他）꼬집다.

*つの【角】图 ①뿔. ¶―の形（かたち）뿔의 모양과 같은 것. ②여자의 질투. ¶―を折（お）る 자기의 고집을 꺾다. ¶―を出（だ）す 여자가 질투하다. ¶―を矯（た）めて牛（うし）を殺（ころ）す 교각살우（矯角殺牛）.

つのかくし【角隠し】일본식 결혼식 때, 신부가 머리에 쓰는 백포（白布）.

つのだつ【角だつ・角立つ】（五自）모가 나다. ＝かどだつ.

つのつきあい【角突（き）合い】（사이가 나빠서）서로 으르렁거림.

つのぶえ【角笛】图 각적；뿔피리.

*つの・る【募る】㉠五 점점 심해지다；격화하다. ¶病気（びょうき）が― 병이 심해지다. ㉡五他 모집하다；모으다. ¶同

志を～ 동지를 모으다.

つば〖唾〗名〈口〉침. =つばき. ¶～をつける 침을 묻히다; 전하여, 남에게 넘겨 주지 않기 위해 미리 관계를 맺어두다.

つば〖鍔·鐔〗名 ①날밑. ②(모자의) 차양. ③솥젓.

***つばき**〖唾〗名 ス自 침. =つば. ¶天を仰いで〔天に〕～する 하늘을 보고 침 뱉다.

つばき〖椿〗名〔植〕동백나무.

つばきあぶら【つばき油】(椿油) 名 동백 기름.

つばくら〖燕〗名〈雅〉〔鳥〕제비(‘つばくらめ’의 준말). =つばめ.

***つばさ**【翼】名 날개. ①새날개. =はね. ②비행기 날개.

つばぜりあい【つばぜり合い】(鍔迫り合い) 名 ス自 서로 칼을 날밑으로 받은 채 밀어내는 일; 격렬한 승부.

つばな〖茅花〗名〔植〕띠; 띠꽃. =ちがや.

***つばめ**〖燕〗名 ①〔鳥〕제비. ②‘若いつばめ’의 준말; 제비족; 연상의 여자에게서 사랑을 받고 있는 남자; 젊은 정부(情夫).

****つぶ**【粒】名 ①알. ㉠둥글고 작은 것; 낟알. ¶米～ 쌀알 / 丸薬一～ 알약 한 알 / 大～の雨 굵은 빗방울 / ～が大きい 알이 굵다. ㉡주판의 알. ②〔植〕무환자나무(의 열매). **—がそろう** ①크기가 모두 고르다. ②모두 뛰어난 사람들이다.

つぶさに〖具に·備に·悉に〗副 ①자세히; 구체적으로. =つまびらかに. ¶～調べる 자세히 조사하다. ②빠짐없이; 고루; 모두. =ことごとく. ¶～辛酸をなめる 세상의 온갖 쓴맛 단맛을 다 맛보다.

****つぶ-す**〖潰す〗5他 ①찌부러뜨리다. ㉠으깨다; 부수다. ¶じゃが芋をすり～ 감자를 갈아 으깨다. ㉡(벌레 등을) 짓눌러 죽이다. ㉢못쓰게 하다; 망치다. ¶声を～ 목청을 망치다. ㉣탕진하다; 없애다. ¶身上を～ 재산을 탕진하다. ②(체면 따위를) 잃다; 손상하다. ¶面目を～ 면목〔체면〕을 잃다〔손상하다〕. ③허비하다. ¶時間を～ 시간을 허비하다. ④몹시 놀라다. ¶肝を～ 몹시 놀라다. ⑤본디 모습을 잃게 하다. ¶金貨を～ 금화를 녹여서 금으로 쓰다. ⑥(가축 따위를) 먹기 위해 잡다; 도살하다. ¶鶏を～ 닭을 잡다. ⑦(틈·시간 등을) 메우다; 때우다. ¶穴を～ 구멍을 메우다.

つぶぞろい【粒ぞろい】(粒揃い) 名 ① 모두가 제나름대로 우수함. ¶～の生徒たち 하나같이 훌륭한 학생들. ② 알알이 모두 고름.

つぶつぶ【粒粒】名 많은 알맹이(의 하나하나); 알맹이 모양의 것.

つぶつぶ〖粒粒〗副 알알이 솟아 오르는 모양; 알알이. ¶～とあわ立つ 도톨도톨〔오싹〕 소름이 돋다〔끼치다〕.

つぶて〖飛礫·礫〗名 던진 돌멩이. ¶～を打つ 돌멩이를 던지다; 팔매질하다 / なしの～ 아무 소식이 없음.

つぶや-く〖呟く〗5自 중얼거리다; 투덜대다.

つぶより【粒より】(粒選り) 名 ス他 알짜만 골라 냄; 또, 골라 낸 것. =えりぬき. ¶～の選手 알짜만 뽑은 선수.

つぶら〖円〗名 ダナ 둥근 모양; 둥글고 귀여운 모양. ¶～なひとみ 동그랗고 귀여운 눈동자.

つぶらか〖円か〗ダナ 둥근 모양.

つぶ-る〖瞑る〗5他 눈을 감다. =つむる. ¶目を～ 눈을 감다((a)죽다; (b)못 본 체하다).

****つぶ-れる**〖潰れる〗下1自 ①찌부러지다. ㉠(눌려) 찌그러지다; 무너지다. ¶ぺちゃんこに～ 납작하게 찌부러지다. ㉡깨지다. ¶卵が～ 달걀이 깨지다. ㉢(눈 따위가) 멀다. ¶目が～ 눈이 멀다; 실명하다. ㉣(체면 따위가) 손상되다. ¶面目が～ 면목이 없어지다. ㉤망하다; 도산하다. ¶会社が～ 회사가 망하다. ㉥망가지다; 못 쓰게 되다. ¶刀の刃が～ 칼날이 무디어 못 쓰게 되다 / 声が～ 목소리가 잠기다. ②엉망이 되다. ¶酔い～ 고주망태가 되다. ③허비〔낭비〕되다; 잃게 되다. ¶時間が～ 시간이 낭비되다. ④틀어지다; 망쳐지다. ¶予定が～ 예정이 틀어지다. ⑤몹시 놀라다. ¶肝が～ 혼비백산하다.

つべこべ 副 이러쿵저러쿵 귀찮게 잔소리하는 모양; 중언부언; 이러니저러니. ¶～言う 이러니저러니 (잔소리) 하다.

ツベルクリン 名〔醫〕투베르쿨린. ¶～反応 투베르쿨린 반응. ▷도 Tuberkulin.

つぼ【坪】名 평.

***つぼ**〖壺·壷〗名 ①단지; 항아리. ¶～に入れておく 단지에 담아 두다. ②보시기; 종지. ③둥글고 움푹한 것〔곳〕. ¶墨～ 먹통. ④㉠생각〔기대〕했던 바. =ずぼし. ¶～にあたる 예상이 들어맞다. ㉡급소; 요점. =こつ. ¶～を押さえる 급소를 누르다〔잡다〕. ⑤뜸을 놓는 자리; 뜸자리. **—にはまる** 뜻대로 되다. ¶計画が～にはまる 계획이 생각대로 되다.

つぼあたり【坪当(た)り】名 평당.

-っぽ-い ppoi《名詞나 動詞連用形에 붙여서 形容詞를 만듦》…의 경향·성질이 있다; …스럽다; …스름하다; …답다. ¶赤～ 불그스름하다 / おこり～ 화를 잘내다 / 色～ 요염하다.

つぼがね〖壺金〗名 암톨쩌귀. =ひじつぼ.

つぼがり【坪刈(り)】名 평예법(平刈法).

つぼすう【坪数】-sū 名 평수.

つぼすみれ〖壺菫·坪菫〗名〔植〕콩제비꽃.

つぼね〔局〕名 ①궁전 안에 따로따로 칸막이한 방. ②つぼね에 거처하는 궁녀(신분이 높음).

つぼま-る〖窄まる〗5自 옴츠러들다; 옴츠러지다; 오므라지다. =すぼまる.

***つぼみ**〖蕾·莟〗名 ①꽃봉오리. ②(촉망되나 아직 성숙지 못한) 젊은이.

つぼ-む〖蕾む·莟む〗5自 꽃이 봉오리지다.

つぼ-む〖窄む〗5自 오므라지다; (끝이) 좁아지다. =すぼむ. ¶先の～·

んだズボン 끝이 오므라진 바지 / 夕方には花が～ 저녁 때에는 꽃이 오므라든다.

つぼ-める【窄める】〖下一他〗 옴츠리다；오므리다. ＝すぼめる. ¶口を～ 입을 오므리다.

つぼやき【つぼ焼(き)・壺焼(き)】〖名〗①소라를 잘게 썰어 양념을 한 다음 껍질에 넣어 구운 것. ＝つぼいり. ②고구마를 항아리에 넣어 구움；또, 그렇게 구운 고구마. ＝つぼやきいも.

つま【妻】〖名〗①처；아내；마누라. ＝女房. ⇔夫. ②【建】박공(벽). ＝切妻.

つま【褄】〖名〗긴 옷의 아랫단 좌우 끝；긴 옷의 섶단. ―をとる ①옷의 아랫단을 걷어 들고 걷다. ②기생이 되다.

つま【端】〖名〗①가장자리. ＝へり・はし. ②실마리；단서. ＝いとぐち.

つまくれない【爪紅】〖名〗☞ ほうせんか.

＝つまべに.

つまぐろよこばい【褄黒横這】〖名〗【蟲】

つまごと【妻琴】【爪琴】〖名〗 어디선지 모르게 들려오는 거문고 소리.

つまさき【爪先・爪先】〖名〗발가락 끝；발톱. ＝足先きき. ¶頭から～まで 머리에서 발끝까지. ――あがり【上がり】오르막길. ――だ-つ【――立つ】〖自五〗☞ つまだつ.

つまさ-れる〖下一自〗①(정 따위에 끌려) 마음이 동하다. ②身に～ 남의 불행이 남의 일 같지 않게 느껴지다.

つまし-い【倹しい】-shī〖形〗검소하다.

つまず-く【躓く】〖自五〗①발이 걸려 비틀거리다. ②발이 무엇에 채이다. ②좌절하다；실패하다. ¶事業きょうに～ 사업에 실패하다.

つまだ-つ【つま立つ】【爪立つ】〖自五〗발돋움하다. ＝つまさきだつ. ¶～って手を上に伸ばす 발돋움하고 손을 위로 뻗다.

つまど【妻戸】〖名〗①寝殿造りでんづくりに서 건물 네 귀퉁이에 있는 양여닫이문. ②집 끝 쪽에 붙은 여닫이문.

つまはじき【爪弾き】〖名〗〖ス他〗 배척(排斥)함；비난함；지탄함. ¶みんなから～される 모든 사람들로부터 배척당하다[지탄받다].

つまび-く【つま弾く】【爪弾く】〖名〗〖ス他〗 현악기 따위를 손톱 끝으로 탐.

つまびらか【詳らか・審らか】〖ダナ〗 자세함；소상(昭詳)함. ¶～に調べる 자세히 조사하다 / ～でない 자세한 일까지는 모르다；분명하지 않다.

つまみ【摘み・撮み・抓み】〖名〗①손끝으로 집음；또, 그 집은 분량. ¶ひと～ 한 줌. ②(기구 따위의) 손잡이. ＝とって. ¶お～ ☞つまみもの.

つまみあらい【つまみ洗い】【抓み洗い・撮み洗い】〖名〗〖ス自他〗지르집음.

つまみぐい【つまみ食い】【抓み食い・撮み食い】〖名〗〖ス他〗①손가락으로 집어먹음. ②몰래 집어[훔쳐]먹음. ③〈俗〉공금을 횡령하다.

つまみもの【つまみ物】【抓み物・撮み物】〖名〗(양주나 맥주 따위에 곁들이는) 마른 안주. ＝おつまみ.

つま-む【摘(ま)む・撮む・抓む】〖五他〗①(손가락으로) 집다；집어 먹다. ¶鼻はなを～ 코를 쥐다[당기다] / 菓子かしを～ 과자를 집어먹다. ②요약[발췌]하다. ＝かいつまむ. ¶要点ようてんを～んで説明する 요점을 요약해서 설명하다. ③'～まれる'의 형으로) 홀리다. ¶きつねに～まれたような話はなし 여우에 홀린 것 같은 이야기.

つまようじ【爪楊枝】-yōji〖名〗이쑤시개. ＝こようじ.

つまらない【詰まらない】〖連語〗①하찮다；시시하다. ＝くだらない. ¶～品 하찮은 물건. ②보람이 없다；소용이 없다. ¶あくせく働いても～ 뼈빠지게 일해도 보람이 없다. ③흥미[재미]가 없다. ¶あの小説しょうせつは～ 저 소설은 재미가 없다.

つまらぬ【詰まらぬ】〖連語〗☞ つまらない.

つまり【詰(ま)り】〖名〗막힘；막다른 곳；끝장. ¶とどの～ 최후；종말.

つまり【詰まり】〖副〗〈俗〉 결국；요컨대. ¶～こうだ 요컨대 이렇다.

つま-る【詰(ま)る】〖五自〗①가득 차다；잔뜩 쌓이다. ¶仕事が～っている 일이 잔뜩 쌓이다[밀리다]. ②막히다. ①메다. ＝ふさがる. ¶鼻はなが～ 코가 막히다. ⑤궁하다. ¶暮らしに～ 생계가 막히다. ③막다르다；종말에 달하다. ¶煮に～ 바짝 줄어들다. ④짧아지다；줄어들다；임박하다. ¶丈たけが短くなる；임박하다. ¶丈が 길이가 줄어들다 / 日が～ 해가 짧아지다；또, 기일이 임박하다.

つまるところ【詰まる所】〖副〗 요컨대；결국.

つみ【罪】〖一名〗①법을 어기는 행위；전하여, 그것에 대한 처벌. ¶～を犯おかす 죄를 범하다 / ～に服ふくする 복죄하다. ②도덕・종교상의 죄. ¶～のない顔かお 죄 없는[천진한] 얼굴. ③책임；책망. ¶～を他人たにんに着きせる[かぶせる] 책임을 남에게 전가하다. 〖二名〗〖ダナ〗못할 짓；무자비；심함. ¶～なことをする 못할 짓을 하다. ―がない 아무 죄도 모르다；천진하다.

つみおろし【積(み)卸し】〖名〗〖ス他〗하역(荷役). ―作業 하역 작업.

つみかさな-る【積(み)重なる】〖五自〗겹쳐 쌓이다；겹쳐지다.

つみかさ-ねる【積(み)重ねる】〖下一他〗여러 겹으로 (치) 쌓다；높게 겹쳐 쌓다.

つみき【積(み)木】〖名〗①집짓기 놀이；또, 여기에 쓰는 장난감 나무. ②재목을 쌓음；또, 그 쌓은 재목.

つみくさ【摘(み)草】〖名〗들 따위에서 나물・들풀・꽃 따위를 따는[뜯는] 일.

つみこみ【積(み)込み】〖名〗짐싣기. ――ねだん【積込値段】〖名〗본선 인도[에프오비(FOB)] 가격.

つみこ-む【積(み)込む】〖五他〗(배나 화차에) 화물을 싣다.

つみだ-す【積(み)出す】〖五他〗(물건을) 내다；실어서 출하(出荷)하다.

つみたて【積(み)立て】〖名〗적립(함). ――きん【積立金】〖名〗적립금.

つみた-てる【積(み)立てる】〖下一他〗적금하다；적립하다.

つみとが【罪とが】【罪科】 图 죄과 ;죄와 과오 ;죄악.

つみに【積み荷】 图 적하 (積荷) ;태짐.

つみぶかい【罪深い】 形 죄가 무겁다 ;죄가 많다.

つみほろぼし【罪滅ぼし】 图 〖罪〗죄갚음.

つ-む【詰む】 ⑤ 圓 ①막히다 ;궁하다. =つまる. ②촘촘하다 ;쫀쫀하다. ¶目゚の〜んだ生地゚ 올이 촘촘한 (옷)감. (장기에서) 궁이 움직일 수 없게 되다 ;외통수에 몰리다.

*__つ-む__【摘む】 ⑤ 他 ①뜯다. 따다. ¶花゚を〜 꽃을 따다. ②(剪る・抓む) (가위 따위로) 가지런히 깎다. ¶髮゚を短か く〜 머리를 짧게 깎다.

*__つ-む__【積む】 二 ⑤ 他 ①쌓다. ¶経験゚を〜 경험을 쌓다 / 巨万゚の富゚を 〜 거만의 재산을 쌓다. ②(차・배 따위에) 싣다. ¶船に荷物゚を〜 배에 짐을 싣다. 二 ⑤ 圓 =つもる. ¶降゚り〜雪゚ 내려 쌓이는 눈.

つむ【錘】【紡錘】 图 방추 ;물레의 가락.

つむぎ【紬】 图 명주.(明紬) ｜보.

つむ-ぐ【紡ぐ】 ⑤ 他 (목화・고치를) 실을 뽑다.

つむじ【旋毛】 (머리의) 가마. ──を曲゚げる 일부러 심술궂게 나오다 ;心볼 꼬장 놓다. 「말.

つむじかぜ【飄・旋風】 图 'つむじ風゚'의 준.

つむじかぜ【つむじ風】【旋風】 图 선풍 ;회오리바람. =せんぷう.

つむじまがり【つむじ曲〔が〕り】【旋毛曲〔が〕り】 图 ①성질이 비뚤어짐(비뚤어짐) ;또, 그런 사람 ;갈고랑쇠.

つむり【頭】 图 〈老〉머리. =あたま.

つむ-る【瞑る】 ⑤ 他 〈方・老〉☞つぶる.

*__つめ__【爪】 图 ①손톱 ;발톱. ¶〜をつむ 손톱을 깎다. ②(ことづめ(=거문고 탈 때의 가조각 (假爪角)'의 준말.③(鉤) 물건을 걸어서 고정시키는 갈고랑이. ──で拾゚って箕゚でこぼす 고생하여 모은 것을 헤프게 씀을 이름. ──に火゚をともす 지독히 인색하다. ──のあか 매우 적은 것의 비유. ──のあかをせんじて飲゚む 훌륭한 사람에게 감화되도록 그의 언행을 본뜨다. ──を研゚ぐ 야심을 품고 기회를 노리다.

つめあわせ【詰〔め〕合〔わ〕せ・詰合せ】 图 (여러 가지를) 한데 섞어 담음(넣음) ;또, 그렇게 한 것. ¶くだものの〜 여러 과일을 섞어 넣은 것.

つめいん【つめ印】【爪印】 图 손도장 ;지장 ;무인(拇印). =つめばん.

つめえり【詰〔め〕襟】 图 목달이 ;또, 그런 모양의 양복. =折゚り襟゚.

つめかける【詰めかける】 下1 圓 몰려〔밀려〕들다. ¶新聞記者゚が〜 신문 기자가 몰려들다.

つめがた【つめ形】【爪形】 图 ①손톱 자국. ②손톱 모양.

つめきり【つめ切り】【つめ切(り)】【爪切(り)】 손톱깎이.

つめくさ【詰草】 图 〖植〗개미자리 ;토끼풀. =しろつめくさ・クローバ.

つめこみしゅぎ【詰〔め〕込〔み〕主義】 -shugi 图 (기억・암기를 중시하는) 주입식 교육 방법.

*__つめこ-む__【詰〔め〕込む】 ⑤ 他 가득 처

넣다(담다・채우다) ;밀어 넣다. ¶乗客゚を〜 승객을 자뜩 처넣다 / 知識゚を 〜 지식을 주입하다.

つめしょ【詰〔め〕所】 -sho 图 (근무하기 위해서 나가) 모여 있는 장소 ;대기소.

つめしょうぎ【詰〔め〕将棋】 -shōgi 图 장기 ──つめもの.

*__つめた-い__【冷たい】 形 차갑다. ①차다. ¶〜戦争゚ 냉전 / 〜飲゚み物゚ 찬음료. ↔熱゚い. ②쌀쌀하다. 쌀살하다. ¶〜人゚ 냉정한 사람 / 〜目゚で見゚る 쌀쌀한(차가운) 눈으로 보다. ↔暖゚かい.

つめばら【詰〔め〕腹】 图 할 수 없이 하는 할복 ;강제하여, 강제적으로 사직당함. ¶〜を切゚らされる 사직을 강요당함.

つめびき【爪弾き】 ☞つまびき.

つめよ-る【詰め寄る】 ⑤ 圓 ①(바싹) 다가서다. ②따지고 덤비다 ;대들다.

*__つ-める__【詰める】 一 下1 他 ①채우다. ⑪(빈 곳을 잔뜩) 채워 넣다. ¶箱゚に商品゚を〜 상자에 상품을 채워 넣다. ⑭들어막다. ¶穴゚を〜 구멍을 틀어막다. ⑭(틈・간격을) 죄다 ;좁히다. ¶列゚を〜 열 사이를 좁히다. ④꾸준히, 느즈러짐이 없이 계속하다. ¶一日中゚〜めて働゚く 하루 종일 꾸준히 일하다. 一 下1 圓 ①(통하지 않게) 막다. ¶息゚を〜 숨을 죽이다. ②막다른 데(궁지)로 몰아넣다. ⑦따지고 들다 ;추궁하다. ¶問゚い〜 끝까지 따지다 ;힐문하다. ⑭(바짝) 뒤쫓다. ¶追゚い〜 바짝 뒤쫓다. ⑭(장기에서) 궁을 꼼짝 못하게 하다. ¶王将゚を〜 궁을 외통수로 몰다. ③줄이다. ¶ズボンのたけを〜 바지의 길이를 줄이다 / 暮゚らしを〜 살림(비용)을 줄이다. 三 下1 圓 (어떤 장소에 나가) 대기하다. ¶事務所゚に〜 사무소에서 대기하다.

*__つもり__【心算・算】 图 ①(속) 셈 ;예정 ;작정 ;의도(意圖). ¶そんな〜で言゚ったのではない 그런 의도로 말한 것은 아니다. ②…한 셈. ¶死゚んだ〜で働゚いて 죽은 셈치고 일하다. ③기대 ;심산(心算). ¶ぼくの〜がはずれた 내 기대가 어긋났다.

*__つもり__【積〔も〕り】 图 ①쌓임. ②어림 ;견적 ;예산. ③연회의 마지막 잔. =お積゚もり.

*__つも-る__【積〔も〕る】 一 ⑤ 圓 ①쌓이다 ;많이 모이다. ¶雪゚が〜 눈이 쌓이다 / 借金゚が〜 빚이 쌓이다. ②(많은) 세월이 지나다. 二 ⑤ 他 ①어림(견적)하다. ¶安く〜って二万円゚の品゚を 싸게 쳐도 2만 엔은 되는 물건. ②헤아리다 ;추측하다 ;어림하다. ¶人゚の心゚を〜 남의 마음을 헤아리다.

*__つや__【艶・艶】 图 ①윤기 ;광택. ¶〜を出゚す 광을 내다. ②(俗) 남녀의 정사(情事). ¶〜種゚ 정사에 관한 화제. ③맛 ;재미. ¶〜のない話゚ 재미 없는 이야기.

つや【通夜】 图 ①(죽은 사람의 유해를 지키며) 하룻밤을 샘 ;밤샘. =おつや. ②(불당에서) 밤새워 기원함.

つやけし【つや消し】【艶消し】 一 图 광

태을 없앰; 윤지우기. ¶~ガラス 젖빛 유리. □【名】흠을 잼; 흠취〔재미〕를 없게 함; 또, 그런 말. =いろけし. ¶~な事を言う흥 깨는 소리 마라.

つやつや【艶艶】副 광택〔윤〕이 나는 모양; 반들반들; (반)지르르. ¶~した顔반들반들 윤기가 흐르는 얼굴.

つやつやし-い【艶艶しい】-shi 形 윤이 나다; 흠처르르하다. ¶~かみの毛흠처르르한 머리털.

つやめ-く【艶めく】 5自 ①반들거리다; 윤이 나다; (광택이) 아름답게 보이다. ②요염스럽다; 교태 있게 보이다. =あだめく.

つややか【艶やか】 ダナ 반들반들하다; 윤기가 나고 아름다움. ¶~な皮膚윤기 있는 피부.

つゆ【汁·液】【名】맑은 장국; 국물〔멸치 따위를 삶아서 우려 낸 국물에 간장을 친 것〕.

*つゆ【露】【名】①이슬. ¶朝~아침 이슬/紹言台の~と消える교수 대의 이슬로 사라지다. ②(이슬같이) 덧없는 목숨. ¶~の命초로같이 덧없는 목숨. ③눈물. ¶その~소매를 적시는 눈물. ④조금; 약간. ¶~いささかも 조금도; 전혀.

つゆ【露】副《뒤에 否定을 수반하여》조금도 …(없다〔않다〕). ¶そんな事とは~知らず그런 줄은 조금도 모르다.

*つゆ【梅雨】【名】=ばいう.

つゆあけ【梅雨明け】【名】장마가 갬.

つゆいり【梅雨入り】【名】장마철이 됨; 장마 듦. =入梅.

つゆくさ【露草】【名】【植】닭의장풀.

つゆじも【露霜】【名】얼어서 서리처럼 보이는 이슬. =みずじも.

つゆばらい【露払(い)】【名】ズ自①선도(先導)함; 또, 선도자. ②〔横綱の土俵入り에 앞서서〕 씨름판에 올라가는 씨름꾼. ③(연극 따위에서) 맨처음 출연함; 또, 그 사람.

つゆばれ【梅雨晴(れ)】【名】①장마철에 이따금 개는 일. ②장마가 끝나서 개는 일.

つゆも【露も】副《뒤에 否定을 수반하여》조금도(…않다·없다).

*つよ-い【強い】形 강하다; 세다. ①힘이 세다. ¶けんかに~싸움에 강하다. ②능력·실력이 좋다; 잘 하다. ¶~チーム 강한 팀. ③단단하다; 튼튼하다. ¶一体を作る튼튼한 몸을 만들다. ④견딜성이 많다. ¶不況に~会社불황에도 잘 견디는 회사. ⑤정도가 세다. ¶~酒독한 술. ⑥어기차다. ¶気が~마음이 강하다. ⑦세차다; 격렬〔격심〕하다. ¶~雨세찬 비. ⑧(부정·무시 못할 정도로) 지배적이다. ¶不安が~불안이 크다. ⑩강력하다. ¶~指導力강한 지도력. ⇔弱い.

つよが-る【強がる】 5自 강한 것을 자랑하다; 강한 체하다.

つよき【強気】【名】①성미가 강함; 또, 그 태도. ②【經】강세〔오름미〕를 예상함; 또, 그 김새(예상자). ③(내기나 승부에서) 모험을 하더라도 단호하게 이기려고 함. ④(협상 따위에서) 강경

게 나옴. ⇔弱気き.

つよごし【強腰】【名】태도가 강경함; 고자세. ¶~に出る강경하게 나오다. ⇔弱腰し.

つよふくみ【強含み】【名】ダナ【經】시세가 오를 듯한 기세.

*つよま-る【強まる】 5自 강해지다; 세지다. ¶風がが~바람이 세지다. ⇔弱まる.

つよみ【強み】【強味】【名】①세기; 강도. ¶~を増す강한 강도를 더하다. ②든든한 힘; 강점; 유리한 점. ¶金きがあるのが~돈이 있다는 것이 유리한 점이다. ⇔弱み.

*つよ-める【強める】 下1他 강하게 하다; 세게 하다. ¶語気きを~말투를 세게 하다. ⇔弱める.

つら【面】【名】①(俗) 얼굴; 낯짝; 모양; 상통. =顔. ¶しかめっ~찌푸린 상통. ②(물건의) 표면.

つらあて【面当(て)】【名】미운 사람 앞에서 일부러 빈대는 말이나 행동. ⇔てつけ. ——がましい-shi 形 짐짓 빈대어 분풀이하는 것 같다.

*つら-い【辛い】形 ①고통스럽다; 괴롭다. ¶生きるのが~사는 것이 괴롭다. ②모질다; 냉혹하다; 혹독하다. =むごい. ¶~仕打ち모진 처사.

-づら-い【辛い】《動詞의 連用形에 붙어서》~하기가 어렵다·견디기 어렵다의 뜻을 나타냄. ¶読みづ~읽기 어렵다.

つらがまえ【面構え】【名】억셉〔고약한〕 얼굴; 상판. ¶ふてぶてしい~뻔뻔스러운 상판.

つらだましい【面魂】-shi 形 억셈이 나타나 있는 억센〔불굴의〕 기백; 또, 그 얼굴.

つらつき【面つき】【面付き】【名】(俗) 상판; 얼굴 생김새. =かおつき.

つらつら【熟】副 곰곰이; 잘; 유심히. =つくづく·よくよく. ¶~おもんみるに 곰곰이 생각건대.

つらな-る【連なる】【列なる】 5自 ①나란히 줄지어〔늘어서, 연속해〕 있다. ②끝에서 하나가 되다. ③줄〔列席을〕 하다; 참석〔참가〕하다. ¶末席きに~말석에 참석하다/結婚式きに~결혼식에 참석하다. ④관계가 미치다. ¶国際問題きに~事件き 국제 문제에 파급되어 가는 사건.

つらにく-い【面憎い】形 보기도 싫다; 얼굴만 보아도 (얄) 밉다; 밉살스럽다.

つらぬ-く【貫く】 5他 ①관통하다; 꿰뚫다; 가로지르다. ②관철하다; 일관하다. =はたす. ¶主張きを~ 주장을 관철하다.

つら-ねる【連ねる】【列ねる】 下1他 ①늘어 놓다〔세우다〕; 한 줄로 죽 잇다. ¶家きが軒きを~ねている 집들이 줄지어〔늘어서〕 있다 / 美辞巧言きを~ 미사 교언을 늘어놓다 / たもとを~ねて辞職き 일제히 사직하다. ②동반하다; 데리고 가다. ¶供きを~ねて 많은 시종을 거느리고.

つらのかわ【面の皮】連語 낯가죽; 낯짝. ——が厚あい낯가죽이 두껍다; 뻔뻔스럽다. ——をはぐ ~をひんむく 낯가죽을 벗기다; 창피를 톡톡히 주다.

つらよごし【面汚し】【名】수치를 당하는

일 ; 체면을 잃는 일. ¶家‰の～だ 가문의 수치다.

つらら【氷柱】图 고드름.

つり【吊り】图 ①밑씨질. ②(씨름에서) 상대의 살바를 잡고 들어버는 기술.

*__つり__【釣り】图 ①낚시질. ②(海っり) 바다낚시. ②(본디 吊りばろ) 매닮 ; 또, 매다는 줄. ¶ズボン～メル빵 / 宙‰っり 허공에 매달림. ③〈釣り銭の〉(＝거스름돈)'의 준말.

つりあい【釣り合い・釣合】图 균형 ; 조화 ; 평형. ＝均衡治・平衡治. ¶～を保たつ 균형을 유지하다.

*__つりあ-う__【釣(り)合う】囸圁 ①균형이 잡히다 ; 어울리다 ; 적합하다 ; 조화되다. ──える不縁‰の基は 양쪽 신분이 어울리지 않는 결혼은 이혼의 원인.

*__つりあ-げる__【つり上げる】【吊り上げる】囸囲 ①매달아 올리다. ②치켜 올리다. ¶目‰じりを～〈노해서〉눈초리를 치켜 올리다. ③(시세를) 인위적으로 끌어올리다.

*__つりあ-げる__【釣り上げる】囸囲 〈물고기를〉낚아 올리다.

つりいと【釣(り)糸】图 낚싯줄.

つりえ【釣(り)餌】图 낚싯밥 ; 미끼. ＝つりえさ.

つりかご【釣り籠】【吊籠】图 매다는 바구니 ; 또, 기구(氣球) 따위에 매달린 바구니. ＝ゴンドラ.

つりかご【釣りかご】【釣籠】图 종다래끼 ; 어롱 ; 낚시 바구니. ＝びく.

つりがね【釣(り)鐘】【吊鐘】图 종종(釣鐘) ; 범종(梵鐘). ＝つきがね. ──そう【──so】图 〈植〉 잔대・종덩굴・초롱꽃 등과 같이 종상화(鐘狀花)가 피는 풀의 통칭.

つりかわ【釣(り)皮・釣(り)革】【吊革】图 〈전차나 버스 따위의〉가죽 손잡이.

つりこ-む【釣(り)込む】囸囲 끌어 들이다 ; 꾀어 들이다. ¶話‰に～·まれて 時治のたつのを忘れる 이야기에 끌려〈팔려서〉시간 가는 줄 모르다.

つりざお【釣(り)竿】图 낚싯대.

つりさ-がる【釣(り)下がる】【吊り下がる】囸圁 매달리다.

つりさ-げる【釣(り)下げる】【吊り下げる】囸囲 매달다.

つりせん【釣(り)銭】图 거스름돈 ; 잔돈. ＝(お)つり.

つりどの【釣殿】【吊殿】图 〈寝殿造‰でんり〉의 건축에서, 북쪽 남쪽 끝의 연못가에 세운 건물.

つりばし【釣(り)橋】【吊橋】图 ①적교(吊橋) ; 현수교(懸垂橋). ②밑으로 떼었다 매달았다 하는 다리.

つりばり【釣(り)針】【釣(り)鉤】图 낚싯바늘.

つりぶね【釣(り)船】图 ①낚싯거루 ; 고기 잡는 작은 배. ②(본디 吊船) 위에서 매달아서 쓰는 배 모양의 꽃꽂이 그릇 ; 수반(水盤).

つりぼり【釣(り)堀】图 물고기를 길러서 요금을 받고 낚시질하게 하는 못 ; 유료 낚시터.

つりわ【釣(り)輪】【吊環】图 링〈늘어뜨린 두 개의 밧줄 끝에 최고리를 매단 체조 용구〉 ; 또, 그것으로 하는 체조 경기).

*__つ-る__【吊る】┌图囲 ①〈휘장 따위를〉드리우다 ; 치다. ②〈높은 곳에〉가로질러 걸치다. つり床‰を～ 그물침대를〈해먹을〉치다. ②(씨름에서) 상대를 들어올리다. └图圁①〈한쪽으로〉당겨져 수축하다 ¶足‰が～ 발에 쥐가 나다. ②(본디 攣る)〈근육이〉켕기다 ; 쥐가 나다. ¶手足‰が～ 손발에 쥐가 나다.

*__つ-る__【釣る】圀囲 낚다. ①잡다. ¶エビでタイを～ 새우로 도미를 낚다〈적은 밑천으로 큰 것을 얻다〉. ②꾀다 ; 유혹하다. ¶甘言‰で～ 감언으로 꾀어 유혹하다.

つる【弦】图 ①현. ①활줄 ; (활)시위. ＝ゆみづる. ②(본디 絃) 현악기의 줄.

つる【鉉】图 ①(냄비・주전자 등의) 활시위 모양의 손잡이. ②되의 정화성을 기하기 위해 되 위에 대각선으로 처놓은 철선(鐵線).

つる【蔓】图 ①덩굴. ②덩굴손. ＝まきひげ. ③연줄. ＝つて. ④실마리 ; 단서. ＝てづる・てがかり. ⑤안경 다리의 귀에 거는 부분. ⑥줄기 ; 광맥 ; 가계(家系).

つる【鶴】图 학 ; 두루미. ──の一声‰ 그의 말 한마디로 누구나 승복하는 절대 권위가 있는 말.

つるぎ【剣】【剱】图 양날검. ＝けん. [参考] 날이 한 쪽뿐인 것은 '太刀‰(＝칼)'라고 함.

つるくさ【つる草】【蔓草】图〈植〉덩굴풀의 총칭.

つるし【吊(る)し】图①달아 맴 ; 매닮 ; 또, 그것. ②기성품 또는 헌옷으로서 팔리는 옷. ③'つるしがき'의 준말.

つるしあげ【つるし上げ】【吊(る)し上げ】图 ①매닮 ; 달아 올림. ¶～の刑‰ 매다는 형벌. ②(많은 사람이) 특정한 사람을 몹시 규탄함 ; 모진 곤욕을 줌. 「しがき.

つるしがき【吊(る)し柿】图 곶감. ＝ほ

つるしょくぶつ【蔓植物】【蔓植物】-shokubutsu 图〈植〉덩굴 식물.

*__つるつる__剾 ①표면이 매끈한 모양 : 매끈매끈 ; 반들반들. ¶～(と)した顔面 반들반들한 얼굴. ②미끄러지는 모양 : 미끈미끈 ; 주르르. ¶～(と)すべる 주르르 미끄러지다.

つるどくだみ【蔓毒薬・何首烏】图〈植〉하수오(何首烏) ; 은조롱〈한약의 재료로 쓰임〉. 「草).

つるな【蔓菜】图〈植〉번행초(番杏

つるはし【鶴嘴】图 곡괭이.

つるべ【釣瓶】图 두레박.

つるべうち【釣瓶打ち】图 사수(射手)가 늘어서서 연달아 쏘는 형용 : 연발(連發) ; ﾞ野'つるしがき'의 준말.

つるべおとし【つるべ落(と)し】【釣瓶落(と)し】图〈두레박 떨어지듯〉급속히 떨어짐. ¶秋‰の日‰は～ 가을해는 두레박 떨어지듯 빨리 저문다.

つる-む【交尾む】囸圁 교미(交尾)하

다;훑리하다. [參考] 넓은 뜻으로는, 사람이 성교하거나 남녀가 껴안고 걸는 것도 이름.

つるりと 圖 ①잘 미끄러지는 모양:주루룩;짝. ¶バナナの皮ポを〜ふんで〜 すべる 바나나 껍질을 밟고 쩍 미끄러지다. ②매끄러운 모양;반들반들.

つるれいし 【蔓茘枝】 图 [植] 덩굴여지;만려지;여지;여주. ＝ニガウリ.

つれ 【連れ】 图 ①동행;동반자. 한 패. ¶旅ꭏで〜になる 여행 길에서 동행이 되다. ②함께 동작함. ¶〜彈ꭏ(거문고나 三味線ꭏꭏ 따위의) 합주(合奏).

-づれ 【連れ】 《名詞나 代名詞에 붙어서》 ①동행;동반;딸림. ¶子供ꭏ〜 어린애가 딸림. ②【づれ】…정도의 것;…따위;…같은 것. ¶職人ꭏꭏ〜に何ꭏがわかる 직공 따위가 무엇을 알랴.

つれあい 【連れ合い】 图 ①배우자;부부가 서로 상대방을 일컫는 말. ②동행자.

つれあ‐う 【連れ合う】 圄自 ①동반하다;동행하다. ②부부가 되다.

つれこ 【連(れ)子】 图 (재혼한 사람이) 전배우자의 자식을 데리고 옴;또, 그 자식;덤받이.

つれこ‐む 【連(れ)込む】 ⑤他 데리고 (끌고) 들어가다.

つれそ‐う 【連(れ)添う】 ⑤自 부부가 되다;부부로서 살아가다. ¶〜って 副부부가 되어;부부로서.

つれだ‐す 【連(れ)出す】 ⑤他 데리고 나가다;꾀어 내다.

つれだ‐つ 【連(れ)立つ】 ⑤自 같이 가다;동행하다.

つれづれ 【徒然】 图 심심함;지루(따분)함. ¶〜を慰ꭏめる 지루함을 달래다.

つれな‐い 【情無い】 形 ①무정하다;박정하다;냉정하다. ¶〜ことを言ꭏう 박정한 말을 하다. ②모른 체하다;태연하다.

つ‐れる 【吊れる】 下一自 ①당겨져 수축하다;또, 욱죄다. ¶縫目ꭏがꭏ〜 바늘땀이 (당겨져) 한쪽으로 몰리다. ②치켜 올라가다. ¶おこると すぐ目ꭏが〜 성나면 금방 눈꼬리가 치올라간다. ③《본디 攣れる》경련이 일다;쥐가 나다;땅기다.

*****つ‐れる** 【連れる】 □□ 下一他 데리고 오다(가다);거느리다;동반하다;동행하다.

て テ

①五十音図ꭏꭏꭏ 'た行ꭏꭏ'의 넷째 음. [te] ②[字源] '天'의 초서체(かたかな 'テ'는 '天'의 생략형).

て 助動 [雅] 'つ'의 未然・連用形. 'てよ'는 같은 命令形.

*****て** 【手】 图 ①손. ¶〜をつかむ 손을 잡다 /〜でいじる 손으로 만지작거리다. ⓝ손바닥. ¶〜をたたく 손뼉치다. ⓟ손버릇;손. ¶손가락(手中)〜に入ꭏれる 손에 넣다. ②손가락. ¶발. ③손잡이. ＝とって. ¶引ꭏき〜 문고리. ④가로대;횡목(横木). ⑤섶;손. ⑥일손;일꾼;노동력. ¶〜が足ꭏりない 일손이 부족하다. ⑦노고. ⑧

다. ¶〜れて行ꭏって下ꭏさい 데리고 가 주세요. □□ 下一自 ①동반(수반)되다;따르다;동반되다. ②《…につれ(て)'의 형으로》그렇게 됨에 따라. ¶晴ꭏれるに〜れて 날이 갬에 따라.

つ‐れる 【釣れる】 下一自 ①(낚시에서) 고기가 잘 낚이다. ¶きょうは大物ꭏꭏが〜 오늘은 대어(大魚)가 재미날 정도로 (많이) 잡힌다.

つわぶき 【石蕗・橐吾】 图 [植] 털머위.

つわもの 【兵・強者】 图 ①무사;군인. 특히, 강한 무사;용사. ②전하여, 노련한 사람;통(通). ¶その道ꭏꭏの〜 그 방면의 권위자.

つわり 【悪阻】 图 입덧. ＝おそ.

つん 〈俗〉『突ꭏき'의 음편(音便)형》 뜻을 세게 하는 말. ¶〜出ꭏす 힘차게 내밀다.

つんけん 圖 쩌무룩[부루퉁, 뚱]하거나 무뚝뚝한 모양. ＝つんつん.

つんざ‐く 【突ꭏ裂く・劈く】 ⑤他 귀청을 찢다;먹먹하게 하다. ¶耳ꭏを〜砲声ꭏꭏ 귀청을 찢는 포성.

つんつん 圖 ①새침하고 애교가 없는 모양. ¶〜(と)した 動형(새침한) 여자. ②냄새가 강하게 코를 찌르는 모양:콕콕;팍. ¶〜(と)鼻ꭏをさす (냄새가) 코를 찌르다. ③따따한 것이 위를 향해 내민 모양:뾰족뾰족;죽죽.

つんと 圖 ①새침하게 있는 모양. ¶〜鼻ꭏを 澄ꭏます 새치름하게 있다./〜鼻ꭏをつく悪臭ꭏꭏ 코를 쏘는 악취.

つんどく 【積ん読】 图 〈俗〉책을 사서 읽지 않고 쌓아 두는 일. ¶〜主義ꭏꭏ 책을 쌓아 두기만 모으는 취미.

ツンドラ 图 [地] 툰드라;동원(凍原). ▷러 tundra.

つんのめ‐る ⑤自 〈俗〉앞으로 폭 꼬꾸라지다.

*****つんぼ** 【聾】 [tsumbo 图〈卑〉귀머거리. [參考] 현재는 '耳ꭏꭏの聞ꭏこえない人ꭏꭏ(＝귀가 안 들리는 사람)'이라고 함. ──の早耳ꭏꭏ 귀머거리의 지레짐작. 평상시에는 잘 안 들리고 불필요할 때나 용할 때는 잘 들림.

つんぼさじき 【つんぼ桟敷】 【聾桟敷】 tsumbo- 图 ①무대가 멀어서 대사가 잘 들리지 않는 좌석. ②소외된 처지;소외된 지위. ¶〜に置ꭏかれる 아주 소외당하다;또, 소외된 낮은 지위나 그러한 입장에 놓이다.

방법;수단;수법;책략. ¶新ꭏ〜 (a) 새로운 수단・방법; (b) 새로운 병력/うまい〜を使ꭏう 약은 수를 쓰다 /〜が尽ꭏきる 모든 수단이 다하다 /古ꭏ〜だ 낡은 수법이다. ⑨솜씨;수완. ¶〜のもの 자기의 장기(장점);전문 영역. ⑩(장기・화투에서) 수중에 들고 있는 패;화투의 군대. ¶〜が悪ꭏい 패가 나쁘다. ¶〜の者ꭏꭏ 수하. ⑪위치;방향. ¶山ꭏꭏの〜 산 쪽/上ꭏ〜 위쪽/右ꭏ〜 오른쪽. ⑫

종류. 『この~の品物は』 이런 유의 물건. ⑬기세; 기운. 『火の~』 불길. ⑭모양. 『かぎの~』 'ㄱ'자 모양. ⑮필적; 저작. ⑯상처. 痛手は (a) 중상; (b) 심한 타격.

□ 〖接頭〗《形容詞 앞에 붙어서》어조를 강하게 하는 말. 『~きびしい 호되다／~ぬるい (처사가) 미지근하다.

□ 〖接尾〗㉠손으로 하는. 『~車は 손수레／遊び 심심풀이／~酌は 자작 (自酌). ㉡손수 하는. 『~料理は 자작 요리. ㉢손에 쥘 수 있는. 『~鏡は 손거울. ㉣손 가까이에 두고 쓰는. 『~箱は 장신구 따위를 넣어 두는 상자.

□ 〖接尾〗①《動詞의 連用形에 붙어서》그 동작을 하는 사람을 나타냄. 『相~ 상대／書き~ 쓰는 사람／話し〔語り〕~ 말하는 사람. ②《体言에 붙여서》㉠품질·종류를 나타냄. 『若~ (a) 한창 나이의 젊은이; (b) 젊은 축. ㉡정도·대금 (代金)의 뜻을 나타냄. 『厚手は (종이·피륙·도기 등의) 두꺼운 것／酒~ 술값; 팁. ━が後ろに回る 손에 쇠고랑을 차다. ━が掛かる 노력이 복잡하여 품이 들다. ━が込む ①(세공 따위가) 복잡하여 품이 들다. ②일이 복잡하게 얽히다. ━が届く 손이 미치다. ①세세한 데까지 손길이 미치다. ②자기 것으로 할 수 있다. ━がない ①일손이 없다. ②방법이 없다. ━が長い 도벽(盜癖)이 있다. ━が入る ①경찰의 손이 미치다. ②(문장 등을) 손보다. ━が回る ①(서서히) 손길이 미치다. ②경찰의 손이 뻗치다. ━に汗を握る 손에 땀을 쥐다. ━に余る 힘에 겹다. 『~に余る仕事』 힘에 벅찬 일. ━に負えない 어찌할 도리가 없다; 감당할 수가 없다. ━てにあまる. ━に負えない子 어찌할 도리가 없는 아이. ━に掛ける ①잘 돌보다. ②스스로 다루다. ③제 손으로 죽이다. ━にする 손에 들다〔넣다〕. ━に付かない 일이 손에 잡히지 않다. ━に取る 손에 쥐다. ━に~に 旗を持つ 손에 손에 기를 들다. ━に取るよう 손바닥 보듯이, 남의 꾀에 속다. ━に渡る 손에 넘어가다. ━の裏を返す 손바닥 뒤집듯. ━も足も出ない 해볼 도리가 없다; 손을 쓸 엄두도 못 내다. ━も無く 손쉽게. ━を合わせる ①합장(合掌)하다. ②애원하다. ━を入れる ①손보다; 손질하다. ━を打つ①손을 쓰다. ②타결〔매듭〕짓다; 화해하다. ━を変え品を変え 온갖 수단을 다해서. ━を貸す 돕다. ━を借りる 손을 〔관계를〕끊다. ━を切る 손을 〔관계를〕끊다. ━を下ろす ①직접 자기가 하다. ②착수하다. ━を染める ㉠손을 대다; 새로 일을 시작하다. ━を出す ①쓸데없는 일에 관계하다. ②때리다. ━をつかねる ━を尽くす 온갖 수단을 다하다. ━を付ける 착수하다; 시작하다. ━を握る 손을 잡다. ①동맹을 맺다. ②화해하다. ━を抜く 일을 겉날리다. ━を延ばす 손을 뻗치다; 범위를 넓

히다. ━を省く 수고를 덜다. ━を引く 손을 떼다. ━を広げる 일을 확대하다; 규모를 넓히다. ━を回す ①몰래 손을 쓰다. ②수단을 다하여 찾다. ━を焼く 애먹다. ━もてあます. 『いたずらっ子に~を焼く』 장난꾸러기에 애먹다. ━を分かつ 일을 분담하다. ━を煩わす 남에게 수고〔폐〕를 끼치다.

□ 〖接助〗①《動詞形·形容詞形 活用語의 連用形에 붙여서》일련의 동작·작용이 행해짐을 나타냄. 『起きて~みる 일어나 보다／起きて~いいよ 일어나도 좋아／咲き~みる 피어 있다／貸し~やる 빌려 주다／読ん~みる 읽어 보다. ②그 동작·작용이 어떤 원인·이유로 행해짐을 나타냄. 『暑く~眠られない 더워서 잠들 수 없다. ③그 동작·작용이 어떤 상태로 행해짐을 나타냄. 『歩いて~通う 걸어 다니다.

□ 〖終助〗①《動詞·助動詞形 'じゃ·だ·た·ぬ' 따위의 終止形에 붙여서》가볍게 다져 말할 때 씀. 『それはわしじゃ~ 그것은 나란 말일세. ②《女》사정·내부, 일의 가부에 대해서 상대방에게 확인할 때 씀. 『もうごらんになった~ 벌써 보셨어요／よろしくって~ 좋단가요. ③《女》자기 판단이나 의견을 상대방에게 가능한 한 강요코자 할 때 씀. 『私こそ, 知らなく~ 전 몰라요／'て下さいまい~' (≒…하여 주십시오…해주게)의 압축된 말씨. 『ぼくにも見せ~ 내게도 보여 줘／また来~ね 또 와요.

□ 〖助〗《俗》①인용의 格助詞 'と'(=(이)라고)'의 변화. 『なん~言った? 무엇이라고 말했나. ②'という'(=(이)라고 하는)'의 압축된 말씨. 『人間は~ものは 인간이라는 것은.

で 〖助動〗助動詞 'だ'의 連用形. ①말을 시작하면서 중지(中止)할 때에 씀: (이)고. 『外国人が~日本に居る人』 외국인이면서 일본에 있는 사람／あれが学校で~, こちらが役場だ 저것이 학교이고, 이쪽이 관청이다. ②'ある(=이다)' 'あります'(=입니다)' 'ございます(=읍니다)' 따위에 연결됨. 『人間が~ある 사람이다.

*で 〖出〗名 ①나감; 나옴. ②외출; 등장(登場); 상품의 출회(出廻). 『春先は人出の~が多많い 초봄에는 사람의 외출이 많다／青果の~の悪い 청과의 출회가 저조하다. ③나오는 상태·정도. 『ガスの~が細細い 가스가 가늘게 나오다. ④해·달이 뜸, 또는 그 시각. 『日の~の一일통. ⑤'ある' 'ない'가 따라서》분량·부피, 또는 일에 소요되는 시간·노력. 『使할用の~ 사용하는 만큼 있다. ⑥〖略〗출처. ⑦산지. 『インドの米, 인도산의 쌀. ⑧出신. 『大学の~ 대학 출신. ⑨지출(支出). 『何これやか~がかさむ 이것저것 지출이 많아지다. ━入り.

で □ 〖格助〗동작·작용에 따르는 정황(情況)·물건을 나타내는 데 씀. ①동작이 행해지는 때·장소를 나타냄. ㉠에 있어서는; …(에)서. 『銀座は~会った娘은 은좌에서 만난 처녀. ②무

단·방법·재료를 나타냄 : …(으)로. ¶ラジオ～聞^きいた話^{はなし} 라디오로 들은 이야기 / ペン～書^かく 펜으로 쓰다 / 米^{こめ}～酒^{さけ}をつくる 쌀로 술을 빚다. ③원인·이유를 나타냄 : …(으)로. ¶暑^{あつ}さ―苦^{くる}しむ 더위로 고생하다 / おかげ―助^{たす}かった 덕택에 살았다. ④사정·상태를 나타냄 : …로(서), …로서. ¶三^{みっ}つ―百円^{ひゃくえん} 세 개에 백 엔 / みんな―やろう 다함께 하자. 또한 주제·논제가 되는 것을 나타냄 : …에 대해서. ＝について. ¶学制改革^{がくせいかいかく}～激論^{げきろん}する 학제 개혁으로 격론하다. ⑥동작이 행해지는 출처를 나타냄 : …에 있어서(는), …에서(는), …에서는. ¶彼^{かれ}の説^{せつ}～はこうなっている 그의 설에서는 이렇게 되어 있다.

―、 그러니까 ; 그래서. ＝それで. ¶ ～、どんなことが決^きまりましたか 그래서 어떤 일이 결정되었습니까.

〓 [接助] 助詞 'て'가 イ音便^{おんびん}·撥音便^{おんびん}の 뒤에 사용되었을 때의 형. ☞で 接助

てあい【手合(い)】[名] ①상대 ; 특히, 알맞은 상대. ②(한)패 ; 무리를 얕잡아 낮추어 하는 말). ＝連中^{れんじゅう}·仲間^{なかま}. ③경험을 살려서 적절히 일을 처리함 ; 전하여, 사정에 따라 관대하게 취급함. ＝手^てごころ. ④(승부를 내기 위해) 맞섬. ⑤(바둑·장기의) 대국(對局). ＝手^てあわせ. ⑥(승부에 있어서의) 기량(技術).

てあい【出会(い)·出合(い)】[名] ①우연히 서로 만남 ; 마주침. ＝めぐりあい. ②(강·골짜기 따위의) 합류점. ―がしら―頭 [名] 마주치는 순간 ; 만나자마자 ; 맞닥뜨리자마자. ¶～に人^{ひと}にぶつかる 나서자마자 남과 부딪치다.

*であ・う【出会う·出合う】[自五] ①우연히 만나다 ; 마주치다 ; 상봉하다(남녀가) 밀회하다. ¶敵^{かたき}同士^{どうし}が～원수끼리 마주치다. ②나와서 싸움의 상대가 되다. ¶者^{もの}ども―、そ 다들 나와서 상대해라. ③(색·맛에) 잘 맞다 ; 어울리다.

てあか【手あか】【手垢】[名] 손때. ①손에 묻은 때. ②(자주 만져 물건에로 묻은) 때. ¶～をつける 손으로 더럽히다 ; 손때를 묻히다.

てあし【手足】[名] 수족. ¶～となって働^{はたら}く 남의 손발이 되어 일하다.

てあし【出足】[名] ①어떤 장소에 나오는 사람의 모이는 정도(숫자). ¶～が悪^{わる}い (나온) 사람이 적다. ②처음과 나딛는 속도 ; 출발 속도 ; 첫발. ¶～が早^{はや}かったので 첫 출발이 빨라서 / この車^{くるま}は～が速^{はや}い 이 차는 시동이 빠르다. ③행동 개시의 태세. ¶～をくじかれる 제압당하다(서름에서) 상대방 쪽으로 내딛는 발. ⑤(유도 따위에서) 발을 쓰기 위해 내민 발.

てあたり【手当(た)り】[名] ①손에 닿음 ; 감촉. ②실마리 ; 단서. ＝手^てがかり. ¶何^{なに}の～もない 아무런 단서도 없다. ③가까이 닿음 ; 손닿음. ―しだい【―次第】[副] 닥치는 대로 ; 되는대로 ; 이것저것. ¶～やってみる 닥치는 대로 해보다 / ～に本^{ほん}を読^よむ 닥치는 대로 책을 읽다.

てあつ・い【手厚い】[形] 극진하다 ; 융숭하다. ¶～もてなし 극진한[융숭] 한 대접 / ～葬^{ほうむ}る 정중히 장사 지내다.

*てあて【手当】[名] ①수당 ; 급여. ¶家族^{かぞく}～ 가족 수당. ②수단 ; 방법. ③준비 ; 마련. ④팁 ; 행하(行下). ¶～をする 팁을 주다. ⑤(병인·죄인의) 수사 ; 포박 ; 체포. 〓 [名·他サ] 치료 ; 조처. ¶応急^{おうきゅう}～ 응급 치료 / ～を怠^{おこた}る 치료를 게을리[소홀히] 하다. ¶傷^{きず}の～をする 상처를 치료하다.

てあみ【手編(み)】[名] 손으로 뜸[뜬 것]. ¶～のセーター 손으로 뜬 스웨터.

てあら【手荒】[ダナ] (취급함이) 거칢. ¶～に扱^{あつか}うな 거칠게 다루지 마라.

てあら・い【手荒い】[形] 거칢하는 것이) 거칠다[난폭하다]. ¶容疑者^{ようぎしゃ}を～く取扱^{とりあつか}う 용의자를 거칠게 다루다.

てあらい【手洗(い)】[名] ①손을 씻음 ; 손 씻는 물[손을 씻음]. ②〈婉曲〉변소 ; 화장실. ＝便所^{べんじょ}·かわや. ¶お～はどちらですか 화장실은 어디입니까.

である【連語】지정의 뜻을 나타냄 : …(이)다. ¶君^{きみ}は学生^{がくせい}～ 너는 학생이다. ☞だ 助動

てある・く【出歩く】[自五] (집을 비우고) 나(돌아) 다니다 ; 싸다니다.

てあわせ【手合(わ)せ】[名] ①상대가 되어 승부를 겨룸 ; 맞붙음. ＝試合^{しあい}. ¶碁^ごの～ 바둑의 대국. ②【商】매매 계약을 함. ¶～が出来^{でき}た 매매 계약이 이루어졌다.

てい【丁】[名] ①정. ①십간(十干)의 네번째. ②순위·구분 등의 네번째. ¶甲乙丙丁^{こうおつへいてい}～ 갑을병정.

てい【底】[名] ①종류 ; 따위. ¶この～の品物^{しなもの} 이 정도[종류]의 물건. ②の～の모양(다소 경멸적인 표현). ¶ああいった～の男^{おとこ}さ 그런 꼴의 사내.

てい【弟】[名] ①아우. ②차하지함. ¶兄^{あに}たりがたく～たりがたし 난형 난제(難兄難弟).

てい【艇】[名] 〓 작은 배 ; 거룻배. ¶～と運命^{うんめい}を共^{とも}にする 배와 운명을 같이한다. 〓 [接尾] …정 ; 작은 배의 뜻. ¶水雷^{すいらい}～ 수뢰정 / 救命^{きゅうめい}～ 구명정.

てい【体·態】[名] ①꼴 모양 ; 모습(좋은 뜻으로의 쓰임). ¶職人^{しょくにん}～の男^{おとこ} 직공 차림의 남자 / ほうほうの～で逃^にげだす 허둥지둥 달아나다. ②태도 ; 걷치레 ; 허울. ¶～のいい言葉^{ことば} 번드르르한[그럴 듯한] 말 / そしらぬ～で見^みている 모르는 체하며 보고 있다 / それは～のいい詐欺^{さぎ}だ 그것은 멀쩡한 사기다. ③상태. ¶計画^{けいかく}は中止^{ちゅうし}の～である 계획은 중지 상태다.

てい【低】[名] 낮음. ＝姿勢^{しせい} 저자세 / ～気圧^{きあつ} 저기압. ↔高^{こう}.

ていあつ【低圧】[名] 저압. ¶～電線^{でんせん} 저압선. ↔高圧^{こうあつ}.

*ていあん【提案】[名·他サ] 제안. ¶彼^{かれ}の～を容^いれる 그의 제안을 받아들이다 / ～を支持^{しじ}する 제안을 지지하다.

ていい【帝位】[名] 제위. ¶～を継^つぐ 제위를 계승하다 / ～をうかがう 제위

를 엿보다[노리다].

ティー tī 图 티；차. ¶レモン～ 레몬 차／～タイム 티타임. ▷tea. ――パー ティー -pātī 图 티파티；다과회. ▷tea party.

ディーケー [DK] díke 图 조리실 겸 식 당；주방겸 식당. ▷dining kitchen.

ティーチイン tī- 图 티치인；사회·정치 문제 등에 대하여 전문가가 아닌 사람 들의 토론집회；좁은 뜻으로는, 대학 에서 하는 전교적(全校的)인 항의 집 회를 가리킴. ▷m teach-in.

ティーチングマシン tī- 图 티칭 머신 〔교사를 대신하여 일정한 과목의 학습 을 지도하고 시험 및 채점까지 하는 자동 학습기계〕. ▷m teaching machine.

ディーディーティー [DDT] dīdítī 图 디 디티〔강력 살충제〕. ▷dichloro-diphen-yl-trichloroethane.

ディーピーイー [DPE] dīpíī 图 디피이, 사진의 현상·인화·확대〔를 하는 가게〕. ▷developing, printing and enlarging.

ディーラー dī- 图 딜러. ①임자；상인. ¶中古車²⁹°²°˘ 중고차 매매업자. ② 특약 소매점. ▷dealer.

ていいん【定員】图 정원. ¶バスの～ 버스의 정원.

ティーンエージャー tín'ēja̅ 图 틴 에이 저；십대의 소년·소녀. ▷teen-ager.

ていえん【庭園】图 정원.

ていおう【帝王】teiō 图 제왕. ――せっ かい【―切開】-sekkai 图【醫】제왕 절개술.

ディオニソス di- 图 디오니소스；그리 스 신화의 주신(酒神). ▷ Dionysos.

ていおん【低音】图 저음. ¶―歌手↔² 저음 가수. ↔高音↔²↑.

ていおん【低温】图 저온. ↔高温↔²˘ん. ――さっきん【―殺菌】-sakkin 图 저 온 살균.

ていおん【定温】图 정온；일정한 온도. ――どうぶつ【―動物】-dōbutsu 图 정 온 동물. ☞ こうおんどうぶつ.

ていか【低下】图 (도수가) 내려감. ↔上昇¹⁹°⁹˘. ①정도가 떨어 짐. ¶技術⁹˘っの～ 기술의 저하. ↔向 上¹⁹°⁹˘.

ていか【定価】图 정가. ¶―表⁹˘˘ 정가 표／～どおりに売る 정가대로 팔다.

ていかい【低回・低徊】图 区自 저회； 사색에 잠기면서 천천히 거닒. 参考 '低 回로 씀은 대응 한자.

ていかい【?会】图 区自他 정회. ¶～ の宣言¹⁹°ん 정회의 선언.

ていかいはつこく【低開発国】图 저개 발국；발전 도상국.

ていがく【停学】图 정학. ¶～処分↔²˘ん 정학 처분.

ていがく【低額】图 저액. ¶―所得層 ↔⁹˘˘↔² 저액 소득층. ↔高額↔²°.

ていがく【定額】图 정액.

ていがくねん【低学年】图 저학년〔소학 교 1, 2학년〕. ↔高学年↔²˘˘ん.

ていかん【?刊】图 정간.

ていかん【定款】图 정관. ¶～をきめ る 정관을 정하다.

ていき【定期】图 정기. ¶―航路⁹˘˘ 정 기 항로. ――かんこうぶつ【―刊行 物】-kōbutsu 图 정기 간행물. ――せん

――**ふね**【―船】图 정기선. ――**てき** 【―的】图ナ 정기적. ――**よきん**【―預金】图 정기 예금.

ていき【提起】图 区他 제기. ¶訴訟↔²⁹°⁹ を～する 소송을 제기하다.

ていぎ【提議】图 区他 제의. ¶彼°⁸°がの ～に同意⁹˘する 그의 제의에 동의하다.

*ていぎ**【定義】图 区他 정의.

*ていきあつ**【低気圧】图〔氣〕저기압. ¶～は東南⁹˘˘にすすむ 저기압은 동남으로 진출하고 있다. ↔高気圧 ⁹˘˘⁹˘˘.

ていきゅう【低級】-kyū 图ナ 저급；저 속. ¶―な趣味↔˘˘ 저속한 취미. ↔高 級⁹˘˘˘.

*ていきゅう**【定休】-kyū 图 정휴；정기 휴일〔휴가〕. ↔臨時⁹ん˘.

ていきゅう【庭球】-kyū 图 ☞ テニス.

ていきょう【提供】-kyō 图 区他 제공. ¶実費°˘~ 실비 제공.

ていきん【庭訓】图 ①가훈(家訓). ② 가정 교육. =しつけ.

ていきん【提琴】图 제금；바이올린. = バイオリン. ¶―家° 제금가.

ていくう【低空】-kū 图 저공. ↔高空 ⁹˘˘. ――**ひこう**【―飛行】-kō 图 区自 저 공 비행. ②〈學〉거의 낙제에 가까운 나쁜 성적.

ディグニティー digunītī 图 위엄；존엄； 기품. ▷dignity.

ていけ【生け生け】【手活け】图 区他 손수 꽃꽂이를 함.

ていけい【定型】图 정형；일정한 형. ――**し**【―詩】图 정형시.

ていけい【蹄形】图 제형；말굽 형상.

――**じしゃく**【―磁石】-shaku 图 말굽 자석.

ていけい【提携】图 区自 제휴. =タイ アップ. ¶四者↔²˘が～して 네 사람이 제휴해서.

ていけつ【貞潔】图ナ 정결. ¶～な婦 人↔ん 정결한 여자.

ていけつ【締結】图 区他 체결. ¶約約 ↔²˘~する 조약을 체결하다.

ていけつあつ【低血圧】图【醫】저혈압. ↔高血圧⁹˘˘˘².

ていけん【定見】图 정견；일정한 주견.

ていげん【低減】图 区自他 저감. ①감； 줄임. ¶生産力⁹˘˘˘が～する 생산력 이 줄어들다. ②값이 싸짐；값을 내림.

ていげん【逓減】图 区自他 체감. ¶収 益⁹˘˘〔収穫↔²°〕～の法則↔˘° 수익〔수 확〕체감의 법칙. ↔逓増⁹˘~·逓加⁹˘.

ていげん【提言】图 区他 제언.

ていげん【定言】图〔論〕정언；조건 없 이 확언하는 말. ↔仮言⁹ん. ――**てき** 【―的】图ナ〔論〕정언적. ↔仮言的 ⁹ん˘. ¶―命令°˘˘ん 정언적 명령.

‡**ていこう**【抵抗】-kō 图 区自 저항. ¶ ～を感じる 저항을 느끼다／～が高↔° まる 저항이 높아지다. ――**りょく**【― 力】-ryoku 图 저항력.

ていこく【定刻】图 정각. ¶―出勤↔˘˘ん 정각 출근.

ていこく【帝国】图 제국. ¶第三↔˘˘~ 제삼 제국. ――**しゅぎ**【―主義】-shugi 图 제국주의.

*ていさい**【体裁】图①체재. ②외관；겉 모양. ¶～をつくろう 겉모양을 차리

た〔꾸미다〕/ ～が悪ない 보기에 흉하다. ③일정한 양식·형식. ②체면;세상이목. ¶ひどい～を気きにする 몸시 남의 이목을 꺼리다 / ～よくことをきめ 보기 좋게 거절하다. ¶～のいい事をを言いう 그럴 듯하게 말하다. ③빈말. ¶お～ばかり言いう 말만 앞세우다. ──する【───ぶる・─振る】⑤自 뽐내다; 거드름 피우다. ¶～奴やつ 거드름 피우는 놈.

ていさつ【偵察】图他 정찰. ¶敵状てきじょうを～する 적정을 정찰하다.

*ていし**【停止】图⑤自他 정지. ¶急きゅう～ 급정지 / 発行はっこうを～する 발행을 정지하다.

ていじ【丁字】图 정자(형). ──じょうけい【───定規】-jōgi 图 T자. ──ろ【───路】图 정자로; 삼거리.

ていじ【低次】图 낮은 차원(次元)〔정도〕. ↔高次こうじ.

ていじ【定時】图 정시. ①정각. ¶～退庁たいちょう 정시 퇴청(退庁). ②정기. ¶～刊行かんこう 정기 간행. ──せい【───制】图 정시제〔학교 교육에서 야간·조조(早朝) 등 특별한 시기·시간에 행하는 학습 과정〕. ──こうこう【───高校】图 정시제 고등학교. ⇨全日制ぜんにちせい・通信制つうしんせい.

ていじ【呈示】图他 정시; 꺼내 보임; 제시. ¶証明書しょうめいしょを～する 증명서의 제시.

ていじ【提示】图他 제시; 증거·증명이 될 만한 것을 보임. ¶証拠品しょうこひんを～する 증거품을 제시하다.

ていしき【定式】图 정식; 일정한 방식·의식. ¶～化かされる 정식화되다.

ていじげん【低次元】图 저차원. ①차원이 낮음. ②사상이나 취미·화제(話題) 등이 저급(低級)임.

ていせい【低姿勢】图 저자세. ¶～に出でる 저자세로 나오다. ↔高姿勢こうしせい.

ディジタルどけい【ディジタル時計】di-图 디지털 시계. ↔アナログ時計とけい ▷digital.

ていしつ【低湿】图 저습; 토지가 낮고 습기가 많음. ¶～地帯ちたい 저습 지대. ↔高燥こうそう.

ていしつ【低質】图 저질. ¶～の品物しなもの 저질품. ⇨粗悪そあく 저질탄.

ディジット dijitto 图 디지트; 숫자나 문자를 표현하는 단위. ▷digit.

*ていしゃ**【停車】-sha 图⑤自他 정차; 정거. ¶～信号しんごう 정차 신호 / 急きゅう～ 급정거. ──じょう【───場】-jō 图 정거장; 역.

ていしゅ【亭主】-shu 图 ①(집)주인. =あるじ. ¶宿屋やどやの～ 여관 주인. ②남편. ＝おっと. ¶～の顔かおに泥どろを塗ぬる 남편 얼굴에 똥칠하다. ③(다도(茶道)에서 손님을 대접하는 주인. ──をしりに敷しく 내주장하다. ──かんぱく【───関白】-kampaku 〈俗〉(집안에서) 폭군 같은 남편; 헷대밀 사내. ¶かかあ天下てんか 엄처시하.

ていしゅ【艇首】-shu 图 정수; (보트의) 이물. ¶～を沖おきに向むける 이물을 난바다로 돌리다.

ていじゅう【定住】-jū 图⑤自他 정주; 정착. ¶～の地ちを求もとめる 정착할 곳을 찾다.

ていしゅうは【低周波】-shūha 图 저주파. ¶～電流でんりゅう 저주파 전류. ──こうがい【───公害】-kōgai 图 저주파 공해(20 헤르츠 이하의 저주파에 의한 공해).

ていしゅく【貞淑】-shuku 图ダナ 정숙. ¶彼女かのじょは～の聞きえが高たかい 그녀는 정숙하다는 소문이 자자하다. ↔不貞ふてい.

*ていしゅつ**【提出】-shutsu 图⑤他 제출. ¶証拠しょうこを〔辞表じひょうを〕～する 증거〔사표〕를 제출하다.

ていじょ【貞女】-jo 图 정녀; 정조가 굳은 여자. ＝貞婦ていふ. ¶～は両夫りょうふにまみえず 열녀는 불경이부.

ていしょう【提唱】-shō 图他 제창. ¶新学説しんがくせつを～する 신학설을 제창하다.

ていじょう【呈上】-jō 图他 정상; 바침. ＝進呈しんてい. ¶謹つつしんで一書いっしょを～する 삼가 글월을 올리다.

ていじょう【定常】-jō 图 정상. ¶～電流でんりゅう 정상 전류. ──は【───波】图〔理〕 정상파.

ていしょく【停職】-shoku 图 정직. ¶～される 정직당하다.

ていしょく【定職】-shoku 图 정직. ¶～が無ない人々ひとびと 일정한 직업이 없는 사람들.

*ていしょく**【定食】-shoku 图 정식. ¶洋よう～ 양정식 / ～の食事しょくじ 정식 식사. ⇨いっぴんりょうり.

ていしょく【抵触・牴触・觝触】-shoku 图⑤自 저촉. ¶法律ほうりつに～する 법률에 저촉되다.

ていしょくはんのう【呈色反応】teishoku-hannō 图〔化〕 정색 반응.

ていしん【挺身】图⑤自 정신. ¶～隊たい 정신대 / 社会事業しゃかいじぎょうに～活躍かつやくする 사회 사업에 몸바쳐 활약하다.

ていしん【艇身】图〔接尾語的に〕정신; 보트의 전장(全長). ¶三さん～の差さ 3정신의 차; 보트 세 척 길이 정도의 거리.

ていしん【逓信】图 체신. ¶～相しょう 체신성('郵政省ゆうせいしょう'(＝체신부에 해당)의 옛이름).

ていすい【泥酔】图⑤自 이취; 만취(滿酔). ¶昨夜ゆうべは～して家いえに帰かえった 어젯밤에는 역병으로 취해서 집에 돌아왔다.

ていすう【定数】-sū 图 정수. ①일정한 (인원)수; ②어떠한 경우에도 수치·수량. ⓛ〔數〕상수(常数). ＝変数へんすう. ②운명. ¶これが～であると諦あきらめる 이게 운명이거니 하고 채념하다.

ディスカウント di- 图 디스카운트; 할인(割引). ¶～セール 할인 판매. ▷discount.

ディスカッション disukasshon 图⑤自他 디스커션; 토론; 토의. ¶パネル～ 패널 디스커션. ▷discussion.

ディスク di- 图 디스크. ▷disk. ──ジョッキー -jokkī 图 디스크 자키. ▷disk jockey. ──パック -pakku 图 디스크 팩; 떼었다 붙였다 할 수 있는 자기(磁集) 디스크. ▷disk pack.

ディスコテーク di- 图 디스코테크. ▷프 discothèque.

ディスプレー di- 名 디스플레이;진열;전시;과시. ▷display.

ていーする【呈する】サ変他 ①드리다;바치다;보내다. ¶一書(いっしょ)を～ 글월을 올리다. ②(상태를) 나타내다;보이다. ¶活気(かっき)を～ 활기를 띠다.

ていーする[挺する]サ変他 남보다 앞장서서 나아가다. ¶身(み)を～·して 남보다 앞장서서.

ていせい【低声】名 저성. ¶～で聞(き)き取(と)れなかった 낮은 소리라 알아들을 수가 없었다. ↔高声(こうせい).

ていせい【定性】名 정성;물질의 성분을 정하는 일. ―ぶんせき【―分析】名〔化〕정성 분석. ↔定量分析(ていりょうぶんせき).

ていせい【帝政】名 제정. ¶～ロシア 제정 러시아.

*ていせい【訂正】名 スル他 정정.

ていせつ【定説】名 정설. =定論(ていろん). ¶従来(じゅうらい)の～ 종래의 정설.

ていせつ【貞節】名ナ 정절;절개. ¶～を守(まも)る 정절을 지키다.

ていせん【停戦】名 スル自 정전. ¶～協定(きょうてい) 정전 협정.

ていせん【停船】名 スル自 정선. ¶～を命(めい)じられる 정선 명령을 받다.

ていぜん【庭前】名 정전;뜰 앞. =にわさき. ¶～の梅(うめ) 뜰 앞의 매화나무.

ていそ【提訴】名 スル他〔法〕제소. ¶お上(かみ)に～する 당국에 제소〔호소〕하다.

ていそう【貞操】-sō 名 정조. ¶～帯(たい) 정조대/～観念(かんねん)が薄(うす)い 정조 관념이 희박하다.

ていぞう【逓増】-zō 名 スル自他 체증;점차 늚. =漸増(ぜんぞう). ↔逓減(ていげん).

ていそく【定則】名 정칙. ¶一定(いってい)の～に従(したが)って動(うご)く 일정한 법칙에 따라 움직이다.

ていそく【低速】名 저속;느린 속도. ↔「高速(こうそく).

ていぞく【低俗】名ナ 저속. ¶～な流行歌(りゅうこうか) 저속한 유행가.

ていそくすう【定足数】-sū 名 정족수. ¶～に足(た)らないので流会(りゅうかい)になる 정족수에 미달하여 유회가 되다.

ていたーい【手痛い】形 심하다;호되다. =ひどい·手(て)ごわい. ¶～損害(そんがい) 심한 손해/～批判(ひはん) 호된 비판.

*ていたい【停滞】名 スル自 정체. ¶流(なが)れが～する 흐름이 정체되다/作業(さぎょう)が～する 작업이 정체하다.

ていたく【邸宅】名 저택. =やしき. ¶堂々(どうどう)たる～ 으리으리한 저택.

ていたらく〖為体〗名 (보기에 딱한) 모양;꼴. =様子(ようす)·姿(すがた). ¶何(なん)という～だ 이게 무슨 꼴이냐.

ていだん[鼎談]名 スル自 정담;세 사람이 마주 앉아 이야기함;또, 그 이야기. ¶～会(かい) 정담회. ⇒対談(たいだん).

でいたん【泥炭】名 이탄;토탄. ¶～地(ち) 이탄지.

ていち【低地】名 저지. ↔高地(こうち).

ていち【定置】名 スル他 정치. ―あみ【―網】名 정치망. ―ぎょぎょう【―漁業】-gyogyō 名 정치 어업.

ていちゃく【定着】-chaku 정착. ㊀名 スル自 어떤 곳〔것〕에 달라붙어 떠나지〔떨어지지〕 않음. ¶遊牧民(ゆうぼくみん)が水辺(すいへん)に～する 유목민이 물가에 정착하다. ㊁名 スル他 (사진에서) 필름·인화지 따위의 감광성(感光性)을 제거함.

ていちょう【丁重】《鄭重》-chō 名 ダナ 정중;극진함. ¶～なあいさつ 정중한 인사. 注意 '丁重'로 쓰는 대용 한자.

ていちょう【低調】-chō 名ナ 저조. ¶～な記録(きろく) 저조한 기록/～な試合(しあい) 맥없는 경기/貿易(ぼうえき)は～だ 무역은 저조하다.

ていっぱい【手いっぱい】《手一杯》teippai ㊀名 힘에 부침;힘에 겨움. ㊁副 힘껏;힘 자라는 대로;잔뜩. ¶～荷物(にもつ)を持(も)つ 힘 자라는 데까지 짐을 들다.

ていてつ[蹄鉄]名 제철;편자. =馬蹄(ばてい). ¶馬(うま)に～を打(う)つ 말에 편자를 박다. ―じしゃく[―磁石] -shaku 名 말굽 자석.

ていてん【定点】名 정점;정해진 위치의 점. ―かんそく【―観測】名 정점 관측.

*ていでん【停電】名 スル自 정전. ¶～のため電車(でんしゃ)は動(うご)かない 정전으로 전차는 움직이지 않는다.

ていでん【逓伝】名 スル他 체전. ¶～競走(きょうそう) 역전(驛傳) 경주.

ていと【帝都】名 제도;제국의 수도.

**ていど【程度】名 정도. ¶損害(そんがい)の～ 손해의 정도/～が高(たか)い 정도가 높다/生活(せいかつ)～ 생활 정도/実力(じつりょく)の～ 실력의 정도/～を守(まも)る 정도를 지키다. ―もんだい【―問題】名 정도 문제. ¶酒(さけ)を飲(の)むのもよいが～だ 술을 마시는 것도 좋지만 정도 문제다.

でいど【泥土】名 이토;진흙.

ていとう【低頭】-tō 名 スル自 저두;머리를 조아림. ¶平身(へいしん)～する 굽실거리다.

ていとう【抵当】-tō 名 저당(물);담보물. =かた·質物(しちもつ). ¶～として渡(わた)す 저당으로 넘겨주다/家(いえ)を～にして 집을 저당으로. ―ながれ【―流れ】名 유질(流質). ¶～公売処分(こうばいしょぶん) 유질(물)의 공매 처분.

ていとく【提督】名 제독. =アドミラ「ル.

ていとん[停頓]名 スル自 정돈. ¶～状態(じょうたい)になる 정돈 상태가 되다.

ディナー dinā 名 디너;특히, 만찬〔오찬〕(회). ▷dinner.

ていない【庭内】名 정내;뜰 안.

**ていねい【ていねい·丁寧】《叮嚀》名 ダナ ①친절함;정중함;공손함. ¶～な人(ひと) 예절 바르고 친절한 사람/～な看護(かんご) 친절한 간호. ②주의 깊고 신중함. ¶～に書(か)く 주의깊게〔찬찬히〕 쓰다. ―ご【―語】名〔言〕공손한 말('行(ゆ)きます(=가겠습니다)'의 'ます'나 'お米(こめ)(=쌀)'의 'お' 따위).

でいねい[泥濘]名 이녕;진창. =ぬかるみ.

ていねん【丁年】名 성년;정년;남자 20세;또, 그 남자. ¶～に達(たっ)した 정년에 달했다.

ていねん【定年】《停年》名 정년. ¶～退職(たいしょく) 정년 퇴직. ―がいしゃ【―会社】-sha 名 정년 회사;정년 퇴직자만이 모인 회사. ―せい【―制】名 정년제.

ていのう【低能】-nō 名ナ 저능;정신박약. ―じ【―児】名 저능아;정박

아(精薄兒).

ていはく【停泊】【碇泊】 图 宣 정박.
注意 '碇泊'로 씀은 대용 한자.

ていはつ【剃髮】 图 宣 체발; (불문에 들어가) 삭발함. ¶ ─して仏門に入る 삭발하고 불문에 들다.

ていひょう【定評】-hyō 图 정평. ¶ ─ある辞典 정평 있는 사전 ／ ～がある 정평이 있다.

ていへん【底辺】 图 ①【數】밑변. ②〈俗〉하층 사회. ¶ ─に生きる 밑바닥 생활을 하다.

ていぼう【堤防】-bō 图 제방; 둑. ¶ ─つみ・土手로. ¶ ～を築く 제방을 쌓다.

ていぼく【低木】 图 키가 낮은 나무; 관목(灌木). ↔高木高き.

ていほん【定本】 图 ①정본; 고전의 이본(異本)을 교정하여 잘못을 바로잡은 표준이 되는 책. ②(근대 문학에서) 저자가 정정·가필한 결정판. ↔稿本高.

ていほん【底本】 图 ①번역·교정 등의 바탕이 되는 책 (대본(臺本). ＝そこほん. ②〈古〉초고 (草稿). ＝下書ほき.

ていまい【弟妹】 图 제매; 남동생과 여동생. ↔兄姉姉.

ていめい【低迷】 图 宣 ①저미; 구름이 낮게 떠돌아다님. ¶暗雲あっが～する 암운이 저미하다 ／ 戦雲あっが～する 전운이 감돌다. ②향상하지 여의치 않음. ¶下位いを～する 하위를 맴돌다.

ていめん【底面】 图 정면; 밑면. ¶円錐体えんすいの～ 원추체(원뿔)의 밑면.

ていやく【締約】 图 宣 체약. ¶ ─国 체약국.

ていよく【体よく】 連語 副詞的으로 보기 좋게; 무리없이. ＝体裁ざいよく. ¶ ～道いに乗せる 좋은 말로 내쫓다 ／ ～断ことる 완곡히(좋은 말로) 거절하다 ／ ～受うけ流がす 슬쩍 받아 넘기다; 슬쩍 놓치다.

ていらく【低落】 图 宣 저락; (특히 물가가) 떨어짐. ¶人気にんが～した 인기가 떨어졌다 ／ 物価ぶっが～する 물가가 떨어지다.

ていらず【手入らず】 图 ①수고나 힘이 들지 않음. ②한 번도 쓰지 않았던 것); 새것. ＝手てつかず. ¶彼女かのは～だ 그녀는 숫처녀다. ③손보지 않음. ¶ ～にそっくりそのまま 손질 않고 그냥 그대로.

ていり【低利】 图 저리. ¶ ～で借りる 자금을 저리로 꾸다. ↔高利り.

ていり【廷吏】 图 정리; (법정의 잡무를 맡아 보는) 법원의 직원.

ていり【定理】 图 정리. ¶ピタゴラスの～ 피타고라스의 정리.

でいり【出入り】 图 宣 ①출입; 드나듦. ＝ではいり. ¶ ～口ぐち 출입구 ／ 人ひとの～が多おおい 사람의 출입이 많다. ②단골. ¶ ～の大工だいく 단골 목수. ③수지; 금전의 출납. ¶金かねの～ 돈의 지출과 수입. ④고르지 않음; 울퉁불퉁함. ¶ ～の激はけしい海岸線かいがんせん 굴곡의 심한 해안선. ⑤알력; 시비. ＝もめごと. ─き**き**【─先】 (일꾼·장색 들의) 단골집.

ていりつ【低率】 图 宮 저율. ¶ ～の税

ていりゅう【停留】-ryū 图 宣 정류. ──じょ【─所】-jo 图 정류장. ¶ ～の─で降りる 다음 정류장에서 내립니다.

ていりゅう【底流】-ryū 图 저류. ¶海その～ 바다의 저류 ／ 政界かいの～ 정계의 저류(배후 세력).

ていりょう【定量】-ryō 图 정량. ──てき【─的】【ナ】 정량적; 비유적으로, 양적. ↔定性的てき. ──ぶんせき【─分析】 图【化】정량 분석. ↔定性分析.

ていれ【手入れ】 图 他 ①고침; 손질함; 보살핌. 및 부살펴. ¶ ─文章의 ～ 문장의 손질(添削) ／ 庭にわの～ 뜰의 손보기(손질). ②범죄 수사와 범인 검거를 위하여 경찰관이 현장을 덮침 (경찰의) 단속. ¶暴力団ぼうりょくだんの～ 불량배의 일제 단속.

ていれい【定例】 图 정례. ¶①일정한 사례(事例). ②상례(常例). ¶ ─会議かいぎ [会議] 정례 회견(회의) ／ ～を打破はした もの 상례를 벗어난 일.

ていれつ【低劣】 图 저열; 용렬함. ＝俗悪そくあ. ¶ ～な趣味みゃ 저열한 취미.

ディレッタント direttante 图 딜레탕트; 문학·예술 애호가; 호사가(好事家). ＝ジレッタント. ▷dilettante.

ていれん【低廉】 图 저렴. ¶ ～な賃金ちん 저렴한 임금.

ていろん【定論】 图 정론; 정설(定說).

ティンパニ tin- 图 ☞チンパニー.

てうえ【手植(え)】 图 (기념 식수로 귀인이) 손수 심음.

てうす【手薄】 图 宣 ①일손이 적음; 허술함. ¶警備びの～로 경비가 허술하다. ②(수중에 금품 따위가) 적음. ¶所持金しょじきんが～だ 소지금이 부족하다. ③불충분함. ¶思考しこが～だ 생각이 불충분하다.

てうち【手打(ち)】 图 宣 ①(거래·화해가 성립된 표시로) 관계자들이 박수하는 일; 흥정을 끝내고 손을 잡음. ¶ ─式 (계약·화해 등의) 성립 축하식. ②(국수 따위를) 손으로 쳐서 만드는 일. ③맨손으로 때려 잡음.

てうち【手討(ち)】 图 宣 주군(主君)이 신하를, 또는 무사(武士)가 서민·농민을 손수 베어 죽인 일. ¶お─にする 손수 베어 죽이다.

デー 图 데이. ①어떤 행사일. ¶サービス─ 봉사일. ②낮; 주간. ¶ ─ベッド 침대 겸용의 소파. ▷day.

テーゼ 图 테제. ¶①정립(定立); 처음에 세워진 명제(命題). ＝正(正)·반(反)·합(合)의 정. ↔アンチテーゼ. ②(정치활동의) 강령(綱領). ▷도 These.

データ 图 데이터. ①(정리한) 자료. ¶ ─を集あつめる 데이터를 모으다. ②추론(推論)의 기초가 되는 사실. ③(컴퓨터에서) 프로그램을 운용하기 위한 기호화(記號化)·수치화(數字化)된 자료. ▷data. ──つうしん【─通信】-tsūshin 图 데이터 통신; 데이터를 부호화해서 전기적으로 보냄.

デート 图 宣 메이트. ①남녀가 서로 만남; 또, 그 약속. ②날짜; 기일; 연

대(年代). ▷미 date.

てえば 【連語】〈俗〉…다니까. ¶ない〜 없다니까／ある〜 있다니까.

*__テープ__ 图 테이프. ①환송·환영용이나 결승선에 치는 것. ②녹음기·통신기 따위에 쓰는 기록용의 것. ¶〜に吹˝き込˝む 테이프에 취입[녹음]하다. ▷ tape. ──권척(卷尺). ▷ tape mea-sure. ──を切˝る 테이프를 끊다；(결승점에) 골인하다. ──__デッキ__ -dekki 테이프 데크；앰프·스피커가 없는 테이프 리코더. ▷ tape deck. ──__レコーダー__ 图 테이프 리코더；테이프식 녹음기. ▷ tape recorder.

*__テーブル__ 图 테이블. ①탁자；식탁. ②표(表)；목록(目錄). ¶タイム〜 시간표. ▷ table. ──__クロース__ 图 테이블 클로스；테이블 보；상보. ▷ table cloth. ──__スピーチ__ 图 테이블 스피치；탁상 연설(회식 등의 석상에서 하는 짧은 연설). ▷일 table speech. ──__センター__ 图 테이블 센터；테이블 중앙에 까는 천. ▷ table center. ──__マナー__ 图 테이블 매너；양식을 먹을 때의 예법. ▷ table manner.

__テーベ__ [TB] 图 테베；티비；폐결핵. ▷도 Tuberkulose.

__テーマ__ 图 테마；제목；논제；주제(主題). ¶小說ꠈꠈꠈの〜 소설의 주제. ▷도 Thema. ──__ソング__ 图 테마 송；주제가(歌). ▷일 Thema song.

__テーラー__ 图 테일러；재단사；(맞춤) 양복점. ▷ tailor.

__デーライトスクリーン__ 图 데이라이트 스크린(밝은 실내에서도 영화나 슬라이드를 볼 수 있는 스크린). ▷ daylight screen.

__デーリー__ 图 데일리；매일；일간(신문 이름 따위에 쓰임). ▷ daily.

__テール__ 图 꽁지；꼬리. ▷ tail. ──__ライト__ 图 테일라이트；(자동차 따위의) 미등(尾燈). ↔ヘッドライト. ▷ taillight.

ておい 【手負(い)】 图 (싸워서) 상처를 입음；또, 그 사람(동물). ¶〜の猛獸˝˝ (싸워서) 상처 입은 맹수. ──__じし__ 【──猪】①상처 입은 멧돼지. ②상처입고 몰려서 필사의 반격을 가함의 비유.

ておくれ 【手遅れ·手後れ】 图 (병의 치료나 사건의 조치 따위) 때를 놓침；때늦음. ¶〜になる 회복할 가망이 없어지다；때를 놓치다.

ておけ 【手桶】 图 (손잡이가 달린) 통；또, 손에 들 수 있을 정도의 크기의 통.

ておし 【手押し】 图 손으로 밂[누름]. ¶〜車˝ 손수레／〜ポンプ 손으로 잣는 펌프.

ておち 【手落ち】 图 실수；부주의；과실. =てぬかり·おちど. ¶〜なくやる 실수없이 하다.

ておの 【手斧】 图 손도끼.

ておもーい 【手重い】 𝖿형 ①취급이 정중하다. ¶〜もてなし 극진한 대접. =手厚ꠈꠈい. ②쉽지 않다；중대하다；귀찮다. ↔手軽˝˝い.

ており 【手織り】 图 ①손으로 짬；수직(手織)；또, 그 직물. ②자기 집에서 짬；또, 그 직물.

でか 图 〈俗〉 순경；형사(刑事).

デカ 图 데카. ¶〜メートル 10미터／〜リットル 10리터. ▷프 déca.

てがい 【手飼(い)】 图 손수 집에서 기름；길들임；길들인 짐승(새·가축 따위).

てかーい 𝖿형 〈俗〉 크다；방대하다. =大˝˝きい. ¶でっかい. ¶ばかに〜帽子˝˝だ 엄청나게 큰 모자다.

てかがみ 【手鏡】 图 손거울.

てかがみ 【手鑑】 【手鑑】 图 감상(鑑賞)·감식(鑑識)용으로 옛사람들의 필적을 모아 붙인[엮은] 첩본(帖本).

てがかり 【手掛(か)り·手懸(か)り】 图 ①손 붙일 곳；손잡이 될 곳. ②(수사·조사의 진행의) 단서；실마리. ¶有力˝˝な〜をつかむ 유력한 단서를 잡다.

てがき 【手書(き)】 图 ①글씨를 잘 쓰는 사람；능필(能筆)；명필.

てがぎ 【手鉤】 图 ①(생선·쌀가마 따위를 찍어 올리는) 쇠갈고리. ②소방용(消防用) 갈고리.

てがける 【手掛ける·手懸ける】 𝖿타 ①손수(직접) 다루다. ②보살피다；돌보다. ¶長年˝˝～・けた部下˝˝가 오랜 세월 보살핀 옛 부하.

*__でかける__ 【出掛ける】 𝖿자1 ①외출하다；나가다. ¶散步ꠈꠈに〜 산책하러 나가다. ②나가려고 하다. ¶〜ところへ客˝˝が來˝た 나가려고 하는데 손님이 왔다.

てかげん 【手加減】 图 ①손대중. ¶〜がわからない 손대중을 모르겠다；어림을 못 잡겠다. ②요령；비결；미립. ③ス自他 적당히(適宜) 조처함；적당히 처리함. =手˝˝ごころ. ¶〜を加˝える (적당히) 조절을 가하다.

てかご 【手籠】 【手籠】 图 손바구니.

てかず 【手数】 图 =てすう.

でかーす 【出來す】 𝟓타 〈俗〉 ①잘하다；잘 해내다. ¶みごとに〜 훌륭히 해내다. ②(나쁜 일을) 하다；저지르다. ¶とんだことを〜した 엉뚱한 짓을 저질렀다. ③만들다；생기게 하다. ¶はれものを〜 부스럼이 생기다.

てかせ 【手枷·手加·手桎】 图 쇠고랑；수갑(手匣). ¶〜と足˝˝かせ 수갑과 족쇄.

でかせぎ 【出稼ぎ】 图 ス自 한때 타관에 가서 벌이를 함；또, 그 사람. ¶〜に行˝く 타관에 벌이하러 가다.

てがた 【手形】 图 ①증거 문서. ㉠증거문. ㉡어음. ②수압(手押)；손도장. ──__わりびき__ 【──割引】 图 어음 할인.

てがた 【出方】 图 ①나오는 태도. =出˝よう. ¶相手˝˝の〜をみる 상대방이 어떻게 나오는지를 보다. ②(극장·씨름 경기장 따위의) 안내인.

てがたーい 【手堅い】 𝖿형 견실하다. ①하는 일이 확실하고 위험이 없다. ¶〜方法˝˝ 견실한 방법. ②(거래에서) 시세가 떨어질 염려가 없다.

てがたな 【手刀】 图 (태권 따위에서) 수도. ¶チョップ.

デカダンス 图 데카당스；데카당의 영향. ▷ décadence.

てかてか 副 ⅀⹂ 윤기가 있어 번쩍이는 모양；번질번질. ¶〜の頭˝˝ 번들번들한 머리.

でかでか 副〈俗〉눈에 띄게 크게 하는 모양; 큼직큼직; 커다랗게. ¶～(と)書く 큼직하게 쓰다.

てがみ【手紙】图 편지; 서한. =書簡.

てがら【手柄】图 공로; 공적. =いさお. ¶～を立てる 공을 세우다.

てがら【手柄】图 댕기(일본식 여자 머리 丸まげ에 매는 리본). ¶赤い～を掛ける 빨간 댕기를 드리다.

てがらし【出涸らし】（出涸らし）커피·차 따위를 재탕 삼탕하여 맛·향기가 없어짐; 또, 그런 차. ¶～の茶재탕 삼탕한 차.

てがる【手軽】ダナ 손쉬운 모양; 간이한 모양. ¶～に仕上げる 가볍게(손쉽게) 해치우다.

てがる-い【手軽い】厖 손쉽다; 간단하다; 간이(簡易)하다. ¶～仕事는 손쉬운 일. ↔手重い.

*てき【敵】图 적. ①전쟁·경쟁을 하거나 원한을 품은 상대. =かたき. ¶～の大将군 적장(敵將). ↔みかた (自기에게) 해를 끼치거나 방해가 되는 자로서 없애버리고 싶은 존재. ¶어떤 의미에서, 상대가 되는 저편. ¶～はなかなかんと言わない 상대는 좀처럼 응낙지 않는다.

テキ 图 'ビフテキ(=비프스테이크)'의 준말.

*でき【出来】图 ①만듦; 제품. ②거래(의 성립). ¶～高거래액; 생산액 [고]; 수확량. ¶～완성된 상태; 된 품; 특허, (학교의) 성적; 농산물의 작황(作況). =できばえ·できぐあい·みのり. ¶上이 - 아주 잘됨/不이 - 잘 안 됨/米の이 - 벼의 작황/英語での이 - 영어 성적. ②됨됨이; 태생. =なりたち·おいたち. ¶～がよくない 됨됨이가 좋지 못하다.

できあい【出来合(い)】图 ①이미 되어 있는 것; 기성품. =レディーメード. ¶～の洋服この 기성복. ↔あつらえ. ②밀통; 야합. ¶～の夫婦들 야합한 부부.

できあい【溺愛】图他 익애; 무턱대고 사랑함. =ねこかわいがり. ¶末っ子를～をする 막내둥이를 맹목적으로 사랑하다.

できあ-う【出来合う】自〈俗〉남녀가 밀통(密通)하다; 남녀가 몰래 배가 맞다. ¶二人たちは～って逃げた 그 둘은 배가 맞아 도망쳤다. ②(만드는 것이) 제때에[시간에] 대다; 만드는 것이 시기[때]에 맞다.

できあがり【出来上がり】图 ①완성함; 다 됨. ¶～まで十日までは かかる 완성되기까지 열흘은 걸린다. ②됨됨이; 만듦새. =できばえ. ¶～がりっぱだ 됨됨이 훌륭하다.

できあが-る【出来上(が)る】自①완성되다; 이루어지다. ②〈俗〉몹시 (거나하게) 취하다. ¶あの人たちはもう～っている 저 사람은 벌써 어지간히 취해 있다.

てきい【敵意】图 적의. ¶～を抱く 적의를 품다.

てきえい【敵営】图 적영; 적진. ¶～には人影もない 적진에는 사람 그림자도 없다.

*てきおう【適応】-kō 图自 적응. ¶環境の〈変化〉に～する 환경〈변화〉에 적응하다. 적응성. ──せい【──性】图 적응성. ¶～を欠く 적응성이 없다.

てきおん【適温】图 알맞은 온도. ¶～に暖める 알맞게 데우다.

てきがいしん【敵愾心】图 적개심. ¶～に燃える 적개심에 불타다.

てきかく【的確】ダナ 적확; 딱(꼭) 들어맞음. ¶～の照準とう〔表現りょう〕 적확한 조준(표현).

てきかく【適格】ダナ 적격. ¶～審査 격적 심사. ↔欠格だ.

てきがた【敵方】图 적의 편. ¶～の様子를さぐる 적측의 동태를 살피다. ↔味方だ.

てきかん【敵艦】图 적함. ¶～てっかん.

てきき【手利き】图 수완이(솜씨가) 좋음; 또, 그 사람. =うできき. ¶～の職人たう 솜씨 좋은 장색.

てきぎ【適宜】副ダナ 적의; 적당. ¶～な処置を講ずる 적당한 조처를 강구하다.

てきぎょく【敵玉】-gyoku 图 (장기에서) 적의 장(將).

てきぐあい【出来具合】（出来工合）图 완성된 모양; 됨됨이; 만듦새; 성과. ¶～を見る 만듦새를 보다.

てきぐん【敵軍】图 적군. ¶～に囲まれる 적군에 포위되다. ↔友軍ぐん.

てきごう【適合】-gō 图自 적합. ¶女性に～した競技たく 여성에게 적합한 경기.

てきこく【敵国】图 적국.

てきごころ【出来心】图 어쩌다 잘못 가진 생각; 우발심(偶發心). ¶～で盗みをする 우발적인 충동으로 도둑질을 하다.

*できごと【出来事】图 (우발적인) 사전; 일. =事件たん. ¶瞬間かんの～ 순간에 일어난 일.

てきざい【適材】图 적재; 적합한 사람 [인재].

てきさく【適作】图 그 토지에 적합한 농작물.

テキサス 图〔野〕'テキサスリーガー'의 준말. ──リーガー 图〔野〕 텍사스리거(내야수와 외야수의 중간에 공이 떨어져 안타(安打)가 되는 비구(飛球)). ▷Texas leaguer.

てきさん【敵産】图 적산. ¶～凍結うく 적산 동결 / ～管理人かん 적산 관리인.

てきし【敵視】图他 적시; 적대시. ¶～される 적대시당하다.

てきじ【適時】图 적시; 적당한 시기. =しおどき. ¶～安打だん 적시 안타.

できし【溺死】图自 익사. =おぼれじに·水死しい. ¶～直前ぜんに 익사 직전에.

てきしだい【出来次第】图 되자 곧; 되자마자. ¶～持って来い 되는 대로 곧 가져오너라.

てきしゃ【適者】-sha 图 적자. ¶～生存そん 적자 생존.

てきしゅ【敵手】-shu 图 적수. ①적의 손. ¶～に倒れる 적의 손에 죽다. ②경쟁 상대. ¶好て～ 호적수.

てきしゅう【敵襲】-shū 图 적습; 적의

습격. ¶～を受うける 적습을 만나다.
てきしゅつ【摘出】-shutsu 名 ス他 ① 적출. ㉠(나쁜 것을) 끄집어 냄. ¶弾丸だんがんの～手術しゅじゅつ 탄환의 적출 수술. ㉡들추어〔밝혀〕냄 ; 폭로함 ; 적발. ¶誤謬ごびゅうを～する 오류를 밝히다. ②《본디 剔出》척출 ; 도려냄. ¶眼球がんきゅう～ 안구 척출.
てきしょ【適所】-sho 名 적소. ¶適材てきざい～ 적재 적소.
てきじょう【敵情·敵状】-jō 名 적정 ; 적의 동정. ¶～を探さぐる 적정을 살피다.
てきじん【敵陣】名 적진.
てきず【手傷】《手創·手疵》名 싸움에서 입은 상처. ¶～を負おう 싸움에서 상처를 입다.
テキスト 名 텍스트. ①교과서 ; 특히, 부독본·강좌용 교재. ¶～ブック 텍스트북 ; 교과서. ②원문 ; 원전(原典). ▷text.
てき-する【敵する】サ変自 ①적대하다 ; 대항하다. ¶国くにに～行為こうい 나라에 적대하는 행위. ②필적하다 ; 어깨를 겨루다. ¶われわれに～チームはない 우리를 대적할 팀은 없다.
***てき-する**【適する】サ変自 알맞다 ; 적당하다 ; 합당하다. ¶子こどもに～·した本ほん 어린이에게 적합한 책 / 彼かれに～·した配偶者はいぐうしゃ 그에게 어울리는 배우자.
てきせい【敵性】名 적성. ¶～国家こっか 적성 국가.
てきせい【適性】名 적성. ¶～検査けんさ 적성 검사.
てきせい【適正】名 ダナ 적정. ¶～価格かかく〔規模きぼ〕 적정 가격〔규모〕.
***てきせつ**【適切】名 ダナ 적절. ¶～な言葉ことば 적절한 말.
てきせん【敵船】名 적선.
できそこない【出来損ない】名 ①됨됨이가 좋지 못함 ; 또, 그 물건〔사람〕. =不出来ふでき. ②불출(不出) ; (팔푼) 병신. ¶この～め 이 병신같은 놈아.
てきたい【敵対】名 ス自 적대. ¶～行為こうい 적대 행위.
できだか【出来高】名 ①생산고 ; 제품 생산고. ②농작물의 총수확량. ③매매의 거래 총액. ¶株式かぶしきの～ 주식의 거래 총액.
できたて【出来たて】《出来立て》名 (물건·음식이) 갓 나온〔된〕 상태. ¶～のほやほやなもち 갓 만든 따끈따끈한 떡.
てきだんとう [擲弾筒] -tō 名 척탄통 ; 수류탄·독(毒)가스탄의 발사통(筒).
てきち【敵地】名 적지 ; 적의 점령 지역. ¶～に潜入せんにゅうする 적지에 잠입하다.
てきちゅう【的中】-chū 名 ス自 적중. ①명중 ; 과녁에 맞음. ②☞てきちゅう(適中).
てきちゅう【適中】-chū 名 ス自 적중. ¶予想よそうが～する 예상이 적중하다.
てきてき【滴滴】トタル 떨어지는 모양 : 뚝뚝 ; 방울방울. =ぽたぽた.
てきど【適度】ダナ 적당한〔알맞은〕 정도. ¶～の湿しめりけ 알맞은 습기.
⁑てきとう【適当】-tō ダナ ス自 ①적당 ; 적절함. ¶～する答こたえをさがす 적절한 답을 찾다 / 病人びょうにんに～な食物しょくもつ 병자에게 적당한 음식. ②《'～に'의 ... 로》(요령을 부리어) 적당히 ; 요령 ... 게. ¶～にあしらう 적당히 다루다〔... 대하다〕.
できない〖出来ない〗連語 할 수 없다 ; 성립 안 되다 ; 부도덕하다. ¶～相談そうだん 되지도 않을 이야기.
てきにん【適任】名ナ 적임. =適役てきやく はまり役やく. ¶最さい～者しゃ 최적임자.
できばえ【できばえ·出来栄え·出来映え】名 만들어 낸〔해낸〕 솜씨 ; 만듦새 됨됨이 ; 성과(가 훌륭함). ¶この絵えは～がよくない 이 그림은 그린 솜씨가 좋지 않다.
てきぱき 副 일을 척척 잘 해내는 모양. ¶～(と)した動作どうさ 재빠른 동작 / ～かたづける 척척 해치우다.
てきはつ【摘発】名 ス他 적발. ¶脱税だつぜいを～する 탈세를 적발하다.
てきひ【適否】적부. =適不適てきふてき. ¶～審査しんさ 적부 심사.
てきびし-い【手厳しい】-shī 形 매우 엄하다〔호되다〕. ¶～批評ひひょう 호된〔신랄한〕 비평. ↔手てぬるい.
できふでき【出来不出来】名 ①잘됨과 못됨 ; 잘된 것과 못된 것. ②만듦새가 고르지 못함. ¶作品さくひんに～がある 작품이 일매지지 못하다.
てきほう【適法】-hō 名 적법. ¶～行為こうい 적법 행위. ↔違法いほう.
できぼし【出来星】名 〈俗〉 벼락 출세한 사람 ; 벼락 부자. =成上なりあがり.
てきめん〖覿面〗ダナ 즉각적인 효과 ; 즉효 ; 즉각적인 보복. ¶天罰てんばつ～ 천벌이 당장에 내림.
できもの【できもの·出来物】名 ☞おでき.
てきや【てき屋】《的屋》名 ☞やし(香具師).
てきやく【適役】名 적역 ; 적격. =適任てきにん. ¶彼かれの老人役ろうじんやくは～だ 그의 노인역은 아주 적격이다.
てきやく【適訳】名 적역. ¶この語ごの～は見当みあたらない 이 말의 적절한 역어는 찾기 힘들다.
てきよう【摘要】-yō 名 적요. =適録てきろく. ¶～欄らん 적요란.
てきよう【適用】-yō 名 ス他 적용. ¶～範囲はんい 적용 범위 / ～をあやまる 잘못 적용하다.
てきりょう【適量】-ryō 名 적량 ; 적당량. ¶薬くすりの～ 약의 적정량.
⁑で-きる【出来る】上1自 ①(일·무엇이) 생기다. ¶用事ようじが～ 볼일이 생기다 / にきびが～ 여드름이 생기다. ②남녀가 은밀히 맺어지다. ¶～·きた仲なか (남녀의) 배가 맞은 사이. ③㉠되다 ; 이루어지다. ¶用意よういが～ 준비가 되다 / 宿題しゅくだいが～·きた 숙제가 다 됐다. ㉡(인품이) 되다 ; (인격이) 잘나다. ¶～·きた人ひと 된 사람《인품이 원만한 사람》. ④(농작물이) 나다. ¶畑はたけに芋いもが～ 밭에 고구마〔감자〕가 된다. ⑤능력이 있다 ; 우수하다. ¶数学すうがくが～ 수학에 능하다 / よく～人ひとだ 잘된〔우수한〕 사람이다.
⁑で-きる〖出来る〗上1自 할 수 있다 ; 할 줄 알다 ; 가능하다. ¶英語えいごが～ 영어를 할 줄 알다 / 利用りよう～ 이용할 수 있다 / ～事ことは何なんでもいたします 할

수 있는 일은 무엇이나 하겠습니다 / や
れば～ 하면 된다.

でき-る【出切る】⑤自 전부 나가다〔나
오다〕; 다 나가고 없다. ¶もう意見
없も～った ようだ 이제 의견도 다 나
온 듯하다.

できるだけ【出来る丈】副 되도록. ¶
～善く造る 되도록 좋게 만든다.

てぎれ【手切れ】图①절연(絶緣). ¶
～話を持ち出す 갈라서자는 말을
끄집어내다. ②☞てぎれきん.——き
ん【——金】 위자료. ¶～目当ての
女 위자료가 목적인 여자.

てぎれ【手切れ】图 재단하고 남은 헝
겊; 가윗밥. =たちくず.

てきれい【適例】图 적례; 적절한 예.
¶～が思い出せない 적절한 예가 생
각나지 않는다.

てきれい【適齢】图 적령. ¶徵兵 ～
징병 적령.——き【——期】图 적령기;
특히, 결혼 적령기.

てぎれい【手ぎれい】〔手綺麗・手品麗〕
ダナ 솜씨가 고움. ¶～な娘を をめと
る 솜씨 고운 처녀와 결혼한다.

てぎわ【手際】图 (사물을) 처리하는 수
법〔手法〕; 솜씨. ¶～がいい 솜씨가 좋
다 / ～の悪い男 솜씨가 없는 남
자다 / すばらしい～ 훌륭한 솜씨다.

でぎわ【出際】图 밖으로 나가려 할
때. =出かけ・出しな.

てきん【手金】图 ☞てつけきん.

てく图〈俗〉걸음; 도보〔'てくてく歩
き(=터벅터벅 걷기)'의 준말〕. ¶～
で行く 걸어서 가다.

てく【木偶】图 목우(木偶); (나무)인
형; 망석중이. ☞でくのぼう.

テクシー图〈俗〉탈것을 타지 않고 터
벅터벅 걸음. 參考〕'タクシー'의 익살
은 말씨.

てぐすねひーく【手具脛引く・手薬煉引
く】⑤自 만단의 준비를 하고 대기하
다. ¶～いて待つ 만반의 준비를 하
고 기다리다.

てくせ【手癖】图 손버릇; 특히, 도벽
〔盜癖〕. ¶～が悪い 손버릇이 나쁘다.

でぐせ【出癖】图 외출벽. ¶～がつく
나돌는 버릇이 붙다.

てくだ【手管】图 살살 구슬려 내는 솜
씨〔수법〕; 농간(弄奸); 엄폐소니. ¶
手練 ～ 온갖 수단.

てぐち【手口】图①(범죄 등의) 수법
(手法); 방법. ¶巧妙な～ 교묘한
수법 / 犯罪の～が似ている 범죄
수법이 비슷하다. ②(거래에서) 매매
상대(相對)의 종류. ☞てく.

＊**でぐち**【出口】图 출구. ¶非常～
비상구 / ～がわからない 출구를
모르겠다. ↔入り口.

てくてく副 걷는 모양: 터벅터벅. ¶～
と歩きつ行く 터벅터벅 걸어가다.

テクニカラー图〔商標名〕테크니컬러.
(총)천연색 (영화). ▷Technicolor.

テクニシャン -shan 图 테크니션. ¶전
문가; 기술자. ¶技巧家(技巧家); 기
교파. ▷technician.

テクニック -nikku 图 테크닉; 기교; 기
술. ▷technique.

テクノクラート图 테크노크라트; 기술
관료. ▷technocrat.

でくのぼう【木偶の坊】-bō 图①☞
でく. ②명청이; 멍텅구리; 등
신; 망석중이.

てくばり【手配り】图 (만단의) 준비;
수배; 배치. =てはい. ¶～が行つきと
どかない 준비가 잘 안 되어 있다.

てくび【手首】〔手頸〕图 손목. =うで
び. ¶～をくじく 손목을 삐다. ↔足
首くび.

てくらがり【手暗がり】图 손 그늘이 져
서 어두움. ¶～で字が見えない 손
그늘이 져서 글자가 안 보인다.

てぐり【手繰り】图 (실을) 손으로 자
음(紡). =たぐり.

てぐ-る⑤自〈俗〉 터벅터벅 걷다.

でぐるま【手車】图①(기마전(騎馬戰)
등에서의) 손가마. ②손수레. ③예전
에 귀족만이 타도록 허락되었던 바퀴
달린 가마. 一に乗せる (남을) 농락
〔조종〕하다.

でくわ-す【出くわす】〔出交す・出会す・
出喰す〕⑤自 (우연히) 만나다; 맞닥뜨
리다. ¶友人に～ 친구를 우연히 만
나다 / 事故に～ 사고를 당하다.

でげいこ【出げいこ】〔出稽古〕图 ㋨自
출장 지도〔레슨〕. =出教授じゅう. ↔
内けいこ.

てこ【梃子・梃】图①지레. ②지렛
대; 공간(槓杆). =レバー. 一でも動
かない 끄떡도 않다; 요지 부동이다.

でこ【凸】图①볼록해짐; 불거진 것. ↔ば
こ. ②장구머리. =出でびたい・おでこ.
③이마. =おでこ.

てこいれ【てこ入れ】〔梃入れ〕图 ㋨自
①(거래에서) 증권 시장의 시세의 변
동(특히, 하락)을 인위적으로 방지함.
②약한 입장이나 피로운 입장에 처한
것에 도움을 줌.

てごころ【手心】图 (손) 어림; (손) 대
중; 편의를 봐줌; 상황이나 상대에 따
라서 적당히 다룸; 참작; 재량. =手加
減かげん. ¶～がわからない 대중〔어림〕
을 못 잡겠다.

てございます連語 …이옵니다. ¶これ
は辞典でし～ 이것은 사전이옵니다.

でこさく【出小作】图 ㋨自 다른 마을에
가서 소작을 함; 또, 그 농부. ↔入り
小作ごさく.

てこず-る〔手古摺る・手子摺る・梃子摺
る〕⑤自 어쩔할 바를 모르다; 애먹
다. =もてあます. ¶～らせる 애먹이
다; 속썩이다.

てごたえ【手ごたえ】〔手応え・手答え〕
图 (상대를 때리거나 찌르거나 했을
때) 손에 받는 느낌; 반응. ¶何度ど何
どっても～がない 몇 번 꾸짖어도 마이
동풍이다.

でこでこ副〈俗〉①크게 솟아오른 모
양. ②장식 따위가 지나쳐서 도리어 흉
하게 보이는 모양. =こてこて.

でこぼう【でこ坊】〔凸坊〕-bō 图①몸
시 이마가 나온 아이. ②장난꾸러기;
개구쟁이.

＊**でこぼこ**【凸凹】图 ㋨自 ①요철; 울퉁
불퉁. =おうとつ. ¶～の道も 울퉁불
퉁한 길. ②불균형.

てごめ【手込め】〔手籠め〕图 ①폭행.
¶不良に～にされる 불량자에게
폭행을 당하다. ②강간(强姦).

て

デコレーション -shon 名 데커레이션；장식；꾸밈. ▷decoration.

てごろ【手頃】(手頃) 名 ① (크기나 두께가) 손에 알맞음. ¶ ~の石に 손에 쥐기에 알맞은 돌. ② (자기 능력·조건에) 알맞음；적당. ¶ ~な値段だ 적당한 값.

てごわ-い【手ごわい】【手強い】形 (상대하기에) 힘겹다；벅차다；만만치 않다. ¶ ~相手に 벅찬 상대 / ~闘争을 힘에 겨운 투쟁. 「dessert.

デザート 名 디저트；식후의 과자. ▷

てざいく【手細工】 名 수세공. ¶ ~のたばこ入れ 수세공의 담배합(盒).

デザイナー 名 디자이너；도안가；의장가(意匠家). ▷designer.

デザイン 名 自他 디자인；설계；도안；의장(意匠). ▷design.

できかる【出盛る】⑤自 (상품, 특히 제철의 농산물 따위가) 한창 쏟아져 나오다.

てさき【手先】 名 ① 손끝. ¶ ~がふるえる 손끝이 떨리다. ② 아주 가까운 곳；바로 앞쪽. ③ 앞잡이；부하. ¶ ~してた ~となって 앞잡이가 되어.

できき【出先】 名 ① (가)있는 곳；출장지. ¶ ~を告げげずに 행선지를 알리지 않고 / ~に連絡はするる 가 있는 곳에 연락하다. ② 出先機関たんの 준말.

━━**きかん**【━機関】 名 ① 外国에 파견된 정부 기관. ② 중앙 관청·회사·본위가 지방이나 外国에 설치한 지부의 기관.

てさぐり【手探り】(手捜) 又他 ① 손으로 더듬음；더듬질. ¶ ~で捜さがす 손으로 더듬어서 찾다. ② 감(感) (어림)으로 찾음(함).

てさげ【手下げ·手提げ】 名 ① 손에 들고 다니게 만든 물건. ¶ ~かばん 손가방. ② 手提げ가 달린 물건. ━━**きんこ**【━金庫】 휴대용 금고. ━━손궤금고.

てざわり【手触り】 名 손에 닿는 감촉. =手当たり. ¶ ~が柔やらかい 감촉이 보드러움.

***でし**【弟子】 名 제자；문하생(生). =門弟だ·門人にん. ¶ ~入いり 제자가 됨；입문(함). ━━**師匠**しょう.

デシ 名 데시；단위량의 10분의 1의 뜻. ▷프 déci. ━━**グラム** 名 데시그램. ▷ 프 décigramme.

てしお【手塩】 名 ① 주먹밥을 만들 때 손에 묻히는 소금. ② "手塩ざら'의 준말. ━━**にかける** 돌보아 기르다. ¶ ~にかけて育てた弟子 손수 돌보아 기른 제자. ━━**ざら**【━皿】 名 작은 접시. =こざら.

てしごと【手仕事】 名 ① (시계 수리·바느질 따위) 손끝으로 하는 일. 手細工こう. ② (삯바느질 따위) 여성의 내직(内職).

てした【手下】 名 부하. =配下げか. ¶ ~になる 부하가 되다.

てじな【手品】 名 ① 요술. =てづま. ¶ ~師 요술쟁이 / ~を使う 요술을 부리다. ② 흘림수；속임수. ¶ かれの ~には気をつけろ 그의 속임수에는 조심해라.

てじゃく【手酌】 -jaku 名 자작(自酌).

──────────

¶ ~でやる 자작으로 마시다.

でしゃば-る『出しゃばる』desha- ⑤自 〈俗〉주제넘게 참견하다〔나서다〕；을뿐나서다. =さし出る. ¶ ~な 주제넘게 나서지 마라.

***てじゅん**【手順】-jun 名 순서；절차. ━━段取どり. ¶ ~が狂う 순서가 잘못되다〔뒤바뀌다〕 / ~をふむ 절차를 밟다.

てじょう【手錠】(手鎖) 名 수갑. 쇠고랑. ¶ ~を掛ける 수갑을 채우다. =てづえ.

でしょう -sho 助動 ① '다ろう(=…일 것이다)'의 공손한 말씨；…겠지요；…ㄹ 테지요. ¶ 今日は来くる~ 오늘은 오겠지요. ② 상대의 말을 받아 추측(推測)·묻는 기분을 나타냄. ¶ きれいだなあ, ~? 예쁜데, 그렇지요.

てしょく【手職】-shoku 名 손끝으로 하는 직업；또, 그 기술. =てじょく.

***です** 助動 《体言 및 그에 준하는 것에 붙어서》 말하는〔쓰는〕 사람의 공손함을 나타냄. ① '다(=…이다)'의 공손한 말씨(표현). ¶ 私たしは田中なか~ 저는 田中입니다 / ここは学校こう~よ 여기는 학교입니다. ② 未然形＋추측의 助動詞'う'는 活用語의 終止形에 접속하며 'だろう'의 공손한 말씨：…ㄹ테지요；…(이)겠지요. ¶ いいでしょう 괜찮겠지요 / 痛かったでしょう 아팠지요. ③ 終止形은 形容詞·助動詞'ない·たい·らしい'의 終止形에 공손한 표현을 더함. ¶ うれしい~ 기쁩니다 / やりたい~ 해보고 싶습니다. ¶ 節과 節 사이에 삽입하여 정잖빼는〔유체스러운〕 말씨. ¶ しかし~ 그러나 말입니다 / 君が~よ 당신이 말이지요.

でずいらず【出ず入らず】 名 수지(収支)·증감(増減)·득실(得失)·과부족이 없음；알맞음；수수함. ━━**の状態**たい 과부족이 없는〔적당한〕 상태 / これで ~だ 이걸로 득실이 없다.

***てすう**【手数】-sū 目 ① 할 수 있는 수단의 수. =二手ふたて. ② 手数くる；잔손질；폐. ¶ ~のかかる仕事 손이 많이 가는 일 / お~をかけてすみません 수고를 끼쳐서 미안합니다 / ~のかかるやつだな 귀찮은 녀석이군. ━━**りょう**【━料】-ryō 名 수수료；구전. =口銭こ·コミッション.

てずから【手ずから】 副 손수로；몸소；손수. =みずから.

ですから 接 'だから'의 공손한 말씨：그러니까；그래서('それですから'의 준말).

てすき【手透き】【手隙】 名 손이 빔；손이 남；틈(이 남)；짬；여가. =ひま. ¶ お~の折おりに 틈 나실 때에.

てずき【出好き】 名 외출을 좋아함；또, 그 사람. ¶ ~な奥さん 나들이를 좋아하는 부인.

てす-ぎる【出過ぎる】 上一自 ① 지나치다；정도를 넘다. ¶ ~出た干渉かん 지나친 간섭 / 金きんが~ 지출이 너무 많다. ② 너무 많이 나오다. ¶ 水みずが~ 물이 너무 많이 나오다. ③ 주제넘다. ¶ ~き者は 주제넘은 놈.

デスク 名 데스크. ① 책상. ¶ ~プラン 탁상형 계획. ② 신문사의 편집·취재 책임자. ▷desk.

て

てすさび【手すさび】【手遊び】图 심심풀이로 하는 일;소일(消日)거리. ¶老後の~ 노후의 소일거리.

てすじ【手筋】图①손금.②(상대의)수;작전;수단;방법. ¶~を読む 상대방의 수를(속셈을) 간파하다.③(거래에서) 사는·파는 사람의 종류. ¶大口の~ 큰 거래꾼;큰손.

でずっぱり【出ずっぱり】 dezuppa-図 ☞でづっぱり.

＊**テスト**图ス他 테스트;검사;시험. ▷test. ──**ケース**图 테스트 케이스.①선례가 될 만한 일.②시험대(臺). [mask.

デスマスク图 데스 마스크. ▷death

てすり【手すり】【手摺】图 난간. ¶橋の~ 다리 난간.

てずり【手刷(り)】图他①목판(木版) 따위를 하나하나 손으로 찍어냄;또, 그 찍은 것.②인쇄기를 손으로 움직여서 박음;또, 그 인쇄물.

てせい【手製】图 수제;손으로 만든 것;손수 만듦(만든 것). ¶~手づくり.

てぜい【手勢】图 수하의 군사;직접 지휘하는 군대. ¶~を率いて 위하의 군대를 이끌고.

てぜま【手狭】[名ノ] 비좁음. ¶~な部屋 비좁은 방.

てそう【手相】-sō 图 수상;손금. ¶~を見てもらう (손금쟁이한테서)손금을 보다.

でぞめ【出初(め)】图①(새해의) 첫나들이;특히, 소방수의 신년 소방 연습.②(제)처음으로 나옴.

でそろう【出そろう】【出揃う】[五自] 빠짐없이(모두) 다 나오다. ¶資料は~ 자료가 모두 나오다／皆が~ったよ うだから 다 나온 모양이니.

てだい【手代】图①상점〔가게〕에서 番頭와 小僧의 중간 종업원.②우두머리의 대리인;주인〔지배인〕이 위임한 범위내의 대리권을 갖는 종업원.

てだし【手出し】图ス他①(먼저) 손을 댐〔손찌검을 함〕. ¶先に~をした方が悪い 먼저 손찌검을 한 쪽이 나쁘다.(로)(사업 등에의)관여;관계. ¶株に~して失敗した 주식에 손을 대었다가 실패했다.②참견;참섭. ¶いらぬ~はよせ 쓸데없는 참견은 마라.

てだすけ【手助け】图ス他 도움;거듦;조력;또, 그 사람. ＝てつだい.

てだて【手だて】【手立て】图 일을 성공시키기 위한 구체적인 방법;순서;수단. ¶~を講じる 방도를 강구하다.

てだま【手玉】图①(공기)놀이;오자미. ＝おてだま.②손목에 차는 장식 구슬. ──に取る 마음대로 조종〔농락〕하다.

＊**でたらめ**【出鱈目】[名ノ] 엉터리;함부로〔아무렇게나〕 함;되는 대로임;또, 그런 언행. ¶~に数える 아무렇게나 세다／~を言う 되는 대로 말하다〔지껄이다〕.

デタント图 데탕트;긴장 완화. ¶~政策 데탕트 정책. ▷프 détente.

てぢか【手近】[名ノ]①가까이 있음. ¶~で都合のよい所を 가까이에 있는〔흔히〕 있는 재료로 때우다.②비근(卑近)함. ¶~な例をあ

げる 비근한 예를 들다.

てちがい【手違い】图 순서가 틀려서 예정·계획에 착오가 남. ¶~が生ずる 착오가 생기다／何らかの~でしょう 무슨 착오이겠지요.

てちょう【手帳】【手帖】-chō 图 수첩.

てつ【轍】图①수레바퀴 자국.②선례(先例). ──を踏む 전철을 밟다.

＊**てつ**【鉄】图 철;쇠. ¶~をきたえる 쇠를 불리다／~の意志 굳은 의지.

てっか【鉄火】─[名]①새빨갛게 달군 쇠.②칼과 총. ¶~のちまた 전쟁터／~をくぐる 총칼을 무릅쓰고 전투하다.③'鉄火うち(＝노름꾼)'의 준말. ＝ばくち(うち).④다량어의 회로 만든 요리.[名ノ]성질이 과격함. ¶~の如き気質 과격한 기질／~肌 과격한 기질／~の姉御 성질이 불같은 여자 두목.

＊**てっかい**【撤回】tekkai ス他 철회. ¶提案を~する 제안을 철회하다.

でっかい dekkai 形〈俗〉＝でかい.

てっかく【適格】tekka- ☞てきかく(適格). 「かく(的確).

＊**てっかく**【的確】tekka- [ダナ] ☞てき

＊**てつがく**【哲学】图 철학. ¶人生に~ 인생 철학／彼女には~がある 그에게는 철학이 있다.

てつかず【手付かず】图 아직 손을 안댐;한 번도 쓰지 않음. ¶~の状態 손도 안 댄 상태／宿題は~のままだ 숙제는 아직 손도 안 댄 그대로다.

でっかち【でっ勝ち】dekka- 图〈俗〉머리가 유난히 큼;또, 그 사람. ¶~頭の男が 대갈 장군.[구.

てつかぶと【鉄かぶと】【鉄兜】图 철모;＝てっこう.

てづかみ【手づかみ】【手摑み】图 손으로 집음. ¶~で食べる 손으로 집어 먹다.

てっかん【鉄管】tekkan 图 철관. ¶~ビール 철관 맥주(수돗물의 익살).

てつき【手つき】图 손 놀리는 모양·방식;손짓. ＝てぶり. ¶あぶなっかしい~ 위태로운 손놀림／踊りの~がいい 춤추는 손놀림이 좋다.

てっき【鉄器】tekki 图 철기. ¶~時代の遺物 철기 시대의 유물.

てっき【敵機】tekki 图 적기. ¶~来襲 적기 내습. 「기.

てっき【適期】tekki 图 적기;적당한 시

デッキ dekki 图 덱.①배의 갑판.②객차의 승강구의 발판. ▷deck.

てっきゅう【鉄灸】【鉄灸】tekkyū 图 철구;쇠로 만든 석쇠.

てっきょ【撤去】tekkyo 图ス他 철거. ¶工場を~する 공장을 철거하다.

＊**てっきょう**【鉄橋】tekkyō 图 철교.

てっきり tekki- 副 틀림없이;꼭. ¶~彼女のだと思った 틀림없이 그녀인 줄 알았다／~やつのしわざだと思った 틀림없이 놈의 짓이려니 생각했다. ¶~に書いた文字 아니나 다를까.

てっきん【鉄琴】tekkin 图〔樂〕철금(관현악에 쓰이는 타악기의 하나).

＊**てっきん**【鉄筋】tekkin 图 철근；또, '鉄筋コンクリート建築(＝철근 콘크리트 건축)'의 준말. ¶太い~を入

れる 굵은 철근을 넣다. **——コンクリート** 名 철근 콘크리트. ▷concrete.

テックス tekku- 名 ①텍스 ; 천장·벽에 붙이는, 펄프를 압착해 만든 널빤지. ②천 ; 옷감. ▷일 tex : texture의 생략에서.

でつく-す【出尽(く)す】5自 (나올 것이) 다 나오다. ¶議論が~(있을 수 있는) 토론이 모두 나오다.

てづくり【手作り】(手造り) 名 ①손수 만듦 ; 또, 그 만든 것. ¶~の料理 손수 만든 요리. ②손으로 짠 피륙. ¶~のネクタイ 수직(手織) 천으로 만든 넥타이.

てつけ【手付(け)】名 ①계약 보증금 ; 계약금 ; 착수금. ¶~を打つ 착수금을 내다. ②☞おてつき. **——きん**【手付金】名 착수금.

てっけつ［剔抉］tekke- 名 ス他 척결 ; 폭로〔제거〕함. ¶不正の~ 부정의 척결 ; 부정을 도려냄.

てっけん［鉄拳］tekken 名 철권 ; (무쇠) 주먹. =げんこつ. ¶~制裁 철권〔주먹〕 제재.

てっこう【鉄工】tekkō 名 철공. ¶~所 철공소.

てっこう【鉄鉱】tekkō 名 철광. ¶磁~ 자철광.

てつごう【手つごう·手都合】-gō 名 (일의) 형편.

てっこく【敵国】tekko- 名 적국. ¶~の避難民 적국의 피난민.

てっこつ【鉄骨】tekko- 名 철골. ¶~構造 철골 구조 / ~を入れる 철골을 넣다.

てっさ【鉄鎖】tessa 名 쇠사슬 ; 비유적으로, 심한 속박. ¶~から逃れる 속박〔굴레〕에서 벗어나다.

てつざい【鉄剤】名〔醫〕철제 ; 철을 주성분으로 한 약제(보혈제·지혈제 따위).

てつざい【鉄材】名 철재.

てっさく【鉄さく】(鉄柵) tessa- 名 철책. ¶~をめぐらす 철책을 둘러치다.

デッサン dessan 名 데생 ; 스케치. =素描·すがき. ▷프 dessin.

てっしゅう【撤収】tesshū 名 ス他 철수. ①철거하여 거둠. ②(군대의) 철퇴. =撤退.

てつじょう【鉄条】-jō 名 철조 ; 굵은 쇠줄. **——もう**【——網】-mō 名 철조망. ¶~を張る 철조망을 치다.

てつじん【哲人】名 철인. ①철학자. ②식견이 높고 진리를 깨달은 사람. ¶~政治家 철인 정치가.

てっ-する【徹する】tessu- サ変自 ①사무치다. ¶寒さが骨身に~ 추위가 뼈에 사무치다 / 肝に~ 마음에 사무치다. ②철저하다 ; 투철하다 ; 꿰뚫다. ¶愛国心に~ 애국심에 투철하다. ③『夜を~』밤을 (지)새우다. ¶夜を~会議 밤도와 하는 회의 / 夜を~·して突貫工事をする 밤을 새워 공사를 강행하다.

てっ-する【撤する】tessu- サ変他 ①철거하다. =取り去る. ¶障害物を~ 장애물을 철거하다. ②철수하다 ; 물러가다. =ひきあげる. ¶陣地を~ 진지를 철수하다.

てっせい【鉄製】tessei 名 철제. =てつせい. ¶~品 철제품.

てっせき【鉄石】tesse- 名 철석 ; 전하여, 매우 단단함. ¶~の決意 철석같은 결의.

てっせん【鉄線】tessen 名 철선. ①철사. ②【てっせん】〔植〕위령선. =てっせんれん.

てっそく【鉄則】tesso- 名 철칙. ¶賃金~ 임금 철칙.

てったい【撤退】tettai 名 ス自 철퇴.

てつだい【手伝い】名 도와 줌 ; 거들어 줌 ; 심부름(함) ; 또, 그 사람. ¶母のお~ 어머니 심부름.

‡てつだ-う【手伝う】㊀5他 (남의 일을) 같이 거들다 ; 남을 도와서 일하다. ¶家事を~·いながら 가사를 도우면서. ㊁5自 한몫 곁들어 영향을 주다 ; …이 이유의 하나가 되다. ¶若盛りに酒の気も~·って 한창 젊은 나이에 술기운도 곁들어서.

でっち〖丁稚〗detchi 名 도제(徒弟) ; 견습생 ; 계시. =小僧. **——あがり**【——上がり】名 견습 점원 출신(임).

でっちあ-げる【でっち上げる】(捏ち上げる) detchi- 下1他〈俗〉①날조〔조작〕하다. =捏造する. ¶事件を~ 사건을 조작하다. ②어설프나마 고생끝에〔그럭저럭〕만들어 내다. ¶一日で~ 하루에 얼버무려 만들어내다.

でっちり【出っちり】(出っ尻) detchi- 名〈俗〉궁둥이가 (커서) 유난히 튀어나옴 ; 또, 그 궁둥이. =でじり.

てっつい［鉄槌］tettsui 名 철퇴. **——を下す** 철퇴를 내리다.

‡てつづき【手続(き)】名 수속 ; 절차. ¶入学~ 입학 절차 / ~をふむ 절차를 밟다.

でづっぱり【出づっぱり】(出突っ張り) -zuppari 名〈俗〉한 배우가 그날 연극의 어느 장면에나 나옴 ; 전하여, 어느 기간 중 계속해서 출석 또는 외출함. =でずっぱり.

***てってい**【徹底】tettei 名 ス自 철저. ¶~した平和主義者 철저한 평화주의자. **——てき**【——的】ダナ 철저함. ¶~な研究 철저한 연구.

デッド- deddo 죽은. ▷dead. **——エンド** -endo 名 데드 엔드 ; 막다른 골목. ▷dead end. **——ボール** 名 ①〔野〕데드볼 ; 사구(死球) ; 히트 바이 피치. ②도지 볼 ; 피구(避球). =ドッジボール. ▷일 dead ball. **——ロック** -rokku 名 데드 로크 ; 막다른 골〔벽〕; 정돈〔침체〕(상태). =ゆきづまり. ¶会談が~に乗り上げる 회담이 벽에 부딪치다. ▷deadlock.

てっとう【鉄塔】tettō 名 철탑.

‡てつどう【鉄道】-dō 名 철도. **——ふみきり**【——踏切】名 철도 건널목.

てっとうてつび【徹頭徹尾】tettō- 副 철두철미. =すっかり. ¶~調べあげる 철두철미 조사해 내다.

てっとりばや-い【手っとり早い】(手っ取り早い) tettori- 形 ①민첩하다 ; 잽싸다. =すばやい. ¶~·く事を片付ける 잽싸게 일을 처리하다. ②손쉽다 ; 빠른 길이다. ¶~·く言えば 간단히〔알기 쉽게〕말하면.

でっぱ【出っ歯】deppa 名〈口〉뻐드렁니. =出歯·そっ歯.

てっぱい【撤廃】teppai 名 ス他 철폐. ¶統制を~する 통제를 철폐하다.

でっぱ-る【出っ張る】 deppa-〈口〉쑥 내밀다〔나오다〕;돌출하다. =出張る. ¶腹が〜 배가 불룩 나오다〔내밀다〕.

てっぱん【鉄板】 teppan 图 철판. ¶〜焼き 철판 (번철)구이.

てっぴつ【鉄筆】 teppi- 图 ①철필;골필. ②도장 새기는 작은 칼. ¶〜家 도장장이. ③힘찬 필력(筆力).

てつびん【鉄瓶】 图 쇠 주전자.

てっぷ【轍鮒】 teppu 图 확철지어(涸轍之魚)〔위험이 일박해 있음의 비유〕. ──の急 매우 위급한 상태를 당함.

でっぷり deppu-圖 뚱뚱한 모양. ¶〜した人 뚱뚱보. ↔ほっそり

てっぷん【鉄粉】 图 철분. =かなけ.

てっぷん【鉄粉】 teppun 图 철분;쇳가루. ¶鉄粉 ⇒出兵する

てっぺい【撤兵】 teppei 囡自 철병;철병. てっぺき【鉄壁】 teppe-图 철벽. ¶金城鉄壁 금성 철벽 /〜の陣 철벽같은〔같은〕 진지.

てっぺん【天辺】 teppen 〈口〉꼭대기; 정상; 극(極). =いただき・頂上. ¶山の〜 산〔머리〕 꼭대기 /不景気の〜 불경기의 극.

てっぽう【鉄棒】─bō 图 철봉. =かなぼう. ⇒철봉.

*てっぽう【鉄砲】 teppō 图 ①총; 총포류;소총. ②목욕탕에 장치된 불을 때는 아궁이. ③가늘게 만 김밥. ④씨름에서, 상대를 세게 떠밀어 내는 일. ¶〜をかませる 떠밀어 내치다. ⑤〈가위바위보 비슷한 놀이에서〉 바위. ⑥〈俗〉복어. ¶〜汁 복어국. ⑦〈俗〉 큰소리; 허풍. ──だま【─玉】图 ①총알. ②수영을 못 하는 사람;맥주병. ──むし【─虫】 图 〈蟲〉 하늘소벌레의 유충. ──ゆり【百合】【植】나팔나리;백합나리.

でづまり【手詰(ま)り】图 ①돈의 변통이 뜻대로 안 되어 막힘. ②수단・방법이 다하여 꼼짝 못 하게 됨. ¶〜の状態 손을 써볼 수 없는 상태.

てつめんぴ【鉄面皮】─mempi 图 철면피. =厚顔 图. ──なやつ 철면피한 놈.

てつや【徹夜】 teppu 图自 철야;밤새움.

でづよい【手強い】 形 만만치 않다;강하다;호되다. =てごわい. ¶〜相手 만만찮은 상대. ¶人生の철리.

てつり【哲理】 图 철리. ¶人生の철리. てづる【手蔓】 图 ①연줄;연고. =たより・コネ. ¶〜を求めて就職する 연줄을 찾아 취직하다. ②단서; 실마리. =手がかり・糸口. ¶事件の〜 사건의 실마리.

てつろ【鉄路】 图 철로;철길;철도. = 鉄道 图.

ててなしご【てて無し子】【父無し子】图〈俗〉①아비 없는 자식. ②사생아.

てどうぐ【手道具】tedō-图 손도구;자질구레한 연장;살림 기구.

でどころ【出所】【出処】 图 출처. ¶うわさの〜 소문의 출처.

でとり【手取り】图 손을 붙듦. ──足取【─足取り】①친절히 가르치고 이끌어 주는 모양. ②경찰 등이 손발을 잡음.

てどり【手取(り)】图 ①(세금 등을 공제하고) 실제로 받는 금액. ¶〜金 (실지) 수령액. ↔税込み. ②실을 손으로 자음(뽑음).

てどり【手捕(り)】图 (장비를 쓰지 않고) (맨)손으로 잡음. ¶さかなを〜にする 물고기를 (맨)손으로 잡다.

テナー 图【樂】테너. ⇒tenor.

ていしょく【手内職】─shoku 图 손으로 하는 내직(부업). ¶〜で家計のくらしを助ける 가내 부업으로 가계를 꾸림.

てなおし【手直し】图 불완전한 곳을 고침. ¶〜をする 불비한 곳을 고치다.

でなお-す【出直す】 图自 ①일단 되돌아갔다가 다시 나오다. ②(처음부터) 다시 하다. =やりなおす. ¶〜から〜 처음부터 다시 시작하다 /〜・した気持ちで 다시 하는 기분으로.

なが/ てなが【手長】图 ①손이 긺;도벽이 있음; 또, 그런 사람. ¶彼は〜だ 그는 도벽이 있다.

てなぐさみ【手慰み】 图 ①심심풀이로 하는 일. =てすさび. ②노름; 도박.

でなくても【連語】그렇지 않아서는 =でなくとも. ¶〜, 行こうと思っていた 그러잖아도 가려고 생각하고 있었다.

でなければ【連語】①그렇지 않으면. ②…아니면. ¶君が〜いけない 네가 아니면 안 된다.

てなず-ける【手なずける】【手懐ける】 下一图 ①손따르게 하다. (잘) 길들이다. ①動物を〜 동물을 길들이다. ②회유(懷柔)하다; 포섭하다. ¶〜・けて部下にする 회유해서 부하로 삼다.

てなべ【手なべ】【手鍋】图 손잡이가 달린 냄비. ──さげても 쪽박을 차더라도〔좋아하는 이와 결혼만 한다면 아무리 가난해도 좋다는 뜻〕.

てなみ【手並(み)】图 솜씨. =うでまえ. ¶あっぱれなお〜 훌륭한 솜씨 /お〜拝見 솜씨 좀 봅시다.

てならい【手習(い)】图 ①〈老〉습자. =習字 图. ②연습;공부;수업(修業); 학문. ¶六十の〜 만학(晩學) /〜に励む 학문에 힘쓰다.

てならし【手慣らし】【手馴らし】 图 손에 익힘;연습. =練習 图.

てな-れる【手慣れる】【手馴れる】 下一图 손에 익다;익숙해지다;숙달하다. ¶〜・れた仕事 손에 익은 일 /〜・れたもんだ 과연 익숙하군.

テニス 图 테니스. ¶〜ボール 테니스공 /〜コート 테니스 코트. ⇒tennis.

てにてに【手に手に】【連語】손에 손에; 손마다;제각기. =めいめい. ¶〜旗をもって 손에 손에 기를 들고.

てにもつ【手荷物】 图 수화물. =チッキ. ¶駅で〜を託送送する 역에서 수화물을 탁송하다.

てにをは『그展呼乎波・天爾遠波』─oha 图 ①일본어의 助詞・助動詞류의 총칭〔넓은 뜻으로는 副助詞・活用語尾・接辞를 포함하여, 좁은 뜻으로는 助詞만을 가리킴〕. ②비유적으로, 말의 조리・앞뒤 관계. =てには. ¶〜が合わない 말의 앞뒤가 맞지 않다;동닿지 않다.

てぬい【手縫(い)】图 (미싱 아닌) 손바느질;또, 그렇게 한 것.

てぬかり【手抜(か)り】图 실수;잘못;

빠뜨리다. =手落ち. ¶万事ばん～なく 만사 유루 없이.

*てぬぐい【手ぬぐい】【手拭】 图 수건. ¶～で拭ふく 수건으로 닦다.

てぬけ【手抜け】 图 과실; 실수; 빠뜨리는 일. =ておち·てぬかり.

てぬる-い【手ぬるい】【手緩い】 形 ①뜨뜻미지근하다; 미온적이다. ↔手てきびしい. ②느리다. ¶何なにをやらしても～ 무엇을 시키건 굼뜨다.

てのうち【手の内】 图 =てのひら. ①솜씨. =腕前うでまえ. ¶～を見みせる 솜씨를 보여 주다. ③세력 범위; 지배권. ¶～に握にぎる 손아귀에 꼭 쥐다 〔지배하에 두다〕. ④마음속 (계획); 속셈. ¶～を見みすかされる 속셈을 간파당하다.

てのうら【手の裏】 图손바닥. =てのひら. ¶～をかえすよう 손바닥을 뒤집듯이 (태도를 표변하는 모양).

テノール【連靭】 图 ☞テナー. ▷도 Tenor.

てのこう【手の甲】-kō 图 손등. ↔てのひら.

*てのひら【手のひら】【掌】 图 손바닥. =てのうら·たなごころ. ↔手ての甲こう.

デノミネーション -shon 图 디노미네이션. =デノミ. ▷denomination.

てのもの【手の者】 图 심복; 부하. =配下はいか.

ては -wa 接助 ①바람직하지 않은 일의 가정의 뜻; …해서는; …하여서는. ¶飲のみすぎ～いけない 너무 마셔서는 안 된다 / 見み～いけない 보아서는 안 된다. ②…한 이상에는; …そんなにはめられ～ 그렇게 칭찬받고서는 ③반복을 나타내는 뜻; …하고는; …했다가는. ¶食たべ～飲のみ、食たべ～飲のみ 먹고는 마시고 먹곤 마시고.

ては【連語】 图見출어.

*では -wa【連語】①で で①②의 힘줌말; 장소·시기·수단·방법 등을 나타냄: …에서는; …(으)로는. ¶學校がっこう～おとなしい 학교에서는 얌전하다. ⇨で. ②…에(게)서는; …로는; …에 관해서는. ¶けんか～だれにも負まけない 싸움에는 누구에게도 지지 않는다. ③…(이)면; …이라면. ¶これ～こまる 이러면 곤란하다. ③상황·판단의 기준을 나타냄: …로는; …에 의하면. ¶私わたしの知しっている所ところ～ 내가 알고 있는 바로는. ⑤지정의 뜻과 가정의 뜻을 나타냄: …은. ¶安全あんぜんな事こと～ない のだ 안전한 일은 아니란다. ¶ではないか＝…이〔은〕 아닌가; …이〔은〕 아닐까〕의 뜻으로 'ないか'를 생략한 말. ¶明日あした は雨あめ～ (혹시) 내일은 비가 오지 않을까.

*では -wa 腰 그러면; 그렇다면; 그럼. =それなら·それでは. ¶～、始はじめましょう 그러면, 시작합시다.

てば【出歯】 图 뻐드렁니; 뻐드렁이. =でっぱ.

*デパート 图 디파트; 백화점. ¶～する 지명 수배하다. 「ment store. ▷depart-

*てはい【手配】 图 ス他①준비. =手てくばり. ¶式しきの～はできた 식 준비는 되었다. ②수배; 범인 체포의 지령. ¶指名しめい～する 지명 수배하다. 「プ.

デはい【手杯】【芝盃】 图 デビ스컵.

てはいり【出入り】 图 ス自 ①출입; 드나듦. ¶無用むようの者ものは～を禁きんず 무용자는 출입을 금함. ②(수량의) 과부족. ¶二名にめい～のがある 2.3명의 과부족이 있다. 三 图 수입 지출.

てばこ【手箱】 图 일용품을 넣어 두는 작은 상자; 손궤.

てはじめ【手始め】【手初め】 图 ①일의 첫시작; 시초; 초고음. =しはじめ. ¶それを～に 그것을 시작으로. ②초보 입문.

てはじめ【出始め】【出初め】 图 ①(푸성귀 따위) 제철의 것이 갓나옴. ¶～の野菜やさい 맏물 야채. ②(사물의) 시작.

てはず【手はず】【手筈】 图 준비; 계획; 또, 그 순서. ¶当日とうじつの～をきめる 당일의 계획을 짜다 / ～が狂くるう 예정이 〔순서가〕 어긋나다.

てはずれ【出外れ】 图 변두리; 교외. ¶村むらの～ 마을 변두리.

てばた【手旗】 图 수기; 신호용의 홍백 (紅白)의 작은 기. ¶～信号しんごう 수기 신호.

てばな【手鼻】 图 손으로 코를 푸는 일. ¶～をかむ 손으로 코를 풀다.

てはな【出はな】【出端】 图 ①나오는 순간; 하려는 찰나. ¶～にやり損そこじる 초장에 그르치다. ─もじを くじかせる 제하다. 「차. ②한창 때.

てばな【出花】 图 ①갓달인 향기로운 차. ②한창 때.

てばなし【手放し】 图 ①손을 뗌. ¶～で自転車じてんしゃに乗のるの손을 놓고 자전거를 타다. ②노골적임; 드러내 놓고 이야기함. =むきだし. ¶～で泣なく 남의 이목도 꺼리지 않고 욺. ③무조건. ¶～で喜よろこぶ 무조건 기뻐하다.

*てばな-す【手放す】 五他 ①손을 놓다〔떼다〕; 손에서 놓(치)다〔떼다〕; 내놓다. ¶株かぶを～ 주를 팔아 넘기다 / 蔵書ぞうしょを～ 장서를 처분하다. ②(자식 따위를) 떼어 놓다. ¶一人娘ひとりむすめを～ 외동딸을 시집보내다. ③내보내다; 손에서 떠나보내다.

てばなれ【手離れ】 图 ス自 ①젖먹이가 어머니 곁을 떨어질 만큼 성장함. ②제품이 완성됨.

てばぼうちょう【出刃包丁】【出刃庖丁】 -bōchō 图 날이 두껍고 폭이 넓으며 끝이 뾰족한 식칼; 부엌칼. =出刃でば.

てばや【手早】【手速】 ダナ 재빠른 모양; 잽싼 모양. ¶～に用意よういする 잽싸게 준비하다.

てばや-い【手早い】【手速い】 形 재빠르다; 잽싸다. ¶～く着きがえる 재빠르게 갈아입다.

てはら-う【出払う】 五自 다 나가고 없다. ¶家じゅう〔在庫品ざいこひんが〕～ 식구들〔재고품〕이 다 나가다.

てばん【出番】 图 ①(근무·일·무대 등에) 나갈 차례; 등번. ¶やがて私わたしの～になった 이윽고 내가 나갈 차례가 되었다. ②근무로부터 퇴출(退出)할 차례; 난비.

てびかえ【手控え】 图 ス他 ①(잊지 않도록) 적어 둠; 메모; 비망록. ②예비(로서) 떼어 둠. ③삼감; 보류함.

*てびき【手引(き)】 一 图 ス他 ①(손을 잡고) 인도함; 안내함. ¶…の～で …의 안내〔인도〕로. 二 图 ①입문함; 첫걸음; 초보; 또, 그런 책. ¶～ 입문서. ②연줄; 주선. =手てづる·つて. ¶おじの～で入社にゅうしゃする 아저씨의 주

선〔빽〕으로 입사하다.

デビスカップ -kappu 名 데이비스 컵. ＝デ杯. ▷Davis cup.

てひど-い【手ひどい】《手酷い》形 격심하다 ; 호되다 ; 매섭다. ¶～攻撃 맹렬한 공격 / ～·く叱る 호되게 꾸짖다.

デビュー -byū 名 ス自 데뷔 ; 첫 무대 ; 첫 출연. ¶銀幕に～する 은막에 데뷔하다. ▷프 début.

てびょうし【手拍子】tebyō- 名 손으로 치는 박자 ; 손장단. ¶～を取る 손장단을 맞추다.

てびろ-い【手広い】形 (장소·규모가) 넓다 ; 또, 광범위하다. ¶～住まい 넓은 주거 / ～·く交際する 널리 교제하다.

でぶ 名ナ 〈俗〉 뚱뚱함 ; 뚱뚱보. ¶～でぶした女 뒤룩뒤룩 살찐 여자.

*__てぶくろ__【手袋】名 ①장갑. ②깍지.

でぶしょう【出不精·出無精】 -shō 名 외출을 싫어함 ; 또, 그런 사람. ＝外出ぎらい. ¶本来～な性質 본래가 나돌아다니기 싫어하는 성질.

てぶそく【手不足】名ナ 일손이 모자람. ¶～の農繁期 일손이 달리는 농번기.

てふだ【手札】名 ①명함 ; 명찰. ②'手札型'의 준말. ③(카드놀이 등에서) 손에 들고 있는 패. **――がた**【――形·――型】名 (사진에서) 명함판의 배판. ＝手札判.

でふね【出船】名 출범 ; 또, 그 배. ¶～の時刻 출범 시각. ↔入船.

てぶら【手ぶら】名ナ 빈손 ; 맨손. ＝からて. ¶～で帰る〔出かける〕 빈손으로 돌아오다〔나서다〕.

てぶり【手ぶり】《手風》名 〈雅〉 습관 ; 풍속 ; 풍습. ¶みやこの～ 서울 풍속.

てぶり【手振(り)】名 손짓. ＝てつき. ¶身振り～ 몸짓 손짓.

デフレ 名 디플레(《'デフレーション'의 준말》). ↔インフレ.

デフレーション -shon 名 디플레이션 ; 통화 수축. ↔インフレーション. ▷deflation.

「궤.

てぶんこ【手文庫】名 문갑(文匣) ; 손

てへん【手偏】名 한자 부수(部首)의 하나 : 손수변(《'折·拾' 따위에서 '扌'의 이름》).

でほ【出穂】名 출수 ; 이삭이 팸.

でほうだい【出ほうだい】《出放題》 de-hō- 名 ダナ 입에 나오는 대로 아무렇게나 지껄여 댐. ¶やつは口から～にしゃべる 놈은 되는 대로 마구 지껄인다.

てほどき【手ほどき】《手解き》 名 ス他 (학문·기술의) 초보(를 가르침) ; 첫걸음 ; 또, 초보서(初步書). ¶踊りの～をする 춤의 초보를 가르치다.

てぼり【手彫り】名 ス他 ①손으로 조각함 ; 또, 그 조각품. ②자기가 조각함 ; 또, 그 조각품.

**__てほん__【手本】名 ①글씨〔그림〕본. ¶習字の～ 습자본. ②본보기. ㉠모범. ¶皆のよい～になる 모두의 좋은 본보기가 된다. ㉡표준 양식 ; 또, 상품 등의 견본.

__てま__【手間】名 ①(일을 하는 데 드는) 품 ; 수고 ; 시간. ¶～がかかる 품이 들다. ②'手間賃'의 준말. ③'手間仕事'의 준말. **――しごと【――仕事】名 ①삯일. ②품이 드는 일. **――だい**【――代】名 품삯. **――ちん**【――賃】名 ☞ てまだい. **――ど-る**【――取る】5自 (…하는 데) 시간이 걸리다 ; 품이 들다. ¶案外～·った 의외로 시간이 걸렸다 / ～·らないようにしなさい 시간이 걸리지 않도록 하시오.

デマ 名 데마 ; 선동적인 악선전 ; 유언 ; 헛소문. ＝デマゴギー. ¶～をとばす〔まきちらす〕 유언 비어를 퍼뜨리다. ▷도 Demagogie.

*__てまえ__【手前】名 ①자기 앞 ; 자기에게 가까운 쪽. ＝こちら. ¶すぐ～ 바로 앞. ②체면. ＝体裁. ¶世間の～が恥ずかしい 남보기가 부끄럽다. ③《点前》 다도(茶道)의 예법·양식(様式). ④솜씨. ＝うでまえ. ¶お～拝見 솜씨 좀 봅시다.

*__てまえ__〖手前〗代 ①저. ＝わたくし. ¶～どもの店 저희의 가게 / ～の不注意で申し訳ありません 저의 부주의라 드릴 말씀이 없습니다. ②너. ＝お前·そち·てめえ. ¶～の知った事じゃない 네 알 바가 아니다. **――がって**〖――勝手〗 -gatte 名 ダナ 제멋대로〔좋을 대로〕 함. ¶～な事をする 제멋대로 하다. **――みそ**〖――味噌〗名 자화 자찬(自畫自讚). ¶～を並べる 자화 자찬을 늘어놓다.

でまえ【出前】名 주문한 요리를 배달하는 일〔사람〕 ; 또, 그 요리. ＝仕出し. ¶～持ち 요리 배달부 / ～を注文する 요리를 주문하다.

でまかせ【出任せ】名 ダナ 입에서 말이 나오는 대로 아무렇게나〔함부로〕 말하는 모양. ¶～にしゃべる 되는 대로 지껄이다.

「＝ひじまくら.

てまくら【手まくら】《手枕》名 팔베개.

てまさぐり【手まさぐり】《手弄》 名 ス他 ①손끝으로 더듬어 찾음. ②손끝으로 무엇인가 만지작거림.

でまど【出窓】名 출창 ; 퇴창(退窓) ; 바람벽 밖으로 내민 창. ＝はりだし窓.

てまね【手まね】《手真似》 名 손짓 ; 손으로 흉내를 냄. ¶おしが～で話す 벙어리가 손짓으로 말하다.

てまねき【手招き】名 ス他 손짓으로 부름. ¶～(を)する 손짓을 하여 부르다.

てまめ【手まめ】《手実》 一 ダナ 부지런함. ¶～に働く 부지런히 일하다. 二 名ナ 손재주가 있음. ¶～な人 손재주가 있는 사람.

てまり【手まり】《手鞠·手毬》名 손으로 치면서 노는 공 ; 또, 그 공놀이. **――ばな**〖――花〗名 〔植〕 불두화. ＝おおでまり.

デマ-る 5自 〈俗〉 중상하다 ; 모략하다 ; 낭설을 퍼뜨리다. ¶いい加減に～·れよ 모략도 정도껏 해라. ⇨デマ.

てまわし【手回し】《手廻し》 名 ス自 ①손으로 돌림 ; 수동. ¶～ミキサー 수동식 믹서. ②준비 ; 채비 ; 수배. ¶明日の～はどうだ 내일(의) 채비는 어떤가. ③수중에 있는 돈의 변통(變通). ¶～の金 수중에 놀리는 돈.

てまわり【手回り】《手廻り》 名 수중 ;

신변(身邊)(가까이에 두는 소지품).

*でまわ・る【出回る】【出廻る】⑤自 출회하다; 나돌다. ¶にせ物が〜 가짜가 나돌다.

てみじか【手短】ダナ 간략함; 잔단함. ¶〜に述のべる 간략히 말하다 / 〜に言いう 간단히 말하다.

てみず【手水】⑧ 출수; 하천 따위의 물이 불음[넘침]; 홍수. =しゅっすい.

てみせ【出店】⑧①지점; 분점. ②노점. =露店. ¶大通おおどおりに〜を出だす 한길에 노점을 내다.

てみやげ【手土産】⑧(방문할 때) 들고 가는 간단한 선물.

てむかい【手向(か)い】⑧ 반항; 대항. ¶〜はよせ 반항은 그만둬라.

*てむか・う【手向かう】⑤自 맞서다; 대항하다. ¶主人しゅに〜 주인에게 대들다 / おれに気きが〜 내게 대항할 생각이냐.

*でむか・える【出迎える】下一他 출영; 마중; 나가 영접함. ¶〜を受うける 출영을 받다.

でむか・える【出迎える】下一自 출영하다; 마중나가다. ¶父ちちを駅えきに〜 역에 아버지를 마중나가다.

でむ・く【出向く】⑤自 (목적의 장소로) 나가다. ¶こちらから〜きます 이쪽에서 나가겠습니다.

てめ【出目】⑧ 툭 튀어 나온 눈; 통방울이. ──きん【─金】⑧ 눈이 튀어나온 금붕어의 일종.

てめえ【手前】-mё代《俗》①나. ¶〜の不注意ふちゅうい로 소인의 부주의로. ②てまえ의 막된 말씨. ¶〜の知しった事ことでない 네 알 바가 아니다.

デメリット -ritto⑧ 디메리트; 결점; 단점. ↔メリット. ▷demerit.

ても接続①《혼히, '幾いく'나 '何なに' 'もし …'의 형을 취取해서》조건을 나타내는 부분에 붙어, 뒤에 말하는 사건이 그 조건에 구속되지 않음을 나타냄. …(하)더라도. …(해)도. ¶雨あめが降ふっ〜 비가 오더라도 / 仕事しごとがつらく〜 일이 고되더라도 / 話はなし〜むだだ 말해도 소용 없다 / 何度なんど読よん〜も分わからない 몇 번 읽어도 모르겠다.

でも接助①《의지·허용·희망 등을 나타내는 말씨가 따름》엄격히 제한하지 않고 대체로(무엇을서)말할 때 사용함. …(이)라도. ¶茶ちゃ〜飲のみたい 차라도 마시고 싶다 / 映画えいが〜見みに行いこう 영화라도 보러 가자 / あす〜来こ〜てもらわる 내일이라도 와 주게. ②혹은 '…だけ…'의 형으로] 일부분을 들어서 다른 부분까지 암시함; …(이)라도. ¶子供こどもの足あし〜 아이들 걸음이라도 / 子こども〜できる 아이라도 할 수 있다 / これだけ〜持もって行いきなさい 이것만이라도 가지고 가요. ③《의문을 나타내는 말에 붙여서》전면 긍정을 나타냄; …(이)라도; …(이)나; …(든)지. ¶誰だれ〜知しっている 누구나 알고 있다 / いつ〜かまわない 언제라도 상관 없다. ──連語 …(이)라도; …(일)지라도. =であっても. ¶うそ〜本当ほんとう〜 거짓말이든 참말이든 / どんなばか者もの〜 어떤 바보라도 / 雨天うてん〜決行けっこうする 우천일지라도 결행한다.

──連語《글의 첫머리에 와서》그럴지라도; 그럴더라도; 그래도. ¶〜私わたしに話はなしてくれ 그래도[그러더라도] 내게 말해 다오 / 〜昇進しょうしんは悪わるくない 그래도 승진은 나쁘지 않다.

デモ⑧ 데모; '데몬스트레이션'의 준말. ¶〜隊たい 데모대. ▷demonstration.

でも── 미숙하거나 엉터리…; =えせ─. ¶〜医者いしゃ 돌팔이 의사 / 〜学者がくしゃ 엉치 기 학자 / 〜紳士しんし 사이비 신사.

デモクラシー 데모크라시. ▷democracy.

もち【持ち】⑧①현재 수중에 가지고 있음; 또, 그 물건. ¶譲ゆずっても 수중에 있는 물건이라도 넘겨 주게. ②무료함을 달래기 위한 짓. ──した──【─無沙汰】⑧]할 일이 없어 따분함; 무료함. ¶〜の様子ようすだね 할 일이 없어서 심심한 모양이군.

てもと【手元·手許】【手許】⑧①손〔감독〕이 미치는 범위; 자기 주위; 바로 옆; 손밑. ¶〜において教おしえる 곁에 두고 가르치다. ②손잡이. ③평소의 솜씨; 또, 살림; 생계. ¶〜不如意ふにょい 살림이 어려움 / が狂くるう 평소의 솜씨가 안 나오다. ④젓가락. ¶お〜 젓가락. ⑤(미장이·목수 등의) 조수. ¶〜に入いる 조수로 들어가다. ⑥그 사람의 처소. ¶〜へお届とどけします 댁〔계시 곳〕으로 보내 드리겠습니다 댁.

でもの【出物】⑧①(부동산·중고품 따위의) 매물(賣物). ¶〜を買かう 고물을 사다 / 〜の書画しょが 매물로 나온 서화. ②부스럼; 종기. =できもの·はれもの. ③《俗》방귀. =おなら.

てもり【手盛(り)】⑧①손수 음식을 그릇에 담음. ¶〜で飯めしを食くう 손수[제 손으로] 밥을 퍼서 먹다. ②お〜の予算よさん 제 멋대로 짠 예산. ¶お〜予算よさん 제멋대로 짠 예산. ▷「モ.

デモ-⑤ ⑧ 데모로 하다. 「モ.

デモンストレーション -shon⑧ 데먼스트레이션. =デモ. ▷demonstration.

デュエット dyuetto【楽】⑧ 듀엣. ▷duet.

てよ終助《문장 끝에 씀》①《兒·女》명령·요구를 나타냄; …(해)주세요. ¶これ見み〜 이것 보세요 / あれ買かっ〜 저것 사주세요. ②《女》감탄을 나타냄; …여요; …서요. ¶本当ほんとうによく見み え〜 정말 잘 보이네요 / 早はやく読よん〜よ 빨리 읽어 주세요.

でよう【出よう】-yō⑧ (나오는) 태도; 하는 짓. =しかた. =でかた. ¶〜いかんによる 나오는 태도 여하에 달렸다.

でようじょう【出養生】-yōjō⑧ ス自 (온천 등에) 전지 요양함; 비접.

*てら【寺】⑧ 절. ¶お〜に参まいる 절에 참배하다.

てら・う【衒う】⑤他 (학문·재능 따위를) 일부러 자랑해 보이는(있는 체 뽐내다. ¶学問がくを〜 학문이 있는(글 깨나 아는) 체하다 / 少しも〜ところがない 조금도 뽐내는 데가 없다.

てらおとこ【寺男】⑧(절의) 불목하니.

てらこや【寺子屋】⑧(江戸えど 시대에

보급된) 서당. ¶〜式ᵉᵏ의教育ᵏᵘ 서당식 교육.

てらしあわ・せる〖照らし合(わ)せる・照し合せる〗下1他 ①대조하다; 비교해 보다; 조회하다. ¶原簿ᵍᵉⁿ와 〜 원부와 대조하다. ②양쪽에서 비추다.

てら・す〖照(ら)す〗五他 ①빛을 비추다; 비추어 밝히다. ¶月ᵗˢᵘᵏⁱ로 夜道ᵠᵒᵐⁱᶜʰⁱを〜 달이 밤길을 비추다/舞台ᵇᵘᵗⁱを〜を무대를 비추다. ②비추어 보다; 대조[참조]하다. ¶古ᵘ신例ⁿᵉⁱに〜して오래된 예에 비추어/規例ᵏⁱʳᵉⁱに〜して処理ᵇʸᵒʳⁱする 규칙에 따라서 처리하다.

テラス图 테라스; 양옥집에 붙은 노대(露臺). ▷terrace.

てらせん〖寺錢〗(도박 따위에서)자릿세로 판돈에서 내는 돈. =てら.

デラックス derakku-　ダナ 딜럭스; 고급; 호화판. ¶〜ショー 딜럭스쇼. ▷ de luxe.

てらつつき〖寺啄〗图〖鳥〗'きつつき(=딱따구리)'의 옛이름.

てらてら副〖ダナ〗기름기가 끼어서 해서 빛나는 모양; 번질번질; 번들번들. ¶〜(と)した顔ᵏᵃᵒ 번질번질한 얼굴.

てり〖照り〗图〖날씨〗①빔; 쬠; 맑은 날씨. ¶夏ⁿᵃᵗˢᵘの〜は強ᵗˢᵘʸᵒⁱ여름볕은 따갑다 /〜が続ᵗˢᵘᶻᵘⁱ맑은 날이 계속되다. ↔降ⁱᶠᵘり.

テリア图 테리어; 영국 원산의 작은 애완용 개. ▷terrier. ¶〖お天気⁹ᵉⁿⁱ〗

てりあめ〖照り雨〗图〈俗〉여우비.

てりかえし〖照り返し〗①반사; 빛이나 열을 되쏘아 뜨겁게 느낌. ¶西日ⁿⁱˢʰⁱᵇⁱの〜が強ᵗˢᵘʸᵒⁱ석양볕이 따갑다. ②반사광. ¶〜を付ᵗˢᵘける반사경을 붙이다.

てりかえ・す〖照り返す〗五他 반사(反射)하다; 되비치다. ¶〜게 빛나다.

てりかがや・く〖照り輝く〗五自 찬란하게 빛나다.

デリケート〖ダナ〗델리킷트. ①섬세함. ¶〜神経ⁱⁿᵏᵉⁱ 섬세한 신경/〜なからだ 허약한 체질. ②미묘함. ¶〜な問題ᵐᵒⁿᵈᵃⁱ미묘한 문제. ▷delicate.

てりこ・む〖照り込む〗五自 ①(양지에) 볕이 강하게 들이쬐다. ②가뭄이 오래 계속하다.

てりつ・ける〖照りつける〗〖照り付ける〗下1自 햇볕 따위가 내리쬐다.

てりは・える〖照り映える〗〖照り映える〗下1自 빛을 받아 아름답게 빛나다[보이다].

てりゅうだん〖手榴弾〗teryū- 图 수류탄. =しゅりゅうだん.

てりょうじ〖手療治〗-ryōji 图ㅈ他 자가(自家) 치료.

てりょうり〖手料理〗teryō- 图 집에서 만든 요리; 가정 요리. ¶母ʰᵃʰᵃの〜 어머니가 손수 만든 요리.

デリンジャーげんしょう〖デリンジャー現象〗〖理〗델린저 현상〖태양면의 폭발로 인한 단파 통신 장애〗. ▷Dellinger.

＊て‐る〖照る〗五自 ①비치다; 아름답게 빛나다. ¶月ᵗˢᵘᵏⁱが〜 달빛이 비치다. ②(날이) 개다. ¶〜も降ᶠᵘる日ʰⁱも 볕 날도 궂은 날도.

＊でる〖出る〗下1自 ①나가다. ¶よく〜品ˢʰⁱⁿᵃ 잘 나가는[팔리는] 물건/庭ⁿⁱʷᵃに〜 뜰에 나가다/汽車ᵏⁱˢʰᵃ[船ᶠᵘⁿᵉ]がでて

行ⁱᵘʰᵒ기차(배)가 출발하다/会ᵏᵃⁱに〜 모임에 나가다[참석하다]/会社ᵏᵃⁱˢʰᵃに〜 회사에 나가다[출근하다]. ↔はいる・入る. ②나아가다; 전진하다; 진출하다. ¶三歩前ˢᵃⁿᵖᵒᵐᵃᵉに〜 3보앞으로 나가다/実業界ʲⁱᵗˢᵘᵍʸᵒᵏᵃⁱに〜실업계로 진출하다. ③나오다. ¶くぎがでた靴ᵏᵘᵗˢᵘ 못이 (튀어) 나온 구두/論語ʳᵒⁿᵍᵒに でている故事ᵏᵒʲⁱを 논어에 나와 있는 고사/日ʰⁱが〜 해가 나오다[돋다]/涙ⁿᵃᵐⁱᵈᵃが〜 눈물이 나오다/悪ʷᵃʳᵘ〜い癖ᵏᵘˢᵉが〜 나쁜 버릇이 나오다/幽霊ʸᵘ̄ʳᵉⁱが〜 유령이 나오다/落ᵒᵗᵒˢʰⁱ物ᵐᵒⁿᵒがでた 잃어버린 물건이 나왔다/家ⁱᵉを〜 집을 나오다[가출하다]/会社ᵏᵃⁱˢʰᵃを〜 회사를 나오다[그만두다]/お暇ʰⁱᵐᵃが〜 (a)휴가를 얻다; (b)(직장에서) 해고당하다/学校ᵍᵃᵏᵏᵒ̄を〜 학교를 나오다[졸업하다]. ④나다. ¶鉄ᵗᵉᵗˢᵘが〜山〜철이 나는 산/火ʰⁱが〜 불이 나다/水ᵐⁱᶻᵘが〜 큰물이[시위가] 나다/この地方ᶜʰⁱʰᵒ̄から茶ᶜʰᵃが〜 이 지방에서 차가 난다/やる気ᵏⁱが〜 할 마음이 나다/味ᵃʲⁱが〜 맛이 나다/新聞ˢʰⁱⁿᵇᵘⁿに〜 신문에 나다/速力ˢᵒᵏᵘʳʸᵒᵏᵘが〜 속력이 나다[붙다]/結論ᵏᵉᵗˢᵘʳᵒⁿがでない 결론이 나지 않다. ⑤나서다. ¶選挙ˢᵉⁿᵏʸᵒに〜 선거에 나서다/出馬ˢʰᵘᵗˢᵘᵇᵃして 출마하다/私ʷᵃᵗᵃᵏᵘˢʰⁱなどの〜幕ᵐᵃᵏᵘじゃない 나 따위가 나설 자리가 아니다. ⑥나타나다. ¶不平ᶠᵘʰᵉⁱが顔ᵏᵃᵒに〜 불평의 (빛)이 얼굴에 나타나다. ⑦(한계를) 넘다. ¶三日ᵐⁱᵏᵏᵃ〜をでないうちに사흘이 되기 전에/足ᵃˢʰⁱが〜 (a)예산이 초과되다[부족하다]; 손해보다; (b)숨기고 있던 일이 탄로나다/足ᵃˢʰⁱが線ˢᵉⁿから〜 발이 선을 넘다/五人ᵍᵒⁿⁱⁿを〜かもしれない 다섯 사람을 넘을지 모른다/予算ʸᵒˢᵃⁿを でない程度ᵗᵉⁱᵈᵒであげる 예산을 넘지 않는 정도에서 (식 따위를) 올리다. ⑧가다; 빠지다. ¶どこへ〜道ᵐⁱᶜʰⁱかしら？어디로 빠지는 길일까. ⑨일다. ¶風ᵏᵃᶻᵉが〜 바람이 일다. ¶一杯ⁱᵖᵖᵃⁱは打ᵘっ手ᵗᵉ 튀어나온 말뚝은 얻어맞는다/모난 돌이 정 맞는다. 一所ⁱˢˢʰᵒに〜でるところ.

デルタ图 델타. ▷delta.

てるてるぼうず〖てるてる坊主〗〖照る照る坊主〗-bōzu 图 날이 개기를 기원하여 추녀 끝에 매달아 두는 종이로 만든 인형.

でるところ〖出る所〗图 흑소하여 시비곡직을 가리는 데〖재판소·경찰 등〗. ¶〜へ出ᵈᵉる 법에 흑소하여 판가름을 짓다.

てれかくし〖照れ隠し〗图 멋쩍음〖겸연쩍음; 쑥스러움〗을 감춤. ¶〜に大声ᵒᵒᵍᵒᵉで笑ʷᵃʳᵃう 멋쩍어서 큰 소리로 웃다.

てれくさ・い〖照れ臭い〗形 열없다; 멋쩍다; 겸연쩍다. ¶〜羽目ʰᵃᵐᵉに陥ᵒᶜʰⁱ이る 멋쩍게 되다; 거북한 입장에 빠지다.

テレコ图〈俗〉'テープレコーダー(=테이프리코더)'의 준말.

てれしょう〖照れ性〗-shō 图 곧잘 수줍어하는 성격.

テレタイプ图〖商標名〗텔레타이프; 전신 인자기. ▷Teletype.

テレックス -rekkusu 图〖商標名〗텔렉스; 가입자 전신. =加入者ᵏᵃⁿʸᵘ̄ˢʰᵃ電信ᵈᵉⁿˢʰⁱⁿ. ▷Telex; telegraph exchange.

でれでれ［下又自］《俗》(특히 여자에게) 흘게늦게[개점잖게] 구는 모양. ¶女ﾂﾞ~する 여자에게 쪽을 못 쓰다.

テレパシー 图 텔레파시 ; 정신 감응(精神感應). ▷telepathy.

テレビ 图 ‘テレビジョン’의 준말.

テレビジョン -jon 图 텔레비전. =テレビ. ▷television.

テレファックス -fakkusu 图 텔레팩스 ; 뉴스의 모사(模寫) 전송. ▷telefax.

テレホン 图 텔레폰 ; 전화. =テレフォン. ▷telephone.

てれや【照れ屋】图 수줍음을 잘 타는 사람.

て-れる【照れる】［下I自］《俗》 수줍어 [부끄러워]하다 ; 거북해 하다. =はにかむ.

てれん【手練】图 농각 ; 사람을 속이는 수단. =てくだ. ──てくだ.──【手管】图 ‘手練’의 강조어. ¶~で人ﾄﾞを丸ﾏﾙﾚ込ﾞﾑ 온갖 수단으로 남을 구워삶다 / ~にひっかかる 농간에 걸려 들다.

テロ 图 ‘テロリスト・テロリズム’의 준말.

テロリスト 图 테러리스트. ▷terrorist.

テロリズム 图 테러리즘 ; 폭력 ; 공포 정치. ▷terrorism.

テロ-る ⑤自 테러 행위를 하다. ⇨テロ.

テロル 图 테러 ; 공포. ⇨テロ. ▷terror.

てわけ【手分け】图［又自］ 분담(分擔). ¶~(を)して仕事ﾄﾞを片づける 분담 해서 일을 처리하다.

てわざ【手業】图 손(으로 하는) 일. ¶~にかけては 손으로 하는 일로는.

てわたし【手渡し】图［又他］①손수(직접) 전함 ; 수교(手交). ②[賞与金ﾇﾞﾝ을]~する 상여금을 전하다. ②손에서 손으로 전함.

てわた-す【手渡す】⑤他 (직접) 건네다 ; 수교(手交)하다. ¶抗議文ﾏﾞﾝを~された 항의문이 수교되었다.

＊てん【天】图①하늘 ; 천. ⑦공중. ¶~を仰ﾏﾞﾋﾞ하늘을 우러러보다. ↔地ﾁ. ⓒ천체(天帝) ; 조물주. ⓒ~に口ﾏﾞﾁなし 하늘은 말이 없다. ⓒ천명(天命) ; 자연의 이법(理法). ¶運ﾏﾞﾝを~にまかせる 운을 하늘에 맡기다. ⑧인간이 어찌할 수 없는 자연의 순환 ; 시세(時勢). ¶~の時ﾄﾞ, 地ﾁの利ﾘ천시 지리. ②물건의 위쪽. ¶~地ﾁ無用ﾓﾗﾏﾞ (물건을) 거꾸로 해서는 안 됨. ↔地ﾁ. ⑤[てん] 처음 ; 머리 ; 초장. ¶~からだめだ 시초부터 글렀다. ──【接】천…천. ⓐ불교·힌두교의 신을 나타냄. ②‘てんぷら(＝튀김)’의 준말. ──高ﾀﾞﾏ馬ﾏﾞ肥ﾞﾕる 천고 마비. ──にのぼﾞﾙする 하늘에 침 뱉다. ──にも昇ﾏﾞﾚる心地ﾁﾀﾞ 하늘에라도 오를 것 같이 몹시 기쁜 모양. ──は自ﾗ助ﾀ一ﾎ者ﾓﾉを助ﾀ하 하늘은 스스로 돕는 자를 돕는다. ──を突ﾂ①하늘에 닿을 듯이 높다. ¶意気ﾞ~を突く 의기 충천하다.

＊てん【点】图 점. ①작은 표시. ¶~をうつ 점을 찍다. ②구두점 ; 특히, 모점. ③한문의 返り점. ④한자 자획의 하나(ﾟ). ¶大ﾀﾞﾏに~をうつと犬ﾂﾞになる 大에 점을 찍으면 犬이 된다. ③[성적의 평정·점수. ¶~がからい 점수가 짜다 / ~をつける 채점하다. ⓒ사물의 평가. ¶~のうちどこ

──(right column)──

ろがない 흠 잡을 데가 전혀 없다. ⓒ운동 경기의 득점. ¶~がはいらな 득점하지 못하다. ⑦특정한 장소·항. ¶その~が問題ﾀﾞﾝ의 그 점이 문다. ⑧[数] 위치가 있고 크기가 없 것 ; 다른 두 직선의 교차. ⑨구점(點) ; 뜸자리. ──【接尾】…점. ①점ﾓﾉ ¶百ﾓﾞﾝ~ 100점. ②물품의 개수. ¶類ﾖ,数ﾄﾞ… 의류 여러 점. ③장소·사ﾓﾉ을 나타냄. ──中心ﾁﾞﾝ~ 중심점.

てん【典】图①법 ; 의식(式典). ¶儀ﾞ燭ﾋﾞの~ 화촉지전 ; 결혼식. ②규ﾏﾞ ③책 ; 서책. ④전당 잡힘.

てん【転】图①[言] 전화. ①(발음·뜻ﾁ이) 변화하는 것. ②한시(漢詩) 절ﾄﾞ(絶句)의 제 3구. ¶起承ﾄﾞﾞﾝﾞ~結ﾂﾞﾀﾞ승 전결.

てん【貂】图【動】담비 ; 초피.

てん【篆】图 てんしょ(篆書).

テン 图 텐 ; 열. ¶ベスト~ 베스트 텐 ▷ten.

てん【恬】副 태연한 모양. ¶~として 恥ﾎﾞﾁしない 도무지 부끄러운 줄 모르다. ¶~점값이 낮다.

てんあつ【電圧】图 전압. ¶~が低ﾋﾞﾂい

てんい【天為】图 천위 ; 자연의 작용. ↔人為ﾖ.

てんい【天意】图 천의 ; 하늘의 뜻. ¶~に従ﾔﾞﾀﾞう 천의에 따르다.

てんい【転位】图［又自］ 전위 ; 위치가 바뀜 ; 위치를 옮김.

てんい【転移】图［又自他］ 전이. ①[医] 암 따위 병의 병근이 옮아감. ②[理] 분자내에서 원자의 배열이 변하는 일.

てんい【電位】图【理】전위. ──さ ──差ﾞ 图【理】전위차. ⇨でんあつ.

てんいむほう【天衣無縫】-hō 图①천의 무봉. ⑦(시가(詩歌) 따위에) 기교가 없이 자연스럽고 완전 무결함. ¶~の傑作ﾀﾞﾂ 천의 무봉의 걸작. ②《俗》 천진 난만함.

てんいん【店員】图 점원. ¶~を勤ﾓﾞﾒめる 점원살이를 하다.

てんうん【天運】图 천운 ; 천명. ¶~とあきらめる 천명이라고 체념하다.

でんえん【田園】图 전원. ①논과 밭. ¶~まさに荒ﾒ々れんとす 논밭이 바야흐로 황폐해 가고 있다. ②교외 ; 시골. ¶~生活ﾀﾞﾀﾞ 전원 생활. ──しじん ──[詩人] 图 전원 시인.

てんおん【天恩】图 천은. ¶~枯骨ﾐﾂに及ﾎﾞﾞ 천은이 망극하다.

てんか【天下】图 천하 ; (온) 세상. ¶か かあ~ 처시하(妻侍下) ; 내주장 / ~の 笑ﾜﾞﾁいものﾁ 세상의 웃음거리 / ~を狙ﾅﾞﾑう 천하를 노리다 / ~の弱虫ﾞﾑﾂが 다시 없는 겁쟁이 / きﾖﾞﾗ~からおれたちの~だ 오늘부터 우리들 세상이다. ──晴ﾊﾞﾚれて 천하에 거리낄 것 없이 ; 떳떳이 ; 공공연히. ¶~晴れて結婚ﾄﾞﾞする 떳떳하게 결혼하다. ──を取ﾄﾞる ①정권을 잡다. ②절대 권력을 쥐다. ──わけめ──[分け目] 图 천하를 겨루는 판국 ; 승패의 갈림길. ¶~の関ﾄﾞﾞﾋﾞが原ﾋﾞﾗ 천하를 겨루는 대결전.

てんか【添加】图［又他自］ 첨가. ¶~物ﾞ

てんか【転化】图［又自］ 전화. ①다른 상태로 바뀜. ¶戦争ﾄﾞﾞﾞを長期戦ﾞﾔﾞﾞﾞﾞﾞに

~した 전쟁은 장기전으로 바뀌었다. ②자당(蔗糖)이 가수 분해(加水分解)하여 포도당과 과당(果糖)이 됨. ¶—糖⁵ 전화당.

てんか【転嫁】 图 区他 전가. ¶責任⁵⁵⁵を~する 책임을 전가하다.

てんか【転訛】 图 区自 ; 말의 본래 음이 발음의 편의상 다른 음으로 바뀜.

てんか【転科】 图 区自 전과. ¶法科⁵⁵から文科⁵⁵へ~する 법과에서 문과로 전과하다.

てんか【点火】 图 区自 점화. ¶聖火⁵⁵⁵に~する 성화에 점화하다.

てんが【典雅】 图 ダナ 전아 ; 바르고 우아함. ¶~な調⁵べ 우아한 가락.

でんか【伝家】 图 전가. ¶—の宝刀⁵⁵ 전가의 보도.

でんか【殿下】 图 전하. ¶—の보도.

でんか【電化】 图 区他自 전화. ¶鉄道⁵⁵の~철도의 전화 / ~事業⁵⁵ 전화 사업.

でんか【電荷】 图【理】 전하.

てんかい【展開】 图 区他自 ①전개. ¶美⁵しい風景⁵⁵⁵が~する 아름다운 풍경이 전개되다 / 部隊⁵⁵が~する 부대가 전개되다. ②타개(打開). ¶行⁵き詰⁵まった局面⁵⁵が~する 막다른 국면이 타개되다.

てんかい【転回】【転廻】 전회. 一图 区自他 회전. ¶コペルニクス的⁵⁵な 코페르니쿠스적 전회 / 方向⁵⁵を~する 방향을 바꾸다. 二图 기계 체조에서, 매트 운동의 하나. ¶空中⁵⁵⁵~ 공중 제비.

てんがい【天涯】 图 천애 ; 하늘 끝 ; 고향으로부터 멀리 떨어진 땅 ; 머나먼 타향. ¶~の孤児⁵ 천애의 고아.

でんかい【電解】 图 区他【理】 전해 ; '電気分解⁵⁵⁵⁵⁵⁵⁵⁵(=[전기 분해])'의 준말. ¶—しつ〖─質〗 전해질.

てんかく【点画】 图 점과 획 ; 한자(漢字)를 구성하는 점과 획.

てんがく【転学】 图 区自 전학. ¶他校⁵⁵に~する 타교로 전학하다.

でんがく【田楽】 图 ①田楽豆腐⁵⁵⁵・田楽焼⁵き'의 준말. ②농악에서 발달한 무용의 하나(원래 모내기할 때에 행하였으나 점차 대중화하여 鎌倉⁵⁵・室町⁵⁵시대에는 놀이 따위에서 성행했음). ¶—ざし〖─刺し〗 图 한가운데를 꼬챙이・칼 따위로 꿰(뚫)는 일. =いもざし. ¶—どうふ〖─豆腐〗-dôfu 图 두부 산적. ¶—やき〖─焼(き)〗 图 〔야채・생선을〕焼(き) 图 〔야채・생선을〕 산적.

てんから【天から】 副 ①처음〔처초〕부터. =はじめから. ¶間違⁵⁵⁵っている 처음부터 잘못돼 있다. ②〔뒤에 否定을 수반하여〕아예 ; 전혀. =てんで. ¶~相手⁵にしない 아예 상대하지 않다.

てんかん【癲癇】 图【醫】 전간 ; 간질 ; 지랄병. ¶~くつち. ¶~を起⁵す 간질을 일으키다.

てんかん【転換】 图 区他 전환. ¶~期⁵ 전환기 / 性⁵⁵の~ 성전환 / 方針⁵⁵を転換하다.

てんがん【点眼】 图 区他 점안 ; 눈에 안약을 〔떨어뜨려서〕넣음. ¶—すい〖─水〗 图〔老〕안약. =目薬⁵⁵.

*てんき**【天気】 图 ①날씨. ¶일기.

~予報⁵⁵ 일기 예보 / ~が悪⁵い 날씨가 나쁘다. ¶快청한 날씨. ¶あすは~になるかな？ 내일 날이 들까 / きょうはお~ですね 오늘은 날씨가 좋군요. ②기분. ¶かれはお~屋⁵다 그는 변덕쟁이다. ③천자(天子)의 기분〔비위〕. =天機⁵⁵.

てんき【天機】 图 천기. ①매우 중요한 기밀. ②천부(天賦)의 재능. ¶~を現⁵わす 타고난 재능을 발휘하다. ③☞てんき(天機). ¶—漏⁵らすべからず 천기는 누설해서는 안 된다.

てんき【転機】 图 전기 ; 전환기 ; 계기. ¶政局⁵⁵に一つの転機를 画⁵する 정국에 하나의 전기를 긋다 / ふとしたことが~となる 우연한 일이 전기가 되다.

てんき【転記】 图 区他 옮겨 씀. ¶新⁵しいノートに~する 새 노트에 옮겨 쓰다.

でんき【伝奇】 图 전기 ; 일화(逸話)・기담(奇談)의 총칭 ; 또, 그것을 소재로 한 소설. ¶—小説⁵⁵⁵ 전기 소설.

*でんき**【伝記】 图 전기. ¶—作家⁵⁵ 전기 작가 / 英雄⁵⁵の~ 영웅 전기.

でんき【電機】 图 전기 ; 전기 기계.

*でんき**【電気】 图【静】— 정전기 / ~工学⁵⁵ 전기 공학. ¶〔俗〕전등. ¶~をつける〖消⁵す〗 전등을 켜다〔끄다〕. ¶—うなぎ〖─鰻〗 전기 뱀장어 ; 시비는 전기 뱀장어. ¶—がま〖─釜〗 전기 밥솥. ¶—スタンド 图 전기 스탠드. ▷ stand. ¶—ストーブ 图 전기 난로. ▷stove. ¶—ていこう〖─抵抗〗-kô 图 전기 저항. ¶—ぶんかい〖─分解〗 图 区他 전기 분해. ¶—メス 图 전기 메스. ▷네 mes. ¶—めっき〖─鍍金〗-mekki 图 전기 도금. ¶—ようせつ〖─溶接〗-yôsetsu 图 전기 용접.

でんきぼ【点鬼簿】 图【佛】 점귀부 ; 과거장(過去帳). =過去帳⁵⁵⁵⁵.

てんきゅう【天球】-kyū 图 천구.

てんきゅう【電球】-kyū 图 전구. ¶~を取⁵り換⁵える 전구를 갈아 끼우다.

てんきょ【典拠】-kyo 图 전거. ¶この小説⁵⁵⁵には~がある 이 소설에는 전거가 있다 / ~があって信⁵ずる 전거가 있어 믿다.

てんきょ【転居】-kyo 图 区自 전거 ; 이사. =ひっこし・やどかえ. ¶今般⁵⁵左記⁵⁵へ~しました 금번 좌기 장소로 이사했습니다.

てんきょく【電極】-kyoku 图【理】 전극.

てんきん【転勤】 图 区自 전근. ¶~になる 전근되다.

てんぐ【天狗】 图 ①얼굴이 붉고, 코가 높으며 신통력이 있어 하늘을 자유로이 날면서 심산(深山)에 산다는 상상의 괴물. ②자기 자랑을 하는 사람. ¶釣⁵り~ 낚시 기술을 자랑하는 사람. ¶—になる 뽐내다 ; 자기 자랑을 하다. ¶—ばな〖─鼻〗 图 ①높은 코. ②솜씨를 자랑하는 사람.

てんくう【天空】-kū 图 천공 ; (한없이

広(ひろ)き)하늘. ¶～に聳(そび)える 하늘에 우뚝 솟다.

てんぐさ【天草】図【植】우뭇가사리.

でんぐりがえし【でんぐり返し】図 공중제비;재주넘기(사물의 위치・상태를 뒤집는 일에도 비유됨).

でんぐりがえ-る【でんぐり返る】⑤自 ①공중제비하다. ②뒤집히다. ¶立場(たちば)が～ 입장이 뒤집히다.

てんぐん【殿軍】図 전군;후군(後軍);후위.＝しんがり.

*__てんけい【典型】__図 전형. ¶美(び)の～ 미의 전형／政治家(せいじか)の一(いち)～ 정치가의 한 전형／開拓者(かいたくしゃ)の～ 개척자의 전형. ――てき【―的】ダナ 전형적.

てんけい【天刑】図 천형. ¶――びょう【―病】-byō 천형병;나병(癩病).

てんけい【天啓】図 천계;신의 계시.

てんけい【天恵】図 천혜;하늘의 혜택. ¶～に浴(よく)する 천혜를 입다.

てんけい【点景・添景】図 점경;(정취를 더하기 위해서) 풍경화나 풍경 사진 속에 넣는 인물・동물. ¶――人物(じんぶつ)図 점경 인물.

でんげき【電撃】図 전격. ¶～戦(せん)法(ぽう)图 전격 요법. ――りょうほう【―療法】图 전격 요법.

てんけん【天険・天嶮】図 천험;산세(山勢)가 천연적으로 험한 곳. ¶～に立(た)て籠(こも)る 천험의 요새에 틀어 박혀 대항하다.

*__てんけん【点検】__图 ス他 점검. ¶人員(じんいん)～ 인원 점검.

でんげん【電源】图 전원. ¶～地帯(ちたい)전원 지대／電池(でんち)を～とする 전지를 전원으로 하다／～を切(き)る 전원을 끊다.

てんこ【典故】图 전고;전거(典據)가 되는 고사(故事). ＝故実(こじつ).

てんこ【点呼】图 ス他 점호. ¶～を取(と)る 점호하다.

てんこう【天候】-kō 图 천후;기후;날씨. ＝空模様(そらもよう). ¶悪(あく)～ 악천후.

てんこう【転向】图 ス自 전향. ¶左翼(さよく)の～者(しゃ)좌익의 전향자. ――ぶんがく【―文学】图 전향 문학.

てんこう【転校】图 ス自 전교. ¶～してきた生徒(せいと)전학해 온 학생.

でんこう【電光】-kō 图 전광. ¶～ニュース -nyūsu 전광 뉴스. ▷news.

てんごく【典獄】图 전옥;'刑務所長(けいむしょちょう)(＝교도소장)'의 구칭(舊稱).

てんごく【天国】图 천국;낙원. ¶地上(ちじょう)の～ 지상의 낙원／歩行者(ほこうしゃ)～ 보행자 천국／～にはいる 천국에 가다;죽다. ――に生(い)きる 죽다.

てんこもり【てんこ盛り】图〈俗〉밥을 수북이 담음;또, 그것.

てんごん【伝言】图 ス他 전언. ＝ことづけ. ¶～板(ばん)图 전언판／友人(ゆうじん)に～した 친구에게 전언했다.

てんさ【点差】图 점수;점수 차. ¶～がひろがる 점수 차가 벌어지다.

てんさい【天才】图 천재. ¶語学(ごがく)の～ 어학의 천재.

てんさい【天災】图 천재;～地変(ちへん)천재 지변／～を蒙(こうむ)った人(ひと)천재를 입은 사람. ↔人災(じんさい).

てんさい【甜菜】图【植】첨채;사탕무.＝さとうだいこん.

てんさい【転載】图 ス他 전재. ¶禁(きん)無断(むだん)～ 무단 전재를 금함.

てんざい【点在】图 ス自 점재;띄엄띄엄 있음.＝散在(さんざい). ¶～する民家(みんか)재한 민가／星(ほし)が～する 별이 점점이 보이다.

てんさく【添削】图 ス他 첨삭;첨가와 삭제. ¶作文(さくぶん)を～をして返(かえ)す 작문을 첨삭하여 돌려 주다.

てんさんき【電算機】图 '電子(でんし)計算機(けいさんき)(＝전자 계산기)'의 준말.

てんし【天使】图 ①천사;비유적으로 상냥하게 돌보아 주는 여성.＝エンゼル. ¶白衣(はくい)の～ 백의의 천사 간호원. ↔悪魔(あくま). ②〈古〉천자(天子)의 사자;칙사.＝勅使(ちょくし). ¶「임금님.

てんし【天子】图 천자;임금. ＝一様(いちよう).

てんし【展翅】图 ス他 전시;(표본으로 할 곤충의) 날개를 펴서 고정시킴. ¶～板(いた)图 전시판. ¶「전시회.

*__てんじ【展示】__图 ス他 전시.＝会(かい)

てんじ【点字】图 점자. ¶～新聞(しんぶん)图 점자 신문.

*__でんし【電子】__图 전자;=エレクトロン. ¶～頭脳(ずのう)图 전자 두뇌;컴퓨터의 딴이름. ――オルガン 图 전자 오르간. ▷organ. ――けいさんき【―計算機】图 전자 계산기;컴퓨터.＝コンピューター. ――けんびきょう【―顕微鏡】-kembikyō 图 전자 현미경. ――しゃしん【―写真】-shashin 图 전자 사진. ――レンジ 图 전자 레인지. ▷range.

でんじ【電磁】图【理】전자. ¶～感応(かんのう)图 전자 감응. ――き【―気】图 전자기. ①전기와 자기. ②전류에 의해서 생기는 자기.

てんじく【天竺】图 천축. ①인도. ②'天竺木綿(てんじくもめん)(＝바탕이 두꺼운 무명)'의 준말. ③곳:외국·외래(外來)의 뜻. ¶唐(とう)～の果(は)てまで 멀고 먼 저 끝까지. ④'唐過(からす)ぎる(＝인도、는)'와 같은 음(音) 나라를 거쳐 가다'와 같은 음(音)이 '辛(から)すぎる(＝너무 짜다)'의 뜻으로 쓰임. ¶～みそ 짠 된장. ――あおい【―葵】图【植】천축규;양아욱.＝ゼラニウム. ――ねずみ【―鼠】图【動】천축서;기니피그;모르모트. ――ぼたん【―牡丹】图【植】달리아의 딴이름. ――ろうにん【―浪人】-rōnin 图 주소 부정의 떠돌이.＝やどなし.

でんじしゃく【電磁石】-shaku 图 전자석. ¶「바꾸어.

てんじく【転じく】[転じて]圓 전하여;방향을

てんしゃ【転写】-sha 图 ス他 전사;문장・그림 따위를 옮겨 뜨거나 옮겨 쓰는 일.

てんじゃ【点者】-ja 图 (俳諧(はいかい)나 和歌(わか) 따위에서) 평점(評點)을 하는 사람.

てんしゃ【伝写】-sha 图 ス他 전사;(인쇄물이 보급되지 않았을 때에) 책을 베끼어 전하던 일.

‡__でんしゃ【電車】__-sha 图 전차.

てんしゃく【転借】-shaku 图 ス他 전차;남이 빌려받은 것을 다시 빌림.＝またがり. ↔転貸(てんたい).

てんしゅ【天主】-shu 图 천주;(기독교의) 하느님. ――きょう【―教】-kyō

＊ント 图 텐트;천막. ¶～を張はる 천막을 치다 / ～をたたむ 천막을 걷다. ▷tent.

ごんと 副〔俗〕무게 있게 앉아 있는 모양;의젓하게. ¶～かまえる 의젓한 자세를 취하다;떡 버티다.

てんとう【天道】图 ①천지를 지배하는 신(神). ②【てんとう】태양. ¶お～さま 해님. ③천체가 운행하는 길.

てんとう【店頭】-tō 图 점두;가게 앞. ＝店さき.

てんとう【転倒】〔顚倒〕-tō 전도. ─图 ス自他 거꾸로 됨〔함〕. ¶本末ほんまつ～ 본말 전도 / すべって～する 미끄러져 자빠지다. ＝動てん. ¶気き も～するばかりに驚おどろく 혼겁할 정도로 놀라다. ＝～图 ス自 마음이 산란하여짐. ＝動てん.

てんとう【点灯】〔点燈〕-tō 图 ス自 점등;불을 켬. ↔消灯しょうとう.

でんとう【電灯】〔電燈〕-tō 图 전등.

でんとう【伝統】-tō 图 전통. ¶～が薄うすれる 전통이 흐려지다.

でんどう【殿堂】-dō 图 전당. ①굉장한 건물. ¶白亜はくあの～ 백악의 전당. ②신불(神佛)을 모신 집.

でんどう【伝道】-dō 图 ス自 전도. ─图 ス他 전도함.

でんどう【伝導】-dō 图 ス他【理】열·전기 따위가 물체 안에서 옮아가는 현상. ¶一体いったい 전도체.

でんどう【伝道】-dō 图 ス自 전도. ＝宜てんどう.

でんどう【伝動】-dō 图 ス自他 전동;기계 장치로, 동력을 다른 부분으로 전함. ¶～装置そうち 전동 장치 / ～機き 전동기.

でんどう【電動】-dō 图 전동;전류(電流)로 동력(動力)으로 하는 일. ¶～式 전동식.

てんどうせつ【天動説】tendō- 图 천동설. ↔地動説ちどうせつ.

てんとうむし【天道虫·瓢虫】tentō-〔虫〕무당벌레. ＝てんとうまし 무당벌레. ＝だまし 图 십팔절판이무당벌레.

てんとして【恬として】連語【副詞的として로】부끄럼을 줄 모르고 예사로운 모양;태연히. ─けろっとして. ¶～恥はじない 태연하여 부끄러워하지 않다.

てんとり【点取(り)】图 득점을 다툼;점수 따기. ─むし【─虫】图 점수벌레(점수에만 안달하는 학생을 경멸하는 말).

てんどん【天丼】图【料】튀김덮밥('てんぷらどんぶり'의 준말).

てんなんしょう【天南星】-shō 图【植】천남성.

てんにゅう【転入】-nyū 图 ス自 전입. ¶～生 전입생. ↔転出てんしゅつ.

てんにょ【天女】-nyo 图 천녀. ①선녀. ②아름다운 여자.

てんにん【天人】图 천인. ①【佛】천상계(天上界)에 사는 사람. ②천상계에 사는 여성. ＝天女てんにょ.

てんにん【転任】图 ス自 전임. ＝転職てんしょく. ─地ち 전임지.

でんねつ【電熱】图 전열. ─き【─器】图 전열기.

＊てんねん【天然】图 천연. ①인공을 가하지 않은 자연 그대로의 상태. ¶～美び 자연미. ↔人工じんこう. ③인력에 의해서는 어찌할 수 없는 상태. ↔人為じんい.③

조물주. ④천성(天性). ─きねんぶつ【─記念物】-nembutsu 图 천연 기념물. ─しげん【─資源】图 천연 자원. ─しょく【─色】-shoku 图 천연색. ─とう【─痘】-tō 图【醫】천연두;마마.

＊てんのう【天皇】-nō 图 천황. ①일본 국왕. ¶～制てんのうせい 천황제. ②통속적으로, 그 세계에서 대단히 세력이 있는 사람. ─きかんせつ【─機関説】图 天皇 기관설(天皇는 국가의 최고 기관에 불과하며 주권은 국가에 있다는 주장).

てんのうざん【天王山】-nōzan 图 승패를 판가름하는 기회. ¶てんのうせい【天王星】-nōsei 图【天】천왕성.

てんば【天馬】temba 图 천마. ①하늘에 있다는 말;전하여, 뛰어난 명마. ②그리스 신화에 나오는 하늘을 나는 말. ＝ペガサス. ─けん【─券】.

でんば【電場】demba 图【理】전장;전계でんかい.

でんぱ【伝播】dempa 图 ス自他 전파.

＊でんぱ【電波】dempa 图 전파. ─たんちき【─探知機】图 전파 탐지기. ＝電探でんたん·レーダー.

てんばい【転売】tembai 图 ス他 전매. ¶土地とちを～する 토지를 전매하다.

でんぱた【田畑】dempata〔口〕전답(田畜). ＝たはた. ¶田畑でんぱた～ 전답.

てんぱん【天板】temba- 图 천받. ─てきめん【─覿面】图 천받이 당장에 내림.

てんぱん【典範】dempan 图 전범.

てんぴ【天日】tempi 图 햇빛;햇볕. ¶～に干ほす 햇볕에 말리다. ─せいえん【─製塩】图 천일 제염.

てんぴ【天火】tempi 图 (서양 요리에 쓰는) 오븐. ─オーブン.

てんびき【天引き】tembi- 图 ス他 (빌려준 돈·임금·급료 따위에서) 미리 일정액을 제함;공제(控除).

てんびょう【点描】tembyō 图 ス他 점묘. ①점묘로 그림을 그리는 방법. ¶～画 점묘화. ②스케치. ¶日常生活にちじょうせいかつの～ 일상 생활의 점묘.

でんぴょう【伝票】dempyō 图 전표.

てんびん【天秤】tembin 图 ①천칭;천칭. 천평칭. ¶～にする 양칼에 걸다. ②'天秤棒てんびんぼう'의 준말. ③가담 가락의 낚싯줄에 양칼이로 단 2개의 낚시 바늘. ④두 가지 일이 서로 같음. ─にかける ①저울질하다;우열을 비교해보다. ②양다리 걸치다;두길마보기. ─ぼう【─棒】-bō 图 멜대.

てんびん【天稟】tempin 图 천품;천성;천자(天資). ＝天性てんせい·天分てんぶん.

てんぷ【天賦】tempu 图 천부;타고남. ¶～の素質そしつ 천부의 소질.

てんぷ【添付·添附】tempu 图 ス他 첨부. ─ぶ 첨부;붙임.

てんぷ【貼付·貼附】tempu 图 ス他 첩부.

てんぷく【転覆】〔顚覆〕tempuku 图 ス自他 전복. ¶国家こっか～をはかる 국가 전복을 꾀하다.

てんぷら【天麩羅·天婦羅】tempura 图 ①【料】튀김. ②〔俗〕겉만 그럴 듯하게 보이는 것. ⑦도금(鍍金)한 것. ¶～時計とけい 도금에 시계. ⑥가짜. ¶～大学生だいがくせい 가짜 대학생. ▷포 tempora.

てんぶん【天分】tembun 图 천분. ¶〜に恵まれる 천분을 타고나다.

でんぶん【伝聞】dembun 图 ス他 전문. ¶〜証拠 전문 증거.

でんぶん【電文】dembun 图 전문.

でんぷん【澱粉】dempun 图 전분 ; 녹말. ¶〜質 tempura.

テンペラ tempera 图〖美〗템페라. ▷

てんぺん【天変】tempen 图 천변. ¶〜地異 천변 지이.

てんぺん【転変】tempen 图 ス自 전변. ¶有為〔うい〕〜の世〔よ〕の中 유위 전변하는 〔덧없는〕 세상.

てんぽ【店舗】tempo 图 점포 ; 가게. ¶〜が並〔なら〕んでいる 점포가 늘비하다. = 「店」. = 補填〔ほてん〕.

てんぽ【填補】tempo 图 ス他 전보 ; 보전.

てんぽ【転補】tempo 图 ス他 전보.

テンポ tempo 图 템포. ①〖楽〗악곡의 속도. ②사물의 진행 속도. ¶急〔きゅう〕な〜 급템포. ▷イ tempo.

てんぼう【手ん棒】tembō 图 손가락 또는 손목이 없어져서 손이 막대같이 되어 팔을 못 씀 ; 또, 그 사람 ; 조막손〔이〕.

*てんぼう【展望】tembō 图 ス他 전망. ¶一台〔だい〕 전망대 / 〜がきく 전망이 좋다. ――しゃ【――車】-sha 图 (열차 후미의) 전망차.

でんぽう【伝法】dembō 一图 ス自〖仏〗전법 ; 불법의 전수함. 二图〔デナ〕①언행이 난폭한 모양 ; 무뢰한〔無頼漢〕. ¶〜な口をきく 난폭한 말을 하다. ②(여자의) 협기부리는 태도. =おきゃん. 注意「でんぼう」라고도 함.

*でんぽう【電報】dempō 图 ス他 전보. ¶〜を打〔う〕つ 전보를 치다.

てんません【伝馬船】temma- 图 전마선 ; 짐 나르는 거룻배.

てんまく【天幕】temma- 图 천막 ; 텐트.

てんまつ【顛末】temma- 图 전말. ¶事件〔じけん〕の〜 사건의 전말 / 〜書〔しょ〕 전말서.

てんまど【天窓】temma- 图 천창 ; 천장을 뚫어 만든 창.

てんめい【天命】temmei 图 천명. ¶これを〜だと諦〔あきら〕める 이것이 천명이라고 체념하다. ②타고난 수명. =天寿〔じゅ〕. ¶〜が尽〔つ〕きる 천수가 다하다. ③천제〔天帝〕의 명령.

てんめつ【点滅】temme- 图 ス自点滅 멸 ; 등불이 켜졌다 꺼졌다 ; 또, 켰다 껐다 하는 일.

てんめん【纏綿】temmen 图 トタル 전면 ; 달라붙어 떨어지지 않는 모양 ; 전하여, 애정이 깊고 치밀한 모양.

てんめん【転免】temmen 图 ス他 전직〔転職〕과 면직〔免職〕(을 시킴).

てんもう【天網】temmō 图 하늘의 법망. ――恢恢〔かいかい〕疎〔そ〕にして漏〔も〕らさず 하늘의 법망은 눈이 성긴 것 같지만, 악인은 빠짐없이 걸린다.

てんもくざん【天目山】temmo- 图 승부의 갈림길 ; 최후의 결전〔決戦〕.

てんもん【天文】temmon 图 천문. ¶〜学〔がく〕 천문학 / 〜的数字〔すうじ〕 천문학적 숫자 / 〜台〔だい〕 천문대.

てんや【店屋】ten'ya 图 가게 ; 특히, 음식점. ――もの【――物】 음식점에서 시켜 오는 음식.

でんや【田野】 图 ①전야 ; 논밭과 들. =野〔の〕. ②시골.

てんやく【点訳】 图 ス他 점역 ; 말이 보통 문자를 점자로 고치는 일. =点訳〔てんやく〕.

てんやく【点薬】-yō 图 ス自 점(안)약.

てんやわんや 副〈俗〉각자가 제멋대로 떠들어 대는 모양 ; 갈피를 못 잡고 석이는 모양 ; 와글와글. ¶町〔まち〕は〜の大騒〔おおさわ〕ぎ 온 거리가 온통 야단법석이다.

てんゆう【天祐・天佑】-yū 图 천우. ¶〜神助〔しんじょ〕 천우 신조.

てんよう【転用】-yō 图 ス他 전용 ; 용〔流用〕. ¶予算〔よさん〕の〜は許〔ゆる〕されない 예산의 전용은 허용되지 않는다.

てんらい【天来】 图 천래. ¶〜の妙〔みょう〕 천래의 묘음.

でんらい【伝来】 图 ス自 전래. ¶仏教〔ぶっきょう〕の〜 불교의 전래 / 祖先〔そせん〕からの〜 조상 전래의 보물 / 鉄砲〔てっぽう〕〜の地 총포의 전래지.

てんらく【転落・顚落】 图 ス自 전락. ¶夜〔よる〕の女〔おんな〕に〜する 밤거리의 여자로 전락하다.

てんらん【天覧】 图 천람 ; 어람〔御覧〕. =叡覧〔えいらん〕. ¶〜試合〔じあい〕 어전 경기.

てんらん【展覧】 图 ス他 전람. ――かい【――会】 전람회.

てんり【天理】 图 천리 ; 만물에 통하는 자연의 도리. ¶〜に背〔そむ〕く 천리에 어긋나다. ――きょう【――教】-kyō 图 천리교〔神道〔しんとう〕의 일파〕.

でんり【電離】 图 ス自〖化〗전리 ; '電気解離〔でんきかいり〕(=전기 해리)'의 준말. ――そう【――層】-sō 图 전리층.

*でんりゅう【電流】-ryū 图 전류. ――けい【――計】 图 전류계 ; 암미터. =アンメーター.

てんりょう【天領】-ryō 图 ①天皇〔てんのう〕 직할의 영지〔領地〕. ②〈史〉江戸〔えど〕 시대, 将軍〔しょうぐん〕 직할의 영지.

でんりょく【電力】-ryoku 图 전력. ¶この機械〔きかい〕は〜を食〔く〕う 이 기계는 전력이 많이 든다. ――けい【――計】 图 전력계.

てんれい【典例】 图 전례 ; 전거〔典拠〕.

てんれい【典礼】 图 전례. ①일정한 의식. ②의식을 맡아 보는 사람.

てんれい【典麗】 图 전려 ; 용모가 바르고 고움 ; 전아 미려〔典雅美麗〕. ¶王〔おう〕の〜な容姿〔ようし〕 여왕의 전아 미려한 모습.

でんれい【伝令】 图 전령. ¶〜が飛〔と〕ぶ 전령이 달려가다 / 〜を出〔だ〕す 전령을 보내다.

でんれい【電鈴】 图 전령 ; 벨.

でんろ【転炉】 图 전로〔철이나 구리의 정련〔精錬〕에 쓰이는 회전로〕.

てんろうせい【天狼星】tenrō- 图〖天〗천랑성.

*でんわ【電話】 图 전화. ①전화에 의한 통화. ¶有線〔ゆうせん〕〜 유선 전화 / 無線〔むせん〕〜 무선 전화 / 交換手〔こうかんしゅ〕〜 전화 교환원. ②「電話機〔でんわき〕(=전화기)」의 준말. ――きょく【――局】-kyoku 图 전화국. ――ぐち【――口】 图 전화기의 송화 장치 부분 ; 통화하는 전화기의 곁. ¶〜に出〔で〕る 걸려온 전화를 받다.

と　ト

①五十音図第す'た行者'の다
섯째 음. [to] ②[字源]'止'의
초서체(かたかな'ト'는'止'의
생략형).

**と【戸】(門)[名] ①문짝;(창)문. ¶雨
戸ǎ 덧문 /～を締 める 문을 닫다.
②대문;집의 출입구. ¶～口ぐ 출입
구.

と【砥】[名] 숫돌. =といし. ¶あら～ 거
친 숫돌. ──のごとし (길 따위가) 판
판하다.

と【斗】[名] 두;말. ¶胆た～の如しし 담
크기가 말만하다;아주 대담하다.

と【徒】[名] 도. □[名] 무리;사람(들).
¶学問ǎの～ 학문하는 사람(들);학
도 /忘恩ǎの～ 망은자도/無頼ǎの
～ 무뢰한. ②제자. □[接尾] 신도(信
徒). ¶仏教ǎの～ 불교도.

と【途】[名] 길. ¶帰国ǎの～につく 귀
국길에 오르다.

と【都】[名] 도;지방 자치 단체로서의 東
京ǎと都.

と[副] ①언뜻;얼핏. ¶～見れば 언뜻
보면(보니까). ②と와 같이;저렇게.
¶～にも,かくにも 어쨌든;하여간. ～
かく.

と □[格助] ①어떤 사항에 대하여 공
존하는 것을 가리키는 데 씀;…와;
…과. ⊙동작의 대상이나 동작의 상대
를 나타내는 말. ¶友ǎと遊ゎぶ 친구와
놀다 / 道がで彼女がと～出会ぅ 길에서
그녀와 만나다. ⓒ같은 유의 것을 열거
할 때 씀. ¶兄と～妹いとの 형과 [오빠와] 누
이 동생 /見るゎと～聞くゎとは大違ざい
보는 것과 듣는 것과는 크게 다르다.
②다음에 오는 動詞가 나타내는 동작·
작용의 상태나 내용·명칭을 가리키는
데 씀. ⊙무엇이 변하여 되는 상태를
나타내는 말. ¶…(으)로;…이[가]. ¶無
罪ざ～決定ざ 무죄로 결정 / 社長がざ
～なる 사장이 되다 / 彼がは～来きると
いつもほらばかり吹ぃている (그런
데) 그로 말하면 늘 뻥만 까고 있다.
ⓒ모양을 나타내는 데 씀. ¶堂々たゎ
～進むゎ 당당히 나아가다 / 山ゎ～積
まれる 산처럼 쌓이다 / つくづく～身
ゎの行ゎ先をゎ考えゎる 곰곰 자신의
앞날을 생각하다. ⓒ내용을 가리키는
데 씀;…(으)로;…(라)고;…하고.
¶いい～思ぅゎ 좋다고 생각하다 / 助
けゎて～叫んゎだ 살리라고 소리
질렀다 / 帰ろうゎ～した 돌아가려고
했다 / さかな～きたら毎食ざざでもい
い 생선이라면 매끼 먹어도 좋다. 参考
ⓒ는 動詞를 생략할 때 있음. ¶そ
れ火事ざ～だ,駆けゎ出したゎ や. 불이
다 하고 (소리 지르면서) 내달렸다. ②
그 범위 이상 초과하지 않음을 나타냄;
…(까지)도. ¶一時間ざゎ～はかから
なかった 1시간도 채 걸리지 않았다.
ⓓ(…を…～いう(呼ゎぶ·名ゎづける)
따위의 꼴로〕명칭을 표시하는 데 씀;
…이(라)고. ¶長男ざを太郎ざ～名
ゎづける 장남을 太郎라고 이름짓다.
□[接助]《終止形에 붙어》①어떤 사항

에 이어 다른 사항이 나타남을 보이는
말. ⊙…면. ¶君がが行くゎ～考えゎば
れるゎ 네가 가면 반가워할 테지만 /春
ゎになる～花がが咲くゎ 봄이 되면 꽃
이 핀다. ⓒ…하자(마자). ¶彼女がは
私せの顔ゎを見ゎる～わっと泣きだし
た 그녀는 내 얼굴을 보자마자 와락
울어 버렸다. ②(가벼운 역접 (逆接))
어떤 사항에도 불구하고 다른 사항이
성립する듯을 나타냄;…든(지);…라
도. ¶君がが弁解ざしようゎ～しまい
～,悪いゎ事ざは悪いゎ 네가 변명하든 안 하
든 나쁜 것은 나쁘다 / 何ざといおう
～ 뭐라 말하더라도.

ト [名][樂](장음계의 다조調)에서
'솔'에 해당하는 음);G음. ¶～調ざ
조.

と- [十] 십;열. =とお. ¶～月ざ 열
달.

ど【度】도. □[名]①정도. ¶～はずれ
지나침 /～が過ぎぎる 도가 지나쳐다.
②횟수. ¶～を重ねるゎ 도(횟수)를 거
듭하다. □[接尾]①온도·습도·각도·경
도·위도·안경 등의 세기를 나타내는
말. ¶氷点下ざゎ～ 빙점하 5도 /
二角角ざゎ～は百八十ざざゎ～ 두 직
각은 180도 / 北緯ゎ五十ざゎ～ 북위
50도. ②횟수. ¶二ゎ~あることは三ざ
~ある 두 번 있는 일은 세 번 있다.
──一ゎを失うゎ〔몸이 놀라거나 하여〕허
둥거리다;당황하다.

ど- [動詞·形容詞에 씌어서〕①…인 정
도가 강함을 나타내는 말;몹시;아주;
한. ¶～えらい 퍽 훌륭한;굉장한 /
～ぎつい 퍽 강한. ②상대를 능멸하는
말. ¶～百姓ざ 순 농사꾼[촌놈].

-ど【所】곳;장소. ¶あて～もなく 정
처없이.

*ドア[名] 도어;(서양식) 문. ¶回転ざゎ
～ 회전 도어 /自動ざゎ～ 자동문 /
～ボーイ 문을 열고 닫고 하는 종업원.
▷door.

どあい【度合(い)】[名] 정도. =ほどあ
い. ¶強弱ざゎの～ 강약의 정도.

とあみ【投網】[名] 투망;쟁이. ¶～を
打ゎちに行くゎ 투망질하러 가다.

とある[連体] 어느;어느. ~=ある. ¶～
家ゎ어떤 집 /～所ざ 어느[어떤] 곳.

とい【問(い)】[名] 물음;질문;문제;설
문. ¶次ざゎの～に答ざゎる 다음 물음에
답하여라. ↔答えゎ.

とい【樋】[名] ①홈통. ¶雨ゎど～ 빗물받이;雨ゎど
い 빗물받이. ②물 따위를 다른 곳으
로 보내는 장치. =樋ゎ·筧ゎ.

といあわせ【問い合(わ)せ·問合せ】[名]
조회;문의.

*といあわ·せる【問い合(わ)せる·問合せ
る】[下1他] 문의하다;조회하다;물
어서 확인하다. ¶疑問点ざゎを～ 의
문점을 문의[조회]하다.

といい【と言い】toi 連語《'…～,…～'
의 꼴로〕…로 말하더라도;…의 점에

서도 ; …이든. ▷이든.

という【と言う】-yū 連語① …라고 말하는(불리 어지 는). ¶銀座ルと所るを銀座라고 하는 곳 / 時計ルとを시계라는 것은.②속하는 모든. ＝あらゆる. ¶会社ルという〜会社라 하는 회사(는 모두).③…에 상당하는(이르는). ¶一億ルと〜大金ルん 일억 엔이라는 대금.④어떤 일을 특히 초들어 말할 때 쓰는 말. ¶知らない〜わけはない 모른다고 할 이유는 없다.

というと【と言うと】-yūto ㊀連語① …이라면 ; 이른바. ＝つまり. ¶相談ルと, 進学ルとのことですか 상담이라면, 전학에 관한 일입니까.②…라고 하면 반드시. ¶違見ルとを〜あの時をを思い出す 소풍하면 꼭 그 때가 생각난다. ㊁그럼 ; 그렇다면.

というのは【と言うのは】-yūnowa 連語 《接續詞的으로》그 이유는. ¶〜, 父ルに 父ルに死にわれて その かだ나は 父親る 그 까닭은 아버지를 일찍 여의므로.

といえども【と雖も】-iedomo …라 할지라도 ; …일 망정. ¶日曜日ルと〜休ルまない 일요일이라 해도 쉬지 않는다.

といかえ-す【問(い)返す】5他 되묻다 ; 다시 묻다 ; 반문하다. ¶こちらから〜 이쪽에서 반문하다.

とき【吐息】图 한숨. ＝ためいき. ¶青息ルと〜 몹시 근심하여 쉬는 한숨 / ほっと〜をつく 후유하고 한숨을 쉬다.

といし【砥石】图 숫돌. ¶〜で刀ルなを研ルぐ 숫돌에 칼을 갈다.

いた【戸板】图 덧문짝(특히, (문작을) 떼어서 사람이나 물건을 운반할 때에 말함). ¶負傷ルした人ルを〜で運ルぶ 부상한 사람을 널빤지로 나르다.

といただ-す【問いただす】【問質す】5他 물어서 밝히다 ; 따지다 ; 캐묻다. ¶昨日ルのの足ルどりを〜 어제의 행적(行跡)을 추궁하다.

ドイツ【独逸・独乙】图【地】도이칠란트 ; 독일. ¶〜語ル를 독일어. ▷도 Deutschland.

どいつ【何奴】代 어느놈 ; 어느 놈('だれ' 'どれ'의 막된 말씨). ¶どこの〜だ 어디의 어떤 놈이야 / 〜もこいつも 어느놈 할 것 없이 모두 명청이뿐이다.

といって【と言って】-itte 連語 그렇다고 해서. ¶~叔母ルに詫ルびようと言ルえ 그렇다고 해서 숙모에게 사죄의 말도 할 수 없고.

といつ-める【問(い)詰める】7 1他 힐문하다 ; 캐묻다 ; 추궁하다.

といや【問屋】图 ⇒とんや.

トイレット-retto 图 토일렛.①화장(도구) ; 화장대.②화장실 ; 변소. ＝トイレ. ▷toilet.

といわず【といわず・と言わず】連語 …말할 것도 없이, 다름없이 ; 지금 곧.②…이건 ; 이며. ¶顔ルに〜せなか〜 얼굴이며 등이며 온통.

とう【問う】5他①묻다. ㋐(모르는 점·소식 등을) 묻다. ¶安否ルなを〜 안

부를 묻다. ㋑캐다 ; 묻초하다. ¶責任ルなを〜 책임을 묻다.②(否定語를 수반하여〉문제 삼다. ¶学歴ルや性別ルなは〜わない 학력·성별을 불문하다. **──に落ルちず, 語ルるに落ちる** 물을 때는 (주의하므로) 불지 않다가, 무심결에 스스로 실토한다.

とう【訪う】5他 찾다 ; 방문(심방)하다. ¶恩師ルなを〜 은사를 찾다.

とう【刀】tō 图 칼. ＝かたな.

とう【当】tō 图①도리에 맞음. ¶〜を得ルる 합당(정당)하다 / 〜を欠ルく 도리에 어긋나다 ; 합당하지 않다.②그 일에 해당하는 본인(문제의) 바로 그 사람 ; 당사자 ; 장본인. ㊁接頭 당… ; 그… ; 이…. ¶〜研究所ルなん 당연구소.

とう【唐】tō 图 (중국의) 당나라.

とう【党】tō 图①동아리 ; 무리. ¶〜を組ルむ 패를 짜다 ; 작당하다.②정치 단체 ; 정당. ¶〜の路線ルな 당의 노선. ㊁接尾 …당 ; 정당. ¶革新ルな〜 혁신당. 	【충탁】

*	**とう**【塔】tō 图 탑. ¶五重ルゆうの〜 오중탑.

とう【糖】tō 图 당 ; 당분. ¶尿ルに〜が出ルる 오줌에 당이 나오다. 參考 接尾語的으로도 씀. ¶ぶどう〜 포도당.

とう【薹】tō 图【植】대 ; 꽃대. **──が立ルつ** ①대(꽃대)가 너무 자라다.②한창 때가 지나다.	【의자】

とう【籐】tō 图【植】등. ¶〜いす 등의자.

とう【疼う】tō 图【植】등. ¶〜いす 등.

とう【疼う】tō 图 훨씬 이전 ; 이름. ＝とっく. ¶〜に帰ルった 벌써 돌아왔다 / 〜の昔ルから知ルっていた 훨씬 이전부터 알고 있었다.

-	**とう**【等】tō …등.①등급. ¶三ルと〜 3등.②따위, 하며. ＝など.

-	**とう**【灯】tō …등.①등불을 세는 말. ¶一ルと〜 한 등.②등불. ¶室内ルとの〜 실내등.

-	**とう**【頭】tō 집승을 세는 말 ; …두 ; …필(匹). ¶馬二ルと〜 말 두 필 / 牛三ルと〜 소 세 마리.

どう【同】dō 图. ㊀图 같음. ¶〜不同ルと 같음과 같지 않음. ↔不同ルと. ㊁接頭①같은. ¶〜形式ルで 동형식의.②(앞에 말한) 그. ¶〜事務所ルなん 동사무소. ㋑(이름·연령 따위를 열거할 경우에) 공통 부분을 되풀이해 쓰는 대신 쓰이는 말 : 같은. ¶木村一郎ルん〜二郎ルと 木村一郎, 동 二郎.

どう【動】dō 图 동 ; 움직임. ¶〜中ルゅう静ルあり 동중정. ¶〜静ル. ↔静ルと.

どう【堂】dō 큰 건물. ㊀图 ¶〜に満ルつ 만당하다. ㊁接尾①불당 ; 신당. ¶持仏ルを〜 수호신을 모신 사당.②사람이 많이 모이는 전물. ¶公会ルを〜 공회당.	**──に入ルる** (학문·기예가) 심오한 경지에 이르다.

*	**どう**【胴】dō 图 동.①몸통 ; 몸체. ¶〜を突つかれる 급소를 찔리다.②갑옷·검도구(劍道具) 따위에서 몸통을 호구(護具).③(검도에서) 상대의 옆구리를 치는 일. ¶お〜 허리 치기.④물건의 중앙부. ¶악기의 향동(響胴). ㋑배의 중앙 부분. ¶〜の間ルま (배의) 중앙선실(船室).

どう【道】dō 도. ㊀图①北海道ルゅっかい

의 준말. ②도교(道教). 三 接尾 ①길; 도로. ¶自然遊歩～ 자연 상태의 산책길. ②옛날, 畿内 이외의 지방 구획명. ¶北陸～ 北陸 지방.

*どう【銅】dō 名 동; 구리.

**どう〖如何〗dō 副 ①어떻게. ¶～いうわけで 어떠한 이유로/～ころんでも損はしないよ 어떻게 돼도 손해는 없다. ↔こう·そう·ああ. ②아무리 (…해도). ¶～見ても 아무리 보아도.

―しようもない 어쩔 수 없다. ①…외에 별도리가 없다; 속수 무책이다. ②어찌할 수 없을 만큼 결정적이다. ③억누를 수가 없다. 「동부.

とうあ【東亜】tōa 名 동아; 아시아의

どうあく [獰悪] dō- 名ナ 영악. ¶～な人 영악한 사람.

どうあげ【胴上げ】(胴揚げ) dō- 名 ス他 헹가래. 「압선.

とうあつせん【等圧線】tō- 名〔氣〕등

とうあん [偸安] tō- 名 〈雅〉 투안(안락을 취하고 장래를 생각지 않음).

とうあん【答案】tō- 名 답안. ¶試験～ 시험 답안. **―ようし**【用紙】-yōshi 名 답안 용지.

とうい【当為】tōi 名〔哲〕당위; 졸렌. ¶～性 당위성.

とうい【糖衣】tōi 名 (정제의) 당의. ¶～錠 당의정.

どうい【同位】dōi 名 동위; 같은 위치; 동일한 지위. **―げんそ**【―元素】名 동위 원소. =アイソトープ.

*どうい【同意】dōi 동의. 一 名 ス自 의견·요구 따위에 찬성·승낙함. ¶～を得る 동의를 얻다. 二 名 ①같은 의미; 동의(同義). ②같은 의견. **―ご**【―語】名 동의어. =同義語. ↔反意語.

どうい【胴囲】dōi 名 동위; 몸통의 둘레; 또, 그 길이.

どういう dōyū 連体 어떤. =どんな. ¶～訳で 어떤〔무슨〕 이유로/～ものだか 어떤〔무슨〕 까닭인지; 왠 일인지.

とういそくみょう【当意即妙】tōisokumyō ダナ 그 자리에 알맞게 재치있게 굶; 임기 응변의 묘(妙).

どういたしまして〖如何致しまして〗dō- 連語 천만의 말씀(입니다)《상대방의 말을 부정하여 겸손을 나타낼 때 하는 인사말》. ¶～, こちらこそ失礼いたしました 천만의 말씀입니다. 저야말로 실례했습니다. 参考 공손한 말씨는 'どうつかまつりまして'.

**とういつ【統一】tō- 名 ス他 통일. ¶意見を～する 의견을 통일하다. ↔分裂.

どういつ【同一】dō- 名ナ 동일. ①같음. ¶～(の)人物 동일 인물. ②차이가 없음; 동등. ¶～に取り扱う 똑같이 취급하다. **―し**【―視】名 ス他 동일시.

とういん【党員】tō- 名 당원.

とういん【登院】tō- 名 ス自 등원.

とういん【頭韻】tō- 名 두운; 글귀에서 첫머리 음과 같은 음을 되풀이해 넣어, 글을 짓는 일('奈良七重'의 'な' 따위). ↔脚韻. 「인; 동기.

どういん【動因】dō- 名 동인; 직접 원

どういん【動員】dō- 名 ス他 동원. ¶総～ 총동원/～令 동원령/軍隊を～する 군대를 동원하다. ↔復員.

どうう【堂宇】dōu 名 당우; 전당(殿堂); 당(堂)의 처마.

とうえい【灯影】tō- 名 등영; 등불 빛; 등불의 그림자. =ほかげ·ともしび.

とうえい【投影】tō- 名 ス他 투영. ①사물의 비친 그림자. ②어떤 특정한 방법으로 사물의 모양을 비침; 또, 그 비쳐진 도형. 「럽. ↔西欧.

とうおう【東欧】tōō 名 동구; 동부 유

とうおん【唐音】tō- 名 한자음의 하나《중국의 당말(唐末)부터 송(宋)·원(元)·청(清)까지 사이에 일본에 전해졌음; '鈴(=방울)' '饅頭(=만두)' 따위》. =宋音.

どうおん【同音】dō- 名 동음. ①발음이 같음. ②여럿이 함께 말함. ¶異口～に 이구 동성으로. 「밑.

とうか【灯下】(燈下) tō- 名 등하; 등잔

とうか【灯火】(燈火) tō- 名 등화. =あかり·ともしび. ¶～管制 등화 관제. **―親しむべき候** 등화 가친의 계절.

とうか【投下】tō- 名 ス他 ①투하. ¶爆弾～ 폭탄 투하. ②투자(投資).

とうか【透過】tō- 名 ス自 투과. ①뚫고 지나감. ②〔理〕빛이나 방사능 따위가 물체의 내부를 통과함. ¶～性 투과성.

とうか【糖化】tō- 名 ス自他 당화.

どうか【同化】dō- 名 ス自他 동화. ¶～力 동화력. ↔異化. **―さよう**【―作用】-yō 名〔生〕동화 작용.

どうか【銅貨】dō- 名 동화; 동전.

*どうか〖何卒〗dō- 副 ①남에게 공손히 부탁하는 마음을 나타내는 말; 제발; 부디; 아무쪼록. =なにとぞ. ¶～よろしくお願いします 아무쪼록 잘 부탁합니다. ②이럭저럭; 어떻게든. =どうにか·なんとか. ¶～なるだろう 어떻게든 될테지. ③어떻게; 어떤. ¶～しましたか 어떻게 되었습니까; 무슨 일이 났습니까. ④신통치 않은 모양; 어떨는지. ¶さあ, ～ね 글쎄 어떨는지. ⑤어떤지. ¶それは～わからない 그것은 어떤지 모르겠다. **―と思う** 어떤가 싶다; 별로 좋을 것 같지 않다. **―こうか** 連語 이럭저럭; 가까스로; 겨우. ¶～やり終えた 이럭저럭 끝냈다. **―して** 連語 어떻게라도 하여; 꼭. **―する** 連語 ①보통 상태와 다르다. ¶頭がどうかしている 머리가 정상이 아니다〔이상하다〕. ②어떻게 (마련)하다. ¶自分で～だろう 스스로 어떻게 (장만)할 거다. **―すると** 連語 ①어쩌면; 자칫 잘못하면. ②때때로; 툭하면. ¶この戸は～はずれる 이 문은 걸핏하면 떨어진다.

どうが【動画】dō- 名 동화. =アニメーション. 「괴; 무너짐.

とうかい【倒壊】(倒潰) tō- 名 ス自 도

とうがい【等外】tō- 名 등외. ¶～当選 등외 당선.

とうがい【当該】tō- 連体 당해; 해당. ¶～官庁 당해 관청.

とうがい【凍害】tō- 名 동해; 추위로 인한 농작물의 피해. =霜害.

と

とうかいどう【東海道】tōkaidō 名 [地] ①東京<ぅきょ>에서 京都<きょぅと>까지의 해안선을 따른 가도(街道). ②옛날 7도(道)의 하나(지금의 三重県<みえけん>으로부터 茨城県<ぃばらきけん>에 이르는 주로 해안 지역). ③東京<とぅきょ>로부터 静岡<しずおか>・名古屋<なごや>를 경유 京都<きょぅと>・大阪<おおさか>・神戸<こぅべ>에 이르는 간선 도로.

とうかい【頭蓋】tō- 名 도각 ; 내각을 쓰러뜨림.

とうかく【頭角】tō- 名 두각. ――をあらわす 두각을 나타내다.

どうかく【同格】dō- 名 동격 ; 똑같은 자격〔격식〕.

どうがく【同学】dō- 名 동학 ; 같은 학교나 스승에게 배움. 參考전문을 같이 한 사람의 뜻으로도 잘못 쓰임.

どうがく【同額】dō- 名 동액.

どうがく【道学】dō- 名 도학. ①도덕을 가르치는 학문. ②유학(儒學)의 특히, 송학(宋學). ③심학(心學). ④도가(道家)의 학문; 도교(道教). ――しゃ【――者】-sha 名 도학자.

どうかせん【導火線】dō- 名 도화선 ; 비유적으로, 사건이 일어나는〔터지는〕계기.

とうかつ【統括】tō- 名 ㇲ他 통괄. 全体<ぜんたい>를 하나로 ～する 전체를 통괄하다.

とうかつ【統轄】tō- 名 ㇲ他 통할.

とうから【疾うから】tō- 副 일찍부터. ～知<し>っていた 벌써 알고 있었다.

とうがらし【唐辛子】〔唐芥子・蕃椒〕tō- 名 [植] 고추.

とうかん【投函】tō- 名 ㇲ他 투함.

とうかん【等閑】tō- 名 등한. =なおざり.

とうがん【冬瓜】tō- 名 [植] 동아. =とうが.

どうかん【同感】dō- 名 ㇲ自 동감.

どうかん【動感】dō- 名 생동감 ; 움직이는 느낌.

どうかん【導管】dō- 名 도관 ; 물 따위를 끌어 당기는 관.

どうがん【童顔】dō- 名 동안. ①어린이 얼굴. ②어린이와 같은 얼굴 생김(주로 얼굴이 큰 사람을 가리킨). ～が残<のこ>っている 동안이 남아 있다.

とうき【冬季】tō- 名 동계. ～オリンピック 동계 올림픽. ↔夏季<かき>.

とうき【冬期】tō- 名 동기. ～練習<れんしゅう> 동기 연습. ↔夏期<かき>.

とうき【投機】tō- 名 투기. ～市場<しじょぅ> 투기 시장.

とうき【登記】tō- 名 ㇲ他 등기. ～所<しょ>(簿<ぼ>) 등기소(부) / ～を済<す>ます 등기를 필하다.　　　　　　　「磁器<じき>.

*とうき【陶器】tō- 名 도기 ; 도자기 .

とうき【騰貴】tō- 名 ㇲ自 등귀. 物価<ぶっか>が～ 물가 등귀. ↔下落<げらく>.

とうぎ【党議】tō- 名 당의 ; 당의 토의〔의견〕.

とうぎ【討議】tō- 名 ㇲ自他 토의 ; 토론. ～を重<かさ>ねる 토의를 거듭하다.

どうき【同期】dō- 名 동기. ①같은 시기. ②ほぼ同<おな>じ~の作品<さくひん> 거의 같은 동기의 작품. ③입학이나 졸업의 연도가 같음. ～生<せい> 동기생. =同窓<どうそぅ>.

どうき【動悸】dō- 名 [生] 동계(평상시보다 심한 심장의 고동). ～が打<う>つ 심장이 두근거리다.

*どうき【動機】dō- 名 동기. 犯行<はんこぅ>の～ 범행의 동기. ――づけ【――付け】 名 동기 마련 ; 계기를 만듦.

どうき【銅器】dō- 名 동기. ～時代<じだい> 동기 시대.

どうぎ【同義】dō- 名 동의 ; 같은 뜻. ↔異義<いぎ>. ――ご【――語】 名 동의어. =類義語<るいぎご>. ↔反義語<はんぎご>.

どうぎ【動議】dō- 名 동의. 緊急<きんきゅぅ>～ 긴급 동의.

どうぎ【道義】dō- 名 도의. ――心<しん> 도의심 / ～に背<そむ>く 도의에 어긋나다. ――てき【――的】 ㇲナ 도의적.

とうきゅう【投球】tōkyū 名 ㇲ自 [野] 투구. ～モーション 투구 동작.

*とうきゅう【等級】tōkyū 名 등급. ～を付<つ>ける 등급을 매기다.

とうぎゅう【闘牛】tōgyū 名 투우. ～士<し> 투우사.

どうきゅう【同級】dōkyū 名 동급. ①같은 등급. ②같은 학급. ――せい【――生】 名 동급생.

どうきゅう【撞球】dōkyū 名 당구. =たまつき・ビリヤード.

とうぎょ【統御】tōgyo 名 ㇲ他 통어 ; 전체를 거느리고 지배함.

とうぎょ【闘魚】tōgyo 名 [魚] 투어(열대어로 흔히 관상용).

どうきょ【同居】dōkyo 名 ㇲ自 동거. ～人<にん> 동거인. ↔別居<べっきょ>.

どうきょう【同郷】dōkyō 名 동향.

どうきょう【道教】dōkyō 名 [宗] 도교.

どうぎょう【同行】dōgyō 名 동행. ①[佛]같은 종파의 신자・수행자. ②[佛]순례・사찰 참예에의 길동무.

どうぎょう【同業】dōgyō 名 동업. ～者<しゃ> 동업자.

とうきょく【当局】tōkyoku 名 당국. 取締<とりしまり>～ 단속 당국(기관) / ～者<しゃ> 당국자.

**どうぐ【道具】dō- 名 도구. ①기구(器具)의 총칭(가재 도구, 불구(佛具), 목수의 연장, 무가(武家)의 창(槍) 따위). ②생김새. ②顔<かお>の～ 얼굴의 생김새(눈・코 따위). ③방편 ; 이용물. 出世<しゅっせ>の~に使<つか>われる 출세의 도구로 이용된다. ――かた【――方】 名 [劇] 무대 장치 취급자(넓게는, 소품 담당자도 가리킴). ――だて【――立て】 名 필요한 도구를 정리해 두는 일 ; 온갖 준비. ～がうまく行<い>かない 준비가 잘 안 되다. ――ばこ【――箱】 名 연장궤. ――や【――屋】 名 고물상. =古道具屋<ふるどうぐや>. 「画<が>태자画.

とうぐう【東宮】〔春宮〕tōgū 名 동궁.

とうくつ【盗掘】tō- 名 ㇲ他 도굴.

どうくつ【洞窟】dō- 名 동굴. =洞穴<ほらあな>.

とうけ【当家】tō- 名 당가 ; 이 집 ; 우리 집. ～のだんな 이 집 주인. ↔他家<たけ>. ②('ご'를 붙여) 남의 집 ; 댁.

*とうげ【峠】tō- 名 ①산마루 ; 고개. ②절정기 ; 고비. ～を越<こ>す 고비를 넘다〔넘기다〕.

どうけ【道化】〔道外・道戯〕dō- 名 ①익살스러운 말이나 동작 ; 또, 익살꾼 ; 어릿광대. ～もの 익살꾼 ; 광대. ②道化方<どうけかた>의 준말 ; 歌舞伎<かぶき>에서 익살

꾼 역. ―し【――師】图 익살을 업으로 하는 사람; 익살을 잘 부리는 사람.

とうけい【東経】tō- 图 동경. ↔西経

とうけい【統計】tō- 图他 통계. ¶~を取る 통계를 잡다(내다). ――がく【――学】图 통계학.

とうけい【闘鶏】tō- 图 투계. ¶닭싸움. =蹴合い・鶏合わせ 图 싸움닭.

とうげい【陶芸】tō- 图 도자기 공예.

どうけい【同系】dō- 图 같은 계통.

どうけい【同慶】dō- 图 (함께) 자기 일처럼 기뻐함.

どうけい【憧憬】dō- 图自他 동경. =あこがれ. 注意 바르게는 'しょうけい'.

とうけつ【凍結】tō- 图自他 동결. 三图 얼음. =氷結する. 三图他 (자산 따위의 사용・이동을) 금함.

どうけつ【洞穴】dō- 图 동혈 (비교적 깊지 않은) 동굴. =ほらあな.

どう-ける【道化る】图自① 익살부리다; 꽤사부리다. =おどける. ¶~・けたかっこうをする 익살스러운 꼴을 하다.

とうけん【刀剣】tō- 图 도검. =刀な.

どうけん【同犬】tō- 图 투견.

とうげん【桃源】tō- 图 도원; 선경(仙境); 별천지. ¶~郷 도원향; 이상향.

どうけん【同権】dō- 图 동권; 동등권. ¶男女だん 동권 ― 남녀 동(등)권.

どうご【同語】dō- 图 동어; 같은 말.

とうこう【刀工】tōkō 图 도공; 도장(刀匠). =かたなかじ.

とうこう【投降】tōkō 图自 투항.

とうこう【投稿】tōkō 图自他 투고.

とうこう【陶工】tōkō 图 도공; 도자기 만드는 사람.

とうこう【登校】tōkō 图自 등교. ¶~時間じ 등교 시간. ↔下校.

とうごう【投合】tōgō 图自 투합; (마음 따위가) 서로 딱 맞음. ¶意気を～する 의기 투합하다.

とうごう【等号】tōgō 图 【数】 등호. ¶=(イコール) ― 등호.

***とうごう**【統合】tōgō 图他 통합. ¶企業を~ ― 기업 통합 / ～幕府ばく会議 통합 막료 회의(우리 나라의 합동 참모 회의에 상당). ↔分裂ぶん.

どうこう【同行】dōkō 图自 동행; 함께 감; 또, 그 사람. =みちづれ. ¶~者 동행자.

どうこう【同好】dōkō 图 동호; 취미나 흥미의 대상이 같음. ¶~者 동호인 / ～会かい 동호회.

どうこう【動向】dōkō 图 동향. ¶経済けいざい~ 경제 동향.

どうこう【銅鉱】dōkō 图 【鉱】 동광.

どうこう【瞳孔】dōkō 图 동공; 눈동자. =ひとみ.

どうこう【何う斯う】dōkō 副 이러러저러니; 이러쿵저러쿵. =とやかく. ¶~言うべき筋合ではない 이러니저러니 말할 계제가 아니다. 〔=どうこう見る〕

とうこうせん【等高線】tōkō- 图 【地】등고선.

とうこく【投獄】tōkō 图他 투옥.

とうごく【東国】tō- 图 ①동국; 동쪽 나라. ②東京を중심으로 한 関東 지방.

どうこく【慟哭】dō- 图自 통곡.

どうごま【唐胡麻】tō- 图 【植】아주까리. =ひま.

とうこん【当今】tō- 图 당금; 이제; 요즈음. =近ごろ・このごろ. ¶~の若い人 요즘의 젊은이.

とうこん【闘魂】tō- 图 투혼; 투지. =ファイト. ¶不屈の~ 불굴의 투혼.

とうさ【等差】tō- 图 ①차별; 등급의 차이. ②【数】같은 차이. ――きゅう【――級数】-kyūsū 图 【数】등차 급수; 산술 급수. ↔等比ひ級数. ――すうれつ【――数列】-sūretsu 图 【数】등차 수열. ↔等比数列.

とうさ【踏査】tō- 图他 답사.

とうざ【当座】tō- 图 ①그 자리; 그 석상. =その席・その場. ¶~のまにあわせ 그 자리에서의 변통; 임시 변통; ～逃のがれ 임시 모면. ②그 당장; 당분간. ¶~の小遣を 당분간의 용돈. ③즉석에서 내는 和歌・俳句の제목. ④当座預金の준말. ――よきん【――預金】tō- 图 【経】당좌 예금.

****どうさ**【動作】dō- 图 동작. ¶基本はん ～ 기본 동작 / ぎこちない~ 어색한 동작.

どうざ【同座】dō- 图自 ①동좌; 동석(同席). ②같은 연극 단체(에 소속됨).

とうさい【当歳】tō- 图 당세. ①그 해에 태어남. ¶~児 그 해에 태어난 아이. ②그 해; 금년. =ことし. ¶~とって二十歳 당년 이십세.

とうさい【搭載】tō- 图他 탑재(선박이나 비행기・화차에 화물 따위를 실음). =積載す.

とうざい【東西】tō- 图 ①동서. ⑦동쪽과 서쪽. =南北など. ①방향. ¶~もわからない 방향도 모르다. ⑥동쪽 지방과 서쪽 지방; 동양과 서양. ¶古今こ~に通ずる 고금 동서에 통하다. ②흥행장에서 관객을 진정시키거나 흥행물의 설명・인사말 등을 할 때 쓰는 허두의 말; 여러분, 조용히 들어주십시오 〔해주십시오〕. =東西東西とうざいとうざい. ――を弁べんぜず 동서 불변(不辨); 동서를 분간하지 못하다(사물을 분별할 힘이 없다).

どうざい【同罪】dō- 图 동죄; 같은 죄; 또, 같은 책임.

とうさく【倒錯】tō- 图自他 도착. ¶性的せき~ 성적 도착 / ～症しょう 도착증.

とうさく【盗作】tō- 图他 도작; 표절. =剽窃ひょうせつ.

どうさつ【洞察】dō- 图他 통찰. =洞見けん. ¶~力 통찰력.

とうさん【父さん】tō- 图 아버지(스스럼 없는 말씨). =おとうさん. 注意 'とうちゃん'은 속된 말씨. 参考 자기 남편을 가리킬 때도 있음. ↔母かあさん.

とうさん【倒産】tō- 图自 도산; 파산.

どうさん【動産】dō- 图 동산(현금・상품 따위). ↔不動産.

どうざん【銅山】dō- 图 동산.

****とうし**【投資】tō- 图他 투자; 출자(出資). ¶~家か 투자가 / ～熱ねつ 투자열 / ～信託たく 투자 신탁.

とうし【凍死】tō- 图 ㄆ自 동사. =こごえじに.

とうし【唐詩】tō- 图 당시. ①당나라 시대의 한시. ¶～選ᵉᵘ 당시선. ②한시(漢詩)=唐歌ᵘᵘ.

とうし【盗視】tō- 图 ㄆ他 도시 ; 훔쳐봄 ; 몰래 엿봄.=盗ᵘみ見ᵘ.

とうし【透視】tō- 图 ㄆ他 투시. ¶～力ᵘᵘ 투시력 / ～図ᵘ 투시도.

とうし【闘士】tō- 图 투사.

とうし【闘志】tō- 图 투지.=闘魂ᵘᵘ. ¶～満ᵘⁿ 투지 만만.

とうじ【冬至】tō- 图 동지.↔夏至ᵘᵘ.

とうじ【当事】tō- 图 당사 ; 직접 그 일에 관계함.──こく【─国】图 당사국.↔第三国ᵘᵘ.──しゃ【─者】-sha 图 당사자.↔第三者ᵘᵘ・局外者ᵘᵘ.

*　**とうじ**【当時】tō- 图 당시.①그무렵 ; 그 때.¶敗戦ᵘⁿ 패전 당시.↔〈老〉現今(現今) ; 현재.=現在ᵘᵘ.「辞」.

とうじ【悼辞】tō- 图 조사 ; 조사[弔辞].

とうじ【湯治】tō- 图 ㄆ自 탕치 ; 온천에서 요양함. ¶～客ᵘᵘ 탕치[요양]객.

とうじ【答辞】tō- 图 답사.↔送辞ᵘᵘ.

*　**とうし**【同士】dō- 图 ①같은 동아리・종류.②【(接尾語的으로)】끼리.¶弱ᵘᵘい者ᵘ～ 약한 자끼리.──うち【─討(ち)─打(ち)】图 ㄆ自 같은 패끼리의 싸움.

どうし【同志】dō- 图 동지. ¶～愛ᵘ 동지애 / ～をつのる 동지를 모으다.

どうし【同視】dō- 图 ㄆ他 동시('同一視ᵘᵘ'의 압축된 말씨).

どうし【動詞】dō- 图【文法】동사. ¶助ᵘ～ 조동사.

どうし【童詩】dō- 图 동시.

どうし【道士】dō- 图 도사.①도교(道教)를 닦은 사람.②선인(仙人).③불도(佛道) 수행자 ; 중.④도의(道義)를 갖춘 사람.

どうし【導師】dō- 图【佛】도사(주로 법회(法會)나 장례를 주재(主宰)・집행하는 승려).「〔한자〕.

どうじ【同字】dō- 图 동자 ; 같은 글자

*　**どうじ**【同時】dō- 图 같은 때(시각) ; 같은 시대.¶～性ᵘᵘ 동시성／～通訳(録音)ᵘᵘ 동시 통역(녹음)／～立法ᵘᵘ 동시 입법.──に 副 동시에.①한꺼번에 ; 일시에.¶～スタートする 동시에 스타트하다.④(…と)～の 형으로) ㉠바로 그때에. ¶雷鳴ᵘᵘ と～停電ᵘᵘした 천둥 소리와 함께 정전이 되었다.㉡…와 함께 ; 한편으로는.¶長所ᵘᵘであると～短所ᵘᵘでもある 장점임과 동시에 단점이기도 하다.③〈接続詞的으로〉(그와) 동시에 ; 한편.¶登山ᵘᵘは愉快ᵘᵘである、(と)～危険ᵘᵘも伴ᵘう 등산은 유쾌하며, 반면에 위험도 따른다.

どうじ【童子】(童児)dō- 图 동자 ; 어린이.=童ᵘ.¶三尺ᵘᵘの～ 삼척 동자.「等式ᵘᵘ.

とうしき【等式】tō- 图【数】등식.↔不

とうじき【陶磁器】tō- 图 도자기.=焼ᵘᵘ物ᵘᵘ.

とうしつ【等質】tō- 图 ㄛ 동질 ; 균질(均質).=同質的ᵘᵘ.

とうしつ【糖質】tō- 图 당질('でんぷん質ᵘ(=전분질)'의 고친 이름).

とうじつ【当日】tō- 图 ㄛ 당일.¶試験ᵘᵘ の～ 시험 당일.

どうしつ【同質】dō- 图 동질.↔異質ᵘ

どうじつ【同日】dō- 图 ㄛ 동일.①같은 날.②같은 날.──の論ᵘᵘでない 동일지는이 아니다(아주 달라서 비교가 안 된다).

＊どうして【如何して】dō- 連語 ①어떻게.¶～暮ᵘすか 어떻게 지내는가.②어째서 ; 왜.¶～かしら 왜 그럴까／～ですか 왜(어째서) 그렇습니까.③오히려.¶やさしそうに見ᵘえるが、～なかなか気ᵘが強ᵘい 온순하게 보이지만, 오히려 마음이 대단히 강하다.④판단이 빗나가 놀라는 딸 : 허, 참.=いやはや.¶～大変ᵘᵘな人気ᵘᵘですよ 허, 참 대단한 인기랍니다.⑤〈感動詞的으로〉상대방의 말을 강하게 부정하는 말 : 천만의 말씀을.¶～、～、からしめですよ 천만의 말씀, 전혀 형편없습니다[못합니다].

どうしても【如何しても】dō- 連語 ①〈否定語를 수반하여〉아무리 하여도.¶～わからない 아무리 해도 알 수 없다.②무슨 일이 있어도 ; 꼭.¶～やりとげる 꼭 해내다.

とうしゃ【投射】tōsha 图 ㄆ他 투사 ; 투영(投影).¶～図法ᵘᵘ 투사 도법.

とうしゃ【透写】tōsha 图 ㄆ他 투사.=トレース.

とうしゃ【謄写】tōsha 图 ㄆ他 등사.①베껴 씀.②등사판으로 인쇄함.¶～刷ᵘり 등사 인쇄.──ばん【─版】图 등사판.=がり版ᵘᵘ.

とうしゅ【当主】tōshu- 图 당주 ; 그 집의 현재 주인.↔先代ᵘᵘ.

とうしゅ【投手】tōshu 图【野】투수.=ピッチャー.↔捕手ᵘᵘ.

とうしゅ【党首】tōshu 图 당수.「당종.

どうしゅ【同種】dōshu 图 동종.↔異種

とうしゅう【踏襲】(蹈襲)tōshū 图 ㄆ他 답습.¶前例ᵘᵘを～する 전례를 답습하다.

とうしゅく【投宿】tōshu- 图 ㄆ自 투숙.

どうしゅく【同宿】dōshu- 图 ㄆ自 동숙.①같은 여관(하숙).──图 ㄆ自 같은 여관(하숙)에 듦 ; 또, 그 사람.=あいやど.──のよしみ 동숙의 정의.

どうしゅつ【導出】dōshu- 图 ㄆ他 도출 ; 어떤 전제나 이론에서 결론을 논리적으로 이끌어 냄.↔導入ᵘᵘ.

どうじゅつ【道術】dōju- 图 도술.

とうしょ【当初】tōsho 图 당초 ; 최초.

*　**とうしょ**【投書】tōsho 图 ㄆ自他 ①투서.¶国会ᵘᵘに～する 국회에 투서하다.②투고(投稿).¶～家ᵘ 투고자／～欄ᵘ 투고란.

とうしょ【頭書】tōsho 图 두서.──图 ㄆ他 본문의 상란에 써 넣음 ; 또, 써 넣은 것.──图 문서의 첫머리에 쓴 것.¶～の通ᵘり 두서와 같이(같음).

どうじょ【童女】dōjo 图 동녀 ; 계집아이.=どうにょ.「もなげ.

どうじょう【同上】dō- 图 동상.=し

とうしょう【凍傷】tōshō 图 동상.

とうしょう【闘将】tōshō 图 투장.¶労働運動ᵘᵘᵘの～ 노동 운동의 투장.

とうじょう【東上】tō- 图 ㄆ自 상경.(関西ᵘᵘ 및 그 서쪽 지방에서)東京ᵘᵘへ로 감.↔西下ᵘᵘ.

とうじょう【搭乗】tōjō 名 ㋚自 탑승.
¶～員. 탑승원.

とうじょう【登場】tōjō 名 ㋚自 등장.
¶～人物. 등장 인물／相次いで～
する 잇따라 등장하다. 〔前述〕

どうじょう【同上】dōjō 名 동상·동술.

どうじょう【同乗】dōjō 名 동승.

どうじょう【同情】dōjō 名 ㋚自 동정.
＝あわれみ. ¶～心 동정심.

どうじょう【堂上】dōjō 名 당상. ①
당(堂)의 위. ↔堂下 ②옛날 승전
(昇殿)이 허용되었던 사람(四品) 이상
의 殿上人公卿. ＝公卿. 注意 옛날
에는 'とうじょう'. ↔地下.

どうじょう【道場】dōjō 名 ①【佛】도
량; 불도를 닦는 곳. ②도장; 무예를 수
련하는 곳. 〔동상 이동.

どうじょういむ【同床異夢】dōshō- 名

とうじょうか【頭状花】tōjō- 名【植】
두상화(국화나 민들레 따위).

とうじょうか【筒状花】tōjō- 名【植】
통상화·관상(管狀) 화. 〔렌즈색.

とうしょく【橙色】tōsho- 名 등색; 오

どうしょくじんしゅ【銅色人種】dōsho-
kujinshu 名 동색 인종(아메리카 인디
언 등).

どうしょくぶつ【動植物】dōsho- 名 동
식물. ¶～名 동식물명.

とうじる【投じる】tō- 上1自他 ☞ とう
ずる(投).

どうじる【同じる】dō- 上1自 ☞ どう
ずる(同).

どうじる【動じる】dō- 上1自 ☞ どう
ずる(動). 〔체.

とうしん【刀身】tō- 名 도신; 칼의 몸

とうしん【灯心·燈心】tō- 名 ①심지;
(남포의) 심지. ＝とうしみ. ¶～を上
げる 심지를 돋우다. ——ぐさ【─草】
名【植】등심초. ＝藺. 〔投げ.

とうしん【投身】tō- 名 ㋚自 투신. ＝身

とうしん【答申】tō- 名 ㋚他 답신; 상
사의 자문에 대해 의견을 진술함. ¶
～書 답신서／審議会─ 심의회
답신. 〔편지. ＝返信.

とうしん【答信】tō- 名 답신; 회답의

とうしん【等身】tō- 名 등신. ¶～大
の人形 등신대의 인형. ——ぶつ
【─仏】tō- 名 등신불.

とうじん【唐人】tō- 名 당인; 중국인;
전하여, 외국인; 이국인(異国人); 또,
무분별한 사람. ——の寝言 되놈의 잠
꼬대(조리 없는 말; 뜻 모르는 말).

とうじん【蕩尽】tō- 名 ㋚他 탕진.

どうしん【同心】dō- 一 名 ①동심; 일
심(一心). ②鎌倉·室町時代 시대에,
무가(武家)에 딸린 병졸. ③江戸時
代 '与力みこ'=(포리(捕吏)'의 밑에 있었
던 하급 관리. ＝町奉行. 二 名 동심;
갈. ¶～円 【數】동심원. 三 名 ㋚自
의견이 같음; 마음을 합함.

どうじん【童心】dō- 名 동심.

どうじん【同人】dō- 名 동인. ①동지;
동호인(同好人). ＝同好. ¶～雑誌
名 동인 잡지; 동인지. ②같은 사람;
그 사람. 注意 'どうにん'이라고도 함.

とうしんせん【等深線】tō- 名 등심선;
수심(水深)이 같은 점을 이은 선.

とうすい【陶酔】tō- 名 ㋚自 도취.

とうすい【統帥】tō- 名 ㋚他 통수. ¶
～権 통수권.

とうすみとんぼ【灯心蜻蛉】tōsumitom-
bo 名【蟲】실잠자리. ＝いととんぼ.

とう─ずる【投ずる】tō- ㋚変他 ①던
지다. ＝なげる. ¶筆を～ 붓을 던지
다; 붓을 놓다. ②집어넣다. ＝なげこ
む. ¶獄に～ 투옥하다. ③주다. ¶
薬を～ 약을 투여하다. ④투표하다.
¶一票を～ 한 표를 던지다. ⑤비
용을 들이다·쓰다. ¶資本を～ 자본을 투
입하다. 二 ㋚変自 ①그 속에 들어가다;
투숙하다; 잠기하다. ¶政界に～ 정
계에 투신하다. ②(기회를) 타다; 편승
하다. ＝つける·乗ずる. ¶人気に
～ 인기에 편승하다. ③투항하다.
¶敵軍に～ 적군에게 투항하다. ④
투신하다. ＝身投げする. ¶水中に～
물에 투신하다. ⑤일치하다; 합치하
다. ＝あう. ¶時流に～ 시대 조류
에 합치하다.

どう─ずる【同ずる】dō- ㋚変自 동의하
다; 찬동하다; 한 패가 되다. ＝同意する.

どう─ずる【動ずる】dō- ㋚変自 동하다;
동요하다. ¶物事に…じない 일을 당
하여 동요하지 않음.

*どうせ【何うせ】dō- 副 어차피; 어떻
든; 하여간(' どう(にも)せよ'의 압축된
말씨). ¶～行くなら早いうちがいい
어차피 갈 바에야 일찍 가는 편이 좋
다／私ったばかですよ 어차피 나는
바보예요.

とうせい【当世】tō- 名 ①당세; 현대.
당금(現今). ＝当代 현대 취향에
맞음. ②당세풍; 현대 풍조. ＝今風·
今様風·当世風.

とうせい【統制】tō- 名 ㋚他 통제. ¶
～力. 【品】 통제력【품】. ——けいざい
【─経済】 통제 경제. ↔自由主義
경제.

どうせい【同姓】dō- 名 동성. ¶～同
名 동성 동명. ↔異姓.

どうせい【同性】dō- 名 동성. ¶～愛
동성애. ↔異性.

どうせい【同棲】dō- 名 ㋚自 동서.

どうせい【動静】dō- 名 동정; 소식. ¶
学界の～ 학계의 동정〔소식〕／～を
さぐる 동정을 살피다.

どうせい【同勢】dō- 名 일행(一行).

とうせき【投石】tō- 名 ㋚自 투석.

どうせき【同席】dō- 名 ㋚自 동석. 二 名 같은 석차(좌석).

とうせつ【当節】tō- 名 이 즈음. ＝この
ごろ·当今. ¶～の若い者らは礼儀
をしらぬ 요새 젊은이는 예의를 모
른다. 〔選하다.

*とうせん【当選】tō- 名 ㋚自 당선. ↔落

とうせん【当籤】tō- 名 ㋚自 당첨. ¶
～者 당첨자／～率 당첨률.

とうぜん【陶然】tō- 타ル 도연. ¶
～と酔う 거나하게 취하다.

‡とうぜん【当然】tō- 副 당연. ＝あた
りまえ. ¶君のおこるのも～だ 네가
골을 내는 것도 당연하다.

どうせん【同船】dō- 名 ㋚自 동선; 같
은 배(를 탐).

どうせん【銅銭】dō- 名 동전. 〔사.

どうせん【銅線】dō- 名 동선; 구리 철

どうせん【導線】dō- 名 도선; 전류를
통하는 선.

と

どうぜん【同前】dō- 동전; 먼저와 같음.

どうぜん【同然】dō- 名 동연; 서로 같음; 다름 없음. ¶ただ(も)～の値段 거저나 다름 없는 가격.

****どうぞ**【何卒】dō- 副 ①상대방에게 무엇을 권하거나 부탁하는 기분을 나타내는 완곡하고 공손한 말씨: 아무쪼록; 부디; 어서. =なにとぞ・どうか. ¶～よろしく 아무쪼록 잘 부탁하겠습니다 / ～お入りください 어서 들어오 십시오. ②승낙을〔허가를〕 나타내는 공손한 말씨. ¶はい、～、좋습니다; 예, 그렇게 하십시오 / お使いください 상관 마시고 쓰십시오. ③어떻게 든. ¶～合格しますように 부디 합격하시기를.

とうそう【逃走】tōsō 名 도주.

とうそう【痘瘡】tōsō 名 두창. =天然痘てんねん.

***とうそう**【闘争】tōsō 名自 투쟁. ¶賃上ちんあげ～ 임금 인상 투쟁.

どうそう【同窓】dōsō 名 동창. ¶～会かい 동창회 / ～生せい 동창생.

どうぞう【銅像】dōzō 名 동상.

とうぞく【盗賊】tō- 名 도적. =泥棒どろ・盗人ぬすっと.

どうぞく【同族】dō- 名 동족; 겨레붙이; 같은 혈족. ¶～会社がいしゃ 동족 회사; 집안(끼리의) 회사.

どうそじん【道祖神】dō- 名 행신(行神)(수호신 둘을 합체(合體)한 석상(石像)으로 행인을 지키는 신). =たむけの神かみ・さいの神.

***とうそつ**【統率】tō- 名他 통솔. ¶～力りょく 통솔력.

どうそたい【同素体】dō- 名〔化〕동소체(다이아몬드와 석묵(石墨)과 목탄·석탄 따위).

とうた【淘汰】tō- 名他〔生〕도태. ¶生存せいに適てきしないものは～される 생존에 알맞지 않은 것은 도태된다.

どうたdō- 連語 (이유·모양 따위가) 어떠하다(특히 남에게 동의를 구하거나 드러내 보이거나, 무엇인가를 권유하는 데 쓰임). ¶～、いい絵えだろうか 어때, 좋은 그림이지 / ～食たべてみ～ 하나 먹으면 어때. 參考 좀더 공손한 말씨로는 'どうです(か)' 등을 씀.

*とうだい【灯台・燈台】tō- 名 ①등대. ②⑦등잔 받침대; 등경걸이. ⑤촛대. ─もと暗くらし 등잔 밑이 어둡다. ─もり 〔─〕 名 등대지기.

とうだい【当代】tō- 名 당대. ①지금 시대; 현대. ②현재의 주인. =当主とうしゅ. ③그 시대.

どうたい【胴体】dō- 名 동체; 몸통. ¶～着陸ちゃくりく 동체 착륙.

どうたい【動態】dō- 名 동태. ¶～調査ちょうさ 동태 조사. ↔静態せい.

どうたい【導体】dō- 名 도체; 양도체(良導體). =伝導体でんどうたい. ↔不導体ふどう・絶縁体ぜつえん.

どうたく【銅鐸】dō- 名 동탁; 종모양의 청동기(青銅器)(제사(祭祀) 때 악기로 사용되었다고 함).

***とうたつ**【到達】tō- 名自 도달. =達たっする.

とうだん【登壇】tō- 名自 등단. ↔降壇こう.

どうだんつつじ【満天星】dō- 名 철쭉의 낙엽 관목. =どうだん.

*とうとう【倒置】tō- 名他 도치; 거꾸로 뒤바꾸어 둠; 특히, 어순(語順)을 보통과 반대로 함. ─ほう 【─法】-hō 名 도치법.

とうち【統治】tō- 名他 통치. ¶～者しゃ 통치자. ─けん 【─権】名 통치권. 「値〕 값이 같음

どうち【同値】dō- 名 동치; 등치(等

とうちぎ【唐萵苣】tō- 名〔植〕근대. =不断草ふだんそう.　　　　「착.

*とうちゃく【到着】tōcha- 名自 도착.

どうちゃく【撞着】dōcha- 名自 당착. ¶自家じか～ 자가 당착.

とうちゃん【父ちゃん】tōchan 名〈俗兒〉아빠. ↔母かあちゃん.

とうちゅう【頭注・頭註】tōchū 名 두주; 본문 위쪽에 주석을 닮; 또, 그 주석. ↔脚注きゃくちゅう.

どうちゅう【道中】dōchū 名 ①〈老〉도중; 여행 도중; 여로; 여행. ¶～御無事ごぶじで 여행 도중 무고하시기를. ②옛날 유녀가 성장(盛裝)하고 유곽 안을 거닐던 일.

とうちょう【盗聴】tōchō 名他 도청. ¶電話でんわの～ 전화 도청.

とうちょう【登庁】tōchō 名自 등청. ¶初はつ～ (관청의) 첫 출근. ↔退庁たいちょう.

とうちょう【登頂】tōchō 名自 등정; 산꼭대기에 올라감. =とちょう.

どうちょう【同調】dōchō 名 동조. 一名自 다른 어떤 것에 가락을 맞춤. ¶～者しゃ 동조자. 二名〔理〕전기적(電氣的)인 진동 회로가 외부로부터의 진동에 공명하도록 조절함.

とうちょく【当直】tōcho- 名自 당직. ¶～者しゃ 당직자.

とうつう【疼痛】tōtsū 名 동통.

*とうてい【到底】tō- 副《否定하는 표현이 뒤따라서》도저히; 아무리 하여도. ¶～行ゆけない 도저히 갈 수 없다〔못 가겠다〕/ ～不可能ふかのうだ 아무리 하여도 불가능하다.

どうてい【童貞】dō- 名 동정. ①이성(異性)에 접하지 않음; 또, 그 사람(주로 남자에 대하여 말함). ↔処女じょ. ②가톨릭 수녀. ─さま 【─様】名 수녀님.

どうてい【道程】dō- 名 ①도정; 노정; 길의 거리. =みちのり. ②과정.

とうてき【投擲】tō- 名他 투척; 던짐. ¶～競技きょうぎ 투척 경기; 투포환·투원반·투해머(投 hammer)·투창 따위의 총칭.

どうてき【動的】dō- ダナ 동적. ↔静てき

とうてつ【透徹】tō- 名自 투철; 투명.

どうでつdō- 連語 어떻든; 아무튼든; 아무튼. ①처음부터 문제삼지 않을 뜻을 나타냄: 아무려나. =どんなでも. ¶服装ふくそうなんか～よい 복장 따위는 아무렇든 상관 없다. ②어떤 일이 있어도; 꼭. ¶～見みたいものだ 꼭 보고 싶구나.

とうてん【読点】tō- 名 구두점의 하나: 쉬는 표; 모점(문장 속의 끊어지는 곳에 찍는 '、'표). =点てん. ↔句点くてん.

とうてん【盗電】tō- 名 도전.

どうてん【同点】dō- 名 동점.

どうてん【動転】【動顚】dō- 图 ス自 깜짝 놀라서 어떻게 할 바를 몰라함. = 仰天する. ②변이(變移); 변천(變遷).

とうど【凍土】tō- 图 동토; 언 땅. ¶ ～帯 동토대.

とうど【唐土】tō- 图 당토; 당나라(옛날, 중국을 일컫던 말).

とうど【陶土】tō- 图 도토; 도자기의 원료로 쓰이는 백색 점토(粘土).

とうとい【尊い・貴い】tō- 形 〈老〉 소중하다; 귀중하다. ¶一体験を貴 한 체험. ②(신분이) 높다; 고귀하다. ¶～お方 고귀한 분.

とうとう【滔滔】tōtō ［トタル］ 도도. ①물이 가득히〔도도히〕흐르는 모양. ②말하는 품이 막힘이 없는〔거침없는〕모양. ③널리 퍼지는 모양; 세상 풍조가 세차게 한쪽으로 향하는 모양.

とうとう【蕩蕩】tōtō ［トタル］ 탕탕. ①넓고 큰 모양. ②평온(平穩)한 모양.

‖とうとう【到頭】tōtō 圖 드디어; 결국; 마침내. ∴ついに. ¶～研究をを完成したのだ 드디어 연구를 완성했다. ∴余りり気をにし過ぎてき～気が狂いう 너무 신경을 써서 결국 돌아버렸다.

どうとう【同等】dōtō 图 동등. ¶～の資格をを 동등의 자격.

どうどう【同道】dōdō 图 ス自他 동도; 동행. ¶一行.

＊どうどう【堂堂】dōdō ─［トタル］ 당당. ¶『正正堂~ 정정 당당 / ～たる風格をを 당당한 풍격. ②(신분이) 거침없이; 버젓이; 당당히. ¶白昼びゃう～と盗みを働らはたく 대낮에 버젓이 도둑질하다.

─めぐり【─巡り】【─回り】图 ¶소원을 이루기 위해 신사(神社)나 불당(佛堂)의 주위를 돔. ②(의론 따위가) 공전되기만 하고 진전이 없음. ③의회에서 국회 의원이 차례차례로 연단(演壇) 아래로 나아가서 투표함.

‖どうとく【道德】dō- 图 도덕. ¶商業業 / ～商業 상업(교통) 도덕 / ～家を〔觀をなん〕도덕가〔관〕/ ～心をなん〔性をなん〕도덕심(성). ─きょういく【─教育】-kyōiku 图 도덕 교육. ─てき【─的】〔ダナ〕도덕적인 사람. ─りつ【─律】 도덕률.

とうとつ【唐突】tō- 〔ダナ〕뜻밖; 돌연. = ふい・だしぬけ.

とうとぶ【尊ぶ・貴ぶ】tō- 图 ス他 공경하다; 존경하다. = たっとぶ.

とうどり【頭取】tō- 图 ①우두머리, 장; 총재, 장. ¶銀行ぎなうの～ 은행장. ②배우 분장실이나 씨름판의 감독자.

とうな【唐菜】tō- 图〔植〕배추의 일종(つけもの(=절임)'에 쓰임).

とうなす【唐茄子】tō- 图〔植〕'かぼちゃ(=호박)'의 딴이름.

どうなりと【どう成りと】; 아무렇게든; ¶あとは～してくれ 다음은 어떻게든 해주게.

とうなん【東南】tō- 图 동남. = たつみ・南東をなん. ¶～アジア 동남 아시아.

＊とうなん【盗難】tō- 图 도난. ¶～にかかる〔=逢う (=만나다)〕 도난을 만나다. ⇒盗みぬすみ.

＊どうにか dō- 連語 ①이럭저럭; 그런 대

로; 겨우겨우. ¶おかげ様ままで～やっています 덕택으로 그럭저럭 지내고〔꾸려 나가고〕있습니다 / ～こうにか期日きぢに間まにあった 그럭저럭 기일에 대었죠. ②어떻게. = なんとか. ¶～解決けっできないものか 어떻게 해결할 수 없을까 / ～してやります 어떻게든 하겠습니다.

どうにも 連語 ①〔다음에 否定하는 말을 수반하여〕어떻게 해 보아도; 아무리 해도. ¶～しようがない 정말 처리되지 않아 / ～やりきれない 정말 견딜 수 없다 / 一仕樣しやうがない 어떻게 할 도리가 없다. ②참으로; 정말. ¶～困ったものだ 참 곤란한 일이야.

とうにゅう【投入】tōnyū 图 ス他 투입.

どうにゅう【導入】dōnyū 图 ス他 도입. ¶一部をを 도입부 / 外資がいを～ 외자 도입. ↔導出しゅっ.

とうにょうびょう【糖尿病】tōnyōbyō 图〔醫〕당뇨병.

とうにん【当人】tō- 图 당자; 본인.

どうにん【同人】dō- 图 동인. ①같은 사람; 그 사람. ②동호인(同好人); 동지(同志). = どうじん.

とうねん【当年】tō- 图 당년. ①금년; 올해. ¶～とって六十歳なさい 올해 들어 60 세. ②그 해; 당시. ¶～をのぶ 그 당시를 회상하다.

どうねん【同年】dō- 图 동년. ①같은 해; 그 해. ②같은 나이. ¶一輩をを 동년배.

とうの【当の】 連語 《連体詞的으로》(지금 문제가 되고 있는) 바로 그. ¶一本人はんにん 바로 그 당본인.

どうのこうの 〔如何の斯うの〕dōno-kōno 連語 이러쿵저러쿵; 이러니저러니. ¶～口をはさむ資格をはないの 이러쿵저러쿵 말참견할 자격이 없다.

とうのむかし【とうの昔】【疾うの昔】tō- 連語 훨씬 전; 오랜 옛날. ¶～に無なくなった 오래 전에 없어졌다.

とうは【党派】tō- 图 당파. ¶超をな～ 초당파.

とうば【踏破】tō- 图 ス自他 답파.

とうば【塔婆】tōba ☞ そとば.

どうはい【同輩】dō- 图 동배; 동아리. ↔先輩はんん・後輩かうん.

とうばく【倒幕】tō- 图 ス自 幕府ぶを倒をすく 타도함.

とうばつ【頭髪】tō- 图 두발.

とうばつ【討伐】tō- 图 ス他 토벌. ¶～隊をを 토벌대.

とうばつ【党閥】tō- 图 당벌; 파벌.

とうばつ【盗伐】tō- 图 ス他 도벌.

とうはん【盗犯】tō- 图 도범.

とうはん【登攀】tō- 图 ス自 등반. ¶

＊とうばん【当番】tō- 图 당번. ¶掃除をぢ～ 청소 당번. ↔非番ばん.

とうばん【投板】tō- 图 ス自〔野〕등판; 투수가 마운드에 섬.

どうはん【同伴】tō- 图 ス他 동반. ¶夫人にを～ 부인 동반 / ～者をを 동반자; 동조자.

どうばん【銅版】dō- 图〔印〕동판. ¶～画を 동판화.

とうひ【当否】tō- 图 당부; 적부. ①맞고 안 맞음. ②정당(正當) 부정당; 적당 부적당.

とうひ【逃避】tō- 图 ㅈ回 도피. ¶現実ぢからからの〜 현실로부터의 도피.

とうひ【等比】tō- 图【數】등비. ——きゅうすう【—級數】-kyūsū 图【數】등비 급수. ——すうれつ【—数列】-sūretsu 图【數】등비 수열.

とうび【掉尾】tō- 图 도미. ①꼬리를 혼듦；끝판에 기세를 올림. ②마지막；최후.

*とうひょう【投票】tōhyō 图 ㅈ回 투표. ¶〜箱[用紙]투표함[용지] / 不在ぶざい〜 부재자 투표.

とうびょう【投錨】tōbyō 图 ㅈ回 투묘；정박(碇泊). ＝抜錨ばつびょう.

とうびょう【闘病】tōbyō 图 ㅈ回 투병. ¶〜生活せいかつ 투병 생활.

どうひょう【道標】dōhyō 图 도표；길잡이. ＝みちしるべ.

どうびょう【同病】dōbyō 图 동병. ①같은 병. ②같은 처지. ——相哀あいあらむ 동병 상련.

とうひん【盗品】tō- 图 도품；장물(贓物). ——故買こばい 장물 취득. ＝けいずかい.

とうふ【豆腐】tō- 图 두부. ¶〜屋や 두부 장수 / 湯ゆどうふ 물두부. ——にかすがい 두부에 꺾쇠박기(호박에 침주기와 같이 효과가 없음의 비유).

とうふう【東風】tō- 图 동부.→西部せいぶ.

とうふう【東風】tōfū 图【同封】dōfū ㅈ他 동봉.

どうふく【同腹】dōfuku 图 한 배에서 태어남；또, 그 형제 자매.↔異腹いふく. ②마음이 상통함；또, 그 사람.

**どうぶつ【動物】dō- 图 동물. ¶〜一体かいたい 동물체[계].↔植物しょくぶつ. ——えん【—園】图 동물원. ——がく【—学】图 동물학. ——しつ【—質】图 동물질. ——せい【—性】图 동물성. ——てき【—的】ダナ 동물적.

どうふるい【胴震い】dō- 图 ㅈ回 (추위나 무서움으로) 온몸이 떨림；진저리침.

*とうぶん【当分】tō- 圖 당분간；잠시동안. ¶〜の間あいだ 당분간.

とうぶん【等分】tō- 图名回 등분.

とうぶん【糖分】tō- 图 당분.

どうぶん【同文】dō- 图 동문. ①쓰는 글자가 같음. ②동일 문장. ¶以下いか〜 이하 동문.

とうへき【盗癖】tō- 图 도벽.

とうべん【答弁】tō- 图 ㅈ回 답변.

とうへんぼく【唐変木】tōhembo- 〈俗〉벽창호；얼간이；얼빠진 놈. ——まぬけ・わからずや.

とうほう【当方】tō- 图 당방；이쪽；우리. ¶〜の手落おちです 이쪽의 실수입니다.↔先方せんぽう.

とうほう【東方】tōhō 图 동방；동쪽. ¶〜教会きょうかい 동방 교회；그리스 교회.→西方せいほう.

とうぼう【逃亡】tōbō 图 ㅈ回 도망. ¶〜者しゃ 도망자.

どうほう【同胞】dōhō 图 동포. ＝どうぼう. ¶海外かいがい〜 해외 동포.

とうほく【東北】tō- 图 북동. ——ちほう【—地方】-hō 图【地】동북 지방；일본의 奥羽おうう 지방(곧,

青森あおもり・秋田あきた・岩手いわて・山形やまがた・宮城みやぎ・福島ふくしまの 6현(縣)).

とうぼく【倒木】tō- 图 쓰러진 나무. ¶風かぜ〜 바람에 쓰러진 나무.

どうぼく【童僕】【僮僕】dō- 图 동복.

どうほん【謄本】tō- 图 ㅈ回 등본. ¶戸籍こせき〜 호적 등본.↔抄本しょうほん.

どうまき【胴巻(き)】dō- 图 (허리에 감는) 전대.

どうまわり【胴回り】【胴廻り】dō- 图 몸통 둘레；허리 (둘레). ＝ウエスト.

とうみつ【糖蜜】tō- 图 당밀.

どうみゃく【動脈】dōmya- 图 동맥. ①【生】동맥. ——硬化症こうかしょう 동맥 경화증.↔静脈じょうみゃく. ②중요한 교통로.

とうみょう【灯明】【燈明】tōmyō 图 등명；신불에게 올리는 등불. ＝みあかし.

とうみん【冬眠】tō- 图 ㅈ回 동면. ¶〜からさめる 동면에서 깨어나다.↔夏眠かみん.

*とうめい【透明】tō- 图ナ 투명. ¶無色むしょく〜 무색 투명.

どうめい【同名】dō- 图 동명. ¶同姓どうせい〜 동성 동명. ——いじん【—異人】图 동명 이인.

*どうめい【同盟】dō- 图 ㅈ回 동맹. ¶〜休校きゅうこう[罷業ひぎょう] 동맹 휴교[파업].

*とうめん【当面】tō- 一 图 ㅈ回 당면；직면 직면함. ¶〜の目標もくひょう 당면 목표. 二 图 圖 당분간；우선；현재로서.

*どうも dō- 圖 ①아무래도；어딘가；어쩐지. ¶様子ようすが変へんだ 어쩐지 눈치[모양, 기색, 상태]가 이상하다. ②도무지. ¶〜うまくいかない 도무지 잘 안 된다.

*どうも 感 ①「どうもすみません(=정말 미안합니다)」「どうもありがとう(=참으로 고맙습니다)」「どうも失礼しつれいしました(=매우 실례했습니다)」의 압축된 말로：정말；참；매우. ¶この間あいだは〜 요전번에는 정말 (실례했습니다) / や、〜 이거 참 (미안해서).

どうもう【獰猛】dōmō 图ナ 사나움；영악(獰惡).

とうもく【頭目】tō- 图 두목；우두머리.＝かしら.

どうもく【瞠目】dō- 图 ㅈ回 당목；당시(瞠視)；놀람. ¶〜して見みる 눈을 휘둥그렇게 뜨고 보다.

どうもり【堂守(り)】dō- 图 당지기.

とうもろこし【玉蜀黍】tō- 图【植】옥수수. ＝とうきび.

どうもん【同門】dō- 图 동문. ＝相弟子あいでし. ¶〜のよしみ 동문의 정의.

どうもん【洞門】dō- 图 동문. ①동굴의 입구. ②꿰뚫려 있는 동문. ＝トンネル.

とうや【陶冶】dō- ㅈ他 도야. ¶人格じんかく〜 인격 도야.

とうやく【投薬】tō- 图 ㅈ回 투약.

とうやく【湯薬】tō- 图 탕약. ＝せんじぐすり.

*どうやら dō- 圖 ①그럭저럭；저럭；간신히. ＝どうにか・やっと. ¶〜仕事しごとも終おわりに近ちかづいた 그럭저럭 일도

끝판에 다가왔다. ②어쩐지；어딘지；
아무래도；아마. ¶〜風邪^{かぜ}を引^ひいた
ようだ 아무래도[아마] 감기가 든 모
양이다. ――kōyara【連語】 이
력저력. 그럭저럭；겨우‘どうやら’의
힘줌말. ¶お蔭^{かげ}で〜出来上^{できあ}がりま
した 덕분에 그럭저럭 다 되었습니다.

とうゆ【灯油（燈油）】tō-名유유. ↔燃
油^{ねん}よ.

とうよ【投与】tō-名他투여；약을
줌. =投薬^{とうやく}. ¶経口^{けいこう}〜 경구 투여.

とうよう【当用】tōyō 名당용；당장
씀；또, 그 물건. ¶〜日記^{にっき} 당장의
용건을 기록하는 일기. ――かんじ
【――漢字】名당용 한자(일본에서 1946
년에 제정한 1850자의 한자；1981년에
상용 한자로 대체됨). ⇒常用^{じょうよう}漢字.

*とうよう【東洋】tōyō 名동양. ¶〜人^{じん}
동양인. ↔西洋^{せいよう}. ――が【――画】名
동양화.

とうよう【盗用】tōyō 名他도용. ¶
――漢字】名당용 한자

とうよう【登用・登庸（登備）】tōyō 名
他등용. ¶人材^{じんざい}を〜する 인재를
등용하다.

*どうよう【動揺】dōyō 名自동요.

*どうよう【童謡】dōyō 名동요.

*どうよう【同様】dōyō ダナ같은 모양；
같음. ¶ただ〜の値段^{ねだん} 거저나 다름
없는 가격.

どうよく【胴欲・胴慾】名ダナ탐
욕(貪慾)；탐욕 무도(無道). ――どんよ
く.

とうらい【当来】tō-名【佛】미래；내
세(來世).

とうらい【到来】tō-名自도래. ¶〜の
時^{とき}が〜する 위기가 도
래하다. ②선물이 도착함. ¶〜物^{もの} 선
사 받은 물건.

とうらく【当落】tō-名당락. ¶〜の
境目^{さかいめ}だ 당락의 고비.

とうらく【騰落】tō-名自등락. ¶
物価^{ぶっか}の〜 물가의 등락.

どうらく【道楽】tō-名他自도락. ①
〈老〉취미. ¶食^くい――食道楽／〜で
絵^えをかく 취미로 그림을 그리다. ②
난봉；도박・주색에 빠짐. =遊蕩^{ゆうとう}. ¶
――者^{もの} 난봉꾼.

どうらん【胴乱】dō-名①(양철로 된)
식물 채집통. ②약・도장 따위를 넣어
허리에 차는 사각형의 가죽 주머니.

どうらん【動乱】dō-名동란.

*どうり【道理】dō-名도리；이치. ¶
〜が立^たたない 이치에 닿지 않다／子
供^{こども}に分^わかる〜が無^ない 아이들이 알
리가 없다. ――① 그 때문에；어
쩐지；과연；정말；그도 그럴 테지. ¶
彼^{かれ}は病気^{びょうき}だったのか、〜で元気^{げんき}が
なかった 그는 병이었단 말인가. 어쩐
지 기운이 없더라니.

とうりつ【倒立】tō-名自도립；거
꾸로 섬；물구나무서기. =さかだち.

どうりつ【同率】dō-名동률；똑 같은
비율.

とうりゅう【逗留】tōryū名自두류；
머물. =滞留^{たいりゅう}.

どうりゅう【同流】dōryū 동류. ①名
自합류(合流). ¶〜する. ②名①같은(그
흐름. ②같은(그) 유파.

とうりゅうもん【登竜門】tōryū-名등

용문. ¶文壇^{ぶんだん}の〜 문단의 등용문.

とうりょう【投了】tōryō 名自투료；
(장기나 바둑에서) 한쪽이 진 것을 자
인하고 대국을 끝냄；던짐.

とうりょう【棟梁】tōryō 名①(목수의)
우두머리；도편수. ②동량지재(棟梁之
材).

とうりょう【等量】tōryō 名등량.

とうりょう【頭領】tōryō 名두령；우두
머리；두목. =かしら.

どうりょう【同僚】dōryō 名동료. =同
役^{どうやく}・同職^{どうしょく}.

*どうりょく【動力】dōryo- 名동력；원
동력. ¶〜計^{けい} 동력계／〜源^{げん} 동력원.
――りん【――輪（動輪）】dō- 名동륜(기
관차 따위에서, 주행용(走行用) 동력
을 직접 받아서 차를 달리게 하는 차
바퀴).

とうるい【盗塁】tō-名自【野】도루.
=スチール.

とうるい【糖類】tō-名당류.

どうるい【同類】dō-名동류. ①같은 종
류의 패. ――こう【――項】-kō 名
①【数】동류항. ②전하여, 한 패의 무
리.

どうれ dō- 感옛날, 안내를 청하는 말
에 답하는 소리：예.

とうれい【答礼】tō-名自답례. =返
礼^{れい}.

どうれつ【同列】dō-名①동렬. ①같은
줄(아닐). ②같은 정도・지위・대우.

*どうろ【道路】dō-名도로. ¶〜標識
^{ひょうしき} 도로 표지／高速^{こうそく}〜 고속 도로／
――交通法^{こうつうほう}〜 도로 교통법.

とうろう【灯籠・燈籠】tō-名석등롱. ¶
石^{いし}どうろう 석등롱；장명등／つりど
うろう 매다는 등롱.

とうろう【蟷螂・螳螂】tōrō 名【蟲】버
마재비；당랑. =かまきり. ――の斧^{おの} 당
랑지부(螳螂之斧)(무력한 저항의 비
유).

*とうろく【登録】tō-名他등록. ¶
――商標^{しょうひょう} 등록 상표／〜税^{ぜい} 등록세.

*とうろん【討論】tō-名自他토론. =
ディスカッション.

どうわ【童話】dō-名동화. ¶〜作家
^{さっか} 동화 작가.

どうわ【道話】dō-名사람이 지켜야
할 도리를 가르치는 이야기(흔히 심학
(心學)의 강화(講話)를 가리킴).

とうわく【当惑】tō-名自당혹. ¶
〜顔^{がお} 당혹한 표정.

どうわすれ【どう忘れ（胴忘れ）】dō-
名他 깜박(까맣게) 잊음. =ど忘れ.

とえい【都営】名都경영(經營)함. ¶〜バス 東京都 경영의
버스.

とえはたえ【十重二十重】名이중 삼중；
겹겹.

どえらーい【ど偉い】形〈俗〉①매우 훌
륭하다. ②엄청나다；굉장하다. ¶
〜人出^{ひとで} 엄청난 인파(人波).

*とお【十】名①열；10；또, 열 살.

とおあさ【遠浅】名바닷가 또는
강가에서 멀리까지 물이 얕은；또, 그
런 곳.

*とお-い【遠い】tōi 形①멀다. ⑦(거
리・시간 간격・혈연 따위가) 멀다. ¶
山^{やま}のあなたの空^{そら}〜く 산너머 저 하
늘 멀리／〜将来^{しょうらい} 먼 장래／〜昔^{むかし}

먼 옛날 / ～親類ㄴ 먼 친척. ⓒ친하지
않다;소원(疏遠)하다;관계가 얕다.
¶～くて近ᄅ는 男女ᄅ의 仲ᄅ 멀고도
가까운 것은 남녀 사이. ⓒ성
질·내용이 닮지 않다. ¶秀才ᄅと言
ᄅうには～수재라고 하기에는 거리가
멀다. ②의식·감각이 흐려지다;둔하
다. ¶耳ᄅが～귀가 먹다.

とおう【渡欧】 tōō 名 ㅈ目 도구;유럽
에 감.

とおえん【遠縁】 tōen 名 먼 혈연;먼
일가(친척).

‡**とおか**【十日】 tō- 名 10일간;초열흘.

とおからず【遠からず】 tō- 一連語 멀
지 않다. ¶当ᄅたらずといえども─ 맞
지 않았다 하더라도 맞은 거나 마찬가
지다. 一副 멀지 않아;곧;불원간.

*とおく【遠く】 tō- 一名 먼 곳. ¶～へ
行ᄅく 먼 곳으로 가다. 一副 ①(시간·
공간적으로) 아득하게 먼 모양;멀리.
¶～はなれている地 멀리 떨어진 땅.
②차이가 큰 모양:월씬;매우. ¶かれ
には～及ばない 그에게 크게 뒤진다.

とおざかる【遠ざかる】【遠離る】 tō-
ㄷ自 멀어지다. ①물러나다. ¶危機
가が～위기가 물러나다. ②소원(疏遠)
해지다. ⇔近づく

とおざける【遠ざける】 tō- 下1他 멀리
하다. ①물리치다. ¶召使ᄅを～ける
密談ᄅ하는 하인을 멀리하고 밀담하
다. ②가까이 하지 않다. ¶酒ᄅを～술
을 멀리하다.

*とおし【通し】 tō- 一名 ①안내. ¶お～
する 안내하다. ②처음부터 끝까지 이
어짐. ¶一番号ᄅ 일련 번호. ③(요릿
집에서 주방에 주문이 알려진 표시로)
요리가 시작되기 전에 나오는 간단한
음식. =おとおし・つきだし.

-どおし【通し】 dō- 《動詞型活用의 連
用形에 붙어》 그 동작·상태가 계속됨:
줄곧;내내. ¶笑ᄅい～ 줄곧(내내) 웃
음 / なぐられ～だった 줄곧 매를 맞았
다.

‡**とおーす**【通す】 tōsu 五他 ①통하게 하
다. ⑦(길 따위를) 내다. ¶A市ᄅか
らB市ᄅに国道ᄅを～ A시에서 B시
로 국도를 내다. ⓒ뚫다. ¶土管ᄅの
詰ᄅまりを～ 멘 노깡을 뚫다. ②통과
시키다. ⑦지나게 (허락) 하다;패스시
키다. ⓒ関이門ᄅを～ 관문을 통과시키
다. ⓒ(법안 따위를) 가결시키다. ¶
議案ᄅを～ 의안을 통과시키다. ③안
내하다. ¶客ᄅを応接間ᄅに～ 손
님을 응접실에 안내하다. ④(透す) 투
과시키다. ¶ガラスは光ᄅを～ 유리
는 빛을 투과(통과)시키다. ⑤꿰다.
¶糸ᄅを針ᄅに～ 실을 바늘에 꿰다.
④(주장·고집 등을) 끝까지 꺾지 않다;
관철하다. ¶我意ᄅを～ 고집을 세우
다 / 独身どくで～ (a)독신으로 지내다;
(b)독신으로 행세하다. ⑤동당하게
뒤가 맞다. ¶筋ᄅを～して조리가
당도록 말을 해라. ⑥(음식점에서
손님의 주문을 주방에) 알리다. ¶通
す) 꿰매주다;스며 들다. ¶岩ᄅをも
～強ᄅい弓勢ᄅ 바위라도 꿰뚫을 듯한
활 쏘는 힘. ⑧(흔히) 『…を通して』…
로』…을 통하여. ¶人ᄅを～して交
渉こする 사람을 통하여 교섭하다 /

すだれを～して内ᄅを見ᄅる 발을 통
해 안을 들여다보다. ⑨(徹す) (처음
부터 끝까지) 계속하다. ¶夜ᄅを～し
て語り合ᄅう 밤새도록 이야기하다.
⑩(徹す) 대충 훑어보다. ¶書類ᄅに
ざっと目ᄅを～ 서류를 대충 훑어보다.
⑪《接尾語적으로》 (끝까지 계속해서)
하다. ¶やり～ (끝까지) 해내다.

トースター 名 토스터. ▷toaster.

トースト 名 토스트. ▷toast.

トータル 名 토털;합계;총액. 一名
ㅈ他 합계함. ▷total.

とおで【遠出】 名 ㅈ自 ①멀리 나감;원
출. ②(기녀(妓女)가 자기가 소속하는 권
번(券番) 이외의 지역의 객석에 나감.

トーテム 名 토템. ¶～ポール 토템 폴
(토템을 새긴 기둥). ▷totem.

ドーナツ 名 도넛(고리 모양의 튀긴 양
과자). 一ドーナッ. ▷doughnut.
──ばん【──盤】 名 도넛 판(소형의 小
型의 레코드). =EP盤.

トーナメント 名 토너먼트. ↔リーグ戦
▷tournament.

とのーく【遠退く】 tō- 五自
①멀어지다. ⑦멀어져 가다. ¶姿ᄅが
だんだん～ 모습이 점점 멀어져가다.
ⓒ뜸해지다. ¶客足ᄅが～ 손님의 발
길이 뜸해지다. ⓒ(관계가) 소원해지
다. ②물러나다. ¶争ᄅいから～ 싸움
〔분쟁〕에서 물러나다.

とおのり【遠乗り】 tō- 名 ㅈ自 멀리
타고 가서 놂;승마(乗馬)하고 원행함.

とおぼえ【遠吠え】 tō- 名 ㅈ自
(개·늑대 따위가) 멀리서 짖음;또,
그 소리.

とおまき【遠巻き】 tō- 名 멀리서 포
위함. ¶～にして見物ᄅする 멀찍이
둘러싸고 구경하다.

とおまわし【遠回し】【遠廻し】 tō- 名
에두름. ¶～に言ᄅう 에둘러 말하다.

*とおまわり**【遠回り】【遠廻り】 tō-
ㅈ自 (일부러) 멀리 돌아감;우회함.
=回ᄅり道ᄅ. ↔近回ᄅり

とおみ【遠見】 tō- 名 ①멀리 바라봄;
특히, 멀리 정탐함;또, 그 임무. ②
멀리서 보는 눈. =遠目ᄅ. ¶～には よ
く見ᄅえる 멀리서는 잘 보인다.

‡**とおみち**【遠道】【遠路】 tō- 一名 ①
원로(遠路);먼길. ②도는 길. ¶そ
っちへ行ᄅくと～になる 그쪽으로 가면
돌게 된다. 一名 ㅈ自 먼길을 걸음.
=遠道ᄅり. ▷프 dome.

ドーム 名 돔;둥근 지붕. ¶～天井 둥근 천장.

とおめ【遠め】 tōme 名 (보통보다) 좀
멂;또, 그 곳;멀찍함. ↔近め

とおめ【遠目】 tō- 名 ①원시(시). ↔近目
ᄅ. ②멀리서 봄;또, 그 눈.

とおめがね【遠眼鏡】 tō- 名 망원경.

とおや【遠矢】 tō- 名 활을 멀리 쏨;또,
그 살.

ドーラン 名 도란(배우 화장용 유성(油
性)의 분). ▷독 Dohran.

‡**とおり**【通り】 tō- 一名 ①길. ¶～道
ᄅ 통로;다니는〔지나는〕 길. ②통함.
⑦(바람 등이) 잘 드나듦. ¶風ᄅの
～が悪ᄅい 바람이 잘 안 통한다. ⓒ(물
이나) 빠짐. ¶～の悪ᄅい下水ᄅ 잘
빠지지 않는 하수도. ⓒ통행. ¶人ᄅの
～が多ᄅい 사람의 내왕이 잦다. ③통

用. ¶～がいい名ª (세상에) 잘 통하는 이름. ③평；신용. ¶世間ª_の～が大事ªだ 세상의 평〔신용〕이 중요하다. ④소리・목소리가 잘 들리다. ¶その いい声ª 잘 들리는 목소리；쩌렁쩌렁한 목소리. ⑤이해하기 쉬움. ¶～のいい講義ª 알기 쉬운 강의. ⑥〔とおり〕『形式名詞的으로』같은 방법・상태 대로임. …대로〔듯이, 같이〕. ¶その～ (a)그대로；그와 같이；(b)그렇소；옳소（同意의 표시）／教ª_えた～に作ª_る 배운 대로 만들다／この丈夫ʲ_ʲ_になった이처럼 건강해졌다. □接尾 종류・방법. ¶幾ª～ 몇 가지 종류〔방법〕；여러 가지.

-どおり 【通り】 dō-①가로〔街路〕의 이름. ¶千代田ª～ 東京都ª_중심부에 있는 거리 이름. ②정도. ¶九分ª～完成ª_できた 9 분 정도 완성했다.

とおりあめ 【通り雨】 tō- 名 지나가는 비.

とおりいっぺん 【通り一ーぺん・通り一遍】 tōriippen 名①지나는 길에 들름. ②표면상；형식뿐인 모양；피상. ¶～の解釈ª_ 피상적인 해석.

とおりかかる 【通り掛かる】 tō- 五自 (우연히 그 곳을)지나가다；마침 지나가게 되다.

とおりがかり 【通り掛け・通り掛り】 tō- 名 지나는 길. ＝とおりがかり. ¶～に寄ª_る 지나는 길에 들르다；들렀다가다.

とおりことば 【通り言葉・通り詞】 tō- 名 ①일반의 통용어；또, 특별한 동아리끼리만 통용되는 변말.

とおりすがり 【通りすがり】 tō- 名 지나는 길. ＝とおりがかり.

とおりすぎる 【通り過ぎる】 tō- 上一 지나쳐 가다；지나쳐 버리다. ＝通りこす.

とおりそうば 【通り相場】 tōrisō- 名 ①일반적으로 통하는 시세；보통 시세. ②일반적으로 인정되고 있음.

とおりな 【通り名】 tō- 名 통칭.

**とおーる 【通る】 tōru 五自 ①통하다；뚫리다. ¶詰ª_っていた鼻ª_が…멘 코가 뚫리다. ②동닿다. ③筋ª_が…った発言ª_ 조리 있는 발언. ④개통하다. ¶汽車ª_が～ 기차가 통하다(a)기차가 개통되다；(b)기차가 운행되다. ⓑ〔透るˀ道를〕잘 들리다；쩌렁쩌렁하다. ¶よく…쩌렁쩌렁 잘 들리는 목소리. ⓒ알려지다. ¶変ª_り者ª_で～っている 괴짜로 통하고〔알려져〕있다. ⓓ〔뜻・意味가〕통하다. ¶無理ª_が～ 억지가 통하다. ⑦방에 들어가다. ¶客ª_が奥ª_へ～ 손님이 안내되어 방으로 들어가다. （음식점에서, 주방에）알리다. ¶カレー一丁ª_ª_～っているか 카레 (라이스) 한 그릇 알렸느냐. ⑧통과하다. ¶지나다. ⓑ横町ª_を～ 옆골목을 지나다. ⓒ합격하다. ¶試験ª_に～ 시험에 붙다. ⓓ(안건 따위가) 가결되다. ¶予算案ª_ª_が国会ª_を～ 예산안이 국회를 통과하다. ⑤〔徹るˀ道를〕들어가다. ¶つかまで～れと突ª_き刺ª_す手ª_자루까지 들어가라고 푹 찌르다. ⑥꿰어지다. ¶糸ª_が針穴ª_ª_に～ 실이 바늘귀에 꿰이다.

とおーる 【透る】 tō- 五自 비쳐 보이다；

투명하다；투과(透過)하다.

とか 【都下】 名①도하；도읍의 안. ②東京都의 23ª区(를) 제외한 외곽의 市・町ª_ª_・村ª_.

とか 【渡河】 名 スˀ自 도하；도강.

とか 国助…라든가；…든지. ¶ぼくが君ª_の家ª_…へ行ª_く～、君ª_の方ª_がうちへ来ª_る～、しよう 내가 네집으로 가든지 네가 우리집으로 오든지 하자. □連語 다음에「言ª_う」등이 와서, 내용이 불확실함을 나타냄：…라던가. ¶山田ª_ª_～いう人ª_ 山田라던가 하는 사람.

とが 【科・咎】 名 허물. ①잘못；과오. ＝あやまち. ¶だれの～でもない 누구의 잘못도 아니다(모두 내 잘못이다). ②죄；죄가 되는 행위. ¶～をかぶせる 허물을 씌우다. ＝결점. 「이람].

**とかい 【都会】 名 도회；도시, 도시. ¶大ª_ª_～대도시／～病ª_ª_ 도시병.＝村落ª_ª_・田舎ª_.

どがい 【度外】 名 スˀ他 ①도외. ¶범위 밖. ②마음에 안 둠. …し 【度外視】スˀ他 도외시.

とがき 【ト書(き)】 名 『劇』 각본에서, 배우의 동작 따위를 지시한 부분.

*とかく 【兎角・左右】 副①이것저것；이럭저럭. ＝あれやこれや. ¶～するうちに 이것저것 하는 사이에. ②자칫(처면). ＝ややもすれば. ¶～失敗ª_しがちだ 자칫하면 실패하기 쉽다. ③어쨌든；하여튼；아무튼. ＝とにかく. ¶～世間ª_ª_はうるさいものだ 아무튼 세상은 시끄럽다.

とかげ 【蜥蜴・石竜子】 名 『動』 도마뱀.

*とかーす 【解かす】 五他 ①(본디 融かす로도) 눈 따위를 녹이다. ②(본디 梳かす로도) (머리 따위를) 빗다.

*とかーす 【溶かす】 五他 ①(물 따위에) 녹이다；풀다. ¶氷ª_ª_を～ 얼음을 녹이다／薬ª_を水ª_の中ª_で～ 약을 물에 풀다. ②〔熔かす・鎔かす〕금속을 가열하여 녹이다. ¶鉄ª_を～ 쇠를 녹이다.

*どかーす 【退かす】 五他 퇴거〔退去〕시키다；물리치다；비키다. ＝どかせる・どける.

どかた 【土方】 名 〈卑〉 노가다(공사판의 막벌이 인부).

どかっと dokatto 副 ①무겁가 갑자기 오르거나 떨어지는 모양：부쩍. ¶米ª_ª_の闇値ª_ª_が～下ª_がる 쌀의 암시세가 부쩍 떨어지다. ¶무거운 것을 힘차게 내려 놓는 모양：털썩. ¶～腰ª_を下ª_ろす 털썩 앉다. ③사물이 일시에 많이 집중하는 모양：와짝. ¶仕事ª_が～回ª_ってきた 일이 와짝 몰려 왔다.

どかどか 副 ①많은 사람이 한꺼번에 들이닥치는 모양：우왈칵；우르르. ＝どやどや. ¶大勢ª_ª_の人ª_が～(と)やって来ª_た 많은 사람이 우르르 들이닥쳤다. ②〈数〉 척척；끊임없이. ＝どしどし. ¶～と入荷ª_ª_する 연달아 입하하다.

とがめ 【咎め】 名 문책(問責)；비난；책망. ¶世間ª_ª_の～ 세상의 비난.

とがめだて 【とがめ立て・咎め立て】 名 지나치게 책망함. ¶あまり～(を)する

な　너무 책망하지 않는다.

*とが-める【咎める】 下1他 ①책망하다；탓하다；비난하다. ¶良心らがが～　양심의 가책을 받다／人らの失策を～　남의 실수를 꾸짖다. ②수하(誰何)하다；交番こうばんで～められた　파출소에서 검문당했다. ③(종기 따위를) 덧나게 하다. ¶針をさしたあとが～　침맞은 자리가 덧나다. 注意①③은 自動詞로도 쓰임.

とがら-す【尖らす】 5他 뾰족하게 하다；날카롭게 하다. ¶神経しんを～　신경을 날카롭게 하다.

*とが-る【尖る】 5自 ①뾰족해지다. ¶～った針 뾰족해진 바늘. ②예민해지다. ¶神経しんが～　신경이 날카로워지다. ③성내다. ¶声こえを～　목소리가 거칠어지다.

どかん【土管】 名 토관；노깡.

どかんと 副 총・포(砲) 따위의 소리가 큰 모양；쾅；쿵.

*とき【時・刻】 名 ①시간；시각. ¶～の流れは시간의 흐름；(시대의 변천). ②(일주야의 구분의) 시；시각. ¶ひけ時とき 퇴근(퇴거)시(간)／はね時とき 끝마감 시간. ③①(連体修飾語를 받아서) (어떤 일이 행해진, 또는 어떤 상태에 있었던) 때. ¶戸とをあけた時とき 大声おおごえがした 문을 열었을 때에 큰 소리가 들렸다. ①계절；시대；시절；시기. ¶花見はなみ時どきは꽃놀이 철；꽃철／若わかいのは二度どと来こ～ない 젊은 시절은 두 번 다시 오지 않는다／～が～だから大変たいへんだ 때가 때니만큼 큰일이다. ②(그것을 하기에 좋은) 때. ¶～を見みて話はなしをつけよう 때를 보아 말을 끝마치자(결정하자). ②(본디 秋ろ로도)(중요한) 시기. ¶国家存亡こっかそんぼうの時とき 국가 존망의 시기(위기). ③(‘の’가 뒤따라)그(이)때. ¶～の首相しゅしょう伊藤とうは 당시의 수상 伊藤は～. ③(連体修飾語를 받아서 接続助詞적으로) ～경우에. ¶いざという～の用意ようい 일단 유사시의 준비. ──は金かねなり 시간은 돈이다. ──を移うつさず 때를 옮기지 않고；곧. ──を得える 때를 얻다. ──を失うしな 때를 놓치다. ②영락하다. ──を待まつ 못 만나 쇠퇴하다. ──を稼かせぐ 시간을 벌다. ──をつくる 닭이 시간을 알리다. ──を分わかたず 때없이；언제나.

とき【斎】 名 【佛】①오전 중의 식사 시각에 승려가 식사함. ↔非時ひじ. ②불사(佛事)때 절에서 내는 음식. ③채식 요리.

とき【鬨・鯨波】 名 (옛날, 싸움터에서) 사기(士気)의 고무나 전투 개시의 신호로 부르짖던 함성(喊聲). ¶～の声こえ 함성(소리).

とき【鴇・鴇・桃花鳥・朱鷺】 名 ①따오기(특별 천연 기념물로 지정되어 있음). ②とき色いろ(=연분홍)'의 준말.

とき【伽】 名 ①밤의 지루함을 달래려 말벗을 함；또；말벗. ②【古】잠자리에서 시중을 드는 일；잠자리를 같이하는 여자. ②【看病】병구완(看病).

どき【土器】 名 토기. =かわらけ.

どき【怒気】 名 노기. ¶～を含ふくむ 노

기를 띠다.

ときおり【時折】 副 때때로；이따금；가끔. =ときどき・ときたま. ¶～小雨こさめのがぱらつく때때로 가랑비가 뿌리다.

ときしも【時しも】 副 【雅】(마침) 그 때；때마침. =おりしも. ¶～あれ (다른때가 아닌) 마침 그 때.

とぎすま-す【研ぎ澄(ま)す】 5他 ①(칼・거울 따위를) 충분히 갈다；잘 갈다. ②신경・감각을 예민하게 하다.

ときたま【時たま】【時偶】 副 때때로；가끔；이따금. =たまに・ときおり. ¶～にしか彼かれに会あえない 이따금석밖에 그를 만나지 못한다.

どきつ-い 形 몹시 강렬(強烈)하다；칙칙하다. ¶～化粧けしょう 몹시 칙칙한 화장／～広告こうこく 매우 자극적인 광고.

*ときどき【時時】 ① 副 가끔；때때로. =ときおり. ¶～見回みまわってくれ 가끔돌아봐 다오. ② 그때그때. ¶～のくだもの その때その때(계절)의 과일.

どきどき 두근두근；울렁울렁. ¶胸むねが～する 가슴이 두근거리다.

ときとして【時として】 連語 경우에 따라서는；어느 때에는；때로는. =たまに. ¶～病気びょうきにもなる 때로는 병도 난다.

ときなく【時なく】 連語 때없이；항상.

ときなしだいこん【時無し大根】 名 【植】사철무(한여름을 빼고는 늦가을까지 언제나 재배할 수 있는 무).

ときならぬ【時ならぬ】 連語 때아닌；철 아닌；뜻밖의. ¶～大雪おおゆき 때 아닌 큰눈.

ときに【時に・時に】 連語 ①〔副詞적으로〕때때로；때로는；가끔；어쩌다；어느 때는. ¶～顔かおを見みせに来きてくれ 이따금 얼굴을 보이러 온다. ②그 때；때마침. ¶～彼かれが五歳ごさいのことであった 그 때 그는 다섯 살이었다. ③〔接続詞적으로〕화제를 바꾸는 데 씀；그런데. =ところで・さて. ¶～あの件けんはどうなっていますか 그런데 그 건은 어떻게 되어 있습니까.

ときには【時には】 =wa 連語 〔副詞적으로〕때로는；가끔은；경우에 따라서는. =たまには. ¶～そういうこともあろう 때로는 그런 일도 있겠지.

ときのま【時の間】 名 잠깐. ¶～の命いのち 짧은 인생(목숨)／～も休やすまない 잠시도 쉬지 않다.

ときふ-せる【説き伏せる】 下1他 설복(說伏)하다. =説ときつける.

どぎまぎ 下2他 뜻밖의 일을 당하거나 압도되어 당황하는 모양；허둥지둥；갈팡질팡. ¶急きゅうに答こたえも出でず、～した 갑자기 대답도 나오지 않고 당황했다.

ときめか-す 5他 (기쁨이나 기대 따위로) 설레이다. ¶胸むねを～して 가슴을 설레이면서.

ときめ-く 5自 (기쁨・기대 따위로) 가슴이 두근거리다；설레다.

ときめ-く【時めく】 5自 때를 만나서 날리다. ¶今いまを～人気にんきの 때를 주름 잡는 인기인.

どぎ-も【度肝・度胆】 名 간；간덩이. ──を抜ぬく 깜짝 놀라게 하다.

ドキュメンタリー dokyu- 名 다큐멘터

리；(실제의) 기록(물). ¶～映画ミネ
기록 영화. ▷documentary.

ドキュメント dokyu- 名 도큐먼트；기
록；문헌. ▷document.

とぎょ【鱮魚】togyo 名 鱅 반대종.
＝衣魚ラ.

どきょう【度胸】dokyō 名 담력；배
짱.＝胆力タシ. ¶女ズは愛嬌キッ男ヒッ
は── 여자는 애교, 남자는 배짱.

どきょう【読経】dokyō 名 又自 독
경.＝誦経クッ. ▷どっきょう.

ときょうそう【徒競走】tokyōsō
名 又自 뜀박질 경주.＝かけくらべ.

どきりと 副 갑자기 놀라서 가슴이 몹
시 뛰는 모양：덜컥.＝どきんと. ¶図
星ズをさされて──する 정곡(正鵠)을
찔려 가슴이 덜컥하다.

とぎれとぎれ【跡切れ跡切れ】ダテ
엄띄엄 중단되는 모양；헐레벌떡〔씨근
펄떡〕거리는 모양. ¶～に言ウ 띄엄
띄엄 말하다／糸ジが──する 실이 토
막토막이 되다／息イキも──になって駆
けつける 헐레벌떡 달려 오다〔가다〕.

とぎ-れる【跡切れる】下1自 중단되
다；도중에서 끊어지다. ¶行列ミッョッが──
행렬이 중간에서 끊어지다.

ときわぎ【ときわ木】【常磐木】名 植
상록수.

ときわず【常磐津】名 ‘常磐津節サンシ'
의 준말(浄瑠璃トョッ의 일파로 常
磐津文字太夫タットが 창시했음；이야기
절반 노래 절반으로 되어 있음).

ときん【鍍金】名 又他 →めっき.

と-く【解く】5他 ①풀다. ⓐ매듭·묶
음을 풀다.＝ほどく；ひもを── 꾸
러미끈을 풀다. ↔結ブすぶ. ⓑ담을 내
다. ¶問題ダイ를 문제를 풀다. ⓒ임
무·직무를 그만두게 하다. ¶任ニンを──
해임하다. ⓓ(옷을) 벗다. ¶帯オビを
── 띠를 풀다. ⓔ해제하다. ¶武装ブ를
── 무장을 해제하다. ⓕ물러서다. ¶
包囲イッを── 포위를 풀다. ②감정을 풀
거하다. ¶誤解ゴを── 오해를 풀다.
ⓒ정했던 것을 그만두다. ¶契約ケを
── 해약하다. ②꿰맨 것을 뜯다. ¶着
物ものを──いて洗らう 옷 솔기를 뜯어서
빨다. ③(본디 翻く로도) 물에 풀다.
④(본디 梳く로도) 머리를 빗다.

と-く【溶く】5他 ①(액체 따위에 섞
어서) 개다；개다. ¶小麦粉ごを水デ
に～ 밀가루를 물에 개다／卵タを～
달걀을 풀다. ②(본디는 熔く·鎔く)금
속을 녹이다.

と-く【説く】5他 ①말하다；설득하
다. ¶倹約ケシを～ 검약을 설득하다.
②설명하다. ¶情勢ジョッを～いて出
馬シを勧すめる 정세를 설명하여 출마
를 권하다.

＊とく【得】一名 이익；득. ¶～をす
る 이익을 보다／害ガイになっても～に
はならない 해로울지언정 이롭지는 않
다. 一ダナ 유리함. ¶～な地位チイ로
운 지위／買カう方ゥが～だ 사는 쪽에
이득이 있음.

＊とく【徳】名 ①덕. ¶故人ジシの～をし
たう 고인의 덕을 흠모하다. ②은혜.
¶～をほどこす 은혜를 베풀다. ③이
득. ¶朝起おきは三文ジの～ 일찍 일
어나면〔부지런하면〕어떻든 이득이 있

다. ─とする 덕택으로 여겨 감사하
다.

とく【疾く】副 雅 빨리；급히.＝はや
く. ¶～参ソいれ 어서라 오너라〔가거라〕.

＊と-ぐ【研ぐ】【磨ぐ】5他 ①(칼 따위
를) 갈다. ¶刀カを～ 칼을 갈다. ②
닦아서 윤을 내다. ¶鏡が을 ～ 거울을
닦다. ③(비비어) 씻다. ¶米ょを～ 쌀
을 씻다.

＊と-く【退く】5自 물러나다；비키다.
¶そこを～いてくれ 거기를 비켜 다
오.

＊どく【毒】名 독. ①몸에 해로운 것. ¶
目ッの～ 안 보는 게 약；보는 것이 병／
たばこはからだに～だ 담배는 몸에 해
롭다. ②毒약. ¶～を仰あぐ 독을 마시
다. ③사람의 마음을 해치는 것.＝とげ.
¶彼女クゥの舌シたには～がある 그녀
의 말에는 가시가 있다. ─にも薬シ
にもならない (있다는 것 뿐이지) 해
(害)도 이(利)도 되지 않는다. ─を
食らわば皿まで 한번 나쁜 일을 시
작한 바에는 끝까지. ─をもって～
制する 독을 독으로써 제어하다；이
독 제독.

＊とくい【特異】名ダ 특이. ¶～体質タイ
특이 체질.

＊とくい【得意】名ダ ①득의. ¶～の絶
頂チョ 득의의 〔만족〕의 절정. ↔失意シ.
②득의 양양(得意揚揚). ¶～になる
득의 양양하다. ↔不得意ブ。. ③가
장 숙련되어 있음. ¶最もーとする
所ょ 가장 자신 있어 하는 것(바). ④
단골손님；또, 그 손님. ¶お～が減ヘる 고
객이 줄다. ─がお【─顔】名 자랑
스러운 듯한 얼굴；득의 양양한 얼굴.
─がる 5自 득의 양양해하다.
─げ【─気】名 득의에 찬 모양.
─さき【─先】名 단골 손님.─ま
んめん【─満面】-mammen 名 득의 만
면.

とくいく【徳育】名 덕육；도덕면의 교
육. 参考 ‘知育チ(＝지육)·体育タイ(＝
체육)'과 더불어 교육의 3대 요소.

どうぐう【土偶】-gū 名 토우.＝土人形.

どくえき【毒液】名 독액.

どくえん【独演】名 又自他 독연；혼자
출연(연기·연주).

どくが【毒牙】名 독아；독사의 이빨；
전화어, 독수(毒手).

どくが【毒蛾】名 蟲 독나방.

とくがく【篤学】名 독학；학문에 열심.

どくがく【独学】名 又自他 독학.

どくガス【毒ガス】名 독가스. ▷gas.

とくぎ【徳義】名 독의；도덕상의 의무
〔의리〕. ¶～心ヘ 덕의심.

とくぎ【特技】名 특기.

どくぎん【独吟】名 又自他 독음. ①홀
로 읊음. ↔連吟レン. ②俳諧カイ나·連歌レン
따위를 홀로 만듦. ↔片吟ヘン.

どくけ【毒気】名 독기.＝どっけ. ⇨
どっき.

どくけし【毒消し】名 해독(解毒)；해
독제(劑).＝どっけし.

どくご【独語】名 一又自他 혼잣
말.＝独り言ジ·独言ジ·独話ジ. ¶ぶ
つぶつ～する 혼잣말로 투덜거리다.
二名 독일어. ¶「語」.

どくご【読後】名 독후. ¶～感カシ 독후

とくさ【木賊・砥草】名①〔植〕속새. ②
'とくさ色い(=거무스름한 녹색)'의 준
말.

*どくさい【独裁】名ス自 독재. ¶~的
독재적 /~政治☆ 독재 정치.

どくさく【得策】名 득책；유리한 계책.

どくさつ【毒殺】名ス他 독살.

とくさん【特産】名 특산. ¶~物░ 특
산물.

とくし【特使】名 특사.

とくし【篤志】名 독지；마음씨가 도타
움. ¶~家 독지가.

どくし【毒死】名ス自 독사.

*どくじ【独自】ダナ 독자. ¶~性☆ 독
자성 /~の文体☆ 독특한 문체.

とくしつ【特質】名 특질；특성.

とくしつ【得失】名 득실. ¶利害☆~
이해 득실.

とくじつ【篤実】名ダ 독실；정이 두텁
고 성실함. ¶温厚☆~ 温大☆☆

とくしゃ【特赦】-sha 名ス他 특사.

どくしゃ【読者】-sha 名 독자. ¶~つ
み手で.

どくじゃ【毒蛇】-ja 名=どくへび.

どくしゃく【独酌】-shaku 名ス自 독
작. ¶~で酒☆を飲のむ 혼자 자작으
로 술을 마시다.

*とくしゅ【特殊】-shu 名 특수. ¶~児
童☆ 특수 아동(신체·정신상의 이상
아) /~教育☆ 특수 교육 /~性☆ 특
수성.──一般☆☆.──がっこう【──学
校】-gakkō 名 특수 학교.──こう
【──鋼】-kō 名 특수강.──さつえい
【──撮影】名 특수 촬영.

とくじゅ【特需】-ju 名 특수 수요(特殊
需要). ¶~産業☆☆ 특수 (수요) 산업
(혼히, 주일(駐日) 미군의 수요를 조
달하기 위한 산업).

どくしゅ【毒手】-shu 名 독수.

どくしゅ【毒酒】-shu 名 독주.

とくしゅう【特集】【特輯】-shū 名ス他
특집.

どくしゅう【独修】-shū 名ス他 독수；
남에게 배우지 않고 혼자서 익힘.

とくしゅつ【特出】-shutsu 名ス自 특
출.=傑出☆☆.

*どくしょ【読書】-sho 名ス自 독서. ¶
~力☆【家☆】 독서력[가] /~週間☆☆
독서 주간.一百遍☆☆、義☆おのずから
通☆ず 많이 읽으면 뜻이 절로 분명해
진다. 「한 치 동호.

どくしょう【特称】-shō 名 특칭；특별
한 치 동호.

とくしょう【特賞】-shō 名 특상. ¶~
を与☆える 특상을 주다.

どくしょう【独唱】-shō 名ス他 독창.
=ソロ. ¶~曲☆☆ 독창곡.↔合唱
☆☆·斉唱☆☆.

*とくしょく【特色】-shoku 名 특색. ¶
~を生☆かす 특색을 살리다.

とくしょく【瀆職】-shoku 名ス自 독
직.=汚職☆☆.

とくしん【得心】名ス自 납득함；충분
히 이해함. ¶~が行☆く 납득이 가다 /
~ずくで離婚☆する 양쪽이 서로 잘
합의하여 이혼하다.

とくしん【篤信】名 독신；신앙이 두터
움. 「【瀆】

とくしん[瀆神]名 독신；신을 모독(冒

*どくしん【独身】名 독신；단신.=独☆

───

り者☆. ¶~者 독신자. 「술.

どくしんじゅつ【読心術】-jutsu 名 독심

とく－する【得する】サ変自 득보다；이
익[이득]을 얻다.←損☆する.

とく－する【毒する】サ変他 해치다.↔
益☆する.

とくせい【特性】名 특성；특질.

とくせい【特製】名 특제. ¶~品☆ 특
제품.=並製☆☆.

とくせい【徳政】名 덕정；인정(仁政).

とくせい【徳性】名 덕성.

どくせい【毒性】名 독성.

とくせつ【特設】名ス他 특설. ¶~売
場☆ 특설 매장.

どくぜつ【毒舌】名 독설.=毒口☆☆·毒
言☆☆. ¶~家 독설가.

とくせん【特選】名 특선.

とくせん【督戦】名ス自 독전；부하
를 독려[감시]하여 싸우게 함.

*どくせん【独占】名ス他 독점；독차
지.=独☆り占☆め. ¶~企業☆ 독점 기
업 /~資本☆☆ 독점 자본. 「り.

どくぜん【独善】名 독선.=独☆りよが

どくせんじょう【独擅場】-jō=どく
くだんじょう.

どくそ【毒素】名 독소. ¶~のある植
物☆☆ 독소가 있는 식물. 「る.

どくそう【毒草】-sō 名 독초.=薬草☆

どくそう【独走】-sō 名ス自 독주. ①
혼자서 달림；특히, 남을 훨씬 앞지르
고 달림. ②혼자서 멋대로 활동함. ¶
君☆だけ~しては困☆る 너만 독주해서
는 곤란하다.

どくそう【独奏】-sō 名ス他 독주.=ソ
ロ. ¶ピアノ~ 피아노 독주.↔合奏
☆☆.

どくそう【独創】-sō 名ス他 독창. ¶
~性☆(カ☆) 독창성[력].↔模倣☆☆.
──てき【──的】ダナ 독창적. ¶~な
作品☆☆ 독창적인 작품.

*とくそく【督促】名ス他 독촉；재촉.=
催促☆☆. ¶~状☆ 독촉장.

ドクター名 닥터. ①박사.②의사.=
ドクトル. ▷doctor.

とくたい【特待】名ス他 특대；특별 대
우. ¶~生☆ 특대생.

とくだい【特大】名 특대. ¶~号☆ 특
대호.↔特小☆☆.

とくたく【徳沢】名 덕택；덕분.

とくたけ【毒たけ】[毒茸]名 독버섯.

とくだね【特種】名〔신문 기사의〕특
종；스쿠프.=スクープ·ビッグニュー
ス. 「草].

どくだみ【蕺草】名〔植〕삼백초(三白

*どくだん【独断】名ス他 독단. ¶~と
독단적. ──せんこう【──専行】-kō
名ス自 독단 전행(자기 판단만으로 행
함).

どくだんじょう【独壇場】-jō 名 독무대
(獨舞臺). 参考「独擅場☆☆☆☆」의 오용
에서 생긴 말.

とぐち【戸口】名〔건물의〕출입구.

とくちょう【特長】-chō 名 특장；특징
을 이루는 장점；특별한 장점.

*とくちょう【特徴】-chō 名 특징. ¶
~の有☆る歩☆き方☆ 특징 있는 걸음걸
이 /~づける 특징지우다；특징이 되
게 하다.

どくづく【毒づく】[毒突く]5他 마

구 욕설을 퍼붓다 ; 악담을 하다.

とくてい【特定】图区他 특정. ¶～の人 특정한 사람.

とくてん【特典】图 특전 ; 은전.

とくてん【得点】图区自 득점. ¶大量タイ゙ニャ゚ ── 대량 득점. ⇒失点ネ゚.

とくでん【特電】특전('特別キシ電報ホウ゚の 준말) ; 어떤 신문사에 특별히 보내어 오는 전보 통신(特電, 해외 특파원의 보도).

とくと【篤と】副 신중히 잘 ; 차분히. ¶～考ガ゙える 신중히 생각하다 / ～調ラジべる 자세히 조사하다.

とくど【得度】图区他【佛】득도 ; 불타의 개오(開悟)의 세계에 건너 감 ; 전하여, 출가하여 수계(受戒)함.

とくとう【禿頭】-トゥ 图 독두 ; 대머리. ＝はげあたま.

とくとう【特等】-トゥ 图 특등. ¶～賞シャ゚ ｟席ゼキ｠ 특등상(석). ↔並ナ゙及ニャ゚等.

とくとく【得得】トタル 득의 양양한 모양. ¶～として語カタる 득의 양양해서 말하다.

とくとく副 ①좁은 데서 액체(液體)가 흘러나오는 모양 : 쪼록쪼록. ¶～の清水タミズ 쪼록쪼록 흘러나오는 맑은 물. ②물방울 따위가 뚝뚝 떨어지는 모양 : 뚝뚝.

*　**どくとく**【独特】ダ゙ク 독특.

どくどく副 액체가 쏟아지는 모양 : 콸콸 ; 철철. ¶血ヂが～(と)流ナ゙れ出デる 피가 콸콸 솟아 나오다.

どくどくしい【毒毒しい】-shi 形 ①몹시 독이 있어 보이다. ¶～茸タゲ 몹시 독기가 있어 보이는 버섯. ②독살스럽다. ＝にくにくしい. ¶～顔シキヅき 독살스러운 표정. ③색이 지나치게 진하다(농후하다, 칙칙하다). ¶～口紅クヂベ゙니 칙칙한 입술 연지.

ドクトル图ドクター. ▷도 Doktor.

＊＊とくに【特に】副 각별히 ; 특히 ; 이것저것 제쳐두고, 그 중에서도. 특히. ＝ことさら. ¶数学スヴガクが～悪ヷるい 수학(성적)이 특히 나쁘다 / 君 ギミのために注文チュヴモンしたのは特ニ゙に君 ギミを위해 주문한 거야.

とくのう【篤農】-nō 图 독농. ¶～家ガ 독농가.

とくは【特派】图区他 특파. ¶～員イン゙ 특파원.

どくは【読破】图区他 독파 ; 통독.

とくはい【特配】图区他 특배. ①물품의 특별 배급. ②주(株)의 특별 배당.

とくばい【特売】图区他 특매. ①특별히 싸게 판매함. ¶～品ビン(場場バ゙)～ 특매품(장). ②(입찰하지 않고) 특정인에게 매도함.

どくはく【独白】图区自 독백. ＝モノローグ.

とくひつ【特筆】图区他 특필. ¶～に値アゼ゙いする 특필할 만하다. ──大書ダ゙イ゙ショ.

──とくひつ【──大書】-sho 图区他 대서 특필.

とくひょう【得票】-hyō 图区自 득표.

どくふ【毒婦】图 독부 ; 악독한 여자.

どくぶつ【毒物】图 독물.

＊＊とくべつ【特別】图形 특별. ¶～職ショク特별직 ; 별정직 / ～法ホヴ特별법 / あの人タビ゙は～だ 저 사람은 특별(예외)이

다 / ～に安ヤ゙すくする 특별히 싸게 하다. ──かいけい【──会計】图 특별 회계. ↔一般イ゙ッパン会計. ──きょうしつ【──教室】-kyōshitsu 图 특별 교실(이과(理科)·음악·미술·공작 등 교육을 위해 특별히 만든 교실). 「じゃ.

とくへび【毒蛇】图【動】독사. ＝どく

とくほう【特報】-hō 图区自 특보. ¶選挙センキョ～ 선거 특보.

どくぼう【徳望】-bō 图 덕망.

どくぼう【独房】-bō 图 (감방의) 독방. ＝独居監房ドッキョカンボヴ.

とくほん【読本】图 독본. ①국어 교과서. ¶副フク~ 부독본. ②입문서 ; 해설서. ¶人生ジンセイ~ 인생 독본. ⇒よみほん.

ドグマ图 도그마. ①종교상의 교의. ②독단(적인 설). ▷dogma.

どくみ【毒味·毒見】图区自他 (남에게 권하기 전에) 자기가 맛보아 독의 유무를 확인함 ; 전하여, 요리의 맛을 봄.

どくむし【毒虫】图 독충.

とくめい【匿名】图 익명.

とくめい【特命】图 특명. ¶～全権センゲン公使コヴシ｟大使タイ゙シ｠ 특명 전권 공사(대사). 「グ 특약점.

とくやく【特約】图 특약. ¶～店テン゙

どくやく【毒薬】图 독약.

とくゆう【特有】-yū 图 특유. ¶この地方ヂホウ~の風俗フヴゾク 이 지방 특유의 풍속. ⇒通有ツヴユウ.

とくよう【徳用·得用】-yō 图 덕용 ; 써서 이익이 많음 ; 값이 싼 데 비해 비교적 쓸모가 있음. ¶～品ビン゙ 덕용품.

とくようさくもつ【特用作物】tokuyō-图 특용 작물(담배·차·삼 따위).

とくり【徳利】图 ①(아가리가 잘쪽한) 술병. ＝銚子ヂョウシ. ②물에 뜨지 못하는 사람, 헤엄을 못 치는 사람. 注意 'とっくり'라고도 함.

＊＊どくりつ【独立】图区自 독립. ＝ひとりだち. ¶～運動ウン゙ドウ 독립 운동 / 国ゴク独立国 / 親オヤ゙から～する 부모로부터 독립하다. ↔従属ジュヴゾク. ──ご【──語】图 독립어. ──じそん【──自尊】图 독립 자존. ──どっぽ【──独歩】-doppo 图区自 독립 독보. ①독립 독행. ＝独立独行ドッコヴ. ②독색이 뚜렷해서, 다른 것과 같이 취급할 수 없음.

どくりょく【独力】-ryoku 图 독력 ; 혼자 힘 ; 자력(自力).

とぐるま【戸車】图 호차(문짝의 여닫이를 쉽게 하고자 다는 작은 쇠바퀴).

とくれい【特例】图 특례.

どくれい【督励】图区他 독려.

とぐろ【塒·蜿局】图 뱀 따위가 몸을 서림 ; 또, 그 서린 모양. ～を巻マ゙く ①뱀이 몸을 서리다. ②한곳에 볼일도 없이 자리잡고 앉아 장시간 눌러붙음의 비유. 「されてうる.

どくろ【髑髏】图 촉루 ; 해골(骸骨). ＝

どくわ【独話】图区自 독백 ; 혼잣말 ; 또, 혼잣말을 함.

＊とげ【刺·棘】图 가시 ; 비유적으로, 감정을 자극하는 것. ¶バラの─ 장미의 가시 / ～のある言葉ゴトバ゙ 가시 돋친 말 / ～が立ダつ 가시가 돋치다.

とけあ·う【溶け合う】【融け合う】5自 녹아서 하나로 섞이다.

とけあ-う【解け合う】[5自] 격의없이 어울리다；융화〔화합〕하다.

とけい【徒刑】[名] 도형. ①'懲役(=징역)'의 구칭. ②(구 일본 형법에서) 중죄에 과하던 유형(流刑).

‡とけい【時計】[名] 시계. ¶電気時計 전기 시계/柱時計 벽시계；괘종/目覚まし時計 자명종. ——だい【——台】[名] 시계탑.

とげうお〖棘魚〗[名]〔魚〕큰가시고기.

どげざ【土下座】[名][ス自] (옛날, 귀인의 행차 때) 땅에 조아려 엎드림.

とけつ【吐血】[名][ス自] 토혈.

とげとげし-い〖刺刺しい·棘棘しい〗-shī [形] 심술궂고 모나다；표독스럽다；험악하다. ¶～雰囲気 험악한 분위기.

‡と-ける【溶ける】(融ける) [下1自] 녹다. ①(액체에) 녹다；풀리다. ¶氷が～ 얼음이 녹다/砂糖が水に～ 설탕이 물에 풀리다. ②(鎔ける·熔ける) 금속이 용해하다. ¶鉄が～ 쇠가 녹다.

‡と-ける【解ける】[下1自] 풀리다. ①(맨 것이) 끌러지다. ¶帯が～ (허리)띠가 풀리다. ②해제되다. ¶制限が～ 제한이 풀리다. ③(맺힌 감정이) 스러지다；해소되다. ¶怒りが～ 노여움이 풀리다. ④의문 따위가 풀어지다；해답이 발견되다. ¶なぞが～ 수수께끼가 풀리다.

*と-げる【遂げる】[下1他] ①이루다；얻다；성취〔달성〕하다. ¶名を～ 이름〔명성〕을 얻다/目的を～ 목적을 이루다. ②마치다；죽다. ¶悲壮な最期を～ 비장한 최후를 마치다.

*ど-ける〖退ける〗[下1他] 치우다；비키다；물리치다. ¶石を～·けてすわる 돌을 치우고 앉다.

とけん［杜鵑］[名]〔鳥〕두견. ☞ほととぎす.

どけん【土建】[名] 토건. ¶～屋 토건업자.

とこ【床】[名] ①잠자리. =寝床. ②마루. ③たたみ의 심〔속〕. ④모판；못자리. =苗床. ⑤강의 밑바닥；하상(河床). =川床. ⑥'床の間'의 준말. ⑦'床屋'의 준말. —につく ①잠자리에 들다. ②병들어 눕다. —をとる〔しく〕 잠자리를 펴다.

とこ〖所〗[名]〈口〉①곳；점. =ところ. ¶そこん～がわからない 그 곳〔점〕을 모르겠다. ②쯤；정도. ¶百円が～ください 백 엔어치쯤 주시오/もうちょっとの～だ 이제 조금만 더；이제 거의 다 됐어/いい～あと二日だろう 기껏해야 앞으로 이틀이겠지.

どこ〖何処〗[代] 어디；어느 곳. ¶～が～だか 어디가 어딘지/～ぞ行ってしまえ 어딘가 가버려라/～にでもある品 어디나 있는 물건.

とこあげ【床上げ】[名][ス自] 오랜 병이나 산후가 완쾌되어 이부자리를 걷어치움；또, 그 축하. =床払い.

どこいら〖何処いら〗[代]〈口〉어딘지；어디쯤. =どこやら.

とこう【渡航】-kō [名][ス自] 도항.

とこう〖兎角·左右〗-kō [副] 이러니저러니；이럭저럭. =と(や)かく. ¶～するうちに 이럭저럭하는 동안에.

どこう【土工】-kō [名]〈卑〉토공；토목공사；또, 그것에 종사하는 인부.

どごう【怒号】-gō [名][ス自] 노호；성(이) 나서 고함침.

どこか〖何処か〗[副] 어딘가(에)；어디지. ¶～おかしい所がある 어딘지 이상한 데가 있다.

とこしえ〖常·長·永久〗[名] 영원；영구(히). =とこしなえ. ¶～に眠る 영면(永眠)하다；죽다.

とこずれ【床擦れ】[名][ス自] 욕창. =褥瘡.

どこそこ〖何処其処〗[代] (특히, 밝히지 않는) 어디어디(에).

とことこ [副] 종종걸음 치는 모양；종종. ¶子供が～とついて行く 어린아이가 종종걸음으로 따라가다.

どことなく〖何処と無く〗[連語] ①어딘지 (모르게). ¶～かわいい 어딘지 모르게 귀엽다. ②어디론지. ¶～立ち去った 어디론가 가버렸다.

とことん [名][副]〈俗〉막다른 곳；끝；철저하게. ¶～まで追求する 끝까지〔철저히〕 추구하다.

とこなつ【常夏】[名] ①상하；늘 여름임. ¶～の国 상하의 나라. ②〔植〕【とこなつ】㉠야생 패랭이꽃의 딴이름. ㉡패랭이꽃의 한 재배 품종(꽃이 무시로 핌).

とこのま【床の間】[名] 일본식 방의 상좌(上座)에 바닥을 한층 높게 만든 곳(벽에는 족자를 걸고, 바닥에는 꽃이나 장식물을 꾸며 놓음；보통 객실에 꾸밈).

とこばしら【床柱】[名] 床の間 의 한쪽편의 장식 기둥.

とこはる【常春】[名] 상춘.

とこぶし〖常節〗[名]〔貝〕오분재기；떡조개(작은 전복의 일종；식용).

どこまでも〖何処迄も·何所迄も〗[連語] ①끝〔한〕없이. ②어디까지나；끝까지.

どこも〖何処も·何所も〗[連語] 어디나(모두).

*とこや【床屋】[名] 이발소('理髪店'의 구칭)；또, 이발사.

どこやら〖何処やら〗[副] ①어딘지 모르게. ¶～君に似た人 어딘지 모르게 너를 닮은 사람. ②어딘지. ¶～で虫が鳴く 어디선가 벌레가 운다.

とこよ【常世】[名] ①영원 불변(함). ②'常世の国'의 준말. —の国 ①머나먼 곳에 있다고 생각하였던(불로 불사(不老不死)의) 나라. ②황천(黃泉)；저승. =よみじ.

どこら〖何処ら〗[代] 어디(쯤). =どこいら. ¶～あたりにいるだろう 어디쯤 있을까；어딘가에 있을거야.

‡ところ【所】(処) [名] ①곳. ㉠장소. ¶便利な～ 편리한 곳/置き所がない 둘 곳이 없다. ㉡데；군데；점. ¶女らしい～ 여자다운 데. ②고장. ¶～自慢 자기 고향이나 사는 고장을 자랑함. ③주소. ¶～を尋ねる 주소를 묻다. ④…네(집). ¶兄の～にとまる 형네(집)에서 묵다. ⑤제 자리；알맞은 지위. ¶～を得る (a)제자리를 얻다(그 사람에게 어울리는 지위나 일을 얻다)；(b)좋은 때를 만나 뜻대로 되다. ⑥부분. ¶初めの～が特におもしろい 첫 부분이 특히 재미있다. ⑦

정도. ¶これくらいの～でがまんしよう 이쯤 하고〔이 정도로〕참자. ⑧것. ¶来ºないº～を見ºると 오지 않는 것을 보면. ⑨(안성맞춤의) 때. ¶いい～に来ºてくれた 좋은 때에 와 주었다. ⑩경우；형편. ¶今ºの～ 지금 형편에〔으론〕；지금은. ⑪즈음. ¶ここの～しばらく会ºっていない 요즈음 얼마 동안 만나지 못하고 있다. ⑫장면；현장. ¶とんだ～を見ºつかった 난처한 장면을 들켰다. ⑬〔'～だ' 또는 '～に'～'～'へ'의 꼴로〕구 첫머리에 와서〕막～하(려)는 판；마침 그 때. ¶帰ºって来たº～だ 지금 막 돌아온 길이다／～へ権助がやって来たº 그 때 마침 하인[머슴]이 왔다. ⑭사물의 문제가 되는 어느 점. ¶見聞ºんした～のべる 듣고 본 바를 말하다／思ºう～がなって 생각하는 바가 이루어져서. ⓐ〔'Aの…する～となる'의 꼴로〕Aの…하는 바가 되다. ¶Aㅅの憎ºむ～となる Aㅅ의 미워하는 바가 되다；Aㅅ의 미움을 사다. ⓑ〔'Aの～のB'의 꼴로〕A가 B의 連体修飾語임을 명시(明示)하는 데 쓰임. ¶その規定ºんる及ºぶ～の対象ºん 그 규정이 미치는 바의 대상. ⑮〔接続助詞的으로〕⑦〔'～た～(が)'의 꼴로〕…었던 바；…었던 바였으나. ¶やってみた～(が), 意外ºにやさしかった 해보았더니 의외로 쉬웠다. ⑥〔'～に～で'의 꼴로〕…뎄자…. (해 보)았자. ¶私ºが何をか言ºった～で聞ºきはしまい 내가 뭐라 말하뎄자 듣지는 않을 걸. ⓒ〔'どころか'どころの'の'の꼴로〕…은 커녕；…라 할 정도의. ¶筆ºどころか鉛筆ºもない 붓은 커녕 연필도 없다／困ºるどころの騒ºぎではない 곤란하달 정도의 소동이 아니다. 一変ºわれば品ºな変ºわる 고장이 바뀌면 풍속·습관·말 따위도 다른 법이다.

ところ【野老】[名]【植】도꼬로마.

-どころ【所】①…해야 할〔…할 만한〕곳. ¶つかみ～ 잡을(만한)곳. ②(생산의) 중심지. ¶茶ºどころ～ 차의 고장. ③(막연히) 정도가 …에 상당하는 것；…인 사람(들). ¶奇麗ºゃ～ 고운 여자들；기생(들).

ところえがお【所得顔】[名] 그 자리·지위에 만족하여 득의 양양한 모양(얼굴). ¶新任º議員さんが登院ºするる 신임 의원이 득의 양양하여 등원하다.

ところが □接 그랬더니；그런데；그러나. =それなのに. ¶新聞ºん軽ºく扱ºる 신문에서는 가볍게 취급하고 있었던 모양이데 그려. 그러나 이것은 대사건이란 말일세. □接助 ①…(었)던바；…더니. =ところ⑮. ¶行ºった～, 済ºんでいた 이미 끝나 있었다. ②…뎄자；…해보았자. =そころで. ¶急ºいで行ºった～, 마にあう 서둘러 가보았자 시간에 대기 어려울 걸.

ところがき【所書(き)】[名] 주소를 적은 것；전하여, 주소(住所).

ところがら【所柄】[名] 장소의 성질〔형편〕(상)；장소가 장소임. ¶～をわきまえたものを言ºえ 장소를 가려 말하라.

ところきらわず【所嫌わず】連語《副詞적으로》장소를 가리지 않고. ¶～わめく 장소도 아랑곳없이 함부로 떠들다.

ところで □接 그런데；그것은 그렇다 하고. ¶～あの件ºはどうなりましたか 그런데 그건은 어떻게 되었습니까. ⇒まで. □接助 …뎄자. =ところ⑮ⓑ.

ところてん【心太·心天】[名] 우무. ¶～式º 뒤에서 밀려 저절로 앞으로 나아가는 일.

ところどころ【所所】[名][副] 여기저기. =あちこち·ここかしこ.

とき【時】[終助]①…(었[었])더라네[다더라]；…(었[었])대；…(었[었])단다. ¶昔ºおじいさんとおばあさんがあった～ 옛날에 할아버지와 할머니가 있었단다. 「약.

とざい【吐剤】[名] 토제；토하게 하는

どざえもん【土左衛門】[名]《俗》익사자；물에 퉁퉁 부은 익사체.

とさか【鶏冠】[名] 볏；계관.

どさくさ[名]《俗》혼잡(혼란)한 상태. ¶火事場ºに～の紛れれに悪事ºを働ºく 화재 현장의 혼잡을 틈타서 나쁜 짓을 하다.

と-ざ-す【閉ざす·鎖す】[5他]①(문을) 닫다；잠그다. ②길·통행을 막다. ¶道ºを～ 길을 막다. ③가두다；갇히게 하다. ¶雪ºに～された山村ºん 눈에 갇힌 산마을.

とさつ【屠殺】[ス他] (가축의) 도살. 「~場º 도살장.

とざま【外様】[名]①무가(武家) 시대에, 将軍家ºの일가나 세록지신(世祿之臣)이 아닌 大名ºや무사. ¶大名ºや江戸º시대에 関ºが原º싸움 후에 徳川º가(家)를 섬긴 大名. =親藩ºん·譜代ºん. ②방계(傍系)(출신).

どさまわり【どさ回り】[名]①(극단 따위의) 지방 순회；또, 그 단체(극단·곡마단 따위). ②번화한 거리를 배회하는 건달패. =地回りº.

***とざん【登山】**[名][ス自] 등산. =山登ºy. ¶～電車ºん 등산차. ⇔下山ºº.

‡とし【年·歳】[名]①해. ¶～の始ºめ 연초／새해가 바뀌다 되다. ②나이；연령. ¶～を取ºる 나이를 먹다／～が寄ºる 나이가 들다. 一には勝ºてぬ 나이에는 어쩔 수 없다(나이가 들면, 기력은 있어도 몸이 말을 안 듣는다). 一の程º_ 대충의 나이. 一は争ºえない 나이는 못 속인다.

***とし【都市】**[名] 도시. =都会ºん. ¶～計画ºん 도시 계획／～ガス 도시 가스. ──こっか【──国家】-kokka [名] 도시 국가.

とじ【綴じ】[名] 철(綴)；철하는 일(방법). ¶和ºº (책의) 일본식 철.

とじ【刀自】[名] 여사(중년 이상의 여성의 경칭).

とじ【途次】[名][副] 가는 도중(에)；길을 가면서. =みちすがら.

どじ[名ダ]《俗》얼빠진 짓；바보 짓；실수. =へま. 一を踏ºむ 실수를 하다；얼빠진 짓을 하다.

としうえ【年上】图 연상；연장. ↔年下

としおとこ【年男】【歳男】图 ①새해 맞이 청소와 장식을 하고 설날 아침에 정수를 긷는 일 따위를 하는 남자. ②節分就の豆まき(=立春 전야에 액막이로 콩을 뿌리는 일)'를 맡은 남자(그 해의 간지(干支)에 태어난 명사(名士)가 맡됨；여성도 뽑히는데, '年女就'라고 함).

としがい【年がい】【年甲斐】图 나이에 걸맞는 사려 분별；나잇값.

としかさ【年かさ】【年嵩】图 ①(남보다) 나이가 (훨씬) 위임；또, 그 사람；연상(年上). ②고령(高齢).

どしがた∼い【度し難い】① 타일러 이해시킬 도리가 없다；구제할 길이 없다. ¶∼悪人就の 구제할 길 없는 악인이다.

としかっこう【年格好】【年恰好】-kakkō 图 겉으로 본 나이；보아서 짐작할 나이；연령의 정도.

としご【年子】图 연년생(年生).

としこし【年越し】━【=】 图 区间 묵은 해를 보내고 새해를 맞음. ━ 三图 섣달 그믐날 밤 또는 입춘 전날밤(의 행사). ¶∼そば 섣달 그믐날 밤[입춘 전날밤]에 먹는 메밀 국수.

とじこ∼める【閉じ込める】下1他 가두다；감금하다. ━おしこめる.

とじこも∼る【閉じこもる】【閉じ籠る】五自 틀어박혀 나오지 않다；두문 불출하다.

としごろ【年ごろ】【年頃】图 ①알맞은 나이；적령(適齢). ¶もう, 여자의 혼기. そろそろ∼だ 그럭저럭 시집갈 나이다. ②대체로 본 나이의 정도. ＝年就の頃. ¶∼五十歳就ぐらいの紳士就 나이 50세쯤 되어 보이는 신사.

としした【年下】图 연하. ¶∼の者就 손아랫사람. ↔年上就.

とじしろ【とじ代】【綴代】图 철하기 위해서 남겨 둔 종이의 여백；꿰맬 몫.

どしつ【土質】图 토질.

としつき【年月】图 ①연월；해와 달. ②세월. ＝ねんげつ・さいげつ. ¶∼がたつ 세월이 지나다. ③긴 세월. ④지금까지의 긴 시간；연래(年来). ¶∼の望みみ 연래의 소망.

として連語 ①…의 자격으로서；…(으)로서；…의 입장으로서. ¶教授就∼採用就する 교수로서 채용하다. ②그대로 해두고；그렇다 치고. ¶それはそれ∼ 그건 그렇다 치고. ③(뒤에 否定이 따라) 하나도 예외 없이. ¶一時就も気就の休ま就る時就はない 한시도 마음 편할 때가 없다. ④…르가 하고；막 …하려고 (해도). ¶滑就ろう∼立上就る 돌아가려고 일어서다.

としとし【年年】图 연년；해마다；매년. ＝年就ごと・ねんねん. ¶∼増就える 해마다 불어나다.

どしどし副 쉴 사이 없이 (활기 있게) 계속되는 모양；척척；죽죽；줄줄. ¶仕事就を∼やる 일을 척척 하다／新手就が∼やってくる 새 일손[일손]이 연달아 오다.

としなみ【年波】图 나이；연륜. ¶寄る∼には勝てない 드는 나이는 어쩔

수 없다.

としのいち【年の市】【歳の市】图 (연말에) 대목장[새해의 장식물 등의 물품을 팖].

としのくれ【年の暮れ】图 연말；세모. ¶∼の大売出就し 연말 대매출.

としのこう【年の功】【年の劫】-kō 連語 연공；나이 들어 경험을 쌓음；또, 그 경험의 힘[공덕].

としのせ【年の瀬】图 세모(歳暮).

としのは【年の端】图 (어린아이의) 연령의 정도；나이. ¶∼も行就かぬ少年就 나이도 차지 않은 소년.

とじほん【とじ本】【綴本】图 철해 놓은 책；꿰맨 책. ↔折本就.

としま【年増】图 처녀다운 때를 지난 여자(江戸就 시대에는 20 전후, 현대에는 30대를 가리킴). ¶大就どしま 40대 여자.

とじまり【戸閉(ま)り・戸締(ま)り】图 문단속.

としまわり【年回り】图 나이에 따른 운수 연운(年運)(남자 42세, 여자 33세는 가장 흉하다고 하는 따위).

どしゃ【土砂】-sha 图 토사. ¶∼をかける 치켜세워라 끼얹다.

どしゃぶり【どしゃ降り】【土砂降り】dosha- 图 억수；악수.

としゅ【徒手】图 맨손. ¶∼一体操就 도수 체조；맨손 체조. ━くうけん〔━空拳〕-kūken 图 도수 공권；맨주먹. ¶∼で敵就にむかう 맨주먹으로 대적하다.

としゅ【斗酒】-shu 图 두주；말술. ━なお辞せず 두주도 불사하다.

*__としょ__【図書】-sho 图 도서；책. ＝書物就. ¶優良就∼ 우량 도서／∼費就 도서 비／∼目録就 도서 목록. ━かん〔━館〕图 도서관. ━きかん就 순회 도서관. ━しつ〔━室〕图 도서실.

としょう【徒渉】-shō 图 도섭；걸어서 강을 건넘. ＝かち渡就り.

とじょう【登城】-jō 图 (옛날, 무사가 근무하기 위해서) 성으로 감；특히, 幕府就에 출근함. ↔下城就.

とじょう【途上】-jō 图 ①(목적지로 가는) 도중. ¶発展就∼の∼にある国家就 발전 도상에 있는 국가. ②노상(路上).

どじょう【泥鰌・鰌】-jō 图 魚 미꾸라지. ━いんげん〔━隠元〕图 강낭콩의 한 품종(꼬투리가 아주 연함).

どじょう【土壌】-jō 图 토양；흙；땅.

どしょうぼね【土性骨】dosho- 图 타고난 성질；근성.

としょく【徒食】-shoku 图 도식. ＝座食就. ¶無為就∼ 무위 도식.

*__としより__【年寄(り)】图 ①늙은이；노인. ②무가(武家) 시대에 정무에 참여한 중신(重臣)(江戸幕府就에서는 老中就이, 大名就에서는 家老就). ③江戸幕府大奥就의(=将軍就의 부인이 있는 곳)를 단속하던 하녀의 중직. ④江戸就 시대에, 町村就에서 주민의 장(長) 구실을 한 사람. ⑤은퇴한 씨름꾼으로서 씨름 협회의 임원이 된 사람. ━の冷就や水就 늙은이가 젊은이에 지지 않고 무리하게 무엇인가 하려 함을 경고하거나 비웃는 말.

*__と∼じる__【綴じる】上1他 ①철하다. ¶

新聞ﾄｦを～ 신문을 철하다. ②(주머니 모양의 것의 아가리를) 꿰매다. ¶布団ﾄﾝを～ 이불을 꿰매다.

と-じる【閉じる】□ﾄｱ上1他 ①닫히다. ¶水門ﾄﾞが～ 수문이 닫히다. ②(회의 따위가) 끝나다. ¶会ｶｲが～ 폐회되다. □ﾆ上1他 ①닫다. ¶門ﾓﾝを～ 문을 닫다. ②눈을 감다. ¶目ﾒを～ 눈을 감다. ③덮다. ¶本ﾎﾝを～ 책을 덮다. ④끝내다. ¶会ｶｲを～ 회를 끝내다. ⑤(일을) 다물다. ¶口ｸﾁを～ 입을 다물다.

としん【都心】图 도심；도심지. ¶～地帯ﾀｲ 도심 지대.

とじん【都塵】图 도진；도시의 진애(塵埃)；도시의 번잡. ¶～南洋ﾅﾝﾖｳの～ 「남양의 번잡」.

どじん【土人】图 토인. ¶南洋ﾅﾝﾖｳの～

どしんと《무거운 것이 떨어지는〔층돌하는〕소리》쿵.

トス［ｽ自他〕토스. ①〔野〕가까운 데 있는 자기 편에게 공을 가볍게 아래로부터 던져 주는 일. ②(배구에서) 공격하기 좋게 공을 띄워 올리는 일. ③동전을 던져 그 나타난 면(面)에 따라 일을 결정함. ▷toss.

どす图《俗》①(깡패 따위가 지니는) 단도(短刀). ②무시무시함. ―を利ｷかす (깡패 따위가) 으름장을 놓다. ―をのむ 단도를 품고 있다.

どすう【度数】-sū 图 도수；횟수. ¶電話ﾃﾞﾝﾜの―制度ｾｲﾄﾞ 전화의 도수 제도／角ｶｸの～を測ﾊｶる 각의 도수를 재다.

どすぐろ-い【どす黒い】 图 거무칙칙하다. ¶～血ﾁ 거무칙칙한 피.

と-する【賭する】ｻ変他 걸다. ¶生命ｾｲﾒｲを～ 생명을 걸다.

とする連語《助詞‘と’+動詞‘する’》① …과 가정하다. ¶かねがたくさんある―돈이 많이 있다고 가정하다. ¶…라고 생각하다〔판단하다〕. ¶この案ｱﾝを可ｶとする者ﾓﾉ 이 안을 좋다고 생각하는 자；이 안에 찬성하는 자. ③막 …하는 상태가 되다. ¶出ﾃﾞかけよう―ところだった 막 나가려는 참이었다.

とすれば接 그렇다면；그러면 어찌. ¶～, たないね 그렇다면 어쩔 수 없지.

とせい【渡世】图 도세；세상살이；생업(生業). ¶大工ﾀﾞｲｸを～にする 목수를 생업으로 하다. ―にん【―人】图 노 박꾼.

どせい【土星】图〔天〕토성.

どせい【怒声】图 노성；성난 목소리.

とぜつ【跡絶・杜絶】ｽ自 두절. ¶通信ﾂｳｼﾝが～ 통신 두절. 注意‘途絶’로 씀은 대용 한자.

とせん【渡船】图 도선；나룻배. ―場ﾊﾞ【―場】图 도선장；나루터／―料ﾘﾖｳ 도선료；나룻삯.

とそ【屠蘇】图 도소；도소주. ¶～機嫌ｷﾞﾝ 설날에 도소주를 마신 거나한 기분.

とそう【塗装】-sō 图ｽ他 도장. ¶～工事ｺｳｼﾞ〔材料ｻﾞｲﾘﾖｳ〕 도장 공사〔재료〕.

どそう【土葬】-sō 图ｽ他 토장；매장(埋葬). ⟷火葬ｶｿｳ・水葬ｽｲｿｳ.

どぞう【土蔵】-zō 图 흙벽으로 만든 광. ＝つちぐら. ¶―やぶり【―破り】图 광을 부수고 재물을 훔침；또, 그 도둑.

どそく【土足】图 토족. ①신발을 신은 채로의 발. ¶～で上ｱがりこむ 신발을 신은 채 올라서다. ②흙 묻은 발. ＝泥足ﾄﾞﾛｱｼ.

どぞく【土俗】图 토속；그 지방의 풍속.

どだい【土台】图 토대；기초.

どだい【土台】副《俗》①본시；원래；근본적으로. ¶～無理ﾑﾘな注文ﾁﾕｳﾓﾝだ 애당초 무리한 주문이다. ②《뒤에 否定의 말이 와서》전혀. ＝てんで. ¶～なっていない 도무지 먹지 않았다.

とだ-える【跡絶える・杜絶える・途絶える】ﾄ1自 끊어지다；두절되다. ¶たよりが～ 소식이 끊어지다.

とだな【戸棚】图 찬장.

どたばた집 안에서 소란을 피우거나 발소리를 요란스럽게 내는 모양；우당탕. ¶廊下ﾛｳｶを～走ﾊｼる 낭하를 우당탕〔거리며〕달리다／部屋ﾍﾔの中ﾅｶで～するな 방 안에서 소란 피우지 마라.

どたりと副 바로 서 있던 것이 옆으로 쓰러지는 소리；털썩.

とたん【塗炭】图 도탄. ¶～の苦ｸﾙしみ 도탄고고〔참혹한 고생〕.

とたん【途端】图 찰나(刹那)；막〔바로〕그 순간. ―に 副 하자마자；바로 그때. ¶立ﾀｯた～頭ｱﾀﾏをぶつけた 일어선 순간 머리를 부딪쳤다.

トタン图 함석. ¶～屋根ﾔﾈ〔板ｲﾀ〕 함석 지붕〔판〕. ▷ tutanaga.

どたんば【土壇場】-tamba 图 목을 베는 형장；처형대，（거의 절망적인）막다른 판；마지막 순간；고빗사위. ＝どんづまり. ¶～になってあわてふためく 막판에 와서 당황하다.

とち【栃・橡】图〔植〕➪とちのき.

とち【土地】图 ①토지；땅．¶肥ｺえた～ 비옥한 토지／その地方ﾁﾎｳ〔고장〕의 ～ことば方言ｱｸﾘ／～の人ﾋﾄ 그 지방 사람. ―がら【―柄】图 그 지방의 풍속・상태. ＝所柄ｼﾖｶﾗ. ―だいちょう【―台帳】-chō 图 토지 대장. ―っこ【―っ子】-chikko 图《俗》토박이.

とちのき【栃の木・橡の木】图 칠엽수(七葉樹)〔가로수・정원수용；재목은 가구(器具)용，씨는 식용；일본 특산〕. ＝とち.

どちゃく【土着】-chaku 图ｽ自 토착. ¶～民ﾐﾝ 토착민.

とちゅう【途中】-chū 图 도중. ¶話ﾊﾅｼの～で말하는 도중에／行ｲく～ 가는 도중에.

どちら【何方】代①《老》어느 쪽；어느 방향. ¶～に向ﾑｲていますか 어느 쪽으로 향해 있습니까. ②어느 쪽；어느 것('どれ'보다 공손한 말씨). ¶～でも結構ｹｯｺｳです 어느 것이든 좋습니다. ③어디('どこ'보다 공손한 말씨). ¶～においでですか 어디를 가십니까. ④어느 분；누구('だれ'보다 공손한 말씨). ¶失礼ｼﾂﾚｲですが～様ｻﾏでいらっしゃいますか 실례입니다만〔죄송합니다만〕누구십니까. ＝どなた.

とつ【咄】感 놀라거나 크게 부를 때에 내는 말；아. ¶～, 何ﾅﾆたる怪事ｸﾜｲｼﾞぞや 아, 이 무슨 괴이한 일인고.

とっ-【とっ・取っ】tok・top・tos・tot〈口〉

☞とり(取り)=. ¶～つかまえる 붙잡다.

とつ-【突(っ)】 top 名詞위에 붙여서 강조의 뜻을 나타냄. ¶～외れ 빠져 나감 / ～始め (어떤 일의) 시작.

とっか【德化】 tokka 名 덕화.

とっか【特価】 tokka 名 특가. ¶～品 특가품 / ～販売 특가 판매.

どっか 代【俗】 어딘가. =どこか. ¶～へ行ってしまって 어디론가 가 버려고.

どっかい【読解】 dokkai 名 ス他 독해. ¶～力 독해력.

とっかかり【取っ掛(かり)】 tokka- 名 손잡을 것(곳)＝단서; 실마리. =とりつき. ¶～が無い 기댈 곳이 없다 / 何だか～がないと 무엇인가 단서가 없으면.

どっかと dokkato 副 ☞どっかり.

どっかり dokkari 副 ①털석. ①무거운물건을 놓는 모양. ¶荷物を～おろす 짐을 털석 내려 놓다. ①의것하게 자리잡고 앉는 모양. ¶～(と)腰をおろす 털석 앉다. ②사물이 갑자기 변화하는 모양：푹; 뻥. ¶～目方が減る 갑자기 체중이 푹 줄다.

とっかん【突貫】 tokkan 名 自他 돌관. ①단숨에 해냄; 강행. ¶～工事 강행 공사. ②함성을 지르면서 적진에 돌격함.

とっき【突起】 tokki 名 自 ①돌기. ¶虫様～ 충양 돌기. ②돌발(突発).

とっき【特記】 tokki 名 他 특기; 특필. ¶～すべき傑作 특기할 만한 걸작.

どっき【毒気】 dokki 名 독기. =どくけ・どっけ. ①독한 가스. ②(에서 받는) 독기에 중독되다. ¶～の含む言葉 독기 품은 〔악의에 찬〕 말. —を拔かれる 몹시 놀라다; 간담이 서늘해지다; 질려 아연해지다.

*とっきゅう【特急】 tokkyū 名 특급; '特別急行(列車)'(=특별 급행(열차))의 준말.

とっきゅう【特級】 tokkyū 名 특급. ¶～品 특급품.

*とっきょ【特許】 tokkyo 名 특허. ¶～權 특허권.

どっきょ【独居】 dokkyo 名 自 독거; 독신 생활. =独り住まい.

ドッキング dokkin- 名 도킹. ①인공위성・우주선끼리의 결합. ②배를 독에넣는 일. ＝docking.

とっく【疾っく】 tokku 副 아주 이전; 훨씬 전; 벌써. ¶～の昔 아주 오랜 옛날. —に 副 훨씬 전에; 벌써. =とうに. ¶～知っている 벌써 알고 있다.

とつ-ぐ【嫁ぐ】 tokku 名 自 시집가다; 출가하다. ¶～日 시집가는 날.

ドック dokku 名 ①독; 선거. =船渠とも. ¶浮～ 부양식 독 / 人間～ 인간 독〔단기간에 신체 각부의 정밀 검사를 받는 시설〕. ＝dock.

とっくみあい【取っ組(み)合い】 tokku- 名【俗】맞달라붙음; 맞붙어 싸움. =つかみあい・くみあう.

とっくむ【取っ組む】 tokku- 5自 ☞

とりくむ.

とっくり【德利】 tokku- 名【口】① ☞とくり. ②とくり 모양을 한 옷깃. ¶～シャツ 자라목 셔츠.

とっくり tokku- 副 차분히; 신중히; 곰곰. =とくと. ¶～(と)考える 곰곰생각하다.〔돌격대.

とつげき【突撃】 名 自 돌격. ¶～隊

とっけん【特權】 tokken 名 특권. ¶～意識 특권 의식.

どっこい dokkoi 感 ①힘들여 무거운 물건을 들 때 따위에 내는 소리：끙; 이영차. =どっこいしょ. ¶うんとこ～ 이영차이영차. ②상대방의 행동 따위를 가로막을 때에 내는 소리：어딜. ¶～そうはさせない 어딜, 그렇게는 안되지. —しょ -sho 感 ① ☞ どっこい ①. ②(노인이) 앉거나 일어설 때에 내는 소리. —どっこい -dokkoi 名【俗】양쪽의 힘이나 세력이 거의 비슷한〔어슷비슷한, 어금지금한〕모양.

とっこう【特効】【特效・特功】 tokkō 名특효. ¶～藥 특효약.

とっこう【德行】 tokkō 名 덕행. ¶～の士 덕행을 쌓은 사람.

とっこう【篤行】 tokkō 名 독행; 성실하고 인정이 두터운 행위.

とっこうたい【特攻隊】 tokkō- 名 특공대(2차 대전 말기에, 자살적인 육탄공격을 한 일본 육해공군 부대).

とっこ【突兀】 tokko- 名 タル 돌올; 높이 솟아서 오뚝한 모양；빼어난 모양.

*とっさ【咄嗟】 tossa 名 ①순간；눈 깜짝할 사이. ¶～の間 눈 깜짝할 사이 / ～に 아차하는 순간에. ②돌연; 갑작스러움.

どっさ dossa 副 ①무거운 물건을 내려 놓는 모양：털석. ¶重い袋を～と地面に置く 무거운 자루를 털석 땅바닥에 놓다. ②엄청나게 많은 모양：듬뿍; 담뿍; 잔뜩. ¶～お土産をもらった 잔뜩 선물을 받았다.

ドッジボール dojji- 名 도지 볼; 피구(避球). =ドッチボール. ☞dodge ball.

とっしゅつ【突出】 tosshu- 名 自 돌출.

とつじょ【突如】 -jo 副 돌여; 갑자기; 별안간; 돌연. ¶～(として)起った大事件 돌연히 갑자기 일어난 대사건.

*どっしり dosshi- 副 ①묵직한 모양：묵직이. ¶～と重い袋 묵직한 자루. ②침착하고 드레진 모양. ¶～した人 뜸직한〔드레진〕사람.

とっしん【突進】 tosshin 名 自 돌진.

*とつぜん【突然】 名 돌연; 갑자기. =だしぬけに・不意に. ¶～聞かれて返答に窮した 갑자기 질문을 받고 대답에 궁했다. —へんい【変異】名 돌연 변이.

とったん【突端】 tottan 名 쭉 내민 끝. =突っ端さき.

どっち【何方】 dotchi 代〔どちら(=어디); どの(것)〕의 막된 말씨. ¶りんごとみかんの～を食べますか 사과와 귤의 어느 쪽을 먹겠습니까.

どっちつかず【何方付かず】 dotchi- 名 f 애매함; 모호함. ¶～の態度 이도 저도 아닌〔엉거주춤한〕태도.

どっちみち【何方道】dotchi- 副 어떻든；결국은；어차피. =どのみち. ¶～同じことだ 결국은〔어차피〕같은 일이다.

とっち-める【取っ締める】totchi- 下1他〈俗〉혼내다；몰아 세우다；호통치다. =やりこめる.

とっつき【取っ付き】tottsu- 图 ①첫인상. ¶～のよい人 첫인상이 좋은 사람. ②일의 시초(처음)；댓바람；초입 등. ¶～からしくじる 댓바람부터 실수하다. ③맨 첫째. ¶～の部屋 맨 첫째 방. ④실마리；단서. ¶調査の～をつかむ 조사의 실마리를 잡다.

とって【取っ手】【把っ手】totte 图 손잡이；족자리；ドアの～ 문의 손잡이.

とって【とって・取って】totte 連語 금년까지 쳐서. ¶当年～十歳 당년(當年) 쳐서 10세. ②〈‘……に～の’의 꼴로〉……로서；……에게 있어서. ¶わが国には～は重大な問題だ 우리 나라에 있어서는 중대한 문제.

とってい【突堤】tottei 图 돌제；물에서 툭속으로 쑥 내민 제방(堤防).

とっておき【取って置き】totte- 图 (만일의 경우에 대비해) 소중히 따로, 가외로) 간직해 둠；또, 그것. ¶～の品を따로 간직해 두었던 소중한 물건／～の寝台から 여유로 남겨둔 침대.

とってかえ-す【取って返す】totte- 五自 (도중에서) 되돌아오다〔가다〕.

とってつけたよう【取って付けたよう】tottetsuketayō 連語 (언행이 억지로 갖다 붙인 것같이) 어색함의 비유：부자연스러움. ¶～に言う 앞뒤가 맞지 않는 말을 하다.

とってもtotte- 〈女〉대단히('とても'의 힘줌말). ¶～しあわせ 매우 행복해요.

どっとdotto 副 ①여럿이 한꺼번에 내는 소리가 울려 퍼지는 모양；와. ¶みんなが～笑う 모두가 와하고 웃다. ②한 곳에 사람이나 물건이 한꺼번에 밀어 닥치는 모양；우르르. ¶会場に～押し寄せる 회장으로 와(우르르) 몰려오다. ③갑자기 쓰러지는 모양；벌렁；털썩；폭. ¶～倒れる 털썩 쓰러지다. ④(병 따위가) 갑자기 더치는 모양；덜컥. ¶～床につく 덜컥 몸져 눕다.

とっとして【突として】連語 느닷없이；돌연히. =だしぬけに.

とつとつ【訥訥·吶吶】タル 말을 더듬는 모양. =とつべん.

とっととtotto- 냉큼；빨리；급히. =さっさと. ¶～出て行け 냉큼 나가.

とつにゅう【突入】-nyū 图 ス≡自 돌입.

*__**とっぱ**__【突破】toppa 图 ス≡他 돌파. ¶難関を～ 난관을 돌파.

トッパーtoppā 图 토퍼. =トップコート. ▷topper.

とっぱつ【突発】toppa- 图 ス≡自 돌발. ¶～事故を突발 사고를 내고.

とっぱん【凸版】toppan 图 철판(잉크를 묻히는 부분이 불룩하게 튀어 나온 인쇄판). ¶～印刷 철판 인쇄. ↔凹版. 平版.

とっぴ【突飛】toppi 形動 뜻밖임；영뚱

함；(이상) 야릇함. ¶～な行動 영뚱한 행동／～な服装 야릇한 복장.

とっぴょうし【突拍子】toppyō- 图 영뚱함；뜻밖임. ——もない 영뚱하다；당치 않다；가락을 벗어나다. ¶～もない大きな声を出す 당치도 않은 큰소리를 내다.

トップtoppu 图 톱. ①첫째；선두；정상；수석. ¶～を切る 톱을 끊다(수위를 차지하다)／～グループ 톱 그룹(수위를 다투는 무리). ②トップニュース(=톱 뉴스)의 준말. ▷top. ——クラス 톱 클래스；최고급. ▷top class. ——モード 图 최신 유행. ▷top mode. ——や【——屋】图 첫거리 주선인(신문·주간지 등의 톱 뉴스 거리를 파는 사람).

とっぷう【突風】toppū 图 돌풍.

とっぷりtoppu- 副 해가 완전히 저문 모양.

どっぷりdoppu- 副 (붓에) 물이나 먹물을 듬뿍 묻히는 모양；듬뿍. ¶筆に墨を～(と)つけて 붓에 먹을 듬뿍 묻히고.

とつべん【訥弁】〔吶弁〕tsubeн 图 둔변；능변. ↔能弁.

どっぽ【独歩】doppo 图 ス≡自 독보. ¶古今独歩の事業家だ 고금 독보의 사업가.

とつめんきょう【凸面鏡】-kyō 图 철면경；볼록 거울. ↔凹面鏡.

とつレンズ【凸レンズ】图 볼록 렌즈. ↔凹レンズ. ▷lens.

とて連語 ①……라고 말하고. ¶奈良へ～旅立った 奈良에 라고 말하고는 여행을 나섰다. ②〈終止形 따위에 붙어, 뒤에 否定·반어(反語)가 따라서〉……다(라)고 해서；……더라도；……다른 치더라도. ¶泣いたって～同情はされない 운다고 해서 동정은 받지 못한다／今から勉強した～まにあわない 이제부터 공부한다 하더라도 이미 늦다. ③〈体言, 특히 ‘こと’에 붙어서〉……때문에；……이므로；……이라서. ¶なれぬこと～どうもうまくいかない 익숙지 않은 일이라서 아무래도 잘 안 된다. ④〈体言에 붙어서〉그것이 예외가 아님을 나타내는 말：……도 역시；……라도. ¶君だ～そう思うはずだ 너라도 그렇게 생각할 것이다. ⑤〈体言에 붙어 뒤에 否定이 옴〉그것을 대상으로 삼아 언급함을 나타내는 말；……라 할 만한 것은. ¶恋愛を～特に経験したことは無い 연애라고 특히 경험한 일은 없다.

*__**とて**__【杜手】图 제방；제방. ①(가다랗 어·다랑어 등 큰 생선의) 등살 덩어리(횟감으로 씀). ③(노인의) 이빠진 잇몸.

とい【徒弟】图 도제；제자；제자. ¶～制度を 도제 제도；제시 제도.

とてつ【途轍】图 일의 사리；조리. ——もない 터무니 없다. ¶～もない事を考える 터무니 없는 일을 생각하다.

*__**とても**__【迚も】副 ①아무리 해도；도저히. =とうてい. ¶～出来такой 도저히 못 하겠다. ②대단히；매우；몹시. =大変. ¶～きれいだ 아주 예쁘다.

どてら【褞袍】图〈方〉①☞かいまき.
②=たんぜん（丹前）.

と と【父】图〈兒〉아빠；아버지.=ち
ち.▼～さま 아버지.

と と【胡獱】图【動】바다사자.

と ど【魚】图【魚】성장한 숭어.

と ど 副〈老〉☞とどのつまり.

ど ど【度度】图副①여러 번；종종.=
たびたび.②그때마다；그때 그때.

どいつ【都都逸】图 속요(俗謠)의 하
나(가사는 7·7·7·5조(調), 내용은 주
로 남녀간의 애정에 관한 것임).

と とう【徒党】-tō 图 도당.▼～を組
む 도당을 짜다.

と とう【怒濤】-tō 图 노도.

とどうふけん【都道府県】todō- 图 일
본의 행정 구역인 도(都)·도(道)·부
(府)·현(縣)〔현재, 東京都와 北
海道를제외하고, 京都府 및 大阪府를비롯해
43 개 현(縣)〕.

*と と-く【届く】⑤自【来】①(보낸 것·뻗친
것이) 닿다；(도)달하다；미치다.▼手
紙かみが～ 나이 50을 바라보다.②(소원 따
위가) 이루어지다.▼願ねがいが～ 소원
이 이루어지다.願ねがいを위하는 마
음이) 세세한 데까지 미치다；골고루
미치다.▼注意ちゅういがよく～ 주의가 두
루 잘 미치다.

*と とけ【届け】图 신고(서).▼結婚
けっこん～ 결혼 신고.

と とけさき【届け先】图 보낼 곳；송
달처.

*と と-ける【届ける】下一他①가 닿게 하
다；보내 주다.▼荷物にもつを～ 짐을 보
내다.②(관청 따위에) 신고하다.

と とこお-る【滞る】-kōru⑤自 정체되
다；막히다；밀리다.▼仕事しごとが
～ 일이 밀리다〔차다〕밀리다/家賃やちんが～
집세가 밀리다.

と との-う【整う】（斉う）⑤自①가지런
해지다.▼足あしなみが～ 보조가 맞다.
②형태가 갖추어지다；정돈되다.▼
～った顔かお 반듯한 얼굴.

*と との-う【調う】⑤自①성립되다.▼
縁談えんだんが～ 혼담이 성립되다.②빠짐
없이 준비되다；마련되다.▼資金しきんが
～ 자금이 마련되다/準備じゅんびが～ 준
비가 다 되다.

**と との-える【整える】（斉える）下一他
①조정하다；조절하다.▼コンディ
ションを～ 컨디션을 조절하다.②정
돈하다；단정히 하다.▼服装ふくそうを～
복장을 단정히 하다.③가지런히〔나란
히〕하다.▼足あしなみを～ 보조를 맞추
다.

*と との-える【調える】下一他①갖추다；
마련하다；준비하다.▼旅装りょそうを～ 여
장을 갖추다.②성립시키다；마무리짓
다.▼話はなしを～ 이야기를 마무리짓다.
③사서 갖추다.▼酒さけを～ 술을 마련
하여 내놓다.

と とのつまり 副 결국；필경.=結局けっきょく
（のところ）.▼～はお金かねだ 결국은 돈
이다.

と とまつ【椴松】图【植】분비나무.=

*と と-まる【止まる・留まる・停まる】
⑤自 멈추다；멈춰 서다.▼現職げんしょくに～ 현직에 머물러 있
지 않다.

다.⑤체재하다.▼海外かいがいに～ 해외에
머무르다.⑥뒤에 남다.▼現地げんちに
～ 현지에 남다〔묵다〕.②멈추다；멎
다.=とまる.▼なみだが～らない 눈
물이 멎지 않다.③(범위 내에) 그치
다.▼叫さけぶだけに～ 외치는 것만으로
그치다/悪法あくほうに反対はんたいするだけに
～らず 악법에 반대할 뿐만 아니라.

と どめ【止め】图〔마지막〕숨통을 끊
음；마지막 일격；결정타.──を刺さす
①(되살아나지 못하게) 확인사살하다.
②급소를 눌러 다시 말썽이 안 나게 하
다.③최후의 일격으로 두 번 다시 못
일어나게 하다.

*と ど-める【止める・留める】下一他①멈
추다；세우다.▼足あしを～ 발을 멈추
다/車くるまを～ 차를 세우다.②말리다；
만류하다.▼来こようとするのを～ 오
려는 것을 만류하다.③(뒤에) 남기다.
▼足跡あしあとを～ 발자취를 남기다.④(그
치다；한정시키다.▼問題点もんだいてんをあ
げるに～ 문제점을 제기하는 데에 그
치다.

と どろか-す【轟かす】⑤他①(소리가)
울리다.▼爆音ばくおんを～ 폭음을 울리다.
②널리 떨치다.▼名声めいせいを～ 명성을
떨치다.③두근거리게 하다.▼胸むねを
～ 가슴이 두근거리다.

と どろ-く【轟く】⑤自①(소리가) 울
려 퍼지다.②널리 알려지다；유명해지
다.▼勇名ゆうめいが～ 용명이 떨치다.③
(가슴이) 고동(鼓動)이 심해지다；(가
슴이) 뛰다.

と な-える【唱える】下一他①소리내어
읽다(외다).▼念仏ねんぶつを～ 염불을 외
다.②(큰 소리로) 외치다；소리 높이
부르다.▼万歳ばんざいを～ 만세를 부르다.
③주창(主唱)하다.▼反対はんたいを～ 반
대를 주장하다.

と な-える【称える】下一他①호칭하다；
(이름을)…라 부르다；일컫다.=称しょう
する.

ト ナカイ【馴鹿】图【動】토나카이；순
록.▷あいぬ tonakai.

ど なた【何方】代 어느 분；누구〔'だれ
（=누구）'의 공손한 말씨〕.▼～様さま
ですか 누구십니까.参考 'だれ'의 공손
한 말씨로는 'どなた'가 일반적이며,
'どちら' 'どのかた'와 거의 경의(敬意)
가 비슷함.'どなたさま' 'どちらさま'
는 경의가 특히 높음.

*と なり【隣】【鄰】图①이웃.▼～近所きんじょ
이웃；근처.▼～付つき合あい 이웃과의
교제.②이웃집.=隣家りんか.▼お～ 이웃
웃집.　　　　　　　　　　「이웃하다.

と なりあ-う【隣（り）合う】⑤自 서로

と なりあわせ【隣（り）合（わ）せ】图 서
로 이웃하고 있음.

と なりぐに【隣国】图 이웃나라.

ど なりつ-ける【どなり付ける・呶鳴り
付ける・叱鳴り付ける】下一他 호통치
다；큰 소리로 꾸짖다.

*ど な-る【呶鳴る・叱鳴る】──⑤自 큰 소
리로 부르다；고함치다.──⑤他 호통
치다.▼いくら～っても 아무리 호통쳐
〔야단〕쳐도.

**と にかく【兎に角・左右】副 하여간；어
쨌든；좌우간.▼～やってみよう 여하
튼 해보자.

とにもかくにも【兎にも角にも】副 何かにつけて;ともかく('ともかく'の強調表現).

となり【奈良・平安】名 ①奈良・平安時代,天皇家・皇族・貴族の側に居て雑事を仕える奉公人の少年;また,その人.②貴人の牛馬(牛馬)の世話を見ていた身分の賤しい人.

となりこ【秦皮・梣】名【植】물푸레나무.

との【殿】名【雅】①〔女〕남자를 가리키는 높임말:남자분.②아내가 남편을 부르는 말.③영주·귀인에 대한 높임말.❘❘お─様ҫҫ 영주님.參考 代名詞にも도 쓰임.❘~,お支度ҫҫ てございます 나리,준비가 되었습니다.③〔古〕귀인의 저택.=ごてん.

との連語 ~라는;…(고 하)는.❘勉強ҫҫした──ことです 공부했다고 합니다.

どの【何の】連体 분불명한 것을 가리키는 말:어느;어떤;무슨.❘~山ҫҫ어떤 산/~点ҫ から見ҫҫても 어느 점으로 보아도.

-どの【殿】〈인명·신분 따위를 나타내는 말에 붙어서〉그것에 대한 높임말:…님;씨(氏);귀하.❘社長ҫҫ─ 사장님/山田ҫҫ─ 山田씨.

どのう【土嚢】-nō 名 흙부대.

とのがた【殿方】名〔女〕남자분.❘~用ҫ 남자용;신사용.

どのくらい【何の位】連語 어느 정도;얼마 쯤〔만큼〕.❘~の金ҫ があったら 어느 정도의 돈이 있으면.

とのこ【との粉】【砥の粉】名 숫돌 가루;찰흙을 태워서 만든 가루(다갈색이며 도검(刀劍)의 녹닦기,칠기(漆器)의 애벌칠,널빤지나 기둥의 착색 따위에 쓰임).

とのさま【殿様】名 ①영주(領主)·귀인에 대한 존칭.②江戸ҫҫ 시대 大名ҫҫ·旗本ҫҫ에 대한 존칭.③유복하고 세상물정에 어두운 사람의 비유.❘一暮ҫし 영주 같은 호화로운 생활.──がえる【─蛙】名【動】참개구리.──ばった【─飛蝗】-batta 名【蟲】풀무치.──どころ【─所】名 어디쯤.

どのへん【どの辺】【何の辺】連語 어디쯤;어디께.=どっちみち.

どのみち【どの道】副 어쨌든;결국;어차피.=どっちみち·どうせ.

どのよう【何の様】-yō 어떠함.❘~なんな·いかな·る.❘~にすればよいのか 어떻게 하면 좋을까/~に努力ҫ しても成功ҫ しない 아무리 노력해도 성공 못 한다.

とは -wa 助 ①~라는 것은;…란.❘人間ҫҫとは何であるか 인간이란 무엇일까.②뜻밖이다란 기분을 강조함:…라고는;…란.❘まさかこんな事になろう─ 설마 일이 이렇게 될 줄이야.

とば【賭場】名 도박장;노름판.=ばくち.❘~荒ҫ らし 노름판 털기.

どば【駑馬】名 노마;느린 말;비유적으로,재능(才能)이 둔한 사람(자기의 겸칭으로 씀).

とはいうものの【とは言うものの】to-wayū- …하다고는 하나;…이라하더라도.❘習ҫ った~なんにも覚ҫ えていない 배웠다고는 하나 무엇 하나 외고 있지 않다.

とはいえ【とは言え】towa- 連語 그렇

다 하더라도;그렇지만.=とは言うものの.❘─私たҫも その一人ҫ だった 그렇다고는 해도 나도 그 중 한 사람이었다.

とばく【賭博】名 도박.=ばくち.

どばし【土橋】名 토교;흙다리.=つちばし.

＊とば-す【飛ばす】5他 ①날리다;날게하다.❘鳩ҫ を~ 비둘기를 날리다.②(바람 따위가) 날려 버리다.❘帽子ҫ を~ 모자를 날리다.③(물을) 튀기다.❘口ҫҫ で泡ҫ を~ 입아귀에 침방울을 튀기다(맹렬히 논쟁하다).④(중간을) 빼뜨리다;건너뛰다.❘途中ҫ を~して話ҫ を進ҫ める 중간을 빼고 이야기를 해 나가다.⑤쏘다.❘矢ҫ を~활을 쏘다.⑥띄우다;급히 파견하다.❘急使ҫ を~ 급사를 띄우다.⑦(말·차 따위를) 달리다.❘馬ҫ を~ 말을 달리다/時速ҫ 百ҫҫキロで~ 시속 백 킬로로 달리다.⑧(무책임한 말을) 내뱉다.❘やじを~ 야유를 퍼붓다.⑨動詞連用形에 붙어서〉'なぐる'(=때리다)·'ける'(=차다)·'追ҫ う'(=쫓다) 등의 동작을 강조하는 말.❘け~ 걷어차다/追ҫ い~ 쫓아 버리다.

どはずれ【度外れ】名 엄청남;지나침.❘~に大きҫ い声ҫ 엄청나게 큰 소리/~のいたずら 지나친 장난.

とばっちり【迸り】tobatchiri 〈俗〉뜻밖에 뒤집어 쓴 (더러운) 물;전화(轉禍)되어;후림불.❘~がかかる (a)물벼락을 맞다;(b)말려들다.

どばと【土鳩・鴿】名【鳥】참비둘기.

とばり【帳・帷】名 방장(房帳);장막.=たれぎぬ.❘夜ҫ の~ 밤의 장막(어둠).

とび【鳶・鴟】名 ①【鳥】소리개.=とんび.②【鳶口ҫ 飛,鳶職ҫ 飛】의 준말.❘~がたかを生ҫ む 소리개가 매를 낳다(개천에서 용 나다).──に油揚ҫҫ を取ҫ られたよう에 써서 얻은 물건을 불시에 빼앗김의 비유.

とびあが-る【跳び上がる】5自 뛰어오르다;(놀람이나 기쁨을 금치 못해) 펄쩍 뛰다.❘~って喜ҫ ぶ 펄쩍 뛰며 기뻐하다.

＊とびあが-る【飛び上がる】5自 ①(높이) 날아 오르다.②단계(순서)를 뛰어넘다.

とびある-く【飛び歩く】5自 뛰어다니다.

とびいし【飛び石】名 (특히,정원의) 징검돌.❘~伝ҫ いに庭ҫ に出る 징검돌을 밟고 뜰에 나가다/~連休ҫ 하루 거른 연휴.

とびいた【跳び板・飛び板】名 도약판《뜀판》;뜀판.=スプリングボード.

とびいり【飛び入り】名 ①다른 것이 섞여 듦;또,그 섞인 것.②(꿋꿋 사람이) 뛰어들어 참가함;또,그 사람.

とびいろ【とび色】【鳶色】名 다갈색.

とびうお【飛(び)魚】名【魚】비어;날치.

とびうつ-る【跳(び)移る】5自 뛰어서 다른 데로 가다.

とびうつ-る【飛(び)移る】5自 날아서 다른 데로 옮아가다.

とびお-きる【飛(び)起きる】上1自 (자

리에서) 벌떡 일어나다.

とびおり【飛(び)降り・飛(び)下り】[名] 주행중인 차에서 뛰어내림. ↔飛び乗り.

とびお-りる【飛(び)降りる・飛(び)下りる】[自] 뛰어 내리다. ¶崖から～ 낭떠러지에서 뛰어내리다 / 走行中列車から～ 달리는 열차에서 뛰어내리다.

とびか-う【飛(び)交う】[5自] 난비(亂飛)하다. =飛び違う. ¶螢が～ 개똥벌레가 어지러이 날다.

とびかか-る【飛(び)掛(か)る】[5自] 대들다; 덤벼들다.

とびきり【飛(び)切り】[名] 펄쩍 뛰어오르면서 (적을) 벰.

とびきり【飛(び)切り】[副] 특출하게; 월등히. ¶～安い 월등히 싸다.

とびぐち【とび口】【鳶口】 막대기 끝에 쇠갈고리가 달린 소방 용구. =とび.

とびこ-す【飛(び)越す】[5他] ①뛰어넘다. ②(차례를) 건너뛰다.

とびこみ【跳(び)込み・飛(び)込み】[名] ①뛰어듦. ¶～自殺 (달리는 기차・전차 등에) 뛰어드는) 투신 자살. ②(수상 경기의) 다이빙. ¶高い～ 하이 다이빙.

とびこ-む【跳(び)込む・飛(び)込む】[5自] 뛰어들어(어가)다. ¶海に～ 바다에 뛰어들다.

とびしょく【とび職】【鳶職】-shoku 토목・건축 공사의 노무자. = とび人足; ～の者. [參考] 江戶 시대에는 소방수를 겸했음.

とびだ-す【飛(び)出す】[5自] ①뛰어나가다(나오다). ¶地震でそとに～ 지진으로 밖으로 뛰어나오다; 비어지다. ¶絵本が飛び出してくる 그림책 / Yシャツが～している 와이셔츠가 비어져 나와 있다. ③별안간 나타나다; 뛰어(뛰어) 나오다. ¶子供が露地から～ 아이가 골목에서 튀어 나오다. ④급히 거기에서 나오다(떠나다). ¶家を～ 집을 튀쳐 나오다.

とびた-つ【飛(び)立つ】[5自] ①날아가다; 하늘로 날아오르다. ¶鳥が～ 새가 하늘로 날아오르다. ②뛰어오르다; 작약(雀躍)하다. ¶～ばかりの思いの날 듯한(날 듯이) 기쁨.

とびつ-く【飛びつく】【飛(び)付く】[5自] 달려들다. ¶犬が～ 개가 덤벼들다. ②발딱하게 덤벼드니; 또, 따르다. ¶流行に～ 유행을 좇다.

トピック-pikku [名] 토픽; 화제(話題). ▷topic.

とびどうぐ【飛(び)道具】-dōgu [名] 멀리서 적을 공격하는 무기(총포・활 따위).

とびの-く【飛びのく】【飛(び)退く】[5自] 휙 비켜서다; 갑자기 물러서다.

とびのり【飛(び)乗り】[名] 주행중인 차 따위에 뛰어오름. ↔飛び降り.

とびの-る【飛(び)乗る】[5自] (움직이는 것에) 뛰어 올라타다. ¶電車に～ 전차에 뛰어오르다 / 馬に～ 말에 뛰어 올라타다. ↔飛び降りる.

とびばこ【跳(び)箱・飛(び)箱】[名] (체조 기구의) 뜀틀.

とびひ【飛(び)火】[名] [ス自] ①비화; 후림불. ⑦불똥(이 튀어 번져 일어난 화재). ㉯비유적으로, 사건이 (엉뚱한 곳으로) 번짐. ②[醫] 농가진(膿痂疹).

***とびまわ-る**【飛(び)回る・飛(び)廻る】[5自] ①날아다니다; 뛰어다니다; 돌아다니다. ¶大空を～ 창공을 날아다니다 / 金策に～ 돈 마련하러 뛰어다니다.

どびゃくしょう【土百姓】-byakushō [名] 〈蔑〉 농사꾼.

どひょう【土俵】-hyō [名] ①흙을 담은 가마니[섬]. ②씨름판(둘레를 흙섬으로 둘렀음). = どひょうば. **─を割る** 씨름에서 판 밖으로 다리를 내밀다; 씨름에 지다.

とびら【扉】[名] ①문짝. ②(책의) 안겉장; 속 표지; (잡지의) 본문(本文) 앞의 첫 페이지.

どばん【土板】[名] 질주전자.

とふ【塗布】[名] [ス他] 도포; 칠함; 바름. ¶～剤 도포제.

‡と-ぶ【跳ぶ】[5自] 뛰다; 도약하다; 뛰어넘다. ¶みぞを～ 도랑을 뛰어건너다 / 順々に次を～ 차례차례로 뜀틀을 뛰어넘다 / 価だんが～ 값이 뛰다(크게 오르다).

‡と-ぶ【飛ぶ】[5自] ①(하늘을) 날다. ¶鳥が空を～ 새가 하늘을 날다. ②날아가다(오다). ¶大風雨でかわらが～ 큰 바람에 기왓장이 날아가다. ③흩날리다. ¶木の葉が～ 나뭇잎이 흩날(리)다. ④(나는 듯이) 급히 달려가다. ¶急報を受けて～んで来る 급보를 받고 달려오다. ⑤(소문 따위가) 퍼지다. ¶デマが～ 데마가 퍼지다. ⑥건너뛰다; 빠지다. ¶ページが～ 페이지가 빠지다. ⑦빠르다; 도망가다; 훔뜀대하다. ¶一枚飛んでいる 한 장 빠지다.

どぶ【溝】[名] 도랑; 시궁창; 하수구. ¶～川 개골창 / ～が詰まる 하수구가 메다. ¶二겹 담이.

どぶくろ【戸袋】[名] (덧문이나 빈지의)

とびとり【飛(び)鳥】[名] 하늘을 나는 새. **一も落とす勢い** 나는 새도 떨어뜨리는 권세(권세가 대단함의 비유).

どぶねずみ【溝鼠】[名] ①(動) 시궁쥐. = しろうとねずみ. ②주인 눈을 속여 몹쓸 짓을 하는 고용인. ↔白ねずみ.

どぶろく【濁酒・濁醪】[名] 탁주; 막걸리. = にごりざけ.

どぶん[副] 깊은 물속에 무거운 것이 빠지는 소리; 풍덩.

とべい【渡米】[名] [ス自] 도미(渡美).

どべい【土塀】[名] 토담. ¶～の家 토담집.

と-ほ【徒歩】[名] 도보. ¶～旅行〔競走きょうそう〕 도보 여행(경주).

とほう【途方】-hō [名] ①수단; 방도; 할 바. ②조리; 도리. = すじみち. **一に暮くれる** 어쩔 바를 모르다; 망연 자실하다. **一もない** ①사리가 맞지 않다; 엉망이다. ②터무니없다. ¶～もない計画 터무니없는 계획.

どぼく【土木】[名] 토목. ¶～工事 토목 공사[건축].

とぼ-ける【惚ける・恍ける】[下1自] ①얼빠지다; 정신나가다. ②짐짓 시치미 떼다; 뭉떠리다. = しらばくれる. ¶

～・けたやつ 의몽스러운 놈;능구렁
이. ③얼빠진 모양을 하며 웃기다.

*とぼし・い【乏しい】-shi 形 ①모자라
다;부족하다;적다. ¶経験ଛが～ 경
험이 모자라다. ¶満ଉ・ちる. ②가난하다.
↔富とむ.

とぼ・す【点す・灯す】⑤他 (등불을) 켜
다. ＝ともす.

とぼとぼ 剛 힘없이 걷는 모양；타달타
달；터벅터벅. ¶ひとりで～(と)歩む
いていく 혼자 터벅터벅걸어가다.

とぼん 剛 (혼자서) 멍하니 있는 모양：
멍하니；망연히. ＝とほん.

とま【苫】名 ①봉당；토방. ②엣날
歌舞伎ଛ극장에서, 무대 정면의 아래
층 관람석. ＝平土間ଛଛ.

トマト 토마토. ＝赤ଉなす. ¶～ケ
チャップ 토마토 케첩. ▷tomato.

とまど・う【とまどう・戸惑う】
⑤他 ①어리둥절해 하다；망설거리다；
당황하다. ¶どう話していいか～の 어
떻게 말해야 좋을지 망설이다 ¶公園
ଛが余り広過ゎぎて～ 공원이 너무
넓어서 얼떨떨하다. ②(깨었으나) 아
직 잠에 취하여 방향을 모르다.

とまぶき【苫葺】名 ①뜸으로 지붕을 이
음；또, 그 지붕. ②뜸집.

とまや【とま屋・苫屋】名 뜸(으로 이
은 보잘것없는) 집.

とまり【止(ま)り】名 멈춤；그침. ①
정지. ¶口ଉ다마름；막힘. ②막다름.¶
この道ぉは先ঠが～になっている 이 길
은 끝이 막다른 골목이다. ③끝；종점.
④기껏；고작. ¶その辺ぉ～だね 그
정도가 고작일걸.

とまり【泊(ま)り】名 ①묵음. ㉠숙박.
¶～客ঠ 숙박객 / 一晩ঠ泊ঠは の하룻
밤 유숙. ㉡一番ঠ 숙직(의 차
례). ②묵는(머무는) 곳. ㉠숙박지；
숙소. ¶～をかえる 숙소를 옮기다.
㉡정박지. ③숙박처. ¶～をとる 투숙
하다.

とまりがけ【泊(ま)りがけ【泊(ま)り
掛け】名 묵을[숙박할] 예정으로 떠
남. ¶～でおいで下ঠさい 묵으실 작정
으로 오십시오.

とまりぎ【止(ま)り木】名 (닭장・새장
속의) 홰.

‡とま・る【止(ま)る・停(ま)る】⑤自
①멈추다. ㉠멎다；그치다. ¶血ঠが～
피가 멎다. ㉡정지하다；서다；죽다.
¶時計ঠが～ 시계가 서다 / 行進ঠが
～ 행진이 멈추다. ㉢(통하던 것이) 끊
어지다. ¶ガスや水道ঠが～ 가스랑
수도가 끊어지다.

*とま・る【泊(ま)る】⑤自 ①묵다；숙
박하다. ¶宿屋ঠに～ 여인숙에 묵다.
㉡숙직하다. ②정박하다；머무르다.
¶港ଛに～ 항구에 정박하다.

‡とま・る【留(ま)る】⑤自 ①머물다.
¶ハワイに一週間ঠ～ 하와이에
일주간 머물다. ②(새 따위가) 앉다；
쉬다. ¶鳥ঠが木ঠの枝ঠに～ 새가 나뭇
가지에 앉다. ③(인상・감각 등이) 뒤
에까지 남다；(눈・귀에) 띄다；들어오
다. ¶目ঠに～ 눈에 띄다. ¶お高ঠな
～ 도도하게 굴다；거드럭거리다.

とまれ 剛 ‘ともあれ’의 압축된 말씨；어

찌되었든.

とみ【富】名 ①부(富)；재산；재화；자
원. ¶海ঠの～ 바다의 자원；수산 자
원 / ～を作ঠる 재산을 만들다[모으
다]. ＝とみくじ.

とみくじ【富くじ】(富籤)名 江戸ঠ시
대에 유행했던 복권의 일종.

とみに【頓に】剛 갑자기. ＝にわかに・
とんに. ¶～活気ঠづく 갑자기 활기
를 띠다.

どみん【土民】名 토민；토착 주민.

と-む【富む】⑤自 ①부(富)；재산；재산
이 많다. ¶～んだ家ঠ 부유한 집；부
잣집. ↔貧しい. ②많다；풍부하다.
¶経験ঠに～ 경험이 많다 / 変化ঠに
～ 변화가 많다；다양하다. ↔乏しい.

とむらい【弔い】名 ①조상[애
도(함). ＝とぶらい. ¶～の言葉ঠ을
述のべる 문상(問喪)의 / 조의(弔意)
를 표하다. ②장례식. ＝野辺ঠの送
り. ¶お～に参列ঠする 장례에 참석
하다. ③추선(追善)；법사(法事).

とむらいがっせん【弔い合戦】-gassen 名
죽은 자의 영혼을 위로하기 위해 그것
과 싸움；죽은자를 위한 복수전.

‡とむら・う【弔う】(葬う)①조상
하다；애도하다. ②추선(追善)하다；
추선 공양하다.

とめお・く【留(め)置く】⑤他 ①유치하
다. ㉠돌려보내지 않고 잡아 두다. ¶
警察ঠに～かれる 경찰에 억류되다.
㉡그대로 보관하다. ¶電報ঠを～
전보를 유치하다. ¶留めたり[기록해]
두다. ③일단 끝맺다；끝내다.

とめだて【留めだて・止めだて】名
ス他 제지；말림. ¶いらぬ～するな 쓸
데없이 말리지[간섭] 마라.

とめど【止めど・止め処】名 한(限)；
끝. ＝かぎり・きり. ¶～なく 한없이；
끝없이 / 涙ঠが～もなく流れる 눈물
이 한없이 흐르다.

とめばり【留(め)針】名 ①임시로 질
러서 움직이지 않게 하는 바늘；시침 바
늘. ＝まち針ঠ. ¶～縫ঠい針ঠ. ②핀；핀.
＝ピン.

*と-める【止める】(停める)下1他 ①
멈추다. ㉠세우다；정지하다. ¶車ঠ
を～ 차를 멈추다；정거시키다. ㉡막
다. ¶ガス・水道ঠの～ (a) 가스・수도
의 공급을 끊다；(b) 가스・수도를 잠그
다. ②막다；말리다. ¶外出ঠを～
외출을 못 하게 하다 / けんかを～ 싸
움을 말리다.

*と-める【泊める】下1他 ①숙박시키
다；묵게 하다. ¶旅行者ঠを～ 여
행자를 재우다. ②정박시키다. ¶船ঠ
を港ঠに～ 배를 부두에 정박시키다.

*と-める【留める】下1他 ①만류하거
다. ¶出発ঠをむりに～ 출발을 무리하
게 막다. ②고정시키다. ¶くぎで～ 못
을 박아 붙이다. ③잠그다；채우다.
¶ボタンを～ 단추를 채우다. ④꽂다；지
르다. ¶髪ঠをピンで～ 머리에 핀을
지르다. ⑤(마음에) 두다；새기다. ¶
心ঠに～ 마음에 새기다 / 気ঠに～・め
ない 개의하지 않다.

とも【とも・共】名 ①(‘～に’의 꼴로서
副詞的으로) 함께；같이；동시. ¶～に
行ঠく 같이 가다 / うれしいと～に寂ঠ

しい 기쁜 동시에 쓸쓸하다. ②《다른 名詞 위에 쓰여》함께;같이;서로. ¶～倒れ 함께 손해를 봄;둘 다 망함./～寝ね 같이 잠. ③《다른 名詞의 아래에 붙어서》㉠그(것)들 모두(다);다 같이. ¶三人殼～来ない 세 사람 다 오지 않는다. ㉡그를 포함해서;모두 합쳐. ¶通用発売日ふつうはつばいび～二日ふつか 통용 발매일을 포함해서 2일간.

とも【友】〖名〗《朋・伴》① 친구;벗;동무;동료. ② 동행;길벗.

とも【供】〖名〗 수행원;종자(従者).

とも【艫】〖名〗《雅》선미(船尾);고물. =船尾ふなび. ⟷へさき 舳みよし.

とも〖接助〗…(라 하)더라도;…(라)하든;할(일)지라도. ⟷ても. ¶何なにと言いおう～問題もんだいにしない 뭐라고 하든 문제삼지 않는다./遅おそくとも十時じゅうじまでには帰かえる 늦어도 열 시까지는 돌아온다. 〓〖終助〗《終止形에 붙어서》의심·반대의 여지가 전혀 없음을 나타냄;(아무렴)…고말고. ¶ああ、そうだ～ 암、그렇고말고./いい・いい～ 괜찮아 괜찮아;좋아요 좋아요. 〓〖連語〗格助詞 'と'의 힘줌말. ¶うんすん～言いわない 달다 쓰다 일언반구〕 말이 없다／学生がくせい～あろうものが 명색이） 학생이라는 자가.

-ども【共】〖名詞에 붙음〗～들. ¶者もの～ 녀석들;이놈들／虫むしけら～ 벌레 같은 놈들. ②《특정의 1인칭에 붙어서》겸양의 뜻을 나타냄. ¶てまえ～は 저희 집에서는 手前て.

ともあれ【兎も有れ】〖連語〗《接続詞적으로》어쨌든;하여간;여하튼. =とにかく. ¶何なには～ 어째 되었든／能力のうりょく～は～ 능력이야 여하튼.

ともえ【巴・鞆絵】〖名〗① 밖으로 소용돌이치는 모양. ¶卍まんじ～どもえと入いり乱みだれて戦たたかう 서로 뒤범벅이 되어 싸우다. ② 물건이 원형을 그리며 도는 모양.

*ともかく【兎も角】〖副〗하여간;어쨌든;여하튼. =とにかく. ¶～やって見ましょう 하여튼 해 보죠. ¶～も 〖副〗어찌 되었든(간에).

ともかせぎ【共稼ぎ】〖名〗맞벌이. ¶～の夫婦ふうふ 맞벌이 부부.

ともがら【輩】〖名〗동아리;패거리. =仲間なか.

ともぐい【共食い】〖名〗ㅈ自①《동물 사회에서》같은 무리끼리 서로 잡아먹음;동족 상잔. ②서로 다투다가 다 같이 망함. り.

ともしび【灯火・燈火】〖名〗등불.

とも-す【点す・灯す・燈す】〖他5〗불을 켜다. =ともす. ¶ろうそくを～ 촛불을 켜다.

ともすると〖連語〗《口》자칫하면;툭하면;걸핏하면. =ともすれば. ¶～計算けいさんをまちがえる 자칫하면 계산을 틀리게 하다.

ともすれば〖連語〗=ともすると.

ともだおれ【共倒れ】〖名〗ㅈ自 (쌍방이) 다 쓰러짐[망함].

‡**ともだち**【友達】〖名〗친구;동무;벗. =友人ゆうじん. ¶釣つり～ 낚시 친구／飲のみ～ 술 친구.

ともづな【艫綱・纜】〖名〗배 매는 밧줄.

―を解とく 밧줄을 풀다;해람하다;출항(出航)하다.

ともづり【友釣(り)・共釣(り)】〖名〗놀림낚시(질);낚시에 산 은어를 꿰어 물에 놓아, 딴 은어를 꾀어들여 낚는 낚시질.

ともども【共共】〖副〗다 같이;함께;서로. ¶～に励はげましあう 서로서로 격려하다／夫婦ふうふ～に出でる 부부가 함께 벌이 나가다.

*とも-う【伴う】〖自5他他〗① 함께 가다;따라〔데리고〕가다;동반하다. ¶先生せんせいに～って行いく 선생님을 따라가다. 〓〖他〗①데리고가다. ②《収入しゅうにゅうに～わない生活せいかつ 수입에 어울리지 않는 살림./危険きけんが～ 수반하다. ¶この仕事しごとには危険きけんが～ 이 일에는 위험이 따른다.

*とも-に【共に・供に】〖副〗① 함께;같이. ¶運命うんめいを～する 운명을 함께 하다. ②동시에;또. ¶喜よろこびであると～ 즐거움인 동시에.

ともまわり【供回り・供廻り】〖名〗종자들;수행원들. どもり 【吃り】〖名〗《卑》말을 더듬음;말더듬이. 더듬이.

とも-る【点る・灯る】〖自5〗불이 켜지다;점화되다. =とぼる. 다.

ども-る【吃る】〖自5〗말을 더듬다.

とや【鳥屋・塒】〖名〗①새장. =ねぐら. ②(새의) 털갈이;또, 그 때. ¶たかの～ 매의 털갈이. ③《유랑극단이나 극장에서》손님이 없어 단원들이 여관에 죽침. ―につく 알을 낳기〔털갈이를 하기〕 위해 동우리에 죽치다;전하여, 창녀가 매독으로 자리에 드러눕다.

とやかく【兎や角・兎や右】〖副〗이러니저러니;이러쿵저러쿵. =かれこれ. ¶～言いうな 이러쿵저러쿵 말하지 마라.

どや-す【他5】《俗》①(엄포로) 치다;때리다. ②(겁을 주려고) 꾸짖다;호통 치다. ¶おやじに～された 아버지한테서 야단맞았다.

どやどや〖副〗여럿이 떼지어 들어오는 모양;우;우르르. ¶みんなが～と部屋へやにはいってくる 여럿이 우르르 방으로 몰려 들어오다.

とよあしはら【豊葦原】〖名〗일본의 미칭. =豊葦原とよあしはらの瑞穂みずほの国くに.

‡**どよう**【土曜】-yō 토요(일). ¶～日び 토요일.

どよう【土用】-yō 토왕(土旺)《입하(立夏)·입추(立秋)·입동(立冬)·입춘(立春) 전의 18일간;흔히, 여름 토왕을 가리킴》. ――なみ【――波】〖名〗―浪 여름, 토왕 무렵이면 일어나는 큰 놀〔물결〕. ――ぼし【――干(し)】〖名〗むしぼし. ――やすみ【――休み】〖名〗《老》여름 방학;여름 휴가. =夏休なつやすみ.

どよ-む【5自】소리가 울려 퍼지다. ¶雷かみなりが鳴なり～ 천둥이 울리다.

どよめ-く【5自】①(소리가) 울려 퍼지다;울리다. ¶歓喜かんきが空そらに～ 떠나갈 듯한〕 환성이 하늘에 울려 퍼지다. ②와글와글 떠들어대다. 술렁거리다. ¶聴衆ちょうしゅうが～ 청중이 술렁거리다.

とら【寅】〖名〗인;지지(地支)의 셋째번《방위로는 북동東(北東)；시각으로는 오전 3시부터 5시 사이》.

とら【虎】图 ①〔動〕호랑이；범。②〈俗〉취한(醉漢)。¶～になる 영망으로 취하다。——の威"を借"る狐"의 호가호위(狐假虎威)하다；매세(賣勢)하다。——の尾"を踏"む 범의 꼬리를 밟다(극히 위험한 짓을 함의 비유)。——を野"に放"つ 범을 들에 내놓다。①뒤에 걱정거리가 될 것을 방치해 두다。②세력 있는 자를 내버려 두어 더욱 위세 부리게 하다。

どら 图 방탕아；난봉을 부림；또, 그 사람。¶～娘" 바람난 딸。

どら【銅鑼】图 동라；징。

どら 感 ☞どれ。

とらい【渡来】图 圏 도래；외국에서 건너옴〔들어옴〕。

ドライ 丑ナ 드라이。①(생활 감정・인정 따위에 끌리지 않고) 일을 합理"적으로 하려는 모양。¶～な性格" 매몰찬 성격。↔ウェット。②무미 건조；씀쓸하는 모양。③모임 따위에 술이 안 나오는 일。④감미(甘味)를 가하지 않은 양주(洋酒)의 일컬음。¶～ジン 드라이 진。▷dry。——アイス 图 드라이아이스。▷dry。——クリーニング 图 드라이클리닝。▷dry cleaning。——ミルク 图 드라이 밀크；분유(粉乳)。▷dried milk。

ドライバー 图 드라이버。①나사 돌리개。②자동차 따위의 운전사。③원거리용 골프채。▷driver。

ドライブ 图 囵 드라이브。①(자동차 따위를) 몰고 멀리 달리는 일。②(골프・테니스 등에서) 공을 전면적으로 회전시키는 강타。▷drive。——ウェー ＝wē 图 드라이브 웨이。▷driveway。

ドライヤー 图 드라이어；건조기(乾燥器)。¶ヘア～ 헤어드라이어。▷dryer。

***とら-える**【捕(ら)える・捉える】下一 ①잡다；붙잡다；붙들다。¶魚"を～ 물고기를 잡다／そでを～ 소매를 붙잡다／レーダーが敵機"を～ 레이더가 적기를 잡다〔포착하다〕。②받아들이다。¶～え方"の違"いで 받아들이는 방식의 차이로。

とらがり【虎刈り】图 이발이 서툴러 층이 지고 어룽지게 깎은 머리；또, 그 솜씨。〔범사냥〕

とらがり【とら狩(り)・虎狩(り)】图

トラクター 图 트랙터。▷tractor。

どらごえ【どら声】【銅鑼声】图 굵고 탁한 목소리。

トラコーマ 图 ☞トラホーム。

トラスト 图 트러스트；시장의 독점과 기업 합리화를 목적으로 한 고도의 기업 합동 형태。▷trust。

トラック torakku 图 트랙。①(육상 경기장 등의) 경주로。②'トラック競技"(＝트랙 경기)'의 준말。↔フィールド。▷track。 ↔ truck。

***トラック** torakku 图 트럭；화물 자동차。▷truck。

とらつぐみ【虎鶫】图〔鳥〕호랑지빠귀；호랑 티티。〔엄〕

とらのお【虎の尾】图〔植〕큰까치수염。

とらのこ【とらの子・虎の子】图 끔찍이 아끼는 것；애지중지하는 것；비장(祕藏)의 금품。¶～にしていたカメラを盗"まれた 몹시 아끼던 카메라를 도

둑맞았다／～の百万円"ミっ私ん 고이 간직해 둔 백만 엔。

とらのまき【とらの巻】【虎の巻】图 ①병법의 비전서(祕傳書)；육도 삼략。②강의(講義) 따위의 기초 자료가 되는 책。③교과서의 자습서。＝あんちょこ・とらかん。

トラピスト 图 트라피스트(수도원(修道院)의 일파；엄한 계율 밑에 노동・작업을 함)。▷Trappist。

とらふぐ【虎河豚】图〔魚〕자지복。

トラブル 图 트러블；옥신각신；분쟁(紛爭)。▷trouble。

トラホーム 图 트라홈；트라코마。＝トラコーマ。▷도 Trachom。

ドラマ 图 드라마。①연극；극。②극본；희곡。▷drama。

ドラマチック -chikku 丑ナ 드라마틱；극적。▷dramatic。

ドラム 图 드럼。①북(넓은 뜻으로는 타악기 전반, 좁은 뜻으로는 타악기의 세트를 가리킴)。②전자 계산기의 통 모양의 기억 장치。▷drum。——かん【——缶】图 드럼통。

どらむすこ【どら息子】图〈俗〉방탕한 아들；건달 자식。

とら-われる【捉われる】下一 (선입관・생각에) 사로잡히다；구애되다；얽매이다。¶因襲"よ"に～ 인습에 얽매이다。

とら-われる【捕(ら)われる】【囚われる】下一 ①(붙) 잡히다；붙들리다。¶官憲"の手"に～ 관헌의 손에 잡히다。②받아들이다。

トランキライザー 图 트랭퀼라이저；정신 안정제。▷tranquilizer。

トランク 图 트렁크。①큰 여행 가방。②승용 자동차 뒤의 짐 싣는 곳。▷trunk。

トランシーバー 图 트랜시버；휴대용의 소형 무전기。▷transceiver。

トランジスター 图 트랜지스터。①게르마늄을 써서 전류의 진폭을 세게 하는 것。②트랜지스터 라디오。▷transistor。

トランス 图 트랜스；변압기(變壓器)。▷transformer。¶トランプ torampu 图 트럼프；카드。▷trump。

トランペット torampetto 图 트럼펫；금관 악기(金管樂器)의 나팔。

トランポリン toramporin 图 트램폴린 (탄력 있는 즈크의 4각형의 천을 이용해 도약・공중제비 따위를 하는 운동；또, 그 기구)。▷trampoline。

とり【酉】图 유；지지(地支)의 열째(방위로는 서(西), 시각으로는 오후 5시부터 7시까지의 사이)。

****とり**【鳥】图 새；조류(鳥類)。

****とり**【鶏】图 닭；닭고기。

とり【取り】图 ①얻음；취득。②(연예 따위의) 인기물에서 마지막 프로(에 나오는 사람)〔'真打"ち"(＝마지막 프로)'의 딴이름〕。

とり-【とり・取り】〔動詞 앞에 붙어〕어세(語勢)를 세게 하는 말；충분히；신중히；확실히。¶～のぼせる 울컥하다；흥분하다；상기(上氣)하다。

とりあい【取(り)合い】图 서로 다투어 빼앗음；쟁탈(전)。¶遺産"ぁ"の～ 유산 다툼。

とりあ-う【取(り)合う】五他 ①서로 (붙)잡다；맞잡다。¶手"を～って喜

ぶ 손을 마주 잡고 기뻐하다. ②서로 다투어 빼앗다；쟁탈하다. ¶陣地ᵃ͜ᵇを～ 진지를 쟁탈하다. ③상대하다. ¶笑ᵉ͜ᵃって～わない 웃으며 상대하지 않다.

*とりあえず【取り敢えず】副 ①부랴부랴；급히；즉각. ＝すぐに. ¶～連絡ʳᵉⁿ를 取ᵗる 부랴부랴 연락을 하다. ②우선. ＝一応ᵃͥᵇᵘ. ¶右ᵃⁱまでお礼ᵉͥまで 이상으로 우선 인사드립니다(서간문의 맺음말).

*とりあげる【取り上げる】下一他 ①집어들다；들어 올리다. ¶はしを～ 젓가락을 집어들다. ②빼앗다 ¶거둬들이다. ¶税ᵉͤʰᵁを～ 세금을 거둬들이다. ⑤착수하다；박탈〔剝奪〕하다. ¶本ᵃを～ 책을 빼앗다. ③해산〔解産〕을 돕다. ¶この子ᵃはあの産婆ᵃ͜ᵇͥさんに～げてもらった 이 아이는 저 조산원이 받아 주었다. ④〔採り〕上げる〕(신청·의견 따위를) 받아들이다；들어주다. ¶～てげない 받아들이지 않다；무시〔기각〕하다. ⑤〔採り〕上げる〕(이렇게 하게) 문제삼다；초들다.

とりあつかい【取り扱い】名 취급；다룸；法, 다루는 법；처리. ¶～に困ᵏᵒᵐᵃる 다루기 힘들다.

*とりあつかう【取り扱う】五他 다루다；보살피다；대우하다；처리하다. ¶機械ᵏᵃⁱᵏᵃⁱを～人ᵉ 기계를 다루는 사람／就職ᵉͥᵒᵉを～ 취직을 알선하다／親切ᵉͥⁿを～ 친절하게 응대하다／郵便局ᵃ͜ᵇで～ 우체국에서 취급하다.

とりあみ【鳥網】名 조망；새그물.

とりあわせる【取り合(わ)せる・取合せる】下一他 (적절히) 배합〔배열〕하다；맞추다；(이것저것) 그러모으다；섞다. ¶野菜ᵃⁱを～せて作ᵗᵘᵏる 야채를 이것저것 섞어〔배합하여〕만들다.

ドリアン【植】두리언(판야과에 속하는 열대 지방의 상록 교목). ◁ durian.

とりい【鳥居】名 신사(神社)의 입구에 있는

とりいそぎ【取り急ぎ】副 급히 (실례를 무릅쓰고 급히 말씀드립니다만'의 뜻으로, 서간문에 쓰는 인사말). ¶～お知らせいたします 우선 급한 대로 알려드립니다.

とりいーる【取り入る】五自 환심사다；비위맞추다；빌붙다；아첨하다.

とりいれ【取り入れ】名 ①들여옴；받아들임；도입. ②技術ᵉͥᵘᵗᵘの～ 기술의 도입. ②(농산물을) 거두어들임；수확. ¶秋ᵃᵏͥの～ 가을 추수；가을걷이.

*とりいーれる【取り入れる】下一他 ①안에(집어) 넣다. ②(곡식 따위를) 거두어 들이다. ③받아들이다；도입(導入)하다；섭취하다. ¶新ᵃᵗᵃᵉⁱしい技術ᵉͥᵘᵗᵘを～ 새로운 기술을 도입하다.

とりうちぼう【鳥打帽】-bō 헌팅캡；사냥모자(운두가 없고 둥글납작한 모자). ＝ハンチング・鳥打ᵗᵘⁱち.

とりえ【取り柄・取り得】名 취할 점；쓸모；장점；이점.

トリオ 트리오. ①〔樂〕삼중주；삼중창. ②〔樂〕삼부곡. ③(뛰어난) 삼인조(三人組). ¶クリーンアップ～〔野〕클린업 트리오. ◁ trio.

とりおこなう【執り行(な)う】五他

(식·제사 따위를) 지내다；거행하다；집행하다.

とりおさえる【取り押(さ)える・取押える・取り抑える】下一他 ①억누르다；움쭉 못 하게 잡다. ②붙잡다；붙들다. ＝からめとる.

とりおとす【取り落(と)す】五他 (손에서) 떨어뜨리다；놓치다. ¶食器ᵉͥᵏͥを～して割ᵃる 식기를 떨어뜨려 깨뜨리다.

とりかえす【取り返す】五他 ①되찾다；되돌이키다；만회하다. ＝とりもどす. ¶領地ᵉͥᵒᶜᵉを～ 영지를 되찾다／人気ⁿⁱⁿᵏⁱを～ 인기를 만회하다. ②본래의 상상대로 하다；복원〔회복, 복구〕하다. ¶～のできない失敗ᵉͥᵖᵖⁱ 돌이킬 수 없는 실패.

*とりかえる【取り替える】下一他 바꾸다；교환하다；갈다. ¶材料ᵃⁱʳᵒᵘを～ 재료를 바꾸다／くつの底ᵉᵒᵏᵒを～ 구두창을 갈다.

とりかかる【取り掛(か)る】五自 착수하다；시작하다. ¶工事ᵏᵒⁱᵉͥに～ 공사에 착수하다／今ⁱᵐᵃ～っている事件ᵉͥᵏᵉⁿ 현재 취급하고 있는 사건.

とりかご【鳥かご【鳥籠】名 새장；조롱.

とりかこむ【取り囲む】五他 둘러싸다；에워싸다；포위하다.

とりかじ【取りかじ【取舵】名 ①뱃머리를 왼쪽으로 돌리기 위한 키 꺾기. ②좌현(左舷). ⇔面ᵒᵐᵒかじ.

とりかぶと【鳥かぶと・鳥兜】名 ①무악(舞樂) 때 쓰는 고깔. ②〔植〕바꽃. ＝カブトギク.

とりかわす【取り交わす】五他 주고받다；교환하다. ¶手紙ᵗᵉᵍᵃᵐⁱを～ 편지를 주고받다.

とりきめ【取り決め・取り極め】名
とりきめる【取り決める・取り極める】下一他 ①(결)정하다. ¶日取りᵉͥᵈᵒʳⁱを～ 날짜를 정하다. ②약속하다；계약하다. 〔수법, 품〕

とりくち【取り口】名 씨름하는 솜씨.

とりくみ【取り組み・取組み】名 대전(표)(넓은 뜻으로는 호적(好敵)을 이루는 맞〔적〕수를 가리킬 때도 있음). ¶～表ᵖᵒᵘ 대전표／あの二人ⁿ̄ᶠᵗᵃʳⁱはいい～だ 저 두 사람은 호적수다. ③〔經〕(거래소에서) 매매 계약.

*とりくむ【取り組む】五自 ①맞붙다；대전(대진)하다；씨우다. ¶强敵ᵏʸᵒᵘᵗᵉᵏⁱと～ことになった 강적과 맞붙게 되었다. ②씨름하다. ③(비유적으로) …과 씨름하다；몰두하다. ¶難ⁿᵃⁿ問題ⁿᵒⁿᵈᵃⁱと～ 난문제와 씨름하다.

とりけし【取り消し・取り消】名 취소.

*とりけす【取り消す】五他 취소하다.

とりこ【虜・擒】名 사로잡힌 사람；포로. ¶～になる 사로잡히다.

とりこしぐろう【取り越し苦労・取越し苦労】-rō 名 又自 쓸데없는 걱정〔근심〕；기우(杞憂). ＝とりこしくろう. ¶余計ᵉᵏᵉⁱな～ 부질없는 걱정.

とりこみ【取り込み・取込み】名 ①거둬들임；수확(收穫). ②어수선함；혼잡；다망(多忙). ¶お～中ᵗᵘ̄失礼ᵉͥᵗᵘʳᵉⁱですが 바쁘신〔경황없으신〕중(中)에

실례입니다만. ③'取り込み詐欺ᄝᄝ(대금을 치르지 않고 물건을 먹어치우는 사기)'의 준말.

とりこ−む【取り込む】 〓 [5自] ①어수선(뒤숭숭)하다; 혼잡(복잡)하다. ¶親類ᅟᇰ에 不幸ᅟᇂ이 있어서 ~ㄴ에 있는 친척집에 호상ᇰ이 나서 어수선하다. 〓 [5他] ①거두어들이다. ②(부정하게) 수중에 넣다; 집어먹다. ③구슬리다; 구워삶다.

とりこわ−す【取り壊す】【取り毀す】 [5他] (건물 따위를) 헐다.

とりさ−げる【取り下げる】 [下1他] 되찾아 가다; 취하하다; 철회하다. ¶請願ᇰ을 ~ 청원을 철회하다.

とりざた【取り沙汰】 [名] [ス自] (항간의) 평판; 소문; 세평(世評). =うわさ.

とりさば−く【取り捌く】 [5他] (분쟁·소송 등을) 처리하다; 가리다; 판가름하다. =さばく.

とりしき−る【取り仕切る】 [5他] 혼자 도맡아 하다; 책임지고 관리하다. ¶父ᇂに代ᅟᇂって店ᇀ을 ~ 아버지를 대신하여 가게의 일을 맡아 보다.

▽とりしまり【取り締まり·取り締り】 [名] ①다잡음; 단속함; 또, 그 사람. ②'取締役ᅟᇂ[や<り]'의 준말. ――やく【取締役】 [名] 중역; 이사. ――会ᅟᅵ会ᅳ 이사회의.

▽とりしま−る【取り締(ま)る·取締る】 [5他] 다잡다; 잡죄다; 단속하다; 관리[감독]하다.

とりしら−べる【取り調べる】 [下1他] ①(자세히) 조사하다. ②(용의자를) 문초하다; 신문하다.

とりすが−る【取り縋る】 [5自] 매달리다. ¶母ᅟᇂのそでに~って泣ᅟᅡく 어머니의 소매에 매달려서 울다.

とりすま−す【取り澄ます】 [5自] ①(짐짓) 점잔(얌전)빼다; 새침떼다. ¶~した顔ᅳ 짐짓 점잔(얌전)빼는 얼굴; 새침떠는 얼굴. ②점잔 모르는(무관한) 체하다; 시치미떼다.

とりそろ−える【取りそろえる·取り揃える】 [下1他] 모두(골고루) 갖추다.

▽とりだ−す【取り出す】 [5他] 꺼내다. (ㄸ)집어 내다; 빼내다. ¶ポケットからさいふを~ 호주머니에서 지갑을 꺼내다.

とりたて【取立て·取立】 [名] ①거둠; 징수. ¶税金ᅟᅥᇂの~ 세금 징수. ②【取りたて】갓따온; 갓딴. ¶~の魚ᅳ 갓잡은 생선. ③등용; 애호; 발탁. ¶社長ᇂ의 ~ので 사장의 발탁으로.

とりた−てる【取り立てる】 [下1他] ①거두다; 징수하다. ¶税金ᅟᅥᇂを~ 세금을 징수하다. ②초들어(어 말하다) 특별히 내세우다. ¶~てて言ᅡ"ほどの事ᅳ도 아니다 (이렇다 하게 초들 만한 것도 없다. ③(아랫사람을) 특별히 봐주다. ④발탁하다; 등용하다.

とりつ【都立】 [名] 도립. 東京都ᅳᅳ의 설립.

とりつぎ【取り次ぎ·取り次】 [名] [ス自] ①중개(仲介); 중개인. ②(손님을) 맞는 일; (손님의 말을) 주인에게 전하는 일; 또 그 사람.

とりつ−く【取りつく·取り付く】 [5自]

①매달리다; 붙들다. ②착수하다. ¶仕事ᅟᇂに~ 일에 착수하다. ③(取り憑く) (귀신이) 씌다; 들리다; 홀리다. ¶狐ᅟᅳに~・かれる 여우에 홀리다. ――島ᅵもない 【一島もない】의 지할ᇫ(기댈, 발붙일) 데도 없다; 어찌할 수가 없다. ②(상대가 쌀쌀맞아) 말붙일 엄도 못 내다.

トリック torikku [名] 트릭. ①책략; 속임수. ②【映】현실로는 일어날 수 없는 현상을 특수 촬영 기법으로 화면에 표현하는 기술. ▷trick.

とりつ−ぐ【取り次ぐ】 [5他] ①(양자 사이에서) 한 쪽의 의사를 다른 편에 전하다. ②(손님 등을) 맞다; 손님이 왔음(손님의 말)을 주인에게 전하다. ③(신고나 상신하는 것을) 윗분에게 전하다. ③중개하다.

とりつくろ−う【取り繕う】 [5他] ①수선하다; (매만져서) 고치다. ②겉꾸리다; 겉꾸미다. ¶人前ᅟᇂを~だけでは だめだ 남의 앞에서만 잘 보이려고 겉꾸며서는 안 된다. ③(일시적으로) 겉꾸미어 어름어름 숨겨 넘기다; 갑싸주다. ¶母はᇂが父ᇂの前ᅳをうまく~ってくれた 어머니가 아버지 앞에서 나의 잘못을 적당히 덮어 주었다.

▽とりつ−ける【取りつける】 [下1他] (어떤 가게에서) 대놓고 사다; 단골로 사다. ¶~・けている店ᇀ (단골로) 대놓고 사는 가게.

▽とりつ−ける【取り付ける】 [下1他] ①(기계 따위를 어떤 것에) 달다; 장치(설비)하다. ¶壁ᅟᅥᇂにスイッチを~ 벽에 스위치를 달다. ②(약속 따위를) 받아내다. ③(은행 예금 등을 찾아서) 수중에 확보하다.

とりで【砦】 [名] 성채(城砦) (본성(本城)에서 떨어진 요소(要所)에 쌓은 소규모의 성); 보루(堡壘); 요새(要塞).

とりとめ【取り留め·取り止め】 [名] ①붙듦; 말림. ②끝. ¶~なく続ᅟᅮ고 끝없이 계속되다. ③요점; 두서; 동닿음. ¶~の無ᅟᅵ話ᅟᇀ 두서(종잡을 수) 없는 말.

とりと−める【取り留める·取り止める】 [下1他] ①(잡아) 멈추다; 붙들다; 말리다. ②(잃을 뻔한) 목숨을 전지다. ¶一命ᅟᇂを~ 목숨을 건지다.

とりどり【取り取り】 [ダナ] 갖가지; 가지각색; 각양 각색. ¶~の意見ᅟᇂ 갖가지〔구구한〕 의견 / ~の帽子ᇂᅦ 가지각색의 모자.

とりなお−す【取り直す】 [5他] ①고치다; 새로이 하다. ¶気ᅟᇂを~ 기분을 새로이 하다. ②(씨름에서) 다시 맞붙다; 다시 하다. ③고쳐〔바꿔〕잡다〔쥐다〕.

とりなし【とりなし·執り成し·取り成し】 [名] 중재〔조정〕; 주선.

とりな−す【とりなす·執り成す·取り成す】 [5他] ①수습하다. ¶その場ᇂを~ 그 당장을 잘 꾸리다〔수습하다〕. ②(둘 사이를) 중재하다; 조정하다; 화해시키다. ③仲ᅟᅡを~ (두 사람 사이의) 불화를 화해시키다. ③주선하다; 천거하다. ④달래다.

とりなべ【鳥なべ】【鳥鍋】 [名] 새〔닭〕고기를 주로 한 냄비 요리.

とりのこ−す【取り残す】 [5他] (일부를) 남겨두다; 떼 놓다; 처지게 하다

¶時代(じだい)に~･される 시대에 뒤처지다.

とりのぞ-く【取(り)除く】 5他 없애다; 제거하다; 치우다. =取りのける.

とりはからい【取り計(ら)い･取計い】 图 [措處(조처)] 처리; 처분; 배려. ¶特別(とくべつ)の~ 특별한 배려. 〔조처〕万事(ばんじ)お~に任(まか)せます 만사를 처분에 말기겠습니다.

とりはから-う【取り計(ら)う･取計う】 5他 처리[선처]하다; 조치(措置)하다; 배려하다. ¶適當(てきとう)に~ 적당히 처리하다.

とりはこ-ぶ【取(り)運ぶ】 5他 막힘이 없이 진행시키다; 진척시키다. ¶會議(かいぎ)をうまく~ 회의를 잘 진행시키다. 5自 진행하다; 진척되다.

とりはず-す【取(り)外す】 5他 ①(맞춘 것･장치한 것을) 떼다; (낀 것을) 빼다. ¶窓(まど)を~ 창을 (창틀에서) 떼내다. ②놓치다; 떨어뜨리다. =取り落(お)とす.

とりはだ【鳥肌】〔鳥膚〕 图 ①소름. ¶~が立(た)つ 소름이 끼치다〔돋다〕. ②(상어같이) 깔깔한 살갗. =きめはだ.

とりはら-う【取(り)払う】 5他 걷어치우다; (모조리) 치우다; 헐다; 철거하다; 없애다. ¶道路(どうろ)の邪魔物(じゃまもの)を~ 도로의 장애물을 치우다.

*とりひき【取(り)引き･取引】 图 ス名 ①거래; 홍정. ¶あの會社(かいしゃ)とは~がない/反對黨(はんたいとう)と~する 그런 반대당과 홍정하다. ②상행위(商行爲). ──じょ 【──所】-jo 图【商】거래소. ¶証券(しょうけん)~ 증권 거래소.

とりひし-ぐ【取りひしぐ】〔取押拉ぐ〕 5他 ①(짓눌러) 찌부러〔으스러〕뜨리다. ¶鬼(おに)をも~勢(いきおい)い 귀신이라도 꺾어누를 기세. ②(기세를) 꺾다.

とりふだ【取(り)札】 图 歌(うた)がるたで서 집는 쪽의 딱지. ↔讀(よ)み札(ふだ).

ドリブル ス他 드리블. ¶(축구･농구 따위에서) 공을 몰고 감. ①(배구에서) 같은 사람이 계속해서 두 번 이상 공에 닿음(반칙의 하나). ▷dribble.

とりぶん【取りぶん･取(り)分】 图 몫. =分(わ)け前(まえ)【割(わ)り前(まえ)】割り前.

とりまき【取(り)巻き】 图 ①둘러(에워)쌈. ②(권세 있는 사람의) 추종자; 측근; 주변 인물. ¶~連(れん) 추종자들.

とりまぎ-れる【取(り)紛れる】 下1自 ①뒤섞이다; 혼입(混入)하다. =まぎれる. ②(바쁜 일 따위에) 쫓기다; 정신이 없다[팔리다]. ¶多忙(たぼう)に~て ていごさいたしました 바쁜 일에 쫓겨 문안드리지[소식 전하지] 못했습니다.

*とりま-く【取(り)巻く】 5他 ①둘러 (에워)싸다. ②(이익이 있을 만한 사람에게) 들러붙어 그 비위를 맞추다; 빌붙다.

とりま-ぜる【取(り)混ぜる】 下1他 한데 섞다(합치다); 뒤섞다.

とりみだ-す【取(り)乱す】 一 5他 어지르다; 흩뜨리다. =取り散(ち)らかす. ¶部屋(へや)を~ 방을 어지르다. 5自 ①이성을 잃고 흐트러진 모습을 보이다; 자제를〔평정을〕 잃다; 당황하다.

とりめ【鳥目】 图 밤소경; 야맹증.

とりもち【取(り)持ち･取持】 图 ス名 ①주선; 알선; 중개. ¶友人(ゆうじん)の~で 친구의 주선으로 /女(おんな)色(いろ)의 ~をする 두쟁이 노릇을 하다. ②(손님 등을) 다룸; 접대; 응대.

とりもち【鳥もち】〔鳥黐〕 图 (새나 곤충을 잡는) 끈끈이.

とりも-つ【取(り)持つ】 5他 ①손에 쥐다[잡다, 가지다]. ②중개[주선, 알선, 중재]하다. ¶二人(ふたり)の間(あいだ)を~ 두 사람 사이를 주선하다 /賣買(ばいばい)を~ 매매를 알선하다. ③접대하다; 응대하다.

とりもど-す【取(り)戻す】 5他 되찾다; 회복[만회, 복구]하다. ¶健康(けんこう)を~ 건강을 회복하다 /陣地(じんち)を~ 진지를 탈환하다.

とりもなおさず【取りも直さず】 連語 곧; 즉; 바꿔 말하면; 단적으로 말해서. =すなわち. つまり. ¶それは~次(つぎ)のことと同(おな)じである 그것은 곧 다음 일과 같다.

とりもの【捕(り)物】 图 죄인을 잡는 일; 또, 범인을 잡기 위한 행동. ¶大(だい)~ 대대적인 범인 체포. ──ちょう 【──帳】-chō 图 ①江戶(えど)시대에 目明(めあかし)=하(下部 수사관)가 죄인 체포를 위해 적어둔 기록(부). ②범죄 사건을 제재로 한 역사물의 추리 소설.

*とりや-める【取り止める】 下1他 (예정했던 일을) 그만두다; 중지하다; 취소하다. ¶雨天(うてん)のため~ 우천으로 중지하다.

とりょう【塗料】-ryō 图 도료. ¶~噴霧器(ふんむき) 도료 분무기.

どりょう【度量】-ryō 图 도량. ①아량(雅量). ¶~の広(ひろ)い人(ひと) 도량이 넓은〔큰, 너그러운〕 사람. ②길이와 부피; 자와 말.

どりょうこう【度量衡】-ryōkō 图 도량형. ¶~器(き) 도량형기.

*どりょく【努力】-ryoku 图 노력; 애씀. ¶~家(か) 노력가.

*とりよ-せる【取り寄せる】 下1他 ①가까이 끌어당기다. ②(주문하거나 말하여) 가져오게 하다. ¶料理(りょうり)を~ 요리를 시키다[가져 오게 하다] /外國(がいこく)から~ 외국에서 들여오다.

ドリル 图 드릴. ①나사 송곳; 천공기(穿孔機); 착암기(鑿岩機). ②반복(反復) 연습. ¶漢字(かんじ)の~ 한자의 반복 학습 /~ブック 연습장. ▷drill.

とりわけ【取り分け】 副 특히; 그중에서도. =とりわけて. ¶~重要(じゅうよう)な問題(もんだい)는 특별히 중요한 문제.

ドリンク 图 드링크제; 청량 음료수. ▷drink.

‡と-る【取る】 5他 ①잡다. ㉠(把る) 들다; 쥐다. ¶手(て)を~って教(おし)える (a)친절히 가르치다; (b)친히 가르치다 /本(ほん)を手(て)に~ 책을 손에 들다. ㉡(여관 등에) 들다; 묵다. ¶宿(やど)を~ 숙소를 잡다; 여관에 들다. ㉢예약하다. ¶指定席(していせき)を~ 지정석을 예약하다. ㉣(공간을) 차지하다. 〔시간이〕 걸리다. ¶場所(ばしょ)を~ 장소를 차지하다 /手間(てま)を~ (a)시간이 걸리다; 지체하다; (b)품삯을 받다. ㉤간격을 두

다. ¶間合ﾞﾞﾏﾞを～ 사이를[간격을] 두
다. ㈏(자기 것으로) 차지하다. ¶天
下ﾞ를～ 천하를 잡다. ②가져[집어]
오다. ¶たなの上ﾞﾞの本ﾞを～ってﾞﾞ
る 선반 위의 책을 집어 오다. ③해석
하다; 받아들이다. ¶いい意味ﾞﾞに～
좋은 뜻으로 받아들이다. ④취하다
〔태도를〕 보이다. ¶强硬ﾞﾞな態度ﾞﾞ
を～ 강경한 태도를 취하다. ㈐강구
하다. ¶～べき道ﾞﾞはただ一ﾞﾞつだけ
취할 길은 오직 하나뿐이다. ⑤먹다.
㋐(撮る) 섭취하다. ¶食事ﾞﾞを～ 식
사를 하다 / 栄養ﾞﾞを～ 영양을 섭취하
다. ㋑나이를 더하다. ¶年ﾞﾞを～ 나이
를 먹다. ⑥경기 등을 하다. ¶すもう
を～ 씨름을 하다. ⑦따로 떼어[남겨]
두다. ¶種ﾞﾞを～っておく 씨를 따로
떼어 두다. ⑧벗다. ¶めがねを～ 안
경을 벗다. ⑨빼앗다. ¶城ﾞﾞを～ 성을 빼앗다 / 金ﾞﾞを～られ
る 돈을 빼앗기다 / 命ﾞﾞを～ 복수하
다. ¶命ﾞﾞを～ 목숨을 빼앗아 / 敵ﾞﾞ
の首ﾞﾞを～ 적의 목을 갚다. ⑩없애다. ㋐뽑
다. ¶雜草ﾞﾞを～ 잡초를 뽑다. ㋑제
거하다. ¶痛ﾞﾞみを～ 통증을 없애다.
⑪따다. ㋐캐다. ¶そのきのこはどこ
で～ったか ユ 버섯은 어디서 땄나.
㋑얻다. ¶百点ﾞﾞを～ 백 점을 따다.
⑫받다. ㋐거두다. ¶罰金ﾞﾞを～ 벌금
을 징수하다. ㋑타다. ¶賞品ﾞﾞを～ 상품을 타다. ㋒(月
給ﾞﾞ)を～ 상품〔월급〕을 타다. ㋓(月
文ﾞﾞ)을 맡다. ¶注文ﾞﾞを～ 주문을 맡
다. ㋔기생을 부르다. ㋕손님을 받다. ⑬받다. ㋐말미
따위를 얻다. ¶休暇ﾞﾞを～ 휴가를
얻다. ㋑딸다. ¶嫁ﾞﾞを～ 아내
를 맞다 / 弟子ﾞﾞを～ 제자
를 두다. ⑭(신문 등을) 구독하다. ¶
新聞ﾞﾞを～ 신문을 구독하다. ⑮찍다;
뜨다. ¶型ﾞﾞを～ 형을 뜨다. ⑯필기하
다; 기입하다. ¶ノートに～ 노트에 쓰
다〔필기하다〕. ⑰맞추다. ¶きげんを
～ 기분을 [비위를] 맞추다 / 拍子ﾞﾞを
～ 박자를〔장단을〕 맞추다. ⑱맡다;
지다. ¶責任ﾞﾞを～ 책임을 지다. ⑲
택하다. ¶名ﾞﾞを捨てて實ﾞﾞを～ 명예
를 버리고 실리를 택하다. ⑳(盗む) 훔
치다. ¶人ﾞﾞの物ﾞﾞを～ 남의 물건을 훔
치다. ㉑(이부자리 등을) 펴다; 깔다. ¶
床ﾞﾞを～ 자리를 펴다. ㉒모시다; 사
사하다. ¶師匠ﾞﾞを～ 스승을 모시
다. ㉓재다. ¶尺ﾞﾞを～ (자로) 재다.
㉔(맥을) 짚다. ¶脈ﾞﾞを～ 맥을 짚
다. ㉕(보기 따위를) 들다. ¶例ﾞﾞに～
예를 들다. ㉖(불명예 따위를) 초래하
다; 쓰다. ¶汚名ﾞﾞを～ 누명을 쓰다 /
ひけを～ (남에게) 빠지다 / 남의 못하
다; 뒤지다. ㉗('とり…'의 형으로 다른
動詞ﾞﾞ 앞에서) 직접…과 뜻의 뜻을 부가
함; 전하여, 어조를 고르거나 세게 할
때 씀. ¶～り急ﾞﾞ申ﾞﾞし上ﾞﾞげます
급히 아룁니다. ¶に足ﾞﾞりない (극히)
하잘것없다; 하찮다.

‡と－る 【執る】 ⑤他 ①(직무로서) 취급
하다; 맡다. ¶事務ﾞﾞを～ 집무하다;
사무를 보다. ②굳게 지키다. ¶民主
主義ﾞﾞの立場ﾞﾞを～ 민주주의의 입장
을 취하다. ③¶筆ﾞﾞを～ 붓을 잡다[들
다]; 집필하다.

‡‡と－る 【捕る】 ⑤他 잡다; 체포하다.

‡‡と－る 【採る】 ⑤他 ①뽑다. ㋐채집하
다. ¶血ﾞﾞを～ 피를 뽑다. ㋑채용하
다. ¶新卒者ﾞﾞを～ 새 졸업자를 뽑
다. ②비교하여 낫게 보다; 높이 사다.
¶才能ﾞﾞより努力ﾞﾞを～ 재능보다
노력을 사다. ③캐내다; 뽑다. ¶鉱石
ﾞﾞから金属ﾞﾞを～ 광석에서 금속을 뽑
다. ④(원료·재료에서) 만들어 내다.
¶ブドウから酒ﾞﾞを～ 포도에서 술을
만들어 내다.

‡‡と－る 【撮る】 ⑤他 사진을 찍다.

とる 【助動】〈方〉…하고 있다('ておる·
ている'에서 온 말). ¶見ﾞﾞ～ 보고 있
다 / 死ﾞﾞんどる 죽어 있다 / 生ﾞﾞき～ 살
아 있다.

ドル 【弗】 델러; 불; 전하여, 돈. ＝
ダラー. ¶～を稼ﾞﾞぐ 돈을 벌어 주는 물건; 또, 그 사람; 달
러 박스.

トルコ 【土耳其·土耳古】 图 【地】 터키.
¶～玉ﾞﾞ 터키옥 / ～ぶろ 터키탕; 증기
목욕탕. ▷포 Turco; 영 Turkey.

ドルメン 图 돌멘; 고인돌. ▷dolmen.

どれ 【何れ】 ㊀㊀ 어느 것(쪽)
〔쪽〕; 무엇. ¶～を選ﾞﾞ로うか 어느 쪽을
택하겠느냐 / ～もこれも似ﾞﾞたり寄ﾞﾞ
ったりだ 어느 것이나 비슷비슷하다 /
～にしようか 어떤 것으로 할까.
㊁ 동작·행동을 일으킬 때에 쓰는 말;
어디; 그럼; 이제; 자. ＝どりゃ·どら.
¶～、寝ﾞﾞるとしようか 어디 (이제) 자
볼까.

＊どれい 【奴隷】 图 노예. ¶～解放ﾞﾞ 노
예 해방 / 金銭ﾞﾞの～ 돈의 노예.

トレーシング ペーパー 图 트레이싱 페
이퍼; 투사지(透寫紙); 복사지(複寫
紙). ▷tracing paper.

トレード 图 ㊁他 트레이드. ①상거래;
무역. ②(프로 야구에서) 선수의 구단
간(球團間) 이적(移籍)·교환. ▷trade.
――マーク 图 트레이드마크; 등록 상
표. ▷trademark.

トレーナー 图 트레이너. ▷trainer.

トレーニング 图 트레이닝; 훈련; 연습.
¶～キャンプ 트레이닝 캠프; 운동 선
수의 합숙 훈련; 또, 그 숙사(宿舍).
▷training.

トレーラー 图 트레일러. ¶～バス 트
레일러 버스. ▷trailer.

ドレス 图 드레스; 여성의 양복(정장).
▷dress. ――メーカー 图 드레스 메이
커 (양장점의) 양재사(洋裁師). ▷
dress maker. ――メーキング 图 드레스
메이킹; 양재(洋裁). ▷dressmaking.

とれだか 【取れ高】 图 (곡식·어물(魚
物) 따위의) 수확고; 어획고.

どれだけ 【何れ丈】 圓 ☞どれほど.

ドレッシング -resshingu 图 드레싱. ①
아름답게 차려 입음; 치장(服裝); 복식
(服飾). ②'프렌치드레싱(＝
샐러드 기름·초 따위를 섞어 만든 소
스의 한 가지)'의 준말. ▷dressing.

どれほど 【何れ程】 圓 얼마만큼; 얼마
나. ＝どの位ﾞﾞ; どんなに. ¶～待ﾞﾞっ
たか知ﾞﾞれない 얼마나 기다렸는지 모
른다.

＊と－れる 【取れる】 ㊤㊀自 ①(붙어 있던
것이) 떨어지다; 빠지다. ＝もげる. ¶

とってが～ 손잡이가 빠지다. ②해석되다. ¶そうも～ 그렇게도 해석할 수 있다. ③없어지다;가시다. ¶癖&が～ 버릇이 없어지다 / 痛みが～ 아픔이 가시다. ④잡히다. ¶つり合いが～ 균형이 잡히다. ⑤산출되다;나다. ¶良質ぅの米ぷが～ 양질의 쌀이 난다. ⑥얻다. 또 따다. ¶資格だが～ 자격을 얻을 수 있다;자격을 따다. ①(휴가 따위를) 받다. ¶休暇だが～・れた 휴가를 얻었다. ①(돈 따위를) 타다. ¶よい俸給ぅが～ 많은 봉급을 타다. ①회수되다; 걷히다. ¶掛金ぷが～・れない 외상(돈)이 걷히지 않다.

*と-れる【捕れる】[下一] (사냥감·물고기 따위가) 잡히다. ¶魚ぷが～ 물고기가 잡히다.

*と-れる【採れる】[下一] 만들어지다;채취되다. ¶コールタールから～薬品 콜타르에서 얻는[채취하는] 약품.

*と-れる【撮れる】[下一] (사진이) 찍히다;받다. ¶写真ぷはよく～・れた 사진은 잘 찍혔다 / 君ぷの顔ぷはよく～ 네 얼굴은 사진에 잘 받는다.

とろ【瑪】图 ①다랑어 살의 지방(脂肪)이 많은 부분. ↔あかみ. ②'とろろ汁じ'의 준말.

とろ【瀞】图 강물이 깊어서 흐름이 극「히 고요한 곳.

*どろ【泥】图 ①진흙;흙;흙탕(물). ¶～壁だ 흙벽 / ～にまみれる 흙(탕) 뒤발을 하다. ②(俗)'どろぼう'의 준말. ¶こそ～ 좀도둑. ―のように 정신을 잃을 정도로 몹시 취하거나 또는 정신없이 잠을 이르는 말. ―を塗ぬる 욕을 보이다;면목을 잃게 하다. ―を吐はく (죄상을) 자백하다;불다.

どろあし【泥足】图 ①흙 묻은 더러운 발;흙발. ②화류계 신세.

とろ-い 厖 ①화력 따위가 약하다;뭉근하다. ¶火びが～ 불이 뭉근하다. ②(俗)멍청하다;투미하다. ¶～やつ 얼빠진 놈.

トロイカ 图 트로이카;러시아의 삼두 마차(三頭馬車). ▷러 troika.

とろう【徒労】-rō 图 도로;헛수고.

トロール 图 트롤. ¶～網ぉ【底引網】，=引瀬網ぅ【──】=船曳 트롤선; 저인 망선(底引網船). ②'トロール網ぉ'·'ト ロール漁業ぎ'の 준말. ▷trawl. ――あみ【──網】图 원양 어업용의 저인망. ――ぎょぎょう【──漁業】-gyogyō 图 저인망 어업.

とろか-す【蕩かす】[5他] 녹이다;황홀케[도취케] 하다;넋을 빼앗다. ¶男だ の心ぷを～ 남자의 마음을 녹이다 [사로잡다].

どろがめ【泥がめ·泥亀】图【動】'す っぽん(=자라)'의 딴이름.

どろくさ-い【泥臭い】形 ①흙내가 나다. ②촌(상)스럽다;세련되지 않다. =やぼったい.

とろ-ける【蕩ける·遊ける】[下一] 녹다;황홀해지다;넋을 빼앗기다. ¶ろうそくが～ 초가 녹다 / 心びが～ よ うだ 마음이 녹아나는 것 같다.

どろじあい【泥仕合】图 (서로 상대방의 비밀·약점 등을 들추는 추잡한 싸움;이전 투구(泥田闘狗). ¶～の様相 ぷを呈てする 추잡한 싸움의 양상을 보

이다.

どろた【泥田】图 수렁논.

トロッコ torokko 图 광차(鑛車)(광산이나 토목 공사용). ▷トロ·truck.

どろつち【泥土】图 ①이토;진흙;흙흙.

ドロップ doroppu 드롭. ①[드롭스 (서양식 사탕). ②[野] 투수가 던진 공이 타자 가까이서 뚝 떨어짐;또, 그 공. ③[學] 낙제. ▷drop.

とろとろ 副 ①녹어서 녹녹해진 모양:녹진녹진;끈적끈적;지르르. ¶～の飴るぅ녹진녹진(지르르)한 엿. ②화력이 약한 모양. ¶～たき火びで～燃もえる 화톳불이 끄느름하게 타다. ③겉잠이 오는[졸음이 쏟아지는] 모양. ¶つい ～(と)した 깜빡 졸았다.

どろどろ 副 ①질척하게 녹은 모양:질척질척;절쭉절쭉;끈끈흙흙;곤죽같이. ¶～汁じ 걸쭉한 국물 / 道ぷが～に なる 길이 곤죽이 되다. ②진흙투성이가 된 모양. ¶靴くが～になった 구두가 온통 진흙투성이가 되었다. ③멀리서 북소리·천둥 소리·포성 따위가 계속 울려오는 모양:우르르;쿵쿵;쾅쾅. ¶遠雷& らが～と鳴なる 멀리서 천둥 소리가 우르르한다. ④(연극 따위에서) 유령이 나오는 장면에 울리는 북소리.

どろなわ【泥縄】图 일을 당해서야 허둥지둥 그 대책을 세움을 비웃는 말(도둑을 보고서야 오라를 꼰다는 뜻에서 나온 말). ¶～式ょの勉強きぅ 벼락치기 공부.

どろぬま【泥沼】图 수렁;진구렁;비유적으로, 한번 발을 디디면 좀처럼 헤어날 수 없는 경우.

どろ の き【泥の木·白楊】图【植】백양. =どろやなぎ·はくよう·でろ.

どろび【泥火·弱火】图 (화력이) 약한 불;끄느름하게 타는 불;뭉근불. ↔強火びゅ. 「盃). ▷trophy.

トロフィー -fí 图 트로피;우승배(優勝

*どろぼう【泥棒·泥坊】-bō 图 도둑질;도둑(놈). ¶～根性じ 도둑(놈) 근성. ―を見みてなわをなう 일을 당해서야 서두름의 비유. =どろなわ.

どろまみれ【泥まみれ·泥塗れ】图 (진)흙투성이;흙탕;흙뒤발.

とろみ 图 약간의 걸쭉함(끈기). ¶～を 付つける 약간 걸쭉[되직]하게 하다; 좀 차지게 하다.

どろみず【泥水】图 흙탕물.

どろみち【泥道】图 (비가 오면 진창이 되는) 수렁길;진창길. 「이름.

どろやなぎ【白楊】图 'どろのき'의 딴

どろよけ【泥よけ】【泥除け】图 (자동차 따위의) 흙받이.

トロリー バス 图 트롤리 버스;무궤도(無軌道) 전차. ▷trolley bus.

とろりと 副 ①졸음이 오는 모양. ¶～ した目め 개개풀어진 눈. ②깜박깜박 조는 모양. ¶しばらくの間だ～した 잠깐 동안 조리졌다;깜박 졸았다. ③걸쭉한 모양;끈득끈득한 모양. ¶～した液体たい 걸쭉한 액체.

とろろ【薯蕷】图 ①'とろろいも'의 준말. ②'とろろじる'의 준말.

とろろ-いも【薯蕷芋·とろろ芋】【薯蕷芋】图 갈아서 'とろろじる'를 만드는 마(마·참마 따위).

とろろじる【とろろ汁】【薯蕷汁】 图 참마 따위를 갈아서 멀건 장국 따위로 묽게 한 요리. =とろ.

どろん 图 갑자기 자취가 사라지는 모양. ¶~をきめこむ 행방을 감추다 ; 줄행랑 치다.

ドロンゲーム 图 드론 게임 ; (야구·테니스 따위에서) 무승부 경기. ▷drawn game.

どろんこ【泥んこ】 图〈俗〉흙투성이 ; 흙탕 ; 진창. ¶~の道낳 진창길.

とろんと 剾 눈이 개개풀려 흐리멍덩하거나 충혈된 모양. ¶~した目낳 (a)개개 풀린 눈 ; (b)충혈된 눈.

トロンボーン torombōn 图〔樂〕트롬본(금관 악기의 하나). ▷trombone.

とわ【永久】 图〔雅〕영구 ; 영원. =永久낳わ. ¶~に栄낳える 영원히 번영하다. ─の別낳れ 영이별 ; 사별.

とわずがたり【問わず語り】 图 묻지도 않은 말을 함.

どわすれ【度忘れ】 图 자他 깜빡 잊어버림 ; 까맣게 잊음. =ど忘낳れ. →うっかりわすれ.

とん【豚】 图 돼지 ; 돼지고기.

トン【噸·瓲·屯·噸】 图 ① 무게의 단위(기호:t). ② 용적의 단위. ▷ton.
──**すう**【──数】 -sū 图 톤수. ¶積載냙낳 ~ 적재 톤수 ; 적재능력 ; 상선(商船)은 적재량을 달함.

どん【丼】 图 ① 정오포(正午砲) ; 오포. 정오. 二剾 ①대포나 불꽃이 터지는 소리 ; 탕. ②무거운 물건이 세게 부딪는 모양 ; 탕.

-どん〈인명·신분을 나타내는 말에 붙음〉아랫사람, 하인 등을 부를 때 씀. ¶お竹낳~ お竹댁.

とんえい【屯営】 图 自他 둔영 ; 둔치 ; 또, 그(곳).

どんかく【鈍角】 图〔數〕둔각. →鋭角냙낳.

とんカツ【豚カツ】 图 포크 커틀릿 ; 돼지고기 커틀릿.

どんかん【鈍感】 图 ダ干 둔감 ; 감각·느낌이 둔함. →敏感냙낳.

どんき【鈍器】 图 둔기. ①무딘 날붙이. →利器낳. ②육중하고 단단한 흉기.

ドンキホーテがた【ドンキホーテ型】 图 돈 키호테와 같은 (공상적이며 무분별하고 정의감이 강한 저돌적) 성격. →ハムレット型냙낳. ▷Don Quixote.

とんきょう【頓狂】 -kyō ダ干 느닷없이 얄망궂은〔얼빠진 짓을 하는〕모양.

どんぐり【団栗】 图 도토리 ; 상수리. ──の背냙くらべ 도토리 키대보기(비슷비슷하여 모두 대단치 않음의 비유).

どんぐりまなこ【どんぐり眼】【団栗眼】 图 퉁방울눈 ; 왕눈 ; 부리부리한 눈. =どんぐり目냙.

どんこう【鈍行】 -kō〈俗〉역마다 정거하는 열차〔전차〕; 완행 열차〔전차〕. ↔急行냙낳.

とんざ【頓挫】 图 自 돈좌 ; 좌절. ¶計画냙낳を~させる 계획을 좌절시키다. ──응변의 재능.

とんさい【頓才】 图 재치 ; 임기응변의 재능.

どんさい【鈍才】 图 둔재 ; 둔한 재주 ; 또, 그러한 사람. ↔英才냙·秀才낳.

とんじゃく【頓着】 -jaku 图 自 개의 〔介意〕; 괘념〔掛念〕; 신경을 씀. =とんちゃく. ¶つまらぬことに~せずに 부질없는 일에 신경 쓰지 말고.

とんしゅ【頓首】 -shu 图 돈수 ; 계수〔稽首〕(편지의 끝맺음말). ↔謹啓냙낳.

どんじゅう【鈍重】 -jū 图 ダ干 둔중 ; 둔하고 느림 ; 신경이 무딤. ↔敏捷냙낳.

とんしょ【屯所】 -sho 图 ①사람들이 모이는〔둔치는〕곳. ②警察署낳낳(=경찰서)의 구칭.

どんしょく【貪食】 -shoku 图 自他 ①탐식 ; 게걸스럽게 먹음. ②비유적으로, 타국의 영토를 차례차례 침략함.

どんじり【どん尻】 图〈俗〉맨 끝 ; 최후 ; 꼴찌. =びり.

どんす【緞子·鈍子·段子·端子】 图 단자. ¶金襴냙낳~ 금란 단자.

どん-する【鈍する】 サ変 自 둔해지다 ; 멍청해지다. =にぶる. ¶貧낳すれば~ 가난하면 사리 판단도 흐려진다.

とんせい【遁世】【遯世】 图 自 둔세. ①속세(俗世)를 등지고 불문(佛門)에 들어감. ②은둔〔隱遁〕; 은거함. 注意 'とんせ'라고도 함. 〔주.

とんそう【遁走】-sō 图 自 둔주 ; 도주.

どんぞこ【どん底】 图〈맨〉밑바닥 ; 최악의 상태 ; 구렁텅이. ¶不幸냙낳の~に落낳ちる 불행의 구렁텅이에 빠지다.

とんだ 連体 뜻하지 않은 ; 돌이킬 수 없는 ; 엄청난 ; 영뚱한. ¶~所낳で出会냙った 뜻밖의 곳에서 만났다 / ~事낳になった 일이 걷잡을 수 없게(엉뚱하게) 되었다 / ~事낳をしてくれた 엄청난 짓을 저질러 놓았다.

ドンタク 图 존다그 ; 일요일 ; 전하여, 휴일. ▷네 Zondag.

とんち【頓智·頓知】 图 돈지 ; 기지(機智) ; 재치. =ウイット. 〔마늘.

どんちき【頓痴気】 图〈俗〉얼간이.

どんちゃんさわぎ【どんちゃん騒ぎ】 donchan- 图 술을 마시며 장구치고 노래하는 등 크게 떠듦 ; 또, 그 소리[난] 법석.

どんちょう【緞帳】-chō 图 ①(극장의) 말아 나리게 하는 무대막. ②두터운 천의 무늬가 들어 있는 막(幕). ──**しばい**【──芝居】 연기가 서투른 저수준의 연극 ; 엉터리 연극. ──**やくしゃ**【──役者】-sha 图 緞帳芝居에 출연하는 배우 ; 엉터리 배우.

とんちんかん【頓珍漢】 图 ダ干 ①(언행이) 조리가 닿지 않아 종잡을 수 없음 ; 대중 없음 ; 빗나감. ¶~な事낳を言냙う 종잡을 수 없는 말을 하다 ; 뭔가 뒤진 모를 소리를 하다. ②얼치기. 〔하게 아픔. ②激痛낳냙.

どんつう【鈍痛】-tsū 图 둔통 ; 무지근

どんづまり【どん詰まり】 图〈俗〉① 막판 ; 종국(終局) ; 종반(終盤). ¶選挙낳も~になった 선거도 막판에 접어들었다. ②막다름 ; 막다른 곳〔끝〕; 마지막. ¶~に突낳き当낳る 막다른 곳에 이르다 ; 벽에 부닥치다.

*****とんでもない** 連語 ①터무니 없다 ; 당치도 않다 ; 엄청나다 ; 어처구니 없다. ¶~値段냙に터무니 없는 값 / ~間違냙い 엄청난 실수〔잘못〕/ ~話낳낳 당치도 않는〔터무니 없는〕이야기다. ②

とんや【問屋】〔名〕 ①도매상.=卸売商しょう. ＝といや. ②〖呉服〗〈～ 포목 도매상〉/そうは～がおろさない 그렇게 마음대로는 되지 않을 게다. ②어떤 일을 도맡아 하는 사람. ▷鎌倉なまくら・室町むろまち시대. 주로 항만(港湾)에 살면서 화물의 보관・수송・중개 매매를 하던 업자. ＝問丸といまる. ＝問主きゃく(客主). ＝問えや.

どんよく【貪欲・貪慾】〔名〕〔ダナ〕 탐욕.=とんよく. 〖反〗욕심이 없음.=強欲ごうよく.

どんより ①날씨가 잔뜩 흐린 모양; 어둠 침침한 모양. ¶～(と)した 잔뜩 찌푸린 하늘[날씨]. ②눈・색조(色調)가 흐린 모양. ¶～(と)した目 흐리멍덩한 눈; 생기가 없는 눈.

どんらん【貪婪】〔名〕〔ダナ〕 탐람; 너무 탐함; 몹시 욕심을 부림.

とんび【鳶】 tombi 〔名〕 ①〈口〉〔鳥〕 ☞とび①. ②‘とんびガッパ’의 준말; 일본 옷의 남자용의 外套. =二重にじゅうまわし. ③들치기.=あきすねらい.

ドンファン -fan 〔名〕 돈화; 호색한(好色漢); 엽색꾼; 탕아(蕩兒).=ドンジュアン. ▷스 Don Juan.

とんぷく【頓服】tompu- 〔名〕〔ス他〕 돈복; 여러 번에 벼르지 않고 한꺼번에 복용함; 또, 그 약.

どんぶり【丼】dombu- 〔名〕 ①‘どんぶりばち’의 준말; 사발; 밥그릇. ②‘どんぶりめし’의 준말; 덮밥. ③〖親子おや(親子)〗 닭고기에 계란을 풀 덮밥. ④장색(匠色)들이 두르는 앞 두르개에 달린 주머니.

どんぶり dombu- 〔副〕 물건이 물에 떨어지는 소리; 풍덩; 풍당.=どぶん・どぶり.

とんぼ【蜻蛉・蜻蜓】tombo 〔名〕〔蟲〕 잠자리. ②‘とんぼがえり’의 준말.

とんぼがえり【蜻蛉返り】tombo- 〔名〕〔ス自〕①재주넘기;공중제비. ②(발길을) 곧 돌이킴; 곧 되돌아옴〔감〕.

とんま【頓馬】tomma 〔名〕 〔언행이〕 어딘지 모자라고;얼뜸;또, 얼뜨기;얼간이. ¶そんな～な事はしない そ런 얼간이[어리석은] 짓은 하지 않는다.

ドンマイ dommai 준말 걱정마라; 염려 말다〔운동 경기 때의 응원 따위에 씀〕. ▷don't mind.

な　ナ

①五十音図ごじゅうおんず ‘な行ぎょう’의 첫째 음. [na]②〖字源〗‘奈’의 초서체(かたかな ‘ナ’는 ‘奈’의 윗부분).

な 〔助動〕 ‘なり’의 連体形・終止形가 변화한 꼴. ¶ここに～愚なる者もの이 바보 녀석이／そこに～奴야 거기에 있는 녀석.

＊な【名】〔名〕 이름. ①성명; 명칭(‘名前なまえ’의 격식 차린 말씨). ¶この花ばなの～이 꽃의 이름. ②평판; 명성. ¶その聞こえた人ひと 이름이 알려진 사람. ③명예. ¶学校がっこうの～を傷きずつける 학교의 이름을[명예를] 손상시키다. ④구실; 빙자. ¶慈善じぜんを～として 자선이란 이름 아래〔자선을 구실삼아〕. ⑤명분; 겉치레. ¶～を正ただす 명분을 세우다. ——をあげる 이름을 날리다〔유명해지다; 명성을 떨치다〕. ——を借かりる ①남의 명의를 빌려 일을 하다. ②구실삼아 하다. ——を汚けがす 이름을 더럽히다. ——を成なす 이름을 날리다.

な【菜】〔名〕①야채; 푸성귀. =あおな・なっぱ. ②〖植〗평지.=アブラナ.

な 〔助〕①〔終助〕〈動詞 및 ‘(ら)れる’ ‘(さ)せる’의 終止形에 붙어서〉금지를 나타냄; …마라. ¶芝生しばふにはいる～

どんてん【曇天】〔名〕 담천; 흐린 날씨.↔

どんでんがえし【どんでん返し】〔名〕 ①〔劇〕 무대 장치를 급히 뒤집어 다음 차례의 것과 바꾸는 일; 또, 그런 장치. =がんどうがえし. ②일이 거꾸로 뒤집힘; 역전(逆轉)됨.

とんと 〔副〕①〈否定의 말을 수반하여〉조금도; 전혀; 도무지. ¶～おいしくない 조금도[도무지] 맛이 없다／～存ぞんじません 전혀 모릅니다. ②완전히. ¶～忘わすれられた 까닭에 잊어버렸다.

とんと 〔副〕 큰 물체가 부딪치는 모양. ¶波なみが～船せんを ゆする 파도가 쿵하고 선체를 뒤흔들다／～来くい 자 덤빌 테면 덤벼 봐.

とんとう【鈍刀】-tō 〔名〕 날이 무딘 칼; 안 드는 칼.=なまくら.↔利刀りとう.

とんとん 〔副〕①(둘이) 이상반향; 엇비슷함. ¶成績せいせきは～だ 성적은 거의 비슷하다. ②수지(収支)가 균형 잡힘; 손득(損得)이 없음. ¶収支しゅうしは～だ 수지는 손득없이 맹맹하다. ②〔副〕일이 순조롭게 진행되는 모양; 척척; 순조로이. ¶仕事しごとが～(と)運はこぶ 일이 척척 되어가다. ③가볍게 두드리는〔치는〕 소리; 똑똑. ¶～とノックする 똑똑하고 노크하다. ——びょうし【拍子】〔名〕 일이 순조롭게〔빨리〕 진척됨; 일이 손쉽게 이루어짐. ¶～に出世しゅっせする 순조롭게 출세하다.

＊どんどん 〔副〕①뒤따르는 모양; 자꾸(자꾸). ¶水みずが～増ましていく 물이 자꾸 불어난다. ②일이 순조롭게 진척되는 모양; 척척. 일을 지체 없이 처리하는 모양; 척척; 일사 천리로. ¶仕事しごとを～片かたづける 일을 척척 해치우다. ③대포・북 따위가 잇따라서 울리는 소리; 쾅쾅; 둥둥; 쿵쿵. ¶太鼓たいこを～鳴ならす 북을 둥둥 울리다.

どんな【何様な】〔連体〕 어떠한; 어떤. ¶～人ひとが来きた？ 어떤 사람이 왔나. ——に 아무리. ¶～かめが急いそいでも 아무리 거북이가 서둘러도.

＊＊トンネル 터널. ＝隧道ずいどう. ②굴. 〔名〕〔ス他〕〈俗〉야수(野手)가 구르는 공을 놓쳐 가랑이 사이로 빠뜨리는 일. ▷tunnel.

잔디밭에 들어가지 마라. ②終助《動詞 및 '(ら)れる'·'(さ)せる'의 連用形에 붙어서》(부드러운 말투의) 명령을 나타냄. ¶早くし～ 빨리 해. ③間助 (약간 다짐하면서) 영탄(詠嘆)을 나타냄. ④自기의 주장·판단 따위를 상대방에게 납득시키거나 스스로 확인하는 마음을 나타냄. ¶いっしょに行くこう～ 함께 가자꾸나 / まちがいない～ 틀림없을 테지. ⓛ어떤 일의 실현을 진정으로 원하는 마음을 나타냄. ¶晴れるといい(が)～ 날이 개면 좋겠는데. ④직접적인 감동을 나타냄. ¶うれしい～ (정말) 기쁘구나. ⑤자기의 말을 상대에게 납득시키려는 마음을 나타냄. ¶これは～, 大切たいせつにするんだよ 이것은 말이야, 소중히 해야 하는 거다. 〔參考〕'なあ'로도 됨.
□副《雅》《'な'＋動詞連用形의 형, 또는 그것에 'そ'가 붙은 꼴로》 금지를 나타냄. ¶…まるな. ¶～行いきそ 가지 마라. 〔參考〕'な' 다음에 오는 動詞는 カ変·サ変에서는 未然形.
□感 감동을 나타내거나, 사람을 부르는 데 씀 ; 여보게 ; 여보게. ¶～, そうだろう 응, 그렇지 (않아) / 聞ききいてくれよ 여보게나, 말 좀 들어 주게.

なあ nā ①間助 □感. ②副 =な. □感 =な.

なあて【名宛】图 (편지·서류 따위의) 수신인[받을 사람]의 주소·성명. =あて名な. ¶～人にん 수신인.

＊な‐い【無い・亡い】形 ①없다. ¶金かねが～ 돈이 없다. ↔ある. ②①그 상태를 인정하는 것이 보통 뜻으로는 곤란함을 나타냄 ; (…하지) 않다. ¶話はなせば ― 이야기하지 않았다. ⓛ《形容詞·形容動詞 따위가 말하는, 상태의 否定を나타냄》않다. ¶足あしが～ 빠르지 않다. ③'～か·…じゃ‐ないか'의 꼴로》상대의 확인을 재촉하는 말. ¶前まえにも話はなしたじゃ～か 전에도 말하지 않았는가.

な‐い【亡い】形 죽어 있다. 죽고 없다. ¶彼かれは今いまは ― 그도 지금은 죽고 없다.

‐な‐い《상태를 나타내는 말을 形容詞化함》심하다[대단하다]는 뜻을 나타냄. ¶満場まんじょう～く 살림살이 ; 모조리 / はした～ 상스럽다 ; 버릇없다 / 切せつ‐ 애달프다 / あたら～ / せわし～ 조급(성급)하다.

**ない【助動】《形容詞型으로 活用;動詞・'(さ)せる'·'(ら)れる'의 未然形에 붙음》①말하는[쓰는] 사람이나 그 사항이 否定的인 것임을 단정하는 데 씀 ; 안 하다. ¶雨あめが降ふらく～ 비가 안 온다. ②《助詞'か'와 함께 쓰는 'か' 없이 말끝을 올려서》①권유·바람·의뢰하는 뜻을 나타냄 ; 안 하겠니. ¶眠ねむらく～ 자지 않겠니 / もう帰かえらく～か 이제 그만 돌아가지 않겠니. ⓛ의문을 나타냄 ; 않니. ¶眠ねむくく～ 졸리지 않니. ③인정하기가 좀 곤란하다는 뜻을 나타냄. ¶ぼくはそんな事ことはしら～よ 난 그런 것은 몰라요 / やらなければばだめだ 하지 않으면 안 된다.

ない‐い【内意】图 내의. ①속마음 ; 내심 ; 의중. ¶～をきいて見みる 속마음을 물어 보다. ②내밀적인 의향.

ないいん【内因】图 내인 ; 내부 원인. ↔外因がいいん.
ないえつ【内謁】图 スル내알. ①은밀한 알현(謁見). ②요인(要人)의 측근에게 빌붙어 은밀히 부탁함.
ないえん【内縁】图 내연.
ないえん【内苑】图 신사·궁궐의 안뜰. ↔外苑がいえん.
ないおう【内応】naiō スル자 내응 ; 내통 ; 배반. =うらぎり.
ないおう【内奥】naiō (정신 따위의) 속 깊은 곳. ¶人間性にんげんせいの～ 인간성의 심부(深部).
＊ないか【内科】图 내과. ↔外科げか.
ないかい【内海】图 うちうみ. ¶瀬戸せと～ 일본 四国しこく와 本州ほんしゅう 사이에 있는 내해의 이름. ↔外海がいかい.
ないかい【内界】图 내계 ; 정신계 ; 의식(意識)의 속. ↔外界がいかい.
ないかく【内角】图 ①내각. ①안쪽. 《수량을 나타내는 말에 붙어서》…정도 ; …전후. ¶百人ひゃくにん～ 백 명 내외.
ないかく【内角】图 ①【數】내쪽의 각. ②【野】홈 플레이트의 타자(打者)에 가까운 쪽. =インコーナー. ↔外角がいかく.
＊ないかく【内閣】图 내각. ——かんぼうちょうかん——官房長官——kambō-chōkan图 내각 관방 장관(한국의 총리 비서실장에 해당함). ——そうりだいじん——総理大臣——sōridaijin图 내각 총리 대신.
ないがしろ【蔑ろ】ダナ 소홀히 함 ; 업신여김. ¶主人しゅじんを～にする 주인을 업신여기다.
ないかん【内患】图 내환 ; 집안(나라 안)의 근심 ; 내우(內憂). ↔外患がいかん.
ないき【内規】图 내규 ; 내부에서만 통용되는 규칙.
ないぎ【内儀】图 ①①〈老〉상인의 아내. =おかみ. ①남의 아내의 높임말. ②内室ないしつ. 内室ないしつ의 높임 말.
ないきょく【内局】-kyoku图 내국 ; 중앙 관청에서, 대신·장관·차관의 직접 감독을 받는 국 ; 본청의 각국. ↔外局がいきょく.
ないきん【内勤】图 スル내근. ↔外勤がいきん.
ないくう【内宮】-kū图 伊勢いせ 신궁의 하나로 '皇大神宮こうたいじんぐう(＝天照大神あまてらすおおみかみ를 모신 대신궁)'의 딴이름. ↔外宮げくう.
ないこう【内向】-kō图 내향. ↔外向がいこう. ——せい——性——图 내향성. ——てき——的——図 내향적.
ないこう【内攻】-kō图 スル【醫】내공 ; 병이 표면에 나타나지 않고 내부로 퍼짐.
ないこう【内訌】-kō图 내홍 ; 내분(內紛).
ないごうがいじゅう【内柔外剛】-gō-gaijū图 내강 외유. ↔内柔外剛ないじゅうがいごう.
ないこく【内国】图 내국 ; 나라 안 ; 국내. =国内こくない.
ないさい【内妻】图 내연의 처.
ないさい【内済】图 スル他 내막적으로[남모르게] 처리함.
ないざい【内在】图 スル자내재 ; 그 내부에 본래 있음. ↔外在がいざい.
ないし【乃至】瞈 내지. ①(수량·정도의) …서 … 까지. ②또는 ; 혹은.

ないじ【内示】[名]他 내시 ; (공표하기 전에) 내막적(비공식적)으로 보여 줌. ↔公示ぶ ┌[反]外示ぶ・外耳ぶ.

ないじ【内耳】[名]【生】내이 ; 속귀.

ないしつ【内室】[名]【老】내실 ; 남의 아내의 높임말 ; 내상(内相). =おくがた. 内儀ぶ.

ないじつ【内実】[名]내실. ①내부의 실정・사정 ; 내막. =うちまく. ②[副詞적으로] 사실 ; 기실(其実). ¶ ─困ぶった 기실 난처하다. ┌「수요.

ないじゅ【内需】-ju [名]내수 ; 국내의

ないしゅうげん【内祝言】-shūgen [名]집 안끼리만 모여서 혼례를 치름 ; 집안끼리의 잔치.

ないしゅっけつ【内出血】-shukketsu [名]【医】내출혈. ↔外出血ぶ.

*ないしょ【内所・内緒・内証】[名]①내밀 ; 은밀 ; 비밀. ②집의 안(쪽). ㉠부엌 ; 부엌쪽. ㉡집안. ㉢처 ; 첩. ㉣외곽(遊郭)의 주인방 또는 회계 보는 곳. ④살림살이 ; 가계(家計). ¶ ─が苦しい 살림살이가 어렵다. ┌──ごと

【──事】[名]①내밀한 일. ②집안(살림을 꾸려나가는) 일.

ないじょ【内助】-jo [名]他 내조. ──の功ぶ 내조의 공.

ないしょう【内証】-shō [名]①【仏】내증 ; 자기의 내심의 깨달음으로 불교의 진리를 터득하는 일. ②☞ないしょ.

ないじょう【内情】-jō [名]他 내정 ; 내부의 사정. ¶ ─を探ぶる 내정을 살피다.

*ないしょく【内職】-shoku [名]自他 내직. ①본직 이외의 면벌이 ; 부업. ②주부가 가계를 돕기 위해 하는 일. =アルバイト.

ないしん【内心】[名]내심 ; 마음속 ; 내심(으로). [参考][副詞적으로도 씀. ¶ ─ひやひやした 내심(은) 조마조마했다. ②【数】다각형의 내접원의 중심.

ないしん【内申】[名]他 내신. ──しょ【──書】-sho [名]내신서.

ないしん【内診】[名]他 내진. ①여자 생식기의 진찰. ②의사가 자택에서 진찰함 ; 택진(宅診). ↔往診ぶ.

ないじん【内陣】[名]신사의 본전(本殿)이나 절의 본당에서 신체(神体)나 본존(本尊)을 모신 곳. ↔外陣ぶ.

ないしんのう【内親王】-nō [名]적출의 황녀(皇女) 및 적남계(嫡男系) 적출의 황손(皇孫)인 여자 ; 공주. ↔親王ぶ. ┌「짐. [反]nice.

ナイス [名]나이스 ; 훌륭함 ; 근사함 ; 멋

ないせい【内政】[名]내정. ¶ ─干渉ぶ 내정 간섭. ↔外交ぶ.

ないせい【内省】[名]他 내성. ①반성. ②【心】자신의 의식이나 경험을 관찰함. =内観ぶ.

ないせつ【内接】【内切】[名]自【数】내접. ↔外接ぶ. ──えん【──円】[名]【数】내접원.

ないせん【内戦】[名]내전 ; 국내 전쟁.

ないせん【内線】[名]내선. ①안쪽(내부)의 선. ②구내 전화선. ↔外線ぶ.

ないそう【内奏】-sō [名]他 내주 ; 임금에게 은밀히 상주(上奏)함.

ないそう【内争】-sō [名]내쟁 ; 내분 ; 집안 싸움. =うちわもめ・内訌ぶ.

ないそう【内装】-sō [名]①내장 ; (건물・탈것 따위의) 내부의 설비・장식 또, 그 공사. ②짐을 꾸릴 때의 속 포장. ↔外装ぶ.

ないぞう【内蔵】-zō [名]他 内藏. ①내부에 가지고 있음. ②내포. ─ [名]궁중의 창고.

*ないぞう【内臓】-zō [名]【生】내장.

ないそん【内孫】[名]친손자. =うちまご. ↔外孫ぶ.

ナイター [名]나이터 ; 야간 경기. =ナイトゲーム. ▷ nighter.

ないだく【内諾】[名]他 내락 ; 비공식적인 승낙.

ないたつ【内達】[名]他 내달 ; 내시(内示) ; 비공식적이 내달(示達).

ないだん【内談】[名]自他 내담 ; 비밀히 [비공식적으로] 이야기함.

ないち【内地】[名]내지. ①(새 영토나 섬에 대해서) 본토・본국. ↔外地ぶ. ②국내. ③내륙. ┌「外政ぶ.

ないち【内治】[名]내치 ; 국내 정치. ↔

ナイチンゲール [名]나이팅게일. ①【鳥】밤꾀꼬리. ②간호원의 미칭. ▷ nightingale.

ないつう【内通】-tsū [名]他 내통. ①은밀히 적과 통함. =内応ぶ. ②사통(私通) ; (남녀의) 밀통.

ないてい【内偵】[名]他 내탐(内探).

ないてい【内定】[名]自他 내정.

ないてき【内的】[名]내적 ; 내부적 ; 정신적. ¶ ─(な)問題ぶ 내적인 문제. ↔外的ぶ.

ないてん【内典】[名]내전 ; (불교의 입장에서 본) 불교의 경전. ↔外典ぶ.

ナイト [名]나이트. ①(중세기의) 기사(騎士). ②〈俗〉여자의 보호역을 하는 사람. ③영국에서, 서(Sir)의 칭호를 받은 사람. ▷ knight.

ナイト [名]나이트 ; 밤 ; 야간. ▷ night.

ないど【内帑】[名]내탕 ; 내탕금. ──きん【──金】[名]내탕금.

ないない【内内】[副]【ダ】①내심(内心)으로 ; 마음속으로. ¶ ─心配ぶする 마음속으로 근심하다. ②몰래 ; 은밀히 ; 내밀히.

ないねん【内燃】[名]내연. ──きかん【──機関】[名]내연 기관.

ないひ【内皮】[名]내피 ; 속껍질. ↔外皮ぶ. ┌「knife.

*ナイフ [名]나이프 ; 서양식 작은 칼. ▷

*ないぶ【内部】[名]내부. ↔外部ぶ.

ないふく【内服】[名]他 내복 ; 내용(内用). ──やく【──薬】[名]내복약.

ないふく【内福】[名]내복함 ; 보기에는 그리 부자 같지 않으나 실은 유복함. ¶ ─に暮ぶらす 내복하게 살다.

ないぶん【内分】[名]①(사건 따위를) 표면화하지 않음 ; 비밀 ; 내밀(内密). ②内聞ぶ. ¶ ─にする 비밀로〔쉬쉬〕하다. ─ [名]自【数】내분. ↔外分ぶ.

ないぶん【内聞】[名]①가만히〔비공식으로〕들음. ②표면화하지 않음 ; 내밀. =内分ぶ.

ないぶんぴつ【内分泌】-bumpitsu [名]【生】내분비. =ないぶんぴ. ¶ ─腺ぶ 내분비선. ↔外分泌ぶ.

ないほう【内包】-hō [名]내포. ─ [名]【論】한 개념에 포함되는 사물의 공통

の 속성(屬性).↔外延ᵉ𝑛.　三[──] ス他
내부에 지님.

ないまく【内幕】图 내막.=うちまく.

ないまぜ【綯い交ぜ】图①여러 가지 색
실을 섞어 끈을 꼼.②여러 가지를 섞
어 하나로 만듦.

ないみつ【内密】图[ダナ] 내밀;비밀;
은밀.=内緒ᵉ𝑜;内分ᵇ𝑢𝑛.

ないむ【内務】图 내무.①국내 행정.
↔外務ᵐᵘ.②(본디 군대에서) 일상 생
활에 관한 실내(室内)에서의 일.¶──
一班ᵖᵃ𝑛 내무반.

ないめい【内命】图 ス他 내명;비밀
[비공식] 명령.

*　**ないめん【内面】**图 내면.①안쪽;내
부.②사람의 정신·심리 (방면).¶
──描写ᵇ𝑦𝑜 내면 묘사.↔外面ᵐᵉ𝑛;表面
ʰ𝑦𝑜.

**ないものねだり【ないものねだり・無い
物ねだり】**图 ス自 (거기에) 없는 것을
조르거나 갖고파 함;생떼(억지).

ないや【内野】图【野】 내야수.=イン
フィールド.¶──手ˢ𝑢【内野手】의 준말.↔外
野ʸᵃ.──**しゅ**【──手】-shu 图【野】내
야수.↔外野手ʸᵃ𝑠𝑢.

ないやく【内約】图 ス他 내약;내밀
[은밀]한 약속;비공식적인 결정.

ないゆう【内憂】图 내우.↔外患ᵏᵃ𝑛.
──**がいかん**【──外患】-yū 图 내우
외환.

‡　**ないよう【内容】**-yō 图 내용.①사물
의 속(알맹이).¶話ʰᵃ𝑛ᵃ𝑠ʰ𝑖の── 이야기의
내용.②[哲] 사물 또는 현상을 성립
시키고 있는 실질(實質).↔形式ᵉᵏ𝑖.

ないよう【内用】-yō 图 내용;내
복(함).=内服ᵖ𝑢𝑘𝑢.↔外用ʸᵒ.

ないらん【内乱】图 내란.

ないらん【内覧】图 내람;가만히
[내밀히] 봄;정해진 정식 절차에 의하
지 않고 봄.

ないりく【内陸】图 내륙.¶──性ˢ𝑒ᵢ 내
륙성.──こく【──国】图 내륙국.

ナイロン图 나일론.▷nylon.

ナイン图 나인.①아홉;구.②(아홉
사람 한 팀인 데서) 야구 팀 (선수).
▷nine.

‡　**な-う【綯う】**⁵他 (새끼 따위를) 꼬
다.=あざなう.

なうて【名うて】图『──の』유명한;생
생한.¶──の悪党ᵗᵒ 소문난 악당.

*　**なえ【苗】**图①모종.②특히, 볏모.

なえぎ【苗木】图 묘목;묘목 나무.

なえどこ【苗床】图 모상;모판;모종
판;못자리.

な-える【萎える】下1自 ①시들다.⑤
감각이 마비되다.¶足ᵃ𝑠ʰ𝑖が── 다리가
저려오다.⑥기력이 빠지다;쇠약해지
다.=ぐったりする.⑥(풀 따위가) 이
울다.=しおれる.②옷이 낡아서 후줄
근해지다.

‡　**なお【尚・猶】**一副 ①역시;여전히;
아직.=やはり.¶今ᵏ𝑒𝑜でも·今ᵏ𝑜𝑛でも
지금도 여전히 가난하다.②더구나;오
히려;한층;더욱.¶──多くᵒᵏᵘの人ᵖ𝑖𝑡ᵒと
더 많은 사람.③『──のこと』더한층;
더군다나.一接 부언할 때 쓰는 말:더
욱이;더구나.¶先日ᵇ𝑖𝑡ᵘは御世話様ᵃ𝑚ᵃ
でした.~,結構ᵏ𝑒𝑜なおみやげまで頂戴
ᵈ𝑎𝑖しまして 전일에는 폐를 끼쳤으니

다.더구나 좋은 선물까지 주셔서.

なおかつ【尚且つ】連語【副詞적으로】
①그 위에 또;게다가.②그래도 아직;
역시.

*　**なおさら【尚更】**副 그 위에;더욱더;
더한층.¶それならば~よい 그렇다면
더욱 좋다.

なおざり【等閑】图[ダナ] 등한;소홀.=お
ろそか.¶規則ᵉ𝑘𝑢を~にする 규칙을
등한히 하다.

*　**なお-す【直す】**⁵他 ①고치다.⑤정
정(訂正)하다.⑥誤ᵃ𝑦𝑎りを~ 잘못을
고치다.⑥바로잡다.¶服装ˢ𝑒을 ~ 복
장을 고치다.⑥치료하다.[注意 'なお_治ᵒ_
す'로도 씀.②수선하다.⑤번역하다.⑥
변경(개정)하다;바꾸다.¶規約ᵏ𝑒𝑜を
~ 규약을 고치다.③회복하다;돌이키
다.¶機嫌ᵏ𝑒𝑛を~ 기분을 고치다[돌이
키다].④환산하다.¶ドルを円ᵉ𝑛に~
달러를 엔으로 환산하다.②앉히다.¶
客ᵏ𝑦𝑎𝑘𝑢を上座ᵏᵃ𝑚𝑖に~ 손님을 상좌에 앉
히다.③[動詞連用形을 받아서] 고쳐
…하다;다시…하다.¶やり~ 다시 하
다/見ᵐ𝑖~ 다시 보다.

なおなお【尚尚・猶猶】副 ①더욱더;더
한층;점점.②더군다나.=なおさら·ま
すます.②역시;아직도.=まだまだ·
やはり.③첨가해서.

なおまた【尚又】副 그리고[그밖에]
또.=さらに.そのほかに.

なおも【尚も】副 계속해서 (여전히);
더욱더.=さらに.¶~いいつのる 더
욱더 기어가 나서 주장하다.

*　**なお-る【直る】**⁵自 ①고쳐지다.⑤
바로잡히다.¶誤字ᵉ𝑛が~ 오자가 정정
되다.⑥치료(치유)되다;낫다.[注意
'治ᵒる'로도 씀.⑥수리(수선)되다.②복
구되다;회복되다.¶相場ᵇᵃが~ 시세
가 회복되다.③(자리에) 앉다;바꾸어
[옮겨] 앉다.¶本妻ᵗ𝑠𝑢𝑚𝑎に~ 본처로 들
어앉다(정실이 되다).

なおれ【直れ】感 바로(구령).¶礼ᵉᵢ,
~,終ᵒᵈ𝑎𝑜れ.─경례.바로.

なおれ【名折れ】图 불명예;명예 손상.
¶学校ᵏᵒの~になる 학교의 명예손상
이 되다.

*　**なか【中】**图 가운데.①중.¶忙ᵢ𝑠ᵒ𝑔ᵃ𝑠ʰ
い~をありがとう 바쁘신 중에 고맙
소.②안;속.¶家ᵢ𝑒の~が丸見ᵐ𝑎𝑟𝑢ᵐ𝑖えだ
집 안이 훤히 들여다보인다.↔外ˢᵒ𝑡ᵒ.③
사이;틈.¶人込ʰ𝑖𝑡ᵒᵍᵒ𝑚𝑖みの~を急ᵢ𝑠ᵒ𝑔ᵘ 붐
비는 사람들 사이를[속을] 급히 가다.
④중간(상·중·하(上中下)에서);삼형
제 중의 둘째.¶~の兄ᵃ𝑛𝑖 가운데 형.
↔中ᵗ𝑦𝑢.

*　**なか【仲】**图 사이.¶夫婦ᵘ𝑓𝑢の~がいい
부부 금실이 좋다.

なかい【仲居】图 요릿집·유곽에서 손
님을 응대하는 하녀;여급.

*　**ながい【長い】**形 ①길다.⑤(공간적
으로) 길다.¶足ᵃ𝑠ʰ𝑖の~ 긴 다리.⑥(세
월·시간이) 오래다.¶~年月ᵗ𝑠𝑢𝑘𝑖を経ᵉ
~る 오랜 세월이 지나다.[注意 '永ᵃ𝑔𝑎'い'
로도 씀.⑥(길이) 멀다;장차르다.¶
~旅路ᵗᵃ𝑏𝑖 머나먼 여로.②(마음이) 늘
쩡하다.¶気ᵏ𝑖が~ 마음이 늘쩡하다/
尻ˢʰ𝑖𝑟𝑖が~人ʰ𝑖𝑡ᵒ 밑질긴 사람.↔短ᵢ𝑗𝑘いく.
──**目ᵐᵉで見ᵐ𝑖るᵘ** 긴 안목으로 보다.
──**物ᵐᵒ𝑛のには巻ᵐ𝑎𝑘かれろ** 힘 센 자에게는

잠자코 따르라는 뜻.

‡ながい【永い】 〖形〗 (세월·시간이) 아주 오래다; 영원하다. **━眠**ねむ**りにつく** 영면(永眠)하다.

ながい【長居】 〖名〗〖ス自〗 밀질김; 궁둥이가 가벼움. **¶━（を）しないで**で**早**はや**くお帰**かえ**り** 오래 있지 말고 빨리 돌아오너라.

ながいき【長生き】 〖名〗〖ス自〗 장수(長壽). **↔早死**はや**に·若死**わか**に.**

ながいす【長椅子】 〖名〗 긴 의자; 소파. **=ソファー.**

ながいも【ながい芋·長芋】 〖名〗〖植〗 참마.

なかいり【中入り】 〖名〗 (씨름·연극 따위에서) 흥행 도중 잠깐의 휴식(을 취함); 중간 휴식 시간.

ながうた【長唄】 〖名〗 江戸エド 시대에 유행한 긴 속요(俗謠)∶三味線しゃみせん·피리를 반주로 하며, 길고 우아하여 품위가 있음. **↔歌**うた**.**

ながうた【長歌】 〖名〗 **☞ちょうか（長歌）.**

なかうり【中売り】 〖名〗 흥행장 안에서 먹을 것을 팔고 다님; 또, 그 판매원.

ながえ【轅】 〖名〗 자루가 긺; 또, 자루가 긴 도구·무기. **¶──になる.**

ながおどり【長踊り】 〖名〗〖ス自〗 도랑가는 자를 멀리까지 뒤쫓음.

ながおどり【長尾鳥·長尾鷄】 〖名〗〖鳥〗 장미계; 긴꼬리닭. **=ちょうびけい·おながどり.**

なかおれ【中折れ】 〖名〗 ①중앙이 꺾이거나 우묵함. ②'中折帽子ちゅうおれぼうし(=중절 모자)'의 준말. **=ソフト（帽）.**

なかがい【仲買】 〖名〗〖ス自〗 중매; 거간; 거간꾼; 중개인(仲介人); 브로커. **=ブローカー.**

ながぐつ【長靴】 〖名〗 장화. **↔短靴**たんぐつ**.**

なかぐろ【中黒】 〖名〗 ①(검은빛의 부호의 하나인) 중점(中點)(·). **=なか点**てん**.** ②화살 깃의 상하(上下)가 희고 가운데가 검은 것.

なかご【中子】 〖名〗 ①중심; 내부. 〔注意〕'芯·中心'으로 씀. ②(칼의) 슴베. 〔注意〕'茎·中心'으로 씀. ③과실 내부의 연한 부분. ④포개어 끼게 만든 기물(器物)의 안으로 들어가는 것.

なかごろ【中ごろ】【中頃】(中旬) 〖名〗 중간쯤 되는 때·곳·부분. **¶8月**がつ**の── 8월 중순경/坂**さか**の── 고개 중턱.**

‡ながさ【長さ】 〖名〗 ①길이. ②〖数〗 2점 간의 거리. **¶──尺**じゃく**.**

なかし【仲仕】 〖名〗 짐을 져 나르는 인부.

ながし【流し】 〖名〗 ①흘림; 또, 그것. ②부엌이나 우물가에 만들어, 식기 따위를 씻는 곳∶목욕통 밖의 몸을 씻는 곳. ③(목욕탕에서) 때를 밀게 함; 때밀이. **=三助**さんすけ**. ¶──を取**と**る** 때밀이에게 때를 밀게 하다. ④(안마사·택시 등이) 손님을 찾아 다님; 또, 그 사람. **¶──の自動車**じどうしゃ 손님을 찾아다니는 빈 차.

ながしいた【流し板】 〖名〗 ①설거지대에 깐 판자. ②목욕탕에서, 앉아 씻게끔 판자를 깐 곳.

ながしバン【長ジバン】【長襦袢】 〖名〗 긴 속옷(여자 것에는 화려한 색조(色調)·무늬가 있음). **=ながジュバン. ▷ 포**

gibāo.

ながしめ【流し目】【流し眄】 〖名〗 곁눈(질). ①스쳐 봄; 또, 그 눈. ②추파. **=**곁눈 흘림.

ながじり【長じり】【長尻】 〖名〗 밀질김; 오래 눌러붙음; 또, 그런 사람. **=長居**ながい**·ながっちり.**

なかす【泣かす】 〖5他〗 울리다. ①울게 하다. **¶子供**こども**を～** 아이를 울리다. ②〈俗〉〈自動詞的으로〉 울 정도의 감동을 주다; 눈물나게 하다. **¶この映画**えいが**は～ね** 그 영화 눈물나게 하는군.

なかす【鳴かす】 〖5他〗 (새 따위를) 울게 하다.

なかす【中州】 〖名〗 강 가운데의 모래톱. 〔注意〕'中州'로 씀은 대용 한자임.

‡ながす【流す】 〖5他〗 ①흘리다. ⊙흐르게 하다. **¶汗**あせ**を～** 땀을 흘리다. (b)열심히 일하다. ⓒ땅을 씻어 내다. **¶（없었던 것으로）잊어버리다. ¶水**みず**に～（어떤 일을）흘려 버리다(없었던 것으로 하다). ⓒ흘러나오게 하다; 틀다. **¶音楽**おんがく**を～** 음악이 흘러 나오게 하다. ②〈動詞連用形을 받아〉……에 정신을 쏟지 않다. **¶聞**き**き～** 흘려 듣다. ②(물로) 씻어 내다. **¶背中**せなか**を～** 등물하다. ③떠내려 보내다. ⊙띄워 보내다. **¶いかだを～** 뗏목을 띄워 보내다. ⓒ유실시키다. **¶豪雨**ごうう**で家**いえ**を～** 큰비가 집을 떠내려 보내다. ④(소문 따위를) 퍼뜨리다. **¶デマを～** 유언 비어를 퍼뜨리다. ⑤알리다. **¶ラヂオ番組**ばんぐみ**で～** 라디오 프로로 알리다. ⑥유배(流配)시키다; 귀양 보내다. ⑦(自動詞的으로) (안마사·택시 따위가) 손님을 찾아 다니다. ⑧(아이·계획 따위를) 유산(流産)시키다. **¶(회합 따위를) 유회시키다. ¶総会**そうかい**を～** 총회를 유회시키다. ⑩유질(流質)시키다.

ながすくじら【長須鯨】 〖名〗〖動〗 장수경; 긴고래.

-なかせ【泣かせ】 《名詞에 붙여서》……을 몹시 괴롭힘(애먹임, 울림); 또, 그런 사람. **¶先生**せんせい**～の悪童**あくどう 선생을 몹시 애먹이는 악동.

なかぞら【中空】 〖名〗 ①중천; 공중. ②허공에 떠 있음. ⊙중둥무이. ⓒ마음이 들뜸. ⓒ소홀.

ながたがい【仲たがい】【仲違い】 〖名〗〖ス自〗 사이가 틀어짐; 티격남.

なかだち【なかだち·仲立(ち)】【媒】 〖名〗〖ス自〗 거간; 중매; 또, 그 사람. **=橋渡**はしわた**し.**

ながたらし-い【長たらしい】 -shī 〖形〗 따분하도록 기다랗다; (말이) 장황하다. **=長**なが**ったらしい.**

なかだるみ【中だるみ】【中弛み】 〖名〗〖ス自〗 중간이 느슨해짐; 중도에서 해이해짐.

ながだんぎ【長談義】 〖名〗〖ス自〗 장황한 연설이나 이야기.

ながちょうば【長丁場·長町場】 -chōba 〖名〗 ①(사물이) 오래 계속되는 곳; 다른 구간보다 거리가 먼 구간. **¶──にかかる** 장거리 구간에 접어들다.

なかつぎ【中次(ぎ)】 〖一〗〖仲次ぎ〗 〖ス他〗 중개; 소개; 중개역; (손님 등을) 맞음; 또, 그 사람. **=取**と**り次ぎ. 〖二〗**

图 뚜껑과 그릇의 길이가 같아 뚜껑을 씌우면 가운데에 이음매가 생기는 가루차(茶) 그릇.

なかつぎ【中継ぎ】图他 ①중계. ¶放送誌の～ 방송 중계. ②담뱃대・三味線はの・尺八はく 등 중간을 이어 맞추게된 것; 또, 그 잇는 부분.

ながつき【長月】图〔雅〕음력 9월.

ながつづき【長続き・永続き】图ス自 오래 계속함; 오래 감.

なかて【中手】图 ①중간 시기에 산출되는 물건. ㉠중도(中稲); 중울벼. ↔わせ・おくて. ㉡중물; 맏물 다음에 나오는 야채. ②중간 쯤. ¶舞台はの～ 무대의 가운데 쪽.

ながて【長手】图 ①긴 쪽의 것. ②기름함; 직사각형. ¶～盆ぼん 기름함(직사각형의) 쟁반.

*****なかなおり**【仲直り】图ス自 ①화해(和解). ②【中治り】오랜 병으로 죽게된 환자가 일시 돌릴 듯이 보이는 일.

なかなか【中中】副 ①상당히; 꽤; 어지간히. ～ずいぶん. ¶～面白おもしろい 상당히 재미있다. ②〔흔히 否定을 수반하여〕좀처럼; 그리 간단히. ¶～できない 좀처럼〔엄사리〕잘 안 된다. ③일이 달성되기까지 시간이 걸리는 모양. ¶完成なはまだ～だ 완성되려면 아직 멀었다.

ながなが【長長】副 오랫동안; 길게; 기다랗게; 장황하게. ¶～お世話せわになりました 오랫동안 폐를 끼쳤습니다/～に〔と〕横たわる 쪽 뻗고 눕다.

なかにも【中にも】副〔老〕그 중에서도. ＝なかでも・とりわけ.

なかにわ【中庭】图 가운데 뜰; 내정(内庭); 안뜰. ＝うちにわ.

なかぬり【中塗り】图ス自他〔벽・칠기 따위에서〕바닥칠한 다음 마무리칠 전에 하는 칠. 중간칠.

なかね【中値】【中直】图〔商〕〔비싼 시세와 싼 시세 또는 파는 시세와 사는 시세의〕중간값. ¶～相場ば 중간 시세.

ながねん【長年・永年】图 긴〔오랜〕 세월.

ながの【永の・長の】連語〔連体詞的으로〕진; 오랫동안의; 긴; 영구적; 영원한. ¶～いとま 마지막 하직〔이별〕.

*****なかば**【半ば】图 ①〔雅〕절반. ㉠반(정도). ¶集あつまった모인 사람의 절반은 어린아이였다. ㉡복반; 중앙; 중간. ¶橋はの～に立たつ 다리 복판에 서다. ㉢중도. ¶業ぎ～で倒たおれる 일(사업, 학업) 중도에 쓰러지다. ②한창일 때. ¶夏なつ～にしてひきあげる 연회가 한창일 무렵에 자리를 뜨다. ③〔副詞적으로〕반(쯤); 거의; 거지반. ¶～信しんじ、疑うたがう 반신 반의하다.

なかばたらき【仲働き】图 내실과 부엌 사이의 잡일을 맡아 보는 하녀.

なかび【中日】图〔씨름・연극 따위에서〕흥행 기간의 꼭 중간 날.

*****ながびく**【長引く】五自 오래〔질질〕끌다; 지연되다. ¶病気びょが～ 병이 오래 끌다.

ながびつ【長びつ】【長櫃】图〔옷・일상 생활 용구 따위를 넣는〕긴 궤.

ながひばち【長火鉢】图 장방형의 목

제(木製) 화로〔서랍이 있으며, 거실에 두고 씀〕.

なかほど【中程】图 중간(정도); 절반(쯤); 도중. ¶～の品ひ 중정도의 물건.

*****なかま**【仲間】图 ①한패; 동아리; 동료. ¶飲のみ～ 술친구. ②동류; 한무리. ¶猫ねは虎とらの～だ 고양이는 호랑이의 동류다. ──**いり**【──入り】图ス自 한패가 됨; 패거리에 가입함. ──**われ**【──割れ】图ス自 한패끼리 싸움이 일어나 분열함.

なかまく【中幕】图〔歌舞伎かぶから에서〕첫 번째와 두번째 狂言きょ 사이에, 관객의 기분 전환을 위해 하는 단막 狂言.

*****なかみ**【中身】【中味】图 속(에 든 것); 알맹이; 실속; 내용. ¶話はなの～ 이야기의 실속〔내용〕. ②칼의 몸; 칼날 부분.

なかみせ【仲店】【仲見世】图 신사・절의 경내에 있는 상점가.

ながむし【長虫】图〔動〕뱀(기(忌)하는 말).

ながめ【長め】【長目】图ダ 약간 진 듯함. ¶髪かみを～に刈かる 머리를 좀 길게 깍다. ↔短みじめ.

ながめ【眺め】图 경치; 풍경. ＝けしき.

*****ながめる**【眺める】下一他 ①바라보다; 전망조망하다; 멀리 보다. ②응시하다. ¶庭にわの花はなを～ 마당의 꽃을 물끄러미 보다.

*****ながもち** ㊀【長持(ち)】图ス自 오래 감. ①오래 씀; 마딤. ¶～する家具ぐ 오래 가는 가구. ②오래 견딤. ㊁【長持】〔옷・일상 신변구 따위를 넣어 두는〕뚜껑이 있는 직사각형 궤; 함(흔히, 운반용으로 썼음).

ながや【長屋】图 ①칸을 막아서 여러 가구(家口)가 살 수 있도록 길게 만든 집; 연립(聯立)〔공동(共同)〕주택. ＝むねわり長屋. ②용마루가 긴 집.

なかやすみ【中休み】图ス自 일 도중에 쉼; 중간 휴식.

ながやみ【長病み】图ス自 장병; 긴병(을 앓음); 숙환. ＝ながわずらい.

ながゆ【長湯】图ス自 목욕 시간이 깊; 목욕을 남보다 오래 함.

なかよし【仲よし・仲良し】【仲好し】图〔주로 어린이〕사이가 좋음; 또, 그런 동무. ──**こよし**【──好し】图 아주 친한 사이; 단짝.

ながら〔乍〕 ㊀【副助】동작 따위가 공존하는 뜻을 나타낼 때에 씀. ①〔動詞型 活用의 連用形에 붙어서〕두 동작 A, B가 동시에 행하여짐을 가리키는 데 씀: …のみて〔と〕。…つつ。¶歌うたい～歩あるく 노래를 부르면서 걷다. ②〔体言型, 形容動詞語幹, 動詞型 活用의 連用形, 形容詞型 活用의 連体形에 붙어서〕상응하지 않는 사항을 나타내는 뜻을 나타냄: …ても; …はだが。¶注意ちゅして い～まちがえた 주의하고 있으면서도 틀렸다. ㊁〔接尾〕〔体言에 붙어서〕①그대로. ¶昔むかし～のしきたり 옛날 그대로의 관습 / 涙なみだ～に物語はなる 눈물을 흘리면서 이야기하다. ②모두가; 온통 그대로. ¶二ふた つ～失敗しっした 둘 다 실패했다.

ながら-える【長らえる・永らえる】〔存える〕下一自 오래 살다. ¶生い～き～オ

래 살다.

ながらく【長らく・永らく】副 오랫동안. 오래. =久しく. ¶～お待ゃせしてすみません 오랫 동안 기다리시게 해서 미안합니다.

ながらぞく【ながら族】图《俗》 어떤 일을 하면서 다른 동작을 (습관으로) 하는 사람(TV를 보면서 식사·공부를 하는 따위).

*****ながれ**【流れ】图 ①흐름. ㉠흐르는 물；시내；강(江). ¶清がれ ＝ 맑은 시내. ㉡물결. ¶人がの～ 사람의 물결；인파. ㉢사조(思潮). ¶思想がの～ 사상의 흐름. ②계통；혈통；집안. ¶名門がの～ 명문의 혈통. ③(모임이 끝난 후의) 군중의 발길；또, 그 집단. ¶宴会ゃがの～ 연회가 끝나고 돌아가는 무리. ④유善；유랑；방랑. ¶～の身ゃ 떠돌이 신세. ⑤지붕의 물매. ¶屋根ゃの～ぐあい 지붕의 경사 정도. ⑥무효가 됨；또, 그것. ㉠(회의 따위의) 유회(流會). ¶お～になる 유회가 되다. ㉡(전당물 따위의) 유질(流質). ¶質ゃになる 유질되다. ㉢유산；중단；허사. ¶計画がおお～になる 계획이 허사가 되다.

ながれさぎょう【流れ作業】-gyō 图 전송대(傳送帶) 작업；컨베이어 시스템.

ながれぼし【流れ星】图 유성；별똥별《속어 말씨》. ＝流星゚ゃ. ②말(馬)의 이마에서 코로 내려온 흰줄.

ながれや【流れ矢】图 유시(流矢)；빗나간 화살. ＝それ矢゚.

‡**ながれる**【流れる】下一自 ①흐르다. ㉠흘러내리다. ¶汗ゃが～ 땀이 흐르다／氷がが溶けて～ 얼음이 녹아 흐르다／ごみがつかえて下水ゃが～れない 쓰레기가 막혀 하수가 흐르지 않다／額ゃから血ゃがだらだら～れた 이마에서 피가 줄줄 흘렀다. ㉡눈이 가다. ¶雲がが～ 구름이 흐르다／歳月ゃが～세월이 흐르다. ㉢(좋지 않은 방향으로) 쏠리다. ¶怠惰がに～ 나태에 흐르다. ②떠내려 가다(오다). ¶氷山がが～れて来ゃる 빙산이 떠내려 오다. ③떠돌다. ㉠퍼지다. ¶うわさが～ 소문이 퍼지다. ¶音楽が(放送) 하다. ¶諸国ゃを～れ歩ゃく 여러 지방을 떠돌다. ④성립되지 않다. ㉠(유会(流會) 되다. ¶総会ゃが～ 총회가 유회되다. ㉡유산되다；허사 되다. 중지되다. ¶計画がが～ 계획이 유산되다. ㉢유질(流質) 되다. ¶質ゃに～れた時計ゃが～ 전당잡힌 시계가 유질되다. ㉣(화살·탄알이) 빗나가다. ¶～れた弾ゃ 빗나간 탄환；유탄.

ながわきざし【長わき差し】【長脇差】图 ①긴 요도(腰刀). ②노름꾼；도박꾼《긴 요도를 차고 다닌 데서》.

ながわずらい【長煩い・長患い】图 긴병；오랜 병(을 앓음)；숙환(宿患).

なかわた【中綿】图 안솜. ¶～を入ゃれる 안솜을 넣다.

なかんずく【就中】 그 중에서도；특히. ＝なかでも・とりわけ. ¶～これが一番ゃ美ゃしい 그 중에서도 이것이 가장 아름답다.

なき【泣き】图 ①울음；탄식함. **━を入ゃれる** 눈물로 사죄〔호소〕하다.

なぎ【凪】图 바람이 멎고 물결이 잔잔해짐. ¶朝ゃ～ 아침 바다의 잔잔함. ↔しけ.

なぎ【梛・竹柏】图《植》죽백나무.

なぎ【水葱】图《古》《植》'ミズアオイ(＝물옥잠)'의 예이름.

なきあかす【泣き明(か)す】5他 울며 지새우다.

なきおとし【泣き落(と)し】图 눈물로 애원해서 승낙을 얻음. **━せんじゅつ【──戦術】-jutsu** 읍소 전술.

なきがお【泣き顔】图 울상；우는 얼굴. ¶～＝しかばね.

なきがら【亡骸・亡躯】图 시체；유해.

なきくずれる【泣き崩れる】下一自 쓰러져 울다；쓰러져 정신없이 울다(울어 대다).

なきごえ【泣き声】图 ①울음 섞인 목소리. ＝涙声ゃゃゃ. ②울음 소리；우는 소리.

なきごえ【鳴き声・啼声】图 (새·벌레·짐승의) 울음 소리.

なきごと【泣き言】图 우는소리；푸념；넋두리.

なぎさ【渚・渚・汀】图《雅》물결 밀려오는 물가；물녘. ＝みぎわ.

なきしきる【鳴きしきる】【鳴き頻る】5自 (새·짐승·벌레 따위가) 요란하게 울어대다.

なきしずむ【泣き沈む】5自 쓰러져 슬피 울다；슬픔에 잠겨 마냥 울다.

なきじょうご【泣き上戸】-jōgo 图 ①술이 취하면 우는 버릇이 있는 사람；또, 그 버릇. ↔わらい上戸・おこり上戸. ②울보. ＝なきみそ.

なぎたおす【なぎ倒す】【薙ぎ倒す】5他 ①가로 후려쳐 베어 넘기다. ②많은 상대를 차례로 쓰러뜨리다.

なきつく【泣きつく】・泣(き)付く】5自 ①울며 매달리다. ②울듯이 애원하다.

なきつら【泣(き)面】图 우는 얼굴；울상. ＝なきっつら. **━にはち** 엎친데 덮치기；설상 가상.

なきどころ【泣(き)所】图 약점；급소. ¶弁慶ゃゃゃの～《'정강이'의 딴이름《弁慶 같은 호걸도 이곳을 차면 아파서 운다는 뜻에서》／～を握る 약점을 쥐다.

なぎなた【薙刀・長刀】图 언월도(偃月刀)；왜장도(倭長刀)；또, 그것을 사용하는 무술.

なきにしもあらず【無きにしもあらず】【無きにしも非ず】 連語 전혀 …이 없는 것도 아니다；없지도 않다. ¶望ゃみの～ 희망이 전혀 없는 것도 아니다.

なきぬれる【泣きぬれる】【泣き濡れる】下一自 울어서 눈물에 젖다.

なきねいり【泣(き)入り】【泣(き)寝入り】图 ①울다가 잠듦. ②억울하나 할 수 없이 단념함《참음》.

なきのなみだ【泣きの涙】連語 눈물을 흘리며 욺；몹시 괴로움；애절(哀切).

なぎはらう【なぎ払う】【薙ぎ払う】5他 (칼로) 가로 쳐 쓰러뜨리다；가로 후려쳐〔베어〕 넘기다.

なきひと【亡き人】［連語］고인(故人)；죽은 사람.

なきべそ【泣きべそ】［名］①울상.＝べそ.　¶～をかく 울상을 짓다.＝泣き虫.

なきまね【泣き真似】［名］［ス自］우는 흉내；거짓 울음.

なきみそ【泣き味噌】［名］〈蔑〉울보.＝泣き虫り.

なきむし【泣き虫】［名］울보；우지；또, 그 사람.

なきもの【亡き者・無き者】［連語］〈文〉죽은 사람；망자(亡者).　—にする 없애 버리다；죽이다.

なぎょうへんかくかつよう【ナ行変格活用】nagyōhenkakukatsuyō［文法］ナ行변격 활용(어미(語尾)가 'な・に・ぬ・ぬる・ぬれ・ね'로 불규칙하게 변화하는 일；또, 그 활용. '死ぬ'(=죽다) '往(去)ぬ'(=가다) 둘뿐임).＝ナ変.

なきわらい【泣き笑い】［名］［ス自］울다가 웃음(울다가 우스운 말을 듣고 웃어 버리는 따위에 쓰임). ②울었다 웃었다 함.　¶～の人生ǐ 희비(喜悲)가 엇갈리는 인생.

＊な‐く【泣く】［五自］울다.　¶～子は育ǐつ 아이는 울어야 자란다．호되변을 겪다；고생하다.　¶一円ǐを笑う者は1一円ǐ...（중략）...

な‐く【鳴く・啼く】［五自］(새・벌레・짐승 등이) 소리를 내다；울다.

な‐ぐ【和ぐ】［五自］평온해지다；가라앉다.　¶暴動ǐが～いだ 폭동이 가라앉았다.

な‐ぐ【凪ぐ】［五自］바람이 멎어 (파도가) 잔잔해지다.

な‐ぐ【薙ぐ】［五他］(칼이나 낫으로 풀 따위를) 옆으로 후려쳐 쓰러뜨리다.

なぐさ‐む【慰む】［名］위로；위안. ①기분 전환；즐거움；심심풀이.　¶～に釣ǐを する 심심풀이로 낚시질하다. ②장난；농락.

なぐさ‐む【慰む】［五自］마음이 풀리다；위안이 되다. ￫～められる 위안을 삼다.　¶①정조를 농락하다.　¶～んだあげく捨ǐてる (여자를) 농락한 끝에 차버리다. ②놀리다；희롱하다.

なぐさめ【慰め】［名］위로；위안.

なぐさめがお【慰め顔】［名］위로하려는 듯한 표정.　¶～で話ǐす 위로하는 표정으로 이야기하다.

＊なぐさ‐める【慰める】［下1他］위로하다；달래다. ＝いたわる・ねぎらう.　¶病人ǐを～ 병자를 위로하다.

＊な‐く【亡くす】［五他］잃다；여의다；사별하다.＝死ǐなせる.

＊な‐くす【無くす】［五他］없애다；잃다.　¶記憶ǐを～ 기억을 잃어버리다.

なくなく【泣く泣く】［副］울면서.＝なきなき.　¶～別ǐれる 울며 헤어지다.

＊な‐くな‐る【亡くなる】［五自］〈婉曲〉죽다；돌아가다.＝死ǐぬ.

＊な‐くな‐る【無くなる】［五自］①없어지다. ①(보이지 않게) 되다. ②떨어지다；다하다. ¶時間ǐが～ 시간이 다하다.

なくもがな【無くもがな】［連語］〈文〉차라리 없는 게 나음；없느니만 못함.＝あらずもがな.　¶～の飾ǐり 없느니만 못한 장식물.

なぐりがき【殴り書き】［名］［ス他］난필(亂筆)；갈겨 씀；또, 그렇게 쓴 것.

なぐりこみ【殴り込み】［名］作당하여 상대방이 있는 곳으로 몰려 감；몰려 가서 행패부림.　¶～をかける 작당 난입하다.

＊な‐ぐ‐る【殴る】［五他］①세게 때리다；세게 치다. ②일을 급히 하다.

なげ【無げ】［名］없는 듯.　¶事ǐも～に 아무렇지도 않은 듯이／たより～な顔 자신없는 (듯한) 얼굴.

なげいれ【投げ入れ】［名］꽃꽂이의 한 형식(아무렇게나 던져 넣은 것같이 꽂음).＝なげ込み.

なげう‐つ【擲つ・抛つ】［五他］내던지다. ①팽개치다. ②(권력・지위 등을) 하다.　¶国ǐのために命ǐを～ 나라를 위해서 목숨을 바치다.

なげうり【投げ売り】［名］［ス他他］투매；덤핑.　¶～品ǐ 투매품.

なげ‐か‐ける【投げ掛ける】［下1他］①던지다.　¶光ǐを～ 빛을 던지다／疑問ǐを～ 의문을 던지다. ②아무렇게나 걸치다；걸쳐 입다.　¶コートを～ 코트를 툭 걸치다.

なげかわし‐い【嘆かわしい・歎かわしい】-shi［形］한심(통탄)스럽다；한탄스럽다.　¶～世ǐのさま 한심한 세상 〔세태〕.

なげき【嘆き・歎き】［名］①한탄；비탄；슬픔.　¶～に沈ǐむ 비탄에 잠기다. ②분개；분노.

なげきあか‐す【嘆き明(か)す・歎き明(か)す】［五他］비탄〔슬픔〕으로 밤을 지새우다.

＊な‐げ‐く【嘆く・歎く】［五自他］①한탄하다；슬퍼하다.　¶友ǐの死ǐを～ 친구의 죽음을 슬퍼하다. ②분개하다；개탄〔탄식〕하다.

なげくび【投げ首】［名］머리를 푹 숙이고 생각에 잠김.　¶思案ǐに～ 고개를 푹 숙이고 생각함.

なげこ‐む【投げ込む】［五他］(아무렇게나) 처넣다.　¶牢ǐに～ 감옥에 처넣다.

なげし【長押】［名］〔建〕중인방(中引...)

なげす‐てる【投げ捨てる】［投(げ)棄てる］［下1他］①내버리다. ②(일 따위를) 팽개치다；방치하다.

＊な‐げだ‐す【投げ出す】［五他］내던지다；팽개치다；포기하다.　¶足ǐを～ 다리를 아무렇게나 뻗다／仕事ǐを中途ǐで～ 일을 중도에서 팽개치다.

なげつ-ける【投げ付ける】［下一他］ 내던지다. ①(겨냥하여) 냅다 던지다. ¶犬꿈に石일を~ 개한테 돌을 내던지다. ②메어치다; 태질치다; 내동댕이치다. ③(말·욕 따위를) 쏘아붙이다. ¶荒荒い言葉¿だを~ 폭언을 내뱉다.

なけなし【名】 있을까 말까한 정도; 거의 없는 정도. ¶~の金を をはたく 없는 돈을 몽땅 털어 내다.

なげもの【投げ物】【名】 (거래에서) 투매품; 떨이. ＝投げ げ物.

なげやり【投げ槍】(投(げ)槍)【名】① 던지는 창. ②투창(投槍).

なげやり【投げ遣り】(投(げ)遣り)【名】【ダナ】 일을 중도에서 팽개침; 일을 아무렇게나 함; 만경 타령. ¶~な態度 될 대로 되라는 태도.

な-げる【投げる】［下一他］①던지다. ㉠멀리 보내다. ¶ボールを~ 볼을 던지다. ㉡(빛을) 비추다. ¶淡淡い光¿かを~ 희미한 빛을 던지다. ㉢(씨름·유도 따위에서) 메치다. ㉣쓰러뜨리다. ②(이야기 따위를) 제공하다. ¶話題어을 ~ 화제를 던지다. ③뛰어 들다; 투신(投身)하다. ¶川에 身을 ~ 강에 몸을 던지다. ④버리다. ¶ごみを川에 ~ 쓰레기를 강에 버리다. ⑤포기하다. ¶さじを~ 포기하다[의사가 이 환자를 살릴 수 없다고 단념하여 조제용 약 숟가락을 내던짐의 뜻]/勝負きを~ 승부를 포기하다. ¶(시세 하락을 예상하여 주식 따위를) 투매하다; 싸게 팔다. ④정신을 쏟지 않다; 소홀히 하다. ¶役者어が舞台を~・げている 배우가 무대를 소홀히 하고 있다.

なければならない【連語】①…하지 않으면 아니 되다. ②…할 필요가 있다; 당연히 그렇게 인정되다. ¶これは犯人びんのもので~ 이것은 당연히 범인의 물건이어야 한다.

なご【名子】【名】 (중세 이후의) 농노(農奴). ～制度 농노제도.

なこうど【仲人】nakōdo 【名】 중매인; 중매쟁이. ＝媒酌人ばいゃく. ¶~をする 중매쟁이 말(믿음성이 없는 말).

なご-む【和む】［五自］ 누그러지다; 온화해지다. ¶險悪ぁんな空気きが~ 험악한 공기가 누그러지다.

なごやか【和やか】【ダナ】 (기색·공기가) 부드러움; 온화함. ¶~な雰囲気ぃん 따뜻한〔부드러운〕 분위기.

なごり【余波】【名】①바람이 그쳐도 자지 않는 파도. ②파도가 밀려간 뒤 해변에 남은 바닷물.

なごり【名残】【名】①지난 뒤에도 그 영향이〔그것을 생각하게 하는 것이〕아직 남(아 있는)음; 자취; 흔적. ¶台風たゃの ~ 태풍이 할퀴고 간 자국. ②추억(기념 ¶또, 그것. ¶お~にこれをあげます 기념으로 이것을 드리지 않음; 또, 그 모습〔인상〕. ¶~の 夢ゅ 잊혀지지 않는 꿈. ④석별(惜別); 이별; 마지막. ¶~の涙ゃだ 이별의 눈물. ⑤미련; 아쉬움. ¶~なく 미련 없이.

なごりおし-い【名残惜しい】 -shi 【形】 (이별하기) 서운〔섭섭〕하다; (이별이) 아쉽다.

なさい【為さい】【連語】…해요; …하오. ¶お休ゃみ~ 편히 쉬어요; 잘 ス

*__なさけ__【情け】【名】 정(情). ①인정; ス비; 동정. ¶~容赦はしもなく 인정 사정(도) 없이. ②(남녀의) (애)정; 연정; 사랑. ¶~を交ゎわす 정을 통하다. —は人のためならず 베풀면 반드시 내게 돌아온다. —をか ける 불쌍히 여기다; 친절히 하다.

なさけしらず【情け知らず】【名】 인정이 없음; 몰인정함; 또, 그런 사람.

なさけな-い【情けない】【形】①한심하다; 비참하다; 정떨어지다. ¶~事に なった 일이 한심하게 되었다. ②인정을 모르다; 무정(박정)하다. ¶~しうち 매정한 처사.

なさけぶか-い【情け深い】【形】 동정심이 많다; 인정이 많다.

なざし【名指し(し)】【名】 지명. ¶~で非難びする (이름을) 초들어 비난하다.

なざ-す【名指す】［五他］ 지명하다. ¶はっきりと~・していって下さい 명확히 지명해서 말씀해 주십시오.

なさぬなか【なさぬ仲】(生さぬ仲)【連語】 친부모 친자식이 아닌 사이; 계부모와 의붓자식과의 사이.

なさ-る【為さる】［五他］ 하시다('なす' 'する'의 높임말). ¶テニスを~ 테니스를 하시다. [参考] 動詞의 連用形에나 한자말 계통의 サ変動詞의 어간에 붙여서도 씀. ¶お休ゃみ~ 쉬시다; 주무시다 / ご心配ぱ~ 걱정하시다.

なし【無し】【名】 없음. ¶欠陥者はっけ~ 결국자 없음.

なし【梨・梨子】【名】 배(나무). —のつぶて 편지를 내도 회답이 없음; 감감소식 (¶'梨'を'無し'に엊댄것으로 쓴 말).

なしうり【梨瓜】【名】【植】 배참외.

なしくずし【済し崩し】【名】①(빚을) 조금씩 처리함; 특히, 빚을 조금씩 갚아 나감. ¶借金をを~に返ゃす 빚을 조금씩 꺼나가다.

なしと-げる【成し遂げる】(為し遂げる)［下一他］ 끝까지 해내다; 완수하다. ＝完成ぃする.

なじみ【馴染み】【名】 친숙함; 친근한〔낯익은, 정든〕사이; 잘 아는 사람. ¶~の店う 단골 가게. ②(같은 창녀한테) 세 번 이상 다녀서) 단골이 됨; 또, 그 손님·창녀. ¶~の客ゃ 단골 손님. ③정교(情交) 관계가 있는 상태. ¶~を重ゃねる 정교를 거듭하다.

なじ-む【馴染む】［五自］①친숙해지다; 정들다; 따르다. ¶環境ゃうに~ 환경에 익숙해지다. ②단골 손님이 되다. ¶遊女ゅに~ 창녀의 단골이 되다. ③한데 잘 융합하다. ¶せっけんが水ゃに~ 비누가 물에 잘 풀리다. ④(맛 따위가) 잘 배다; 골고루 맛들다. ¶ぬか ~ 겨된장이 맛들다.

ナショナリズム nasho- 【名】 내셔널리즘; 국가〔민족〕주의; 국수주의. ▷nationalism. ¶~ 따지다. 따지다.

な-す【生す】［五他］ (자식을) 낳다. ¶子まで~した仲ゃを裂く 자식까지 낳은 사이를 갈라놓다.

な-す【成す】［五他］①이루다. ㉠이룩

하다；만들다．¶社會½を～ 사회를
이루다．㉡(뜻한 바를) 달성하다．¶
志ざを～ 뜻을 이루다．②(다른 형태
로) 변화시키다；…(되게) 하다．¶災
わいを轉じて福と～ 전화 위복하
다／色½を～ 안색을 성내다．
な─す【為す・作す】⑤他 하다；행하
다．¶悪事を～ 나쁜 짓을 (행)하
다／～せば成る 하면 된다．
な─す【済す】⑤他〈雅·方〉빈 것을 갚
다；반환하다（본디, 의무를 다하다）．
なす【茄子·茄】名〔植〕가지．＝なす
び
-なす【名詞에 붙어 連体修飾語를 만
듦】…와 같은．¶山½～大波½ 산더미
같은 놈．
なすこん【茄子紺】【茄子紺·茄紺】名
가지색과 같은 감색（紺色）．
なすな【薺】名〔植〕냉이．（子）
なすび【茄子·茄】名〈方〉☞なす（茄
なず・む【泥む】⑤自 ①(마음에) 걸리
다；구애되다．㉠こだわる．¶師しの説
½に～んで 스승의 설에 구애되어서／
②잘 나아가지 않다；정체（停滞）하다．
¶降かり～空½ 비가 올 듯하면서 안 오
는 하늘．
なずら・える【準える】下1他 ☞なぞ
なすり─つける【擦り付ける】下1他
①칠하다；문질러 바르다．②전하여,
(죄·책임을) 남에게 덮어（넘겨, 들）
씌우다；전가하다．
な─する【擦る】⑤他 ①(손가락 따위
로) 문지르듯이 바르다；칠하다．②전
하여, (죄·책임을) 남에게 덮어 씌우
다；전가하다．
ナチス名 나치스；국가 사회주의 독일
노동당．▷독 Nazis.
＊なぜ【何故】副 왜；어째서．＝なにゆ
え．¶～だろうか왜 그럴까／～泣なく
のか 어째서 우느냐．
なぜ─ならば【何故ならば】接 왜냐하
면；그 이유는．＝なぜなら．¶無理む
りにも無理だから 왜냐하면 너무나
무리이므로．
＊なぞ【謎】名 ①수수께끼．¶～のよう
な話ばな수수께끼 같은 이야기．②넌지
시(에둘러) 깨닫게 함；또, 그
말·짓거리．¶～を掛½けて気½を引½い
てみる 에둘러 말하여 마음을 떠보다．
なぞ【副助】〈方〉따위；등（'なにぞ'의 전
와(轉訛)）．＝など．¶犬½～を飼かう
개 따위를 기르다．
なぞなぞ【謎謎】名 수수께끼(놀이)．＝
なぞ．
なぞら・える【準える·擬える】下1他 ①
비(교)하다；비기다．¶人生½を旅½に
～ 인생을 나그넷길에 비기다．②본
뜨다．
なぞ・る ⑤他 (이미 써 있거나 그려 있
는 글자·그림 따위의) 위에 덧쓰다（덧
그리다）．
なた【鉈】名 일종의 손도끼（장작 따위
를 쪼개는 데씀）．─を振ふるう (예산·
인원 등을) 대폭 삭감하다．
なだ【灘】名 ①육지에서 멀고 파도가
센 바다；여울．②(灘½) 현해탄（⇒
「灘酒½の」의 준말（兵庫県½の灘地방
에서 나는 고급 청주）．
なだい【名代】名 ①유명（有名）．¶
～の芸者½ 유명한 기생．②명의；제
목(名目)．

なだい【名題】名 ①명제；성명·품명을
표제에 게시함；또, 그 표제．②각본
또는 浄瑠璃むの 제명（題名）．③'名
題看板½の'名題役者½'의 준말．
──かんばん【──看板】-kamban 名 歌
舞伎½の〔연극〕의 간판．
──やくしゃ
【──役者】-sha 名 ①간판에 그 예명이
실리는 배우；②그 극단의 배우 중의
가장 우수한(뛰어난) 배우．
なだか─い【名高い】形 유명하다．
なだ・たる【名だたる】連体 유명한；평판
이 높은；이름난．¶～な悪党½だ 소문
난 악당이다．
なたね【菜種】名 평지의 씨；유채(油
菜)의 씨．──あぶら【──油】名 유채
기름．＝たねあぶら．
なたまめ【鉈豆】名〔植〕작두콩．
なだ・める【宥める】下1他 달래다．
＊なだらか【ナデ】①완만（緩慢）한 모양；가
파르지 않은 모양．¶～な坂½가파르
지 않은 모양．②원활한 모양；온화한
모양．¶交渉½が～に進すむ 교섭이
원활히 진행되다．
なだれ【傾れ·雪崩】名 ①(눈)사
태；또, 사태난 눈 (따위)．②人½の～
사람사태．─を打つて 일시에 사태
처럼．
なだれこ─む【雪崩れ込む·雪崩込む】
〔傾れ込む〕⑤自 많은 사람이 (사태 나
듯이) 일시에 우르르 밀려들다（밀려닥
치다．

＊なつ【夏】名 여름；하절（夏節）．¶飛
んで灯½に入½る～の虫½ 등불에 날아
드는 여름 벌레（자청하여 위험에 뛰어
듦의 비유）．↔冬½．
なついん【捺印】名 스ㅣ自 날인．☞押印
おういん．
＊なつかし─い【懐かしい】-shī 形 그립
다．¶～旧友½の 그리운 옛 친구．
なつかし─む【懐かしむ】⑤他 그리워하
다．
なつがれ【夏枯れ】【夏涸れ】名 여름철
불경기．↔冬枯かれ．
なつ─く【懐く】⑤自 따르다．＝なじむ．
なつくさ【夏草】名 여름에 무성한 풀；
여름풀．
なづけ【名づけ】【名付（け）】名 이름을
지어 줌；명명（命名）．──おや【──親】
名 아이에게 이름을 지어 주는（준）사
람；대부（代父）．
なつ─ける【懐ける】下1他 따르게 하
다；길들이다．＝なつかせる．
＊なづ・ける【名づける】【名付ける】下1他
명명하다；이름을 짓다．¶犬½の名½
をメリーと～けた 개 이름을 메리라
고 지었다．〔참〕．
なつご【夏蚕】【夏蚕】名 여름 누에；하
なつごだち【夏木立】名 여름철의 무성
한 나무숲． （따위）．
なつさく【夏作】名 여름 작물（벼·가지
なつじかん【夏時間】名 하
계 일광 절약 시간；서머타임．＝サマー
タイム．
なっしょ【納所】nassho 名 ①도조（賭
租）를 바치는 곳．②〔佛〕㉠절에서 시
주(施主)를 받거나 회계를 맡아 보는
곳．㉡잡무를 처리하는 하급 승려（僧
侶）．＝納所坊主ぼ．

なっせん [捺染] nassen 名 ス他 날염; 프린트.

なつだいこん【夏だいこん】〖夏大根〗名【植】여름 무.

ナット natto 名 너트. ①(볼트에 끼워 돌려서 움직이지 않도록 죄는) 나사. ②(호두·밤 따위의) 열매; 견과(堅果). ▷nut.

なっとう【納豆】nattō 名 ①푹 삶은 메주콩을 볏짚꾸러미·보자기 따위에 싸서 더운 방에서 띄운 것. =なっとう. ②발효한 콩에 감을 해서 말린 것(浜納豆と甘納豆たちゃに따위). ~豆납낱.

*なっとく【納得】nattoku 名 ス他 납득; 이해(理解). ¶~ずくで 납득하고 / ~が行かく 납득이 가다.

なつどり【夏鳥】名 여름새.

なつば【夏場】名 ①여름철. ¶~だけの商売ば 여름 한철 바라보는 장사. ②여름철에, 사람이 많이 와서 번창하는 동.

なっぱ【菜っ葉】nappa 名 푸성귀(의일). ~ふく ——〖服〗청색의 작업복.

なつばて【夏ばて】名 ☞なつまけ.

ナップザック nappuzakku 名 냅색(사용후에는 접어서 호주머니에 넣을 정도로 간편한 휴대용 륙색). ▷knapsack.

なつまけ【夏負け】名 ス自 여름을 탐. ¶~(か)りして食欲しがへる 여름을 타서 식욕이 떨어지다.

なつみかん【夏蜜柑】名【植】여름밀감.

なつめ【棗】名①【植】대추(나무). ②가루차 담는 그릇(대추같이 생겼음).

なつめやし【棗椰子】名【植】대추야자.

なつもの【夏物】名①여름용 물품. ②여름옷. ↔冬物。

*なつやすみ【夏休(み)】名 여름 방학; 여름 휴가.

なつやせ【夏やせ】〖夏瘦せ〗名 ス自 여름을 탐.

なつやま【夏山】名①(등산의 대상이 되는) 여름 산. ↔冬山ふ.

なでおろ-す【撫で下ろす】〖撫で下ろす〗5他 쓰다듬어 내리다. ¶胸むを~ 안심하다; 한시름 놓다.

なでがた【撫で肩】〖撫で肩〗名 민틋하게 내려온 어깨. ↔怒いかり肩だ.

なでぎり【撫(で)斬り】名 ス他 ①칼날을 앞으로 밀 듯이 해서 벰. ②닥치는 대로 모조리 벰(무찌름). ¶片だつ端はしから~にする 닥치는 대로 모조리 베다.

なでしこ【撫子・瞿麦】名【植】패랭이꽃.

なでつける【撫で付ける】下1他 쓰다듬어 붙이다; 특히, 흩어진 머리를 빗질하여 곱게 매만지다.

*な-でる【撫でる】〖撫でる〗下1他 ①어루만지다; 쓰다듬다. ②비유적으로, 귀여워하다. ¶子供ぐの頭あたを~ 어린아이의 머리를 쓰다듬다. ②빗질하다. ¶髪かみを~ 머리를 빗질하다(매만지다).

なと【等】副助 〈老〉…이니 …낳이 …든지·든·이라도·…라느니 …든지·…든·…이라도. ¶お茶ちゃ~めしあがれ 차라도 드시오.

など【等·抔】副助 예시(例示)하는 데쓰는 말: 따위; 등; 등속. ¶本ほんやノート ——や急ぎ~するものか 서두르는 짓따위를 할 것 같으냐(절대로 서두르지 않

는다) / どうせぼく~は出来ない e 차피 나 같은 전 할 수 없다 / お茶ちゃ~ 一ぱつ召し上がりませんか 차 (茶)라도 도 한 잔 드시지 않겠습니까.

などころ【名どころ】〖名所〗名 ①명소 명승지; 관광지(「풀어쓴 말씨). ¶古跡きの~ 고적 명소. ②성명의 주소. ③기물(器物) 따위의 각 부분의 명칭.

なとり【名取(り)】名 예도(藝道)에서 솜씨가 능숙해져서 스승으로부터 예명(藝名)의 사용을 허가받음; 또, 그 사람. ¶踊りりの~ (일정 수준에 오른) 무용자.

ナトリウム -ryūmu 名【化】나트륨. ▷natrium.

なな【七】名 일곱수. =なな七. ¶~一番目ばん 일곱번째 / 一月こ 7개월.

ないろとうがらし【七色唐辛子】-tōgarashi 名 일곱 가지 양념(고추·깨·진피·앵속·평지·삼씨·산초를 빻아서 섞은 향신료). =七味み。

ななえ【七重】名 일곱 겹; 전(轉)하여, 여러 겹. ——のひざを八重やに折おる 아주 공손히 부탁하다(빌다).

ななかまど【七竈】〖七竈〗名【植】마가목(능금나무과에 속하는 낙엽 교목).

ななくさ【七草】〖七種〗名①일곱 가지. ②春ぷ草の七草」: 봄의 대표적인 일곱 가지 푸성귀(미나리·냉이·떡쑥·별꽃·광대나물·순무·무). ¶秋あの七草」의 준말: 가을의 대표적인 일곱 가지 화초(싸리·나팔꽃·참억새·마타리·패랭이꽃·칡·부꽃). ~がゆ ——〖粥〗음력 1월 7일에「春の七草」를 넣어서 쑨 죽.

ななころびやおき【七転び八起き】連語 칠전 팔기(七顚八起). ¶~の努力ゃ 칠전 팔기의 노력 / ~の生涯がう 파란 많은 생애.

ななし【名無し】名 이름이 없음. ——のごんべえ ——〖権兵衛〗-gombē 이름을 모르는 사람을 흘하게 일컫는 말.

*ななつ【七つ】名①일곱; 일곱 개; 일곱 살. ②옛 시간의 이름; 지금의 오전·오후 4시경.

ななつだち【七つ立ち】名 (여행 따위를) 오전 4시경에 출발함.

ななつどうぐ【七つ道具】-dōgu 名①일습으로 지니고 다니는 연장. ¶泥坊ぼうの~ 도둑이 지니고 다니는 여러 가지 연장. ②〈俗〉 전당물(質ょ(=전당)'을「七つ」로 엇먹은 말). =質種だね.

ななひかり【七光】名 부모나 군주의 위광(威光); 여덕(餘德). ¶親おやの光ひ~ 부모님의 여덕(餘德)으로 가없음.

*ななめ【斜め】ダナ①기울음; 경사짐; 비김; 비스듬함. ¶日びが~になる 해가 기울다. ②바르지 않음. ¶~に世よを渡わたる 부정하게 세상을 살아가다. ③「御機嫌きんが~だ」기분이 상해 있음; 저기압이다. ——ならず 連語 (기분·기쁨 따위가) 보통이 아니다; 대단하다. ¶~喜ぷうこぶ 대단히 기뻐했다. 参考 현재는 副詞적으로도 씀.

なに【なに·何】代①일정하지 않은 것을 가리키는 代名詞: 무엇. ②이름을 알수 없는 또는 무엇인지 알수 없는 사물을 가리킴. ¶~を買かうの 무엇을 사려고 하지. ①반문할 때, 感動詞적

으로도 씀:뭐. ¶~는, 本当ホントゥに行くのか 뭐, 정말 가겠나. ⓒ갑자기 이름을 댈 수 없거나 얼버무릴 필요가 있는 사물을 가리킴:무엇인가 좀;무엇 좀. ¶~を～してくれ (그)무엇인가[무엇] 좀 해 주게. ⓔ일례를 들고 그 밖의 것을 통틀어 가리킴:무엇이고 (모두). ¶家イエも～も全部ゼンブ焼ヤけた무엇이고 모두 불탔다. ②《感動詞的으로》상대의 말을 부정하는 내용을 말할 때 씀:아니. ¶~、それでいいんだ 아니, 그것으로 됐어. ③《副詞的으로》왜. ¶なんでそうなるんだろう 왜 그렇게 되는 것일까.

なにおう【名に負う】《連体詞的으로》유명한;이름 그대로의. =名ナに しおう. ¶ここは～難所ナンショ 여기는 이름난 험한 곳.

なにか【何か】《連語》뭔가. ①《代名詞的으로》일정하지 않은 사물을 가리킴:무엇인가. ¶~起オこったこれか 뭔가 일어났느냐 / ~がある 뭔가가 있다. ②《副詞的으로》왜 그런지;어찌지. =どうしてか・なぜか. ¶そう言イえばきょうの彼カレは～おかしかった 그러고 보니 오늘의 그는 뭔가 이상했다.

なにが【何が】어째서;왜. =どうして. ¶~愉快ユカイなものか 뭐가 유쾌할 소냐(조금도 유쾌하지 않다).

なにがきて【何がきて】하여간;어쨌든. =何ナにはともあれ・とにかく. ¶~これをやってしまおう 어쨌든 이걸을 해치우자.

なにがし【某】①【名】 ~ 某ソレ;~ 木村キムラ~ 木村(=사람 성)모(某). ②얼마간. ¶千円センゑ~ 천 얼마간의 돈 / ~かの金カネ 얼마간의 돈.

なにかしら【何かしら】《連語》무엇인지('何カにか'의 힘줌말). ¶あんだ知シらないが;왜 그런지. ~魂胆コンタンが有アるようだ뭔가 속셈이 있는 것 같다 / ~胸騒むねさわぎがする 왜 그런지 가슴이 설렌다. 【參考】'何ナにか知シらん[知シらぬ]'의 전와(轉訛).

なにかと【何彼と】이것저것;여러 가지로. =あれこれ・いろいろ. ¶~忙ゆがしい 이것저것 바빠다.

なにかなし【何かなし】《連語》어쩐지. =なんとなく. ¶~(に)悲カなしい 어쩐지 슬프다.

なにかにつけ【何かに付け】《連語》여러 기회에;기회 있을 때마다:여러 가지 점에서. ¶~(て)思オモい出ダす 여러 기회가 있을 때마다 생각이 나다 / ~(て)便利ベンリな 여러 가지로 편리하다.

なにからなにまで【何から何まで】《連語》무엇부터 무엇까지 모두;죄다;하나에서 열까지. =何ナにもかも・すべて. ¶~めんどうを見ルる 이것저것 다 돌보다.

なにくそ【何糞】《俗》분발할 때 쓰는 말:요까짓 것. ¶~っ, 負マけるもんか 까짓것 질 것 같으냐.

なにくれ【何呉】㊀【代】 아무개. =だれそれ. ㊁【副】이것저것;여러 가지로. ¶~と人ヒトの面倒メンドウを見ミる 이것저것 남의 어려운 일을 돌보아 주다. ──となく【――と無く】《連語》여러 가지로;이것저것. =あれこれ.

なにくわぬかお【何食わぬ顔】《連語》모르는 체하는 모양;시치미를 떼는 모양

〔얼굴〕.

***なにげな-い**【何気無い】【形】 (마음이) 아무렇지도 않다;무심하다;별 관심도 없다. ¶~風フをよそおう 아무렇지도 않은 체하다.

なにごと【何事】【名】 ①어떤 일;무슨 일. =どんなこと. ¶~もない 아무 일도 없다 / ~に干渉カンショウする 무슨 일에든지 간섭하다. ②모든 일;만사(萬事). ¶~我慢ガマンが大切タイセツだ 모든 일은 참는 것이 중요하다. ③《'…とは~だ' 따위의 꼴로》(책망하는 뜻으로)어쩌된 일;…은 잊었다니 무슨 말이냐.

なにさま【何様】【名】 (신분이나)어떤 이[분]. ¶~のお通カ)りか 어떤 분의 행차인가.

なにさま【何様】【副】《老》정말;하여튼. ¶~かなわぬ 정말 못 당하겠다.

***なにしろ**【何しろ】【副】하여튼;여하튼. =とにかく. ¶~やってみたまえ 여하튼 해보게.

なにせ【何せ】여하튼;어쨌든. =なにしろ. ¶~天気テンキはいいし 어쨌든 날씨는 좋고.

なにとぞ【何卒】【副】제발;부디;아무쪼록. =どうぞ・どうか. ¶~御自愛ゴジアイのほどを 아무쪼록 자중하시기를.

なにとて【何とて】【副】어째서;왜. =どうして. ¶~許ユルされよう 어찌 용서받겠나.

なになに【何何】무엇무엇;운운(云云). ¶必要ヒツヨウなものは～か 필요한 것은 뭣뭣인가.

なになに【何何】【感】 뭐냐;무엇이라고. =なんだなんだ. ¶~それは本当ホントウか 뭐뭐, 그게 참말이냐.

なにはさておき【何はさておき】【何は扨措き】naniwa- 다른 일은 제쳐 놓고라도 이것만은;우선 먼저.

なにはともあれ【何はともあれ】naniwa-《連語》무엇이 어떻든 간에;여하튼;좌우간. =とにかく.

なにびと【何人】 하인(何人);어떤 한 사람;누구. =なんぴと. ¶~であろうと 누구를 막론하고;누구든지.

なにひとつ【何一つ】《連語》아무것도;하나도. =何ナにも・ひとつも. ¶~残ノコっていない 무엇 하나 남은 게 없다. 【參考】뒤에 否定語가 따름.

なにぶん【何分】①다소간;얼마간. ¶~の御援助エンじょ 얼마간의 원조를. ②부디;아무쪼록. =何ナにとぞ・どうか. ¶~よろしく 아무쪼록 잘 부탁합니다. ③아무래도;여하튼. =とにかく. ¶~若ワカいので失敗シッパイも多オオい 아무래도 젊으니까 실패도 많다.

なにぼう【何某】-bō 모씨(某氏);아무개. ¶~の話ハナシは今度コンド 그 아무개의 이야기는 다음에.

なにほど【何程】【名】【副】①어느 만큼;얼마큼. ¶あのくらい・どれだけ. ¶お金カネは~あっても 돈은 어느 만큼 있더라도. ②아무리. ¶~つとめても 아무리 노력해도.

なにも【何も】《連語》아무것도. ①《否定을 수반하여》어떠한 일도;무엇이나;모두;전연. ¶~ない 아무것도 없다. ②《副詞的으로》별로;일부러;특히. ¶~そういうつもりではない 별로 그

렇게 말하려는 것은 아니다. **──かも**【──彼も】運語 무엇이든;일체;모두.=すべて.

なにもの【何物】图 어떠한 물건;무엇. =なに. ▷読めば~を得うる 읽으면 무엇인가 얻게 된다.

なにもの【何者】图 어떤 사람;누구;어떤자.=だれ. ▷一体ばん~だろう 도대체 어떤 자일까.

なにやかや【何や彼や】運語 이것 저것;여러 가지로.=いろいろと. ▷~で忙ばしい 이것저것으로 바쁘다.

なにやつ【何やつ】【何奴】图 너석;어떤 놈.=何者なの.

なにやら【何やら】副 무엇인지;무엇인가.▷~音をがする 무엇인가 소리가난다. 〔때문에〕

なにゆえ【何故】副 왜;어째서;무엇〔때문에〕.

なにより【何より】運語 무엇보다도〔가장〕좋은;최상〔最上〕의.▷健康診は~だ 건강이 제일이다.

なにわぶし【浪花節】图 三味線설물음を반주로 하여 보통 의리나 인정을 노래한 대중적인 창(唱). =浪曲宗.

なにをか【何をか】連語 무엇을 …하리오. ▷─言"わんや (이제와서) 무엇을 말하랴(아무 말도 할 것 없다);말해도 소용없다.

なぬか【七日】图〈雅·方〉なのか.

なぬし【名主】图 江戸시대에, 幕府직할지의 町村송の 장〔신분은 町人ぶ〕=百姓頭怨ま.

なのか【七日】图 ①초이렛날. ②7 일간.③사람이 죽은 뒤 이렛날.

なのだ【運語】《体言 및 이에 준하는 말에 붙어서》'だ(=이다)'보다도 강한 단정〔斷定〕을 나타냄:…인 것이다;…이란 말이다. ▷これが結論だ~ 이것이 결론인 것이다.

なのに運語 …인데도;…임에도 불구하고. ▷上手ず」~やらない 잘 하면서도 하지 않는다.

なのはな【菜の花】图 평지(꽃);유채(꽃).

なのり【名のり】【名乗り·名告り】图 ①자기 이름을 댐(특히, 무사들이 싸움터에서 자기의 이름을 대어 외쳤던 일);또, 그 외침 소리. ②公家ぶ·무사의 남자가 관례(冠禮)한 뒤 통칭(通稱) 이외에 불이던 실명(實名).

なの-る【名のる】【名乗る·名告る】自他 ①자기 이름을 대다. ②자기가 바로 장본인임을 말하다. ▷刑事だと~ 형사라고 자칭하는 것이다. ③실명(實名)을 갖다. ▷妻"の姓"を~ 아내의 성을 쓰다.

なびかす【靡かす】五他 ①(나뭇가지나 풀 따위를) 옆으로 휘어지게 하다;나부끼게 하다. ②복종하도록 하다.

なびく【靡く】自 ①(바람이나 물로 해서) 초목 따위가 옆으로 휘어지다;나부끼다. ②위력·명령 따위에 복종하다. ▷徳化がに~ 덕화(德化)되다. ③여자 마음이 남자에게 쏠리다.

なびろめ【名広め·名披露目】图五自 (예명(藝名)을) (예명이나 상인이 개점하였을 때) 예명·상점명을 세상에 피로함(알림).

ナプキン图 냅킨. ①식사 때에 가슴

나 무릎에 대는 수건. ②생리 용품의 이름. ▷napkin.

なふだ【名札】图 명찰;명패;문패.

ナフタリン图 나프탈렌;좀약;방충제. ▷도 Naphthalin.

なぶりもの【なぶり物】【嬲り物】图 놀림감;희롱감.=なぐさみもの.

なぶ-る【嬲る】五他 ①손으로 가지고 놀다;지부럭거리다;놀리다;희롱하다. ②남을 괴롭히고 재미있어 하다;괴롭히다.=いじめる. ③놀리고 업신여기다.

***なべ**【鍋】图 ①냄비. ▷~で煮うる 냄비로 삶다. ②냄비 요리.=なべ物勋. ▷はま~ 대합 찌개. ③〈俗〉《'お'를 붙여서》하녀의 대표적 이름(식순이).

なべずみ【鍋墨】【鍋墨】图 ①냄비밑의 그을음〔검댕〕. ②새까만 것의 형용.

なべぞこ【鍋底】【鍋底】图 ①냄비의 밑바닥. ②낮은〔나쁜〕상태가 당분간 계속됨.──けいき【──景気】图 계속되는 불경기.

なべづる【鍋鶴】图〔鳥〕흑두루미.

なべて【並べて】【雅】劓 통틀어;일반적으로;대개.=おしなべて·概じて.

なべぶた【鍋蓋】图 ①냄비 뚜껑. ②한자 부수(部首)의 하나=돼지해밑(京'亠'따위의 'ㅗ'의 이름).

なべもの【なべ物】【鍋物】图 냄비로 끓이면서 먹는 요리의 총칭(寄せなべ·ちりなべ 따위).

なへん【ナ変】图〔文法〕'ナ行깊'変格活用ぶんの 준말.

なへん〔那辺·奈辺〕代 나변;어디. =どのへん·どの点だ. ▷真意ばん~にありや 진의가 나변에 있는가.

***なま**【生】━━图 ①가공(加工)하지 않음;자연(본래). ⊃なまたまご. ▷~の魚さ 날생선. ▷불충분함;불완전함. ▷~煮"え 설익음;설익은 것〔꽈운~だ기량(技倆)이 미숙하다. ▷生酢ばん(=설취함灸) (=전방집) '生ビール(=생맥주)' 'げんなま(=현금)'의 준말. ━━接頭 ①《名詞에 붙어서》ㄱ미숙·불충분의 뜻을 나타냄:선;서투른. ▷~物知기의 어섣분 지식. ㄴ세상 것에 익숙하지 못함을 나타냄:풋내기의;미숙한. ▷~女房ぼう 미숙한 아내 /お~さん 풋내기. ②《形容詞에 붙어서》조금의 뜻을 나타냄:약간;조금;어딘지 모르게.=なんご となく. ▷~あたたかい 뜻뜻미근하다.

なまあくび【なまあくび·生あくび】【生欠伸】图 선하품. ▷~をかみ殺"す 선하품을 (억지로) 참다.

なまあたたかい【なま暖かい】【生暖かい】形 뜻뜻미근하다.

***なまいき**【生意気】图ナ動 건방집;주제넘음. ▷~いうな 건방진 소리 하지마라.

***なまえ**【名前】图 이름. ☞な(名)②.

──まけ【──負け】图五自 이름이 너무 훌륭해서 실질(인물)이 오히려 못해 보임.

なまがし【生菓子】图 생과자. ①주로팥소를 넣어 찐 과자류. ↔干菓子ず.

②크림 따위를 넣어 수분이 많고 부드러운 양과자.

なまかじり【生かじり】【生嚙り】 图 수박 겉핥기 ; (지식·기능이) 어설픔. ＝なまっかじり. ¶～の知識しき 어설픈 지식.

なまかべ【生壁】 图 ①낙벽 ; 마르지 않은 벽. ②生壁おおかべの 준말 ; 남빛을 띤 쥐색.

なまかわ【生皮】 图 생가죽 ; 가공하지 않은 가죽 ; 잘 마르지 않은 가죽.

なまがわき【生乾き】 图 덜 마름.

なまき【生木】 图 생나무. ①살아 있는 나무. ②갓벤 나무. 一を裂さく 생목을 빼개다 ; 전하여, 의가 좋은 부부나 애인을 억지로 갈라 놓다.

なまきず【生傷】 图 새상처 ; 입은 지얼마 안 된 상처. ↔古傷きず.

なまぐさ-い【生臭い】【腥い】 厖 ①(피나 생선 따위의) 비린내가 나다. ¶～ものを食くわない 비린내 나는 것을 먹지 않다 / ～においがする 비린내가 나다 / 血ち～ 피비린내 나다. ②중이 파계하여 속기(俗氣)가 있다. ③겡향지다.

なまぐさもの【生臭物】 图 비린내 나는 것(생선·고기 따위). ＝なまぐさ.

なまくび【生首】 图 방금 자른 (사람의) 목. ↔どくろ.

なまくら【鈍】 图 ①(칼 따위가) 잘 안 듦(무딤) ; 또, 그런 날붙이. ②기개(氣概)가 없음 ; 게으름을 핌 ; 또, 그런 사람.

なまクリーム【生クリーム】 图 생크림 ; 우유에서 빼낸 지방분. ▷cream.

なまけもの【怠け者】 图 게으름뱅이. 一の節句せっく働ばたらき 게으른 놈 설날에 짚신 삼기.

なまけもの【樹懶】 图【動】 나무늘보.

‡**なまけ-る**【怠ける】【懶ける】 自他下一 게으름 피우다. ＝さぼる·おこたる. ¶勉強きょうを～ 공부를 게을리하다.

なまこ【海鼠·生子】 图 ①【動】해삼. いりこ·きんこ. ②거푸집에 부은 선철(銑鐵)이나 동(銅). ③중이 말. ―いた【―板】 图 골함석 ; 골진 양철판.

なまゴム【生ゴム】【生護謨】 图 생고무.

なまごろし【生殺し·生殺し】 图 ①반죽음. ＝半殺はんごろし. ②(상대가 이러지도 저러지도 못하게) 결말을 짓지 않고 내버려 둠.

なまじ【憖じ】 副 ①할 수도 없으면서 억지로 ; 그렇게 하지 않는 게 좋은데. ②섣불리 ; 어설피 ; 오히려. ¶～知しっているから困こまる 어설피 알고 있기 때문에 곤란하다. ③깊은(별) 생각도 없이 ; 엉겁결에. ＝ふと. ④‘～の’의 형으로) 충도나페의 ; 어중간한. ¶～の学問がん 어설픈 학문.

なまじい【憖じい】-jī 副 ☞なまじ.

なまじいっか【憖じっか】-jikka 副 ☞ なまじ. 参考 ‘なまじ’ ④의 뜻으로는 ‘～な’의 꼴도 씀.

なまじろ-い【なま白い】【生白い】 厖 좀 희다 ; 전하여, 이상할 정도로 희다 ; 창백하다.

なます【膾·鱠】 图 회. ①생선회 또는 무·당근 따위를 썰어 초에 무친 것.

②옛날 식품의 일종 ; 생선 살을 잘게 썬 것.

なまず【癜】 图 가슴·등에 회백색·갈색의 반점이 생기는 피부병 ; 전풍(癜風).

なまず【鯰】 图 ①【魚】 메기. ②메기 수염(을 기른 사람). ＝なまずひげ.

なまたまご【生卵】 图 날달걀 ; 생계란.

なまち【生血】 图 생혈 ; 피 ; 이キ ち. ↔古血きゅう血 〔여지지 않음.

なまづけ【生漬け】图 겉절이 ; 잘 절

なまっちろ-い【生っ白い】-matchiroi 厖 ☞ なまじろい.

なまつば【生唾】 图 군침. 一を飲のみ込こむ 군침을 삼키다(몹시 탐내다).

なまづめ【生爪】 图 생손톱. ¶～をはがす 생손톱을 벗기다(뜯어내다).

なまなか【生半】 □ 名 어설픔 ; 엉거주춤함. ＝中途ちゅうとはんぱ. ¶～な手方た미온적인 방식. □ 副 ①무리로 ; 억지로. ＝むりに. ②~引ひき止とめて 억지로 말려서. ②차라리 ; 도리어. ＝むしろ.

なまなまし-い【生生しい】-shī 厖 생생하다 ; 새롭다. ¶～記憶おく 생생한 기억.

なまにえ【生煮え】 图 ①덜 삶아짐 ; 설익음 ; 또, 그것. ②(대답·성질·태도가) 분명치 않음.

なまぬる-い【生温い】 厖 ①미적지근하다. ②흐리멍텅하다. ¶～性格せい혼리멍텅한 성격. ③미온적이다. ＝手ぬるい. ¶～処置しょち 미온적인 조치.

なまはんか【生半可】 图 ナ 어중간함 ; 어설픔. ¶～な知識しき 어설픈지식. 一は大おおけがのもと 선무당이 사람 죽인다.

なまばんぐみ【生番組】 图 생방송 프로.

なまはんじゃく【生半尺】-jaku 图 ナ 〈俗〉 ☞ なまはんか. 〔맥주.

なまビール【生ビール】【生麦酒】 图 생

なまびょうほう【生兵法】-byōhō 图 선부른 검술 ; 전하여, 선부른 기술·어설픈 지식. 一は大けがのもと 선무당이 사람 죽인다.

なまへんじ【なま返事·生返事】 图 건성으로 대답함 ; 생대답. 〔송.

なまほうそう【生放送】-hōsō 图 생방

なまぼし【生干し】【生乾し】 图 꾸덕꾸덕하게 말림 ; 설말림 ; 또, 그렇게 말린 것.

なままゆ【生繭】 图 생고치. 〔것.

なまみ【生身】 图 ①살아 있는 (인간의) 몸뚱이. ＝いきみ. ¶～をけずる思おもい 살을 에는 느낌. ②날고기 ; 생고기.

なまみず【なま水·生水】 图 생수 ; 냉수 ; 끓이지 않은 물.

なまめかし-い【艶かしい】-shī 厖 품위(品位) 있고 아름답다 ; (특히, 여자가) 요염(妖艶)하다. ＝あだっぽい.

なまめ-く【艶く】 自五 ①미추름하다 ; 예쁘게 윤기가 돌다. ②요염하다.

なまもの【なま物·生物】 图 생것 ; 날것 ; 생선류.

なまやけ【生焼け】 图 설구워짐 ; 또, 설구워진 것.

なまやさし-い【生易しい】-shī 厖 〈흔히, 뒤에 否定語가 따름〉 손쉽다 ; 간단하다. ＝たやすい. ¶～ことではない 손쉬운 일이 아니다.

なまゆで【生ゆで】【生茹で】 图 데삶음 ; 설데침.

なまよい【生酔(い)】图 얼근함; 약간 취함; 또, 그렇게 취한 사람. ―本性ば。たがわず 적당히 취하면 제 정신을 잃지 않는다.

なまり【訛り】图 사투리; 또, 그런 말투·발음. ¶～は国ばの手形ば 사투리는 출생지의 증서(證書)〔사투리로 출생지를 알 수 있음〕.

なまり【鉛】图 납.　「하다.

なま－る【訛る】五自他 사투리 발음을

なま－る【鈍る】五自 무디어지다; 아둔해지다.

なみ【波】【浪·涛】图 ①물결. ㉠파도. ¶～が立つ 물결이 일다. ㉡물결같이 움직이는 것. ¶人ぬ・時代びの～ 시대의 물결. ②【理】진동(振動)의 한 현상; 파동. ㉢굴곡; 기복(起伏). ¶作品ぶにに～がある 작품에 기복이 있다. ―に乗のる 때의 흐름·시세를 잘 타다.

なみ【並(み)】㊀图 ①예사로움; 보통; 평범; 중간. = 中なくらい. ¶～の人ば 평범한 인간. ㉡늘어섬; 줄 지음. ¶木なの～ 가로수／家やの～ 늘어선 집(모양). ㊁接尾 〔名詞에 붙어서〕①…과 같은 수준; …보다 못지 않음; 동등(同等)함; 과장(課長)～の待遇ばで 과장과 동등한 대우. ②…마다. ¶軒ぬ～に 집집마다.

なみあし【並足】图 ①보통 속도의 발걸음. ②〔馬術에서〕속도가 가장 느린 걸음. ↔かけあし・はやあし.

なみ－いる【並み居る】上一自 한자리에 같이 나란히〔앉아〕있다.

なみうちぎわ【波打(ち)際】图 파도가 밀려오는 곳; 물가. = なぎさ・みぎわ.

なみう－つ【波打つ】五自 ①물결치다; 물결치다. ②물결처럼 굽이치다; 울렁거리다. ¶～胸むが 울렁거리는 가슴.

なみがしら【波頭】图 물마루.

なみかぜ【波風】图 풍파(風波). ①바람과 파도. ②〔비유적으로〕분쟁; 풍파. = もめごと. ②〔家庭ばに～が立つ 가정에 풍파가 일다. ②괴로운 사건; 고생스러운 일들. ¶世びの～にもまれる 세상 풍파에 시달리다.

*なみき【並木】图 가로수.

なみじ【波路】【浪路】图〈雅〉뱃길; 항로. = ふなじ.

なみ－する【蔑する】サ変他 경멸하다; 무시하다; 오멸하다; 업신여기다.

なみせい【並製】图 보통제; 보통 제품. ↔上製じょう・特製とく.

‡なみだ【涙】【泪·涕】图 눈물. ―をのむ ①눈물을 삼키다〔참다〕. ②분한 마음을 억누르다.

なみだあめ【涙雨】图 ①조금 오는 비. ②장례 때 따위에 슬픈 일이 있을 때 내리는 비.

なみたいてい【並たいてい】【並大抵】图〔흔히 否定어 따라서〕보통 정도; 흔함; 이만저만. = ちょっとやそっと. ¶苦労びが～ではない 고생은 이만저만이 아니다.

なみだきん【涙金】图 동정으로 주는 돈; 위자료; 특히 관계를 끊을 때에 주는 약간의 돈.

なみだぐま－し－い【涙ぐましい】-shī 形 눈물겹다.

なみだ－ぐ－む【涙ぐむ】五自 눈물을 머금다; 눈물 짓다; 눈물이 글썽하다.

なみだごえ【涙声】图 울먹이는 소리; 울음 섞인 소리.

なみだ－する【涙する】サ変自 눈물을 올리다; 울다. = 泣なく.

なみだ－つ【波立つ】五自 ①파도가 일다; 물결치다. ②두근거리다; 울렁거리다. ¶胸むが～ 가슴이 울렁거리다. ③분쟁이 일어나다; 시끄러워지다. ¶政界ばが～ 정계가 소연해지다.

なみだもろ－い【涙もろい】【涙脆い】形 눈물을 잘 흘리다; 잘 감동하다.

なみなみ【並並】图 보통 (정도). ¶～ならぬ苦労びう 보통〔이만저만〕이 아닌 고생.

なみなみ 副 물 따위가 넘칠 듯이 가득한 모양; 자란자란; 찰랑찰랑. ¶～(と)酒びを注ぐ 찰랑찰랑하게 술을 따르다.

なみのはな【波の花】㊀連語 물보라 치는 곳; 파도가 바위에 부딪쳐 하얗게 보이는 곳. ㊁图 소금. = 塩しお.

なみのほ【波の穂】連語〈雅〉물마루. = なみがしら.

なみのり【波乗り】图 ①물결을 탐. ¶～舟ぶね물결을 타는 배. ②파도타기. = サーフィン.

なみはず－れる【並外れる】下一自 보통 이상이다; 유별나다; 뛰어나다.

なみはば【並幅】【並巾】图 (피륙의) 보통 (36 cm 내외). ↔広幅ばろ.

なみひととおり【並一通り】-tōri 图 보통; 엔간함. = とおりいっぺん.

なみま【波間】图 ①파도와 파도 사이; 물결 이랑. ②파도가 일지 않는 동안.

なみまくら【波枕】【波枕】图 ①〈雅〉뱃길 (여행); 물속에서 잠. ②파도 소리가 베갯머리에 들려옴.

なみよけ【波よけ】【波除け】图 파도를 막음; 파도를 막는 것(방파제 따위).

なむ【南無】感 〔佛〕나무. ―あみだぶつ【―阿弥陀仏】〔佛〕나무아미타불. ―さん【―三】感 "南無三宝ばう"의 준말. ―さんぼう【―三宝】-sambō㊀〔佛〕나무 삼보; 불·법·승의 삼보에 귀의함. ㊁感 실패할 때 내는 말: 아차; 아뿔싸. ―しまった. ――みょうほうれんげきょう【―妙法蓮華経】-myōhō rengekyō〔佛〕"日蓮ばん"종(宗)에서, 법화경(法華經)에 귀의(歸依)하는 뜻으로 외는 말.

なめくじ【蛞蝓】图〔蟲〕활유; 괄태충. = なめくじら・なめくじり.

なめこ【滑子】图〔植〕담자균(擔子菌)류에 속하는 버섯.

なめしがわ【なめし皮・なめし革】【鞣革】图 유피; 다룸〔무두질한〕가죽.

なめ－す【鞣す】五他 (가죽 따위를) 다루다; 무두질하다.

なめず－る【舐めずる】五他 (혀로) 입술을 핥다.

なめみそ【嘗(め)味噌】图 그냥 반찬으로 먹을 수 있도록 조리(調理)한 된장 (たいみそ・ゆずみそ 따위).

なめもの【なめ物】【嘗物】图 장아찌·젓갈 따위의 짠 부식물.

*なめらか【滑らか】ダナ ①매끈매끈한 모양. ¶～な斜面ば 미끄러운 사면.

②거침이 없는 모양；순조로운 모양. ¶～な弁舌ⁿ 막힘없는 변설.

*な･める 【嘗める・舐める】 下1他 ①핥다. ＝ねぶる. ②(불길이 혀로 핥듯이) 불태우다. ¶数十戸ⁿⁿの～を･め尽ⁿ くす 수십 호를 다 태워 버리다. ③맛보다. ¶杯ⁿ を～ 술잔을 (핥듯이) 마시다. ④(쓰라림을) 겪다；체험(경험)하다. ¶辛酸ⁿⁿ を～ 고초를 겪다. ⑤깔보다；얕보다.

なや 【納屋】 名 헛간. ＝ものおき.

なやまし-い 【悩ましい】 -shi 形 ①괴롭다；고통스럽다. ②관능(官能)이 자극을 받아서 마음이 흐트러지다. ¶～香水ⁿ のかおり 관능을 자극하는 향수 냄새.

なやま-す 【悩ます】 5他 괴롭히다；성가시게 굴다；시달리게 하다. ＝苦ⁿ しめる.

*なやみ 【悩み】 名 괴로움；고민；번민；걱정. ¶～の種ⁿ 고민거리.

＊なや-む 【悩む】 5自 괴로워하다. ＝わずらう. ①(고민으로) 번민하다. ¶恋ⁿ に～ 사랑 때문에 번민하다. ②(아파서) 고생하거나；앓다；시달리다. ＝患ⁿ う.

なよなよ 【弱弱】 副 연약한 모양；나긋나긋한 모양. ¶～(と)した女ⁿ 나긋나긋한 여자.

なよやか ダ-ナ (태도·동작이) 보드라운 〔나긋나긋한〕 모양.

なら 【楢】 名 [植] 졸참나무.

なら ⊟ 接 그러면；그렇다면. ¶～やめよう 그렇다면 그만두자. ⊟ 助動 《口語 助動詞 "だ"의 仮定形. 'A이면 B'의 꼴로, B를 말하기 위해 A라는 사실을 가정하거나, 또는 조건으로 하는 뜻을 나타냄》 ①일의 실현을 가정(仮定)함…이면. ¶君ⁿ が行ⁿ く～ぼくも行ⁿ こう 자네가 간다면 나도 가지. ②…같으면, …으로 말할 것 같으면…이라면. ¶僕ⁿ ～海ⁿ へ行ⁿ く나 같으면 바다로 가겠다.

ならい 【習い・慣い】 名 ①습관；관습. ＝ならわし. ¶本会ⁿⁿ の～として 본회의 관례로서. ②세상사(世事事). ＝つね. ③학습；배움. ━━性ⁿ となる 습관이 본성처럼 된다.

＊なら-う 【習う】 5他 ①연습하다；익히다. ②배우다. ¶歴史ⁿ を～ 역사를 배우다.

＊なら-う 【倣う】 5他 모방하다；따르다. ＝まねる. ¶前例ⁿⁿ に～ 전례를 따르다.

ならく 【奈落・那落】 名 ①[佛] 나락；지옥. ②막바지. ¶～の底ⁿ 굿. 극장의 무대나 花道ⁿⁿ(＝배우가 무대를 출입하도록 관람석 사이에 높게 만든 통로) 밑의 지하실；회전 무대 장치와 비어(또는 무대 장치나 배우를 무대 위로 밀어올리는 장치)가 있는 곳. ━━の底ⁿ ①지옥의 밑바닥. ②끝없는 구렁텅이. ③헤어나지 못할 지경.

ならし 【均し】 ⊟ 名 고르게 함. ¶地ⁿ を～ 땅고르기. ⊟ 副 평균. ¶～五百円ⁿⁿ(のもうけ 평균 5백 엔 벌이.

なら-す 【均す】 5他 ①고르(게 하)다. ¶土地ⁿⁿ を～ 땅을 고르다. ②평균화(平均化)하다. ¶配分ⁿ を～ 배분을 고르게 하다.

*なら-す 【慣らす】 5他 ①환경에 익도록 하다；순응시키다. ¶からだを寒ⁿ さに～ 몸을 추위에 익도록 하다. ②(馴らす) (동물 따위를) 길들이다.

*なら-す 【生らす】 5他 (열매를) 맺게하다；열리도록 하다.

*なら-す 【鳴らす】 5他 ①소리를 내다；울리다. ¶鐘ⁿ を～ 종을 울리다. ②(명성·평판을) 떨치다；날리다. ¶名ⁿ を天下ⁿⁿ に～ 이름을 천하에 떨치다. ③강하게 주장(주장)하다；투덜대다. ＝つぶやく. ¶人ⁿ の非ⁿ を～ 남의 잘못을 책(責)하다／不平ⁿ を～ 투덜거리다.

ならずして 連語 …(도) 안 되어서. ¶一年ⁿⁿ と～ 1년도 안 되어서.

ならずもの 【ならず者】【破落戸】 名 파락호；무뢰배；무뢰한(無頼漢). ＝ごろつき·わるもの.

ならでは 連語 …이 아니고는. ¶あの人ⁿ ～のできばえ 그 사람이 아니고는 할 수 없는 훌륭한 솜씨.

ならない 連語 《動詞連用形＋'ては'를 받은 용법》금지를 나타냄：안 된다. ¶見ⁿ ては～ 보아서는 안 된다. ②《否定의 助動詞를 받아 'なければ～''なくては～' 따위의 형으로》그것 이외에는 용인되지 않음을 뜻함：해야 한다. ¶すぐ行ⁿ かなくては～ 곧 가야 한다. ⑥당연·필연의 뜻을 나타냄：…이어야 한다. ¶この前提ⁿⁿ から考ⁿ えてその結果ⁿ は真ⁿ でなければ～ 이 전제로써 생각하면 그 결과는 진(真)이어야 한다. ③…할 수 없다. ¶油断ⁿ ～ 방심할 수 없다. ④어쩔 수 없다；못견디다. ¶心配ⁿ で～ 걱정이 되어 못견디겠다.

ならぬ 連語 ①…아니어야；…이 아닌. ¶神ⁿ ～身ⁿ 신이 아닌 몸〔범인〕.

ならび 【並び】 名 ①늘어선 모양；늘어선 것；줄. ¶歯ⁿ ～のきれいな치열이 곱다. ②유례(類例)；비교. ＝たぐい. ¶～もない 유례가 없다.

ならびな-い 【並び無い】 形 비할 바가 없다；다시 없다；무비(無比)하다. ＝たぐいない. ¶天下ⁿ に～力持ⁿⁿ ち 천하에 둘도 없는 장사.

ならびに 【並びに】 接 및；또. ＝および·かつ·また. ¶姓名ⁿⁿ ～職業ⁿⁿ 성명 및 직업.

*なら-ぶ 【並ぶ】 5自 ①한 줄로 서다. ⑦늘어서다. ¶店ⁿ が～ 가게가 늘어서다. ⑥병행(並行)하다. ¶～んで走ⁿ る 나란히 달리다. ②비견하다；견주다；필적하다. ¶彼ⁿ に～者ⁿ がない 그에게 비길〔견줄〕 자가 없다. ③(두 개의 뛰어난 것이) 동시에 존재하다. ¶才色ⁿⁿ ～·び備ⁿ わる 재색을 아울러 갖추다.

ならべた-てる 【並べ立てる】 下1他 (하나하나) 늘어놓다. ¶不平ⁿ (こごと)を～ 불평을 〔잔소리를〕 늘어놓다／品物ⁿ を～ 물건을 늘어놓다.

*なら-べる 【並べる】 下1他 ①(일렬로) 늘어놓다；나란히 하다(세우다). ¶一列ⁿⁿ に～ 한 줄로 늘어 놓다／肩ⁿ を～ 어깨를 나란히하다. ②열거하다；차례차례로 말하다. ¶証拠ⁿⁿ を～ 증거를

열거한다.

ならわし 【ならわし・習わし】(慣わし) 图 습관; 풍습; 관례. =しきたり.

ならわ-す 【ならわす】(慣わす) 5 他 ①배우게[익히게] 하다. ②대개 다른 動詞의 連用形을 받아서》항상 ···하다; 흔히 ···하는 버릇[습관·관습]이 있다. ¶言い~ 습관적으로 말하다.

なり 【形・態】 □ 图 ①모양; 꼴; 형상. =かっこう・様子ネ. ¶~のよいつ ぼ 모양이 좋은 단지. 口품매; 옷차림; 복장. ¶~にかまわない 옷차림에 마음 쓰지 않다. □接尾 ①비슷한 꼴·모양; =같은 꼴·모양. ¶弓ネ~になる (몸을) 활처럼 휘다. ②어울리는 정도·상태; =나름. ¶きみはきみ~にやっ てくれ 너나름으로 하여라. ③動詞의 連用形에 따르는 뜻을 나타낸: ···대로. ¶他人たんの言い~に なる人とが 남이 하라는 대로 하는 사람.

なり 【鳴り】 图 ①울림; 또, 그 소리. ¶~のいい楽器ネ (울림) 소리가 좋은 악기. ②떠드는 소리. ━を靜めずる 소리를 죽이다; (갑자기) 조용해지다.

なり 【生り】 图 (과실 따위가) 엶; 열림; 결실.

なり 【成り】 图 ①이룸; 성취함. ②(장기에서) 말이 적진에 들어가서 「金ネ」의 자격을 얻음. ¶『お~』행차.

なり 【副助】 ①예시(例示)하고, 또, 그 예시 중에서 어떤 것을 선택함을 나타 냄: ···든; ···든지. ¶飯ネ~酒ネ~出せ 밥이든 술이든 내놔라 / 何ネ~と言い なさい 무슨 말이든지 하세요. 口따로 적당한 것이 있을지도 모른다는 생각을 가지고, 하나를 꺼내어 가리키는 데 씀: ···(예)라도. ¶医者ネにも~相談 ネしたら 의사에게라도 상의해 보았 을러니. ②㉠助詞 'た'의 連体形에 붙음》그 대로; 채로. ¶着~た~(で)ねる 입은 채로 자다. 口動詞나 助動詞의 'せる·させる·れる·られる'의 連体形에 붙음》···하자마자. ¶顔ネを見ル~泣ネきくずれた 얼굴을 보자마자 쓰러져 울었다.

なりあが-る 【成(り)上がる】 5自 갑자기 출세하다; (벼락 부자가) 되다.

なりかたち 【なり形】(形姿) 图〈老〉몸차림; 복장; 몸맵시. =なりふり・身ネ.

なりかわ-る 【成り代(わ)る】 5自〈老〉대리하다; 대신하다.

なりき 【なり木】(生り木) 图 열매를 (잘) 맺는 과실 나무.

なりきん 【成金】 图 ①(일본 장기에서) 적진에 들어가서 金将ネの 자격을 얻은 말. ②벼락 부자.

なりさが-る 【成(り)下がる】 5自 영락(零落)하다; 아주 초라해진다. ¶こじき に~ 거지로 영락하다.

なりすま-す 【成り済(ま)す】 5自 짐짓 ···을 자처하다; (인 양 행세하다. ¶夫ネに~ 남편인 양 행세하다.

なりたち 【なりたち・成(り)立ち】 图 ①이룩된 경위; 경과; 내력. =できた. ②조립(組立); 구성; 성분.

*****なりた-つ** 【なりたつ・成(り)立つ】 5自 ①성립하다; 이루어지다; 체결되다.

¶契約ネが~ 계약이 체결되다. ②구성되다. ¶この大学ネは四学部ネかち~ 이 대학은 4학부로 구성되어 있다.(재산이 맞아 장사가) 되다. ¶商売ネが~ 장사가 되다.

なりて 【なり手】(為(り)手) 图 될[되고자 하는] 사람. ¶委員ネに~がない 위원이 될[되고자 하는] 사람이 없다.

なりと 【副助】 ☞なりとも.

なりどし 【なり年】(生り年) 图 과일이 잘 되는 해.

なりとも 【副助】 ①···(이)나마; ···(이)라도. ¶手紙ネ~よこしたらどうだ 편지라도 보내주면 어때. ②···든지. =なり. ¶何ネ~ 무엇이든지 / どこ(へ)~行ってしまえ 어디든지 가 버려라.

なりは-てる 【成り果てる】 下1自 전락하다; 비참한 신세가 되어 버리다.

なりひび-く 【鳴り響く】 5自 ①(사방에) 울리다; 울려 퍼지다. ②(명성이) 널리 알려지다.

なりふり 【形振り】 图 ①옷차림; 외양. =身ネなり・様子ネ. ②모양; 형세; 형편.

なりもの 【なり物】(生り物) 图 ①논밭의 수확; 소출. =とりいれ. ②과수; 과일. =くだもの.

なりもの 【鳴り物】(生り物) 图 ①악기. ☞はやし(囃子). ━いり 【━入(り)】 图 악기의 반주를 넣어 가무의 흥을 돋움; 전하여, 대대적인 선전.

*****なりゆき** 【なりゆき・成(り)行き】 图 ①되어 가는 형편[과정]; 그 결과. ¶~(次第ネ)にまかせる 되어 가는 형편에 맡겨 두다. ②【商】 ☞なりゆきねだん ━ねだん 【成行値段】 图〈商〉시장의 동향에 따라 정해진 값.

なりわい 【生業】 图 생업; 가업(家業); 직업.

なりわた-る 【鳴り渡る】 5自 울려 퍼지다; 멀리까지 퍼지다[떨치다].

*****な-る** 【生る】 5自 열리다; 맺히다. ¶柿ネが~ 감이 열리다.

*****な-る** 【成る】 5自 ①(행위의 결과) 되다; 이루어지다; 완성[이룩]되다. ¶功ネ~り名ネ遂とぐ 공을 이루고 명성도 얻다. ②(조직이) ···로 되다[이루어지다]; ···로 구성되다. ¶五章ネから~論文ネ 5장으로 이루어진 논문. ③바라는 대로 되다; 성취되다. ¶ねがいが~ 소원이 이루어지다. ④(장기에서) '銀ネ' 이하의 말이 적진에 들어가서 '金ネ'의 자격을 얻다. ⑤《'おご'に~'의 꼴로 動詞連用形ネ나 동작을 나타내는 漢語名詞ネ를 사이에 끼어서》···하시다. ¶お休ネみに~ 주무시다.

*****な-る** 【為る】 5自 ···이[가] 되다. ①다른 것으로[상태가] 되다. ¶かわいく~ 귀여워지다. ②소용 닿다; 작용하다. ¶ために~ 도움이 되다. ③용납되다. ¶酒ネを飲ネんでは~らない 술을 마셔서는 안 된다. ④참을 수 있다. ¶負ネけて~ものか 져서야 되는가.

*****な-る** 【鳴る】 5自 울리다. ①소리가 나다. ¶鐘ネが~ 종이 울리다. ②널리 알려지다. ③떨치다. ¶名声ネが天下ネに~ 명성이 천하에 떨치다.

なる □ 助動〈文語 助動詞 'なり'의 連

体形}…한; …인. =な. ¶偉大{}~人物{}} 위대한 인물. ②〈固有名詞에 붙어서〉…(이)라는. =という. 二〈顔回{}が~者{}がいた 안 회라는 사람이 있었다. 二〈連語〉…에 있다. =にいる・にある. ¶家{}~妹{}} 집에 있는 아내.

なるかみ【鳴る神】图〈雅〉천둥. =かみなり.

なるこ【鳴子】图 논·밭 따위에서 새를 쫓기 위한 장치〔판자에 가는 대나무를 걸어 놓아 줄을 당겨서 소리를 냄〕.

なるたけ【成る丈】副 되도록; 될 수 있는 대로. =できるだけ.

なるべく【成る可く】副 될 수있는 한; 가능한 한; 되도록. =できるかぎり・なるたけ. ¶~なら行{}く 되도록이면 간다.

なるほど【成る程】副〔남의 주장을 긍정할 때나, 상대방 말에 맞장구 치며〕정말; 과연. ¶~ごもっとも 과연 당연한 말이오.

なれ【慣れ】【馴れ】图 습관; 익숙해짐.

なれあ-う【馴れ合う】五自 서로 친해지다. ①공모(共謀)하다; 한 패가 되다. ②간통(姦通)하다; 밀통하다.

ナレーション -shon 图 나레이션; 영화나 방송 따위에서 줄거리나 진행 따위의 해설 또는 이야기. ⊕narration.

ナレーター 图 나레이터. ①이야기나 설명을 하는 사람. ②연극이나 방송극에서 장면이나 대화 사이에서 극의 흐름새를 설명하는 사람. ⊕narrator.

なれそめ【なれ初め】【馴れ初め】图 연애 관계가 시작된 계기; 친해진 시초.

なれっこ【慣れっこ】narekko 图〈俗〉아주 익숙하여 태연함〔별 감각이 없음〕. ¶~になる 익숙한 이골이 나다.

*****なれなれし-い**【馴れ馴れしい】-shi 形 친압(親狎)하다; 허물〔버릇〕없다. ¶~口をきく 매우 친한 듯이 말하다.

なれのはて【なれの果て】【成れの果て】連語 영락한 몰골; 구슬픈 말로(末路).

*****な-れる**【馴れる】下一自 ①친숙해지다. ②따르다. ③〈狎れる〉버릇없이 너무 친하게 굴다; 기어오르다; 친압해지다. ¶寵愛{}に~ 총애를 받아 버릇이 없어지다.

*****な-れる**【慣れる】下一自 익숙해지다; 익다. ①늘 겪어서 예사로워지다. ¶旅{}に~れた人{} 여행에 익숙한 사람. ②길들다. ¶くつが足{}に~ 구두가 길이나다. ③길이 오르다. ¶パン食{}に~ 빵 식사가 습관되다.

*****な-れる**【熟れる】下一自 만들다〔사용후〕시간이 경과하여 상태가 변하다. ①익다; 숙성하다. ¶すし가 ~ 초밥이 먹기 알맞게 익다. ②낡다; 휘슬어지다. ¶~れた着物{} 낡은 옷. ③썩다; 변하다. ¶~れた魚{} 썩은〔변한〕생선.

*****なわ**【縄】【縄·索】图 새끼; 포승; 줄; 끈. お~になる 죄인으로 붙잡다〔체포하다〕. 一を打{}つ ①오라로 묶다; 포박하다. ②논밭을 측량하다.

なわしろ【苗代】图 못자리. =なわしろだ. 一みず【──水】图 못자리 물.

なわつき【縄付き】图 포승에 묶임; 또, 그 사람; 죄인.

なわて【なわて·縄手】暇〕图 ①논길; 논두렁길. =たんぼ道{}. ②길게 뻗은

곧은 길. ③【縄手】새끼줄.

なわとび【縄飛び·縄跳び】图 줄넘기.

なわのれん【縄のれん】【縄暖簾】图①많은 새끼줄을 드리워서 のれん(=옥호(屋號)를 넣어서 점두(店頭)에 치는 일종의 막)의 대용으로 한 것. =縄すだれ. ②선술집; 밥집.

なわばしご【縄ばしご】【縄梯子】图 줄사다리.

なわばり【縄張り】图 ①〔새끼줄을 쳐서 경계를 정함. ②(폭력단 등의)세력 범위; 세력권. ¶~の争{}い 세력권(圈) 다툼. ②건축 부지에 새끼줄을 쳐서 건물의 위치를 정함.

なわめ【縄目】图 ①새끼줄의 매듭. ②(죄인으로) 포박당함. ¶~の恥辱{}を受{}ける (죄인으로) 포박당하는 치욕.

なわもじ【縄文字】图 결승(結繩)문자.

なん【難】图 ①어려움. ⇔易{}. ②화; 재난. ¶不幸{}の~にあう 뜻하지 않은 재난을 만나다. ③곤란; 고난. ¶~に当{}たる 고난에 맞서다. ④흠; 결점; 결함.

なん【何】①代 'なに'의 음편형(音便形). ¶~でもよい 아무거나 좋다. 参考〉'だ·で·と·の'에 이어질 때 'なん'이 됨. 그 외에 'に·か'에 이어질 때에 'なん'이 되는 수도 있음. 二接尾 몇…. ¶~人{}で 몇 사람 / ~本{}で 몇 자루〔개비〕 / ~百{}で 몇 백.

なんい【南緯】图 남위. ↔北緯{}.

なんい【難易】图 난이. ①어려움과 쉬움. ②어려움의 정도.

なんおう【南欧】nan'ō 图〔地〕남구; 남유럽. ↔北欧{}.

なんか【南下】图 自 남하. ↔北上{}.

なんか【軟化】图 自他 연화. ①물질이 부드러워짐. ②(태도가) 부드러워짐; 완화; 또, (마음 등이) 약해짐에 쓰임. ③시세가 내림. ⇔硬化{}.

なんか【何か】連語〈口〉'なにか'의 음편(音便):무엇이; 무엇인가. ¶~いか무엇인가 없느냐.〈口〉~등 따위. =など. ¶これ~ 이 따위 / ぼく~にはわからない 나 따위는 알 수 없다.

なんが【南画】图 남화; 남종화(南宗書). ↔北画{}.

なんかい【難解】图 난해. ↔平易{}.

なんかん【難関】图 난관. ¶~を突破{}する 난관을 돌파하다.

なんぎ【難儀】图 자 ①괴롭고 어려움; 곤란; 귀찮음〔성가심〕. ¶~にあう 곤란을 겪다; 성가신 일을 당하다. 二图 自 고생; 고뇌. ¶倒産{}して~している 도산하여 고생하고 있다.

なんきゅう【軟球】-kyū 图 연구; 〈硬球{}과 한 처지(경우).

なんきつ【難詰】图 他 힐난.

なんきょう【難境】-kyō 图 난경; 곤란한 수렁.

なんぎょう【難行】-gyō 图 自 곤란하고 고된 수행. ──くぎょう【──苦行】-kugyō 图 自 고된 수행. ──どう【──道】-dō 图〔佛〕난행도; 자기 힘으로 수행을 쌓아 깨달으려는 방법(선종(禪宗) 등의 방법). ↔易行道{}.

なんきょく【南極】-kyoku 图 남극. ¶~圈{} 남극권. ↔北極{}.

なんきょく【難局】-kyoku 图 난국. ¶～に処(しょ)する 난국에 처하다.

なんきょく【難曲】-kyoku 图 난곡.

なんきん[南京] 图 ①〈方〉호박의 별명. ②〈名詞に冠して〉㋑중국 방면에서 도래한 물건이라는 뜻을 나타냄. ¶～米(まい) 중국・버마・태국 둥지에서 수입하는 쌀; 안남미. ㋺조그맣고 귀여운 것이라는 뜻을 나타냄. ¶～玉(だま) 구멍 뚫린 장식용의 조그만 구슬. ―むし【―豆】【植】낙화생. =らっかせい. ――むし【―虫】图 ①빈대. ②〈俗〉여성용의 극히 작은 금팔뚝시계.

なんきん【軟禁】-kin 图他 연금.

なんく【難句】 图 난구; 어려운 문구・俳句(はいく).

なんくせ【難癖】 图 비난할 결점; 트집. ―をつける 트집을 잡다.

なんくん【難訓】 图 한자의「訓読(くんよ)み(=훈독)」가 어려운 것.

なんけん【難件】 图 난건; 다루거나 해결하기에 어려운 용건.

なんご【喃語】 图 ズ自 ①남녀가 의좋게 속삭임. ②젖먹이가 재재거리는 말; 투레질.

なんご【難語】 图 난어; 뜻이 어려운 말.

なんこう[軟膏]-kō 图 연고. ↔硬膏(こうこう).

なんこう【軟鋼】-kō 图 연강; 비교적 연한 강철.

なんこう【難航】-kō 图 ズ自 난항.

なんこうがい【軟口蓋】【軟口蓋】nan-kōgai 图 연구개. ↔音(おん)こう연구개음. ↔硬口(こうこう)がい.

なんこうふらく【難攻不落】nankō- 图 난공 불락. ¶～の要塞(ようさい) 난공 불락의 요새. ↔北国(ほっこく).

なんごく【南国】 图 남국; 남쪽 나라.

なんこつ【軟骨】 图 연골. ↔硬骨(こうこつ).

なんざん【難産】 图 ズ自 난산. ↔安産(あんざん).

なんじ【何時】 图 하시; 몇시. =いく じ.

なんじ【難事】 图 난사. ¶～中(ちゅう)の 난사 중의 난사.

なんじ【難字】 图 난자; 어려운 한자.

なんじ【難治】 图 난치. =なんち.

なんじ【爾・汝・女】代〈雅〉너; 그대(동년배 이하에게 씀).

なんしき【軟式】 图 연식. ↔硬式(こうしき).

なんしつ【軟質】 图 연질. ↔硬質(こうしつ).

なんしゃ【難者】-sha 图 (남을) 비난하는 사람.

なんじゃく【軟弱】-jaku 图 ダナ 연약. ①무르고 약함. ¶～な基礎(きそ) 약한 기초. ②의지・태도가 약함. =弱腰(よわごし). ↔強硬(きょうこう). ¶～外交(がいこう). ③〈경제에서〉시세가 싼 상태. =弱含(よわぶく)み.

なんじゅう【難渋】-jū 图 ズ自 난삽; 일이 술술 나가지 못함; 일이 진척되지 않아 어려움을 겪음. ¶山道(やまみち)に～する 산길에 어려움을 겪다.

なんしょ【難所】-sho 图 험한 곳.

なんしょう【難症】-shō 图 난증; 낫기 어려운 병. ¶～でなからない 쉽사리 낫지 않는다.

なんじょう【何条】-jō 图〈老〉어째; 어째서; 왜. ¶～たまるべき 어째 견디어 낼 수 있겠나.

なんしょく【男色】-shoku 图 ①남색;

비역. ②남창(だんしょう); 면. =かげま.

なんしょく【難色】-shoku 图 난색.

なん-じる【軟じる】⇨난じ る.

なんすい【軟水】 图 연수. ↔硬水(こうすい).

なん-ずる【難ずる】⇨なん変(へんじる)힐난하다 나무라다; 책망하다; 비난(ひなん)하다.

なんせい【軟性】 图 연성; 연한 성질(せいしつ). ↔硬性(こうせい).

なんせん【難船】 图 ズ自 난선; 난파.

ナンセンス 图 ダナ 난센스; 무의미함 어리석고 가소로움. =ノンセンス. D nonsense.

なんせんほくば【南船北馬】 图 ズ自 난선 북마; 늘 사방으로 여행함.

なんぞ【何ぞ】連語 ①어째서; 어찌 왜. ¶～知(し)らん 어찌 알았으랴(반어(はんご)). ②〈方〉무엇인가. ¶一曲(いっきょく)～を 뭔가 한 곡을. ③무슨 일인가 뭔가. ¶人生(じんせい)～とは――や 인생이란 뭐냐.

なんだ連語〈ロ〉①뭐냐. ¶あの騒(さわ)ぎは一体(いったい)～ 저 소동은 대체 뭐냐. ②뭣하다. ¶もし～ったら肩(かた)がわりしてもいいんですよ 혹 뭣하면 대신 말아 해도 좋아요. ③뭐냐. ¶～また雨(あめ)か? 뭐야 또 비냐. ④뭐. ¶～これくらいの傷(きず)뭐 이까짓 상처. ⑤뭐냐 것이다.

なんだい【難題】 图 ①난제; 어려운 문제・과제; 시제(しだい). ②무리한 주문; 생트집. ¶～を吹(ふ)っかける 무리한 생트집을 걸다.

なんたいどうぶつ【軟体動物】-dōbutsu 图 연체 동물.

*****なんだか**『何だか』連語 ①〈副詞的으로〉왜 그런지; 어쩐지. =なんとなく. ¶～気(き)にかかる 어쩐지 염려된다. ②무엇인지. ¶名(な)が～分(わ)からない 뭐가 뭔지 모르겠다.

なんだかんだ『何だ彼んだ』連語 이것 저것; 이러니저러니. ¶～言(い)ってもはじまらない 이러니저러니 말해 봐야 소용 없다. 参考副詞的으로 씀.

なんたる【何たる】連語 ①무엇인가 뭐 라는. ¶哲学(てつがく)の～かを学(まな)ぶ 철학이 무엇인가를 배우다. ②몹시 놀라거나 개탄함을 나타냄; 무슨; 얼마나; 어찌된. ¶～ざまだ 무슨 꼴이냐.

なんたん【南端】 图 남단. ↔北端(ほくたん).

なんちゃくりく【軟着陸】-chakuriku 图 ズ自 연착륙. ↔硬(こう)着陸.

なんちゅう【南中】-chū 图 ズ自 남중.

なんちょう【軟調】-chō 图 연조. ①〈経〉시세의 내릴 기미. ¶株(かぶ)～を示(しめ)す 증권 시세가 연조를 보이다. ↔堅調(けんちょう)・硬調(こうちょう). ②사진의 인화(いんが)画)에서, 흑백이 연하게 나타남. ¶―印画紙(いんがし) 연조 인화지. ↔硬調(こうちょう).

なんちょう【難聴】-chō 图 난청. ①라디오 따위가 잘 안 들림. ¶―地域(ちいき) 난청 지역. ②귀가 잘 안 들림.

*****なんて**『何て』連語〈ロ〉①⇨なんと(何と)④. ②⇨なんという②. ③⇨なんといっても.

なんて【何て】副詞 ①…라고는; …라는. ¶田中(たなか)～いう人(ひと) 田中라는 사람. ②…이라니. ¶彼(かれ)が病気(びょうき)だ～そ 그가 병에 걸리다니 거짓말

이다. ③…따위；…하다니. ¶勉強～いやだ 공부 따위는 싫다. ④《그 진위(眞僞)에 대하여 뜻밖이라는 마음을 나타냄》 …이라니；…하다니；…있다니. ¶今ごろ断わる～ 이제 와서 거절하다니.

なんで〖何で〗副 어째서；무슨 이유로；왜. ＝どうして·なぜ. ¶～そんなことをするのか 어째서 그런 일을 하느냐.

なんてつ【軟鉄】名 연철. ①탄소 함유량이 강철보다 적은 쇠. ＝鍛鉄. ② 연강(軟鋼).

なんでも〖何でも〗副 ①무엇이든지；모두. ¶～食う 무엇이나 먹다. ②기어코；어떻든지；여하튼. ¶何が～やり通す 무엇이 어떻든 기어코 해 내다. ③확실히는 모르나；어쩌면. ¶～彼は大分儲けたそうだ 잘은 모르나 그는 꽤 돈을 벌었다고들 한다. **──かでも**〖──彼でも〗副 ①이것저것 모두；모조리. ＝なにもかも. ②어떠한 일이 있어도；반드시；기어코. **──ない** 連語 ①특별히 문제될 것 없다；아무 것도 아니다. ¶毎日見られる～事です 매일 볼 수 있는 아무 것도 아닌 일입니다. ②쉽다.

なんでもや【なんでも屋】(何でも屋) 名 ①무엇에나 손대기를 좋아하는 사람. ②무엇이나 두루 할 수 있는 사람；만능꾼. ③☞よろずや.

なんてん【南天】名 남천. ①남쪽 하늘. ②【なんてん】〔植〕 남천촉.

なんてん【難点】名 난점. ①곤란한 점. ②비난할 점；결점. ¶～を見出せない 결점을 찾을 수 없다.

なんと〖何と〗連語 'なにと'의 음편(音便). ①뭐라고. ¶～いう人か 뭐라는 사람인가. ②어떻게. ¶～しよう 어떻게 할까. ③어쩐지；나도 모르게. ¶～はなしに 어쩐지；뚜렷하게 말할 수는 없지만. ④얼마나；대단히；참. ¶～りっぱな庭だろう 얼마나 훌륭한 뜰인가. ⑤《상대방에게 답을 재촉하거나 묻거나 할 때》 자；어때(요). ¶さあさあ～ 자자 어때.

なんと 副助 …라고；…따위. ¶大体, 会議～いうものは 도시, 회의라고 하는 것은.

なんど【何度】名 몇 번；여러 번. ¶～いってもわからない 몇 번 말해도 알아듣지 못한다.

なんど【納戸】名 ①의복·가구 따위를 간직하여 두는 방. ②'納戸色(＝쥐색을 띤 남빛)'의 준말.

なんど〖抔·等〗副助 …따위. ¶おまえ～の知ったことか 너 따위는 알 바 아니다.

なんという -yū 連語 ①㉠뭐라고 꼬집어 말할 수 없게；어쩐지. ㉡어쩌면. ¶～見上げた方だろう 어쩌면 (그토록) 훌륭하신 분일까. ②이렇다 할. ¶～事は無い 이렇다 할 일은 없다.

なんといっても〖何と言っても〗 -it-temo 連語 뭐라고 해도；뭐니뭐니 해도. ¶～まだ幼少の事 뭐니뭐니 해도 아직 나이가 어려서.

***なんとか**〖何とか〗連語 ①㉠뭐라고. ¶～言って行け 뭐라고 한 마디 하고 가게. ㉡무엇《'ばか(＝바보)'의 완곡한 말씨》. ¶～とはさみは使いよう 뭣〔바보〕하고 가위는 다루기 나름이다. ②어떻게(든)；그럭저럭；간신히. ¶～しよう 어떻게든 해 보겠다.

***なんとなく**〖何と無く〗連語 ①왠지 모르게；어쩐지. ＝どことなく. ¶～気分が悪い 어쩐지 기분이 나쁘다. ②무심히；아무 생각 없이. ¶～駅まで来てしまった 무심코 역까지 와 버렸다.

なんとなれば〖何となれば〗接 왜냐하면. ＝なぜなら.

なんとはなしに〖何とは無しに〗連語 왠지 모르게；왜 그런지. ¶～いや気がさした 왠지 모르게 싫증이 났다.

***なんとも**〖何共〗副 ①《感動詞적으로》 정말；참으로；아무튼. ¶～申しわけない 정말 미안하다. ②뭐라고；무엇인지. ¶～言えない美しさ 무엇이라 말할 수 없는 아름다움. ③《否定이 따라서》 대단한 것은 아니다란 뜻을 나타냄. ¶～ない 아무렇지도 않다／～思わない 아무렇게도 생각지 않다.

なんとやら〖何とやら〗連語 ①뭐라든가；뭐라고. ＝なんとか. ¶～言う人 (이름을) 뭐라든가 하는 사람. ②왠지；어쩐지. ¶～悲しくなる 왠지 슬퍼지다.

なんなく【難なく·難無く】副 무난히；쉽게；쉽사리. ＝たやすく.

なんなら〖何なら〗副 뭣하면；형편에 따라서는；원한다면；괜찮다면. ¶～そうしよう 뭣하면 그렇게 하지.

なんなりと〖何なりと〗連語 무엇이든(지)；무엇이건. ¶～お望みの物を差し上げます 무엇이든지 원하시는 것을 드리겠습니다.

なんなん〖喃喃〗副 남남；재잘거리는 모양：재잘재잘. ¶喋喋～ 남남 첩첩《수다스럽게 재잘거림》.

なんなんと-する〖垂んとする〗サ変自 (막) 되려고 하다；거의 …에 이르다〔가깝다〕. ¶三千に～聴衆 거의 3천 명 가까운 청중.

なんにち【何日】名 며칠；며칟날.

***なんにも**〖何にも〗副《다음에 否定의 말이 따름》 아무 것도. ①아무 결과도. ¶それでは～ならない 그래서는 아무 것도 안 된다. ②어떤…도；조금도；전혀. ¶～見えない 전혀 안 보인다.

なんにょ【男女】 -nyo 名 남녀. ＝だんじょ. ¶老若～ 남녀 노소.

なんの〖何の〗㊀連語 ①무슨；어떤；무엇(을 위한). ¶それ～本だい 그거 무슨 책인가. ②별다른；별로；아무런. ¶～飾りもない 아무런 꾸밈도 없다. ③《'…の～'의 꼴로》 ㉠이것저것；어쩌니저쩌니. ¶いやだの～と 싫으니 어쩌니 하고. ㉡《형용할 수 없는 마음을 나타냄》 …이란 정말이지. ¶すばらしいの～って 여간 멋진게 아닌. ㊁感 뭘. ¶～それしきの事 뭘 그까짓(일쯤 가지고).

なんのかのと〖何の彼のと〗連語 이러니저러니；이러쿵저러쿵；이것저것. ¶～言っても 이러니저러니 해도.

なんのその〖何のその〗連語 상관〔걱정〕없다；아무 것도 아니다. ¶試験なんて～ 시험 따윈 아무 것도 아니다.

なんば【難場】namba 图 어려운 고비〔장면, 곳〕; 난관. ＝難所なんしょ.

なんば【難派】namba 图 ①연파. ①약한 의견의 당파; 온건파. ＝ハト派は. ②⑦연(軟)문학; 연문학 애호자. ⑥불량 청소년으로서, 폭력 따위보다는 이성과의 교제에 흥미를 가지는 자〔행위〕. ⑥신문에서 사회·문화면을 담당하는 기자. ③【經】시세가 내릴 것이라고 예상하는 사람들. ⇔硬派かた.

なんぱ【難破】nampa 图 ⓩ自 난파. ¶～船 난파선.

ナンバー nambā 图 넘버. ①번호. ②(잡지 따위의) 호수. ¶バック～ (잡지의) 지나간〔낡은〕 호수. ③(재즈 따위의) 곡목(曲目). ▷ number. ──ワン 图 넘버 원; 제일인자; 제일호. ▷ number one.

ナンバリング namba- 图 ☞ ナンバリングマシン. ▷ numbering. ──マシン 图 넘버링 (머신); 자동 번호기. ▷ numbering machine.

なんばん【南蛮】namban 图 ①남만; 남쪽 야만인. ②(室町むろまち 시대에서 江戸えど 시대에 이르기까지) 해외 무역의 대상이 된 동남 아시아(에 식민지를 가진 포르투갈·스페인)의 일컬음; 또, 그 시대에 건너온 서양 문화(기술, 종교). ③【方】 고추. ＝とうがらし.

なんぴと【何人】nampito 图 어떤 사람; 누구; ＝だれ. ¶～も許ゆるさない 어떤 사람도 용서하지 않는다. ＝なんびと.

なんびょう【難病】nambyō 图 난치병.

なんぴょうよう【南氷洋】nampyōyō 图 남빙양('南極海なんきょくかい(＝남극해)'의 구칭). ⇔北氷洋ほっぴょうよう.

なんぶ【南部】nambu 图 남부. ⇔北部.

なんぷう【南風】nampū 图 ①남풍. ＝はえ. ⇔北風. ②남방의 세력. ③여름 바람.

なんぷう【軟風】nampū 图 연풍. ①【氣】산들바람. ②해연풍(海軟風)·연풍(陸軟風)의 총칭.

なんぶつ【難物】nambutsu 图 난물; 처치 곤란한 물건·사람.

なんぶん【難文】nambun 图 난문; 어려운 문장.

なんぶんがく【軟文学】nambun- 图 연문학; 남녀의 애정을 다룬 문학(연애 소설 따위).

なんべん【何べん】【何遍】namben 图 몇 번. ＝いくど·なんど.

なんべん【軟便】namben 图 연변; 무른 대변.

なんぼ nambo 副《俗》 ①얼마; 얼마나. ＝いくら. ¶～〔っ〕つ一か 하나에 얼마나. ②얼마든지. ¶ほしければ～でも持もって行いけ 갖고 싶으면 얼마든지 가지고 가거라. ③얼마나. ¶～やっても だめだ 아무리 하여도 허사다.

なんぽう【南方】nampō 图 ①남방. ⇔北方ほっぽう. ②동남 아시아 지역.

なんぼく【南北】namboku 图 남북; 남쪽과 북쪽. ⇔東西とうざい.

なんみん【難民】nammin 图 난민.

なんめん【南面】nammen 图 ⓩ自 남면. ①남쪽으로 향해 있음; 남향. ⇔北面ほくめん. ②군주의 자리에 오름.

なんもん【難問】nammon 图 난문.

なんよう【南洋】-yō 图 【地】 남양. ⇔北洋ほくよう.

なんら【何等】副 하등. ①〔'の'를 수반함〕 아무런. ¶～の困難こんなんもない 아무런 곤란도 없다. ②조금도. ¶～困こまらない 조금도 곤란하지 않다. 參考 뒤에 否定ひてい이 따름. ──か 連語 무엇인가 좀; 조금은; 얼마간; 어떠한. ¶～の報酬ほうしゅう 얼마간의 보수.

なんろ【難路】nanro 图 험한 길; 험로(險路).

なんろん【軟論】nanron 图 연론; 저자세(低姿勢)의 논의(論議)〔의견〕. ⇔硬論こうろん.

に ニ

①五十音図ごじゅうおんず 'な行なぎょう'의 둘째 음. [ni] ②【字源】'仁'의 초서체('かたかな'二'는 한자의 '二').

*に【二】图 ①둘. ②두번째. ③같지 않음. ¶～にして一いつでない 다르며 같지 않다. ④しゃみせん의 두번째 줄.

に【丹】图 붉은 색.

に【荷】图 짐. ＝にもつ. ──になる 짐〔부담〕이 되다.

に【煮】图 익은〔끓은, 삶은〕 정도. ¶～が足たりない 덜 익다〔끓다, 삶다〕.

に【爾】라; D옴.

に 一【格助】①〔동작·작용이 행해져 나타나는 때 또는 미치는〕 위치나 그 곳을 차지하는(시간적·공간적·심리적인) 위치나 그 곳을 차지하는 사물을 정적(靜的)으로 타나낼 때 씀. ⑦때를 가리킴; …에. ¶卒業そつぎょう～際さいして 졸업에 즈음하여. ⑥장소·방향을 가리킴; …에; …으로〔로〕. ¶都みやこ～住すむ 서울에 산다 / 右みぎ～まがる 오른쪽으로 돌다. ⑥동작·작용이 미치는 곳 특히, 귀착점이나 그 동작의 대상을 나타냄; …에게; …에; …을〔를〕. ¶神かみ～誓ちかう 신에게 맹세하다 / 汽車きしゃ

～乗のる 기차를 타다. ②목적을 가리킴; …에; …하기 위해서; …하러. ¶つり～行いく 낚시질하러 가다. ⑩그 동작·작용이 일어나는 근원을 가리킴; …에서. ¶母親ははおや～子こ～泣なかれる 어머니가 아들에게 졸리다. ⑯비교의 기준이 됨을 나타냄; …에; …과〔와〕. ¶一日いちにち～一度いちど 하루에 한번 / 兄あに は父ちち～似にている 형은 부친을 닮았다. ⑥원인·계기가 됨을 가리킴; …으로〔로〕. ¶あまりのうれしさ～泣なき出だした 너무 기뻐서 울음을 터뜨렸다. ②어느 상태·자격 등을 나타내는 데 씀. ⑦어느 자격으로서의 뜻을 가리킴; …으로. ¶お年玉としだま～百円ひゃくえん くれた 세뱃돈으로 백 엔을 주었다. ⑥전화(轉化)의 결과를 나타냄; …이; …이〔가〕 되어. ¶長官ちょうかん～なる 장관이 되다. ⑥상태를 나타냄. ¶ぴかぴか～光ひかる 번쩍번쩍 빛나다. ②'…ず～'…하지 않고서. ¶食たべず～おく

먹지 않고 두다. ③《반복된 같은 말 사이에서》동작 등의 계속·반복을 나타내어 강조하는 말투로 쓰임. ¶泣き〜泣く 울고 (또) 울다. ④《体言과 体言을 이어》㉠첨가됨을 나타냄 ：…에. ¶かかあ天下ゕゕに〜からっ風ゕ゚ぜ엎처러하에 강바람(설상 가상). ㉡열기·병기를 나타냄. ¶パン〜ミルク〜卵ぢ゚ 빵에 밀크에 달걀.

二 接助《雅》《連体形에 붙어서》다시 이어서 일을 말함（添加）·가정（假定）·역접（逆接）·이유 따위를 가리킴 ：…인데 ；…하는데. ¶森もりのけしきは ただならぬ─玉垣たまがきし渡して 숲의 경치도 범상치 않은데. 담까지 두르고.

にあい【似合い】 图 ① 잘 맞음 ；어울림 ；조화（調和）함. ¶〜の夫婦ふうふ 잘 어울리는 부부.

*にあ‐う【似合う】 5自 잘 맞다 ；걸맞다 ；조화되다. ¶洋服ようふくが〜 양복이 어울리다.

にあげ【荷揚（げ）】 图 ス他 뱃짐을 부림 ；또, 그 노동자.

にあし【荷足】 图 ① （배의 안정을 유지하기 위한） 바닥짐. =底荷そこに. ② 상품의 팔림새[매상]. ¶〜が早はやい 팔림새가 좋다.

にあつかい【荷扱（い）】 图 ス他 ① 화물 취급. ¶〜人にん（항구 등의） 화물 취급인. ② （노동자의） 화물[짐] 다루기. ¶〜が荒あらい 화물을 거칠게 다루다.

にあわし‐い【似合わしい】-shī 形 잘 어울리다 ；알맞다. ＝ふさわしい.

にい‐【新】ní 图名詞 앞에 와서》새…. ¶〜妻 새댁 ；갓 난 아내.

にいさん【兄さん】ni- 图 형님.

にいづま【新妻】nī- 图 새댁 ；갓 결혼한 아내.

にいなめさい【新嘗祭】nī- 图 11월 23일에 天皇てんのうが 햇곡식을 천지（天地）의 신에게 바치고 친히 이것을 먹기도 하는 궁중 제사[지금은 '勤労感謝きんろうかんしゃの日ひ'(＝근로 감사의 날)'].

にいにいぜみ【にいにい蟬】nīnī- 图 蟲 쓰르람매미.

にいぼん【新盆】nī- 그 사람의 사후（死後） 처음 맞는 우란분（盂蘭盆）. ＝あらぼん.

にいまくら【新枕】nī- 图 결혼 초야의 동침（同寢）（미적（美的）인 표현）. ＝いままくら.

にいん【二院】 图 이원 ；양원 ；상원과 하원（일본에서는 衆議院しゅうぎいんと 参議院さんぎいん）.

にうけ【荷受（け）】 图 ス自他 수하（受貨） ；보내온 화물을 찾아 받음. ↔荷送おくり. ¶〜人にん【荷受人】 图 수화인.

にうごき【荷動き】 图 （거래의 결과로서 수송 기관에 의해 이루어지는） 화물의 이동.

にえ【沸・錵】 图 日本刀にほんとうの 칼날에 은（銀） 모래를 뿌린 것같이 빛나 보이는 잔 무늬.

にえ【贄・牲】 图《雅》神しんや 임금이나 조정（朝廷）에 바치는 그 지방의 토산물（특히, 식용의 조류·고기잡이 따위）. ② 선물 ；진상물（進上物）.

にえかえ‐る【煮え返る】 5自 부글부글 끓다. ① 끓어오르다. ② 몹시 화가

나다. ¶腹はらの中なかが〜 화가 나서 속이 부글부글 끓다.

にえきらない【煮え切らない】 連語《생각이나 태도가》분명치 않다 ；애매하다 ；미적지근하다. ¶〜態度たいど 미적지근한 태도.

にえたぎ‐る【煮えたぎる】【煮え滾る】 5自 부글부글〔펄펄〕 끓어오르다 ；끓어서 솟구치다. ＝にえたぎ る.

にえた‐つ【煮え立つ】 5自 끓어오르다. ＝にえたぎる.

にえゆ【煮え湯】 图 열탕（熱湯）；끓는 물. ¶〜を飮のまされる （믿는 사람이） 배반하여 호되게 당하다.

*に‐える【煮える】 下1自 ① 삶아지다 ；익다. ② 물이 끓다. ③ 화가 나다. ¶心しんが〜 속이 부글부글 끓다.

にお‐い【匂い・臰（い）】 图 ① 냄새. ㉠향내 ；향기. (=) かおり. ② 《奥》 악취. ㉠ くさみ. ② 《雅》 빛을 받고 화려하게 빛나는(보임） ；광택 ；화려함. ③ 정취 ；기운（氣韻）；분위기. ④ 《雅》 일본도（刀）의 칼몸 표면에 나타나는 안개처럼 뿌연 무늬. ⑤ 《雅》 색바람. ⑥ 위광（威光）.

*にお‐い【臭（い）】 图 ① 나쁜 냄새 ；악취. ㉠ くさみ. ② 나쁜 일을 저지른 듯한 기미 ；낌새. ¶犯罪はんざいの〜 범죄의 기미.

*にお‐う【匂う・香う】 5自《(좋은) 냄새가 나다 ；향기가 나다. ② 《雅》 색이 아름답게 빛나다. ¶朝日あさひに〜やまざくら 아침해에 빛나는 벚꽃. ③ 운치[정취]가 있다.

*にお‐う【臭う】 5自《악취가 나다. ① 악취가 나다. ¶トイレが〜 변소 냄새가 난다. ② 《俗》 (범죄의) 낌새가 풍기다.

におう【二王・仁王】 niō 图 佛 인왕（불법 호지（佛法護持）의 신（神）으로서 절문 좌우 양쪽에 안치된 금강 역사（金剛力士）의 상（像）. ――だち【――立ち】 장승처럼 우뚝 버티어 섬 ；또, 그 모습.

におくり【荷送（り）】 图 ス自 화물 발송. ↔荷受うけ. ¶〜にん【―人】 图 하송인 ；짐 보내는 사람. ¶〜「거럼」.

におも【荷重】 图 짐[부담]이 너무 무거움.

におわ‐せる【匂わせる】 5他 ① 향기를 풍기다. ② 넌지시 비추다 ；암시하다. ＝ほのめかす. ¶採用よううが内定ないていしている것을 〜 채용이 내정된 것을 넌지시 비추다.

におわ‐す【臭わす】 5他 （나쁜） 냄새를 피우다〔풍기다〕.

におわ‐せる【匂わせる·臭わせる】 下1他 ☞におわす（匂·臭）.

にか【二化】 图 이화. ――めいが【――螟蛾】 图 蟲 이화 명아. ――めいちゅう【――螟虫】-chū 图 蟲 이화 명충.

にかい【二階】 图 ① '二階建だて（＝이층 건물）'의 준말. ② （고층（高層） 건물에서） 이층.

*にが‐い【苦い】 形 쓸쓸하다. ① 쓰다. ¶良薬りょうやくは口くちに〜し 좋은 약은 입에 쓰다. ② 싫다 ；기분이 언짢다. ¶〜顔かおをする 씁쓸한 표정을 짓다. ③ 괴롭다 ；쓰라리다. ＝つらい. ¶〜経験けいけん 쓰라린 경험.

にがうり【苦瓜】图 ☞つるれいし.

にがお【似顔】图 닮은 얼굴；어떤 사람 얼굴을 비슷하게 그린〔만든〕것. ──え【──絵】图 초상화. ㊾ 좁은 뜻으로는, 배우·미인의 浮世絵ぅ를 이름.

にがさ【荷嵩さ】〔荷嵩〕图 짐의 부피가 큼〔커짐〕. ¶~になる 짐의 부피가 커지다.

にがしお【苦塩】图 ☞にがり.

*にが-す【逃(が)す】[5他]①놓아 주다. ¶かごの鳥を ~ 새장의 새를 놓아 주다. ②놓치다. =のがす·とりそこねる. ¶犯人にんを ~ 범인을 놓치다.

にがたけ【苦竹】图 ☞まだけ.

**にがつ【二月】图 2월. ⇨きさらぎ.

*にがて【苦手】图①다루기 어렵고 싫은 상대. ¶あのピッチャーは~だ 저 투수는 질색이다. ②잘다루어 서투름；또, 그것. ¶数学ぅは~だ 수학은 골칫거리다. ↔得手えて.

にがにが-しい【苦苦しい】-shi 形 대단히 불쾌하다；몹시 싫다；쓰디쓰다. ¶~経験かん 쓰디쓴 경험.

にがみ【苦み】〔苦味〕图①씀；쓴 맛〔느낌〕. ②용모가 야물차고 야무짐. ¶~のきいた顔 옹골차고 야무진 얼굴.

にがみばし-る【苦み走る】〔苦味走る〕[5自]얼굴이 옹글차고 야무짐. ¶~ったいい男おとこ 야무진 호남자.

にがむし【苦虫】图①씹으면 쓸 것 같은 벌레. ②불쾌한 느낌을 주는 사람. ──をかみつぶしたよう 몹시 못마땅하거나 불쾌하여 오만상을 짓는 모양의 비유.

にかよ-う【似通う】[5自]서로 잘 닮다；서로 비슷하다. ¶お.

にがり【苦塩·苦汁】图 간수. =にがしお

にがり-きる【苦り切る】[5自]몹시 불쾌한 표정을 하다；아주 못마땅한 표정을 짓다.

にかわ【膠】图 아교；갖풀.

にがわせ【荷為替】图 화환(貨換) 어음. ¶~を組くむ.

にがわらい【苦笑い】图 [ス自] 쓴웃음；고소(苦笑).

にがん【二眼】图 두 개의 눈〔렌즈〕. ──レフ【──写】[写] 이안 레프；이안 레플렉스 카메라. ──一眼がんレフ.

にきさく【二期作】图 이기작(일년에 벼를 두 번 재배·수확하는 일). ⇨もうさく.

にぎてき【二義的】〔ナ形〕 이차적；부차적〔第二義的ないだ(=제이의적)〕의 준말〕.

にぎ-てい【弐義的·二義的】图〔형용동사 꼴로〕.

にぎっ〔握〕图①〈兄〉(어린아이의) 쥐엄쥐엄；죄암죄암. ②〈兄〉 주먹. ③〈兄〉 주먹밥. =おにぎり. ④〈俗〉 뇌물.

にぎび【面皰】图 여드름.

にぎ-やか【賑やか】〔ナ形〕 활기참. ①번청거림；번화함；북적임. ¶~な祭まつり 흥청거리는 축제. ②명랑하여 떠드는 모양. ¶~な笑わらい声ごえ 명랑한 웃음소리.

にぎやか-す【賑やかす】[5他]〈俗〉 활기차게 하다. ①흥청거리게 하다. ②복적이게 하다. ③지껄여〔떠들어〕대다.

にきょく【二極】-kyoku 图【理】2극；양극(兩極). ──しんくうかん【──真空管】-kūkan 图 2극 진공관.

にぎらせる【握らせる】連語 쥐어 주다. =つかませる. ¶いくらか~ 얼마간 쥐어 주다.

にぎり【握り】图①움켜쥠. ②줌(길이·굵기 따위). ¶~の米 한 줌의 쌀. ③(기물 따위의) 쥐는 곳；손잡이. ④握りずし·握り飯めし의 준말. ⑤(바둑에서) 흰 돌의 짝수·홀수에 따라 선(先)을 정함. ⑥检총；활을 쥐는 부분. =ゆづか.

にぎりこぶし【握りこぶし】〔握り拳〕图 주먹. =げんこつ.

にぎり-しめる【握り締める】〔握り緊める〕[下1他]꽉 쥐다.

にぎりずし【握り鮨·握り寿司】图 손으로 쥐어 뭉친 초밥. =にぎり. ↔押おしずし·ちらしずし.

にぎり-つぶ-す【握り潰す】[5他]①꽉 쥐어 으스러뜨리다. ②묵살하다；갈아뭉개다. ¶要求きゅうを~ 요구를 묵살하다.

にぎりめし【握り飯】图 주먹밥. =(お)にぎり·(お)むすび.

にぎりや【握り屋】图〈俗〉 구두쇠；인색한 사람. =けち(んぼう)·しまり屋.

**にぎ-る【握る】[5他]①쥐다. ②잡다. ¶手でを~ 손을 잡다. ⓐ지기〔꽉〕 쥐다〔뜻대로〕 하다；장악하다. ¶政権けんを~ 정권을 쥐다. ②손으로 쥐어 일정한 모양으로 굳히다. ¶すし를 ~ 초밥을 만들다. ③〔手で汗あせを~·らす〕손에 땀을 쥐게 하다. ④(바둑에서) 선(先)을 정하기 위하여 바둑돌을 쥐다.

にぎわ-う【賑わう】[5自]붐비어 북적거리다. ①번성하다. ¶市いちが~ 시장이 번성하다. ②붐비다；흥청거리다.

にぎわしい【賑わしい】-shi 形 흥청거리며 활기차다；번성하다.

にぎわ-す【賑わす】[5他]①흥청거리게 하다；떠들썩하게 하다；활기차게 하다. ②번성하게 하다. =にぎわせる. ¶大売りり出だしで通りを~ 대매출로 거리를 흥청거리게 하다.

にぎわわ-す【賑わわす】[5他]☞にぎわ

**にく【肉】图①살. ⓐ동물의 근육. ¶~が付つく 살이 붙다〔찌다〕. ⓑ고기. ¶~を食くう 고기를 먹다. ②과일의 살. ¶~のやわらかいオレンジ 살이 부드러운 오렌지. ⓒ살；육체；육욕(肉慾). ¶霊れいと~との相克そうこく 영과 육의 상극. ¶~の薄うすい板いた 두께가 엷은 널. ③인주(印朱). ¶はんこの~ 인주. ④덧대어 윤택롭게 하는 것；살. ¶構想そうに~をつける 구상에 살을 붙이다.

**にく-い【憎い】〔悪い〕形①밉다. ¶~仕打しうち 미운 처사. ②〔反語的으로〕 얄밉도록 훌륭하다. ¶~ことを言いう 깜찍한 소리를 한다.

-にく-い【難い】〔動詞 連用形에 붙어 形容詞를 만듦〕…하기 어렵다. ¶~読みにくい 읽기 어렵다／発音はつおんし~ 발음하기 어렵다. ↔やすい.

にくいれ【肉入れ】图 인주〔인육통〕갑. =肉池じょく.

にくいろ【肉色】图①살빛〔누르스름한

연분홍). ②고기 빛깔. ¶味ぁも〜も違う 맛도 고기 빛깔도 틀린다.

にくが【肉芽】图 ①주아(珠芽)(액아(腋芽)의 일종).=珠芽ぁ゚゙. ②肉芽組織にくげ゙の 준말. ――そしき【――組織】图【生】육아 조직(상처에 돋아나오는 생살).

にくかい【肉界】图 육계;육체의 세계. ↔霊界れい゙.

にくがる【肉がる】5他 미워하다.

*にくがん【肉眼】图 육안. ¶〜で見ぁえる 육안으로 보이다.

にくぎゅう【肉牛】图 육우. ↔役牛ぇゃ゙・乳牛ぎゅ゙.

にくげ【憎げ】ダナ 미운 모양. ¶〜に話ぁず 얄밉게 말하다.

にくこう【肉交】-kō 图 又自 육교;성교(性交).

にくじき【肉食】图 又自 ⇨にくしょく。――さいたい【――妻帯】图 육식 대처(중이 육식을 하며 아내를 거느림).

にくしつ【肉質】图 육질. ¶〜の葉は 살이 두꺼운 잎사귀/〜が悪わるい 고기의 질이 나쁘다.

にくしみ【憎しみ】图 미움;증오.=にくみ・にくさ. ¶〜 성 종양(腫瘍).

にくしゅ【肉腫】-shu 图【醫】육종;암.

にくじゅう【肉汁】-jū 图 육즙. ①쇠고기 국물. ②고기 국물;육수.

にくじょう【肉情】-jō 图 육정;육욕(肉慾).=肉欲にぐ.

にくしょく【肉食】-shoku 图 又自 육식. ↔菜食さい゙・草食そゔ.

にくしん【肉親】图 육친.

にくせい【肉声】图 육성.

*にくたい【肉体】图 육체.↔精神せい゙・霊魂れい゙.――てき【――的】ダナ 육체적.――ろうどう【――労働】-rōdō 图 육체노동.

にくたらしい【憎たらしい】-shī 形 밉살스럽다.=にくらしい. ¶〜탄전.

にくだん【肉弾】图 육탄. ¶〜戦せん

にくち【肉池】图 ⇨にくいれ.

にくづき【肉づき】【肉付き】图 육기(肉氣);살집;살이 찐 정도. ¶〜のよい人ひと 살집이 좋은 사람.

にくづき【肉月】图 한자 부수(部首)의 하나;육달월변('脈・腸' 따위의 '月'의 이름).

にくづけ【肉づけ】【肉付け】图 살 붙이기. ¶あとは〜(を)するだけで 이제는 살만 붙이면 된다(잔손질하여 내용을 충실하게 하는 일만 남았다).

にくてい【憎てい】【憎体】ダナ 밉살스러운 모양. ¶〜に言いう 밉살스레 말하다.

にくにくしい【憎憎しい】-shī 形 몹시 밉살스럽다；밉디밉다；미워 못 견디겠다.

にくはく【肉薄】【肉迫】图 又自 육박. ①바짝 다가섬. ¶〜一点差いってんざで〜する 일점차로 육박하다. ②힐문하며;따지다

にくひつ【肉筆】图 육필. □고 팀.

にくぶと【肉太】ダナ 글씨 획이[체가] 굵다. ↔肉細ほぞ゙.

にくぼそ【肉細】ダナ 글씨 획이[체가] 가늘다. ↔肉太ふど.

にくまれぐち【憎まれ口】图 미움을 살 말(투)；욕；독설(毒舌). ¶〜をたたく 미움받을 말을 지껄이다.

にくまれっこ【憎まれっ子】-rekko 图 미움받는 아이[사람]. ¶一世いっせにはばかる 미움받는 자가 세상에 나가서는 더욱 행세한다.

*にく-む【憎む】5他 ①미워하다. ②시기하다；질투하다. ¶人ひとの幸福こゔを〜 남의 행복을 시기하다.

にくや【肉屋】图 고깃간；푸주.

にくよう【肉欲】-yō 图 육욕. ――しゅ【――種】-shu 图 육용종.

にくよく【肉慾】图 육욕.

にぐら【荷ぐら】【荷鞍】图 길마；짐안

*にくらしい【憎らしい】-shī 形 밉살스럽다；얄밉다. ¶〜ことを言いう 얄미운 소리를 하다.

にくるい【肉類】图 육류.

にぐるま【荷車】图 짐수레.

ニグロ【名】〈卑〉니그로；흑인(黑人).▷negro.

ニクロム【名】【化】니크롬.▷nichrome.

にげ【逃げ】图 도망침. ――を打うつ張はる ①도망칠 궁리를 하다. ②책임 회피를 하다.

にげあし【逃げ足】图 ①도망치는 일[발걸음]. ¶〜が速はやい 도망치는 발걸음이 빠르다. ②달아나려고 하는 자세. =逃にげ腰ごし. ¶〜になる 달아나려 하다.

にげう-せる【逃げうせる】【逃げ失せる】下1自 도망쳐 행방을 감추다；도망쳐 종적을 모르게 하다. ¶まんまと〜 감쪽같이 행방을 감추다.

にげぐち【逃げ口】图 ①도망갈 구멍[길]. ②핑계；발뺌. ¶〜を言いう 핑계를 대다.

にげこうじょう【逃げ口上】-kōjō 图 핑계；발뺌.=にげぐことば. ¶〜を使つかう 핑계 부리다.

にげごし【逃げ腰】图 ①도망치려는 태도[모양]. ②도망하려는 태도. ¶〜になる 발뺌하려고 하다.

にげじたく【逃げ支度】图 도망칠 차비(준비).

にげない【似げない】【似気無い】形 어울리지 않다；걸맞지 않다.

にげの-びる【逃げ延びる】上1自 잡히지 않고 (멀리) 도망치다；도망쳐 피하다.

にげば【逃げ場】图 ①도망칠 (안전한) 장소[길]. ¶〜を失うしなう 도망갈 곳을 잃다. ②변명의 여지；구실.

にげまど-う【逃げ惑う】5自 도망치려고 우왕 좌왕하다. =にげまよう.

にげまわ-る【逃げ回る】【逃げ廻る】5自 여기저기 도망쳐 다니다.

にげみず【逃げ水】图 신기루(蜃氣樓)의 일종(초원(草原)이나 아스팔트 길 같은 데서 멀리 물이 있는 것같이 보이다가, 가까이 가 보면 또 멀어져 가는 대기 현상).

にげみち【逃げ道】【逃げ路】图 ①도망갈 길. ②책임을 피하는 방법. =ぬけみち.

*に-げる【逃げる】【逃げる・遁げる】下1自 ①도망치다；달아나다；도피하다. ¶ほうほうの体てぃで〜 허둥지둥 달아나다. ②회피하다. (귀찮은 일 등을)

거칠하다. ③(경마·경기에서) 따라잡
히기 전에 이기다. ━━が勝ちち 도망치
는 것이 득이다. ▷まけるがかち

にげん【二元】图 이원. ¶━方程
式き 이원 방정식. ↔━元ぽん·多元たん.
━━ほうそう【━━放送】图 이원
방송. ━━ろん【━━論】图 이원론.

にげんきん【二弦琴·二絃琴】图 이현
금.

にこう【尼公】niko 图 여승(女僧)이
된 귀부인의 높임말. =あまぎみ.

にこごり【煮こごり·煮凝り】图 ①생
선을 조린 국물이 엉겨 굳어진 것. ②
상어·넙치 따위의 아교질이 풍부한 물
고기를 조려 굳힌 식품.

にごしらえ【荷ごしらえ】【荷拵え】图
ス自 짐을 쌈(꾸림). =荷づくり.

にごす【濁す】5他 ①흐리게 하다; 탁하
게 하다. =にごらす①. ②(말을) 애매하
게 하다; 얼버무리다. ¶ことばを━ 확
실하게 말하거나 행동해서 얼버무리다.

ニコチン【──】 ▷nicotine.

*にこにこ 副 생긋생긋; 싱글벙글. =に
っこり. ¶━顔ぉ 싱글벙글 웃는 얼굴.

にこぽん【──】〈俗〉 (싱긋 웃고 어깨를 툭
치면서) 상대방의 기분을 끌도록 용대
하는 태도. ━━戦術せん 회유 전술.
━━しゅぎ【━━主義】 -shugi 图 회유
(懷柔)주의.

にこみ【煮込み】图 여러 가지 재료
를 넣어서 푹 끓임(요리). ¶━おで
ん(うどん) 푹 끓인 꼬치(안주)〔가
락국수〕

にこ━む【煮込む】5他 ①여러 가지 재
료를 넣어서 끓이다. ②푹 끓이다; 푹
삶다.

にこやか ダナ 상냥한 모양; 싱글생글
하는 모양; (맘속으로부터) 기뻐하는
모양.

にこら━す【濁らす】5他 =にごす①.

にこり 副〈흔히 't'를 수반하여〉조
금 웃는 모양; 빙긋; 생긋.

にごり【濁り】图 ①탁함; 흐림; 불투명
함; 더러움. ¶━ガラス 젖빛 유리/
━のない心こ 깨끗한 마음. ②탁음 부
호; 탁점('が' 따위의 '゛'). ¶━をう
つ 탁음 부호를 찍다. ③濁り酒さけの
준말. ④【佛】 濁り; 【강(후미)】.

にごりえ【濁り江】图〈雅〉물이 흐린
강. =にごりえ.

にごりごえ【濁り声】图 탁성; 탁한 목
소리. =だみごえ.

にごりざけ【濁り酒】图 탁주. =どぶろ
く.

*にご━る【濁る】5自 ①탁해지다;
흐려지다. ¶━った世ょの中なか 혼탁한
세상/目めが━ 눈이 흐려지다. 二
5他他 탁음이 되다; 탁음으로 발음하
다; 탁음 부호를 찍다. =澁む.

にごん【二言】图 ①이언; 두말. ¶武士
にには━はない 무사에 일구 이언은 없
다.

にさん【二三】图 이삼; 두서넛; 약간.

にさんか【二酸化】【化】이산화. ¶
━炭素たん 이산화 탄소.

にし【西】图 ①서쪽. ②서풍. ¶━が
吹く 서풍이 불다. ③【佛】 서방 정토
(西方淨土). ↔東ひがし.

にし【螺】图【貝】(바다에서 나는) 고
둥의 총칭.

*にじ【虹·霓】图 무지개.

にじ【二次】图 이차. ━━かい【━━
会】图 (연회 따위의) 이차회. ━━てき
【━━的】ダナ 이차적. ━━ほうていし
き【━━方程式】-hōteishiki 图【数】2차
방정식.

にしあかり【西明かり】图 잔조(殘
照); 일몰 후, 잠시 서쪽 하늘이 환한
일.

にしかぜ【西風】图 서풍. ↔東風ひがし.

にしがた【西方】图 ①서쪽; 서편. ②
(승부하는 쌍방을 동서로 나누었을 때)
서쪽편. ↔東方ひがし.

にしがわ【西側】图 ①서쪽방측(서유럽 여
러 나라). ↔東側ひがし.

にしき【錦】图 비단; 비유적으로, 아름
답고 훌륭한 것. ¶もみじの━ 아름다
운 단풍. ━━を飾かざる 비단 옷을 입다;
금의 환향하다.

にしき【二食】图〈古〉 =にしょく.

にしきえ【にしき絵】【錦絵】图 풍속화
를 색도 인쇄한 목판화.

にしきぎ【錦木】图【植】화살나무.

にしきへび【錦蛇】图【動】①비단뱀.
②やまかがし.

にじげん【二次元】图 이차원.

にしじん【西陣】图『西陣織』の준말.
━━おり【━━織】图 京都きょうと에서
나는 비단의 총칭(일본의 대표적 고급
직물).

*にじっせいき【二十世紀】nijisseiki 图
20세기. ¶①서기 1901년 이후의 100년
간. ②배의 한 품종(달고 수분이 많
음).

にして【連語】①…이면서; …이자. ¶学
者しゃ━詩人しん 학자이자 시인/人ひと
━人ひとにあらず 사람의 탈은 썼지 사람
이 아니다. ②…하고도; …하면서도.
¶簡ぞく━要ょうを得るる 간단하고도 요령
이 있다. ③…에게. ¶この父ちち━この
子こ あり 그 아비에 그 아들. ④…로써;
…에. ¶一日にち━は出來できない 하루로
는 할 수 없다. ⑤…하게도. ¶不幸
こう━ 불행하게도. ⑥…의 경우에도.
¶この人ひと━この欠点けってんがある 이 사
람의 경우에도 이 결점이 있다. ⑦그
시점에 있어서 어떤지를 나타냄; …이
되어서; …에 와서. ¶今いま━思ぉもえば
지금에 와서 생각하면.

にしても【連語】그 경우도 예외가 아님
을 나타냄; …에게도; …역시. ¶わた
し━困っまる 나도 곤란하다.

にじの【虹の·霓の】連体 꿈 같은; 멋있
는; 훌륭한. ¶━新婚旅行しんこん 꿈 같
은 신혼 여행.

にしはんきゅう【西半球】-kyū 图 서
반구. ↔東半球ひがし.

にしび【西日】【西陽】图 석양; 저녁
해. =夕日ゅう·入り日び.

にじます【虹鱒】图【魚】옥색송어.

*にじ━む【滲む】5自 ①번지다; 스미다;
배다. ¶インクが━ 잉크가 번지다/
血ちの━(ような)努力どりょく 피나는 노력.

にしめ【煮しめ】【煮染め】图 (야채·고
기 따위의) 조림.

にし━める【煮しめる】【煮染める】
下1他 (간장이 배도록) 바짝 조리다.
¶━めたような手てぬぐい 찌든 수
건.

にしゃさんにゅう 【二捨三入】 nisha-sannyū 名 [ス他] 이사 삼입(숫자의 끝수가 1, 2일 때는 0으로, 3, 4, 6, 7일 때는 5로, 8, 9, 11, 12일 때는 10으로 하는 끝수의 계산 방법).

にしゃたくいつ 【二者択一】 nisha- 양자 택일.

にじゅ 【二豎】 niju 名 이수; 병마(病魔). 〔「魔」〕병.

＊にじゅう 【二重】 nijū 名 이중. ¶ ～に包む 이중으로 싸다 / ～結婚☆ 이중 결혼. ──しょう 【─唱】-shō 名 [樂] 이중창. ＝デュエット. ──じんかく 【─人格】 名 이중 인격. ──せいかつ 【─生活】 名 이중 생활. ──そう 【─奏】 -sō 名 [樂] 이중주. ＝デュエット. ──まわし 【─回し】 名 일본옷 위에 입는 남자의 외투; 인버네스. ＝とんび.

にじゅうしき 【二十四気】 nijū- 名 이십사(절)기.

にじゅうしこう 【二十四孝】 nijūshikō 名 이십사효(옛 중국의 유명한 효자 24명의 이야기)).

にじゅうはっしゅく 【二十八宿】 nijū-hasshuku 名 [天] 이십팔수.

にじょう 【二乗】 nijō 名 [數] 자승(自乗); 제곱. ＝自乗☆.

にしょく 【二食】 名 이식. ①2회분의 식사(량). ¶ 一泊☆ ～付つ き 일박 이식 제공. ②하루 두끼만 식사를 함.

にじりぐち 【にじり口】 【躙り口】 名 다실(茶室)의 작은 출입구.

にじりよ-る 【にじり寄る】 【躙り寄る】 [五自] ①무릎〔앉은〕걸음으로 다가들다. ②조금씩 다가들다.

にじ-る 【躙る・躪る】 〔一 [五他] 뭉개다; 짓이기다. ¶ ふみ～ 짓밟아 뭉개다. 〔二 [五自] 무릎걸음으로 조금씩 움직이다; 앉아 뭉개다. ¶ 膝ひ で～り出で る 무릎걸음으로 조금씩 나아가다.

にしん 【鰊・鯡・二身】 名 [魚] 청어; 비웃. ＝かど.

にしん 【二伸】 名 추신. ＝追伸☆.

にしん 【弐心・弐心】 【二心】 名 ①두 마음; 딴 마음; ＝ふたごころ. ¶ ～をいだく 두 마음을 품다. ②의심하는 마음.

にしんほう 【二進法】-hō 名 [數] 이진법.

にしんとう 【二親等】-tō 名 2촌(寸). ＝二等親☆.

ニス 【仮漆】 名 니스('ワニス〈＝와니스〉'의 준말).

にすい 【二水】 名 한자 부수(部首)의 하나; 이수변(冷・凍☆ 따위의 '冫'의 이름).

にせ 【二世】 名 [佛] 이세; 현세와 내세. ──のえん 【─の縁】 (이세에 걸치는) 부부의 인연. ──のちぎり 【─の契り】 부부의 약속(내세까지의 약속(란 뜻)).

＊にせ 【偽】 【贋】 名 가짜; 모조(模造). ¶ ～の真珠☆ 모조 진주 / ～警官☆ 가짜 경관.

にせアカシア 【贋アカシア】 名 ☞ はりえんじゅ. ▷acacia.

にせい 【二世】 名 이세. ¶ ジョージー～ 조지 2세 / 最近☆～が生う まれた〈俗〉 최근에 이세가(아들이) 태어났다.

にせがね 【偽金】 【贋金】 名 가짜 돈; 위

폐(특히), 경화(硬貨)).

にせさつ 【偽札】 【贋札】 名 위조 지폐.

にせもの 【偽物】 【贋物】 名 가짜(물건); 위조품. ＝贋造物☆☆.◆本物☆.

にせもの 【偽者】 【贋者】 名 거짓으로 신분·직업 등을 속이는 사람; 가짜. ¶ ～の警官☆ 가짜 경관.

＊に-せる 【似せる】 [下1他] 비슷하게 하다; 진짜처럼 보이게 하다; 모조하다. ¶ 真珠☆に～ 진주처럼 보이게 만들다.

にそう 【尼僧】 nisō 名 ①여승(女僧); 비구니(比丘尼); 신중. ＝尼☆. ②수녀(修女).

にそくさんもん 【二束三文】 -sammon 名 수는 많아도 값이 아주 쌈; 또, 그런 물건; 싸구려. ¶ ～にたたき売うる 똥값으로 팔아 치우다.　　　〔리.

にだ 【荷駄】 名 말로 나르는 짐; 마바

にたき 【煮炊き】 【煮焚き】 名 [ス自他] 밥을 짓고 반찬을 만듦; 취사(炊事).

だし 【煮出し】 名 ①삶아서〔끓여서〕맛을 냄. ②가다랑어포나 다시마를 삶아서 우려낸 국물('煮出し汁☆の 준말). ＝だしじる・だし.

にだ-つ 【煮立つ】 [五自] 부글부글 끓어 넘치다. 〔る라든가 にえたつ.

にだ-てる 【煮立てる】 [下1他] 부글부글 끓게 하다; 펄펄 끓이다; 잘 삶다.

にたにた 副 조금 징그러운 웃음을 띠는 모양; 히죽히죽. ¶ ～と笑わう 히죽히죽 웃다.

にたもの 【似た者】 名 (성격 등이) 서로 닮은(비슷한) 사람. ──ふうふ 【─夫婦】-fūfu 連語 부부는 서로 성질·취미 따위가 닮게 된다는 말; 또, 성질·취미가 비슷한 부부.

にたり 【荷足り】 名 '荷足船☆☆'의 준말; 강에서 짐을 운반하는 작은 배; (집 실는) 거룻배.

にたりと 副 조금 기분 나쁘게 히죽 웃는 모양; 히쭉. ¶ ～と笑わう 히쭉 웃다.

にたりよったり 【似たり寄ったり】-yot-tari 連語 아주 비슷하여 잘 구별하기 힘듦; 비슷비슷함; 어슷비슷함; 어금버금함. ¶ ～のできばえ 비슷비슷한 됨됨이.

にち 【日】 〔一 [接尾] 일. ¶ 日曜び ～ 일요일. ②일본. ¶ ～米ば 일본과 미국. 〔二 [接尾] …일. ¶ 第三☆ ～ 제 3 일.　　　〔き.

にちりん 【日輪】 名 일륜; 햇무리. ＝か

にちげつ 【日月】 名 일월; 세월.

にちげん 【日限】 名 기한날; 기일. ¶ ～が切れる 기한이 끝나다.

にちご 【日語】 名 일어; 일본어.

にちじ 【日時】 名 일시; 시일.

＊にちじょう 【日常】-jō 名 일상. ＝つねひごろ・ふだん. ¶ ～生活☆ 일상 생활 / ～言いうことだが 늘 하는 말이지만. ──さはんじ 【─茶飯事】 名 일상 있는 작은 일; 항다반사.

にちじん 【日人】 名 일인; 일본 사람.

にちにち 【日日】 名 매일; 나날. ¶ ～の出来事☆ 그날 그날의 생긴 일.

にちぶ 【日舞】 名 '日本舞踊☆☆'(＝일본 무용)'의 준말. ＝邦舞☆☆.◆洋舞☆☆.

にちぶん 【日文】 名 일문; 일본글; 일본 문학(과).

にちぼ 【日暮】 名 일모; 저녁 때; 해질

にちぼつ 【日没】 名 일몰. ＝日ひ の入☆'

り. ↔日出<ruby>で<rt></rt></ruby>つ.

にちや【日夜】 ☐ 图 주야; 밤낮. =よる ひる. ¶～をわかたぬ努力<ruby>りょく<rt></rt></ruby> 밤낮을 가리지 않는 노력. ☐ 副 늘; 언제나. = いつも. ¶～案<ruby>あん<rt></rt></ruby>ずる 늘 생각[걱정]하 다.

にちゃつ-く nicha- 5自①끈적거리다. ¶脂手<ruby>あぶらて<rt></rt></ruby>は～ 기름 묻은 손은 끈적거 린다. ②(남녀가) 농탕치다. =いちゃ つく.

にちゃにちゃ nichanicha 副 차져서 붙었 다 떨어졌다 하는 모양; 끈적끈적; 짝 짝. ¶ガムを～(と)かむ 껌을 짝짝 씹 다.

にちよう【日用】-yō 图 일용. ――ひん【―品】 图 일용품.

にちよう【日曜】-yō 图 일요; 일요 일. =にちようび. ¶～画家<ruby>がか<rt></rt></ruby> 일요 화 가(아마추어). ――がっこう【―学 校】-gakkō 图 주일 학교. ――び 【―日】 图 일요일.

にちりん【日輪】 图 일륜; 태양. ↔月輪.

にちれんしゅう【日蓮宗】-shū 图日蓮 <ruby>にちれん<rt></rt></ruby>을 개조(開祖)로 하는 일본 불교의 한 종파. =法華宗<ruby>ほっけしゅう<rt></rt></ruby>.

について【に就いて】 連語 …에 대[관] 해서. ¶右<ruby>みぎ<rt></rt></ruby>の件<ruby>けん<rt></rt></ruby>～申し上げます 우 기 전에 대해서 말씀드리겠습니다.

にっか【日貨】 nikka 图 일화; 일본의 수출품.

にっか【日課】 nikka 图 일과.

につかわし-い【似つかわしい】-shī 形 (따) 알맞다; (색 등) 어울리다; 적합 하다. =ふさわしい・似合<ruby>にあ<rt></rt></ruby>わしい.

にっかん【日刊】 nikkan 图 일간. ¶ ～新聞<ruby>しんぶん<rt></rt></ruby> 일간 신문.

にっかん【日韓】 nikkan 图 일한; 일본 과 한국. ¶～辞典<ruby>じてん<rt></rt></ruby> 일한 사전.

にっかん【肉感】 nikkan 图 육감. =に くかん. ――てき【―的】 ダナ육감적.

につき【に付き】 連語①…에 대하여 〔관하여〕('に付<ruby>つ<rt></rt></ruby>いて'의 격식 차린 말 씨). ¶表記<ruby>ひょうき<rt></rt></ruby>の件<ruby>けん<rt></rt></ruby>～ご報告<ruby>ほうこく<rt></rt></ruby>申し 上げます 표기의 건에 관하여 보고 드립니다. ②…이므로. ¶祭日<ruby>さいじつ<rt></rt></ruby>～休 業<ruby>ぎょう<rt></rt></ruby> 축제일이므로 휴업[게시].

***につき**【日記】 nikki 图 일기. ①나날의 기록. ②「日記帳」의 준말. ――ちょ う【―帳】-chō 图 일기장. ①일기책. ②(商) 거래 내용을 일어난 차례대로 적는 장부. 「日当<ruby>にっとう<rt></rt></ruby>.

にっきゅう【日給】 nikkyū 图 일급. =

にっきょう【日僑】 nikkyō 图 외국에 사 는 일본 (상)인.

にっきん【日勤】 nikkin 图 일근. ①매일 출근함. ②주간 근무. ↔夜勤.

につ-く【似付く】 5自 잘 어울리다; 알 맞다; 아주 닮아 있다.

ニックネーム nikku- 图 닉네임; 별명; 애칭. =あだな・愛称<ruby>あいしょう<rt></rt></ruby>. ▷nickname.

にづくり【荷造り】【荷作(り)】 图 自他짐을 쌈; 짐꾸리기.

につけ【煮付け】【煮付(け)】 图 조린 요리. ¶イモの～ 감자 조림.

につけい【日系】 nikkei 图 일계; 일본 인 계통. ¶～人<ruby>じん<rt></rt></ruby> 일본계 미국인.

につけい【日計】 nikkei 图 일계; 일일 계산 또, 그 날의 총계. ¶売<ruby>う<rt></rt></ruby>り上げ

につけい【日系】 nikkei 图 육체에 과 하는 형벌; 체형(體刑). =にくけい.

にっけい【肉桂】 nikkei 【植】 육계; 계수나무. =にっき.

につ-ける【煮つける】 【煮付ける】 下1他 조리다.

ニッケル nikkeru 图 니켈. ▷nickel.

***にっこう**【日光】 nikkō 图 일광. ――よ く【―浴】 图 スサ 일광욕.

にっこり nikkori 图 생긋; 방긋. ¶～ (と)笑<ruby>わら<rt></rt></ruby>う 생긋 웃다.

にっさん【日参】 nissan 图 スサ 신사나 절에 매일 참배함; (바라는 바있어서) 매일 심방함. 「일산고.

にっさん【日産】 nissan 图 일산; 일일

にっし【日子】 nisshi 图 일수; 날짜. ¶ ～をついやす 날짜를 소비하다.

にっし【日誌】 nisshi 图 일지.

にっしゃ【日射】 nissha 图 일사. ―― びょう【―病】-byō 图 일사병.

にっしゅう【日収】 nisshū 图 일수; 하 루의 수입. ↔月収<ruby>げっしゅう<rt></rt></ruby>・年収<ruby>ねんしゅう<rt></rt></ruby>.

にっしゅつ【日出】 nisshu- 图 일출; 해 돋이. =日<ruby>ひ<rt></rt></ruby>の出.

にっしょう【日照】 nisshō 图 일조; 햇 볕이 내리쬠. ――けん【―権】【法】 일조권(자기 집에 햇빛이 충분히 들어 오도록 남쪽에 고층 건물이 섬을 막는 권리).

にっしょうき【日章旗】 nisshōki 图 일 장기(일본 국기). =日<ruby>ひ<rt></rt></ruby>の丸<ruby>まる<rt></rt></ruby>의 旗(はた).

にっしょく【日食】【日蝕】 nisshoku 图 【天】 일식.

にっしんげっぽ【日進月歩】 nisshin geppo 图 スサ 일진 월보.

にっすう【日数】 nissū 图 일수; 날수. =にちかず.

にっせき【日夕】 nisseki 图 일석; 밤과 낮. =日夜<ruby>にちや<rt></rt></ruby>. ¶～点呼<ruby>てんこ<rt></rt></ruby> 일석 점호.

にっせき【日赤】 nisseki 图「日本<ruby>にほん<rt></rt></ruby>赤 十字社<ruby>せきじゅうじしゃ<rt></rt></ruby>(=일본 적십자사)」의 준말.

にっちもさっちも【二進も三進も】 nit- chimo satchimo 《아래에 否定을 수반하여》 이러지도 저러지도; 이렇게 도 저렇게도. ¶～行<ruby>い<rt></rt></ruby>かない 이러지 도 저러지도 못 하다; 빼도박도 못 하 다. 「間<ruby>ま<rt></rt></ruby>); 낮.

にっちゅう【日中】 nitchū 图 주간(畫

にっちょく【日直】 nitchoku 图 일직. ↔夜直<ruby>やちょく<rt></rt></ruby>・宿直<ruby>しゅくちょく<rt></rt></ruby>.

にってい【日程】 nittei 图 일정. =スケ ジュール. ¶旅行<ruby>りょこう<rt></rt></ruby>の～を立<ruby>た<rt></rt></ruby>てる 여 행 일정을 세우다.

ニット nitto 图 니트; 편물; 뜨개질. = あみもの. ¶～ウエア 니트웨어. ▷ knit.

にっとう【入唐】 nittō 图 スサ 입당; 당 나라에 입국함.

にっとう【日当】 nittō 图 일당.

にっとう【日東】 nittō 图 일동(해돋는 동쪽 나라의 뜻의 일본의 미칭).

ニッパやし【ニッパ椰子】 nippa- 图 【植】 니파야자수. ▷말레이 nipah.

にっぽん【日本】 nippon 图 일본. =に

ほん。—いち【――一】-ichi 图 ☞にほんいち。

につま・る【煮詰まる】图画 바짝 졸아들다. ¶味噌汁誌が～ 된장국이 바짝 졸아들다.

にづみ【荷積(み)】图 짐싣기[쌓기].

につ・める【煮詰める】图他 바짝 조리다.

にてひなる【似て非なる】《似而非なる》連語《連体詞的으로》언뜻 보아 비슷하나 다르다; 사이비(似而非). ¶似て非. 图☞. ¶民主主義誌に一体制誌 사이비 민주주의의 체제.

にてんもん【二天門】nitemmon 图《佛》북방을 수호하는 비사문천(毘沙門天)과 동방을 수호하는 지국천(持国天)의 상을 안치한 절의 중문.

にと【二兎】图 두 마리의 토끼. —を追う者は一兎をも得ず 토끼 둘을 잡으려다 하나도 못 잡는다.

にと【一途】图 두 갈래길.

にど【二度】图 두 번; 재차. —あることは三度誌 어떤 일은 두 번 되풀이되는 일은 한 번 되풀이되면다[모든 사물은 되풀이되는 경향이 있다]. —ざき【――咲】图画 ①제철이 지난 뒤 재차 꽃이 피는 일. =返り咲き. ②한 해에 두 번 꽃이 핌; 또, 그 꽃. —と 剛 (결코) 다시는; 두 번 다시. ¶～ない機会 두 번 다시 없는 기회. —とふたたび【――と再び】連語 두 번 다시는.

にとう【二等】图 이등; 제2위. —しん【――親】图 ☞にしんとう. —へい【――兵】图 이등병.

にとうへんさんかくけい【二等辺三角形】nitō- 图 이등변 삼각형.

にとうりゅう【二刀流】nitōryū 图 ①도류; 쌍칼로 싸우는 검술의 유파(流派). =両刀使りょう. ②《俗》술과 단것을 모두 즐김.

にとって【に取って】連語 …에게는; …의 경우에는. ¶私誌の～は 나에게는; 나로서는.

ニトログリセリン 니트로글리세린. ▷nitroglycerine.

にな【蜷】图《貝》다슬기. =かわにな. みな.

にないあきない【担い商い】图 부상(負商); 등짐장수[장사].

*にな・う【担う】图他 짊어지다. ①메다; 가쿠다. ②《책임 따위를》떠맡다; 지다. ¶将来誌の韓国認を～ 장래의 한국을 짊어지다.

になわ【荷縄】图 짐 묶는 새끼줄.

ににんきゃく【二人脚】-kyaku 图 이인 삼각.

ににんしょう【二人称】-shō 图 2 인칭.

ぬき【煮抜き】图 ①질게 끓은 발물(=볼로 씀). ②煮抜き卵誌(=삶은 달걀)'의 준말.

ぬし【荷主】图 하주.

ぬり【丹塗り】图 붉은 칠을 함; 또, 그런 것.

ねんせい【二年生】图 이년생. ①제2학년의 아동·학생. ②にねんせいしょくぶつ'의 준말. —しょくぶつ【――植物】-shokubutsu 图 이년생 식물.

にのあし【二の足】图 다음에 내미는 発。—をふむ 전전 후고(前瞻後顧)하다; 주저하다; 망설이다.(=ためらう.

にのうで【二の腕】图 위팔; 상박(上膊).

にのく【二の句】图 다음 말. —がつげない(어처구니가 없어서) 다음 말이 안 나오다.

にのぜん【二の膳】图 결상; (일본 요리에서) 곁들여 내오는 상.

にのつぎ【二の次】图 둘째번; 뒤로 돌림. ¶そのお話誌を～にして 그 말씀은 뒤로 미루고 / 容貌誌は～だ 용모는 둘째 문제다.

にのまい【二の舞】图 같은 실패를 되풀이함; 전철(前轍)을 밟음. ¶彼誌の～を踏むな 그의 전철을 밟지 마라.

にのまる【二の丸】图 성의 중심 건물 바깥 둘레에 있는 성곽(城郭).

には niwa 連語《主語에 붙여》主語가 가리키는 것을 존경하고 있음을 나타냄: …에서는; …께서는. ¶先生誌～御健勝ほんしょうでいらっしゃいますか 선생님께서는 안녕하시옵니까.

にはいず【二杯酢】图 초산장.

にばな【煮花】图 갓 끓인 향긋한 차; 처음 뻬낸 차.

にばん【二番】图 이번. ①두 번째; 제2등. ②《二番煎じ의 준말. —せんじ【――煎じ】图 재탕한 약(차); 전하여, 새로운 맛이 없는 두 번째의 것; 앞의 것을 되풀이함. —ていとう【――抵当】图 이번 저당; 재저당; 또, 그것.

にびいろ【鈍色】图 엷은 먹색; 진한 쥐색(옛날에, 상복에의 빛을 썼음).

にびたし【煮浸し】图 붕어 따위를 구워서 초간장에 무르게 조린 요리.

にひゃくとおか【二百十日】nihyaku-tō- 图 입춘(立春)에서 210 일째 되는 날(9월 1일경으로, 이 날을 전후해서 태풍이 부는 일이 많음).

にひゃくはつか【二百二十日】nihyaku- 图 입춘(立春)에서 220 일째 되는 날(이 날을 전후해서 태풍이 불어오는 일이 많음).

にぶ【二部】图 이부. ①두 부. ②제2의 부. —きょうじゅ【――教授】-kyōju 图 이부 교수. —さく【――作】图 이부작.

*にぶ・い【鈍い】形 둔하다. ①무디다. ¶頭誌が～ 머리가 둔하다 / 刀誌が～ 무딘 칼. ②굼뜨다; 느리다. ¶動作誌が～ 동작이 둔하다. ③어둡다; 탁하다. ¶～光誌の 희미한 빛 / ～音誌 둔탁한 소리. ⇔鋭い.

にぶいろ【鈍色】图 ☞にびいろ.

にふく・める【煮含める】图他 속속들이 이 맛이 스며들도록 천천히 바짝 조리다.

にふだ【荷札】图 꼬리표.

にぶね【荷船】图 화물선; 짐배.

にぶ・る【鈍る】图画 무디어지다. ¶精神力誌《切》れ味誌が～ 정신력[칼]이 무디어지다.

にぶん【二分】图他 이분;둘로 나눔.

にべ【鮸】图【魚】동갈민어.

にべ【膠・鱁膠・鮸膠】图 ①민어 부레로 만든 아교. ②붙임성. ——もない 무뚝뚝하다;쌀쌀하다;정떨어지다.

にぼし【煮干し】图 쪄서 말림;특히, 잔물고기〔멸치〕를 쪄서 말린 식품.

にほん【日本】图 일본. =にっぽん.

にほんいち【日本一】图 일본 제일. =にっぽんいち. 「ん.

にほんいぬ【日本犬】图 ☞にほんけん.

にほんが【日本画】图 일본화;동양화의 하나. ↔洋画まう.

にほんかい【日本海】图 '동해(東海)'의 일본에서의 일컬음.

にほんかいりゅう【日本海流】-ryū 图 ☞くろしお.

にほんがみ【日本髪】图 여자의 일본식 속발(東髪). 「業ぎょう.

にほんけん【日本犬】图 일본 (재래종의) 개. ↔洋犬けん.

にほんご【日本語】图 일본어;일본말. =にっぽんご. 「사.

にほんざし【日本差(し)】图〈俗〉무

にほんざる【日本猿】图 일본 원숭이.

にほんさんけい【日本三景】图 일본 삼경(天の橋立たて・厳島いく・松島まつ).

にほんし【日本紙】图 일본 종이. =和紙し. ↔洋紙よう.

にほんしゅ【日本酒】-shu 图 일본술;정종. =和酒しゅ. ↔洋酒よう.

にほんとう【日本刀】-tō 图 일본도. =にっぽんとう.

にほんのうえん【日本脳炎】-nōen 图 일본 뇌염.

にほんばれ【日本晴(れ)】图 한 점의 구름도 없이 쾌청함;비유적으로, 의념(疑念)이 깨끗이 씻어짐. =にっぽんばれ.

にほんぼう【二本棒】nihombō〈俗〉① ☞にほんざし. ②코흘리개 아이(두 줄기 콧물을 막대기로 봐서 하는 말). ③아내에게 무른 남편;아내 말대로 움직이는 남편.

にほんま【日本間】nihomma 图 일본식 방. =和室しつ. ↔洋間よう.

にまいがい【二枚貝】图【貝】쌍각류(雙殻類)의 조개(대합·바지락조개 따위).

にまいじた【二枚舌】图 전후 모순된 말을 함;거짓말을 함;일구이언. ——を使つかう 일구 이언하다;전후 모순된 말을 하다.

にまいめ【二枚目】图①미남(美男). =やさおとこ. ②(歌舞伎かぶ에서) 출연 배우 일람표에 두 번째로 이름이 쓰여진, 미남역(役)의 배우(단장 다음 가는 배우임).

にまめ【煮豆】图 콩자반. ——のおかず 콩자반 반찬.

にも連語 (앞이 진저되어) 그 때에 이미 실현한다는 예상하에 때를 나타내는 데 쓰임. ¶雨あめが今いま降ふりそうで 당장에라도 비가 올 것 같다.

にもあれ 連語 (아무 것이나 가리지 않고) …이든. ¶研究書きゅうしょ~, 随筆ずい~, 片かたはしから読よみあさる 연구서든 수필이든 무엇이나 닥치는 대로 읽어 치우다.

にもうさく【二毛作】nimō- 图 이모작.

にもかかわらず【にも拘らず】連語 ①…인데도〔에도〕 (불구하고). =なのに. ¶雨天うん~外出がいしゅつする 우천임에도 불구하고 외출한다. ②(접속적적으로) 그럼에도 (불구하고).

にもせよ 連語 …(고) 하더라도. ¶弊害へいがいは有ある~, 폐해야 있다고는 하지만.

*にもつ【荷物】图 화물;짐. ¶子供こどもが~になる 애가 짐이 되다.

にもの【煮物】图 음식을 끓임〔익힘〕;또, 그 음식. ¶~をする 삶아서 조리하다.

にやく【荷役】图 하역;뱃짐 다루기.

にやけ・る【若気る】下1自 남자가 여자처럼 모양을 내거나 간들거리는 태를 부리다. ¶~・けた顔かお(여자 같은) 해사한 얼굴.

にや・す【煮やす】5他 끓게〔익게〕 하다. ¶業ごうを~ 화가 나서 속 태우다;속을 끓이다.

にやっかい【荷厄介】niyakkai 图 짐이 되어 귀찮음(거추장스러움).

にやつ・く【5自】히죽거리다.

にやにや 副 히죽히죽;싱글싱글. ¶~している 싱글거린다.

にやりと 副 히죽;힐쭉;빙긋. ¶~笑わらう 히쭉 웃다.

ニュアンス nyu- 图 뉘앙스;미묘한 차이. ◁(프)nuance.

ニュー nyū 图 뉴;새로움;새 것. ◁new. ——フェース -fēsu 图 뉴페이스;(영화 배우 등의) 신인;새 얼굴. ◁(일)new face. ——ルック -rukku 图 뉴루크;(복장 따위의) 최신형. ◁new look.

*にゅういん【入院】nyūin 图自 입원. ①환자가 병원에 들어감. ↔退院たい. ②중이 절에 들어가 주지(住持)가 됨.

にゅうえい【入営】nyūei 图自 입영. =入隊たい. ¶~を送おくる 입영을 환송하다. ↔除隊じょ.

にゅうえき【乳液】nyūeki 图 유액. ①젖빛 액체. ②유액상(狀)의 화장 크림.

にゅうか【入荷】nyūka 图自他 입하. ↔出荷しゅっ.

にゅうか【乳化】nyūka 图自他 유화. ¶~剤ざい 유화제.

にゅうか【乳菓】nyūka 图 유과;우유를 넣은 과자.

にゅうかい【入会】nyū- 图自 입회. ¶~金きん 입회금. ↔退会たい/脱会だっ.

にゅうかく【入閣】nyū- 图自 입각.

*にゅうがく【入学】nyū- 图自 입학.

にゅうかん【入棺】nyū- 图他 입관. =納棺のう.

にゅうがん【乳がん】【乳癌】nyū- 图【醫】유암.

にゅうぎゅう【乳牛】nyūgyū 图 젖소. ↔役牛えき・肉牛にく.

にゅうきょ【入居】nyūkyo 图自 입거;입주(入住). ¶~者しゃ 입주자/アパートに~する 아파트에 입주하다.

にゅうきょ【入渠】nyū- 图自 입거;(수리 따위를 위해) 배가 선거(船渠)에 들어감.

にゅうぎょ【入漁】nyūgyo 图自 입어;남의 점유권 내에 들어가 어업을 하는 일. =にゅうりょう.

にゅうきょう【入京】nyūkyō 图 入京 ; 서울로 들어감.

にゅうぎょう【乳業】nyūgyō 图 유업 ; 유제품을 만드는 사업.

ᵗにゅうきん【入金】nyū- 一 图 ㅈ自 입금. ↔出金½? 一 图 ㅈ他 계약금 ; 선금(을 치름). 〔↔出庫ⁿ?〕

にゅうこ【入庫】nyū- 图 ㅈ自他 입고.

にゅうこう【入坑】nyūkō 图 ㅈ自 갱 ; 갱에 들어감.

にゅうこう【入寇】nyūkō 图 ㅈ自 구 ; 외국군이 쳐들어옴. =来寇½².

にゅうこう【入港】nyūkō 图 ㅈ自 입항. ↔出港½?.

にゅうこう【入貢】nyū- 图 ㅈ自 공 ; 공물(조공)을 가지고 입조(入朝).

にゅうこく【入国】nyū- 图 ㅈ自 입국. ↔出国½?. ②옛날에, 영주(領主)가 자기의 영지에 들어감. =入府½?・お国入り.

にゅうごく【入獄】nyū- 图 ㅈ自 입옥 ; 교도소에 들어감. =入牢ラ?. ↔出獄ラ?.

にゅうこん【入魂】nyū- 图 ①정성을 기울임 ; 심혈을 쏟음. ¶～の作品½? 심혈을 기울인 작품. ②흉허물 없음 ; 친밀 = じっこん. ¶～の間がら 흉허물 없는 사이.　　　〔제.

にゅうざい【乳剤】nyū- 图【化】유

にゅうさつ【入札】nyū- 图 ㅈ自 입찰. =いれふだ. ↔落札½?.

にゅうさん【乳酸】nyū- 图【化】유산.
── きん【── 菌】유산균.

にゅうし【入試】nyū- 图 입시('入学試験½?½?(=입학 시험)'의 준말).

にゅうし【乳歯】nyū- 图 유치 ; 젖니. ↔永久歯½?½?.

にゅうじ【乳児】nyūji 图 유아 ; 젖먹이. =ちのみご.

にゅうしち【入質】nyū- 图 ㅈ他 입질 ; 전당잡힘. =いれじ½.

ᵗにゅうしゃ【入社】nyūsha 图 ㅈ自 입사. ↔退社½?.

にゅうじゃく【入寂】nyūja- 图 ㅈ自 입적 ; 중이 죽음. =入滅½?・入定½?.

にゅうじゃく【柔弱】nyū- 图【グ】유약. ↔剛健½?・剛強½?.

にゅうしゅ【入手】nyūshu 图 ㅈ他 입수.

にゅうしゅう【乳臭】nyūshū 图 유취. ①젖내. ②유치함. ── ぎ【── 児】图〔蔑〕아직 젖내나는 자. =青二才½?½?.

にゅうしょ【入所】nyūsho 图 ㅈ自 입소. ↔退所½?・出所½?.　　　〔입상.

にゅうしょう【入賞】nyūshō 图 ㅈ自

にゅうじょう【乳状】nyūjō 图 유상.

にゅうじょう【入定】nyūjō 图 ㅈ自【佛】입정. ①선정(禪定)에 들어가 出定½?. ②입멸(入滅). =入寂½?.

にゅうじょう【入城】nyūjō 图 ㅈ自 입성 ; (승전하여 적의) 성에 들어감.

ᵗにゅうじょう【入場】nyūjō 图 ㅈ自 입장. ↔退場½?. ── けん【── 券】图 입장권.

にゅうしょく【入植】nyūshoku 图 ㅈ自 개척지나 식민지에 들어가 생활하는 일.

にゅうしん【入信】nyū- 图 ㅈ自 입신 ;

신앙의 길에 들어감.

にゅうしん【入神】nyū- 图 입신. ¶～の域½?に達½?する 신기(神技)〔입신〕의 경지에 달하다.

ᵗニュース nyūsu 图 뉴스. ▷news.
── キャスター -kyasutā 图 뉴스 캐스터 ; 방송에서 뉴스의 아나운서 외에 편집이나 해설도 하는 사람. ▷newscaster. ── ソース -sōsu 图 뉴스 소스 ; 소식통. ▷news source. ── バリュー -baryū 图 뉴스 밸류 ; 보도 가치. ▷news value.

にゅうせいひん【乳製品】nyū- 图 유제품(버터・치즈 따위).

にゅうせき【入籍】nyū- 图 ㅈ他 입적. ↔除籍½?½?・離籍½?½?.

にゅうせん【乳せん】〔乳腺〕nyū- 图〔生〕유선 ; 젖샘.

にゅうせん【入選】nyū- 图 ㅈ自 입선. ↔落選½?.

にゅうたい【入隊】nyū- 图 ㅈ自 입대. =入営½?. ↔除隊½?.　　　〔단.

にゅうだん【入団】nyū- 图 ㅈ自 입

にゅうちょう【入超】nyūchō 图 입초('輸入超過½?½?½?(=수입 초과)'의 준말). ↔出超½?.

にゅうてい【入廷】nyū- 图 ㅈ自 입정. ↔退廷½?.　　　〔내전.

にゅうでん【入電】nyū- 图 ㅈ自 입전.

にゅうとう【入党】nyūtō 图 ㅈ自 입당.

にゅうとう【乳糖】nyūtō 图 유당. =ラクトース.

にゅうとう【乳頭】nyūtō 图〔醫〕유두 ; 젖꼭지. =ちくび.

にゅうどう【入道】nyūdō 一 图 ㅈ自【佛】입도 ; 불문에 들어감. 二 图 ①불문에 들어간 상품(三品) 이상의 사람. ②중대가리. ③중대가리의 괴물 ; 몽구리. ③중대가리의 괴물 ; 깬비구름. ── ぐも【── 雲】图 적란운 ; 소나기 구름 ; 쎈비구름.

にゅうないすずめ〔入内雀〕nyū- 图〔鳥〕섬참새.

にゅうねん【入念】nyū- 图〔グ〕공을 들임 ; 꼼꼼히함 ; 정성들임. =念入り½?. ¶～な細工½? 정성들인 세공. ↔疎略½?½?.

にゅうばい【入梅】nyūbai 图 ①장마철에 접어듦(6월 12일경). =つゆいり. ②〔俗〕장마철.

にゅうはくしょく【乳白色】nyūhakushoku 图 유백색 ; 젖빛.

にゅうはち【乳鉢】nyūhachi 图 유발 ; 막자사발. =にゅうばち.

にゅうひ【入費】nyūhi 图 드는 비용. ¶～は安½?く上½?がった 비용은 싸게 먹혔다. ↔出費½?.

にゅうぼう【乳房】nyūbō 图 유방 ; 젖통이. =ちぶさ.

にゅうぼう【乳棒】nyūbō 图 막자.

にゅうまく【入幕】nyū- 图 ㅈ自 씨름꾼이 승진해서 幕内½?½?에 드는 일.

にゅうめつ【入滅】nyū- 图 ㅈ自【佛】입멸. =入寂½?.

ᵗにゅうもん【入門】nyū- 一 图 ㅈ自 ①문의 안으로 들어감. ②(스승을 찾아) 제자가 됨. ¶～者½? 입문자 ; 초심자. 二 图 '入門書½?'(=입문서)'의 준말.

にゅうよう【入用】nyūyō 一 图〔グ〕소용

됨; 필요함. =所用·いりよう. ¶~な費用 소용되는 비용. 二名 비용. =入費. ¶~がかさむ (소요) 비용이 많아지다.

にゅうようじ【乳幼児】nyūyōji 名 유유아; 젖먹이와 어린이. 「=ゆあみ.

***にゅうよく**【入浴】nyū- 名 ス自 입욕.

にゅうらい【入来】nyū- 名 ス自 내방하여 들어옴. =来訪. ¶御~の方 내방하신 분. 注意 'じゅらい'라고도 함.

にゅうらく [入洛] nyū- 名 ス自 京都에 들어옴. =じゅらく.

にゅうらく【乳酪】nyū- 名 유락; 낙제품(酪製品)《버터·치즈 따위》. =牛酪.

にゅうりょく【入力】nyūryoku 名 입력; 기계·기구(機構) 등에 넣어주는 에너지나 신호. =インプット. ↔出力.

にゅうろう [入牢] nyūrō 名 ス自 감옥에 갇힘; 입옥(入獄). =じゅろう.

にゅうわ【柔和】nyū- 名 ダナ 유화. =温和. ¶~な目 온화한 눈 / 人と~に話す 남과 온화하게 얘기하다.

にゅっと nyutto 副 쑥; 불쑥. =にゅうっと. ¶穴から~首を出す 구멍에서 쑥 머리를 내밀다.

にょい【如意】nyoi 名 여의. ①사물이 뜻대로 됨. ¶手許不~ 돈변통이 제대로 안 됨. ↔不如意. ②〔佛〕독경·설법(說法)할 때, 중이 갖는 고사리 모양의 불구(佛具).

によう【二様】niyō 名 두 가지; 두 종류. 「しょう.

にょう【尿】nyō 名 소변; 오줌. =小水

にょう [繞] nyō 名 한자 구성 요소의 하나; 받침(辶·辶(=책받침), 廴(=민책받침), 走(=달아날 주변) 등의 이름).

にょうい【尿意】nyōi 名 요의; 오줌이 마렵다는 느낌. ¶~を催す 오줌이 마렵다. ↔便意.

にょうご【女御】nyōgo 名 平安 시대에, 중궁(中宮)에 버금가는 후궁(後宮)《更衣보다 위》. =にょご.

にょうそ【尿素】nyōso 名〔化〕요소.

にょうどう【尿道】nyōdō 名 요도.

にょうどくしょう【尿毒症】nyōdokushō 名〔醫〕요독증.

***にょうぼう**【女房】nyōbō 名 ①처; 마누라; 아내《口語로는 'にょうぼ'》. =妻·家内. ¶うちの~ 우리집 마누라. ②궁중(宮中)에 방을 따로 가진 신분 높은 궁녀. ③귀족의 시녀(侍女). ④전하여, 여자; 여편네; 부인. **──やく【──役】** 名 중심 인물을 곁에서 돕는 역할(의 사람); 보좌역. =番頭役.

にょきにょき nyokinyoki 副 가늘고 긴 것이 연이어 나타나서 높게 뻗어 올라가는 모양: 쑥쑥; 쭉쭉; 비죽비죽. ¶竹の子が~(と)はえる 죽순이 쑥쑥 돋아나다.

にょご【女御】nyogo ☞にょうご.

にょごがしま【女護が島】nyo- 名 여자만이 산다는 상상(想像)의 섬.

にょじつ【如実】nyo- 名 ①여실; 있는 그대로임. ②〔佛〕☞しんにょ(真如). **──に** 副 여실히.

にょしょう【女性】nyoshō 名〈老〉여성. =じょせい.

にょたい【女体】nyo- 名〈老〉여체; 여자의 몸. =じょたい.

にょっきり nyokkiri 副 하나가 높이 뻗어 나온 모양: 쑥; 쭉; 비죽.

にょにん【女人】nyo- 名〈老〉여인; 여자. =女性. **──きんぜい【──禁制】** 名 여인 금제; 절 따위에 여자가 들어오는 것을 금하는 일.

にょほう【如法】nyohō 名 ①〔佛〕여법; 교법이나 격식대로 함. ¶御祈りも~に 기원도 예법대로. ②승려의 행실이 올바름. **──あんや【──暗夜】**(──闇夜) 名 문자 그대로〔몹시〕캄캄함.

にょぼさつ [如菩薩] nyo- 名 보살처럼 자비로움. ¶外面~内心如夜叉 외면 여보살 내심 여야차; 겉은 얌전하나 속은 두억시니와 같이 사나움.

にょらい【如来】nyo- 名 여래; 부처의 존칭. ¶阿彌陀~ 아미타여래.

により【似寄り】名 아주 비슷함; 매우 닮음. ¶~の柄 아주 비슷한 색깔〔무늬〕.

にょろにょろ nyoronyoro 副 뱀과 같은 긴 물건이 꾸불거리는 모양: 꿈틀꿈틀. ¶蛇が~(と)這う 뱀이 꿈틀꿈틀 기다.

にら『韮』名〔植〕부추.

にらみ『睨み』名 ①노려봄; 또, 그 눈. ②(전하여) 위압; 권위; 위엄. =おし. ¶~が利く 위엄이〔권위가〕서다. ③짐작.

にらみあ-う【にらみ合う】(睨み合う) 5自 서로 쏘아〔노려〕보다.

にらみあわ-せる【にらみ合わせる】(睨み合わせる) 下1他 대조(해서 생각)하다; 견주어 보다.

にらみつ-ける『睨み付ける』下1他 째리다; 매섭게 쏘아〔노려〕보다.

***にら-む**『睨む』5他 ①쏘아보다; 노려보다. ¶凄い目で~ 무서운 눈으로 노려보다. ②감시하다; 의심을〔혐의를〕두다; 주시〔주목〕하다. ③짐작하다; 점찍다. ¶怪しいと~ 수상쩍게 보다.

にらんせいそうせいじ【二卵性双生児】-sōseiji 名 이란성 쌍생아.

にりつはいはん【二律背反】名〔論〕이율 배반.

にりゅう【二流】niryū 名 ①이류. ¶~作家 이류 작가. ②두 유파(流派).

**にる【似る】(肖る) 上1自 닮다; 비슷하다. ¶親に~ 부모를 닮다.

にる【煮る】(烹る) 上1他 익히다; 삶다; 끓이다; 조리다. **──煮ても焼いても食えない 어찌할 수 없다; 이러지도 저러지도 못하다. 「れ.

にれ『楡』名〔植〕느릅나무. =はるに

にろくじちゅう【二六時中】-chū 名 이십 사 시간 동안; 밤낮; 종일.

**にわ【庭】名 ①정원; 뜰; 마당. ②〈雅〉(특정한 일을 하는) 장소. ¶いくさの~ 싸움터 / 教えの~ 학교.

にわいし【庭石】名 ①정원석. ②뜰의 징검돌. =飛び石.

にわうめ『庭梅』名〔植〕산앵두나무.

にわか『俄』ダナ 갑작스러운 모양：졸지(猝地)；돌연. ＝だしぬけ. ¶～勉強べんきょう 벼락 공부／～に寒さむくなった 갑자기 추워졌다.
にわかあめ【にわか雨】(俄雨) 名 소나기.
にわかきょうげん【にわか狂言】(俄狂言·仁輪加狂言) -kyōgen 名 (좌흥(座興)을 돕기 위한) 즉흥적 희극. ＝にわか.
にわき【庭木】名 뜰에 심은 나무；정원수.
にわげた【庭げた】(庭下駄) 名 뜰에서 신는 왜나막신.
にわさき【庭先】名 (뜰에서 보아) 툇마루 쪽. ――そうば【――相場】-sōba 名 농산물의 농가에서 거래되는 시세；생산지 시세.
にわし【庭師】名 정원사；원정. ＝にわつくり.
にわぜきしょう『庭石菖』-shō 名〔植〕등심붓꽃(붓꽃과의 다년초).
にわたたき『庭叩き』名〔鳥〕☞せきれい.
にわつくり【庭造(り)】(庭作(り)) ㊀ 名 スル自 정원을 꾸밈. ㊁ 名 정원사. ＝庭師にわし.
にわづたい【庭伝い】名 뜰을 통해서 옆집으로 가는 일.
にわとこ『接骨木』名〔植〕접골목；말오줌나무.
*にわとり【鶏】名 닭. ―を割さくに牛刀ぎゅうとうを用もちいる 우도 할계(牛刀割鷄).
にわも［庭面］名〈雅〉정원；뜰.
にん【人】㊀ 名〈老〉(ユ) 사람；인품. ¶～を見みて法ほうを説とく 사람을〔상대를〕보고 설법을 하다. ㊁ 接尾《수를 나타내는 한어(漢語)나 '何なん' '幾いく' '若干じゃっかん' 따위에 붙여서》인；사람. ¶皆みんなで十じゅう～ 모두 열 사람.
にん【任】名 ①소임；책임. ¶～に当あたる 소임을 맡다. ②임지. ¶～におもむく 부임하다. ③임기. ¶～を終おえる 임기를 마치다.
にんい【任意】ダナ 임의. ¶～に処分しょぶんする 임의로 처분하다. ――しゅっとう【――出頭】-shuttō 名 임의 출두. ――ひょうほんほう【――標本法】-hyōhonhō 名 임의〔무작위〕추출법. ＝無作為むさくい抽出法ちゅうしゅつほう.
にんか【認可】名 スル他 인가.
にんがい【人外】名 ①인도에 벗어난 행위；사람도 아닌 사람. ＝人非人にんぴにん. ②사람 대접을 못 받음；또 그런 천한 사람.
にんかん【任官】名 スル自 임관. ↔退官たいかん.
*にんき【人気】名 ①인기. ¶～者もの 인기 있는 사람. ②그 지방의 일반적인 기풍(氣風)；인심. ＝じんき. ¶この村むらは～が悪わるい 이 마을은 인심이 나쁘다. ――しょうばい【――商売】-shōbai 名 인기 직업.
にんき【任期】名 임기.
にんきょ【認許】-kyo 名 スル他 인허；허가.
にんぎょ【人魚】-gyo 名 인어.
にんきょう［任侠·仁侠］-kyō 名 임협；남자답고 용감함；협기(俠氣)가 있음. ＝義侠ぎきょう·男おとこだて. ¶～の徒と 협기 있는 사람〔무리〕.
*にんぎょう【人形】-gyō 名 인형；꼭두각시.
にんく【忍苦】名 スル自 인고. ¶～の生活せいかつ 괴로움을 참고 견디는 생활.
**にんげん【人間】名 인간. ①사람. ¶役やくに立たつ～ 쓸모 있는 인간／～がいい 인간성이 좋다. ②사람이 사는 곳；세상. ＝じんかん. ―到いたる所ところ青山せいざんあり 인간 도처에 유청산(有青山). ―万事ばんじ塞翁さいおうが馬うま 인간 만사 새옹지마. ――えいせい【――衛星】名 유인(有人) 인공 위성. ――こくほう【――国宝】-hō 名 인간 국보(중요 무형 문화재의 보존자로 지정된 사람의 속칭). ――せい【――性】名 인간성. ――てき【――的】ダナ 인간적. ――ドック -dokku 名〔醫〕인간 독；단기 종합 정밀 건강 진단. ▷dock. ――なみ【――並】ダナ 보통 사람과 같은 정도·상태. ＝ひとなみ·世間せけんなみ. ¶犬いぬを～に扱あつかう 개를 인간과 같이 취급하다. ――み【――味】名 인간미. ――らしい -shī 形 인간답다. ――わざ【――業】名 사람의 힘으로 할 수 있는 일〔재주〕. ¶～とは思おもわれない 사람의 소위(所爲)라고는 생각 안 된다. ↔神業かみわざ.
にんごく【任国】名 임지(任地)인 나라〔지방〕.
にんさんばけしち【人三化け七】名〈俗〉용모가 매우 괴상한 사람(특히, 추녀).
にんさんぷ【妊産婦】-sampu 名 임산부.
*にんしき【認識】名 スル他 인식. ¶～票ひょう (군인의) 인식표／～不足ふそく 인식 부족.
にんじゃ【忍者】-ja 名 둔갑술을 쓰는 사람. ＝忍術にんじゅつ使つかい·しのびのもの.
にんじゅう【忍従】-jū 名 スル自 인종；참고 따름. ¶～の生活せいかつ 인종의 생활.
にんじゅつ【忍術】-jutsu 名 둔갑술(遁甲術)(무가 시대에 밀정(密偵)들이 익힌 무예의 하나). ＝しのびの術じゅつ.
にんしょ【任所】-sho 名 임지(任地).
にんしょう【人称】-shō 名〔文法〕인칭. ――だいめいし【――代名詞】名〔文法〕인칭 대명사.
にんしょう【認証】-shō 名 スル他 인증. ①어떤 행위·문서 따위가 정당한 절차에 따라 행해졌음을 공적 기관이 증명함. ②내각의 권한에 속하는 행위에 대하여 天皇てんのうが 그 사실을 공적으로 증명함.
*にんじょう【人情】-jō 名 ①인정. ②애정. ¶まだ～を解かいしない〈俗〉아직 남녀간의 애정을 알지 못하다. ――ぼん【――本】名 (江戸えど시대 후기에) 서민의 애정 생활을 묘사한 풍속 소설. ――み【――味】名 인정미.
にんじょう［刃傷］-jō 名 スル他〈老〉인상；칼로 남을 다치게 함；칼부림. ¶～沙汰ざた 칼부림〔유혈〕사태.
にん-じる【任じる】上1自他 ☞にんずる(任).
*にんしん【妊娠】名 スル自 임신. ＝懐胎かいたい·懐妊かいにん.
にんじん『人参』名〔植〕①당근. ②인삼('ちょうせんにんじん'의 준말).
にんず【人数】名〈口〉①인수；인원수. ②여러 사람；많은 사람. ＝おおぜい. ¶～を繰くり出だす 많은 사람을 차례로 내 보내다.

に

にんずう【人数】-zū 图 ☞にんず.

にん-ずる【任ずる】□ ㊟ サ変他 ①任命하다. ②맡기다; 맡게 하다; 담당시키다. □ ㊟ サ変自 ①취임하다; (일·책임 따위를) 맡다. ¶国政ぶに～ 국정에 임하다. ②자처하다; 자임(自任)하다; (~이 된 것처럼) 행세(행동)하다. ¶芸術家ぎゅつをもって～ 예술가로 자처하다.

にんそう【人相】-sō 图 인상. ¶～を見みる 인상(관상)을 보다. ──み【──見】 图 관상쟁이.

にんそく【人足】〈卑〉막일을 하는 노동자; 인부.

*にんたい【忍耐】 ㊟ 他 인내. ──りょく【──力】 图 인내력.

にんち【任地】 图 임지.

にんち【認知】 ㊟ 他 인지.

にんちくしょう【人畜生】-shō 图 짐승 같은 인간. =ひとでなし·人非人ぶん.

にんてい【人体】 图 ①사람의 외양; 풍채. ¶怪あやしい～の男おとこ 수상한 모습의 남자. ②사람의 품격·인품. =じんてい.

にんてい【認定】 ㊟ 他 인정. いい.

にんとうぜい【人頭税】-tōzei 图 인원수에 따라 할당하는 조세(租税). =じんとうぜい. 　　　　　　【かずら.

にんどう【忍冬】-dō 图〖植〗☞すい

にんにく【大蒜·葫】 图〖植〗마늘.

にんぴ【認否】nimpi 图 인정과 불인정; 인정 여부. ¶～を問とう 인정 여부를

묻다.

にんぴにん【人非人】nimpi- 图 인비인; 인도에서 벗어난 사람. =ひとでなし.

ニンフ 图 (그리스 신화의) 님프; 정령 (精靈); 요정. ▷nymph.

にんぷ【人夫】nimpu 图〈卑〉막일을 하는 노동자; 인부. =人足ぶ.

にんぷ【妊婦】nimpu 图 임부; 임신부. =はらみ女おんな.

にんべつ【人別】nimbe- 图 ①개인별. ¶～の割当わりあて 개인별 할당. ②호적. ¶～帳ちょう (江戸ど 시대의) 호적 대장. ③민구.

にんべん【人偏】nimben 图 한자 부수 (部首)의 하나; (사람)인변『任·休』따위의 『イ』의 이름).

にんまり nimmari 图 일이 뜻대로 되어 내심 만족한 듯이 웃는 모양; 빙긋이; 빙그레. ¶～と(と)する 빙긋이(빙그레) 웃다. 　　　　　　　　【め·役目やく.

*にんむ【任務】nimmu 图 임무. =つと

*にんめい【任命】nimmei 图 ㊟ 他 임명. ¶組長ちょうに～される 조장(반장)에 임명되다.

にんめんじゅうしん【人面獣心】nim-menjū- 图 인면 수심. =じんめんじゅうしん. 　　　　　　　【임명과 면직.

にんめん【任免】nimmen 图 ㊟ 他 임면.

にんよう【任用】-yō 图 ㊟ 他 임용.

にんよう【認容】-yō 图 ㊟ 他 인용. =容認にん·認許きょ.

ぬ ヌ

①五十音図ごじゅうおんず『な行ぎょう』의 셋째 음. [nu] ②〖字源〗'奴'의 초서체(かたかな 'ヌ'는 '奴'의 오른쪽 부분).

ぬ 助動〈老〉文語 'ず'의 連体形; 그것이 口語에 남아서 終止形·連体形으로 사용된 것. =ない. ¶何なにも知しら～ 아무 것도 모른다/なければなら～ 없으면 안 된다. ㊟ 口語에서는 전하여 'ん'이라고도 함. ¶何なにも知しらぬ顔かお 모르는 체하는 얼굴.

ぬいあげ【縫い上げ·縫(い)揚げ】 图 ㊟ 他 (어린이의 성장에 대비해서) 옷의 어깨·허리를 접어 꿰매 넣음; 또, 그 부분. =あげ.

ぬいいと【縫(い)糸】 图 재봉실.

ぬいぐるみ【縫いぐるみ·縫い包】 图 ①(속에 것을) 싸듯이 꿰매는 일; 또, 그렇게 꿰맨 물건(특히, 안에 솜을 넣고 꿰맨 봉제 인형). ¶くまの～ 곰(의 봉제) 인형. ②연극에서 비우는 동물로 분장(扮裝)할 때 입는 동물 모양의 의상.

ぬいこみ【縫い込み】 图 천을 합쳐서 그 끝이 웃솔기 쪽으로 감춰지도록 꿰매는 일; 또, 그 부분.

ぬいしろ【縫い代】 图 시접; 두 천을 꿰매어 합칠 때, 안으로 접어 넣는 부분.

ぬいとり【縫(い)取り】 图 ㊟ 他 자수; 수놓음; 수놓은 무늬. =ししゅう.

ぬいはく【縫いはく·縫(い)箔】 图 금실·은실을 사용한 자수.

ぬいはり【縫(い)針】 图 바느질; 재봉.

=針仕事しごと.

ぬいばり【縫(い)針】 图 바느질 바늘; 재봉 바늘. ↔留とめ針ばり·待まち針ばり.

ぬいめ【縫い目·縫(い)目】 图 ①꿰맨 줄; 솔기. ②바느질 자리(눈); 땀. =針目め.

ぬいもの【縫(い)物】 图 ①재봉; 바느질; 재봉한 것; 바느질감. ②자수; 자수품. =縫とり.　　　　　　　　【은 무늬.

ぬいもよう【縫(い)模様】-yō 图 수놓

ぬ-う【縫う】 ㊟ 他 ①꿰매다; 바느질하다. ¶傷口きずぐちを～ 상처를 꿰매다. ㊀자수하다; 수놓다. ②무늬를 수놓다. ¶模様もようを～ 무늬를 수놓다. ③(사람 틈·화살이 갑옷을) 뚫고 나가다. ¶人波ひとなみを～って行いく 인파를 뚫고 나가다. ㊀(창·화살이 갑옷을) 뚫고 나가다. ¶矢やが鎧よろいを～ 살이 갑옷을 꿰뚫다.

ぬうっと nūtto 圖 ①눈앞에 뻗쳐 나오는 모양: 쭉. ¶～手てがのびてきた 손이 쭉 뻗쳐 왔다. ②기분 나쁘게 나타나는 모양: 불쑥. ¶化物ばけものが～現われた 도깨비가 불쑥 나타났다. ③사람이 희미한(명청한) 모양. ¶～した風親ぜい 희미한(명청한) 품격.

ヌード 图 누드; 알몸; 나체상. =はだか. ▷nude.

ぬえ【鵺·鵼】 图 ①전설상의 괴물(怪物)(머리는 원숭이, 수족은 호랑이, 몸은 너구리, 꼬리는 뱀, 소리는 호랑지

빠귀와 비슷하다는 짐승). ②정체 불명의 사물·사람.

ぬか【糠】图 ①(속)겨; 쌀겨. =こぬか. ②〔接頭語的으로〕⑦극히 가늚. ¶~雨勢 가랑비. ⓛ~喜ば゚び덧없는 기쁨. ──にくぎ 겨에 못박기〔호박에 침주기; 반응이 없음의 비유〕.

ヌガー【仏 nougat】图 누가. ▷fr nougat.

ぬかあぶら【糠油】图 쌀겨 기름; 미강유. =ぬかゆ.

ぬかあめ【糠雨・糠雨】图 이슬비; 보슬비.

ぬかご【零余子】图 ☞むかご.

ぬかす【吐かす】⑤他〔俗〕말하다; 지껄이다.

＊**ぬかす**【抜かす】⑤他 빠뜨리다; 빼다; (사이를) 거르다. ¶昼飯疹を~점심 식사를 거르다.

ぬかずく【額突く】⑤自 부복하다; 조아리다; 공손히 절하다.

ぬかづけ【糠漬け】图 (야채 따위를) 소금겨〔겨된장〕에 담금; 또, 그 담근 것.

ぬかぶくろ【糠袋】图 (목욕할 때 몸을 닦기 위한) 겨 주머니.

ぬかぼし【糠星】图 밤하늘에 보이는 수많은 작은 별.

ぬかみそ【糠味噌】图 (장아찌·짠지를 담그는 밀절미로 쓰기 위해) 겨에 소금을 섞어 물로 반죽하여 발효시킨 것된장. ¶~が腐る 목소리가 나쁘거나 노래가 서투른 것을 헐뜯는 말.

ぬかよろこび【ぬか喜び】【糠喜び】图 ⑤自 헛된 기쁨; 기쁨이 보람없이 됨. ¶~に終った 좋다가 말았다.

ぬからぬかお【抜からぬ顔】連体 ①빈틈없는 얼굴. ②시치미떼는 얼굴.

ぬかる【抜かる】⑤自 (방심하다가) 실수하다; (소중한 일에) 실패하다.

ぬかる【泥濘る】⑤自 땅이 질퍽거리다〔질다〕.

ぬかるみ【泥濘】图 ①진창; 질퍽거리는 곳. ②헤어날 수 없는 나쁜 환경.

ぬき【抜き】图 ①뺌; 제외함. ¶冗談誘は~にして 농담은 빼고서. ②국물에 일상 넣는 것을 안 넣음; 또, 그런 식품(떡 안 넣은 단팥죽 따위). ③미구라파 등의 뼈를 뺌. ④'せん抜き⁞(=마개뽑이)'의 준말. ⑤接尾①〔体言에 붙어서〕…없이; 거름. ¶昼飯疹⁞~で働はらく 점심을 거르고 일하다. ②〔인원수를 나타내는 한자어에 붙여서〕이겨 냄. ¶五人疹~ 다섯 사람을 이겨 냄.

ぬき【貫・横】图 ①기둥과 기둥 사이에 가로 대는 나무; 인방. ②얇고 좁은 오리목.

ぬきあし【抜き足】图 발소리 나지 않게 가만히 걷는 일; 살금살금 걸음. ¶~で近寄嶼る 살금살금 다가오다. ──さしあし【──差し足】連体 발소리 안 나게 살그머니 걷는 모양; 살금살금.

ぬきいと【抜き糸】【緯糸】图 씨실.

ぬきいと【抜き糸】【抜き糸】图 (옷을 뜯고 뽑은) 실; 실밥.

ぬきうち【抜き打ち】图 칼을 뺌과 동시에 내려침; 전하여, 예고없이 실행함.

ぬきがき【抜き書き・抜書】图 ⑤他발초(拔抄)；필요한 곳만 뽑아 씀; 또,

그 초록(抄錄). =書抜쀙き.

ぬきさし【抜き差し】图 ①빼고 꽂음. ¶一字⁞もの~もできない 한 자라도 빼거나 넣을 수 없다. ②몸을 움직이는 일; 몸을 움직거림; 변통(變通)해 봄. ──ならない 빼도 박도 못하는; 꼼짝 못하는.

ぬぎすてる【脱ぎ捨てる】下一他 벗은 채로 두다; 벗어 던지다.

ぬきだす【抜き出す】⑤他 뽑아 내다; 골라 내다. ¶要点琮を~ 요점을 골라 내다.

ぬきて【抜き手】图 일본 고래의 수영법의 하나(물을 헤치는 겹바늘팔로 위로 빼올려 빨리 헤엄치는 법). =ぬきで. ──を切る 图 ①양손을 겹바늘팔로 물에서 헤엄쳐 나아가다. ②난관을 헤치고 나아가다.

ぬきとる【抜き取る】⑤他 ①빼내다; 골라 내다; 뽑아 내다. ¶とげを~ 가시를 빼내다. ②(화물·우편물의 알맹이를) 빼내다; 훔치다.

ぬきに【抜き荷】图 ①수송중인 남의 화물에서 알맹이를 몰래 빼내어 팖; 또, 그 물건. ②☞ぬけに.

ぬきはなつ【抜き放つ】⑤他 단숨에 칼을 뽑다; 힘차게 빼어 들다.

ぬきみ【抜き身】图 칼집에서 빼낸 칼. =白刃譕.

ぬきんでる【擢んでる・抽んでる】下一自 뛰어나게 우수하다; 뛰어나다. ¶衆⁞に~ 출중하다.

＊**ぬく**【抜く】⑤他〔안에 들어 있는 것을〕뽑아 내다. ⑦刀をさやから~ 칼을 뽑다／人⁞の財布⁞を~ 남의 지갑을 빼내다(훔치다). ⓛ발하다; 골라 뽑다. ¶悪⁞い製品勢を~ 나쁜 제품을 골라 내다. ⓒ(필요치 않은 것을) 없애다; 제거하다. ¶雑草勢の(齒)を~ 잡초(이)를 뽑다／しみを~ 얼룩을 빼다. ②덜다; 줄이다; 거르다; 생략하다. ¶仕事⁞の手⁞を~ 일손을 덜다／朝食ば을 거르다. ⓐ조반을 거르다／説明勢を~ 설명을 생략하다. ③⑦함락시키다. ⓛ城勢を~ 성을 함락시키다. ⓛ앞지르다. ¶五人⁞を~いて優勝勢する 5명을 앞지르고 우승하다. ⓒ찔리다. ¶竹竛で足⁞を踏み~ 대나무에 발을 찔리다. ⓔ떼다. ¶王⁞に~ 구슬에 꿰다. ④〔다른 動詞의 連用形에 붙여서〕⑦끝까지 해내다; 해치우다. ¶読み~ 독파하다. ⓛ몹시 …하다. ⓒ困⁞り~ 몹시 애먹다.

＊**ぬ-ぐ**【脱ぐ】⑤他 벗다. ¶服⁞を~ 옷을 벗다／へびが皮⁞を~ 뱀이 허물을 벗다／一肌⁞を~(남을 위해) 발벗고 나서다. ▷着⁞る.

ぬく-い【温い】厖〈方〉따뜻하다; 따스하다. ──はあたたかい.

＊**ぬぐ-う**【拭う】⑤他 닦다; 씻다. ¶涙雥を~ 눈물을 닦다／汚名嶼を~ 오명을 씻다.

ぬくぬく副 ①남이야 어찌 되든 자기 혼자만의 안락한 위치에 있는 모양: 주위와는 달리 기분 좋게 따뜻한 상태에 있는 모양: 편하게; 푹신하게. ¶社長⁞の椅子⁞に~とおさまる 사장 자리에 혼자만 편안하게 앉다. ②따뜻한 모양: 따끈따끈. ¶たきたてで~の飯⁞

갓 지은 따끈따끈한 밥. ③뻔뻔스러운 모양；뻔뻔스럽게．＝ぬけぬけ．¶～と居"すわる 뻔뻔스럽게 버티고 앉다.

ぬく-まる【温まる】⑤自 따뜻해지다.＝あたたまる・ぬくもる．↔冷"える．

ぬくみ【温み・温味】图 온기(温氣)；따뜻함．＝あたたかみ・あたたかさ．

ぬく-める【温める】下1他 데우다；녹이다．＝あたためる．¶足"を～ 발을 녹이다／おかずを～ 반찬을 데우다.

ぬくもり【温もり】图 온기；녹임；온기；따스함．＝ぬくみ・あたたかさ．

ぬけあがる【抜け上がる】⑤自〈俗〉머리털이 치 벗어지다.＝はげあがる.

ぬけあな【抜け穴】图 ①빠져 나갈 구멍．¶煙"の～ 연기 빠질 구멍．②몰래 도망쳐 나갈 구멍．③빠져 나갈 수단.＝ぬけみち.

ぬけがけ【抜(け)駆け】图 남 모르게 앞질러 하는 공함．一の功名"잉 남을 앞질러 세운 공.

*ぬけだ-す**【抜け出す】【脱け出す】⑤自 ①(몰래) 빠져 나가다；살짝 빠져 나가다．②빠지기 시작하다．¶毛"が～ 털이 빠지기 시작하다.

ぬけでる【抜け出る】下1自 ①빠져 나오다；떨어져 나오다．②우뚝 솟아나다；뛰어 나오다．＝ぬきんでる．¶ひときわ～ 한층 뛰어나다.

ぬけぬけ【抜け抜け】副 ①뻔뻔스럽고 태연한 모양；시치미 떼는 모양．¶～とうそを言"う 뻔뻔스럽게 거짓말하다．②멍청해서 남에게 속기 쉬운 모양.

ぬけみち【抜け道】图 ①샛길．＝間道".②도망칠 길；전하여, 책임 등을 교묘히 벗어날 수단.＝逃げ道".¶法律"の～ 법률에서 빠져나갈 길.

ぬけめ【抜け目・抜け目】图 빈틈；허술한 점.＝もれ・手抜かり.¶～(が)ない 빈틈이 없다；허술한 점이 없다.

*ぬ-ける**【抜ける】下1自 ①빠지다；없어지다．¶力"が～ 힘이 빠지다．㋑뽑아지다．¶歯"が～ 이가 빠지다．㋒밑이 뚫려 빠지다．¶底"が～ 밑이 빠지다．㋓누락되다．¶名簿"から～ 명부에서 빠지다．㋔물러나다；이탈하다．¶宴席"を～ 연석에서 빠지다．㋕(저쪽으로) 통하다．¶裏"へ～ 뒤로 빠지다．㋖지나다；빠져 나가다．¶裏道"を～ 뒷길을 빠져 나가다．②떨어지다．㋐함락되다．¶城"が～ 성이 함락되다．㋑병이 낫다．¶かぜが～ 고뿔이 떨어지다．㋒헐어서 떨어지다．¶ひざが～ 바지 따위의 무릎 근처가 낡아져 해어지다．㋓뚫리다；관통하다．¶トンネルが～ 터널이 뚫리다．④모자라다；얼빠지다．¶～けた野郎"잉 얼빠진 자식.⑤뛰어나다．¶～けた器量"の人"なり 기량이 뛰어난 사람이다.

ぬ-げる【脱げる】下1自 ①(모자・구두 등이) 벗겨지다．②벗을 수 있다.

ぬき【幣】图〈神道"から〉신에게 기도할 때, 또는 액풀이할 때 쓰는, 종이・삼 따위를 오려서 드리운 오리.＝へいはく・ごへい・みてぐら.

*ぬし**【主】图 ①주인；주인．¶家"の～ 집 주인／～ある女"잉 남편 있는 여자.②산・못・큰나무 따위에서 살

며 신령이 붙어 있다는 동물；엽；터주；신령(비유적으로 씀).¶沼"の～ 늪의 엽／会社"の～ 회사의 터주.

三代 (단독 또는 'お'・'～さん' 등의 꼴로) ①〈方〉당신；너.②임자；당신 (옛날, 여자가 자기 남편 특히, 남편・애인을 가리킬 때 썼음).

ぬすびと【盗人】图 도둑.＝どろぼう.一たけだけしい 적반하장(賊反荷杖).一に追"い銭"돈 도둑에게 돈을 주어 내쫓다(거듭 손해를 봄).一を見"て縄"をなう 도둑 보고 오라를 꼬다(소 잃고 외양간 고치다).

ぬすみ【盗み】图 훔침；도둑질.

ぬすみあし【盗み足】图 발소리가 나지 않게 살금살금 걸음.

ぬすみぎき【盗み聞き】图 ㋝他 몰래 엿들음.

ぬすみぐい【盗み食い】图 ㋝他 ①(몰래) 훔쳐 먹음．②남몰래 먹음.＝つまみ食"い.

ぬすみごころ【盗み心】图 도둑질하려는 마음；도심(盗心).

ぬすみみ【盗み見】图 ㋝他 몰래 엿봄.

ぬすみよみ【盗み読み】图 ㋝他 ①옆에서 슬쩍 훔쳐 읽음．②남의 편지를 몰래 읽음.

*ぬす-む**【盗む】⑤他 ①훔치다；속이다．¶人"の目"を～ 남의 눈을 속이다／ひまを～ 틈을 내다；짬을 이용하다．②남의 작품을 도작(盗作)하다；표절하다．¶人"の論文"を～ 남의 논문을 표절하다．③〈野〉도루(盗塁)하다.

ぬた【饅】图 잘게 썬 생선・조개・야채를 초된장에 무친 음식.＝ぬたあえ.

ぬたく-る⑤自 굼틀거리다；바르작거리다.＝のたくる.三他 서투른 글씨 따위를 직직 갈겨 쓰다；(물감 따위를) 보기 흉하게 더덕더덕 칠하다(口語形은 'ぬったくる').¶おしろいを～ 분을 처바르다.

ぬっと nutto 副 ①느닷없이 나타나거나 동작을 일으키는 모양；(불)쑥.¶横"から～手"を出す"잉 옆에서 불쑥 손을 내밀다.②아무 일도 하지 않고 멍하니 서 있는 모양；우두커니.¶～して～をつかねている 우두커니 팔짱을 끼고 보고 있다.

ぬの【布】图 ①직물의 총칭．②포목；삼베와 무명.↔絹"き.

ぬのこ【布子】图 솜을 넣은 무명옷.↔小袖".

ぬのじ【布地】图 천.＝切れはし・たん.

ぬのそう【布装】-sō 图 천으로 표지를 싼 장정(装幀).

ぬのびき【布引き】图 ①(바래기 위해서) 천을 팽팽히 펴는(당기는) 일.②(고무 제품 따위에) 천을 입힌 것.一の滝"천을 팽팽히 편 것 같은 폭포.

ぬのめ【布目】图 천의 발；또, 그와 같은 무늬.¶～が粗"잉 올이 굵다.

ぬひ【奴婢】图 노비.＝とひ.①하인；사내종과 계집종.＝奴隷.②奈良"・平安"잉 시대의 천민(賤民) 계급.

*ぬま**【沼】图 늪.

ぬまち【沼地】图 늪 지대；수렁 땅；질척한 땅.

ぬめ【絖】图 바탕이 얇고 매끄러운 윤이 나는 명주(그림을 그리거나 조화(造花) 및 여러 가지 장식품(装飾品)의

재료로 쓰임).

ぬめぬめ 副 미끄럽고 축축한 모양 : 번들번들. 미끈미끈.

ぬめり【滑り】图 매끄러움 ; 미끈미끈한 액체 ; 점액(粘液).

ぬめ−る【滑る】⑤自 미끈거리다 ; 미끄럽다. ¶どじょうは～って捕えにくい 미꾸라지는 미끄러워서 잡기 어렵다.

ぬらくら 副 ①미끄러워 잡기 힘든 모양 : 미끈미끈. ¶うなぎが～する 장어가 미끈둥거리다. =ぬらぬら. ②게으르고 흐리멍늦은 모양 : 빈둥빈둥. =のらくら. ¶～息子が 빈둥빈둥 놀기만 하는 아들.

***ぬら−す**【濡らす】⑤他 적시다. ¶雨で服を～ 비로 의복을 적시다.

ぬらぬら 친친한 모양 : 끈적끈적(점액(粘液)에 접촉할 때의 느낌) ; 미끈미끈. ¶皿が油で～している 접시가 기름으로 끈적끈적하다.

ぬらりくらり 종잡을 수 없는 모양 : 뺀들뺀들. ¶～と言いのがれる 이리저리 종잡을 수 없는 말로 발뺌하다.

ぬり【塗り】图 ①칠 ; 칠하는 일 ; 칠한 모양 ; 칠하는 방식 ; 칠한 물건. ¶～がはげる 칠이 벗겨지다. ②옻칠.

ぬりえ【塗(り)絵】图 색칠을 하도록 윤곽만 그려놓은 그림(어린이의 놀이·학습에 씀).

ぬりぐすり【塗(り)薬】图 (피부에) 바르는 약.

ぬりし【塗(り)師】图 칠기(漆器) 만드는 장색(匠色). 漆塗り.

ぬりたて【塗(り)たて·塗(り)立(て)】图 칠한지 얼마 되지 않음 : 갓 칠했음.

ぬりた−てる【塗(り)立てる】下1他 ①(분 따위를) 지나치게 바르다 ; 화장을 짙게 하다. ②예쁘게 칠하여 장식하다. ¶店の前を～ 가게 앞을 칠하여 단장하다. ③마구 칠하다.

ぬりつ−ける【塗(り)付ける】下1他 ①처바르다 ; 매대기치다. ②(죄·책임을) 덮어 씌우다. =なすりつける.

ぬりつぶ−す【塗りつぶす·塗り潰す】⑤他 빈틈없이 모두 칠하다. ¶壁などを新しく～ 온벽을 새로 칠하다.

ぬりもの【塗(り)物】图 칠물 ; 칠기. =漆器.

***ぬ−る**【塗る】⑤他 ①칠하다 ; 바르다. ¶壁などを～ 벽을 칠하다 / おしろいを～ 분을 바르다. ②(죄·책임 등을) 덮어 씌우다. ¶人に罪を～ 남에게 죄를 덮어 씌우다.

***ぬる−い**【温い】形 미지근하다 ; 미적지근하다.

***ぬる−い**【緩い】形 ①완만하다. ②엄하지 않다 ; 미지근하다. ¶そのやり方は～ 그 방법은 미지근하다.

ぬるで【白膠木·樗】图〔植〕붉나무. =ぬでふしのき.

ぬるぬる 副 图 미끈미끈한 것. 副 미끄러운 모양 : 미끈미끈 ; 번드르르. =ぬらぬら. ¶油で～になる 기름으로 미끈미끈해지다.

ぬるまゆ【ぬるま湯】【微温湯】图 미지근한 (목욕) 물 ; 미온수(微温水). =ぬる湯. ¶～にひたる 미지근한 물에 몸을 담그다(외부로부터의 자극이 없어 안이하게 현상(現状)에 만족함).

ぬる−む【温む】⑤自 미지근해지다 ; 조금 따뜻해지다 ; (날씨가) 풀리다 ; 누그러지다. ↔冷える.

ぬると 副 미끈거리는 모양 : 미끈미끈. ¶手にさわると～する 손으로 만지면 미끈둥하다.

ぬれ【濡れ】图 ①젖음. ②정사(情事) ; 호색(好色). ¶～がうまい 정사에 능하다.

ぬれえん【濡れ縁】【濡(れ)縁】图 (눈·비를 직접 맞는) 덧문 밖의 쪽마루.

ぬれぎぬ【濡れ衣】【濡(れ)衣】图 억울한 죄 ; 누명(陋名). ¶～を着せられる〔晴らす〕누명을 쓰다(씻다).

ぬれごと【濡れ事】【濡(れ)事】图 ①연극에서 연기로 하는 정사(情事)의 시늉. ②정사(情事). =いろごと.

ぬれそぼ−つ【濡れそぼつ】⑤自〔雅〕물방울이 떨어지도록 흠뻑 젓다. =ぬれしょぼたれる.

ぬれて【ぬれ手】【濡(れ)手】图 젖은 손. ——で粟(のつかみ取)り 젖은 손에 좁쌀(을 움켜쥠)(불로 소득함의 비유).

ぬれねずみ【濡れ鼠】图 물에 빠진 생쥐 ; 전하여, 입은 옷이 흠뻑 젖은 모양.

ぬれば【ぬれ場】【濡(れ)場】图 (연극에서) 정사(情事) 장면. =ぬれまく.

ぬればいろ【ぬれ羽色】【濡れ羽色】图 물에 젖은 까마귀의 깃털처럼 윤기 있는 색. ¶髪はからすの～ 머리털은 젖은 까마귀의 깃털같이 검고 흠치르르하다.

***ぬ−れる**【濡れる】下1自 ①젖다. ¶雨に～ 비에 젖다. ②〈俗〉(남녀가) 정(情)을 통하다 ; 정사(情事)를 하다. ¶しっぽりと～ 정답게 사랑을 나누다.

ね ネ

①五十音図〔ごじゅうおんず〕'な行'의 넷째 음. [ne] ②〔字源〕'祢'의 초서체(かたかな 'ネ'는 '祢'의 왼쪽).

ね【値】图〈老〉(팔고 사는) 값. =値段〔ねだん〕. 一が張る 값이 비싸다.

ね【子】图 支 ; 쥐 ; 지지(地支)의 첫째(방위로는 북쪽 ; 시각으로는 영시(零時) 또는 밤 12시부터 오전 1시까지).

***ね**【根】图 ①뿌리. ¶歯の～ 치근 ; 이뿌리 / ～も無いいうわさ 근거없는 소문 / ～がふっ切れた (부스럼의) 근이 빠졌다. ②근본 ; 근원. ¶悪の～を断つ 악의 뿌리를 뽑다. ③마음속. ④타고남 ; 천성 ; 본성. ¶～からの商人〔しょうにん〕타고난 장사꾼 / ～はいい人

ただ 천성은 좋은 사람이다. **一に持つ**〔원한을〕 마음 속 깊이 간직하다; 앙심먹다; 끙하게 생각하다. **一も葉'もない** 아무 근거도 없다. **一を下'ろす** 뿌리를 내리다; 정착하다.

ね【音】图①소리; 소리; 음성. =おと·こえ. ¶笛'の~ 피리 소리 / 虫'の~ 벌레 소리. 参考 현재에는 아름다움을 느낄 때 씀. ②울음 소리. **一を上'げる**〈俗〉약한〔죽는〕 소리 하다; 항복하다.

ね□【間】图〈文中·文末の文節 끝에 와서〉 가벼운 감동을 나타내거나, 상대에게 동의(同意)를 구하거나, 다짐하는 데 쓰임: …요; …군요; …로군. ¶花'が美'しい~ 꽃이 아름답군요 / あれは~, 鳥'の声'だよ 저건말야, 새소리라구. □【終助】〈古〉〈動詞나 動詞型活用語의 未然形 또는 'な'에 붙어서〉 남에게 부탁하는 뜻을 나타냄: …하여 주게; …하여 주오. □【感】 부르거나, 다짐하거나, 친밀감을 나타내면서 말할 때에 내는 말: 응. ¶~, そうでしょう 응, 그렇지요. 参考 □은 대개 '**ねえ**'라고도 함.

ねあがり【値上(がり)】图 [ス自] 값이 오름. ↔値下'げ. ¶~に드러라.

ねあがり【根上(がり)】图 뿌리가 땅 위로 드러남.

ねあげ【値上(げ)】图 [ス他] 값을 올림; 가격 인상. ↔値下'げ.

ねあせ【寝汗】【盗汗】图〔잠잘 때의〕 식은땀. ¶~をかく 식은땀을 흘리다.

ねいき【寝息】图 자고 있을 때의 숨결. **一をうかがう**〔나쁜 일을 하기 위해〕 남이 잠든 때를 엿보다.

ねいりばな【寝入りばな】【寝入り端】图 갓 잠이 들 때; 〔곳〕잠들 즈음.

ねい-る【寝入る】[五自] ①자기 시작하다; 잠들다; 또, 깊이 잠들다. ¶いつのまにか~ 어느 사이에 잠들다. ②활기〔인기〕가 없어지다; 시들다.

ねいろ【音色・音色】图 음색.

ねうち【値打】图①가치; 값어치. ¶人'の~ 사람의 가치 / 一読'の~のある本'일독의 가치가 있는 책 / 見'に行'く~がある 보러 갈 만한 가치가 있다〔사고 파는〕 값; 가격. ¶この品'は~だけのものはある 이 물건은 값어치만큼의 가치는 있다.

ねえ ne □【間助】图~ね. □【終助】상대에게 무엇을 권하거나 부탁함을 나타냄('なさい(=하세요)'의 막된 말씨 '~い'의 전와). ¶すし食'い~ 초밥 먹어라. □【感】〈女〉말야.

ねえさん【姉さん】【姐さん】nēsan ①누님; 언니('姉'의 높임말). ↔兄'さん. ②⑦〔모르는〕 젊은 여자를 부를 때 쓰는 말: 아주머니; 아가씨. ◯관음식점 등에서 심부름하는 여자를 부를 때 쓰는 말: 아줌마. ◯기생·접대부 등이 선배를 부르는 말: 언니. 注意 □은 본디, '姐'さん'으로도 썼음. **一かぶり**〔──被(り)〕图 청소 등을 할 때 여자가 머리에 수건을 쓰는 방식(좌우에 모가 나게 함). ~あねさんかぶり.

ネービーブルー 네이비 블루; 짙은 감색. ▷navy blue.

ネーム 图 네임; 이름; 명칭. ▷ name. **一バリュー** -ryū 图 네임밸류; 저명인사의 이름이 지닌 (선전) 가치.

일 name value.

ネオ- 네오…; 새로운; 신(新)…. ▷ neo-. **一ロマンチスム** 图 네오로맨티시즘; 신낭만주의. ▷프 néo-romantisme.

ねおき【寝起き】图 [ス自] 기상과 취침; 일상 생활. ¶~を共'にする 생활을 같이하다. □ 图 잠에서 깨어남; 또, 그 때의 기분〔상태〕. ¶目'ざめ. ↔寝'つき. **一が悪'い**〔아이들이〕 자고 나서 잠투세하다.

ねおし【寝押し】图 [ス他]〔바지 따위를〕요 밑에 깔고 자서 주름을 잡음. =寝敷き.

ネオン【化】图 네온. ①'네온사인'의 준말. ②图〔네온〕가스 원소류의 하나. ▷neon. **一サイン** 图 네온 사인. =ネオンライト. ▷neon sign.

ネガ图 네가. ~ネガチブ. □. ↔ポジ.

ねがい【願(い)】图①원함; 소원; 〔신불(神佛)이나 남에게〕 바라는 바. ¶~が届'く 소원이 이루어지다. ②원(願). ¶休学'쫑~ 사절.

ねがいごと【願(い)事】图 원하는〔바라는〕 일; 〔신불에게〕 비는 일.

ねがいさげ【願(い)下(げ)】图①소원〔출원(出願)〕의 취하. ②부탁을 해도 받아들이지 않음.

ねがい-でる【願(い)出る】[下1他] 출원〔신청〕하다; 청원하다. ¶休暇'を~ 휴가를 청원하다.

ねが-う【願う】[五他] ①원하다; 바라다; 기원하다. ¶援助'を~ 원조를 바라다 / 無事'を~ 무사하기를 바라다〔빌다〕. ②관청 등에〕 출원(出願)하다. **一ったりかなった**り 자기가 바라던 대로임; 더할 나위 없음. **一ってもない** 불감청이언정 고소원(固所願); 바라지도 못할 만큼 좋다.

ねがえり【寝返り】图①자면서 몸을 뒤침. ②〔자기 편을 배반하고〕 적에 붙음. **一をうつ** ①자다가 몸을 뒤치다. ②〔자기편을〕 배반하다.

ねがお【寝顔】图 잠자는 얼굴.

ねがさかぶ【値がさ株】【値嵩株】图 값이 비싼 주(株).

ねか-す【寝かす】[五他] ①재우다. ¶赤'ん坊'を~ 아기를 재우다. ↔起'こす. ②쓰러뜨리다. ③本箱'を~て部屋'に入'れる 책장을 뉘어서 방에 들여 놓다. ②〔팔리지 않아〕 묵히다. ¶二年'んも~した商品'이 2년이나 묵히고 있는 상품. ③〔활용 못하고〕 놀리다. ¶資本'んを~ 자본을 놀리다. ④〔누룩 따위를〕 발효시키다; 뜨게 하다. 注意 'ねかせる'라고도 함.

ねかた【根方】图〔나무의〕 밑동. =ねもと.

ネガチブ 네거티브. □ 【ダナ】부정적; 소극적. □【写】음화(陰畫); 음화용의 필름. =ネガ. ↔ポジチブ. ▷negative.

ねかぶ【根株】图①〔뿌리가 드러난〕 그루터기. 참고=杭'くい.

ねから【根から】圓 ①애초부터; 나면서부터. ¶~の商人'쑥쑥 타고난 장사꾼 / ~きらいな애초부터 싫다. ②〔혼히 否定을 수반해서〕 도무지; 전혀. ¶~知'らない 도무지〔전혀〕 모른다.

注意 'ねっから'라고도 함.

ねがわくは【願わくは】-kuwa 圖 원컨대 ; 바라건대 ; 아무쪼록. ¶ ~無事であらんことを 아무쪼록 무사하기를. **注意** '願わくば'는 잘못.

ねがわしい【願わしい】-shī 厖 바라는 바다 ; 바람직하다.

ねぎ【葱】图 파.

ねぎらう【労う·犒う】5他 (수고를) 위로하다. ¶ 労을 ~ 노고를 위로하다.

ねぎる【値切る】5他 값을 깎다.

ねぎわ【寝際】图 막 자려고 할 때 ; =寝입. ¶ ~に寝こきれる 막 자려는 데 깨워서 일어나다.

*ネクタイ 图 넥타이. ¶ 蝶~ 나비 넥타이. ▷necktie.

ねぐら【塒】图(새의) 보금자리. ②(俗)잠자리 ; 침소 ; 침실 ; 자기집.

ネグリジェ -je 图 네글리제 ; 원피스 모양의 헐렁한 여성용 잠옷. ▷프 négligé.

ネグ-る 5自他(學) 무시하다.

ねぐるしい【寝苦しい】-shī 厖 (고통·더위 따위로) 잠들기 어려움 ; 잠을 잘 못 자다.

*ねこ【猫】图 ①[動] 고양이. ②(俗)⑤ '三味線설설'의 별칭. ⓒ기생의 별칭. ③불을 담아 이불 속에 넣어 온기를 취하는 질화로. =ねこひばち·ねこあんか. ④ねこぐるま의 준말. ⑤(俗)(俗)약. 一にかつおぶし 고양이한테 생선 (방심할 수 없다는 비유). 一に小判 고양이한테 금화(돼지에 진주). 一の手も借りたい 고양이가 손이라도 빌리고 싶다(대단히 바쁘다). 一も杓子も 어중이떠중이 모두. 一をかぶる 양의 탈을 쓰다 ; 본성을 숨기다.

ねこいらず【猫要らず】图 쥐약.

ねこかぶり【猫かぶり】【猫被り】 图 スナ명 ①양의 탈을 숨김 ; 본성을 숨김 ; 야비 다리 침 ; 또, 그 사람. =ねこっかぶり.

ねこかわいがり【猫かわいがり】【猫可愛がり】图 スナ명(俗) 분별없이 귀여워함.

ねこぎ【根こぎ】【根扱き】图 뿌리째 뽑음. ¶ ~にする 뿌리째 뽑다.

ねこぐるま【猫車】图 채를 뒤에서 밀어 흙이나 돌을 나르는 일륜차(一輪車)(공사용).

ねごこち【寝心地】图 잘 때의 기분 ; 잠자리 기분.

ねこじた【猫舌】图 뜨거운 음식을 먹지 못하는 일 ; 또, 그 사람.

ねこじゃらし【猫じゃらし】-jarashi 图(植)(俗) 강아지풀. [람.

ねこぜ【猫背】图 새우등 ; 또, 그런 사

ねこそぎ【根こそぎ·根こそげ】【根刮】 ㊀图 뿌리째 뽑음. ¶ ~にする 뿌리째 뽑다. ㊁圖 철저히 ; 몽땅 ; 송두리째 ; 모조리. =すっかり. ¶ ~盗んで行く 몽땅 털어 가다. **注意** 'ねこそげ'라고도 함.

ねごと【寝言】图 잠꼬대. ¶ 唐人ఫజの ~ 되놈의 잠꼬대(뜻을 알 수 없는 말).

ねこなでごえ【猫なで声】【猫撫で声】 图 본성을 숨긴 부드러운 목소리 ;(남의 비위를 맞추려는) 간사한 목소리.

ねこばば【猫糞】图(자기가 저지른) 나

뿐 짓을 숨기고 시치미뗌 ; 또, 주운 물건을 슬쩍 자기 것으로 함. ¶ ~をきめこむ 주운 물건을 집어넣어 두다.

ねこみ【寝込(み)】图 한창 자고 있는 동안 ; 자고 있을 때. ¶ ~を襲う급 깊이 잠든 때를 노려서 습격하다.

ねこ-む【寝込む】5自 ①푹(깊이) 잠들다. ②(병으로 오래) 오래 자리에 눕다.

ねこやなぎ【猫柳】图(植) 갯버들.

ねごろ【値ごろ】【値頃】图(사기에) 알맞은 값 ; 합당한 값.

*ねころ-ぶ【寝転ぶ】5自 아무렇게나 드러눕다 ; 뒹굴다. =ねそべる.

ねさがり【値下がり】图 スナ명 값이 내림. ↔値上がり.

ねさげ【値下げ】图 スナ명 가격 인하. ↔値上げ.

ねざけ【寝酒】图 자기 전에 마시는 술.

ねざさ【根ざさ】【根笹】图(植) 뿌리대 (들에 저절로 자라는 가느다란 대나 무).

ねざ-す【根ざす】5自 ①뿌리가 내리다 ; 뿌리박다. ②기인(基因)하다 ; =もとづく. ③☞きざす.

ねざめ【寝覚め】图 잠에서 깨어남. =めざめ. ↔寝⁵つき. 一が悪い ①자고 난 기분이 개운치 않다. ②양심의 가책 때문에 뒷맛이 개운치 않다.

ねざや【値ざや】【値鞘】图(商) 두 시세의 차(差) ; 시세(가격) 폭. =さや.

*ねじ【捻子·捩子·螺子·螺旋】图 ①⑤나사. ¶ 雄설 ~ 수나사 / 雌설 ~ 암나사. ②태엽 감는 장치. ¶ ~が緩설む ①태엽이 풀리다. ②(긴장이 풀려) 느즈러지다. ¶ ~を巻설く ①태엽을 감다. ②(꾸짖거나 해서) 정신(을) 차리게 하다.

ねじあ-ける【ねじ開ける】【捩じ開ける】下一他 비틀어 열다.

ねじあ-げる【ねじ上げる】【捩じ上げる】下一他 비틀어 올리다.

ねじき【寝敷き】图 スナ명 ☞ねおし.

ねじ-ける【拗ける】下一自 (물건이나 마음이) 비틀리다 ; 비뚤어지다 ; 뒤틀 그러지다. =ひねくれる. ¶ ~けた子供 (성질이) 비뚤어진 아이.

ねじこ-む【ねじ込む】【捩じ込む】 ㊀ 5他 ①비틀어 박다 ; 비틀어 넣다. ②억지로 밀어 넣다. ¶ ~を 호주머니에 지폐를 쑤셔 넣다. ㊁自 오금박다 ;(남의 실언·실책을 꼬투리잡아) 공박하다 ; 항의하러 몰려 가다. ¶ 公害問題설설で役所설に~ 공해 문제로 관청에 몰려가서 항의하 다.

ねじしず-まる【寝静まる】5自 모두 잠들어 고요해지다.

ねしな【寝しな】图 자려고 할 때 ; 잠자리에 들 때 ; 잠잘 때. =ねぎわ.

ねじふ-せる【ねじ伏せる】【捩じ伏せる】下一他 팔을 비틀어 엎어누르다.

ねじま-げる【ねじ曲げる】【捩じ曲げる】下一他 비틀어 구부리다. ¶ 事実설설を~ 사실을 왜곡하다.

ねじまわし【ねじ回し】【螺子回し】图 나사돌리개. =ドライバー.

ね

ねじめ【音締(め)】图 (三味線殻・거문고의) 줄을 죄어 음을 고름；또, 그 맑은 소리. =ねいな~멋진 가락.

ねじやま【ねじやま・ねじ山】(螺子山) 图 나사산；나삿니.

ねしょうべん【寝小便】-shōben 图 자면서 무심코 오줌을 싸는 일. =おねしょ.

*ねじ-る【捩る・捻る・拗る】⑤他 비틀다. ①뒤틀다；쥐어짜다. ¶からだを~って恥ずかしげな 몸을 비비 꼬면서 부끄러워하다／手で ぬぐいを~ 수건을 쥐어짜다／手首殻を~ 손목을 비틀다. ②틀다；죄다. ¶水道殻の栓殻を~ 수도 고동을 틀다／ドライバーで~ってとめる 드라이버로 죄어 고정시키다. ③오금박다；꼬투리를 잡아 힐책하다(당박).

*ねじ-れる【拗れる・捩れる・捻れる】下1自 ①뒤틀어지다；뒤틀리다；꼬이다. ②빙퉁그러지다. =ひねくれる.

ねじろ【根城】图 ①본거로 삼는 성；아성(牙城). ②활동의 근[본]거지.

ねす-ぎる【寝過ぎる】上1自 ①지나치게 자다. ②시간이 늦도록[지나도록] 자다.

ねすご-す【寝過(ご)す】⑤自 시간이 지나도록 자다；늦잠 자다；늦도록 자다. ¶寝過殻す.

ねずのばん【寝ずの番】图 불침번.

*ねずみ【鼠】图 ①쥐. ¶袋殻の中殻の~同様殻だ 독안에 든 쥐와 같다. ②장난꾸러기. ③「활동의 뜻」='ねずみいろ'의 준말.

ねずみいらず【ねずみ入らず】(鼠入らず) 图 쥐가 드나들지 못하게 만든 찬장.

ねずみいろ【ねずみ色】(鼠色) 图 쥐색.

ねずみこう【ねずみ講】(鼠講) -kō 图 피라미드제(契).

ねずみざん【ねずみ算】(鼠算) 图 쥐가 번식하듯 기하 급수적으로 급속히 불어남의 비유. ¶~式にふえる 기하 급수적으로 불어나다.

ねずみとり【ねずみ取り】(鼠取り) 图 ①쥐잡기. ②쥐덫·쥐약 등의 쥐잡기에 쓰는 도구. ③「動」アオダイショウ(=구렁이)의 딴이름.

ねぞう【寝相】-zō 图 잠자는 모습·모양. =寝姿殻.

ねそび-れる【寝そびれる】下1自 잠을 설치다；잠들지 못하고 깨다. =寝殻はぐれる.

ねそべ-る【寝そべる】⑤自 엎드려 눕다.

ねた图〈俗〉①(신문 기사 등의) 자료；기삿거리. ¶いい~がないか 좋은 기삿거리 없나. ②(요술의) 속임수；트릭. ③증거. ¶~があがる 증거가 드러나다. ④(요리의 재료로서의) 음식；거리. ¶참고 'たね(=씨)'를 거꾸로 읽은 말.

ねだ【根太】图 장선；동귀틀. ⎿은 말.

ねだい【寝台】图 침대. =寝台殻.

ねたば【寝刃】图 무디어진 칼날. 一を合殻わせる ①칼을 갈다. ②몰래 좋지 않은 음모를 거꾸로 꾸미다.

ねたまし-い【妬ましい・嫉ましい】-shi 厖 질투심[시기심], 샘이 나다.

ねたみ【妬み・嫉み】图 시샘；질투；시기(심).

*ねた-む【妬む・嫉む】⑤他 샘하다；질투[시기]하다；시새우다.

ねだやし【根絶やし】图 ㅈ他 근절；뿌리째 뽑음.

*ねだ-る【強請る】⑤他 조르다；치근거리다. =せびる・せがむ. ¶洋服殻を~ってくれと~ 양복을 해 달라고 조르다.

*ねだん【値段】图 값；가격；금세. ¶~が高殻い 값이 비싸다／おろし~ 도매 가격.

ねちが-える【寝違える】下1自 잠을 질못 자서 목이나 어깻죽지 등을 접질려 통증이 생기다.

ねちっこ-い -chikkoi 厖〈俗〉끈적끈적하다；또, 끈질기다('ねちこい'의 힘줌말).

ねちねち副 ①불쾌하게 달라붙는 모양：끈적끈적. ¶汗殻でからだ中殻が~してたまらない 땀으로 온몸이 끈적끈적해서 못견디겠다. ②싫도록 귀찮게 구는 모양：지근덕지근덕；추근추근；치근치근；간추간추. ¶~とした言い方殻 지근덕지근덕 약을 올리는 말투／~(と)いやみを言殻う 간축간축 약을 올리다.

*ねつ【熱】图 열. ①「理」에너지의 다른 한 형태. ¶~を加殻える 열을 가하다. ②신열(身熱). ¶~が下殻がる 열이 내리다. ③열중；열의. ¶~のはいった演技殻 열이 오른 연기. ④흥분함. ⑤(接尾語的으로) ㉠열중함의 뜻. ¶野球殻~ 야구열. ㉡에너지의 뜻. ¶輻射殻~ 복사열. ㉢앓이 나는 병의 뜻. ¶回帰殻~ 회귀열. 一がある ①열이나 있다. ②신열이 나다. 一が冷殻める 열이 식다. 一に浮殻かされる ①어떤 일에 열중하여 정신 없다. ②열에 떠다；고열(高熱)로 헛소리하다. 一を上殻げる 열을 올리다. 一を吹殻く 기염을 토하다.

ねつあい【熱愛】图 ㅈ他 열애.

*ねつい【熱意】图 열의；열성. ¶~が欠殻けている 열의가 없다(부족하다).

ねつえん【熱演】图 ㅈ他 열연.

ねっかくはんのう【熱核反応】 nekka-kuhannō 图「理」열핵 반응. =核殻融合殻反応殻. 「neckerchief.

ネッカチーフ nekka- 图 네커치프. ▷

ねっから【根っから】 nekka- 图〈俗〉 ⚇ねから.

ねつがん【熱願】图 ㅈ他 열원；열망；열렬히 원함. 「뿌리 박음.

ねつき【根つき・根付き】图 뿌리 내림.

ねつき【寝つき・寝付き】图 잠듦. ¶~が悪殻い 잠이 잘 안 온다／~のいい子殻 쉽게 잠드는 아이.

ねっき【熱気】nekki 图 열기. ①온도가 높은 기체[공기]. ¶~消毒殻 열기[증기] 소독. ↔冷気殻. ②신열(身熱). ¶病人殻の~でむんむんする 환자의 열기로 후끈후끈하다. ③고조된 기세；열의 기운；열기[血氣]. ¶~を帯殻びて語殻る 열기를 띠고[열을 올리며] 말하다.

ねつぎ【根継(ぎ)】图 밑이음；기둥 밑동의 썩은 부분을 갈아 댐.

ねつきかん【熱機関】图 열기관(내연 기관·증기 기관 따위).

ねつきぐ【熱器具】图 열기구(전기·가

ス·석유 따위의 열을 이용한 기구」.

ねっきょう【熱狂】nekkyō 图 スヒ 열광.

ねづ-く【寝付く】（寝付く）[5自]①잠들다．=寝入（い）る．②（병으로）앓아 눕다；드러 눕다.

ネック nekku 图 넥. ①목. ②깃；동정. ③애로（隘路）. ▷neck. **──レス** 图 네크리스；목걸이. =首飾（かざ）り. ▷neck-lace.

ねづ-く【根づく·根付く】[5自] 뿌리 내리다；뿌리박다.

ねつき【熱気·熱気】열기. =熱感（かん）. ¶──が～ある（몸에）열이 나다.

ねっけつ【熱血】nekke- 열혈. ¶──漢（かん）열혈한.「는 근원.

ねつげん【熱源】图 열원（열을 공급하

ねっこ【根っこ】（根っ子）nekko〈俗〉①뿌리.②나무의 그루터기.

ねっこ-い形〈俗〉끈질긴（끈적진）모양. [注意 口語형은 ‘ねっこい’.

ねっさ【熱砂·熱沙】nessa 열사. ①뜨거운 모래. ②뜨거운 사막.

ねつさまし【熱さまし·熱さまし（熱醒まし】图 해열제（解熱剤）. 　「열사병.

ねっしゃびょう【熱射病】nesshabyō 图

ねつじょう【熱情】-jō 图 열정；열렬한 애정；뜨거움. ¶──的（てき）열정적.

＊ねっしん【熱心】nesshin 图 ダナ 열심.

＊ねっ-する【熱する】nessu- 스ᵈᵃ変他 뜨겁게 하다；（가）열하다. ¶鉄（てつ）を～ 쇠를 달구다. ⇔冷（ひ）やす. ニサ変自 ①뜨거워지다. ¶～しやすい金属（きんぞく）달구어지기 쉬운 금속. ②열중하다；흥분하다. ¶～しやすく冷（さ）めやすい民族（みんぞく）달기 쉽고 식기 쉬운 민족.

ねっせい【熱誠】nessei 图 열성；뜨거운 정성. ¶～をこめて歓迎（かんげい）する 열성껏 환영하다.

ねっせん【熱戦】nessen 图 열전. ①뜨거운 경기·싸움. ¶～を繰（く）り広（ひろ）げる 열전을 펼치다. ②무력에 의한 전쟁. ↔冷戦（れいせん）.

ねつぞう【捏造】-zō 图 スセ 날조；꾸밈；조작. ¶～でっちあげ.¶事件（じけん）を～する 사건을 날조하다. [注意 ‘でつぞう’의 관용음.

ねつぞうこ【熱蔵庫】-zōko 图 열장고. =温蔵庫（さんこ）.

ねったい【熱帯】nettai 图 열대. ¶～気候（きこう）열대 기후 ／～魚（ぎょ）열대어. 「중.

＊ねっちゅう【熱中】netchū 图 スセ 열

ねっちり netchiri 副 말씨가 끈적진（치근덕스러운）모양；추근추근；깐족깐족；전득전득. ¶～（と）いやみを言（い）う 깐족깐족 듣기 싫은 소리를 하다.

ねっぽーい【熱っぽい】netsuppoi 形 열이 있는 듯하다；열정적이다. ¶からだが～ 몸에 열이 있는 듯하다／～調子（ちょうし）で話（はな）す 열띤 어조로 말하다.

ねつでんつい【熱電対】图 [理] 열전쌍.

ねつでんどう【熱伝導】-dō 图 [理] 열전도. ¶～率（りつ）열전도율.

ネット netto 图 네트. ①그물. ㉠헤어 네트. ㉡테니스·배구·탁구 따위에서 쓰는 네트. ②정미；알속. ¶～ポンド 정미 1 파운드. ▷net. **──プレー** 图 네트플레이；（테니스에서）네트 가

까이서 하는 타구（打球）. ▷net play. **──ワーク** 图 네트워크；（라디오·텔레비전의）방송망. ▷network.

ねつど【熱度】图 열도. ①열의 정도. ②열심의 정도.

ねっとう【熱湯】nettō 图 열탕；뜨거운 물. =煮（に）え湯（ゆ）.

ねっとり nettori 副 끈적끈적한 모양；끈적끈적. =ねばねば. ¶～した薬（くすり）を塗（ぬ）る 끈적끈적한 약을 바르다.

ねつびょう【熱病】-byō 图 열병.

ねっぷう【熱風】neppū 图 열풍.

ねっべん【熱弁】（熱辯）图 열변. ¶～を吐（は）く（ふるう）열변을 토하다.

ねつぼう【熱望】-bō 图 スヒ 열망.

ねつぼうちょう【熱膨脹·熱膨張】-bōchō 图 [理] 열팽창.

ねづよ-い【根強い】形 뿌리깊다；꿋꿋하다；（뿌리가 튼튼하여）쉽사리 움직여지지（바뀌지）않다. ¶～不信感（ふしんかん）뿌리깊은 불신감.

＊ねつりょう【熱量】-ryō 图 [理] 열량.

ねつるい【熱涙】图 열루；뜨거운（감격의）눈물.

ねつれつ【熱烈】ダナ 열렬. ¶～な恋愛（れんあい）열렬한 연애.

ねていとう【根抵当】-tō 图 [法] 근저당.

ねてもさめても【寝ても覚めても】連語 자나깨나；늘；항상；언제나. =いつも. ¶その事（こと）は～忘れられない その일은 자나깨나 잊을 수 없다.

ねどい【根問い】图 スセ 자세히 캐어물음；꼬치꼬치 캐물음.

＊ねどこ【寝床】（寝所）图①침상；잠자리. ¶～を敷（し）く（のべる）잠자리（이부자리）를 펴다. ②침소；침실.

ねとつく [5自]끈적거리다. ①（음식물이 상해서）눅진눅진하다. ①（땀 따위로 욕이 살갗에）끈끈하게 달라붙다；찰싹대기다. 「적끈적.

ねとねと 副 몹시 끈적거리는 모양；끈

ねとぼける【寝とぼける】（寝惚ける）下1自 잠이 덜 깨어（잠에 취해서）멍청하게 굴다（어릿어릿하다）. =ねぼける.

ねとまり【寝泊（ま）り】图 スヒ 숙박；그곳에 머뭄.

ねと-る【寝取る】[5他]〈俗〉남의 배우자나 애인과 정을 통하여 빼앗다.

ねなし【根無し】图 ①뿌리가 없음；뿌리가 내리지 않음. ②근거가 없음. **──かずら**【──葛·菟糸子】图 [植] 새삼；토사（兔絲）. **──ぐさ**【──草】图 ①뿌리가 땅속에 내리지 않는 풀. 〈雅〉☞ うきくさ. ㉡근거가 없는 사물. **──ごと**【──言】图 뜬소문；근거없는 말. =でたらめ.

ねのひ【子の日】图 ①‘子（ね）の日（ひ）の遊（あそ）び’의 준말（옛날에, 정월 첫 자일（子日）에 들에 나가서 작은 소나무를 끌고 즐기며, 봄나물을 캐거나 장수（長寿）를 축원하던 행사）. ②‘子（ね）の日（ひ）の松（まつ）’의 준말（정월 첫 일자에 들에 다니며 끌고 다니는 소나무）. [注意 雅語로는 ‘ねのび’.

ねば-い【粘い】形 끈적끈적하다；끈기가 있다；차지다. =ねばっこい.

ねばつ-く【粘つく】[5自] 끈적거리다；

끈적끈적 달라붙다.

ねばっこ-い【粘っこい】-bakkoi 形 ①끈적끈적하다；차지다. ②진득진득하다；끈질기다；しつっこい. ¶～・く追及ᅥᅳする 끈질기게 추궁하다.

ねばならぬ連語…(하)지 않으면 안 되다. ＝ねばならない.

ねばねば【粘ば粘ば】⊟スヲ끈적끈적한 모양；끈적끈적 달라붙기 쉬운 모양. ¶～した土ᅳ 끈적끈적한 흙. ⊟名 끈적거리는 것；끈기.

ねはば【値幅】名 두 시세(時勢)의 차이；그 날의 가장 높은 시세와 낮은 시세와의 차이；시세폭.

ねばり【粘り】名 끈기；찰기.

ねばりけ【粘り気】名 끈기.

ねばりつ-く【粘り着く】五自 척척 들러붙다；떨어지지 않다.

ねばりづよ-い【粘り強い】形 ①끈끈하여〔끈적끈적〕달라붙는 성질이 강하다. ¶～餅ᅮ 차진 떡. ②끈기 있다；끈질기다；끈덕지다. ¶～性格ᅥᅳ 끈기 있는〔끈덕진〕성격.

*ねば-る**【粘る】五自 ①(물건이) 잘 달라붙다；차지게 붙다. ②끈기 있게 견디어내다；끈덕지게 버티다. ¶最後ᅥᅳまで～ 끝까지 끈덕지게 버티다.

ねはん【涅槃】名【佛】열반. ①모든 번뇌를 벗어난 불생불멸(不生不滅)의 높은 경지. ②석가모니의 죽음. ©주이 음절. **──え**【──会】名【佛】열반회(석가의 기일(忌日)인 2월 15일에 행하는 법회).

ねびえ【寝冷え】名 (특히, 여름에) 차게 자서 배탈이나 감기에 걸리는 일. **──す**る 自

ねびき【値引き】名スヲ값을 깎음；잘라냄.

ねびき【根引き】名 ①뿌리째 뽑음. ＝ねこぎ. ②몸값을 내고 유녀(遊女) 등을 빼냄. ＝身請ᅥᅳ・落籍ᅥᅳ.

ねびより【値上り】名 가격의 차이.

ねぶ【合歓】名 ☞ねむのき.

ねぶか【根深】名【植】〈雅・方〉‘ネギ(＝파)’의 딴이름.

ねぶか-い【根深い】形 뿌리(가) 깊다. ¶～弊害ᅥᅳ 뿌리깊은 원한.

ねぶくろ【寝袋】名 침낭. ☞シュラーフザック.

ねぶそく【寝不足】名スヲ수면 부족.

ねぶみ【値踏み】名スヲ【商】헤아려서 대충 값을 매김；평가(評價).

ねべや【寝部屋】名 침실. ＝寝間ᅥᅳ.

*ねぼう**【寝坊】-bō 名スヲ 늦잠 잠；잠꾸러기.

*ねぼ-ける**【寝惚ける】〔寝惚ける〕下一自 잠이 덜 깨어서〔잠결에 깨어나〕어리둥절하다；잠에 취해 멍하다. ＝寝ᅥᅳとぼける.

ねぼすけ【寝坊助】〔寝坊助〕名〈俗〉잠꾸러기；잠충이.

ねほり【根掘り】名 뿌리를 캠；또, 그 도구. **──はほり**【──葉掘り】連語(副詞적으로) 지지콜콜이 캐어묻는 모양；미주알고주알；꼬치꼬치. ＝根間ᅥᅳ葉間ᅥᅳ.

ねま【寝間】名 침실(寝室). ＝ねや.

*ねまき**【寝巻(き)】名 잠옷. ＝ねまき

ねまわし【根回し】名スヲ ①(이식(移

植)할 때 또는 과수의 좋은 결실을 위해) 나무의 둘레를 파고, 주된 뿌리ᅮ 외의 잔뿌리를 쳐 내는 일. ②교섭 따위를 잘 성립시키기 위해 미리 의논함.

ねみず【寝水】名 밤참물. ∟사전 교섭.

ねみだれがみ【寝乱れ髪】名 자서 흐트러진 머리.

ねみみ【寝耳】名 잠결. ∟잠귀. ¶～に聞ᅥᅳいたので… 잠결에 들어서…. **──に水**ᅳ 아닌 밤중에 홍두깨(뜻밖의 돌발사건으로 놀람).

ねむ【合歓】名【植】☞ねむのき.

ねむ-い【眠い】形 졸리다. ＝ねむたい. ¶～のをこらえる 졸음을 참다.

ねむけ【眠気】名 졸음；자고 싶은 느낌. ¶～をもよおす〔さめる〕졸음이 오다. **──ざまし**【──覚(ま)し】名 졸음을 쫓는 수단(이 되는 것).

ねむた-い【眠たい】形 졸리다.

ねむたが-る【眠たがる】五自 자고 싶어하다；졸립다고 하다. ＝眠ᅥᅳがる.

ねむのき【合歓の木】名【植】자귀나무；합환목. ＝ねむ・ねぶ. ∟る.

ねむら-す【眠らす】五他 ☞ねむらせる

ねむら-せる【眠らせる】下一他 ①잠들게 하다；재우다. ②〈俗〉없애다；죽이다.

ねむり【眠り(睡り)】名 ①잠；수면. ¶～に落ᅥᅳちる 잠에 빠지다. ②누에가 탈피하기 전에 뽕을 잠시 안 먹는 일；누에잠.

ねむりぐさ【眠り草】名 ☞ おじぎそう. ∟취쥐.

ねむりぐすり【眠り薬】名 수면제；마취약.

ねむりこ-ける【眠りこける】下一自 폭잠들어버리다；정신없이 자다. ∟다.

ねむりこ-む【眠り込む】五自 폭 잠들

*ねむ-る**【眠る(睡る)】五自 자다. ①⑦잠자다. ¶正体ᅥᅳなく～ 정신없이 자다／～か死ᅥᅳぬ 잠자는 듯이 자다. ↔覚ᅥᅳめる. ⓛ활용되지 않다. ①地下ᅥᅳに～財宝ᅥᅳ 지하에 잠자는(파묻힌) 보물. ②죽다. ¶やつを～・らせよう 놈을 없애자〔죽이자〕. **──れる獅子**ᅳ 잠자는 사자；현 상태는 활동하지 않으나 일단 유사시는 강한 힘을 발휘하는 것의 비유.

ねめつ-ける【睨め付ける】下一他 쏘아 보다；노려보다. ＝にらみつける.

ね-める【睨める】下一他 눈을 흘기다；노려보다. ＝にらむ.

*ねもと**【根本・根元】名 ①뿌리；밑. ②근본；근원.

ねものがたり【寝物語】名 잠자리에서 하는 이야기.

ねや【閨】名〈雅〉침실. ＝ねま. 注意 좁은 뜻으로는〔잠결에〕부부의 침실을 가리킴.

ねゆき【根雪】名 밑에 깔려 봄의 해빙 시까지 남는 눈.

*ねらい**【狙い】名 ①겨냥；겨냥. ¶～達ᅥᅳわず 겨냥이 빗나가지 않고；어김없이／～をつける 겨냥하다. ②(겨누는) 표적；목적；목표；노리는 바. ¶～は別ᅥᅳにある 목적은 따로 있다.

ねらいうち【ねらい撃ち〔狙い撃ち〕】名スヲ 저격(狙撃)；잘 겨누어 쏨.

ねらいどころ【ねらい所〔狙い所〕】名 겨누는 목표；가장 중요한 목표.

ねら-う【狙う】五他 ①겨누다；겨냥대

다. ¶鉄砲^{てっぽう}で~ 총으로 겨냥하다.
②노리다. ⑦엿보다. ¶隙^{すき}を~ 틈을
노리다. ⑤목표로 하다. ¶優勝^{ゆうしょう}を
~ 우승을 노리다.

ねりあ-げる【練(り)上げる】〖下一自〗이
겨서〔반죽하여, 단련하여〕훌륭히 마
무르다. 〖注意〗이기는 경우는 '練り上げ
る'로도 썼음.

ねりある-く【練(り)歩く】〔漫り歩く〕
〖五自〗대열을 지어서 천천히 걷다. ¶
デモ隊^{たい}が町^{まち}を~ 데모대떼가 거리를 행
진하다〔누비다〕.

ねりあわ-せる【練り合(わ)せる・練合
せる】〔煉合せる〕〖下一自〗고루고루 섞이
도록 이기다; 물에 데우거나 이겨서〔개
어서〕하나로 만들다.

ねりいと【練(り)糸】〖名〗숙사(熟絲);
누인 명주실〔회고 광택이 남〕.↔生糸^{きいと}

ねりえ【練(り)え】〔練(り)餌・煉(り)餌〕
〖名〗①물고기가 좋아하는 것을 이겨 만
든 미끼. ②곡물 가루를 이겨 만든 새
먹이.

ねりおしろい【練りおしろい】〔練(り)
白粉・煉(り)白粉〕〖名〗개어서 만든 분;
물분; 크림분.

ねりかた-める【練り固める】〔煉り固め
る〕〖下一自〗개어서 굳히다.

ねりぎぬ【練(り)絹】〖名〗누인 명주〔비
단〕.↔きぎぬ

ねりぐすり【練(り)薬】〔煉(り)薬〕〖名〗
연약; 개어서 바른 약〔꿀이나 물엿 같
은 것으로 갠 약〕.

ねりせいひん【練(り)製品】〔煉(り)製
品〕〖名〗물고기를 으깨어 가공한 식품
〔생선묵 따위〕.

ねりなお-す【練(り)直す】〖五他〗①새로
개다. ②잘 하려고 다시 생각하다; 재
검토하다. ¶原案^{げんあん}を~ 원안을 재검
토하다.

ねりはみがき【練(り)歯磨(き)】〔煉
(り)歯磨(き)〕〖名〗크림 치약; 튜브치
약.↔きぎわ.

ねりまだいこん【ねりま大根・練馬大
根】〖名〗①〔植〕東京^{とうきょう} 練馬에서 나는
무의 한 품종〔굵고 긺〕.②〔俗〕여
자의 굵은 다리; 무 다리.

ねりもの【練(り)物】〖名〗①〔煉(り)物〕
이기거나 개어서 굳힌 물건〔꿀물 과자·
생선묵·누인 명주 따위〕.②〔練(り)
物〕산호·보석 따위 모조품.③〔漫(り)
物〕축제 때 대열을 지어 돌아다니는
가마자 행렬.

ねりようかん【練りようかん】〔練り
羊羹・煉り羊羹〕-yōkan〖名〗붉은 팥을
삶아 거른 다음 우무·밀가루에 설탕을
쳐서 반죽하여 조린 과자; 〔단팥묵〕양
갱병.

***ね-る**【練る】〖五他〗①〔명주·실 따위
를〕누이다. ¶絹^{きぬ}を~ 명주를 누이
다. ②〔반죽하여〕반죽하다. ¶あ
ん^粉を~ 팥소〔가루〕를 개다. ¶あ
ん〔粉〕(練る)〔쇠붙이를〕불리다. ¶刀^{かたな}を
~ 칼을 불리다〔벼리다〕. ¶団子^{だんご}를 단
련하다. ¶からだを~ 몸을 단련하다.
⑤〔정신·기술·계획·문장 따위를〕다듬
다; 닦다; 기르다; 생각해 내다. ¶腕^{うで}
을~ 솜씨를 기르다 / 想^{そう}を~ 구상을
짜다 / 人格^{じんかく}을~ 수양을 쌓다 / 文章^{ぶんしょう}

を~ 문장을 다듬다. —〖五自〗〔漫
る〕대오를 지어 행진하다.

＊ね-る【寝る】〖下一自〗①〔⑦잠을 자
다. ¶よく~子^こ는 よく育^{そだ}つ 잘 자는
아이는 잘 큰다 / ねてもさめても 자나
깨나; 언제나; 항상 / ねた子^こ를 起^おこ
す (a)긁어 부스럼 만들다; (b)잊어
버려 가는 것을 다시 생각나게 하다.
↔起^おきる. ⑥잠자리를 같이하다; 동
침하다. ②눕다. ⑦몸져 눕다. ⑥〔印〕
활자가 눕다; 도식(倒植)되다. ③⑦
〔자본·상품 따위가〕놀다; 묵다. ¶金^{かね}
が묵고 있다니 아깝다.⑥놀고 먹다. ¶
ねていて食^たべられる 놀고 먹을 수 있
다. ④〔누룩이〕뜨다; 발효되다.

ネル〖名〗'フランネル'의 준말.

ね-れる【練れる】〖下一自〗①〔수양·경험
이 쌓여서〕인품이 원숙해지다. ¶~
れた人物^{じんぶつ} 원숙한 사람〔원만한〕인물. ②숙
련되다. ③잘 개어진 상태가 되다.

ねわけ【根分け】〖名〗〖ス他〗분근(分根);
뿌리를 갈라서 이식함.

ねわざ【寝技】〖名〗〔유도·레슬링에서〕
드러누운 자세로 상대방에 거는 수의
총칭.↔立^たて技^{わざ}.

ねわざ【寝業】〖名〗〈俗〉(정치 따위에서)
이면 공작.——し〖自他〗이면 공
작을 잘하는 사람.

ねわら【寝わら】〔寝藁〕〖名〗깔짚; 깔깔.

ねん【年】〖名〗①1년; 한 해; 1년. ¶
~に三回^{かい} 한 해에 세 번. ②〔⑦연
き(年季). ⑥~が明ける^あ고용살이가
기한이 차다〔끝나다〕.⑥〔接尾〕연수·연
령을 나타내는 말: …年. ¶生後^{せいご}三
~ 생후 3년.

ねん【念】〖名〗①주의함. ②오래전부터
의 희망; 염원. ¶~がかなう 소원이
이루어지다. ③기분; 생각. ¶自責^{じせき}
の~にかられる 자책하는 마음에 사로
잡히다. ——には——を入^いれる 주의에
주의를 거듭하다. ——を入^いれる 십분
주의하다; 매우 조심하다. ——を押^おす
잘못이 없도록 주의시키다〔다짐하다〕;
확인하다.

ねんあけ【年明け】〖名〗고용〔약속〕기한
이 다함; 또, 그 고용인.=ねんあき.

***ねんいり**【念入り】〖ダナ〗매우 조심함.
정성들임; 공들임. ¶~な描写^{びょうしゃ} 세
밀하게 공들인 묘사.

ねんえき【粘液】〖名〗점액; 끈적끈적한
액체. ——しつ〔—質〕〖名〗점액질(의
지와 인내력이 강한 기질).

ねんが【年賀】〖名〗연하; 신년 축하; 새
해 인사. ¶~はがき 연하 엽서 / ~状^{じょう}
연하장. 「액〔총액〕.

ねんがく【年額】〖名〗연액; 일년간의 금

***ねんがっぴ**【年月日】-gappi〖名〗연월일.
¶生^{せい}~ 생년월일.

ねんがらねんじゅう【年がら年じゅう】
〔年がら年中〕-jū〖副〗①1년중 내내; 언제
나. ＝年百年^{びゃくねん}じゅう・年がら年中. ②
¶~仕事^{しごと}が忙^{いそが}しい 언제나 일
이 바쁘다.

ねんかん【年刊】〖名〗연간; 1년에 한 번
간행하는 일〔간행물〕.

ねんかん【年間】〖名〗연간; 한 해 동안.
¶~収入^{しゅうにゅう}〔産額^{さんがく}〕연간 수입〔산출
액〕.

ねんかん【年鑑】图 연감. ¶出版ぷの～
出판 연감.

ねんがん【念願】图 ㋨他 염원; 소원. ¶
～がかなう 소원이 이루어지다.

ねんき【年季】图 ①고용살이의 약속기
간. ②年季奉公ぷの 준말. ③오랫동
안 노력하여 터득한 숙련도. ─を入い
れる 여러 해 동안 수련을 쌓다. ─
ぼうこう【―奉公】-bōkō 图 미리 햇
수를 정하고 하는 고용살이.

ねんき【年期】图 연기; 1년을 단위로
정한 기간.

-ねんき【年忌】☞かいき(回忌)

ねんきゅう【年給】-kyū 图 연급; 연봉

ねんきん【年金】图 연금; (年俸).

ねんぐ【年貢】图 연공. ①소작료. ②공
조. ③해마다 바치는 공물(貢物). ③
논・밭 가옥에 부과되는 세; 조세; 조공
(租貢). ─の納おさめ時とき 조세의 남기(나
쁜 일을 한 자가 드디어 잡혀서 처벌
을 받게 된 때).

*ねんげつ【年月】图 연월; 세월. =とし
つき

ねんげん【年限】图 햇수로 정한
기한.

ねんこう【年功】-kō 图 연공. ①여러
해의 공로. ②여러 해동안 쌓은 숙련.
─じょれつ【―序列】-joretsu 图 연
공 서열.

ねんごう【年号】-gō 图 연호. 해에 붙
이는 칭호. =元号ぷ.

ねんごろ【懇ろ】图ダ图 ①친절하고 공손
한 모양. ¶～に教おしえる 친절하게 가
르치다. ②친밀한(정다운) 모양. ¶
～な交際さいだ(つきあい) 친밀한 교제.
③남녀가 몰래 정을 통하는 모양. ¶
～になる 남녀가 몰래 통정하는 사이
가 되다.

ねんざ【捻挫】图 ㋨他 염좌; 관절을
삠.

ねんさん【年産】图 연산; 한 해의 생산

ねんし【年始】图 ①연시; 연초; 연두
(年頭). ↔年末まつ. ②연하(年賀). ¶
～に行いく 세배하러 가다.

ねんし【年歯】图 연치; 연령; 나이. =
よわい・年齢

ねんじ【年次】图 연차. ①매년; 1년 마
다. ¶～計画かく 연차 계획. ②해의 순
서; 장유(長幼)의 순서.

ねんじゅ【念珠】-ju 图【佛】염주. =
じゅず・すず.

ねんじゅ【念誦】-ju 图 ㋨他【佛】염송;
염불 송경. =ねんず.

*ねんじゅう【年収】-shū 图 연수; 한해

*ねんじゅう【年中】-jū 图 연중. =ねん
ちゅう. ─ぎょうじ【―行事】-gyōji
图 연중 행사.

ねんじゅう【年じゅう】(年中)-jū 副 항
상; 늘. ¶～いそがしい 항상 바쁘다.

ねんしゅつ【捻出・拈出】-shutsu 图
㋨他 염출. ①변통해 냄. ¶費用ぷを
～する 비용을 염출하다. ②생각해 냄.
¶案あんを～する 안을 짜내다.

ねんしょ【年初】-sho 图 연초; 연시(年
始). ↔年末まつ.

ねんしょ【念書】-sho 图 다짐장; 각서
(覺書). ¶～を取とる 다짐장을 받다.

ねんしょう【年少】-shō 图 연소; 연하.
¶～者しゃ 연소자. ↔年長ちょう

*ねんしょう【燃燒】-shō 图 ㋨直 연소.

¶完全ぜんな～ 완전 연소.

ねん-じる【念じる】[上1他] ☞ねんず

ねんず【念珠】图 ☞ねんじゅ(念珠)

ねんすう【年数】-sū 图 연수; 햇수.

ねん-ずる【念ずる】サ変他 ①마음 속에
두고 늘 생각하다. ②마음 속으로 빌
다; 염원하다; 염불하다. ¶無事ぶじを～
무사하기를 빌다/観音かんを～ 관음 부
살을 염불하다.

ねんせい【粘性】图 점성. ①점성. 액체
가 유동할 때 각 부분이 서로 저항하
는 성질. ②끈기; 찰기. =ねばりけ.

*ねんだい【年代】图 연대. ①경과한 시
대. ¶～順じゅんにしるせ 연대순으로 적
어라. ②시대. ¶大正たいしょう～ 大正 연
대.

ねんちゃく【粘着】-chaku 图 ㋨直 점
착. ¶～力りょく 점착력.

ねんちゅう【年中】-chū 'ねんじゅ
う'의 새로운 말씨.

ねんぢゅう【年中】-jū 副 ☞ねんじゅ
う.

ねんちょう【年長】-chō 图 연장; 연상
(年上). =としうえ. ↔年少ちょう

ねんてん【捻転】图 ㋨直 염전; 비틀려
방향이 바뀜; 뒤틀림. ¶腸ちょう～ 장염
전(증). 「て 年度.

ねんど【年度】图 연도. ¶会計けい～ 회

ねんど【粘土】图 점토; 찰흙. =ねばつ
ち.

ねんとう【年頭】-tō 图 연두. =年始
ねん. ¶～の辞じ 연두사.

ねんとう【念頭】-tō 图 염두; 마음속.
─に置おく 염두에 두다.

ねんない【年内】图 연내.

ねんね ─图 ㋨直〈兒〉잠을 잠. ¶～し
な ねんねする 하자; 코하자. ─图 어린
애; 철부지(특히, 나이에 비해 세상 물
정을 모르는 처녀를 일컫는 말). ¶彼
女かのはまだ～だ 그 여자는 아직 철부
지다.

ねんねこ 'ねんねこばんてん'의 준
말; 아기를 업을 때에 쓰는 두루마기 같
이 생긴 솜 둔 포대기; 처네.

ねんねん【年年】图 연년; 해마다. ¶
～ある事件けんが 해마다 있는 사건이
다. ─さいさい【―歳歳】副 연년세
세; 매년; 돌아오는 해마다.

ねんのため【念のため】の為 連語
다짐하기 위해; 더욱 확실히 다짐해두
기 위해. ¶～(に)繰くり返かえし申もうしま
す 다짐을 위해 거듭 말씀드립니다.

ねんぱい【年配】(年輩)nempai 图 연
배. ①연감; 나이의 정도. ¶同どう～ 동
연배. ②분수를 아는 지긋한 나이. ③연상
(年上). ¶～の紳士しん 중년 신사. ③연상
(年上). ¶七なな○の～ 7 십 위다.

ねんばらい【年払い】nemba- 图 연불
(年拂).

ねんばらし【念晴らし】nemba- 图 의혹
또는 집념을 풂.

ねんばんがん【粘板岩】 nemban- 图
【鑛】점판암(벼룻돌로 쓰임).

ねんぴょう【年表】nempyō 图 연표; 연
대표.

ねんぷ【年譜】nempu 图 연보. ¶作家
かの～を調しらべる 작가의 연보를 조사
하다.

ねんぷ【年賦】nempu 图 연부. =年払ばら

ねん.　↔月賦げっぷ.

ねんぶつ【念仏】nembu- スヌ【佛】염불;(특히) 나무아미타불(南無阿彌陀佛)을 욈. **~を唱ぇる**염불을 외다. **——しゅう**【——宗】-shū 图【佛】염불종(염불음에 의하여 왕생을 구하는 종지(宗旨)).

ねんぼう【年俸】nempō 图 연봉. =年給きゅう.

ねんぽう【年報】nempō 图 연보.

ねんまく【粘膜】nemma- 图 점막.

ねんまつ【年末】nemma- 图 연말;세밑. **——ちょうせい**【——調整】-chōsei 图 (원천 징수된 소득세 납세액의) 연말 정산(精算).

ねんゆ【燃油】nen'yu;(등유(燈油)에 대하여) 연료용 기름.

ねんよ【年余】图 연여;1년 남짓.

ねんらい【年来】圖 연래;몇 해 전부터. **~の望のぞみ**연래의 소망.

ねんり【年利】图 연리;연변(年邊).

ねんりき【念力】图 념력;(의지(意志)의 힘);정신력.

*ねんりょう**【燃料】-ryō 图 연료;땔감. **‖核かく~**핵연료 / **液体えきたい~**액체 연료. **~対策たいさく**연료 대책.

ねんりりつ【年利率】图 연 이율;1년의 이율.

ねんりん【年輪】图 연륜. **①**나무의 나이테. **②**해가 지날수록 성장·변화한 역사;나이. **‖いたずらに~を重かさねる**헛되이 나이만 먹다.

‡**ねんれい**【年齢】图 연령;나이. =としよわい. **‖結婚けっこん年齢 연령 / 精神せいしん~**정신 연령. **——そう**【——層】-sō 图 연령층.

の ノ

①五十音図ごじゅうおんず**'な行ぎょう'**의 다섯째 줄. [no] ②【字源】**'乃'**의 초서체(かたかな **'ノ'**는 **'乃'**의 첫 획(畫)).

---

*の**【野】图 **①**들. =のはら. **②**논밭. =のら. **③**(다른 명사에 붙어서) 야생의. **‖~うさぎ**산토끼.

の 〓(格助) **①('A の B'**의 꼴로, A는 体言 또는 形容詞 語幹 등 体言에 준하는 것, B는 体言) **①**A가 B의 내용·상태·성질 따위에 한정을 가함을 나타냄:…의;…에 있는(관한);…으로 된. **‖柳やなぎ**냇가의 버들 / 私わたしの**一本いっぽん**내 책 / **革かわ~かばん**가죽 가방 / **異国いこく~**이국의 하늘 / **帰かえり~切符きっぷ**돌아올 때의 차표 / **君きみ~手紙てがみ**자네에의 편지. [参考]**'花はな~都みやこ** (=꽃의 서울)' 등과 같이 A가 비유적으로 B의 속성으로 인정되는 경우도 있음. B가 形式名詞로 되는 그 것에서 유래하는 **'ようだ, ごとし'** 등인 때, A는 실질 및 내용을 가리킴:…한;…처럼;…과(같은). **‖御おー相談そうだん~上うえ**で決きめましょう 상의한 뒤에 결정합시다 / **火か~ような赤あか**불과 같은 붉음. **②**하나의 문장의 성분을 이루는 구(句)(旬)('A の B'의) **①**A가 主語格을 가리킴:…이(하는) 것. **‖ぼく~読よん本ほんはこれだ**내가 읽은 책은 이것이다. **‖これ と同おなじ連体形だ となり**A라는 뜻:…의. **‖お茶ちゃ~濃こい**のを飲のむ 진한 차를 마시다. 〓述語가 連用形로 아래에 계속될 때의 主語 또는 대상의 말을 가리킴:…가;…이. **‖わたし~書かいた手紙てがみ**내가 쓴 편지. **③**(대상화(對象化)하는 데 쓰임)…의 것. **‖できた~から持もって来き**い 된 것부터 갖고 오너라. ②(指定의 助動詞 **'だ' 'です'** 따위를 수반하여) 이유·근거·주체·主體)의 입장·자위를 설득적(說得的) 또는 단정적으로 말함을 나타냄. **‖彼かれは病気びょうき~だ** 그는 앓고 있는 것이다 / **その日ひ**は雨あめが降ふっていた~です 그 날은 비가 왔던 것입니다. [参考]구어형(口語形)은 **'の'**가 **'ん'**의 꼴로도 됨. **‖死しぬ~生**

きる~と言いって騒さわぐ죽느니 사느니 하고 떠든다. 〓(終助) 《주로 女·兒》 **①**물음을 나타냄. **‖何なにをしている~**무엇을 하고 있니. **②**가벼운 단정(斷定)을 나타냄. **‖ええ,そうな~**예, 그래요. **③**(강하게 발음(發音)해서) 상대를 설득하려는 뜻을 나타냄. **‖あなたは心配しんぱいしないで勉強べんきょうだけしていればいい~**너는 걱정말고 공부만 하고 있으면 돼요. 〓(間助) 말이야…. 뜻은 =ね・な. **‖川かわへ行いって~,よく魚さかなを取**とったものじゃ 강에 가서 말이야, 곧 잘 물고기를 잡곤 했었지. [参考]**'のう'**라고도 함.

ノア 图 **'~の箱舟はこぶね'**노아의 방주. ▷Noah.

のあそび【野遊び】图 들놀이; 또, 사냥(하기).

のあらし【野荒らし】图 スヌ 들, 특히 밭의 농작물을 망치거나 훔치는 일; 또, 그렇게 하는 사람이나 짐승.

ノイズ图 노이즈; 소음; 잡음. ▷noise.

のいばら【野茨・野薔薇】图【植】 들장미; 찔레나무. =のばら.

ノイローゼ图 노이로제. ▷도 Neurose.

のう【能】nō 图 **①**능함; 재능. **‖寝ねる以外いがいに~の無むい男おとこ**잘 자는 일 밖에 능함이 없는 사나이. [参考]接尾語的으로도 씀. **‖放射ほうしゃ~**방사능. **②**능사. **‖金かねをためるだけが~ではない**돈을 모으는 것만이 능사가 아니다. **③**효능. **‖くすりの~書しょ**약의 효능서. **④**기술; 기예. **⑤**☞のうがく(能楽). **——あるたかはつめを隠かくす**실력 있는 자는 함부로 그것을 드러내지 않는다.

*のう**【脳】nō 图 뇌. **①**뇌수. **‖~の内出血ないしゅっけつ**뇌의 내출혈. **②**머리(의 작용)(판단력·기억력 따위). **‖~が悪わるい**머리가 나쁘다.

のう【農】nō 图 농;농가;농민;농사. **‖~をきらう**농사를 싫어하다 / **~を営いとなむ**농사를 짓다. [参考]接尾語的으로도 씀. **‖小作こさく~**소작농.

のう【膿】nō 图【醫】농;고름. =うみ.
のういっけつ [脳溢血] nōikke- 图 ☞ のうしゅっけつ.
のうえん【脳炎】nōen 图【醫】뇌염.
のうえん【農園】nōen 图 농원;주로 원예 작물을 만드는 농장.
のうえん【濃艶】nōen ﾀﾅ 농염;요염하고 아름다움. ↔発色なく.
のうか【農家】nōka 图 농가;농사짓는 집.
のうかい【納会】nō- 图 ①그 해의 마지막에 가지는 회합. ②(거래소에서) 월말에 행하는 시세를 결정하는 매매 거래. ↔発会なく.
のうがい【農外】nō- 图 '農業なく 이외(=농업 이외)'의 준말;농외. ¶ ～収入なく 농외 수입.
のうがき【能書き】nō- 图 (약 따위의) 효능을 적은 문서[쪽지];효능서(効能書);전하여, 자기 선전. ¶ 勝手なくな～ばかり並べたてる 제멋대로 자기 선전만 늘어놓다.
のうがく【能楽】nō- 图 일본의 대표적인 가면(仮面) 음악극. =能なく.
のうがく【農学】nō- 图 농학.
のうかすいたい【脳下垂体】nō- 图【生】뇌하수체.
のうかん【納棺】nō- 图 ㅈ他 납관;입관. =入棺ぎやく.
のうかんき【農閑期】nō- 图 농한기. ↔農繁期なく.
のうき【納期】nōki 图 납기;납입하는 기한.
のうき【農機】nōki 图 농기;농사철.
(参考) 좁은 뜻으로는 농업번기를 가리킴.
のうぐ【農機具】nō- 图 농기구.
のうきぎ【農機具】nōkyō 图 농협;'農業なく協同なく組合なく(=농업 협동 조합)'의 준말.
**のうぎょう【農業】nōgyō 图 농업. ↔工業なく・商業なく. ——きょうどうくみあい【──協同組合】=kyōdōkumiai 图 농업 협동 조합;농협.
のうきょうげん【能狂言】nōkyō- 图 ①能楽なくの 막간에 상연하는 희극. =狂言なく. ②能楽なくと 狂言なく.
のうきん【納金】nōkin 图 ㅈ自 납금;금전을 납부함;또, 그 금액.
のうぐ【農具】nō- 图 농구;농기구.
のうげい【農芸】nō- 图 농예. ¶ ～化学なく 농예 화학.
のうこう【農工】nōkō 图 농공. ①농업과 공업. ②농부와 직공. ③農村なく工業なく(=농촌 공업)'의 준말.
のうこう【農耕】nōkō 图 농경;논밭을 갈아 농작물을 가꾸는 일.
*のうこう【濃厚】nōkō ﾀﾅ 농후. ①색·맛 따위의 진한 모양. ¶ ～な味で진한[짙은] 맛 / ～な化粧なく 짙은 화장. ②강렬한 인상·자극을 주는 모양. ¶ ～なラブシーン 짙은 러브신. ③경향이 강해지는 모양. ¶ 嫌疑なくが～だ 혐의가 짙다. ↔希薄なく. ——しりょう【──飼料】=ryō 图 농후 사료;단백질이 많은 사료.
のうこつ【納骨】nō- 图 ㅈ他 납골. ①화장한 유골을 단지에 넣어 간수함;유골을 납골당에 모심. ¶ ～堂なく 납골당.
のうこん【濃紺】nō- 图 짙은 감색.
のうさい【納采】nō- 图 (황족의) 납채. =結納なく.

のうさぎ【野うさぎ】(野兎) 图 야토;산토끼.
のうさくぶつ【農作物】nō- 图 농작물. =のうさくもつ.
のうさつ【悩殺】nō- 图 ㅈ他 뇌쇄.
のうさんぶつ【農産物】nōsambu- 图 농산물.
のうし【脳死】nō- 图【醫】뇌사.
のうじ【能事】nōji 图 해야 할 일. ¶ ～終わわれりとする 할 일 다했다고 생각하다.
のうじ【農事】nōji 图 농사. ¶ ～番組なく(라디오 따위의) 농사 프로 / ～試験場なく 농사 시험장.
のうじゅ【納受】nōju 图 ㅈ他 ①수납;받아 들임. ②(신불이) 소원 따위를 들어 줌. [름.
のうじゅう【膿汁】nōjū 图 농즙;고
のうしゅく【濃縮】nōshu- 图 ㅈ他 농축. ¶ ～ジュース 농축 주스 / ～ウラン 농축 우라늄(원자로 연료).
のうしゅっけつ【脳出血】nōshukke- 图【醫】뇌출혈;뇌일혈;뇌졸중. (参考) 본디 '脳溢血なく'라고 하였으나 지금의 의학 용어로는 '脳出血'. ⇨のうそっちゅう.
のうしゅよう【脳腫瘍】nōshuyō 图【醫】
のうしょ【能書】nōsho 图 능서;달필(達筆). =能筆なく. ——筆なくをえらばず 글씨 잘 쓰는 사람은 붓을 가리지 않는다.
のうしょう【農相】nōshō 图 농상;농림 수산 대신〔장관〕. =農林なく水産なく大臣なく. [「農園」.
のうじょう【農場】nōjō 图 농장;농원
のうしんけい【脳神経】nō- 图【生】뇌신경.
のうしんとう【脳震盪・脳震蕩】nōshintō 图【生】뇌진탕.
のうずい【脳髄】nō- 图【醫】뇌수.
のうすいしゅ【脳水腫】nōsuishu 图【醫】뇌수종.
のうせい【脳性】nō- 图 뇌성;뇌에 관계가 있는 일. ¶ ～小児麻痺なく 뇌성 소아 마비.
のうせい【農政】nō- 图 농정;농업에 관한 행정·정책.
*のうぜい【納税】nō- 图 ㅈ自 납세. ¶ ～の義務なく 납세의 의무. ↔徴税なく.
のうせきずいまくえん【脳脊髄膜炎】nō- 图【醫】뇌척수막염.
のうぜんかずら【凌霄花・紫葳・陵苕】nō- 图【植】능소화.
のうそっちゅう【脳卒中】nōsotchū 图【醫】뇌졸중. (参考) 좁은 뜻으로는 뇌출혈과 뇌연화증(脳軟化症)을 가리킴. (参考) 의학 용어로는 '脳血管なく疾患なく(=뇌혈관 질환)'.
のうそん【農村】nō- 图 농촌. ¶ ～問題なく 농촌 문제. ↔漁村なく.
のうたん【濃淡】nō- 图 농담;(색·맛 등의) 짙음과 엷음.
のうち【農地】nō- 图 농지;농토. ——かいかく【──改革】图 농지 개혁.
のうちゅう【嚢中】nōchū 图 낭중;주머니 속;지갑 속;소지금. ¶ ～無一物なく 낭중 무일물. ——の錐なく 재능이 있는 사람은 그것을 감추어도 드러난다.
のうてん【脳天】nō- 图【生】뇌천;정수리. ——から声なくを出なくす 새된 목소리

를 지르다.

のうど【農奴】nō- 图 농노.

のうど【濃度】nōdo- 图 농도. ¶薬品ミッの─ 약품의 농도 / ~が高たかい 농도가 높다 / ~を増ます 농도를 짙게 하다.

のうどう【能動】nōdō 图 능동. ─形ケレ 능동형 / ~的できてき 능동적; 적극적. ↔受動じゅどう. ─たい【─態】图【文法】 능동태. ↔受動態じゅどうたい.

のうなし【能無し】nō- 图子 쓸모없음; 무능력; 또, 그런 사람.

のうなんかしょう【脳軟化症】nōnanka-shō 图 뇌연화증.

のうにゅう【納入】nōnyū 图他 납입. =納付のうふ.

のうのう nōnō 副 걱정이 없이 태평한 모양. ¶~(と)暮くらす 걱정없이[편히] 지내다.

のうは【脳波】nō- 图【生】뇌파. ¶正常じょう~ 정상 뇌파.

のうはんき【農繁期】nō- 图 농번기. ¶~休暇きゅうか 농번기 휴가. ↔農閑期のうかんき

のうひつ【能筆】nō- 图 능필; 달필. =能書のうしょ. ¶~家か 달필가.

のうひん【納品】nō- 图区自他 납품.

のうひんけつ【脳貧血】nō- 图【醫】뇌 빈혈.

のうふ【納付】【納附】nō- 图他 납부. =納入のうにゅう. ¶~金きん 납부금.

のうふ【農夫】nō- 图 농부. ①농사꾼. ②농사 품팔이 일꾼. ¶「사하는 여자.

のうふ【農婦】nō- 图 농부; 농사에 종사하는 여자.

のうぶたい【能舞台】nō- 图 能楽のうがく을 상연하는 무대.

のうべん【能弁】【能辯】nō- 图子 능변. ¶~家か 능변가. ↔訥弁とつべん.

のうほう【膿疱】nōhō 图【醫】농포. ─しん【─疹】图【醫】농가진('膿痂疹のうかしん=농가진'의 구칭). ¶「목축.

のうぼく【農牧】nō- 图 농목; 농업과

のうほん【納本】nō- 图区他 납본.

のうほんしゅぎ【農本主義】nōhonshugi 图 농본주의.

のうまく【脳膜】nō- 图【生】뇌막. ¶~炎えん 뇌막염.

のうみそ【脳味噌】nō- 图 ①〔俗〕뇌; 뇌수(脳髄). ②전하여, 지력(知力). ¶~を絞しぼる 머리를 짜내다. ─が足たりない 머리가 모자라다.

のうみん【農民】nō- 图 농민. =ひゃくしょう. ─いっき【──一揆】-ikki 图 ☞ひゃくしょういっき.

のうむ【濃霧】nō- 图 짙은 안개. ¶~注意報ちゅういほう 농무 주의보.

のうめん【能面】nō- 图 能楽のうがく에 쓰는 탈(가면). =おもて. ¶~のような顔かお 다듬어져 있지만 무표정한 얼굴.

のうやく【農薬】nō- 图 농약.

のうり【脳裏】【脳裡】nōri 图 뇌리; 머리 속. ¶~にひらめく 뇌리(머리)에 번뜩 생각이 떠오르다.

のうりつ【能率】nō- 图 능률. ¶~を上あげる 능률을 올리다 / ~が良よい 능률이 좋다. ─か【─化】图区他 능률화. ─きゅう【─給】图 능률급. ─てき【─的】子ナ 능률적.

のうりゅうさん【濃硫酸】nōryū- 图 농황산. ↔希き硫酸.

のうりょう【納涼】nōryō 图区自 납량; 더위를 피하여 서늘한 바람을 쐼. =すずみ.

のうりょく【能力】nōryo- 图 능력. ①특정한 일을 할 수 있는 개인의 역량. ¶生産せい~ 생산 능력 / 思考し~ 사고 능력 / ~に応おうじた教育きょういく 능력에 따른 교육. ②【法】사권(私権)을 행사할 수 있는 자격. ─きゅう【─給】-kyū 图 능력급.

のうりん【農林】nō- 图 농림; 농업과 임업. ─しょう【──省】-shō 图 농림성('農林水産省のうりんすいさんしょう'의 준말); 우리 나라의 농수산부에 해당).

のうろうがん【膿漏眼】nōrō- 图【醫】농루안; 임균성 결막염. 「Noël.

ノエル【宗】ノエル; 크리스마스. ▷프

ノー 노. 一图 ①부정; 부인. ¶答こたえは~だ 답은 노다 / またそうだ, イエスか~か 자, 어때. 예스냐 노냐. ②금지. ¶~スモーキング 금연. ③…이 없음. ¶~ネクタイ 노넥타이; 노타이. 三 아니다. ↔イエス. ▷no. ─カウント 图 (경기에서) 노 카운트; 득점(실점)으로 치지 않음. =ノーカン. ▷no count. ─ゲーム 图【野】노 게임; 무승부 시합. ▷no game. ─コメント 图 노 코멘트. ▷no comment. ─タッチ -tatchi 图 노 터치. ①(사건 등에) 관계하지 않음. ②【野】공이 러너에게 닿지 않음. ▷no touch. ─ダン 图【野】무사(無死). =ノーダウン. ▷no down. ─パーキング 图 주차 금지. ▷no parking. ─プレー 图 (야구 등에서) 정규의 플레이로 인정치 않음. ▷no play.

ノート 노트. 一图区他 필기해 둠; 잊지 않게 써 둔 것. 三图 ①주(註); 주석. ¶フット~ 각주(脚註). ②'ノートブック'의 준말. ▷note. ─ブック -bukku 图 노트북; 수첩; 필기장. ▷notebook.

ノーハウ 图 노하우; 기술 정보(의 사용료). ▷know-how.

ノーブル子ナ 노블. ①품위있는 모양. ②고상한 모양. ▷noble.

ノーベルしょう【ノーベル賞】-shō 图 노벨상. ▷Nobel.

ノーマル子ナ 노멀; 정상; 정규; 표준적. ↔アブノーマル. ▷normal.

のがーす【逃す】nō- 图他 놓치다. ¶せっかくの機会きかいを~ 모처럼의 기회를 놓치다. ─【接尾語として】…할 기회가 있으면서 …하지 않고[못하고] 말다. ¶見み~ 못 보고 말다; 보고도 못 본 체하다.

のが-れる【逃れる】下1自 ①달아나다; 도망치다. ↔つかまる. ②면(피)하다; 벗어나다. ¶都会とかいの騒音そうおんを~ 도회지의 소음에서 벗어나다 / 責任せきにんを~ 책임을 면하다(피하다).

のき【軒】图 처마. ¶~をつらねる 처마를 잇대고 있다(집이 많이 늘어서 있다). 「기.

のぎ【芒】图 (벼·보리 등의) 까(끄)라

のぎく【野菊】图【植】①들국화. ②☞よめな.

のきさき【軒先】图 처마끝; 처마 근처.

のきした【軒下】图 처마 밑. ¶～を借かりて雨宿␣␣りする 처마 밑을 빌려서 비를 긋다.

のきしのぶ【軒忍】图【植】다시마딸영.

ノギス图 노기스；물체의 두께·직경 등을 재는 금속제의 자. ▷도 Nonius.

のきどい【軒どい】【軒樋】图 물받이.

のきなみ【軒並】图①처마가〔집이〕잇따라 늘어서 있음；또, 늘어선 집. ②집집마다. ③(副詞的으로)〔같은 종류의 것이〕모두；다 함께. ¶～値上␣␣げ 일제히 값을 올림.　〔①〕.

のきならび【軒並び】图 のきなみ.

のきば【軒端】图〈雅〉처마끝；처마 근처.＝のきさき・のきはし.

のぎへん【ノ木偏】【禾偏】图 한자 부수의 하나；벼화변〔「秋」「種」등의「禾」의 이름〕.

の━く【退く】⑤自 물러서다；비키다；떠나다；탈퇴하다.

ノクターン图【樂】녹턴；야곡(夜曲)・야상곡(夜想曲). ▷nocturne.

のけざま【仰け様に】圖 뒤로 자빠지는 모양；벌렁.

のけぞ━る【仰け反る】⑤自 (뒤로) 몸을 젖히다. ↔のめる.

のけもの【のけ物】【除け物】图 (불량품으로서) 제쳐 놓은 물건.

のけもの【のけ者】【退け者・除け者】图①예외로 취급받는 사람. ②仲間에서, 따돌림을 당하는 사람.

の━ける【退ける】⑤他①딴곳으로 옮기다；물리다. ¶邪魔␣␣もの를～ 방해물을 옮기다. ②(動詞連用形＋'て'를 받아서)훌륭히〔거리낌 없이〕…하다；해치우다. ¶即座␣␣にやって～ 즉석에서 해내다／悪口␣␣を面前␣␣で言って～ 면전에서 거리낌없이 욕설을 해 버리다.

の━ける【除ける】下他 제거〔제외〕하다；빼다；없애다.＝除␣␣く.

のこ【鋸】图 톱('のこぎり'의 준말). ～くず 톱밥.

***のこぎり【鋸】**图 톱.

‡の━こ━す【残す】他 남기다 남겨 두다. ¶食␣␣べ～ 먹다가 남기다／国␣␣に…して来␣␣た 親␣␣を 고향에 남겨 두고 온 부모. ②(遺す)후세에 전하다. ¶功績␣␣を～ 공적을 남기다. ②(씨름에서)씨름꾼이 위태로운 태세를 겨우 견디다.

のこのこ【面】뻔뻔히 또는 형편이 어색한 마당에 태연히 나타나는 모양；어슬렁어슬렁. ¶뻔뻔스럽게. ＝と・のこのこと.

の登␣␣にる어슬렁어슬렁 연단에 올라가다.

***のこらず【残らず】**圖 남김 없이；전부, 모두. ¶話␣␣は～聞␣␣いた 얘기는 모두 들었다.

***のこり【残り】**图①남은 것〔분량〕；나머지. ②(사람이) 뒤에 남음. ¶居␣␣～ 남이 간 뒤에도 남음.

のこりおおい【残り多い】-ōi 肜①분하다；유감이다. ②마음에 걸리다；섭섭하다.＝なごり惜␣␣しい.

のこりおしい【残り惜しい】-shī 肜☞なごりおしい.

のこりかす【残りかす】【残り滓】图(먹

고 난) 뒤에 남은 찌꺼기；가치가 없는 것.

のこりすくな━い【残り少ない】肜 (물건·시간 따위가) 얼마 남지 않다.

のこりなく【残りなく】連語 모두；남김없이. ¶実力␣␣を～発揮␣␣する 실력을 남김 없이 발휘하다.

のこりび【残り火】图 타다 남은 불.

のこりもの【残り物】图 남은 물건；특히, 남은 음식. ¶～を始末␣␣する 남은 물건을 처리〔정리〕하다.

‡の━こ━る【残る】⑤自①⑦(뒤에) 남다；여분이 생기다. ¶会社␣␣に～ 회사에 남다／心␣␣が～ 마음이 남다〔마음에 걸리다〕／きずあとが～ 흉터가 남다／生␣␣き～ 살아 남다／金␣␣が～ 돈이 여분이 생기다. ○(遺る)후세에 전해지다. ¶名␣␣が～ 이름이 남다. ②(씨름에서)위험한 상태이기는 하지만 아직 승부의 여지가 남아 있다.

のきば━る⑤自 위세 부리며 크게 장소를 차지하다；제멋대로 날뛰다〔굴다〕；뽐내다. ¶世␣␣に～ 세상에서 제멋대로 날뛰다／雜草␣␣が～ 잡초가 제멋대로 자라 퍼지다.

のざらし【野ざらし】【野晒(し)】图①들판에 내버려 둠；또, 그 물건. ②해골.＝されこうべ.

のし【伸し・延し】图①펴서 넓힘. ②몸을 옆으로 놓히고 손발을 펴서 헤엄치는 수영법.

のし【熨斗】图☞のしあわび. ①축하의 선물에 덧붙이는 것(색종이를 접어서 위가 넓고 길쭉한 육각형(六角形)으로 만듦). ②('のしあわび'의 준말). ―を付␣␣ける；―をつけてあげる 기꺼이 진정 진물(進물)하다.

のしあが━る【のし上がる】【伸し上がる】⑤自①지위・순위가 두드러지게 높아지다. ②건방진 태도로 제멋대로 굴다；남의 약점을 잡아 제멋대로 굴다；기어 오르다.

のしあわび【熨斗鮑】图 얇게 저며서 펴말린 전복(축의를 표하기 위해 선물에 붙임).

のしかか━る【伸し掛かる】⑤自①(위로부터) 덮치다；몸으로 덮쳐 누르다. ②상대방을 억압하려는 듯한 태도로 나오다；압력을 넣다.

のしがみ【のし紙】【熨斗紙】图 선물을 싸는 종이('のし・水引␣␣'가 인쇄되어 있음). ¶「하게 만든 떡.

のしもち【伸し餅】图 긴 네모꼴로 납작

のじゅく【野宿】noju- ㅈ図 노숙(露宿)；들에서 잠.

の━す【伸す】㈠他①눌러서 펴다. ¶めんぼうで～ 밀방망이로 눌러 펴다. ②(俗)때려 눕히다. ¶～してしまえ 때려 눕혀라. ③(熨す)(다리미 따위로) 주름을 펴다；다리다. ㈡⑤自〈俗〉①(지위・재산・세력・성적 따위가) 오르다；뻗어나다；늘어나다. ¶億万長者␣␣に～した 억만 장자로 나서다. ②(무엇인가를 하던 여세로) 더욱 내뻗다；나아가다. ¶東北␣␣へ行␣␣ったついでに北海道␣␣へ～して来␣␣た 동북 지방에 갔던 김에 北海道까지 갔다 왔다.

のずえ【野末】图〈雅〉들판 끝；들가.

ノスタルジア 名 노스탤지어 ; 향수(郷愁). =ホームシック. ▷nostalgia.

の-せる【乗せる】下1他 ①ⓐ태우다. ¶汽車に〜に기차에 태우다. ⓑ싣다, 실리다. ¶電波﹅に〜 전파에 싣다 ; 방송하다. ¶口車に〜 감언이설로 속이다. ¶うまい口車に〜 달콤한 말로 속이다. ⓒ가락에 맞추다. ¶ピアノに〜・せて歌う 피아노에 맞춰 노래부르다. ⓓ(한 패에) 끼워 주다 ; 올리다. ¶一口﹅〜・せてくれ 한 몫 끼워 주게. ⓔ올리다. ¶舞台﹅に〜 무대에 올리다 ; 상연하다.

のせる【載せる】下1他 ①위에 놓다 ; 얹다. ¶本﹅を棚﹅に〜 책을 선반에 얹다. ↔おろす. ②(짐을) 싣다. ¶荷物﹅を〜 짐을 싣다. ↔おろす. ③게재〔기재〕하다 ; 기록하다. ¶雑誌﹅に〜 잡지에 싣다.

のぞかせる【覗かせる・覘かせる】下1他 ①들여다보이게 하다 ; 엿보이게 하다 ; 슬쩍 알아차리게 하다 ; 슬쩍 비치다. ¶懐﹅からあいくちを〜 품에서 비수를 슬쩍 비치다.

のぞき【覗き・覘き】名 ①엿봄 ; 들여다봄. ②'覗き眼鏡﹅(=요지경)'의 준말.

のぞ-く【除く】五他 ①제거하다 ; 없애다. ¶雑草﹅を〜 잡초를 제거하다. ②빼다 ; 제외하다. ¶名簿﹅から〜 명부에서 빼다 ; 六十歳﹅以上﹅を〜 60세 이상을 제외한다. ③죽이다. ¶邪魔者﹅を〜 방해자를 죽이다.

のぞ-く【覗く・窺く・覘く】⊟五他 ①(좁은 틈・구멍으로) 엿보다 ; 들여다보다. ②앞으로 내밀 듯하여 밑을 내려다보다. ¶へいの上﹅から〜 담 위로부터 내려다보다. ③잠깐 들르다 ; 잠깐 들여다보다 ; 조금 배우다〔알다〕. ¶古本屋﹅を〜 헌 책방에 (잠깐) 들러 보다. ¶一口﹅分만 밖에 나타나다. ¶えりから下着﹅が〜・いている 옷깃으로 속옷이 내다보인다. ⊟五自 일부분만 밖에 나타나다. ¶えりから下着﹅が〜・いている 옷깃으로 속옷이 내다보인다.

のそだち【野育ち】名 제멋대로 자람 ; 버릇없이 자람 ; 또, 그 사람. ¶〜の子 제멋대로 자란 아이.

のそのそ 副 동작이 둔하고 느리게 행동하는 모양 ; 느릿느릿 ; 어슬렁어슬렁.

のぞましい【望ましい】-shi 形 바람직하다.

のぞみ【望み】名 ①바라는 마음 ; 소망, 희망. ¶長年﹅の〜 오랜 소망 / 〜をかける 기대를 걸다. ②갈망 ; 전망. ¶まだ〜はある 아직 가망이 있다. ③인망(人望). ¶〜を一身﹅に集める 인망을 한몸에 모으다.

のぞ-む【望む】五他 ①바라다 ; 소망하다 ; 기대하다. ¶学生﹅に〜 학생에게 바라다 / 自由﹅を〜 자유를 바라다. ②바라다보다 ; 하늘을 바라보다. ¶大空﹅を〜 넓은 하늘을 바라보다. ③따르다 ; 흠모하다. ¶その徳﹅を〜 그 덕을 흠모하다.

のぞ-む【臨む】五自 ①면(面)하다 ; 향(向)하다. ¶海﹅に〜家 바다를 향한 집. ②(중요한 장면에) 임(臨)하다. ¶開会式﹅に〜 개회식에 임석하다. ③만나다 ; 당면하다 ; 즈음하다. ¶別れ﹅に〜・んで 이별에 즈음하여. ④(아랫사람을) 대하다 ; 군림하다 ; 지

배하다. ¶部下﹅に〜態度﹅が 부하를 대하는 태도 / 人民﹅に〜 국민에게 군림하다.

のぞむらくは【望むらくは】-wa 連語 원컨대 ; 바라건대 ; 제발 …하기를.

のだ 連語《動詞・形容詞 및 이와 같은 형의 활용을 하는 助動詞에 붙어서》①상대가 모르는 것・의심하고 있는 것을 설명하고 제시해 주는 기분을 나타냄. ¶結果﹅はそうなる〜 결과는 그리 되는 것이다 / 彼﹅がこわした〜 그가 망가뜨린 것이다. ②말하는〔쓰는〕 이의 결심을 나타냄 : …하련다 ; 하겠다. ¶ぼくはこうする〜 나는 이렇게 하련다. 注意「ん だ」라고도 함.

のだいこ【野太鼓】【野幇間】名 직업으로서가 아니고 연회 석상에서 좌흥을 돋구는 남자 ; 연회때, 재주가 있는 'たいこもち'를 업신여겨 일컫는 말.

のたうつ【ⓐ(괴로워서) 몸부림치다 ; 괴로워서 뒹굴다 ; 자빠뒤집기하다.

のた-くる⊟五自 (지렁이・뱀 따위가) 꿈틀대다 ; 기어가다 ; 꿈틀거리다. ⊟五他 (글자 등을) 난폭하게〔갈겨〕 쓰다.

のたまわく【宜わく・曰わく・の給わく】連語《雅》말씀하시기를 ; 가라사대. ¶子﹅〜 공자가 가라사대.

のたりのたり 副 물결이 느리게 너울거리는 모양 ; 너울너울.

のたれじに【野垂れ死に】【野垂死】名 ス自 길가에 쓰러져 죽음 ; 그와 비슷한 가엾은 죽음.

のち【後】名 ①(시간적으로) 뒤・후. ¶十年﹅の〜 10 년 후. ↔まえ・さき. ②미래 ; 장래. ↔まえ. ③사후(死後). ¶〜を案﹅ずる 사후의 일을 걱정하다. ④자손.

のちぞい【後添い】名 후처(後妻) ; 재취(再娶). =のちづれ.

のちのち【後後】名 장래. ¶〜のため 장래를 위하여. ↔前前﹅ほど.

のちのよ【後の世】連語《雅》①장래 ; 세상 ; 미래. ②사후(死後). 参考 불교에서는 '後世﹅(=내세)'.

のちほど【後程】副 조금 지난 뒤(에) ; 나중에. =後刻﹅ほど. ¶では また〜 그러면 또 나중에. ↔先﹅ほど.

ノック nokku 名 ス他 노크. ①두드림. ②(내방한 것을 알리기 위해서) 문을 두드림. ③(野) 수비 연습으로 각 야수에게 공을 쳐 주는 일. ▷knock.
——**アウト** 名 ス他 녹아웃. ①(권투에서 상대방을 쓰러뜨려 규정 시간내에 일어나지 못하게 함. ②(野) 마구 히트를 쳐서 상대방 투수를 교대시킴. ③상대방을 완전히 패배시키는 일. ▷knockout. ——**ダウン** 名 ス他 녹다운. ①(권투에서) 상대방을 한대 쓰러뜨리는 일. ▷knock down. ——**ダウンほうしき**【ダウン方式】-hōshiki 名 녹다운 방식(부분품을 상대방 현지에서 조립해서 완성품을 만드는 방식).

のけ nokke 名《俗》처음 ; 최초 ; 초장. ¶〜から優勢﹅な 처음부터 우세하다.

のっ-ける【乗っける】nokke- 下1他《俗》태우다. =乗﹅せる.

のっしのっし nosshinosshi 副 체중이 무

거운 것이 발을 천천히 떼어 걷는 모
양；육중하게. ¶象*が*―(と)*歩*く 코
끼리가 육중하게 걷다.

のっそり nossori 圖 동작이 둔하고 행동
이 느릿느릿한 모양：느릿느릿. ＝の
そっと. ¶―と立*ち上*が*る* 느릿
느릿 일어나다.

ノット【節】notto 图 노트(배의 속력을
나타내는 단위；1 노트는 1 시간 1 해리
(＝1852 m)의 속력. ▷knot.

のっと notto 圖 불쑥 나타나거나 일어
나는 모양. ＝ぬっと.

のっとーる【則る・法る】notto- 5自 기
준으로 삼고 따르다；본받다；준(準)하
다. ¶*法律*に*―* 법률에 따르다.

のっとーる【乗っ取る】notto- 5他 图남
치하다. ¶*旅客機*^{りょかくき}を― 여객기를
납치하다. ②빼앗다；탈취하다. ¶*会
社*^{かいしゃ}を― 회사를 빼앗다.

のびぴき【退っ引き】noppiki 图《*―な
らない*》어쩔 [피할] 도리가 없다.
¶*―ならない立場*^{たちば}におかれる 피할
수 없는 입장에 놓이게 되다.

のっぺらぼう【のっぺら坊・野篦坊】
nopperabō ［一］图①전면(全面)이 얼
잠을 데 없이 밋밋함；두루뭉술함；또,
그런 것. ¶얼굴·면도도 없음. ［二］图 키
가 크고 눈·코·입이 없는 귀신.

のっぺり nopperi [스自] 굴곡이 없이 밋
밋한 모양；얼굴이 평면적이고 부드러
운 모양；또, 남자의 얼굴이 넙적하고
두루뭉술한 모양. ¶*―(と)した顔*^{かお}넙
적한 얼굴.

のっぽ noppo 图イ 《俗》키가 큼；또,
키다리；꺽다리. ↔ちび.

のづみ【野積み】图 야적.

のづら【野面】图《雅》들. ＝のはら.

ので 接助《連体形に付いて》이유·원
인을 나타냄：…므로；…때문에. ¶雨
^{あめ}が降る*～出*^でかけなかった 비가 오
므로 나가지 않았다 / *病気*^{びょうき}な*～休*
^{やす}む 병 때문에 쉬다. 注意*ん*でのだと
도 함.
　　　　　　　　　　　　　　［のだ.

のです【連語】「のだ」의 공손한 말씨.

のてん【野天】图 옥외；노천(露天). ¶
―風呂^{ぶろ} 노천 목욕탕.

のど【喉・咽】图①인후；목구멍；비유
적으로, (노래하는) 소리；목청. ¶
～がいい 목청이 좋다. ②급소；긴요한
목. ¶*～を押*^{おさ}*える* 목을[급소를] 누르
다. ③책의 철하는 부분. ¶*小口*^{こぐち}.
―が鳴^な*る* 목구멍에서 소리가 나다[몹
시 먹고 싶다]. ―*から手*^て*が出*^で*る* 몹
시 가지고 싶은 욕망이 일어나다.

のどか【長閑・閑】图ナ①(날씨가) 화
창(和暢)한 모양. ②마음이 편안하고
한가로운 모양. ¶*～な生活*^{せいかつ} 편안하
고 한가로운 생활.

のどくび【喉頸】图 멱；목의 앞쪽；전
하여, 급소(急所).

のどじまん【喉自慢】（のど自慢）图①
노래 자랑. ②목청이 좋음을 자랑함.

のどぶえ【喉笛】（のど笛）图 목의
기관(氣管)；숨통.

のどぼとけ【喉仏】（のど仏）图 결후(結
喉)；목의 중간에 있는 갑상 연골의 돌
기(성년 남자에게 뚜렷함).

のどもと【喉元】（のど元）图 목구멍 맨
안쪽. ―*過*^す*ぎれば熱*^{あつ}*さを忘*^{わす}*れる* 괴

로움도 그 때가 지나가면 간단히 잊어
버린다는 뜻.

のどやか【和やか・長閑やか】ナリ《古》
한가롭고 평화스러운 느낌을 주는 모
양. ＝のどか.

のどわ【喉輪】图①목언저리
에 대는 갑옷의 부속품. ②상대방의 턱
에 손바닥을 대고 미는 씨름의 기술.

のなか【野中】图 들 가운데；들 복판.
¶*～の一軒家*^{いっけんや} 들 가운데 있는 외
딴집.

のに 接助《連体形に付く. 形容動詞,
助動詞「だ」には終止形にも付く場合
もある》①어떤 사항으로부터 보통 예
기하는 것과 반대의 일이 일어나는 뜻
을 나타냄：…한데；…는데도. ¶*一時
間*^{いちじかん}*も待*^ま*った～*, *まだ来*^こ*ない* 한 시
간이나 기다렸는데도 아직도 안 온다.
②나타날 것으로 예기된 일에 반대되
는 결과가 되었을 때 불만의 뜻을 나
타냄：…는데；…텐데；…련만. ¶あれ
ほど注意^{ちゅうい}しておいた～ 그렇게 주
의해 두었는데.

のに【連語】①…하기 위해；…하는 데.
¶*本*^{ほん}*を買*^か*う～金*^{かね}*がかかる* 책을 사
는 데 돈이 든다. ¶…의 물건으로.
¶*君*^{きみ}の～にしよう 네 것으로 하자.

のねずみ【野鼠】图 들쥐.

のの-る【罵る】5他 욕을 퍼부며 떠
들다；매도(罵倒)하다. ¶*人前*^{ひとまえ}で他
人*^{にん}を～* 사람을 앞에서 남을 욕하다.

*****のば-す**【伸(ば)す】5他①펴다. ⦿팽
팽하게 하다. ¶しわを～ 주름을 펴다.
⦿곧바르게 하다；뻗다. ¶*針金*^{はりがね}を～
철사를 펴다 / *腰*^{こし}を～ 허리를 뺀다[펴
다]. ↔かがめる・ちぢめる. ②키를[길이를]
시키다. ¶*国力*^{こくりょく}を～ 국력을 신장시
키다. ⦿기르다：키우다. ¶*ひげ*を～
수염을 기르다. ⦿늘리다. ¶*売*^う*り上
げ*を～ 매상을 늘리다. ③《俗》때려
눕히다. ＝のす.

*****のば-す**【延(ば)す】5他①(시일을)
연장시키다. ¶*寿命*^{じゅみょう}を～ 수명을 연
장시키다. ↔ちぢめる. ②연기하다. ¶
出発^{しゅっぱつ}を～ 출발을 연기하다. ③길게
늘이다. ¶*ゴム*を～ 고무줄을 늘이다. ④
(물 따위에 타서) 묽게 하다. ¶*水*^{みず}で
～ 물에 타서 묽게 하다.

のばと【野ばと】（野鳩）图 들비둘기.

のばなし【野放し】图①(가축의) 방목
(放牧). ②방임함. ¶*～に育*^{そだ}*てる* (제
멋대로 하게) 방임하여 기르다.

*****のばら**【野原】图 들；들판. ▷の.

のばら【野ばら】（野薔薇）图 ☞のいば

のび【伸び】图①뻗음；늘어남：퍼짐；
또, 그 정도. ¶얼굴 / *人体*^{じんたい}の～ 사
람 / *経済*^{けいざい}の～ 경제(의) 성장 / *～が*
よいニス 잘 퍼는 니스. ¶*欠伸*^{あくび}》기
지개. ¶*～をする* 기지개를 켜다.

のび【延び】图①길게 됨；또, 그 정도.

のび【野火】图 초봄에 산이나 들의 마
른 풀을 태우는 일；또, 그 불.

のびあが-る【伸(び)上がる】5自 발돋
움하다.

のびちぢみ【伸び縮み】图ス自 늚과
줆；신축(伸縮).

のびなや-む【伸(び)悩む】5自①상
승·향상·진전 따위가 여의치 않다. ②

【經】시세가 오를 것 같으면서도 오르지 않다.

のびのび【延び延び】图『～になる』(기일 따위가) 자꾸만 지연되다.

のびのび【伸び伸び】圖 ①자유롭게 뻗어나는 모양；쭉쭉；무럭무럭. ¶～(と)育つ 자유롭게 구김살 없이 자라다. ②마음이 편하고 구애됨이 없는 모양；느긋한 모양. ¶～した生活だ 자유롭고 편한 생활.

のびやか【伸びやか】『ダナ』편안하게 (긴장함이 없이) 쉬는 모양；평온한 모양.

＊の-びる【伸びる】上1自 ①펴지다；자라다. ¶背が～ 키가 자라다／しわが～ 주름이 펴지다. ↔ちむ. ②발전하다；신장하다. ¶英語の力が～ 영어 실력이 향상하다. ③증가하다. ¶売上げが～ 매상이 증가하다. ④기운이 없어 겨우 벗어나다. ¶逃げ～ 겨우 도망치다. ⑤(피로하거나 얻어 맞아서) 뻗다. ¶電報を～ そた 한꺼번에 뻗어 버렸다. ⑥미치다. ¶調査の手が～ 조사의 손길이 미치다. ⑦구애됨이 없이 누긋하다. ¶気分が～ 기분이 누긋하다.

＊の-びる【延びる】上1自 ①길어지다；늦어지다. ¶会議が～ 회의가 길어지다. ②연기되다. ¶来週に～ 내주로 연기되다. ③늘어나다；탄력이 없어지다. ¶ゴムひもが～ 고무줄이 늘어나다. ¶クリームが～ 크림이 잘 먹다.

のびる【野蒜】图 야선；달래.

のぶし【野武士】图 산야에 숨어서 패잔한 무사들의 무구(武具)를 탈취하거나 하던 무사나 토민(土民)의 집단.

のぶと-い【野太い】形〈俗〉①(목소리가) 굵다. ②담이 매우 크다；뻔뻔스럽다. =ずぶとい.

の-べ【延べ】图 ①연；총계. ②━坪数ⁿ 연평수. ③(금・은 따위를) 두드려서 늘임；또, 그것. ④연장(延長). ⑤【經】일종의 선물(先物)거래.

の-べ【野辺】图；벌판. ━送り 장송(葬送)；葬儀의 전송. ━のべ送り. ━のけぶり 화장 때의 연기.

のじんいん【延(べ)人員】图 연인원.

のべたら圖〈俗〉끊임없이 계속하는 모양；언제까지나；장황하게.

のべつ圖 끊임없이 계속하는 모양；끊임없이；간단없이. ¶～(に)しゃべる 쉴새 없이 지절이다. ━幕なし ━のべつまくなし.

のべつぼ【延(べ)坪】图 연건평. ━建

のべつまくなし【のべつ幕なし】連語 'のべつ'은 끊임없이, 줄곧)의 힘줌말.

のべにっすう【延(べ)日数】-nissū 연일수.

のべばらい【延(べ)払い】图 연불(延拂)；연체 지불. ━ゆしゅつ ━輸出-shutsu 연불 수출.

のべめんせき【延(べ)面積】图 연면적；각층 면적의 합계.

の-べる【延べる・伸べる】下1他 ①늘이다；뻗치다. ¶救いの手をを～ 구조의 손길을 뻗치다. ¶床をを～ 이부자리를 펴다[깔다]／巻ぎ物をを～ 두루마리를 펼치다. ②늦추다；연기하다. ¶納期をを～ 납기를 연기하다.

＊の-べる【述べる】下1他 ①말하다；진술하다. ¶意見をを～ 의견을 진술하다／礼を～ 사의를 표하다. 注意 본디, 宣べる・陳べる・演べる・叙べる'로도 씀. ②기술하다. ¶上にに～べた ように 위에 기술한 바와 같이.

のーず【野方図・野方図・野放途】no-hō-『ダナ』①방자함. ¶～なやつ 방자한 녀석. ②한없음. ¶～に広がる 한없이 펼쳐지다. ③흫게 늦음. ¶～な暮らし 흫게 늦은 생활.

＊の-ぼせる【逆上せる】下1自 ①머리에 피가 올라 멍해지다；상기(上氣)하다. ②흥분하다；울컥하다. ¶ちょっとした事にも～ 사소한 일에도 불끈하다. ③열중하다；…에 빠지다；미치다. ¶ダンサーに～ 댄서에게 미치다[미치다]. ④우쭐하다.

＊の-ぼせる【上せる】下1他 ①올리다. ⑦오르게 하다. ¶膳にに～ 밥상에 올리다. ⑦～に載せられる[적다]. ¶記録にに～ 기록에 올리다. ②제출하다；내놓다. ¶議題にに～ 의제에 올리다. ③서울로 보내다. ¶娘をを京ﾞへ～ 딸을 서울로 보내다.

のほほん圖 아무 것도 하지 않고 태평하게 있는 모양；빈둥빈둥. ¶～暮らす 빈둥빈둥 지내다. ②무관심하고 태평한 모양. ¶～して知らぬ顔ﾞである 무관심하여 모르는 표정이다.

＊のぼり【上り】图 ①오름；올라감. ②階段ﾞを～おり 층계의 오르내리. ②'上りﾞ坂ﾞ(=상행；치받이)'上りﾞ列車ﾞﾞ(=상행 열차)'의 준말. ⑦～にかかる 오르막에 접어들다／～線ﾞ 상행선. ③지방에서 중앙으로 향함. ⑦お～さん 시골서 올라온 사람. ⇔くだり.

＊の-ぼり【登り】图 높은 곳으로 오름；올라감. ¶山ﾞ～ 등산.

のぼり【幟】图 ①좁고 길쭉한 천의 한 끝을 장대에 매달아 세우는 것. ②☞こいのぼり.

のぼりざか【上り坂】图 ①오르막；치받이. ②점차 좋은 방향으로 향하고 있는 상태. ¶～の選手ﾞ 상승 일로에 있는 선수. ⇔くだり坂ﾞ.

のぼりつめ-る【登り詰める・上り詰める】下1自 꼭대기까지 오르다.

＊の-ぼる【上る・騰る】5自 오르다. ①올라가다. ¶坂ﾞを～ 비탈길을 오르다／北ﾞへ～ 북상하다／川ﾞを～ 강을 거슬러 올라가다. ↔くだる・おりる. ③상경하다. ↔くだる. ③(상당히 많은) 수량이 되다；…에 달하다. ¶死者ﾞが千人ﾞにも～ 사망자가 천 명이나 되다. ④…로 취급되다；…에 오르다. ¶話題ﾞに～ 화제에 오르다／食膳ﾞに～ 식탁에 오르다.

＊の-ぼる【昇る】5自 높이 올라가다. ①天ﾞに～ 하늘에 올라가다. ②지위가 오르다；또, 승급하다. ③떠오르다. ¶日ﾞが～ 해가 떠오르다. ↔しずむ.

＊の-ぼる【登る】5自 높은 곳으로 올라가다. ¶木ﾞに～ 나무에 오르다. ↔おりる.

のま-す【飲ます】【呑ます】5他 먹이다；마시게 하다. ＝のませる. ¶馬ﾞに水ﾞを～ 말에 물을 먹이다.

のまずくわず 【飲まず食わず】 連語 ①먹지도 마시지도 않음. ②먹지도 마시지도 못함.

のま-せる 【飲ませる】(呑ませる) 下1他 ① ☞ のます. ②마시고 싶은 마음을 일으키게 하다. ¶この酒は~이 술은 꽤 마실 만하다.

のまれる 【飲まれる】(呑まれる) 連語 휩쓸리다；압도되다. ¶波$\frac{なみ}{}$に~에 휩쓸리다／ふんい気$\frac{き}{}$に~ 분위기에 휩쓸리다.

のみ 【蚤】 名 【蟲】 벼룩. 一の夫婦$\frac{ふうふ}{}$부인이 남편보다 큰 부부.

のみ 【鑿】 名 끌；정.

のみ 副助 오직 그것뿐；…만；…뿐. =だけ・ばかり. ¶……ならず …뿐만）아니라／それ~か 그뿐인가；그뿐만이 아니라.

のみあかす 【飲み明(か)す】(呑み明(か)す) 五自 밤새도록 술을 마시다. ¶友人$\frac{じん}{}$と~친구와 밤새도록 술을 마시다.

のみくい 【飲み食い】(呑み喰い) 名 마시고 먹고 함. =飲食$\frac{しょく}{}$. ¶~に金$\frac{かね}{}$を費$\frac{つい}{}$やす 마시고 먹는 데 돈을 써버리다.

のみぐすり 【飲(み)薬】(呑(み)薬) 名 내복약.

のみくだ-す 【飲(み)下す】(呑(み)下す) 五他 삼킴

のみくち 【飲(み)口】(呑(み)口) ①(술 따위)입에 댔을 때의 감각. ②즐겨 술을 마시는 사람. ③술잔 등의 입을 대는 부분.

のみこみ 【飲み込み・呑み込み】 名 이해. ¶~が早$\frac{はや}{}$い 이해가 빠르다／早$\frac{はや}{}$~ 속단(連斷). ¶に~く い 形 이해하기 어렵다.

*のみこ-む 【飲(み)込む】(呑(み)込む) 五他 ①삼키다. ¶つばを~ 침을 삼키다. ②이해하다；납득하다. ¶要領$\frac{りょう}{}$を~ 요령을 터득하다.

のみしろ 【飲(み)代】(呑(み)代) 名 술값. =さかて.

のみすけ 【飲(み)助】(呑(み)助) 名 (俗) 술꾼；주객(酒客). =のんべえ.

のみたお-す 【飲(み)倒す】(呑(み)倒す) 五他 술을 마시고 술값을 떼먹다.

のみち 【野道】 名 들길. =野路$\frac{じ}{}$.

のみつぶす 【飲みつぶす・呑(み)潰す】 五他 술로 재산을 탕진하다.

のみつぶ-れる 【飲みつぶれる・呑(み)潰れる】 下1自 너무 취해서 쓰러지다；고주망태가 되다.

のみて 【飲(み)手】(呑(み)手) 名 술꾼.

のみとりまなこ 【のみ取り眼】(蚤取り眼) 名 두리번거리며 샅샅이 뒤지는 눈매. ¶~で捜$\frac{さが}{}$しまわる 날카로운 눈을 번쩍이며 샅샅이 뒤지다.

のみならず 連語 …만이 아니라；…뿐만 아니라. ¶きみ~, ぼくもそうだ 자네뿐만 아니라 나도 그렇다. 参考 글머리에 接続詞的으로도 씀.

のみのいち 【のみの市】(蚤の市) 名 (俗) 고물 시장.

のみほ-す 【飲(み)干す】(飲(み)乾す・呑(み)乾す) 五他 다 마셔버리다.

のみみず 【飲(み)水】(呑(み)水) 名 음료수.

*のみもの 【飲(み)物】(呑(み)物) 名 마실 것；음료.

のみや 【飲(み)屋】(呑(み)屋) 名 (俗) 술집；선술집.

‡の-む 【飲む】(呑む) 五他 ①마시다. ¶一杯$\frac{いっぱい}{}$~ もう 한 잔 마시자. ㉠복용하다. ¶薬$\frac{くすり}{}$を~ 약을 먹다. ㉡피우다. ¶タバコを~ 담배를 피우다. ③삼키다. ¶蛇$\frac{へび}{}$がかえるを~ 뱀이 개구리를 삼키다／濁流$\frac{だくりゅう}{}$が人$\frac{ひと}{}$を~ 탁류가 사람을 삼키다. ④참다. ¶恨$\frac{うら}{}$みを~ 눈물을 삼키다.

‡の-む 【呑む】 五他 ①감추다；품다. ¶どすを~ 비수〔단도〕를 품다. ②얕보다；넘보다. ¶相手$\frac{あいて}{}$を~ 상대를 넘보다. ③압도하다. ¶敵$\frac{てき}{}$を 적을 압도하다／気$\frac{き}{}$を~ まれる 압도당하다. ④받아들이다. ¶要求$\frac{きゅう}{}$を~ 요구를 받아들이다.

の-む-す 【飲ます】 五他 《다른 動詞의 連用形을 받아서》 철저하게 …하다. ¶しゃれ~한껏 멋부리다.

のめのめ 副 뻔뻔스럽게；낯 두껍게；비열〔비굴〕하게. =おめおめ. ¶今$\frac{いま}{}$さら~ 帰$\frac{かえ}{}$るわけにはいかない 지금 와서 뻔뻔스럽게 돌아갈 수는 없다.

のめ-る 五自 앞으로 엎드러지다(고꾸라질 뻔하다). ¶石$\frac{いし}{}$につまずいて~돌에 채어서 앞으로 고꾸라질 뻔하다.

のやき 【野焼(き)】 名 スル 들에 불을 질러 잡초를 태운 다음 해의 비료로 삼음.

のやま 【野山】 名 산야；산과 들.

のら 【野良】 名 들；전답. 一いぬ 【一犬】 名 야견(野犬)；들개. 一ぎ 【一着】 名 농부의 작업복. 一ねこ 【一猫】 名 도둑 고양이.

のらくら 副 게을러서 빈둥거리는 모양；빈둥빈둥. ¶~と日$\frac{ひ}{}$を おくる 빈둥빈둥 날을 보내다. 一もの 【一者】 名 빈둥빈둥 노는 자.

のらりくらり 副 ① ☞ のらくら. ② ☞ ぬらりくらり.

のり 【式・規・則・憲・典・範・矩】 名 ①일정한 도리；규정；법칙. ②모범；본. ③지름；직경. ¶内$\frac{うち}{}$~ 내경(内径).

のり 【法】(佛) 名 불법(佛法).

*のり 【糊】 名 풀. ¶~をする (의류에) 풀하다／口$\frac{くち}{}$を~する 입에 풀칠하다.

のり 【海苔】 名 ①(植) 홍조류(紅藻類)·녹조류(緑藻類)에 속하는 해조(海藻)；특히, あさくさのり(=김). ②해태；말린 김. =ほしのり.

のりあい 【乗(り)合い・乗合】 名 ①합승；같이 탐. ②乗合自動車$\frac{じどうしゃ}{}$(=합승 자동차)'乗合馬車$\frac{ばしゃ}{}$(=합승마차)'乗合バス(=합승 버스)'따위의 준말.

のりあ-げる 【乗(り)上げる】 下1自 (차나 배가 장애물에 걸려) 얹히다；(배가) 좌초되다.

のりあわ-せる 【乗(り)合(わ)せる】 下1自 같은〔한〕 차에 타다；(우연히) 함께 타다.

のりうち 【乗(り)打ち】 名 スル (말, 가마 따위) 탄 채로 신사나 절 앞 등을 지나감.

のりうつ-る 【乗(り)移る】 五自 ①바꿔

타다 ; 갈아타다.　②신(神)이 붙다(들리다).　¶神霊ⁿˢがみこに～ 신령이 무당에게 지피다.

のりおり【乗り降り】图 타고 내림.　¶～の多い駅ˢ 타고 내리는 손님이 많은 역.

のりかえ【乗(り)換え・乗換】图 ⊼自 ①갈아탐 ; 바꿔탐.　②예비의 탈 것.　——えき【乗換駅】图 갈아타는 역.　——けん【乗換券】图 바꿔 타는 표.

*のりか・える【乗(り)換える】⊼自 ①바꿔타다 ; 갈아타다.　②(乗(り)替える)(주의·소속 따위를) 안이하게 편리한 쪽으로 바꾸다.　¶牛ˢを馬ˢに～ 정세를 보고 형세가 좋은 쪽으로 붙다 ; 두길마 보다.　③다른 주식·채권 따위로 바꿔 사다.

のりかか・る【乗りかかる】【乗り掛(か)る】⑤自 ①타려고 하다.　②하기 시작하다.　③올라 타고 누르듯이 몸을 기대다(덮치다).　——った船ˢ 이미 올라탄 배 ; 일단 시작한 이상 도중에서 그만둘 수 없음의 비유.

のりき【乗り気】图ⁿ 마음이 내킴 ; 내키는 마음.　¶～になる 마음이 내키다.

のりき・る【乗(り)切る】⑤自 ①탄 채로 끝까지 가다.　¶馬ˢで湖水ˢˢを～ 말을 탄 채 호수를 끝까지 건너가다.　②극복하다.　¶不況ˢˢを～ 불황을 극복하다.　——[승리의 여세를 몰아 공격하다.]

のりくみいん【乗組員】图 (배 따위의)승무원.

*のりこ・える【乗(り)越える】⊼他 ①(타고 넘다.　②(어려운 국면을) 극복하다.　¶不景気ˢˢを～ 불경기를 극복하다.　②탄 채로 넘어가다.

のりごこち【乗(り)心地】图 탈것에 탔을 때의 기분(느낌).

のりこ・す【乗(り)越す】⑤他 ①타고 가다 (목적지를) 지나치다. ＝のりすごす.☞のりこえる.

のりこ・む【乗(り)込む】⑤自 ①올라타다.　¶自動車ˢˢに～ 자동차에 올라타다.　②여럿이 같이 타다.　¶どやどやと船ˢに～ 여럿이 우루루 (몰려) 배에 올라타다.　③탄 채로 들어가다.　¶自動車ˢˢで会場ˢˢに～ 자동차로 회장에 들어서다.　④(여럿이 또는 힘차게) 몰려들다 ; 진입(進入)하다.　¶敵地ˢˢに～ 적지에 진입하다(뛰어들다).

のりしろ【のり代】图 (종이를 이어 붙일 때) 풀칠하기 위해 남겨 두는 부분.

のりす・てる【乗(り)捨てる】⊼他 타고 가서 내린 뒤 차를 그대로 버려 두다.

*のりだ・す【乗(り)出す】⑤自他 ①타고 나아가다.　¶大海ˢˢに～ (배를 타고) 큰 바다로 나아가다.　②타기 시작하다.　¶うちの子ˢも三輪車ˢˢˢˢˢˢに～した우리 아기도 세발 자전거를 타기 시작했다.　③상체를 앞으로 쑥 내밀다.　¶ひざを～ 무릎을 앞으로 내밀며 다가 앉다.　④(어떤 일에) 적극적으로 나서다 ; 개입하다.　¶事態収拾ˢˢˢˢˢˢˢˢに～ 사태 수습에 나서다.

のりづけ【糊付け】㊀图ⁿ他 풀로 붙임 ; 또, 풀로 붙인 물건.　㊁图ⁿ他 (세탁물에) 풀을 먹임 ; 풀새.　注意 'のりつけ'라고도 함.

のりつ・ける【乗りつける】【乗(り)付ける】㊀⊼自 ①탈것으로 급히 도착하다.　②차를 탄 채 그 곳까지 가 닿다.　¶車ˢを玄関ˢˢに～ 현관에 차를 대다.　③항상 타 버릇하다.　¶～けた車ˢˢで行ˢˢく 타버릇한(늘 타던) 자동차로 가다.

のりて【乗(り)手】图 ①승객.　②(말 따위를) 잘 타는 사람.

のりと【祝詞】图 神主ˢˢˢˢが 신 앞에 고하여 비는 고대어의 문장 ; 축문(祝文).

のりにげ【乗(り)逃げ】图ⁿ自 ①찻삯을 내지 않고 도망침.　②차를 훔쳐 달아남.

のりば【乗(り)場】图 (차·배 따위를) 타는 장소 ; 승차장 ; (열차의) 승강장.

のりまき【のり巻(き)】【海苔巻(き)】图 김초밥.

のりまわ・す【乗(り)回す】⑤他 차를 몰고 돌아다니다.

*のりもの【乗(り)物】图 탈것 ; 교통 기관.

*の・る【乗る】⑤自 ①타다.　㉠탈것에 타다.　¶汽車ˢˢ・に～ 기차를 타다. ↔おりる.　㉡실리다.　¶電波ˢˢに～って広まる 전파를 타고 퍼지다.　②오르다.　㉠높은 데에 오르다.　¶壇ˢˢに～ 단에 오르다.　㉡가락이 붙다(맞다).　¶伴奏ˢˢに～ 반주와 가락이 잘 맞다.　㉢기회를 타다.　¶勝ˢˢちに～って攻ˢˢめる 승리의 여세를 몰아 공격하다.　④속다.　¶口車ˢˢに～ 잠언에 속다 / その手ˢˢには～らない 그 수법에는 안 속는다.　⑤맞다 ; 어울리다.　¶マイクに～声ˢˢ 마이크에 맞는 목소리.　¶ひと息ˢˢ 끼다 ; 붙다.　¶その話ˢˢに一口ˢˢˢˢ～ろう 그 이야기에 한몫 끼자 / 相談ˢˢに～ 상담에 응하다.　⑦마음이 내키다.　¶仕事ˢˢに気ˢˢが～ 일에 마음이 내킨다.　⑧잘 묻다 ; 잘 먹다.　¶おしろいがˢ～ 분이 잘 먹다.　¶▷ norma.

*の・る【載る】⑤自 놓이다 ; 얹히다.　¶机ˢˢの上ˢˢに～っている本ˢˢ 책상 위에 놓인 책.　¶(신문·잡지 따위에) 실리다.　¶雑誌ˢˢに～ 잡지에 실리다.

のるかそるか【伸るか反るか・乗るか反るか】連語 성공이나 실패냐 ; 되느냐 안되느냐. ＝いちかばちか.　¶～やってみよう 성패간에 해보자.

ノルマ图 노르마.　①기준.　②할당된 노동의 기준량.　▷독 norma.

のれん【暖簾】图 ①상점 입구의 처마 끝이나 점두에 치는 (상호가 든) 막 ; 포렴(布簾).　②상점의 격식·신용.　¶～にかかわる 점포의 신용에 관계되다.　③일발 저쪽으로 칸막이로서 쓰는 천 (발).　¶じゅず～ 구슬발.　——に腕押ˢ しˢˢ 힘을 작용해도 아무 반응이 없음의 비유.　——を分ˢける 분점을 차려 주다(같은 옥호를 쓰게 하며 단골집도 나누어 줌).

*のろ・い【鈍い】形 ①느리다 ; 둔하다.　㉠둔하다 ; 재빠르지 않다.　¶頭ˢˢの働ˢˢきが～ 머리가 둔하다.　㉡(진행이) 느리다 ; 더디다.　¶汽車ˢˢが～ 기차가 느리다 / 仕事ˢˢが～ 일이 더디다.　↔速ˢˢい.　②(여자에게) 무르다.　¶女房ˢˢに～ 마누라에게 무르다.

*のろ・う【呪う・詛う】⑤他 저주하다.　¶人ˢˢを～・わば穴ˢˢ二ˢˢつ 남을 저주하면

구멍이 둘〔남잡이가 제잡이〕／～・われ
た運命ぷ 저주받은 운명.

のろ・ける【惚ける】下I① 자기 아내
〔애인〕의 이야기를 남에게 자랑삼아 늘
어놓다.

のろし【狼煙・烽火】图 봉화.　──を上げる①신호로 봉화를 올리다. ②전쟁
이나 사업의 징후를 세상에 알리다.

のろのろ圖 동작・진행이 굼뜬 모양: 느
릿느릿；꾸물꾸물.　¶電車ぷが～(と)
走ぷ 전차가 느릿느릿 달리다.

のろま【鈍間・野呂松】图 동작이나 머
리가 아둔함; 또, 그런 사람; 아둔패
기; 바보.　　　　　　　「럽다.

のろわし・い【呪わしい】-shī 圏 저주스

のわき【野分き】〈雅〉〔图 태풍.　¶
～が吹きすさぷ 태풍이 사납게 불어
대다.　②(오늘되어)「こがらし(=가을
에서 초겨울까지 부는 바람)'의 뜻으로
쓰임.　＝野分け.

ノン〔接頭 图 논……; '……이 아닌, 비(非),
무(無)'의 뜻을 나타냄.　▷non.　──國
농 ……ウィ.　──ウィ.　②プ non.　──ストッ
プ-toppu 논스톱; 직행(直行)；무
정차；무착륙.　▷nonstop.　──タイトル
マッチ -matchi 논타이틀 매치.　▷
non title match.　──フィクション -fi-

kushon 图 논픽션.　↔フィクション.
▷nonfiction.　──プロ 图 논프로; 직업
적이 아님; 직업 선수가 아님. ↔プロ.
▷nonprofessional.

のん【呑気・暢気】ダナ 图 무사 태평; 마
사 태평; 무시근한 모양.　¶～な身分
ぷ 편안한 신분／～な性分ぷ 만사태
평한 성품／～に構ぷえる 천하(무사)
태평이다.

ノンセンスダナ ☞ナンセンス.

のんだくれ【飲んだくれ・飲んだくれ】
图 모주꾼；술부대；주정뱅이; 또, 몹
시 취함.

のんびり nombiri 圖 유유히; 한가로이;
태평스럽게.　¶～(と)した人 유유 자
적한 사람／～と暮ぷす 유유히(한가
로이) 살아가다.

ノンブル nombu- 图 놈브르; 페이지 번
호.　②プ nombre.

のんべえ【飲んべえ】《飲兵衛・呑兵衛》
nombē 图 술부대；모주. ＝のんべ・のん
だくれ.

のんべんだらりと nomben- 图①별 하
는 일 없이 시간을 보내고 있는 모양；
빈둥빈둥.　¶～暮ぷす 빈둥빈둥 지내
다. ②필요(예기) 이상으로 긴 시간이
걸리는 모양.

は　ハ

①五十音図ぷ 'は行'의 첫
째 음. [ha] ②〔字源〕'波'의 초
서체《かたかな 'ハ'는 '八'의 전
체(全體)》.

は【刃】图 (칼 따위의) 날. ＝やいば.
¶～をつける 날을 세우다；벼리다.

は【羽】图 ①날개. ②화살에 단
새의 깃털；살깃.　¶矢ぷの── 살깃.
──が利ぷく 세력이 있다；위세가 좋다.

は【派】图 파.　¶～がちがう 파가 다
르다.　参考 接尾語的으로 쓰임.　¶主
流ぷ── 주류파；象徴ぷ── 상징파.

は【破】图 (아악・能楽ぷ 따위에서) 중
간쯤 지나 점점 박자가 바뀌고 빨라지
는 부분. ☞序破急ぷ

は【歯】图 ①(이빨). ¶～を磨ぷく 이
를 닦다／～が抜ぷける 이가 빠지다.
②이 모양으로 나란히 선 것. ¶齒.
櫛ぷの── 빗살.　図齒.　鋸ぷの
── 톱니；톱날.　──が浮ぷく ①이가
들뜨다〔혼들리다〕.　②경박한 언행을
보고 역겹다〔아니꼽다〕.　──が立ぷた
ない ①단단하여 섭히지〔깨물리지〕 않
다; 대항하기〕 벅차다; 감당 못하
다.　──に合ぷう 마음에 들다; 취미에 맞
다.　──に衣ぷ着せない 생각하는 바를
솔직이 말하다; 가식없이 말하다.
──の抜ぷけたよう ①듬성듬성한 모양.
②(있어야할 것이 빠져서) 허전한 모
양.　──の根ぷが合ぷわない (추위나 공포
로) 이가 덜덜 떨리다.　──を食ぷいしば
る 이를 악물다；또, (분하여) 입술을
깨물다.

は【葉】图 잎; 잎사귀.　¶木ぷの── 나뭇
잎／～の出ぷる前ぷ 잎이 돋기 전.

は【端】图①끝; 가장자리.　¶山ぷの──
산의 끝／口ぷの──にのぼる 구설수에
오르다. ②조각; 끄트러기. ＝はんぱ.

は【覇】图 패권; 패자; 전하여, 경기
따위에서 우승함.　¶～をとなえる 패
권을 장악하다／～を争ぷう 패권을 다
투다.

ハ【楽】图 (장음계(長音階)의 다조
(調)에서 '도'에 해당하는 음; C음).

は wa 係助 ……은(는).　①특히 내세워 말
하는 데 씀.　¶さかな～食ぷべない 생선
은 안 먹는다／箱ぷ～大ぷきいのがいい
상자는 큰 것이 좋다／映画ぷ～よくみ
る 영화는 자주 본다／前ぷより～元気
ぷだ 전보다는 건강하다. ②말할 제목
이 됨을 나타낸다.　¶これ～ぼくの本ぷ
だ 이건 내 책이다／人ぷの性ぷ～善ぷ
だ 사람의 본성은 선하다. ③다른 것
과 대조적으로 들어서 나타낸다. ¶値段
ぷ～高ぷいが 값은 비싸지만 ……; 結ぷに
～指輪ぷ, 弟ぷには～時計ぷを買ぷって
やった 누나에게는 반지, 아우에게는
시계를 사 주었다. ④〔動詞連用形＋
'て'에 '……ある'、'……いる'、'ある'가 붙
은 꼴, 形容詞連用形이나 形容動詞連
用形에 'て'에 '……ある'가 붙은 꼴, 名詞＋
'て'에 '……ある'가 붙은 꼴을 否定하는 꼴로〕 단정(斷定)을 강조
함.　¶行ぷき～するが 가기는 한다마
는／書ぷいて～いない 쓰고는 있지 않
다／犬ぷに～ない 개는 아니다／会ぷい
～したが 만나기는 했으나／話ぷせて
～返ぷす波ぷ 밀려왔다가는 물러가는
도. ⑤〔連用修飾語에 붙고, 뒤에 否定
이 와서〕그 連用修飾語가 가리키는 내
용이 부인(否認)되는 대상이 됨을 나
타냄.　¶すぐに～御返事ぷできませ

ん 当場（とうじょう）は大胆（だいたん）못 드립니다. ⑥《動詞, 助動詞の連用形＋「て」에 붙어서, 또 文語에서는「ずは」「なくは」의 꼴로》 그런 일이 되어서는; 그리 되어서는. ¶先生（せんせい）님에게 にらまれては大変（たいへん）だ 선생님한테 주목당해서는 큰일. ⇨わ【終助】

*ば【場】图 ①장소. ⊙곳; 자리. ¶その―にあわせる 마침 그 자리에 있다／～を取（と）る 자리를 잡다／～をふさぐ 자리를 〔공간을〕 차지하다. ①때; 경우; 분위기. ¶その―の空気（くうき）그 때〔자리〕의 공기〔분위기〕. ②경험. ¶～の数（かず）を踏（ふ）む 〔歩次〕 경험을 쌓다; 경험이 풍부하다. ③장; 연극의 한 장면. ¶三幕（まく）五（ご）～ 삼막 오장. ④【理】장; 힘이 작용하는 범위. ¶磁（じ）～장／重力（じゅうりょく）の～ 중력의 장. ⑤【經】거래소의 입회〔장〕. ¶前（まえ）～ 전장／～が立（た）つ 입회장이 서다. ⑥【心】행동·반응의 방법에 관계되는 환경. ¶話（はな）し合（あ）いの～ 대화의 광장.

ば【接助】 ①사항을 가정해서, 이것을 조건으로 해서 말하는 데 씀: …면; …なら. ¶雨（あめ）が降（ふ）れ―遠足（えんそく）を中止（ちゅうし）する 비가 오면 소풍을 중지한다／読（よ）め―分（わ）かる 읽어 보면 안다. ②같은 종류의 것을 열거하는 데 씀. ¶金（かね）もなけれ―死（し）にたくもない 돈도 없거니와 죽기도 싫다／山（やま）も有（あ）れ―川（かわ）もある 산도 있거니와 강도 있다. ③사실을 진술한 후건（後件）이 어떠한 전제에 대해 일어나는가 하는 그 전제를 보여 주는 데 씀. ¶어느 사항이 항상 수반되어서 일어나는 조건을 가리킴: …면. ¶雪（ゆき）が降（ふ）れ―道（みち）がすべる 눈이 오면 길이 미끄럽다／あわよく―優勝（ゆうしょう）するだろ 잘 하면 우승할 것이다. ①후건의 전제로서의 실태를 제시함을 나타냄. ¶見（み）れ―ひとりの男（おとこ）が立（た）っていた 보니까 한 사나이가 서 있었다. ①어떤 것이 인정되었을 경우, 계속해서 다음 일이 인정되는 뜻을 나타냄: …면 〔그 때에〕. ¶それを思（おも）え―こんな苦労（くろう）は何（なに）でもない 그것을 생각하면 이런 고생은 아무 것도 아니다.

はあ ha 感 응답함을 나타냄: 네〔말끝을 내림〕. ¶～そうですね, 그렇습니다.

バー 图 바. ① 〔높이뛰기 등에서〕 가로 대. ¶～をあげる 바를 올리다. ②골의 가로대; 크로스바. ¶～を越（こ）す 크로스바를 넘다. ③서양식 술집. ▷bar.

ばあ bā 感 어린아이들의 얼굴을 마주 대고 어르는 말: 깍꿍.

ぱあ pā 〔俗〕 ①바보; …ばか. ¶～じゃなかろうか 바보가 아닐까／すこし―だよ 좀 바보야. ②〔손가락 벌려 내는〕 보. ⇨紙（かみ）. ⇔ぐう·ちょき.

*ばあい【場合】 图 ①경우; 케이스; 때. ¶～によっては 경우에 따라서는／万一（まんいち）の～ 만일의 경우／時（とき）と～による 때와 경우에 따른다／私（わたし）の～には 나의 경우는／雨（あめ）の～には中止（ちゅうし）する 비가 올 경우에는 중지한다.

バーキング 图 파킹; 주차〔장〕. ¶～メ―ター〔자동〕 주차 시간 표시기. ▷parking.

バーキンソンびょう【パーキンソン病】 -byō 图【醫】파킨슨병. ▷Parkinson.

はあく【把握】 图 ス他 파악. ¶問題点（てん）を～する 문제점을 파악하다.

バーゲンセール 图【商】바겐 세일; 염가 대매출. ＝安売（やすう）り. ▷bargain sale.

バーコレーター 图 퍼콜레이터; 〔여과 장치가 있는〕 커피 끓이는 기구. ▷percolator.

ばあさん【婆さん】 bā- 图「おばあさん」의 스스럼 없는 말씨. ⇔じいさん.

バージ 图 ス他 퍼지; 〔공직 등에서의〕 추방（追放）; 숙청. ▷purge.

バースデー 图 버스데이; 생일. ¶～ケ―キ 생일 축하 케이크. ▷birthday.

パーセンテージ 图 퍼센티지; 백분율（％）. ▷percentage.

*パーセント 图 퍼센트; 백분율（％）. ▷per cent.

パーソナリティー -tī 图 퍼스낼리티. ①개인의 성격; 개성; 인격. ¶その人（ひと）の～によってちがう 그 사람의 개성에 따라 다르다. ②라디오의 심야 음악 프로 따위의 사회자. ▷personality.

パーソナル 【ダナ】 퍼스널; 개인적. ▷personal.

ばあたり【場当たり·場当（あ）たり】 ■图 〔연극·집회 따위에서〕 즉석의 재치로써 호평이나 인기를 얻음. ¶～をねらう 즉석의 성과를〔호평·인기 등을〕 노리다. ■图·ダナ 깊은 사려나 계획 없이 그때 그때의 형편에 맞춤; 임기 응변; 임시 처변. ¶～な計画（けいかく）임기 응변〔임시 변통〕의 계획／～な答弁（とうべん）임기 응변의 답변／～主義（しゅぎ）적당주의.

パーティー pāti 图 파티. ①〔사교 따위 목적의〕 회합. ¶ダンス～ 댄스 파티. ②정등; 〔등산 따위의〕 한 무리; 일행. ▷party.

バーテン 图「バーテンダー」의 준말〔바나 카페 등의〕 바텐더. ▷bartender.

ハート 图 하트. ①마음; 심장; 〔심장 모양의〕 카드놀이 패의 하나. ¶～形（がた）하트형. ▷heart.

ハード 【ダナ】 하드; 엄격한〔고된〕 모양. ▷hard. ――ウェア -wea 图 하드웨어; 〔전자 계산기의〕 기체（機體〕 및 장치의 부분. ⇔ソフトウェア. ▷hardware. ――パス 图 하드패스〔에너지 부족을 원자력 발전이나 석탄·석유 등의 양을 확대하여 보충하려는 방법〕. ⇔ソフトパス. ▷hard (energy) path. ――ボイルド 图 하드보일드; 냉혹; 비정（非情）. ▷hard-boiled.

バード 图 버드; 새. ¶～デー 图 버드데이; 새의 날〔5월 10일〕. ⇨bird day.

パート 图 파트. ①부분; 구분. ②【樂】각각 담당하는 악기나 음역（音域）; 또, 악곡（樂曲）의 한 구분. ¶彼（かれ）의 맡은 역. ▷part. ――タイム 图 파트 타임; 단시간〔시간제〕 근무. ▷part-time.

パートナー 图 파트너. ①〔댄스 등의〕 상대. ②〔권투의〕 연습 상대. ③짝; 동반자; 〔함께 일하는〕 동료. ▷partner.

ハードルレース 图 허들 레이스; 장애물 경주. ▷hurdle race. 「ト バーナー.

バーナー 图 버너. ¶ガス～ 가스 버너.

バーバリズム 图 바버리즘; 야만적인 방식〔행위〕; 무례; 만행. ▷barbarism.

ハーフ 图 하프; 반분（半分）; 절반. ＝

なかば。¶ベター～ ベター ハプ(better half)(アネを愛す)。▷half. ──トーン 图 ①ハプトン;(グリ・写真等で) 명암의 중간 부분。=ほかに。②반음(半音)。▷halftone. ──メード 图 ハプ メイド。①반기성품(顧客의 몸에 맞추어 完成시킴)。②レディーメード。③조리 식품(익히기만 하면 되는 식품)。▷ ½ half made.

ハープ 图〔樂〕ハプ。=竪琴空竟。▷harp.

パーフェクト päfe~ 图〔ダナ〕퍼펙트;완전한 모양。▷perfect.

ハープシコード 图〔樂〕하프시코드。=チェンバロ。▷harpsichord.

バーベキュー -kyū 图 바비큐;야외에서의 불고기(用 화로)。▷barbecue.

バーベル 图 바벨;역기。▷barbell.

パーマ 图 퍼머。=パーマネント(ウエーブ)。

パーマネント 图 ''パーマネントウエーブ(퍼머넌트 웨이브)''의 준말;퍼머넌트。▷permanent.

パーミル 图 퍼밀。=千分比淙淙。▷per mill.

ハーモニー 图 하모니。①조화。②〔樂〕화성(和聲)。▷harmony.

ハーモニカ 图〔樂〕하모니카。=ハーモニカ。▷harmonica.

ばあや〔婆や〕ba~ 图 ①할멈(나이 많은 家政婦)。②유모。

パーラー 图 팔러。①응접실;거실。②매점(賣店);경식당(輕食堂)。③ビューティーパーラー(=미용실)의 준말。▷parlour.

はあり〔羽あり〕〔羽蟻〕图 ①우의;날개미;교미기의 날개가 돋힌 개미。②'シロアリ(=흰개미)'의 딴이름。=ねあり。▷''ル。▷bar.

パール 图 바;기압의 단위。⇒ミリバール

パール 图 펄;진주(眞珠)。▷pearl.

バーレスク 图〔劇〕벌레스크(춤을 主로 하는 희극(喜劇))。▷burlesque.

バーレル 图 배럴(액체의 容量 단위;석유는 1배럴이 159 리터)。▷barrel.

*はい〔灰〕图 재。①タバコの──단백재 / 死はいの──죽음의 재(방사성 낙진)。──になる ①재가 되다。②죽어서 화장(火葬)되다。

はい〔杯〕〔盃〕图 배。□술;술잔。¶～をあげる 술잔을 들다。□接尾①상배(賞盃)。¶優勝～ 우승배。②공기·잔 따위에 든 것을 세는 말。¶ごはん二~ 밥 두 공기。□잔을 세는 말;척。□문어·오징어를 세는 말;마리。

*はい〔肺〕图 폐。①폐장(肺臟)。②'肺病窈③(=폐병)'의 준말。¶～を病윈む 폐병을 앓다;폐병이다。

はい〔蠅〕图〔俗〕⇒はえ(蠅)

ハイ 하이。①높은。①고도의。↔ロー。▷high. ──ウエー -wē 图 하이웨이;고속 도로。▷highway. ──カラ〔ダナ〕①하이칼라。¶～な店 산뜻하고 멋부린 가게。=蛮カラ。②high collar。──クラス 图 하이 클래스。¶～のレストラン 고급레스토랑。▷high class. ──ティーン -tīn 图 하이틴(틴에이저 중 16세 이상의 사람)。↔ローティーン。▷high teen. ──テク 图 첨단 기술。▷high technology. ──ヒール 图 하이힐;굽 높은 여

자구두。↔ローヒール。▷high heels. ──イト 图 하이라이트。①(그림·사진에서) 가장 밝은 부분。↔シャドー。②(연극·방송·스포츠 등에서) 중심이 되는 가장 흥미 있는 부분(장면)。▷highlight.

はい〔感〕네。①대답하는 소리。②주의를 촉구하는 소리。¶～, 始めましょう 자 (그럼) 시작합시다。③긍정·승낙을 나타내는 소리。¶まだ行''かないかね。~行きません 아직 안 갔나。네 안 갔습니다。④사람을 모으는 소리。¶～しい, ~しい 이러러러。

パイ 图 파이。¶アップル～ 애플파이。▷pie.

パイ 图 마작의 패。⇒牌。

はいあがる〔はい上がる〕〔這い上がる〕图五 ①기어 오르다。¶堀窈を伝って, 屋根笶に～ 담을 타고 지붕에 기어 오르다。②기다시피 해서 겨우 오르다。

はいいろ〔灰色〕图 회색;잿빛。=グレー。¶顔が～になる 얼굴이 잿빛이 되다 / ～議員窈(어느 당에 속해 있는지 분명치 않은) 회색 의원 / ～の人生窈 잿빛(쓸쓸한) 인생。

はいいん〔敗因〕图 패인。↔勝因えぢ。

ばいいん〔売淫〕图〔ス自〕매음。=売春

*ばいう〔梅雨〕图 장마(일본에서 6-7월 상순에 걸쳐 내리는 비)。=つゆ·さみだれ。¶～前線笶 장마 전선。

はいえい〔背泳〕图 배영;배면헤엄。=せおよび

はいえき〔廃液〕图 폐액;폐수。¶工場笶の～ 공장의 폐수。

はいえつ〔拝謁〕图〔ス自〕배알。¶～を御許笶す 배알의 배알을 허락하시다。

ばいえん〔煤煙〕图 매연。

はいおく〔廃屋〕图 폐옥。=あばらや。

はいおとし〔灰落(と)し〕图 재떨이。=灰皿笶。

パイオニア 图 파이어니어;개척자;선구자。▷pioneer.

バイオリン 图〔樂〕바이올린;제금。▷violin.

バイオレット -retto 图 바이올렛。①〔植〕제비꽃。②보랏빛。▷violet.

はいか〔廃家〕图 폐가。①폐옥(廃屋)。=あばらや。②상속인이 없어 대(代)가 끊김;또, 그 가계(家系)。③(구민법에서) 자기 집을 폐하는 일。

はいか〔配下〕〔輩下〕图 ①부하。=てした。②지배를 받는 것。¶～の子会社 산하의 자회사。

はいが〔拝賀〕图〔ス自〕배하;삼가 치하함。¶新年窈の式笶 신년 하례식。

はいが〔胚芽〕图 배아。──まい〔──米〕图 배아미;현미。

ばいか〔倍加〕图〔ス自他〕배가。①두 배로 됨。¶負担窈が～される 부담이 배가되다。②더욱 증가함。¶興味窈が～する 흥미가 배가되다。

ばいか〔買価〕图 매가;사는 값。=買笶い値窈。↔売価。

ばいか〔売価〕图 매가;파는 값。=売笶り値窈。↔買価。

ハイカー 图 하이커;하이킹하는 사람;도보 여행자。▷hiker.

はいかい〔俳諧〕〔誹諧〕图 ①発句窈 곧 俳句笶·連句窈의 총칭。③'俳諧窈·連歌窈'의 준말。──れんが〔──連歌〕图

室町말_む 말기 이후의 익살과 유머를 주로 하^{おも}로 한 連歌.

はいかい 【俳諧】 名 ス自 배회.

はいがい 【拝外】 名 배외 ; 외국의 사물이나 사상을 숭배함. ↔排外^{はい}.

はいがい 【排外】 名 배외 ; 외국의 사물이나 사상을 배척함. ¶―思想^{しそう} 배외사상. ↔拝外^{はい}.

ばいかい 【媒介】 名 ス他 매개.

ばいかい 【バイカイ(売買)】 名 【經】(거래에서) 거래인이 혼자서 매도·매수인이 되어 명목상 주식을 매매한 것으로 하는 일.

はいかき 【灰かき】【灰搔き】 名 ①화로의 부젓가락. ②(난로의) 부삽 ; 부지깽이. 「【金額】

ばいがく 【倍額】 名 배액 ; 두 배의 액수

はいかぐら 【灰神楽】 名 (불기 있는 화로에 물을 쏟았을 때 일어나는) 재연기 ; 재티.

はいかつりょう 【肺活量】 -ryō 名 폐활량.

はいかん 【拝観】 名 ス他 배관 ; 삼가봄. ¶―料^{りょう} 를 取^とる 배관료를 받다.

はいかん 【廃刊】 名 ス他 폐간.

はいかん 【俳官】 名 배관. ①옛날, 중국에서 민정을 왕에게 상주하던 관리. ②낮은 관직.

はいかん 【肺肝】 名 폐간. ①폐장과 간장. ②마음 속. ¶―を見抜^{みぬ}く 마음을 꿰뚫어보다.

はいかん 【配管】 名 ス自 배관. ¶―工事^{こうじ} 배관 공사.

はいがん 【拝顔】 名 ス自 배안. ¶―の栄^{えい}に浴^{よく}する 배안의 영광을 입다.

はいがん 【肺がん】【肺癌】 名 【醫】 폐암.

はいき 【排気】 名 폐기. ¶―口^{こう} 배기구／自動車^{じどうしゃ}の―ガス 자동차의 배기 가스. ↔吸気^{きゅうき}.

はいき 【廃棄】 名 ス他 폐기. ¶―処分^{しょぶん} 폐기 처분／約約^{じょうやく}を―する 조약을 폐기하다.

ばいきゃく 【売却】 -kyaku 名 ス他 매각. ¶―処分^{しょぶん}한 매각 처분.

はいきゅう 【排球】 -kyū 名 배구. ☞バレーボール.

*　**はいきゅう** 【配給】 -kyū 名 ス他 배급. ¶米^{こめ}を―する 쌀을 배급하다／―が遅^{おく}れる 배급이 늦어지다.

ばいきゅう 【倍旧】 -kyū 名 ス自 배구 ; 배전(倍前). ¶―のお引立^{ひきた}て 배전의 성원(聲援).

はいきょ 【廃虚】【廃墟】 -kyo 名 폐허. ¶―と化^かす 폐허가 되다. 注意 '廃虚'로 씀은 대용 한자.

はいぎょ 【肺魚】 -gyo 名 【魚】 폐어.

はいぎょう 【廃業】 -gyō 名 ス他 폐업. ¶―届^{とどけ} 폐업 신고. 參考 좋은 뜻으로 쓰는 일은 화류계 생활을 그만둠, 특히 「て所帯^{しょたい}を持^もつ 화류계를 청산하고 살림을 차리다.

はいきん 【拝金】 名 배금 ; 돈을 극단적으로 존중함. ¶―主義^{しゅぎ} 배금주의.

*　**ばいきん** 【ばい菌】【黴菌】 名 미균(=細菌^{さいきん}(=세균)의 통속적인 말씨). ＝バクテリア.

ハイキング 名 ス自 하이킹. ¶―コース 하이킹 코스. ▷hiking.

バイキング 名 ①바이킹. ②バイキン

グ料理^{りょう}의 준말. ▷Viking. **――りょうり** 【―料理】 -ryōri 바이킹 요리 ; 일정 요금을 내고 각자 마음대로 골라 먹는 방식.

はいく 【俳句】 名 일본의 5·7·5의 3구(句) 17 음(音)으로 되는 단형시(短形詩)(본디 連句^{れんく}의 첫 구절이 독립한 것). ＝発句^{ほっく}.

はいぐ 【拝具】 名 배상(拜上) ; 여불비례(餘不備禮)(편지 끝에 쓰는 말).

バイク 名 바이크·발동기를 단 자전거('モーターバイク'(=모터 바이크)의 준말). ▷囲 bike ; bicycle.

はいぐう 【配偶】 -gū 名 배우 ; 짝 ; 부부 ; 배우자. ¶好^{この}ー 좋은 배필. **――しゃ** 【―者】 名 배우자.

はいぐん 【敗軍】 名 패군 ; 싸움〔전쟁〕에 짐 ; 또, 그 군대. ¶―の将^{しょう}は兵^{へい}を語^{かた}らず 패군지장은 병법을 논하지 않는다.

はいけい 【拝啓】 名 근계(謹啓)(삼가 아룁니다의 뜻으로 편지 첫머리에 씀).

*　**はいけい** 【背景】 名 배경. ①舞台^{ぶたい}の―무대 배경／財閥^{ざいばつ}を―に活動^{かつどう}する 재벌을 배경으로 활동하다.

はいげき 【排撃】 名 ス他 배격. ¶断平^{だんぺい}として―する 단호히 배격하다.

はいけっかく 【肺結核】-kekkaku 名 폐결핵 ; 폐병.

はいけつしょう 【敗血症】-shō 名 패혈증. ¶―にかかる 패혈증에 걸리다.

はいけん 【佩剣】 名 패검. ¶―をする 칼을 차다. 「봄.

はいけん 【拝見】 名 ス他 배견 ; 삼가봄.

はいご 【廃語】 名 폐어 ; 사어(死語). ¶―になる 폐어가 되다.

はいご 【背後】 名 배후. ①―関係^{かんけい}を あらう 배후 관계를 조사하다／敵^{てき}の―を突^つく 적의 배후를 찌르다.

はいこう 【廃坑】 -kō 名 ス他 폐갱 ; 폐기된 광갱(鑛坑)이나 탄갱.

はいこう 【廃校】 -kō 名 ス他 폐교. ¶経営難^{けいえいなん}で―になった 경영난으로 폐교되다.

はいこう 【廃鉱】 -kō 名 ス自 폐광 ; 광산 경영을 그만둠 ; 또, 그 광산.

はいごう 【俳号】 -gō 名 俳句^{はいく} 짓는 사람의 아호(雅號).

はいごう 【配合】 -gō 名 ス他 배합 ; 조합(調合) ; 또, 그 정도. ¶色^{いろ}の― 색의 배합／배색／―肥料^{ひりょう} 배합 비료.

ばいこく 【売国】 名 매국. ¶―的^{てき}行為^{こうい} 매국적 행위. **――ど** 【―奴】 名 매국노. 「으로 들어가다.

はいこーむ 【這い込む】 五自 기어서 안

はいざい 【配剤】 名 ス他 배제 ; 약을 배합함 ; 전하여, 제상자나 운명이 알맞게 배합됨. ¶天^{てん}の― 하늘의 배제.

はいさつ 【拝察】 名 ス他 배찰('추찰(推察^{すいさつ}(=추찰)'의 겸사말).

はいざら 【灰皿】 名 재떨이. 「잔병.

はいざん 【敗残】 名 패잔. ¶―兵^{へい} 패

*　**はいし** 【廃止】 名 ス他 폐지. ¶制服^{せいふく}を ―제복 폐지. ↔存置^{そんち}.

はいし 【稗史】 名 패사(세간의 이야기를 소설체로 쓴 역사). ¶―小説^{しょうせつ} 패사 소설. ↔正史^{せいし}. 「②소설.

はいじ 【拝辞】 名 ス他 배사 ; 사퇴 또는 작별을 고함의 겸사말.

は

はいしつ【廃疾】〖癈疾〗图 폐질. ①불치의 병. ②신체 장애. 注意'廃疾'로 씀은 대용 한자.

ばいしつ【媒質】图【理】매질. ¶音波を伝える～ 음파를 전하는 매질.

はいじつせい【背日性】图【植】배일성. ＝背光性いとう. ↔向日性いとう.

はいしゃ【排斜】图 〖ス自〗배사; 감사함·사과함의 겸사말.

はいしゃ【敗者】-sha 图 패자. ¶～復活戰かつ 패자 부활전. ↔勝者ようう.

はいしゃ【配車】-sha 图 〖ス自〗배차. ¶～係がか 배차계.

はいしゃ【廃車】-sha 图 폐차. ¶～処分ぶん 폐차 처분.

はいしゃ【歯医者】图 치과 의사.

はいしゃく【拝借】-shaku 图 〖ス他〗배차; (돈·물건 등을) 빌려 씀의 겸사말.

ばいしゃく【媒妁】〖媒妁〗-shaku 图 〖ス他〗결혼의 중매(인). ¶～結婚けっこん 중매 결혼.

ハイジャック -jakku 图 〖ス他〗하이잭; (비행기나 배 따위의) 공중(해상) 납치. ▷hijack.

はいじゅ【胚珠】〖胚珠〗图 배주.

はいじゅ【拝受】-ju 图 〖ス他〗배수(받음의 겸사말). ¶お手紙がみを～致しました 편지를 배수하였습니다.

*ばいしゅう【買収】-shū 图 〖ス他〗매수. ¶有権者けんしゃを～する 유권자를 매수하다.

はいしゅつ【排出】-shutsu 图 〖ス他〗①배출. ②배설(排泄). ¶～器官かん 배설 기관.

はいしゅつ【輩出】-shutsu 图 〖ス自〗배출. ¶名士めいしが～する 명사가 배출하다.

ばいしゅん【売春】-shun 图 〖ス自〗매춘. ＝売淫いん. ¶～行為こう 매춘 행위 / ～婦ぷ 창부.

はいしょ【配所】-sho 图 배소; 유배지(流配地). ¶～の露つゆと消える 유배지의 이슬로 사라지다.

*はいじょ【排除】-jo 图 〖ス他〗배제; 제거. ¶暴力ぼうを～する 폭력을 배제하다.

はいしょう【拝承】-shō 图 〖ス他〗배승; 삼가 받거나 들음의 겸사말.

はいしょう【敗将】-shō 图 패장. ①패전한 장군. ②사업에 실패한 사람.

ばいしょう【賠償】-shō 图 〖ス他〗배상. ¶損害がいを～する 손해 배상.

ばいじょう【陪乗】-jō 图 〖ス自〗배승; 귀인을 모시고 수레에 탐. ¶～の栄えに浴する 배승의 영예를 입다.

はいしょく【敗色】-shoku 图 패색. ¶～が濃い 패색이 짙다.

はいしょく【配色】-shoku 图 〖ス他〗배색. ¶～のよい服装 배색이 좋은 복장. ¶～為ため 배신 행위.

はいしん【背信】图 〖ス自〗배신. ¶～行

はいく【俳句】图 ①俳句はいくを 짓는 사람. ＝俳句師はいくし. ②俳句 짓기를 좋아하는 사람.

はいじん【廃人】〖癈人〗图 폐인. 注意'廃人'으로 씀은 대용 한자.

はいじん【背陣】图 〖ス他〗배진; 진을 남김; 진지의 배치.

ばいしん【陪審】图 배심. ¶～員いん 배

심원 / ～制度せいど 배심 제도(일본은 폐지). 「폐침윤.

はいしんじゅん【肺浸潤】-jun 图【醫】

はいすい【排水】图 〖ス他〗배수. ¶～量りょう 배수량 / ～用のポンプ 배수용의

はいすい【廃水】图【ス他】폐수.

はいすい【配水】图 〖ス自〗배수. ¶～管かん 배수관 / ～池ち 배수지.

はいすいのじん【背水の陣】〖連語〗배수진. ¶～を敷しく 배수진을 치다.

ばいすう【倍数】-sū 图 배수. ¶公こう～공배수. ↔約数すう.

はいずりまわ-る【這いずり回る】這いずり回る〖5自〗'はいまわる'의 힘줌말.

はい-する【拝する】〖サ変他〗①절하다. ②받다의 겸사말; 배수(拝受)하다. ③우러러 뵙다. ④(…처럼) 보이다. ¶ご満足まんぞくのご様子ようすに～せられた (자못) 만족하신 모습이셨다. ⑤관직에 임명되다.

はい-する【排する】〖サ変他〗①물리치다; 배제하다. ¶万難まんなんを～ 만난을 물리치다. ②밀어서 열다; 밀어 젖히다. ¶戸とを～してはいる 문을 밀어 젖히고 들어가다. ③배열(排列)하다; 줄을 짓다. ＝並ならべる.

はい-する【廃する】〖サ変他〗폐하다. ①폐지하다; 그만두다. ¶虚礼きょれいを～ 허례를 폐하다. ②지위에서 몰아내다. ¶王おうを～ 왕을 폐하다.

はい-する【配する】〖サ変他〗①배합하다; 짝짓다; 부부(夫婦)로 삼다. ②도르다; 분배하다; 할당(배치)하다. ③배속시키다. ¶有能ゆうのうの士しを～ 유능한 인사를 배속시키다. ④유배(流配)하다.

ばい-する【倍する】〖サ変自他〗배가 되다; 배로 하다; 크게 늘다. ¶味方みかたに～敵ぞうの大軍たいぐん 우군의 배나 되는 적의 대군.

はいせい【敗勢】图 패세. ＝敗色いろ. ¶～が濃厚こうこうだ 패색이 짙다. ↔勝勢しょう.「動はい 배척 운동.

*はいせき【排斥】图 〖ス他〗배척. ¶～運

ばいせき【陪席】图 〖ス自〗배석; 윗사람과 자리를 같이함.

*はいせつ【排泄】图 〖ス他〗배설. ¶～作用よう 배설 작용 / ～物ぶつ 배설물.

はいぜつ【廃絶】图 폐절. 一图 〖ス他〗모두 폐지하여 없앰. 二图 대가 끊어짐; 폐멸. ¶三代だいで～する 삼대로 대(代)가 끊어지다.

はいせん【敗戦】图 패전. ＝負まけいくさ. ¶～国こく 패전국.

はいせん【杯洗】〖盃洗〗图 연회석에서 술잔을 권하기 전에 씻는 그릇.

はいせん【配線】图 〖ス自〗배선. ¶～工事じ 배선 공사.

はいせん【廃船】图 폐선.

はいぜん【配ぜん】〖配膳〗图 〖ス自〗상을 차려 손님 앞에 돌림; 또, 그것을 맡은 사람. ¶～室しつ 찬방(饌房).

はいそ【敗訴】图 〖ス自〗패소; 소송에 짐. ↔勝訴しょう.

はいそう【敗走】-sō 图 〖ス自〗패주.

はいそう【配送】-sō 图 〖ス他〗배송; 배달과 발송을 함.

はいぞう【肺臓】-zō 图 폐장.

パイロット -rotto 图 파일럿. ①비행기의 조종사. ¶テスト～ 시험 조종사. ②수로(水路) 안내인; 키잡이. ③지침(指針)이 되는 사람·물건에도 비유됨; 지도자. ▷pilot. **——ファーム** -fāmu 图 파일럿 팜; 근대적 경영의 실험 농장. ▷pilot farm.

はーう 〖這う〗 5自 ①기다. ¶赤ん坊が～ようになった 어린애가 기게 되었다 / 蛇が～·ったあと 뱀이 기어간 자국. ②붙어서 뻗어가다. ¶つたが壁を～·いのぼる 담쟁이덩굴이 벽을 타고 뻗어 가다.

ハウス 图 하우스; 주택. ¶モデル～ 모델 하우스 / ビニール～ 비닐 하우스. ▷house. **——キーパー** 图 하우스 키퍼. ①가정부(家政婦). ②주택 관리인. ▷housekeeper.

はうた [端唄] 图 三味線에 맞추어 부르는 짧은 속요(俗謠).

パウダー 图 파우더. ①가루. ②(화장용의) 분. =おしろい. ③땀띠약. =汗知らず. ▷powder.

はうちわ 【羽うちわ】(羽団扇) 图 새털로 만든 부채; 우선(羽扇).

ハウツー 图 만드는 법·익히는 법 따위의 실용 기술을 가르치는 일. ▷how-to.

ばうて 【場打て】 图 그 자리의 화려한 분위기에 기가 꺾이는 일. ¶～がする 분위기에 기가 죽다.

バウンド 图 ス自 바운드; (공 따위가) 튐. ¶ワン～ 원 바운드. ▷bound.

パウンド 图 파운드. ☞ポンド.

はえ 〖蠅〗 图 ①파리. ②남들이 싫어하는 사람.

はえ 〖鮠〗 图 ☞はや(鮠).

はえ 【映え】 图 빛남; 빛나는 모양; 광채. ¶夕映え 저녁놀.

はえ 【栄え】 图 영광; 명예. =ほまれ. ¶～ある勝利 영광스러운 승리.

はえ 〖南風〗 图 마파람; 남풍.

はえぎわ 【生え際】 图 머리털이 난 언저리. ¶額の～が薄くなっている 앞머리가 많이 빠져 엉성해졌다.

はえたたき 〖蠅叩き〗 图 파리채.

はえとりぐさ 〖蠅取草〗 图〔植〕 끈끈이귀개. =はえ地獄.

はえなわ 【はえ縄】(延縄) 图 연승; 주낙. ¶～漁業 연승 어업.

はえぬき 【生え抜き】 图 ①본토박이. =生粋. ¶～の大阪人 토박이 大阪 사람. ②창업 이래 줄곧 근무하고 있음; 또, 그 사람. ¶～の社員 창립 사원.

はえばえしーい 【栄え栄えしい】 -shī 形 빛나다; 영광스럽다.

はーえる 【映える】 下1自 (빛을 받아) 빛나다. ¶もみじが夕日に～ 단풍이 석양에 빛나다.

はーえる 【栄える】 下1自 돋보이다. ¶～·えない人物 미미한 존재.

はーえる 【生える】 下1自 나다. ¶雑草が～ 잡초가 나다 / 歯が～ 이가 나다.

パオ 图 파오《몽고인의 만두 모양으로 된 이동식 천막집》. ▷중 包.

はおう 【覇王】 haō 图 패왕. ¶楚の～ 초 패왕. **——じゅ** 【——樹】 -ju 图〔植〕 선인장의 딴이름.

パオズ 图 중국식 고기 만두. ▷중 包子.

はおと 【羽音】 图 ①날개 소리. ②날아가는 화살의 소리.

はおり 【羽織】 图 일본옷의 위에 입는 짧은 겉옷. **——はかま** 〖——袴〗 图 ①가문을 넣은 羽織와 はかま를 입은 남자의 일본옷 정장(正装). ②엄숙한 태도.

はおーる 【羽織る】 5他 '羽織'를 입다; 또, (그와 같이) 옷 위에 겉옷을 걸쳐 입다.

はか 〖捗〗 图 일이 되어가는 정도; 일의 진도. **—が行く** 일이 잘 진척되다.

はか 【墓】 图 묘; 무덤; 또, 묘비(墓碑). =つか·おくつき. ¶～参り 성묘 / ～守 묘지기.

ばか 〖馬鹿·莫迦〗 图 ダナ ①바보; 멍청이. ¶～者 멍텅구리; 바보 / 薄～ 얼간이 / ～にならない〔出来ない〕 얕볼 수 없다; 무시할 수 없다. ↔利口. ②썩 상식적이 아닌 일; 또, 그런 사람. ¶専門～ 자기 전문〔영역〕 외는 상식적인 판단조차 못함을 나무라는 말 / 学者～ 세상 물정에 어두운 학자〔선비〕. ③쓸모 없음; 어처구니 없음. ¶～な目に会う 어처구니 없는 꼴을 당하다. ④기능·작용을 잃음. ¶酢が～になる 초가 신맛을 잃다. ⑤《'～に'의 형으로》 몹시; 매우; 대단히; 무척. ¶～に安い 엄청나게 싸다 / ～に寒い 몹시 춥다 / ～におそい 되게 늦다 / ～にうれしそうだ 되게 좋은 모양이다. ⑥《接頭語적으로》 〈俗〉 정도가 지나침. ¶～騒ぎ 야단 법석. **—とはさみは使いよう** 바보와 가위는 쓰기 나름《바보도 잘만하면 쓸모가 있다》. **—にする** 깔보다; 업신여기다. **—に付ける薬はない** 바보를 고칠 약은 없다. **—の一つ覚え** 어리석은 자가 한 가지를 알고 그것만을 써먹음. **—になる** 정상 기능을 잃다. ¶ねじが～になる 나사가 (닳아) 못쓰게 되다. **—を見る** 어이없는 꼴을 당하다; 헛수고하다.

はかい 【破壊】 图 ス他自 파괴. ¶～力 파괴력. ↔建設.

はかい 【破戒】 图 파계. ¶～僧 파계승. ↔持戒.

はがい 【羽交(い)】 图 ①새의 두 날개가 겹치는 곳. ②날개. =つばさ·はね. **——じめ** 【——締め】 图 상대의 뒤에서 겨드랑이 밑으로 양팔을 넣어 목 뒤로 꽉 죄는 일.

はかいし 【墓石】 图 묘석.

はがえ 【羽替(え)】 图 ス自 털갈이.

はがき 〖葉書〗 图 엽서.

はかく 【破格】 名ナ 파격; 격(格)을 벗어남. ¶～の待遇 파격적 대우.

ばかくさーい 〖馬鹿臭い〗 形 어리석다; 어처구니없다. =ばからしい·つまらない. ¶～話 되잖은 이야기.

はがくれ 【葉隠れ】 图 나뭇잎 사이에 숨음. ¶～に見える 나뭇잎 사이로 보이다.

はかげ 【葉陰】(葉蔭) 图 나뭇잎 그늘.

ばかーげる 〖馬鹿げる〗 下1自 우습게 보이다; 어리석게 생각되다. ¶～·げた話 시시한〔말같잖은〕 이야기 / ～·げたことをする 어리석은 짓을 하다.

ばかさわぎ 【ばか騒ぎ】(馬鹿騒ぎ) 图

ス直 법석댐 ; 야단 법석. ＝大<ruby>騒<rt>おお</rt></ruby>ぎさわぎ.

ばかしょうじき【ばか正直】〔馬鹿正直〕
-shōjiki 名〔ダナ〕지나치게 고지식함 ;
또, 그런 사람. ¶〜な人<ruby>ひと</ruby>우직한 사람.

はかす【捌かす】5他 ①막히지 않고
흐르게 하다. ②水<ruby>みず</ruby>を 물（길）을 터
놓다. ②죄다 팔아 치우다. ¶在庫品
<ruby>ざいこひん</ruby>を 재고품을 죄다 팔아 치우다.

*はが-す**【剝がす】5他 벗기다 ; （붙은
것을）떼다. ¶壁紙<ruby>かべがみ</ruby>を 벽지를 벗
겨내다 / 切手<ruby>きって</ruby>を 우표를 떼다.

ばかす【化かす】5他 속이다 ; （정신
을）호리다. ＝たぶらかす. ¶狐<ruby>きつね</ruby>に
・された 여우에게 홀렸다.

ばかず【場数】名 ①여러 장소 ; 장소의
수. ②시합·출전 경험의 횟수. ＝を
踏<ruby>ふ</ruby>む 경험을 쌓다.

*はかせ**【博士】名 박사. ①〈俗〉☞は
くし〔博士〕. ②학자 ; 식자（識者）.
物知<ruby>ものし</ruby>り～ 만물〔척척〕박사. ③옛날
'大学寮<ruby>だいがくりょう</ruby>・陰陽寮<ruby>おんようりょう</ruby>（＝律令<ruby>りつりょう</ruby>
제에서, 천문（天文）이나 역법（暦法）을
맡아 보던 관청)'의 선생. ¶'暦<ruby>れき</ruby>.

はかぜ【羽風】名 （새·곤충의）날개 바

はかぜ【葉風】名 초목의 잎을 흔드는
바람.

はがた【歯形】【歯型】名 ①(깨문)잇자
국. ¶〜が残<ruby>のこ</ruby>る 잇자국이 나다. ②톱
니꼴. ¶〜レール 톱니 레일〔궤도〕.

はかたおび【博多帯】名 博多 지방에서
만든. ¶'나는 두꺼운 견직물.

はかたおり【博多織】名 博多 지방에서
만든.

ばかちから【ばか力】〔馬鹿力〕名 굉장
한 힘 ; 뚝심（멸시하는 말）. ¶〜がある
뚝심이 세다.

ばかづら【ばか面】〔馬鹿面〕名 얼빠진
얼굴 ; 멍청한 표정.

ばかていねい【ばか丁寧】〔馬鹿丁寧〕
名〔ダナ〕지나치게 공손함.

*はかど-る**【捗る・果取る】5自 일이 순
조롭게 되어 가다. ¶仕事<ruby>しごと</ruby>が〜 일이
잘 진척되다.

はかない【果敢無い・儚い】形 덧없다 ;
무상하다〔하다〕. ¶〜望<ruby>のぞ</ruby>み 헛된 희
망 / 〜世<ruby>よ</ruby> 덧없는 세상 / 〜抵抗<ruby>ていこう</ruby> 헛
된 저항.

はかな-む【果敢無む・儚む】5他 덧없
이 여기다 ; 허무하게 여기다.

はがね【鋼】名 강철. ＝鋼鉄<ruby>こうてつ</ruby>.

はかば【墓場】名 묘지 ; 산소.

はかばかし-い【捗捗しい】-shī 形 ①일
따위가 잘 진척되다 ; 병이 호전되다.
¶どうも〜くない 좀처럼 잘 되지 않
는다. ②신통하다 ; 대견하다. ¶〜返
事<ruby>へんじ</ruby>がない 시원한 대답이 없다.

ばかばかし-い【馬鹿馬鹿しい】-shī 形
①매우 어리석다 ; 우습다 ; 어이없다.
¶〜話<ruby>はなし</ruby> 너무 허황된〔말같잖은〕이야
기. ②엄청나다. ¶〜さわぎ 굉장
한 소동.

ばかばなし【ばか話】〔馬鹿話〕名 터무
니없는〔시시한〕이야기 ; 바보 같은 소
리.

ばかばやし【馬鹿囃子】名 신사（神社）
의 축제에서 북·꽹과리·피리 등을 쓰
는 반주. ＝屋台<ruby>やたい</ruby>ばやし.

はかぶ【端株】名 단주. ①수가 거래 단
위에 못 미치는 주식. ②매가 적은
주식.

バガボンド名 배거번드 ; 방랑자 ; 떠돌
이. ▷vagabond.

はかま【袴】名 ①일본 옷의 겉에 입는
주름잡힌 하의（下衣）. ②銚子<ruby>ちょうし</ruby>·徳
利<ruby>とくり</ruby>를 끼우는 통（筒）모양의 기구. ③
풀 줄기의 표피（表皮）.

はがま【羽釜・歯釜】名 전이 달린 솥.

はかまいり【墓参り】名 ス直 성묘. ＝
墓参<ruby>ぼさん</ruby>.

はがみ【歯噛み】〔歯噛み〕名 ス直 （분
해서）이를 갊. ＝歯ぎしり·切歯<ruby>せっし</ruby>.

はかもり【墓守（り）】名 묘지기.

ばかやろう【ばか野郎】〔馬鹿野郎〕-rō
名〈俗〉바보자식 ; 멍청이 ; 멍텅구리.

はがゆ-い【歯がゆい】〔歯痒い〕形 성에
차지 않다 ; 속이 타다 ; 안타깝다. 답답
하다. ＝じれったい·もどかしい. ¶
〜くてならない 답답해서 견딜 수가
없다.

はからい【計らい】名 ①조치 ; 처리 ; 재
량 ; 처분. ¶適切<ruby>てきせつ</ruby>な〜 적절한 조치.
②주선 ; 알선. ¶彼<ruby>かれ</ruby>の〜で 그의 주선
으로.

はから-う【計らう】5他 ①적절히 조
치<ruby>そち</ruby>하다. ¶よきに〜 알맞게〔좋도록〕
조치하게 ; 선처하다. ②상의하다. ¶
ふたりで〜 둘이서 의논하다. ③잘 생
각해서 （정）하다.

ばからし-い【ばか らしい】-shī 形 ①어
리석다. ②시시하다 ; 어처구니〔어이〕
없다. ¶〜目<ruby>め</ruby>にあう 어이없는 변을
당하다.

はからずも【図らずも・不図も】連語 뜻
밖에도 ; 우연히도. ¶〜選<ruby>えら</ruby>ばれた 뜻
밖에 선발되었다.

*はかり**【秤・衡】名 저울. ¶〜竿<ruby>ざお</ruby>저울
대. 一にかける ①저울에 달다. ②이
해 득실을 생각하다.

はかり【量り·計り·測り】名 ①저울질
; 저울질한 양. ¶不足<ruby>ふそく</ruby>の〜だ 양이 모자
란다. ②달아서 팖.

ばかり【許り】副助 ①사물의 정도·범
위를 한정해서 말하는 데 씀. ⑦…정
도 ; …쯤 ; 가량. ¶コップに半分<ruby>はんぶん</ruby>〜
の水<ruby>みず</ruby>컵에 절반쯤 담은 물. ○…만
으로는 ; …만 해도. ¶学問<ruby>がくもん</ruby>〜では成
功<ruby>せいこう</ruby>できない 학문만으로는 성공할
수 없다. ○…만 ; …한. ¶金<ruby>かね</ruby>の問題
<ruby>もんだい</ruby> 돈만의 문제 / 正直<ruby>しょうじき</ruby>な人<ruby>ひと</ruby>〜はい
ない 정직한 사람만 있는 것은 아니다.
②〔助動詞 'た'에 붙어서〕막 ; 방금.
¶いま出発<ruby>しゅっぱつ</ruby>した〜のところだ 이제
막 출발한 참이다 / 今<ruby>いま</ruby>来<ruby>き</ruby>た〜だ 지금
막 왔다. ③…할（단계에 이르러）쯤
〔막〕…할 듯이. ¶嚙<ruby>か</ruby>みつかん〜にら
なる 곧 물듯이 소리치다 / 泣<ruby>な</ruby>かん〜
～にたのむ 울기라도 할 듯이 부탁하
다. ④…에게만 ; …에서만 ; …할 뿐더
러 도리어. ＝だけ. ¶反省<ruby>はんせい</ruby>しない
〜悪口<ruby>わるくち</ruby>を言<ruby>い</ruby>い返<ruby>かえ</ruby>す 반성은 커
녕 욕설로 대꾸했다. ⑤강조하는 데
씀. ○다만 …할 뿐이다. 다른 것은 없
다는 뜻을 나타냄 ; …만. ¶毎日<ruby>まいにち</ruby>雨<ruby>あめ</ruby>
～降<ruby>ふ</ruby>る 매일 비만 온다 / 酒<ruby>さけ</ruby>を飲<ruby>の</ruby>む〜
술만 마시다. ○（'に'가 따라서）다만
…만이 원인이 되었다는 뜻. 탓으로.
¶腹<ruby>はら</ruby>を立<ruby>た</ruby>てた〜に損<ruby>そん</ruby>をした 화를
낸 탓으로 손해를 보았다. ⑥그렇게 마
음 먹고 있는 뜻을 나타냄. ¶恩返<ruby>おんがえ</ruby>

しはこの時ゟと～ 恩恵を返す時期は
この時だというように．

はかりか-ねる【計り兼ねる】【測り兼ね
る】 下一他 推測할 수 없다；헤아릴 수
없다.

はかりごと【謀・策】 名 꾀；계략；일을
꾀함. ¶敵ﾃﾞﾝの～に陥ﾗ́ﾚる 적의 계략
에 빠지다.

はかりこ-む【量り込む・計り込む】 5他
(저울질·되질로) 후하게 달다.

はかりしれない【計り知れない】 連語
헤아릴 수 없다. ¶～力量ﾘｷﾘｮｳ 헤아릴
수 없는 역량.

はかりめ【量り目】【秤目】 名 ①저울
눈. ②근량(斤量). ＝量目ﾘｮｳﾒ. ¶～を
ごまかす 저울 눈(근량)을 속이다.

‡**はか-る**【図る】【慮る】 5他 ①생각하
다. ¶～らずも 뜻밖에도. ②목적
하다；노리다. ¶利益ﾘｴｷを～ 이익을
목적으로 하다. ③노력하다；계획하다；꾀
하다. ¶再起ｻｲｷを～ 재기를 꾀하다.
④주선하다；도모하다. ¶便宜ﾍﾞﾝｷを～
편의를 도모하다.

‡**はか-る**【計る】 5他 ①(路ﾛﾄﾞ로도) 상
의(의논)하다. ¶兄ﾆﾗﾆに～ 형과 의논하
다. ②(測る로도) 헤아리다；가늠하
다. ¶相手ｱｲﾃの心中ｼﾝﾁｭｳを～ 상대의
심중을 헤아리다. ③(數る로도) 수효·
수효를 세다. ④(謀る로도) 속이다.
¶人ﾋﾄに～・られる 남에게 속다. ⓛ계
획하다；꾸미다；꾀하다. ¶悪事ｱｸｼﾞを
～ 못된 일을 꾸미다.

‡**はか-る**【量る・測る】 5他 무게·길이·
깊이·넓이 등을 재다. ¶まさで～ 말
로 되다.

‡**はか-る**【謀る】 5他 꾀하다；꾸미다.
¶暗殺ｱﾝｻﾂを～ 암살을 꾀하다.

‡**はか-る**【諮る】 5他 의견을 묻다；상의
하다；자문하다.

‡**はが-れる**【剥がれる】 下一 벗겨지
다；벗겨져 떨어지다. ¶きずのかさぶ
たが～ 상처의 딱지가 벗겨지다.

ばかわらい【ばか笑い】【馬鹿笑い】 名
ｽ自 바보 같은 웃음. ②공연히 큰
소리로 웃음. ¶～は失礼ｼﾂﾚｲだ 쓸데없
이 크게 웃는 것은 실례다.

はがん【破顔】 名 ｽ自 파안. ――いっ
しょう【―笑】―isshō 名 ｽ自 파안
일소；얼굴을 펴고 싱긋 웃음.

‡**はき**【破棄】【破毀】 名 ｽ他 ①파기；찢어
나 찢어 버림. ¶条約ｼﾞｮｳﾔｸを～する 조
약을 파기하다. ②(法)(破毀) 상급 법
원이 원(原)판결을 취소함.

はき【覇気】 名 패기；야심. ¶～がない
[にとぼしい] 패기가 없다[부족하다].

はぎ【脛】 名 정강이. ＝すね.

はぎ【萩】【植】 名 싸리.

はぎあわ-せる【はぎ合(わ)せる】【接ぎ
合(わ)せる】 下一他 (천을) 잇대어 깁
다；(판자 따위를) 잇대어 붙이다. ¶
半ﾊﾝきれの切ﾗれを～・せて袋ﾌｸﾛをつくる
천 조각을 잇대어서 자루를 만들다.

はきだし【吐き出し】【嘔き下し】 名
ｽ自他 토하고 설사함；토사.

はきけ【吐き気】【嘔き気】 名 구역질；
욕지기. ¶～を催ﾓﾖﾎす 구역질이 나다.

はぎしり【歯ぎしり】【歯軋り】 名 이를

갊. ＝はがみ. ¶～して悔ﾂﾔくやしがる 이
를 갈며 분해 하다.

‡**はきだ-す**【吐き出す】 5他 토해내다；
내뱉다. ¶煙ﾂﾑﾘを～ 연기를 뿜어내
다／犯行ﾊﾝｺｳを～ 범행을 자백하다／
うっぷんを～ 울분을 토해내다／よ
うに言ﾕ́ｲ捨ｽてる 내뱉 듯이 말하다／
もうけを～させる 번 것을 게워 내도
록 하다.

はきだ-す【掃き出す】 5他 쓸어내다.
¶ごみを～ 쓰레기를 쓸어내다.

はきだめ【掃きだめ】【掃き溜め】 名 쓰
레기더.

はきちが-える【履き違える】 下一他 ①
잘못하여 바꾸어 신다. ②잘못 생각하
다；바꾸어 생각하다. ¶目的ﾓｸﾃｷを～
목적을 잘못 알다.

はぎと-る【はぎ取る】【剥ぎ取る】 5他
①벗겨내다；떼어내다. ②입고 있는 옷
따위를 벗겨 빼앗다.

はきはき 名 ｽ自 기질이 활발하고 똑똑한 모
양；시원시원. ¶또깡또깡. ¶～した態
度ﾀｲﾄ́ 시원시원한(명쾌한) 태도.

‡**はきもの**【履(き)物】 名 신；신발.

ばきゃく【馬脚】―kyaku 名 ¶～をあら
わす 마각을(본색을) 드러내다.

はきゅう【波及】―kyū 名 ｽ自 파급. ¶
全国ｾﾞﾝｺｸに～する 전국에 파급되다.

はきょう【破鏡】―kyō 名 파경；이혼.
¶～の憂ｳ́き目ﾒを見ﾙる 파경의 쓰라
린 경우를 당하다.

はぎょう【覇業】―gyō 名 패업；제패
(制覇)함. ¶～をとげる 제패하다；승
리하다.

はきょく【破局】―kyoku 名 파국. ¶
～を免ﾏﾇﾃﾞ́れる 파국을 면하다.

はぎれ【端切れ】 名 조각난 천；자투리.
＝はんぱ切れ.

はぎれ【歯切れ】 名 ①이로 물어 끊을
때의 느낌. ¶～がいい (a)씹히는 맛
이 좋다；(b)말이 시원시원하고 또렷
하다. ¶～が良ﾖ́い 시원시원하다；분명하
다. ¶～の悪ﾜﾙい返事ﾍﾝｼﾞ 애매(모호)한 대
답／～のよいことば 분명한 말씨.

は-く【佩く】【帯く】(칼 따위를) 차다. ＝
おびる. ¶太刀ﾀﾁを～ 큰칼을 차다.

‡**は-く**【掃く】 5他 ①쓸다. ¶庭ﾆﾜを～
뜰을 쓸다／(가볍게) 칠하다. ¶眉ﾏﾕ
を～ 눈썹을 그리다.

‡**は-く**【吐く】 5他 ①토하다. ㉠(내)뱉
다. ¶へどを～ 게우다；토하다／唾ﾂﾊﾞ
を～ 침을 뱉다. ㉡내뿜다. ¶煙ﾎﾉを
～ 煙突ｴﾝﾄﾂ 연기를 뿜는 굴뚝／息ｲｷを～
숨을 내쉬다. ②(생각·감정을) 토로하
다；말하다. ¶本音ﾎﾝﾈを～ 속마음을
토로하다／気ｷを～ 기염을 토하다／
気ｷを～ 기염을 토하다／本音ﾎﾝﾈを～
실토하다／泥ﾄﾞﾛを～ 자백하다.

‡**は-く**【履く】 5他 신다. ¶長靴ﾅｶﾞｸﾂを～
장화를 신다.

‡**は-く**【穿く】 5他 ①(바지 따위를) 입
다. ¶スカートを～ 스커트를 입다. ②
¶くつ下ﾀ́を～ 양말을 신다.

は-く【箔】 名 박. ¶～を押ﾂす 금·은
따위) 박을 입히다. **―が付ﾂく** 관록이
붙다.

‡**は-ぐ**【剥ぐ】 5他 벗기다；박탈하다.
¶木ｷの皮ｶﾜを～ 나무 껍질을 벗기다／
領地ﾘｮｳﾁを～ 영지를 박탈하다／栄誉ｴｲﾖ
を～・がれる 영예를 박탈당하다.

はーぐ【接ぐ】 [5他] 継ぎ合わせる；継ぐ。¶小切れを~いで作った座ぶとん 継ぎ合わせた座ぶとん。千切れを継ぎ合わせて作った布。

ばく【獏・貘】 [名] [動] 獏。②中国でいう想像(そうぞう)の動物。

ばく【縛】 [名] 縄目；捕縛される。¶~につく 捕縛される；捕縛される。

ばく【漠】 [タル] ①広い模様。¶広がりたる雲のように 広く広がっている雲。②漠然とした模様。¶~とした考え 漠然とした考え。

ばく【馬具】 [名] 馬具。

はくあ【白亜】【白堊】 [名] 白亜。①白い壁。¶~の殿堂 白亜の殿堂。②分筆原料で石灰石の一種。 [注意] '白亜'とも書く漢字。

はくあい【博愛】 [名] 博愛。¶~主義 博愛主義。↔偏愛

はくい【白衣】 [名] 白衣。=びゃくえ。一の天使 白衣の天使(看護師)。

はくう【白雨】 [名] 白雨；(夏季の)夕立。

ばくおん【爆音】 [名] 爆音。①自動車・飛行機などのエンジンの音。②爆発音。

ばくが【麦芽】 [名] 麦芽；麦もやし。=麦もやし。一糖 麦芽糖。

はくがい【迫害】 [ス他] 迫害。¶~を加える 迫害を加える。

はくがく【博学】 [名・形動] 博学。¶~多識 博学多識／~多才である 博学多才である。

はくがんし【白眼視】 [ス他] 白眼視。¶世人に~される 世人に白眼視される。

はぐき【歯ぐき】【歯茎】 [名] 歯茎；歯ぐき。

ばくぎゃく【逆行】-gyaku [名] 逆行。¶~の交わり 逆行の交友／~の友 逆行の友。

はくぎん【白銀】 [名] 白銀。①銀。=しろがね。②降り積もった雪。¶~の峰々 白銀で覆われた山脈。②江戸時代の通貨の一つ。=銀子。

はくぐう【薄遇】-gū [ス他] 薄遇；冷遇。↔厚遇

はぐくーむ【育む】 [他] 育てる。①(おや鳥が)雛を抱いて育てる。②養育する；(発展するよう)保護育成する。¶学問を~ 学問を保護育成する。

*ばくげき【爆撃】 [ス他] 爆撃。¶~機 爆撃機

はくげきほう【迫撃砲】-hō [名] 迫撃砲。

はくごうしゅぎ【白豪主義】-gōshugi [名] (オーストラリアの)白豪主義。

はくさい【白菜】 [植] 白菜；はくさい。

はくさい【舶載】 [ス他] 舶載。①船に積み、船で運搬する。②外国から船で積み込む。=舶来する。

ばくさい【爆砕】 [ス他] 爆砕；火薬や爆撃などで粉々に破壊する。

はくし【博士】 [名] 博士。¶農学の~ 農学博士。=はかせ。

はくし【白紙】 [名] 白紙。¶~の答案 白紙の答案／~委任状 白紙委任状／~の態度 白紙の(先入観がない)態度。一に返す 元に戻す 白紙に戻す。

はくし【薄志】 [名] 薄志；意志が薄弱。¶~弱行 薄志弱行；意志が弱く結団が足りない。

はくじ【白磁】 [名] 白磁；純白色の磁器。

ばくし【爆死】 [ス自] 爆死。

はくしき【博識】 [名] 博識。¶~を誇る 博識を自慢する。

はくじつ【白日】 [名] 白日。¶青天白日／~の下に さらされる 白日のもとにさらされる。

はくしゃ【拍車】 [名] (馬の)拍車。一をかける【加える】 拍車をかける。

はくしゃ【白砂】-sha [名] 白砂；白砂。=はくさ。

はくしゃ【薄謝】-sha [名] 薄謝；約干の謝礼(謝礼の気持ち)。

ばくしゃ【幕舎】-sha [名] 幕舎。

はくしゃく【伯爵】 [名] 伯爵。

はくじゃく【薄弱】-jaku [名] 薄弱。¶根拠【意志】~ 根拠【意志】薄弱。

*はくしゅ【拍手】-shu [名・ス自] 拍手。¶一喝采 拍手喝采。

はくじゅ【白寿】-ju [名] 白寿；99歳の別称；また、その祝賀(お祝い)。

ばくしゅう【麦秋】-shū [名] 麦秋；麦が実る秋；初夏頃。=むぎあき。

はくしょ【白書】-sho [名] 白書。¶経済~ 経済白書。

*はくじょう【白状】-jō [ス他] 白状。¶男らしく~しなさい 男らしく白状しなさい。

*はくじょう【薄情】-jō [名] 薄情。¶きわめて~な人と 非常に薄情な人。

ばくしょう【爆笑】-shō [名・ス自] 爆笑。¶観客がどっと~した 観客は一斉に爆笑をとどろかせた。

はくしょく【白色】-shoku [名] 白色。¶~人種 白色人種；白色人種。

はくしん【迫真】 [名] 迫真。¶~力 迫真力／~の演技 迫真の演技。

はくじん【白人】 [名] 白人；白色人種。

はくじん【白刃】 [名] 白刃；抜いた鋭利な刀。¶~をふりかざす 閃光の鋭い刀を振りかざす。

ばくしん【爆心】 [名] 爆心；爆発の中心地。¶~地 爆心地。

ばくしん【驀進】 [ス自] 驀進；突進。¶汽車が~して来る 汽車が突進して来る。

はくーす【博す】 [5他] ☞はくする。

はくーする【博する】 [サ変他] 得る。①(名声を)広める。¶名声を~ 名声を広める。②(利益を)独占する。¶巨利を~ 利益を独占する。

ばくーする【縛する】 [サ変他] 縛る；捕縛する。

ばくーする【駁する】 [サ変他] 反駁する。¶他人の説を~ 他人の説を反駁する。

はくせい【剝製】 [名] 剝製。¶~をつくる 剝製を作る。

はくせき【白皙】 [名] 白皙；色が白い。¶~の美青年 白皙の美青年。

はくせつ【白雪】 [名] 白雪；白い雪。=しらゆき。

はくせん【白癬】 [名] [医] 白癬；たむし。

*ばくぜん【漠然】 [タル] 漠然。¶~たる不安【印象】 漠然とした不安【印象】。

はくそ【歯くそ】【歯屎・歯垢】 [名] 歯糞。=はかす。

ばくだい【ばく大】【莫大】 [英大] [名] 莫大。¶~な損害 莫大な損害。

はくたいげ【白帯下】 [名] [医] 白帯下；冷(ひや)。=こしけ。

はくだつ【剝脱】 [名・ス自] 剝脱；剝がれ落ち

떨어짐. ¶塗料̲がが～する 칠이 벗겨지다.

はくだつ【剝奪】图ㅈ他 박탈. ¶自由̲をを～される 자유를 박탈당하다. =付与.

*はくだん【爆弾】图 폭탄. ¶～声明̲を 폭탄 성명 / ～を投下̲する 폭탄을 투하하다. ❶밀조 소주. ❷옥수수를 튀긴 과자. =ポップコーン.

はくち【白痴】图〈卑〉백치;바보;천치. ──び【──美】图（여성의）백치미.

*ばくち【博打・博奕】图 도박；노름. ＝とばく【賭博】. ¶～打̲ち 도박꾼 / ～場̲ば 도박장.

ばくちく【爆竹】图 ①폭죽. ¶～を鳴̲らす 폭죽을 터뜨리다. ②정월 보름날, 설날에 썼던 門松̲など 등 장식물을 태우는 불.

はくちず【白地図】图 백지도；윤곽만을 그린 지도. ＝白図̲ず.

はくちゅう【伯仲】-chū 一图 장남과 차남. 二图ㅈ自 백중；(세력이) 팽팽함. ¶勢力̲が～ 세력 백중. ──の間̲あ 백중의 사이.

はくちゅう【白昼】-chū 图 백주；대낮. ＝まひる. ¶～強盗̲どう 백주 강도. ＜深夜夢̲む. ──む【──夢】图 백일몽(白日夢).

はくちょう【白鳥】-chō 图 ①흰색의 새＝しらとり. ②[鳥] 고니；스완. ③흰 사기로 만든 작은 술병.

ばくちん【爆沈】图ㅈ自他 폭침.

はくつき【はく付き】【箔付き】图 ①박이 붙어 있음；또, 그런 것. ②정평(定評)이 나 있음；또, 그런 것.

ばくつく【爆】⑤他〈俗〉덥석덥석 먹다；빠끔빠끔 먹다. ¶パンを～ 빵을 게걸스럽게 먹다.

バクテリア【生】图 박테리아；세균. ▷bacteria.

ばくと【博徒】图 박도；노름꾼. ＝ばくち.

はくどう【搏動】-dō 图ㅈ自 박동；(심장의) 고동. ¶心臓̲の～ 심장의 고동. 注意 '拍動'로 씀은 대용 한자.

ばくとして【漠として】剾 막연하여. ¶真意̲が～とらえがたい 막연하여 진의를 파악할 수 없다.

はくないしょう【白内障】-shō 图〈醫〉백내장.＝しろそこひ.

はくねつ【白熱】图ㅈ自 백열. ¶～灯̲とう 백열등 / ～電球̲きゅう 백열 전구 / 議論̲ろんが～化する 의론이 격렬해지다.

*ばくは【爆破】图ㅈ他 폭파. ¶～作業̲ぎょう 폭파 작업.

バグパイプ 图 백파이프(관악기의 일종). ▷bagpipe.

ばくばく【漠漠】タル 막막. ①광막(廣漠)한 모양；아득하게 넓은 모양. ¶～たる荒野̲や 광막한 황야. ②막연한 모양. ¶～として測̲りがたい 막연하여 헤아리기 어렵다.

ばくばく 剾 ①입을 연이어 크게 벌리는 모양：빠끔빠끔. ¶金魚̲が口を～と さ せ る 금붕어가 입을 빠끔거리다. ②음식을 게걸스럽게 먹는 모양. ¶片̲っぱしから～とたべてしまう 차례로 모조리 덥썹덥썹 먹어 치우다. ③이은 부분이 떨어져 나가려는 모양. ¶

靴̲らの先̲さきが～（と）する 구두 앞창이 터져 너덜거리다.

はくはつ【白髪】图백발；흰머리. ¶～の老紳士̲らん 백발의 노신사.

*ばくはつ【爆発】图ㅈ自 폭발. ¶不満̲まんが～する 불만이 폭발하다.

はくび【白眉】图 백미＝びか─。¶本大会̲らかいの～と言̲えよう 본대회의 백미라고 할 수 있을 것이다.

はくひょう【白票】-hyō 图 백표. ①국회에서 찬성 투표에 쓰이는 흰 나무패〔공, 종이〕. ＜青票̲ひょう. ②백지 투표.

はくひょう【薄氷】-hyō 图 박빙；살얼음. ＝うすごおり. ──を踏̲む思̲い 살얼음을 밟는 느낌.

ばくふ【幕府】图 ①무가(武家) 시대에 将軍̲ぐんが 정무를 집행하던 곳；또, 무가 정권. ②무가 시대의 将軍의 별칭.

ばくふ【瀑布】图 폭포；폭포수.＝たき.

ばくふう【爆風】图 폭풍.

はくぶつがく【博物学】图 박물학.

はくぶつかん【博物館】图 박물관. ¶～行̲きの代物̲もの 박물관에나 갈 고물(古物).

はくぶん【白文】图 ①구두점이나 토가 없이 그냥 내리 쓴 한문. ②주석을 달지 않은 본문만인 한문. ＝訓点̲くん 白문으로 함.

はくぶん【博聞】图 박문；널리 사물을 들어서 잘 알고 있음. ──きょうき【──強記】-kyōki 图 박문 강기；널리 견문하고 이를 잘 기억함.

はくへい【白兵】图 백병. ──せん【──戦】图 백병전；육박전. ¶～の華̲と散̲る 백병전에서 전사하다.

はくへん【薄片】图 박편；얇은 조각〔토막〕.

はくへん【剝片】图 박편；벗겨 떨어진 조각. ¶～石器̲き 박편 석기.

はくぼ【薄暮】图 박모；황혼.＝たそがれ・夕暮̲ぐれ.

はくぼう【薄傍】-hō 图 박모.

はくぼく【白墨】图 백묵；분필.＝チョーク. ¶赤̲か～ 붉은 분필.

はくまい【白米】图 정백미(精白米).↔玄米̲げん〔의 말기〕.

ばくまつ【幕末】图 江戸幕府̲ばくふ 시대.

はくめい【薄命】图 박명；불운.＝ふしあわせ. ②단명(短命). ¶佳人̲か～ 가인 박명.

はくめい【薄明】图 박명；해뜨기 전, 해진 뒤의 어스레한 무렵.

はくめん【白面】图 백면. ①나이가 젊고 미숙함. ¶～の書生̲せい 백면 서생. ②흰 얼굴.

はくや【白夜】图〔극(極)지방의〕백야.＝びゃくや.〔약고.

*ばくやく【爆薬】图 폭약. ¶～庫̲こ 폭

はくや【白楊】-yō 图 백양. ①'どろのき'의 딴이름. ②'はこやなぎ'의 딴이름.

はくらい【舶来】图 박래；외래(外來). ¶～品̲ひん 외래품.＜国産̲さん.

はくらかす【剝らかす】⑤他（동체으로부터）따돌리다；~마끈다. ¶供̲との者̲ものを～ 따돌리다. ②어름거려 넘기다；얼버무리다. ¶質問̲もんを～ 질문을 얼버무려 넘기다.

はくらん【博覧】图ㅈ他 박람. ①박학

다식함. ②일반인이 널리 보는 일. ¶〜に供キョウす 널리 일반에게 보이다. ――かい【―会】图 박람회. ¶万国バンコク〜 만국 박람회／産業サンギョウ〜 산업 박람회.

はくり【剝離】图[ス自] 박리; 벗겨져 떨어짐. ¶網膜モウマク〜 망막 박리.

はくり【薄利】图[ス自] 박리 다매. ¶〜主義シュギ 박리 다매주의.

ばくり【薄利多売】图[ス自] 박리 다매. ¶〜主義シュギ 박리 다매주의.

ばくり 图 ①(가게 물건 등의) 들치기. =万引マンびき ②어음 따위를 사취하는 일. ――や【―屋】图〈俗〉네다바이꾼; 어음 전문 사기꾼.

ばくり 副 ①입을 크게 딱 벌리고 먹거나 마시는 모양: 덥석; 꿀꺽. ¶一口ヒトクチに食クう 한 입에 덥석 먹다. ②틈·구멍이 크게 벌어지는 모양: 쩍; 쩍 벌어짐. ¶傷口キズグチが〜あく 상처가 쩍 벌어지다.

ばくりゅうしゅ【麦粒腫】-ryūshu 图〔醫〕맥립종; 다래끼. =ものもらい.

ばくりょう【幕僚】-ryō 图〔軍〕막료; 참모 장교. ¶〜を集アツめて作戦サクセンを練ネる 막료들을 모아 작전을 짜다.

*ばくりょく【迫力】-ryoku 图 박력. ¶〜に欠カける 박력이 모자라다／〜のある演技エンギ 박력 있는 연기.

はぐ-る【撥る】[5他] 젖히다; 넘기다; 개다; 걷(어 올리)다. ¶布団フトンを〜 이불을 개다(걷다).

ばく-る【5他】〈俗〉(가게 물건을) 훔치다; 사취(詐取)하다; 날치기하다. ¶手形テガタを〜られた 어음을 날치기 〔사취〕당했다. ②검거하다; 잡다. ¶すりを〜 소매치기를 체포하다.

*はぐるま【歯車】图 톱니바퀴. =ギヤ. ¶政治セイジの〜が狂クルって 정치가 잘못되어 가다.

ばくれつ【爆裂】图[ス自] 폭렬; 폭발하여 파열함. ¶〜薬ヤク 폭약. ――だん【―弾】폭렬탄(폭탄의 엣이름).

はぐ-れる【逸れる】[下1自] ①일행과 떨어지다; 일행을 놓치다. ¶一行イッコウに〜 일행을 놓치다／機会キカイを〜 기회를 놓치다. ②(動詞連用形を받아서)놓치다; 실패하다. ¶飯メシに〜 끼니때를 놓치다. ③(動詞連用形を받아서)놓치다; 실패하다. ¶乗のり〜 차를 놓치다／食クい〜 (때를 놓쳐) 밥을 못 먹다.

ばくれん【莫連】图〈俗〉닳고 닳은 여자. =あばずれ. ¶〜女オンナ 닳아빠진 여자.

*ばくろ【暴露】【曝露】图[ス他] 폭로. ¶記事キジ로 기사／陰謀インボウが〜する 음모가 폭로되다／不正フセイを〜する 부정을 폭로하다. ――せんじゅつ【―戦術】-jutsu 图 폭로 전술.

はくろう【白蠟】【白蠟】-rō 图 백랍.

ばくろう【博労】-rō 图 ①〈本〉마소의 거간꾼. ②소·말의 감정을 하는 사람. =伯楽ハクラク.

ばくろん【駁論】图[ス他] 박론; 논박. ¶文ブンで〜 논박문.

はくわ【白話】图 백화; 현대 중국어의 구어(口語). ¶〜文ブン 백화문. ――文ブン.

*はけ【刷毛・刷子・刷筆】图 솔; 귀얄; 브러시. ¶〜目メ 귀얄자국.

はけ【捌け】图 ①(물이) 흘러 빠짐. ¶

水スイ〜がよい 물이 잘 빠지다. ②(상품이) 팔림. ¶〜のいい品シナ 잘 팔리는 물건.

*はげ【禿】图 대머리; 또, 그 사람; 널리, 민둥이 된 상태. ¶〜山ヤマ 민둥산／若ワカ〜 젊어서 대머리가 됨; 또, 그 사람／つるっぱげ 홀랑 까진 대머리.

はげ【剝げ】图 칠한 것 따위가 벗겨짐; 또, 그 자국.

ばけ【化け】图〈俗〉제물낚시. ¶잘못(된 것); 엉뚱한 변종. ¶印刷インサツ機キの狂クルいで〜が出デる 인쇄기 고장으로 잘못된 것이 나오다.

はげあが-る【禿げ上がる】[5自] 머리가 훌떡 벗어지다.

はげあたま【禿げ頭】图 대머리.

はげいとう【葉鶏頭】【雁来紅】-tō 图〔植〕색비름.

はげぐち【捌け口】图 ①배수구; 배출구. ②감정 따위의 배출구／流ナガしの〜が詰ツまる 개숫물 구멍이 막히다. ②판로(販路). ¶〜のない品シナ 판로가 없는 상품.

*はげし-い【激しい】【劇しい・烈しい】-shii 形 세차다; 격심하다; 잦다. ¶痛イタみ 격심한 통증／〜寒サムさ 심한 추위／変化ヘンカが〜 변화가 격심하다／気性キショウの〜人ひと 성미가 과격한 사람.

はげちゃびん【禿げ茶瓶】【禿げ茶瓶】-chabin 图〈俗〉대머리를 조롱하는 말.

*バケツ【馬穴】图 바께쓰; 물통. ▷ bucket.

はけついで【刷毛序】图 어떤 일을 하는 김에 다른 일도 함. ¶〜にこれもしておこう 하는 김에 이것도 해두자.

バケット-ketto 图 버킷(기중기·준설기 등의 흙삽). ▷bucket.

ばけのかわ【化けの皮】图 가면(假面); 위장(僞裝); 탈. ――がはげる 가면이 벗겨지다(정체가 드러나다). ――を現アラわす 정체를 드러내다.

はけば【捌け場】图 배출구. ¶不満フマンの〜がない 불만을 토로할 데가 없다.

*はげま-す【励ます】[5他] ①북돋다; 격려하다. ②언성을 높이다. ¶声コエを〜してしかる 언성을 높여 꾸짖다.

はげみ【励み】图 ①힘씀; 노력함. ②자극. ¶〜になる 자극이 되다.

*はげ-む【励む】[5自] 힘쓰다. ¶仕事シゴトに〜 열심히 일하다.

ばけもの【化け物】图 도깨비; 괴물; 요괴(妖怪). =おばけ. ¶〜屋敷ヤシキ 도깨비가 나오는 집. ▷動=怪.

はげやま【禿げ山】【禿山】图 독산; 민둥산.

は-ける【捌ける】[下1自] 잘 빠지다. ①(물이) 잘 빠지다. ¶下水ゲスイが〜 하수가 잘 빠진다. ②(물건이) 잘 팔리다. =さばける. ¶商品ショウヒンが〜 물건이 잘 팔리다.

*は-げる【剝げる】[下1自] ①(칠·껍데기 따위가) 벗겨지다. ¶塗ぬりが〜 칠이 벗겨지다／化ばけの皮カワが〜 본성이 드러나다. ②퇴색하다; 바래다. ¶人気ニンキが〜 인기가 한풀 가다.

は-げる【禿げる】[下1自] ①머리가 벗어지다. ¶〜げた頭アタマ 대머리. ②민둥산이 되다.

*ば-ける【化ける】[下1自] ①둔갑하다;

가장하다. ¶きつねが女おんなに～ 여우가 여자로 둔갑하다 / 学生がくせいに～ 학생으로 가장하다. ⑤ 예상외로 변하다. ¶この株かぶは二倍にばいに～けた 이 주식은 두 배로 뛰었다. 「り.

はげわし【禿鷲】图〔鳥〕(대머리의) 독수

はけん【派遣】图 ㉛他 파견.

はけん【覇権】图 패권 ;지배권. ¶～を争あらそう 패권을 다투다. ━を握にぎる 패권을 잡다.

はけん【馬券】图 (경마의) 마권.

はこ【箱・函】图①상자 ;궤짝;함. ¶木箱きばこ 나무 상자. ②〈俗〉철도 차량. ¶この～に乗のろう 이 칸에 타자. ③〈俗〉三味線しゃみせん ㉡기생(妓生).

はご【羽子】图〔雅〕모감주나무 열매에 새털을 꿰운 제기 비슷한 것.＝はね. ──いた【─板】图羽子はねを쳐올리고 받고 하는 나무판.

はいり【箱入り】图①상자 속에 들어 있음 ;또, 그 물건. ②소중히 보존되어 있음 ;또, 그 물건. ③はこいりむすめ의 준말. ──むすめ【─娘】图규중(閨中) 처녀.

はこう【跛行】-kō图 ㉛自 파행. ¶～状態じょうたい〔景気けいき〕파행 상태(경기).

はこおり【函折(り)】图 판자로 상자를 만듦. ¶～作業さぎょう 상자 만들기.

はこし【箱師】图〈俗〉(전차·기차 따위의) 차내 전문의 소매치기.

はこそ【連語】앞의 것(주로 원인·이유)을 강조하는 데 씀 ;…나머지 ;…이기에. ¶君きみのためを思おもうから～苦言くげんを呈ていするのだ 너를 위해서이기에 충고하는 것이다. 〔参考〕이 때 뒤에 오는 말을 표현하지 않을 때가 있음. ¶君きみのためを思おもえ～だ 너를 위해 생각하는 나머지다.

はごたえ【歯ごたえ・歯応え】图①씹었을 때에 느끼는 감촉 ;씹는 맛. ¶～がない 씹는 맛이 없다. ②반응(보람)이 있음. ¶～(일 등이) 보람이 있음. ¶～のある仕事しごと 보람이 있는 일. ㉡(사람이) 만만하지 않음. ¶～のあるやつだ 만만찮은 놈이다.

はこづめ【箱づめ・箱詰(め)】图①상자에 채움 ;또, 그 채운 것. ②상자에 채운 것.

はこにわ【箱庭】图 상자 안에 만든 모형(模型) 정원 ;미니어처 가든(miniature garden).

はこのり【箱乗り】图 ㉛自〈俗〉신문기자가 취재하기 위하여 그 사람과 같은 기차에 타는 일.

はこび【運び】图①운반. ¶荷物にもつの～を手伝てつだう 짐나르기를 돕다. ②(일의)진행. ㉠추진 솜씨. ¶話はなしの～がうまい 이야기의 진행 솜씨가 능하다. ㉡진도 ;진척. ¶～がおそい 진도가 늦다. ③걸음걸이. ¶足あしの～がのろい 걸음이 느리다. ④(일이) 어느 단계에 이름. ¶完成かんせいの～になる 완성 단계가 되다. ⑤조치 ;처리 ;추진. ¶早はやく～を付つけてもらいたい 빨리 조치해 주기 바란다. ⑥왕림 ;와줌.

はこ──ぶ【運ぶ】㉛他①옮기다 ;나르다. ¶足あしを次つぎのへやに～ 책상을 다음 방으로 옮기다 / 足あしを～ 발길을 옮기다(몸소 가다) / 春はるのたよりを～ 봄소식을 전하다. ②진행시키다 ;추진

시키다. ⬡㉛他 진척되다. ¶話はなしがすらすらと～んで相談そうだんがまとまった 이야기가 척척 진행되어 합의를 보았다.

はこぶね【箱船】【方舟】图 네모난 배 ;방주. ¶ノアの～ 노아의 방주.

はこべ【繁縷】图〔植〕별꽃.＝はこべら

はこぼれ【刃こぼれ】【刃毀れ】图 ㉛自(칼의)날의 이가 빠짐(빠진 부분).

はこや【箱屋】图 ①상자를 만들기도 하고 팔기도 하는 가게 ;또, 그 사람.

はこやなぎ【箱柳】图〔植〕사시나무.

はごろも【羽衣】图 우의 ;깃옷. ¶仙女せんにょの～ 선녀의 우의.

はこん【破婚】图 ㉛自 파혼.＝離婚りこん.

バザー【bazaar】图 바자 ;자선시(慈善市). ▷bazaar.

はざかいき【端境期】图 단경기.＝さかい.

はさき【刃先】图 칼끝.

はざくら【葉桜】图 꽃이 지고 어린 잎이 난 벚나무.

ハざし【ハ刺し】图 양복 깃의 심(心)따위를 달 때 여덟팔(八)자 꼴로 누비는 일.

はさつおん【破擦音】图〔言〕파찰음(「ツ·チ」따위).

ばさばさ【副】①머리털 따위가 부수수한 모양. ¶～(と)した髪あたまの毛け 부수수한 머리털. ②마른 것이 닿아 내는 소리 ;바삭바삭 ;바스락바스락.

ばさばさ【副】①말라서 물기(기름기)가 없는 모양 ;구덕구덕 ;퍼석퍼석 ;바삭바삭. ¶洗濯物せんたくものが風かぜで～となる 세탁물이 바람으로 바싹 마르다.

はざま【狭間・迫間・間】图①틈새기.＝あいだ. ②골짜기.＝たにま. ③(성벽의)총안(銃眼).

はさま──る【挟まる】㉕自 틈에 끼이다. ¶歯はに～ 잇새에 끼이다.

はさみ【鋏み】图 ①가위. ¶剪定せんてい鋏ばさみ 전정 가위 / ～で切きる 가위로 자르다 ;표찍는 가위 ;펀치. ③(가위처럼 보이는) 가위. ━を入いれる 가위질하다. ②나무를 전정하다. ③펀치로 구멍을 내다.

はさみうち【挟み撃ち】图 협공 ;협격. ¶敵てきを～する 적을 협공하다 / ～にあう 협공당하다. 「다.

はさみばこ【挟み箱】图 옛날, 의복이나 도구를 넣고 막대기를 꿰어서 하인에게 지우던 상자.

はさみむし【鋏虫】图〔蟲〕집게벌레.

はさ──む【挟む・挿む】㉕他①(우)다. ②사이에 두다. ¶川かわを～ 강을 사이에 두다 / 机つくえを～んで向むかい合あう 책상을 사이에 두고 마주 앉다. ㉢(끼워서) 집다. ¶箸はしで～ 젓가락으로 집다. ㉣(마음에) 품다. ¶疑うたがいを～ 의심을 품다. ③듣다. ¶うわさを耳みみに～ 소문을 귓결에 듣다. ④말참견하다. ¶口くちを～ 말참견하다.

はさ──む【剪む・鋏む】㉕他 가위로 자르다.

はさん【破産】图 ㉛自 파산. ¶～宣告せんこく 파산 선고.

はし【端】图①끝 ;선단(先端). ¶棒ぼうの～ 막대기의 끝 / ひもの両りょう～ 끈의 양끝. ②시초 ;처음.＝初はじめ・起おこ

り。¶～からはじめる 처음부터 시작하다. ③가장자리. =へり·ふち. ¶道 ^{55}の～ 길섶/紙^{55}の～을折^{55}る 종이의 귀를 접다. ④잘라낸 조각. =きれはし. ¶木^{5}の～ 나뭇조각. ⑤사물의 중심이 아닌 일부분. ¶ことばの～を捕 ^{55}える 말꼬리를 잡다.

‡はし【橋】图 다리. ¶～をかける 다리를 놓다. ━を渡^{55}す①다리를 놓다. ②양쪽의 중개 역할을 하다.

*はし【端】图 젓가락. ━の上^{55}げ下^{55}し にも小言^{55}を言^{55}う 젓가락질{사소한 일}에도 잔소리하다. ━をつける 먹기 시작하다. 「ばし.

はし【嘴】图〈雅〉부리；주둥이. =くち.

‡はじ【恥·辱】图 부끄러움；수치；치욕. ¶～を知^{55}れ 부끄러움을 알아라/～を忍^{55}ぶ{すする} 수치를 참다〔셋다〕. ━の上塗^{55}り 거듭 수치를 당함.

はじ【端】图 ☞はし. 「함.

はじい-る【恥(ぢ)入る】[五自] 크게 부끄러워하다. ¶～って赤^{55}くなる 매우 부끄러워 빨개지다.

はしおき【箸置き】{箸置き}图 (식사 때) 젓가락을 얹어 놓는 받침. =箸 ^{55}ましん. 「ましん.

はしか【麻疹】图 마진；홍역(紅疫). =

はしがき【端書き】图 ①머리말；서문(序文). =前書^{55}き. ②(편지의) 추신(追伸). =おってがき. ③和歌^{55}의 앞에 쓰는 짧은 말.

はしから【端から】副 ①차례로；순차로. ②곧；연이어.

はじき【弾き】图 ①튀김；탄력성. ②〈俗〉권총.

はじきだ-す【はじき出す】{弾き出す} [五他] ①튀겨 내다. ¶爪^{55}で～ 손톱으로 튀겨 내다. ②따돌리다. ¶仲間 ^{55}から～される 동료에게서 따돌림받다. ③염출(捻出)하다. ¶苦心 ^{55}して旅費 ^{55}を～ 고심해 여비를 염출하다.

はしきれ【端切(れ)】{切れ}图 (종이·천 따위의) 자투리. =きれはし.

はじく【弾く】[五他]①튀기다. ¶爪 ^{55}で～ 손톱으로 튀기다. ②(수판을)놓다. ¶そろばんを～ 수판을 놓다；손익을 따져보다. ③겉돌게 하다. ¶油紙 ^{55}は水^{5}を～ 유지에는 물이 겉돌다〔물을 안 받는다〕.

はしげい【橋桁】{橋杙·橋桁}图 교각(橋脚)；교주(橋柱).

はしくれ【端くれ】图 ①(재목 등의) 토막；부스러기. ②나부랭이；겨우 축에 끼는 사람. =末端^{55}. ¶はしくれ. ¶役人 ^{55}の～ 관리 나부랭이.

はしけ【艀】图 거룻배. =はしけぶね. ¶～で渡^{55}る 거룻배로 건너다.

はしげた【橋桁】{橋桁}图 다리 기둥{교각} 위에 걸쳐 널빤지를 지탱하는 도리.

はじ-ける【弾ける】[下1自]①여물어서 터지다；튀다. =はぜる. ¶くりの いがが～ 밤송이가 벌어지다/竹^{55}が～ 대나무가 터지다. ②세게 튀다. ¶水^{55}が～ 물(방울)이 튀다.

*はしご【梯子·梯】图①사다리다리. =縄^{55}ばしご·출사다리. ②はしご'はしご酒^{55}'의 준말. ━ざけ【━酒】图 술집 순례；2차·3차 술. ━のみ【━飲

み】图 ☞はしござけ. ━のり【━乗り】图[五自] 사다리 타기(곡예). 또, 그 사람(出初式^{55} (=소방서 시무식) 따위에서 함).

はしこ-い【敏い】形 ①(동작이) 빠르다；민첩하다. ¶～動作 빠른{날랜} 동작. ②약빠르다；약다；영리하다. = かしこい.

はじさらし【恥さらし】{恥曝し}图 망신(시킴)；수치；창피；또, 그 사람. ¶一門^{55}の～ 가문의 수치/いい～だ 꼴 좋다.

はじしらず【恥知らず】图 수치를 모름；또, 그런 사람；철면피. ¶この～奴^{55}が 뻔뻔한 놈아.

はした【端】图①우수리；끝수. =端数^{55}. ¶～のかね 푼돈. ②어지빠름；어중간. =はんぱ. ¶～の仕事 어중간한 일. ③그다지 필요하지 않은 부분{사람}.

はしたがね【はした金】{端金}图 푼돈. =はしたぜに. ¶こんな～で何^{55}が買^{55}えるか 이 따위 푼돈으로 뭘 산단 말이냐.

はしたな-い【端ない】形 ①상스럽다；야비하다. ②경솔하다；버릇 없다. ¶～振舞^{55} 경망스러운{버릇없는} 「女}.

はしため【はした女】{端女}图 하녀(下女).

はしたもの【端者】图 제대로 대접을 못 받는 사람；졸때기.

ハシッシュ hashisshu 하시시. =ハッシッシ·マリファナ. ▷hashish.

ばしとうふう【馬耳東風】-tōfū 图 마이 동풍. ¶～と聞^{55}き流^{55}す 마이 동풍으로 흘려 듣다.

はしなくも【端無くも】[連語]①[副詞적으로]뜻밖에도. =はからずも. ¶秘密 ^{55}が～外部^{55}に漏^{55}れる 비밀이 뜻하지 않게 외부에 새다.

はしぬい【端縫い】图 천 끝을 약간 접어서 꿰매는 일. =端縫^{55}い.

はしばみ【榛】图〔植〕개암나무.

はじまらない【始まらない】[連語] …해도 소용없다；…해도 와서 어쩔 수 없다. ¶いまさら後悔^{55}しても～ 새삼스레 후회해도 소용없다.

*はじまり【始(ま)り】图 시작；시초；비롯함. ¶けんかの～ 싸움의 시초〔발단〕. ↔終わり.

‡はじま-る【始(ま)る】[五自] 시작되다. ①개시되다. ↔終わる. ②늘 하던 버릇이 나타나다. ¶そらまた～った 저런, 또 시작이로군.

はしミシン【端ミシン】图 오버랩 미싱. ▷machine.

‡はじめ【初め】㊀图 (시간적으로) 처음；최초. ¶年^{55}の～ 연초. ↔終わり. ㊁副 앞；이전. ¶～言^{55}ったこと 처음(에) 말한 것.

‡はじめ【始(め)】{元·肇}㊀图 ①(일의) 시작. ㉠개시；시초. ㉡～のあいさつ 시작하는 인사(말). ㉢기원(起源). ¶国^{55}の～ 나라의 시초. ㉣첫무렵; 처음 무렵. ¶～のうちは慎重 ^{55}だった 처음에는 신중했었다. ↔末^{55}. ②〔～を～として의 꼴로〕 ～として하여. ¶首相 ^{55}を～として 수상을 위시하여. ③〔接尾語적으로〕 …을 하기 시작

함. ㉠첫 경험. ¶遊ぎびくせのつき～ 노는 버릇이 생긴 시초. ㉡그 해 그것을 행하는 최초의 날. ¶御用ぢ～ 시무식(始務式). ◆納ぢ.

はじめて 【初めて・始めて】 圖 처음 (으로). ¶生ぎ～ 비로소; 첫 번째(로). ¶生まれて～の経験ぱ 태어나서 첫 경험 / ～にしては 처음(치고)치고는.

はじめまして 【始めまして・初めまして】 連語 처음 뵙겠습니다(초대면 인사).

はじ・める 【始める】【初める・肇める・創める】 ㉠他 ①〔시작(開始)하다. ¶勉強ぷんを～ 공부를 시작하다 / 店ぢを～ 가게를 시작하다; 개점하다. ◆終ぇる・終ぢわる. ②〔動詞니 '(き)す'・'(ら)れる'의 連用形에 붙어 接尾語적으로〕…하기 시작하다. ¶花がぢ咲きそめ～ 꽃이 피기 시작하다.

はしゃ 【覇者】-sha 名 패자. ＝王者ぢ.

ばしゃ 【馬車】-sha 名 마차. ¶荷にば～ 짐마차. ――うま 〔――馬〕 名 마차 (를 끄는) 말. ②〈俗〉한눈 안 팔고 일 함의 비유. ③〈俗〉혹사당하는 사람.

はしゃ・ぐ -shyagu 🔟 ①〔신명이 나서〕 까불며 떠들다. ¶子供ぢが～ 아이들이 떠들어 대다. ②마르다; (너무 말라) 휘거나 뒤틀리다. ¶板にが～ 판자가 뒤틀리다 / のどが～ 목이 마르다.

パジャマ -jama 名 파자마. ＝ピジャマ.

はしゅ 【播種】-shu 名 自動 〔農〕 파종. ＝種まき.

ばしゅ 【馬首】-shu 名 말의 목; 말머리. ¶～をめぐらす 말머리를 돌리다.

はしゅつ 【派出】-shutsu 名 自動 파출; 출장시킴. ¶～婦ぷ 파출부. ――所 〔――所〕 名 파출소. ①출장소(出張所). ②巡査ぢ派出所ぢぢ(＝경찰관 파출소)'의 준말. ＝交番ぢ.

ばじゅつ 【馬術】-jutsu 名 마술.

ばしょ 【場所】-sho 名 ①장소. ㉠곳; 위치. ¶～がだけに 장소가 장소인 만큼. ㉡자리. ¶置きゃ～ 놓을 자리 / ～をあける 자리를 비우다. ㉢일을 행하는 곳(기산). ¶夏ぢ～ 여름철 씨름 흥행 장소(기간). ②경우. ¶君ぢ，それは～が違うぢ 자네 그건 경우가 달라(말할 때가 아니다). ――を踏ぢむ 경험을 쌓는다; 場数ぢをを踏む 다. ――がら 〔――柄〕 名 ①장소(의 성질). ¶～をわきまえない 장소를 가리지 않다 / ～を考がえろ 장소를 생각(하고 처신)해라. ②〔副詞적으로〕 그 장소의 성질(조건)상. ¶～，人との出入ぢり가 多ぢい 장소가 장소이니만큼 사람의 출입이 많다. ――わり 〔――割り〕 名 장소의 할당. ¶夜店ぢの～ 야시장의 자리 할당.

はじょう 【波状】-jō 名 파상. ①물결 모양. ¶～雲ぢ 파상운. ②파도처럼 거듭되는 모양. ¶～攻撃ぢ 파상 공격.

ばしょう 【芭蕉】-shō 名 〔植〕 파초.

ばじょう 【馬上】-jō 名 마상; 말의 등. ――の人ぢとなる 말을 타다.

はしょうふう 【破傷風】-shōfū 名 〔醫〕 파상풍. ――けっせい 〔――血清〕-kessei 名 파상풍 혈청.

ばしょく 【馬食】-shoku 名 自動 마식(馬食).

말처럼 많이 먹음. ¶牛飲ぎぢ～ 우음마식.

はしょ・る 【端折る】-shoru 🔟 他 ①자락을 걷어 올려 허리에 접어 지르다. ¶着物ぢのを～ 옷자락을 걷어(올려) 지르다. ②줄이다; 생략하다. ¶話ぢを～ 이야기를 간단히 하다.

‡はしら 【柱】 名 ①기둥; 또, 기둥이 되는 사람(물건). ¶電信柱ぢ 전봇대 / 一家ぢの～ 일가의 기둥 / 雜誌ぢの～ 잡지의 중요한 항목(기사). ② 〔貝〕 패주; 조개 관자. ㉢ 接尾 신체(神體)・유골 등을 세는 말: …위(位). ¶六ぢ～の英霊ぢ 육위의 영령.

はじら・う 【恥じらう】【羞じらう】 🔟 부끄러워하다; 수줍어하다. ＝はにかむ. ¶花にも～乙女ぢ 꽃도 부끄러워 아름다운 처녀.

はしら・す 【走らす】 🔟 他 ①(막힘없이) 술술 움직이다; 놀리다. ¶筆にを～ 붓을 놀리다. ②(달리게 하다; 급히 보내다. ¶馬ぢを～ 말을 빨리 달리다(급히 몰다). ③(도망가게 하다. ¶敵ぢを～ 적을 쫓아 버리다.

はしらどけい 【柱時計】 名 괘종(시계); 벽시계.

はしり 【走り】 名 ①달리기; 달리기; 움직임이 빠르다. ¶～くら 달리기(내기) / ～のいい戸ぢ 잘 여닫히는 문.

はしり 【走り】 名 ①첫물; 신출(新出). ¶～のみかん 햇귤 / まつたけの～ 햇 송이.

はしりがき 【走り書(き)】 名 他 (휘)갈겨 씀; 또, 그렇게 쓴 것. ¶～の手紙ぢ 갈겨 쓴 편지.

はしりこ・む 【走り込む】 🔟 달려 들어가다; 뛰어 들다. ＝駆けけ込む.

はしりたかとび 【走り高跳び】 名 도움닫기 높이뛰기; 주고도(走高跳). ＝ハイジャンプ.

はしりづかい 【走(り)使い】 名 他 잔심부름으로 뛰어다님; 또, 그 사람. ¶主人ぢの～をする 주인 잔심부름으로 뛰어다니다.

はしりぬ・ける 【走り抜ける】 下1他 ①달려서 빠져 나가다. ¶雑踏ぢの中なを～ 붐비는 속을 달려서 빠져 나가다. ②달려서 앞지르다. ¶二周目ぢ에 ～く 두 바퀴째에 앞지르다. ③끝까지 뛰다; 주파(走破)하다. ¶全ぢコースを～ 전 코스를 주파하다.

はしりはばとび 【走り幅跳び】 名 도움닫기 넓이뛰기; 주폭도.

はしりまわ・る 【走り回る】【走り廻る】 🔟 뛰어(돌아)다니다. ②(…을 위해)분주히 돌아(뛰어)다니다; 애쓰다. ¶金策ぢに～ 돈 마련에 동분 서주하다.

はしりよみ 【走(り)読み】 名 他 대강 읽음; 대충 훑어봄.

‡はし・る 【走る】 🔟 ①(駛る) 달리다; 빨리 움직이다. ¶電車ぢが～ 전차가 달리다. ②(趨る・奔る) (길・산맥 따위가) 통하다. ¶道ぢが東西ぢに～ 길이 동서로 뻗(어 있)다. ③(趨る・奔る) 달아나다; 도망치다. ¶九州ぢへ～ 九州로 달아나다. ④(趨る・奔る) 따금씩 쑤시다. ¶虫歯ぢが～ 충치가 이따금 쑤시다. ⑤(趨る・奔る) (좋지

않은 방향으로) 기울다；치우치다；쏠
리다. ¶感情^{じょう}に〜 감정에 치우치
다／赤^{あか}に〜 좌익으로 기울다／悪^{わる}に
〜 악의 길로 들어서다. ⑥미끄러져 나
오다. ¶刀^{かたな}がさやから〜 칼이 칼집
에서 뽑혀나오다.

は-じる【恥じる】【羞じる・愧じる】
〔上1自〕(자신의 죄・잘못・결점을) 부끄러이 여기다. ¶無知^{むち}を〜
무지를 부끄러워하다. ②(‘…に〜じ
ない’의 꼴로) …에 부끄럽지 않다. ¶
歴史^{れきし}に〜じない 역사에 부끄럽지
않다.

はしわたし【橋渡し】名〔又他〕다리를
놓음；전하여, 중개함；중간 역할을
함；또, 그 사람. ¶〜を賴^{たの}む 중간 역
할을〔중간에 다리를 놓을 것을〕부
탁하다.

ばしん【馬身】名《接尾語的으로》마
신(경마에서) 말의 머리에서 꼬리까
지의 길이. ¶一^{いっ}〜の差^さ 1마신의 차.

はす【斜】名 비스듬함；경사. =はすか
い；ななめ；こう配. ¶〜に切^きる 엇
썰다.

はす【蓮】名〔植〕연；연꽃. =ハす.

はず【答】名(구체적이고 한정된 어구
(語句)를 받아서)…할 예정〔것임〕；…
할 리；…할 터；당연히 …할 것. ¶あ
した着^つく〜だ 내일 도착할 터이다／
そんな〜はない 그럴 리는 없다.

バス名 버스. 名 버스 정류장；〜
便^{びん} 버스편. ▷(omni)bus. ━に乗^の
り遅^{おく}れる ①버스를 놓치다. ②세상
일반 풍조 등에 뒤(떨어)지다／낙오자
가 되다.

バス【樂】베이스. ①남성 최저음.
②처음의 금관악기. ③コントラバス
(=콘트라바스)의 준말. ↔bass.

バス名 바스；목욕(탕). ▷bath.
━ルーム 名 욕실. ▷bathroom. ━
ローブ 名 바스로브. ▷bathrobe. ━
タブ 名 목욕통. ▷bathtub.

バス パス〔一名〕무료 승차권〔입장
권〕；또, 정기 승차권. ②優待^{ゆうたい}の〜 우
대 패스. ②〔又自〕(시험에) 통과
함；합격. ¶入学試驗^{にゅうがくしけん}に〜にした
입학 시험에 합격했다. ②(농구・축구
등에서) 공을 자기편으로 건네 주는
일. ▷pass. ━ポート 名 패스포트；여
권(旅券). ▷passport.

はすう【羽数】名 -sū 새의 (마릿)수.

はすう【端数】名 -sū 단수；우수리；끝
수. ¶〜をきりすてる 우수리를 떼어
버리다.

はずえ【葉末】名 ①잎의 끝. ¶〜に
宿^{やど}る露^{つゆ} 잎끝에 맺힌 이슬. ②자손；
후예(後裔).

ばすえ【場末】名 변두리. =町^{まち}はずれ.
¶〜の酒場^{さかば} 변두리의 술집. ━さか
り場^ば

はすかい【斜交い】名〈老〉비스듬히；
기웅；=ななめ・はす. ¶札^{ふだ}を〜に打
うちつける 팻말을 비스듬히 박다.

はずかしい【恥(ず)かしい】-shī 形 부
끄럽다；면목없다；창피하다. ¶〜・か
らぬ人物^{じんぶつ} 부끄럽지 않은 떳떳한 인
물／〜・くてそんな事^{こと}は出来^{でき}ない 창
피해서 그런 짓은 못 한다.

はずかしがーる【恥(ず)かしがる】〔5自〕
부끄럽게 여기다；쑥스러워〔부끄러워〕
하다. ¶〜り屋^や 부끄럼(수줍음)을

잘 타는 사람.

はずかし-める【辱める】〔下1他〕①욕
보이다. ⑦창피를 주다. ¶公衆^{こうしゅう}の
面前^{めんぜん}で〜 대중 앞에서 창피를 주다.
⑥婉曲〉(여자를) 능욕하다. ②(지
위나 명예를) 더럽히다. ¶課長^{かちょう}の
地位^{ちい}を〜 과장 지위를 욕되게 하다.

バスケット -ketto 名 바스켓. ①바구
니；특히, 손바구니. =手^てさげかご.
②'バスケットボール'의 준말. ③철망；
쇠그물. =金^{かな}あみ. ▷basket. ━ボー
ル 名 바스켓 볼；농구；또, 그 공. ▷
basket ball.

はず-す【外す】〔5他〕①떼다. ⑦떼어
내다. ¶雨戸^{あまど}〔看板^{かんばん}を〕〜 빈지를
〔간판을〕떼다. ⑥(機械^{きかい}を〜 기계를 떼
다. ⑥빼다；벗기다. ¶栓^{せん}を〜 마개
를 빼다〔뽑기다〕；빗장을 벗기다. ⑥
벗다. ¶眼鏡^{めがね}を〜 안경을 벗
다. ②끄르다；풀다；벗다. ¶ボタン
を〜 단추를 끄르다. ③피하다；빗나가
게(빗맞게) 하다. ¶鋭鋒^{えいほう}を〜 예봉
을 피하다／質問^{しつもん}の矢^やを〜 질문
(의 화살)을 피하다. ④(자리를) 뜨다；
비우다；참석치 않다. ¶席^{せき}を〜 자리
를 뜨다. ⑤놓치다. ¶ボールを〜 공
을 놓치다／機会^{きかい}を〜 기회를 놓치
다. ⑥실패하다. ¶試験^{しけん}を〜 시험에
실패하다. ⑦(…에서) 제외하다；빼
다. ¶予定^{よてい}から〜 예정에서 제외하다.

はすっぱ【蓮っ葉】-suppa〔名ナ〕여자
의 태도・행동이 경박함과 상스러움；
또, 그런 여자. ¶〜な娘^{むすめ} 알가닥；바
람둥이 처녀.

パステル【美】파스텔. ▷pastel.

バスト【美】バスト. ①흉상(胸像). ②
〔裁〕가슴둘레. =胸^{むね}まわり；bust.

ハズバンド 허즈번드；남편. =ハズ.
↔ワイフ. ▷husband.

*はずみ【弾み】名 ①탄력. ¶〜の
いいゴムまり 잘 튀는 고무 공. ②여
세；힘；가락. ¶〜がつく 가락이 오르
다；탄력(타성, 힘)이 붙다；기운이 나
다. ③(그때의) 추세；상황；형세. ¶
どういう〜か 어찌된 일인지. ④그 순
간；그 찰나. =とたん. ¶倒^{たお}れた〜に
足^{あし}をひねった 넘어지는 순간 다리를
삐었다.

はず-む【弾む】〔一5自〕①(반동으로)
튀다；뛰다. ¶まりが〜 공이 튀다. ②기세
가 오르다；신바람이 나다. ¶心^{こころ}が
〜 마음이 들뜨다；(기뻐서) 가슴이 뛰
다. ③(숨이) 거칠어지다. ¶息^{いき}が〜
숨이 헐떡거리다. 〔二5他〕(돈을) 호기
있게 내다. ¶チップを〜 호기 있게 팁
을 내다.

パズル名 퍼즐；수수께끼；난제(難題).
¶クロスワード・〜 크로스워드 퍼즐.
▷puzzle.

*はずれ【外れ】名 ①변두리. =はし. ¶
町^{まち}の〜 시가(市街)의 변두리. ②맞지
않음；벗어남；어긋남. ¶期待^{きたい}の〜 기
대에 어긋남／기대 밖. ↔当^{あた}り.

はずれ【葉擦れ】名 초목의 잎이 (바람
에) 스침；또, 그 소리. ¶こがらしに
〜わびしく 木枯しに 차가운 초목의 잎 소리 스
산하고.

*はず-れる【外れる】〔下1自〕①(달거나

박은 것 등이) 빠지다. ㉠벗겨지다 ; 풀어〔끌러〕지다 ; 떨어지다. ¶ボタンが〜 단추가 끌러지다. ㉡누락되다 ; 제외되다. ¶選から〜 선(발)에서 빠지다. ②빗나가다 ; 빗맞다. ¶たまが〜 탄환이 빗나가다. ③벗어나다 ; 어그러지다. ¶当てが〜 겨냥이〔기대가〕 어긋나다 / 道理ポ゚に〜 도리에 벗어나다.

はぜ〖沙魚・鯊〗 图〖魚〗문절망둑.

はせあつまーる〖馳せ集まる〗 五自 ①달려와 모이다. ②급히 모이다. ¶急ポを聞いて〜 った同士ポ゚가 위급을 듣고 달려 온 동지들.

はせい〖派生〗 图 파생. ¶〜的ポな問題ポ파생적인 문제.

ばせい〖罵声〗 图 시끄럽게 욕하는 소리. ¶〜を浴ポびせる 욕설을 퍼붓다.

はせつーける〖馳せ着ける〗 下1自 달려서 다다르다 ; 급히 당도하다.

バセドーびょう〖バセドー病〗 -byō 图 바제도병. ▷Basedow.

はぜのき〖黄櫨〗 图〖植〗황로 ; 거야옻나무. =はぜうるし・ろうのき.

はせまわーる〖馳せ回る〗 五自 이곳저곳 뛰어다니다 ; 여기저기 말을 달려 다니다.

パセリ〖植〗파슬리(양식에 곁들여 놓음). =オランダぜり. ▷parsley.

はーせる〖馳せる〗 下1他 ①달리다. ¶車ポを〜 차를 급히 몰다〔달리다〕/ 思ポいを故国ポ゚に〜 고국 생각을 하다. ②(이름 등을) 떨치다. ¶悪名ポ゚を〜 악명을 떨치다. ─下1自 달려가다. ¶ひと思ポに〜 단숨에 달려가다.

はーぜる〖爆ぜる〗 下1自 (열매가) 터져 벌어지다〔터지다〕; 튀다. ¶豆ポの〜音ポ콩이 터져 튀는 소리.

はせん〖波線〗 图 파선 ; 물결 모양의 선(〜〜〜).

はせん〖端銭〗 图 잔돈 ; 푼돈. =はした.

ばせん〖場銭〗 图 자릿값. ①극장 등의 좌석료. ②노점 따위의 자릿세.

ばぞく〖馬賊〗 图 마적. ¶〜に襲ポわれる 마적에게 습격당하다.

はそん〖破損〗 图 自他 파손. ¶窓ポガラスが〜する 유리창이 파손되다.

はた〖畑〗〖畠〗 图 밭. =はたけ. ¶田ポ〜논밭 / 仕事ポ゚ば밭일 / 焼畑ポ゚ば화전(火田).

*****はた**〖側・傍〗 图 옆(사람) ; 곁의 사람. ¶〜迷惑ポゕ゚이 남의 이목에 끼치는 폐 / 〜から口ポを出ポ゚す 옆에서 참견하지 마라.

***はた**〖旗〗 图 기 ; 깃발. ─を揚ポげる ①기를 달다. ②군사를 일으키다. ③새로 일을 시작하다. ─を巻ポく ①계획을 중지하다 ; (전망이 나빠) 손을 떼다. ②항복하다.

はた〖端〗 图 가 ; 가장자리 ; 끝. ¶炉ポの〜 노변 ; 화롯가 / 池ポの〜 못가 / 道端ポ゚ば길가.

はた〖機〗 图 베틀. ¶〜を織ポる 베를 짜다.

***はだ**〖肌〗 图 ①피부 ; 살결. ¶〜が荒ポれる 피부가 거칠어지다. ②(토지·물건 따위의) 거죽. ㉠겹질. ¶木ポの〜 나무 겹질. ㉡표면. ¶山ポ゚の〜 산의 표면. ③기질 ; 성미. ¶〜が合ポう〔合わない〕성미가 맞

는다〔안 맞는다〕/ 学者ポ゚〜 학자 기질. ─を脱ポぐ ①웃통을 벗다. ②힘써 주다 ; 진력하다. ¶友人ポ゚のために〜を脱ぐ 벗을 위해 힘쓰다. ─を許ポ゚す 여자가 몸을 허락하다.

バタ 图〖バター〗. ──〈さ・い〗【臭い〗 形 서양 냄새가 풍기다 ; 서양 바람이 들다.

バター 图 버터 ; 우락(牛酪). ▷butter. ─か大砲ポか 버터냐 대포냐 ; 국민의 복지냐 군비냐.

はだあい〖肌合い〗 图 성품 ; 성질 ; 기질. ─気ポ立ポて. ¶〜が違ポゟ 기질이 다르다.

はたあげ〖旗揚(げ)〗 图 五自 ①군사를 일으킴 ; 거병함. ¶革命ポ゚の〜 혁명의 군사를 일으키다. ②새로 일을 시작함. ¶劇団ポ゚の〜公演ポ゚ 창단 공연.

ばたあし〖ばた足〗 图 (수영에서) 두 발을 물장구 치듯 놀림 ; 또, 그렇게 하며 나아가는 수영법.

ばだい〖場代〗 图 장소값 ; 자릿값. ─席料ポ゚. ¶高ポゟい〜を払ポゟ 비싼 자릿세를 물다.

はたいろ〖旗色〗 图 (전쟁이나 경기의) 형세 ; 전황. ¶〜がよくない 형세가 좋

はだいろ〖肌色〗 图 살색. [지 않다.

はたおり〖機織(り)〗 图 五自 ①베틀로 베를 짬 ; 또, 그 사람. ¶〜女ポ゚베 짜는 여인 / 〜姫ポ゚ 직녀성의 딴이름. ②'機織虫ポ゚ば(=여치)'의 준말.

***はだか**〖裸〗 图 ①맨몸 ; 발가숭이 ; 전하여, 덮이지 않은 것. ¶〜山ポ゚민둥산 / 〜電線ポ゚ 나체 줌. ②무일푼. ¶〜になって出ポなおす 무일푼에서 다시 시작하다.

はだかいっかん〖裸一貫〗 -ikkan 图 맨몸 ; 알몸 ; 적수 공권. ¶〜から出発ポ゚する 맨주먹으로 출발하다.

はたがしら〖旗頭〗 图 ①한 지방 제후(諸侯)의 우두머리. ②한 편ポ゚(파)의 우두머리. ¶反対派ポ゚の〜 반대파의 우두머리.

はだかむぎ〖裸麦〗 图 나맥 ; 쌀보리.

はだかーる 五自 ①팔·다리를 벌리고 막아서다. ¶行ポ゚く手ポに立ポ゚ち〜 가는 길에 떡 버티고 막아서다. ②(옷의 일부가 벌어져) 노출되다 ; 벌어지다. ¶胸ポ゚が〜 가슴이 드러나다.

はたき〖叩き〗 图 먼지떨이 ; 총채. ─ちりばらい. ─をかける 총채로 떨다.

はだぎ〖肌着〗〖肌衣・膚着〗 图 내의(內衣) ; 속옷. ¶〜を着ポ゚る 내의를 입다.

*****はたーく**〖叩く〗 五他 ①털다. ㉠털어내다. ¶ちりを〜 먼지를 털다. ㉡돈을 다 써버리다 ; 탕진하다. ¶財布ポ゚を〜 지갑을 몽땅 털다. ②(손바닥으로) 치다 ; 때리다. ¶相手ポ゚のほおを〜 상대의 뺨을 치다.

はたけ〖疥・乾癬〗 图〖漢醫〗마른버짐 ; 건선(乾癬). ¶〜が出来ポ゚る 마른버짐이 나다.

*****はたけ**〖畑〗〖畠〗 图 ①밭. ¶大根ポ゚畑ポ゚무밭 / 〜を耕ポ゚す 밭을 갈다. ↔田ポ゚. ②영역 ; 전문 분야. ¶〜が違ポ゚う 전문 분야가 다르다.

はたけちがい〖畑違い〗 图 전문 분야가 다름. =専門違ポゟゟい. ¶〜の仕事ポ゚

는 전문 분야가 다른[아닌] 일.

はだ・ける [下1自他] (옷의)앞가슴이 벌어지다；앞가슴을 벌리다. ¶胸はが～앞가슴이 벌어지다.

はたご 【旅籠】 [名] ①여인숙；여관. ＝宿屋ばや. ¶～に泊とまる 여관에 묵다. ②옛날 여행자의 일용품을 넣는 고리짝 또는 도시락. 'はたごせん' 'はたごや'의 준말. ――**せん** 【―銭】 [名] 숙박료. ＝やどせん. ――**や** 【―屋】 [名] 여인숙；여관. ＝やどや. ¶～をとる 여관을 잡다.

はたざお 【旗ざお】 【旗竿】 [名] 깃대.

はたさく 【畑作】 [名] 밭농사.

はださむ・い 【肌寒い】 [形] 으스스 춥다. ＝うすら寒さむい. ¶朝夕きうは～くなった 아침 저녁은 으스스해졌다.

はだざわり 【肌触り】 【膚触り】 [名] ①촉감. ¶～のすべすべした布地きが 촉감이 매끄러운 천. ②남에게 주는 느낌. ¶～のいい人とひ 대하기가 부드러운 사람.

***はだし** 【跣・裸足】 [名] ①맨발(로 걸음). ¶～で歩あるく 맨발로 걷다. ＝素足すぞ. ②(接尾語的으로) 따위로 따라가지 못함. ¶くろうとの腕前まえは 전문가 뺨칠 솜씨.

はたしあい 【果(た)し合い】 [名] 결투. ¶～を申もうし込こむ 결투를 신청하다.

はたしじょう 【果(た)し状】 -jō [名] 결투장(決闘状).

はたして 【果(た)して】 [副] ①과연. ¶생각한 바와 같이；역시. ¶～失敗はっぱいした 역시 실패했다. ②(疑問・仮定 따위의 말을 수반하여)예상(予想)한 대로；말 그대로；정말로. ¶～そうだろうか 정말로 그럴까.

はだジュバン 【肌じゅばん】 【膚襦袢】 -juban [名] (일본 옷의) 속속곳. ＝肌ジバン.

はたじるし 【旗印】 【旗標】 [名] (명백히 내건) 목표；기치(旗幟). ¶自由じゆうの～ 자유의 기치.

***はた-す** 【果(た)す】 [5他] ①완수하다；다하다；달성하다. ＝しとげる. ¶使命さを～ 사명을 다하다. ②숨통을 끊다；죽여 버리다. ③(動詞의 連用形에 붙어) 죄다…해 버리다. ¶有金ぎんを使つかい～ 있는 돈을 죄다 써버린다.

***はたせるかな** 【果(た)せる哉】 [連語] 생각한 바와 같이；역시；아니나다를까. ＝やっぱり・案じょうの～. ¶～失敗はっぱいした 아니나다를까 실패했다.

***はたち** 【二十・二十歳】 [名] ①20세；스무 살. ②【雅】 스물. ＝にじゅう.

はたち 【畑地】 [名] 밭이 돼 있는 땅.

ばたつ-く [5自] 〈俗〉허둥대다；발버둥이치다. ＝あがく. ¶先さきに行いこうと～ 먼저 가려고 허둥대다.

はたと 【礑と】 [副] ①갑자기 그치거나 막히는 모양：탁；퍼뜩. ¶～行いき詰つまる 딱 막히다. ¶～思おもい当あたる 퍼뜩 생각나다. ②날카롭게 쏘아보는 모양：딱. ＝はったと. ¶～にらむ 딱 쏘아 노려본다.

はたぬぎ 【肌脱ぎ】 【膚脱ぎ】 [ス自] 웃을 벗어 상반신을 드러냄；또, 그 모습. ¶～になる 웃도리를 벗다.

はたはた 【鱩・鰰】 [名] 【魚】 도루묵.

はたはた [副] ①깃발 따위가 바람에 펄럭이는 모양：펄럭펄럭. ②새가 날개를 퍼덕거리는 소리. ③자꾸 부딪는[두드리는] 소리. ④매서운 모양.

ばたばた [副] ①발・날개 등을 계속 움직이는 소리；또, 그 모양：동동；푸드득；푸드득. ¶足あしを～させる발 등동 구르다；발버둥이치다. ②계속해서 떨어지거나 쓰러지는 모양：턱턱；픽픽. ¶コレラで～(と)倒たおれる 콜레라로 픽픽 쓰러지다. ③계속 부딪는 모양：펄럭；덜커덩. ¶風かぜで戸とが～いう 바람에 문이 덜커덩거리다. ③분주히 뛰어다니거나 또 바쁜 모양. ¶～(と)駆かけ回まわる 분주하게 뛰어 돌아다니다. ⑥사물이 순조롭게 진척되는 모양：덕덕. ¶就職しょくが～(と)決きまった 취직이 덕덕 결정되었다.

はたび 【旗日】 [名] 국경일.

バタフライ [名] 버터플라이. ①(수영에서) 접영(蝶泳). ②나비. ③스트리퍼의 앞가리개. ▷butterfly.

はだみ 【肌身】 [名] 살갗. ＝はだ. ¶～を許ゆるす (여자가) 몸을 허락하다. ――**離はなさず** 몸에 늘 지니고. ¶～はなさずたいせつに持もつ 몸에서 떼지 않고 소중히 지니다.

はため 【はた目】 【傍目】 [名] 곁에서 남이 보는 느낌(눈). ＝よそめ. ¶～にも気きの毒どくなほど 옆에서 보기에도 딱한 정도.

ため-く [5自] (기 따위가) 펄럭이다. ¶国旗きが風かぜに～ 국기가 바람에 펄럭이다.

はたもと 【旗本】 [名] 江戸えど 시대에, 将軍ぐんが(家)에 직속된 무사로서, 직접 将軍을 만날 수있는 자격, 봉록(俸祿)1만 석 미만, 500석 이상의 자.

***はたらか-す** 【働かす】 [5他] 일을 시키다；활동시키다；활용하다. ¶頭あたまを～ 두뇌를 쓰다 / 想像力りょくを～ 상상력을 구사(驅使)하다 / 機械かいを～ 기계를 움직이다〔놀리다〕.

はたらき 【働き】 [名] ①움직여서 일・구실을 함. ②활동；회전. ¶頭あたまの～が鋭するどい 머리의 회전이 빠르다. ⓒ작용；기능；효능. ¶引力りょくの～ 인력의 작용 / 薬くすりの～ 약의 효능. ⓒ공적；공로. ¶抜群ばつぐんの～ 발군의 공적. ⓔ일；근무；노동(량). ¶～がいい 일의 보람 / 一日いちにちの～ 하루의 노동(량). ⑥(생활) 능력；노동. ¶動詞どうしの～ 동사 활용.

はたらきあり 【働き蟻】 【蟲】 일개미.

はたらきかける 【働きかける・働き掛ける】 [下1自] (상대가 응하도록 적극적으로) 작용하다. ¶和平へいを～ 화평을 청하다.

はたらきざかり 【働き盛り】 [名] 한창 일할 때. ¶～の若わかい人ひと 한창 일할 나이의 젊은이.

はたらきて 【働き手】 [名] ①한 집안의 기둥. ¶～の息子むすこが急死きゅうしする 한

집안의 기둥인 아들이 급사하다. ②(유능한) 일꾼.

はたらきばち【働きばち】【働き蜂】名【蟲】 일벌. =職蜂謎.

*‡**はたら-く**【働く】自五［一五］自①일을 하다 ; 활동하다 ; 움직이다. ¶よく～人ひと 일 잘하는 사람／工場こうじょうで～ 공장에서 일하다. ②작용하다. ¶引力いんりょくが～ 인력이 작용하다. ③〈活く〉〈文法〉활용(活用)하다. □他五 나쁜 짓을 하다. ¶盗ぬすみを～ 도둑질을 하다／乱暴らんぼうを～ 난폭하게 굴다.

はたん【破綻】名自 파탄. ¶～をきたす 파국을 가져오다.

はだん【破談】名 파담. ¶一旦いったん 정한 의논을 깸 ; 파약. ⇒むこん〈破婚〉.

‡**はち**【八】名 여덟 ; 여덟째 ; 八の日 여드렛날. ——の字を寄よせる (이마에) 여덟 팔자를 그리다(얼굴을 찡그리다).

はち【蜂】名【蟲】벌. ——の巣すをつついたよう 벌집을 들추어 놓은 듯(소동이 아주 큰 모양).

***はち**【鉢】名①주발 ; 사발 ; 바리때. =植木鉢えき. ¶～に植える 화분에 심다. ③바리때 비슷한 용기(容器). ¶お～ 밥통. ④(俗) 두개골(頭蓋骨)의 가로둘레 ; 머리의 가로둘레가 크다. ⑤투구의 머리를 덮는 부분.

ばち【撥】名【樂】발목(撥木). ¶～の音ねがさえる 발목 쓰는 소리가 맑다.

ばち【罰】名 벌 ; 천벌. ¶～があたる 천벌을 받다.

ばちあたり【罰当(た)り】名「 천벌을 받음 ; 또, 천벌을 받아 마땅한 자. ¶この～め이 벼락 맞을 놈아／～な行ぎょう 벼락 맞을 짓.

はちあわせ【鉢合(わ)せ】名自①머리를 맞부딪침 ; 박치기. ②우연히 마주침(만남). ¶恩師おんしの宅たくで旧友きゅうと～する 은사 댁에서 옛친구를 우연히 만나다.

はちうえ【鉢植(え)】名 화분에 심음 ; 또, 그 초목. ¶～のばら 화분에 심은 장미.

ばちがい【場違い】名①장소가 틀림 ; 그 자리에 어울리지 않음. ¶～な発言はつげん 엉뚱한 발언. ②산지의 산물이 아닌 것. ¶～は「はづき」.

‡**はちがつ**【八月】名 8월. ¶注意 雅語ががらな語にご.

はちき-れる【はち切れる】自下一①차서 넘치려 하다. ¶～れそうな喜よろこび〔元気げんき〕터질 듯한 기쁨〔건강〕. ②속이 꽉 차서 터지다. ¶おなかが～れそうだ 배가 터질 것 같다.

はちく【破竹】名①대를 쪼갬. ¶破竹の勢いきおい 대쪽 같은 파죽지세. ——の勢いきおいで進すすむ 파죽지세로 진격하다.

ばちくり名 놀라서 눈을 크게 끔벅이는 모양 ; 끔벅. ¶目めを～させる 놀라서 눈을 크게 뜨고 끔벅거리다.

はちじゅうはちや【八十八夜】名 입춘으로부터 88일째.

バチスカーフ名 바티스카프 ; 학술 조사용의 심해 잠수정. ⇒Fr. bathyscaphe.

はちだいしゅう【八代集】-shū 名 일본 고유의 시(詩)인 和歌와가를 905~1205년에 걸쳐 칙찬(勅撰)한 8권의 책古

今集こんしゅう・後撰集ごせん・拾遺集しゅうい・後拾遺集ごしゅうい・金葉集きんよう・詞花集しか・千載集さいん・新古今集しんこきん.

はちどう【八道】-dō 名 일본의 여덟 지역〔東海道とうかい・東山道とうさん・北陸道ほくりく・山陰道さんいん・山陽道さんよう・南海道なんかい・西海道さいかい에 北海道ほっかい를 추가한 여덟 지역〕.

はちどり【蜂鳥】名【鳥】벌새.

はちのす【はちの巣】【蜂の巣】名 벌집. ¶～をつついたような騒さわぎ 벌집을 쑤신 듯한 소란／～のように穴あながあく 벌집처럼 많은 구멍이 뚫리다.

ぱちぱち副①눈을 깜박거리는 모양 : 깜박깜박. ¶目めを～させる 눈을 깜박거리다. ②손뼉을 치는 소리 : 딱딱. ¶～と手てを叩たたく 딱딱 손뼉을 치다. ③콩 같은 것이 튀는 소리 : 톡톡 ; 탁탁. ¶豆まめが～とはじる 콩이 톡톡 튀다. ④나무 같은 것이 세차게 타는 소리 : 딱딱 ; 바지직. ¶～と燃もえ上あがる 딱딱 소리 내며 타오르다.

はちぶ【八分】名①열 가운데 여덟 ; 대부분. ¶～どおり 8할 정도 ; 대부분. ②村八分むらの준말.

はちぶんめ【八分目】-bunme 名①10분의 8;8할. ②약간 삼가는 것. ¶腹はら～ 조금 양에 덜 차게 먹음.

はちまき【鉢巻(き)】名自 머리를 수건 등으로 동여매는 일 ; 또, 그 천 ; 머리띠. ¶向むこう～ 머리띠 매듭을 앞이마에 맨것／ねじり～ 수건을 비틀어 맨머리띠／うしろ～ 머리띠의 매듭이 뒤로 가게 하는 것.

はちみつ【蜂蜜】名 봉밀 ; 벌꿀 ; 꿀. ¶～のように甘あまい 꿀처럼 달다.

はちミリ【八ミリ】名「八ミリ映画えいが」(=8 mm 영화)／「八ミリ撮影機さつえい」(=8 mm 촬영기)의 준말 ; 필름의 폭이 8 mm 인 것. ▷millimeter.

はちめん【八面】名①여덟 개의 평면. ②모든 방면〔방향〕. ——ろっぴ[——六臂]-roppi 名 팔면 육비 ; 모든 일을 혼자서 처리하는 수완·능력이 있음. ¶～の大活躍だいかつやく 팔면 육비의 대활약.

はちもの【鉢物】名①분재(盆栽) ; 화분에 심은 초목. =鉢植はちえ. ②사발에 담아 내는 안주. =鉢肴はちざかな.

はちゅうるい【は虫類】【爬虫類】hachū-名 파충류.

はちょう【波長】-chō 名①【理】파장. ¶～が長ながい 파장이 길다. ②(비유적으로) 사고 방식. ¶どうも彼かれとは～が合あわない 그 사람과는 영 장단〔생각〕이 안 맞는다.

ハちょう【ハ調】-chō 名【樂】다조(調)〔제1 음을 '다'로 구성한 음계 ; C조〕.

ぱちりと副①바둑(돌)을 두는 소리 : 딱. ②카메라 셔터 누르는 소리 : 찰칵. ③감았던 눈을 갑자기 크게 뜨는 모양.

パチンコ名①슬롯머신 ; 핀볼. ②(고무줄) 새총. ②(俗) 권총.

はつ【初】□名 처음 ; 최초. ¶～の記者会見かいを最初さいの기자 회견. □接頭 처음의 뜻을 나타냄 ; 첫…. ⑦(又人·물·사람에게 있어서) 최초. ¶～公判こうを최초의 공판／～舞台ぶたい 첫무대. ⑥(그 해에

있어서의) 최초; 처음. ¶～咲^ざき 그 해 들어 처음 핀 꽃／～雪^{ゆき} 첫눈／ ～霜^{しも} 첫서리. ②정월; 신춘. ¶～姿^{すがた} 설빔 차림.

-はつ【発】…발. ①떠남의 뜻. ¶東京^{とうきよう}～ 東京발 ～大阪行^{おおさかゆき} 大阪발 大阪行. ②발신(發信)의 뜻. ¶ロンドン～の外電^{がいでん} 런던발 외신. ③탄환의 발사 수효를 세는 말. ¶五～ 다섯 발／百発百中^{ひやつぱつひやくちゆう} 백발 백중.

はっ ha 感〔윗어른에 대해〕 대답하는 말: 예; 넷. ¶～, 承知^{しようち}しました 예, 알겠습니다. ②뜻밖의 일이나 놀랐을 때 내는 말: 앗.

はつあき【初秋】 名 초추; 초가을. = しょしゅう. ¶はや～だ 어느덧 초가을이다.

はつあん【発案】 名 ス他 ①생각해 냄; 안출을 냄. ¶～者 발안자. ②의안을 제출함. ——けん【——権】 名〔의회(議會)에서의〕 발안권.

はつい【発意】 名 ス自 발의; =ほつい.

はついく【発育】 名 ス自 발육. ¶～ざかり 한창 발육할 때／立派^{りつぱ}に～する 훌륭하게 발육하다／～不全^{ふぜん} 발육 부전.

はつうま【初午】 名〔2월의 첫 오일(午日); 그날 행하는 稲荷^{いなり}社 신사(神社)의 제사(날).

*はつおん【発音】 名 ス他 발음. ¶～記号^{きごう} 발음 기호／～変化^{へんか} 발음 변화.

はつおん【撥音】 名「ん」의 음; 비음(鼻音).

はつおんびん【撥音便】 -ombin 名 음편(音便)의 하나: 〔五段·四段活用動詞의 連用形 語尾인〕び·み·に '가'て·たり' 따위에 결합될 때 'ん'으로 된 것〔'学^{まな}びて'가 '学^{まな}んで' '読^よみたり'가 '読^よんだり'로 되는 따위〕.

はつか【二十日】 名 ①20일; 스무날. ②그 달의 20일째. ——しょうがつ【——正月】 -shōgatsu 名 음력 정월 20일. ——だいこん【——大根】 名〔植〕무의 한 품종(파종하고 한 달 이내에 먹을 수 있는 무). ——ねずみ【——鼠】 名〔動〕생쥐.

はっか【発火】 名 ス自 発火. ①불이 일어남. ¶自然^{しぜん}～ 자연 발화. ↔消火^{しようか}. ②화약만을 재어서 쏨. ——てん【——点】 名 발화점.

はっか【薄荷】 名〔植〕 박하.

はつが【発芽】 名 ス自 발아; 싹이 틈. =めばえ. ¶～が後^{おく}れる 발아가 늦어지다.

はっかい【発会】 名 ス自 발회. ①처음으로 회가 발족함. ¶～式 발회식. ②〔거래에서〕 그 달 최초의 입회일. ↔納会^{のうかい}.

はっかく【発覚】 名 ス自 발각. ¶犯罪^{はんざい}が～する 범죄가 발각되다.

バッカス bakka- 名 바커스; 로마 신화(神話)에 나오는 주신(酒神). =ディオニソス. ▷Bacchus.

はっかん【発刊】 名 ス他 발간. ①출판. ②창간(創刊). ↔廃刊^{はいかん}.

はっかん【発汗】 名 ス自 발한; 땀이 남. ¶～剤^{ざい} 발한제.

物質】-busshitsu 名 발암 물질.

はっき【白旗】 名 白旗. =しらはた. ¶～を掲^{かか}げる (a) 백기를 올리다; (b) 항복하다.

はっき【発揮】 名 ス他 발휘. ¶実力^{じつりよく}の～ 실력의 발휘.

はつぎ【発議】 名 ス自他 발의. =ほつぎ. ¶～権 발의권.

はづき【葉月】 名〔雅〕 음력 8월.「月.

はっきゅう【発給】 名 ス他 발급.

はっきゅう【薄給】 名 박봉. ¶～に堪^たえる 박봉에 견디다. ↔高給^{こうきゆう}.

はっきょう【発狂】 名 ス自 발광. ¶心配^{しんぱい}のあまり～する 근심한 나머지 미쳐버리다.

*はっきり hakkiri 副 ①똑똑히; 명확히; 분명히; 확실히. ¶～しない天気^{てんき} 흐릿한 날씨／～(と)見^みえる 똑똑히 보이다／～返事^{へんじ}をする 분명히 대답하다／～しない頭 머리가 명쾌하지 다／病状^{びようじよう}が～しない 병세가 시원치 않다. ②〔俗〕 타산적인 모양; 약은 모양. ¶～(と)したやつだ 빈틈없는 놈이다.

はっきん【白金】 hakkin 名【鑛】 백금; =プラチナ. ¶～の指環^{ゆびわ} 백금 반지.

はっきん【発禁】 hakkin 名「発売禁止^{はつばいきんし}(＝발매 금지)」의 준말; 발금. ¶～本 발금본.

*ばっきん【罰金】 bakkin 名【法】 벌금. ¶～を徴収^{ちようしゆう}する 벌금을 징수하다／～ものだ 벌금 감이다.

*バック bakku 名 백. 一名 ①뒤. =うしろ. ②등; 배후. ⓐフロント. ⓑ배경. ⓒ〔축구 따위의〕후위(後衛). ↔フォワード. ⓓバックストローク의 준말; 배영(背泳). =背泳^{せえい}. ⓔオールバック의 준말; 올백 머리. ⓕバックハンド(＝백핸드)의 준말. ②「バッグ」의 와음(訛音). 一名 ス自 ①뒤로 이동함; 후진(後進)함. ②〔금전적으로〕후원함; 또, 그 사람. ▷back. ——アップ -appu 名 ス他【野】 백업; 〔수비자의 실책 등에 대비하여 다른 수비자가 그 배후에서 뒤받쳐 주는 일; 전(轉)하여, 뒷받침함. ¶ぼく～する 내가 밀어 주지. ▷back up. ——ストレッチ -retchi 名 백스트레치; 〔경기장에서〕결승점의 반대편의 직선 코스. ↔ホームストレッチ. ▷back stretch. ——ストローク -rōku 名 백스트로크; 〔수영에서〕배영. ▷back stroke. ——ナンバー -namba 名 백넘버; 〔경기잡지의 지난 호(號). ②자동차 따위의 뒷번호. ▷back number. ——ネット -netto 名【野】 백네트(포수의 뒤에 있는 그물). ▷back net. ——ボーン 名 백본. ①등뼈. ②줏대; 기골. ¶～のある 줏대가 있는 사람. ▷backbone. ——ミラー 名〔자동차의 뒤에〕백미러. ▷back mirror.

バッグ baggu 名 백. ¶ボストン～ 보스턴백／ショルダー～ 숄더백(멜빵이 있는 백). ▷bag.

はっくつ【発掘】 hakku- 名 ス他 발굴. ¶古墳^{こふん}の～ 고분의 발굴／人材^{じんざい}を～する 인재를 발굴하다.

ぱっくり pakku- 副 입이나 틈 따위가

크게 벌어진 모양: 딱; 빠끔히. ¶傷
口${}^{^{\text{きず}}}$が〜(と)あく 상처 자리가 빠끔히
벌어지다. ▷buckle.　　　[buckle.

バックル bakku- 〈혁대의〉 버클. ▷

ばつぐん【抜群】[名] 발군. ¶〜の成
績${}^{^{\text{せき}}}$ 발군의 성적.

はけ [八卦] hakke [名] 팔괘; 전하여,
역(易);점. ¶当${}^{^{\text{あ}}}$たるも〜, 当${}^{^{\text{あ}}}$たらぬも〜
점이란 맞는 수도 안 맞는 수도 있다.

パッケージ pakkēji [名] ☞ほうそう(包
装). ▷package. ——ツアー [名] 패키지
투어 ; 여행사가 만든 계획대로의 여
행. ——セット旅行 [名] ▷package tour.

はっけっきゅう【白血球】hakkekkyū
[名]〔生〕백혈구. ↔赤血球${}^{^{\text{せっけっきゅう}}}$.

はっけつびょう【白血病】hakketsubyō
[名]〔醫〕백혈병.

‡はっけん【発見】hakken [名][ス他] 발견.
¶新大陸${}^{^{\text{しんたいりく}}}$の〜 신대륙 발견.

はっけん【発券】hakken [名][ス他] 발권;
은행권 따위를 발행함. ¶〜銀行${}^{^{\text{ぎんこう}}}$ 발
권 은행.

*はつ**げん**【発言】hatsugen [名][ス自] 발언. ¶〜の
機会${}^{^{\text{きかい}}}$を失${}^{^{\text{うしな}}}$う 발언할 기회를 놓치
다. ——けん [権] 발언권.

はつげん【発現】hatsugen [名][ス自他] 발현; 실
지로 나타남; 나타냄. ¶公共心${}^{^{\text{こうきょうしん}}}$の
〜 공공심의 발현.

はつげん【発源】hatsugen [名] 발원.

はつご【発語】hatsugo 발어; 'さて' 'それ' 따
위와 같이 이야기나 문장의 첫머리에
서서 상대방의 주의를 끄는 말.

ばっこ【跋扈】bakko [名][ス自] 발호. ¶
悪徳業者${}^{^{\text{あくとくぎょうしゃ}}}$が〜する 악덕업자가
발호하다.

はつこい【初恋】hatsukoi [名] 첫사랑. ¶〜の人${}^{^{\text{ひと}}}$
첫 애인 / 〜の味${}^{^{\text{あじ}}}$ 첫사랑의 맛.

はっこう【白光】hakkō [名] 백광. ①흰
빛. ②개기 일식 때 태양 주위에서 발
하는 은백의 빛. =コロナ

はっこう【発光】hakkō [名][ス自] 발광;
빛을 냄. ——とりょう [——塗料] -ryō
[名] 발광 도료.

‡はっこう【発行】hakkō [名][ス他] 발행.
¶図書${}^{^{\text{としょ}}}$の〜 도서의 발행.

はっこう【発効】hakkō [名][ス自] 발효.
¶条約${}^{^{\text{じょうやく}}}$の〜する 조약이 발효하다.

はっこう【発酵・醱酵】hakkō [名][ス自] 발
효. ¶〜作用${}^{^{\text{さよう}}}$ 발효 작용. [注意]'醗
酵'로 씀은 대용 한자.

はっこう【薄幸・薄倖】hakkō [名-ナ] 박
행. =ふしあわせ. ¶〜の佳人${}^{^{\text{かじん}}}$
박명의 가인.

はつごおり【初氷】-gōri [名] 초빙; 첫 얼
음. ¶〜が張${}^{^{\text{は}}}$る 첫 얼음이 얼다.

はっこつ【白骨】hakko- [名] 백골.

ばっさい【伐採】bassai [名][ス他] 벌채.
¶〜作業${}^{^{\text{さぎょう}}}$ 벌채 작업.

ばっさり bassari [副] ①한칼에 베는 모
양: 싹둑. ¶枝${}^{^{\text{えだ}}}$を〜(と)切${}^{^{\text{き}}}$り落${}^{^{\text{お}}}$と
す 가지를 싹둑 잘라 버리다. ②단번
에 버리거나 깎는 모양: 싹. ¶予算${}^{^{\text{よさん}}}$
を〜(と)削${}^{^{\text{けず}}}$る 예산을 싹 깎아 버리
다. ③물건이 떨어지는 소리: 풀썩.
¶大${}^{^{\text{おお}}}$きな葉${}^{^{\text{は}}}$が〜(と)落${}^{^{\text{お}}}$ちる 큰 잎
사귀가 풀썩 떨어지다.

*はっさん【発散】hassan [名][ス自他] 발산;
배출시켜 스트레스를 해소함; 퍼져서
흩어짐. ¶情熱${}^{^{\text{じょうねつ}}}$を〜させる 정열을

発散시키다 / 精力${}^{^{\text{せいりょく}}}$の〜しようがな
い 정력을 발산할 데가 없다.

はつざん【初産】[名] 초산; 첫 해산. =う
いざん. ¶〜でも安産${}^{^{\text{あんざん}}}$だった 초산
이지만 순산이었다.

ばっし【末子】basshi 〈老〉 막자; 막
내둥이. =まっし・すえっ子. ¶〜と
して生${}^{^{\text{う}}}$まれる 막내로 태어나다. ↔長
子${}^{^{\text{ちょうし}}}$.

ばっし【抜糸】basshi [名][ス自]〈수술한
고〉 실을 뽑음. ¶五日目${}^{^{\text{いつかめ}}}$に〜する
닷새 만에 실을 뽑다.

はつしぐれ【初時雨】[名] 첫가을 비.

はっしと【発止と】hasshi-[副] ①단단한
물건이 세게 부딪치는 소리: 탁; 딱. ¶
〜受${}^{^{\text{う}}}$け止${}^{^{\text{と}}}$める 탁 받아내다. ②화살
을 쏘는, 또 화살이 꽂히는 소리: 탁;
딱. ¶矢${}^{^{\text{や}}}$は〜一的${}^{^{\text{いってき}}}$に命中${}^{^{\text{めいちゅう}}}$した 화살
은 탁하고 과녁에 명중하였다.

はつしも【初霜】[名] 초상; 첫서리. ¶
〜が降${}^{^{\text{お}}}$りる 첫서리가 내리다.

*はっしゃ【発車】hassha [名][ス自] 발차.
¶〜信号${}^{^{\text{しんごう}}}$ 발차 신호 / 〜五分前${}^{^{\text{ごふんまえ}}}$
발차 5분 전. ↔停車${}^{^{\text{ていしゃ}}}$.

*はっしゃ【発射】hassha [名][ス他] 발사.
¶弾丸${}^{^{\text{だんがん}}}$を〜する 탄환을 발사하다.

はっしょう【発祥】hasshō [名][ス自] 발
상. ¶文明${}^{^{\text{ぶんめい}}}$は川${}^{^{\text{かわ}}}$の流域${}^{^{\text{りゅういき}}}$で〜し
た 문명은 강 유역에서 발상하였다.

はつじょう【発情】-jō [名][ス自] 발정; 정
욕(情慾)이 일어남. ¶〜期 발정기.

パッション passhon [名] ①패션; 격정(激
情); 정열. ▷passion. ②〔宗〕 패션;
〈십자가 위의〉 예수의 수난. ▷the
Passion.　　　　[「의 잘못.

はっしん【発心】hasshin [名] 'ほっしん'

はっしん【発信】hasshin [名][ス自] 발신.
¶〜局 발신국. ↔着信${}^{^{\text{ちゃくしん}}}$・受信${}^{^{\text{じゅしん}}}$.

はっしん【発振】hasshin [名][ス自]〔理〕
발진; 진동을 일으킴.

はっしん【発疹】hasshin [名][ス自] 발
진. =ほっしん. ——チフス [名] 발진 티
푸스. ▷도 Typhus.

はっしん【発進】hasshin [名][ス自] 발진;
(부대·비행기 따위가) 출발·발진. ¶加
速${}^{^{\text{かそく}}}$발진 가속 / 基地${}^{^{\text{きち}}}$から〜する 기
지에서 발진하다.

ばっすい【抜粋・抜萃】bassui [名][ス他]
발췌. =ぬき書${}^{^{\text{が}}}$き. ¶〜曲${}^{^{\text{きょく}}}$ 발췌곡.

はつすがた【初姿】[名] 설빔한 모습. ¶
女${}^{^{\text{おんな}}}$の〜 여자의 설빔한 모습.

はつずり【初刷】[名] 초쇄. ①새해 첫
인쇄물. ②(출판물의) 초판.

*はっ-する【発する】hassuru [—— サ変自]
발하다. ①출발하다. ¶駅${}^{^{\text{えき}}}$を〜 역을
떠나다. ②일어나다; 발생하다. ¶伝
染病${}^{^{\text{でんせんびょう}}}$が〜 전염병이 발생하다. ③
밖으로 나타나다. ¶酔${}^{^{\text{よ}}}$いが〜 취기가
드러나다 / においが〜 냄새가 나다.
④(…と〜します(る)'의 꼴로〉 '…입
니다'의 뜻. ¶手前${}^{^{\text{てまえ}}}$国${}^{^{\text{くに}}}$と〜します
まするは 저희 고향을 말씀드리자면.
[参考]'やくざ'의 인사말에 쓰임. 二
[サ変他] 발하다. ①시작하다. ¶
みなもとを〜 발원(發源)하다. ②⑦
내다. ¶奇声${}^{^{\text{きせい}}}$を〜 기성을 내다. ⑥
발사하다. ¶弾丸${}^{^{\text{だんがん}}}$を〜 탄환을 발사
하다. ③발표[공표]; 알리다. ¶
声明${}^{^{\text{せいめい}}}$を〜 성명을 발표하다 / 喪${}^{^{\text{も}}}$を

は

～ 発想(發想)하다. ④사람을 보내다. ＝差し向ける. ¶使いを～ 심부름꾼을 보내다.

*ばっ・する【罰する】bassuru サ変他 벌하다；벌주다；처벌하다.

‡はっせい【発生】hassei 名自他 발생. ¶事件_{じけん}の～初期_{しょき} 사건의 발생 초기／害虫_{がいちゅう}が～する 해충이 발생하다／

はっせい【発声】hassei 名自 발성. ①소리를 냄；소리를 내는 방식. ¶～映画_{えいが} 발성 영화. ②(모임에서) 선창(先唱)함. ¶社長_{しゃちょう}の～で 사장의 선창으로. ③和歌_{わか}를 읊을 때에 최초로 읊는 일；또, 그 소임. ━きかん 〔━器官〕名 발성 기관.

はっせき【末席】basseki 名〈老〉말석；말좌. ＝まっせき. 一を汚_{けが}す 말석을 더럽히다(동석하다).

はっそう【発送】hassō 名 ㅈ他 발송. ¶荷物_{にもつ}を～する 화물을 발송하다.

はっそう【発想】hassō 名 ㅈ自他 발상. ①생각；생각해 냄；아이디어. ¶いい・だ 좋은 발상이다. ②떠오른 생각을 효과적으로 표시하는 일. ¶～法_{ほう} 발상법. ③〔樂〕곡조의 기분·완급·강약을 연주로 표현하는 일. ━きごう 〔━記号〕-gō 名〔樂〕발상 기호.

はっそく【発足】hassoku 名自 발족；출발；개시. ¶新_{あたら}しい会社_{かいしゃ}が～する 새 회사가 발족하다.

ばっそく【罰則】bassoku 名 벌칙. ¶～をつくる 벌칙을 만들다.

ばっそん【末孫】basson 名〈老〉말손；원손(遠孫)；후예(後裔). ＝まっそん.

ばった【飛蝗·蝗】batta 名〔蟲〕메뚜기. ━や【━屋】名〈俗〉물건이 싸게 가게. 〔━者〕. ▷batter.

バッター battā 名〔野〕배터；타자(打者).

はつたけ【初茸】名〔植〕나팔버섯.

‡はったつ【発達】hatta- 名自 발달. ¶心身_{しんしん}の～ 심신의 발달／技術_{ぎじゅつ}の～ 기술의 발달.

はったと hattato 名〈俗〉매섭게 쏘아보는 모양. ¶～にらむ 딱 노려보다.

はつだより【初便り】名自 계절의 도래(到來)를 알리는 첫 소식.

はったり hattari 名〈俗〉홍감；허세. ¶～屋_や 홍감 부리는 사람；허풍쟁이／～の強_{つよ}い男_{おとこ} 공감이 센 남자. ━を利_りかせる〔かける〕〈俗〉홍감〔허세〕부리다.

ばったり battari 副 ①갑자기 떨어지거나 쓰러지는 모양：툭；～(と)倒_{たお}れる 툭 쓰러지다. ②뜻밖에 마주치는 모양：딱. ¶店_{みせ}で先生_{せんせい}に～会_あう 가게에서 선생님과 딱, 그 소임. ③갑자기 끊어지(막히)는 모양：뚝. ¶あれから～来_こなくなった 그때부터 발을 딱 끊었다.

バッチ patchi 名 잠방이. 一を はく 게 바지.

はっちゃく【発着】hatcha- 名自 발착. ¶～時刻_{じこく} 발착 시각.

はっちゅう【発注】(発註) hatchū 名 ㅈ他 발주；주문註. ¶商品_{しょうひん}を～する 商品을 발주하다. ◆受注_{じゅちゅう}.

はっちょう【八丁】(八挺) hatchō 名 ¶口_{くち}も～, 手_ても～ 말도 잘하고 일 솜씨도 좋음；입도 싸고 손도 재다(꼭 좋

은 말은 아님).

ばっちり batchiri 副〈俗〉빈틈 없이 수입을 얻는 모양. ＝がっちり. ¶～かせぐ 잠방하게 벌다.

ぱっちり patchiri 副 눈이 시원스런 모양；또, 눈을 크게 뜬 모양. ¶～とした目_め 또렷한 눈매.

パッチワーク patchi- 名 패치워크. ①이것저것 그러모은 것；쪽모이 세공(창의(創意) 없는 사전 편찬에도 비유됨). ▷patch work.

ばってい【末弟】battei 名〈老〉말제；막내동생；끝의 제자. ＝まってい.

バッティング battingu 名〔野〕배팅；타격. ▷batting. ━オーダー 名〔野〕배팅 오더；타순. ▷batting order.

ばってき【抜擢】batteki 名 ㅈ他 발탁. ¶新人_{しんじん}を～する 신인을 발탁하다.

バッテリー batterī 名 배터리. ①〔野〕한 팀의 투수와 포수. ②축전지(蓄電池). ▷battery.

‡はってん【発展】hatten 名 ㅈ自 ①발전. ¶進歩_{しんぽ}と～ 진보 발전／都市_{とし}の～ 도시의 발전／海外_{かいがい}へ～する 해외로 발전하다. ②앞날이 활약함；특히, 주색에 빠지는 일. ¶～家_か 주색에 빠진 사람／ご～を祈_{いの}る 맹활약을 빌다. ━てき【━的】ダテ 발전적. ¶～に考_{かんが}えよう 발전적으로 생각하세.

*はつでん【発電】hatsu- 名 ㅈ自 ①전기를 일으킴. ¶水力_{すいりょく}～ 수력 발전. ②전신·전보를 침.

ばってん【罰点】batten 名 반칙으로 인한 감점；벌점.

はっと【法度】hatto 名 (무가(武家) 시대의) 법령；특히, 금령(禁令)；금제(禁制). ¶～という 금제 금령을 어기다.

‡はっと hatto 副 ①갑자기 생각 나는 모양：문득；퍼뜩. ¶～気_きがついた 퍼뜩 생각이 들었다. ②뜻밖의 일로 놀라는 모양：덕컥；깜짝. ¶落_おちそうになって～する 떨어질 뻔해서 깜짝 놀라다. 〔棒〕. ▷bat.

バット batto 名 배트；타봉(打棒).

パット patto 名 ㅈ他 퍼트；(골프에서) 그린 위의 공을 홀에 넣기 위해 가볍게 치는 일. ▷putt.

ぱっと patto 副 ①일시에 사방으로 퍼지는 모양：확；좍. ¶うわさが～広_{ひろ}まる 소문이 좍 퍼지다／金_{かね}を～使_{つか}う 돈을 좍 쓰다(뿌리다)／火_ひが燃_もえ上_あがる 불이 확 타오르다. ②움직임이나 상태가 갑자기 바뀌는 모양：홱；획. ¶戸_とが～開_{ひら}く 문이 홱 열리다／飛_とびのく 홱 물러서다. ③눈에 반짝 뜨이거나 두드러진 모양. ¶～した顔_{かお}だち 눈에 확 띄는 얼굴. ━しない 두드러지게 눈을 끌지 못하다.(경기 따위가) 시원하지 않다. ¶この絵_えは～しないね 이 그림은 별로 신통치 못하군／成績_{せいせき}は～しない 성적은 시원하지 않다.

はつどう【発動】-dō 名 ㅈ自他 발동. ¶強権_{きょうけん}を～する 강권을 발동하다.

はっとう【抜刀】battō 名 ㅈ自他 발도；칼을 뺌. ¶～隊_{たい} 발도대.

はっとうしん【八頭身】hattō- 名 팔두신；팔등신. ¶～の美人_{びじん} 팔등신 미인.

はつなり【初なり】【初生り】 图 ①만물. ¶～のすいか 만물 수박. ②과실이 처음으로 그 나무에 열림; 또, 그 과실.

はつに【初荷】 图 (정월 초이튿날 상품에 장식을 꾸며) 새해 들어 마수로 거래소에 배달하는 일; 또, 그 짐.

はつね【初音】 图 (휘파람새, 두견 등이) 그 해 들어 처음으로 우는 소리. ＝初音器.

はつねつ【発熱】 图 自 발열. ¶～量器 발열량／風邪器で～する 감기로 열이 나다.

はっぱ【発破】 happa 图 발파. ¶～をかける ①발파 장치를 하다. ②〈俗〉심하게 마구 독려하다.

はっぱ【葉っぱ】 happa 图〈口〉잎; 잎사귀. ＝葉器.¶木器の～ 나뭇잎／～が散器る 잎이 지다.

*はつばい【発売】 图 스他 발매. ＝出器し. ¶新～ 신발매／～禁止器 발매 금지.

はつばしょ【初場所】 -sho 图 매년 정월에 열리는 큰 씨름 대회(東京器에서 열림). ＝一月場所器.

ぱっぱと pappato 副 ①주저함이 없이 계속해서 하는 모양; 척척; 썩썩; 뻑뻑. ¶～金器を使器う 돈을 척척 쓰다／たばこを～吸器う 담배를 뻑뻑 빨다. ②거리낌없이 말하는 모양. ¶～言器ってのける 데걱데걱(거침없이) 말해 버리다. ③단숨적으로 행하는 모양. ¶～きらめき 반짝반짝 빛나다.

はつはる【初春】 图 ①초춘; 초봄. ②신년; 신춘. ¶～の日器の出器 신년의 해돋이.

はつひ【初日】 图 설날의 아침 해. ¶～の光器 설날의 아침 햇빛.

はっぴ【法被】【半纏】 happi 图 ①직공 등이 입는 소맷자락이 짧은 한텐. ②옛날, 무가(武家)의 머슴에 입히던 한텐. ③선종(禪宗)에서, 고승(高僧)의 의자에 걸치는 금란(金襴) 등의 천.

ハッピー happi 图 행복; 즐거움; 즐거움. ▷happy. ──エンド 해피엔드; 행복한 결말. ＝めでたしめでたし. ▷happy ending.

はつびょう【発病】 -byō 图 自 발병. ¶～後器三日器で死器ぬ 발병 후 사흘 만에 죽다.

＊はっぴょう【発表】 图 스他 발표. ¶意見器を～する 의견을 발표하다.

はつびょう【抜錨】 -byō 图 自 발묘; 배가 닻을 올리고 출항함. ¶～投錨器.

はっぷ【発布】 happu 图 스他 발포; 공포. ＝公布器.¶憲法器～ 헌법 공포.

はつぶたい【初舞台】 图 첫 무대; 첫출연. ＝デビュー. ¶～の俳優器 첫 출연한 배우／～をふむ 첫 무대를 밟다; 첫출연하다.

はっぷん【発憤・発奮】 happun 图 自 발분. ¶～して勉強器する 발분하여 공부하다／大器いに～する 크게 발분하다.

ばつぶん【跋文】 图 발문; 책의 뒤끝에 쓰는 글. ＝跋器.↔序文器.

はつほ【初穂】 图 ①그 해에 처음으로 익은 벼이삭; 전하여, 곡물이나 과실 등의 만물. ②추수된 농작물 중에서 먼

저 신불(神佛)이나 조정에 바치는 것; 전하여, 신불에게 바치는 돈 따위.

はっぽう【八方】 happō 图 팔방; 여기저기; 모든 방면; 다방면. ¶四方器～ 사방 팔방. ──にらみ【――睨み】 图 ①사방으로 눈을 돌려 살핌. ②(그림 따위의) 어느 쪽에서 보나 보는 사람을 노려보는 것처럼 보이는 일; 또, 그런 그림 따위. ──びじん【――美人】 图 팔방 미인; 두루 춘풍. ──ふさがり【――塞がり】 图 (음양도에서) 어느 쪽으로 가도 불길(不吉)한 일; 운수가 꽉 막힘. ──やぶれ【――破れ】 图 어디로 보나 허점 투성이인 한심한 모양이나 태도.

はっぽう【発砲】 happō 图 스他 발포.

ばっぼく【伐木】 图 스他 벌목.

ばっぽん【抜本】 bappon 图 발본. ¶～源器的 발본 색원／～的器な対策器 발본적인 대책.

はつまいり【初参り】 图 스他 ☞ はつもうで.

はつまご【初孫】 ☞ ういまご.

はつみみ【初耳】 图 초문(初聞); 처음 듣는 일. ¶その話器は～だ コ 이야기는 초문이다.

＊はつめい【発明】 一 图 스他 발명. ¶～家器 발명가. 二 图 형 영리한 모양. ¶～りこう 영리한 아이.

はつもうで【初もうで】【初詣】 -mōde 스自 정월의 첫 참배. ＝初器まいり.

はつもの【初物】 图 만물; 햇것; 전하여, 아직 아무도 손대지 않은 것. ¶なすの～ 만물 가지／終器り～ (만물만큼 귀한) 끝물.

はつゆき【初雪】 图 초설; 첫눈.

はつゆめ【初夢】 图 (새해) 첫 꿈. ¶良器い～を見器た 좋은 첫 꿈을 꾸었다.

はつよう【発揚】 图 스他 발양; 떨쳐 일으킴; 앙양(昂揚); 선양. ¶国威器の～ 국위의 선양／士気器を～する 사기를 앙양하다.

＊はつらつ【溌刺・潑剌】 タル 발랄. ¶元気器～としている 원기 발랄하다.

はつる【削る】 五他 ①깎아 내다. ¶切器っても～っても 잘라도 깎아 내도. ②이익의 일부를 떼어 내다.

はつろ【発露】 图 스自 발로; 표면에 드러남. ¶友情器の～ 우정의 발로.

はて【果て】 图 끝. ①(涯) 끝장; 종말. ¶～がない 끝이 없다／口論器の～, つかみあいとなった 언쟁 끝에 싸움이 되고 말았다. ②영락한 상태; 말로(末路). ¶なれの～ 영락한 몰골; 슬픈 말로. ③산야(山野)·바다 등의 끝간 데; 극한. ¶世界器の～ 세계의 끝.

はて 感 망설이거나 의심스러워서 생각해 볼 때에 내는 말; 글쎄; 그런데. ¶～何器だろう 글쎄 무엇일까／～どうしよう 그렇다면 어쩐다나.

＊はで【派手】 ダテ ①화려한 모양. ¶～な色器 화려한 색깔／～に着器る 화려하게 차려 입다. ②〈俗〉사람 눈을 끌 정도로 심하게 무엇을 하는 일. ¶～に泣器き出器す 야단스럽게 울어 대다／～な殺器し合器い 끔찍한 살생.

パテ 퍼티; 떡밥(창유리 접합제). ▷putty. 「～口取器り.

ばてい【馬丁】 图 마부(馬夫). ＝馬子

ばてい【馬蹄】图 마제; 말굽. ¶~の響き 말굽 소리. ~形磁石じしゃく 말굽 자석.

はてさて感 의외의 일에 어떻게 대처해야 좋을지 모르는 기분을 나타냄: 그것 참; 거참. ¶~、困ったやつだ 그것 참 곤란한 녀석이다.

はてしな-い【果てしない】形 끝없다. ¶~・く続うく大草原そうげん 끝없이 이어지는 대초원.

はてな图 はて. 『~おかしいぞ』 쎄 이상한데. 『~끝내는; 결국은.

はては【果ては】hatewa 드디어는.

はでやか【派手やか】ダナ 남의 눈을 끌 정도로 화려한 모양. ¶~な身みなり 화려한 옷차림.

は-てる【果てる】下1自 ①끝나다. ¶宴えんが~ 연회가 끝나다 ②하다; 죽다. ¶自みずからのどを突ついて~てた 손수 목을 찔러 죽었다. ③〖動詞 連用形に付いて〗①완전히 하다; 극도에 달하다. ¶つかれ~ 극도로(피곤하여) 지쳐 버리다. ②…이 끝나다. ¶言いい~てぬうちに 말이 끝나기도 전에 / 見み~てぬ 못다 끝내다.

ば-てる下1自〖俗〗지치다; 기진하다. ¶からだが~ 녹초가 돼버리다.

バテレン【伴天連】图 신부(神父). ¶キリスト교(敎); 기독교도. ▷ padre.

はてんこう【破天荒】-kō 图 파천황; 전대 미문(前代未聞); 미증유(未曾有). ¶~の大事件にん 전대 미문의 대사건 / ~の人事じ 이례적인 인사.

パテント图 페이먼트; 특허; 특허권〖品〗; 전매 특허. ▷patent.

＊はと【鳩】图【鳥】비둘기. ¶に豆鉄砲まめ 뜻밖의 일에 몹시 놀라는 모양. ¶一に三枝さんしの礼れいあり (비둘기에 삼지례(三枝禮)가 있듯이) 예의를 존중하라는 말.

はとう【波頭】-tō 图 파두; ①물마루. =なみがしら. ¶白しくくだける~ 하얗게 부서지는 물마루. ②파도 위; 해상(海上).

はとう【波濤】-tō 图 파도. ¶万里ばんりの~をけたてて 만리의 파도를 헤치며.

はどう【波動】-dō 图 파동. ¶景気けいきの長期ちょうき~ 경기의 장기 파동.

はどう【覇道】-dō 图 패도; 패자(覇者)가 권모나 무력으로 천하를 지배하는 방법. ↔王道おうどう.

ばとう【罵倒】-tō 图ス他 매도; 몹시 욕설함. ¶口くちぎたなく~する 더러운 말로 매도하다.

パトカー图 ☞パトロールカー.

はとは【ハト派】【鳩派】图 비둘기파; 온건파; 화평파. ↔タカ派は.

はとば【波止場】【波戸場】图 선창; 부두. ¶~釣づり 부두 낚시 / 船ふねが~に着つく 배가 부두에 닿다.

はとぶえ【はと笛】【鳩笛】图 비둘기 소리를 내는[비둘기 모양의] 피리.

バドミントン图 배드민턴. ▷badmin-ton.

はとむぎ【鳩麦】图【植】율무. Lton.

はとね【はと胸】【鳩胸】图 구흉; 새가슴.

はとめ【はと目】【鳩目】图 (구두나 서류·의복 따위의) 끈을 꿰기 위한 둥그란 구멍; 또, 그 구멍의 쇠고리.

はどめ【歯止め】图①바퀴의 회전을 억어하는 장치. =ブレーキ. ②언덕에 워 둔 자동차 따위의 바퀴 밑에 괴는 것(사태의 악화나 변화를 막는 일〔것에도 비유됨〕). ¶インフレの~인플레이션의 억제.

パトロール图ス自 패트롤; 경찰이 순찰하는 일; 또, 그 사람. ¶ハイウエー~ 고속 도로 순찰(자) / ~カー 패트롤카; 순찰차. ▷patrol.

パトロン图 패트런; (경제적인) 후원자; 보호자; 전하여, 기둥 서방. ▷patron.

ハトロンし【ハトロン紙】图 하도롱지; 갈색의 질긴 양지(洋紙)의 일종. ▷patroonpapier.

バトン图①배턴. ②【樂】지휘봉. =タクト. ▷baton. —を渡わたす①(릴레이 경주에서) 배턴을 넘기다. ②후계자에게 일을 인계하다. —ガール 【고적대(鼓笛隊)】나 음악대에 앞장서서 지휘봉을 흔들며 나아가는 소녀). ▷日 baton girl. —タッチ —tatchi 图ス 배턴 터치(후임자에게 인계에도 비유됨). ▷日 baton touch.

＊はな【花・華】图①꽃. ¶~が散ちる 꽃이 지다 / ~を摘つむ 꽃을 따다. ②꽃과 같이 아름다운 것; 모두가 가지고 싶어하는 것, 으뜸인 것. ¶社交界しゃこうかいの~ 사교계의 꽃 / ~を添そえる 금상 첨화(錦上添花) / あのころが~だった 그때가 좋았다. ③행복. ¶知しらないうちが~ 모르고 있는 동안이 행복하다. ④팁; 행하; 화대; 놀음차. ¶~をはずむ 화대를 듬뿍 주다. ⑤花合はなあわせ(=화투놀이) '花札はなふだ(=화투)' '生花しょうか(=꽃꽂이)' 따위의 준말. ¶~を引ひく 화투를 치다 / お~を習ならう 꽃꽂이를 배우다. —が咲さく 꽃이 피다. ①때를 만나서 번성하다. ②흥겹게 이야기 꽃이 피다. —の実みて【흔히는 빗꽃】구경하면서 벌이는 주연(酒宴). —の都みやこ①그 나라의 서울. ②화려한 도시. ¶~の都、パリー 화려한 도시, 파리. —は桜木さくらぎ人ひとは武士ぶし 꽃이라면 벚꽃, 사람이라면 무사가 으뜸. —も実みもある ①(명(名)과 실(實)이 겸비하다. ②외관도 내용도 훌륭하다. —より団子だんご 꽃보다 경단. ①풍류를 모름의 비유. ②허울보다는 실속을 좇는다는 말. —を持もたせる 승리나 공(功)을 남에게 돌리다.

はな【洟】图 콧물. ¶~をかむ 코를 풀다 / ~をたらす 코를 흘리다. —もひっかけない 상대조차 않다.

はな【端】图〖俗〗①(사물의) 시초; 처음; 최초. ¶~からしくじる 초장부터 실수하다 / ~からしからに腰こしで 다짜고짜 시비조로. ②말단; 끝; 기슭. ¶山やまの~ 산기슭.

＊はな【鼻】图①코. ¶~に掛かかった声こえ 코먹는 소리; 코를 흐르는 코를 부 비다. ②후각. ¶~がきく 냄새를 잘 맡는다. —が高たかい 콧대가 높다; 우쭐하다. —が曲まがる 악취가 코를 찌른다. —であしらう (냉담하게) 코방귀다. —にかける 내세우다; 자랑한다.

一に付(つ)く 싫어지다 ; 진력나다. ¶出(で)すぎた親切(しんせつ)が～に付く 지나친 친절이 역겨워지다. **一の下(した)が乾(かわ)かあがる** 생계를 잃고 굶주리다. **一の下(した)が乾(かわ)かあがる** 꼭 질려서 깜짝 놀라게 하다. **一を折(お)る** 콧대를 꺾다 ; 코를 납작하게 만들다. **一を高(たか)くする** 자랑하다. **一を突(つ)く** 코를 찌르다(냄새가 심하다).

はなあらし【花あらし】(花嵐) 名 꽃샘바람.

はなあわせ【花合(あ)せ】 名 화투놀이.

はないき【鼻息】 名 콧김. ①코로 쉬는 숨. ②콧대 ; 의기 ; 기세. ¶すごい～だ 대단한 기세다. ③사람의 기분. ¶～が荒(あら)い 콧김이 세다 ; 기세가 당당하다. **一をうかがう** 숨소리를 살피다(상대방의 기분을 살핌).

はなうた【鼻唄】(鼻唄) 名 콧노래.
─まじり【─交(じ)り】 名 ①콧노래를 부르며 일하는 모양. ¶～で仕事(しごと)をする 콧노래를 부르면서 일하다. ②진지함이 덜한 모양.

はなお【鼻緒】(花緒) 名 왜나막신이나 왜짚신의 끈. ¶～が切(き)れる 나막신의 끈이 끊어지다 / ～をすげる 나막신 끈을 꿰어 달다.　〔바구니〕

はなかご【花かご】(花籠) 名 화롱 ; 꽃바구니.

はながさ【花がさ】(花笠) 名 춤・제례 등에 쓰는 꽃으로 꾸민 삿갓.

はなかぜ【鼻風邪】 名 코감기. ＝はなかぜ. **一をひく** 코감기에 걸리다.

はながた【花形】 名 ①인기 있는 화려한 존재. ～スター・～選手(せんしゅ)인기 있는 선수 ; 각광을 받는 선수 / ～産業(さんぎょう) 인기 있는 산업. ②꽃 무늬. **─やくしゃ【─役者】-sha** 名 인기 배우 ; 스타. ＝スター.

はながつお【花がつお】(花鰹) 名 가다랑어포를 잘고 얇게 썬 것(고등어를 재료로 한 것도 가리킴).

はながみ【鼻紙】(鼻紙) 名 코푸는 종이 ; 휴지. ＝ちりがみ(ちり紙).

はなガルタ【花ガルタ】(花骨牌) 名 화투. ＝花札(はなふだ). ▷ carta.

はなぎ【鼻木】 名 쇠코뚜레.

はなぐすり【鼻薬】 名 ①코약. ②어린애 달래는 과자. ③약간의 뇌물. ¶～をきかせる 뇌물을 (좀) 쓰다(주다). **一をかがせる** 뇌물을 (좀) 주다.

はなくそ【鼻くそ】(鼻屎・鼻糞) 名 코딱지. ¶～をほじくる 코딱지를 후비다 / 目糞(めくそ)が～を笑(わら)う 똥 묻은 개가 겨 묻은 개 나무란다.

はなぐもり【花曇り】(花曇) 名 벚꽃이 필 무렵에 날씨가 흐림 ; 또, 그런 날씨. ¶～の空(そら) 벚꽃철의 흐린 하늘.

はなげ【鼻毛】 名 코털. **一を抜(ぬ)かれる** ①꼭뒤질리다. ②여자한테 바람맞다. **一を抜(ぬ)かまれる** 만만하게 보이다. **一を読(よ)まれる** 여자가 제게 반한 남자를 마음대로 주무르다.

はなごえ【鼻声】 名 ①비성 ; 콧소리. ②(울거나 애교로) 코 먹은 소리. ¶～でかき 口 どく 울먹이며 코 먹은 소리로 끈덕지게 하소연하다.

はなごおり【花氷】-gōri 名 속에 꽃을 넣어서 얼린 얼음.

はなござ【花ござ】(花莫蓙) 名 꽃돗자리 ; 화문석. ＝花(はな)むしろ.

はなことば【花ことば】(花言葉・花詞) 名 꽃말. ¶ばらの～は恋愛(れんあい) 장미의 꽃말은 연애.

はなごよみ【花暦】 名 꽃달력 ; 철 따라서 피는 꽃과 그 명소를 나타낸 달력.

はなざかり【花盛り】 名 ①꽃이 한창임 ; 또, 그 계절. ¶今(いま)～の頃(ころ) 꽃이 한창 인 무렵. ②여성의 한창 아름다운 연령 ; 묘령. ¶彼女(かのじょ)は今(いま)が～だ 그 여자는 지금 한창때다. ③사물의 한창때. ¶人生(じんせい)の～ 인생의 전성기.

はなさき【鼻先】 名 ①(내) 코끝. ＝目先(めさき). ¶～に突(つ)きつける 눈 앞에 들이대다. ③사물의 선단(先端). ¶岬(みさき)の～ 갑의 끝. **一であしらう** 코끝으로 다루다 ; 얕보고 대하다.

はなし【放し】 名 ①(내) 버려둠. ②─飼(が)い 방목(放牧) ; 놓아 기름. ②농음 ; 뗌. ¶手放(てばな)しで自転車(じてんしゃ)に乗(の)る 손 놓고 자전거를 타다.

☆はなし【話】 名 ①이야기 ; 말. ¶～声(ごえ) 이야기하는 소리 / こそこそ話(ばなし) 귓속말 / ひとり話(ばなし) 혼잣말 / 上手(じょうず)な～だ 말주변이 좋음 ; 또, 그 사람 / お～中(ちゅう) 이야기(통화) 중 ; 면담중 / ～をかける 말을 걸다 / 全(まった)く ひどい～だ 정말 지독한 이야기다(일이다) / それはどういう～だろう 그것은 이러한 이야기(일)일지도 모른다. ②약속 ; 의논 ; 교섭. ¶結婚(けっこん)ばなし 혼담 / ～がある 의논할 것이 있다 / ～に乗(の)る 교섭에 응하다 ; 이야기에 끌려들다 / ～がまとまる 이야기가(교섭・흥정이) 성립되다. ③소문 ; 풍문(風聞). ¶彼女(かのじょ)の～でもちきりだ 그의 소문뿐이다. ④(본디는 噺・咄) 옛이야기 ; 만담. ¶長(なが)い長(なが)い～ 길고 긴 (옛) 이야기 / 昔話(むかしばなし) 옛이야기. **一が付(つ)く** 교섭・의논이 성립되다. **一がはずむ** 이야기가 활기를 띠다. **一が分(わ)かる** 남의 말을 알아듣다(이해하다). **一にならない** (시시해서) 말할 거리가 안 되다 ; 문제삼을 일이 못 되다. **一に実(み)が入(はい)る** 이야기에 열중하다. **一を決(き)める** 상담・흥정 등을 성립시키다.

はなしあい【話(し)合い】 名 의논 ; 교섭 ; 서로 이야기함. ¶～の結果(けっか) 의논한 결과.

はなしあいて【話(し)相手】 名 이야기 상대 ; 의논 상대.　　〔야기하다.

はなしあ─う【話(し)合う】 自五 서로 이

はなしか【話家】(噺家・咄家) 名 만담가. ¶～になる 만담가가 되다.

はなしかい【放し飼い】(放飼) 名 ス 回 ①놓아 먹임 ; 방목(放牧). ＝野飼(のが)い. ②(佛) 방생회(放生会).

はなしがい【話(し)がい】(話甲斐) 名 말한 만큼의 보람. ¶～がある 말한 보람이 있다.

はなしかける【話しかける】(話し掛ける) 下一 自 ①이야기를[말을] 걸다. ②이야기를 시작하다 ; 또, 중간까지 이야기하다.

はなしかた【話(し)方】 名 이야기하는 방식・태도 ; 말투.

はなしことば【話言葉】 名 구어(口語) ; 보통 쓰는 말. ＝書(か)き言葉(ことば).

はなしこ─む【話(し)込む】 自五 (장시

잔) 이야기에 열중하다. ¶友達{ともだ}と
～・んで 친구와 이야기가 길어져서.

はなしずく 【話尽く】【話尽く〕 冏 충
분히 이야기를 나눈 끝에 일을 도모함.
¶争{あらそ}いを～で解決{かいけつ}する 분쟁을 충
분한 대화로 해결하다.

はなして 【話(し)手】 冏 ①이야기(말)
하는 사람. ↔聞{き}き手{て}. ②이야기꾼.
¶なかなかの～だ 입담이 아주 좋은 사
람이다.

はなしはんぶん 【話半分】-hambun 冏
①사실은 이야기의 절반 정도임. ¶ま
あ～に聞{き}いておこう 그저 반 에누리
해서 들어 두자. ②이야기를 반밖에 듣
지 않음. ¶～で家{いえ}をとび出{だ}す 말을
반도 듣지 않고 집을 뛰쳐나가다.

はなしぶり 【話しぶり】【話振り】 冏 말
하는 모양. =話{はな}し方{かた}. ¶꽃창포.

はなしょうぶ 〖花菖蒲〗-shōbu 冏 〖植〗

はなじ る 【鼻汁】 冏 콧물. =はな·はな
じる. ¶～をたらす 콧물을 흘리다.

はなじろ·む 【鼻白む】 五自 질린 표정
을 하다 ; 머쓱해지다.

‡はな·す 【放す】 五他 ①놓다. ¶ハンド
ル(から手{て})を～ 핸들(에서 손)을 놓
다. 놓아 주다. ②놓아 주다. ③(그물
따위에) 넣다. ④《動詞連用形에 붙어
서》「~한 채 놓아 두다」내버려 두다.
¶見{み}~ 돌보지 않다 ; 못 본 체하다.
⑤「~한 상태를 계속하다」. ¶勝{か}ちっぱな
す 계속 이기내다.

‡はな·す 【話す】 五自 이야기하다. ¶말
하다. ②おもしろおかしく～ 재미있고
우습게 이야기하다 / ～·せば分{わか}る 이
야기하면 이해한다(알아듣는다). ②
(더불어) 상의(의논)하다.

‡はな·す 【離す】 五他 떼다. ①풀다. ¶
つなぎ目{め}を～ 이음매를 풀다(끄르
다) / 解{と}き～ 풀어 놓다. ②옮기다.
¶目{め}を～ 눈을 떼다(시선을 옮기다).
③사이를 두다 ; 거리를 벌리다. ¶机{つくえ}
と机{つくえ}を～ 책상과 책상을 떼어 놓
다. ④놓다. ¶本{ほん}を手{て}元{もと}から～
さない 책을 손에서 떼지 않다.

はなすじ 【鼻筋】 冏 콧날. ¶～が通{とお}っ
ている 콧날이 서 있다.

はな·せる 【話せる】 下一自 ①말할 수
있다. ②이야기가 상대로 할 만하다 ; 이야
기를 잘 알아듣다 ; 융통성이 있다. ¶
～人{ひと}と이야기가 통하는 사람 / ～男{おとこ}
だ 이야기 상대가 되는 사나이다.

はなぞの 【花園】 冏 화원 ; 꽃밭 ; 꽃동
산. =花畑{はなばた}.

はなだ 【縹】 冏 남빛.

はなだい 【花代】 冏 화대 ; 해웃값 ; 화채
(花債). =はな·代{だい}銭{せん}.

はなだい 【鼻鯛】 冏 《東京方》 붉돔 ;
도미. =血鯛{ちだい}.

はなだいろ 【はなだ色】【縹色】 冏 엷은
남색(藍色). =はなだ·はないろ.

はなたかだか 【鼻高高】 連體 매우 빼기
는 모양 ; 콧대가 높은 모양.

はなたて 【花立て】 冏 꽃병 ; 꽃을 꽂는
통(筒), 불전(佛前)·묘전(墓前)에 바
치는 것).

はなたば 【花束】 冏 꽃다발. =ブーケ.
¶～を贈{おく}る 꽃다발을 보내다.

はなだより 【花便り】 冏 꽃소식 ; 화신
(花信).

はなたらし 【洟垂らし】 冏 ①코를 흘림 ;
또, 그 사람 ; 코흘리개. ②겁쟁이나 무기
력한 사람을 욕하는 말 : 애송이. ¶こ
の～めが 요 강아지 같은 놈이.

はなたれ 【洟垂れ】 冏 ☞はなたらし.
¶～小僧{こぞう} 코흘리개 ; 개구쟁이.

はなぢ 【鼻血】 冏 코피.

はな·つ 【放つ】 五他 ①《雅》 ⑦(떼어)
놓다. ¶身{み}を～·たず持{も}ち歩{ある}く 몸
에서 떼지 않고 지니고 다니다. ⓛ놓
어 놓다 ; 놓아 주다. ⓒ내놓다 ; 내보내
다. ¶罪人{ざいにん}を遠国{おんごく}に～ 죄인
을 먼 지방으로 추방하다. ③활짝 열
어놓다 ; 치우다. ¶戸{と}を～ 문을 열어
제치다. ④발(發)하다 ; 내보내다. ¶
光{ひかり}を～ 빛을 발하다 / 異彩{いさい}を～ 이
채를 발하다 / スパイを～ 스파이를 보
내다. ⑤(「火{ひ}を～」) 불을 지르다 ; 방화
하다.

はなづな 【鼻綱】 冏 소의 고삐.

はなっぱし 【鼻っぱし】 hanappa- 冏 콧
대 ; 고집. ¶～が強{つよ}い 콧대가 세다.

はなっぱしら 【鼻っ柱】 hanappa- 冏 콧
등 ; 콧대 ; 콧대. =はなっぱし. 一をへ
し折{お}る 콧대를 꺾어 놓다.

はなつまみ 【鼻つまみ】【鼻摘み】 冏 남
들이 싫어함 ; 미움을 받음 ; 또, 그런 사
람. ¶近所{きんじょ}の～ 이웃에서 따돌리는
사람.

はなづら 【鼻面】 冏 코끝 ; 콧등. =はな
さき. ¶馬{うま}の～をなでる 말의 콧등을
어루만지다.

はなつんぼ 【鼻つんぼ】【鼻聾】-tsumbo
冏 코머거리.

はなどき 【花時】 冏 꽃철 ; 특히, 벚꽃이
필 무렵.

はなどけい 【花時計】 冏 꽃시계.

バナナ 冏 〖植〗 바나나. ☞banana.

はなのした 【鼻の下】 冏 ①인중. ¶
～が長{なが}い 인중이 길다(여자에게 무르
다). ②《俗》 입. ¶～が乾{かわ}あ구목
구멍에 거미줄 치다.

はなばしら 【鼻柱】 冏 ①비주(鼻柱) ; 비
량(鼻梁) ; 콧마루 ; 코뼈. ¶～を打{う}つ
코방아를 찧다. ②콧대. =はなっぱし
ら. ¶～をくじく 콧대를 꺾다.

‡はなはだ 【甚だ】 副 매우 ; 몹시 ; 심
히. =ひじょうに·たいそう. ¶～残念{ざんねん}
だ 매우 유감이다 / ～面白{おもしろ}い 아
주 재미있다 / ～もってけしからん 패
씸하기 짝이 없다.

はなばたけ 【花畑】【花畠】 冏 꽃밭.

はなはだし·い 【甚だしい】 -shi 形 (정
도가) 심하다 ; 대단하다. ¶～寒{さむ}さ
대단한 추위 / 非常識{ひじょうしき}も～ 몰상
식도 유분수지.

‡はなばなし·い 【花々しい·華華しい】 -shi
形 눈부시다 ; 매우 화려하다 ; 훌륭하
다. ¶～活躍{かつやく}ぶり 눈부신 활약.

はなび 【花火】【煙火】 冏 불꽃 ; 폭죽(爆
竹). ¶～を打{う}ち上{あ}げる 불꽃을 쏘아
올리다. ☞かべん.

はなびら 【花びら】【花弁·花片】 冏 꽃잎.

はなぶさ 【花房】【花總】 冏 ①꽃송이.
¶ふじの～ 등(藤)꽃 송이. ②꽃방
침. =ふさ.

はなふだ 【花札】 冏 화투. =花{はな}ガル
タ.

はなふぶき 【花吹雪】 冏 꽃보라 (벚꽃이
흩어져 떨어지는 것을 눈보라에 비유

한 말).

はなまがり【鼻曲(が)り】图 ①코비뚤이. ②(俗) 성질이 비뚤어진 사람. = つむじまがり.

はなまつり【花祭(り)】图 ① ☞ かんぶつえ. ②풍년 기원제.

パナマぼう【パナマ帽】-bō 图 파나마모자. ▷panama.

はなみ【花見】图 꽃구경; 꽃놀이. ¶~時も 꽃놀이 철.

はなみ【歯並み】图 잇바디; 치열(歯列). ¶きれいな~ 고운 잇바디.

はなみず【鼻水】图 콧물.

はなみぞ【鼻溝】图 인중. =人中ない.

はなみち【花道】图 ①歌舞伎ぶ에서 관람석을 건너 질러 만든 배우들의 통로. ②씨름판에서 씨름꾼이 출입하는 길. ③활약하던 사람이 아깝게 은퇴하는 시기. ¶人生ないの~にさしかかる 인생의 은퇴기에 접어들다. ④눈부신 활약을 시작하려는 때.

はなむけ【餞・贐】图 길 떠나는 사람에게 선사하는 금품이나 시가(詩歌) 따위; 전별(餞別).

はなむこ【花婿【花壻・花聟】图 신랑(新郎). ↔花嫁よめ.

はなむすび【花結び】图 ①장식을 모양이나 나비 모양으로 맨 것. ②끝을 당기면 곧 풀리도록 끈을 매는 법. =蝶結ちょび・女結おんなび.

はなめがね【鼻眼鏡】图 코안경.

はなもじ【花文字】图 ①(로마자 등 대문자(大文字)에서) 장식적으로 쓴 글자. ②꽃을 글자 형상으로 늘어놓거나 심은 것. ③꽃모양 문자.

はなもち【鼻持(ち)】图 고약한 냄새를 참는 일. —(が)ならない 악취가 나서 코를 쳐들 수 없다. ②언동이 아니꼽고 천해서 보고 듣기에 역겹다.

はなもと【鼻元】图 ①코언저리. ②가까운데; 지척. —じあん【──思案】图 얕은 생각. ¶~でしかできない 약은 생각밖에 못 한다.

*****はなやか**【花やか・華やか】ガナ 화려한 모양. ¶~な生涯がい 화려한 생애 / ~な模様ようも 화려한 무늬 / ~な雰囲気ふんいき 화려한 분위기.

はなや‐ぐ【花やぐ・華やぐ】⑤圓 ①화려하고 아름답게 되다. ¶~いだ衣裝いょう 화려한 의상. ②유쾌해지다. ③번영하다.

はなやさい【花野菜・花椰菜】图【植】화야채; 모란채(牡丹菜). ¶↔花嫁よめ.

はなよめ【花嫁】图 신부(新婦); 새색시.

はなれ【離れ】图 ①떨어짐. ②('…ばなれ'의 形으로 名詞에 붙어) …에서 떠난 상태. ①도저히 …이라고 못 할 정도로 동떨어진 상태. ¶しろうとと離ればれ 풋내기라고는 못 할 정도(솜씨 등) /現実げんじつ離ればれ 현실 초탈(超脱). ㉡의존할 필요없이 떨어져 나감. ¶乳ち離ればれ 이유(離乳).

ばなれ【場慣れ】【場馴れ】⤷圓 그 자리·분위기에 익숙해지다. ¶~がする 그런 여러 번 경험해서 익숙해지다 /~した態度で 능숙한 행동으로.

はなれじま【離れ島】图 외딴 섬.

はなればなれ【離れ離れ】图 이산(離散); 따로따로 떨어짐. =ちりぢりばら

ばら・わかれわかれ. ¶一家かが~になる 한집안이 뿔뿔이 흩어지다.

はなれや【離れ屋】图 별채; 딴채.

はなれや【離れ家】图 외딴집.

はな‐れる【放れる】⤵圆 ①(쥐고 있던 것을·붙잡고 있던 것이) 놓이다; 풀리다. ②(화살·탄환이) 발사되다.

*****はな‐れる**【離れる】⤵圆 떨어지다. ①붙어 있던 것이 따로 떨어지다. ¶足あしが地ちを~ 발이 땅에서 떨어지다 /手てから~ 손에서 떨어져 나가다. ②거리가 멀어지다; 사이가 벌어지다. ¶うき世よ~れた暮らし 속세를 떠난 생활. ③관계가 없어지다. ¶職しょくを~ 이직하다 /人心にしが~ 민심(民心)이 떠나다.

はなれわざ【離れ業・離れ技】图 대담하고 기발한 행동이나 기예(技藝); 아슬아슬한 재주. ¶~を演ずる 아슬아슬한 재주를 부리다.

はなわ【花環】【花環】图 화환. 「い.

はなわ【鼻輪】图 쇠코뚜레. =はなが

はにか‐む【含羞む】⑤圓 부끄러워하다; 수줍어하다. ¶~まないで話はなしなさい 부끄러워 말고 이야기해요.

バニラ【植】바닐라. —エッセンス 바닐라 엣센스. ▷vanilla.

はにわ【埴輪】图 옛날 무덤의 주위에 묻어 두던 찰흙으로 만든 인형이나 동물 따위의 상(像); 토용(土偶).

はぬい【端縫い】图 올이 안 풀리도록 천 가장자리를 감치는 일. =ふちぬい.

はぬけ【歯抜(け)】图 ①털갈이; 새가 털을 가는 일. ~鳥とり 털갈이하는 새.

*****はね**【羽】图 ①날개. ②새털; 깃. ③【羽根】기계·기구 따위에 붙인 날개 같은 것. ¶扇風機せんぷうきの~ 선풍기의 날개 /飛行機ひこうきの~ 비행기의 날개. —を伸のばす 날개를 펴다(속박에서 벗어나다).

*****はね**【羽根】图 모감주에 구멍을 뚫어 새의 깃을 몇 개 꽂은 것(배드민턴 비슷한 놀이에 씀). =羽子はご.

はね【跳ね】图 ①(그날의) 공연(終演). ¶~太鼓だこ 공연을 알리는 북. ⇒はねる③. ②튐; (웃자락에) 뛴 흙. ¶~があがる (옷에) 진흙이 뛰다.

はね【撥ね】图 떼어 냄; 깎. ¶ピン~ 이익의 일부 떼기.

*****ばね**【発条・撥条】图 용수철; 스프링; 전하여, 탄력(弾力). ¶~仕掛しかけ 용수철 장치 /~ばかり 용수철 저울 /腰こしの~ 허릿심.

はねあがり【跳ね上がり】图 ①뛰어오름; 뛰어오름. ②(物価ぶっかの~ 물가의 급등(急騰). ②(俗) 말괄량이. =おてんば. ③과격한 행동(가).

はねあが‐る【跳ね上がる】⑤圓 뛰어오르다. ①뛰다. ¶どろが~ 흙탕물(물)이 튀다. ②껑충하다. ¶~って喜よろこぶ 기뻐서 날뛰다. ③(값이) 폭등하다. ¶値段ねだんが~ 값이 뛰어오르다. ④덮어놓고 격하게 행동하다.

はねお‐きる【跳ね起きる】⤵圆 벌떡 일어나다.

はねかえ‐す【跳ね返す】【撥ね返す】⑤他 ①힘차게 본디 상태로 되돌리다;

を～ 요구를 물리치다.

되튀기다. ②벌떡 뒤집다. ¶劣勢蹈을 ～ 열세를 뒤엎어버리다. ③(충고 따위를) 단호히 거부하다 ; 박차다 ; 퇴박하다.

はねかえり 【跳ね返り】 图 ①(튀어서) 되돌아옴. ②되튀어옴 ; 또, 그러한 것. ¶～の強い ボ-ル 잘 튀는 공. ㄴ친 영향이 되돌아옴 ; 파급함 ; 반동. ②(俗) 경망스러운 짓 ; 또, 그런 사람 ; 말괄량이.＝おてんば.

***はねかえ-る** 【跳ね返る】 ⑤自 ①튀어서 되돌아오다. ②球場が～ 공이 튀어 돌아오다. ③쐐차게 튀다 ; 튀어 오르다. ¶泥蹈が～ 흙탕이 튀어 오르다. ④되미치다 ; 되치이다 ; 반발하다. ④날뛰다. ¶～って喜は찾ぶ 기뻐 날뛰다.

はねかか-る 【跳ね掛(か)る】【撥掛かる】 ⑤自 (튀어서) 튀어 오르다.

はねせん 【はね銭】【撥銭】 图 ①구전(口錢). ¶～を取る 구전을 떼다. ②남의 이익을 일부분을 뗀 돈.

はねつき 【羽根突(き)】【羽子突(き)】 图 모감주에 새의 깃을 꽂은 제기 비슷한 것을 탁구채 같은 것으로 치는 배드민턴 비슷한 놀이.

***はねつ-ける** 【撥付ける】 下一他 (요구·신청 따위를) 무정하게 [딱 잘라] 거절하다 ; 잡아떼다.

はねつるべ 【撥ね釣瓶】 图 두레박틀 ; 방아두레박.

はねとば-す 【はね飛ばす】【撥飛ばす】 ⑤他 부딪쳐 나가떨어지게 하다.

はねの-ける 【撥ね除ける】 下一他 ①밀어 제치다 ; 뿌리치다. ¶人⾃を～ 남을 밀어제치다. ②골라서 없애다 ; 제거하다. ③밖에서의 압력에 대항하다. ¶圧追盛を～ 압박을 물리치다.

はねばかり 【発条秤】 图 용수철 저울.＝ぜんまい秤蹈.

はねばし 【はね橋】【撥橋】 图 ①성채 등에 평소에는 매달아 두고 유사시에만 내려 걸치는 다리. ②도개교 [跳開橋].

はねぶとん 【羽布団】【羽蒲団】 图 새 털이불.

はねまわ-る 【跳ね回る】 ⑤自 뛰어 돌아다니다.

はねもの 【跳ね者】 图 출랑이.＝ちょこちょい.

はねもの 【はね物】【撥物】 图 제값으로는 팔리지 않는 불량품.

はねもの 【はね者】【撥者】 图 동료들에게 따돌림받는 자.＝のけもの.

は-ねる 【刎ねる】 下一他 목을 치다.

***は-ねる** 【跳ねる】 下一他 ①뛰다 ; 뛰어오르다. ②튀다 ; 터지다.＝はじける. ¶どろが～ 흙탕이 튀다. ③그 날의 흥행이 끝나다. ④(시세가) 급등하다.

***は-ねる** 【撥ねる】 下一他 ①(물 따위를) 튀기다. ¶どろを～・ねて歩く 흙탕을 튀기며 걷다. ②받아서 나가떨어지게 하다. ¶自動車緡に～・ねられる 자동차에 받히다. ③가려내다 ; 불합격으로 하다. ¶面接蹈で～・ねられる 면접에서 퇴짜맞다. ④일부분을 빼앗다 ; 뱅땅치다. ⑤끝을 위로 뻐치다 ; 길다란 것의 끝을 위로 뻐치다. ㄴ붓끝을 힘차게 위로 뻐게 쓰다 ; ㄴ잘라버리다. ¶小枝盛を～ 잔가지를 쳐버리다. ⑦거절하다 ; 퇴하다. ¶要求尋を

パネル 图 패널. ①판벽널. ②배전반(配電盤) ③화판(畫板) ; 그것에 그린 그림. ¶～画 패널화. ▷panel. ──**ディスカッション** -diskasshon 패널디스커션 ; 의견을 달리하는 대표적 수명의 사람이 모여서 청중 앞에서 토론하는 토론회의 형식. ▷panel discussion.

パノラマ 图 파노라마. ──**展望台** [てんぼうだい] 파노라마 전망대. ▷panorama.

‡**はは** 【母】 图 ①모친 ; 어머니. ↔父⽗. ②비유적으로, (사물을 산출하는) 근원 ; 모태(母胎). ¶必要蹈は発明盆の～ 필요는 발명의 어머니.

‡**はば** 【幅】【巾】 图 ①폭 ; 나비 ; 넓이. ¶～とび 넓이뛰기 / たんすの～ 장롱의 폭. ②여유 ; 여지.＝ゆとり. ¶～のある態度盛 여유 있는 태도. ③두 가지 사물이나 값의 차이. ¶値だ～ 시세 폭 ; 가격차. 一が利⾣く 얼굴이 넓다 ; 세력이 미치다 ; 말발이 세다. 一を利⾣かせる 활개치다 ; 세력을 떨치다.

ばば 【婆】 图 노파.＝ばばあ. ¶鬼⾥は～ 마귀할멈.↔じじ. ②유모(乳母).

ばば 【馬場】 图 승마장 ; 경마장.

パパ 图〈兒〉파파 ; 아빠.↔ママ.▷papa.

ばばあ 【婆】 babā 图 노파 ; 할멈.↔じじい.

ははうえ 【母上】 图 어머니의 높임말 ; 어머님.↔父上⾣.

ははおや 【母親】 图 모친 ; 어머니.↔父親⾣.

ははかた 【母方】 图 외가(外家) 쪽. ¶～の祖父⾣ 외조부 / ～の伯父母 외삼촌.↔父方⾣.

ははかり 【憚り】 图 ①거리낌 ; 조심.＝遠慮蹈. ¶～なく言う 거리낌 없이 말하다 / ～になる 남에게 폐가 되다. ②변소(便所).

ははかりながら 【憚りながら】 圖 ①죄송〔송구〕스럽습니다마는. ¶～お願い申し上します 송구하지만 부탁합니다. ②외람된 말이지만 ; 버티 비도. ¶私⾣はそんな人ではない 이래 비도 나는 그런 사람이 아니다.

***ははか-る** 【憚る】 ⑤自 거리끼다 ; 꺼리다. ¶だれに～ことも無⾣い 누구에게 꺼릴 것도 없다 / 他⽬蹈を～ 남이 듣는 것을 꺼리다. ⑤他 ①널리 퍼지다. ②위세를 떨치다. ¶憎⾣まれっ子⾣、世に～ 집에서 미움을 받는 자식이 밖에서는 활개친다.

ははきき 【幅利き】 图 세력이 있음 ; 세력이 있는 사람. ¶土地⽥の～ 고장의 유지 / 村中緡での～である 마을의 세력가이다.

ははぎみ 【母君】 图 남 또는 자기 어머니의 높임말 ; 자친.↔父君⾣.

ははご 【母御】 图 상대방 어머니의 높임말 ; 자당.＝ははごぜ.↔父御⾣.

ははこぐさ 【母子草】 图 [植] 떡쑥.＝ほうこぐさ.

はばた-く 【羽ばたく】【羽搏く】【羽敷く】 ⑤自 ①날개치다 ; 홰치다. ¶鶏湿が鳴⾣るまで～ 닭이 울면서 홰치다. ②비행기가 하늘을 날다. ③사람이 희망으로 날다.

***はばつ** 【派閥】 图 파벌. ¶～争⾣い 파벌 싸움.

はばった-い 【幅ったい】 -battai 形 ①幅

이 넓다. ②☞くちばったい.

はばとび【幅跳び】【巾跳び】图 넓이뛰기. ¶走"り~ 주폭도.

ははのひ【母の日】图 어머니날(5월의 둘째 일요일).

はばひろ-い【幅広い】彫 폭넓다. ①폭이 넓다. ¶~月ネゥ 떡 벌어진 어깨. ②활동 범위가 넓다. ¶~活動ネゥ 폭넓은 활동.

はばへん【巾偏】图 한자 부수(部首)의 하나・수건변(巾)(「幅・帳」등의 「巾」의 이름).

はば-む【阻む】【沮む】[5他] 방해하다; 저지하다; 막다. ¶行"く手"を~ 가는 길을 막다.

ばはん【八幡】[ス他] ①왜구(倭寇). ②ばはん船ネゥ의 준말. ──せん【──船】图〔왜구의〕해적선. ☞ばはんぶね・はちまんぶね.

***はびこ-る**【蔓延る】[5自] 만연하다; 널리 퍼지다; 전하여, 횡행(橫行)하다. ¶雑草ネゥが~ 잡초가 만연[무성]하다 / 悪ネゥが~乱세世に악이 판치는 난세.

ばひつ【馬匹】图 마필; 말. =うま. ¶~改良ネゥ 마필 개량.

パピルス图 파피루스. ①옛 이집트에서 파피루스 줄기의 섬유를 종횡으로 겹쳐 만든 종이. ②【植】 나일강가에 자라는 갈대 비슷한 풀. ③파피루스풀로 만든 종이에 적은 он문서. ▷papyrus.

はぶ【波布】图【動】 반시뱀.

****はぶ-く**【省く】[5他] 덜다. ①생략하다; 줄이다. ②설명ネゥ을~ 설명을 생략하다 / 費用ネゥを~ 비용을 줄이다 / 日程ネゥを~ 일정을 단축하다. ②【むだを】 쓸데 없는 것을 없애다. ¶「石決明」

はぶそう【波布草】-sō图【植】 석결명.

はぶたえ【羽二重】图①견직물의 일종; 얇고 부드러우며 윤이 나는 순백색 비단. ②결이 고와 보드랍고 흼. ¶~肌ネゥ 희고 고운 살결.

はぶちゃ【はぶ茶】【波布茶】-cha图 석결명(石決明)의 씨를 볶아서 말린 차〔건위제〕.

ハプニング图 해프닝. ①뜻밖의 일〔사건〕. ②전위적 연출(前衛的의)의 돌발적인 율동・행동. ▷happening.

はブラシ【歯ブラシ】【歯刷子】图 칫솔. ▷brush.

はぶり【羽振り】图①새가 날개를 치는 일; 또, 날개치는 모양. ②〔남에 대한〕세력이나 인망. ¶~をきかせる행세하다;판치다;쩡쩡거리는 행~が있다 행세깨나 하는 사람.

ばふん【馬ふん】【馬糞】 마분;말똥. =まぐそ. ──し【──紙】图 마분지.

はへい【派兵】[ス自他] 파병.

はべつ【派別】图 파별;당파(黨派).

はべら-せる【侍らせる】[下1他] 모시고 있게 하다;옆에 있게 하다. =はべらす. ¶美女ネゥを~ 미녀를 옆에 있게 하다.

はべ-る【侍る】[5自]〔雅〕귀인을 모시고 있다;사후(伺候)하다.

はへん【破片】图 파편. =かけら. ¶グラスの~ 유리의 파편.

はぼたん【葉牡丹】图【植】 모란채.

はほん【端本】图 한 질 중에서 일부가 빠진 책;낙질(落帙). ¶~は高ネゥく売ネゥ

れない 낙질은 비싸게 안 팔린다. ↔完本ネゥ.

はま【浜】图①해변의 모래밭. ②〔바둑에서〕딴 돌. =あげいし. ③〔俗〕항구(좁은 뜻으로는 橫浜ネゥネゥ를 가리킴).

はまかぜ【浜風】图 해변 바람;갯바람.

はまき【葉巻】图 여송연;엽궐련(「葉巻たばこ」의 준말). =シガー.

はまぐり【蛤】图【貝】 대합. ¶~刃ネゥ 칼끝을 볼록하게 만든 것.

はまじ【浜路】图 해변길. =いそじ.

はまだらか【羽斑蚊】图【蟲】 학질모기. =アノフェレス. ¶~は 물때새.

はまちどり【浜千鳥】图 해변에 와 있

はまて【浜手】图 해변 쪽. ↔山手ネゥ.

はまなす【浜茄子】图【植】 해당화.

はまびらき【浜開き】图①해안을 일반 관광객에게 개방하는 일. ②여름에 해수욕을 위해 해안을 이용할 수 있도록〔개방〕하는 일. =海開きネゥネゥ.

はまべ【浜辺】图 바닷가. =うみべ. ¶波ネゥうつ~ 파도 치는 해변.

はまゆう【浜木綿】-yū图【植】 문주란. =はまおもと・はまもめん.

***はまりやく**【はまり役】【嵌まり役】图 적역(適役);꼭 알맞은 역할. =適役ネゥネゥ. ¶これは彼ネゥの~だ 이 역에는 그가 안성맞춤이다.

***はま-る**【嵌まる】【塡まる】[5自]①꼭 끼이다;꼭 맞다;적합하다. ¶戸"が~ 문짝이 꼭 맞다 / 条件ネゥに~ 조건에 들어맞다. ②빠지다. ¶池ネゥに~ 연못에 빠지다. ③속다. ¶まんまと計略ネゥゥに~ 감쪽같이 계략에 속다. ④나쁜 일에 열중하다. ¶女色ネゥに~ 여색에 빠지다.

はみがき【歯磨き】〈き〉图①양치질;이닦기. ②치약;치마분. ③칫솔.

***はみだ-す**【はみ出す】【食み出す】[5自] 비어져나오다;밀려 나오다;삐져나가다. ¶人員ネゥが~ 인원이 넘치다 / 会場ネゥネゥから~ 회장 밖으로 밀려나다.

は-む【食む】[5他]〔雅〕①먹다;마시다;식사하다. ②봉급 따위를 받다. ¶禄ネゥを~ 녹을 먹다 / 高給ネゥを~ 많은 급료를 받다. ③해치다. ¶身ネゥを~ 몸색에 빠지다. ¶「ham.」

ハム图 햄. ¶~サラダ 햄 샐러드.

ハム图 햄;아마추어 무선가.

-ばむ〈体言 등에 붙여서 五段活用 動詞를 만듦〉그 상태를 띠다. ¶気色ネゥ~ 기색을 띠다〔노여움 따위에 노여움이 나타나다〕/ 汗ネゥ~ 땀이 배다.

はむかう【刃向かう】【歯向かう】[5自] 거슬리다;맞서다;반항하다. 덤비다. ¶犬ネゥが~・って来ネゥる 개가 덤벼들다.

はむし【羽虫】图①새벼룩. =はじらみ. ②날개가 있는 작은 벌레의 총칭.

はむし【葉虫】【金花虫】图【蟲】 잎벌레.

はめ【羽目】图①벽 따위에 판자를 가지런히 붙인 것. ②【破目】〔곤란한〕처지. ¶苦ネゥしい~に陥ネゥる 괴로운 처지에 빠지다.

はめこ-む【はめ込む】【塡め込む・嵌め込む】[5他] 끼워 넣다;집어 넣다.

はめころし【はめ殺し】【嵌め殺し】图 미닫이나 유리창 따위를 끼웠을 뿐 열지 못하게 만든 방식.

＊はめつ【破滅】 图 ㅈ自 파멸；멸망. ¶酒色が身の～を招く 술이 일신의 파멸을 초래하다.

＊は－める【填める・嵌める】丁1他 ①끼우다；끼다；(수갑을) 채우다；박다. ¶戸に～を 문을 끼우다／手錠を～ 수갑을 채우다. ②빠뜨리다；속여 넘기다. ¶計略に～に 계략에 빠뜨리다.

＊ばめん【場面】 图 ①장면. ＝シーン. ¶～の変化 장면의 변화／～が変わる 장면이 바뀌다. ②경우；처지. ¶苦しい～ 괴로운 처지.

はも【鱧】 图【魚】 갯장어.

ハモニカ 图 ☞ハーモニカ.

＊はもの【刃物】 图 날붙이. ＝きれもの. ¶狂人に～に 미치광이에게 칼을 쥐어 주는 격.

はもの【端物】 图 ①갖추어지지 않은 것；파치. ＝はんぱもの. ¶～ですから安くします 파치라서 싸게 드리지요. ②단막짜리 浄瑠璃など. ──段物に 엽서・명함・삐라 등 한 장짜리 인쇄물.

はもん【波紋】 图 파문. ¶～が広がる 파문이 번지다／～を投げかける 파문을 던지다[일으키다].

はもん【破門】 图他 파문. ¶弟子を～する 제자를 파문하다／背信者を～に処する 배신자를 파문에 처하다.

ハモンド オルガン【商標名】【樂】 해 먼드 오르간. ▷Hammond organ.

はや【鮠】 图【魚】 피라미.

はや【早】 副 ①벌써；벌써. ＝もうすでに・もはや. ¶～秋は来ぬ 벌써 가을이 왔다／～その年の 이미 때가 기울었다. ②【雅・方】 일찍이. ¶～帰りませ 일찍 돌아가셔요[오세요].

はやあし【早足・速足】 图 ①빠른 걸음. ＝急ぎ足. ②【速步】 보통 (보조의) 걸음. ＝並み足. ③(말 따위의) 걷는 것과 뛰는 것의 중간 보조. ＝トロット.

＊はや－い【早い】 形 ①(시간적으로) 이르다. ¶朝が～・く起きる 아침 일찍 일어나다. ②아직 그 시각・시기가 아니다. ¶失望するには──실망하기에는 이르다. ③시간이 짧다[빠르다]. ¶分かりが～ 이해가 빠르다. ④(시간적으로) 앞서다. ¶一時間に～・く起きる 한 시간 빨리 일어나다. ⑤빠르기 이 세다[빠르다]. ¶耳ざとい 귀가 밝다. ⇔おそい. 一話が早くて 간단히 말해서. ＝つまって.

＊はや－い【速い・疾い】 形 ①(동작・속도가) 빠르다. ¶脈が～ 맥이 빠르다／手が～ 손이 빠르다；특하면 손찌검이다. ⇔おそい. ②(軽い) 세차다；거칠다. ¶流れが～ 물살이 세다.

はやいとこ【早いとこ】 副 재빠르게；일찌감치. ＝すばやく. ¶～かたづけよう 빨리 부탁하세요／～かたづけよう 후딱 해치우자.

はやいものがち【早い者勝ち】 連語 먼저 한 자가 유리함；선착한 자의 승리로함. ¶～に入場する 선착순으로 입장하다.

はやうま【早馬】 图 ①파발마. ¶～を立てる 파발꾼을 보내다. ②빨리 달리는 말.

はやうまれ【早生(ま)れ】 图 1월 1일부

터 4월 1일 사이에 출생하는 일；또 그 사람. ⇔おそ生まれ.

はやおき【早起】 图 ㅈ自 일찍 일어남；또 그러한 사람. ¶早寝～ 일찍 자고 일찍 일어남.

はやかご【早駕籠】 图 ①파발꾼이 타는 가마. ＝早打ちかご. ②빨리 달리는 가마.

はやがてん【早合点】 图 ㅈ自 지레짐작. ＝早のみこみ.

はやがね【早鐘】 图 다급할 때에 요란하게 울리는 종；경종(警鐘). ¶胸は～を打つようだ 가슴이 두 방망이질 하는 것 같다.

はやく【破約】 图 ㅈ自他 파약；계약을 취소함；약속을 어김.

はやく【端役】 图 단역；하찮은 역할 또, 그것을 맡은 사람. ⇔主役など.

はやく【早く】【夙く】 副 ①급히；빨리. ¶～いらっしゃい 빨리 오시오. ②이미；벌써；예전에. ¶～父をを失くう 오래 전에 아버지를 여의다. ③아침 일찍.

はやくち【早口】 图 말을 빨리 하는 일. ──ことば【──言葉】 ☞はやことば②.

はやくも【早くも】 副 ①빠르다고；일러야. ¶一か月は かかる 빨라야 한 달은 걸린다. ②재빨리；이미；벌써. ¶～一年もたった 어느 덧 일 년이 지났다.

はやことば【早言葉】 图 ①빠른 말을. ②같거나 까다로운 발음이 반복되는 어려운 문구를 빨리 하는 일；또, 그 문구('ぼうずがびょうぶにじょうずにぼうずのえをかいた(=중이 병풍에 중의 그림을 능숙하게 그렸다)' 따위). ＝早口ことば.

はやさ【速さ】 图 ①빠름；또, 그 정도. ⇔おそさ. ②속력；스피드.

はやざき【早咲(き)】 图 여느 해보다 빨리 핌；또, 그 꽃. ⇔おそ咲き.

＊はやし【林】 图 숲；전하여, 사물이 많이 모여 있는 상태；또, 그 물건. ¶松林はやし 소나무숲.

はやし【囃・囃子】 图 (能楽なや 歌舞伎など 등에서) 박자를 맞추며 흥을 돋우기 위해서 반주하는 음악(피리・북・징 등을 사용함).

はやしたーてる【はやし立てる】【囃し立てる】丁1他 ①시끄럽게 떠들어대다；신명을 돋우다. ②주위에서 여럿이 놀려대다. ¶失敗を～ 실패했다고 여럿이 놀려대다.

はやじに【早死(に)】 图 요절；젊어서 죽음；요사(夭死). ＝わかじに. ⇔長生き.

ハヤシ ライス 图【料】 해시(드) 라이스. ▷일 hashed rice.

はや－す【囃す・辭囃す】 5他 ①(북・징・피리 등으로) 반주하다. ②소리나 박수로 장단을 맞추다. ③칭찬하거나 비웃기 위해서 와 하고 소리를 지르다. ¶ほめ～ 소리를 질러 칭찬하다.

はや－す【生やす】 5他 (수염・털・초목 등을) 자라게 하다；기르다. ＝伸ばす. ¶あごひげを～ 턱수염을 기르다.

はやせ【早瀬】 图 여울.

はやて【疾風】 图 질풍. ＝はやち. ¶～

のように駆ゕ゚ける 질풍처럼 달리다.

はやてまわし【早手回し】图 미리 손을 쓰거나 조처해 두는 일.

はやと [隼人]图 옛날 九州˚゙゚ 남부의 薩摩˚゚゙・大隅˚˚゚에 살던 종족. =はいと・はやひと

はやね【早寝】図目 일찍 잠. ¶~早起˚゚き 일찍 자고 일찍 일어남. ↔おそ寝˚.

はやのみこみ【早のみこみ】〔早呑込み〕图 ①빨리 빠름. ②は やがてん. ¶~(を)して飛゚び出゙゚して行゚く 속단을 하고 뛰어 나가다.

はやば【早場】图 쌀・누에고치 따위가 일적 수확되는 지방. ↔おそ場˚゚.

はやばや【早早】剾 매우 빨리[일찍]. ¶~と出゚かける 부랴부랴 떠나다.

はやびき【早引き】〔早退き〕⊠目 = はやびけ

はやびけ【早引け】〔早退け〕⊠目 조퇴. ¶頭゙゚が痛゚いので~する 머리가 아파서 조퇴하다. = はやびき

はやま【端山】图 연산(連山)의 끝, 마을 가까이의 얕은 산 ; 야산. ↔深山˚˚.

はやまき【早蒔き・早播き】图 일찍 파종하는 일. ↔おそまき.

はやま-る【早まる】⑤目 ①빨라지다. ¶期日˚が~ 기일이 빨라지다. ②서두르다 ; 서둘러서 일을 그르치다. ¶~な 서둘지 마라.

はやま-る【速まる】⑤目 (속도나 주기 (周期)가) 빨라지다. ¶曲゚が~ 곡의 템포가 빨라지다. ↔のびる.

はやみ【早見】〔速見〕图 조견. ¶~表゚゚ 조견표 / 星座゚゙~ 별자리 일람도.

はやみち【早道】图 ①지름길 ; 빠른 방법 ; 간단한[수월한] 길. =ちかみち. ¶出世゚゚の~ 출세의 지름길. ②길을 빨리 걷는 일 ; 급한 걸음. =はや足˚゚. ¶~で歩゚く 급히 걷다. ③말의 빠른 걸음. ④파발(군). =飛脚˚゙゙.

はやみみ【早耳】〔速耳〕图 (소문 따위를 남보다) 빨리 들어 아는 일 ; 또, 그 사람.

はやめ【早目】图 정해진 시간보다 조금 이름. ¶~に出゚かける 좀 일찍 나가다. ↔おそめ.

はや-める【早める】下一他 (기일이나 시각을) 예정보다 이르게 하다. ¶開会˚゚を~ 개회를 앞당기다.

はや-める【速める】下一他 움직임・속도를 빠르게 하다 ; 재촉하다. ¶スピードを~ 스피드를 내다 / 足゚を~ 걸음을 재촉하다.

はやら-す【流行らす】⑤他 유행시키다. ¶ニューモードを~ 뉴모드를 유행시키다.

*****はやり【流行】**图 유행 ; 또, (시대의) 풍조. ¶~を追゚う 유행을 좇다 / 시대의 풍조를 따르다. ↔すたり.

はやりうた【はやり唄】〔流行唄・流行歌〕图 유행가. = りゅうこうか.

はやりぎ【はやり気】〔流行り気〕图 혈기(에 날뛰는 마음). ¶若者゚゚の~ 젊은이의 혈기.

はやりことば【はやり言葉】〔流行言葉〕图 유행어 ; 시쳇말. 「성 결막염.

はやりめ【はやり目】〔流行眼〕图 유행

‡**はや-る【流行る】**⑤目 ①유행하다. ㋀ (한창) 인기가 있다. ¶ミニスカートが~ 미니스카트가 유행하다. ㋁すたれる. ㋀만연하다 ; 널리 퍼지다. ¶かぜが~ 감기가 유행하다[퍼지다]. ②번성하다 ; 번창하다 ; 손님이 많다. ¶~店゚゚ 번창하는 가게.

はや-る【逸る】⑤目 ①설레다. ¶心゚゚が~ 마음이 설레다. ②조급히 서두르다. ¶気゚が~ 조급해지다. ③날뛰다. =あらだつ. ¶~馬゚ 날뛰는 말.

はやわかり【早分(か)り】〔早解(か)り〕图 ①빨리 이해하게 한 도표나 책. ②빨리 이해함.

はやわざ【早業】图 재빠르고 멋진 솜씨.

はら【原】图 들 ; 벌판. 「애=原˚˚.

‡**はら【腹】**图 ①배. ㋀(사람・동물의) 가슴에 이어지는 부분 ; 복부. ¶~がすく〔へる〕 배가 고프다 / ~が痛˚い 배가 아프다. ㋁모태내(母胎內) ; 또, 거기서 낳은 자식. ¶妾腹゚゚の子 첩의 소생 ; 서출(庶出) / ~違゚いの兄弟゚゙ 배다른 형제. ㋂(가운데의) 불룩한 부분. ¶船゚゚の~ 선복 / たるの~ 통의 중배. ②(본디 肚로도) ㋀(속) 마음 ; 속생각. ¶~を見゚せず 속마음을 감추고 / ~の中゚で笑゚う 속으로 웃다. ㋁도량 ; 담력(膽力) ; 배짱. ¶~が大゚きい 도량이 크다. ㋂(불쾌한) 감정 ; 기분 ; 성. ¶~を立゚てる 성을 내다. ④(동에 대하여) 앞. ㋀がいえる 화[노기가 사그라지다 ; 감정(원한)이 풀리다. ¶~が黒゚い 뱃속이 검다[엉큼하다]. ~が立゚つ 화가 나다. ~が太゚い 배포가[담력이] 크다 ; 배짱이 세다. ―に一物゚゚ 마음속에 엉큼한 계획을 품고 있음. ¶~に一物ある人゚ 엉큼한 사람. ―に収゚める 마음속에 새겨 두다. ―に据゚えかねる 참을 수가 없다. ―を合゚わせる 마음을 합하다 ; 협력하다. ―を痛゚める ①자기의 자식을 낳다. ②자기 돈을 내다. ―を抱゚える 배꼽을 움켜쥐다[크게 웃다]. ―を決゚める 마음을 정하다 ; 작정을 내다. ―を切゚る ①할복하다. ②사직하다. ③자기가 비용을 부담하다 ; 제 돈을 내다. = 自腹゚゚を切゚る. ―を肥゚やす 사복(私腹)을 채우다. ―をこわす 설사를 하다. ―を探゚る 상대방 의중을〔속마음을〕떠보다. ―を据゚える ①각오를 하다. ②노여움을 참다. ―を割゚る 본심(本心)〔모든 것〕을 털어놓다.

ばら【散】图 ①(한 벌로 되어 있는 것의) 낱개. ¶文学全集゚゙を~で売゚る 문학 전집을 낱권으로 떼어서 팔다. ②잔돈 ; 푼돈. = ばらせん.

ばら【薔薇】图 장미. = いばら・ローズ.

はらあて【腹当(て)】图 배두렁이. = はらがけ・はらまき.

はらい【払い】图 ①지불. ¶~が滞゚゚る〔たまる〕 지불이 밀리다 / ~がいい 돈을 잘 갚아 주다. ②(불필요한 것을) 팔아 치움 ; 없앰 ; 제거. ¶お~ 팔 물건 ; 매물. ③(탄광의) 채탄장(採炭場) ; 막장.

はらい【祓い】图 불제(祓除).

はらいきよ-める【はらい清める】〔祓い清める・祓い浄める〕下一他 불제(祓

除)를 행해서 죄·부정(不淨) 따위를 씻어 없애다.

はらいきよ-める【払(い)清める】下1他 더럽혀진 것을 제거하여 깨끗이 하다；깨끗이 청소하다.

はらいこ-む【払(い)込む】5他 납입〔불입〕하다；돈을 붓다. ¶毎月ホムゲつ千円セムツゥ~ 매달 천 엔씩 붓다.

はらいさげ【払(い)下げ】图 불하(拂下). ¶~品ヒム 불하품.

はらいさ-げる【払(い)下げる】下1他 불하하다. ¶国有林クサッゥを~ 국유림을 불하하다.

はらいせ【腹癒せ】图 화(분)풀이；울분을 풂. ¶~にけんかを売ヴる 분풀이로 싸움을 걸다／これで~ができた 이것으로 분이 풀렸다.

はらいた【腹痛】图 복통. =ふくつう. ¶~を起こす 복통을 일으키다.

はらいっぱい【腹いっぱい・腹一杯】-ippai ⑴(배가 부름；잔뜩 먹음. ¶~に食くう 배 부르게 먹다. ⑵(생각의) 전부. 三副 마음껏；실컷；마구. ¶腹ハゲ ぎんざん. ¶~悪口ワゼを言ヴう 실컷 욕을 하다.

はらいの-ける【払(い)のける・払(い)除ける】下1他 제거하다；뿌리치다；물리치다. ¶雪ヴセを~ 눈을 털어 버리다／やじうまを~ 구경꾼을 쫓아 버리다.

はらいばこ【払(い)箱】图《'お'를 붙여》 면직；해고. ¶お~になる 해고당하며；쫓겨나다.

はらいもど-す【払(い)戻す】5他 ⑴환불하다. ¶運賃タムゲを~してもらう 운임을 되돌려 받다／税金ゼキゥを~ 세금을 환불해 주다. ⑵저금을 예금자에게 지불하다.

ばらいろ【ばら色・薔薇色】图 장밋빛 {건강·행복 등의 상징}. =ローズ. ¶~の夢ヤゥ 장밋빛 꿈／~の人生ジセゲ 장밋빛 인생. ↔はい色ネク.

はらいわた-す【払(い)渡す】5他 ⑴지불하다. ⑵필요없는 것을 팔아 넘기다.

＊はら-う【払う】5他 ⑴제거하다；없애 〔버리〕다. ¶下枝ゲセを~ 밑가지를 치다. ⑵(먼지 따위를) 털(어 버리)다. ¶ほこりを~ 먼지를 털다. ⑶물리치다；쫓아 버리다. ⑷치르다. ⑤(돈·값을) 내(어 주)다；지불하다. ¶勘定カシゥを~ 셈을 치르다. ⓐ둘도 없는 것을 소모하다. ¶犠牲キセゥを~ 희생을 치르다. ⓑ(모두) 후려치거나 베다. ⑥팔아 버리다. ¶古新聞シセゲを~ 묵은 신문을 팔아버리다. ⑺세력 따위가 두루 미치다；떨치다；위엄하다. ¶あたりを~ 주위를 위압하다. ⑧물러나다；퇴거하다. ¶宿セゥを~ 숙소를 퇴거하다. ⑨(마음을) 기울이다. ¶注意タムゲを~ 주의를 기울이다. ⑩나타내다；표하다. ¶敬意ゲヤを~ 경의를 표하다.

はら-う【祓う】5他 불제(祓除)하다. ¶悪魔アヶマを~ 마귀를 물리치다.

バラエティー-ɪ图 버라이어티. ⑴다양성(多様性). ¶~に富ʊむ 다양성이 있다. ⑵가요·무용·촌극 등이 섞인 대중 연예. =バラエティーショー. ▷ variety.

はらおび【腹帯】图 ⑴배 가리개. =はら

まき. ⑵(임신부(姙娠婦)의) 복대. =岩田帯ヮャセ. ③의 딴 대끈. =はるび.

はらがけ【腹掛(け)】图 (어린아이의) 배두렁이. =腹当トゲゲゥ.

はらから【同胞】图 ⑴한배의 형제 자매(兄弟姉妹). =きょうだい. ⑵같은 국민；한 겨레；동포. =どうほう.

はらぎたな-い【腹汚い・腹穢い】形 마음씨가 더럽다；심보가 나쁘다. ¶~人ゥ 심보가 고약한 사람.

はらぐあい【腹具合(腹工合)】图 위나장(腸)의 상태；속. ¶~が悪ゎい 뱃속이 좋지 않다.

はらくだし【腹下し】一图 ʐ自 설사. =下痢ヷ. 二图 완하제(緩下劑)；하제(下劑)；설사약.

はらくだり【腹下り】图 ʐ自 설사. =下痢ヷ. ¶~がする 설사가 나다.

はらぐろ-い【腹黒い】形 뱃속이 검다；엉큼하다；음험하다. ¶彼ゕれは~から 그는 속이 검으니까.

はらげい【腹芸】图 ⑴(연극에서) 배우가 표정·태도로서 그 역을 살리는 일. ⑵말·행동으로가 아니라 배짱이나 경험으로 일을 처리하는 일. ¶~ので きる人ゥ 배짱 부릴 줄 아는 사람. ③누워 있는 사람의 배 위에서 하는 곡예(曲藝). ④배에 사람의 얼굴 따위를 그려 호흡으로 이것을 요리조리 움직이게 하는 곡예(曲藝).

はらごしらえ【腹拵え】图 ʐ自 (일에 착수하기 전에) 배를 채워 둠. ¶~をする 배를 채워 두다.

はらごなし【腹ごなし】图 ʐ自 운동 따위로 음식의 소화를 도움. ¶~に散歩サセゥする 소화를 돕기 위하여 산책하다.

パラシュート-shūto 图 패러슈트；낙하산. ▷parachute.

はら-す【晴らす】5他 ⑴개도록 하다. ¶雨アメを~ 비를 개게 하다. ⑵(소원을) 이루다；성취하다. ¶念願ネムガセを~ 염원을 풀다. ⓑ(불쾌감·의심 따위를) 해소시키다；개운케 하다. ¶恨ウラ みを~ 원한을 풀다.

はら-す【腫らす】5他 붓게 하다. ¶目を泣なき~ 울어서 눈이 붓다.

ばら-す5他《俗》⑴분해〔해체(解體)〕하다；뜯(어 내)다. ¶本ホムを~ 책을 뜯다／時計とケを~ 시계를 분해하다. ⑵죽이다. ¶彼奴ャセを~してしまえ 저놈을 죽여 버려라. ③장물(臟物) 등을 팔아버리다. ④폭로하다. =あばく. ¶秘密ヒセゥを~ 비밀을 폭로하다.

パラソル图 파라솔；양산. ▷parasol.

パラダイス图 파라다이스. ▷paradise.

はらだたし-い【腹だたしい・腹立たしい】-shii 形 화가 나다；괘씸하다. ¶~あまりに席ゼを立たつ 화낸 나머지 자리를 뜨다.

はらだ-つ【腹だつ・腹立つ】5自 노하다；화내다. =おこる・立腹ケゥする.

はらちがい【腹違い】图 배다름；각배；또, 배다른 형제 자매. =はらがわり. ¶~の兄ゥ 이복형. ↔種違たゲ.

パラチフス图 파라티푸스. =パラチフス. ▷도 Paratyphus.

ばらつ-く5自 ⑴흩어지다；흐트러지다. ¶髪ゕみが~ 머리털이 흩어지다. ⑵(굵은 빗방울 따위가) 조금 내리다〔뿌

리다〕. ¶小雨ぽっが~ 가랑비가 뿌리다. ③(통계 따위에서) 평균치에서 벗어나 흩어지다.

バラック -rakku 图 바라크. ▷barrack.

はらつづみ〖腹鼓〗图 고복(鼓腹); 배를 (내밀고 북처럼) 두드리는 일. ¶~を打うつ 배를 두드리다〔배불리 먹어 만족스럽다는 뜻〕.

ぱらっと -ratto 剾 성기게〔드문드문〕흩뿌리는 모양.

****はらっぱ**〖原っぱ〗-rappa 图 주택지 따위에 있는 빈 터.

ばらづみ〖ばら積み・散積み〗图 ス쌓기(짐 따위를) 묶지 않고 그대로 쌓는 일.

はらどけい〖腹時計〗图 배꼽시계. ¶~ではもう正午ぺ 배꼽시계로는 벌써 오정 (때다).

パラドックス -dokkusu 图 패러독스. ☞ぎゃくせつ〖逆説〗. ▷paradox.

はらのかわ〖腹の皮〗图 뱃가죽. ¶~をよじって笑ちう 배살을 움켜잡고 웃다. ——**をよる** 배꼽이 빠지게 웃다.

はらのなか〖腹の中〗图 (마음) 속. ¶~が煮にえくり返かえる 속이 뒤틀리다.

はらのむし〖腹の虫〗图①회충(蛔蟲); 거위. ②감정을 벌레에 비유해서 한 말; 비위. ¶~がおさまらない 비위가 상하다〔화가 삭지 않다〕. **——の居所どがが悪わるい** 어느때와는 달리 기분이 언짢다.

はらば—う〖腹ばう・腹這う〗[5自]①배를 깔고 엎드려 기(어가)다. ②엎드리다.

はらはちぶ〖腹八分〗图 조금 양에 덜참; 또, 덜 차게 먹음. **——に医者じいらず** 적당히 먹으면 탈이 없다.

****はらはら** 剾①위태위태하여 조바심하는 모양; 아슬아슬; 조마조마. ¶~する場面めん 아슬아슬한 장면. ②물방울·눈물·나뭇잎·꽃잎 따위가 떨어져 흩어지는 모양; 뚝뚝; 주르르; 팔랑팔랑.

****ばらばら** 〖散散〗〖ダ〗①따로따로 흩어지는 모양; 뿔뿔이. ¶~にする 분해〔해체〕하다 / 家族が~になる 가족이 뿔뿔이 흩어지다. ②제각기 다른 모양. ¶~なやり方た 제각각 다른 방식. 二剾①여기저기 흩어져 있는 모양. ②하나씩 여기저기서 나오는 모양; 불쑥불쑥. ③연속적인 가벼운 소리를 내면서 비·싸락눈·총알 따위가 날아 오는 모양; 후두둑(후두둑). ¶雨ぬが~と降ふりめた 빗방울이 후두둑 떨어지기 시작했다.

ぱらぱら 剾①비 따위가 조금 오는 모양; 호도독호도독, 가볍게 조금 뿌리는 모양; 또, 드문드문한 모양. ¶豆まめ〔塩しお〕を~とまく 콩〔소금〕을 흩을뿌리다. ③책장을 넘기는 모양; 훌훌. ¶~と本ほをめくる훌훌 책장을 넘기다.

はらぺこ〖腹ぺこ〗图 (俗) 배가 몹시 고픔. ¶~で歩あるけないよ 허기가 심해서 걷지 못겠어.

はらまき〖腹巻(き)〗图 배가 냉해지는 것을 막기 위해서 배에 두르는 천이나 털실로 뜬 것. =腹帯ぶ.

ばらま—く〖散蒔く・散播く〗[5他] (훌) 뿌리다. ¶~いて種たねをまく 여기저기 흩어지게 하다. ②금품을 활수하게 쓰다; 돈을 여기저기 나누어 주어 선심쓰다.

¶選挙きょで金ねを~ 선거에서 돈을 뿌리다.

はら—む〖孕む〗[5自]①잉태하다. ㉠임신하다; (새끼를) 배다. =みごもる. ¶~・んでいる犬ぬ 새끼 밴 개. ㉡내포하다; 품다; 가득 받다. ¶危険けんを~ 위험을 내포하다. ②알배다; 이삭이 패려고 통통해지다. ¶稻いが穗ぼを~ 벼가 이삭이 패다.

はらもち〖腹持(ち)〗图 소화 시간이 길어서 배가 든든함. ¶~のいい食物もつ 오랫동안 든든한 음식.

はらりと 剾 가볍게 드문드문 흘러 떨어지는 모양; 조르르; 사르르; 팔랑. ¶涙なを流ながす 조르르 눈물을 흘리다.

パラリンピック -rimpikku 图 파랄림픽; 국제 신체 장애자 올림픽 대회. ▷Paralympics.

はらわた〖腸〗图①창자; 대장과 소장. ¶魚うおの~ 생선의 내장. ②(근본) 정신. ③(오이·호박 따위의) 씨를 싼 연(軟)한 부분. **——が腐くさる** 심성이 썩어 빠지다. **——がちぎれる** 창자가 찢어지다; 애간장이 녹다. **——が煮にえくり返かえる** 밸이 뒤틀리다. **——が見みえ透すく** 속이 빤히 들여다 보이다.

****はらん**〖波乱・波瀾〗图 파란; 전하여, 소동이나 분쟁. ¶~に富とむ一生しょう 파란 많은 일생. 注意'波乱'으로 씀은 무의미한 대용 한자.

****はらん**〖葉蘭〗图【植】엽란.

バランス 图 밸런스; 균형. ¶~がくずれる 균형이 깨지다. ¶~アンバランス. ▷balance.

はり〖張り〗图①켕김; 팽팽하게 땅김; 또, 그런 힘. ¶~の強つよい弓ゆみ 땅기는 힘이 센 활. ②야무지고 힘참. ¶~のある声こえ 야무지고 힘찬 목소리 / 目めに~がない 눈에 생기(生氣)가 없다. ③의욕(意欲). ¶~がない; はりあい. ¶意地いじに~もない 아무런 의욕도 없다. ④오기; 기개(氣槪). =いくじ. ¶心こころに~のある人ひと 긋대 있는 사람.

はり〖梁〗图 들보; 대들보. =うつばり. **——むね**〔棟〕.

****はり**〖針〗图①바늘. ¶竹針たけ 대바늘 / ホチキスの~ 호치키스알. ②(침 따위의) 침. ¶蜂はちの~ 벌의 침. ③시계·레코드 플레이어의 바늘. ¶時計とけの~ 시계 바늘. ④작은 가시; 잔~ 가시나무의 가시. ⑤주사 바늘. ¶~の注射ちゅ. ⑥낚싯바늘; 낚싯줄. =おはり. ¶お~子いす 母(針母). ⑦(鍼) 침; 침술. ¶~を打うつ 침을 놓다. ⑧(鉤) 낚시 바늘. **——のことばを棒ぼうほどに言いう** 침소봉대하다.

はり〖玻璃〗图 파리. ①수정. ②유리. ¶~の戸と 유리문 / 窓まど유리창.

ばり〖罵詈〗图ス 매리; 욕하고 꾸짖음. ¶~雑言ぞを浴びせる 온갖 욕설을 퍼붓다.

-ばり〖張り〗①활의 강도(强度)를 이르는 말. ¶五人にん~ 당기는 데 다섯 사람의 힘이 드는 활. ②흉내 냄; 닮음. ¶ピカソ~の絵え 피카소풍의 그림. ③풀 칠; 끼워 싸움; 붙여 싸움. ¶ガラス~のへや 죽 유리를 끼운 방.

****はりあい**〖張(り)合い〗图①맞섬; 대

립; 경쟁. ¶～が激(はげ)しい 경쟁이 심하다. ②열심히 노력하려는 의욕; 헐맛. ¶～のある仕事(しごと)を 헐맛이 있는 일.

はりあ-う【張(り)合う】⑤自 대항하여 겨루다; 경쟁하다. ¶たばこ屋(や)の娘(むすめ)を～ 담뱃집 딸을 두고 서로 겨루다.

はりあ-げる【張(り)上げる】下1他 ①(소리를) 지르다; 외치다. ¶大声(おおごえ)を～ 큰 소리를 지르다. ②높이 펼쳐 치다(家); 침쟁이.

はりい【針医】【鍼医】图 침술의(鍼術醫).

バリウム -ryūmu 图【化】 바륨. ▷ Barium.

バリエーション -shon 图 바리에이션. ①변종(變種); 변화. ②【樂】 변주곡. ③(댄스에서) 변칙적인 스텝. =ヴァリエーション. ▷variation.

はりえんじゅ【針槐】-ju 图【植】 아카시아.

はりか-える【張(り)替える】【貼(り)替える】下1他 ①〔(헌 것을 뜯어 내고) 새로 바름. ¶ふすまの～ 미닫이를 새로 바름. ②새로 갈아 댐. ¶웃을 뜯어서 빠라 말림(載電)침.

はりかえ-る【張(り)替える】【貼(り)替える】下1他 ①張り紙〔다시〕바르다. ¶障子(しょうじ)を～ 장지를 다시 바르다. ②옷을 뜯어 빠라 말리다; 재양(載電)치기.

はりがね【針金】图 철사.

はりがみ【張(り)紙】【貼(り)紙】图 ①종이를 바름; 또, 바른 종이. ¶～細工(ざいく) 찢어 붙이기(새종이를 찢어 바르는 공작). ②벽보. ¶張り札(ふだ)を出(だ)す 벽보를 내 붙이다. ¶不전(附箋); 부전지.

*ばりき【馬力】图 ①마력. ①동력을 나타내는 단위. ②강한 세력; 정력. ¶～がある 힘(기운)이 세다／もっと～を出(だ)して働(はたら)く 좀더 힘을 내서 일해라. ③짐마차. ¶～屋(や) 짐마차꾼.

*はりき-る【張り切る】⑤自 팽팽히 켕기다; 힘이 넘치다. ¶皆(みな)～っている 모두 기운이 넘쳐 있다／～った気持(きも)ち 긴장된 마음. ¶～った気持(きも)ちが緩(ゆる)む 긴장된 마음이 풀리다.

バリケード 图 바리케이드; 방새(防塞). ¶～をめぐらす 바리케이드를 치다. ▷barricade.

ハリケーン 图 허리케인. ▷hurricane.

はりこ【張(り)子】图 틀에 종이를 겹붙여서 말린 뒤, 그 틀을 빼어서 만든 물건. =はりぬき.

はりこ【針子】图 양복·양장점 따위에서 바느질하는 처녀.

はりこみ【張(り)込み】图 잠복함; 망을 봄. ¶～の刑事(けいじ) 잠복 형사.

はりこ-む【張(り)込む】㊀⑤自 ①잠복하여 감시하다. ¶刑事(けいじ)が～ 형사가 잠복하다. ②힘들이다; 힘을 내다. ¶仕事(しごと)に～ 일에 전념하다. ㊁⑤他 ①대지(臺紙)에 붙이다. ②그득 채워 넣다. ¶おけに水(みず)を～ 통에 물을 그득 채우다. ㊂⑤自 큰마음 먹고 돈을 쓰다. ②おごる; 한턱 내다. ¶上等(じょうとう)の とけいを～ 큰마음 먹고 고급 시계를 사다.

はりさ-ける【張り裂ける】下1自 ①한껏 부풀어 터지다. ¶のども～けよと 목이 터져라 하고. ②(격한 감정으로) 가슴이 터질 듯하다. ¶～思(おも)い 가슴이 찢어지는 생각.

はりさし【針刺し】图 바늘겨레. =針山(はりやま)·針坊主(はりぼうず).

はりしごと【針仕事】图 바느질; 재봉. =ぬいもの. ¶内職(ないしょく)の～ 부업인 바느질／～で暮(く)らしを立(た)てる 바느질로 생계를 꾸리다.

はりたお-す【張り倒す】【撲り倒す】⑤他 때려 누이다. ¶相手(あいて)を～ 상대를 때려 눕히다.

はりだし【張(り)出し·張出】图 ①건축에서, 달아낸 부분. ②【貼(り)出し】내어 붙임; 게시함; 또, 게시한 것. ¶揭示板(けいじばん)の～ 게시판의 게시문. ③씨름에서 대전표의 난 외에 붙이는 일 (그 지위에 준함).

はりだ-す【張(り)出す】㊀【貼(り)出す】⑤他 게시하다; 내어 붙이다. ¶告示(こくじ)を～ 고시를 내다 붙이다. ㊁⑤他自 ①밖으로 내달다. ¶軒(のき)を～ 처마를 내달다. ②밖으로 내밀다; 내뻗다. ¶枝(えだ)が～ 가지가 내뻗다. ③퍼지다. ¶高気圧(こうきあつ)が～ 고기압이 뻗치다.

はりつけ【磔】图 책형(磔刑). =はっつけ. ¶～に処(しょ)する 책형에 처하다.

はりつ-ける【張(り)付ける】【貼(り)付ける】下1他 ①(풀 따위로) 붙이다; 비유적으로, 사람을 한 곳에 붙잡아 두다. ¶広告(こうこく)を～ 광고를 붙이다.

ばりっと -ritto 圖 ①단단한 것을 세게 찢거나 단번에 세게 찢는 소리; 짝; 북. ¶紙(かみ)を～引(ひ)き裂(さ)く 종이를 북 찢다. ②약간 두꺼운 옷이 아주 새것이고 풀이 빳빳한 모양. ¶～した洋装(ようそう) 말쑥한 양장.

ばりっと -ritto 圖 ①약간 얇은 종이 따위를 단번에 가볍게 찢는 소리; 짝. ②옷 따위 새롭고 풀이 선 모양; 말쑥. ¶～した洋装(ようそう) 말쑥한 양장.

はりつ-める【張り詰める】下1他 ①긴장하다. ¶～めた空気(くうき) 긴장된 분위기. ②(뒤)덮(이)다; 퍼지다. ¶タイルを～ 빈틈없이 타일을 깔다.

はりて【張(り)手】【撲(り)手】图 (씨름에서) 손바닥으로 상대의 얼굴을 치는 수.

はりとば-す【張り飛ばす】【撲(り)飛ばす】⑤他 ①(손바닥으로) 세게 때리다. ¶～してやろうか 한 대 처 줄까.

バリトン 图【樂】 바리톤. ▷barytone.

はりねずみ【針鼠】图【動】 고슴도치.

はりのむしろ【針のむしろ】【針の筵】 바늘 방석. ¶～にすわったような 바늘 방석에 앉은 것 같다. ¶그릇.

はりばこ【針箱】图 반짇고리; 바느질그릇.

ばりばり【名·副】①일을 척척해 나가는 모양; 활동적인 모양. ¶～(と)働(はたら)く 열심히 일하다. ②물건을 긁거나, 찢거나, 벗기거나 할 때 나는 소리; 득득; 북북. ¶紙(かみ)を～と裂(さ)く 종이를 박박 찢다. ③단단한 물건을 깨무는 소리; 아드득아드득; 으드득으드득. ¶なま(生)の栗(くり)を～嚙(か)む 생밤을 아드득아드득 깨물다. ④무엇을 세게 이기거나 종이가 스칠 때 나는 소리; 버석버석; 버스럭버스럭; 와삭와삭.

ばりばり【名·副】①원기가 왕성하고 외모가 좋은 모양; 당당하고 단정한 모양. ¶～の江戸(えど)っ子(こ) 팔팔한 江戸(えど)내기. ②새롭고 구김살이 없는 모양. ¶～の新調服(しんちょうふく)(仕立(した)ておろし) 미끈한

새 맞춤옷. 㝹圓 잘 섭히는 것을 깨무
는 모양；파삭파삭. ¶～(と)かみくだ
く 파삭파삭 씹어 으깨다.

はりばん【張(り)番】图 망을 봄；또,
그 사람. ＝見張り番￼. ¶～に立つ
망을 보다.

はりまわ-す【張(り)回す】5他 둘러치
다；두르다. ¶幕￼を～ 막을둘러치다.

はりめ【針目】图 땀；(뜨개질의) 코.
¶～がほつれる 땀이 풀어지다.

はりめぐら-す【張り巡らす】5他 온통
둘러치다. ＝はりまわす. ¶金網￼を～
철망을 둘러치다.

バリュー -ryū 图 밸류；가치(価値).
¶ニュース～ 보도 가치. ▷value.

‡**は-る**【張る】5自他 ①뻗다；뻗어나
다. ¶根￼が～ 뿌리가 뻗다／くもの
巣￼が～ 거미줄이 쳐지다. ②펴져 덮
이다；깔리다. ¶氷￼が～ 얼음이 깔
리다(얼다). ③안의 힘이 움직여 부풀
어 오르다. ¶부풀다；팽팽해지다. ¶
肩￼が～ 어깨가 뻐근하다／気￼が～ 긴
장하다. ④많아지다；늘다；넘치다. ¶
值￼が～ 값이 비싸게 먹다／入費￼が～
비용이 많다. ⑤강하게 대다；세게
내밀다. ¶胸￼を～ 가
슴을 펴다／勢力￼を～ 세력을 뻗치
다. ②활짝 펴다；(펼) 치다. ¶幕￼を
～ 막을 치다／テントを～ 천막을 치
다／論陣￼を～ 논진을 펴다. ③(물 따위 액체를) 채
우다. ④깔다；붙이다. ¶切手￼を～
우표를 붙이다／びらを～ 삐라를 붙이
다／膏薬￼を～ 고약을 바르다. ⑤(손
바닥으로) 때리다. ¶ほおを～ 뺨을 치
다. ⑥가느다란 것을 한 쪽 끝에서 다
른 끝으로 뻗치다. ¶縄￼を～ 줄을 치
다；벌이다；차리다. ¶店￼を～ 가
게를 벌이다／宴￼を～ 잔치를 베풀다.
⑧부리다；떼를 먹다. ¶欲￼을～ 욕심
을 부리다／我￼〔意地〕,強情￼を～
고집을 부리다. ⑨대항하다；다투다.
¶向こうを～ 당당히 맞서다. ⑩걸다；
(돈을) 대다. ¶相場￼を～ 투기(投機)
사업에 돈을 대다／千円￼を～ 천 엔을
걸다. ⑪감시하다；망보다. ¶見～ 감
시하다／見￼を～ 용의자를 감시하다.
⑫명성(名聲)을 유지하도록 노력하다.
¶見￼えを～ 겉모양을 꾸미다；허세를 부
리다. ⑬강하게 …하다；강행하다. ¶
言￼い～ 우겨 대다. ⑭지나치다. ¶仕
事￼が～ 일이 벅차다. 汪意 ⑤는 흔히
따위로 붙이는 경우 '貼る', ⑤는 '撲'
또도 씀.

‡**は-る**【春】图 ①봄. ②새해. ③전성기
(全盛期)；한창 때. ④청춘. ¶人生￼
の～ 인생의 봄(청년기). ━の目覚￼め
이성에 눈뜸. ━を売る 매춘하다.

-ばる《体言等에 붙여 五段活用動詞를 만
듦》그것의 성질을 띠고 긴장함을 나타
내는 말；…와 같이 되다；…처럼 행동
하다. ¶格式￼ばる 격식만 차리다／欲￼
～ 욕심 내다／かさ～ 부피가 늘다.

はるか【遥か・遙か】圓 《ダ·ト》①아득하
게 먼 모양；아득히. ¶～かなた〔向
こう〕 아득히 먼 저쪽. ②몹시 차이가
있는 모양；훨씬；매우. ¶～に大きい
훨씬 크다. ③시간적으로 매우 멀
어져 있는 모양；아득히 (먼).

はるかぜ【春風】图 춘풍；봄바람.

はるぎ【春着】图 ①봄옷. ②설빔；새해
에 입는 새옷.

はるご【春ご】【春蚕】图 춘잠；봄누에.
↔夏蚕￼·秋蚕￼.

はるさき【春先】图 초봄. ＝早春￼.
¶このセーターは～によい 이 스웨터
는 초봄에 좋다.

はるさめ【春雨】图 ①봄비. ¶～が降￼
る 봄비가 오다. ↔秋雨￼. ②녹두 가
루로 만든 가늘고 투명한 국수. ＝まめ
そうめん.

はるにれ【春楡】图【植】당느릅나무.

はるのななくさ【春の七草】图 봄의 일
곱 가지 나물(미나리·냉이·떡쑥·별꽃·
광대나물·순무·무). ↔秋￼の七草.

はるばる【遥遥】圓 아득히 먼 모양；멀
리서 오는(가는) 모양. ¶四方￼을
～と見渡￼す 사방을 멀리 바라다보아
다／遠路￼～(と)上京￼する 먼 길
을 마다 않고 상경하다. ▷bulb.

バルブ 벌브. ¶①구근(球根). ②전구.

バルブ 벨브. ¶①판(瓣). ②진공관.

バルブ 图 펄프. ▷pulp. ▷valve.

はるめ-く【春めく】5自 봄다워지다；
제법 봄다운 기분이 난다. ¶一雨￼ご
とに～ 한 차례 비가 올 때마다 차츰
봄다워지다.

はるやすみ【春休(み)】图 봄방학.

‡**はれ**【晴(れ)】图 ①하늘이 갬；날씨가
좋음. ↔曇￼り. ②혐의를〔누명을〕 벗
음. ¶～の身￼となる 결백한 몸이 되
다. ③공식적인 자리；경사스러움. ¶
～の舞台￼로 화려한 무대／～の入学式
￼￼로 경사스러운 입학식／きょうを
～と着飾￼する (오늘을 기다렸다는 듯
이) 화려하게 차려입다. ↔褻￼.

はれ【腫(れ)】图 부음. ¶～がひく 부
기가 가라앉다.

はれあが-る【腫(れ)上がる】5自 (몸
시) 부어 오르다. ▷じゃがいも.

ばれいしょ【馬鈴薯】-sho 图【植】☞.

バレー 발레. ＝バレエ. ▷ballet.

バレーボール 발리볼；배구. ▷
volleyball.

パレード 퍼레이드. ¶～をくりひろ
げる 퍼레이드를 벌이다. ▷parade.

はれがまし-い【晴(れ)がましい】-shi
彤 ①드러나게 화려하다；의식이
성대하다. ②너무나 드러나서 쑥스
럽다. ¶～場所￼だ 너무나딱딱한 쑥스러
운 자리는 질색이다.

はれぎ【晴(れ)着】图 화려한 장소에서
입는 옷；나들이옷. ＝晴￼れ衣裳￼い.
¶正月￼に～ 설빔.

***はれつ**【破裂】图 ㅈ自 파열. ①터져서
찢어짐；터짐. ¶今￼にも～しそうな
심장이 터질 것 같다／怒￼り～する
분노가 폭발하다. ②회담이나 협상 따
위가 결렬(決裂)됨. ¶談判￼が～す
る 담판이 결렬되다.

パレット -retto 图 팔레트. ▷palette.

はれて【晴れて】連語 거리낌없이；공
공연하게；정식으로；떳떳하게. ＝公然
￼ㄴ. ¶～夫婦￼になる 떳떳하게〔정
식으로〕 부부가 되다.

はればれ【晴(れ)晴れ】ㅈ自 상쾌함；

・시원함；후련함. ¶～(と)した顔つき 유쾌한 얼굴；밝은 표정／～した天気ラ 쾌청한 날씨／心ララが～する 속이 개운하다.

はれぼったーい 【腫れぼったい】 -bottai 形 부어서 부석부석하다. ¶～顔ララ 부석부석한 얼굴.

はれま 【晴れ間】图 ①비・눈이 개인 사이. ¶雨ラの～에 비가 멈춘 사이에. ②구름 사이로 보이는 푸른 하늘. ¶～から太陽ラララがのぞく 구름 사이로 태양이 보이는 때. ③마음이 상쾌한 때. ¶気持ララちの～ 기분이 맑은 때.

はれもの 【腫(れ)物】图 종기；부스럼. ＝できもの・おでき. ―にさわるよう 종기를 만지듯(조심하는 모양).

はれやか 【晴(れ)やか】ダナ ①마음이 명랑한 모양. ¶～な顔ラ 밝은 얼굴. ②쾌청한 모양；맑게 갠 모양. ¶～な秋空ラララ 쾌청한 가을 하늘. ③화려한 모양. ¶～なやは・はでやか ¶～に着飾ラララる 화려하게 차려 입다.

バレリーナ 图 발레리나. ▷① ballerina.

‡は-れる 【晴れる】【霽れる】下一自 ①(하늘이) 개다. ¶空ラが～ 하늘이 개다. ②(괴로움 등이) 사라지다. ¶心ララが～ 마음이 명랑해지다. ③(의심・혐의 등이) 풀리다. ¶疑ララが～ 의심이 풀리다／罪ラが～ 죄를 벗다.

*は-れる 【腫れる】下一自 붓다. ¶顔ラが～ 얼굴이 붓다.

ば-れる 下一自 〈俗〉발각되다；탄로나다；들키다. ¶秘密ラララが～ 비밀이 발각되다.

はれわた-る 【晴(れ)渡る】五自 ①(하늘이) 활짝 개다. ¶雲ラ一片ラララなく～ 구름 한 점 없이 활짝 개다. ②마음이 밝아지다(후련해지다).

はれんち 【破廉恥】图 파렴치. ＝はじ知ラらず. ¶～な行ラい 파렴치한 행위.

はろう 【波浪】harō 图 ①파도；물결. ＝波ラ. ②波ラが岩ラを洗ラう 파도가 바위를 씻다.

ハロー 感 여보세요；여보시오. ＝もしもし・おい. ▷hallo.

ハロゲン 图 〖化〗할로겐；할로겐족 소(元素). ▷Ð Halogen.

バロック -rokku 图 바로크(17세기에 유럽에서 유행한 예술 양식；복잡多ラ려하고 動的ラ임). ▷ㅍ baroque. ――式 【――式】图 바로크식.

バロメーター 图 바로미터. ①기압계；청우계. ②전하는것；표지(標識)；기준；척도(尺度). ¶体重ララは健康ラララの―― 체중은 건강의 바로미터. ▷barometer.

はわたり 【刃渡り】图 ①칼날의 길이. ②칼날 위를 맨발로 걷는 곡예.

はん 【半】图 ①반；절반. ②ラ수；丁ラが出るか～が出るか 짝수냐 홀수냐. ↔丁ラ.

*はん 【判】图 ①도장；はんこ. ¶～を押ラす 날인하다. ②판단；판정. ¶～を下ラす 판정을 내리다. ③수결(手決). ――で押ラしたよう 판에 박은 듯이. ¶～で押したような毎日ラ 똑같은 매일.

はん 【版】图 ①판목(版木). ¶～に彫ラる 판목에 새기다. ②인쇄；출판. ¶～を重ラねる 판을 거듭하다. ③인쇄된

모양. ¶～がきれいだ 깨끗하게 인쇄됐다.

はん 【班】图 ①반；조(組). ¶～に分ける 반으로 나누다. ②ラ수・순서를 나타냄. ¶第ラ～ 제일반.

はん 【範】图 본；모범. ¶～を垂ラる 모범을 보이다.

はん 【藩】图 江戸ラ시대, 大名ラララ의 영지나 그 정치 형태.

ばん 【万】一 图 만；일만. 二 副 ①만의 하나라도；결코. ¶～遺漏ラララなきよう 만루루 없도록. ②아무리 해도；어떻게 도. ――やむを得ラず 만부득이.

*ばん 【晩】图 ①저녁 때. ¶～御飯ラ 저녁 식사. ②밤. ¶きのうの～は眠れなかった 어젯밤은 못 잤다.

‡ばん 【番】图 ①순서；차례. ¶～を待ラつ 차례를 기다리다. ②지키는 일；또, 파수꾼. ¶寝ラずの～をする 불침번을 서다. ¶ラ接尾 순번・등급・횟수 등을 나타내는 말. ¶第一ラ～ 제일번／十ラ～勝負ララ 열판 승부.

ばん 【盤】图 ①반；소반；쟁반；접시. ②바둑판；장기판. ③음반；레코드판. ¶新ラしい～ 새 판.

パン 图 판；그리스 신화의 목양신(牧羊神). ＝牧神ラ. ▷그 Pan.

*パン 图 빵；전하여, 생활의 양식(糧食). ¶～のために働ラく 빵 때문에 일하다. ▷ㅍ pāo.

パン 图 팬；자루 달린 냄비. ¶フライ～ 프라이팬. ▷pan.

はん 【犯意】图 범의. ▷別ラに～はなかった 이렇다 할 범의는 없었다.

‡はんい 【範囲】图 ①세력 범위ラララ. ¶勢力ラララ～ 세력 범위／(守備ラ)～が広ラい (수비) 범위가 넓다／～を狭ラめる 범위를 좁히다.

はんいご 【反意語】图 반의어；반대어. ＝アントニム. ↔同意語ラララ.

*はんえい 【反映】图 五自他 반영. ¶夕日ラが雪山ラララに～する 저녁해가 눈이 덮인 산에 반영하다／流行歌ラララララは世相ラララを～する 유행가는 세태(世態)를 반영하다／平素ラララの考えが行動ラララに～する 평소의 생각이 행동에 나타나다.

はんえい 【繁栄】图 五自 번영. ¶～をもたらす 번영을 가져오다.

はんえいきゅう 【半永久】kyū 图 반영구. ――てき 【――的】ダナ 반영구적.

はんえり 【半襟】图 여성의 옷 위에 대는 장식용 깃.

はんえん 【半円】图 ①반원. ¶～形ラ 반원형. ②50전(錢).

はんおん 【半音】图 ①〖樂〗반음. ¶～ぜんおん(全音). ②〖印〗促音ラララの‘っ’, 拗音ラララの‘ゃ’‘ょ’등의 작은 글자.

はんか 【反歌】图 반가(長歌에 더하는 短歌ラララ(長歌의 대의를 요약하고, 또 그것을 보충하는 노래). ＝かえしうた.

はんか 【半価】图 반가；반값. ＝はんね. ¶～で売ラる 반값에 팔다.

はんか 【繁華】图 번화. ¶～街ラ 번화가／～な町ラ 번화한 거리.

はんが 【版画】【板画】图 판화. ¶～を刷ラる 판화를 박다.

ばんか 【挽歌】图 ①만가. ②万葉集ラララララの 분류법의 하나. ↔雑ラ・相聞ラララ.

신 불少.↔全身绝.

はんしん [阪神] 图 大阪勞시와 神戸绝시 (사이의 지방).

ばんしん [万仞](万刃) 图 만심 ; 만 길. ¶～の谷た 천야만야 깊은 골짜기.

ばんじん [蛮人](蕃人) 图 만인 ; 야만 인 ; 미개인.

ばんじん [番人] 图 ①미개인 ; 야만인 ; 오랑캐. ＝蛮人绝. ②외국인. ③대만 의 원주민인 고사족(高砂族).

はんしんはんぎ [半信半疑] 图 반신반 의. ¶まだ～の態ただ 아직도 반신반 의의 상태이다.

はんすう [反芻] -sū 图 ス他 반추 ; 되 새김. ¶～動物勢 반추 동물 / 教訓勢 を～する 교훈을 되새기다.

はんすう [半数] -sū 图 반수. ↔全数

ハンスト 图 단식 투쟁. ───

*はん‐する [反する] ザ変自 ①어그러지 다 ; 반하다. ¶予期に～に・して 예기에 반해서 / 規則勢に～ 규칙에 위반되 다. ②배반하다 ; 거스르다. ¶親發に～ 부모를 거역하다.

はん‐ずる [判ずる] ザ変自 ①분별하 다 ; 판단하다. ¶事との善悪勢を～ 일 의 선악을 판단하다. ②추측하다 ; 헤아 리다. ¶手紙勢から～に 편지로 추측 컨대. ③풀다 ; 해석하다. ¶夢勢を～ 해몽(解夢)하다.

*はんせい [反省] 图 ス他 반성. ¶～を 促勢ぶ 반성을 촉구하다.

はんせい [半生] 图 반생. ①생애의 반. ¶～をふりかえる(顧) 지난 반생을 돌이 켜 보다. ②거의 죽어감. ＝半死勢.

ばんせい [晩成] 图 ス自 만성. ¶大器 勢～ 대기 만성. ↔早成勢

ばんせい [万世] 图 만세 ; 만대 ; 영구. ¶～に伝える 만세에 전해지다.

ばんせいいでん [伴性遺伝] 图 [生] 반 성 유전(유전 인자가 성염색체(性染色 體)에 있어 성별과 특별한 관계에 갖 는 유전 현상). 「成品勢.

はんせいひん [半製品] 图 반제품. ↔完

はんせき [版籍] 图 판적 ; 판도(版圖) 와 호적 ; 영토와 인민. ───ほうかん

───奉還] -hōkan 图 明治勢 2년, 일 본의 각 영주들이 그들의 영지와 인민 을 조정에 반환한 일(봉건제가 무너지 고 중앙 집권의 첫 단계 조처가 됨).

はんせき [犯跡] 图 범적 ; 범죄의 자취. ¶～をくらます 범적을 감추다.

はんせつ [反切] 图 [言] 반절(중국에 서 한자음을 표시하는 데 다른 한자 둘 을 합쳐서 하는 방법). ＝返勢し.

はんせつ [半切] 图 반절. ＝半 裁勢. ¶はがき大勢のカード 엽서 반 절 크기의 카드.

はんぜん [判然] 图 タル ス自 판연. ¶ ～としない 판연하지 않다 / 不正勢は ～たるものだ 부정은 명백한 것이다.

ハンセンびょう [ハンセン病] -sembyō 图 한센병 ; 문둥병('癩勢'(＝나병)'

의 고친 이름).＝レプラ.「Hansen.

はんそう [帆走] -sō 图 ス自 범주. ¶ 近海勢を～する 근해를 범주하다.

ばんそう [伴奏] -sō 图 ス自 반주. ¶ ピアノ～ 피아노 반주.

ばんそう [伴走] -sō 图 ス自 반주 ; (주 자(走者) 곁에서 같이 따라 달림). ¶ 駅伝勢の～ 역전 경주의 반주.

ばんそう [晩霜] 图 만상 ; 늦서리. ＝おそじも. ¶～による被害勢 늦서 리에 의한 피해. 「고.

ばんそうこう [絆創膏] -sōkō 图 반창

はんそく [反則](犯則) 图 ス自 반칙. 범칙. ¶君勢の行為勢は～だ 너의 행위 는 반칙이다.

ばんぞく [蛮族](蕃族) 图 만족 ; 미개 민족 ; 야만 민족.

はんそで [半そで](半袖) 图 반소매. ¶～のシャツ 반소매 셔츠.

はんた [繁多] 图 ダ 볼일이 많아 바쁨 ; 또, 일이 많음. ¶御用勢～ 공무 바쁜 몸 / 公務勢～ 공무 다망.

はんだ [半田・盤陀] 图 땜납. ＝しろめ. ¶～づけ 납땜.

ばんだ [万朶] 图 만타 ; 많은 가지. ¶ ～の桜勢 많은 가지에 만발한 벚꽃.

パンダ 图 [動] 팬더. ¶panda.

ハンター 图 헌터 ; 수렵가 ; 비유적으로, 무엇을 노리고 찾아다니는 사람. ¶ラ ブ━ 러브 헌터. ¶hunter.

*はんたい [反対] 一 图 ダ 어떤 사물과의 대립 관계에 있음. ＝あべこ べ. ¶━語 반대어 / ～概念 반대 개념 / ～給付勢 반대 급부 / 道勢の～ 側が 길의 반대쪽 / ～の方向勢で 반대 (의) 방향. 二 图 ス自 어떤 의견 등에 따르지 않고 거스름. ¶～のための～ 반대를 위한 반대 / こぞって(真勢っ 向勢から)～する 일제히(정면으로) 반대 하다 / 彼勢の説勢には～だ 그의 설에는 반대한다. ↔賛成勢.

はんだい [飯台] 图 여럿이 함께 식사 할 수 있는 밥상 / 食卓(食卓).

ばんだい [番台] 图 목욕탕의 카운터 ; 또, 그것에 앉은 사람. ¶風呂屋勢の ～ 목욕탕의 카운터.

はんたいせい [反体制] 图 반체제. ¶ ～運動勢 반체제 운동 / ～知識人勢 반체제 지식인.

はんだくおん [半濁音] 图 반탁음(パ 行勢・ピャ行勢의 음).

はんだくてん [半濁点] 图 반탁음을 나 타내는 점(パ・ピ 따위의 '゜'표).

パンだね [パン種](麺麹種) 图 빵 만들 때 쓰는 이스트(효모). ¶pão.

*はんだん [判断] 图 ス他 ①판단. ¶ とっさの～で 순간적인 판단으로 / 外 見勢から～すると 외관으로 판단하 면 / ～を下勢す 판단을 내리다 / ～を 誤勢る 판단을 그르치다. ②점(占). ¶姓名勢～ 성명 판단.

ばんたん [万端] 图 만단 ; 갖가지의 사 물・수단. ¶～の準備勢 만단의 준비.

*ばんち [番地] 图 ①번지. ¶お宅は 何勢～ですか 댁은 몇 번지입니까. ② 주소.

パンチ 펀치. 一 图 ス他 차표나 종이에 구멍을 뚫음 ; 또, 그러한 가위나 기구. ¶切符勢に～を入れる 차표에 구멍

を毀ぬく〔検票(檢票)〕する。　□ 名 〔拳闘
での〕打撃；比喩的に、十分の効
果；迫力。¶～をきかす　効果〔迫力〕あ
り。する。▷punch.

はんちく【半ちく】 名〈俗〉中途半端。
＝中途半端。¶はんば、¶仕事は～が～になる
ような事は中途半端になる。　　／車。

ばんちゃ【番茶】-cha 名 質の低い茶。

はんちゅう【範疇】-chū 名 範疇＝カテ
ゴリー。¶…の～にはいる …の範疇
に属する。

はんちょう【班長】-chō 名 班長。

ばんちょう【番長】 名〈俗〉中学〔高校
の〕非行少年・少女 集団の 首領。

ハンチング 名 ハンチング；ハンチング帽；狩猟帽
子。＝鳥打ち帽。▷hunting cap.

パンツ 名 パンツ。①男子・子供用の下
着。②〔運動用の〕短いパンツ。▷pants.

はんつき【半つき】【半搗き】 名〔米
を〕半分程度 搗き。──まい【──米】
名 半搗米(半搗米)；5分を〔分搗き〕
＝五分づき米。

はんつき【半月】 名 半月。

ばんづけ【番付】【番附】 名 ①相撲で、
相撲取りの順位を記録した表；また、それ
を模倣して人名 など を 順に記録し
た 表。¶～が上がる 地位〔順位〕が
上がる／長者～ 富豪 順
位表。②演芸のプログラムや俳優の
役割・出演者等を書いた表。

ハンデ 名 ハンデ（'ハンディキャップ'の
略語）。＝ハンディ。▷handicap.

ばんて【番手】 名 ①城を守る武士。
②順番(順番)を表す語。¶～。
～の選手 第1番手 選手。③番手；糸
の太さを表す単位〔六十～
～ 60番手〕。

はんてい【判定】 名 スタ他 判定。¶写真
～ 写真判定。

ハンディー -di 免ナ ハンディ；簡便で使
いに便利な。▷handy.

パンティー -ti 名 パンティ；女性用の短い
パンツ。▷panties.

ハンディキャップ -dikyappu 名 ハンディ
キャップ。①競技 等には、力を平均化する
ために優秀な者に課せられる負担。
②〔始めから〕他に比べての悪い条
件。¶～がつく ハンディがつく〔伴う
る〕。③〔ゴルフで〕基準打数よりも多
く自己の得点〔少なくとも能率良く〕。▷
handicap.

はんてん【半天】 名 半天。①天空の半。
②中空。＝なかぞら・中天。¶～の
月 中空に浮かぶ月。

はんてん【半天・半纏・絆纏】 名 羽織に
似通った着物のひとつ〔襟を後ろに折り込まない
で胸からの紐がないもの〕。

はんてん【反転】 名 スタ自他 反転。①ひっく
り、裏返し。②裏返しや 裏返しの裏を
反対方向に方向が変わる〔方向を〕
逆返し。¶～して敵の背後をつくと
裏返のような背後を塞ぐと。④〔写真に
て〕現像した画を一度更に処理して
陽画に仕上げる。¶フィルム反転フィルム。

はんてん【斑点】 名 斑点；斑点。＝ま
だら・ぶち。注意'班点'として誤る代用
漢字。

はんてん【飯店】 名 飯店；中国料理点。

はんと【反徒】【叛徒】 名 反徒；叛徒。

¶～討伐いう 反徒 討伐。

はんと【版図】 名 版図；一国の領域。
領土。¶～を広げる 版図を広げる。

ハンド 名 ハンド；手。▷hand.──バッ
グ -baggu 名 ハンドバッグ。▷handbag.
──ブック -bukku 名 ハンドブック。①便覧
(便覧)；（旅行）案内書。②携帯用の小
型の本；手引。＝送球。▷handbook.──ボール 名 ハンド
ボール；送球。＝送球。▷handball.
──メード 名 ハンドメード；手工（品）。
▷handmade.

バント 名 スタ他 〔野〕バント；牽打（軟
打）。¶犠牲～ 犠牲バント。＝bunt.

バンド 名 バンド。①洋服の腰回りのバ
ルト。②帯；紐。¶ゴム～ ゴム紐。③
吹奏楽〔ジャズ〕の楽団。▷band.

*はんとう【半島】-tō 名 半島。

はんとう【反騰】 名 スタ自 反騰。¶
～の気配いを示す 反騰すべき兆しを見
せる。↔反落いう。

*はんどう【反動】-dō 名 反動。①ある
動作に対する反対 動作。②保守的傾
向。¶～分子い 反動 分子。③〔理〕反
作用。

ばんとう【晩冬】-tō 名 晩冬；遅冬かな。
↔初冬いう。　　　　〔おくて〕。

ばんとう【晩稲】-tō 名 晩稲；遅稲。

ばんとう【番頭】-tō 名 ①商いう〔商家〕
の雇用人 頭；商店の支配人。
②（主人を代わりに）実質を取って帳場に
いる 人。¶三井いうの～ 三井の実力
者。③（銭湯で）垢すり人；または、カウン
ターに出る 人。＝番頭いうのおやじ。

ばんどう【坂東】-dō 名 〔関東いう（＝箱
根いうより東の地方）の呼び名。

はんどうたい【半導体】-dōtai 名 〔理〕
半導体。

はんとき【半時】 名 半時。①昔は12刻に
分ける時の半分〔今の1時間〕；転
じて、短い時間。¶まだ～あるうだ
まだ少し時間があるので急いでゆけば
今から少し待てば良い／一時いうを
争ういう 分秒を 争う。

はんどく【判読】 名 スタ他 判読。¶～に
苦しむ 判読に 愛情する。

はんねん【半年】 名 半年。＝はんねん。

パントマイム 名 パントマイム；無言劇（無
言劇）。＝マイム。▷pantomime.

はんとり【判取（り）】 名 ①承認の証拠
に、印を 受ける。②☞はんとりちょ
う。──ちょう【判取帳】-chō 名 金銭
や物件を 受取る 証の（証印）を受
取る 帳簿。

ハンドリング 名 〔蹴球の〕ハンドリング。＝ハン
ド。▷handling.

*ハンドル 名 ハンドル；手手り。¶ドアの～
門戸の手手り。▷handle.

はんどん【半ドン】 名 ①午前だけ勤務の
る日。②半休日；土曜日。⇔ドンタク。

はんなが【半長】 名 '半長いうぐつ（＝半
長靴）'の略語。

ばんなん【万難】 名 万難。──を排しいて
万難を 押し切る。

はんにえ【半煮え】 名 半分 煮；冷えで
い。¶～めし 冷え 煮え 飯。

はんにち【半日】 名 半日；半日程。¶
～をつぶす 半日を 費やす。

はんにゃ【般若】-nya 名 般若。①〔仏〕
実相（實相）を達観するための根本的
智慧。②鬼神のように恐ろしい顔をした女

자. ③☞はんにゃめん. ――めん
[――面]图 반야면 ; 반야의 상(相)을
한 탈 ; 또, 그렇게 생긴 얼굴.

はんにゅう【搬入】-nyū 图 ㉜他 반입.
¶絵画ガの~ 회화의 반입. ↔搬出シュ.

*__はんにん__【犯人】图 범인. ¶~がつか
まる 범인이 잡히다 / ~を突つきとめ
る 범인을 밝혀내다.

ばんにん【番人】图 파수꾼. ¶山小屋
ゴゴの~ 산막지기.

ばんにん【万人】图 만인. =ばんじん.
¶~向きき 만인에게 두루 맞음 / ~が
納得ナクする 만인이 납득하다.

はんにんまえ【半人まえ・半人前】图 반
사람 몫 ; 또, 그 정도의 능력뿐인 사
람. ¶何をやらしても~だ 무엇을 시
켜도 반밖에 못 한다.

はんね【半値】图 반값. ¶~で買カう
반값으로 사다.

ばんねん【晩年】图 만년. =老後ゴ. ¶
~は不遇グゴだった 만년은 불우했었
다. ↔早年ンネ.

*__はんのう__【反応】-nō 图 ㉜自 반응. ¶
~がない 반응이 없다 / ~を示シす 반
응을 보이다.

はんのう【半農】-nō 图 반농 ; 생업(生
業)의 반이 농업임. ¶~半漁ギョ 반농
반어. ↔全農ゼン.

ばんのう【万能】-nō 图 만능. ¶~薬ヤ
만능약 / ~選手 만능 선수.

はんのき【榛の木】图〔植〕오리나무.

はんば【飯場】hamba 图 토목 공사나 광
산 등지의 노무자 합숙소 ; 또, 그곳에
노무자를 합숙시켜 놓고 십장이 지배
하는 제도.

*__はんぱ__【半端】hampa 图图①전부가 갖
취지지 않음 ; 또, 그 물건 ; 불완전함 ;
불완전한 것 ; 단수(端數) ; 끝수 ; 우수
리. ¶中途グゴ~ 불완전함 ; 중동무이 ;
어중간함 / ~を切きり捨すて 끝수를
떼어 버리다. ②어중간한 것. ¶~な
気持ちち 어중간한 기분 / ~な考がえ 어
중되고 빠른 생각. ③반편이. ¶~者ザ 반편
이. ――もの【――物】图 개수가 부족
한 물건.

ハンバーグ hambāgu 图 햄버그. =ハン
バーグステーキ. ▷Hamburg steak.

はんばい【販売】hambai 图㉜他 판매.
¶~店テン 독점 판매.

はんばく【反駁】hambaku 图㉜自他 반
박. =はんぱく. ¶激ゲしい~ 심한 반
박.

はんぱく【半白・斑白】hampaku 图 반
백. =ごましお. ¶~の頭髪カツ 반백의
머리털.

ばんぱく【万博】bampaku 图〔万国バコ博
覧会ランラン(=만국 박람회)'의 준말.

はんぱつ【藩閥】hamba- 图 明治ジ유
신에 공이 있었던 藩ハンの 출신자가 만
든 파벌.

*__はんぱつ__【反発・反撥】hampa- 图㉜自他
반발①되튀어서 튀겨짐[튀김]. ¶
~力ク 반발력. ②(받은 말・행동에 대
해) 지지 않고 반항함. ~を感カンずる
반발을 느끼다. ③내린 시세가 다시 오
름. 注意 '反発'로 씀은 대용 한자.
――的 ――的】ダナ 반발적. ¶~な
態度ドゴ 반발적인 태도.

はんばり【半張り】hambari 图 구두의

밑창을 앞쪽의 반만 대는 일 ; 또, 그
창.

はんはん【半半】图 반반. ¶~に分わけ
る 반반으로 나누다.

ばんばん【万万】bamban 圖①모두 ; 전
다 ; 충분히. ¶それは~承知ジゴして
いる 그것은 충분히 알고 있다. ②〈밑
에 否定을 수반하여〉결코 ; 절대로 ; 만
에 하나라도. ¶~手てぬかりはあるま
い 만에 하나 소홀함은 없겠지. ③힘
셈 ; 대단히. ¶まさること~ 훨씬 나
음.

ばんぱん【万般】bampan 图 만반. ¶
~の準備グンン 만반의 준비.

パンパン pampan 图〈俗〉가창(街娼) ;
매춘부(賣春婦). ¶~ガール 가창.

ばんばんざい【万万歳】bamban- 图 만
만세('万歳バンイ(=만세)'의 힘줌말).

はんびょうにん【半病人】hambyō- 图
반병인.

はんびらき【半開き】hambi- 图 반개.①
반쯤 열려 있음. ¶戸トが~になってい
る 문이 반쯤 열려 있다. ②반쯤 핌.

*__はんぴれい__【反比例】hampi- 图㉜自 반
비례 ; 역비례. ↔正比例セイ.

はんぷ【頒布】hampu 图㉜他 반포. ¶
実費ヒジ~ 실비 배부. ▷vamp.

バンプ bampu 图 뱀프 ; 요부(妖婦).

*__はんぷく__【反復】hampuku 图㉜他 반
복. ¶~練習シュ 반복 연습.

*__はんぷく__【反覆】hampuku 图㉜自他 반
복. ①본디로 돌림 ; 또, 본디로 돌아
감. ②뒤집음 ; 또, 뒤집힘. ③변심 ; 배
반. ¶表裏リ~ 표리 반복. ④☞は
んぷく【反復】.

ばんぶつ【万物】bambu- 图 만물. ¶天
地チ~ 천지 만물. ――の霊長レイ 만물
의 영장.

ハンブル hamburu 图㉜自【野】펌블 ;
공을 잡으려다 놓침. ▷fumble.

パンフレット -retto 图 팸플릿. ¶~を
配くばる 팸플릿을 돌리다. ▷pamphlet.

*__はんぶん__【半分】hambun 图 반 ; 절반 ;
반. =なかば. ¶じょうだん~(に) 반
농담으로 / いたずら~(に) 반 장난으
로.

ばんぺい【番兵】bampei 图 초병 ; 파수
병. ¶~を置おく 초병을 두다.

はんべつ【判別】hambe- 图㉜他 판별. ¶
暗くくて~がつかない 어두워서 판
별할 수 없다.

はんべつ【班別】hambe- 图 반별. ¶~
作業ゴゴ 반별 작업.

はんぺら【半ぺら】hampera 图〈俗〉①
(종이 따위의) 절반의 크기 ; 반 장. ②
2백자 원고지. =ペら.

はんぺん【半平・半片】hampen 图 다진
생선 살에 마 등을 갈아 넣고 반달형
으로 쪄서 굳힌 식품. =はんべい.

はんぽ【半歩】hampo 图 반보 ; 반 걸음 ;
반 발짝.

はんぼいん【半母音】hambo- 图 반모음.

はんぼう【繁忙・煩忙】hambō 图图 번
망 ; 다망(多忙). ¶~な 多忙ボゴ. ¶~を
きわめる 바쁘기 이를 데 없다.

はんぽん【版本・板本】hampon 图 판본 ;
판각본 = 木版本ボホン. ↔写本シャ.

はんま【半間】hamma 图图〈俗〉①
온전치 못함. =はんぱ. ¶仕事とゴを~

にする 일을 시원찮게 하다. ②어리석음；얼간이. ＝まぬけ. ¶～なやつ 얼간이 같은 놈.

ハンマー hammā 图 해머. ①쇠망치. ②육상 경기의 해머 던지기용의 운동구. ③피아노의 현(弦)을 치는 조그마한 망치. ▷hammer. ――なげ【―投げ】图 해머 던지기；투(投)해머.

はんまい【飯米】hammai 图 반미；밥쌀. ――のうか【―農家】-nōka 図 반미 농가；자기 집에서 먹을 만큼의 쌀밖에 못 짓는 농가.

はんみ【半身】hammi 图 ①(씨름・검도 따위에서) 상대방에 대하여 몸을 비스듬히 잡는 자세. ¶～に構ぼえる 자세를 비스듬히 취하다. ②생선을 반으로 갈랐을 때의 그 한 쪽(다른 한 쪽에는 뼈가 있음).

はんみち【半道】hammi- 图 ①오리(五里). ②도정(道程)의 반.

はんみょう【斑猫】hammyō 图 〖蟲〗반묘；가뢰. ＝みちおしえ・みちしるべ.

ばんみん【万民】bammin 图 만민.

-ばんめ【番目】bamme 순서를 나타내는 말：¶右なから三たん～ 오른쪽에서 세 번째.

はんめい【判明】hammei 图 자타 판명；밝혀짐；분명함. ¶～な事実じ 분명한 사실／行方ゆえが～する 행방이 판명되다.

ばんめし【晩飯】bamme- 图 저녁밥；저녁 식사. ¶外食し を～を食べる 밖에서 저녁 식사를 하다.

はんめん【半面】hammen 图 반면. ①얼굴의 반 쪽 면. □사물의 일면(一面). ¶～の真理しん 일면의 진리. ③다른 쪽 면. ¶その～では 그 다른 면에서는.

はんめん【反面】hammen 반면；대의 면. ¶その～において 있어서의. □剛 다른 면에서는；한편.

はんも【繁茂】hammo 图 자타 번무；초목이 무성함.

はんもく【反目】hammoku 图 자타 반목. ¶相あ～する 서로 반목하다.

ハンモック hammokku 图 해먹. ▷ hammock.

はんもん【反問】hammon 图 자타 반문. ¶質問しっの意味みを～する 질문한 뜻을 반문하다.

はんもん【斑紋・斑文】hammon 图 반

문；얼룩무늬. ¶～の無い 무늬 없는. 〔注意 '班文'으로 씀은 대용 한자.

はんもん【煩悶】hammon 图 자타 번민. ¶日夜ゃ～する 밤낮으로 번민하다.

はんや【半夜】图 반야；야반. ¶～交代だい 야반 교대.

ばんや【番屋】图 파수막.

パンヤ【植】panya 图 판야. ＝カポック. ▷포 panha；영 panya.

はんやけ【半焼け】图 ①반쯤 구워짐；설구워짐. ＝なま焼やけ. ②반소；화재로 (집이) 반쯤 탐. ＝はんしょう. ↔丸焼まるやけ. 〔「自家」가 됨.

はんやけ【半やけ】【半自棄】图 반자포.

ばんゆう【万有】-yū 图 만유. ¶～引力ゅく 만유 인력.

ばんゆう【蛮勇】-yū 图 만용. ¶～を振ふるう 만용을 부리다.

はんよう【汎用】-yō 图 범용. ¶～コンピューター 범용 컴퓨터. 「んぽ.

はんら【半裸】图 반라；반나체. ↔全裸 ぜん. ¶～の拍手はく 반라의 박수.

ばんらい【万雷】图 만뢰；많은 우레 소리. ¶～の拍手はく 우레 같은 박수.

はんらく【反落】图 자타 반락. ¶～の気配け 반락의 기미. ↔反騰とう.

はんらん【反乱・叛乱】图 자타 반란. ¶～を起こす 반란을 일으키다.

はんらん【氾濫】图 자타 범람. ¶外来語ごいの～ 외래어의 범람／川かが～する 하천이 범람하다.

ばんり【万里】图 만리；매우 멂. ――の客ゃく 멀리서 온 손님. ――の長城じょう 만리 장성.

はんりょ【伴侶】-ryo 图 반려；동반자. ＝連つれ. ¶人生じんの好よき～ 인생의 좋은 반려.

ばんりょく【万緑】-ryoku 图 만록；온통 녹색임. ――叢中そう紅一点こういってん (만록총중) 홍일점.

はんれい【凡例】图 범례.

はんれい【判例】图 판례. ¶～法ほう 판례법／～に照てらす 판례에 비추다.

はんれい【範例】图 범례；본보기가 되는 예.

はんろ【販路】图 판로. ＝うれくち・はけぐち. ¶～をひろめる 판로를 넓히다.

はんろん【反論】图 자타 반론；논박. ¶～を試こころみる 반론을 시도하다.

はんろん【汎論】图 범론；통론(通論). ↔各論ろん.

ひ ヒ

①五十音図ごじゅう 'は行ぎょ'의 둘째 음. [hi] ②〔字源〕'比'의 초서체(かたかな'ヒ'는'比'의 한쪽).

ひ【一】图 하나. ＝ひい. ¶～ふみ.よ 고록く 하나, 둘, 셋, 넷, 다섯, 여섯.

ひ【日】图 ①(본디 陽로도) ⑦해；태양. ¶～が出る〔登のぼる〕 해가 뜨다. ↔月つ. ⑭햇빛；(햇)별. ⑦～がさす 햇빛이 비치다. ⑭낮. ＝ひる(ま). ¶～が長ながくなる 낮이 길어지다. ↔夜ょ. ③하루. ＝一日にち. ¶～に三度さん の飯ぱ 하루 세끼의 밥／～月つ. ④날짜. ⑦날수；세월. ¶～がたつ 날짜가〔세월

이〕 가다. ⑭일한(日限)；시한. ¶～が切きれる 날짜가 다 되다. ⑦기일；일시. ¶きめられた～ 정해진 날짜. ⑤날. ⑦하루로서의 날. ¶～雇かい人夫にん 날품팔이／～が暮くれる 날이 저물다. ⑭특정한 날. ¶招待日しょうたいび 초대일／母ぱの～ 어머니의 날. ⑦〔…した～には' '의 꼴로〕 …의 경우. ¶A さんと来きた～には (일단) A 씨가 관계하게 되는 날〔경우〕에는. ⑤시절；때. ¶

若き～の思い出 젊은 날의 추억.
⑥매일；나날. ¶～に進みる 나날이 진보하다. ⑦날씨. ¶いい～だ 좋은 날씨다. 一幕れて道遠し 일모 도원(日暮道遠)；날은 저물고 갈 길은 (아직도) 멀다. 一の目を見る 햇빛을 보다；세상에 알려지다(나오다). 一を同じくして論ぜず (가치 따위에) 너무 차이가 있어 비교가 안 된다.

‡ひ【火】 图 불(빛). ¶～をともす (호롱)불을 켜다／～に掛ける 불에 올려 놓다／～を通じて 잠깐 열을 가하다(데우다；김 따위를) 굽다；불에 말리다／～を放つ 방화하다／～を消す 불을 (화재를) 내다／～にあたる (추위에) 불을 쬐다／胸등의 ～의 불；(a)뜨거운 정열；(b)격한 감정). 一がつく 불이 붙다；(사전에) 발단이 되다. 一の消えたような 불이 꺼진듯（활기를 잃고 갑자기 쓸쓸해진 모양). 一のついたよう 불이 붙은 듯；황급한[격심한] 모양. 一の出るような 뼈를 깎는 듯한；피나는；맹렬한. 一のない所に煙は立たぬ 아니 땐 굴뚝에 연기 나랴. 一を付ける 불을 붙이다；(사건 등의) 계기를 만들다. 一を吐く (불을 뿜듯) 열변을 토하다. 一を見るよりも明らかだ 명약관화하다.

ひ【比】 图 비. ①비교륙；동류(의 것)；유례. ¶～のではない …에 비할 바 아니다. ②[數]비례(의) 관계；또, 그 식. ¶比律賓ヒ(=비룹빈)'의 준말.

ひ【否】 图 부；찬성치 않음. ¶答えは～ 답은 불찬성.

ひ【非】 ㊀图 비. ①도리에 어긋남；부정. ¶～をあばく 비리를 들추다. ②불리함. ¶形勢等は～である 형세가 불리하다. ③잘못；결점. ¶～を認める 비를[잘못을] 인정하다. ㊁接頭…;부정을 나타냄. ¶～科学的等き 비과학적. 一の打ち所がない (하나도) 나무랄 데가 없다.

ひ【秘】 图 비；비밀. ¶～中きうの～ 비밀중의 비밀；절대 비밀.

ひ【碑】 图 비 ①비석. ¶～を建てる 비석을 세우다. ②[接尾語的]…비. ¶記念きん[表徳とう]～ 기념[송덕]비.

ひ【樋】 图 ①홈통. ㋑(나무·대 따위로 만든)송수관. ㋺빗물을 받아내기 위한 홈＝とい. うずみ～ 묻은 홈통. ②(칼 따위 표면에 만든) 홈. ③수문(水門).

ひ【緋】 图 (불빛 같은) 짙고 밝은 홍색；주홍(朱紅)미. ¶～の衣ぎ 주홍빛의 옷.

ひ-『曾』증…. ☞ひい. ¶～孫ま 증손.

ひ-【被】피…；수동을 나타내는 말. ¶～保険者者 피보험자.

ひ【美】 图 미. ①아름다움. ＝自然등の～ 자연의 미. ↔醜しゅ. ②훌륭함. ¶有終しゅの～ 유종의 미. ㊁接頭 미… ¶～少年しょ 미소년. ㊂接尾 …；健康등の～ 건강미.

ひ【微】 图 (접두어적)① 작음；미세함. ②회미함. ¶～の音等をり 희미한 소리. 一に入いり細をうがつ (마음씀이 매우 세세한 데까지 미침.

ひあい【悲哀】 图 비애. ¶～の情じょうに ひたる 비애감에 잠기다.

ひあがる【干上がる】【乾上がる】 五自 ①바싹 마르다. ¶田ぼ～ 논이 바싹 마르다. ②가난해 살수 없게 되다. ¶口등が～ 입에 풀칠하기 어렵다.

ひあし【日脚】【日足】 图 ①일각；해발. ＝ひざし. ¶～が移うる 해발이 옮아가다. ②낮 시간. ¶～が延のびる 해가[해질녘이] 길어지다.

ひあし【火足】【火脚】 图 불길；불이 번지는 속도. ¶～が早はい 불길이 빨리 번지다.

ひあそび【火遊び】 图 불장난. ①불을 가지고 장난함. ＝子ども～ 아이들의 불장난. ②무분별한 연애·정사. 一時じの～ (남녀간의) 한때의 불장난.

*ひあたり【日当(た)り】【陽当(た)り】 图 별이 듦；또, 그 방향·정도；양지. ¶～のよい家き 양지바른 집.

ピアニスト 图 피아니스트. ＝ピヤニスト. ▷pianist.

ピアノ 图 ①피아노. ＝ピヤノ. ¶～を弾ひく 피아노를 치다. ②[樂]여리게 (기호：p). ↔フォルテ. ▷piano.

ひあぶり【火あぶり】【火炙り·火焙り】 图 ①불에 태우는(굽는) 일. ②옛적의, 화형(火刑).

ひい【一】 hī 하나. ＝ひ・ひとつ. ¶～, ふう, みい 하나, 둘, 셋.

ひい【非違】 图 위법；위법. ¶～をただす 비위를 조사하다.

ひい-【曾】hī 증거；두 대(代) 사이를 전넴. ¶～おじいさん 증조 할아버지／～まご 증손.

びい【微意】 图 미의；하찮은 자기의 뜻(겸사말). 촌지(寸志).

ビー【B】图 비；연필 심의 부드러움의 정도를 나타내는 기호. ↔H등. ▷black.

ピーアール【PR】图 区他 피아르；홍보；선전 (광고) 활동. ¶～映画등은 피아르 영화. ▷public relations.

ピーエックス【PX】piekku- 图 피엑스；군매점(軍賣店). ▷post exchange.

ピーエム【P.M., p.m.】 图 오후. ＝エーエム. ▷post meridiem.

ビーカー 图 비커(화학 실험에 쓰는 원통형의 유리 그릇). ▷beaker.

*ひいき【晶屓·晶負】hi- 图 区他 편〔역성〕을 들어 줌. ¶～にする 역성들어 주다；특별히 돌봐주다／～にあずかる 특별한 후원을 받다. ②특별히 돌봐주는 사람；후원자. ¶先生등의ご～の 선생님이 특별히 봐 주는. 一の引き倒し 지나친 편애가 도리어 그 사람을 불리하게 함. 一め【一目】 图 호의적인 눈. ¶～で見みる 호의적인(두둔하는) 눈으로 보다.

ピーク 图 피크；정상；절정. ¶ラッシュアワーの～ 러시아워의 절정. ▷peak.

ビーシー【B.C.】 图 비시；서력 기원 전. ↔A.D.등. ▷before Christ.

ビージー【BG】 图 비지；여자 사무원；직업 여성. 参考 요즘은 'OL등'라고도 많이 말함. ▷일 business girl.

ビーシージー [BCG] 名 비시지 ; 결핵 예방 백신. ▷프 Bacille de Calmette et Guérin.
ビーシーへいき [BC 兵器] 名 비시 병기 ; 생물 화학 병기. ▷ biological and chemical weapons.
びいしき【美意識】名 미의식.
ひいじじ〖曾祖父〗hī- 名 증조부. =ひじじ. ↔ひいばば.
ビーズ 名 비즈 ; 여성복·수예품 등에 쓰이는 작은 장식용 구슬. =南京玉. ▷beads.
ピース 名 피스. ①조각 ; 단편. ②일부 ; 부분. ③〔樂〕 소곡(小曲) 1편만 실은 악보. ▷piece.
ヒーター 名 히터 ; 난방 장치 ; 방열기. ▷heater.
ビーだま【ビー玉】名 유리 구슬.
ビーチ 名 비치 ; 해안 ; 해변. ¶ ～ウェア 비치웨어 / ～ハウス 해수욕장 근처의 임대 별장 또는 휴게소. ▷beach.
ひいちにち【日一日】副 나날이 ; 날이 감에 따라서 더욱더. =日ごとに.
ピーティーエー [PTA] pītīē 名 피티에이 ; 사친회(師親會) ; 육성회. ▷parent teacher association.
ひいては〖延いては〗hītewa 副 (한층 더) 나아가서는. =ひいて·さらには.
ひい-でる【秀でる】(英でる) hī- 下1自 ①빼어나다 ; 뛰어나다. =ぬきんでる. ¶衆に～ 출중하다. ②수려하다. ¶まゆが～ 눈썹이 수려하다.
ビートぞく【ビート族】名 비트족. ▷beat.
ビードロ〖玻璃〗名 비드로 ; 유리의 옛 이름. ¶～細工 유리 세공. ▷포 vidro.
ひいな〖雛〗hī- 名 ☞ひな.
ビーナス 名 (로마 신화의) 비너스. =ヴィーナス. ▷Venus.
ピーナッツ -nattsu 名 피넛 ; 땅콩 ; 낙화생. ▷peanut.
ビーバー 名〔動〕비버. ☞かいり(海狸). ▷beaver.
ひいばば〖曾祖母〗hī- 名 증조모. =ひばば. ↔ひいじじ.
ひいひい hīhī 副 ①고통·통증 등으로 우는 모양 : 찔찔. ¶～(と)泣く 찔찔 울다. ②곤란한 일 등으로 비명을 내는 모양 : 낑낑.
ぴいぴい pīpī 一 副 ①가난해서 쪼들리는 모양 : 허덕허덕. ¶いつも～している 늘 쪼들리고 있다. ②병아리·벌레 등의 우는 소리 : 삐삐 ; 삐악삐악. ③피리혀 소리 : 삐삐. ④어린애가 보채며 우는 소리 : 빽빽. 二 名 ①미숙한 사람 ; 햇병아리 ; 풋내기. ⇒ぺいぺい. ②〈兒〉 피리.
ピーピーエム [ppm] 名 피피엠 ; 백만분율(百萬分率). ▷parts per million.
ビーフ 名 비프 ; 쇠고기. ▷beef. **——ステーキ** 名 비프 스테이크. =ビフテキ. ▷beefsteak.
ひいまご【ひい孫】(曾孫) hī- 名 증손. =ひまご.
ピーマン 名〔植〕피망 ; 서양 고추. ▷프 piment.
ビーム 名 빔 ; (건축물의) 보. ▷beam.
ひいらぎ〖柊〗hī- 名〔植〕호랑가시나무.
ビール〖麦酒〗名 비어 ; 맥주 ; 병맥주 ; 캔맥주. ▷네 bier.
ビールス 名 바이러스. =ウイルス. ▷도 Virus.
ひいれ【火入れ】一 名 담뱃불 따위의 불씨를 넣는 조그만 그릇. 二 名 ス自 ①(용광로 따위에 처음으로) 불을 넣음. ¶～式 점화식. ②술이나 간장을 썩지 않게 열을 가함. ③☞のやき.
ヒーロー 名 히어로. ①용사 ; 영웅. ②인기가 높은 사람. ¶きょうの試合の～ 오늘 경기의 히어로. ③소설·희곡·영화 등의 남자 주인공. ↔ヒロイン. ▷hero.
ビーろくばん [B6 判] 名〔印〕비 6 판 (세로 18.2 cm, 가로 12.8 cm ; 책에서는 사륙판과 거의 같음).
ビーンボール bīmbō- 名〔野〕빈볼. ▷미 bean ball.
ひうお【干魚】(乾魚) 名 건어(물) ; 말린 물고기.
ひうお【氷魚】名〔魚〕☞ひお.
ひうち【火打(ち)】(燧) 名 부싯돌로 불을 내는 일 ; 또, 그 도구. ¶～石 부싯돌.
ひうつり【火移り】名 불길이 옮아감. ¶～が早い 불길이 빨리 번지다.
ひうん【非運】(否運) 名 비운 ; 불운. ¶～に泣く 불운에 울다. ↔幸運.
ひうん【悲運】名 비운. ¶～を嘆く 비운을 한탄하다.
ひえ〖稗·穇子〗名〔植〕피.
ひえ【冷え】名 ①참 ; 냉기. ¶～がきつい 냉기가 심하다. ②냉(冷) ; 냉병. ¶底冷え 몸 속까지 추위가 스며듦.
ひえき [裨益] 名 ス他自 비익 ; 도움을 줌 ; 이바지함 ; 이로움. ¶社会を～する 사회를 이롭게 하다.
ひえこ-む【冷(え)込む】5自 ①갑자기 기온이 내리다. ¶けさはひどく～ 오늘 아침은 몹시 차다〔춥다〕. ②추위가 몸 속까지 스며들다.
ひえしょう【冷え性】-shō 名 냉한 체질.
ひえびえ【冷え冷え】トス自 ①(공기 등이) 냉랭한〔썰렁한〕 모양. ¶～した雰囲気 쌀쌀한 분위기. ②마음이 쓸쓸하고 공허한 모양.
ひ-える【冷える】下1自 차가워지다 ; 식다 ; 냉담해지다. ¶御飯が～ 밥이 식다 / 夜はなかなか～ 밤에는 제법 쌀쌀하다 / ～·えきった仲 냉랭해진 사이.
ピエロ 名 피에로 ; 어릿광대. ▷프 pierrot.
びえん【鼻炎】名〔醫〕비염 ; 코카타르. =びカタル.
ひお [氷魚] 名〔魚〕빙어 ; 은어의 유어(幼魚).
ひおうぎ〖檜扇〗-ōgi 名 ①노송나무의 얇은 오리로 엮어 만든 쥘부채. ②〔植〕범부채. =からすおうぎ.
ひおおい【日覆い】-ōi 名 차양(遮陽). =日よけ. ¶～を下ろす 차양을 내리다.
ひおけ【火おけ】(火桶) 名 나무로 만든 둥근 화로.
ビオラ 名〔樂〕비올라. ▷viola.
びおん【美音】名 미음 ; 미성(美聲).
びおん【微温】名 미온 ; 미지근함. ¶～湯 미온탕 / ～的な処置 미온적인 조치.
びおん【鼻音】名 비음 ; 콧소리.
ひか【皮下】名〔生〕피하. ¶～脂肪

ぼう 피하 지방 ／ ～組織ゼ 피하 조직.

ひか【悲歌】图 비가; 슬픈 노래. ＝エレジー.

ひが【彼我】图 피아. ¶～の利害関係 りがい 피아의 이해 관계.

ひがい【僻】图비뚤어진; 그릇됨. ¶～ごころ 비뚤어진 생각〔마음〕. ⓑ도리에 어긋남; 잘못됨. ¶～目ゼ 잘못봄; 사팔뜨기／～耳ゼ 잘못 들음.

びか【美化】图 区他 미화. ¶現実ゼ〓 ～する 현실을 미화하다.

ひがい【鰉】图【魚】 중고기.

＊ひがい【被害】图 피해. ¶～妄想ゼ 피해 망상／～が出ゼる 피해가 나다. ↔加害ゼ.

びかいん【鼻孔因】图【光─】图〈俗〉출궁함; 발군(拔群)함; 또, 그 사람. ＝ナンバーワン.

＊ひかえ【控え】图①예비(로 준비)해둠; 기다림; 또, 그 사람〔것〕. ¶～の投手ゼ〔교대하기 위한〕예비 투수／～の間ゼ 대기실. ⓑ옆에서 보조함. ¶～の者ゼ 조수. ③비망(록); 메모; 부본. ¶～をとる 부본을 만들다; 메모하다.

ひかえしつ【控え室】图 대기실.

ひかえめ【控え目】图 ダナ 사양하듯〔조심하듯〕소극적임; 약간 적을 듯함. ¶～な態度ゼ 조심스러운〔사양하는 듯한〕태도／～に食べる 〔조심해서〕약간 덜 먹다.

ひかえやしき【控屋敷】图〔본저택 외에〕예비로 지어 놓은 저택.

ひがえり【日帰り】图 区自 당일치기 왕복. ¶～の旅行ゼ 당일치기 여행.

＊ひか-える【控える】图 一下一他 ①못 떠나게 하다. ㉠잡아 끌다. ¶袖ゼを～ 소매를 잡아끌다. ㉡대기시키다. ¶馬ゼを～で待ゼつ 말을 대기시키고 기다리다. ②삼가다. ㉠조심해서 끊다. ¶発言ゼを～ 발언을 삼가다. ㉡절제하다. ¶食事ゼを～ 식사를 좀 적게 하다. ③가까이에 두다. ¶試験ゼを明日ゼに～ 시험을 내일로 앞두다. ④적어 두다. ¶要点ゼをかい摘まんで～ 요점을 간추려 메모해 두다. 一下一自①순서〔끝닥기〕를 기다리다; 대기하다. ¶隣室ゼに～ 옆방에서 순서를 기다리다. ②어떤 사람 곁에 머르다.

ひかがみ【膕】图 오금. ＝よほろ.

＊ひかく【比較】图 区他 비교. ¶～研究きゅう 비교 연구. ──てき【─的】副 비교적. ＝わりあい(に). ¶～うまくできた 비교적 잘 되었다. ［ザー.

ひかく【皮革】图 피혁; 가죽. ＝レ

ひかく【非核】图 비핵; 핵무기를 갖지 않음. ¶～三原則ゼ 비핵 3원칙.

びがく【美学】图 미학. ＝審美学しんび

＊ひかげ【日陰】图 응달; 응지. ↔日向ゼ. ⓑ'ひかげもの'의 준말. ──のかずら【─の葛・石松】图【植】석송. ──もの【─者】图〔버젓이 못 살고〕그늘에 숨어 사는 사람〔첩・전과자・범죄자 따위〕.

ひかげ【日影】图①햇빛; 별. ＝日ゼざし. ⓑ햇발. ＝日ゼあし.

ひかげ【火影】图 불빛. ＝ほかげ.

저금; 또, 그 돈. ¶～貯金ゼ 일부 적립 저금. ↔月掛ゼけ.

ひかげん【火加減】图①화력의 세기; 불기운. ②화력의 조절. ¶～をする 화력을 조절하다. ［口.

ひがさ【暈】图〔해나 달의〕무리. ＝ハ

ひがさ【日傘】图 양산(陽傘). ¶～を差ゼす 양산을 받다. ＝雨傘ゼ｜ゼ.

ひかさ-れる【引かされる】图 下一他 〔마음이〕끌리다; 얽매이다. 〓ほだされる. ¶情ゼに～ 정에 끌리다.

ひがし【干菓子】【乾菓子】图 마른 과자. ＝生菓子ゼゼ.

＊ひがし【東】图①동쪽〔서구에 대해 공산권을 이르는 경우도 있음〕. ＝東方ゼゼ. ⓑ～支那海ゼゼ 동지나해. ②동풍. ③〓かんとう【関東】.

ひがぜ【東風】图 동풍. ＝西風ゼゼ.

ひがしがわ【東側】图〔유럽에서〕소련 및 그에 동조하는 여러 나라. ↔西側 にし

ひがし-する【東する】图 区自 동쪽으로 가다. ＝西ゼする.

ひがしはんきゅう【東半球】-kyū 图 동반구. ↔西半球にしはんきゅう

ひか-す【引かす】5他 ①끌게 하다. ②본디 落籍ゼす 낙적하다. ¶芸妓ゼを～ 기생을 낙적하다／기생의 몸을 빼내다.

ひかず【日数】图 일수; 날수; 날짜. ＝にっすう. ¶～がかかる 날짜가 걸리다.

ひがた【干潟】图 간석지. ［다.

びカタル【鼻カタル】图【医】코카타르. ▷도 Katarrh.

ひがないちにち【日がな一日】連語〔副詞的으로〕진종일; 하루 내내; 아침부터 밤까지. ¶～遊びゼくらす 진종일 놀고 먹다. ↔夜ゼがな夜ゼっぴて.

ひがね【日金】图①일수돈. ②그날그날 들어오는 현금. ＝ひぶに.

ぴかぴか 副 반짝이는 모양; 번쩍번쩍. ¶～したくつ 번쩍번쩍 광이 나는 구두／いなずまが～(と)光ゼる 번갯불이 번쩍거리다.

ひがみこんじょう【僻み根性】-konjo 图 비뚤어진 근성.

ひがみっぽい【僻みっぽい】-mippoi 形〔성격・마음이〕몹시 비뚤어지다.

＊ひが-む【僻む】5自 비뚤어지다; 비뚤어지게 생각하다〔보다〕; 곡해하다; 욱 생각하다. ＝ねじける.

ひがめ【僻目】图①사팔눈. ②잘못〔그릇〕봄. ＝そかみ.

ひがら【日がら・日柄】图 일진; 일수. ¶きょうは～がいい 오늘은 일진이 좋다

ひがら【日雀】图【鳥】진박새. ［다.

ひから-す【光らす】5他〔광〕나게 하다; 빛〔광〕내다; 번쩍〔번뜩〕이다. ＝光ゼらせる. ¶目ゼを～ 눈을 번쩍거리〔며 감시하다〕.

ひから-びる【干からびる】【乾涸びる】上一自①바짝 말라 버리다. ¶日照ゼりで田ゼが～ 가뭄으로 논이 바싹 말라 붙다. ②신선미가 없어지다. ＝干涸ゼゼる. ¶～びた思想ゼ 진부한 사상.

＊ひかり【光】图①빛. ②환한 빛. ¶月ゼの～ 달빛／星ゼの～ 별빛. ⓑ광명; 서광. ¶平和ゼゼの～ 평화의 서광. ⓒ광; 윤. ＝つや. ¶～を出ゼす 광

을 내다. ②영예 ; 영광. ③위광(威光) ; 위세 ; 은덕. ¶親おやの～をかさに着きる 부모의 위세를 등에 업다.

ひかりごけ【光蘚】图【植】반짝이끼(이끼류의 하나).

ひかりつうしん【光通信】-tsūshin 图【通信】광통신.

ぴかりと 副 번쩍. ¶いなずまが～する 번개가 번쩍하다.

ひか-る【光る】自五 빛나다. ①빛을 내다〔발하다〕; 번쩍〔번득〕이다 ; 비치다. ¶夜空よぞらに～星と 밤하늘에 빛나는 별 / 宝石ほうせきが～ 보석이 번쩍이다. ②색채 따위가 눈부실 정도로 빛나다. ③〔재능 따위가〕출중하다 ; 뛰어나다. ¶一段いちだんと～作品さくひん 한층 빛나는〔뛰어난〕작품.

ひかれもの【引かれ者】图 잡혀서 형장 등으로 끌려가는 사람. ─のこうた【──の小唄】끌려가는 자가 태연을 가장하여 노래를 부름 ; 전하여, 일부러 허세를 부림.

ひか-れる【引かれる】(曳かれる・惹かれる)【下1自】〔마음 등이〕끌리다. ¶子こ の愛あいに～ 자식에 대한 사랑에 끌리다.

ひかん【悲観】图自他 비관. ¶～論ろん 비관론. ↔楽観らっかん. ─てき【──的】〔ダナ〕비관적. ¶彼かれは～すぎる 그는 지나치게 비관적이다.

ひかん【避寒】图自 피한. ¶～地ち 피한지.

ひがん【彼岸】图①【佛】피안 ; 열반에 달함 ; 또, 그 깨달음의 경지. ↔此岸しがん. ②전년째 ; 저쪽 강가. ③춘분·추분 전후의 7일간 ; 또, 그 무렵. ─え【──会】图【佛】춘분이나 추분 전후의 7일간에 행하는 불교 행사. ─ざくら【──桜】图 벚나무의 일종(봄의 춘분 무렵에 흰꽃이 핌). ─ばな【──花】图【植】 석산(石蒜). =まんじゅしゃげ.

ひがん【悲願】图 비원. ①【佛】부처나 보살의 중생 제도(濟度)의 서원(誓願). ②비장한 소원. ¶～を達成たっせいする 비원을 달성하다.

びかん【美感】图 미감.

びかん【美観】图 미관. ¶～を添そえる〔そこなう〕미관을 더하다(손상하다).

ひき【蘗】【動】☞ひきがえる.

ひき【引き】图①引 ; (특히) 고기를 낚시줄을 당기는 정도. ¶～が強つよい 당김질이 세다. ②특별히 돌봄 ; 후원 ; 편애. =ひいき. ③〔연〕줄 ; 끈 ; 연고. =手てづる・つて. ¶兄あにの～で就職しゅうしょくする 형의 연줄로 취직하다. 〔三接頭〕〔動詞 앞에 붙어서〕어세(語勢)를 강하게 함. ¶～すえる 끌어 앉히다 / ～下さがる 물러나다. 〔參考〕'ひっつかむ(=잡아 쥐다)'처럼 'ひっ'으로 되는 일도 많다.

ひき【悲喜】图 희비. ¶～こもごも至いたる 희비가 엇갈리다〔교차하다〕.

-ひき【匹】(疋)【助数詞】〔数詞 밑에 붙어서〕짐승·물고기·벌레 따위를 세는 말 : 마리. ¶牛うし二に～ 소 다섯 마리 / 馬うま一匹いっぴき 말 한 필. ②피륙 세는 단위= 필. ¶反物たんものの二に～ 포목 두 필.

びぎ【美技】图 미기 ; 훌륭한 기술(연기).

ひきあい【引(き)合い・引合】图①(증

거·참고 등의) 예로 인용함 ; 인례(引例). ¶～に出だす 증거로 삼다. ②引合人ひきあいにん(=증인·참고인)'의 준말. ¶～に出だされる 증인으로 불려 나가다. ③연좌 ; 연루. =まきぞえ. ¶～になる 연루되다. ④거래 조건 등의 조회. ¶～を受うける 거래 조건의 문의를 받다.

ひきあ-う【引(き)合う】自五①서로 끌어당기다. ②거래하다. ③수지가 맞다 ; 전하여, 애쓴 보람이 있다. ¶～わない商売しょうばい 수지 안 맞는 장사.

ひきあげ【引(き)上げ・引(き)揚げ】图①끌어 올림 ; 인양. ↔引ひき下さげ. ②귀환〔귀국〕함. ──しゃ【引揚者】-sha 图（본국으로의〕귀환자 ; 귀국자.

ひきあ-げる【引(き)上げる】下1他 끌어 올리다. ①인양하다. ¶死体したいを～ 시체를 인양하다. ②인상하다. ¶運賃うんちんを～ 운임을 인상하다. ↔引ひき下さげる. ③승진시키다. ¶課長かちょうに～ 과장으로 승진시키다. ↔引ひき下さげる.

ひきあ-げる【引(き)揚げる】下1他 철수〔퇴각〕하다. ¶隊たいを～(부)대를 철수시키다. 〔二下1自〕귀환〔귀국〕하다 ; 돌아오다. ¶外国がいこくから～ 외국에서 귀환하다.

ひきあ-てる【引(き)当てる】下1他①제비를 뽑아 맞히다. ②겨주다 ; 적응하다. ¶わが身みに～てて考かんがえる 내 자신에 견주어 생각하다.

ひきあみ【引(き)網】(曳(き)網)图 끌어당겨 고기를 잡는 그물의 총칭(후릿그물 ; 트롤망(網) 따위).

ひきあわせ【引合せ・引き合せ・引合せ】图①끌어당겨 맞춤 ; (맛) 대면시킴 ; 소개함. ②대조함 ; 맞대어 봄. ¶帳簿ちょうぼとの～ 장부 대조.

ひきあわ-せる【引き合(わ)せる・引合せる】下1他①끌어당겨 맞추다. ¶えりを～ 옷깃을 여미다. ②견주어 보다 ; 대조하다. ¶翻訳ほんやくを～ 번역을 대조하다. ③소개하다 ; 대면시키다.

ひき-いる【率いる】上1他 거느리다 ; 인솔하다 ; 전하여, 이끌다 ; 통솔하다. ¶生徒せいとを～いて 학생을 인솔하고.

ひきい-れる【引(き)入れる】下1他 끌어넣다〔들이다〕. ¶味方みかたに～ 자기 편에 끌어들이다.

ひきうけ【引(き)受け】图 인수 ; 떠맡음. ¶～人にん 인수인 / ～手形てがた 인수 어음.

ひきう-ける【引(き)受ける】下1他 떠맡다. ①(책임지고) 맡다. ¶仕事しごとを～ 일을 떠맡다. ②인수하다. ¶手形てがたを～ 어음을 인수하다. ③뒤를 잇다. ¶兄あにのあとを～ 형의 뒤를 잇다 / 店みせを～ 가게를 떠맡다. ④보증하다. ¶手形てがたを～ 어음을 인수하다 / 身元みもとを～ 신원을 보증하다.

ひきうす【挽き臼・碾き臼】图 맷돌. =石いし. ¶～を回まわす 맷돌을 돌리다.

ひきうつ-す【引(き)写す】他五①서화 따위를 투명한 종이 밑에 대고 복사하다. =しきうつす. ②문장 따위를 그대로 베끼다.

ひきうつ-る【引(き)移る】自五 옮기다 ; 이사하다.

ひきおこ-す【引き起こす】他五 일으키다. ①(惹き起こす) 야기하다 ; 발

生시키다. ＝しでかす. ¶戦争きそう[紛争ふんそう]を～ 전쟁[분쟁]을 일으키다[야기하다]. ②(쓰러진 것을) 다시 일으켜 세우다 ; 전하여, 재흥(再興)시키다.

ひきおろ-す【引き下ろす】 ⑤他 ①끌어 내리다. ②어떤 지위에서 물러나게 하다.

ひきかえ【引き換え・引換・引き替(え)】 图 바꿈 ; 교환 ; 상환(相換). ¶～はいたしません 교환은 않습니다. ──けん【引換券】图 상환권 ; 교환권.

ひきかえ-す【引き返す】 ⑤自 되돌아가다 ; 되돌아오다 ; 도서다. ¶～ひっかえす 자꾸 돌아가고 오고 하다. ¶家いえへ～ 집으로 되돌아가다.

ひきか-える【引き換える・引き替える】 下1他 ①바꾸다 ; 교환[상환]하다. ¶賞品しょうひんと～ 상품과 바꾸다. ②「‥に～え(て)」의 꼴로」 그와는 반대로. ¶昨年さくねんに～えて今年ことしは楽らくだ 작년과는 반대로 금년은 편하다.

ひきがえる【蟇蛙・蟾蜍】图 動 두꺼비. ＝がま.

ひきがし【引き菓子】图 축하식 때나 불교 행사 때 선물로 주는 과자.

ひきがね【引き金・引き鉄】图 방아쇠. ¶～を引ひく 방아쇠를 당기다.

ひきげき【悲喜劇】图 희비극. ¶人生じんせいの～ 인생의 희비극.

ひきこ【ひき子・挽(き)子】图 ①수레를 끄는 사람 ; 인력거꾼. ②나무를 켜는 사람.

ひきこ-む【引(き)込む】 ⊟⑤他 ①끌 어들이다. ¶水道すいどうに～ 수도를 끌어 들이다 / 仲間なかまに～ 한 패에 끌어넣다. ②(감기가) 걸리다. ¶風邪かぜを～ 감기에 걸리다. ⊟⑤自 ¶ひっこむ.

ひきこも-る【引き籠(も)る】图 틀어박히다 ; 죽치다. ＝とじこもる. ¶家いえに～ 집 안에 틀어박히다.

ひきころ-す【ひき殺す・轢き殺す】 ⑤他 역살(轢殺)하다 ; 치어 죽이다.

ひきさ-がる【引(き)下がる】 ⑤自 물러나다. ①(장소・주장 따위에서) 물러나다. ＝退しりぞく. ¶すごすごと～ 풀이 죽어서 물러나다. ②(일 따위에서) 손을 떼다 / 떼다.

ひきさ-く【引(き)裂く】 ⑤他 ①(잡아) 찢다 ; 가르다. ¶手紙てがみを～ 편지를 쭉 찢다. ②(사이 따위를) 갈라 놓다. ¶仲なかを～ 사이를 갈라 놓다.

ひきさげ【引(き)下げ】图 끌어내림 ; 떨어뜨림 ; 인하. ↔引ひき上あげ.

ひきさ-げる【引(き)下げる】 下1他 ①(끌어)내리다. ㉠인하하다. ¶コストを～ 원가를 낮추다. ㉡(신분・지위를) 떨어뜨리다. ¶一階級いっかいきゅう～ 한 계급 내리다. ㉢(밑으로) 드리우다. ¶幕まくを～ 막을 내리다. ↔引ひき上あげる. ②(뒤로) 물리다 ; 물러나게 하다. ¶列れつを後うしろへ～ 줄을 뒤로 물리다.

ひきざん【引(き)算】图 뺄셈 ; 감산(減算). ↔足たし算ざん・寄よせ算ざん.

ひきしお【引(き)潮・汐】图 썰물. ＝下さげ潮しお. ↔満みち潮しお・差さし潮しお.

ひきしぼ-る【引(き)絞る】 ⑤他 ①힘껏 당기다 ; 켕기다. ¶弓ゆみを～ 활을 잔뜩

당기다. ②(억지로) 짜내다. ¶～ような声こえ 쥐어 짜는 듯한 목소리.

ひきしま-る【引き締(ま)る】 ⑤自 ①단 단히 죄어지다 ; (바짝) 죄이다. ¶～った文章ぶんしょう 힘차고 간결한 문장. ②긴장되다. ¶心こころが～ 마음이 긴장되다.

ひきし-める【引き締める】 下1他 ①(단 단히) 죄다. ①조르다 ; 켕기다. ¶手綱たづなを～ 고삐를 [잔뜩] 죄다. ②(심신을) 다잡다 ; 긴장시키다. ¶心こころを～ 마음을 다잡다. ③(살림을) 조리차하다 ; 긴축시키다. ¶財政ざいせいを～ 재정을 긴축시키다.

ひぎしゃ【被疑者】图 -sha 图 피의자 ; 용의자.

ひきす-える【引き据える】 下1他 (데 려다) 난폭하게 끌어앉히다.

ひきずりこ-む【引きずり込む】【引(き)摺り込む】 ⑤他 (억지로) 끌어들이다. ¶計画けいかくに～ 계획에 억지로 끌어들이다. ↔引ひきずり出だす.

ひきずりだ-す【引きずり出す】【引(き)摺り出す】 ⑤他 (억지로) 끌어내다. ¶家いえから～ 집에서 끌어내다. ↔引ひきずり込こむ.

ひきずりまわ-す【引きずり回す】【引(き)摺り回す】 ⑤他 여기저기 (억지로) 끌고 [돌아]다니다.

*__ひきず-る__【引きずる】【引(き)摺る】 ⑤他 ①질질 끌다 ; 질질 끌며 걷다. ¶땅에 질질 끌다. ¶すそを～ 옷자락을 질질 끌다. ②(시간・날짜를) 끌다. ¶交渉こうしょうを～ 협상을 (질질) 끌다. ③(억지로) 끌고 가다 ; 연행하다. ¶警察けいさつへ～って行く 경찰로 연행하다.

ひきたお-す【引(き)倒す】 ⑤他 잡아당겨 넘어뜨리다.

*__ひきだし__【引(き)出し】图 ①(본디 抽出(し)・抽斗) 서랍. ②(예금・부금을) 찾아냄. ¶預金よきんの～ 예금 인출.

ひきだ-す【引(き)出す】 ⑤他 ①꺼내다. ㉠(본디 抽出(し)) (안의 것을) 밖으로 내다. ¶押おし入いれからふとんを～ 반침에서 이불을 꺼내다. ㉡(예금 등을) 인출하다. ②끌어내다 ; (자리에) 나오게 하다. ¶交渉こうしょうのテーブルに～ 협상 테이블에 끌어내다.

ひきた-つ【引(き)立つ】 ⑤自 ①돋보이다 ; 두드러지다. ¶目めが立たつ. ②(시장・경기 등이) 활발해지다. ¶景気けいきが～ 경기가 활기를 띠다.

ひきた-てる【引(き)立てる】 下1他 ①사람을 돋보이게 함. ¶～役やく 남 또는 상대자를 돋보이게 하는 사람[것]. ②특별히 돌봐줌 ; 후원. ¶お～に預あずかりましてありがとうございます 돌봐 주셔서 감사합니다.

ひきた-てる【引(き)立てる】 下1他 ①(문을 옆으로 밀어) 닫다. ¶戸とを～ 문을 닫다. ②억지로 끌고 가다. ＝ひったてる. ¶罪人ざいにんを～ 죄인을 연행하다. ③복돋우다 ; 격려하다. ¶気きを～ 사기를 복돋우다. ④돋보이게 하다. ⑤(후배의) 뒤를 밀다 ; 끌어주다. ¶後進こうしんを～ 후진을 발탁[등용]하다.

ひきちゃ【引(き)茶・碾(き)・挽(き)茶】 -cha 녹차(綠茶)를 갈아서 분말(粉末)로 한 고급차 ; 가루차. ＝抹茶まっちゃ. ↔葉茶はちゃ.

ひきつ-ぐ【引(き)継ぐ】5他 이어〔물려〕받다; 계승하다. ¶伝統を～ 전통을 이어받다 / 財産を～ 재산을 물려받다.

ひきつけ〖引き付け〗名 경련; 특히, 어린애의 경풍. ¶～を起こす 경련〔경풍〕을 일으키다.

ひきつ-ける〖引き付ける〗㊀下1自 (어린애가 전신에) 경련을 일으키다. ㊁下1他 ①끌어당기다. ¶火ばちを～ 화로를 끌어당기다. ②마음을 끌다; 매혹하다. ¶人を～ところがある 사람(의 마음)을 끄는 데가 있다. ③억지로 갖다대다; 핑계대다. =かこつける.

ひきつづき【引(き)続き】㊀名 계속. ㊁副 계속해서; 잇달아; 곧 이어서. ¶～負ける 잇달아〔내리〕 지다.

ひきつづ-く【引(き)続く】5自 (그대로) 쭉 계속되다; 잇따르다. ¶人の波がずっとうしろまで～ 인파가 쭉 뒤에까지 잇따르다.

ひきつり〖引き攣り〗名 경련; 쥐.

ひきつ-る〖引き攣る〗5自 ①(화상(火傷) 따위로, 피부가) 옥죄이다; 오므라들다. ②경련을 일으키다; 쥐가 나다. ¶水泳中, 足が～ 수영중, 발에 쥐가 나다.

ひきつ-れる【引(き)連れる】下1他 데리고 가다; 뒤에 거느리다. ¶お供を～ 수행자를 거느리다.

ひきて【引(き)手】名 ①장지문 따위의 문고리. ②끄는 사람. ㉠(수레 따위를) 앞에서 끄는 사람. ㉡(손님을) 꾀는〔안내하는〕 사람; 여리꾼. =引く手.

ひきて【弾(き)手】名 (거문고·三味線·바이올린·피아노 등의) 연주자.

ひきでもの【引(き)出物】〖曳出物〗名 연회나 잔치 때 주인이 손님에게 내놓는 선물. =ひきもの.

ひきど【引(き)戸】名 미닫이; 가로닫이. =やり戸. ↔開き戸.

***ひきと-める**【引(き)止める·引(き)留める】下1他 만류하다; 말리다. ¶客を～ 손님을 (못 떠나게) 만류하다.

***ひきと-る**【引(き)取る】㊀5自 (그 자리에서) 떠나다; 물러가다; 물러나다. ¶その場を～ 그 자리를 물러나다. ㊁5他 ①떠맡다. ㉠인수하다; 맡다. ¶身柄を～ 신병을 인수하다. ㉡(말끝을) 이어받다. ②거두다. ¶息を～ 숨을 거두다(죽다).

ビキニ 名 'ビキニスタイル'의 준말. ▷bikini. **――スタイル** 名 비키니 스타일. ▷bikini style.

ひきにく【ひき肉】〖挽(き)肉〗名 (기계로) 저민 고기.

ひきにげ【ひき逃げ】〖轢き逃げ〗名 ス自 (사람을 친 자동차 등의) 뺑소니치기.

ひきぬき【引(き)抜き】名 빼냄. ①뽑아 냄; 또, 뽑아 낸 것. ②(인기 스타·선수·인재를) 빼돌림; 스카웃함.

ひきぬ-く【引(き)抜く】5他 ①(잡아) 뽑다; 뽑아 내다. ¶大根を～ 무를 뽑다. ②(인재 등을) 빼돌리다; 스카웃하다. ¶よその選手を～ 다른 팀 선수를 스카웃하다.

ひきのばし【引(き)伸(ば)し】名 ①사진 확대. ¶現像·焼付け·～ 현상·인화·확대. ②확대 사진. ¶～写真 확대 사진.

ひきのばし【引(き)延(ば)し】名 질질 끎; 지연. ¶～策を講ずる 지연책을 강구하다.

***ひきのば-す**【引き伸(ば)す】5他 ①잡아늘이다; 길게 하다. ¶ゴムひもを～ 고무줄을 잡아늘이다. ②사진을 확대하다.

ひきのば-す【引き延(ば)す】5他 끌다; 지연시키다. ¶会議を～ 회의를 지연시키다.

ひきはが-す【引きはがす】〖引(き)剝がす〗5他 (잡아) 떼다. ¶ポスターを～ 포스터를 떼다. 注意 'ひっぱがす'는 힘줌말.

ひきはな-す【引(き)離す】5他 ①떼어 놓다; 갈라 놓다. ¶二人の仲を～ 두 사람 사이를 떼어 놓다. ②(경주 따위에서) 뒷사람과의 간격을 벌리다.

ひきはら-う【引(き)払う】5他 퇴거하다; 걷어치우다. ¶家を～ってアパートに住む 집을 옮겨 아파트에서 살다.

ひきまく【引(き)幕】名 무대에서, 옆으로 잡아당겨서 여닫는 막; 가로닫이 막. ↔揚げ幕·どんちょう.

ひきまわし【引(き)回し】名 ①끌고〔데리고〕 다님. ②지도하여 돌봐 줌. ③소매가 없고 가래통이 넓은 비옷; 또, 인버네스. ④江戸 시대에, 처형 전의 중죄인을 조리돌리던 일; 조리돌림; 회시(回示).

ひきまわ-す【引(き)回す】5他 ①끌고(돌아)다니다. ¶市内を～ 시내를 여기저기 데리고 다니다. ②(처형 전의 중죄인을) 말에 태워 조리돌리다; 회시(回示)하다. ③돌보거나 지도를 하다. ④(장막 따위를) 둘러치다. ¶幕を～ 막을 둘러치다.

ひきもきらず【引きも切らず】連語 끊임없이; 연달아. =たえまなく. ¶～客が詰めかける 끊임없이 손님이 몰려들다.

ひきもの【引(き)物】名 ①☞ひきでもの. ②상에 특별히 차려서 내는 요리·과자. ③칸막이하는 휘장.

ひきゃく【飛脚】-kyaku 名 ①파발꾼. ¶～を立てる 파발을 놓다; 파발꾼을 보내다. ②江戸 시대, 편지·돈·화물의 송달을 업으로 하던 자.

ひきやぶ-る【引(き)破る】5他 (잡아) 찢다. =やぶる.

ひきゅう【飛球】-kyū 名〖野〗비구; 플라이(높이 쳐올린 공). =フライ. ↔圃球.

びきょ【美挙】-kyo 名 미거; 미행. ¶～を表彰する 미행을 표창하다.

ひきょう【比況】-kyō 名 비교. ①다른 것과 비교함. ②〖文法〗'ごとし·ようだ' 따위의 용법처럼 다른 것과 비교하는 의미를 나타냄. ¶～の助動詞 비교의 조동사.

***ひきょう**〖卑怯〗-kyō 名ナ 비겁. ¶～な男〔手段〕 비겁한 남자〔수단〕.

ひきょう【秘境】-kyō 名 비경. ¶～を探る 비경을 탐험하다.

ひきょう【悲境】-kyō 名 비경; 불행한

처지. ¶～にあっても 불행한 처지에 있어도.

ひぎょう【罷業】-gyō 图 파업. ①일을 그만둠. ②「同盟﹅罷業﹅」의 준말.＝ストライキ. ¶～が起こる 파업이 일어나다. 「「祕傳」의 약호.

ひきょく【秘曲】-kyoku 图 비곡；비전
ひきょく【悲曲】-kyoku 图 비곡；슬픈 곡〔음악〕.＝エレジー.

ひきよーせる【引(き)寄せる】下1他 가까이 (끌어) 당기다；가까이 다가오게 하다.

ひぎり【日切り】图 날째를 한정함.＝一日限﹅. ¶～の金を借りる 기한부로 돈을 꾸다.

*__**ひきわけ**__【引(き)分け・引分】图 ①(잘라) 갈라놓음；떼어놓음. ②비김；무승부.＝あいこ. ¶～になる 무승부가 되다；비기다.

ひきわーける【引(き)分ける】□下1他 떼어(갈라)놓다. ¶けんかを～ 싸움을 뜯어말리다. □下1自 비기다；무승부가 되다.

ひきわたし【引(き)渡し】图 인도；넘겨줌.
ひきわたーす【引(き)渡す】5他 ①넘겨주다. ¶身柄﹅を～ 신병을 인도하다. ㉡양도하다. ②(줄 따위)를 건너매다. ¶幕﹅を～ 막을 치다.

ひきん【卑近】图 비근. ¶～な例 비근한 예. ↔高遠﹅.

ひきんぞく【非金屬】图〔化〕비금속.
──**げんそ**【─元素】图 비금속 원소.

ひきんぞく【卑金屬】图〔化〕비금속. ↔貴金屬﹅.

ひ‐く【引く】□5他 ①끌다. ㉠(본디 楽﹅く로도) (가까이) 잡아끌다(당기다). ¶いすを～ 의자를 끌어당기다／綱﹅を～ 밧줄을 잡아당기다. ㉡(손을 잡고) 이끌다. ¶老人﹅の手﹅を～・いて案內﹅する 노인의 손을 이끌고 안내하다. ⇨押﹅す. ㉢(본디 惹く로도) (주의・마음을) 끌다. ¶注意﹅(人氣﹅)を～ 주의〔인기〕를 끌다. ㉣끌어들이다. ¶水道﹅を～ 수도를 끌어들이다〔놓다〕. ㉤(본디 曳く・牽く・挽く로도) 앞으로 끌고 가다. ¶荷車﹅を～ 짐수레를 끌다. ↔押﹅す. ㉥(본디 曳く・牽く로도) (땅에) 질질 끌다. ¶着物﹅のすそを～ 옷자락을 질질 끌다. ㉦(꼬리・여운 등을) 뒤로 길게 남기다. ¶声﹅を長﹅く～ 목소리를 길게 끌다. ㉧(인기가 있어) 여기저기서 끌다. ¶～の男﹅ 여기저기서 끄는 데가 많은 사나이. ②(활 시위를) 당기다. ¶弓﹅を～ 활을 당기다〔시위를 당기다〕. ③(본디 控く로도) 빼다. ㉠덜어내다. ¶五﹅から三﹅を～ 5에서 3을 빼다. ⇨足﹅す. ㉡(아) 뽑다；뽑아내다. ¶月給﹅から～ 월급에서 (공)제하다. ④(잡아) 뽑다；뽑아내다. ¶大根﹅を～ 무를 뽑다／くじを～ 제비를 뽑다. ⑤뒤로 물리다. ㉠(팔다리 등을) 들이키다；또, (몸을) 뒤로 빼다. ⇨引﹅っ込﹅める. ¶身﹅を～・いて球﹅をよける 몸을 뒤로 빼서 공을 피하다. ⇨出﹅す. ㉡후퇴시키다. ¶兵﹅(軍勢﹅)を～ 군사를 물리다. ⑥(줄을) 긋다；치다；그리다. ¶線﹅(罫

②を～ 선을〔괘를〕 긋다. ⑦(값을) 깎다. ¶値段﹅を一割﹅～ 값을 1할 깎다. ⑧인용하다. ¶たとえを～ 예를 인용하다. ⑨(사전 따위를) 찾다. ¶字書﹅(電話帳﹅)を～ 옥편을〔전화번호를〕 찾다. ⑩(退く로도) 관계를 끊다；손을 떼다. ¶手﹅(身﹅)を～ 손을 떼다. ⑪(병 따위에) 걸리다. ¶風邪﹅を～ 감기가 들다. ⑫(막 따위를) 둘러치다. ¶幕﹅を～ 막을 치다. ⑬바르다；칠하다. ¶(機械﹅に)油﹅を～ (기계에) 기름을 치다／床﹅に蠟﹅を～ 마룻바닥에 밀납을 먹이다. ⑭(혈통 따위를) 이어〔물려〕받다. ¶血筋﹅(系統﹅)を～ 혈통〔계통〕을 이어받다. ⑮私﹅(私)를 두다；정실 등용하다. ¶身內﹅の者﹅を～ 정실로 친척을 등용하다. ⑯(뒷맛・영향을) 남기다. ¶後﹅を～. ⇨後﹅.

□5自 ①(본디 退く로도) (물이) 빠지다. ㉠水﹅が～ 물이 빠지다／潮﹅が～ 조수가 써다. ㉡(열・부기 따위가) 내리다. ¶熱﹅が～ 열이 내리다／腫﹅れが～ 부기가 빠지다. ㉢(사람이) 뜸해지다；줄어들다. ¶客足﹅が～ 손님이 뜸해지다. ②물러서다. ㉠あとへ～ 뒤로 물러서다／に～・いない 물러날래야 물러날 수 없다. ㉡은퇴하다；그만두다. ¶会社﹅から～ 회사를 그만두다.

ひ‐く【挽く】5他 ①톱으로 켜다. ¶材木﹅を～ 재목을 켜다. ②녹로를〔갈이틀을〕 돌려서 물건을 만들다.

*__**ひ‐く**__【弾く】5他 악기를 연주하다；켜다；타다；뜯다；치다. ¶ピアノ〔ギター〕を～ 피아노〔기타〕를 치다.

ひ‐く【碾く】5他 맷돌에 갈다；빻다. ¶お茶﹅を～ 차를 갈다／うすを～ 맷돌질하다／粉﹅を～ 가루를 빻다.

ひ‐く【轢く】5他 (차 따위가) 치다. ¶自動車﹅に～・かれる 자동차에 치이다.

びく【魚籠・魚籃】图 어롱；종다래끼；구덕. ¶～に入﹅れる 어롱에 넣다.

びく【比丘】图〔佛〕비구. ↔比丘尼﹅.

*__**ひく‐い**__【低い】形 낮다. ①작다. ㉠(높이・길이가) 짧다. ¶背﹅が～ 키가 작다. ㉡적다；썩 좋지 않다. ¶評判﹅が～ 인기가 없다. ㉢(소리가) 크지 않다. ¶声﹅を～・くする 목소리를 낮추다. ②정도・수준이 얕다. ¶見識﹅が～ 견식이 얕다／腰﹅が～ 저자세이다；겸손하다／身分﹅が～ 신분이 낮다. ↔高﹅い.

ひくいどり【火食い鳥】图〔鳥〕화식조.

びくしょう【微苦笑】-shō 图ス自 가볍게 (쓴웃음을) 쓴웃음. ¶～をうかべる 쓴웃음을 짓다.

ひぐち【火口】图 ①화구；점화구(點火口). ②불이 난 시초；화재의 발단.

ひくつ【卑屈】ダナ 비굴. ¶～な考﹅ 비굴한 생각.

ひくて【引く手】图 (자기 쪽으로) 끄는 사람；권유하는 사람.⇨引く手. ¶～あまたの娘﹅ 여기저기에서 끄는 사람이〔구혼자가〕 많은 딸.

びくとも副『～しない』꿈덕도 않다；눈 하나 까딱 않다. ¶いくら押﹅しても～しない 아무리 밀어도 꿈쩍도 안 한다.

びくに【比丘尼】图【佛】비구니. ↔比丘.

ピクニック -nikku 图 피크닉; 소풍; 들놀이. ▷picnic.

ひくひく 圖 이따금 조금씩 떨며 움직이는 모양; 실룩실룩; 벌름벌름. ¶鼻を～させる 코를 벌름거리다.

びくびく 圖 ①무서워서 떠는 모양; 벌벌; 흠칫흠칫. ¶恐ろしさに～する 무서워서 흠칫거리다. ②발작적으로 조금씩 움직이는 모양; 바르르; 오들오들.

ぴくぴく 圖 ①경련을 일으키듯이 실룩대는 모양; 실룩실룩. ¶目の下が～する 눈 밑이 실룩거리다. ②쫑긋쫑긋하는 모양; 쫑긋쫑긋. ¶耳を～させる 귀를 쫑긋거리다.

ひぐま【羆】图【動】큰곰. =しぐま.

ひくまる【低まる】圓五 낮아지다. ↔高まる.

ひくみ【低み】图 낮은 곳. ↔高み.

ピグミー 피그미(아프리카 콩고 동부에 있는 왜소한 종족). ▷Pygmy.

ひくめ【低目・低目】图 ①낮음; (좀) 낮은 모양. ②～の球 약간 낮게 오는 공. ↔高め.

ひく-める【低める】圓下一 낮추다. ①낮게 하다. ¶温度を～ 온도를 낮추다. ②천(賤)하게 하다. ↔高める.

ひぐらし【蜩・茅蜩】图【蟲】쓰르라미. =かなかな(ぜみ).

ひぐらし【日暮(ら)し】一图 그날그날을 지냄. 二图【雅】종일; 하루 종일. ¶～仕事をする 하루 종일 일하다.

ピクルス【料】피클스; 서양식 야채 절임. =ピックルス. ▷pickles.

ひぐれ【日暮れ】图 저녁때; 일모. = 夕方・ゆうぐれ. ↔夜明け.

ひけ【引け】图 ①(본디, 退けに도로) 파함; 퇴근함. ¶早引ばけ 조퇴. ②(남에게) 짐; 남만 못함; 뒤떨어짐. 꿀림. ¶～目の 열등감. 一を取る 승부에 지다; 남만 못하다; 남에게 뒤지다.

*__ひげ__【髭・髯・鬚】图 수염. ¶どじょう～ 미꾸라지 수염(아주 듬성한 수염). 一のちりを払う 윗사람에게 아첨하다.

ひげ【卑下】图自他 비하; 스스로를 낮춤; 겸손(謙卑). 一も自慢のうち 겸비하여 그것을 미덕으로 뽐내는 일. 一じまん【―自慢】图 말투는 비하하고 있으나 실은 스스로를 뽐냄.

ピケ 'ピケット'의 준말. ▷picket.

*__ひげき__【悲劇】图 비극. ¶～的な結果 비극적인 결과 / ～をもたらす 비극을 가져오다. ↔喜劇.

ひけぎわ【引け際】图 ①퇴직할 무렵. ②퇴근할 무렵. ③(거래소에서) 폐장(閉場) 무렵(의 시세).

ひけし【火消し】图 ①불을 끔; 비유적으로, 소동을 진압함. ②江戸 시대의 소방 조직; 또, 소방수.

*__ひげそり__【髭剃り】图 면도질.

ひけつ【否決】图他 부결. ↔可決.

ひけつ【秘訣】图 비결. ¶合格の～ 합격의 비결.

ピケット -ketto 图 피켓; 노동 쟁의중 파업 배반자나 방해자를 감시함; 또, 감시인〔소〕. =ピケ(ッティング).

～を張る 피켓을 치다; 감시하다. ▷picket. ——ライン 图 피켓라인; 감시(線)〔망〕. ¶～をしく 피켓라인을 치다. ▷picket line.

ひげづら【髭面】〔髭面〕图 수염이 많은 얼굴.

ひげどき【引け時】图 파할 시각. ¶会社の～ 회사의 퇴근 시각.

ひけね【引(け)値】图 '大引ばけ値段'의 준말; 거래소에서 그 날의 파장(罷場) 때의 시세; 종가(終價). =ひけそうば.　　　　「수염뿌리」

ひげね【ひげ根】〔髭根〕图 수근(鬚根).

ひけめ【引けめ・引け目】图 ①열등감. ¶～を感ずる 열등감을 느끼다. ②결점; 약점.

ひげもじゃ【髭もじゃ】-ja 图ダナ 수염이 텁수룩한 모양.

ひけらかす 5他 자랑해 보이다; 과시하다. ¶知識を～ 지식을 과시하다.

ひ-ける【引ける】圓下一 ①(본디 退ける)(그 날 일이) 파하다. ¶会社が～ 회사가 끝나다. ②열등감이 들다; 기가 죽다. ¶気が～ 기가 죽다.

ひけん【比肩】图自 비견; 견줌.

ひけん【卑見・鄙見】图 비견(자기의 견의 낮춤말).

ひけんぎょう【非稼業】-gyō 图 비현업. ¶～官庁 비현업 관청. ↔現業.

ひけんしゃ【被験者】-sha 图 피험자; 시험이나 실험 따위의 대상자.

ひこ【曾孫】图 증손. =ひ(い)まご.

ひご【庇護】图自他 비호. ¶神の～ 신의 비호.

ひご【卑語・鄙語】图 비어(상말).　　「スラング.

ひご【飛語・蜚語】图 비어; 뜬 소문. ¶流言ప～ 유언 비어.

ひごい【緋鯉】图【魚】관상용의 잉어(몸빛이 주홍색으로 아름다움; 주홍과 백색의 얼룩빼기도 있음).

ひこう【非行】-kō 图 비행. ¶少年ప～ 비행 소년 / ～をあばく 비행을 들추다.

ひこう【飛行】-kō 图自 비행. ¶～機 비행기 / ～場 비행장 / ～船 비행선.

ひごう【非業】-gō 图【佛】비업; 비명. ¶～の死 비명의 죽음. 一の最期を遂げる 비명의 죽음을 하다; 비명횡사하다.

ひこう【尾行】-kō 图自他 미행. ¶犯人を～する 범인을 미행하다.

びこう【備考】-kō 图 비고. ¶～欄 비고란.

びこう【備荒】-kō 图 비황; 흉년에 대비함. ¶～作物 비황 농작물.

びこう【微行】-kō 图自 미행; 미복잠행. =おしのび.

びこう【微光】-kō 图 미광; 희미한 빛.

びこう【鼻こう】【鼻腔】-kō 图【生】비강.

びこう【鼻孔】-kō 图 비공; 콧구멍. ¶～が詰まる 콧구멍이 막히다.

ひこうかい【非公開】hikō- 图 비공개. ¶～のもとに 비공개리에. ↔公開.

ひこうしき【非公式】hikō- 图ダナ 비공식. ¶～の会談 비공식 회담. ↔公式.

ひごうほう【非合法】-gōhō 图ダナ 비

合法。 ¶～活動ミラ 비합법 활동。↔合法ミラ。

ひごうり【非合理】-gōri 名ノ 비합리。¶～的 원리적。

ひこく【被告】名【法】피고。¶～人ミ 피고인。↔原告ミラ。

ひこくみん【非国民】名 비국민。¶～呼ょばわりをする 비국민이라고 부르다。「尾骶骨ミラ。

びこつ【尾骨】名【生】미골;꼬리뼈。

ひごと【日ごと】【日毎】連語 매일;날마다。¶～夜ょごと 날마다 밤마다;밤낮。↔夜ょごと。

ひこぼし【ひこ星】【彦星】名【天】칠석날에 제사 지내는 견우성(星)。「こ。

ひこまご【ひこ孫】【曾孫】名 증손。＝まご。

ひごろ【日ごろ】【日頃】名 평소;평상시;늘。¶つねー平ミ〃ろ／～の心ミッけ 평소의 마음가짐。

ひざ【膝】名 무릎。ー까지 水ミにつかる 무릎까지 물에 잠기다。ーとも談合ミ 무릎과도 의논(누구하고든지 의논하면 이익이 있다)。ーを打つ 무릎을 치다。ーを折ミる【屈ミする】무릎을 꿇다;전하여, 굴복하다。ーを崩ミす 편히 앉다。ーを進ミめる①(상대에게)다가가다。②마음이 내키다。ーを正ミす 단정하게 앉다。ーを交ミえる 무릎을 맞대다(서로 친밀하게 환담하다)。

ビザ【査証】名;사증(査證)。▷visa。

ひさい【非才】【菲才】名 비재;재능이 없음。¶浅学ミ～ 천학 비재。

ひさい【被災】名 재해를 입음。＝罹災ミ。¶～者 이재자。

びさい【微細】名 미세;아주 잘음;巨大ミ。

びざい【微罪】名 미죄;가벼운 죄。¶～不起訴ミ 미죄 불기소。↔重罪ミラ。

ひざおくり【膝送り】【膝送り】名 무릎(앉은) 걸음으로 서로 죄어 앉음。＝ひざぐり。「덮개。

ひざかけ【ひざ掛け】【膝掛け】名 무릎덮개;무릎담요。

ひざがしら【ひざ頭】【膝頭】名 슬두;무릎(의 관절 부분)。＝ひざ小僧ミ。ーを強ミって 打ミった 무릎을 세게 부딪쳤다。

ひざかな【干魚】【乾魚】名 건어。

ひざかり【日盛り】名 볕이 한창 내리쬐는 시각;한낮。¶暑ミい～に 한창 더운 한낮에。

ひさく【秘策】名 비책。¶～を授ける 【練ミる】비책을 전수(구상)하다。

ひざぐみ【ひざ組み】【膝組み】名 책상다리。¶～に坐ミる 책상다리로 앉다。

ひざくりげ【膝栗毛】名 정강말;도보로 여행함。

ひさご【瓢·瓠·匏】名①【植】호리병박。②호리병。

ひざざら【ひざ皿】【膝皿】名 종지뼈;무 개골。＝ひざさら·膝蓋骨ミマイ。

ひさし【庇·廂】名①(처마에 내어 댄)차양(遮陽)。②모자 따위의 차양。ーを貸ミして母屋ミを取ミられる 봉당을 빌려 주고 몸채까지 빼앗기다;차청입실(借廳入室)。

ひざし【日ざし】【日差し·陽射し】名 볕이 쬠;볕;햇살。¶～が強ミい 햇살이 세다〔따갑다〕。

ひさしい-shī 形①오래다;오래간만이다;오래 되다。¶～間ミ 오랫동안。

ひさしぶり【久しぶり】【久し振り】名 오래간만。¶～の休日ミラ 오래간만의 휴일。

ひざづめ【ひざ詰(め)】【膝詰(め)】名 무릎을 들이댐;호되게 밀어붙임。¶～談判ミン 무릎을 맞대고 하는 직접 담판。

ひさびさ【久々】【雅】오래간만；오랫동안。＝久ミしぶり。¶～ごぶさたしました 오랫동안 격조했습니다。

ひざびょうし【ひざ拍子】【膝拍子】-byōshi 名 무릎 장단。

ひざまくら【膝枕】名 무릎 베개。

ひざまずく【跪く】五自 무릎을 꿇다。¶仏前ミに～ 부처님 앞에 무릎꿇다。

ひさめ【氷雨】名①【雅】우박。ーあられ。②진눈깨비。③(가을의) 찬 비。

ひざもと【ひざもと·ひざ元】【膝元·膝下·膝許】名①슬하;측근。¶親ミの～を離ミれる 부모 슬하를 떠나다。②황거(皇居)·幕府ミ·성(城) 따위의 소재지。

ひざら【火皿】名 (담뱃대나 파이프의 담배를 재우는) 담배통。ーがん首ミ。

ひさん【飛散】名 (文)自 비산;사방으로 흩어짐〔흩어지게 함〕。

ひさん【悲惨】【悲酸】名ノ 비참。¶～な最後ミ を とげる 비참한 최후를 마치다。

ビザンチンしき【ビザンチン式】【建】비잔틴식。▷Byzantine。

ひし【菱】名①【植】마름。②마름모꼴。

ひし【秘史】名 비사。¶外交ミラ～ 외교 비사。

ひじ【肘·肱·臂】名 팔꿈치;팔꿈치의 모양으로 구부러진 것。¶～枕ミ 팔베개／いすの～ 의자의 팔걸이(부분)。

ひじ【秘事】名 비사;비밀한 일。

びじ【美辞】名 미사。¶～麗句ミッを連ミねる 미사 여구를 늘어놓다。

ひしかく-す【秘し隠す】五他 비밀로 하여 감추다〔숨기다〕。

ひじかけ【肘掛け】名 팔걸이;궤상(几床)；사방침。＝脇息ミ。ーいす 名 팔걸이 의자。

ひしがた【ひし形】【菱形】名 능형;마름모꼴。

ひじき【鹿尾菜·羊栖菜】名【植】녹미。

ひし-ぐ【拉ぐ】五他 찌부러뜨리다。기운을(세력을·기세를) 꺾다;처부수다。¶鬼ミをもー勢ミン 귀신이라도 무찌를 기세。

ひし-げる【拉げる】下1自 찌부러지다;짓눌리다;기세 따위가 꺾이다。¶箱ミが～·げている 상자가 찌부러져 있다。「じ。

ひじじ【曾祖父】名 증조부。＝ひいじ。

ひししょくぶつ【被子植物】-shokubu-tsu 名【植】피자〔속씨〕 식물。↔裸子ミ植物。

ひしつ【皮質】名【生】피질。①부신(副腎)이나 신장 등의 겉층 부분。＝ひふや 소뇌의 겉층을 이루는 회(灰)백질 부。¶大脳ミ～ 대뇌 피질。＝髓質ミ。

びしてき【微視的】名ノ 미시적。¶～世界ミ 미시적 세계。↔巨視的ミマ。

ひじてつ【ひじ鉄】【肘鉄】名 ☞ひじでっぽう。

ひじでっぽう【ひじ鉄砲】【肘鉄砲】

-deppō 名 ①팔꿈치로 상대방을 떼밀기〔내지름〕. ②(요구 등을) 박참;자빠댐. ¶～を食くらわす 퇴짜를 놓다/～を食くう 퇴짜〔따지〕맞다.

ひしと 【犇と】副 ①꽉;꼭;딱. =しっかり. ¶～を抱きしめる 꽉 껴안다. ②강력하게;절실히;뼈저리게. =きびしく. ¶忠告ちゅうこくが～とこたえる 충고가 강렬하게 와닿다.

ビジネス 名 비즈니스. ①사무;일. ¶～ウェア 사무용복. ②사업;실업. ¶～センター 비지니스 센터;상업 중심가. ▷business. ──ガール 名 비즈니스걸;여자 사무원(BG). ▷일 business girl. ──マン 名 비즈니스맨;실업〔사업〕가;사무가;상인. ▷businessman.

ひしひし 【犇犇】副 ①자꾸자꾸 다가오는 모양:바싹바싹. ¶～(と)詰つめ寄よる 바싹바싹 다가〔죄어〕오다. ②절실하게 느끼는 모양. ¶寒さむさが～(と)身みにしみる 추위가 오싹오싹 몸에 스며들다.

びしびし 副 ①가차없이;엄하게. ¶～取とり締しまる 엄하게 단속하다. ②(마루 따위가) 삐걱거리는 소리:삐걱삐걱.

びしびし 副 ①사정 없이 엄하게 처결하는 모양:가차없이;호되게. ¶～(と)仕込しこむ 호되게 훈련시키다. ②(나무 따위를) 세차게 꺾는 모양:탁탁;뚝뚝. ③(채찍 따위로) 세게 때리는 모양:철썩철썩.

ひじまくら 【肘枕】名 팔베개.
ひしめ・く 【犇めく】5自 (많은 사람이 모여) 밀치락달치락하다;북적거리다.
ひしもち 【菱餅】名 마름모꼴로 자른 홍·백·녹 3색의 떡〔ひな祭まつりに차려 놓음〕.
ひしゃく 【柄杓·杓】-shaku 名 국자.
びじゃく 【微弱】-jaku 名ナ 미약. ¶～な地震じしん 미약한 지진.
ひしゃ・げる hisha- 下1自〈俗〉눌려 찌부러지다. =ひしげる.
ひしゃたい 【被写体】hisha- 名 피사체.
びしゃもんてん 【毘沙門天】〔佛〕 비사문천(사천왕(四天王)의 하나).
びしゃりと pisha- 副 ①문 따위를 닫는 소리:탁. ¶戸とを～と締しめる 문을 탁 닫다. ②손바닥으로 치는 소리:철썩;탁. ¶平手ひらてで～と打うつ 손바닥으로 철썩 때리다. ③고압적으로, 딱 잘라 말하는 모양:딱. ¶要求ようきゅうを～とはねつける 요구를 딱 거절하다.

[いくら]
ひしゅ 【匕首】-shu 名 비수;단도. =あいくち.
びしゅ 【美酒】-shu 名 미주;맛있는 술. =うまざけ. ¶～に酔よう 미주 가効.
ひじゅう 【比重】-jū 名〔理〕비중. ¶～を高たかめる 비중을 높이다.
びしゅう 【美醜】-shū 名 미추;아름다움과 추함.
ひじゅつ 【秘術】-jutsu 名 비술;비법. ¶～を尽つくす 비술을 다하다.
びじゅつ 【美術】-jutsu 名 미술. ¶～館かん 미술관/～品ひん 미술품.
ひじゅん 【批准】-jun 名ス自〔法〕비준.
ひしょ 【秘書】-sho 名 ①비서. ¶～官かん 비서관. ②비장(秘藏)해 둔 서적.
ひしょ 【避暑】-sho 名ス自他 피서.

~客きゃく 피서객／～に行ゆく 피서(하러) 가다. ↔避寒ひかん.
びじょ 【美女】-jo 名 미녀. ↔醜女しゅうじょ.
──ざくら 【──桜】名〔植〕버찌나.
ひしょう 【卑小】-shō 名ナ 하찮거나 대수롭지 아니한 모양.
ひしょう 【悲傷】-shō 名ス自他 비상;슬퍼 가슴 아파함.
ひしょう 【費消】-shō 名ス他 탕진;소비. ¶公金こうきん～ 공금 사용(私用)〔유용〕.

‡ひじょう 【非常】-jō ─一ダナ 보통이 아님;대단함. ¶～な暑あつさ 대단한 더위／～に大おおきい 대단히〔몹시〕크다. ─二 비상;평소와 다름. ¶～口ぐち〔手段だん〕비상구〔수단〕／～の際さいには 비상시(에)／～線せんを張はる 비상선을 치다.
ひじょう 【非情】-jō 名ナ 비정;무정함. ¶～な仕打しうち 비정한 처사／～の雨あめ 무정한 비.
びしょう 【美称】-shō 名 미칭.
びしょう 【微小】-shō 名ナ 미소;매우 작음〔잚〕. ¶～な生物せいぶつ 미소한 생물.
びしょう 【微少】-shō 名ナ 미소;극히 적음. ¶損害そんがいは～だ 손해는 미소하다.
びしょう 【微笑】-shō 名ス自 미소. =ほほえみ. ¶～を浮うかべる 미소를 띠우다.
びじょう 【尾錠】-jō 名 (혁대 따위의) 고리;버클. =締しめ金がね·バックル.
‡ひじょうしき 【非常識】hijō- 名ナ 비상식;상식에 벗어남. ¶～な行動こうどう 상식에 벗어난 행동. ↔常識的てき.
びしょく 【美食】-shoku 名ス自 미식. ¶～家か 미식가. ↔悪食あくじき·粗食そしょく.
ひじょうすう 【被除数】-josū 名〔數〕피제수;나뉨수. ↔除数じょすう.
びしょぬれ 【びしょ濡れ】bisho- 名 흠백 젖음. =ぐしょぬれ. ¶～になる 흠백 젖다.
びしょびしょ bishobisho 副ナ ①흠백 젖은 모양. ¶～になる 흠백 젖다. ②비가 줄곧 내리는 모양:주룩주룩.

ビジョン -jon 名 비젼. ①시각(視覺). ②환영(幻影). ③이상상(理想像);미래상(像). ¶将来しょうらいの展望てんぼうや～に欠かける 장래에 대한 전망이나 비전이 없다. ▷vision.
ぴしりと 副 ①무엇을 세게 때리는 소리:철썩. ②단호하게 거절하는 모양:딱(잘라);한 마디로. =ぴしゃりと.
びしん 【微震】名 미진(진도 1).
びじん 【美人】名 미인;미녀. ¶絶世ぜっせいの～ 절세의 미인／～薄命はくめい 미인박명.
ひすい 【翡翠】名 비취. ①〔鳥〕물총새. =かわせみ. ②〔鑛〕비취옥. ¶～指輪ゆびわ 비취 반지.
ひすがら 【日すがら】【終日】 아침부터 밤까지 하루종일. ↔夜よすがら.
ビスケット -ketto 名 비스켓. ▷biscuit.
ビスコース 名〔化〕비스코스(인조 견사 따위의 원료). ▷viscose.
ヒスタミン 名〔化〕히스타민(단백질이 분해될 때 생기는 유독 성분). ¶抗こう～剤ざい 항히스타민제. ▷histamine.
ヒステリー 名 히스테리. =ヒス. ¶

〜を起ᵇこす ヒステリーを일으키다. ▷
도 Hysterie.

ヒステリック -rikku 〖ダナ〗 히스테릭. ¶
〜な笑ᵃい 히스테릭한 웃음. ▷
hysteric.

ビストール [V/STOL] 〖名〗비스톨；수직·
단거리 이착륙기(離着陸機). ▷vertical /
short takeoff and landing.

ビストル 〖名〗 피스톨；권총. ▷pistol.

ピストン 〖名〗피스톤. ¶〜輸送ᵈᵘ 피스
톤 수송(두 지점을 왕복하며 쉬지 않
고 물건을 수송함). ▷piston.

*ひずみ 〖歪み〗〖名〗①비뚤어짐；일그러
짐；뒤틀림. =ゆがみ. ¶〜が出来ᵏ る
왜곡이 생기다. ②〈사물의 결과로서 생
긴〉 나쁜 여파(영향). =しわよせ. ③
〖理〗변형(變形)；일그러짐.

*ひず-む 〖歪む〗〖五自〗비뚤어지다；일그
러지다；뒤틀리다. =ゆがむ. ¶板ᵗが
〜 판자가 뒤틀리다.

ひ-する 〖比する〗〖サ変他〗비(교)하다；
비기다. =くらべる・なぞらえる. ¶他
ᵗに〜して劣ᵒる 다른 것에 비하여 떨
어지다.

ひ-する 〖秘する〗〖サ変他〗감추다；숨기
다；비밀히 하다. =ひめる. ¶名ᵃを〜
이름을 숨기다.

ひせい 〖批正〗〖名〗〖サ他〗비정；비판해 정
정함. ¶御ᵗ〜を乞ᶜう 비정해 주시기
를 바람.

ひせい 〖非勢〗〖名〗비세；(승부 등에서)
형세가 좋지 못함.

びせい 〖美声〗〖名〗미성. ¶〜を張ᵇり
上ᵃげる 아름다운 목소리를 높이다. ↔
悪声ᵃᵏ.

びせいぶつ 〖微生物〗〖名〗〖生〗미생물.
¶〜検査ᵏᵃ 미생물 검사.

ひせき 〖秘蹟〗〖名〗〖宗〗성사(聖
事). =サクラメント.

ひせき 〖碑石〗〖名〗비석. ①비석돌.
돌비석. =いしぶみ.

びせきぶん 〖微積分〗〖名〗〖数〗미적분.

ひぜに 〖日銭〗〖名〗①(상점 따위에서)그
날 그날 수입으로 들어오는 돈. ②일
수(日収). =ひがね.

ひぜめ 〖火攻め〗〖名〗화공；불을 질러서
공격함. ↔水攻ᵃᵈめ.

ひぜめ 〖火責め〗〖名〗불로써 고문하는
일；불고문. ↔水責ᵃᵈめ.

ひせん 〖卑賎〗〖名〗비천. ¶
〜の身ᵐ 비천한 몸(신분).

びせん 〖微賎〗〖名〗미천. =卑賎ᵖᵉ.
¶〜の身ᵐ 미천한 몸.

ひせんきょけん 〖被選挙権〗-kyoken
〖名〗〖法〗피선거권. ↔選挙権ᵏ.

ひせんきょにん 〖被選挙人〗-kyonin
〖名〗〖法〗피선거인. ↔選挙人ᵏ.

ひせんとういん 〖非戦闘員〗-tōin 〖名〗
비전투원.

ひせんろん 〖非戦論〗〖名〗비전론；반전
론. =反戦論ᵃᵏ. ¶〜を唱ᵗえる 반
전론을 부르짖다. ↔主戦論ᵉᵏ.

ひそ 〖砒素〗〖砒素〗〖名〗〖化〗비소.

びそ 〖鼻祖〗〖名〗비조；선조；시조；원
조. =元祖ᵃᵏ.

ひそう 〖皮相〗hisō 〖名〗피상. ①(사물
의) 겉；거죽；표면. =うわつら. ②(생
각 따위의) 천박하고 깊이가 없음. ¶
〜な見解ᵏ 피상적 견해.

ひそう 〖悲壮〗-sō 〖名〗비장. ¶〜な
最期ᵏᵉᵏ 비장한 최후(죽음).

ひぞう 〖ひ臓〗〖脾臓〗-zō 〖名〗〖生〗비
장；지라.

ひぞう 〖秘蔵〗-zō 〖名〗〖ス他〗비장. ¶〜
の弟子ᵈ 귀동딸 / 〜の
弟子ᵈ 애지중지하는 제자.

びそう 〖美装〗-sō 〖名〗미장. ¶〜
本ᵖ 미장본 / 〜を凝ᶜらす 몸차림에 정
성을 쏟다.

ひそか 〖密か・窃か・私か〗〖ダナ〗가만히
(몰래)함. =こっそり. ¶〜に忍ᵇび
込ᶜむ 살그머니(몰래) 숨어들다.

ひぞく 〖卑俗〗〖ダナ〗비속；저속；상
스러움. =下品ᵖᵏ. ↔高雅ᵏᵃ.

ひぞく 〖卑属〗〖名〗비속. ¶直系ᵏᵉ〜
직계 비속. ↔尊属ᵏ.

ひぞく 〖匪賊〗〖名〗비적. ¶〜の頭目ᵗ
비적의 두목. ¶〜 미속.

びぞく 〖美俗〗〖名〗미속. ¶良風ᵖ〜
〜.

ひぞっこ 〖ひぞっ子〗〖秘蔵っ子〗-zokko
〖名〗〈俗〉귀동이；애지중지하는 자식
〔제자, 부하〕.

ひそひそ 〖副〗속삭이는 모양；소곤소곤.
¶〜声ᶜ 속삭이는 목소리 / 〜話ᵃ 소
곤거리는〔비밀〕이야기.

ひそま-る 〖潜まる〗〖五自〗숨다；잠
재하다. ②잠잠(조용)해지다. ¶騒ᵏ
ぎが〜 소동이 잠잠해지다.

*ひそ-む 〖潜む〗〖五自〗숨어 있다；잠
재(잠복)하다. ¶草ᵏかげに〜 풀숲에
숨다 / 意図ᵗなどが〜 의도가 숨어 있다.

ひそ-める 〖潜める〗〖下一他〗①숨기다；
감추다. ¶胸ᵐに〜 가슴 속에 숨기다.
②드러나지 않게 하다. ¶声ᶜを〜
(목)소리를 낮추다(죽이다).

ひそ-める 〖顰める〗〖下一他〗찌푸리다；
찡그리다. =しかめる. ¶まゆを〜 め
을 찌푸리고.

ひそやか 〖密やか〗〖ダナ〗가만히서 남모
르게 하는 모양. =ひそか. ¶〜に泣ᵃ
く 남 몰래 울다. ②조용한 모양. ¶〜
な真夜中ᵃᵏ 고요한 한밤중.

ひた- 〖直〗오로지；다만. =ひたすら.
¶〜隠ᵏしに 그저 숨기기만 함 / 〜泣ᵏき
に泣ᵃく 오로지 울기만 하다.

ひだ 〖襞〗〖名〗①(옷 따위의) 주름. ¶
〜をつける 주름을 잡다. 주름처럼
보이는 것；습곡(褶曲). ¶山ᵃᵐの〜 산
의 습곡.

*ひたい 〖額〗〖名〗이마；おでこ. ¶猫ᵏ
の〜ほどの고양이의 마빡ᵏ(협소한함의 비유).
──を集ᵃつめる 여럿이 모여〔이마를 맞
대고〕의논하다. 「 =심장 비대.

ひだい 〖肥大〗〖名〗〖ス自〗비대. ¶心臓ᵏᵘ

ひたい 〖媚態〗〖名〗미태. ①(여자의) 교
태. ②(환심을 사려고) 빌붙는 태도. ¶
〜を示ᵗす 아첨하는 태도를 보이다.

ひたいぎわ 〖額際〗〖名〗이마 위의 머리
털이 난 언저리.

びたいちもん 〖びた一文〗〖鐚一文〗〖名〗
피천한 돈. ¶〜出ᵈさない 단돈 한푼
도 안 내다.

ひたおし 〖ひた押し〗〖直押し〗〖名〗〖ス自〗
마구 밀어댐. ¶〜に押ᵒす 마구〔그저〕
밀어대다.

ひたき 〖鶲〗〖名〗〖鳥〗딱새.

ひたき 〖火たき〗〖火焚き・火焼〗〖名〗불을
땜；또, 그 작업.

びだくおん【鼻濁音】图 비탁음; 콧소리로 나는 行*ᵍ*의 발음.

ひたしもの【浸し物】图 데친 푸성귀에 간장·초를 친 요리. =おひたし.

***ひた-す【浸す】**⑤他 (물이나 액체에) 담그다; 잠그다; 전하여, 흠뻑 젖게 함. ¶お湯*ゅ*に手*ᵗ*を─ 더운 물에 손을 담그다 / 手*ᵗ*ぬぐいを水*ᵗ*に─ 수건을 물에 적시다.

ひたすら【只管・一向】图 오로지; 그저; 일편 단심으로; 일념으로. ¶~謝*ᵃ*るのみ 그저 사과할 뿐 / 勉強*ᵏ*に励*ᵍ*む 오로지 공부에 힘쓰다.

ひたたれ【直垂】图 옛날, 평민의 평상복, 후에 무가(武家)의 예복으로 사용되고 公家*ᵍ*도 입었음.

ひだち【肥立ち】图 ①나날이 성장함. ¶~のよい赤*ᵃ*ん坊*ᵇ* 나날이 발육이 좋은 갓난아기. ②날로 병이 나아짐. ¶産後*ᵍ*の~がよい 산후 회복이 좋다.

ひたと【直と】副 ①간격을 두지 않는 모양: 꼭; 착; 딱; 바싹. =ぴったり. ¶~寄*ᵗ*り添*ᵗ*う 바싹 다가붙다. ②갑자기; 딱; 뚝. ¶~止*ᵗ*まる 딱 (멈춰)

ひだね【火種】图 불씨. 口.

ひたばしる【ひた走る】【直走り】五自 (쉬지 않고) 오로지 달림; 또, 그런 모양. =ひたはしり. ¶~に走*ᵗ*る 열심히 계속 달리다.

ひたひた【浸浸】①물결이 부딪치는 소리: 철썩철썩. ¶波*ᵃ*が~と舟*ᵇ*ばたを打*ᵘ*つ 물결이 철썩철썩 뱃전을 치다. ②물밀듯이 밀려오는 모양. ¶大軍*ᵍ*が~と押*ᵗ*し寄*ᵗ*せる 대군이 물밀듯이 밀어닥치다. ③힘찬 모양. ④水*ᵗ*か를 ~入*ᵗ*れる 물을 바특이 붓다.

ひたぶる【偏】ダナ; 한결같이; 무작정; 열중. ¶~にうら悲*ᵃ*し 마냥 서글프기만 하다.

ひだま【火玉】图 (공중을 날아가는) 불덩이; 불덩이; 불덩어리. 「양지 쪽.

ひだまり【日だまり】【日溜まり】图

ビタミン图 비타민; 바이타민. ▷ Vitamin.

ひたむき【直向き】ダナ 한가지 일에 열중(전념)하는 모양: 오로지; 외곬으로; 한결같이. ¶~に勉強*ᵏ*する 오로지 공부만 하다.

***ひだり【左】**图 左. ①왼편; 왼쪽; 좌측. ¶~する 왼쪽으로 가다. ↔右*ᵘ*. ②술을 좋아함; 또, 그 사람. ¶~党*ᵗ* 술꾼; 주당. ③왼손. ④좌익 사상. ¶~右*ᵘ*が利*ᵏ*く ①왼손잡이다. ②술을 잘 마시다.

ひだりうちわ【左うちわ】【左団扇】图 (놀고도) 편안히 지냄의 비유. ¶~で暮*ᵏ*らす 놀고도 생활에 걱정 없이 살아가다.

ひだりきき【左利き】图 ①왼손잡이. = ひだりぎっちょ. ↔右利*ᵘ*き. ②술꾼; 술을 셈; 또, 그런 사람.

ひだりぎっちょ【左ぎっちょ】-gitcho 图〈俗〉 =ひだりきき①.

ひだりて【左手】图 ①왼손. ②왼쪽; 왼편. ¶~の家*ᵃ* 왼쪽 집. ↔右手*ᵘ*.

ぴたりと图 ①갑자기 그치는 모양: 딱. ¶酒*ᵃ*を~やめる 술을 딱 끊다. ②빈틈없이 붙는 모양: 착; 바싹. =ぴったり. ¶~くっついて歩*ᵍ*く 바싹 붙어

걷다. ③꼭 들어맞는 모양: 딱; 꼭. ¶予想*ᵗ*が~あたる 예상이 딱 들어맞다.

ひだりまえ【左前】图 ①옷섶을 안으로 들어가게 입는 일. ¶~に着*ᵗ*る 옷을 왼섶으로 입다. ②운이 나빠짐; 가세가 기욺; 경제적으로 困*ᵏ*難*ᵃ*해짐. =左向*ᵍ*き①. ¶~落*ᵗ*ち目*ᵐ*の 事業*ᵍ*が~になる 사업이 기울다.

ひだりまき【左巻き】图 ①왼쪽으로 감음; 또, 그것. ②〈俗〉 머리가 정상적이 아님; 머리가 돎; 또, 그런 사람; 괴짝.

ひだりむき【左向き】图 ①좌향(左向). ②☞ひだりまえ②.

***ひだ-る【浸る】【漬る】**⑤自 ①(물에) 잠기다; 침수하다. ¶腰*ᵏ*まで~ 허리까지 차다. ②(…에) 빠져들다; 탐닉하다. ¶女*ᵍ*と酒*ᵗ*に~ 여색〔酒〕에 빠지다 / 悲*ᵃ*しみに~ 슬픔에 잠기다. ③몸에 젖다. =ぬれる・湿*ᵗ*る. ¶裾*ᵗ*が~ 옷자락이 젖다.

ひだる-い【干だるい・饑い】形 시장하다; 배고프다; 허기지다.

ひだるま【火だるま】【火達磨】图 불덩이; 불덩어리. ¶全身*ᵗ*～になって 전신이 불덩이가 되어서.

ひたん【悲嘆・悲歎】图自 비탄. ¶~にくれる 비탄에 잠기다.

びだん【美談】图 미담. ¶~のもちぬし 미담의 주인공.

ピチカート图〔樂〕 피치카토. =ピッチカート. ▷ pizzicato.

ひちしゃ【被治者】-sha 图 피치자. ↔治者*ᵗ*.

ぴちぴち副 ①물고기 따위가 힘차게 뛰는 모양: 펄떡펄떡. ¶魚*ᵃ*が~(と)はねる 물고기가 펄떡펄떡 뛰다. ②젊고 기운찬 모양: 팔팔. ¶~(と)したからだ 생생한(팔팔한) 몸.

びちゃびちゃ bichabicha 副 ①물에 몹시 젖은 모양: 흠뻑. =びしょびしょ. ②물을 튀기는 모양: 첨벙첨벙. ¶~と泥水*ᵗ*をはねかす 첨벙첨벙 흙탕을 튀기다.

ぴちゃぴちゃ pichapicha 副 ①물기 있는 곳을 걷는 소리: 철벅철벅. ②물이 물건에 부딪치는 소리: 철벅철벅. ¶波*ᵃ*が~と舟*ᵇ*ばたをたたく 물결이 철썩철썩 뱃전에 부딪치다. ③손바닥으로 계속 해서 치는 소리: 찰싹찰싹. ¶~とぶつ 찰싹찰싹 때리다. ④소리를 내며 먹는 소리: 할짝할짝. ¶猫*ᵃ*が牛乳*ᵍ*を~なめる 고양이가 우유를 할짝거리다.

びちゅう【微衷】-chū 图 미충; 미의 (微意). ¶~を御推察*ᵗ*ください 미충을 헤아려 주십시오.

ひちょう【飛鳥】-chō 图 비조; 나는 새. ¶~の早業*ᵗ* 비조와 같은 날랜 솜씨. 「〔록〕.

ひちょう【秘帖】-chō 图 비밀 수첩〔기

ひちりき【篳篥】图〔樂〕 필률; 피리; 아악용 관악기의 하나.

ひぢりめん【緋縮緬】图 바탕이 오글 쪼글한 빨간 비단.

ひつ【櫃】图 ①뚜껑이 있는 큰 상자(長櫃*ᵗ*・米櫃*ᵏ* 따위). ②밥통. = めしびつ・おはち. ¶お~ 밥통.

ひっ-【引っ】 hik, hit, hip 《動詞 위에

붙여서)〈俗〉어세(語勢)나 뜻을 강조
하는 말. ¶～捕える 꽉 붙잡다；체포
하다／ぱたく 냅다 때리다.

ひつい【筆意】图 필의. ①붓을 놀릴
때의 마음가짐. ②붓놀림；필세(筆
勢). ③서화의 취향(趣向).

ひつう【悲痛】-tsū 图了 비통. ¶～な
叫び 비통한 울부짖음.

ひつか【筆禍】hikka 图 필화. ¶～事
件 필화 사건. ↔舌禍.

ひっかえ-す【引っ返す】hikka- 5自
〈口〉☞ひきかえす.

*__ひっか-かる__【引っ掛かる】hikka- 5自
①무엇에 걸리다. ¶くもの
巣に～ 거미줄에 걸리다. ②걸려들어
방해받다. ¶税関법の検閲법に～ 세
관(검열)에 걸리다. ③속다. ¶詐欺
法に～ 사기에 걸리다. ④관계하다；말
려들다；연루되다. =かかずらう. ¶面
倒なことに～ 성가신 일에 말려들
다.

ひっかきまわ-す【ひっかき回す】引っ
掻き回す】hikka- 5他 휘젓다. ①마
구 휘저다〈かきまわす의 힘줌말〉. ¶
机스の中まを～ 책상 속을 마구 휘젓
다. ②멋대로 굴어 혼란시키다. ¶ひ
とりで会社법を～ 혼자서 회사를 쥐고
놀다.

ひっか-く【引っ搔く】hikka- 5他 (손
톱 따위로) 마구 긁다；할퀴다. =かき
むしる. ¶痒い所法を～ 가려운 데를
들이 긁다.

*__ひっか-ける__【引っ掛ける】hikka-
下1他 (내린 끝에) 걸다. ①上着法
をくぎに～ 윗옷을 못에 걸다. ②(몸
에) 걸치다. ¶コートを～ 코트를 걸
치다. ③(속어서) 걸려들게 하다. ¶
女사を～ (그럴듯한 말로) 여자를 낚
다. ④(걸리에) 찢게 하다. ¶服法を
くぎに～ (a)옷을 못에 걸다；(b)옷이
못에 걸려 찢어지다. ⑤이켜다.
¶ビールを一杯법～ 맥주를 한잔 들
이켜다.

ひっかぶ-る【引っ被る】hikka- 5他
뒤집어 쓰다. ①(힘차게) 들쓰다. ¶
ふとんを～って寝る 이불을 뒤집어
쓰고 자다. ②(남의 일·책임 등을) 떠
맡다. =しょいこむ. ¶罪こを～ 죄를
뒤집어 쓰다.

ひつき【火付き】图 불이 댕김(붙음).
¶～が悪い 불이 잘 안 붙는다.

*__ひつき__【筆記】hikki 图又他 필기. ¶
一体법 필기체 の／～試験 필기 시험.

ひつぎ【棺·柩】图 관(棺). =かんお
け. ¶～に納める법 입관하다.

ひっきょう【畢竟】hikkyō 圖又自 필
경；결국. =つまるところ. ¶～するに
필경은；결국은.

ひっきりなし【引っ切りなし】hikki-图
끊임(쉴 새) 없음；계속적임. ¶～に
車법が通る 쉴새 없이 차가 지나가다.

ビッグ-biggu 圀. ①큰. ¶～ゲーム 빅
게임. ②중요한. ¶～ニュース 빅(중
대) 뉴스. ▷big.

ピックアップ pikkuappu 픽업. ㊀图
又他 집어(골라) 냄；선발. ㊁图 전
축에서, 레코드 소리의 재생 장치. ▷
pickup.

ひっくく-る【引っ括る】hikku- 5他 꽉

〔단단히〕묶다；잡아 묶다.

びっくり【吃驚·喫驚】bikku- 图又自
깜짝 놀람. ¶～仰天법する 소스라치
게 놀라다.

*__ひっくりかえ-す__【ひっくり返す】引繰
り返す】hikka- 5他 ①뒤집다；뒤엎
다. ¶形勢법を～ 형세를 뒤엎다／前
言법を～ 전언을 번복하다. ②쓰러〔넘
어〕뜨리다. ¶びんを～ 병을 쓰러뜨
리다.

ひっくりかえ-る【ひっくり返る】引繰
り返る】hikku- 5自 ①뒤집히다. ㉠거
꾸로 되다. ㉡舟法が～ 배가 뒤집히다.
㉢역전하다. =くつがえる. ¶形勢법
が～ 형세가 뒤집히다〔역전되다〕. ㉣
(알 등이 터져) 혼란해지다. ¶世법の
中법が～ 세상이 (발칵) 뒤집히다. ②
쓰러지다. ¶家법〔コップ〕が～ 집〔컵〕
이 쓰러지다.

ひっくる-める【引っ包める·引っ括め
る】hikku- 下1他 일괄하다；몽뚱그리
다. ¶～めて言えば 통틀어 말하면.

ひづけ【日付】图 일부；날짜. ¶受付
법けの～ 접수 날짜／～を書法き込む
날짜를 써넣다. ──へんこうせん
【──変更線】-kōsen 图 날짜(일부) 변
경선.

ひっけい【必携】hikkei 图 필휴. ¶～
の書 반드시 지녀야 할 책.

ピッケル pikke- 图 피켈；곡괭이 모양
의 등산용 지팡이. ▷도 Pickel.

ひっけん【必見】hikken 图 필견. ¶
～の映画법 꼭 보아야 할 영화.

びっこ【跛】bikko 图〈卑〉①절름거
림；또, 절름발이. ¶～をひく 다리를
절다；절름거리다. 参考 지금은「足법
の不自由法な人법」라고 함. ②짝짝이.

ひっこう【筆耕】hikkō 图 필경. ¶～
料법 필경료. ↔舌耕법.

*__ひっこし__【引(っ)越し】hikko-
又自 이사；이전. ¶～先법 이사 가는
〔갈〕 곳. ──そば【──蕎麦】图 이사
간 집의 이웃에 인사의 뜻으로 나누어
주는 메밀국수.

ひっこ-す【引(っ)越す】hikko- 5自
이사(이전)하다.

ひっこみ【引(っ)込み】hikko- 图 ①
(결말을 내고) 관계를 끊음；물러남.
¶～がつかない 몸을 뺄(손을 뗄) 수
가 없다. ②(의견·요구 따위를) 철회
함. ──がち【── ㄧ】①외출을 그다지 않
는 성질. ¶病気법で～ 병으로 바
깥 출입을 그다지 않는다. ②소극적인
모양. ¶～な人법 소극적인 사람.
──じあん【引込思案】图 적극성이 없
음；또, 그런 성질. ──せん【──線】
图 간선(幹線)에서 갈려져 들어가는 전
선이나 선로. ¶電気법の～ 전기의 옥
내 도입선. =ひきこみせん.

*__ひっこ-む__【引(っ)込む】hikko- 5自
①들어박히다；칩거하다. ¶田舎법に
～ 시골에 들어박히다. ②물러나다. ¶
～んでいろ 물러나 있어라；참견마
라. ③쑥 들어가다. ¶通りから～んだ家법 거리에서 쑥 들어간 집／目법が
～ 눈이 쑥 들어가다.

*__ひっこ-める__【引(っ)込める】hikko-
下1他 ①(내밀었던 것을) 당겨들이다；
움츠러들이다. ¶頭법を～ 머리를 움

つりだ。②撤回する；取り消す。¶意見ホミ〔辞表ムムゥ〕を～ 意見を〔辞表を〕撤回する。

ピッコロ pikko- 名〔樂〕ピッコロ；管楽器の一種。▷이 piccolo.

ひっさ-げる【提げる・引っ提げる】hissa- 下1他 ①손에 들다。=たずさえる。②데리다；거느리다。=率ひきいる。③이끌다。¶病身ミミシを～げて 병든 몸을 이끌고。④내걸다。¶要求ャムを～げて 요구를 내걸고 말해고.

ひっさら-う【引っさらう】〔引(っ)攫う〕hissa- 5他 홱 잡아〔낚아〕채다；빼앗다.

ひっさん【筆算】hissan 名 ㄆ自 필산. ⇨暗算タミミ・珠算ミュ、

ひっし【必死】hisshi 名 ①필사。¶～に戦ミかう 필사적으로 싸우다，=必至ᅴ。②〔장기에서〕단 한 수면 외통수가 될 듯한 형세。¶～の手 외통수.

ひっし【必至】hisshi 名 필지；불가피、필연。¶没落ミ?ᅩは～だ 몰락할 것은 뻔하다.

ひっし【筆紙】hisshi 名 필지；지필。一いっに尽っくし難がたい 글로는 이루 표현할 수 없다.

ひつじ【未】名 미；지지(地支)의 제8(방위로는 남남서，시각으로는 오후 2시 또는 1시부터 3시까지)。⇨じゅうにし.

ひつじ【羊】名 양。=綿羊ミゥ。¶～飼かい 양치기；목축。**一の歩あゆみ** ①힘없는 걸음걸이。②죽음이 다가옴의 비유.

ひつじぐさ【未草】名〔植〕 ☞睡蓮スミ.

ひっしゃ【筆写】hissha 名他 필사；베껴 씀.

ひっしゃ【筆者】hissha 名 필자.

ひっしゅ【必需】-ju 名 필수。¶～品ひん 필수품.

ひっしゅう【必修】hisshū 名 ㄆ自 필수。¶～科目ムミ 필수 과목。↔選択センム.

ひつじゅん【筆順】-jun 名 필순(書順)。

ひっしょう【必勝】hisshō 名 필승.

ひっしょう【必定】-jō 名〔老〕필정；꼭 그리될 것으로 정해져 있음。¶成功ᅩは～だ 성공은 틀림없다.

ひっしょく【筆触】hissho- 名 필촉；붓놀림(에서 오는 느낌)。=タッチ.

びっしょり bissho- 副 흠뻑 젖은 모양；흠뻑。¶～(と)汗ぁせをかく 흠뻑 땀을 흘리다.

びっしり bisshi- 副 빈틈없이 들어 차 있는 모양；꽉，빽빽이。¶～(と)家いえが建たつ 빽빽이 집이 들어서다.

ひつじん【筆陣】名 필진。¶～を張はる 필진을 펴다.

ひっす【必須】hissu 名 필수。=ひっしゅ。¶～アミノ酸さん 필수 아미노산.

ひっせい【畢生】hissei 名 필생。¶～の大業ぎょう 필생의 대업。「づかい.

ひっせい【筆勢】hissei 名 필세。「づかい.

ひっせき【筆跡】【筆蹟】hisse- 名 필적。=手跡ᅩ?ᅩᅩ。¶～鑑定てい 필적 감정.

ひつぜつ【筆舌】名 필설。一いっに尽っくしがたい 一いちも及及およばず 필설로는 다(표현)할 수 없다.

ひっせん【筆洗】hissen 名 필세；붓을 씻는 그릇。=筆洗スミ.

ひつぜん【必然】名 필연。=必定ᅩ?ᅩ。¶～的てき 필연적 / ～の勢いきい 필연적 추세。↔偶然グゥ.

ひっそく【逼塞】hisso- 名 ㄆ自 ①필색；꽉 막힘。②영락하여 숨어 삶。③江戸ᅩ 때，무사·승려에 과하던 형벌의 하나(문을 잠그고 낮에 출입을 금함).

ひっそり hisso- 副 ①아주 조용한 모양：조용히；고요히。¶～と静しずまりかえった町まち 쥐 죽은 듯이 조용한 거리。②몰래하는 모양：가만히；살그머니.

ひったく-る【引っ手繰る】hitta- 5他 잡아〔낚아〕채다。¶金かねを～ 돈을 낚아채다.

ひった-てる【引っ立てる】hitta- 下1他 (강제로) 끌고 가다；연행하다。=引ひき立たてる.

ぴったり pitta- 副ᴸ ①빈틈없이 꼭 맞는 모양：꼭；딱；꽉。¶門もんを～(と)しめる 문을 꼭 닫다。②꼭 맞게 들어붙는 모양：착；바싹。¶～と寄より添そう 바싹 다가붙다。③꼭 알맞는(들어맞는) 모양：딱。¶～合あう靴くつ 꼭 맞는 구두 / 予想ᅩ?ᅩが～(と)中あたった 예상이 딱 들어맞다。参考「ぴたり」의 힘줌말.

ひつだん【筆談】名 ㄆ自 필담.

ひっち【筆致】hitchi 名 필치。¶強つよい～ 힘찬 필치.

ピッチ pitchi 名 피치。①일정 시간내에 되풀이하는 횟수·능률·속도；특히，보트 레이스 따위에서 노를 젓는 횟수。¶急きゅう～で漕こぐ 급피치로 노를 젓다 / ～を上あげる 피치를 올리다。②〔化〕아스팔트；역청(瀝青)。=チャン。pitch.

ヒッチハイク hitchi- 名 히치하이크；지나가는 자동차에 편승해서 하는 여행。=ヒッチ。▷미 hitchhike.

ピッチャー pitchā 名〔野〕피처；투수。↔キャッチャー。▷pitcher。**──ゴロ** 名〔野〕피처 앞 땅볼。「착.

ひっちゃく【必着】hitcha- 名 ㄆ自 필착.

ひっちゅう【必中】hitchū 名 ㄆ自 필중；반드시 명중함。¶一発ᅩ?～ 일발 필중.

ぴっちり pitchi- 副 빈틈없이 밀착되어 있는 모양：착；꼭；딱。¶～したズボン 꼭 끼는 양복 바지.

ピッチング pitchin- 名 ㄆ自 피칭。①(배가) 앞뒤로 흔들림；뒷질。=ローリング。②〔野〕투수가 공을 던짐；또，그 기술。▷pitching.

ひっつか-む【引っ掴む】hittsu- 5他 움켜쥐(거머)쥐다；거머잡다.

ひっつ-く【引っ付く】hittsu- 5自 ①착 들러붙다。②〔俗〕남녀가 밀통하다；또，부부가 되다。=くっつく.

ひってき【匹敵】hitte- 名 ㄆ自 필적.

ヒット hitto 名 ㄆ自 히트。①〔野〕안타。②크게 성공함。¶～曲きょく/ 一盤ばん ヒト板ばん / ～ソング 히트송。▷hit.

ビット bitto 名 비트(컴퓨터에서，정보량의 기본 단위)。▷bit(=binary+digit).

ひっとう【筆答】hittō 名 ㄆ自 필답。¶～試験しけん 필기 시험。↔口答ᅩ?.

ひっとう【筆頭】hittō 名 필두。①연명한 것의 첫째；또，첫째 사람。¶強

硬派ぎょうこうの～ 강경파의 우두머리. ②끗발. 「書」필독서.

ひつどく【必読】名 ス他 필독. ¶～の ひっとうら(ら)える 必読(ら)える】hitto- 下1他 붙잡다 ; 체포하다.

ひっぱがす【引っ剥がす】引っ剥が す】hippa- 5他（俗）억지로〔잡아〕 벗기다 ; 잡아떼다. ＝ひっぺがす.

ひっぱく【逼迫】hippa- 名 ス自 핍박. ¶財政ざいの～ 재정 핍박.

ひっぱたーく hippa- 5他（俗）세게 치 다 ; 냅다 때리다. ¶顔かおを～ 얼굴을 후 려치다.

ひっぱりだこ【引っ張りだこ】引っ張 り凧】hippa- 名（인기가 있어서）에 서께서 끎 ; 세남 ; 또, 그런 사람·물건. ¶方々ほうぼうの会社しゃから～だ 여러 회사 에서 서로 끌려고 야단이다.

ひっぱーる【引(っ)張る】hippa- 5他① 〔잡아〕끌다. ㉠끌어〔잡아〕당기다. ¶ 袖そでを～ 소매를 잡아끌다. ㉡당겨서 팽팽하게 하다. ¶綱2を～ 줄을 당겨 켕기다. ㉢〔힘들여〕앞으로 끌다. ¶ リヤカーを～ 리어카를 끌다. ㉣연행 하다. ¶交番こうばんに～られる 파출소에 끌려가다. ㉤자기 쪽으로 끌어들이다. ¶仲間なかまに～ 자기 패로 끌어들이다. ②줄·선을 치 다. ¶境界きょうかいの所ところに綱2を～ 경계 지에 금을 치다.

ヒッピー hippī 名 히피. ¶～族ぞく 히피 족. ▷hippie.

ひっぷ【匹夫】hippu 名 필부. ↔匹婦 ひっぷ. ¶～の勇ゆう 필부지용 ; 만용. 「ふ」.

ひっぷ【匹婦】hippu 名 필부. ↔匹夫 ひっぷ.

ヒップ【hip】名 히프. ①（양재에서） 엉덩이 둘레(의 치수). ¶～サイズ 엉 덩이 치수. ②（俗）엉덩이 ; 볼기. ＝尻 しり. ▷hip.

ひっぽう【筆法】hippō 名 필법. ①운 필하는 법. ②（문장의）표현법. ¶～を 言いいあらし 춘추의 ¶春秋しゅんじゅうの～ 춘추의 필법. ③일을 행하는 방법.

ひつぼく【筆墨】名 붓과 먹 ; 또, 그것으로 쓴 글씨[필적]. 「자국.

ひづめ【蹄】名 발굽. ¶～の跡あと 발굽

ひつめい【筆名】名 필명＝ペンネー ム. ↔本名ほんみょう.

ひつめい【必滅】名 필멸 ; 반드시 멸망함. ↔生者しょうじゃ～ 생자 필멸.

ひつよう【必要】-yō 名 필요. ↔不要ふよう. ¶～品ひん 필요품 / ～性せい 필요성 / ～な道 具ぐ 필요한 도구. ¶不要ふよう. ──は発 明めいの母はは 필요는 발명의 어머니. ──あく【──悪】名 필요악. ──じょう けん【──条件】-jōken 名필요 조 건. ¶～が備そなわる 필요 조건이 갖추 어지다. ↔十分じゅうぶん～条件.

ひつりょく【筆力】-ryoku 名 필력. ① 필세(筆勢). ②문장의 힘. ¶衰おとろえな い～ 줄지 않는〔여전한〕필력.

ひてい【否定】名 ス他 부정. ¶～的 てき 부정적 / ～文ぶん 부정문 / 頭とうから ～する 딱〔정면으로〕부정하 다. ↔肯定こうてい.

ビデオ【video】名 비디오. ¶～テープ 비디오 테이프 / ～取とり 비디오 테이프에 녹 화함. ↔オーディオ. ▷video. ──カ セット-setto 名비디오 카세트. ▷video cassette. ──コンプ -kompu 名비디오

コンプ（활자를 사용하는 편집실의 조판· 인쇄 공정(工程)의 자동화 시스템）. ▷videocomp. ──テープレコーダー 名 비디오 테이프 리코더. ＝VTRブイティー アール. ▷video tape recorder.

びてき【美的】名 ダナ 미적. ¶～感覚かんかく 미적 감각. 「ぞく.

ひてつきんぞく【非鉄金属】名 비철 금

ひでり【ひでり·日照り】早 名 ①가 뭄을 ; 가뭄 ; 한발 ; 천하여, 필요한 것 이 매우 적어짐. ¶～が続つづく 가뭄이 계속되다 / 女おんな～ 여자 기근. ②별의 다름. ──あめ【──雨】名 여우비. ＝天 気雨あめ.

ひでん【秘伝】名 비전. ¶～の妙薬みょう やく 비전의 묘약.

ひでん【飛電】名 비전. ①지급 전보. ②（번쩍하는）번개. ＝いなずま. 「ぼう.

びてん【美点】名 미점 ; 장점. ↔欠点けってん

びでん【美田】名 기름진 논 ; 비옥한 땅. ¶児孫じそんのために～を買かわず 자 손을 위해 기름진 땅을 사지〔남기지〕 않는다.

ひと【人】名 사람. ①인류 ; 인간. ② （집단이 아닌）개인 ; 또, 특별한 관계 에 있는 사람. ¶うちの～ 우리 집 양 반 ; 우리 남편 / いい～ (a)좋은 사람 ; (b)애인. ③보통 사람. ¶一生世間せけん知ら ず 세상에 흔히 있는 일. ㋑타인. ¶～の気きも知 らず 남의 속도 모르고 / ～の目 めを気きにする 남의 눈을 의식하다. ④ 어른 ; 성인. ¶～となる 어른이 되다. ⑤인물 ; 인재. ¶～を得える 인물을 얻 다. ⑥（필요한）일손. ¶～を求もとめる 일손을 구하다. ⑦인품 ; 성질. ¶～が いい 사람[인품]이 좋다. ──のうわさ も七十五日しちじゅうごにち 소문도 석달. ──の和気をわを頭痛ずつうに病やむ 자기에 게 관계없는 일을 걱정한다의 비유＝人の 親患(親患)에 단지(斷指). ──のふん どしで相撲すもうを取とる 남의 컨 불에 나 잡기. ──を我われ我我われと 남은 남, 나는 나. ──を食くう 남을 사뭇 깔보다. ──を呪のろわば穴ふたつ 남 잡이가 제 잡이. ──を見みて法ほうを説とく 상대에 따 라 알맞은 조처를 취하다.

ひと-【一】한…. ①（名詞 따위의 앞에 붙여서）하나 ; 한벌. ¶～にぎり 한 줌 / ～ころ 한동안. ¶～越こす 한 겨울 나다. ②（名詞 앞에 붙여서）조 금 ; 약간. ¶～筆ふで書かく 조금 쓰다 / 한 자 적다 / ～雨あめ 한차례의 비가 오 다.

ひとあし【一足】名 ①한발. ①한걸음. ② 얼마 안되는 시간[거리]. ¶～違ちがい 한발 차이 ; 얼마 안되는 시간의 차이 / ～所ところ 바로 가까운 곳.

ひとあし【人足】名 인적(人跡) ; 사람 의 왕래. ＝人通ひとどおり. ¶～がしげくな る 사람 왕래가 빈번해지다.

ひとあせ【一汗】名 한바탕 땀을 흘림. ¶～かく（일해서）한바탕 땀을 흘리다.

ひとあたり【人当(た)り】名 사람을 대하는 태도 ; 남에게 주는 인상. ¶ ～がよい 붙임성이 좋다.

ひとあれ【一荒れ】名 ス自 ①비바람이 한바탕 몰아닥침 ; 천하여, 회의·승부 등에 예상외의 혼란이 일어남. ¶～あ

りそうだ 한바탕 파란이 일 것 같다.
②기분이 나빠서 남에게 한바탕 해댐.

ひとあわ【一泡】图 느닷없어 당황함. ¶
━吹かせる 느닷없이 남을 놀라게 하다〔당황하게〕 하다.

ひとあんしん【一安心】图ス自 우선 안심이 됨; 한시름 놓음.

＊ひどい【酷い】形 (정도가) 심하다. ①가혹하다; 호되다; 〓むごい. ¶━しうち 가혹한 처사／目に会う〔会わせる〕혼나다〔혼내주다〕. ②지독하다; 엄청나다. ¶━雨 지독한 비／━人出だ 대단한 인파다.

ひといき【一息】图 ①단숨; 한숨. ¶━に飲み干す 단숨에 들이켜다. ②한숨 돌림; 잠깐 쉼. ¶━入れる 한숨 돌리다; 잠깐 쉬다. ③쉬지 않고 단숨에 함. ¶━に仕上げする 단숨에 해버리다. ④한고비의 노력. ¶完成까지あと━だ 완성까지 이제 한고비만 넘기면 된다.

ひといきれ【人いきれ】(人熅れ)图 사람들의 훈김〔훈김〕.

ひといちばい【人一倍】圖ダ 남보다 갑절〔이나〔배나〕. ¶━努力する 남보다 갑절 노력하다.

ひといろ【一色】图 일색. ①한가지 색. 〓一色〔삿〕. ②한 종류〔뿐〕.

ひどう【非道】-dō图ダ 비도; 무도. 〓極悪━극악 무도.

びどう【微動】-dō图ス自他 미동; 조금 움직임. ¶━だにしない 미동(끄떡)도 않다.

ひとうけ【人受け】图 남에게 주는 (좋은) 감정・평판. ¶━がいい 평판이 좋다.

ひとえ【一重】图 외겹; 홑겹; 한 겹. ¶━まぶた 홑눈꺼풀／━ざくら 외겹 벚꽃.

ひとえ【単衣・単】图 'ひとえもの(＝을옷)'의 준말. ↔あわせ.

ひとえに【偏に・一重に】圖 오로지; 그저; 전적으로. 〓ただただひたすら. ¶━おわび申し上げます 그저 사과드릴 따름입니다.

ひとおじ【人おじ】(人怖じ)图ス自 (어린 아이 등의) 낯가림.

ひとおもいに【一思いに】連語 단숨에; 큰마음 먹고; 눈딱감고. ¶いっそ━死んでしまいたい 차라리 눈 딱 감고 죽어버리고 싶다.

ひとかい【人買い】图 (어린이나 여자를 꾀는) 인신 매매자. ¶━にさらわれる 인신 매매자에게 유괴당하다.

ひとかかえ【一抱え】图 한 아름. ¶━の木 한 아름의 나무.

ひとがき【人垣】图 많은 사람이 빙 둘러싸서 울처럼 된 상태. ¶━を作る 많은 사람이 빙 둘러싸 울타리를 이루다. 〔자〔모습〕.

ひとかげ【人影】图 인영; 사람의 그림

ひとかたならず【一方ならず】圖 적지 않이; 이만・무척. ¶━喜ぶ 적잖음이 기뻐하다.

ひとかたまり【一塊】图 한 덩어리; 일단(一團). ¶━の不平分子 일단의 불평 분자.

ひとかど【一角・一廉】图 ①뛰어남; 버젓함; 상당함. ¶━の人物 뛰어난 〔어엿한〕인물. ②제구실; 한몫. ¶━

の働き 한 사람 몫의 일; 제구실.

ひとかまえ【一構え】图 한 채의 집.

＊ひとがら【人がら・人柄】一图 인품; 사람됨. 〓图 인품〔사람〕이 좋음. ¶お～な人 인품이 좋은 사람.

ひとかわ【一皮】图 한 껍질; 한 꺼풀. ¶━むければ欲のかたまりだ 한 꺼풀 벗기면 욕심 덩어리다.

ひとぎき【人聞き】图 남이 들음; 외문(外聞). ¶━が悪い 남듣기에 좋지 않다.

ひときりぼうちょう【一切り包丁】(人斬り庖丁)-bōchō 图〈俗〉칼〔나쁘게 일컫는 말〕.

ひときれ【一切れ】图 한 조각; 한가닥.

ひときわ【一際】图 한층 더; 눈에 띄게; 유달리. ＝きわだって・ひとしお. ¶━目立なお装など 유달리 눈에 띄는 차림새. ━〔춤

ひとく【秘匿】图ス他 비닉; 몰래 감출.

びとく【美徳】图 미덕. ↔悪德.

ひとくくり【一くくり】(一括り)图 한 데 묶음; 일괄.

ひとくさり【一くさり】(一齣)图 (노래나 이야기 따위의) 한 토막; 일단락. ¶演説など一장 연설(을)하다.

ひとくせ【一癖】图 보통내기가 아님을 느끼게 하는 특이한 성질. ¶━ある人物 보통내기가 아닌 인물. ━も二癖も有る 성깔이 있다; 만만찮다.

ひとくち【一口】图 ①한입에 먹다. ②조금〔한입〕먹음. ¶ほんの━飲む 술 한 모금 마시다. ③한마디 (말). ¶━に言えば 한마디로 말하면; 요컨대. ━〔돈버는 일에〕 한몫 끼다. ━ばなし【━話】(━咄・━噺)图 한마디 짤막한 이야기; 짧고 익살스러운 이야기.

ひとくふう【一工夫】-fū 图 좀더 연구함. ¶━まだ━足りない 아직 좀 연구가 부족하다.

ひとくみ【一組】图 한 조; 짝〔세트, 쌍으로 된 것; 한 빌〔짝, 세트, 쌍〕.

ひとくろう【一苦労】-rō 图ス自 약간의 노력(고생, 수고). ¶━顧どるかしてやる 좀 해주겠나／━に二苦労もした 어지간히〔퍽〕도 고생을 했다.

ひとけ【人け】(人気)图 인기척. 〓ひとっけ. ¶━のない寂しい道 인기척이 없는 쓸쓸한 길.

ひどけい【日時計】图 해시계.

ひとごえ【人声】图 사람의 목〔말〕소리. ¶向こうで━する 저쪽에서 사람 소리가 난다.

ひとごこち【人心地】图 (공포・불안 등에서 벗어나) 살아 있다는 기분; 제정신. ¶やっと━がつく 겨우 제정신이 들다.

ひとごころ【人心】图 ①인심; 인정; 애정. ②정상적인 의식; 제정신. 〓人ごこち・正気. ¶━がつく 제정신이 들다.

ひとこと【一言】图 일언; 한마디 말. ¶━で言うと 한마디로 말하면／━も触れていない 한마디도 언급돼 있지 않다.

ひとごと【ひと事・人事】(他人事)图 남의 일. ¶━で(は)ない 남의 일이 아니다.

ひとこま【一こま】(一齣)〖名〗(극·영화 따위의) 한 장면; 한 토막; 필름의 한 단락. ¶歴史ポの~ 역사의 한 토막.

ひとごみ【人込み】(人混み)〖名〗붐빔; 북적임; 또, 그 장소. ¶大変松な~だ 꽤나 붐빈다.

ひところ【一頃】〖名〗한때. =ひととき. ¶~はやった店 한때 번창했던 가게.

ひとごろし【人殺し】〖名〗살인(자).

ひとさかり【一盛り】〖一〗〖名〗한창때; 그 시기; 한물. ¶~を過ぎた選挙ポ云 고비 지난 선거. 〖二〗〖副〗한동안; 한바탕.

ひとさしゆび【人指し指·人差し指】〖名〗집게손가락; 식지(食指).

ひとさと【人里】〖名〗마을. ¶~離ボれた所キミ 마을에서 떨어진 곳. ↔山里ポ゚.

ひとさらい【人さらい】(人攫い)〖名〗유괴(범); 납치(범).

ひとさわがせ【人騒がせ】〖名〗놀라게 함; 떠들썩하게 함; 소란을 피움. ¶~な事件だ 세상을 떠들썩하게 하는 사건.

ひとし-い【等しい】(斉しい·均しい)-shī 〖形〗①같다; 동등하다; 동일하다. ¶どろぬまに~行動ホ̣ い 도둑놈과 다름없는 행위 / ほとんど無ないに~ 거의 없는 것과 같다. ②《「く·」の형으로》한결같이; 다 같이. =そろって. ¶万人キミょんと~く仰ぐ 만인이 한결같이 우러러보다.

ひとしお【一入】〖副〗한층 더; 한결 더; 특히. =ひときわ. ¶~興ポ゚を添そえる 한결 더 흥을 돋구다.

ひとしきり【一頻り】〖副〗한때 한바탕 계속되는 모양; 한(참)동안; 한차례; 한바탕. ¶雨ポが降ふる 비가 한바탕 내리다.

ひとじち【人質】〖名〗인질; 볼모. ¶~となる인질이 되다.

ひとなみ【人並み】〖名〗동등함; 같음; 동렬(同列); 같은 수준. ¶~の扱かい 동등한 취급.

ひとしれず【人知れず】〖副〗남 몰래; 속으로. =ひそかに. ¶~悩むな 남 몰래 고민하다.

ひとしれぬ【人知れぬ】〖連体〗남 모르는; 숨은. ¶~苦労ポ゚ 남 모르는 고생; 숨은 고생.

ひとずき【人好き】〖名〗남이 좋아함; 남에게 호감을 줌. ¶~のする顔キョ 남에게 호감을 주는 얼굴.

ひとすじ【一筋】〖名〗①한(외)줄기. ¶~の川パ 한줄기 강. ②한길로만 열중하는 모양; 외곬; 한결같음. ¶~に思おいつめる 외곬으로〔골똘히〕생각하다. ──なわ【─縄】〖名〗①한 가닥의 새끼. ②보통 수단. ¶~ではいかない 보통 수단(방법)으로는 안 된다.

ひとずれ【人擦れ】〖名〗〖又自〗(순수성이 없이) 닳고 반드러움. ¶~しない 순수하; 까지지 않은.

ひとそろい【一そろい】(一揃い)〖名〗있어야 할 것 전부; 일습; 한 세트.

ひとだかり【人だかり】(人集り)〖名〗〖又自〗많은 사람이 모임; 또, 그 군중. ¶黒山キミミのような~がする 사람이 새까맣게 모여들다.

ひとだのみ【人頼み】〖名〗남에게 의지함〔맡김〕. ¶~の根性キミ 남에게 의지하

는 근성.

ひとたび【一度】〖名·副〗①한번; 일단. =いったん. ¶~決心½したからには 일단 결심한 이상은. ②한 번; 일회. =一度½.

ひとだま【人だま】(人魂)〖名〗도깨비불. =火½の玉な.

ひとだまり【一溜まり】〖名〗잠시 지탱함. ¶~もなく負まけた 여지없이〔변변히 싸워보지도 못하고〕패했다.

ひとちがい【人違い】〖名他自〗헛봄; 잘못봄; 사람을 착각함. =人違えポ゚.

ひとつ【一つ】〖名〗①하나. ⑦수(数)의 하나; 한; 첫째. ¶なしが~ 배가 한 개 / ~違キミ 한 살 차이(특히, 한 살 차이). ②한편; 일면. ¶~にはこんな例ポも有ある 한편으로는 이런 예도 있다. ⑨(한덩어리로서의) 전체. ¶世界キミ̀は~ 세계는 하나. ②나름; 조차. ¶あいさつ~できない 인사 하나(조차) 제대로 못한다. ②《「~だ」「~になる」등의 꼴로》한가지; 같음; 비슷함. ¶内容ポ゚は~だ 내용은 한가지다.

ひとつ【一つ】〖名〗《副詞的으로》①그럭; 한번; 좀. ¶どりゃ~飲んでみよう 어디 한번 마셔 보자. ②아무쪼록.

ひとつあな【一つ穴】〖名〗¶~のむじな〔きつね〕 한패; 한통아리; 한통속.

ひとつおぼえ【一つ覚え】〖名〗(융통성 없이) 하나만 앎. 한편.「한 생각.

ひとつがい【一つがい】(一番)〖名〗암수.

ひとづかい【人使い】〖名〗사람 쓰는〔다루는〕법; 사람 다루기(부리기). ¶~が荒あい 사람 부리기가 거칠다.

ひとつかま【一つ釜】(一つ窯)〖名〗같은 솥; 한 솥. ──の飯キミを食くう 한솥밥을 먹다(생활을 함께 하다).

ひとつき【一月】〖名〗한 달; 1개월. ¶~に一度キミ̀ 한 달에 한번.

ひとづきあい【人づきあい】(人付き合い)〖名〗교제; 사귐(성). ¶~がへた 교제가 서투르다.

ひとっこ【人っ子】-tokko 〖名〗「사람」의 힘줌말. ¶~一人ボ̀り通らない 사람 하나 지나다니지〔얼씬하지〕않는다.

ひとづて【人づて】(人伝)〖名〗①인편에 전함. ──だね【─種】〖名〗외. ¶~に聞きく 인편으로〔소문〕에 듣다.

ひとつばなし【一つ話】〖名〗진담(珍談); 늘 자랑삼아 하는 정해진 이야기. ¶老人キミ̀の~ 노인이 늘 자랑삼아 하는 이야기.

ひとつひとつ【一つ一つ】〖名·副〗일일이; 하나하나. =いちいち. ¶~調しらべあげる 하나하나〔일일이〕조사하다.

ひとつぶ【一粒】〖名〗한 알. ¶~の麦むぎ 한 알의 밀. ──だね【─種】〖名〗외아들; 외딸; 외둥이. =ひとりご.

ひとづま【人妻】〖名〗남의 아내; 유부녀. ¶~らしい女ポ゚ 유부녀처럼 보이는 여자.

ひとつや【一つ家】〖名〗①같은 집; 한 집. ②외딴집. =一軒屋キミミ̀.

ひとで【一手】〖名〗①(혼자) 도맡음; 독점; 도거리. =ひとり. ¶~販売ポ゚〔독점〕판매. ②(바둑 등의) 한 수. ¶~遅ゆれる 한 수 늦다.

ひとで【人手】〖名〗①남의 손〔힘〕. ¶~を借かりる 남의 손을 빌리다. ②일손;

일꾼. =働ばた<ら>き手て. ¶～がかかる 일손이 들다. ③인공(人工). ¶～を加 くわえる 인공을 가하다. **一にかかる** 남의 손에 죽다.

ひとで【人出】 많은 사람이 그곳에 모임[나옴]·인파. ¶たいへんな～ 엄청난 인파.

ひとで【海星·人手·海盤車】 图【動】불가사리; 해성(海星).

ひとでなし【人でなし】(人非人) 图칫 인비인(人非人); 사이비 인간; 사람이 아닌 사람. =人非人にんぴ<にん>.

ひととおり【一通り】 图도리 ①대강; 얼추; 대충. =ひとわたり. ¶～読よむ 얼추 읽다. ②필요한 것; 일습; 한 종류. ③(대개 否定에 따라서) 보통. 엔간함. ¶～の練習れんしゅうではできない 엔간한 연습으로는 안된다.

ひとどおり【人通り】-dōri 사람의 왕래. =行ゆき来き. ¶～がはげしい 사람의 왕래가 아주 잦다[많다].

ひととき【一時·一時】 图 일시. ①한동안; 잠깐 동안. =いちじ·いっとき. ¶(이전의) 한때. =ひところ. ¶～はやった歌 한때 유행한 노래.

ひととせ【一年】 图 ①한 해; 일(개) 년. =いちねん. ②어느 해.

ひととなり【人となり·人となり】(為人) 위인(為人); 타고난 성질; 사람됨.

ひとなか【人中】 图 ①(많은) 사람 가운데; 뭇 사람 앞. ¶～で恥はじをかく 뭇 사람 앞에서 창피를 당하다. ②세상. =世間せけん. ¶～に出でられない身み 세상에 나서지 못할 몸.

ひとなかせ【人泣かせ】 图칫 사람을 괴롭힘. ¶～な制度せいど 사람을 괴롭히는 제도.

ひとなつっこ-い【人懐っこい】-natsukkoi 圈 사람을 잘 따르다; 붙임성이 있다. =ひとなつこい.

ひとなのか【七日】 图 사람이 죽은 지 이레(째); 또, 그 때 하는 재(齋)〔佛事〕. =初七日しょなのか.

ひとなみ【人波】 图 인파. ¶～にもまれる〔のまれる〕 인파에 시달리다(휩쓸리다).

ひとなみ【人並み】 图ダナ (남들과 같은) 보통 정도나 상태. =世間せけんなみ. ¶～の生活せいかつをする 보통의〔여느 사람과 같은〕 생활을 하다.

ひとにぎり【一握り】 图 한 줌; 극히 적음. ¶～の異端分子いたんぶんし 극소수의 이단분자.

ひとねいり【一寝入り】 图 한숨 잠. =一眠ひとねむり.

ひとねむり【一眠り】 图 한숨 잠; 한잠 (잠). =ひとねいり.

ひとのくち【人の口】 사람들의 말〔소문〕. **一には戸とが立たてられない** 세인의 비난이나 소문은 막을 수 없다.

ひとのよ【人の世】 图 인간 세계; 이 세상.

ひとばしら【人柱】 图 옛날, 난공사(難工事) 때에 사람을 제물로 바치던 일; 또, 그 사람; 전하여, 어떤 목적으로 희생이 되는 일.

ひとはしり【一走り】 图재自 잠깐 뜀. =ひとっぱしり. ¶～行いって来く

い 잠깐 뛰어 갔다오너라.

ひとはた【一旗】 图『～揚あげる』①군사를 일으키다; 거병(擧兵)하다. ②새로 사업을 시작하다.

ひとはだ【一肌】 图『～脱ぬぐ』한팔 걷고 도와 주다; 힘써 도와 주다.

ひとはだ【人肌】(人膚) 图 사람의 피부; 또, 그 정도의 따스함.

ひとはな【一花】 图『～咲さかせる』한 때 성공하여 눈부시게 번영하다.

ひとばらい【人払い】 图ㅈ自 ①밀담하기 위해 다른 사람을 물리침. ②벽제(辟除).

ひとばん【一晩】 图 ①하룻밤; 밤새. ②어느 날 밤. ¶～友達ともだちがたずねて来きた 어느 날 밤 친구가 찾아왔다.

ひとびと【人人】 图 ①사람들. ¶貧まずしいーを助たすける 가난한 사람들을 돕다. ②각자. ¶～が抱いだく感慨かんがい 각자가 품는 감개.

ひとふし【一節】 圖 하나의 특별한 점; 두드러지게; 유달리. ¶～変かわったところがある 어딘가 색다른 데가 있다.

ひとふで【一筆】 图 일필. ¶(편지 따위를) 조금〔잠깐〕 씀. ¶紹介状しょうかいじょうを～をお願ねがいします 소개장을 한 줄 써주시기 바랍니다. ②먹을 다시 묻히지 않고 단번에 씀. 〔목욕함. **ひとふろ【一風呂】(一風呂)** 한차례

ひとほね【一骨】 한번의 수고; 애씀. **一折ほる** 남을 위해 애쓰다.

ひとまえ【人前】 图 ①남 보는 앞. ¶～をつくろう 남의 눈을. ①사람들이 보는〔보는〕 곳. ②체면. ¶～を飾かざる 체면을 차리다.

ひとまかせ【人任せ】 图 남에게 맡김. ¶仕事しごとを～にして 일은 남에게 맡기고.

ひとまく【一幕】 图 일막(사건 따위의) 한 장면. ¶～物もの 1막짜리 연극〔희곡〕; 단막극.

＊ひとまず【一先ず】 图 우선; 일단; 하여튼. 一応いちおうを～ 우선. ¶～やってみよう 우선〔일단〕 해보자.

ひとまちがお【人待ち顔】 图 사람을 기다리는 듯한 얼굴이나 모양.

ひとまとまり【一まとまり】(一纏まり) 图 하나로 합침; 한 뭉음.

ひとまとめ【一まとめ】(一纏め) 图 일괄(一括); 하나로 합침〔묶음〕; 한 덩어리로 함.

ひとまね【人まね】(人真似) 图 남의 흉내; (동물의) 사람 흉내.

ひとまわり【ひとまわり·一回り】 图ㅈ自 ①일주(一週)·(一週); 한번〔한차례〕 돎; 한바퀴 돎. ②(지지(地支)에서) 난 해가 되돌아오는 해까지의 12년간. ¶～若わかい (나이가) 열 두 살이 적다. ③굵기의 한 단계; 한 아름. ④(인물의 도량·재능·수완 등의) 스케일의 크기를 나타내는 말; 한층; 한결. ¶～大おおきい人物じんぶつ 한결 스케일이 큰 인물.

ひとみ【眸·瞳】 图 눈동자; 동공(瞳孔); 눈. **一を凝こらす** 응시(凝視)〔주시(注視)〕하다.

ひとみごくう【人身御供】-kū 图 인신공양; 제물로서 사람을 신에게 바침; 또, 그 희생이 되는 사람.

ひとみしり【人見知り】 图 낯가림. ¶この子は～(を)してこまる 이 애는

낮을 가려서 큰일이다.

ひとむかし【一昔】图 일단 옛날로 느껴질 정도의 과거(보통 10년 정도); 한 옛날. ¶十年½ぷ～10년이면 한 옛날. ↔大昔ぉぉ.

ひとむれ【一群れ】图 (새·짐승·벌레 따위의) 한 떼; 한 무리.

ひとめ【一目】图 ①일별(一瞥); 한번(만) 봄. ¶～で分かる 첫눈에 알 수 있다 / ～金みたい 한번(만이라도) 만나고 싶다. ②한눈에 들어올 수 있는 모양. ¶港ぷが～に見おろせる 항구가 한눈에 내려다 보이다.

ひとめ【人目】图 남의 눈. **━がうるさい** 남의 눈이 성가시다(귀찮다). **━に余るる** 눈꼴사납다; 눈꼴(이) 시다. **━につく** 남의 눈에 띄다. **━を忍ぶ** 남의 눈을 기피다. **━を盗ぬむ** 남의 눈에 띄지 않도록 가만히 하다. **━をはばかる** 남의 이목을 꺼리다. **━を引く** 남의 이목을 끌다.

ひともうけ【一もうけ】(一儲け】-mōke 图 한밑천 잡음; 한밑천 잡음.

ひともしごろ【火ともしごろ】(火点し頃】图 불을 켤 무렵; 박모(薄暮); 땅거미질 무렵.

ひともと【一本】图 〈雅〉한 그루. ＝い.

ひともなげ【人も無げ】ダナ 방약 무인(傍若無人).

ひとやく【一役】图 한 역할〔구실〕. **━買かう** (자진해서) 한 역할을 맡다.

ひとやすみ【一休み】图スヨ 잠깐 쉼.

ひとやま【一山】图 ①(과일이나 채소 따위의) 한 무더기. ②산 하나; 산 전체. **━当あてる** 투기적인 방법으로 한밑천 벌다.

ひとやま【人山】图 인산; 사람이 많이 모인 것. **━を築きく** 인산 인해를 이루다.

ひとよせ【人寄せ】图 ①사람을 모아들임; 또, 그렇게 하기 위한 흥행이나 인사말. ②━よせ(寄席).

ヒドラ【動】히드라. ▷⇨ hydra.

＊**ひとり【一人】**图 한 사람. ¶人½が～立っている 사람이 한 사람 서 있다.

＊**ひとり【独り】**图 ①혼자서. ＝～者≾독신자; 홀몸인 사람 / まだ～です 아직 독신입니다 / ～で旅たびをする 혼자(서) 수반하여 副詞的으로〉 다만; 단지. ＝ただ. 뿐만. ～それだけ에 とどまらず 단지 그것에 그치지 않고.

ひどり【日取り】图 날짜를 정함; 택일; 정한 날짜; 기일. ¶結婚½の～をきめる 결혼 날짜를 정하다.

ひとりあるき【独り歩き】图 동행 없이 또는 남의 도움 없이 혼자서 걸음.

ひとりがてん【独り合点】图スヨ 속단함; 스스로 이해한 듯이 독단함; 지레 짐작함. ＝ひとりがってん.

ひとりぎめ【独り決め】图スヨ 독단(独斷); 혼자 정함. ¶できないものと～にしてしまう 안 되는 것으로 혼자 정해 버리다.

ひとりぐらし【一人暮(ら)し・独り暮(ら)し】图 독신 생활; 혼자 삶.

ひとりごと【独り言】图 혼잣말; 독백(獨白).

ひとりしずか【一人静】图【植】홀아비꽃대. ▷［지.

ひとりじめ【独り占め】图 독점; 독차지.

ひとりずもう【独り相撲】-mō 图 씨름틀; 상대가 없거나 또는 다른 사람에게는 열의가 있는데 혼자서만 설치는 일; 독판침; 독무대. ¶～をとる 혼자 씨름을 하다((a) (상대가 없어) 독판치다; (b) 실력의 차이가 심해서 상대가되지 않다).

ひとりだち【独り立ち】图スヨ 독립; 자립. ¶やっと～ができる 겨우 자립할 수 있다.

ひとりっこ【一人っ子・独りっ子】-rikko 图〈俗〉독자; 외동이. ＝ひとり子.

ひとりでに【独りでに】副 저절로; 제물로; 자연히. ＝自然½に・おのずから. ¶ドアが～開ひいた 문이 저절로 열렸다.

ひとりのみこみ【独りのみこみ】(独り呑み込み】图 혼자 속단함; 이해한 듯이 독단함; 지레 짐작.

ひとりびとり【一人一人】图 한 사람 한 사람. ①각자. ＝めいめい. ②한 사람씩 (차례로). ＝ひとりひとり. ¶～呼ぷびだす 한 사람씩 불러내다.

ひとりぶたい【独り舞台】图 독무대; 독판; 독장침; 원맨쇼. ¶その芝居ばはA½だった 그 연극은 A의 독무대였지.

ひとりぼっち【一人ぼっち・独りぼっち】-botchi 图 단 혼자; 외톨도리; 외딴몸; 고립됨. ＝ひとりぼっち. ¶親½が死んで～になる 부모가 죽어 외토리가 되다. ＝いちにんまえ.

ひとりまえ【一人まえ・一人前】⇨いちにんまえ.

ひとりむすこ【一人息子】图 외아들.

ひとりむすめ【一人娘】图 외딸.

ひとりよがり【独りよがり】(独り善がり】图 독선(적). ¶それは～の考かえだ 그것은 독선적인 생각이다.

ひとわたり【一亙り】图 한번; 한차례; 대강; 대충. ＝いちど・ひととおり・一応ぉう. ¶～目っを通ぷす 대충〔한차례〕 훑어보다.

ひな【鄙】图 시골; 촌. ＝いなか. ¶～にはまれな美人びん 시골에서는 드문 미인.

ひな【雛】图 ①갓깬 날짐승의 새끼; 병아리. ＝ひよこ. ¶～をかえす 병아리를 까다. ↔成鳥½ぅ. ②옷을 입힌 인형(종이·흙 따위의 로 만듦). ＝ひな人形にん・ひいな. ③〈名詞 앞에 붙여서〉작은; 귀여운. ¶～型½ 작은 모형. **━の節句く** 3월 3일의 여자 아이의 명절. ＝桃½の節句.

ひなか【日中】图 낮; 대낮; 낮동안. ＝にっちゅう・昼間ぷ. ¶ひるの～に 대낮〔백주〕에.

ひなが【日長・日永】图 (봄의) 낮이 긺; 긴 낮. ¶～の季節きっ 낮이 긴 계절; 봄철. ↔夜長ぷよ.

ひながた【ひな型】(雛型・雛形】图 ①(작은) 모형. ¶議事堂½ぅの～ 의사당의 작은 모형. ②견본(見本); 양식; 서식. ¶～にならって書かく 서식에 따라 쓰다.

ひなぎく【雛菊】图【植】데이지(이탈리아의 국화(國花)). ＝デージー.

ひなげし【雛罌粟】图【植】개양귀비.
=ぐびじんそう.

*ひなた【日向】图 양지; 양달. ¶~に
出る 양지로 나가다. ↔日かげ.
──ぼっこ -bokko 图ス自 양지에서 별
쬐기. ¶庭で~をする 뜰에서 별을
쬐다.

ひなだん【雛壇・雛壇】图 ①ひなまつ
りの時に人形を陳列する 단(階段式
으로 되어 있음); 또, 그런 모양으로
된 단. ②〔歌舞伎등〕음악을 반
주하는 사람들이 앉는 상하 2 단의 좌
석.

ひなどり【雛鳥・雛鳥】图 ①날짐승
의 새끼. ②병아리.

ひにんぎょう【雛人形】〔雛人形〕
-gyō 图 ひなまつりの祭壇に陳列하는
작은 人形들(15 개 한 세트). =おひな
さま・ひな.

ひな-びる【鄙びる】上一自 시골티가 나
다; 촌스러운데가 있다. =いなかびる.

ひなまつり【雛祭(り)】〔雛祭(り)〕
图 3월 3일의 여자 아이의 명절에 내
는 행사(제단〔祭壇〕에 일본 옷을 입
힌 작은 人形 등을 陳列하고 떡·감주·
복숭아꽃 들을 차려 놓음). =ひな遊
び・ひいな祭り.

ひならずして【日ならずして】副 며칠
안 되어서; 머지않아. ¶出生後~
～して死んだ 출생 후 얼마 안 되어
죽었다.

ひなわじゅう【火縄銃】-jū 图 화승총.

*ひなん【非難】图他 비난. ¶
～を受ける 비난을 받다 / ～の的と
なる 비난의 대상이 되다.

*ひなん【避難】图ス自 피난. ¶~訓練
피난 훈련 / ～民た 피난민.

びなん【美男】图 미남; 미남자. =びだん
ん. ↔美女じょ.

ビニール 图 비닐. ▷vinyl. ──ハウス
图 비닐 하우스. ▷vinyl house.

*ひにく【皮肉】一图 ①가죽과 살. ②
빈정거림; 비꼬; 야유. 의 ③에구리.
¶～を言う 빈정(비아냥)거리다; 빈
정대어 말하다. ──图乙 빈정거
리는 투; 얄궂음; 짓궂음. ¶～な運
命めいの〔めぐりあわせ〕 얄궂은 운명/
～な笑いかた方 빈정거리는 웃음.

ひにく-る【皮肉る】5他 빈정(비
아냥)거리다; 비꼬아서 말하다; 풍자
하다.

*ひにち【日にち】〔日日〕图 날; 날수; 기
일. =日・日数むう. ¶～がかかる 날수
가 걸리다 / 会合の～を決める 모임의
날짜를 정하다.

ひにひに【日に日に】副 날마다; 나날
이; 날이 갈수록. =日ごとに. ¶～成
長じょうする 나날이 성장하다.

ひにまし【日に増し】〔老〕──ひま
しに.　　　=ひつにように.

ひにょうき【泌尿器】-nyōki 图 비뇨기.

ビニロン 图 비닐론; 폴리비닐 알코올
계(系)의 합성 섬유. ▷vinylon.

ひにん【日忍】图 부인. 이긴.

ひにん【非人】图 ①【佛】비인; 야차
(夜叉)·악귀 따위. ②〔史〕江戸ど時대

에 사형장(死刑場)에서 잡역에 종사하
던 사람.　　　「피임약.

ひにん【避妊】图ス自 피임. ¶~薬やく

ひにんじょう【非人情】-jō 图〔ア〕의
리·인정 따위에서 벗어나, 그것에 구
애되지 않는 일.=不人情にんじょう.

ひねく・る【捻くる・捻くる】5他 ①만
지작거리다. ¶鉛筆えんを～ 연필을 만
지작거리다. ②이리저리 핑계〔이유〕를
들어 둘러대다. ¶いつも ~理屈りくつ~
항상 한 마디 이유를 붙인다.

*ひね く-れる【拈くれる・捻くれる】
下一自 (성질이) 비뚤어지다; 뒤틀그러
지다. ¶~れた性格かく 비뚤어진 성
격.

ひねつ【比熱】图【理】비열.　　「격.

ひねつ【微熱】图 미열.

ひねもす【終日】副〔雅〕온종일.=一
日中いちにち ↔夜よもすがら.

ひねり【拈り・捻り】图 ①비름; 비틀
듯이 집은 한줌. ¶ひげを~する
수염을 한번 꼬다. ②☞おひねり.

ひねりだ-す【ひねり出す・拈り出す・
拈り出す】5他 ①(이리저리 머리를 써
서) 생각해 내다; (겨우) 짜내다; (무
리해서) 염출하다. ¶案名だんを~ 명
안을 (겨우) 생각해 내다 / 旅費りょを~
여비를 염출하다.

ひねりまわ-す【ひねり回す】〔捻り回
す・拈り回す〕5他 ①(손끝으로) 이리
저리 만지작거리다; 주물럭거리다. ②
(여러 가지로 궁리하여) 생각·취향 따
위를 짜내다. ¶文章しょうを~ 문장을
짜내다.

‡ひね-る【拈る・捻る】5他 ①(손끝으
로) 비틀다; 틀다; 비꼬다. ¶せんを~
마개를 비틀다 / ひげを~ 수염을 꼬
다 / スイッチを~ 스위치를 틀다 / 鳥
とりの首を~ 닭의 목을 비틀어 잡는다.
②틀어서 방향을 바꾸다; 뒤틀다; 돌리
다. ¶からだを~ 몸을 뒤틀다 / 首くびを
~ 고개를 갸우뚱하다(생각할 때). ③
(두루 궁리하여) 생각을 짜내다. ¶
頭あたまを~ 머리를 짜내다. ④
일부러 색다르게 하다. ¶~った出
題だいを色다른 출제. ⑤〔俗〕손쉽게 해
내다; 해치우다. ¶軽かるく~ってやる
간단히 해치우다; 가볍게 이기다.

ひのいり【日の入り】图 일몰; 일몰(日
没). 해넘이. =日暮れ. ↔日の出で.

ひのうみ【火の海】图 불바다.

ひのえ【丙】〔俗〕图 병(천간〔天干〕의 셋째.
오행(五行)으로는 불에 배당됨.

ひのえうま【丙午】图 병오(년)(이 해
에는 화재가 많고, 또 이 해에 출생한
여자는 남편을 단명하게 한다는 따위
미신이 있음.

ひのき【檜】图【植】노송나무.

ひのきぶたい【ひのき舞台】〔檜舞台〕
图 노송나무 판자로 만든 무대; 전하
여, 자기의 솜씨를 보일 공식(정식) 자
리; 영광스러운 무대. ¶~をふむ 영광
스러운 무대를 밟다.

ひのくるま【火の車】图 ①【佛】죄인
을 싣고 지옥으로 가는 불타는 수레.
②빈곤에 쪼들리는 모양; 경제 상태가
몹시 궁한 모양. ¶物価ぶっかの値上がりで, ~だ 물가가 올라서 살림이 말이 아
니다.

ひのくれ【日の暮(れ)】图 일모；해질녘；저녁때. ＝夕暮ᵏᵇᵉれ.

ひのけ【火の気】图 불기；불. ¶～のないへや 불기가 없는〔냉〕방.

ひのこ【火の粉】图 불똥；불티. ¶～を浴ᵃびる 불티를 뒤집어쓰다.

ひのし【火の熨】【火熨斗】图 다리미. ¶～をかける 다리미질하다.

ひのしたかいさん【日の下開山】图 (무예・씨름 따위에서) 천하 무쌍；천하 무적.

ひので【火の手】图 불길. ¶～が強ᵏᵏく なる 불길이 세어지다.

ひので【日の出】图 일출；해돋이 (시각). ↔日の入ᵃり. —の勢ᵏᵏい 욱일승천의 기세.

ひのと【丁】图 정(천간(天干)의 넷째；오행(五行)으로는 불에 배당함).

ひのべ【日延(べ)】图 ㊉他 ①(기일의) 연기. ¶出発ᵇᵃᵗᵘを～する 출발을 연기하다. ②(기간의) 연장. ¶会期ᵏᵃᶦを三日間ᵏᵃᶰ～する 회기를 3일간 연장하다.

ひのまる【日の丸】图 태양을 본뜬 붉은 동그라미；또, 그것을 그린 일본 국기；일장기(日章旗). ——べんとう【—弁当】-tō 图 밥 가운데에 梅干ᵘᵐᵉᵇᵒᶦ し 한 개만 박은 도시락.

ひのみやぐら【火の見やぐら】【火の見櫓】图 소방서의 망루(望樓). ＝火の見・望楼ᵇᵒᵘᵣᵒ.

ひのめ【日の目】【陽の目】图 햇빛；일광. ¶～を見ᵐᶦ ない 햇빛을 보지 못하다〔(a)세상에 공포되지 않다；(b)불우하여 세상에 알려지지 않다〕.

ひのもと【火の元】图 불기가 있는 장소. ¶～御用心ᵍᵒʸᵒᵘᶦᶦᶰ 불기〔화기〕 주의；불조심.

ひのもと【日の本】图〈雅〉일본국의 미칭.

ひのようじん【火の用心】-yōjin 图 불조심.

ひば【檜葉】图【植】①노송나무의 잎；또, 노송나무. ②☞あすなろ.

ひばいひん【非売品】图 비매품.

ひばく【被爆】图 ㊉自 폭격을 받음. ¶～者ᵃ 피폭자(특히, 원자 폭탄에 의한 피해자).

ひばし【火ばし】【火箸】图 부젓가락.

ひばしら【火柱】图 불기둥.

ひばち【火鉢】图 화로. ＝火ᵏᵛおけ. ¶～に当たる 화롯불을 쬐다.

ひばな【火花】图 불꽃；불티；불꽃. ②방전(放電)할 때 나오는 불빛；스파크. ——を散ᶜʰらす 불꽃을 튀기다〔(전하여, 격심하게 싸우는 뜻으로도 씀).

ひばば【曾祖母】图 증조모；증조 할머니. ＝ひいばば. ——ᵇ【横腹】图

ひばり【雲雀】图【鳥】종다리.

*****ひはん**【批判】图 ㊉他 비판. ¶～に甘ᵃᵐんじる 비판을 감수하다. ——てき【—的】ᵈᵃⁿ 비판적. ¶～な態度ᵃᶦᵈᵒ 비판적인 태도.

ひばん【非番】图 비번；난번. ↔当番.

ひひ【狒狒】图【動】비비. ②호색가(好色家). ¶～おやじ 색골 영감.

ひひ【輝・轍】图 (추위에) 살갗이 튼곳. ¶～だらけの手 온통 튼 손. ☞あかぎれ.

ひび【罅】图 금. ①(벽・유리・그릇 따위에 생긴) 잔금；터진 데. ¶茶ᵃわんに～が入ᶦる 밥공기에 금이 가다. ②(사이에) 틈이 벌어짐；(사이가) 나빠짐. ¶二人ᶠᵗᵃᵣⁱの間がᵃ～がはいる 두 사람 사이에 금이 가다.

ひび【日日】图 나날；매일；그날그날.

びび【微微】ᵀᵃᴸ 图 미미；적은〔작은〕모양. ¶～たる成績ᵉᶦ 쥐꼬리만한 수입.

ひびか-せる【響かせる】ㅣ下ㅣ ①울리 (게 하)다；(영향이) 미치게 하다. ¶物価ᵇᵘᵗᵘに～まで 물가에까지 미치게 하다. ②세상에 떨치다；(들) 날리다. ¶名ᵃを～ 이름을 떨치다.

ひびき【響き】图 ①울림；그 소리. ¶遠雷ᵉᶰᵣᵃᶦの～ 원뢰(의 울림) 소리. ②반향(反響). ㊀(미치는) 영향. ¶物価ᵇᵘᵗᵘへの～が大ᵒᵒきい 물가에의 영향이 크다. ㊁메아리. ③여운(餘韻). ¶鐘ᵏᵃⁿの～ 종소리의 여운. ④진동(震動・振動). ¶地ᵈᶦ～ 땅울림. ⑤평판. ¶世ʸᵒの～ 세상 평판. ⑥귀에 들리는 음이나 소리의 느낌；음감. ¶～のよくない言葉ᵏᵗᵒᵇᵃ 귀에 거슬리는 말.

*****ひび-く**【響く】ㅣ下ㅣ ㊀울려퍼지다. ¶大砲ᵗᵃᶦʰᵒᵘの音がᵃ～ 대포 소리가 울리다. ㊁여운을 끌며〔남기며〕울리다. ¶鐘ᵏᵃⁿの音がᵃかすかに～ (먼멧절의) 종소리가 아스라히 여운을 남기며 울리다. ㊂진동이 전해지다. ¶爆音ᵇᵃᵏᵘᵒⁿが腹ʰᵃᵣᵃに～ 폭음이 뱃속을 울리다. ㊁반향하다；메아리치다. ¶山ʸᵃᵐᵃに～ (산울림)으로 메아리치다. ②반응을 주다；통하다. ¶何ᵈᵒと言っても いっこう～かない 무슨 소리를 해도 도통 통하지 않는다. ③(나쁜) 영향을 주다. ¶神経ᵏᵉᶦに～ 신경에 해로운 영향을 주다. ④「胸ᵐᵘᶰに～」(강한 호소력으로) 가슴을 찌르다；(정하게) 가슴에 와닿다. ⑤유명해지다；들날리다. ¶名ᵃが国内ᵏᵒᵏᵘⁿᵃᶦに～ きわたる 이름이 국내에 들날리다.

びびし-い【美美しい】-shī 形 화려하고 아름답다. ¶～く飾ᵏᵃᶻる 立てる 화려하고 아름답게 꾸며대다.

ビビッド -biddo ⎡ダナ⎤ ☞ヴィヴィッド. ▷vivid.

*****ひひょう**【批評】-hyō 图 ㊉他 비평. ¶～文学ᵇᵘⁿᵍᵃᵏᵘ 비평 문학. ——か【—家】图 비평가. ——がん【—眼】图 비평안；비평의 안목；비평력；비평력.

ひびょういん【避病院】-byōin 图 피병원；격리 병원.

ひびわ-れる【ひび割れる】【罅割れる】ㅣ下自 금이 가다. ¶茶ᵃわんが～ 공기가 금이 가 깨지다.

びひん【備品】图 비품. ↔消耗品ᵇᵒᵘᵘ.

*****ひふ**【皮膚】图 피부；살갗. ¶～炎ᵉⁿ 〔病ᵇʸᵒᵘ〕피부염〔병〕／～が荒ᵃれている 피부가 거칠다.

ひふ【日歩】图 일보；일변. ¶～三銭ᵃⁿ 일변 3 센. ☞年利ᵗᵒᶦ・月利ᵍᵉᵗᵘ.

びふう【美風】-fū 图 미풍. ¶～良俗ʳʸᵒᵘᶻᵒᵏᵘ 미풍 양속. ↔悪風ᵃᵏᵘᶠᵘ.

びふう【微風】-fū 图 미풍；산들바람. ＝そよ風ᶻᵉ.

ひふく【被服】图 피복；의복. ＝衣服ᶦᶠᵘᵏᵘ.

ひふく【被覆】图 ㊉他 피복；덮어 씌움.

¶絶縁体で~する 절연체로 피복하다.

びふく【微服】名ス自미복；미행(微行)을 위한 두드러지지 않은 복장.

ひぶくれ【火脹れ】(火腫れ)名 화상으로 살이 부풀어오름；또, 그로 인한 물집.

ひぶそうちたい【非武装地帯】hibusō-名 비무장 지대.

ひぶた【火蓋】(火蓋)名『~を切る』①전쟁·경기 따위를 시작하다. ②행동을 개시하다.

ひぶつ【秘仏】名 비불；비장해 두고 일반에게 공개하지 않는 불상.

ビフテキ ☞ ビーフステーキ. ▷프biftek.

ひふん【悲憤】名ス自비분；(정치나 사회적 일에) 슬픔과 함께 노여움을 느낌. ¶~慷慨 비분 강개.

ひぶん【碑文】名 비문；비석에 새긴 문장. =いしぶみ.

びぶん【美文】名 미문；아름다운 글. ¶~調 미문조.

びぶん【微分】名他〔數〕미분. ¶~方程式 미분 방정식. ↔積分.

ひへい【疲弊】名ス自피폐. ¶水害で~した村 수해로 피폐한 마을.

ピペット -petto 名〔理〕피페트；화학 실험 기구의 하나. ▷pipette.

ひへん【日偏】名 한자 부수(部首)의 하나；날일변(晴·暗 등의 'ㅂ'의 이름).

ひへん【火偏】名 한자 부수(部首)의 하나；불화변(煙·焼 따위의 'ㅊ'의 이름).

ひほう【飛報】-hō 名 비보；급보.

ひほう【秘法】-hō 名 비법. ①알려지지 않은 방법. ¶~を授かる 비법을 전수받다. ②〔佛〕진언종(眞言宗)에서, 비밀 기도.

ひほう【悲報】-hō 名 비보；슬픈 통지〔소식〕. ↔朗報.

ひぼう【非望】-bō 名 비망；분수에 맞지 않는 바람. =野望. ¶~をいだく 분에 넘치는 야망을 품다.

ひぼう【誹謗】-bō 名他 비방. =中傷.

びぼう【美貌】-bō 名 미모. ¶~を誇る 미모를 자랑하다.

びぼう【備忘】-bō 名 비망；잊어버릴 경우에 대비함. ¶~録 비망록.

ひぼし【干ぼし】(干乾し)名 굶주려서 바싹 마름. ¶~になる 굶주려서 바싹 마르다.

ひぼし【日干し】(日乾し)名 햇볕에 말림；햇볕에 말린 것. ¶~のぶどう 햇볕에 말린 포도／ふとんを~にする 이불을 햇볕에 말리다. ↔陰干し.

ひぼし【火干し】(火乾し)名 불에 말림；불에 말린 것. ¶ぬれた服を~にする 젖은 옷을 불에 말리다.

ひほん【非凡】名ナ 비범. ¶~な腕前 비범한 솜씨. ↔平凡·凡庸.

*ひま【閑】【暇】名①틈；짬；기회. ¶本を読むㅇがない 책을 읽을 틈이 없다／~を見つて 기회를 봐서／~をつぶす 따분한 시간을 …을 하며 보내다；심심풀이로 시간을 보내다. ②한가한 상태. ¶~な身になる 한가한 몸이 되다. ③맺었던 관계가 풀리는 상태. ¶~をやる (a) (고용인을) 해고하다／(b) 처(妻)와 이혼하다. ④(무엇을 하는 데 필요한) 시간. ¶~がかかる 시

간이 걸리다. ―にあかす (그 일에) 시간을 아끼지 않다；많은〔충분한〕시간을 들이다. ―を出す ①해고하다. ②아내와 이혼하다. ―を盗む 얼마 안 되는 시간을 이용하다；억지로〔틈틈이〕시간을 내다.

ひま【隙】名①틈；간격. =すきま. ②사이가 나쁨；티격남；불화. ¶~を生じる 틈이 생기다；티격나다；불화해지다.

ひま【蓖麻】名〔植〕피마. =とうごま. ―し〔―子〕名 피마자의 씨. ¶~油 피마자유；아주까리 기름.

ひまく【皮膜】名 피막. ①피부와 점막；결합질과 속결질. ②껍질 같은 막.

ひまく【被膜】名 피막；둘러싸고 있는 막.

ひまご【ひ孫】(曾孫)名〈方〉증손. =ひいまご.

ひましに【日増しに】副 나날이；날이 감에 따라；날이 갈수록. ¶~大きくなる 나날이〔날이 갈수록〕커지다.

ひまじん【暇人】(閑人)名 한인；한가한 사람.

ひまつ【飛沫】名 비말；물보라. =しぶき·とばしり. ¶~をあげて泳ぐ 물방울을 튀기면서 헤엄치다.

ひまつぶし【暇つぶし】(暇潰し)名①심심파적；심심풀이. ②시간을 허비함. =時間つぶし.

ひまつり【火祭(り)】名 진화제(鎮火祭)(불이 나지 않도록 기원하는 제사；또, 불을 때서 신에게 제사 지내는 행사).

ひまど‐る【暇どる】(隙取る)五自시간이 걸리다；손이 가다. =てまどる.

ひまひま【暇暇】名 틈틈(이). ¶~に勉強する 틈틈이 공부하다.

ヒマラヤすぎ【ヒマラヤ杉】名〔植〕히말라야 삼목. ▷Himalaya.

ひまわり【向日葵】名〔植〕해바라기. =日輪草.

ひまん【肥満】名ス自비만. ¶~児 비만아／~症 비만증.

びみ【美味】名ナ 미미；맛있음；또, 맛좋은 음식.

*ひみつ【秘密】名ナ 비밀. ¶~結社 비밀 결사／~選挙〔投票〕비밀 선거〔투표〕／~をあばく 비밀을 들추어내다〔폭로하다〕.

*びみょう【微妙】-myō 名ナ 미묘. =デリケート. ¶~な関係〔心理〕미묘한 관계〔심리〕.

ひむろ【氷室】名 빙실；빙고(氷庫).

ひめ【姫】【媛】⊟名 귀인의 딸로 미혼녀. ⊡接頭작고 귀여운. ¶~鏡台 귀엽고 작은 경대.

ひめい【非命】名 비명；재난·사고 따위로 인한 죽음. ¶~の死 비명 횡사.

ひめい【悲鳴】名 비명. ¶うれしい~즐거운 비명. ―を上げる 비명을 지르다.

ひめい【碑銘】名 비명；비에 새긴 글.

びめい【美名】名 미명. ¶①좋은 평판；명예. ②훌륭한 명목(구실). ¶…というのもとに …라는 미명하에. ―に隠れる 못된 짓을 훌륭한 명목하에 속이다. ¶말；아가씨.

ひめぎみ【姫君】名 귀인의 딸의 높임말.

ひめくり【日めくり】(日捲り)名 (매일

한 장석 떼는) 일력. =はぎ暦{ごよみ}・日暦{ひごよみ}・めくり暦{ごよみ}.

ひめごと【秘め事】图 비사(秘事); 남에게 숨기는 일들. =ないしょ事{ごと}.

ひめこまつ【姫小松】图①【植】섬잣나무. ②작은 소나무. =姫松{ひめまつ}.

ひめゆり【姫百合】图【植】산단(山丹).

ひ-める【秘める】[下1他] 숨기다; 또, 알리지 않다; 간직하다. ¶胸{むね}に〜가슴(속)에 간직하다.

ひめん【罷免】图{ス他} 파면. =免職{めんしょく}.

ひも【紐】图①끈. ②〈俗〉배후에서 조종하는 사람[것]; 〈여자를 매춘부 따위로 부려먹는〉정부(情夫). ¶女{おんな}の〜여자의 정부.

びもく【眉目】图 미목; 용모(容貌). =みめ. ¶〜秀麗{しゅうれい}な若者{わかもの} 미목수려한 젊은이.

ひもじ-い【饑じい】-ʃ 形〈宮中女〉배고프다; 시장하다.

ひもち【火持ち】【火保ち】图 불이 오래 가는 정도. ¶〜の悪{わる}い炭{すみ} 불이 오래 가지 않는 숯.

ひもつき【ひも付き】【紐付き】图①끈이 붙어 있음; 또, 끈이 붙은 물건. ②〈俗〉〈여자에게〉정부(情夫)가 있음. ¶〜の女{おんな} 정부가 있는 여자. ③〈俗〉조건이 붙음; 또, 그것. ¶〜融資{ゆうし} 조건부 융자. ④묶인 죄인. =縄付{なわつ}き.

ひもと【火元】图①발화(発火)한 곳; 화재를 낸 집; 전하여, 사건·소동의 근원(根源). ¶うわさの〜 소문의 근원. ②불기 있는 곳. ¶〜に気{き}をつける 화재에 주의하다.

ひもと-く【繙く・紐解く】[5他] 책을 펴다.

ひもの【干物】【乾物】图 건물; 포. ¶鱈{たら}の〜 건대구; 대구포.

ひや【冷や】图〈물을 데우지 않은〉찬〔데우지 않은〕것. ¶お〜 냉수 / 〜酒{ざけ} 찬술.

ビヤ图〔비어〕=ビール・ビア. **—beer. —だる**【—樽】图 맥주통; 또, 배가 나온 사람. **—ホール**图 비어홀. ▷beer hall.

ひゃあ hyā 感 놀라 내는 소리; 비명 소리; 야. ¶〜蛇{へび}だ 어이쿠 뱀이다.

ひやあせ【冷や汗】图 냉한; 식은 땀. ¶〜をかく 식은 땀이 나다.

***ひやか-す**【冷(や)かす】【素見す】[5他] ①놀리다; 희롱하다. =からかう. ¶アベックを〜 아벡크를 놀리다. ②〈살 생각도 없이〉물건을 보거나 값만 물어보다. ¶ちょっと行{い}って〜して見{み}よう 좀 가서 물건 구경이나 해 보세.

***ひやく**【飛躍】图{ス自} 비약. ¶論理{ろんり}の〜 논리의 비약 / 〜的{てき}発展{はってん} 비약적 발전.

ひやく【秘薬】图 비약; 특효약.

***ひゃく**【百】hya- 图①백. ②다수; 많은 것. ¶〜の説数{せっすう}を 많은 설교. **—も承知{しょうち}**잘(충분히) 알고 있다; 알고도 남는다.

びゃくい【白衣】图 백의; 흰 옷. =はくい. **—黒衣{こくえ}. —の天使{てんし}**백의의 천사〔간호원의 미칭〕.

ひゃくがい【百害】hya- 图 백해. ¶〜あって一利{いちり}なし 백해 무익하다.

ひゃくじゅう【百獣】图 백수. ¶〜の王{おう} 백수의 왕(사자).

ひゃくしゅつ【百出】hyakushu- 图{ス自} 백출. ¶疑問{ぎもん}〜 의문 백출.

ひゃくしょう【百姓】hyakushō 图①농민; 농가. ②시골 사람. =いなかもの. **—一揆{いっき}**【——揆】江戸{えど}시대, 지배자에 대한 농민의 반항 운동; 농민 폭동.

ひゃくせん【百千】hya- 图 백천; 수많음. ¶〜まん【—万】图 백천만; 매우 수가 많음.

ひゃくせんひゃくしょう【百戦百勝】hyakusen hyakushō 图 백전 백승.

ひゃくたい【百態】hya- 图 백태; 여러 가지 모양.

ひゃくだい【百代】hya- 图 백대. ①백번째의 대. ②오랜 세월〔시대〕.

びゃくだん【白檀】图【植】백단향. =せんだん.

ひゃくどまいり【百度参り】hya- 图①☞おひゃくど(百度). ②소원이 성취될 때까지 몇 번이고 다님. ¶役所{やくしょ}に〜をする〈청원이 이루어질 때까지〉관청에 골백번이나 가 부탁하다.

ひゃくにちぜき【百日咳】【百日咳】hya- 图【医】백일해.

ひゃくにちそう【百日草】hyakunichisō 图【植】백일초.

ひゃくにんいっしゅ【百人一首】hyakunin isshu 图 백명의 가인(歌人)의 和歌를 한 수씩을 뽑아 모은 것.

ひゃくねん【百年】hya- 图 백년; 백 해; 백 살. ①매우 많은 해; 사람의 일생. **—河清{かせい}を待{ま}つ** 백년 하청을 기다리다〔되지도 않을 것을 기다림의 비유〕. **—の計{けい}** 백년지계. **—目{め}**【—目】图①백년 째의 해. ②피할 수 없음; 끝장. ¶見{み}つかったら〜 들키기만 하면 끝장이다.

ひゃくパーセント【百パーセント】hya- 图 백 퍼센트. ①백 프로; 십할(十割). ②더할 나위없음; 완전함; 만점. ¶効果{こうか}〜 효과 만점. ▷percent.

ひゃくはち【百八】hya- 图 백팔. ¶〜煩悩{ぼんのう}【佛】백팔 번뇌. **—の鐘{かね}** 제야(除夜)의 종.

ひゃくぶん【百聞】hya- 图 백문. **—は一見{いっけん}に如{し}かず** 백문이 불여 일견.

ひゃくぶんひ【百分比】hya- 图 백분비. =百分比{ひゃくぶんひ}.

ひゃくまん【百万】hya- 图 백만; 수가 매우 많음. ¶〜言{げん}を費{つい}やす 온갖 말을 다하다 / 〜長者{ちょうじゃ} 백만 장자; 대부호 / 〜遍{べん}言{い}ってもだめだ 아무리 말해도 소용없다.

ひゃくめんそう【百面相】hyakumensō 图 여러 가지 얼굴 모양을 해 보임; 또, 그 얼굴.

びゃくや【白夜】图 ☞はくや.

ひゃくやく【百薬】hya- 图 백약. **—の長{ちょう}** 술의 미칭(술의 미칭).

ひゃくようばこ【百葉箱】hyakuyō- 图【理】백엽상; 기상 관측을 위하여 옥외에 설치하는 상자.

ひゃくらい【百雷】hya- 图 백뢰. ¶〜の拍手{はくしゅ} 우레 같은 박수 소리.

びゃくれん【白蓮】bya- 图①백련; 흰 연꽃. =はくれん. ②깨끗한 마음이나 몸의 비유.

ひやけ【日焼け】图 ㅈ自 ①(日焦けにも) 顔が日差しに焼けて黒くなる事。また、(ふ・たたみ 따위가) 볕에 바램. ②가뭄에 논바닥 따위의 물이 말라 붙음.

ひやざけ【冷や酒】图 찬술; 데우지 않은 술. ┌스. └hyacinth.

ヒヤシンス【風信子】图【植】히아신스.

‡ひや‐す【冷やす】⑤他 ①차게 하다; 식히다. ┌みずを――머리를 식히다. ②(마음에) 충격을 받다; 서늘하게 하다. ┌きもを――간담이 서늘해지다(몹시 놀람).

ひゃっかじてん【百科事典・百科辞典】hyakka‐图 백과사전.

ひゃっかてん【百貨店】hyakka‐图 백화점. =デパート.

ひゃっきやこう【百鬼夜行】hyakki yakō 图 백귀 야행. ＝ひゃっきやぎょう. ┌～の乱和世―온갖 악인이 날뜀의 난세.

ひゃっけい【百計】hyakkei 图 백계. ┌～をめぐらす 온갖 수단[계략]을 다 써 보다.

ひやっと【冷っと】hiyatto 图 갑자기 차가움・놀람・공포를 느끼는 모양；선뜩; 오싹.

ひゃっぱつひゃくちゅう【百発百中】hyappatsu hyakuchū 图 ㅈ自 백발백중.

ひゃっぱん【百般】hyappan 图 백반; 여러 방면; 제반(諸般). ┌～の事 제반사(諸般事).

ひゃっぽう【百方】hyappō 백방. 一图 여러 방면; 온갖 방법. 二副 여러 방면으로; 갖은 방법으로. ＝ほうぼう. ┌～手をつくす 백방으로 손을 쓰다.

ひやとい【日雇い】(い)【日傭】(い)图 일용(日傭); 날품팔이. ┌～労働者の-일용 노무자.

ひやひや【冷や冷や】副 ㅈ自 ①차가운 느낌이 있는 모양. ┌背中が～する 등이 써늘하다. ②간담이 서늘한 모양; 마음이 조마조마한(마음을 졸이는) 모양. ┌食いはげられないかと～だ 물리지나 않을까 싶어 조마조마하다.

ひやみず【冷や水】图 냉수. ＝おひや. ┌年寄りの――노인이 오기(傲氣)로 나이답지 않은 일을 함의 비유.

ひやむぎ【冷や麦】图 찬 국수.

ひやめし【冷や飯】图 찬밥. 一を食う 찬밥을 먹다; 냉대를 받다. 一を食わされる 냉대를 받다. ┌～くい(食い)图 식객; 또, 江戸時대, 호주 상속을 못하는 차남(次男) 이하를 조롱해서 이르던 말.

ひややか【冷ややか】ダナ ①차가운 모양. ┌～な夜風が吹く 차가운 밤바람이 불다. ②(인정・동정이 없이) 냉담한[쌀쌀한] 모양. ┌～に笑う 쌀쌀하게[써늘하게] 웃다. ③냉정한 모양. ┌～な態度 냉정한 태도.

ひややっこ【冷ややっこ】【冷(や)奴】-yakko 图 찬 날두부에 간장과 양념을 곁들인 음식.

ひやりと 副 차가움・놀람・공포를 느끼는 모양；선뜩; 섬뜩; 오싹. ┌～風 선뜩한 바람 / しかられるかと思って～した 꾸지람 들을까봐 (마음이) 섬뜩했다.

ひゆ【莧】图【植】비름.

*ひゆ【比喩・譬喩】图 비유. ┌～的に語る 비유적으로 말하다.

ヒューズ hyū‐ 图 퓨즈. ┌～が飛ぶ 퓨즈가 끊어지다. ▷fuse.

ビューティー byūtī 图 뷰티; 미(美). ①미인. ┌～コンテスト 뷰티콘테스트; 미인 선발 대회. ②미용. ┌～サロン 뷰티 살롱; 미장원. ▷beauty.

びゅうびゅう byūbyū 副 ①바람 따위가 몹시 세차게 부는 소리; 윙윙. ②바람을 가르고 움직일 때 나는 소리; 획획. ┌車が～が走する 차가 획획 달리다.

ビューマ pyū‐ 图【動】퓨마. ▷puma.

ヒューマニスト hyū‐ 图 휴머니스트; 인도주의자. ▷humanist.

ヒューマニズム hyū‐ 图 휴머니즘; 인도주의. ▷humanism.

ヒューマニティー hyūmanitī 图 휴머니티. ①인간다움; (인정미) 인간성(미). ②인도(人道). ③박애(博愛); 인애(仁愛). ▷humanity.

ヒューマン hyū‐ ダナ 휴먼; 인간적; 인간다움. ┌～エンジニアリング 휴먼 엔지니어링; 인간 공학. ▷human.

ピューリタン pyū‐ 图 퓨리턴. ①청교도(清教徒). ②결벽[엄격]한 사람. ▷Puritan.

ヒュッテ hyutte 图 휘테; 등산자를 위한 작은 산막(山幕). ▷Hütte.

ビュッフェ byuffe 图 뷔페(열차나 역내의 선 채 먹는 식당. ②서서 먹는 파티. ▷프 buffet.

ひょいと 副 ①뜻하지 않게; 뜻밖에; 불시에; 우연히; 갑자기. ②窓から～顔を出す 창문에서 얼굴을 쑥 내밀다. ②무심코; 문득. ┌～後ろを見る 무심코 뒤를 (돌아다) 보다. ③가볍게; 훌쩍. ┌～垣根を飛び越える 울타리를 훌쩍 뛰어넘다.

ぴょいと pyoi‐ 가볍게 뛰어오르는 모양; 깡충.

‡ひよう【費用】hiyō 图 비용. ＝入費; 出費. ┌旅行の～ 여행 비용 / ～がかさむ 비용이 많아지다.

*ひょう【表】hyō 图 ①표; 도표. ┌～にして示す 표로 하여 보이다. 参考接尾語적으로도 씀. ┌成績～ 성적표. ②임금에게 올리는 글. ┌出師の～ 출사표.

ひょう【約】hyō 图【動】표범.

ひょう【票】hyō 표. 一图 ①명찰. ②쪽지. ┌～を付ける 쪽지를 붙이다. ③투표지. 一 ┌～を読む 표를 세다 / ～を分ける 대립자와 표수가 같아지다 / ～につながる 득표(得票)에 연결되다. 一接尾 ①투표수를 세는 말. ┌二一の差― 두 표 차. ②쪽지; 투표지. ┌浮動～―부동표.

ひょう【評】hyō 평. 一图 비평. ┌～を書く 평을 쓰다. 一接尾 비평; 평판. ┌映画～― 영화평 / 下馬～― 하마평.

ひょう【雹】hyō 우박.

ひょう【俵】hyō 가마에 든 것을 세는 말; …섬; …가마. ┌麦五～ 보리 다섯 섬.

びよう【美容】biyo 图 미용. ┌～院― 미용원; 미장원 / ～体操― 미용 체조.

びょう【秒】byō 图 시간의 단위= 초. ┌～を争う (분)초를 다투다.

びょう【廟】byō 图 묘. ①사당. ¶孔子じ～ 공자묘 / ～に参まいる 사당에 참배하다. ②조정(朝廷).

びょう【鋲】byō 图①대갈못；징；압정(押釘). ¶画がに～ 그림 압정 / 靴くつの～ 구두징. ②☞리베트. ¶[부벗].

-びょう【秒】byō…병. ¶皮膚ひふ～ 피부병.

ひょうい【表意】hyōi 图 뜻을 나타냄. —もんじ【—文字】图표의 문자；뜻글자. =ひょういもじ・意字じ. ↔表音文字もじ.

ひょういつ【飄逸】hyōi- ダナ 표일 (세상의 평판 등에 신경을 안 쓰고 유유히 마음내키는 대로 행동하는 모양)；탈속(脱俗).

びょういん【病因】byō- 图 병인. =病原げん. ¶～がわからない 병인을 알 수 없다.

＊びょういん【病院】byō- 图 병원. ¶～に行いく 병원에 가다.

ひょうおん【表音】hyō- 图 표음；소리를 나타냄. —もんじ【—文字】图 표음 문자；소리 글자. =ひょうおんもじ.↔表意文字もじ.

＊ひょうか【評価】hyō- 图他 평가. ¶～額 평가액 / それなりに～する 그 나름으로 평가하다.

ひょうが【氷河】hyō- 图 빙하. ¶～時代だいの(期き) 빙하 시대(기).

びょうが【病臥】byō- 图自 병와；와병；자리 보전. ¶～中ちゅうの祖父そふ 자리 보전중인 할아버지.

ひょうかい【氷海】hyō- 图 빙해；얼어 붙은 바다.

ひょうかい【氷塊】hyō- 图 빙괴；얼음. ¶[덩어리].

ひょうかい【氷解】hyō- 图自 빙해；빙석(氷釈)；얼음 녹듯이 의혹이 풀림. ¶疑問ぎもんが～する 의문이 얼음 녹듯이 풀리다.

びょうがい【病害】byō- 图 병해；병으로 인한 농작물의 피해. ¶～が少ない 병해가 적다.

ひょうがため【票固め】hyō- 图 표 굳히기；표 확보 공작.

ひょうき【表記】hyō- 图自他 표기. ¶～法ほう 표기법 / ローマ字でで～する 로마자로 표기하다.

ひょうき【標記】hyō- 图自他 표기. ①표지(인표)의 표시；부호；또, 그 부호를 붙임. ②표제로서 씀；또, 그 표제. ¶～の件けんにつき 표기의 건에 관하여.

ひょうぎ【評議】hyō- 图他 평의(의논(함). —いん【—員】图 평의원. ¶～会かい 평의원회.

＊びょうき【病気】byō- 图自 병. ①앓음；질병. =病びょう・疾病しっぺい. ¶～にかかる 병에 걸리다. ②나쁜 버릇；악습. ¶例れいの～が始はじまった 예의 못된 버릇이 시작되었다.

ひょうきん【剽軽】hyō- ダナ 소탈하고 익살스러움. ¶～者もの 익살꾼.

びょうきん【病菌】byō- 图 병균. =ばいきん.

ひょうぐ【表具】hyō- 图 표구；장황(粧潢). —し【—師】图 표구사；표구를 직업으로 하는 사람. =経師屋きょうじや.

びょうく【病苦】byō- 图 병고. ¶～とたたかう 병고와 싸우다.

びょうく【病軀】byō- 병구；병든

몸. =病身びょう. ¶～をおして参加さんかする 병구를 무릅쓰고 참가하다.

ひょうけつ【氷結】hyō- 图自 빙결；동결；얼어 붙음.

ひょうけつ【表決】hyō- 图他 표결；의안에 대한 가부의 의사를 표시함.

ひょうけつ【票決】hyō- 图他 표결；투표로써 결정함.

ひょうけつ【評決】hyō- 图他 평결；평의(논의)해서 결정함. ¶～[결].

びょうけつ【病欠】byō- 图自 병결.

ひょうげん【氷原】hyō- 图 빙원. ¶北極きょくの～ 북극의 빙원.

＊ひょうげん【表現】hyō- 图他 표현. ¶この～はまずい 이 표현은 서투르다 (좋지 않다). ¶～の妙みょう 표현의 묘 / ～の自由じゆう 표현의 자유.

ひょうげん【評言】hyō- 图 평언；비평의 말.

ひょうげん【病原・病源】byō- 图【医】병원. =病因いん. —きん【—菌】图 병원균. —たい【—体】图 병원체.

ひょうご【評語】hyō- 图 평어. ①☞評言げん. ②성적의 등급(等級)을 나타내는 말(우(優)・양(良)・가(可) 따위).

ひょうご【標語】hyō- 图 표어. =モットー・スローガン.

びょうご【病後】byō- 图 병후. =病上びょうがり. ↔病前びょうぜん.

ひょうこう【標高】hyōkō 图 표고；해발(海抜).

ひょうごもじ【表語文字】hyō- 图 표어 문자；뜻글자(한자 따위).

びょうこん【病根】byō- 图 병근；병인(病因)；못된 습관의 근원.

ひょうさつ【表札・標札】hyō- 图 표찰；문패. ¶～を出だす 문패를 달다.

ひょうざん【氷山】hyō- 图 빙산. ¶一角かくの一角 빙산의 일각.

＊ひょうし【拍子】hyō- 图 ①박자. ¶三拍子びょうしの歌うた 3박자의 노래. ②장단. ¶～をとる 장단을 맞추다 / 手拍子びょうし 손장단 발장단. ③가락；상태. ¶～が調子じ・ぐあい. ¶～がくるう 가락이(상태가) 좋지 않다. ④(…する 그) 때(순간)；찰나；사품；바람. =はずみ・とたん. ¶笑わらった～に足あしをふみはずした 웃는 순간에 발을 헛디뎠다. —ぎ【—木】图 딱따기. ¶～を鳴ならす 딱따기를 치다. —ぬけ【—抜け】图自 맥 빠짐；김 빠짐. =気抜きぬけ. ¶雨あめで試合しあいが中止ちゅうしとなり～した 비로 경기가 중지되어 맥이 빠졌다.

＊ひょうし【表紙】hyō- 图 표지.

ひょうじ【表示】hyō- 图他 표시；밖으로 나타냄. ¶価格かくの～ 가격 표시.

ひょうじ【標示】hyō- 图他 표시；표지를 세워서 나타냄. ¶境界きょうかいの～ 경계의 표지.

びょうし【病死】byō- 图自 병사.

びょうじ【病児】byō- 图 병아；병을 앓고 있는 아이.

ひょうしき【標識】hyō- 图 표지. ¶～灯とう(비행기・배의 야간) 표지등 / 航空こうくう～ 항공 표지. ¶[의질].

ひょうしつ【氷質】hyō- 图 빙질；얼음 의질.

びょうしつ【病室】byō- 图 병실.

＊びょうしゃ【描写】byōsha 图他 묘사. ¶心理しんり～ 심리 묘사.

ひょうしゃく【評釈】hyōsha- 图他

平石；解釈して批評を加える；また、そうした事。

びょうじゃく【病弱】 byōja- 图 病弱。¶～な体質^{たいしつ} 病弱な体質。↔強健^{けん}。

‡**ひょうしゅつ【表出】** hyōshu- 图 ス他 表出；心の中の感じや考えなどを外に現す事。¶感情^{かんじょう}の～ 感情表出。

‡**ひょうじゅん【標準】** hyōjun 图 標準。¶～型^{がた} 標準形。──か〔─化〕-ka 图 标准化。──きかく〔─規格〕 图 標準 規格：'日本^{にほん}工業標準規格（＝日本産業規格）'の略称。──ご〔─語〕 图 標準語。↔俗語^{ぞくご}・方言^{ほうげん}。──じ〔─時〕 图 標準時。

ひょうしょう【表象】 hyōshō ス他 表象。①象徴。¶はとは平和^{へいわ}の～である 鳩は平和の象徴（表象）である。②〔心〕現在の瞬間に知覚されていない事物や現象の心像^{しんぞう}。¶～ 想像 ～ 想像 像。

***ひょうしょう【表彰】** hyōshō 图 ス他 表彰。¶～状^{じょう}〔─式〕 表彰状〔式〕。

ひょうしょう【標章】 hyōshō 图 標章；団体や特殊な行事などの象徴（の印または記号）。

ひょうじょう【氷上】 hyōjō 图 氷上；氷盤上。¶～競技^{きょうぎ} 氷上競技。

ひょうじょう【表情】 hyōjō 图 表情。①内の感情が外に出て現れた事；面相。¶～たっぷりな表情が豊かな／～の豊かな曲^{きょく} 感情が豊かな曲。②模様；風情。¶正月^{しょうがつ}の各地^{かくち}の～ 雪日の各地の表情。

ひょうじょう【評定】 hyōjō 图 ス他 評定；評議（評決）；評決。¶小田原^{おだわら}～ いつまで行っても結論を得ぬ評議〔相談〕。

びょうしょう【病床（病牀）】 byōshō 图 病床＝病牀^{びょうしょう}；病床。¶～日誌^{にっし} 病床日誌／～につく〔ふす〕 病床に伏す。

びょうしょう【病症】 byōshō 图 病症；病の症状。

びょうじょう【病状】 byōjō 图 病状；病勢。＝病態^{びょうたい}・病勢^{びょうせい}。¶～が悪化^{あっか}する 病勢が悪化する。

びょうしん【秒針】 byō- 图 秒針；時計の秒針。＝分針^{ふんしん}〔時針^{じしん}〕。

びょうしん【病身】 byō- 图 病弱な身；病身。¶～の〔な〕人^{ひと} 病弱な人。

ひょう-する【表する】 hyō- サ変他 表す；表する。＝示^{しめ}す・表^{あらわ}す。¶感謝^{かんしゃ}の意^いを～ 感謝の意を表する。

ひょう-する【評する】 hyō- サ変他 評する。①批評する。②評価する。

びょうせい【病勢】 byō- 图 病勢。¶～があらたまる 病勢が悪化する。

ひょうせつ【氷雪】 hyō- 图 氷雪。¶～に閉^とざされた 氷雪に閉ざされた。

ひょうせつ【剽窃】 hyō- 图 ス他 剽窃。＝盗作^{とうさく}。

ひょうぜん【漂然（飄然）】 hyō- トタル 漂然。①拠^より所を定めないでさまようさま。②ふらりとやって来たりするさま。¶～と家^{いえ}を出^でる 飄然として家を出る。③世上の事に神経を使わないで太平楽なさま。¶～たる風格^{ふうかく} 飄然たる風格。

ひょうそ【標疽】 hyōso 图 標疽；生^{しょう}

ひょうそう【表層】 hyōsō 图 表層；表面の層。↔深層^{しんそう}。

ひょうそう【病竈】 byōsō 图 病巣；病の中心部；病原（病原）のある所。

ひょうそく【平仄】 hyō- 图 平仄；漢字（漢字）の平（平）と仄（仄）〔平声（平声）と上声・去声・入声を合わせた仄（仄）〕とする漢詩作法（漢詩作法）上の重要な分類。¶～が合^あわない 話などが前後〔筋道〕が立たない；辻褄が合わない。

びょうそく【秒速】 byō- 图 秒速。

ひょうだい【表題・標題】 hyō- 图 表題。¶～音楽^{おんがく} 表題音楽。↔副題^{ふくだい}。

ひょうたん【氷炭】 hyō- 图 「～相^{あい}れず」氷炭相容れず；互いに相反して調和・一致されない。

ひょうたん【瓢箪】 hyō- 图 〔植〕瓢；瓢箪。图瓢の実。＝ひさご。──から駒^{こま} ①思いがけない所から思いがけない事が出て来るたとえ。②冗談で言った事が実際実現するたとえ。──なまず〔─鯰〕 图 ①（瓢箪でなまずを抑え捕まえようとしても捕まえられない意）捕まえられないさま。②とりとめがないさま；要領を得ないさま。

ひょうちゃく【漂着】 hyōcha- 图 ス自 漂着。¶難破船^{なんぱせん}が～する 難破船が漂着する。

ひょうちゅう【氷柱】 hyōchū 图 氷柱。①つらら。＝つらら。②夏期に冷房用として室内に立てる氷の柱。

ひょうちゅう【評注（評註）】 hyōchū 图 評注；評釈（評釈）；批評を加えた注釈。

びょうちゅう【病中】 byō- 图 病中。

びょうちゅうがい【病虫害】 byōchū- 图 病虫害。

ひょうちょう【表徴】 hyōchō 图 表徴。①外部に現れたしるし。②象徴。

ひょうてい【評定】 hyō- 图 ス他 評定。¶勤務^{きんむ}～ 勤務評定。

ひょうてき【標的】 hyō- 图 標的；目標；まと。＝的^{てき}。¶～がはずれる 標的が的から外れる。

びょうてき【病的】 byō- ダナ 病的。¶～なきれい好^ずき 病的な潔癖症。↔健全^{けんぜん}な。

ひょうてん【氷点】 hyō- 图 氷点。¶～以下^{いか}に下^{さが}る 氷点以下〔零下〕に下る。↔沸点^{ふってん}。

ひょうてん【評点】 hyō- 图 評点。①評語（評語）と批点（批点）。＝を加^{くわ}える 評点を加える。②評価されて付いた点；成績点数。¶～が辛^{から}い 評点が辛い〔辛辣だ〕。

ひょうでん【評伝】 hyō- 图 評伝；評論を入れた伝記。

びょうとう【病棟】 byōtō 图 病棟。¶隔離^{かくり}～ 隔離病棟。

***びょうどう【平等】** byōdō ダナ 平等。¶～の権利^{けんり} 平等な権利。↔差別^{さべつ}・不平等^{ふびょうどう}。

びょうどく【病毒】 byō- 图 病毒。

***びょうにん【病人】** byō- 图 病人；患者。

ひょうのう【氷嚢】hyōnō 图 빙낭；얼음 주머니. ＝氷袋ぶくろ.

ひょうはく【漂白】hyō- ス他 표백. ¶～作用よう 표백 작용／～剤ざい 표백제.

ひょうはく【漂泊】hyō- 图 스自 표박；유랑(流浪)；떠돌이. ＝すらい. ¶各地ちを～をする 각지를 유랑하다.

★ひょうばん【評判】hyō- 평판. □ 图 세상의 (비)평；うわさ. ¶～が立たつ 평판(소문)이 나다. □ 图 잘 알려져 화제에 오름；인기가 있음. ＝有名めい. ¶～の娘むすめ 평판이 자자한 처녀.

びょうはん【病斑】byō- 图 병반；농작물 따위에 해충의 침해로 생기는 반점.

ひょうひ【表皮】hyō-〖生〗표피；겉질.

ひょうひょう【飄飄】hyōhyō タ・ル 표표. ①갈 곳이 정해져 있지 않은 모양；또, 걸음걸이가 일정치 않은 모양. ②세속에 구애됨이 없이 훌훌 유연(悠然)하게 지내는 모양. ③펄펄 나부끼는 모양.

びょうぶ【屏風】byō- 병풍. ¶～を立たてる 병풍을 치다／～がばったりと～倒たおしになる 병풍이 쓰러지듯이 빌렁 자빠지다.

びょうへき【病癖】byō- 图 병벽；(병적인) 나쁜 버릇.

ひょうへん【約変】hyō- 图 스自 표변；(태도・의견 따위가) 싹 바뀜.

びょうへん【病変】byō- 图 병변；병으로 인하여 일어나는 육체적〔생리적〕인 변화.

ひょうぼう【標榜】hyōbō 图 ス他 표방.

びょうぼつ【病没】byō- 图 ス自【病歿】byō- 병몰；병사. ＝病死びょうし.

★ひょうほん【標本】hyō- 표본. ①(연구・학습용으로) 채집 보존된 표본. ¶昆虫ちゅう～ 곤충 표본. ②실물 비슷하게 만든 견본. ＝ひながた. ③대표적인 실례. ¶俗物ぶつの～ (대표적인) 속물의 표본；표본적인 속물. ④【統計】모집단(母集團)에서 뽑아낸 일부의 것；샘플. ¶～調査ちょうさ 표본 조사.

びょうま【病魔】byō- 图 병마. ¶～にとりつかれる 병에 걸리다.

ひょうめい【表明】hyō- 图 ス他 표명. ¶前向まえむきの態度たいどを～する 전향적〔적극적〕인 태도를 표명하다.

びょうめい【病名】byō- 图 병명.

★ひょうめん【表面】hyō- 표면；겉. ＝表おもて・うわべ. ¶～を飾かざる人 겉을 꾸미는 사람；겉치레하는 사람／～的てきな見方かたる 표면적인 관찰〔견해〕. ↔裏面めん. ──か【─化】ス自 표면화. ¶対立りつが～する 대립이 표면화.──ちょうりょく【─張力】-chōryoku 图【理】표면 장력.

ひょうめんせき【表面積】hyō- 표면적. 〔레나멜〕

びょうやなぎ【未央柳】biyō-〖植〗물

ひょうよみ【票読み】hyō- 图 ス自 ①득표수를 예측함. ②표를 셈.

びょうよみ【秒読み】byō- 图 ス自 초읽기；시간을 초 단위로 계산함〔알림〕. ¶～の段階かい 초읽기의 단계；사물을 시기가 바짝 촉박하는 마지막 단계.

ひょうり【表裏】hyō- 표리. □ 图 겉과속；안팎. ＝裏表うらおもて. ¶～一体いったい 표

리 일체. □ 图 ス自 겉과 속(심)이 다름. ＝うらはら. ¶～がある 표리가 있다〔부동하다〕；겉과 속이 다르다.

びょうり【病理】byō- 图 병리. ¶～学がく 병리학.

ひょうりゅう【漂流】hyōryū 图 ス自 표류. ¶ロビンソン～記き 로빈슨 표류기.

びょうれき【病歴】byō- 图 병력.

ひょうろう【兵糧】hyō- 图 병량；군량；전하여, 식량. ¶～が尽つきる 식량〔군량〕이 떨어지다. ②〈俗〉자금；자재. ──ぜめ【─攻め】图 적의 식량보급로를 차단함으로 그 전투력을 약화시키는 공법(攻法).

ひょうろくだま【表六玉・兵六玉】hyō- 图〈俗〉얼간이；멍텅구리.

ひょうろん【評論】hyō- 图 ス他 평론. ¶～家か 평론가／経済ざい評論 경제 평론.

ひよく【比翼】hyō- ①비익；두 마리의 새가 날개를 나란히 함. ②부부의 비유. ③比翼仕立だて의 준말；옷이 두 겹으로 된 것 같이 보이기 위하여 깃・소매・옷단 따위만을 이중으로 함.

ひよく【肥沃】hyō- 비옥. ↔不毛もう.

びよく【尾翼】hyō- 图 미익；(비행기의) 꼬리 날개. ↔主翼よく.

ひよけ【日よけ】【日除け】图 ①차일(遮日)；차양(遮陽). ＝日ひおおい. ②양산. ＝日ひがさ.

ひよこ【雛・雛子】hyō- 图 ①병아리；햇병아리；애송이. ＝ひよっこ.

ぴよこぴよこ pyokopyoko 副 ①한 곳에 있지 못하고 여기저기 가볍게 뛰어 돌아다니는 모양；깡둥깡둥. ¶～動うごき回まわる 깡둥거리며 돌아다니다. ②머리따위를 조아려 굽실거리는 모양；꾸뻑꾸뻑；굽실굽실. ¶～おじぎをする 연방 꾸뻑꾸뻑 절하는. ③간단없이 계속해서 나타나는 모양.

ぴょこんと pyo- 副 ①머리나 몸을 굽혀 앞으로 숙이는 모양：꾸뻑. ¶～おじぎをする 꾸뻑 절하는. ②하나만이 불시에 나타나는 모양；쑥；뿅. ¶～と芽めが出でる 불쑥 싹이 나오다.

ひよっこ【日除っこ】hyokko 副 뜻하지 않게 나타나거나 마주치는 모양：느닷없이；불쑥. ¶道みちで～旧友きゅうに会あった 길에서 뜻밖에 옛 친구를 만났다.

ひょっと hyotto 副 ①뜻밖에；갑자기：불쑥. ¶～顔かおを出だす 불쑥 얼굴을 내밀다. ②어쩌다가；만일. ＝もしも・万一いち. ¶～したら 어쩌면；혹시. ＝～して 어쩌다가；만일. ──すると 어쩌면；혹시. ＝ひょっとしたら.

ひょっとこ hyotto- 图 ①입이 뾰족이 나오고 짝짝이 눈의 익살스러운 가면(假面)；또, 그 탈을 쓰고 추는 춤. ②남자를 욕하는 말：남구(醜男). ↔おかめ・おたふく.

ひよどり【鵯】图〖鳥〗직박구리.

ぴよぴよ 副 병아리 따위가 우는 소리：삐약삐약.

ひよみのとり【日読みの酉】图 한자 부수의 하나：닭유변(酔・酒・醤 따위의 '酉'의 이름).

ひより【日和】图 ①(그 날의) 일기；날씨. ②좋은 날씨. ¶釣つり日和びより 낚시하기 좋은 날씨. ③형편. ¶～を見みて

動く 형편을 보아서 움직이다. ─**み**【一見】**名**[자] ①날씨를 살핌. ②(유리한 쪽에 붙으려고) 추이만을 살피고 거취를 결정하지 않음. ¶ ─**主義**など 기회주의.

ひょろ-つく hyo- [자5] 비틀거리다; 휘청거리다. ¶ 酒だに酔って足がもとが~ 술에 취해서 다리가 휘청거리다.

ひょろながーい【ひょろ長い】hyo- **形** 경충하다. ¶ ~足ぁの人だ 다리가 껑충한 사람.

ひょろひょろ hyorohyoro **副**[자] ①비틀거리며 쓰러질 듯한 모양; 비슬비슬; 비틀비틀. ¶ 足だが~する 다리가 휘청거리다. ②가늘고 약하게 자란 모양. ¶ 背だけ~と伸のびる 키만 멀쑥하게 자라다.

ひょろりと hyo- **副** (가늘고 길어서) 연약한 모양. ¶ 一本ばだ伸のびた草だが 날카롭게 자란 한 줄기 풀.

ひよわ【ひ弱】**ダナ** 가냘픈 모양; 허약한 모양. ¶ ~なからだ 허약한 몸.

ひよわーい【ひ弱い】**形** 가냘프다; 허약하다. ¶ ~体質など 허약한 체질.

ぴょんと pyon- **副** 가볍게 뛰거나 뛰어넘는 모양; 깡충; 휘. ¶ ~飛とび越こす 회 (깡충) 뛰어 넘다.

ひょんな hyon- **連体** (俗) 묘한; 엉뚱한; 이상야릇한; 괴상한. ¶ ~仲などになる 묘한(이상한) 사이가 되다. ¶ ─事だからけんかになる 엉뚱한 일로 싸움이 되다.

ぴょんぴょん pyonpyon **副** 가볍게 계속해서 뛰는 모양; 깡충깡충; 깡총깡총. ¶ うさぎが~(と)はねまわる 토끼가 깡충깡충 뛰어다니다.

びら **名** 한 장으로 된 광고지(선전지). 삐라. =ちらし. ¶ ~をまく 삐라를 뿌리다.

ひらあやまり【平謝り】**名** (변명하지 않고) 그저 사과·사죄함. ¶ ~にあやまる 그저 잘못을(죄를) 빌다; 그저 용서를 빌다.

ひらい【飛来】**名**[자] 비래. ①떠어(날아)옴. ②비행기를 타고 옴.

ひらいしん【避雷針】**名** 피뢰침.

ひらおよぎ【平泳ぎ】**名** 평영; 개구리 헤엄. =ブレスト(ストローク).

ひらがな【平仮名】**名** 한자의 초서체에서 만들어진 일본의 음절(音節) 문자. ↔片仮名かな.

ひらき【開き】**名** ①엶; 열린 것; 열림. ¶ 戸との~の悪わい 문짝 여닫힘이 좋지 않은(개폐의 상태가 좋지 않다). ②열어짐; 격차; 차. ¶ 実力じっの~ 실력의 차이. ③閉じ. ¶ ~の早はい花さぎ 일찍 피는 꽃. ④開き戸との 준말. ⑤생선의 배를 갈라서 말린 것(식품). ¶ あじの~ 전갱이를 째 말린 것. ⑥(연회 등의) 끝; 해산. ¶ 宴会ぷんを~にする 연회를 끝내다.

-びらき【開き】①여는 일(것). ¶ 両りょ~(문이) 좌우로 갈라져서 열림; 또, 그 문. ②시작; 개시. ¶ 店だ~ 개점(開店).

ひらきど【開き戸と】**名** 여닫게 된 문. ¶ 引っき戸と・やり戸と.

ひらきなおーる【開き直る】[자5] 정색하고 나서다; 갑자기 태도를 바꾸어 강하

게(대담하게) 나오다. ¶ 乗客ぅが盗だに~ 승객이 강도로 돌변하다.

ひらきふう【開き封】-fū **名** ☞かいふう(開封) 팁.

*ひら-く【開く】─自 [자5] ①(닫혔던 것이) 열리다. =あく. ¶ 戸とや襷まが~ 문(막)이 열리다/銀行だが~ 은행(문)이 열리다(업무를 시작하다)/かさが~ 우산이 펴지다. ②벌어지다. ¶ 花だが~ 꽃이 피다. ⓒ격차(隔差)가 생기다. ¶ 実力じっの~が~ 실력의 차(差)가 나다. ↔縮まる. ─他 ①열다. ◎(닫혔던 것을) 열다; 펴다; 풀다. ¶ 戸と(ふた)を~ 문(뚜껑)을 열다/口だを~ 입을 열다. ↔閉じる. ◎열어 놓다; 터 놓다. ¶ 胸襟ぎんを~ 마음(흉금)을 터 놓다. ↔閉ざす. ◎店だ시작(장시)하다; 열리다. ¶ 店だ가게를 열다(시작하다). ◎(본디 展く도) 개최하다. =もよおす. ¶ 送別会ぷんを~ 송별회를 열다. ◎(본디 拓く도) 개척(개간)하다; 노력하여 좋게 변하게 하다. ¶ 血路などを~ 혈로를 열다/荒あれた地ちを~ 황무지를 개간하다/運命ぶを~ 운명을 개척하다. ②(본디 啓く도) 가르쳐 이끌다. ¶ 無知ちな人を啓発する 무지한 사람을 계몽하다. ③차를 크게 하다. ¶ 距離だを~ 거리를 벌리다. ↔縮める. ④(数) 근(根)을 구하다.

ひらぐも【平蜘蛛】**名** (動) 납거미. ─ひらぐも. ─のように 身を屈めて 굽실굽실 머리를 숙이는 모양.

*ひら-ける【開ける】[자하1] ①(닫혔거나 막힌 것이) 열리다; 트이다. ¶ 南などが~・けた家だ 남쪽이 트인 집/国交ぎがが~ 국교가 트이다(열리다)/運だ~ 운이 트이다/道だが~ 길이 나다(트이다). ②인정·물정에 통하다(트이다); 이해성이 있다. ¶ ~・けたおじさん 이해성이 많은 아저씨. ③(본디 拓ける도) 개화(개발)되다; 개발되다. ¶ ~・けた民族など 개화된 민족.

ひらざむらい【平侍】**名** 직책이 없고 신분이 낮은 무사.

ひらぞこ【平底】**名** 평저; 평평한 밑바닥.

ひらたーい【平たい】**形** ①평평하다; 평탄하다; 넓적하다; 납작하다. ¶ ~顔など 넓적한 얼굴/~皿だ 납작한 접시. ②(흔히 運用形で) 알기 쉽다. ¶ ~く言いえば 알기 쉽게 말하면.

ひらたけ【平茸】**名** (植) 느타리.

ひらて【平手】**名** ①(편) 손바닥. ¶ ~打うち 손바닥으로 (뺨을) 치기. ②(장기에서) 맞둠; 맞잡기.

ひらに【平に】**副** (老) 제발; 아무쪼록; 부디. ¶ ~ご容赦ぁしょを/御許おゆるしください 모쪼록 용서해 주십시오.

ピラニア **名** (魚) 피라냐(남미 아마존강에 사는 담수 열대어; 떼를 지어 살며 사람·짐승을 잡아 먹기도 함). ▷ piranha.

ひらひら **副** (旗)·종이 따위가 바람에 나부끼는 모양; 팔랑팔랑; 펄럭펄럭; 나풀나풀. ¶ 旗だが風などに~する 기가 바람에 펄럭거리다.

ひらべったーい【平べったい】-bettai **形** (俗) 납작하다. ¶ ~箱だ 납작한 상자.

ひらまく【平幕】图 横綱・三役（＝大関・関脇・小結）に 入らない幕内力士の 相撲取り。

ピラミッド -middo 图 피라미드；금자탑（金字塔）．▷pyramid.

ひらむぎ【平麦】图 납작보리；압맥（押麦）．↔丸麦粉．

ひらめ【平目・鮃・比目魚】图【魚】광어．

ひらめか・す【閃かす】⑤他 번쩍이다. ①〈번쩍이는〔예리한〕 것을〉 언뜻 보이거나 휘두르게 하다. ¶刀ﾅを～して 칼을 번뜩이다. ②날카로운 재능을 잠깐 보이다. ¶才知ﾁを～ 재치를 번뜩이다.

ひらめき【閃き】图 번득임；번쩍임. ¶白刃ﾊﾟの～ 시퍼런 칼날의 번쩍임 / のある文章ﾊﾝ 재치가 번뜩이는 글.

*ひらめ・く【閃く】⑤自 번쩍이다. ㋐순간적으로 번쩍이다. ＝きらめく. ¶いなずまが～ 번개가 번쩍하다. ㋑뛰어난 재능이 잠깐 나타나다. ¶才知ﾁﾞが～ 재치가 번뜩이다. ㋒〈좋은 생각 따위가〉 문득 떠오르다〔스치다〕. ¶名案ﾒﾝが頭ﾀﾏに～ （문득）명안이 머릿속에 떠오르다. ②（기〔旗〕 따위가〕 펄럭이다.

ひらや【平屋】【平家】图 단층집. ¶木造ﾁﾞﾖ〕り一作り 목조의 단층집 구조.
──だて【─建】图 단층집 구조；또, 그 집.

ひらりと 副 재빠르게 몸을 움직이는 모양；홱히；날쌔게. ¶～馬ﾆﾏにまたがる 홱 말에 올라타다 / ～身ﾐをかわす 날쌔게〔홱〕 몸을 비키다.

ひり【非理】图 비리；도리에 어긋남.

*びり《俗》（순번의）제일 끝；꼴찌. ＝どんじり・けつ. ¶競走ﾀﾞで～になる 경주에서 꼴찌가 됨.

ピリオド 图 피리어드；종지부；마침표. ▷period. ──を打ﾂつ 종지부를 찍다；끝맺다.

ひりき【非力】图 힘이 약함；또, 세력·능력이 모자람.

ひりつ【比率】图 비율. ＝比ﾋ.

ひりつ・く⑤自 〈매워서 또는 다친 곳이〕 화끈거리다；얼얼하다〔알알〕하다, 뜨끔뜨끔하다. ¶口ﾁﾞの中ﾅﾒﾞが～ 입안이 얼얼하다 / すり傷ﾐﾂﾞが～ 벗겨진 데가 알얼하다.

ぴりっと -ritto 副 ①매운 것이나 전기 따위의 강한 자극을 받았을 때의 느낌：짜릿，찌르르. ¶舌ﾋﾞﾀが～する 혀가 짜릿하다 / 電気ﾃﾞﾝﾋﾞが手ﾃﾞに一伝ﾂたわった 전기가 짜릿하게 손에 통했다. ②태도 따위가 의연（毅然）한 모양.

ひりひり 副 몹시 매운 맛의 느낌；바늘에 찔렸을 때의 아픔의 느낌：얼얼；알알；뜨끔뜨끔. ¶口ﾁﾞのなかが～する 입안이 얼얼하다 / 傷ﾐﾂﾞが～する 상처가 따끔따끔하다.

ぴりぴり 副①몸체 따위가 잘게 진동하는 소리；또, 그 모양：드르륵. ¶地震ﾅﾝで窓ﾏﾄ:ガラスが～する 지진으로 유리창이 드르륵 흔들리다. ②갑자기 전기 따위의 강한 자극을 받았을 때의 저리는 듯한 느낌：찌르르. ¶手ﾃﾞに電気ﾃﾞﾝﾋﾞが～と来ﾃた 손에 전기가 찌르르 통했다. ③종이나 피륙이 찢어지는 소리：짝짝；찍찍. ¶紙ﾅﾒﾞを～と破ﾔﾞる 종이를 짝짝

찢다.

ぴりぴり □ 副 ①몹시 매운 맛에 대한 느낌：얼얼；알알. ②바늘에 찔렸을 때와 같은 아픈 느낌. ¶日ﾋﾞに焼ﾔけて皮膚ﾋﾞﾌが～する 햇볕에 타서 살갗이 따끔따끔하다. ③（겁에 질려）몹시 신경이 과민해진 모양. ¶試験前ﾂﾞといって～している 시험 전이라서 신경이 과민해져 있다. □ 图〈児〉피리. ＝ふえ〔笛〕.

ビリヤード 图 빌리어드；당구. ＝玉ﾀﾏつき. ▷billiards.

びりゅうし【微粒子】biryūshi 图 미립자.

*ひりょう【肥料】-ryō 图 비료. ＝肥ﾋﾟや*し. ¶化学ﾗﾞ～ 화학 비료. 「은 양.

びりょう【微量】-ryō 图 미량；극히 적

ひりょく【非力】-ryoku 图ﾃ ▷ひりき.

びりょく【微力】biryoku 图 미력. ①힘이 적음；적은 힘. ②자기 힘을 낮추어 하는 말. ¶～ながらやってみます 미력이나마 해보겠습니다.

ひりりと 副 매운 맛이 강하게 느껴지는 모양：얼얼（하게）. ¶～辛ﾂﾗﾋ 얼얼
ぴりりと 副 얼얼하다. 「하게 맵다.

ひ・る【放る】⑤他 몸 밖으로 내보내다；（오줌·똥을）배출하다；（방귀를）뀌다. ¶へを～ 방귀를 뀌다 / 魚ﾅが卵ﾂを～り付ける 물고기가〔 알을 슬다.

ひ・る【干る】【乾る】上一自 ①마르다. ¶のどが～ 목이 마르다. ＝（조수가）쓰다；（조수가）써다. ¶潮ﾆが～ 조수가 써다. ↔満ﾏ:ちる. ③다하다；바닥나다. ¶食ﾅ糧ﾂが～ 식량이 떨어지다.

ひ・る【昼】图 ①낮. ＝ひるま. ¶～寝ﾈ 낮잠 / ～が長ﾅが 낮이〔해가〕 길다. ＝夜ﾖ. ¶（본디 午ﾀ:午ﾚﾞ. 「정오（正午）의 뜻）정오（전후의 시간）. ¶ぼつぼつ～になる 그럭저럭 오정때가 되다. ③점심. ＝昼飯ﾒﾞの. ¶お～ 점심 식사.

ひ・る【蛭】图【動】거머리.

−びる《名詞 따위를 받아 上一段活用動詞를 만듦》…의 상태를 띠다；…인 것처럼 보이다. ¶大人ﾅﾞ～ 어른 티가 나다 / ふる～ 낡아 보이다.

*ビル《「ビルディング〔＝빌딩〕」의 준말. ¶～が立ﾀﾖ:ならぶ 빌딩이 즐비하게 늘어서다. ¶次ﾂﾞ 빌딩. ¶ボディー～ 보디 빌딩. ▷building.

ビル 图 빌. ①계산서；청구서. ②어음. ▷bill.

ひるあんどん【昼あんどん】【昼行灯】图 ①얼빠진〔멍청한〕사람. ②있으나마나 쓸모 없는 사람.

ひるい【比類】图 비류；서로 비교할 만한 물건. ＝たぐい. ¶～なき才能ﾉ비할 데가 없는 재능.

ひるがえ・す【翻す】【飜す】⑤他 ①뒤집다；번드치다. ¶手ﾃﾞのひらを～ 손바닥을 뒤집다 / 身ﾐを～して飛ﾄﾞび込ﾞむ 몸을 번드쳐 떼어들다. ②（깃발 따위를）나부끼게〔휘날리게〕하다；펄럭이게 하다. ¶旗ﾊﾀを～ 깃발을 휘날리다 / 叛旗ﾊﾝﾞを～ 반기를 들다.

ひるがえって【翻って】-ette 副 반대 또는 다른 입장에서；반대로；돌이켜. ＝反対ﾊﾝﾞに・さて. ¶～考ﾊﾝﾞえれば 다시〔돌이켜〕 생각하면.

ひるがえ-る【翻る】⑤自①裏返しになる；
ひっくり返る。¶心(こころ)が～ 心が変わる。
②ひるがえって飛び上がる。③なびきはためく
くる；翻えらせる。　　　　　　　　　　「笑。

ひるがお【昼顔・旋花】图【植】메；메

ひるげ【昼げ】【昼餉・昼食】图【雅】점심。＝昼食(ひるめし)。

ひるごはん【昼御飯】图 점심。＝昼飯(ひるめし)・昼時(ひるどき)。

ひるさがり【昼下がり】图 정오(正午)를 조금 지났을 무렵(오후 2시경)。

ひるすぎ【昼過ぎ】图①정오가 조금 지났을 무렵。②오후。⇔昼前(ひるまえ)。

ビルディング -dingu 图 빌딩。＝ビル・building。

*ひるね【昼寝】图自 낮잠。＝午睡(ごすい)。

ひるひなか【昼日中】图 대낮；한낮。＝昼間(ひるま)・真昼(まひる)・昼間(ひるま)。⇔夜夜中(よるよなか)。

＊ひるま【昼間】图 주간；낮(동안)。＝昼(ひる)。

ひるまえ【昼前】图①정오(正午) 조금 전。②오전(중)。⇔昼過(ひるす)ぎ。

ひる-む【怯む】⑤自①기가 죽다(꺾이다)；질리다。＝たじろぐ。¶強敵(きょうてき)に対(たい)しても～まない 강적에 대해도 기가 꺾이지 않는다。¶勇(いさ)む。「飯(めし)。

＊ひるめし【昼飯】图 점심。＝朝飯(あさめし)・晩飯(ばんめし)。

ひるやすみ【昼休み】图①점심 후의 휴식(시간)。②낮잠。＝昼寝(ひるね)。

ひれ【鰭】图①지느러미。¶胸(むね)びれ 가슴지느러미／尾(お)びれ 꼬리지느러미。②(요리에서) 지느러미의 살。――を付(つ)ける 과장하다。　　　　「▷프 filet.

ヒレ 图 필레；소나 돼지 따위의 등심살。

＊ひれい【比例】图自 비례。¶比例，대표례。¶～代表制(だいひょうせい) 비례 대표제。――はいぶん【――配分】图【数】비례 배분。＝按分比例(あんぶんひれい)。

ひれい【非礼】图形 비례；실례(失礼)。＝無礼(ぶれい)。¶～をわびる 무례를 사과하다。

びれい【美麗】图形 미려；아름답고 고움。

ひれき【披歴】【披瀝】图他 피력。¶決意(けつい)を～する 결의를 피력하다。

ひれざけ【鰭酒】图 복어 지느러미를 불에 쬐어 구워서, 데운 술에 넣은 것。

＊ひれつ【卑劣】【鄙劣】图形 비열。¶～な根性(こんじょう) 비열한 근성。――す【――伏す】【平伏す】⑤自 부복하다；넙죽 엎드리다。

ひれん【悲恋】图 비련。

ひろ【尋】图 물의 깊이나 새끼줄 등의 길이의 단위(약 1.8 m)；길。②좌우로 벌린 양손 끝 사이의 거리。

＊＊ひろ-い【広い】形 넓다。①(면적・폭이) 넓다。¶川(かわ)が～ 강이 넓다／肩身(かたみ)が～ 어깨가 넓다／広身(こうしん)が～다，크다；많다。②(본디 博(ひろ)いで로도)(범위가) 넓다。¶顔(かお)が～ 얼굴이 넓다(안면이 많다；교제가 넓다；널리 알려져 있다)。③(본디 寛(ひろ)いで로도)(마음이) 너그럽다；너글너글하다。¶度量(どりょう)が～ 도량이 넓다(크다)。

ヒロイズム 图 헤로이즘；영웅(숭배)주의。▷heroism.

ひろいもの【拾い物】图①줍는 일；또, 주운 물건。②뜻밖의 수확；횡재(横財)。¶～をする (a)물건을 습득하다；

(b)뜻밖의 횡재를 하다。

ひろいよみ【拾い読み】图他①문장을 여기저기 골라서 읽음。¶おもしろそうな所(ところ)だけ～(を)する 재미있을 듯한 곳만 골라서 읽다。②한 자 한 자 더듬어 읽음；글을 겨우 아는 글자만을 읽음。

ヒロイン 图 헤로인。①(소설 따위의) 여주인공。②여걸(女傑)。⇔ヒーロー。▷heroine.

＊ひろ-う【拾う】⑤他①줍다。¶万年筆(まんねんひつ)を～ 만년필을 줍다。↔捨(す)てる。②골라내다。¶活字(かつじ)を～ 활자를 뽑다。③등용하다。¶引(ひ)き立てる。¶社長(しゃちょう)に～われる 사장에게 발탁되어 직에 오르다。④(위험에서) 간신히 건지다。¶命(いのち)を～ 목숨을 건지다。↔捨(す)てる。⑤(예기치 않은 것을) 얻다。¶勝(か)ちを～(뜻밖의) 승리를 거두다。⑥차를 세워 타거나 태우다。¶タクシーを～ 택시를 잡아타다／客(きゃく)を～ 손님을 태우다。

ひろう【披露】-ろう图他 피로。¶開店(かいてん)～ 개점 피로。――えん【――宴】图 피로연。

＊ひろう【疲労】-ろう图自①피로。¶～困憊(こんぱい) 피로 곤비；기진 맥진。②비유적으로, 지나친 사용으로 그 부분의 재질(材質) 따위가 약하게 됨。¶金属(きんぞく)～ 금속 피로。

ひろえん【広縁】图 넓은 툇마루。

ビロード【天鵞絨】图 비로드；우단。▷포 veludo.

＊＊ひろが-る【広がる】【拡がる】⑤自①(면적이) 넓어지다。¶道幅(みちはば)が～ 노폭이 넓어지다。②퍼지다；번지다；만연되다。¶火事(かじ)が～ 화재가 번지다／うわさが～ 소문이 퍼지다／伝染病(でんせんびょう)が～ 전염병이 만연되다。③규모가 커지다；확대[확장]되다。¶事業(じぎょう)が～ 사업이 점점 커지다。④펼쳐지다。⑦전개되다。¶すばらしいけしきが眼下(がんか)に～ 멋진 경치가 눈 아래에 펼쳐지다。⑤벌어지다。¶スカートが～ 스커트가 벌어지다。⇔せばまる。　「まる。

ひろ-く【秘録】图 비록。

＊ひろ-げる【広げる】【拡げる】下1他①(본디 展(ひろ)げる로도) 펴다；펼치다；벌리다。¶本(ほん)を～ 책을 펴다／包(つつ)みを～ 보따리를 풀다／机(つくえ)に地図(ちず)を～ 책상(위)에 지도를 펼치다／両手(りょうて)を～ 양손을 벌리다。②넓히다。⑦확장시키다。¶道(みち)を～ 길을 넓히다。⑥규모를 크게 하다。¶店(みせ)を～ 가게를 넓히다(늘리다)／視野(しや)を～ 시야를 넓히다。③온통 늘어[벌여]놓다。¶部屋(へや)いっぱいに本(ほん)を～ 온 방안에 책을 벌여 놓다。

ひろっぱ【広っぱ】-roppa 《俗》(집 밖에 있는) 넓은 빈(공)터。

＊ひろば【広場】图①광장(큰 터)；광장。②비유적으로, 의사 소통이 가능한 곳。¶駅前(えきまえ)～ 역전 광장／共通(きょうつう)の～ 공통의 광장。

ひろびろ【広広】图自 널찍한 모양。¶～(と)した庭(にわ) 널찍한 마당。

ヒロポン 图【商標名】 히로뽕。▷일Philopon.　　　　　　　　　　　　　「방。

ひろま【広間】图(회합 등을 위한) 큰

**ひろま-る【広まる】(弘まる) [5自] ①넓어지다. ¶知識が～ 지식이 넓어지다. ②널리 퍼지다; 널리 알려지다. ¶火事が～ 화재가 번지다/うわさが～ 소문이 퍼지다.

**ひろ-める【広める】(弘める) [下1他] ①넓히다. =広げる. ¶やしきを～ 저택을 넓히다. ②보급시키다. ¶学問を世に～ 학문을 세상에 널리 보급시키다. ③널리 알리다; 선전하다; 광고하다. ¶新製品を世に～ 신제품을 세상에 선전하다/名を～ 이름을 떨치다.

ひわ〖鶸〗[名] ①〔鳥〕검은방울새. ②황록색(黃綠色). =ひわ色.

ひわ【秘話】[名] 비화; (세상에 알려지지 않은) 숨은 이야기.

ひわ【悲話】[名] 비화; 슬픈 이야기.

びわ〖枇杷〗[名]〔植〕비파(나무).

びわ〖琵琶〗[名]〔樂〕비파《동양의 현악기의 하나》. ¶～をひく 비파를 타다.

ひわい［卑猥·鄙猥］[名ナ] 비외; 야비하고 외설스러움〔추잡함〕.

ひわだ〖檜皮〗[名] ①노송나무 껍질. ②'ひわだぶき'의 준말. **―ぶき**〖―葺(き)〗[名] 노송나무 껍질로 지붕을 임; 또, 그 지붕.

ひわり【日割(り)】[名] ①(급료 따위의) 일당. ¶報酬を～でもらう 보수를 일당으로 받다. ②그날 그날에 할 일들을 사전에 할당함; 또, 그 일. ¶試験の～をきめる 시험 일정을 정하다.

ひわ-れる【干割れる】[下1自] 너무 말라서 터지다〔갈라지다〕; 금이 가다. ¶柱が～ 기둥이 말라서 갈라지다.

ひん【品】[一][名] 품질; 품위; 품격; 기품. ¶～のある人 품위 있는〔인품이 좋은〕사람. [二][接尾] …품; 물건; 상품. ¶食料～ 식료품.

ひん- 밑에 오는 말의 의미나 어세를 강하게 하는 말. ¶～曲げる 세게 꾸부리다; 비틀다.

びん【便】[一][名] ①편지; 소식. ②(편지나 짐·사람 따위를) 나름; 나르는 수단. ¶次の～で 다음 편으로. ③형편; 편의. ¶～のあり次第 형편이 닿는 대로. [二][接尾] …편; 우편; 운송. ¶鉄道～ 철도편.

*__びん__【瓶】(罎) [名] 병. ¶ビール～ 맥주병/～詰め 병에 넣음; 또, 넣은 것; 병조림.

びん〖鬢〗[名] 빈모(鬢毛); 살쩍. ¶～のほつれ 살쩍의 흐트러짐.

びん【敏】[ダナ] 재빠른 모양; 또, 현명한 모양. ¶機を見るに～だ 기회를 보는 데 재빠르다.

*__ピン__ [名] 핀. ①바늘; 빈. ¶安全～ 안전핀. ②(볼링의) 핀. ③'ヘアピン(=머리핀)'의 준말. ④(골프에서) 홀에 세우는 푯대. ▷pin.

ピン [名] ①카드·주사위 눈의 '1'의 수. ②첫째(가는 것). ↔キリ. ▷포 pinta. **―からキリまで** 처음부터 끝까지; 가장 우수한 것으로부터 가장 열등한 것까지. **―をはねる** 삥땅(을) 치다.

ひんい【品位】[名] 품위; 기품. =品. ¶～を高める 품위를 높이다.

ひんか【貧家】[名] 빈가; 가난한 집. ↔富家.

ひんかく【品格】[名] 품격; 품위; 기품. ¶～が下がる 품격이 떨어지다.

びんかつ【敏活】[名][ダナ] 민활. ¶～な動作 민활한 동작.

*__びんかん__【敏感】[名][ダナ] 민감. ↔鈍感.

びんぎ【便宜】[名] ① ☞ べんぎ. ②소식이나 편지.

ひんきゃく【賓客】-kyaku [名] 빈객; 귀한 손님. =ひんかく.

ひんきゅう【貧窮】-kyū [名][ス自] 빈궁; 빈곤. =貧困·貧苦. ¶～にあえぐ 빈궁에 허덕이다.

ひんく【貧苦】[名] 빈고; 빈궁.

ピンク [名] 핑크(빛). ①분홍빛; 담홍색. ②〈俗〉색정적임. ¶～映画 도색 영화. ▷pink.

ひんけつ【貧血】[名][ス自] 빈혈. ¶～症 빈혈증/～でたおれる 빈혈로 쓰러지다.

ひんこう【品行】-kō [名] 품행. ¶～方正 품행 방정/～がおさまらない 품행이 좋아지지 않다.

ひんこん【貧困】[名] 빈곤. ¶～な家庭 빈곤한 가정.

ひんし【品詞】[名]〔文法〕품사. ¶～論 품사론.

ひんし［瀕死］[名] 빈사. ¶～の状態 빈사 상태.

ひんじ【賓辞】[名] 빈사. ①〔論〕빈개념(賓概念); 빈위(賓位). ↔主辞. ②〔文法〕객어(客語); 목적어. =客語.

ひんしつ【品質】[名] 품질. =しながら. ¶～保証付き 품질 보증이 붙은/～管理 품질 관리.

ひんじゃ【貧者】-ja [名] 빈자. =貧乏人. ↔富者. **―の一灯** 빈자의 일등《물질의 다과보다 정성이 소중하다는 비유》.

*__ひんじゃく__【貧弱】-jaku [名][ダナ] 빈약. ①작거나 볼품이 없는 모양. ¶～な体 빈약한 몸. ②적음; 모자람. ¶～な知識 빈약한 지식. ↔豊富.

ひんしゅ【品種】-shu [名] 품종. ¶～改良 품종 개량.

ひんしゅく［顰蹙］-shuku [名][ス自] 빈축. **―を買う** 빈축을 사다.

ひんしゅつ【頻出】-shutsu [名][ス自] 빈출; 빈번히〔자주〕나타남〔일어남〕. ¶～漢字 자주 쓰이는 한자.

ひんしょう【貧小】-shō [名ナ] 빈약하고 작은 모양.

びんしょう［敏捷］-shō [名][ダナ] 민첩. ¶～な動作 민첩한〔잽싼〕동작. ↔鈍重.

びんしょう［憫笑］-shō [名][ス他] 민소; 가엾게 여겨서 웃음.

びんじょう【便乗】-jō [名][ス自] 편승. ①남의 차에 같이 탐. ¶友人の車に～する 친구의 차에 편승하다. ②좋은 기회를 잡아 이용함. ¶時局に～して名を売る 시국에 편승하여 이름을 팔다.

ヒンズーきょう【ヒンズー教】-kyō [名] 힌두교; 인도교. ▷Hindu.

ひん-する【貧する】[サ変自] 가난〔빈궁〕해지다. **―·すれば鈍する** 가난해지면 자칫 품성이 떨어지게 된다.

ひん-する［瀕する］[サ変自] 절박한 형편

に処する. ¶危機ホッに～ 위기에 직면하다.

ひんせい【品性】图 품성. ¶～が下劣ケッである 품성이 비열하다.

ピンセット -setto 图 핀셋. ▷pincette.

ひんせん【貧賤】图 빈천. ¶～の徒ト 빈천한 무리. ↔富貴フッ.

びんせん【便船】图 때마침 타고 갈 수 있는 배 ; 배편. ¶～を待トつ 배편을 기다리다.

びんせん【便箋】图 편전지 ; 편지지.

ひんそう【貧相】-sō 图 빈상 ; 궁상스러운 상(像). ¶～な顔ホホ 궁상스러운 얼굴. ↔福相フッ.

びんそく【敏速】图ダナ 민속 ; 재빠름. =敏捷ショッ. ¶～に物ッをかたづける 잽싸게 물건을 치우다. ↔遅鈍ネッ.

ぴんた 图①맞받이 있는 뜻, ②남의 따귀를 침. ¶～を食クわす〔張ハる〕따귀 〔귀싸대기〕를 때리다. 參考'ぴんた'라고도 함.

ピンチ 图 핀치. ①절박〔위험〕한 사태 ; 위기. ¶～を切キり抜ヌける 위기를 벗어나다. ②〔野〕수비측의 위기. ▷pinch.

――ヒッター -hittā 图 핀치 히터. ①〔野〕대타자. ②절박〔위험〕한 때에 남을 대신하여 그 일을 맡아 하는 사람. ▷pinch hitter.

ヒント 图 힌트. ¶～を与アたえる 힌트를 주다. ▷hint.

ひんど【頻度】图 빈도. ¶～数スシ 빈도.

ぴんと 圓①물건이 세차게 또는 급히 뛰어 오르는 모양 ; 쑥. ¶メーターの針ホホが～あがる 미터 바늘이 쑥 올라가다. ②긴장 켕기는 모양 ; 팽팽히 ; 바짝. ¶糸イトを～張ハる 실을 팽팽히 당기다. ③직감적으로 곧 느끼는〔깨닫는〕모양. ¶～来クる 즉각 머리에 오다 ; 단박에 깨닫다.

ピント 图 핀트. ①〔寫〕렌즈의 초점. ¶～を合アわす 핀트를〔초점을〕맞추다. =사물의 중심점 ; 겨냥 ; 요점. ¶～が外ハズれる 요점을 벗어나다 ; 겨냥이 어긋나다. ▷네 punt. **―が合アわない** 핀트가〔초점이〕맞지 아니하다 ; 핵심에서 벗어나다.

ひんとう【品等】-tō 图 품등. ¶～別ベッ 품등별.

ひんぬく【ひん抜く】5他〔俗〕세계 잡아 빼다.

ひんのう【貧農】-nō 图 빈농. ↔富農フゥ.

ひんぱつ【頻発】himpatsu 图ス自 빈발. =続発ハッ. ¶交通事故ジッッが～す

る 교통 사고가 빈발하다.

ピンはね 图ス他 전달할 돈〔물건의 일부를〔몰래〕떼먹음〔가로챔〕; 삥땅.

*****ひんぱん**【頻繁】himpan 图ダナ 빈번 ; 잦음. ¶～な人出入ミデリ 빈번한 사람 출입.

ひんぴょう【品評】himpyō 图ス他 품평. =品定サボめ. ¶～会ッ 품평회.

ひんぴん【頻頻】himpin 下ダル 빈빈 ; 아주 잦음. ¶～と火事ジが起ォこる 빈번히 불이 나다.

ぴんぴん pimpin 圓①힘있게 뛰는 모양 ; 팔팔 ; 펄떡펄떡. ¶～とはねまわる 물고기가 펄떡펄떡 뛰다. ②원기 왕성한 모양 ; 기력이 정정한 모양.

ひんぷ【貧富】himpu 图 빈부. ¶～の差サがはげしい 빈부의 차가 심하다.

*****びんぼう**【貧乏】bimbō 图ダ ス自 빈핍 ; 가난함. ¶～暮クらし 가난한 살림. **―暇ヒマなし** 가난 때문에 먹고 살기에 바쁨. **―くじ〔―籤〕** 图 손해 보는 역할〔처지〕 ; 불운. ¶～をひく 불리한 일을 맡다 ; 억지로 책임을 떠맡다. **―しょう**【―性】图 궁상 떠는 성질. **―ゆすり**【―揺すり】图ス自 좌정하지 못하고 무릎 따위를 치신없이〔방정맞게〕까부는 일.

ピンぼけ pimbo- 图ス自〔俗〕〔寫〕핀트가 맞지 않아 화상이 흐려짐 ; 전하여, 급소〔요점〕에서 벗어남. ¶～の写真シン 핀트가 맞지 않아 부여 사진 / ～な質問 급소에서 벗어난 질문.

ピンポン pimpon 图 핑퐁 ; 탁구. ▷ping-pong.

ひんまーげる【ひん曲げる】himma- 下1他〔俗〕몹시 휘어지게 하다.

ひんみん【貧民】图 빈민. =細民サイ. ¶～街ガイ〔窟クッ〕빈민가〔굴〕.

ひんむく【ひん剝く】himmuku 5他 난폭하게 벗기다 ; 홀랑 벗기다. ¶面ゾゥの皮ホを～〔뻔뻔한 자의〕낯가죽을 벗기다.

ひんめい【品名】himmei 图 품명.

ひんもく【品目】himmoku 图 품목.

ひんやり 圓 찬 기운을 느끼는 모양 ; 썰렁 ; 선득.

びんらん【紊乱】图ス自他 문란. ¶風紀キゥ～ 풍기 문란.

びんろうじゅ【檳榔樹】-rōju 图〔植〕빈랑수.

びんわん【敏腕】图 민완. =うでき. ¶～刑事ケィ 민완 형사.

ふ フ

①五十音図ゴッボゥ'は行ギッ'의 셋째 음.'fu'②〔字源〕'不'의 초서체(かたかな'フ'는 不'의 생략).

ふ【二】图 둘(셀 때만 쓰임). =ふう. ¶ひ～み 하나 둘 셋.

ふ【府】图 ①都ト・道トゥ・県ケン과 함께 지방 자치 단체의 하나. ¶京都キョゥ～ 京都府.

ふ【斑】图 얼룩 ; 반점. =まだら・ぶち. ¶～入イり 반점이 있음.

ふ【歩】图 일본 장기의 말의 하나(졸

(卒)에 해당함).

ふ【腑】图 내장. =はらわた. ¶～の抜ヌけた人ヒ 쓸개 빠진 사람. **―に落オちない** 납득이 안 되다.

ふ【訃】图 부고 ; 부음. ¶～に接セッする 부고를 받다.

ふ【譜】图 악보. ¶～を読ヨむ 악보를 〔읽다.

ふ【負】图〔数・電〕음(陰) ; 음수ㆍ음전

기를 나타냄. ¶〜の数き 음수. ¶〜に=正る.

ふ【麩】图 ①밀기울. =ふすま. ②밀개
떡. =焼きふ. ¶金魚麩き゚ん 금붕어
먹이.

ふ―【不】불…. ¶〜景気き゚ 불경기.

―ふ―【夫】…부. ¶潜水き゚ふ 잠수부.

―ふ【婦】…부. ¶派出き゚〜 파출부.

ぶ【分】图 ①한 치・일 할(一割)・一文
いん=1貫きの 천분의 1)의 10분의 1. ②
푼・분；一両りりの 4분의 1. ¶四し
〜六く〜 4할과 6할의 비율. ③두께
의 정도. ¶〜厚き゚い本き゚ 술이 두꺼운
책. ④(歩合ぎ゚)우열(優劣)의 비율(優
勢). ¶〜が悪きい(無きい) 불리하다／
君きに〜がある 네게 유리하다.

ぶ【歩】图 ①거래 따위의 수수료나
보수・구전. ¶〜を取とる 구전을 받다
(먹다). ②특히, 원금에 대한 이자의
비율；이율. ¶〜が高きい 이율이 높
다. ②보. 토지 면적의 단위；1보는 6
척(尺) 평방(약 3.3평방미터). =坪つぼ.

ぶ【部】부. 图回③ ①나누어 한 구분.
上きゔのに…る 윗길 축에 들다. ②
조직의 구성 부분의 하나. ¶〜を解散
かんする 부를 해산하다. 图画③ ①질(帙
帙). ¶一いち〜五册き゚ 한 질 다섯 권. ②
책・신문을 세는 말. ¶千き゚〜 천 부；천
권. ②단체의 조직 구성의 하나. ¶山
岳き゚〜 산악부. ③부분. 中心き゚しん〜 중
심부.

ぶ―【不】좋지 않은. ¶〜器用き゚ 서투
름.

ぶ―【無】否定의 뜻을 나타냄. ¶〜遠
慮りょ 사양하지 않음.

ファースト fā- 图 퍼스트. ①최초；제
일. ¶レディー 레이디 퍼스트；
〜インプレッション 퍼스트 임프레션；
첫인상. ¶野 일루(手). ¶〜ベース
퍼스트 베이스；1루. ▷first. ―レデ
ィー -di 图 퍼스트 레이디；대통령 부
인(특히 미국의). ▷first lady.

ぶあい【歩合】图 ①비율을 소수로 나
타낸 것；어떤 금액의 다른 금액에 대
한 비율. ¶〜五分ぶ 비율 5분(5의 100
에 대한 비율)／利益きゔの〜を求きめる
이익의 비율을 내다. ②수수료；보
수. =歩ぶ歩. ¶売上き゚げの〜 판매 수수
료／〜を取とる 수수료를 받다. ―ざ
ん【―算】图数 보합산.

ファイア fa- 图 파이어. ①불. ②모닥
불. ¶キャンプ〜 캠프 파이어. ▷fire.

ぶあいきょう【無愛敬・無愛嬌】-kyö 图
ダナ 애교가 없음；무뚝뚝함.

ぶあいそう【無愛想】-sö 图 ダナ 상냥
치 못함；패다리적음；섬서함；무뚝뚝
함. =ぶあいそ. ¶〜な返事きをする
퉁명스러운 대답을 하다.

ファイト【fight】图 ①(學)투지；
감투심；기력. ¶〜を燃も゚やす 투지를
불태우다. ②전투；(권투 따위의)시
합. ¶マネー・ファイト・マネー(프로 복
싱・프로 레슬링 등에서 선수의 시합 보
수). ▷fight.

ファイナル fa- 图 파이널；최종；최후.
¶セット 파이널 세트. ▷final.

ファインダー fa- 图 (카메라의)파인
더. ▷finder.

ファインプレー fa- 图 파인 플레이；
미기(美技)；묘기. ▷fine play.

ファウル fa- 图 파울. ①반칙(反則).

②(野)친 공이 일루선・삼루선의 밖으
로 떨어짐. =ファウルボール. ▷foul.

ファクシミリ fa- 图 팩시밀리；모사(模
寫) 전송(신문의 지면 따위를 전송하
는 장치). =ファックス. ▷facsimile.

ファゴット fagotto 图 樂 파고토；장
통형(長筒形)인 저음의 목관 악기. =
バスーン. ▷fagotto.

ファシスト fa- 图 파시스트. ▷fascist.

ファシズム fa- 图 파시즘. ▷fascism.

ファスナー fa- 图 파스너；지퍼；척.
▷fastener.

ふあたり【不当 (た) り】图 ①(흥행물
등의)인기가 없음. ②유행하지 않음.

ぶあつい【分厚い・部厚い】形 두껍
다. ¶〜本き゚ 술이 두꺼운 책.

ファッショ fassho 图 파쇼；독재적인
지배 체제. ▷fascio.

ファッション fasshon 图 패션；유행.
¶ニュー・〜 뉴패션；〜モデル 패션 모
델. ▷fashion. ――ショー -shö 图 패션
쇼. ▷fashion show. ――ブック -bukku
图 패션북；(스타일)북. ▷fashion book.

ふあん【不安】图 불안. ¶〜感き゚ 불
안감／経済き゚的 불안／〜に思きゔ 불
안하게 생각하다.

ファン fan 图 팬. ①부채；선풍기；환
풍기. ¶電気き゚〜 전기 환풍기. ▷fan.
②(연극・영화 등의)팬. =ひいき き゚.
¶〜レター 팬 레터／野球き゚〜 야구팬.
▷미 fan.

ファンタジア fan- 图 樂 판타지아；
환상곡. =ファンタジー. ▷fantasia.

ふあんてい【不安定】名ナ 불안정.
¶〜な状態き゚ 불안정한 상태.

ふあんない【不案内】名ナ 서투름；사
정을 잘 모름；능통하지 못함. =無案
内あんない. ¶〜な土地き゚ 낯선 고장／株
かゔの事き゚は全まった〜だ 주에 관한 것은
전혀 모른다.

ファンファーレ fanfāre 图 樂 팡파
르. ①왕・나팔 등을 사용한 화려하고
씩씩한 짧은 악곡. ②삼화음(三和音)
만 사용한 나팔의 신호. ▷fanfare.

ふい【俗】图 허사；헛일；무효. =だめ.
¶〜になる 허사가 되다／チャンスを
〜にする 기회를 놓치다.

ふい【不意】图 ナ ①불의；불시.
¶〜の事故き゚ 불의의 사고／を打うつう
う 급습하다. ②갑작스러움；돌연. =だしぬ
け. ③뜻밖；생각 밖. ――を食くゔ 허를
찔리다. ――を突つく 허를 찌르다.
――に 副 갑자기；별안간에；느닷없
이. ¶汽車き゚が=止とまる 기차가 갑자
기 서다. ②뜻밖에. ¶〜出会きゔで
에 만나다.

ぶい【武威】图 무위；무력의 위세. ¶
〜を輝き゚かす 무위를 떨치다. ↔朝権
ちょうけん.

ぶい【部位】图 부위.

ブイ 부이. ①부표(浮標). ②구명대
(救命袋). =浮うき袋ぶくろ. ▷buoy.

ブイアイピー【VIP】图 브이 아이 피.
=ビップ. ▷very important person.

フィアンセ fi- 图 약혼자；약혼자. ¶
約き゚き゚こ〜 ▷프 fiancé(남)；fiancée(여).

フィート【呎】图 피트；(길이의 단위
로 12인치；약 30.5 cm)을 feet.

フィールド fi- 图 필드. ①육상 경기장
의 트랙 안쪽 부분의 경기장. ¶〜競

技〔ﾜ〕;フィールド 競技(도약·투척 등의 경기). ↔トラック. ②〔理·心·言〕장(場). ③연구 분야; 영역. ▷field.
──ホッケー -hokkē 图 필드 하키. ▷field hockey.

*ふいうち【不意打ち】【不意討ち】图 기습; 불의의 습격; 전하여, 갑자기 무엇을 하는 일. 〜をかける 불의의 습격을 하다 / 〜を食〔わ〕ないように用心〔ヨ〕する 불의의 기습을 받지 않도록 조심하다.

フィギュア figyua 图 ①도형〔圖形〕. ②모습; 상〔像〕. ③'フィギュアスケーティング(=피겨 스케이팅)'의 준말. ▷figure.

ふいく【扶育】图 ス他 부육; 도와서 양육함. 〜料 양육료; 양육비.

フィクション fikushon 图 픽션. ①허구(虚構); 소설. ②창작; 소설. ↔ノンフィクション. ▷fiction.

ふいご【吹子·鞴】图 풀무. =ふいごう. 〜で吹く〔~を踏む〕 풀무질하다.

ふいちょう【吹聴】-chō 图 ス他 (말을) 퍼뜨림; 선전함. 〜して歩く 말을 퍼뜨리고 다니다 / ご〜のほどを… 잘 선전해 주시기를….

ふいつ【不一】【不乙】图 ①여불비(餘不備); 불구(不具); 편지의 맺음말). =ふいいち. ②불일; 한결같지 않음.

ブイティーアール【VTR】-tiāru 图 브이티아르; 녹화기(録畫機). ▷video tape recorder.

ふいと 副 갑자기; 문득. =ふと. 〜立ち上がる 갑자기 일어나다.

ぷいと 副 불쾌하게 갑자기 동작을 취하는 모양; 홱; 퉁명스럽게. 〜を向かう 홱 고개를 돌리다.

フィナーレ fi- 图 피날레. ①〔樂〕한 곡의 마지막 악장. ②〔樂〕오페라 등의 끝장면; 종막(終幕). =大詰〔め〕. ③종말; 마지막. 〜をかざる 마지막을 장식하다. ▷finale.

フイフイきょう【フイフイ教】【回回教】-kyō 图 ⇒かいきょう(回敎).

フィヨルド fi- 图〔地〕피오르드. =峡灣〔ﾜﾝ〕. ▷fjord.

フィラメント fi- 图 (전구·진공관의) 필라멘트. ▷filament.

ふいり【不入り】图 (흥행 등에서) 입장자가 적음; 한산함. 〜の 意外〔ﾖ〕の~で 의외로 입장자가 적어서 적자를 내다. ↔大入〔り〕.

フィルター fi- 图 ①거르거나 제거하는 장치. 〜付きのタバコ フィルター 담배. ②카메라의 렌즈 앞에 붙여 광선을 투과·제한 또는 차단하는 색유리. ③녹음기에 달아서 잡음을 없애는 장치. ▷filter.

フィルハーモニー fi- 图 필하모니; 교향악단. ▷도 Philharmonie.

フィルム fi- 图 필름. ①사진 감광판과, 또, 그것을 현상한 음화(陰畫). ②영화. ▷film.

ふいん【訃音】图 부음; 죽었다는 기별. =ふほう.

ぶいん【無音】图 오랫동안 소식이 없음. =ぶさた. 〜ご〜にうち過ぎ 오랫동안 소식을 전하지 못하고.

ぶいん【部員】图 부원; 부를 구성하는 멤버.

ふう【二】fū 图 둘(수를 셀 때에만 씀).

ふう【封】fū 图 봉; 봉한 것. 〜を切る 봉을 뜯다.

ふう【風】fū 图 ①풍습; 풍속. =ならわし. 〜異国〔ﾆ〕の~ 이국의 풍속. ②모양; 외양; 모습; 짓. 〜ようす·ふり. ③〔知らない〜をする 모르는 체한다 / 〜をかまわない 웃차림에 개의치 아니하다 / 君子〔ﾝ〕の~がある 군자의 풍도가 있다. ③상태; 방법; 식. 〜あんなでは困る〔ﾙ〕 저런 상태〔식〕로는 곤란하다 / こういう~につくる 이런 식으로 만든다. 〜接尾〕…風. 〔學者〔ﾝ〕~ 학자의 풍모 / 当世〔ﾝ〕~ 당세풍; 당세의 풍조.

ふう 國 한숨 지을 때에 내는 소리: 후유.

ふうあつ【風圧】fū- 图〔理〕풍압. 〜計 풍압계 / ~に耐える 풍압에 견디다.

ふうい【風位】fūi 图 풍위; 풍향. =風向〔ﾞ〕.

ふういん【封印】fū- 图 ス自 봉인. 〜を押す 봉인을 누르다.

ふうう【風雨】fū 图 풍우. ①바람과 비. 〜にさらされる 비바람을 맞다. ②폭풍우. 〜注意報〔ﾎﾞ〕 풍우 주의보.

ふううん【風雲】fū 图 풍운. ①児〔ﾆ〕 풍운아 / ~を告げる 사태가 위급하다 / ~に乗ずる 풍운을 타다; 호기를 잡다. ──の志〔ｼ〕風雲의 뜻.

ふうか【風化】fū 图 ス自 풍화. 〜作用 풍화 작용.

ふうが【風雅】fū 图 ダナ 풍아; 속되지 않고 멋이〔정취가〕있음; 특히, 시가·문장·서화·다도. 〜の趣〔ｷ〕のある画 풍아한 정취가 있는 그림 / ~な庭園〔ﾝ〕 풍아한 정원.

ふうかい【風解】fū 图 ス化〕풍해; 탄산소다 등이 공기중에서 수분을 잃고 가루가 되는 현상. =潮解〔ｶ〕.

ふうかく【風格】fū 图 풍격. ①풍채와 품격; 인품. 〜堂々〔ﾄﾞﾝ〕たる~ 당당한 풍격. ②맛; 멋; 풍치. 〜のある字 풍격이 있는 글씨.

ふうがわり【風変わり】fū 图 色 다른 모양; 또, 그런 물건이나 사람. 〜ちょっと~な身なりである 좀 색다른 몸차림이다.

ふうかん【封緘】fū 图 ス他 봉함. 〜葉書〔ﾖ〕 봉함 엽서〔郵便書簡〔ﾋﾞﾝ〕〕의 구칭〕.

ふうかん【諷諫】fū 图 ス他 풍간; 넌지시 에둘러 간함. ↔直諫〔ﾝ〕.

ふうき【富貴】fū 图 부귀. ↔貧賤〔ﾝ〕.

*ふうき【風紀】fū 图 풍기. 〜を乱す 풍기를 문란케 하다〔어지럽게〕.

ふうぎ【風儀】fū 图 ①예의 법칙. =行儀作法〔ﾎﾞ〕. ②(남녀간의) 풍기(風紀). 〜の悪い女 몸가짐이 헤픈 여자. ③풍습(風習); 관습. =ならわし. ②모습; 모양. =すがた.

ふうきり【封切り】fū 图 ス他 개봉(開封). 〜館 개봉관.

ブーケ 图 부케; 꽃다발. ▷ bouquet.

*ふうけい【風景】fū 图 풍경; 풍광(風光). 〜景色を眺める 풍경을 구경하다. 〜田園〔ﾝ〕~ 전원 풍경. ──画〔一画〕 풍경화.

ふうげつ【風月】fū 图 풍월; 청풍 명

月. ¶～の遊（あそ）び 음풍 농월〔吟風弄月〕/ ～の才（さい）풍월을 읊는 재능. ━を友（とも）にする 풍월을 벗삼다.

ふうこう【風光】fūkō 풍광；경치. ¶～明媚（めいび）풍광 명미〔경치가 매우 아름다움〕.

ふうこう【風向】fūkō 圄 풍향. ＝かざむき. ¶～計（けい）풍향계.

ふうさ【封鎖】fūsa 圄 サ他 봉쇄. ¶海上（じょう）の～ 해상 봉쇄.

ふうさい【風采】fūsai 圄 풍채. ＝なりふり・ふうてい. ¶～のあがらない男（おとこ）풍채가 시원치 못한 사나이.

ふうし【夫子】fū- 圄 부자；어진 사람・연장자・스승 등을 존경해서 이르는 말〔특히, 공자（孔子）를 가리킴〕. ¶～ 공부자.

*ふうし【風刺】（諷刺）fū- 圄 サ他 풍자；비꼼. ＝あてこすり. ¶～小説（しょうせつ）풍자 소설／～的（てき）な漫画（まんが）풍자적인 만화. 注意 '風刺'로 씀은 대용 한자.

ふうし【風姿】fū- 圄 풍자；풍채. ＝なりふり.

ふうじこ─める【封じ込める】fū- 下1他 ①안에 넣고 봉（쇄）하다；가두다. 閉（と）じ込（こ）める・封（ふう）じ入（い）れる. ¶～・め政策（せいさく）봉쇄 정책／船（ふね）を港（こう）に～ 배를 항구에 봉쇄하다. ②신불（神仏）에게 기도하여 악마의 힘을 막다.

ふうじて【封じ手】fū- 圄 ①〔바둑・장기에서〕봉수. ②〔유도・씨름 따위에서〕써서는 안 되는 수.

ふうじめ【封じ目・封じ目】fū- 圄 봉한 자리. ¶～に印（いん）を押（お）す 봉한 자리에 도장을 찍다.

ふうしゃ【風車】fūsha 圄 ①풍차. ＝かざぐるま. ¶～小屋（ごや）풍차. ②〔종이・셀룰로이드로 만든〕팔랑개비.

ふうじゃ【風邪】fūja 圄 〔老〕감기. ＝かぜ・かぜびき. ¶～の気味（ぎみ）감기 기운.

ふうしゅ【風趣】fūshu 圄 풍취；풍치. ＝風致（ふうち）. ¶～風韻（ふういん）.

ふうじゅ【風樹】fūju 圄 풍수；바람을 받아서 흔들리는 나무. ━の嘆（たん）풍수 지탄（風樹之嘆）；부모가 죽은 후에 효도하려 해도 못 하는 한탄을 바람과 나무에 빗댐〕.

*ふうしゅう【風習】fūshū 圄 풍습. ＝ならわし. ¶珍（めずら）しい～ 진기한 풍습.

ふうしょ【封書】fūsho 圄 봉서；봉한 편지.

ふうしょく【風食】（風蝕）fūsho- 圄 サ他 풍식. ¶～作用（さよう）풍식 작용.

ふう─じる【封じる】fū- 圄 ①봉하다. 出入口（でいりぐち）を～ 출입구를 봉하다. ②막다；봉쇄하다. ¶敵（てき）の攻撃（こうげき）を～ 적의 공격을 봉쇄하다.

ふうしん【風しん】（風疹）fū- 圄 〔醫〕풍진. みっかばしか.

ふうすいがい【風水害】fū- 圄 풍수해.

ふう─する【諷する】fū- サ変他 풍자（諷刺）하다；빗대어 꼬집다. ¶～した漫画（まんが）시국을 풍자한 만화. 〔じる.

ふう─ずる【封ずる】fū- サ変他 ☞封（ふう）

ふうせつ【風説】fū- 圄 풍설；소문；풍문. ＝うわさ・とりざた. ¶～にまどわされる 풍설에 현혹되다.

ふうせつ【風雪】fū- 圄 풍설. ①바람과

눈. ¶～をしのぐ 바람과 눈을 가리다. ②풍상（風霜）；쓰라린 시련. ¶～十年（じゅうねん）모진 시련의 십 년. ③눈보라. ＝ふぶき. ¶～を冒（おか）して進（すす）む 풍설을 무릅쓰고 나아가다.

ふうせん【風船】fū- 圄 풍선. ①기구（氣球）. ②風船玉（だま）（＝종이（고무）풍선）'紙風船（かみふうせん）（＝종이 풍선）'의 준말.

ふうぜん【風前】fū- 圄 풍전；바람 앞；바람 부는 곳. ━のちり 바람 앞의 먼지〔무상함의 비유〕. ━のともしび 풍전 등화.

ふうそう【風葬】fūsō 圄 サ他 풍장（시체를 비바람에 쐬어서 자연 소멸시키는 장례 방식의 하나）. ↔土葬（どそう）・火葬（かそう）・水葬（すいそう）. 〔풍속화.

ふうそく【風速】fū- 圄 풍속. ¶～計（けい）

*ふうぞく【風俗】fū- 圄 풍속. ¶～画（が）―犯罪（はんざい）풍속 범죄；풍속 사범.

ふうたい【風体】fū- 圄 ☞ふうてい.

ふうたい【風袋】fū- 圄 ①〔겉〕포장의 중량. ¶～を差（さ）し引（ひ）く 겉포장의 무게를 빼다／～込（こ）みの重量（じゅうりょう）포장을 포함한 중량. ②외관（外觀）. ＝うわべ・見（み）かけ. ¶～ばかり立派（りっぱ）な겉（보기）만 근사한〔번드레한〕하다.

ふうたく【風鐸】fū- 圄 ①불당이나 탑추녀의 네 귀에 단 풍경（風磬）. ②☞ふうりん（風鈴）.

ふうち【風致】fū- 圄 풍치. ＝おもむき・あじわい・風趣（ふうしゅ）. ¶～地区（ちく）풍치 지구／～林（りん）풍치림.

ふうちょう【風潮】fūchō 圄 풍조. ¶社会（しゃかい）の～ 사회의 풍조.

ふうちょう【風鳥】fūchō 圄 〔鳥〕풍조；극락조. ＝ごくらくちょう.

ブーツ 圄 부츠；장화（長靴）. ▷boots.

ふうてい【風体】fū- 圄 외양；겉모습；옷차림；풍채. ＝ふうたい・みなり. ¶～のよくない男（おとこ）외관이 좋지 못한 남자.

ふうてん【瘋癲】fū- 圄 〔俗〕①풍전；정신병〔언어 착란・감정 격발 등이 심한 것〕. ②가출하여 번화가에서 어정거리는 부랑배들.

*ふうど【風土】fū- 圄 풍토. ¶～病（びょう）풍토병／～になじむ 풍토에 길들다〔적응하다〕.

フード fū- 圄 후드. ①（외투・우비 등에 붙은）머리쓰개. ②카메라 렌즈의 광선 가리개. ＝レンズフード. ③（타자기 등의）덮개. ▷hood.

フード fū- 圄 푸드；음식물；식품. ▷food.

*ふうとう【封筒】fūtō 圄 봉투. ＝状袋（じょうぶくろ）.

ふうにゅう【封入】fūnyū 圄 サ他 봉입. ①동봉함. ¶現金（げんきん）～の手紙（てがみ）현금 을 동봉한 편지. ②넣고서 봉함. ¶ガスをした電球（でんきゅう）가스（봉입）전구.

ふうは【風波】fū- 圄 풍파. ①바람과 파도；풍랑. ¶～が立（た）つ 풍파가 일다. ②다툼질；내분. ¶～が絶（た）えない 풍파가 끊이질 않다.

ふうばいか【風媒花】fū- 圄 〔植〕풍매화（벼・소나무 따위）. ↔虫媒花（ちゅうばいか）.

ふうばぎゅう【風馬牛】fūbagyū 圄 풍마우 불상급（不相及）；자기와는 아무런 관계가 없음.

ふうび [風靡] fū- ㊂他 풍미；휩쓺.
¶一世を~する 일세를 풍미하다.

ふうひょう [風評] fūhyō ㊂풍평；뜬소
문；풍문.＝風說.＞うわさ.

＊ふうふ [夫婦] fū- ㊂부부.＝夫妻.
めおと・つれあい・みょうと.¶~づれ
부부 동반；~仲 부부간；부부 사이／
似た者 부부는 혼히 서로 생김새
나 취미가 비슷이 닮는다는 말.一げ
んかは犬も食わない 부부 싸움은 개
도 안 말린다〔부부 싸움은 칼로 물
베기〕.

ふうふう fūfū 圖①가쁘게 숨쉬는 모양；
헐떡헐떡.¶~言って駆けてくる
헐떡이며 달려오다.②괴로움을 당하
거나 일에 쫓기는 모양；허덕허덕.¶
仕事を~で言う 일에 허덕거리다.③
입김을 내는 모양；후우후우.¶お茶を
~吹いて飲む 차를 후후 불며 마
시다.

ぶうぶう būbū ㊀圖①불평이나 잔소리
를 하는 모양；투덜투덜；툴툴.¶そう
~言うな 그렇게 투덜거리지 말게.
②(풍금·경적 등의) 소리가 연해 나는
모양；붕붕；뿡뿡.¶~(て)警笛を
鳴らして走る 붕붕 경적을 울리면서
달리다.㊁㊂〈兒〉 자동차；빵빵.

ふうぶつ [風物] fū- ㊂①눈에 들
어오는 풍경；眺めや景色.②각 계
절의 특징이 되는 것；初夏의 ~의
여름의 풍물.③풍속이나 사물(事物).
¶日本らしい~の 일본다운 풍물.——し
㊂詩 풍물시.¶金魚売りの声は夏の~だ 금붕어 장수의 외치는
소리는 여름의 풍물시다.

ふうぶん [風聞] fū- ㊂㊂他 풍문.＝
うわさ.

ふうぼう [風貌·風丰] fūbō ㊂풍모；
풍채；용모.¶堂々たる~ 당당한
풍모.

ふうみ [風味] fū- ㊂풍미；음식의 고
상한 맛.¶~のある料理 풍미가
있는 요리.

ブーム ㊂붐；벼락〔갑작〕경기；유행.
¶~に乗る 붐을 타다／レジャー~
레저붐.＞boom.

ブーメラン 부메랑〔던지면 제자리로
되돌아오는 장난감〕.＞boomerang.

ふうゆ [風諭·諷諭·諷論] fū- ㊂㊂他
풍유；넌지시 말하여 깨닫게 함.注意
‘風論’로 씀은 대용 한자.

ふうらいぼう [風来坊] fūraibō ㊂①떠
돌이；방랑객.②변덕쟁이.

ふうらん [風蘭] fū- ㊂〔植〕풍란.＝富
貴蘭ふうき.

ふうりゅう [風流] fūryū ㊂풍류.
①사물의 멋·정취를 앎；雅趣(風情).
¶~の道を 풍류의 도〔시가·서화·다도
따위〕.②운치있게 꾸밈；風雅＝数寄すき.
¶~な庭 운치있게〔아기자기하게〕꾸
민 정원.——じん[——人] ㊂풍류인；
풍류객.

ふうりょく [風力] fūryo- ㊂〔氣〕풍력.
¶~計 풍력계.——かいきゅう[——階級]
-kyū ㊂풍력 계급〔육상
에서 12계급, 해상에서 17계급으로 구
분).＝風級きゅう.

ふうりん [風鈴] fū- ㊂풍령；풍경.

＊プール pū- 풀.㊀㊂①수영〔경기〕장.

②(차량 등을) 모아두는 곳.¶モー
ター~ 모터풀；주차〔배차〕장.㊁㊂
㊂他(자금·이익·계산 등을) 공동 출
산으로 함.②모아둠.¶資金を~す
る 자금을 모아두다.＞pool.

ふうろう [風浪] fūrō ㊂풍랑；풍파.
＝波風なみ.¶~と戦たたかう 풍랑과 싸우다.

ふうん [不運] fū- ㊂ 불운.＝不幸せ
せ·不幸さ·不遇さ.¶~のどん底に
おちいる 불운의 구렁텅이에 빠지다.
↔幸運さち.

ふうん fun 感 감탄하거나 의심스러운
마음을 나타낼 때의 콧소리；흠；흥.
¶~それは本当ほんとうかい 흥, 그것이 정말
인가.

ぶうん [武運] ㊂무운.¶~長久ちょうきゅうを
祈いのる 무운 장구를 빌다.

ぶうんと pūnto 圖냄새가 (강하게) 풍
기는 모양；물씬；독.

＊ふえ [笛] ㊂피리；저；호각.一吹けど踊おどらず 채비를 갖추고 유도해도
상대가 응하지 않는다.

ふえ [鰾] ㊂〔魚〕부레.＝浮き袋ぶくろ.

フェア fea ㊐ナ 페어.①공명；공정；
(특히, 경기에서) 정정당당.②야구·테
니스에서 친 공이 규정된 선 안에 들
어감.↔ファウル·アウト.③(백화점
의) 직매 전시회；견본시(見本市).¶
ブック~ 도서 전시회.＞fair.——プ
レー 페어 플레이；정정 당당한 태
도·행동.＞fair play.

ふえい [府営] ㊂부영；지방 자치 단체
인 부(府)의 경영(하는 시설).

ふえいせい [不衛生] ㊐ナ 위생적이
아님；비위생적.

フェーンげんしょう [フェーン現象]
(風炎現象) fēnshō ㊂〔氣〕푄 현상
(산을 넘은 건조한 바람이 열풍이 되
어 불어내리는 현상；高山재의 원
인).＝フェーン.＞도 Föhn.

ふえき [不易] ㊂불역；불변.¶万
古ばんこ~の真理 만고 불변의 진리.

ふえき [賦役] ㊂부역；토지에 대한 수
익세(收益稅)와 노력.

フェスティバル festi- ㊂페스티벌；축
전；축제；제전；향연.＝(お)祭まつり.
＞festival.

ふえて [不得手] ㊐ナ ①잘하지 못
함.＝不得意にがて·苦手にがて.¶しゃべる
のはどうも~です 말주변이라고는 없
습니다.②즐기지 않음.¶酒さけは~だ 술은 즐기지 않는다.

フェニックス fenikku- ㊂페닉스.①(이
집트 신화의 영조(靈鳥)；불사조(不死
鳥).②〔植〕야자과에 속하는 관엽 식
물(觀葉植物)；화분이나 정원에 심음).
＞ph(o)enix.

フェミニスト fe- ㊂페미니스트；여권
확장론자；여성을 존중하는 남자·여자
에 무른 남자.＞feminist.

フェミニズム fe- ㊂페미니즘；여권 확
장론；여성 존중론.＞feminism.

フェリーボート feribō- ㊂페리 보트；
(자동차를 실을 수 있는) 나룻배；
연락선.＝カーフェリー.＞ferryboat.

＊ふえる [下1他][増える] ①인원·물건·
수효가) 늘다；증가하다；늘어나다.＝
増す.¶荷物にもつが~ 짐이 늘다／水分

が～ 물이 붇다. ↔減~る. ②〔殖える〕(돈·재산이) 늘다；번식하다. ¶害虫がが～ 해충이 번식하다.

フェルト fe- 图 펠트〔모자·방석·신 따위의 재료〕. ▷felt.

ふえん【不縁】图 연분이 없음. ①절연(絶緣). ＝離縁. ¶つり合わぬは～のもと 어울리지 않는 것은 절연의 원인. ②인연이 맺어지지 않음；인연이 멂. ¶～に終わる 맺어지지 않고 끝나다.

ふえん【敷衍・布衍・敷衍】图 ス他 부연. ¶～して述べる 부연하여 말하다.

フェンシング fen-图 펜싱. ▷fencing.

ぶえんりょ【無遠慮】-ryo 图 ダナ 사양하지 아니함；제멋대로 행동함. ＝不作法. ¶～なやつ 염치[버릇]없는 놈／ずけずけと～な口をきく 서슴지 않고 제멋대로 지껄이다.

フォアボール fo-图【野】베이스 온 볼；사구(四球)；포 볼. ▷일 four balls.

フォーカス fo- 图 포커스. ①초점；핀트. ②주요점. ▷focus.

フォーク fo- 图 포크；삼지창；쇠스랑. ▷fork.

フォークソング fō- 图 포크송；구미의 민요. ▷folk song.

フォークダンス fō- 图 포크댄스；민속〔향토〕무용；또, 레크리에이션용의 집단적으로 추는 댄스. ▷folk dance.

フォース アウト fō- 图 ス他【野】포스 아웃. ＝封殺. ▷force-out.

フォーム fō- 图 폼. ①형식. ②자세；모양. ¶美しい～ 멋진 폼. ▷form.

フォックストロット fokkusu torotto 图 폭스트롯〔사교 춤의 하나〕；또, 그 반주. ▷fox-trot.

ぶおとこ【醜男】图 추남；못생긴 남자. ＝しこお. ↔美女おんな.

フォルテ fo-【樂】포르테；'강하게'의 뜻〔기호：*f*〕. ↔ピアノ. ▷이 forte.

フォルティシモ foruti-【樂】포르티시모；'아주 강하게'의 뜻〔기호：*ff*〕. ↔ピアニシモ. ▷이 fortissimo.

ふおん【不穏】图 ダナ 불온. ¶～な空気き〔行動こう〕 불온한 공기〔행동〕. ¶ふおんとう【不穏当】-tō 图 ダナ 불온당. ¶～な言葉は 온당치 않은 말. ＝不穏当.

ぶおんな【醜女】图 추녀；못생긴 여자. ＝しこめ. ↔美男びなん 〔속칭〕.

ふか【鱶】图【魚】상어〔특히, 큰 것〕.

ふか【不可】图 불가. ①옳지 않음. ¶可かもなくもない 특히 좋은 것도 없고 나쁜 것도 없다〔무난하지만 특색이 없다〕. ②〔시험 등의 성적 평가에서〕수준 이하라서 불합격의 뜻. ↔可. ¶接頭접 할 수 없음을 나타내는 말. ¶～抗力りょ 불가항력.

ふか【付加・附加】图 ス他 부가. ¶～税 부가세／～価値かち 부가 가치.

ふか【孵化】图 ス他 부화. ＝孵卵うらん. ¶人工じんこう～ 인공 부화.

ふか【負荷】图 ス他 짐을〔임무를〕짊어짐；떠맡음. ¶～の大任たいにん 맡은 바 대임. ②图 기계를 가동하여 실제로 작업시키는 일의 분량.

ふか【賦課】图 ス他 부과.

ふか【部下】图 부하. ＝配下はい・手下てした.

¶～にする〔なる〕 부하로 삼다〔가 되다〕.

ふかあみがさ【深編みがさ】【深編笠】图 〔얼굴을 폭 가리게 된〕운두가 깊은 삿갓.

ふか～い【深い】厖 ①깊다. ㉠곁에서 속까지의 길이가 길다. ¶～海うみ 깊은 바다／山やが～ 산이 깊다. ㉡〔생각이〕들어차다. ¶思慮しりょが～ 생각이 깊다／よく考かえる 깊이 생각하다. ㉢한창이다. ¶秋あきが～ 가을이 깊다. ㉣정의나 관계가 두텁다. ¶～仲なか 깊은 사이. ②심하다. ¶欲よくが～ 욕심이 많다. ③〔농도·맛 따위가〕짙다. ¶緑みどりが～ 녹색이〔안개가〕짙다／味あじが～ 맛이 짙다. ④뚜렷하다. ¶彫ほりの深い顔かお 〔윤곽이〕뚜렷한 얼굴. ↔浅あさい.

***ふかい**【不快】㊀图 불쾌. ¶～感かん 불쾌감／～な顔かお 불쾌한 얼굴. ㊁图 병. ──しすう【──指数】-sū 图 불쾌지수.

ふかい【付会・附会】图 ス他 부회；억지로 끌어다 댐. ¶牽強けんきょう～ 견강부회.

–ふかい【深い】〔名詞に붙어, 形容詞를 만듦〕…이 깊다. ¶情じょう～ 인정이 많다／欲よく～ 욕심이 많다.

ふがい【部外】图 부외. ¶～者しゃ 부외자. ↔部内ない.

ふがいない【腑甲斐無い・不甲斐無い】厖 기개(氣槪)가 없다；칠칠치 못하다. ¶あんな相手あいてに負まけるなんて～ 저런 상대에게 지다니 칠칠치 못하다.

ふかいり【深入り】图 ス自 〔필요 이상으로〕깊이 들어감〔관계함〕. ¶事件じけんに～する 사건에 깊이 관계하다.

ふかおい【深追い】图 ス他 끝까지 깊이 쫓음. ¶～は危険きけんだ 너무 쫓으면 위험하다.

ふかかい【不可解】图 불가해. ¶～な事件じけん 불가해한 사건.

ふかぎゃく【不可逆】-gyaku 图 ダナ 불가역；돌이킬 수 없음. ¶～反応はんのう 불가역 반응.

ふかく【不覚】图 ダナ ①확고한 각오가 서 있지 않음；특히, 방심해서 실패〔실수〕함；불찰. ¶僕ぼくの～だった 나의 실수였다〔불찰이었다〕. ②저도 모르게 함；무의식. ¶～の涙なみだがこぼれる 저도 모르게 눈물이 나오다. ──を取とる 방심하여 생각잖은 실수를 하다〔낭패를 보다〕. ¶～の一敗いっぱい.

ふがく【富岳・富嶽】图 ＝'富士山ふじさん'의 딴이름.

ぶがく【舞楽】图 무악；특히, 춤이 따른 〔아악용의〕아악(雅樂).

ふかくじつ【不確実】图 ダナ 불확실. ¶～情報じょうほう 불확실 정보.

ふかくだい【不拡大】图 불확대.

ふかくてい【不確定】图 불확정.

ふかけつ【不可欠】图 ダナ 불가결. ¶～の条件じょうけん 불가결의 조건.

ふかこうりょく【不可抗力】-kōryoku 图 불가항력. ¶～の惨事さんじ 불가항력의 참사.

ふかさ【深さ】图 깊이. ¶～は五フィート 깊이는 5 피트.

ふかざけ【深酒】图 ス自 과음(過飮).

ふかし【蒸かし】图 찜；전 것. ¶～いも 찐 감자／～缶かん 찜통.

ふかし【不可視】图 불가시. ↔可視は.
¶~光線芸【理】불가시 광선.

ふかしぎ【不可思議】图が ①불가사의.
¶~な事件烧 불가사의한 사건. ②이
상함. =ふしぎ. ¶~な話は 이상한 이
야기.

ふかしん【不可侵】图 불가침. ¶~条
約なく 불가침 조약.

ふか-す【吹かす】5他 ①(담배를) 피
우다. =くゆらす. たばこを~ 담배
를 피우다. ②티를 내다. ¶先輩芸風
なを~ 선배 티를 내다. ③연료를 많이
보내어 엔진을 고속 회전시키다. エ
ンジンを~ 엔진을 고속으로 회전시키
다.

ふか-す【更(か)す】【深(か)す】5他
『夜\を~』밤 늦도록 안 자다.

ふか-す【蒸かす】5他 찌다. =むす.
¶いもを~ 감자를 찌다.

ふかそく【不可測】图 불가측; 어떻게
될지 예측할 수 없음. =不測は. 「론.

ふかちろん【不可知論】图【哲】불가지

ぶかっこう【不格好】【不恰好】
图がナ 꼴이 흉함; 모양이 나쁨; 꼴사납
게 입음. ¶~に見べえる 꼴사납게
보이다.

ふかづめ【深爪】图 손톱을 바
싹 깊이 깎음.

ふかで【深手】【深傷】图 깊은 상처; 중
상(重傷). ¶~を負う 깊은 상처를
입다. ↔浅手は·薄手ぎ.

ふかのう【不可能】-nö 图 불가능.
¶実現芸~な計画症 실현 불가능한 계
획. ↔可能芸. 「음.

ふかひ【不可避】图 불가피; 피할 수 없

ふかふか副が 이불 따위가 부드럽고 부
푼 모양; 폭신폭신; 말랑말랑. ¶~
したふとん 폭신폭신한 이불.

ぶかぶか图ダナ 헐렁한 모양; 헐렁헐렁
렁. ¶~なズボン 헐렁헐렁한 바지.
□副①고정되지 않고 들떠 있는 모양.
¶~した古歯たんが 폭폭하게 흔들 낡은
다리짜. ②물에 잠긴 것이 떠 있는 모
양; 둥둥. ¶材木ぎが~と浮ういている
재목이 둥둥 떠 있다.

ぶかぶか副 ①담배를 연해 피우는 모
양. ¶~(と)たばこをふかす 뻐끔
끔뻐끔 담배를 피우다. ②가벼운 것이
물 위에 둥실둥실 뜬 모양. ¶~ボー
ルが浮うく 공이 둥실둥실 뜨다. ③나
팔·피리 등을 부는 모양; 빵빵; 삐삐.
¶~どんどん 빵빵 둥둥.

ふかぶかと【深深と】副 매우 깊은 모
양; 깊디깊게; 깊숙이. ¶帽子ぼうを깊숙이
~かぶる 모자를 깊숙이 쓰다.

ふかぶん【不可分】图 불가분.

*__ふか-まる__**【深まる】5自 깊어지다. ¶
秋きが~ 가을이 깊어지다 / 友情ゆうが
~ 우정이 두터워지다.

ふかみ【深み】图①깊은 곳; 깊이 팬
곳. ¶沼ゃの~に落ちこむ 늪의 깊은
곳에 빠지다. ②깊이; 깊은 맛. ¶その
絵えには~が無ない 그 그림에는 깊은
맛이 없다.

ふかみぐさ【深見草】图【植】〈雅〉모
란(牡丹)의 딴이름.

ふかみどり【深緑】图 질은 초록색; 갈
매. =濃緑りょく. ↔浅緑ゃくりょく·薄緑ぎ.

*__ふか-める__**【深める】下1他 깊게 하다.

¶考かんえを~ 생각을 깊게 하다.

ふかりと副 ①배를 피우는 모양: 뻐
끔. ②물건이 물 위에 떠오르는 모양:
둥실.

ふかん【俯瞰】图ス他 부감; 내려다봄.
¶~図 부감도; 조감도.

ふかん【武官】图 무관. ↔文官ぶん.

ふかんしへい【不換紙幣】图【經】불환
지폐. ↔兌換芸·紙幣.

ふかんしょう【不感症】-shö 图①【醫】
불감증. ②(익숙하여) 둔감함.

ふかんしょうしゅぎ【不干渉主義】
-shöshugi 图 불간섭주의.

*__ふかんぜん__**【不完全】图が 불완전. ¶
~燃焼なん 불완전 연소 / ~変態なん
【蟲】불완전 변태.

ふき【蕗】图【植】머위. ⇨ふきのとう.

ふき【不帰】图 불귀. ──の客きとなる
불귀의 객이 되다; 죽다.

ふき【不羈】图 불기; 속박되지 않음;
남에게 매이지 않음; 비범(非凡)함. ¶
~奔放なな 불기 분방(상식에 얽매이지
않음; 마음 내키는 대로 함).

ふき【付記·附記】图ス他 부기.

ふぎ【付議·附議】图ス他 부의; 회의에
부침.

ふぎ【不義】图 ①불의. ¶~の金かを 불
의의 돈. ②부정한 정교(情交); 밀통;
간통. ¶~の子こ 사생아.

*__ぶき__**【武器】图 무기. ¶~を取とって
戦たかう 무기를 들고 싸우다 / 涙なは
女なの~ 눈물은 여자의 무기다.

ぶぎ【武技】图 무기; 무술; 무예.

ぶぎ【舞妓】图 무기; 무희. =舞子こ·
舞姫はめ.

ふきあげ【吹(き)上げ】图 ①(바닥 바
람이나 강 바람이) 불어서 올리는 곳. ②噴
(き)上げ〈雅〉분수(噴水).

ふきいた【吹板】【葺き板】图 지붕
널. =屋根板誌.

ふきいど【吹(き)井戸·噴(き)井戸】图
물을 뿜어 내는 우물. =ふき井号.

ふきおろ-す【吹(き)下ろす】【吹(き)降
ろす】5自 내리붙다; 아래쪽으로 향하
여 붙다. ¶山んから~風な 산에서 내리
부는 바람.

ふきかえ【吹(き)替え】图ス他 ①개주
(改鑄); 금화나 극속 기구를 녹여서,
새로 주조해 냄; 또, 그 물건. ¶~の
銀貨ぎん 새로 주조한 은화. ②외국
의 영화·텔레비전 영화 등의 대사를
자국어로 녹음하는 일. ②【劇·映】관
객이 모르게 대역(代役)함; 또, 그 대
역이나 인형.

ふきかえ-す【吹(き)返す】5自 반대
방향으로 바람이 불다. □5他 ①바람
이 불어서 물건을 반대 방향으로 날리
다. ②화폐·쇠붙이를 녹여 다시 만들
다. =鑄\なおす. ③숨을 되돌리다; 소
생시키다. =生いきかえる.

ふきかけ-る【吹(き)掛ける】下1他 ①
세차게 내뿜다. ②☞ふっかける②③.

*__ふきげん__**【不機嫌】图ダナ 불쾌함; 기
분이 좋지 않음. ¶~な顔を 불쾌한 얼
굴. ↔御機嫌だん·上気嫌ぎん.

ふきこみ【吹(き)込み】图 ①바람이 불
어 들어옴. ②(레코드·테이프에) 녹음
[취입]함.

*__ふきこ-む__**【吹(き)込む】□5自 (바람
등이) 불어 들어오다; (비·눈 등이) 바

람에 불리어 들어오다. ¶窓ﾟﾟから雨ﾟﾟが～ 창문으로 비가 들어오다. 二5他上ﾟﾟ…げる; 불어넣다; 불어넣다. ①悪ﾟﾟい思想ﾟﾟを～ 나쁜 사상을 불어넣다. ②녹음(취입)하다. ¶新曲ﾟﾟを～ 신곡을 취입하다.

ふきさらし【吹きさらし】【吹き曝し】 名 (한데에 버려 두어) 비바람을 그대로 맞음.＝ふきさらし. ¶～の停車場ﾟﾟ 한데에 있는 정거장; 풍우를 못 가리는 정거장.

ふきすさぶ【吹きすさぶ】【吹き荒ぶ】 5自 (바람이) 휘몰아치다; 거칠게 불다.

ふきそ【不起訴】名 法 불기소.＝処分ﾟﾟ 불기소 처분.↔起訴ﾟﾟ.

ふきそうじ【ふき掃除】【拭き掃除】-sōji 名 ㋜ﾟ他 걸레질.↔掃ﾟﾟ掃除.

*ふきそく【不規則】名 ダ ﾟ 불규칙. ¶～な生活ﾟﾟ불규칙한 생활 / ～にバウンドする 불규칙하게 바운드하다.

ふきだ-す【吹き出す】 5自 바람이 불기 시작하다.二5自 (피리 따위를) 불기 시작하다.

*ふきだ-す【噴き出す】二5自 ①(물·온천·석유 등이) 내뿜다. ¶傷口ﾟﾟからどっと血ﾟﾟが～ 상처에서 왈칵 피가 내뿜다 / 火山ﾟﾟが～ 화산이 분출하다 / 温泉ﾟﾟが～ 온천물이 솟아나오다. ②웃음을 터뜨리다. ¶たまらなくなってぶっと～ 참지 못하여 푹 웃음을 터뜨리다.二5他 불·용암 등을 내뿜다; 분출하다; 불어 내보내다. ¶煙ﾟﾟを～ 연기를 내뿜다 / 箱ﾟﾟの中ﾟﾟのほこりを～ 상자 속의 먼지를 불다.

ふき-たてる【吹き立てる】下1他 ①불어서 날아 오르게 하다.＝吹き上ﾟﾟげる. ②(피리 따위를) 불어대다. ③허풍떨다.

ふきだまり【吹きだまり】【吹き溜まり】 名 바람에 날리어 눈·나뭇잎 등이 쌓인 곳.二（参考）생활의 낙오자들이 모이는 곳이나 막다른 곳으로도 비유됨. ¶人生ﾟﾟの～ 인생의 낙오자가 모이는 곳.

*ふきつ【不吉】名ﾟ ダ ﾟ 불길.＝凶ﾟﾟ·不祥ﾟﾟ. ¶～な夢ﾟﾟ 불길한 꿈.

ふきつ-ける【吹き付ける】一下1他 내뿜다; 세차게 불다. ¶息ﾟﾟを～ 숨을 내뿜다 / 風ﾟﾟが雪ﾟﾟを窓ﾟﾟに～ 바람이 눈을 창문에 뿌리다.二下1他 뿜어서 부착시키다.

ぶきっちょ-kitcho ダ ﾟ 俗 ☞ぶきょう. 二（注意）'ぶきっちょう'라고도 함.

ふきでもの【吹き出物】名 부스럼; 뾰루지·여드름 따위.

ふき-でる【吹き出る】下1自 ①부스럼이〔뾰루지가〕나다.二【噴き出る】①뿜어 나오다.

ふきとば-す【吹き飛ばす】5他 ①불어 날려 버리다. ¶風ﾟﾟが帽子ﾟﾟを～ 바람이 모자를 날려 버리다. ②큰소리〔흰소리〕치다. ¶笑ﾟﾟって～ 웃어 대어 놀래게 하다. ③떨구어버리다; 물리치다. ¶悲ﾟﾟしみを～ 슬픔을 떨구어버리다 / 不景気ﾟﾟを～ 불경기를 이겨내다.

ふきと-る【ふき取る】【拭き取る】 5他

닦아내다; 씻어내다.

ふきながし【吹〔き〕流し】名 ①기(旗) 드림(군진(軍陣)에 세우는 여러 개의 조붓하고 긴 형겊을 반달 모양의 고리에 매어 장대 끝에 바람에 나부끼게 한 것). ②단오절에 장대 끝에 매다는 こいのぼり.

ふきのとう【蕗の薹】-tō 名 植 (봉오리 달린 머위의 새 순(씹으면 맛이 쌉쌀함).　　　　　 [비바람

ふきぶり【吹き降り】名 폭풍우;거센

ふきまく-る【吹き捲る】一5自 (바람이) 마구 세차게 불어 대다; 휘몰아치다.二5他 마구 큰소리〔흰소리〕를 치다.

ふきまわし【吹〔き〕回し】名 바람이 부는 상태; 전하여, 그 때의 형편. ¶どうした風ﾟﾟの～でここに来ﾟﾟたか 무슨 바람이 불어서 여기 왔나.

*ふきみ【不気味・無気味】ダ ﾟ 어쩐지 기분이 나쁨; 까닭 모를 무서움. ¶～に静ﾟﾟまり返ﾟﾟっている 어쩐지 무서울이만큼 조용하다.

ふきや【吹〔き〕矢】名 바람총(쌀막한 화살을 대통에 넣고 입으로 불어 쏘는 무기); 또, 그 화살.

ふきゅう【不休】-kyū 名 쉬지 않고 활동함.＝不眠ﾟﾟ～ 불면 불휴.

ふきゅう【不急】-kyū 名 불급. ¶不要ﾟﾟ～ 불요 불급.

ふきゅう【不朽】-kyū 名 불후.＝不滅ﾟﾟ. ¶～の名作ﾟﾟ 불후의 명작.

ふきゅう【腐朽】-kyū 名 ㋜他 (목재나 금속 따위가) 썩어 문드러짐; 노후(老朽). ¶～船ﾟﾟ 노후선.

*ふきゅう【普及】-kyū 名 ㋜自他 보급. ¶テレビの～率ﾟﾟ 텔레비전의 보급률. ──ばん【──版】名 보급판; 대중본.↔豪華版ﾟﾟ.

ふきょう【不況】-kyō 名 불황. ¶～に陥ﾟﾟる 불황에 빠지다.↔好況ﾟﾟ.

ふきょう【不興】-kyō 名 ①흥이 깨짐; 재미가 없음; 흥미가 없어짐. ②(윗사람의) 기분을 상하게 함; 노여움.＝ふきげん. ¶～を買ﾟﾟう 윗사람의 역정을 사다.

ふきょう【富強】-kyō 一名ﾟ 부강. ¶国ﾟﾟの～ 나라의 부강. 二名 '富国強兵ﾟﾟ'(=부국 강병)'의 준말.

ふきょう【布教】名 ㋜他 포교.＝伝道ﾟﾟ.

ふぎょう【俯仰】-gyō 名 부앙; 굽어봄과 우러러봄. ¶一天地ﾟﾟに恥ﾟﾟじない 앙천 부지(仰天俯地) 부끄러울 게 없다.

*ふきよう【不器用・無器用】-yō ダ ﾟ 서투름; 손재주가 없음.＝ぶきっちょ. ¶～な手ﾟﾟつき 서툰 솜씨.↔器用ﾟﾟ.

ふぎょう【奉行】名 ㋜他 (옛날 상명을 받들어 사물을 행함; 특히, 무가(武家) 시대에 행정 사무를 담당한 각 부처의 장관(町ﾟﾟ奉行·勘定ﾟﾟ奉行·寺社ﾟﾟ奉行 따위). ¶～所ﾟﾟ 奉行의 관청.

ふぎょうぎ【不行儀】名 예의가 바르지 못함. ¶～な奴ﾟﾟ 버릇없는 놈.

ふぎょうじょう【不行状】-gyōjō 名ﾟ

ふぎょうせき【不行跡】fugyō- 名ﾟ 몸가짐(행실)이 나쁨; 품행이 단정치

못함. ＝不行状ᵍᵒᵘ｡ ▮～を働ᵗᵃᵣᵃ<
못된 짓을 하다.

ふきょうわおん【不協和音】fukyō- 名
〖樂〗불협화음. ⇔協和音ᵏᵘᵒᵘ.

ふきょく【負極】-kyoku 名 〖理〗①전
기의 음극(陰極). ②자석(磁石)의 남
극. ⇔正極ᵏᵘ.

ぶきょく【舞曲】-kyoku 名 ①무곡. 곡
과 악곡. ②춤을 위한 악곡.

ふきよせ【吹(き)寄せ】名 ①(휘파람・
악기 따위를) 불어서 새를 모음. ②여
러 가지 것을 그러모음.

ふきよ-せる【吹(き)寄せる】▮1他 ①
바람이 불어와 한 군데에 그러모으다. ①
바람이 불어와 한구석으로 밀어 보내다.

ふぎり【不義理】名 의리에 벗어남;
특히, 빚을 갚지 않음. ▮友達ᵈᵃᵗᵒ<
に～をする 친구에게 빚을 갚지 않다／
～ばかり）を重ᵏᵃ� ねている 의리 없는
짓만을 되풀이하다.

ぶきりょう【不器量】【無器量】-kiryō-
名 용모가 추함. ▮～あたり.

ふきん【付近・附近】名 부근;근처.

ふきん【布巾】名 행주. ▮～で拭ᵘ<
행주로 훔치다.

ふきん【賦金】名 부금.

ふきんこう【不均衡】-kō 名 불균형.

ふきんしん【不謹慎】名 불근신;근신
하는 태도가 아님;불성실. ▮少しᵘ～
に見ᵉᵉえる 조금 불근신하게 보이다.

ふく【吹く】▮5自 (바람이) 불다.
▮風ᵏᵃᵏᵉᵉが～바람이 불다. ▮5他①(입
으로) 불다. ②입김으로 불다. ▮ろう
そくを～いて消ᵏᵉᵉす 촛불을 불어서 끄
다／～けば飛ᵗᵒᵇ ぶよう 불면 날아갈 듯
〔여위고 가냘픈 모양〕. ⓛ입김을 내어
울리다. ▮笛ᵘᵉ(口笛ᵘᵍᵘᵉᵉᵉ)を～ 피리를
〔휘파람을〕불다. ②큰소리를 치다. ▮
ほらを～ 풍을 치다〔떨다〕. ③(金屬
(金屬)을) 녹이다;부어 만들다. ▮鐘
ᵏᵃᵉを～ 종을 부어 만들다. ▮5自他 내
뿜다;솟아나오다. ▮(噴ᵏᵘ・ふ로도) 내뿜
다. ▮火ᵉᵉを～山ᵉᵉ 불을 내뿜는 산／
汁ᵘᵍᵘᵉᵉが～・き出ᵈᵉ る 땀이 내솟다. ②겉으
로 나오다. ▮柳ᵉᵉが芽ᵉᵉ が～ 버들이
싹트다.

ふ-く【噴く】▮5自 뿜어 나오다. ▮
火山ᵏᵃᵉᵉが～ 화산이 분출하다／温泉ᵉᵉ
が～・きあがる 온천물이 뿜어 나오다.
▮5他 내뿜다. ▮火山ᵏᵃᵉᵉが煙ᵏᵉᵉᵉを～
화산이 연기를 내뿜다.

ふ-く【拭く】▮5他 닦다;훔치다. ＝ぬ
ぐう. ▮手ᵉᵉを～ 손을 닦다／こぼした
水ᵉᵉを～ 흘린 물을 훔치다.

ふ-く【葺く】▮5他 ①지붕을 이다.
〔처마에 초목 을 꽂다.

ふく【幅】名 족자. ▮接尾 …폭;족
자를 세는 말. ▮一幅ᵉᵉの絵ᵉᵉ 한 폭
의 그림.

ふく【服】▮名 옷;(특히) 양복. ▮
～を着ᵉᵉる 옷을 입다. ▮接尾 ①첩약・
가루약 봉지를 세는 말. ▮一日ᵉᵉに一
服ᵉᵉᵉ 하루 한 봉지. ②담배・차・약 따
위를 먹는 횟수 ▮食後ᵉᵉ に一服ᵉᵉᵉ
식후의 담배 한 대.

ふく【福】名 복;행복.＝しあわせ. ▮
～を呼ᵏᵉᵉぶ 복을 불러오다. ⇔禍ᵉᵉᵉ.

ふく-【副】〔副〕부…. ▮～作用ᵉᵉᵉ 부작용.

ふぐ【河豚】名〖魚〗복;복어. ―は食ᵏ

'いたし, 命ᵉᵉᵉは惜ᵉᵉしᵉᵉ しᵉᵉ 복어는 먹고
싶고 목숨은 아깝고〔이익을 얻고 싶으
나 위험해 어찌할 바를 모름의 비유〕.

*ふぐ【不具】名 ①불구;신체 장애
(자). ②▮～者ᵉᵉ 불구자;신체 장애자.
②여불비(餘不備)(편지 끝에 쓰는 말).
＝不備ᵉᵉ・不尽ᵉᵉ.

ぶぐ【武具】名 무구;병기;특히, 투구
와 갑옷. ＝具足ᵉᵉ.

ふくあん【腹案】名 복안. ▮～無ᵉᵉしに
話ᵃᵉᵉᵉ す 복안 없이 말하다.

ふくい【復位】名 ス自 복위.

ふくいく【馥郁】名 ス自 복욱;그윽한
향기가 풍김. ▮～たる香ᵏᵉᵉᵉ 그윽한 향
기.

ふくいん【復員】名 ス自 복원. ⇔動員ᵉᵉᵉ.

ふくいん【福音】名 복음. ①경사스러
운 기쁜 소식. ②〖宗〗(그리스도에 의
하여 인류가 구제된다는) 그리스도의
가르침. ――しょ〔書〕-sho 名
〖宗〗복음서(마태・누가・마가・요한의 4
복음).

ふぐう【不遇】-gū 名 불우. ▮身ᵉᵉの
～をかこつ 자신의 불우함을 푸념하
다.

ふくうん【福運】名 복운.

ふくえき【服役】名 ス自 복역. ①병역
(兵役)을 복무함. ＝義務ᵉᵉᵉᵉ② 징역
의 의무. ②징역을 삶. ▮三年ᵉᵉᵉの～を
終ᵉᵉえて 삼 년의 복역을 마치고.

ふくえん【復縁】名 ス自 복연;인연을
끊었다가 다시 원래의 관계로 돌아감.
▮離縁ᵉᵉᵉした夫婦ᵉᵉᵉが～する 이혼한
부부가 재결합하다.

ふくおん【複音】名〖樂〗복음. ①서로
다른 발음체가 동시에 내는 소리. ②하
모니카에 소리나는 구멍이 2열로 된
것. ⇔単音ᵉᵉ.

ふくがく【複学】名 ス自 복학;복교.

ふくがん【複眼】名〖蟲〗복안;겹눈. ⇔
単眼ᵉᵉ.

ふくぎょう【副業】-gyō 名 부업. ＝内
職ᵉᵉᵉ. ⇔本業ᵉᵉᵉ.

ふくきょうざい【副教材】-kyōzai 名 부
교재.

*ふくげん【復元・復原】名 ス自他 복원.
▮～工事ᵉᵉ 복원 공사.

ふくこう【腹こう】〔腹腔〕-kō 名〖生〗
(척추 동물의) 복강. ＝ふっこう.

ふくごう【複合】-gō 名 ス自他 복합. ▮
～名詞ᵉᵉᵉ 복합 명사. ――ご〔語〕名
〖言〗복합어. ⇔単純語ᵉᵉᵉ.

ふくこうがん【副睾丸】-kōgan 名〖生〗
부고환.

ふくこうかんしんけい【副交感神経】fu-
kukō- 名〖生〗부교감 신경.

ふくさ【服紗・袱紗・帛紗】名 복사;작은
비단보. ①선물을 보낼 때에 쓰는 보.
②다도(茶道)에서 다구(茶具)를 닦거
나 받치거나 할 때에 쓰는 보.

ふくざい【伏在】名 ス自 복재;잠재.
＝潜在ᵉᵉᵉ. ▮陰謀ᵉᵉᵉが～している 음
모가 숨어 깔려 있다.

ふくざい【服罪】名 ス自 복죄;복역.

*ふくざつ【複雑】名 ダナ 복잡. ▮～な
気持ᵏᵉᵉᵉᵉ〔問題ᵉᵉᵉ〕 복잡한 마음〔문제〕.
⇔簡単ᵉᵉᵉ・単純ᵉᵉᵉ.

*ふくさよう【副作用】-yō 名 부작용.

ふくさんぶつ【副産物】-sambutsu 名 부
산물. ⇔主産物ᵉᵉᵉᵉ.

ふくし【副使】名 부사. ⇔正使ᵉᵉ.

ふくし【副詞】图〔文法〕부사.

*ふくし【福祉】图 복지. ¶社会ःんく～ 사회 복지 / ～国家ःन〔施設しせつ〕 복지 국가〔시설〕.

ふくじ【服地】图 복지 ; 옷감 ; 양복감.

ふくしき【複式】图 복식. ↔単式たんしき.
──ぼき【──簿記】图〔經〕복식 부기. ↔単式簿記.

ふくしきこきゅう【腹式呼吸】-kyū 图 복식 호흡. ↔胸式呼吸ःょうしきः.

ふくじてき【副次的】ダナ 부차적 ; 이차적. 「쯤.

ふくしゃ【伏射】-sha 图 복사 ; 엎드려 쏨.

ふくしゃ【複写】-sha 图ス他 복사. =写うつし・コピー. ¶～紙し 복사지.

ふくしゃ【輻射】-sha 图ス他〔理〕복사. 参考 학술 용어로는 '放射ःउ'. ¶～熱ねつ 복사열. ──せん【──線】图〔理〕복사선.

ふくしゅ【副手】-shu 图 부수. ①일을 돕는 사람 ; 조수. ②대학에서 조수 아래의 직원.

ふくじゅ【福寿】-ju 图 복수 ; 수복. ──そう【──草】-sō 图〔植〕복수초. =元日草がんじつ.

*ふくしゅう【復習】-shū 图ス他 복습. =おさらい. ↔予習ः।।।.

ふくしゅう【復讐】-shū 图ス自 복수 ; 仕返しかえし・あだ討うち. ¶～戦せん 복수전.

ふくじゅう【服従】-jū 图ス自 복종. =絶対ぜったい～ 절대 복종. ↔反抗はんこう.

ふくしゅうにゅう【副収入】-shūnyū 图 부수입.

ふくしょ【副書】-sho 图 부서 ; 부본. =副本ふくほん. 「将しょう.

ふくしょう【副将】-shō 图 부장. ↔主ःゅ

ふくしょう【副賞】-shō 图 부상.

ふくしょう【復唱】(復誦)-shō 图ス他 복창. 「직.

ふくしょく【復職】-shoku 图ス他 복

ふくしょく【服飾】-shoku 图 복식 ; 의복과 장식구의 총칭. ¶～に凝こる余よ치례에 지나치게 신경을 쓰다.

*ふくしょく【副食】-shoku 图 부식 ; 반찬. =おかず. ↔主食ः।।く. ──ひ【──費】图 부식비. ↔主食費ः।।くひ. ──ぶつ【──物】图 부식물.

ふくじょし【副助詞】-joshi 图〔文法〕구(句)의 성분에 붙어 그 문절(文節) 전체를 부사적(副詞的)으로 만들고, 뒤에 오는 술어(述語)의 뜻을 수식하는 助詞〔'だけ・しか(=뿐, 만)' 'など(=따위)' 'まで(=까지)' 따위〕.

ふくしん【副審】图 부심. ↔主審ःゅしん.

ふくしん【腹心】图 복심. ①마음속 깊은 곳. ¶～を打うち明あける 속마음을 털어놓다. ②깊이 신뢰하는 ; 또, 그런 사람 ; 심복. =股肱ここう. ¶～の部下ぶか 심복 부하.

ふくじん【副腎】(副腎)图〔生〕부신.

ふくじんづけ【福神漬(け)】图〔料〕잘게 썬 무・가지・작두콩 등을 소금에 절여 물기를 뺀 다음 간장에 졸인 식품.

ふくすい【覆水】图 복수 ; 엎지른 물. ──盆ぼんに返かえらず ①한 번 실패하면 다시 돌이킬 수는 없다. ②일단 이혼한 부부 사이는 예전으로 돌아가지 않는다.

*ふくすう【複数】-sū 图 복수. ↔単数たんすう.

ふくすけ【福助】图 복을 가져온다는 인형의 하나(키가 작고 머리통이 큰 남자가 상투를 틀고 일본옷을 입고 앉은 모양). 비유적으로, 머리 큰 사람.

ふく-する【伏する】□ザ変自 ①엎드리다. =伏ふす・かがむ. ②(두려워) 복종〔항복〕하다 ; 従したがう. ¶権力けんりょくに～ 권력에 붙좇다 / 道理どうりに～ 도리에 따르다. ③合掌 ; 잠복하다. □ザ変他 ①엎드리게 하다 ; (몸을) 굽히다. ②복종〔항복〕시키다 ; 따르게 하다. ¶天下てんかを～ 천하를 복종시키다. ③잠복시키다 ; 숨기다.

ふく-する【復する】□ザ変自 본디 상태로 되돌아가다 ; 회복되다. =返かえる・戻もどる. ¶正常せいじょうに～ 정상으로 되돌아가다 / 元もとの位くらいに～ 원래 지위로 복귀하다. □ザ変他 ①본디 상태로 되돌리다 ; 회복하다. =返かえす・戻もどす. ②되풀이하다 ; 반복하다. ③보복하다. ④대답하다.

ふく-する【服する】□ザ変自 복종하다 ; 진심으로 받아서 좇다〔따르다〕. ¶命令めいれいに～ 명령에 복종하다 / 罪つみに～ 복죄하다 / 兵役へいえきに～ 병역에 복무하다 / 喪もに～ 복상하다 ; 복을 입다. □ザ変他 ①(차・약 등을) 먹다 ; 마시다. ¶毒どくを～ 독약을 마시다. ②복용하다 ; 입다. ¶浄衣じょうえを～ 흰옷을 입다. ③복종시키다. 「ぐ 복제품.

ふくせい【複製】图ス他 복제. ¶～ひ

ふくせき【復籍】图ス自 복적 ; 원래의 학적이나 호적으로 되돌아감.

ふくせん【伏線】图 복선.

ふくせん【複線】图 복선. ¶～工事こうじ 복선 공사.

ふくそう【副葬】-sō 图ス他 부장 ; 죽은 사람의 유물 따위를 시체와 함께 묻음. ¶～品ひん 부장품.

*ふくそう【服装】-sō 图 복장. =身みなり.

ふくそう【輻輳】(輻湊)-sō 图ス自 폭주. =ラッシュ. ¶記事きじが～する 기사가 폭주하다.

ふくぞう【腹蔵】(覆蔵)-zō 图 마음속에 숨기고 비밀로 함. ¶～ない意見いけん 숨김 없는 의견.

ふくぞく【服属】图ス自 복속. 「수.

ふくそすう【複素数】图ス自〔数〕복소

ふくだい【副題】图 부제 ; 부제목. =サブタイトル・表題ひょうだい・主題しゅだい.

ふぐたいてん【不倶戴天】图 불구대천. ¶～の敵てき 불구대천의 원수.

ふくちょう【復調】-chō 图ス自 복조(특히, 건강이) 정상 상태로 돌아감.

ふくつ【不屈】图 불굴. ¶不撓ふとう～の精神せいしん 불요 불굴의 정신. 「た.

ふくつう【腹痛】-tsū 图 복통. =はらい

ふくとく【福徳】图 복덕 ; 행복과 재산.

ふくどく【服毒】图ス自 독약을 마심 ; 음독.

ふくどくほん【副読本】图 부독본. =サイドリーダー・ふくどくほん.

ふくのかみ【福の神】图 복신 ; 행복과 재산을 가져다 주는 신. =福神ふくじん.

ふくはい【腹背】图 복배 ; 배와 등 ; 앞과 뒤. ¶～に敵てきを受うける 앞뒤에 적을 맞다.

ふくびき【福引(き)】 图 추첨으로 경품을 나누어 줌; 또, 그 제비뽑기.

ふくぶ【腹部】 图 복부.

ぶくぶく 圖 ①거품이 이는 소리〔모양〕; 보그르르; 부글부글. ¶～(と)沈む 부그르르〔부글부글〕 가라앉다. ②살이 찐 모양: 뒤룩뒤룩. ¶～(と)太った 人 뒤룩뒤룩 살찐 사람.

ふくぶくし-い【福福しい】 -shī 形 복스럽다.
　　　　　　　　　　　　　　　　　〔복선.
ふくふくせん【複複線】 图 복복선; 이중

ふくぶん【複文】 图〔文法〕복문: 주어와 술어로 된 두 개 이상의 구(句)를 가진 글. ↔単文於.重文於.

ふくべ【瓠・瓢・瓢】 图〈雅〉〔植〕①박의 변종(變種); 또, 그 열매를 파내고 만든 바가지. ②ひょうたん.

ふくへい【伏兵】 图 복병. ＝伏せ勢於.伏勢於. ¶～を置く 복병을 두다.

ふくぼく【副木】 图 부목; 부러진 팔다리에 대어두어 안정시키는 나무.

ふくほん【副本】 图 부본. ↔正本於.

ふくほんい【複本位】 图〔經〕복본위; 복본위제. ¶金銀於を～制 금은 복본위제. ↔単本位於み.

ふくまく【腹膜】 图 ①〔生〕복막. ②〔醫〕'腹膜炎於'(＝복막염)의 준말.

ふくまでん【伏魔殿】 图 복마전.

ふくまめ【福豆】 图〔악귀를 물리치고 위해〕 입춘 전날에 뿌리는 볶은 콩.

ふくま-れる【含まれる】 下一 포함〔함유〕되다. ¶酒於に～.れているアルコールの量於? 술에 함유되어 있는 알코올량.

ふくみ【含み】 图 ①포함함; 품음. ②（心に含む）뜻·내용; 함축. ¶～のある言いかた 함축성 있는 말투.

ふくみごえ【含み声】 图 입 속에서 우물거리는 소리.

ふくみわらい【含み笑い】 图 図自 소리없이〔입을 다문 채〕 웃는 웃음.

ふく-む【含む】 五他 ①포함하다; 함유하다. ¶税金於を～ 세금을 포함하다 / 鉄分於を～.んだ水? 철분을 함유한 물. ②머금다. ¶雨於を～.んだ柳? 비를 머금은 버드나무. ③（마음속에）품다. ¶彼於に～.ところがある 그에게 원한〔앙심〕을 품다 / この事情於を～.んでおいて下於さい 이 사정을 유념〔양해〕해 두십시오. ④함축하다; 지니다. ¶困難於を～問題於於 어려움을 지닌 문제. ⑤다물다. ¶こびを～.んだ目つき 교태를 띤 눈길. 二 五他（꽃이）봉오리지다. ＝ふくむ.

ふくむ【服務】 图 図自 복무. ¶～規程於 복무 규정.

ふくめい【復命】 图 図他 복명. ¶～書於 복명서.

ふくめつ【覆滅】 图 図他 복멸; 뒤엎어 멸함; 또, 공격을 받아 망함.

ふく-める【含める】 下一 ①포함시키다; （알도록）납득시키다. ¶チップを～めて旅費於を計算於する 팁도 포함해서 여비를 계산하다 / 嚙んで～ように教於える 알아듣도록 가르치다 / よく～.めて帰於してやる 타일러서 돌려보내다. ②머금게 하다. ¶筆於に墨於を～ 붓에 먹물을 묻히다.

ふくめん【覆面】 图 図自 복면. ②익명(匿名). ¶～作家於 익명 작가.

음. ＝ふくそう. ¶～中於 상중. ↔除喪於.

ふくやく【服薬】 图 図自 복약; 복용.

ふくよう【服用】 -yō 图 図他 복용; 복약.

ふくようじゅ【複葉樹】 图 복엽. ①〔植〕겹잎. ②비행기의 주익(主翼)이 겹으로 된 것. ↔単葉於.

ふくよか 図ナ 폭신하고 부드러운 모양. ¶～な肌於 보동보동한 살갗 / ～な綿 入於れた 폭신한 솜이불.

ふくらしこ【膨らし粉】 图 ☞ベーキングパウダー.

ふくらはぎ【膨ら脛・脹ら脛】 图 장딴지. ＝こむら.

ふくらま-す【膨らます・脹らます】 五他 부풀게 하다; 부풀리다; 불룩하게 하다. ＝膨らせる.膨らす. ¶パンを～ 빵을 부풀리다 / 希望於で胸於を～ 희망으로 가슴을 부풀리다.

ふくら-む【膨らむ・脹らむ】 五自 부풀어 오르다; 불룩해지다. ＝ふくれる. ¶腹於が 배가 불룩해지다 / 予算於が～ 예산이 불어나다.

ふくり【福利】 图 복리. ¶～施設於 복리 시설 / 公共於の～ 공공의 복리.

ふくり【複利】 图 복리. ↔単利於み. ――ほう【―法】 -hō 图 복리법. ＝重利法於みゅ. ↔単利法於み.

ふぐり【陰嚢】 图〈雅〉음낭; 고환. ＝いんのう.ふぐり.

ふくれっつら【膨れっ面】〈脹れっ面〉 -rettsura 图（불평·불만으로）뾰로통한 얼굴.〔불멘〕

ふく-れる【膨れる・脹れる】 下一 ①부풀다; 불룩해지다. ¶腹於が～ 배가 부르다. ＝ふくらむ. ②（화가 나서）뾰로통해지다. ＝ふくれる. ¶～.れて唇於を突出於す 부루통해 입술을 뾰죽이 내밀다.

ふくろ【袋】〈嚢〉 图 ①자루; 주머니; 봉지. ②과일의 알을 싸고 있는 껍질. ¶みかんの～ 귤의 속껍질. ③다른 名詞와 합쳐서〕자루 비슷한 상태인 것. ¶胃於―. 맹장. ――のねずみ; ――の中於のねずみ 독 안에 든 쥐.

ふくろ【復路】 图 귀로(歸路). ＝帰り道於. ↔往路於.

ふくろう【梟】 -rō 图 ①〔鳥〕올빼미. ②밤에 활동하는 사람의 비유.

ふくろくじゅ【福禄寿】 -ju 图 복록수; 7복신(福神)의 하나〔키가 작고 머리통이 길며 수명이 많음; 복과 녹(祿)과 수명의 삼덕(三德)을 나타냄이라고 함〕.

ふくろこうじ【袋小路】 -kōji 图 막다른 골목(길); 전하여, 일이 막힌 상태. ¶問題於於は～に入り込んだ 문제는 막다른 골에 빠져 들었다.

ふくろだたき【袋だたき】〈袋叩き〉 图 뭇매. ¶～にする 뭇매를 때리다.

ふくろだな【袋棚】 图 ①床於の間於於の 옆 위쪽에 만든, 벽장 같은 선반. ②다도(茶道)에서 쓰는 찻장의 하나.

ふくろぬい【袋縫(い)】 图 천의 겉을 맞꿰맨 후, 뒤집어 다시 꿰매는 일; 통솔.

ふくろもの【袋物】 图 지갑·쌈지·쇼핑백 등 주머니 모양으로 된 것의 총칭.

ふくわじゅつ【腹話術】 -jutsu 图 복화술.
　　　　　　　　　　　　　　　　　〔임말〕
ふくん【夫君】 图 부군(남의 남편의 높

ぶくん【武勲】 名 무훈. ¶赫赫として〜 혁혁한 무훈.

ふけ【雲脂・頭垢】 名 비듬. ¶〜の頭 비듬투성이의 머리.

ぶけ【武家】 名 무가;무사(의 가문). ＝武門. ↔公家. ¶〜じだい【──時代】 名 무가 시대;鎌倉시대부터 江戸시대에 이르는 무인(武人) 집권시대(약 680년간). ＝王朝時代.

ふけい【不敬】 名 (황실・신사・사찰 등에 대한) 불경. ＝無礼. ¶〜罪ざい 불경죄.

*ふけい【父兄】 名 부형. ¶〜子弟してい 父子형 통. ¶〜会くわい 부형회.

ふけい【父系】 名 부계; 아버지 쪽의 통. ¶〜家族かぞく 부계 가족. ↔母系ぼけい.

ふけい【婦警】 名 여경(女警)'婦人ふじん警察官けいさつくわん(=여자 경찰관)'의 준말.

ぶげい【武芸】 名 무예; 무술. 무기술. ¶〜者もの 무예를 닦는 사람;또, 무예에 뛰어난 사람;무사가.

*ふけいき【不景気】 名ダナ ①불경기. ＝不況ふきよう. ↔好景気こうけいき. ②가진 돈이 적음;기운(이) 없음;애교가 없음. ¶〜な顔かお 활기가 없는 얼굴 / ふところが〜だ 주머니가 비어 있다.

ふけいざい【不経済】 名ダナ ①불경제. ＝経済的けいざい↔的ゆき;불익. 헛됨. ¶時間じかんの〜だ 시간의 낭비다.

*ふけつ【不潔】 名ダナ 불결. ¶〜なシャツ 불결한 셔츠. ↔清潔せいけつ;純潔じゆんけつ.

ふ─ける【蒸ける】 下1自 (뜸이 들어) 푹 쪄지다. ¶いもが〜 감자가 푹 쪄지다 / ごはんが〜 밥이 뜸들다.

*ふ─ける【耽る】 5自 (지나치게) 열중하다;빠지다;골몰하다. ¶飲酒いんしゆに〜 술에 빠지다 / 読書どくしよに〜 독서에 골몰하다 / 思索しさくに〜 사색에 잠기다.

*ふ─ける【更ける】【深ける】 下1自 깊어지다;이슥해지다;한창이다. ¶夜よが〜 밤이 깊어지다.

*ふ─ける【老ける】 下1自 나이를 먹다;늙다. ¶急きゆうに〜・けてしまった 갑자기 늙어버렸다.

ふけん【父権】 名 부권. ①남성의 사회적 지배력;가장권;가부권. ②부친으로서의 친권. ↔母権ぼけん.

ふげん【不言】 名 말하지 않음. ¶〜実行じつこう 불언 실행 / 不語ふご 불언 불어;입을 다물고 말하지 않음.

ふげん【付言・附言】 名他 덧붙여 말함;또, 그 말.

ふげんぼさつ【普賢菩薩】 名 佛 보현 보살;석가의 오른쪽에 서는 협사(脇士)(이지(理智)와 자비를 맡음).

ぶげん【分限】 名 ☞ぶんげん의 뜻 부자.＝分限者ぶげんしや;金持きんもち. ¶にわか〜 벼락 부자.

ふけんこう【不健康】 名ダナ 불건 강;건강하지 못함;건강에 해로움.

ふけんしき【不見識】 名 충분한 견식이 없음. ＝軽かるはずみ・無定見むていけん. ¶そんな〜な事ことはできない 그런 분별 없는 일은 할 수 없다.

ふけんぜん【不健全】 名 불건전.

*ふこう【不孝】 -kô 名 불효. ¶〜な子こ 불효한 자식 / 〜者もの 불효자. ↔孝行こうこう.

---

*ふこう【不幸】 -kô 불행. 一 名ダナ 행복하지 않음. ＝不幸ふしあわせ・不運ふうん. ¶〜中ちゆうの幸さいわい 불행중 다행. 二 名 초상;가족・친척의 죽음. ¶〜に会あう 초상이 나다; 喪故ふ(喪故) 당하다.

ふこう【富鉱】 -kô 名【鑛】 부광. ①금속을 많이 함유한 광석〔광산〕. ②산출량이 많은 광산. ↔貧鉱ひんこう.

ふごう【富豪】 -gô 名 부호. ＝大おお金持がねもち・財産家ざいさんか.

*ふごう【符号】 -gô 名 스 부합.

*ふごう【符号】 -gô 名 부호;기호. ＝しるし. ¶補助ほじよ〜 보조 부호.

ふごう【負号】 -gô 名【数】음호(陰號);마이너스 부호(─). ↔正号せいごう.

ぶこう【武功】 -kô 名 무공. ＝武勲ぶくん.

ふごうかく【不合格】 -gôkaku 名 불합격. ↔合格ごうかく.

*ふこうへい【不公平】 -kôhei 名ダナ 불공평. ↔公平こうへい. ¶〜な税制ぜいせい 불공평한 세제. ＝公平こうへい.

*ふごうり【不合理】 -gôri 名ダ 불합리. ¶〜な制度せいどを話はなす 불합리한 제도 〔이야기〕. ↔合理ごうり.

ふこく【富国】 名 부국. ¶〜策さく 부국책 / 強兵きようへい 부국 강병.

ふこく【布告】 名 포고. 포고. ¶太政官だじようかん太政官 포고(明治めいじ 초기의 법률・정령의 일컬음) / 宣戦せんせん〜 선전 포고. 「誣告罪ぶこくざい.

ぶこく【誣告】 名他 무고. ¶〜罪ざい

ふこころえ【不心得】 名 분별이 없음;심보가 좋지 못함. ¶〜者もの 심보가 나쁜 놈;무분별한 자. ＝殊勝しゆしよう.

ぶこつ【ぶこつ・無骨】【武骨】 名ダ 멋이 없음;예의 범절을 모름. ¶〜者もの 무지렁이;버릇없는 자 / 〜な手て 거칠고 무딘 손 / 〜なあいさつ 무뚝뚝한 인사. ＝きやしや.

ふさ【房】【総】 名 ①(실로 만든) 술;삭모(飾毛). ②송이(처럼 축 늘어진 것). ¶ぶどうの〜 포도송이 / 花房はなぶさ 花房송이.

ブザー【夫妻】 버저. ¶buzzer. 「이.

ふさい【夫妻】 名 부부.

ふさい【負債】 名 부채; 빚. ＝借金しやつきん・債務さいむ. ¶〜を抱かかえる 부채를 안다; 빚을 지다. ↔資産しさん.

*ふざい【不在】 名 부재. 一じぬし【──地主】 名 부재 지주. 一しようめい【──証明】 -shômei 名 부재 증명; 알리바이. 一とうひよう【──投票】 -tôhyô 名 부재자 투표. ¶不在者ふざいしや投票とうひよう '(＝부재자 투표)'의 속칭;부재 투표.

ぶさいく【不細工・無細工】 名ダナ ①만듦새가 서투르고 모양이 없음;서투름. ¶〜な机つくえ 모양없게 만든 책상. ②못생김;추함. ＝不器量ふきりよう. ¶〜な顔かお 못생긴 얼굴. 注意'ぶざいく'라고도 함.

*ふさがる【塞がる】 5自 ①막히다;메다. ¶のどが〜 숨이 막히다 / 胸むねが〜 가슴이 메다. ②닫히다. ¶あいた口くちが〜らない 열린 입이 닫혀지지 않다〔기가 막히다〕. ③차다;이미 차 있어 여유가 없다. ¶席せきが〜 자리가 차다〔비어 있지 않다〕 / 手てが〜 손이 나지 않다〔일손이 바쁘다〕/ 電話でんわが〜・っている 통화(通話)가 막혀 있다〔통화중이다〕. ④(陰陽道いんようどう에서) 손이 있

다. ¶八方ＨＲ～り 모든 방향에 손이 있음; 운수가 꽉 막힘. ◆あく.

ふさぎこ-む【塞ぎ込む・塞き込む】⑤自 몹시 우울해지다; 울적해지다.

ふさく【不作】㊂ 작물이 잘 안 됨; 흉작. ↔豊作ＨＲ.

ふさ-ぐ【塞ぐ】⑤他 ①막다. ㉠들어막다. ¶紙ＨＲですきまを～ 종이로 틈을 막다／耳ＨＲを～ 귀를 막다. ㉡(장애물로) 가로막다. ¶道ＨＲを～ 길을 막다. ㉢메우다. ¶穴ＨＲを～ 구멍을 메우다〔막다〕. ②차지하다. ¶場ＨＲを～ 자리를 차지하다. ◆あける. ③채우다; 다하다. ¶責ＨＲを～ 책임을 다하다.

ふさ-ぐ【鬱ぐ】⑤自 우울해지다; 답답해지다. ＝めいる. ¶気ＨＲが～ 마음이 우울해지다.

ふさくい【不作為】㊂【法】부작위; 당연히 해야 할 행위를 일부러 하지 않는 일. ¶～犯ＨＲ 부작위범. ◆作為ＨＲ.

ふざ-ける【巫山戯る】①自 ①희롱거리다. ㉠장난하다; 실덕거리다; 장난치다; 까불다. ＝される. ¶授業中ＨＲに～수업중에 장난치다. ㉡남녀가 (남의 앞에서) 치신없이 시시덕거리다. ＝いちゃつく. ②얕보다; 넘보다. ¶～けたことを言ＨＲう 까불거리지 마라; 입닥쳐.

ぶさた【無沙汰】㊂ ㊁ 소식을 전하지 않음; 특히, 방문·편지 왕래가 오랫동안 끊어짐; 격조. ¶～をわびる 격조하였음을 사과하다.

ふさふさ㊄ (탐스럽게) 많이 모여서, 술처럼 늘어져 있는 모양; 더부룩하게; 주렁주렁. ¶～(と)した白ＨＲひげ (탐스럽게) 자란 흰 수염／バナナが～(と)なっている 바나나가 주렁주렁 달려 있다.

ぶさほう【不作法・無作法】-ほ㊂㊆예의에 벗어남; 무례함; 버릇없음; 에티켓이 없음. ＝ぶしつけ. ¶～なふるまい 버릇없는 행동.

ぶざま【無様・不様】㊂㊆ 보기 흉함; 꼴이 흉함; 추태(醜態)스러움; 꼴(모양)사나움. ＝ぶかっこう. 醜態ＨＲ. ¶～なふるまい 보기 흉한 행동／～を さらけ出ＨＲす 추태를 보이다／～にも 負ＨＲける 무참스럽게도 지다.

ふさわし-い【相応しい】-しい㊆ 어울리다; 걸맞다. ＝似合ＨＲわしい. ¶その場ＨＲに～くない服装ＨＲ 그 자리에 어울리지 않는 복장.

ふさん【不参】㊂㊁ 불참. ¶～の旨ＨＲ 불참한다는 뜻.

ふし【節】㊂ ①마디. ㉠대나무·갈대 등의 줄기의 마디. ㉡사람이나 동물의 관절. ¶指ＨＲの～ 손가락 마디. ㉢(가사 등의) 단락; 구절. ＝区切ＨＲり. ¶最初ＨＲの～ 최초의 단락. ②옹두리; 옹이. ¶～穴ＨＲ 옹이 구멍. ③(실이나 끈의) 매듭. ④(눈에 띄는) 곳; 점. ＝箇所ＨＲ. ¶あやしい～がある 의심스러운 점이 있다; 기회. ¶その一はお世話様ＨＲでした 그 때의 폐를 끼쳤습니다. ⑥음악의 선율; 가락. ＝メロディー. ¶～をつける 가락을 붙이다. ⑦'かつおぶし'의 준말.

ふし【不死】㊂ 불사. ¶不老ＨＲ～ 불로

불사. ──ちょう【──鳥】-chō ㊂ ☞フェニックス.

ふし【父子】㊂ 부자. ＝親子ＨＲ. ¶～相伝ＨＲ 부자 상전.

ふじ【藤】㊂ ①등나무. ②ふじ色ＨＲ의 준말; 연보랏빛.

ふじ【不時】㊂ 불시; 임시. ¶～の用意ＨＲ 불시의 준비. ──ちゃく【──着】-chaku ㊁自 불시착(不時ＨＲ着ＨＲ (＝불시 착륙)'의 준말).

ふじ【不治】㊂ 불치. ＝ふち. ¶～の病ＨＲ 불치병.

ふじ【富士】㊂【地】'富士山ＨＲ'의 준말; 静岡ＨＲ와 山梨ＨＲ 두 현의 경계에 있는 일본에서 제일 높은 산(休火山ＨＲ으로, 높이는 3,776m).

ぶし【武士】㊂ 무사; ＝さむらい·武者ＨＲ. ¶～は食ＨＲわねど高ＨＲようじ 양반은 얼어 죽어도 겻불은 안 쬔다. ──どう【──道】-dō ㊂ 무사 계급 사이에 발달된 충성·명예·상무(尙武)를 중하게 여기는 도덕률.

-ぶし【節】㊂ 浄瑠璃ＨＲ나 민요 등의 이름에 붙이는 말. ¶追分ＨＲ～ 일본 민요의 하나(슬픈 가락의 마부의 노래). ②'かつおぶし'의 뜻.

ぶじ【無事】㊂㊆ 무사. ㉠평온함. ¶～に暮ＨＲらす 무사히 지내다. ↔有事ＨＲ. ㉡별다른 과실이 없음; 무고함. ¶三十年間ＨＲＨＲ～に勤ＨＲめた 30 년 동안 별고 없이 근무함. ㉢건강함; 병이 없음. ＝無病ＨＲ. ¶～で何ＨＲよりです 건강하셔서(무사하셔서) 무엇보다도 다행스럽습니다. ②무난(無難)함. ¶出ＨＲてしゃばらないのがその날뛰지 않는 것이 무난하다.

ふしあな【節穴】㊂ (널빤지 등의) 옹이 구멍; 전하여, 통찰력이 없는 눈. ¶～からのぞく (판자의) 옹이 구멍으로 들여다보다／目ＨＲがあっても、～同然ＨＲ 눈이 있어도 옹이 구멍과 다름 없음(있으나마나함의 뜻).

ふしあわせ【不幸せ・不仕合(わ)せ】㊂㊆ 불행; 불운. ¶～な身ＨＲの上ＨＲ 불행한 신세. ◆幸ＨＲせ.

ふしおが-む【伏し拝む】⑤他 엎드려 절하다; 복배하다; 멀리서 절하다; 요배하다.

ふしぎ【不思議】㊂㊆ 불가사의; 이상함. ¶～な人間ＨＲ 불가사의한 인간／～がって見ＨＲる 이상하게 여기면서 보다／～と言ＨＲえば～である 이상하다고 하면 이상하다.

ふしくれ【節くれ】㊂ 옹이투성이인 재목. ──だ-つ【──立つ】⑤自 옹이가 많아서 울퉁불퉁하다; 특히, (육체 노동자나 농민 따위의) 손이 거칠고 울퉁불퉁하다. ¶～った手ＨＲで 울퉁불퉁한 손.

ふしぜん【不自然】㊂㊆ 부자연. ¶～な演技ＨＲ 부자연스러운 연기／～な姿勢ＨＲ 어색한 자세.

ふしだら㊂㊆ ①단정치 못함; 칠칠맞음; 흐리멍덩함. ¶～な生活ＨＲ 방종한 생활. ②행실이 나쁨; 치신사나움. ＝不品行ＨＲＨＲ. ¶～な女ＨＲ 행실이 나쁜 여자.

ふじつ【不実】㊁ ㊂㊆ 부실; 성실하지 못함. ¶～な人ＨＲ 성실치 못한 사람. ㊁

名 사실이 아님. =うそ. ¶～を言ハ 거짓말을 하다.

ふじつ【不日】 副 불일내; 머지않아; 일간; 근일. =日ならずて.

ふしづけ【節づけ】【節付け】名 自ス 가사(歌詞)에 가락을 붙임; 작곡함.

ぶしつけ【不躾】 ダナ ①무례(無禮); 버릇없음. =無作法た. ¶～な 行という 무례한 행위. ②거리낌 없음; 노골적임. =あけすけ. ¶～に聞く 노골적으로 듣다. ③불시; 느닷없음. =だしぬけ・突然た.

ふしど【臥所】名〈雅〉잠자리; 침실. =ねや・ねどこ.

ふじばかま【藤袴】名【植】등골나물.

ふしめ【節目】名 ①(관절의) 마디마디. ¶～が痛たむ 마디마디가 아프다. ②군데군데; 여러 가지 점. ¶思いあたる～ 여러 가지로 짚이는 점.

* **ふしまつ**【不始末】名 ①뒷처리를 잘 못함; 단속이 허술함; 부주의. =ふしだら. ¶火ひの～ 허술한 불단속. ②패씸한 짓. =ふらち・不都合とう. ¶～な 行為とう 패씸한 행위.

ふじまめ【藤豆・鵲豆】名【植】까치콩.

ふしまわし【節回し】名【曲調】(曲調) 억양(抑揚); 가락. ¶～がむずかしい 곡조가 어렵다.

ふじみ【不死身】名あ 불사신.

ふしめ【伏し目】名 (남과 마주 대하려는) 눈을 내리깜. ¶恥はかしそうに──になる 부끄러운 듯이 눈을 내리 깔다.

ふしめ【節目】名 재목의 옹이나 마디가 있는 부분. ｢～く・水腫ゆ｣.

ふしゅ【浮腫】名 부종; 느끼.

ぶしゅ【部首】-shu 名【醫】(한자의) 부수.

ふしゅう【俘囚】-shū 名 부수; 포로(捕虜者). =とりこ.

* **ふじゆう**【不自由】-yū 名 ダナ ス自 부자유. ①자유롭지 못함; 속박되어 있음. ②기능이 불완전함. ¶右手ぎてが～だ 오른손을 잘 못 쓴다. ③빈곤(곤궁)함; 옹색함. ¶～なく暮らす 아무 부족함이 없이 살다(유복하게 살다). ④불편함. ¶助すけがいなくて～ 조수가 없어서 불편하다.

ぶしゅうぎ【不祝儀】-shūgi 名 상서롭지 못한 일; 특히, 장례식.

* **ふじゅうぶん**【不十分】【ふじゅうぶん・不十分】(不充分)-jūbun 名 ダナ 불충분함.

ぶしゅかん【仏手柑】bushu- 名【植】불수감(나무). =ぶっしゅかん.

ぶじゅつ【武術】-jutsu 名 무술 =武芸いう.

ふしゅび【不首尾】-shubi 名 ①(사물의) 결과(成果)가 나쁨; 실패. =不成功など. ¶会談などは～に終おった 회담은 실패로 끝났다. ¶上首尾じう. ②평이 좋지 않음. ¶上役じうに～だ 상사에게 평이 좋지 않다.

ぶしゅみ【無趣味】-shumi 名あ 무취미; 몰취미.

ふじゅん【不純】-jun 名あ 불순. ¶～物もっ 불순물 / ～分子ぶん 불순 분자.

ふじゅん【不順】-jun 名あ 불순; 조름지 못함. ¶天候～ 날씨 불순 / 月経じう～ 월경 불순. ②(도리에) 어긋남. ¶～な人じ 불순한 사람. ¶(사람을) 따르지 않음.

ふじょ【婦女】-jo 名 부녀; 부인; 여자. ──し【──子】名 부녀자.

ふじょ【扶助】-jo 名ス他 부조. ¶相互ごう～ 상호 부조 / ～金ぎ 부조금; 생활 보조금.

ぶしょ【部署】-sho 名 부서. =持ち場ば. ¶～割当わりて 부서 할당.

ふしょう【不肖】-shō 名 불초. 曰 어버이·스승을 닮지 않고 못남. ¶～の子 불초 자식. 曰代 자기의 겸칭.

ふしょう【不祥】-shō 名あ 불길; 불상(不吉). ──じ【──事】名 불상사.

ふしょう【不詳】-shō 名あ 자세하게 알지 못함; 미상(未詳).

* **ふしょう**【負傷】-shō 名ス自 부상. =けが. ¶～者い 부상자.

ふじょう【不浄】-jō 名あ 부정; 깨끗하지 못함. ¶～の身みを清きめる 부정한 몸을 깨끗이 하다. ↔清浄ほう 名 ①대소변. ②월경. ③(위에 'ご'를 붙여) 변소.

ふじょう【浮上】-jō 名ス自 부상; 떠오름(침체 상태에서 존재를 인정받게 되는 것으로도 비유됨).

ぶしょう【武将】-shō 名 무장. ①무사의 우두머리. ②무예에 뛰어난 장수.

ぶしょう【部将】-shō 名 부장; 한 부대의 의장.

ぶしょう【不精・無精】(無性)-shō ダナ 게을러서 힘쓰지 아니함; 귀찮아함. ¶～者い 게으름쟁이 / ～髯だ 다박나룻; 자라는 대로 버려 둔 수염.

ふしょうか【不消化】-shōka 名も 소화 불량. ¶～を起さす 소화 불량을 일으키다.

ふしょうじき【不正直】-shōjiki ダナ 부정직.

ふしょうち【不承知】-shōchi 名 승낙하지 않음; 불찬성. =不承諾とら.

ふしょうぶしょう【不承不承】fushōbu-shō 副 마지못해. =しぶしぶ. ¶～承諾とらする 마지못해 승낙하다.

ふしょうふずい【夫唱婦随】fushō- 부창 부수.

ふしょうふめつ【不生不滅】fushō-【佛】불생 불멸함(생겨나지도 않고 없어지지도 않은 진여 경계(真如境界)).

ふじょうり【不条理】-jōri 名あ 부조리.

ふしょく【扶植】-shoku 名ス他 부식; 심음; 뿌리 박음. ¶勢力ぎを～する 세력을 부식하다.

* **ふしょく**【腐食】【腐蝕】-shoku 名ス自他 부식. ①썩어서 문드러짐. ②(약품으로) 금속 따위의 표면이(표면을) 변화함(변화시킴). ¶～作用よう 부식 작용.

ふしょく【腐植】-shoku 名【農】부식; 낙엽 따위의 유기물이 흙 속에서 썩어서 된 흑갈색의 물질. ¶～土ど 부식토.

* **ぶじょく**【侮辱】-joku 名ス他 모욕. =侮蔑たつ. ¶～にはたえられない 모욕은 참을 수 없다.

ふしょくふ【不織布】-shokufu 名 부직포; 화학 섬유를 접착제로 결합한 천.

ふしょぞん【不所存】-shozon 名 좋지 않은 생각; 못된 심보. =不心得とらえ. ¶～者の 생각이(심보가) 좋지 못한 자.

* **ふしん**【不信】名 불신. ①신용하지 않음. =不信任にん. ¶～感か 불신감 /

友人の～を買う 친구에게 불신을 당하다. ②신의가 없음; 불실(不實). ¶～の行い 신의가 없는 행동. ③신앙심이 없음. =不信心. ¶～の人 불신자(者).

ふしん【不振】名ナ 부진. ¶食欲～ 식용 부진.

***ふしん**【不審】名ナ 불심. ①자세히 알지 못함; 확실하지 않음. ②의심스러움. ¶～(の念)が起こる 미심쩍은 생각이 들다 / 挙動～の男 거동이 수상한 남자. **――じんもん**【――尋問】-jimmon 名ス他 불심 검문.

ふしん【普請】名ス他 건축·토목 공사. ¶安普請 날림 공사 / 川～ 하천 공사.

ふしん【腐心】名ス自 부심; 애태움; 고심(苦心).

ふじん【不尽】名 뜻을 다하지 못한다는 뜻으로 편지 끝에 쓰는 말: 불비(不備). =不悉·不一.

***ふじん**【夫人】名 부인. =奥様. ¶～同伴 부인 동반.

ふじん【布陣】名ス自 포진. =陣立て.

****ふじん**【婦人】名 부인; 여성. ¶～服 여성복; 부인복 / ～科 부인과 / ～病 부인병.

ぶしん【武臣】名 무신. ↔文臣.

ぶじん【武人】名 무인; 무사. =武士.

ふしんじん【不信心】名ナ 불신심; 신앙심이 없음. =不信仰·ぶしんじん.

***ふしんせつ**【不親切】名ダナ 불친절. ¶客に～な店 손님에게 불친절한 가게.

ふしんにん【不信任】名ス他 불신임. ¶内閣～案 내각 불신임안.

ふしんばん【不寝番】-shimban 名 불침번. =寝ずの番. ¶～に立つ 불침번을 서다.

ふ-す【伏す】(臥す) 5自 ①엎드리다. =うつぶす. ¶がばと～ 탁 엎드리다. ↔仰ぐ. ②아파서 드러눕다. ¶病の床に～ 병상에 눕다. ③숨다; 엎드려서 몸을 감추다. =かくれる·ひそむ. ¶草に～ 풀숲에 엎드려 숨다. ④쓰러지다. ¶刃に～ 칼에 (맞아) 쓰러지다.

ふず【付図·附図】名 부도.

ぶす 名〈俗〉호박(꽃); 추녀(醜女).

ふずい【不随】名 불수; 몸이 제대로 움직이지 않음. ¶半身～ 반신 불수.

ふずい【付随·附随】名ス自 부수; 붙좇음; 관련됨.

ぶすい【不粋·無粋】名ダナ 멋없음; 세련되지 않음; 풍류가 없음. =やぼ·無風流. ¶～な男 멋이 없는 남자.

ふずいい【不随意】名 불수의; 뜻대로 안 됨. ¶～筋〔生〕불수의근. ↔随意.

ふすう【負数】-sū 名〔數〕음수(陰數). ↔正数.

ぶすう【部数】-sū 名 부수; 책·신문 따위의 수. ¶発行～ 발행 부수.

ぶすぶす 副 ①활활 타지 않고 연기만 내면서 타는 모양〔소리〕: 부지지. ¶～(と)燃える 부지지 타다. ②찌르거나 뚫는 모양〔뚫리는 소리〕: 푹푹; 폭폭. ¶紙に～(と)穴をあける 종이에 푹푹 구멍을 뚫다. ③(진흙 따위에) 빠져 드는 모양: 숙숙; 쑥쑥. ¶足が泥に～はいる 발이 진창에 숙숙 빠지다. ④투덜거리는 모양: 투덜투덜. =ぶつぶつ. ¶陰で～言う 뒤에서 투덜거리다.

ふすま【麬·麸】名 밀기울; 기울.

***ふすま**【襖】名 맹장지. =唐紙. ¶～を張り換える 맹장지를 새로 바르다.

ぶすりと 副 부드러운 것을 힘 있게 찌르거나 찔리는 모양: 푹. =ぶすっと. ¶太い注射器を腕に～刺す 굵은 주사기를 팔뚝에 푹 찌르다.

ふ-する【付する·附する】一 サ変他 ①붙이다; 첨부하다. =つける. ¶条件を～ 조건을 붙이다. ②맡기다; 회부하다. =託する. ¶公判に～ 공판에 부치다 / 不問に～ 불문에 부치다. 二 サ変自 따르다. =つく·従う. ¶親に～して行く 부모를 따라서 가다.

ふ-する【賦する】サ変他 ①할당하다; 부과하다. ¶税金を～ 과세하다. ②시가(詩歌)를 짓다.

ふせ【布施】名〔佛〕보시; 중에게 시주하는 일; 또, 그 금품.

***ふせい**【不正】名ダナ 부정. =よこしま. ¶～を働く 부정한 짓을 하다.

ふせい【父性】名 부성. ¶～愛 부성애. ↔母性.

ふぜい【風情】名 ①풍정; 풍치; 운치. =おもむき. ¶～を添える 운치를 더하다. ②모양; 모습. =ありさま·ようす. ¶恥ずかしそうな～をする 부끄러운 듯한 모양을 하다. ③접대; 대접. ¶何の～もなく済みません 아무 대접도 못 해서 미안합니다. ④《体言을 받아서》…같은 것(흔히, 경시·겸칭의 느낌을 나타냄). ¶私～までお呼びいただきまして 저 같은 것까지도 불러주셔서.

ぶぜい【無勢】名 인원수가 적음; 또, 그 세력. =小勢·寡勢.

ふせいかく【不正確】名ダナ 부정확.

ふせいき【不正規】名 비정규(非正規). ¶～軍 비정규군.

ふせいこう【不成功】-kō 名ナ 불성공; 실패.

ふせいじつ【不誠実】名ナ 불성실.

ふせいしゅつ【不世出】-shutsu 名 불세출; 세상에 드물 정도로 뛰어남. ¶～の天才 불세출의 천재.

ふせいせき【不成績】名ナ 성적이 좋지 않음. ↔好成績.

ふせいりつ【不成立】名 불성립.

ふせき【布石】名 포석. ①(바둑에서) 대국초의 돌의 배치. ②장래를 위한 준비. ¶次期総裁選への～ 차기 총재 선거를 위한 포석.

****ふせ-ぐ**【防ぐ】5他 막다. ①《본디 拒ぐ·禦ぐ로도》방어하다. ¶侵略を～ 침략을 막다. ↔攻める. ②미리 저지하다; 가로막다. ¶水害を～ 수해를 막다 / 西日を～ 석양볕을 가리다.

ふせじ【伏せ字】名 복자. ①인쇄물에서 명기(明記)하는 것을 피하기 위하여 그 자리를 비워 두거나 ○·× 등의 표로 나타내는 일. ②조판할 때 소용되는 활자가 없을 때 임시로 대신 엎어 꽂는 표(〓). =げた.

ふせつ【付設·附設】名ス他 부설.

ふ

ふせつ【符節】 图 부절；부신(符信). = 割符ホネゥ・手形ネネ゙ゎ. ¶～を合ュわせたように 부신을 맞춘 것 같이(딱 일치하는 모양).

ふせつ【敷設・布設】 图 又他 부설.

ふせっせい【不摂生】-sessei 图 불섭생；건강에 주의하지 않음.

*ふ-せる【伏せる】 下1他 ①엎드리다；숨기다. ¶身ネを～ 엎드리다. ②(눈을) 내리깔다；내리뜨다. ¶目ネを～ 눈을 내리뜨다. ③엎어 놓다. ¶本ネを机ゥゔに～・せて置ォく 책을 책상에 엎어 놓다. ④(덮어서) 숨기다；불리하다. ¶この話ネネ゙を～・せておこう 이 얘기는 덮어 두자. ⑤덮어서 씌우다；덮쳐 잡다. ¶さいころを～주사위를 공기로 덮어 씌우다／スズメを～참새를 덮쳐 잡다. ⑥매복(埋伏)하다. ¶兵ネを～ 병사를 잠복시키다.

ふせ-る【伏せる】【臥せる】 五自 드러 눕다；병들다, 앓아 눕다. ¶床ネこに～자리에 눕다.

ふせん【不戦】 图 부전；전쟁・시합을 하지 않음. ──しょう【──勝】 图 부전승. ──ぱい【──敗】 图 부전패.

ふせん【付箋・附箋】 图 부전；찌지.

ふぜん【不全】【医】 부전；불완전. ¶発育ネゔ～ 발육 부전／心ネ～ 심부전. ↔完全ネゔ.

ふぜん【不善】 图 불선；좋지 못함；착하지 못함. ¶小人ネゔ閑居ネゔして～をなす 소인이 한가로이 있으면 마침내 나쁜 짓을 한다.

ぶぜん【憮然】 タル 무연；실망하는 모양, 아연 실색하는 모양.

ふせんめい【不鮮明】-semmei ダナ 불선명. ¶～な色ネ 불선명한 빛깔.

ふそ【父祖】 图 부조；조상. ¶～の墓ネ 조상의 묘.

ぶそう【武装】-sō 图 又自 무장. ¶理論ネネ゙～ 이론 무장／解除ネゔ武장 해제／～蜂起ネゔ 무장 봉기.

ふそうおう【不相応】-sōō 图 ダ어울리지 않음；걸맞지 않음. ¶身分ネゔに～な持ネち物ネ゙ 신분에 맞지 않는 소지품. ↔相応ネゔ.

*ふそく【不足】 图 又自 부족. ¶～が十分ネゔゔだ 부족하다. ¶実力ネネ゙～ 실력 부족. 一图 불만；불평. =不服ネ゙. ¶～そうな顔ネをする 불만스러운 듯한 얼굴.

ふそく【不測】 图 불측；예측할 수 없음. =不慮ネ.

ふそく【付則・附則】 图 부칙. ↔本則ネゔ.

*ふぞく【付属・附属】 图 又自 부속. ¶～品ネ 부속품／大学ネゔの～高等學校ネゔゔゔゔ 대학 부속 고등학교. ──ご【──語】 图【文法】 부속어(助詞・助動詞 등). ↔自立語ネゔゔ.

ぶぞく【部族】 图 부족. ¶古代ネゔ～国家ネ゙ 고대 부족 국가.

ふそくふり【不即不離】 图 부즉 불리(붙지도 않고 떨어지지도 않음). =不離不即ネゔゔ.

ふぞろい【不揃い】【不揃】 图 ダナ 가지런하지 않음；갖추어지지 않음；한결같지 않음. =ふぞろい. ¶長ネさが一だ 길이가 고르지 않음.

ふそん【不遜】 图ダナ 불손. =尊大ネゔ・高慢ネゔ. ¶～な言ネゔを吐ネく 불손한 말을

내뱉다. ↔けんそん.

*ふた【蓋】 图 ①뚜껑；덮개. ↔身ネ. ¶鍋ネゔの～ 냄비 뚜껑／身ネも～もない 무 뚝뚝적이어서, 정취도 함축도 없다. ②(소라 따위의) 딱지. ──をあける ①뚜껑을 열다. ⑦일을 시작하다. ⑤일정이나 결과 따위를 확인하다. ⑤극장 등에서 그 날의 흥행을 시작하다.

*ふだ【札】 图 ①표찰(標札). ¶名ネ～ 명찰. ②팻말. ¶立ェて～ 게시판／立ェち入ネゔ禁止ネネ゙の～ 출입 금지의 팻말. ③(화투 따위의) 패. ¶～をくばる 패를 도르다. ④차표・배표 따위의) 표(票)；입장권. ¶質ネゔ～ 전당표. ⑤부적(符籍). =守ネゔり札ネ.

*ぶた【豚】 图 돼지. ¶一に真珠ネネ゙ 돼지에 진주. =ねこに小判ネゔ.

ふたい【付帯・附帯】 图 又自 부대. ¶～契約ネゔゔ 부대 계약. ¶～的ネ゙問題ネ゙ 부대(부수)적인 문제.

ふだい【譜代】 图 ①대대로 그 주인 집을 섬기어 옴；또, 그 신하. ②江戸ネ時代ネゔ, 이전부터 대대로 德川ネネ゙家ネ집안을 섬겨 온 사람. ↔外様ネゔ.

*ぶたい【部隊】 图 ①부대. ¶落下傘ネゔゔ～ 낙하산 부대. ②집단；무리；떼. ¶平和ネゔ～ 평화 봉사단.

*ぶたい【舞台】 图 무대. ¶～監督ネゔ 무대 감독／～装置ネゔ 무대 장치／外交ネゔゔ～ 외교 무대. ──うら【──裏】 图 ①무대 뒤. ②막후(幕後)；이면(裏面). ¶～工作ネゔ 막후 공작. ──げき【──劇】 图 무대극(특히 연극・방송국과 구별하여 이름).

ふたいてん【不退転】 图 불퇴전. ①【仏】불도(仏道) 수행을 게을리하지 않음. ②굽히지 아니함. ¶～の決意ネゔ 불퇴전의 결의.

ふたいとこ【二いとこ】(二従兄弟・二従姉妹) 图 ☞またいとこ.

ふたえ【二重】 图 ①이중；두 겹. =にじゅう. ¶～あご 군턱. ②둘로 꺾임(굽음). ¶まぶた【──瞼】 쌍꺼풀. =二皮目ネゔゔゔ.

ふたおや【二親】 图 양친(両親). =親ネゔ. ↔片親ネゔゔ.

ふたく【付託・附託】 图 又他 ①위임；위탁. ¶一事項ネゔ 위임 사항. ②의회에서, 의안을 위원회에 회부 심의함.

ふたご【双子・二子】 图 쌍둥이；쌍생아(雙生児). =双生児ネゔゔ.

ふたごころ【二心】【弐心】 图 이심；두 〔딴〕 마음. ¶主人ネゔに～をいだく 주인에 대해 딴 마음을 품다.

ふたことめ【二言目】 图 말을 꺼내면 꼭하는 말；입버릇처럼 하는 말. ¶～には勉強ネゔゔしろとおっしゃる 말을 꺼냈다하면 으레 공부하라고 하신다.

ぶたごや【豚小屋】 图 돼지우리.

ふたしか【不確か】 ダナ 불확실；애매함. =あやふや. ↔確ネゔか.

ふだしょ【札所】-sho 图 사찰 순례자가 참배의 표시로 패를 받는 곳(33개처의 관음, 88개처의 弘法ネネ゙ 대사(大師) 등의 영장(靈場)).

ふたすじみち【二筋道】 图 두 갈랫길；갈림길；또, (서로 다른) 두 (가지) 길.

*ふたたび【再び】 副 다시；재차；다시. =再度ネゔ. ¶～こんなことをするな 두번 다시 이런 일을 하지 마라.

ふたつ【二つ】图①둘;두 개. ¶りんご～ 사과 두 개. ②두 살. ③둘째. ¶一ついつにも勉強ゲん～にも勉強ゲんの첫째도 공부, 둘째도 공부다. ④양쪽; 양편. ¶～ながら 둘 다; 양쪽 모두. ——と言いって 둘도 없다; 다시 없다. ——へんじ【——返事】图예에하고 쾌히 승낙하는 일. ¶～で引ひき受うける쾌히 응낙하다. ⇨生返事.

ふだつき【札付(き)】【札附(き)】图①표초는 정찰이 붙어 있음. ②악평(惡評)이나 붙음;딱지 붙음;또, 그런 사람[물건]. ¶～の悪党ゥとう엄청난 악당.

ふたて【二手】图두 패;두 조(組).

ぶだて【部立(て)】图분류(分類);부류 또는 부문으로 나눔.

ふだどめ【札止め】图①(만원이 되어) 입장권의 발매를 중지함. ¶～の盛況ゲ입장권을 발매 중지할 정도의 대성황. ②출입 금지의 팻말을 세움.

ぶたごや【豚肉】图돼지고기. ¶豚肉ゥ.

ふたば【二葉·双葉】图①떡잎. ②비유적으로, 사물의 시초;특히, 사람의 어린 시절. ¶～の頃ころから育てて上げた어릴 때부터 잘 가르쳐 주다. ——あおい【——葵】【植】제비꽃.=かもあおい.

ぶたばこ【豚箱】图〈俗〉유치장. 「경찰서의].

ふたまた【二また】【二股】图두 갈래. ¶～大根ゲ가랑 무～ソケット 쌍(가지) 소켓 ¶一道みち두 갈랫길／～をかける 양다리 걸치다. ——ごやく【——膏薬】-gōyaku 图이쪽저쪽에 붙어 태도가 일정치 아니함.=ふたまたこうやく·うちまたごうやく.

ふため【二目】图두번 봄. ——とは見られぬ두 번 다시 볼 수 없다(추악하거나 처참해서 차마 볼 수 없다).

*ふたり**【ふたり·二人】图두 사람.=にん·両人ちゃ. ¶お～(부부·애인 등 짝이 된) 두 분／～前ぜの食事ゲ두 사람 분의 식사.

*ふたん**【負担】图担. ¶～に感じる 부담스럽게 느끼다.

*ふだん**【不断】图부단. ¶～の努力ひ부단한 노력／～に行ニなう부단히 행하다;끊임없이 하다. ¶②결단력이 없음. ¶優柔ジゥ～ 우유부단. ——【不断·普段】图항상;평상시;평소.=日ひごろ·平生ゼ·常ン. ¶～思っている事こと평소 생각하는 일. ——ぎ【——着】图평상복.=晴はれ着ぎ. よそ行いき. ——そう【——草】-sō 图【植】근대.=とうちく.

ブタン图【化】부탄. ¶～ガス 부탄 가스. ⇨도 Butan.

ぶだん【武断】图무단. ¶～政治ゼ 무단 정치.⇨文治ゼジ.

ふち【淵·潭】图①강물의 깊은 곳;소. ↔瀬セ·浅瀬ゼせ. ②헤어날 수 없는 괴로운 처지나 심경. ¶絶望ゼの～に沈ずむ 절망의 구렁 속에 잠기다.

*ふち**【縁】图 가장자리;테두리;전;가.=へり·まわり·わく. ¶めがねの～ 안경테／器うゥ의～ 그릇의 전／川ゎの～ 냇가／～を取とる 테두리를 두르다;가선을 두르다;선 두르다.

ふち【不知】图부지;알지 못함;지혜

가 없음. ¶～不識ゼ 부지 불식.

ふち【不治】图〈老〉☞ふじ(不治).

ふち【扶持】图도움;힘을 도와 함. ¶扶持米ゼの 준말. ——まい【——米】图 무사에게 쌀로 주는 급여(給與);녹미(禄米).=食禄ゼろ.

ふち【斑】图얼룩짐;얼룩기;또, 그런 동물.=まだら. ¶～の猫ねこ얼룩고양이.

ぶちこ—む【ぶち込む】【打ち込む】⑤他〈俗〉처넣다. ¶刑務所ぞしょに～형무소(교도소)에 처넣다.

ぶちころ—す【ぶち殺す】【打ち殺す】⑤他〈俗〉쳐죽이다;때려 죽이다.

ぶちこわ—す【ぶち壊す】【打ち毀す·打ち壊す】⑤他①때려 부수다;파괴하다. ②깨(뜨리)다;망치다. ¶人の談義ゎぎを～ 남의 흥담을 망치다.

ぶちぬ—く【ぶち抜く】【打ち抜く】⑤他①뚫어 구멍을 내다. ¶壁ゕべを～벽을 뚫어 구멍을 내다. ②칸막이 따위를 터서 통하게 하다. ¶三部屋ゕや を～いて式場じょにする 방 셋을 터서 식장을 만들다.

ぶちのめ—す【ぶちのめす】⑤他〈俗〉때려눕히다;타도하다.

プチブル图 프티부르('プチブルジョア(=프티 부르주아)'의 준말).

ぶちま—ける【ぶちまける】下1他〈俗〉①(속엣 것을) 모조리 털어 놓다. ②숨김없이 털어 놓다. ¶腹ゕの中なを～けて話ゎす 뱃속[마음속]을 탁 털어 놓고 이야기하다.

ふちゃく【付着·附着】-chaku 图自 부착. ¶～力ゴ부착력[圏].

ふちゅう【不忠】fuchū 图不 불충. ¶～不義ゼ 불충 불의.

*ふちゅうい**【不注意】-chūi 图ダナ 부주의;소홀;실수. ¶～から起おこった事こと부주의로 생긴 일.

ふちょう【不調】-chō 图ダナ 상태가 나쁨. ¶エンジンの～ 모조리 엔진의 상태가 나쁘다／～から立たち直なおる 슬럼프에서 회복하다. ↔快調ゲ·好調ゥ. ——图調 잘 이루어지지 않음. ¶交渉ジゥは～に終おわった 교섭은 성립 안 된 채 끝났다.

ふちょう【符丁·符帳】【符牒】-chō 图①(상점에서) 상품 값을 나타내는 기호[온어]. ¶値段ゼを～で書かき込こむ 값을 기호로 써 넣다. ②암호. ¶合あい言葉ゼ(기억해 두기 위한) 표시.

ふちょう【婦長】-chō 图 수간호사.

ぶちょう【部長】-chō 图 부장.

ぶちょうほう【不調法·無調法】-chōhō 图ダ①서투름;미숙함.=へた·不行いき届とき. ②〈~で 말이 서툴러서〉(변이 없어서). ②술·담배·유흥 따위를 못함의 겸사말. ¶酒ゖは～です술은 못 합니다. ——三名④잘못;실수. ——過すぎ·しくじり·そこつ. ¶とんだ～をしでかしてすみません 엉뚱한 일을 해서 미안합니다. 「조화.

ふちょうわ【不調和】-chōwa 图 부조화.

ふちん【浮沈】图 부침;흥망.=浮うき沈ずみ. ¶～常ンならず 흥망 무상.

ふっ—【吹っ】fuk, fut〈動詞 앞에 붙여서〉세차게 …함을 나타내는 말. ¶～切きれる 뚝 끊어지다／～飛とぶ 책

날다.

ぶ-つ〖打つ〗⑤他 ①때리다;치다. ＝うつ・なぐる. ▷尻ょを～ 볼기를 때리다. ②〈俗〉연설(담판)하다의 힘줌말. ¶一席½½～ 일장 연설하다.

ぶつ-〖打つ〗buk, but〈俗〉〈動詞 앞에 붙여서〉난폭하게 함을 나타내는 말:마구;힘껏. ▷～ひろがす 마구 흩뜨리다／～切°る 힘껏 쳐서 자르다.

-ぶつ〖物〗…물. ¶目的ミ°～ 목적물／刊行物ñ°～ 간행물.

ふつう〖不通〗-tsū 图 ①교통·통신 등이 끊김;불통. ¶列車ü°の〖音信ñ°〗～ 열차[소식] 불통. ②교제를 끊음.

ふつう〖普通〗 -tsū 图 ゲ 보통. ＝なみ・通常ë¾°·あたりまえ. ¶～預金ëñ 보통 예금／～の人間ëñ 보통 인간／この楽æきは～ではない 이 음악은 예사가 아니다. ↔特別ë°·特殊ë¾. ——せんきょ〖——選挙〗-kyo 图 보통 선거. ＝普選ñ°. ↔制限選挙ñ¾ñ¾. ——めいし〖——名詞〗图 보통 명사. ↔固有名詞ë°.

ふつう〖普通〗-tsū 副 보통;대개. ¶～そうは言°わない 보통 그렇게는 말하지 않는다.

ぶつえん〖仏縁〗图〈佛〉불연;부처와의 인연.

ふつか〖二日〗图 ①이틀. ——両日ñ°. ②초이튿날;2일. ——よい〖——酔い〗〈宿酔〉图 숙취.

ぶっか〖物価〗bukka 图 ゲ 물가. ¶～調節ó¾°々 물가 조절／～指数ñ°々 물가 지수／～高ñ°にあえぐ 물가고에 허덕이다.

ぶつが〖仏画〗图 불화;부처·불교의 그림.

ふっかく〖伏角〗fukka- 图 ①〈理〉복각;傾角ñ¾°. ②〈數〉내려본각;부각(俯角). ↔仰角ñ¾°々.

ぶっかく〖仏閣〗bukka- 图〈佛〉불각;절(의 건물). ＝寺院ñ°·寺院ñ°々.

ふっかける〖吹っ掛ける〗 fukkake- 下1他 ①～をふきかける 내뿜어서 말하다;에누리 하다;터무니없이 말하다. ¶高値ñ°を～ 터무니없이 높은 값을 부르다. ③(싸움을) 걸다. ¶けんかを～ 싸움을 걸다.

ぶっかける〖打っ掛ける〗 bukkake- 下1他〈俗〉세차게 뿌리다;마구 끼얹다.

ふっかすいそ〖ふっ化水素〗〈弗化水素〗fukka- 图〈化〉플루오르화(化) 수소.

ふっかつ〖復活〗fukka- 图z他 부활. ¶キリストの～ 그리스도의 부활／敗者ñ°～戦ñ° 패자 부활전. ——さい〖——祭〗〈宗〉부활 축일;부활절. ＝イースター.

ぶつかる⑤自 ①부딪(치)다;충돌하다. ¶波ñ°が岩ñ°に～ 파도가 바위에 부딪치다／結婚問題ñ°で父ñ°と～ 결혼 문제로 아버지와 충돌하다. ②부닥치다;맞닥뜨리다. ¶思ñ°いがけない困難ñ°に～ 뜻밖의 곤란에 부닥치다／一回戦ñ°ñ°で強敵ñ°と～ 일회전에서 강적과 맞부딪치다. ③마주치다;겹치다. ＝かちあう·重ñ°なる. ¶祝日ñ°が日曜日ñ°ñ°と～ 축일이 일요일과 겹치다.

ふっかん〖副官〗fukkan 图 부관. ¶大隊ñ°～ 대대 부관.

ふっかん〖復刊〗fukkan 图他 복간.

ふっき〖復帰〗fukki 图z自 복귀. ¶社会ñ°～ 사회 복귀.

ふっき〖復軌〗fukki 图 복궤;선로 궤도. ↔単軌ñ° 〖みづき〗

ぶつき〖文月〗图〈雅〉음력 7월. ＝ふみづき.

ぶつぎ〖物議〗图 물의. ——をかもす 물의를 빚다[일으키다].

ふっきゅう〖復旧〗fukkyū 图z他 복구. ¶～工事ñ° 복구 공사.

ふっきょう〖仏教〗bukkyō 图〈俗〉불교. ¶～音楽ñ° 불교 음악.

ふっきる〖吹っ切る〗⑤他 미련·번민 등을 말끔히 끊어버리다. ¶執着ñ°を～ 집착을 모두 버리다.

ふっき-れる〖ふっきれる·吹っ切れる〗fukki- 下1自 ①종기가 곪아 터져서 고름이 나오다. ②꺼림칙하던 것이 속이 시어 개운하다. ＝すっきりする. ③맺혔거나 막힌 것이 터져 나오다.

ぶつける〖打付ける〗下1他 ①부딪다. ＝打°ちつける. ¶頭ñ°を戸ñ°に～ 머리를 문에 부딪다. ②던지다;던져서 맞히다. ＝投°げつける. ¶犬ñ°に石ñ°を～ 개에게 돌을 던지다. ③마구 발산하다. ¶怒°りを～ 분노를 터뜨리다. 〖注意〗'ぶっつける'라고도 한다.

ふっけん〖復権〗fukken 图z自他 복권.

ぶっけん〖物件〗bukken 图 물건. ＝品ñ°物ñ°. ¶課税ñ°～ 과세 물건. ↔人件ñ°.

ぶっけん〖物権〗bukken 图〈法〉물권. ¶～法ñ° 물권법. 〖,째〗

ふっこ〖復古〗fukko 图z自他 복고. ¶王政ñ°～ 왕정 복고／～調ñ° 복고조.

ふっこ〖魚〗 perch/농어 새끼.

ぶつこ〖物故〗bukko 图z自 작고;사람이 죽음. ＝死去ñ°. ¶～者ñ° 죽은 사람;고인.

ふっこう〖復交〗fukkō 图z自 복교;단절되었던 국교(國交)[교우 관계]를 부활함. 〖学함〗

ふっこう〖復校〗fukkō 图z自 복교.

ふっこう〖復興〗fukkō 图z自他 부흥. ¶～策ñ° 부흥책／文芸ñ°～ 문예 부흥.

ふつごう〖ふつごう·不都合〗-gō 图 名子 ①형편이 좋지 못함. ＝都合ñ°の悪°い／～を招ñ°く(来ñ°す) 지장을 초래하다. ↔好都合ñ°ñ°. ②무례함;괘씸함. ＝不届ñ°き·ふらち. ¶～な奴ñ° 무례한 놈.

ふっこく〖復刻·覆刻〗fukko- 图z他 복각;목판본(木版本)을 본디 것과 같게 조각해서 간행함;일반적으로, 책의 복제. ¶～本ñ° 복각본.

ぶっさん【物産】bussan 图 물산; (그 지방의) 토산물.

ぶっし【仏子】busshi 图【仏】불자. ① 불제자(仏弟子). ②일체의 중생.

ぶっし【仏師】busshi 图 불사; 불상을 만드는 장색. =ぶし・仏工だ.

*ぶっし【物資】busshi 图 물자. =品物だの. ▼～援助する 물자 원조.

ぶつじ【仏事】butsuji 图 불사; 불교의 의식. =法事だ・法会だ・法要だ.

ぶっしき【仏式】busshiki- 图 불식; 불교식(주로, 장례 등에 관하여 일컬음). ↔神式だ.

＊ぶっしつ【物質】busshi- 图 물질. ▼～界だ 물질계 / ～文化だが【文明だ】 물질 문화[문명]. ↔精神せな. ――たいしゃ【―代謝】-sha 图 '新陳代謝はたん(=신진 대사)'의 고친 이름. 物質代謝だん. ――てき【―的】ダナ 물질적. ▼～な存在だ 물질적 존재자 / ～な欲望だ 물질적인 욕망. ↔精神的せない. ――めいし【―名詞】图 물질 명사.

ぶっしゃり【仏舎利】bussha- 图 불사리; 석가의 유골. =舎利だ.

プッシュ pusshu 图ス他 图; 지원(支援) 추진. ▼～ボタン 누름단추. =push. ▷～ホン 누름단추식 전화기. ▷일 push phone.

ぶっしょう【物証】busshō 图 물증; 물적 증거. ▼～がそろう 물증이 갖추어지다. ↔人証だ・書証だ.

ぶつじょう【物情】-jō 图 물정. ①세상 인심; 세상의 돌아가는 사정. ▼～騒然だ 물정 소연; 세상이 어수선함. ②물건의 모양·성질.

ぶっしょうえ【仏生会】busshōe 图【仏】⇨かんぶつえ【灌仏会】.

ふっしょく【払拭】fusshō- 图ス他 불식; 떨고 훔쳐 깨끗이 없앰. =ふっしき. ▼～疑惑だを～する 의혹을 불식하다.

ぶっしょく【物色】busshō- 图ス他 물색. ▼後任だんを～する 후임을 물색하다.

ぶっしん【仏心】busshin 图 불심. ①부처의 자비스러운 마음; 또, 그와 같은 인정미. ▼彼だれにも多少だうの～はある 그에게도 다소의 인정미는 있다. ②불성(仏性).

ぶっしん【物心】busshin 图 물심. ▼～両面だんの 물심 양면.

ぶっせい【物性】bussei 图 물성; 물질이 가지는 성질. ▼～論だ 물성론.

ぶつぜん【仏前】图 불전. ①불전. ②불전의 공양물.

ふっそ【ふっ素】【弗素】fusso 图【化】불소. =플루오르(기호: F). ▷～樹脂だ 불소 수지; 플루오르 수지.

ぶっそ【仏祖】busso 图 불조. ①불교의 개조(開祖)인 석가. ②석가와 종파(宗派)의 조사(祖師).

*ぶっそう【物騒】图ナ 세상이 뒤숭숭하고, 위험한 상태. ▼～な世だの中だ 뒤숭숭한 세상 / ～な男だ 위험한 사나이 / ～なうわさ 불온(不穏)한 소문.

ぶつぞう【仏像】-zō 图 불상.

ぶつだ【仏陀】[仏陀] 图 불타; 부처. =仏ほとけ・ぶっだ.

*ぶったい【物体】buttai 图 물체. ▼未確認はたん～ 미확인 물체.

ぶったおれる【打っ倒れる】butta- 下1自〈俗〉 갑자기 (콰당하고) 쓰러지다.

ぶったぎる【打った切る】【打っ斬る・打った斬る】butta- 5他〈俗〉 힘차게 내리쳐 끊다[베다]. ①태다끊다. ▼邪魔だな枝だを～ 방해되는 가지를 내리치다.

ぶつだん【仏壇】图 불단.

ぶっちょうづら【仏頂面】butchō- 图 무뚝뚝(시무룩)한 얼굴. =ふくれっつら.

ふつつか【不束】图ナ 졸렬(拙劣)함; 꼼꼼하지 못함; 미거함; 못생김; 불민함; 버릇없음. =不届だとき. ▼～な者だですが못난 사람입니다만 / ～ながら되는 대로 해 보겠습니다.

ぶっつけ【打っ付け】buttsu- 图〈俗〉①불쑥 일을 하는 모양; 별안간; 다짜고짜; 최초; 처음. ▼～に出るだ 다짜고짜 강경한 태도로 나오다(나가다). ②사양하지 않음; 노골적. ▼～に話すだ 노골적으로 말하다. ――ほんばん【―本番】-homban 图 사전 연습이나 준비 없이 바로 시작함. ▼～でいこう (연습 없이) 바로 시작합시다.

ぶっつづけ【ぶっ続け】【打っ続け】buttsuzu- 图〈俗〉 계속함; 잇따라 함. =続けざま・ぶっ通だし. ▼一日いちぢゅう～で仕事だをした 종일 죽 (쉬지 않고) 일을 했다.

ふっつり futtsu- 副 돌연히[단연] 그만 두는 모양; 딱. ▼～と酒さをやめる 딱 술을 끊다 / その後だ～音だきたが 그 후 딱 소식이 없다.

ぷっつり puttsu- 副①실 따위가 끊어지는 소리[모양]: 툭. =ぷっんと. ▼糸いが～(と)切れるだ 실이 툭 끊어지다 / 黒髪はを～(と)切るだ 검은 머리를 싹둑 자르다. ②사물이 갑자기 끊어져 버리는 모양: 딱. =ふっつり. ▼声さが～(と)止やんだ 외치는 소리가 딱 그쳤다.

ふってい【払底】futtei 图ス自 바닥이 남; 동이 남; 물품절; 결핍. =品切だれ. ▼原料はが～する 원료가 동나다.

ぶってき【物的】butte-ダナ 물(질)적. ▼～証拠だ 물질적 증거. ↔心的だな・人的だな.

ぶつでし【仏弟子】图 불제자; 불교도.

ふってん【沸点】futten 图 비점('沸騰点だちう(=비등점)'의 새로운 명칭). ↔氷点だん.

ぶつでん【仏殿】图 불전; 불당.

ふつと 副①[단연]돌연; 결연(決然)히. ▼～思だい切るだ 결연히 단념하다. ②⇨ふっと①.

フット futto 图 푸트; 발. ⇨ハンド. ▷foot. ――ノート 图 푸트노트; 각주(脚注). ▷footnote. ――ボール 图 푸트볼; 축구(공). ▷football. ――ライト 图 푸트라이트; 각광(脚光). ▼～を浴あびる 각광을 받다. ▷footlight. ――ワーク 图 푸트워크; (권투 따위에서) 발놀림. =足だきばき. ▷footwork.

ふっと futto 副 ①☞ふと。¶―頭がに浮かぶ 문득 머리에 떠오르다。②갑자기 숨을 내쉬는 모양：푸우。¶―息を吹き掛ける 푸우 하고 입김을 내뿜다。

ぶっと【仏徒】butto 名 불도；불교도。

ぶっと【仏土】名【佛】불토；부처가 사는 곳；정토(淨土)。

ぶっと putto 副 ①무심코 웃음을 터뜨리는 모양；피식。¶―笑いかけた 픽하고 웃음을 터뜨렸다。②비위를 상해서 발끈하는 모양：팩。

*ふっとう【沸騰】futtō 名自 비등。¶―する非難 들끓는 비난／水가―する 물이 끓어오르다。

ぶっとう【仏堂】-dō 名 불당；절。=仏殿。「가르침。

ぶっとう【仏道】-dō 名 불도；불법。

ぶっとおし【ぶっ通し】〔打っ通し〕buttōshi 名 처음부터 끝까지 죽 계속함。=ぶっ続け。¶二時間―で歩いた 2시간을―계속해서 걸었다。

ぶっとおす【ぶっ通す】〔打っ通す〕buttōsu 五他〈俗〉①처음부터 끝까지 죽 계속하다。②꿰뚫다。

ふっとぶ【吹っ飛ぶ】futto-[tobu] 五自〈俗〉획 날아가다。①힘차게〔갑자기〕날아가다。¶強風で屋根が―んだ 강풍으로 지붕이 날아갔다。②갑자기〔일시에, 깨끗이〕없어지다。¶首が―목이 날아가다(해고당하다)／給料が―급료가 일시에 날아가다。

ぶつのう【物納】-nō 名自他 물납。¶財産税を家屋で―する 재산세를 가옥으로 물납하다。↔金納する。

ぶっぱつ【仏罰】名 불벌；부처로부터 받는 벌。=ぶつばち。

ぶっぱなす【ぶっ放す】〔打っ放す〕buppa-[nasu] 五他〈俗〉마구 발사하다；냅다 쏘다。¶大砲を―대포를 내쏘다。

ぶっぴん【物品】buppin 名 ①물품；물건。=品物など。¶―税 물세。─税 물세する。〔法〕부동산 이외의 유체물(有體物)；동산。

ぶつぶつ【沸沸】副〈흔히 'と'를 수반하여〉끓어 오르는 모양：펄펄；부글부글。¶―と煮えたぎる 부글부글 끓어오르다。

ぶつぶつ 副 ①중얼거리는 모양；또, 불평 불만을 늘어놓는 모양：중얼중얼；투덜투덜。¶―言う 투덜거리다。②☞ぶつぶつ。②좁쌀 같은 것이 많이 있음。¶顔に―ができた 얼굴에 좁쌀알 같은 것이 돋았다。

ぶつぶつこうかん【物物交換】-kōkan 名自他 물물교환。=物交する；바터。

ふつぶんがく【仏文学】名 불문학；프랑스 문학。

ぶっぽう【仏法】buppō 名【佛】불법；불도；불교。¶―王法。

ぶっぽうそう【仏法僧】buppōsō 名 ①불법승；부처와 불법과 중；삼보(三寶)。②【ぶっぽうそう】〔鳥〕㋐파랑새。㋑부엉이。=このほうそう。

ぶつぼさつ【仏菩薩】名 불보살；부처와 보살。「신 방。

ぶつま【仏間】名 불상이나 위패를 모

ぶつめつ【仏滅】名 불멸。①【佛】부처의 입멸(入滅)；석가의 죽음。②〔仏滅日(=불멸일)'의 준말；陰陽道에서 만사에 흉하다고 하는 날。↔大安。

ぶつもん【仏門】名 불문。=仏道など。¶―に入る 불문에 들어가다。

ぶつよく【物欲・物慾】名 물욕。¶―にとらわれる 물욕에 사로잡히다。

*ぶつり【物理】名 ①現象〔=現象〕물리 현상。─がく【─学】물리학。─てき【─的】〔ダナ〕물리적。─へんか【─変化】名 물리 변화。↔化学変化。─りょう【─療法】-ryōhō 名【醫】물리요법。=物療。↔化学療法。

ふりあい【不釣り合い】名 어울리지 않음；균형이 잡히지 않음；불균형；부적합。¶―な服装 어울리지 않는 복장。

ぶつりき【仏力】名 불력；부처의 신통력。

ぶつりょう【物量】-ryō 名 물량。¶―攻撃 물량 공격／―で敵を圧倒する 물량으로 적을 압도하다。

*ふで【筆】①붓；비유적으로, 글〔그림〕을 쓰는〔그리는〕일；또, 그 쓴〔그린〕것。¶―本 자루 붓／―の冴え 글〔그림〕의 솜씨가 빼어남／…の―になる…가 쓴 (것이다)。二〔接尾〕①붓을 쓰는 횟수를 나타내는 말：필。¶―書き 일필 휘지(一筆揮之)。②대지·임야·농지 따위의 한 자리：필。¶―が立つ 문장을 잘 쓰다。─を入れる 문장·문자를 고치다。=添削する。─を擱く (글을 다 쓰고) 붓을 놓다；각필(擱筆)하다。─を折る 붓을 꺾다。=ふでをすてる。─を加える 가필하다。─を執る 붓을 잡아〔들어〕(글을 쓰다)。─を運ぶ 문장을 써 나아가다。─を走らせる 붓을 달리다 (빠른 속도로 쓰다)。─をふるう 붓을 놀려 글을 쓰거나 그림을 그리다；휘필(揮筆)〔휘호〕하다。

*ふてい【不定】名ダ 부정；일정하지 않음。¶―住所 주소 부정。─しゅうそ【─愁訴】-shūso 名【醫】부정 수소(스트레스 따위의 심신 장애로 어깨가 쑤시거나 마음이 불안해지는 등 원인이 확실치 않은 불쾌감을 호소함)。─しょう【─称】-shō 名【文法】부정칭；분명히 정해지지 않은 것을 가리키는 대명사(だれ(=누구)''だれ(=어느 것)''どこ(=어디)''いつ(=언제)' 따위)。

ふてい【不貞】名ダ 부정；여자가 정조를 지키지 아니함。↔貞淑。=貞節。

ふてい【不逞】名ダ 불령；괘씸함；불 뺀스러움。¶―のやから 무뢰한(無賴漢)。

ふていき【不定期】名ダ 부정기。↔定期。

ふていけいし【不定型詩】名 부정형시(산문시 따위)。↔定型詩。

ふていさい【不体裁】名ダ 꼴사나움；볼품 없음。=みっともない。¶―なことを言う 듣기에 거북한 말을 하다。

ブティック -tikku 名 부티크(고급 기성복·장신구 등을 파는 소규모의 전문점)。=ブチック。▷프 boutique。

ふでいれ【筆入(れ)】名 필갑；필통。

プディング -dingu 名 푸딩; 달걀·과일·설탕을 밀가루에 섞어 찐 말랑말랑한 생과자. =プリン. ▷pudding.

ふてき 【不敵】 名 ①대담하여 두려워하지 않음. ¶ 大胆だい~なやつだ 대담무쌍한 놈이다. ②겁없이 뻔뻔스러움.

ふてき 【不出来】 名 됨됨이가 나쁨; 서툴러 볼품이 없음. ¶ ~な料理 서투른 요리 / ~な子供だ 성적이 시원찮은 아이. ↔出来できがよい.

*ふてきとう 【不適当】 -tō 名 형 부적당. ¶ その場合ばあいに~な表現ひょうげん 그 자리에 부적당한 표현. ↔適当でき.

ふてきにん 【不適任】 名 부적임.

ふてぎわ 【不手際】 名 솜씨가 나쁨; 사물의 처리나 결과가 좋지 못함. ¶ ~な(の)処置 서투른 조치.

ふてく さ-る 【ふて腐る】 【不貞腐る】 5 自 지르퉁하다; 불평을 품고 순종치 않다; 불퉁하게 여겨 토라지다. →ふてる.

ふてく さ-れる 【ふて腐れる】 【不貞腐れる】 下1 ☞ ふてくさる. ¶ ~れて寝ている 심통이 나서 누워 있다.

ふてさき 【筆先】 名 붓끝; 붓을 다루는 솜씨; 운필(運筆). ¶ ~でかせぐ 문필〔서도〕로 벌다.

ふてたて 【筆立(て)】 名 ①붓꽂이; 먹이 마르지 않도록, 붓같을 넣어서 세워 두는 용구. ②붓·연필 따위를 꽂아 두는 용구.

ふでづかい 【筆遣い】 名 붓을 다루는 방법; 특히, 서법; 필법; 필치.

ふでつき 【筆つき】 名 붓으로 쓰는 서법(書法); 필치(筆致); 쓴 글씨나 그림의 모양.

ふでづつ 【筆筒】 名 필통; 붓꽂이.

*ふてってい 【不徹底】 -tettei 名 형 불철저. ¶ ~な捜査 불철저한 수사 / ~な態度たいどをきらう 호지부지한 태도를 싫어하다.

ふてね 【ふて寝】 【不貞寝】 名 自 토라져(나서) 누워 버림. =やけ寝び.

ふてばこ 【筆箱】 名 필갑; 필통.

ふてぶしょう 【筆不精・筆無精】 【筆無性】 -shō 名 형 편지〔글〕 쓰기를 싫어하는 일; 또, 그런 성격의 사람. ↔筆まめ.

ふてぶて し-い 【太太しい】 -shī 형 넉살 좋고 대담하다; 뻔뻔스럽다. ¶ ~男おとこ 뻔뻔스러운 사나이.

ふでまめ 【筆まめ】 【筆忠実】 形動 싫어하지 않고 글이나 편지를 부지런히 잘 씀; 또, 그런 성격(性格)의 사람. ↔筆不精ぶしょう.

*ふと 【不図】 副 ①뜻밖에; 우연히; 문득. ¶ ~みると 문득 본즉 / ~した事ごとで 우연한 일로. ②갑자기; 별안간. ¶ ~立ち止とまる 갑자기 멈추다.

*ふと-い 【太い】 形 ①足が~ 굵은 다리 / 神経しんが~ 신경이 굵다(사소한 일에 걱정하거나 두려워하지 않는다) / 声こえ~ 굵은 목소리. ②크다. ¶ 胆だ~が玉が~ 담보가 크다; 대담하다. ↔細ほそい. ③넉살좋다; 뻔뻔스럽다. =ふてぶてしい・ずぶとい. ¶ ~事ごとをする 뻔뻔스런 짓을 하다. ━━く短みじかく 굵고 짧게(짧은 기간에 많은 이

익을 도모함; 또, 부도덕한 짓을 하여 즐겁게 살다가 일찍 죽어도 좋다는 뜻).

ふとう 【太閤・莞】 名 植 큰고랭이.

*ふとう 【不当】 -tō 形動 부당; 정당하지 않음. ¶ ~な要求ようきゅう〔利得とく〕 부당한 요구(이득). ↔正当せい.

ふとう 【不凍】 -tō 名 부동; 얼지 않음. ¶ ~液 부동액. ━━こう 【~港】 -kō 名 부동항.

ふとう 【不等】 -tō 名 부등. ━━ごう 【~号】 -gō 名 数 부등호(<・>・≠). ↔等号とう. ━━しき 【~式】 名 부등식. ↔等式しき.

ふとう 【埠頭】 -tō 名 부두; 선창. =はとば・ふなつき場ば.

ふどう 【不同】 -dō 名 부동; 같지 않음. ¶ 順序じゅん~ 순서 부동.

ふどう 【不動】 -dō 名 ①부동. ¶ ~の姿勢しせい 부동 자세. ②不動明王みょうおうの略略. ━━さん 【~産】 名 부동산. ¶ ~屋 부동산 매매의 소개업자; 복덕방. ━━動産どうさん ━━みょうおう 【~明王】 -myōō 名 仏 부동명왕. ━━の姿勢しせい ━━不動尊どうそん・不動尊どうそん

ふどう 【浮動】 -dō 名 自 부동. ¶ ~人口じんこう 부동 인구 / ~購買力こうばいりょく 부동 구매력. ↔固定こてい. ━━ひょう 【~票】 -hyō 名 부동표. ↔固定票こていひょう.

ぶとう 【舞踏】 -tō 名 自 무도; 춤. =ダンス. ━━かい 【~会】 名 무도회.

ぶどう 【武道】 -dō 名 무도; 무사가 지켜야 할 도리; 무사도; 무예; 무술. ¶ ~に精進しょうじんする 무도에 정진하다.

ぶどう 【葡萄】 -dō 名 포도. ━━いろ 【~色】 名 포도빛; 포도처럼 붉은 색을 띤 보랏빛. ━━しゅ 【~酒】 -shu 名 포도주. ━━じょう 【~状】 -jō 名 포도상. ━━球菌きゅうきん 포도상 구균. ━━とう 【~糖】 -tō 名 포도당. =グルコース.

*ふとういつ 【不統一】 -tōitsu 形動 통일이 안 됨. ¶ 閣内かくない~ 각내 의견의 불일치.

ふどうたい 【不導体】 -dōtai 名 불량 도체; 부도체. ¶ 絶縁体ぜつえんたい. ↔導体どうたい.

ふどうとく 【不道徳】 -dōtoku 名 부도덕. ↔不徳とく.

ふとうふくつ 【不撓不屈】 futō- 名 불요불굴. ¶ ~の精神せいしん 불요불굴의 정신. ━━名

ふとうめい 【不透明】 -tōmei 名 형 불투명. ↔透明とうめい.

ふどき 【風土記】 名 풍토기. ①풍토·문화 그 밖의 정세를 지방별로 기록한 책. ②奈良なら 시대 때 일기에 의거하여 각 지방의 지명의 유래·지세·산물(産物)·전설 등을 적어 조정에 올린 지지(地誌).

ふとく 【不徳】 名 부도덕. ①不道德ふどうとく. ¶ ~漢かん 부도덕한. ②덕이 부족함. ━━の致いたすところ 부덕의 소치.

ふとく 【婦徳】 名 부덕. =婦道どう.

ふとくい 【不得意】 名 능숙하지 못함. ↔とくい. ¶ ~な学科がっか 잘 못하는 학과 / 英語えいごは~だ 영어는 서투르다. ↔得意とくい.

ふとくさく 【不得策】 名 좋은 계책이 못 됨. ¶ ~な手段しゅだん. 유리하지 못한〔이롭지〕 못함.

ふとくてい 【不特定】 名 불특정. ¶ ~多数たすう 불특정 다수.

ふとくようりょう 【不得要領】 -yōryō

［名⁴］요령 부득；요령이 없음；무엇인지 분간할 수 없음；￫~の(の)返事 요령 부득의 대답.

＊ふところ【懐】 ［名］ ①품. ¶母₂の~に抱₂かれて 어머니 품에 안기어. ②호주머니(에 가지고 있는 돈). ¶~具合₂₂ 주머니 사정／~が豊₂かだ 돈이 많다. ③가슴(속)；내막. ￫腹₂・內情₂₂₂ 으로 考₂えた. 자신의 속내 마음속을 꿰뚫어보다. ④무엇에 둘러싸인 곳. ¶山₂の~ 산 속.

━が温₂かい 돈이나 재산이 많다.
━が寒₂い 돈이나 재산이 적다；또, 없다. ━を温₂める 자신의 잇속을 차리다. ━を肥₂やす 호주머니를 채우다；부당한 이득을 얻다.

ふところがたな【懐刀】 ［名］ ①품에 지니고 다니는 호신용 칼. =懐劍₂₂. ②비밀 계획에 참여하는 지혜가 많은 사람.

ふところで【懐手】 ［名］ 양손을 품 속에 넣고 있음；전하여, 남에게 맡기고 아무 것도 하지 않음. ¶~のまま出₂かける 팔짱을 낀 채 나가다／~で遊₂び暮₂らす 아무 일도 하지 않고 놀고만 지내다.

ふとじ【太字】 ［名］ ①굵은 글씨. ↔細字₂₂. ②［印］ 고딕체.

ふとした【不図した】 ［連体］ 우연한；사소한. ＝ちょっとした. ¶~きっかけ 우연한 계기／~ことが原因₂₂で 사소한 일이 원인이 되어.

ふとっちょ【太っちょ】-totcho ［名］〈俗〉뚱뚱보（놀림조의 말）.

ふとっぱら【太っ腹】-toppara ［名⁴］도량이 큼；배짱이 큼.

ふとどき【不届き】 ［名⁴］①패덕(悖德)；패륜(悖倫)；괘씸함；못됨. ＝ふらち. ¶~者₂ 고약놈. ②고루 미치지 못함；부주의. ¶~で申し訳ありません 주의가 미치지 못해서 죄송합니다.

ふとぶと【太太】 ［副］ 매우 굵은 모양；굵직굵직.

ふとめ【太め】 ［名⁴］ (다른 것에 비하여) 굵은 편임；굵직함；굵은 듯함. ¶~に切₂る 약간 굵직하게 자르다. ↔細ぼめ.

ふとめ【太目】 ［名］ (편물에서) 굵게 짠 [뜬] 코；(직물에서) 굵은 발. ↔細目.

ふともも【太もも】【太股・太腿】 ［名］ 넓적다리；대퇴(大腿).

＊ふと━る【太る】【肥る】 ［五自］①살찌다. ¶まるまると~った人₂ 통통하게 살이 찐 사람. ↔やせる. ②재산 따위가 늘어나다. ¶財産₂₂が~ 재산이 붓다.

＊ふとん【布団】【蒲団】 ［名］이부자리；요；이불. ━を敷₂く [掛₂ける] 이불을 깔다(덮다). ━━むし [━蒸し] ［名］사형(私刑)의 하나로, 이불을 뒤집어 씌워서 괴롭히는 일.

ふな【鮒】 ［魚］ 붕어.

ぶな【橅・山毛欅】 ［名］〔植〕너도밤나무. ＝ぶなのき.

ふなあし【船足・船脚】 ［名］①배의 속도. ¶~が速₂い 배(의 속도)가 빠르다. ②흘수(吃水). ＝喫水₂₂. ¶~に荷₂を積₂む 흘수선에 닿도록 짐을 (가득) 싣다.

ふなあそび【舟遊び・船遊び】 ［名 ス自］ 뱃놀이；선유.

ぶない【部内】 ［名］ 부내；기관의 내부. ↔部外₂₂.

ふなうた【舟歌・船歌】【舟唄】 ［名］ 뱃노래. ＝さお歌.

ふなかた【船方・舟方】 ［名］ 선원；수부；뱃사공. ＝せんどう・船乗₂₂の・かこ.

ふなぐ【船具・舟具】 ［名］ 선구；노, 닻·키·돛 등 선박에 쓰는 기구. ＝せんぐ. ¶~商₂ 선구상.

ふなぐら【船蔵・船倉】 ［名］ ①배의 곳간. ②선고(船庫)；배를 물에 올려 넣어 두는 창고. ＝船小屋₂₂.

ふなこ【船子・舟子】 ［名］ 뱃사공. ＝船乗₂₂の・かこ. ②［고어]뱃사람.

ふなじ【船路・舟路】 ［名］ ①항로；뱃길. ②해로. ＝ふなのみ.

ふなぞこ【船底・舟底】 ［名］ 선저；뱃바닥. ＝せんてい.

ふなだいく【船大工・舟大工】 ［名］ 선장(船匠)；배를 만드는 목수.

ふなちん【船賃・舟賃】 ［名］ 선임；뱃삯.

ふなつき【船着き・舟着き】 ［名］ 선착장；선착. ＝ふなつきば.

ふなで【船出・舟出】 ［名 ス自］ 출범(出帆). ＝出船₂₂.

ふなどんや【船問屋・舟問屋】 ［名］ (江戸₂₂ 시대의) 해상 운송 업자（배를 소유하고 승객과 화물 수송을 업으로 한 자）.

ふなに【船荷・舟荷】 ［名］ 선하；뱃짐. ¶~証券₂₂ 선하 증권. 「しゅ.

ふなぬし【船主・舟主】 ［名］ 선주. ＝せん

ふなのり【船乗(り)・舟乗(り)】 ［名］ 선원；뱃사람. ＝船員₂₂・海員₂₂.

ふなばし【船橋・舟橋】 ［名］ 선교；배다리. ＝せんきょう. 「ふなべり.

ふなばた【船端・舟端】【舷】 ［名］ 뱃전. ＝

ふなびと【船人・舟人】 ［名］ ①승선자；배에 타고 있는 사람. ②뱃사람.

ふなびん【船便・舟便】 ［名］ 선편；배편. ¶~で送₂る 배편으로 보내다.

ふなべり【船べり・舟べり】【船縁】 ［名］ ☞ふなばた. 「蛆₂₂」

ふなむし【船虫】 ［名 動］ 갯강구. ＝海

ふなやど【船宿・舟宿】 ［名］ ①선박 운송업소. ②놀잇배나 낚싯배의 주선을 업으로 하는 집. 「뱃멀미.

ふなよい【船酔(い)・舟酔(い)】 ［名 ス自］ 뱃멀미.

ふなれ【不慣れ】【不馴れ】 ［名⁴］ 익숙하지 않음；서투름. ¶~な仕事₂ 서투른 일／~の土地₂ 낯선 땅.

＊ぶなん【無難】 ［名⁴ ナ］ 무난. ¶一生₂₂を~に過₂ごす 일생을 별탈 없이 지내다.

ふにあい【不似合(い)】 ［名⁴ ナ］ 어울리지 않음；잘 맞지 않음. ¶~な夫婦₂₂ 어울리지 않는 부부.

ふにおちない【腑に落ちない】 ［連語］ 납득이 가지 않다；이해할 수 없다.

ふにゃふにゃ funyafunya ［副 ス〕 부드러워 팽팽한 맛이 없는 모양；다부지지 못한 모양；흐늘흐늘；노글노글；흐느적흐느적. ¶~した性格₂₂ 줏대가 없는 성격／~するような惰₂ら 흐늘흐늘하게 굴다.

ふによい【不如意】-nyoi ［名⁴］①붙어의；생각대로 잘 되지 않음. ¶万端₂₂ ~ 만사가 여의치 않음. ②살림이 어려움；돈에 궁색함. ¶手元₂₂ ~ 준비된 돈이 없음.

ふにん【不妊】(不姙)【名】불임. ¶~症_{しょう} 불임증.

*ふにん【赴任】【名】【ス自】부임.

ぶにん【無人】【名】①사람 손이 모자람;인원수가 적음. ②사람이 없음.

ふにんじょう【不人情】-jō【名】인정이 없음;물인정. =薄情_{はくじょう}.

ふぬけ【腑抜け】【名】무기력한 사람;겁쟁이;정신 나간 사람;얼간이. ¶~になる 얼간이가 되다. ──は=いくじなし・こしぬけ.

ふね【船・舟】(舟)【名】①배. ¶~に乗_のる 배를 타다. ②(槽) 물·술 등을 넣는 상자 모양의 그릇. ¶湯船_{ゆぶね} 목욕통;욕조. ③(棺) 관(棺). ──を=こぐ 배를 저으면;전하여, 꾸벅꾸벅 졸다.

ふねん【不燃】【名】불연;타지 않음. ¶~性_{せい}フィルム〔住宅_{じゅうたく}〕 불연성 필름〔주택〕. =可燃_{かねん}.

ふのう【不能】-nō【名】①불능;불가능. ¶再起_{さいき}~ 재기 불능. ↔可能_{かのう}. ②무능. ¶人_{ひと}には能_{のう}~がある 사람에게는 능·무능이 있다.

ふのう【富農】-nō【名】부농. ↔貧農_{ひんのう}.

ふのり【布海苔・海蘿】【名】【植】청각채.

ふはい【不敗】【名】불패.

*ふはい【腐敗】【名】①【自】부패. ¶~菌_{きん} 부패균. ②~しやすい物_{もの} 부패하기 쉬운 것. 「매 운동.

ふばい【不買】【名】불매. ¶~運動_{うんどう} 불

ふはく【浮薄】【名】부박;천박하고 경솔함;경박. ¶軽佻_{けいちょう}~ 경조 부박.

ふばこ【文箱】(文箱)(雅)①문고(文庫);편지·문서 따위를 넣어 두는 손궤짝. ②문서케;편지를 넣어서 보내는 갸름한 함. =状箱_{じょうばこ}. ③책궤;책을 넣어 짊어지고 다니게 된 궤.

ふはつ【不発】【名】불발. ①탄약 따위가 폭발하지 않음. ¶~弾_{だん} 불발탄. ②비유적으로, 하려던 일이 되지 않음. ¶ストは~に終_おわる 파업은 불발로 끝나다.

ふばらい【不払(い)】【名】(대금 따위를) 지불하지 않음;미불(未拂). =ふ払_{ばら}い.

ぶばーる【武張る】【5自】①용맹한 사람처럼 행동하다. ②우락부락하여 세련된 맛이 없어 보이다.

ふび【不備】【名】불비;갖추지 않음. ¶~完備_{かんび}. ②편지 끝에 쓰는 불비례(不備禮)의 뜻;不具_{ふぐ}. =不具_{ふぐ}.

ぶびき【分引き・歩引き】【名】【ス自他】 와리삥구.

ふひつよう【不必要】-yō【ダ_ナ】불필요. =不要_{ふよう}.

ふひょう【不評】-hyō【名】평판이 나쁨;악평(惡評). =不評判_{ふひょうばん}. ¶~を買_かう 악평을 받다. ↔好評_{こうひょう}.

ふひょう【付表・附表】-hyō【名】부표;딸린 표;도표.

ふひょう【付票・附票】-hyō【名】부표;꼬리표. =つけふだ.

ふひょう【浮氷】-hyō【名】부빙;석얼음.

ふひょう【浮標】-hyō【名】부표;물에 띄워서 표지로 삼는 물건;부이. =ブイ.

ふひょう【譜表】-hyō【名】【樂】보표. =五線_{ごせん}ふ;譜表.

ふびょうどう【不平等】-hyō【ダ_ナ】불평등. ¶~条約_{じょうやく} 불평등 조약.

ふびん【不便・不憫・不愍】【名】불민;

처가 딱하고 가없음. ¶~な子_こ 불쌍한 아이 / ~なことをした 가없은 짓을 했다. 「ツ.

ぶひん【部品】【名】부품;부분품. =パー

ふひんこう【不品行】-kō【名】품행이 나쁨. =不身持_{ふみも}ち.

ふぶき【吹雪】【名】눈보라. ¶~を冒_{おか}して帰_{かえ}る 눈보라를 무릅쓰고 돌아가다.

*ふふく【不服】【名】불복. ¶~らしい顔_{かお} 납득이 안 가 불만스런 얼굴.

ふふん【嘻】(感) 콧소리를 내며 남의 말을 건성으로 듣거나, 가볍게 긍정할 때의 모양;흥흥.

ふぶん【不文】【名】불문. ①문자로 써서 나타내지 않음. ¶~の規則_{きそく} 불문의 규칙. ↔成文_{せいぶん}. ②「문장 모름」;또, 문장이 서투름. ──ほう【─法】-hō【名】☞ふぶんりつ①. =成文法_{せいぶんほう}. ──りつ【─律】【名】불문율. ①성문화되지는 않았으나, 관례상으로 인정된 법률(관습법·판례법 따위). =不文法_{ふぶんほう}. ↔成典律_{せいてんりつ}. ②비유적으로, 묵계(默契)되어 있는 규칙.

*ふぶん【部分】【名】부분. ¶~的_{てき} 부분적. ↔全体_{ぜんたい}. ──しょく【─食】(─蝕)-shoku【天】부분식. ──既食_{きしょく}. ──ひん【─品】【名】부분품. =部品_{ぶひん}・パーツ.

*ふへい【不平】【名】불평. =不満_{ふまん}. ¶~分子_{ぶんし} 불평 분자. ──を鳴_ならす 불평하다;투덜대다. ──を並_{なら}べる 불평을 늘어놓다. 「辱_{じょく}.

ぶべつ【侮蔑】【名】【ス他】모멸. =侮辱_ぶ

*ふへん【不変】【名】불변. ¶永久_{えいきゅう}~ 영구 불변 / ~資本_{しほん}【經】불변 자본. ↔可変_{かへん}. ──せい【─性】【名】불변성;영원성. ↔可変性_{かへんせい}. 「편 부당.

*ふへん【不偏】【名】불편. ¶~不党_{ふとう} 불

*ふへん【普遍】【名】보편. ¶~の真理_{しんり} 보편의 진리 / ~的_{てき}に認_{みと}められる真理 보편적으로 인정되는 진리. ↔特殊_{とくしゅ}. ──せい【─性】【名】보편성. ↔特殊性_{とくしゅせい}・個性_{こせい}. ──だとうせい【─妥当性】-tōsei【名】보편 타당성.

*ふべん【不便】【名】불편. ¶~をかこつ 불편함을 탓하다 / 携帯_{けいたい}に~である 휴대하기에 불편하다. ↔便利_{べんり}.

ふべんきょう【不勉強】-kyō【ダ_ナ】불면강;공부하지 않음.

*ふぼ【父母】【名】부모;ちちはは・両親_{りょうしん}. ¶~の国_{くに} 조국;고향 / ~の膝下_{しっか}を離_{はな}れる 부모의 슬하를 떠나다(a)유학(遊學)하다;(b)독립하다).

ふほう【不法】-hō【名】【ダ_ナ】불법. ¶~侵入_{しんにゅう}(監禁_{かんきん}) 불법 침입(감금). ──こうい【─行為】-kōi【名】불법 행위.

ふほう【訃報】-hō【名】부보;부고(訃告). =訃音_{ふいん}. ¶~に接_{せっ}する 부보에 접하다.

ふほんい【不本意】【名】본의가 아님. ¶~ながらそうする 본의는 아니나 그렇게 하다. ↔本意_{ほんい}.

ふまえる【踏(ま)える】【下1他】①밟아 누르다;힘차게 밟다. ¶鬼_{おに}を~えた四天王_{してんのう}の像_{ぞう} 귀신을 꽉 밟고 있는 사천왕의 상. ②근거로 하다. ¶立脚_{りっきゃく}하다. ¶証拠_{しょうこ}を~えて責_せめたてる 증거에 입각하여 몰아세우다.

적 ; 사적(私的). ¶～な問題뾺 사적인 문제. ↔パブリック. ▷private.

ブラインド 图 블라인드 ; 창문에 달아 별을 가리는 발문. =よろい戸ど. ▷blind.

ブラウンかん【ブラウン管】图【理】브라운 관. ▷Braun tube.

ブラカード 图 플래카드. =placard.

ぶらく【部落】图 부락 ; 촌락 ; 취락. = 集落ᘌゔ.

プラグ 图【電】플러그 ; 전기 회로를 접속 또는 단절하는 데 사용되는 전기 기구. =差込ᘓ (線ᘌ). ▷plug.

ぶらさが-る【ぶら下がる】⑤自 축 늘어지다 ; 매달리다〔손이 닿을 듯이 눈앞에 어른거리는 일에도 비유됨〕. ¶両手ᘓで木ᘓの枝ᘓに～두 손으로 나뭇가지에 매달리다 / 優勝ᘓᘓが目ᘓの前ᘓに～ 우승이 당장에 어른거리다.

ぶらさ-げる【ぶら下げる】①他①축 늘어뜨리다 ; 매달다. ¶胸ᘓに勲章ᘌゔを～ 가슴에 훈장을 달다. ②손에 들다. ¶酒ᘓを一升ᘌゔ～げて来ᘓた 술을 한 병 들고 왔다.

ブラシ 图 브러시 ; 솔. =はけ・ブラシュ. ¶洋服ᘌゔ～ 양복솔. ▷brush.

ブラジャー —jā 图 브래지어. ▷brassière.

ふら-す【降らす】⑤他 (비 따위를) 내리게 하다. ¶雨ᘓを～ 비를 내리게 하다 / げんこつの雨ᘓを～ 주먹 세례를 퍼붓다.

***プラス** 图 플러스. ⊟图⊠图 더하기 ; 보탬 ; 또, 그 기호(＋). ⊟图①정수(正數). ②(전기의) 양극 ; (성질의) 양성. ③ 정붙임 ; 이익 ; 흑자 ; 또, 유리한 점. ↔マイナス. ▷plus. ——アルファ -fa 图 플러스 알파 ; 얼마를 더하기 ; 또, 그러한 것. ¶三千円ᘌゔ～で妥結ᘌゔする 삼천 엔에 얼마를 더해서 타결짓다. ¶一일 ＋α, plus alpha. ——マイナス 图 플러스 마이너스. ①더함과 뺌 ; 가감(加減). ②差ᘌゔ引ᘓき고. ②영. =ゼロ. ▷일 plus minus.

プラスチック -chikku 图【化】플라스틱 ; 합성 수지. =プラスチック. ▷plastic.

ブラス バンド 图【樂】브라스 밴드 ; 취주 악단. ▷brass band.

プラタナス 图【植】플라타너스. =すずかけのき. ▷platanus.

フラ ダンス 图 훌라 댄스 ; 하와이 여자들의 엉덩이춤. =フラフラ(ダンス)・フラ・しりふりダンス. ▷hula dance.

ふらち【不埒】名ᗁ 발칙함 ; 괘씸함. = 不届ᘓᘓ. ¶～なやつだ 발칙한 놈이다 / ～を働ᘓく 괘씸한 짓을 하다.

プラチナ 图 플래티나 ; 백금(白金). ▷platina.

ぶら-つく ⑤自①휘청거리다. ¶足ᘓが～ 발이 휘청거리다. ②〈俗〉☞ぶらつく②.

ぶら-つく ⑤自①드리워져〔매달리어〕흔들거리다. ¶ひょうたんが～ 표주박이 흔들거리다. ②슬슬 거닐다 ; 어슬렁거리다. ¶公園ᘓᘓを～ 공원을 슬슬 거닐다. ③빈둥거리다. ¶大学ᘌゔを卒業ᘌゔゔしてまだ～いている 대학을 졸업하고 아직 빈둥거리고〔놀고〕있다.

ブラック -rakku 图 블랙. ①검음 ; 검

정 ; 흑색. ②커피에 아무것도 타지 않음 ; 또, 그런 커피. ③획이 굵은 글씨 · 활자. ▷black. ——マーケット -ketto 图 블랙마켓 ; 암시장. ▷black market. ——リスト 图 블랙리스트 ; 요주의 인물의 명부. ▷black list.

フラッシュ -rasshu 图 플래시. ①(사진의) 섬광(閃光). ¶～をたく 플래시를 터뜨리다 / ～を浴ᘓびる 플래시의 빛을 받다. ②【映】순간적 장면. ▷flash. ——バルブ 图 플래시 벌브 ; 섬광(閃光) 전구. ▷flash bulb.

フラット -ratto 图 플랫. ①【樂】반음을 내리는 기호 ; 내림표(♭). =変ᘓ記号ᘌゔ. ↔シャープ. ②(경기에서) 꽉이하의 우수리가 없음. ¶百ᘌゔメートルを十秒ᘌゔで～で走ᘓる 100 미터를 10초 플랫으로 달리다. ▷flat.

ふら-っと -ratto 剾 훌쩍 ; 문득. ¶頭ᘓが～する 머리가 핑 돌다 / 散歩ᘌゔのついでに～寄ᘓる 산책하는 김에 예고 없이 들르다.

***プラットホーム** puratto- 图 (정거장 따위의) 플랫폼. =プラットフォーム・ホーム. ▷platform.

フラッパー -rappa 图 플래퍼 ; 말괄량이 ; 왈가닥. =おてんば娘ᘌゔゔ. ▷flapper.

プラトニック -nikku ᗁ 플라토닉. ▷Platonic.

プラネタリウム -ryūmu 图 플라네타륨 (영사기로 둥근 천장에 천체의 운행 상황을 비춰 보이는 장치) ; 천상의(天象儀). ▷도 Planetarium.

ふらふら 剾①걸음이 흔들리는 모양 : 비트적비트적. ¶～した足ᘓどり 비트적거리는 발걸음. ②머리가 도는 모양 : 빙빙. ¶頭ᘓが～する 머리가 빙빙 돈다. ③힘없이 흔들리는 모양. ¶～に立ᘓち上ᘓがる 비슬비슬 일어서다. ④충분히 생각하지 않은 모양 : 얼떨결에. ¶つい～と始ᘓめてしまった 그만 얼떨결에 시작해 버렸다.

ぶらぶら 剾①매달려서 흔들거리는 모양 : 흔들흔들. ¶へちまが風ᘓに吹ᘓかれて～する 수세미외가 바람에 흔들려 흔들거린다. ②지향 없이 거니는 모양 : 어슬렁어슬렁. ¶海岸ᘌゔを～(と)歩ᘓく 해안을 어슬렁어슬렁 걷다. ③병으로 일이 없는 모양 : 빈둥빈둥 ; 빈둥빈둥. ¶家ᘓで～している 집에서 빈둥빈둥 놀고 있다.

ブラボー 國 브라보 ; 근사하다 ; 잘한다 ; 좋다 ; 만세. ▷bravo.

プラム 图【植】플럼 ; 서양 자두. 參考 매실(梅實)・살구・편도(扁桃) 등을 가리키기도 함. ▷plum.

プラモデル 图【商標名】플라스틱의 부품을 조립하여 만드는 자동차 따위의 모형 ; 또, 그 세트(set)〔プラスチックモデル의 준말〕. ▷일 Plamodel.

ふらり 剾《흔히 'と'를 수반하여》①☞ふらふら. ¶～と倒ᘓれかかる 휘청거리며 넘어지려 하다. ②예고 없이 오거나, 나가거나, 나타나는 모양 : 훌쩍 ; 불쑥. ¶～と外出ᘓᘓする 훌쩍 외출하다.

ぶらり 剾①매달려 있는 모양 : 대롱대롱. ¶へちまが～と垂ᘓれ下ᘓがっている 수세미외가 대롱대롱 매달려 있다.

②빈둥거리며 노는 모양；빈둥빈둥. 手持ぢぶさたで〜としている 아무것도 하는 것 없이 빈둥거리고 있다.

ふられる〖振られる〗[連語] ☞ふる(振)⑦.

フラワー [名] 플라워；꽃. 〜デザイン 플라워 디자인；꽃을 사용한 장식. ▷flower.

ふらん [孵卵]〖孵卵〗[名] [ス自他] 부란；알을 깜〔까게 함〕；부화.

ふらん [腐乱]〖腐爛〗[名] [ス自] 부란；썩어 짓무름. [注意] '腐乱'으로 씀은 대용한자.

フラン 〖法〗[名] 프랑(프랑스·스위스·벨기에의 화폐 단위). ▷프 franc.

プラン [名] ①계획；안(案). 〜を練る 계획을 짜다. ②설계도；평면도. ③방식；…식(式). ▷ダルトン 〜 돌턴 플랜. ▷plan.

ブランク [ダナ] 블랭크；공백；공란；비유적으로, 미경험. ▷blank.

プランクトン [名] 플랑크톤. =浮遊生物ぷゆうせいぶつ. ▷plankton. 「しゅうせん.

ぶらんこ 〖鞦韆〗[名] 그네. =ふらここ；

フランス 〖仏蘭西〗[名] [地] 프랑스. France. 〜かくめい 〖—革命〗[名] [史] 프랑스 혁명(1789-99). 〜ご 〖—語〗[名] 프랑스어.

フランチャイズ -chaizu [名] 프랜차이즈；〖野〗직업 야구단의 본거지(에서의 흥행권). =ホームグラウンド. ▷franchise.

ブランデー [名] 브랜디. ▷brandy.

ブランド [名] 브랜드；상표. =銘柄めいがら. ▷brand.

プラントゆしゅつ 〖プラント 輸出〗-shutsu [名] 플랜트 수출；공장 시설이나 기계 설비 일습의 수출. ▷plant.

フランネル [名] 플란넬；방모사(紡毛絲)로 짠 털이 보풀보풀한 모직물. =ネル. ▷flannel.

ふり [振り]〖振り〗[名] ①흔듦. 〜が大きい 흔드는 품이 크다. ②춤의 동작；또 배우가 무대에서 하는 동작. 〜をつける 안무(按舞)하다. ③단골이 아니고 뜨내기임. 〜の客きゃく 뜨내기 손님.

ふり [風·振り]〖名〗①모습；꼴；차림새；거동；…なり·姿すがた·振ふる舞まい. 〜なり〜かまわず 주제꼴을〔차림새를〕보지 않고 / 変かな〜をする 이상한 행동을 하다. ②체. 〜知しらない〜をする 모르는 체하다.

ふり [不利]〖名〗불리；불이익. 〜な条件じょうけん 불리한 조건 / 〜を招まねく 불이익을 초래하다.

-ふり 〖口·振り〗칼의 수를 세는 말；…자루. 〜〜いっぷりの刀かたな 한 자루의 칼.

ぶり 〖鰤〗[魚] 방어. 〜寒かん 겨울에 잡힌 방어.

-ぶり 〖振り·風〗①〖名詞나 動詞連用形에 붙음〗모습；모양；태도；방식. 〜枝えだ〜 가지의 모양 / 勉強べんきょう〜 공부하는 모양〔태도〕/ 営業えいぎょう〜 영업 방식. ②〖시간의 경과를 나타내는 말에 붙어〗…만에. 三年ねん〜に会あった 삼 년 만에 만났다.

ふりあい [振(り)合い·振合]〖名〗(비교해 본 때의) 균형；걸맞음. 向むこうとの〜でこちらも減へらそう 저쪽과의

균형상 이쪽도 줄이자.

ふりあ-う [振(り)合う]〖五自〗서로 흔들다. 手てを·〜って別わかれる 손을 마주 흔들며 헤어지다.

ふりあお-ぐ [振り仰ぐ]〖五自〗쳐다보다；우러러보다. 山頂さんちょうを〜 산정을 쳐다보다.

ふりあ-げる [振(り)上げる]〖下1他〗치켜들다；번쩍 올리다. こぶしを〜 주먹을 치켜 올리다.

ふりあて [振(り)当て]〖名〗할당；배분.

ふりあ-てる [振(り)当てる]〖下1他〗할당하다；나눠 맡기다；떼어 맡기다.

フリー [名] [ダナ] 프리. ①자유로움. ②'프리랜서'인 상태. ③무료임；무세(無税)임. ▷free. —スタイル [名] 프리 스타일；(수영·레슬링 등에서의) 자유형. ▷free style. —パス [名] 프리 패스. ①무료 승차(입장)권. ②(시험 따위에서) 무조건 통과〔합격〕함. ▷free pass. —バッティング -battingu [名] 〖野〗프리배팅；자유롭게 하는 타격 연습. 일 free batting. —ランサ [名] 프리랜서；자유 계약에 의한 고용자；또, 전속이 아닌 예능인. ▷free lancer. 「sia.

フリージア [名] [植] 프리지어. ▷free-

ふりうり [振(り)売り]〖名〗[ス自] (소리치며 다니는) 도붓장수；행상.

ふりえき [不利益]〖名〗불이익；불리；손해. =損そん. 〜をこうむる 손해를 입다. ↔利益りえき.

ふりおと-す [振り落とす]〖五他〗①흔들어 떨어뜨리다. ②불합격시키다；떨어뜨리다. =篩ふるい落おとす. 試験しけんで〜 시험에서 떨어뜨리다.

ふりおろ-す [振り下ろす]〖五他〗(치켜들었던 것을) 내리치다.

ふりかえ [振替]〖名〗대체(對替). ①[振(り)替え] 엇바꿈. 〜がきく 대체할 수가 있다. ②[郵便振替ゆうびんふりかえ]의 준말. ③[商] 부기에서 어떤 계정 과목(計定科目)에 기재된 사항을 다른 계정 과목으로 옮기는 일. —ちょきん [—貯金] -chokin [名] 대체 저금〔'郵便振替貯金ゆうびんふりかえちょきん'의 준말〕.

ふりかえ-す [ふり返す]〖振り返す〗[五自] ①(병이) 도지다；(날씨 등이) 다시 악화되다. 無理むりをして病気びょうきが〜 무리해서 병이 도지다 / 暑あつさが〜 다시 더워지다. ②재차 문제화되다；다시 말썽이 되다. 紛争ふんそうが〜 분쟁이 재연되다.

ふりかえ-る [振(り)返る]〖五他〗(뒤를) 돌아다보다；회고하다. 思おもわず〜 무심코 뒤돌아보다 / 過去かこを〜 과거를 돌이켜 보다.

ふりか-える [振(り)替える]〖下1他〗잠시 다른 것과 바꾸어 쓰다；유용하다；대체(對替)하다. 被服費ひふくひを旅費りょひに〜 피복비를 여비로 대체하다.

ふりかか-る [降り懸(か)る]〖五自〗①몸에 내려 덮이다. 雪ゆきを払はらう 쏟아져 내리는 눈을 떨다 / 火ひの粉こが〜 (몸에) 불통이 튀어 앉다. ②나쁜 일이 신상에 일어나다〔덮치다〕. 身みに災難さいなんが〜 신상에 재난이 덮치다.

ふりか-ける [振(り)掛ける]〖下1他〗뿌

リ다;끼었다.　¶塩_{しお}を～·けて食^たべる 소금을 뿌려서 먹다.

ふりかざ-す【振りかざす】【振(り)翳す】⑤他 머리 위로 번쩍 쳐들다;비유적으로, (주의·주장 등을) 내세우다.

ふりかた【振り方】图①흔들는[휘두르는] 법. ②『身^みの～』처신. 『身^みの ～に困ずる 처신이 난처하다.

ふりがな【振り仮名·振りがな】图 한자 옆에 읽는 법을 仮名^{かな}로 단 것.

ふりかぶ-る【振りかぶる】【振り被る】⑤他 (머리 위로) 크게 휘둘러 올리다. 『木刀^{ぼくとう}を～목도를 머리검을 머리 위로 쳐들다.

ブリキ【錻力】图 생철;양철. 『～屋^や 생철장이. ▷네 blik.

*ふりき-る【振り切る】⑤他①押^おさえた手^てを～ 잡은 손을 뿌리치다. ②〈俗〉뒤쫓아 오는 것을 끝내 떼쳐 이기다. 『急追^{きゅうつい}を～ 맹렬한 추적을 떼쳐 버리다.

ふりこ【振子】图『전자;흔들이. =しんし.　**――どけい【――時計】**图 추시계;진자시계.

ふりこう【不履行】-kō 图 불이행. 『契約^{けいやく}～ 계약 불이행.

ふりこ-む【振り込む】⑤他①흔들어넣다. 『スープにこしょうを～ 수프에 후춧가루를 치다. ②(대체 계좌 등에) 불입(拂入)하다. ②(마작에서) 자기가 내놓은 패로서 상대방이 득점을 하게 하다.

ふりこ-む【降り込む】⑤自 (비·눈이) 들이치다. 『雨^{あめ}が窓^{まど}から～ 비가 창으로 들이치다.

ふりこ-める【降り込める·降り籠める】⑦下一他 비나 눈이 몹시 와서 나들이를 못하게 하다. 『山^{やま}で大雨^{おおあめ}に～·められた 산에서 큰비로 갇혔다.

ふりしき-る【降りしきる】【降り頻る】⑤自 (눈·비가) 계속해서 몹시 오다. 『～雨^{あめ}の中^{なか} 내리 퍼붓는 빗속.

ふりしぼ-る【振り絞る】⑤他 (목소리·힘·재능을) 최대한으로 쥐어짜다. 『声^{こえ}を～ 목소리를 쥐어 짜내다／力^{ちから}を～ 있는 힘을 다 내다.

ふりす-てる【振り捨てる】⑦下一他 뿌리쳐 버리다;내동댕이치다;사정없이 버리다. 『妻子^{さいし}を～·てて外国^{がいこく}に行^ゆく 처자를 뿌리치고 외국으로 가다.　▷prism.

プリズム【名】【理】프리즘. =分光器^{ぶんこうき}.

ふりそそ-ぐ【降り注ぐ】⑤自 (비가) 내리 쏟다．(볕뜨이) 쏟아지다;(햇빛이) 내리쬐다;비유적으로, 내리부었다. 『非難^{ひなん}の声^{こえ}が～ 비난의 소리가 빗발치듯 하다／雨^{あめ}でびしょぬれになった 내리쏟는 비로 흠뻑 젖다.

ふりそで【振りそで】【振(り)袖】图 겨드랑 밑을 꿰매지 않은 긴 소매;또, 그런 소매의 일본 옷(주로 미혼 여성의 예복). =振り^ふ.

ふりだし【振出し】图①(쌍륙의) 출발점. ②(사물의) 출발. 『人生^{じんせい}の～ 인생의 첫 출발』(물뜨이) ～に戻^{もど}る 출발점으로[처음 상태로] 되돌아오다. ②【振出】(수표·어음의) 발행. ③『振り出し薬^{ぐすり}』의 준말.　**――きょく【振出局】**

-kyoku 图 (수표·어음의) 발행국(局).

――ぐすり【振り出し薬】图 작은 주머니에 넣고 열탕(熱湯)에서 흔들어 성분을 우려 내어 복용하는 약제;침제(浸劑).　**――にん【振出人】**图 발행인.

ふりだ-す【振(り)出す】⑤他①흔들어 뽑다[내놓다]. 『くじを～ 제비를 흔들어 뽑다／さいころを～ 주사위를 흔들어 굴리다. ②(어음·수표 등을) 발행하다;떼다. 『振り出し薬^{ぐすり}를 뜨거운 물에 넣고 흔들어서 성분을 우려내다. ④출발하다;시작하다.

ふりだ-す【降り出す】⑤自 내리기 시작하다. 『雨^{あめ}が～ 비가 오기 시작하다.

ふりつ【府立】图 부립;부에서 설립함. 『～病院^{びょういん} 부립 병원.

ふりつけ【振(り)付け·振付】图 안무(按舞);안무가(家). 『～師^し 안무가.

ブリッジ -rijji 图 브리지. 『①함선(艦船)의 선교(船橋);함교(艦橋). ②다리. ③다리처럼 건너지른 것. 『안경의 원산(遠山). ②【医】이의 금관(金冠)을 물리기 위해 다리처럼 걸친 장치. ④카드놀이의 한 가지. ⑤(레슬링에서) 머리와 발로 몸을 지탱하여 폴을 막는 일. ▷bridge.

ふりつも-る【降り積(も)る】⑤自 (눈이) 내려 쌓이다. 『～雪^{ゆき}で交通^{こうつう}がとだえた 내려 쌓이는 눈으로 교통이 두절되었다.

ふりはな-す【振(り)放す】⑤他 뿌리치다;뿌리쳐 떼다;냅다 떨치다. =ふりすてる·ふりきる. 『手^てを～て逃^にげる 손을 뿌리치고 도망치다.

ぶりぶり 圖①만지면 튈 듯이 탄력이 있는 모양;몹시 살찐 모양. 『～(と)ふとった体^{からだ}뚱뚱한 몸집／こんにゃくは～している 곤약(蒟蒻)이 탱탱하다. ②싱싱한 모양. =ぴちぴち. 『～した魚^{さかな} 싱싱한 생선. ③몹시 성난 모양. =ぷりぷり. 『～(と)怒^{おこ}っている 잔뜩 골을 내고 있다.

ふりま-く【振りまく】【振(り)撒く】⑤他①(물을) 흩뿌리다;(물을) 뿌리다／あいきょうを～ 마구 애교를 떨다／金^{かね}を～ 돈을 마구 뿌리다.

プリマドンナ 图 프리마 돈나;가극의 여주인공 역;인기 있는 여성. ▷prima donna.

ふりまわ-す【振り回す】⑤他①휘두르다. ⑦회휘둘리다. 『ステッキを～ 단장을 휘두르다. ⑥남용하다. 『権力^{けんりょく}を～ 권력을 휘두르다. ②자랑해 보이다. 『知識^{ちしき}を～ 지식을 자랑해 보이다.

ふりみだ-す【振り乱す】⑤他 마구 흩트리다. 『髪^{かみ}を～ 머리를 흩트리다.

*ふりむ-く【振り向く】⑤自 (뒤) 돌아보다. 『こちらを～·きもしないで立^たち去^さる 이쪽을 돌아다보지도 않고 떠나다.

ふりむ-ける【振り向ける】⑦下一他 돌리다. 『①전용(轉用)하다;유용(流用)하다. 『学費^{がくひ}に～ 학비로 돌려 쓰다. ②돌아보게 하다. 『顔^{かお}を～ 얼굴을 돌리다.

プリムラ 图【植】프리뮬러;앵초초(洋

櫻草). ⇒桜草じら ▷primula.

ふりょ【不慮】-ryo 图 의외；뜻밖. =不測じら. ¶～の災難ぶ 뜻밖의 재난.

ふりょ【俘虜】-ryo 图 부로；포로(捕虜). =とりこ. ¶～収容所じら 포로 수용소.

*ふりょう【不良】-ryō 图② 불량；불량자. ¶栄養じら～ 영양 불량／～品ひら 불량품／少女じら～ 불량 소녀／～を働はたら 불량한 짓을 하다. ↔善良じら・良好じら. ─どうたい【─導体】图 불량 도체. =良導体じら. 「잡힘」

ふりょう【不猟】-ryō 图 (사냥에서) 안

ふりょう【不漁】-ryō 图 흉어(凶漁). ↔大漁じら・豊漁じら.

ふりょう【無聊】-ryō 图 무료；심심함. =退屈じら・つれづれ. ¶～をなぐさめる 무료함을 달래다；파적(破寂)하다.

ふりょく【浮力】-ryoku 图【理】부력.

ふりょく【富力】-ryoku 图 부력；재력(財力).

ぶりょく【武力】-ryoku 图 무력；병력. ¶～を行使じらする 무력을 행사하다.

ふりわけ【振り分け・振分け】图①배분(配分)；(도로) 나눔；가름. ¶～にする 짐을 어깨 앞뒤로 나누어 메다. ②「振分け髪じら」「振分け荷物じら」の 준말. ─がみ【─髪】图 양쪽으로 갈라 늘어뜨린 아이의 머리. =はなちがみ. ─にもつ【──荷物】图 (길을 떠날 때 따위에) 앞뒤로 갈라 끈으로 매어 어깨에 걸쳐 멘 짐.

ふりわける【振り分ける】下1他①나누다；가르다. ⑦반씩 가르다. ¶髪じらを真中じらから～ 머리를 한가운데서 가르다〔가르따마따〕. ④할당(배분)하다. ¶公平じらに～ 공평하게 배분하다. ②짐을 어깨 앞뒤로 나누어 메다.

ふりん【不倫】图 불륜. =非倫じら. ¶～の恋じら 불륜의 사랑.

プリンス 图 프린스；왕자；황태자；공작. ↔プリンセス. ▷prince.

プリンセス 图 공주；왕비；왕자(황태자)비；왕비；공작(公爵) 부인. ↔プリンス. ▷princess.

プリント 图⊠他①프린트. ①인쇄(물). ②(영화의) 음화로부터 양화를 인화(印畵)하는 일；또, 그렇게 한 필름. (사진의) 인화. ③날염(捺染). ¶～の服地じら 날염한 옷감. ▷print.

*ぶる【振る】国他①흔들다. ¶手てを～ 손을 흔들다／面じらを～・らず 열도 쳐다보지 않고. ②흔들어 휘두르다. ¶バットを大振おおぶりに～ 배트를 크게 휘두르다. ③흔들어서(달여서) 우려 내다. ¶茶ちゃを～ 차를 우려 내다. ④흔들어서 던지다. ¶さいころを～ 주사위를 던지다. ⑤흔들어서 뿌리다. ¶料理じらに塩しおを～ 요리에 소금을 치다. ⑥날리다；잃다；버리다. ¶百万円じらを棒ぼうに～ 백만 엔을 날리다／試験じらを～ 시험을 포기하다. ⑦뿌리치다；거절하다；퇴짜 놓다. ¶女じらに～・られる 여자에게 채이다／男じらを～ 남자를 퇴짜 놓다. ⑧(여음·챠표 등을) 메다；할당하다. ¶振ふり出だす～ 나누다；할당하다. ⑨役やくを～ 역을 할당하다. ⑩(음을) 달다. ¶かなを～ 仮名じらで음을 달다.

*ふーる【降る】国自 (비·눈·서리 따위가) 내리다；오다. ¶雪じらが～ 눈이 내리다. ──って湧わく 느닷없이 나타나다. ¶～ってわいたような話じら 느닷없이 나온 운 좋은 이야기. ──ほど 대단히 많음. ¶満天じら～ほどの星ほしが하늘에 그득한 별.

ふる【古】(旧) 图《특히,「おふる」의 꼴로》한번 남이 쓴 것；고물. =おさがり. ¶父ちちのお～をもらう 아버지가 쓰던 것을 물려받다.

フル 图 풀；충분함；'온, 전(全)'의 뜻. ¶時間じらを～につかう 시간을 최대한으로 활용하다. ▷full. ──サイズ 图 풀 사이즈. ①축소하지 않은 보통 치수. ②35 mm 카메라 화면의 보통 치수. ↔ハーフサイズ. ▷full size. ──スピード 图 풀스피드；전속력. ¶～で走はしる 전속력으로 달리다. ▷full speed. ──ネーム 图 (서양 사람의) 풀 네임. ▷full name. ──ベース 图【野】풀 베이스；만루. ▷full base.

ふる- 【古】(旧)①낡음；헌 것. ¶～新聞じら 헌 신문. ②나이가 들어 경험을 쌓은. ¶～つわもの 역전의 용사；베테랑. ③이전에 그 상태에 있었던. ¶～巣す 예전 보금자리.

ぶる【振る】□接尾《名詞나 形容詞의 語幹 등에 붙어서 五段活用 動詞를 만듦》(짓짓)…인 체하다；…연(然)하다. ¶えら～ 잘난 체하다. □国自 잘난 체하다；뽐내다. =勿体ぶる・気どる. ¶彼かれはどこか～ところがあっていやだ 그는 어딘지 체하는 데가 있어서 싫다.

*ふるい【古い・旧い】形 ①故いとも도. ⑦헐다. ¶友人じらと～ 오래된 친구／机つくえ 헌 책상. ④옛일이다. ¶～話じら 옛 이야기. ②신식이 아니다；신선하지 않다；낡다. ¶頭あたまが～ 머리가 구식이다／君きみの考かんがえは もう～ 너의 생각은 이미 낡았다. ↔新あたらしい.

ふるい【篩】图 체. ─にかける 체로 치다；체질하다(우수한 것만을 가려내는 뜻으로도 쓰임).

ふるい【震い】图 떨림. ¶～が止とまらない 떨리는 것이 멈추어지지 않는다.

ぶるい【部類】图 부류.

ふるいおこ-す【奮い起こす】国他 분기시키다；분발하게 하다；불러 일으키다. ¶気力じらを～ 기력을 불러 일으키다.

ふるいおと-す【ふるい落とす】国他①(篩落す)체로 쳐서 떨어뜨리다；전하여, 나쁜 것을 제거하다. ¶受験者じらの半分じらを～ 수험자의 반수를 떨어뜨리다. 「다；분발하다.

ふるいた-つ【奮い立つ】国自 분기하다

ふるいつ-く【奮いつく・震い付く】国自①(확 덤벼들어) 껴안다. =武者じらぶりつく. ¶～きたいような美人じら 확 껴안고 싶어지는 미인. ②심하게〔덜덜〕떨리다.

*ふる-う【奮う】国自①떨치다；용기를 내다. ¶士気じら大いに～ 사기가 크게 떨치다. ②商売じらが～・わない 장사가 시원찮다〔부진하다〕／成績じらが～・わない 성적이 부진하다. ③('～って'의 꼴로) 자

진〔발발〕하여. ¶~って参加ᇂ세よ
분발〔자진〕하여 참가하라. ⇨奮ᇂって.

*ふる-う【振(る)う】⑤他①털다. ¶す
そを~って立つ 옷자락을 털고 일어
서다. ②〔揮う로도〕 휘두르다. ¶筆
ᇂ을 ~ 붓을 휘둘러 쓰다;남을 위해
글·문장을 쓰다／腕ᇂを~ 솜씨를〔능
력을〕 발휘하다. ③떨치다. ¶猛威ᇂ
を~ 맹위를 떨치다. ⇨振るった·振
るっている.

ふる-う【篩う】⑤他①(체로) 치다. ¶
砂ᇂを~ 모래를 체로 치다. ②선발하
다;추리다. ¶まず書類選考ᇂで~
우선 서류 전형으로 추려내다.

ふる-う【顫う】〔顫う〕⑤自 흔들리다.
①떨리다. ¶体ᇂが~ 몸이 떨리다.
②(대지가) 진동하다.

ブルー 图 블루;청색. ▷ blue. ──カ
ラー 图 블루칼라;공원;생산 노동자.
↔ホワイトカラー. ▷미 blue-collar
worker. ──バード 图 블루 버드. ①(북
미산의) 파랑새. ②행복. ▷blue bird.

ブルース 图【樂】 블루스. ▷blues.

フルーツ 图 프루츠;과일. ¶~カクテ
ル 프루츠 칵테일. ▷fruits. ──パー
ラー 图 프루츠 팔러〔과일 가게를 겸
한 다방〕. ▷미 fruits parlor.

フルート 图【樂】 플루트. =フリュー
ト. ▷flute.

ブルーマ 图 블루머(여자·어린이의 아
랫도리 속옷). =ブルマ·ブルーマー·
ブルーマース·ブルマー. ▷bloomers.

ふるえあが-る【震え上がる】⑤自 (추
위·공포 따위로) 부들부들 떨다.

ふるえごえ【震え声】图 떨리는목소리.

*ふる-える【震える】①下一自~
떨리다;진동하다. ¶爆音ᇂで窓ᇂガ
ラスが~ 폭음으로 창유리가 흔들리
다／寒ᇂさで~ 추위에 떨리다／声ᇂが
~ 목소리가 떨리다.

ふるがお【古顔】图 고참. =古株ᇂ.
¶~になる 고참이 되다. ↔新顔ᇂ.

ふるかぶ【古株】图①묵은 뿌리(그
루). ②고참. =古顔ᇂ.

ふるぎ【古着】图 헌 옷;남은 옷. =ふ
るて. ¶~をまとう 남은 옷을 입다.

ふるきず【古傷】图①오래된 상처. ¶
額ᇂの~ 이마의 옛 상처.
↔生傷ᇂ. ②비유적으로, 과거의 감
춰 둔 죄 또는 과실;구악(舊惡). ¶~
を暴ᇂき立たてる 구악을 폭로하다.

ふるく【古く】副 옛날;오랫동안;아주
이전부터. ¶~からの友人ᇂ 오랜 친
구／~から知ᇂっている 예전부터 알
고 있다.

ふるくさ-い【古くさい·古臭い】形①
심히 낡다. ¶~机ᇂ 낡은 책상. ②케
케묵다;신선미가 없다. ¶~考ᇂえ
케케묵은 생각.

ふるさと《古里·故里·故郷》图 ①고
향. =郷里ᇂ. ¶心ᇂの~ 마음의 고
향. ②〈古〉예전에 살던 곳. ¶〈古〉오
래되고 황폐한 고장.

ブルジョア【-joa】图 부르주아. ↔プロ
レタリア. ▷프 bourgeois.

ブルジョアジー【-joaji】图 부르주아지;
자본가 계급. =ブル. ↔プロレタリア
ート. ▷프 bourgeoisie.

ふるす【古巣】图①옛 보금자리. ②옛

집. ¶~にもどる 옛 집〔직장〕에 되돌
아오다.

ふるだぬき【古だぬき】【古狸】图 늙
은너구리(같은 사람);능구렁이. =古ᇂ
ぎつね.

ふるった【振るった】-rutta 連体 색다
른;기발한. ¶~意見ᇂが 기발한 의
견이다.

ふるって【ふるって·奮って】-rutte 副
①진발해서;자진해서. ¶~応募ᇂす
る 분발〔자진〕해서 응모하다. ②기운
을 내서. ¶事ᇂに当たる 기운을 내어
일에 대처(對處)하다.

ふるっている【振るっている】furutte-
連語 색다르다. 기발하다. ¶言ᇂうこ
とが~ 말하는 것이 색다르다.

ふるつわもの【古つわもの】【古兵·古強
者】图 역전(歷戰)의 용사;전노병;그
방면에 경험·연공을 쌓은 사람;노련
한 사람. =ベテラン.

ふるて【古手】图①낡은 것;헌(헌 옷,
도구). ¶~屋ᇂ 헌 옷 장수 ／~の道具
ᇂ 낡은 도구. ②한 직업에 오래 종사
한 사람;고참. =古顔ᇂ. ↔新手ᇂ. ③
낡은 수단·방법. ↔新手ᇂ.

ふるどうぐ【古道具】-dōgu 图 낡은 가
재 도구;고물. ¶~屋ᇂ 고물상.

ブルドーザー 图 불도저. ▷bulldozer.

ブルドッグ【-doggu】图【動】 불독. ▷
ブルドック·ブル. ▷bulldog.

プルトニウム【-nyūmu】图【化】 플루토늄
(방사성 원소의 하나). ▷plutonium.

ふるなじみ【古なじみ】【古馴染(み)】图
오래 전부터 친한 사이;오랜 친구.
=昔ᇂなじみ.

ふる-びる【古びる】(旧びる)①下一自 낡
다;헐다. ¶~びた家ᇂ 낡은 집.

ぶるぶる 副 추위·두려움으로 떠는 모
양;벌벌;부들부들. ¶恐ᇂろしくて~
(と)ふるえる 무서워서 벌벌 떨다.

ふるぼ-ける【古ぼける·古呆ける·古
惚ける】下一自 낡아서 퇴색하다(더럽
워지다〕. ¶~けた帽子ᇂ 낡아빠진
모자.

ふるほん【古本】图 헌 책.

ふるまい【振舞】【振(る)舞い·振舞】
图①행동;거동;행동 거지. =しわざ.
¶軽率ᇂな~をするな 경솔한 행동을
하지 마라. ②대접;향응. =もてな
し. ¶~酒ᇂ 대접하기 위한 술.

ふるま-う【振舞う】【振(る)舞う】㊀
⑤自 행동하다. =行ᇂなう. ¶我ᇂがま
まに~ 제멋대로 행동하다. ㊁⑤他 대
접하다;향응하다. =もてなす. ¶酒ᇂ
を~ 술을 대접하다.

ふるめかし-い【古めかしい】-shī 形 예
스럽다. ¶~仏像ᇂ 고풍스러운 불상.

ふるもの【古物】图 고물;헌것(특히,
헌 옷가지와 가재 도구). =こぶつ. ¶
~店ᇂ〔屋ᇂ〕 고물전.

ふる-わせる【震わせる】下一自 떨(게
하)다;진동시키다. =ふるわす. ¶怒ᇂ
りに体ᇂを~ 노여움으로 몸을 떨다.

ふれ【触れ·触れ】【布令】图 일반에게
널리 알림;또, 그 문서;포고(布告)·
고시. =触ᇂれ書ᇂ·触ᇂれ文ᇂ. ¶~
～が出ᇂる (정부의) 고시가 나오다.

ふれあ-う【触(れ)合う】⑤自 맞닿다;
(서로) 스치다;접(촉)하다. ¶唇ᇂと

唇が～ 입술과 입술이 맞닿다(맞추다).

ぶれい【無礼】〔名ダ〕 무례; 실례(失體). =ぶしつけ. ¶～者も 무례한 놈[자]. ——こう【——講】-kō〔名〕 신분이나 지위의 상하를 가리지 않고 마음놓고 즐기는 주연(酒宴).

フレー 후레이(격려·응원의 소리). =フラー. ▷hurray.

プレー〔名〕プレー. ①경기(의 기술). ¶ファイン～ 파인플레이／フェア～ 페어플레이. ②「プレーボール」의 준말. ③연극; 연기. ¶珍たな一 진기(珍技). ▷play. ——オフ〔名〕 플레이오프; (골프·프로 야구등의) 우승 결정전. =play off. ——ボーイ〔名〕 플레이보이. playboy. ——ボール〔名〕 ①(구기에서) 경기 개시(의 선언). ↔ゲームセット. ②play ball.

*__ブレーキ__ 브레이크; 제동(기). ¶～がきかない 브레이크가 듣지 않다／民主化なの～になる 민주화의 장애가 되다. ▷brake.

フレーク〔名〕 플레이크; 얇게 자른[으깬] 조각. ¶コーン～ 콘 플레이크. flake.

フレーズ〔名〕 프레이즈; 단어의 모임; 구(句) 관용구; 성구(成句). =フレーズ. ▷phrase.

プレート〔名〕 플레이트. ①(금속)판. ——ネーム～ 명찰; 명패. ②진공관의 양극(陽極). ③사진의 건판(乾板). ④〔野〕 본루 또는 투수판. ¶～を踏むた 플레이트를 밟다. ▷plate.

フレーム〔名〕 프레임. ①틀; 테두리. ②〔農〕 틀을 짜서 만든 온상; 묘상(苗床). ▷frame.

プレーヤー〔名〕 플레이어. ①경기자. 연주자. ②레코드 플레이어. ▷player.

ふれがき【触れ書き・触れ(れ)書】〔名〕 고시문(告示文); 방문(榜文); 포고문. =触れ状ジャ・触れ状.

ふれこむ【触れこむ・触れ(れ)込む】〔五他〕 (미리) 말을 퍼뜨리다; 선전하다. ¶おもしろい見世物だと～ 재미있는 구경거리라고 선전하다.

プレス〔名スル他〕 ①판금 기계(板金機械)·압축기(壓縮機) 등의 공작기계. ②(간행) 출판; 신문. ¶～クラブ 프레스 클럽(신문 기자 구락부). ③다리미질. =プレッシング. ▷press.

ブレスト〔名〕 브레스트. ①가슴. ②「ブレストストローク」의 준말. =breast. ——ストローク〔名〕 개구리 헤엄. =平泳ぎまた. ▷breaststroke.

プレゼント〔名スル他〕 프레젠트; 선사; 선물. ▷present.

ふれだいこ【触れ太鼓】〔名〕 씨름판이 시작되는 전날에 북을 치며 대전표를 든 소리로 외치면서 시내를 돌아다니는 일.

ふれだし【ふれ出し・触れ(れ)出し】〔名〕 미리 선전하는 일; 또, 그 소문. =触れ(れ)込み. ¶彼たは小説家でとという～であった 그는 소설가로 선전되어 있었다.

フレッシュ -resshu〔名ダ〕 프레시; 신선함; 참신함. ¶～ジュース（과일에서 짠）신선한 주스／～な文学がょう 참신한

문학. ▷fresh. ——マン〔名〕 프레시맨; (대학의) 신입생; 신인; 신입 사원. ▷freshman. ▷prefab.

プレハブ〔名〕 프리패브; 조립식 주택. ▷prefab.

プレパラート【生】 프레파라트(현미경 관찰용의 표본). ▷도 Präparat.

プレビュー -byū〔名〕 프리뷰; 영화 시사회; 연극 시연회. ▷preview.

ふれまわる【触れ回る】〔五自〕 ①말을 퍼뜨리며 다니다. ¶息子むすこのことを～ 아들 자랑을 하며 다니다. ②포고문을 전하며 다니다; 알리며 다니다.

プレミアム 프리미엄. ①수수료; 권리금. ②유가 증권의 액면과 그 이상의 매매 가격과의 차액. =打歩ちょうぶ. ③(입장권 등의) 할증금; 웃돈. =プレミア. ▷premium.

プレリュード -ryūdo〔名〕【樂】 프렐류드; 전주곡; 서곡. ▷prelude.

ふれる【振れる】〔下一自〕 ①흔들리다. ¶メーターの針はりが～ 미터[계량기]의 바늘이 (서지 않고) 흔들리다. ②(어떤 방향으로) 쏠리다; 치우치다. ¶少し西に～れている 약간 서쪽으로 들어와 있다.

*__ふれる【触れる】__〔下一自他〕 ①접촉하다; 닿다. ¶軽かるく～ 가볍게 닿다. ②들어오다; 느끼다. ⑤눈에 띄다. ¶目に～ 눈에 띄다／보이다. ○귀에 들어오다. ¶耳みみに～ 귀에 들리다. ©마음에 들어오다. ¶心こころに～ 마음에 느끼다. ③(어떤 시기나 사정에) 이르다; 관(關)하다. ¶事ことに～れて 일이(기회가) 있을 때마다／根本なの～れて考かんえる 근본에 관하여 생각하다. ④두다; 언급하다. ¶その事ことに～れておく 그 일에 언급해 두다. ⑥감촉(感觸)하다. ¶雷かみなりに～ 벼락을 맞다／電気でんきに～ 감전하다. ⑦거슬리다; 저촉하다. ¶法律ほうりつに～ 법률에 저촉되다. =そむく. ¶気きに～ 기분을 상하게 하다.
——〔下一他〕①접촉하다; 대다; 건드리다; 만지다. ¶はだを～ 살을 대다(남녀가 육체 관계를 맺다). ②널리 일반에게 알리다. =いいふらす.

ふれる【狂れる】〔下一自〕 ¶気きが～'의 꼴로〕 미치다; 돌다. =狂くるう.

ふれんぞくせん【不連続線】〔名〕【気】 불연속선.

フレンチ 프렌치; '프랑스식의'의 뜻; 프랑스인[어]. ¶～トースト 프렌치 토스트／～カンカン 프렌치 캉캉. French.

*__ふろ【風呂】__〔名〕①목욕(물); 목욕통; 욕조. ¶～にはいる 목욕하다. ②공중 목욕탕. =銭湯せんとう. ¶～代だい 목욕값／男ぶろ／女じょぶろ 남[여]탕.

ふろ【風炉】〔名〕 (다도(茶道)에서) 물을 끓이는 풍로. =ふうろ. ▷地炉じろ.

*__プロ__〔名〕 프로. ①「プログラム」의 준말. ②「プロダクション」의 준말. ③「独立どくりつ～ 독립 프로덕션. ③「プロフェッショナル」의 준말. ¶～野球やきゅう 프로 야구／レスプロ 레슬링. ↔アマ. ノン～. ④「プロレタリア」의 준말. ¶～文学 프로 문학. ↔ブル. ⑤「プロパガンダ」의 준말.

フロア〔名〕 플로어; 마루; (빌딩의) 층계.

＝フロアー. ▷floor. ——ショー -shō 名 플로어 쇼(나이트 클럽·카바레 따위에서 따로 무대가 없이 객석과 같은 바닥에서 벌이는 쇼). ▷floor show.

ふろう【不老】-rō 名 블로. 늙지 아니함. ¶~長寿쀼붆 블로 장수. ——ふし【——不死】名 블로 불사.

ふろう【浮浪】-rō 区 부랑; 방랑. ¶~者붆엎읁 부랑자(아).

ふろうしょとく【不労所得】furōsho- 名 블로 소득. ↔勤労쀼쀼所得.

ブローカー 名 브로커; 중개인. ＝仲買人쁩쁦엎·周旋屋 ▷broker.

ブローチ 名 브로치. ▷brooch.

*ふろく【付録·附録】부록. 日国区他 본문에 덧붙여서 기록하는 것; 또, 그 기록. ＝本編쀶쁦, ＝別冊付録쁩쀸섞쁭(＝별책 부록)'의 준말. ＝おまけ. ¶~を付ける부록을 붙이다(달다). ↔本誌쁦·本紙쁦.

プログラマー 名 프로그래머. ①(방송·영화 등의) 프로그램 편성자. ②컴퓨터의 프로그램 작성자. ▷programmer.

*プログラム 名 프로그램. ①(방송·연예·경기 따위의) 순서(표); 프로. ＝プロ·番組쁦쁦. ¶~を組む프로를 짜다. ②예정(표); 계획(표). ▷program.

——げんご【——言語】名 컴퓨터 언어(알골(ALGOL)·포트랜(FORTRAN)·코볼(COBOL) 따위). ▷도.

プロジェクト -jekuto 名 프로젝트. ①계획. ②연구 과제. ▷project.

*ふろしき【風呂敷】名 보자기. ¶~に包む보자기에 싸다. ②허풍. ——を広げる허풍 떨다 / ▷大風呂敷쀶쀸읗쁦.

プロセス 名 프로세스. ①과정; 공정(工程); 방법. 作業쁦쁦의 一 작업 공정. ②사진 제판술에 의한 제판(특히, 다색(多色) 인쇄의 경우). ¶~平版쁩쁦프로세스 평판. ▷process.

プロダクション -shon 名 프로덕션. ①생산. ¶マス·プロ大量 매스 프로덕션; 대량 생산. ②영화 제작(소). ＝プロ. ▷production.

ブロック -rokku 名 블록; 정치·경제상의 공동 이해를 가진 단체나 국가간의 단결. 一経済쁦쀸의 一 경제쀸쀸 블록(광역) 경제. ▷프·영 bloc.

ブロック -rokku 名 블록. ①네모난 석재(石材); 콘크리트 벽돌. 一塀쀸 블록담. ②시가지(市街地)의 한 구획. ＝街区쀻쁫 ▷block.

プロテスタント 名 프로테스탄트; 기독교의 신교; 또, 그 신도. ↔カトリック. ▷Protestant.

プロデューサー -dyūsa 名 프로듀서(라디오·텔레비전의 프로 제작자·영화의 제작자·연극의 연출자). ＝プロジューサー. ▷producer.

プロトン 〔理·化〕 名 프로톤(수소의 원자핵); 양자(陽子). ▷proton.

ふろば【ふろ場=風呂場】名 욕실; 목욕탕. ＝湯殿쁦쁦の浴場쁦쀸.

プロパガンダ 名 프로파간다; 선전(宣傳). ▷도 propaganda.

プロパンガス 名 프로판 가스; 엘피지(LPG). ＝プロパン. ▷propan gas.

プロフィール -firu 名 프로필; 옆 얼굴; 측면상(側面像)·인물 약평(略評). ＝

プロフィル. ▷profile.

プロフェッサー -fessā 名 프로페서; 대학 교수. ▷professor.

プロフェッショナル -fesshonaru ダナ 프로페셔널; 직업적; 프로. ＝プロ. ↔アマチュア. ▷professional.

プロペラ 名 프로펠러. ▷propeller.

ブロマイド 名 브로마이드. ①브롬화은(Brom化銀)을 바른 인화지. ②(인기·운동선수 등의) 초상 사진. ③브롬화물; 브롬화 칼륨. ▷bromide.

プロムナード 名 프롬나드; 산책; 소요(消遙); (포장한) 산책 길. ▷프 promenade.

プロモーター 名 프로모터; 주최자; 발기인; 흥행사(興行師). ▷promoter.

プロやきゅう【プロ野球】-kyū 名 프로 야구; 직업 야구.

プロレス 名 '프로레슬링(＝プロレスリング)'의 준말. ▷professional wrestling.

プロレタリア 名 프롤레타리아; 노동자; 무산자(無産者). ↔ブルジョア. ▷도 Proletarier.

プロレタリアート 名 프롤레타리아트; 무산 계급; 노동자 계급. ↔ブルジョアジー. ▷도 Proletariat.

プロローグ 名 프롤로그(작품의 뜻을 암시하는 서시(序詩)·서막·서장(序章) 등); 비유적으로, 사전의 발단. ↔エピローグ. ▷prologue.

ブロンズ 名 브론즈; 청동(青銅); 동상(銅像). ▷bronze.

フロンティアスピリット -tia supiritto 名 프런티어 스피릿; 개척자 정신. ▷frontier spirit.

フロント 名 프런트. ①정면; 전면; 전선. ↔バック. ②호텔 등의 정면 현관의 계산대(접수대)('front desk'의 준말). ▷front.

ブロンド 名 블론드; 금발(의 여인). ▷blond(e).

ふわ【不和】名 불화. ¶~を調停する불화를 조정하다 / ～になる사이가 나빠지다.

ふわく【不惑】名 불혹; 40세.

ふわたり【不渡り】名 부도. ¶~手形쀗 부도 어음; 실행되지 않은 약속 / ～を出す부도를 내다. '음이 들뜨다.

ふわつく 5自 들뜨다. ¶心쀸が～ 마

ふわふわ 一副 ①가볍게 뜨거나 또는 움직이는 모양; 둥실둥실; 둥둥. ¶～(と)空쀸に浮쁫ぶ 둥실둥실 공중에 뜨다. ②마음이 들뜬 모양. ¶～(と)した気分쁦 들뜬 기분. 二副 부드러워 부푼 모양; 폭신폭신. ¶～のふとん 폭신폭신한 이불.

ふわらいどう【付和雷同·附和雷同】-dō 名 부화 뇌동.

ふわりと 副 ①가볍게 뛰어 오르는[떨어지는] 모양; 살짝; 사뿐. ＝ふんわり. ¶～飛び下りる가볍게 사뿐히 뛰어내리다. ②가볍게 떠돌거나 또는 흔들리는 모양; 둥실둥실; 두둥실 두둥실풀; 나풋나풋. ＝ふんわり. ¶～空中에 浮쁫かぶ두둥실 공중에 뜨다. ③살짝 가볍게 걸치는 모양. ¶～毛布쀗を掛쁫ける담요를 살짝 덮다.

ふん【分】名 분. ①시간의 단위. ②각도의 단위(60 분이 1 도(度)). ③척관

법의 무게 단위(한 돈의 1/10) : 푼.
④온도의 단위(1도 의 1/10).
ふん【糞】 대변.＝くそ. ¶～詰づまり 변비 ／ ～をする 똥을 누다.
ふん【吻】 (손아랫 사람에게) 가볍게 대꾸하거나 불만·경시하는 기분을 나타내는 콧소리 : 흥.＝ふむ.¶～，何だを言うか，흥，무슨 말을 하는 거냐.
ぶん【分】 图 ①분 ; 분수.＝身のほど.¶～をわきまえる 분수를 알다／～に過すぎる 분에 넘치다. ②본분 ; 직분.¶～を尽つす 본분[직분]을 다하다. ③모양 ; 상태 ; 정도.¶この～で行けば 이 상태라면 ; 이대로라면.④부분.¶残のこった～は明日やる 나머지 부분은 내일 한다／余あまった～は捨すてる 여분은 버린다. ⑤것.¶これが君의の～だ 이것이 네 몫이다. 二 接頭 분… ; 나뉜 ; 갈라진.¶～教場じょう 분교장 ; 분교사. 三 接尾 ①…분. ①나눔.¶二~~する 양분하다.①부분.¶持もち~ 소유 부분 ; 지분(持分).②성분.¶塩え~ 염분.②분량.¶五人ごにんの~ 다섯 사람 분／一箇月いっかげつ~ 한 달분[치].③임시의 신분.¶兄弟きょうだいの~ 의형제.

***ぶん**【文】 一图 ①글월 ; 글월(선거가 되는) 문장.¶～にいわく 문헌에서 이르기를／～を練ねる 글을 가다듬다. 二 接尾 …글 ; 글 ; 문장.¶抗議こうぎ~ 항의문.
ぶん-〈俗〉 냅다('ぶち의 힘줌말).¶～なぐる 냅다 때리다.⇨ぶっ-.
ぶんあん【文案】 图 문안 ; 문서의 초안 ; 문장의 초고.＝草案そうあん.¶～を作つる〔練ねる〕 문안을 작성하다(짓다).
ぶんい【文意】 图 문의 ; 문장〔글〕의 뜻.¶～が通とおらない 글 뜻이 통하지 않다.
***ふんいき**【雰囲気】 图 분위기.＝ムード.¶～に気けが入いらない 분위기가 마음에 들지 않다.
ぶんうん【文運】 图 문운.¶～が衰おとえる 문운이 쇠퇴하다.
ふんえん【噴煙】 图 (화산 따위의) 뿜어 내는 연기.
ふんか【噴火】 图 区自 분화.¶～山ざん 분화산 ; 활화산.──こう【──口】-kō 图 분화구.＝火口こう.
ぶんか【分化】 图 区自 분화.¶器官きかんが～する 기관이 분화하다.
ぶんか【分科】 图 분과.¶～委員会いいんかい 분과 위원회.
ぶんか【文科】 图 문과.①문학·사학·철학·법학·경제학 등의 학과.②문과부 ; 문과대.↔理科りか.
♣**ぶんか**【文化】 图 문화.¶東洋とうよう文化 동양 문화／～住宅じゅうたく 문화 주택.──いさん【──遺産】 图 문화 유산.──いが【──映画】 图 문화 영화.＝劇げき映画·娯楽ごらく映画.──くんしょう【──勲章】-shō 图 문화 훈장(과학·예술 등 문화의 발달에 공이 많은 사람에게 주는 훈장).──こうろうしゃ【──功労者】-kōrōsha 图 문화 공로자(문화 발전·향상에 이바지한 사람으로, 일본 정부가 뽑아 연금을 줌 ; 문화 훈장 수훈자도 포함).──ざい【──財】图 문화재.¶無形むけい～ 무형 문화재／～保護法ほご 문화재 보호법.──じん【──

──人】图 문화인.──だいかくめい【──大革命】图 (중공의) 문화 대혁명.＝文革かく.──てき【──的】ダナ 문화적.¶～な生活せいかつ 문화적인 생활.──のひ【──の日】图 문화의 날(일본의 국경일의 하나 ; 11월 3일).
ふんがい【憤慨】 图 区自他 분개.¶大おいに～する 크게 분개하다.「回장.
***ぶんかい**【分会】 图 분회.¶～長ちょう 분
ぶんかい【分解】 图 区自他 분해.¶空中ちゅう～ 공중 분해／～掃除そうじ 분해 청소.¶～み立たてて 分組み立.
ぶんがい【分外】 图 분외 ; 분수나 한계를 넘음.＝過分かぶん.¶～の望のぞみ 분에 넘치는 소망.
***ぶんがく**【文学】 图 문학.¶～概論がいろん 문학 개론／～愛好家あいこうか 문학 애호가／～界かい 문학계／～青年せいねん 문학 청년／～至上主義しじょう 문학 지상주의.──し【──史】图 문학사.──しゃ【──者】-sha 图 문학자.──ろん【──論】 图 문학론.
ぶんかつ【分割】 图 区他 분할.¶領土りょうど～ 영토 분할／～払ばらい 할부.
ぶんかん【文官】 图 문관.¶～優位ゆうい 문관 우위.↔武官ぶかん.
ふんき【奮起】 图 区自 분기 ; 분발.¶一番いちばん～する(패배·실패한 후에) 분발하여 버팀 ; 마음을 굳게 다지고 분발함／～を促うながす 분발을 촉구하다.
ぶんき【分岐】 图 区自 분기 ; 가는 방향이 갈라짐.──てん【──点】 图 분기점.＝わかれめ.¶鉄道てつどう～ 철도의 분기점／人生じんせいの～ 인생의 갈림길.
ふんきゅう【紛糾】-kyū 图 区自 분규.¶～を招まねく 분규를 초래하다／事態じたいが～する 사태가 시끄럽게 되다.
ぶんきょう【文教】-kyō 图 문교.¶～政策せいさく 문교 정책.
ぶんぎょう【分業】-gyō 图 区他 분업.¶医薬いやく～ 의약 분업.
ぶんきょうじょう【分教場】-kyōjō 图 분교장 ; 소규모의 분교(分校).↔本校ほんこう.「本局ほんきょく.
ぶんきょく【分局】-kyoku 图 분국.↔本局ほんきょく.
ふんぎり【ふんぎり·踏ん切り】 图 단안(果斷) ; 단호한 결심.¶なかなか～がつかない 도무지 결단이 내려지지 않는다.
ふんぎ-る【ふんぎる·踏ん切る】 五自 결행하다 ; 결단(決斷)하다 ; 결심하다.
ぶんぐ【文具】 图 문구 ; 문방구.¶～商しょう 문방구상[점].
ぶんけ【分家】 图 区自 분가.＝別家べっか·新宅しんたく.↔本家ほんけ.
ぶんけい【文型】 图 문형.＝センテンスパタン.¶基本きほん～ 기본 문형.
ぶんげい【文芸】 图 문예.¶～作品さくひん 문예 작품／大衆たいしゅう～ 대중 문예.──しちょう【──思潮】-chō 图 문예 사조.──ふっこう【──復興】-fukkō 图 문예 부흥.＝ルネッサンス.
ふんげき【憤激】 图 区自 분격.＝激憤げきふん.¶～を買かう 분노를 사다.「だ」 분견대.
ぶんけん【分遣】 图 区他 분견.¶～隊たい 분견대.
***ぶんけん**【文献】 图 문헌.¶参考さんこう～ 참고 문헌.──がく【──学】图 문헌학.

ぶんぷく【分服】bumpu- 图他 분복；
약을 몇 차례로 나누어 먹음.

ぶんぶつ【文物】bumbu- 图 문물.
～制度ヒど 문물 제도.

ふんぷん【紛粉】funpun 타ル 분분；
어수선하게 뒤섞임. ¶雪ゆきが～と飛と
び散ちる 눈이 어지러이 흩날린다.

ふんぷん【芬芬】funpun タル 분분；
향기로운 모양. ¶～たるかおり 그윽
한 향기. ¶俗臭ぞくしゅう～ 속취 분분；속
취가 물씬 남.

ぶんぶん bumbun 副 붕붕；윙윙. ①비
행기 따위가 나는 소리. ¶～飛とぶ 붕
붕 날다. ②곤충의 날개소리. ③바람
소리가 날 정도로 휘두르는 모양. ¶
棒ぼうを～(と)振ふり回まわす 막대기를 휘
휘 휘두르다.

ぷんぷん pumpun 副 ①☞ぷりぷり①.
②냄새가 몹시 나는 모양：폭폭. ¶酒
気しゅきが～(と)におう 술냄새가 확확 나
다.

*ふんべつ【分別】fumbe- 图他 ①분
별；철；지각. ¶思慮しりょ～がある 사려
분별이 있다；철이 들어 있다. ②(佛)
느끼고 헤아려서 현상을 식별함；또,
구별하여 판단함. ——がお【――顔】图
자못 분별을 차릴 줄 아는 듯한 얼굴.
——くさ∙い【――臭い】形 분별이 있는
것 같다. ——ざかり【――盛り】名ヒ 한
창 세상의 이치를 분별할 나이. ¶四十
しじゅう五ご六ろく ‒ は ‒ 사십 오십은 한창 사
리에 밝을 나이.

ぶんべつ【分別】bumbe- 图他 분별；
종류에 따라 나누어 가름. ¶～書法
しょほう 떼어쓰기 / ごみの～作業さぎょう 쓰레
기 분별 작업.

ぶんべん【分娩】bumben 图他 분만；
해산. =出産しゅっさん.

ふんぼ【墳墓】fumbo 图 분묘. =はか.

ぶんぼ【分母】bumbo 图【数】분모. ↔
分子ぶんし.

*ぶんぽう【文法】bumpō 图【言】문법.
¶～にかなわない語法ごほう 문법에 맞지
않는 어법. ——ろん【――論】图 문법
론(품사론・구문론 등).

*ぶんぼうぐ【文房具】bumbō- 图 문방
구. =文具ぶんぐ ぶんぼうぐ. ¶～屋や 문
방구점.

ふんまつ【粉末】fumma- 图 분말；가
루. =粉こ・粉ふん. ¶～ジュース 분말 주
스.

ぶんまつ【文末】bumma- 图 문말；글이
나 문장의 끝부분ぶぶん.

ふんまわし『ぷん回し・筆規』bummawa-
图 ①컴퍼스. ＝コンパス. ②〈俗〉(연
극의) 회전 무대.

ふんまん【憤懣・忿懣】funman 图 분
만；울분. ¶～を鎮しずめる 분만을 달래
다 / ～を漏もらす 분을 터뜨리다 / ～
やるかたない 울분을 풀 길이 없다.

ぶんみゃく【文脈】bummya- 图 문맥.
¶～をたどる 문맥을 더듬다 / ～を整
ととのえる 문맥을 다듬다.

ぶんみん【文民】bummin 图 문민；직업
군인이 아닌 일반인；민간인.

ふんむき【噴霧器】fummu- 图 분무
기. =霧吹きりふき・スプレー.

ぶんめい【分明】bummei ダナ 분

명. =ふんみょう・明白めいはく. ¶事ことを
に説とき進すすむ 사실을 분명하게 설명해
나아가다.

*ぶんめい【文明】bummei 图 문명. ¶
～国こく 문명국 / ～の利器りき 문명의 이
기. ↔野蛮やばん. ——かいか【――開化】图
문명 개화.

ぶんめい【文名】bummei 图 문명. ¶
～とみに上あがる(高たかまる) 문명이 갑
자기 높아지다 / ～を馳はせる 문명을
떨치다. ↔武名ぶめい.

ぶんめん【文面】bummen 图 문면. ¶
この～から察さっすると 이 문면으로 살
피건대.

ふんもん【噴門】fummon 图【生】분문
(식도(食道)와 위(胃)가 연결된 곳).
↔幽門ゆうもん.

ぶんや【分野】 图 분야. ¶産業さんぎょうの
各おの ‒ 산업의 각 분야.

ふんらい【紛来】 图自 우편물이 잘못
배달됨(관청의 통용어).

ぶんらく【文楽】 图【文楽】浄瑠璃じょうるりに 맞추
어 하는 설화(說話) 인형극.　　ふん.

ふんらん【紛乱】 图自 분란；混乱.

ぶんらん【紊乱】 图自他 문란. ¶風
紀き ～ 풍기 문란. 注意 흔히 '빈んら
ん'이라고도 함.

*ぶんり【分離】 图自他 분리. ¶政教
せいきょう ～ 정교 분리 / ～器き 분리기.

ぶんりつ【分立】 图自他 갈라
져서 존재함. =ぶんりゅう. ¶三権さんけん
～ 삼권 분립. —— 图他 나누어 따로
설립함.

ふんりゅう【噴流】-ryū 图自 분류.
①내뿜듯이 세차게 흐름；또, 그 흐름.
②(氣) 제트 기류(ジェット気流きりゅう).

ぶんりゅう【分流】-ryū 图自 ①분
류. ＝本流ほんりゅうに対し.

ぶんりゅう【分留】【分溜】-ryū 图他
【化】분류；분별 증류(分別蒸溜). 注意
'分溜'는 대용 한자.

*ぶんりょう【分量】-ryō 图 분량. ¶目め
の ‒ 눈대중 / 仕事しごとの ‒ 일의 분량 /
～を量はかる 분량을 달다.

*ぶんるい【分類】 图自 분류. ¶形けいに
による ‒ 형태에 의한 분류 / カードを
～する 카드를 분류하다 / 細こまかに～す
る 세분하다. ——がく【――学】图 분
류학. ——もくろく【――目録】图 (도
서의) 분류 목록.

ふんれい【奮励】 图自 분려. ¶～努
力どりょく 분려 노력.

ぶんれい【文例】 图 문례. ¶例文れいぶん. ¶
～が豊富ほうふだ 문례가 풍부하다 / ～を
示しめす 문례를 예시하다.

ぶんれつ【分列】 图自 분열. ¶～行
進こうしん 분열 행진. ——しき【――式】图
분열식.

*ぶんれつ【分裂】 图自 분열. ¶核かく
～ 핵분열 / 細胞さいぼう ～ 세포 분열. ↔統
一とういつ・統合とうごう.

ふんわか 副 〈俗〉구름에 탄 듯한 가벼
운 기분인 모양：두둥실.

ふんわり 副 ①동작・상태가 가볍고 부
드러운 모양：살짝；사뿐. =ふわりと.
¶～着陸ちゃくりくする 사뿐히 착륙하다. ②
부드럽게 부풀어 탄력이 있는 모양：폭
신폭신. =ふっくら. ¶～したふとん
폭신한 이불.

へ　へ

へ【屁】〔名〕방귀；전하여, 가치 없는 것이나 말할 수 없는 것의 비유. ¶すかし屁ぺ 소리 안 나게 뀐 방귀 / ～をひる〔こく〕방귀를 뀌다. ━とも思わない 방귀만큼도 여기지 않는다；문제시하지〔안중에도 두지〕않는다. ━をひって 尻ぺすぼめ 잘못을 저질러 놓고 아무리 걸바르려 해도 소용없다.

へ【樂】〔樂〕바；F음(장음계의 다조(調)의 '파'음).

へ-e【格助】①동작의 방향을 나타내는 데 씀：…로；…으로. ¶東ぺ～十歩ぽ北た～五歩ぽ 동으로 10 보, 북으로 5 보／家ぺ～帰る 집으로 돌아가다. ②동작·작용의 상대를 나타내는 데 씀：…에；…에게. ¶これを君に～もう 이것을 자네에게 부탁하겠네. ③사물이 존재하는 위치를 나타내는 데 씀：…에. ¶ここ～荷物ぢ を置いてはいけない 여기에 짐을 두어서는 안 된다. 參考 ③은 'に'와 거의 같은 뜻으로 쓰임.

へ【部】〔史〕옛날, 대씨족(大氏族)의 지배하에서 생산 노동에 종사하던 집단. ＝部民ぺみん.

-べ【辺】…가；근처. ¶浜ぺ～ 바닷가.

-べ ①세련되지 못한 사람에 대한 경멸의 뜻을 나타내는 말. ¶いなかっ～ 시골뜨기. ②친한 사람 이름 밑에 붙여서 친근한 뜻을 나타내는 말. ¶道子みち～ 道子양. 　준말.

ペア【ベースアップ(=베이스업)'의 준말.

ペア〔名〕페어；쌍；짝. ▷pair.

へあがる【経上がる】〔五自〕〈雅〉(지위가)점점 올라가다；진급하다；승진하다.

ベアリング〔名〕베어링；축받이. ¶ボール～ 볼 베어링. ▷bearing.

へい【丙】〔名〕병. ¶①십간(十干)의 셋째. ②사물의 3위.

へい【兵】〔名〕①군대；군인. ¶～をあげる 거병(擧兵)하다. ②전쟁；군사(軍事). ¶～を談ずる 군사를 논하다. ③병졸；사병；병사. ¶～に告ぐ 병사에 고함. 參考 接尾語적으로도 씀. ¶一等ぷ～ 일(등)병.

へい【塀】〔屏〕〔名〕담；특히, 널판장. ¶煉瓦塀れんが～ 벽돌담／土塀ぺ～ 토담／板塀べ～ 널판장.

へい【弊】〔名〕①폐습；악습. 〓接頭 자기 것에 붙이는 겸칭；폐…. ¶～商会にう 폐상회.

へい【陛】상인이 손님에게, 또 하인이 주인에게 알았습니다의 뜻을 나타내는 말：예이.

ペイ 페이. 〓〔名〕임금；급료；보수. 〓〔ス自〕①수지(채산이)맞음. ¶この計画ぽぽは～するだろう이 계획은 채산이 맞을 게다. ②지급함. ▷pay.

へいあん【平安】〓〔名〕〔ダナ〕평안. ¶～を祈るぽ 평안하기를 빌다. 參考 편

①五十音図ごじゅうおんず 'は行ぽぎ'의 넷째 음. [he] ②〔字源〕'部'의 방(旁)의 초서체〔かたかな 'へ'는 '部'의 방(旁)의 약체〕.

지 절봉의 수신인 이름 밑에 곁들여 쓸 때에는 변고를 알리는 사연이 아님을 나타냄. 〓 '平安京きょう'·'平安時代じだい'의 준말. ━きょう【━京】-kyō 〔名〕京都きょうの 옛이름(794년부터 1868년까지의 수도). ━じだい【━時代】〔名〕桓武天皇かんむてんのう의 平安京 정도(定都)이후 鎌倉幕府かまくら 성립시까지 약 400년간(794-1192).

へいい【平易】〔ダナ〕평이. ¶～に説明ぷする 평이하게〔쉽게〕설명하다.

へいい【弊衣】〔敝衣〕〔名〕해어진 옷. ━はぼう【━破帽】-habo 폐의 파모；닳아 떨어진 옷과 모자(특히, 구제(舊制)고등 학교 학생의 복장).

へいいん【兵員】〔名〕병원；(필요한)병사의 수효.

へいいん【閉院】〔名〕〔ス自〕폐원. ↔開院

へいえい【兵營】〔名〕병영.

*へいえき【兵役】〔名〕병역.

べいえん【米塩】〔名〕쌀과 소금. ━の資ぺ 미염지자(米塩之資)；생활비.

へいおん【平温】〔名〕평온；평년의 기온.

*へいおん【平穏】〔名〕〔ダナ〕평온. ¶～無事ぺ 평온 무사.

へいか【平価】〔名〕평가. ¶①어떤 나라와 다른 나라와의 화폐 가치의 비(比). ②유가 증권의 가격이 액면 가격과 같음. ━きりあげ【━切(り)上(げ)】〔名〕평가 절상. ━きりさげ【━切(り)下(げ)】〔名〕평가 절하.

へいか【兵火】〔名〕병화；전화(戰火).

へいか【兵戈】〔名〕(전투)병기. ¶～を交える 싸우다.

へいか【兵科】〔名〕병과. ¶①무기. ②전

へいか【兵器】〔名〕(전투)병기；직접 전투에 참가하는 병종(兵種)의 총칭.

へいか【兵家】〔名〕병가. ¶①군인. ②병법(兵法)을 닦는 사람. ━の常じ 승패는 병가의 상사(常事). ━の勝敗しょうはい は～の常じ 승패는 병가의 상사(常事).

へいか【併科】〔名〕〔ス他〕〔法〕병과. ¶罰金ぎと科料ぎょうとを～する 벌금과 과료를 병과하다.

へいか【陛下】〔名〕폐하(天皇てんの·황후·황태후·태황 태후에 대한 높임말).

べいか【米価】〔名〕미가；쌀값.

べいか【米貨】〔名〕미화(美貨)；달러.

*へいかい【閉会】〔名〕〔ス自他〕폐회. ¶～式ぺ 폐회식. ↔開会

へいがい【弊害】〔名〕폐해；해. ¶～を伴うぼう 폐해를 수반하다.

へいかつ【平滑】〔名〕평활. ━きん【━筋】〔名〕〔生〕평활근.

*へいかん【閉刊】〔名〕〔ス自〕폐간.

へいかん【閉館】〔名〕〔ス自〕폐관. ↔開館

*へいき【平気】〔名〕아무렇지도〔개의치〕않음；걱정없음；태연함；예사. ¶～をよそおう 태연한 체하다／そんなことは～だ 그런 일은 아무렇지도 않다／～で嘘をつく 예사로 거짓말을 하다. ━のへいぢ【━の平左】〔連語〕

〈俗〉태연함을 사람 이름처럼 일컫는 말. =平気ポの平左衛門サ゚ム。

へいき【兵器】｜名｜병기；무기. ¶原子ゲン～ 원자 무기. 「함.

へいき【併記】｜名｜ス他｜병기；함께 기록

へいきょ【閉居】-kyo｜名｜ス自｜폐거；집에 틀어박혀 있음.

へいぎょう【閉業】-gyō｜名｜ス自他｜휴업. 注意 폐업(廃業)의 뜻으로 쓰일 때도 있음.

へいきょく【平曲】-kyoku｜名｜비파를 반주로 하여 平家物語ヘイケモノガタリ를 창(唱)하는 일. =平家ヘイケびわ.

＊＊へいきん【平均】｜名｜ス自他｜평균．여럿이 고름；또 고르게 함. ¶～寿命ジュ゚゚ョ 평균 수명 / 品質ピンシツが～している 품질이 고르다 / 品質ピンシツを～させる 품질을 고르게 하다. ㊁ 균형(이 잡힘)；평형. ¶～を保タモつ 평형을 유지하다. ──だい【──台】｜名｜평균대. ──ち【──値】｜名｜평균치；평균값. ──てん【──点】｜名｜평균점.

へいけ【平家】｜名｜①平らタ゚성(姓)을 가진(한) 집안. ㊁平家物語ヘイケモノガタリ의 준말. ──がに【──蟹】｜名｜動｜조개치레(게의 일종). ──びわ【──琵琶】 ☞へいきょく(平曲). ──ものがたり【──物語】｜名｜平家 일문의 영화와 멸망을 그린 鎌倉カマクラ시대 초기의 군담(軍談) 소설.

へいきせいき【閉経期】｜名｜폐경기.

へいけん【兵権】｜名｜병권. ¶～を握ニギる 병권을 쥐다.

へいげん【平原】｜名｜평원. ¶大ダイ～ 대

＊へいこう【平行】｜名｜ス自｜평행. ¶～線セ゚ン 평행선 / ～棒ボ゚ 평행봉.

へいこう【平衡】-kō｜名｜평형；균형. ¶～感覚カ゚ンカク 평형 감각 / ～を保タモつ 평형을 유지하다.

へいこう【並行・併行】-kō｜名｜ス自｜병행. ①나란히 감. ㊁동시에 행해짐. ¶二ニつの研究ケ゚ンキュ゚を～して行オコなう 두 가지 연구를 병행하다.

＊へいこう【閉口】-kō｜名｜ス自｜①질림；손듦；항복함. ¶彼カ゚のおしゃべりには～した 그 사람 수다에는 질렸다 / 無理ム゚リを言イわれて～した 억지를 당하는 통에 두손 들었다. ②입을 다물고 말하지 않음.

へいこう【閉校】-kō｜名｜ス自｜폐교. ↔開校カ゚ィコウ. 「합병.

へいごう【併合】-gō｜名｜ス他｜병합；

べいこく【米国】｜名｜미국；미합중국.

べいこく【米穀】｜名｜미곡. ──ねんど【──年度】｜名｜미곡 연도(11월부터 다음 해 10월까지).

へいこら｜副｜〈俗〉굽실굽실 머리를 숙이는 모양. ¶上役ウ゚ワヤクに～する 상사에게 굽실거리다.

＊へいさ【閉鎖】｜名｜ス自他｜폐쇄. ¶工場コ゚ウジョ゚～ 공장 폐쇄 / ～的テ゚キ 폐쇄적. ↔開放カ゚ィポウ.

へいさく【平作】｜名｜평(년)작.

べいさく【米作】｜名｜미작；=稲作イネサク.

へいさつ【併殺】｜名｜ス他｜野｜병살. =ダブルプレー.

べいさん【米産】｜名｜미곡(쌀) 생산.

へいし【兵士】｜名｜병사；사병. =兵卒ペイソツ.

へいし【閉止】｜名｜ス自｜폐지；활동이 끝남. ¶月経ゲッケイ～ 월경 폐지.

へいじ【平時】｜名｜평시. ↔非常時ピジョ゚ウジ・戦時セ゚ンジ. 「게.

へいじ【兵事】｜名｜병사. ¶～係カ゚リ 병사

べいし【米紙】｜名｜미지；미국의 신문.

べいしきしゅうきゅう【米式蹴球】-shūkyū｜名｜미식 축구. =アメリカンフットボール.

＊へいじつ【平日】｜名｜평상시. ②일요일·공휴일 이외의 날.

へいしゃ【兵舎】-sha｜名｜병사. ¶～図ズ法ポウ 평사 도법 / ～砲ポゥ 평사포.

へいしゃ【兵舎】-sha｜名｜병사. =兵営ペイエイ.

へいしゅ【兵種】-shu｜名｜병종. シュ゚.

べいじゅ【米寿】-ju｜名｜미수；88세(의 축하).

へいしゅう【弊習】-shū｜名｜폐습；폐풍.

べいしゅう【米洲】[米洲]-shū｜名｜미주；남북 아메리카의 총칭. 「술.

へいじゅつ【兵術】-jutsu｜名｜병술；전

へいじゅん【平準】-jun｜名｜평준. ¶～化カ゚ 평준화.

へいしょ【兵書】-sho｜名｜병서.

へいじょ【併叙】-jo｜名｜ス他｜병서；있는 그대로 말함. ──ぶん【──文】｜名｜평서문(단정 또는 추량(推量)을 나타내는 문장).

へいじょう【併称・並称】-shō｜名｜ス他｜병칭. ①함께(아울러, 같이) 일컬음〔칭함〕. ②함께 칭찬함.

＊へいじょう【平常】-jō｜名｜평상；평소；보통. =平生ペイゼイ・ふだん.

へいじょう【閉場】-jō｜名｜ス自｜폐장. ↔開場カ゚ィジョ゚ウ. 「상.

べいしょう【米商】-shō｜名｜미상；미곡

へいじょうきょう【平城京】-jōkyō｜名｜710년부터 784년까지의 수도(지금의 奈良ナ゚ラ시 서쪽 교외에 있었음). =奈良ナ゚ラの都ミ゚コ.

べいしょく【米食】-shoku｜名｜미식；쌀을 먹음. ¶～の習慣シュ゚ウカ゚ン 쌀밥을 먹는 습관 / ～民族ミ゚ンゾク 쌀을 주식으로 하는 민족. ↔粉食プンショク.

へいしん【並進・併進】｜名｜ス自｜병진；나란히 나아감.

べいしん【米審】｜名｜'米価ベイカ審議会シ゚ンキ゚カイ(=미가 심의회)'의 준말.

へいしんていとう【平身低頭】-tō｜名｜ス自｜평신저두；저두평신；엎드리어 고개를 숙임. ¶～して謝ア゚ャまる（머리를）조아리고 사과〔사죄〕하다.

へい──する【聘する】｜サ変他｜①초빙하다. ②납채(納采)하여 아내로 맞이하다.

＊へいせい【平静】｜名｜ダ゚ナ｜평정. ¶～を保タモつ（마음의）평정을 유지하다.

へいせい【兵制】｜名｜병제.

へいせい【幣制】｜名｜폐제；화폐 제도.

へいせい【弊政】｜名｜폐정；악정(惡政).

へいぜい【平生】｜名｜평소. =平常ペイジョ゚ウ・平素ペイソ. ¶～の心コ゚コろがけ 평소의 마음가짐.

へいせき【兵籍】｜名｜병적. ¶～簿ボ 병적부.

へいせつ【併設】｜名｜ス他｜병설. ¶～中学校チュ゚ウカ゚ッコウ 병설 중학교.

へいせん【兵船】｜名｜병선；군함.

へいぜん【平然】｜ト゚タル｜태연. ¶～たる

태도ぶ 태연〔침착〕한 태도.

へいそ【平素】图 평소. =平生ぜい.ふだん. ¶～の念願ねん 평소의 염원.

へいそく【閉塞】图自他 폐색. ¶腸ちょう～ 장폐색. ──**ぜんせん**[──前線] 图〔氣〕 폐색 전선.

へいそつ【兵卒】图 병졸; 병사.

*__へいたい__【兵隊】图 병대 ; 군대. ──**かんじょう**[──勘定] -jō 图〈俗〉 각자 부담 ; 각추렴. =わりかん.

へいたん【平坦】图ダナ 평탄. ¶前途ぜん は～でない 전도는 평탄치 않다.

へいたん【平淡】图 담박함 ; 산뜻함. ¶～な味み 산뜻한 맛.

へいたん【平站】图 평참. ──**せん**[──線せん] 병참선 ; 보급선.

へいだん【兵団】图 병단 ; 군단(軍團).

*__へいち__【平地】图 평지. ¶山地さんに ──に波瀾らんを起おこす 평지 풍파를 일으키다.

へいち【併置・並置】图他 병치.

へいちゃら[平ちゃら] -chara ダナ〈俗〉 걱정하지〔겁내지〕 않는 모양. =へっちゃら.

へいてい【平定】图 图自他 평정. ¶反乱はんを～する 반란을 평정하다.

へいてい【閉廷】图 图自 图〔法〕 폐정. ↔開廷かい.

へいてん【閉店】图 图自 폐점. ①그날의 가게 문을 닫음. ¶～時間じかん 폐점 시간. ②가게를 걷어치움. =廃はい業ぎょうい. ↔開店てん.〔「閉店」の「겹칭」.〕

へいてん【弊店】图 폐점〈자기 상점의 낮춤말〉.

へいどく【併読】图他 병독 ; 두 개 이상의 신문이나 소설 따위를 아울러 봄.

へいどん【併呑】图 图自 병탄.

へいねつ【平熱】图 평열 ; 보통 체온.

へいねん【平年】图 평년. ¶～と閏年ねん 평년과 윤년 / 気温き온は～なみである 기온은 평년과 같다. ──**さく**[──作] 图 평년작.

へいば【兵馬】图 병마. ①군대 ; 군비. ②전쟁. ¶～の間かんに過すごす 전쟁 속에서 지내다. ──**の権**けん 병마지권 ; 통수권.

へいはく【幣帛】图 ①신전(神前)의 공물(供物) ; 특히, '御幣ぎょ(=종이・삼 따위를 드리운 오리)'. ②폐백 ; 예물.

へいはつ【併発】图自他 병발.

へいばん【平板】平판. □图 평평한 판자. □图ダナ 변화가 없고 단조로움. ¶～な文章ぶんしょう 단조로운 문장.

べいはん【米飯】图 미반 ; 쌀밥.

へいび【兵備】图 병비 ; 군비.

へいふう【弊風】图 -fū 폐풍.

へいふく【平伏】图 图自 엎드림 ; 엎드려 절함. ¶～して詫わびを請こう 엎드려 용서를 빌다.

へいふく【平服】图 평복 ; 평상복. =ふだん着ぎ. ↔礼服ふく.

へいふく【平復】图 图自 평복 ; 평유(平愈).

へいへい【平平】タルト ①평평함. ¶～坦々たんたる 평평탄탄 ; 아주 평탄함. ──**ぼんぼん**[──凡凡] -bonbon タルト 아주 평범함.

へいへい[──] □副 상대방의 기분을 상하지 않도록 굽실거려 아첨하는 모양 : 예예. ¶上役やくに～している 상사에게

예예하고 굽실거리고 있다. □感 긍정・승인의 대답 'へい'를 겹친 말 : 예예.

へいべい【平米】图〈俗〉'平方ほうメートル(=평방 미터)'의 압축된 말.

べいべい〈俗〉지위가 낮거나 재주가 뒤지는 사람을 깔보고 하는 말. ¶わたしはまだ～です 저는 아직 행병아리입니다.

へいほう【平方】图 평방 ; 제곱 ; 자승(自乘). ¶～メートル 평방미터. ──**こん**[──根] 图〔數〕 평방근 ; 제곱근.

へいほう【兵法】图 ①병법. =ひょうほう. ②검술(劍術).

*__へいぼん__【平凡】图ダナ 평범. ¶～な人間にんげんの평범한 인간. ↔非凡ぼん.

へいまく【閉幕】图自 폐막. ↔開幕かい.

へいみん【平民】图 평민 ; 서민. ¶～宰相さい 평민 재상. ──**てき**[──的] ダナ 평민적. ↔貴族てきの.

へいむ【兵務】图 병무 ; 병사에 관한 사무.

へいめい【平明】图ダナ 평명 ; 알기 쉽고 명료함. ¶～な文章ぶん 평이(平易)한 문장. □图 새벽 ; 동틀녘 =夜明よあけ・明あけ方がた.

*__へいめん__【平面】图 평면. ↔曲面ぶ. ──**きかがく**[──幾何学] 图〔數〕 평면 기하학. ──**ず**[──図] 图 평면도. ──**てき**[──的] ダナ 평면적. ¶～な観察かん 평면적인 관찰.

へいもつ【幣物】图 ☞へいはく(弊帛). ②폐물 ; 선물 ; 공물(貢物).

へいもん【閉門】图 图自他 폐문. ①문을 닫음 ¶～時刻じこく 폐문 시각. ↔開門もん. ②두문 불출함(江戸えど 시대에, 근신하는 뜻으로 그렇게 함 ; 또, 별로 과하는 형(刑)의 하나).

*__へいや__【平野】图 평야. ↔山地さんち.

へいゆ【平癒】图 图自 평유 ; 병이 나음. =平復ふく.

へいゆう【併有】-yū 图 图自 병유 ; 아울러 가짐 ; 동시에 가짐.

へいよう【併用】-yō 图 图自他 병용. ¶二種にしゅの薬やくを～する 두 가지 약을 병용하다.

へいらん【兵乱】图 병란 ; 전란.

へいり【弊履】(敝履) 图 폐리 ; 헌신짝. ──**のごとく捨すてる** 헌신짝처럼 버리다.

へいりつ【並立】图 图自 병립 ; 양립.

へいりゃく【兵略】-ryaku 图 병략 ; 군략 ; 전략(戰略).

へいりょく【兵力】-ryoku 图 병력. ¶～増強きょう 병력 증강. ↔列ぶれつ.

*__へいわ__【平和】图ダナ 평화. ──**うんどう**[──運動] -dō 图 평화 운동. ──**きょうそん**[──共存] -kyōson 图 평화 공존. ──**さんぎょう**[──産業] -gyō 图 평화 산업. ──**ぶたい**[──部隊] 图 평화 봉사단.

ペインテックス -tekkusu 图【商標名】 페인텍스 ; 안료(顔料)로 베・가죽・종이 따위에 그림이나 도안을 그리는 수예 ; 또, 그 안료. ▷Paintex.「paint.

ペイント 图 페인트. ☞ペンキ. ▷

へえ hē 感 감동하거나 놀랐을 때 또는

의심쩍거나 어이없을 때 내는 말: 저런; 허. ¶~, そうだったの, 知らなかったよ. 저런, 그랬었나. 몰랐었다.

ベーカリー 图 베이커리; 제과점. bakery.

ベーキングパウダー 图 베이킹 파우더. =ふくらし粉・パウダー. ▷baking powder.

ベークライト 图【商品名】베이클라이트. ▷Bakelite.

ベーコン 图 베이컨. ▷bacon.

*__**ページ**__ 【頁】图 페이지. ¶~を打つ 페이지를 매기다. ▷page.

ページェント pējen- 图 패전트. ①야외극〔野外劇〕. ②여흥의 행렬; 가장 행렬. ▷pageant.

ベージュ -ju 图 베이지; 엷고도 밝은 갈색. =らくだ色. ▷프 beige.

ベース 图①토대; 기초; 기본. ②기지〔基地〕; 근거지. ③야구의 누〔壘〕. ▷base. ――アップ -appu 图 자由 베이스업; 임금 인상. ▷일 base up. ――キャンプ -kyampu 图 베이스 캠프. ①(등산이나 탐험에서) 근거지로 하는 고정 천막. ②외국군의 주둔 기지. ▷base camp. ――ボール 图 베이스볼; 야구. ▷baseball.

ベース 图【樂】베이스. ⇨バス. ▷bass.

ペース 图①보조〔步調〕. ¶自分の~を守る 자기 페이스를 지키다 / 相手の~に巻きこまれる 상대방의 페이스에 말려 들다. ②【野】구속〔球速〕. ▷pace.

ベーゼ 图 베제; 입맞춤; 키스. ▷프 baiser.

ペーソス 图 페이소스; 애수〔哀愁〕. ▷pathos.

ベータせん【ベータ線】图【理】베타선. ⇨ガンマ線; 영 beta.

ペーチカ 图 ☞ペチカ.

ペーハー 【化】 페하; 수소 지수〔水素 指數〕. ▷도 pH.

ペーパー 图①종이; 서류; 신문. 【レター~ 레터페이퍼; 편지지 / 学会で~を読む 학회에서 원고를 읽다 / マッチの~ 성냥갑의 레테르. ②サンドペーパー의 준말; 사포〔砂布〕. ▷paper. ――テスト 图 페이퍼 테스트; 필기 시험. ▷paper test. ――ドライバー 图 페이퍼 드라이버; 운전 면허증은 있으나 차가 없어서 운전할 기회가 거의 없는 사람. ↔オーナードライバー. ▷일 paper driver.

ペーブメント 图 페이브먼트; 포장 도로. ▷pavement.

ベール 图 베일; 여성 모자 따위에 걸치는 얇은 망사; 면사포; 장막. =ヴェール. ¶夜ぎの~ 밤의 베일〔장막〕/ 神秘의~に包まれる 신비의 베일에 싸이다. ▷veil.

ペガサス 图 페가소스; 그리스 신화의 날개 있는 천마〔天馬〕. =ペガスス・ペガソス. ▷Pegasus.

へがーす【剝がす】5他〈俗〉 벗기다. =はぐ.

べからず 【可からず】連語《'べし'의 否定形》금지·제지·불가능의 뜻을 나타내는 말: 안 된다; …해서는 못쓴다; …할 수 없다. ¶取る~ 가져서는 안 된다 / ~主義 안 된다주의 / 筆舌に尽くす~ 필설로 다할 수 없다.

へき【癖】图 버릇; 경향. ¶放浪~ 방랑벽 / ~が有る (나쁜) 버릇이 있다.

へぎ【片木·折板】图①얇게 벗김. ②'へぎ板'의 준말. ③얇게 벗긴 판자로 만든 네모진 쟁반.

べき【可き】助動《'べし'의 連体形》①(응당) 그렇게 해야 할. ¶守るべき規則; 지켜야 할 규칙. ②적절함; 온당함. ¶これは子供が見る~テレビじゃない 이것은 아이들이 볼 텔레비전이 아니다. ¶見る~ものがない 볼 만한 것이 없다.

べき【冪·羃】图 멱; 누승〔累乘〕. 注意 '巾'로 씀은 대용 한자.

へぎいた【へぎ板】图【片木板】图 얇게 벗긴 판자.

へきえき【辟易】图 ス自①두려워서〔질려서〕 물러남. ¶相手の けんまくに~する 상대방의 기세에 질려서 물러남. ②〈俗〉 난처해 함; 곤란해 함. =閉口る. 「'벽지〔僻地〕.

へきえん【僻遠】图 벽원. ¶~の地

へきが【壁画】图 벽화.

へきかい【碧海】图 벽해; 푸른 바다.

へきがん【碧眼】图 벽안; 푸른 눈; 전하여, 서양 사람. 「른 옥.

へきぎょく【碧玉】-gyoku 图 벽옥; 푸

へきくう【碧空】-kū 图 벽공; 창공; 푸른 하늘. =あおぞら.

へきけん【僻見】图 벽견; 편견〔偏見〕.

へきすい【碧水】图 벽수; 짙푸른 맑은 물.

へき-する【僻する】サ変自①한쪽으로 치우치다. ②뒤틀리다.

へきそん【僻村】图 벽촌. =かたいなか. 「벽지 교육.

へきち【僻地】图 벽지. ¶~教育

へきとう【劈頭】-tō 图 벽두. ¶開会かい~ 개회 벽두.

へきめん【壁面】图 벽면.

へきれき【霹靂】图 벽력. ¶青天せの~ 청천 벽력; 맑은 하늘에 날벼락.

へ-ぐ【剝ぐ】5他〈俗〉 (얇게) 벗기다. =はぐ.

べくして【可くして】連語①…할 것이 당연히 예상되어서. ¶起こる~起こった 당연히 일어나야 했기에 일어났다. ②…할 수는 있어도. ¶言う~行われない 말할 수는 있어도 실행할 수는 없다.

ヘクタール 图 헥타르; 면적의 단위; 100 아르, 즉 10,000 m²(기호: ha). ▷hectare.

べくもない 連語〈雅〉 …할 만하지도 않다; …할 수도 없다; …할 여지도 없다. ¶望む~ 바랄 여지도 없다 / 知りう~ 알 수조차 없다.

べくんば -kumba 連語 …을 할 수 있다면. ¶望む~ 바랄 수 있다면.

ペけ 图〈俗〉①수준 미달; 불합격; 못씀. ②벌점; 'x'의 표시.

ヘゲモニー 图 헤게모니; 주도권. ¶~を握る 헤게모니를 잡다. ▷도 Hegemonie.

へこおび【兵児帯】图 어린이 또는 남자가 매는, 한 폭으로 된 허리띠.

へこた-れる 下1自〈俗〉 녹초가 되다;

힘이 빠지다 ; 진지러지다.

ベゴニア 图【植】베고니아 ; 추해당(秋海棠). ▷begonia.

ぺこぺこ 图〖ダナ〗①우그렁우그렁 우그러진〔찌그러진〕모양. ¶その缶には~의 이 깡통은 우그렁우그렁하다. ②몹시 배가 고픈 모양. ¶おなかが~だ 배가 몹시 고프다. ¶〖ス副〗머리를 자꾸 조아리는 모양 ; 또, 비굴하게 아첨하는 모양 ; 굽실굽실. ¶社長ちょうに~する 사장에게 굽실거리다.

ぺこ-む【凹む】자⑤①우묵하다 ; 움푹 패다 ; 꺼지다. ¶道みちが~ 길이 패다. ②굴복하다 ; 쩌루러지다. ¶何をか言いわれても~まない 무슨 말을 해도 굴복하지 않는다. ③(장사 따위에서) 밑지다.

ぺこり と 움푹 들어간 모양 ; 움푹. ¶~へこんだ 움푹 들어갔다. ②머리를 꾸뻑하고 숙이는 모양 ; 꾸뻑. ¶~とおじ ぎする 꾸뻑 절하다.

へさき【舳先】图 이물 ; 뱃머리. =船首せん. ↔とも.

べし【可し】[助動]〈雅〉〖ラ変 이외의 動詞의 終止形, ラ変·形容動詞의 連体形, 形容詞語尾 'かる' 따위에 붙음〗①당연의 뜻. ¶~で 마땅하다. ¶残のこるべくして残のこった 남아야 했기에 남았다. ¶~に 울 적이나. ¶~に 의할 틀림없다. ¶月つきの影かげは同おなじ事ことなるべければ 달 그림자는 다 같을 것이므로. ⑥해야 한다 ; 하지 않으면 안 된다. ¶物もの言いひ おくべきことありけり 말해 둘것이 있었다. ⑤…이 적당하다. ¶さるべきものを侍はべる 그럴 만한 자가 있사옵니다. ⑥…할 예정이다. ¶明日あすは遠国えんごくに赴おもむくべき~ 내일은 먼 고장으로 떠날 작정이다. ②추측의 뜻. ¶반드시…할 것이다. ¶別わかれてもまたも逢ふべく思おもほへば 헤어져도 다시 만나리라 생각하니. ¶…의 것 같다. ¶明日あすは雨あめなる~ 내일은 비가 올 것 같다. ③가능의 뜻. ¶…할 수 있다 ; …할 수 있을 듯하다. ¶山やまをも抜ぬく~ 산도 뽑을 만하다. ④〈終止形으로〉勧誘·命令의 뜻을 나타내는 말 : 하라 ; 하여 야다. ¶すぐ出発しゅっぱつす~ 곧 출발하여라. ¶결의·의지를 나타내는 말 : 꼭 …하겠다〔할 것이다〕. ¶いかかが御送おんおくりつかうまつるべき 어떻습니까만, 전송해 드릴까요.

へしあ-う【へし合う】〖圧し合う〗[五自]서로 세차게 밀어 대다. ¶押おし合あい~いして 밀치락달치락하며.

へし-お-る【へし折る】〖圧し折る〗[五他]눌러서〔꾸부러서, 휘어서〕 겪다.

ペシミスト 图 페시미스트 ; 비관론자 ; 염세가. ↔オプチミスト. ▷pessimist.

へしめ【へし目】〖減し目〗图 (편물에서) 코의 수를 줄임. ↔増ま目め.

ぺしゃんこ peshanー〖ダナ〗①눌려서 납작해진 모양. ¶の箱は~の 箱 납작해진 상자. ②상대방에게 욕싸질려서 꼼짝 못하게 된 모양. ¶しかられて~になる 꾸지람을 듣고 납작해지다. 〖注意〗힘줌말은 'ぺちゃんこ'.

ベスト 图 베스트. ¶~メンバー 베스트 멤버 / ~セラー 베스트 셀러 / ~を尽つくす 베스트를〔최선을〕 다하다. ▷best.

ベスト 图【醫】페스트 ; 흑사병(黑死病). ▷pest. ──きん【──菌】图 페스트균.

へそ【臍】图①배꼽. =ほそ·ほぞ. ②물건의 중심부에 있는 돌기(突起) ; 특히, 맷돌(의) 중쇠·배꼽 따위. **──で茶ちゃを沸わかす**；**──が宿やどるがえする** (우스꽝스러워서) 배꼽을 빼다. **──を まげる** 토라져서 말을 안 듣다.

べそ 图「~をかく」 (어린이가) 울상을 짓다 ; 또, 울다.

へそ-くり【臍繰り】图「へそくりがね」의 준말 ; 사천 ; (주부 등이) 살림을 절약하거나 하여 은밀히 모은 돈.

へそのお【へその緒】〖臍の緒〗图 탯줄. =ほその お. **──切きって以来いらい** 이 세상에 태어난 이후.

へそまがり【へそ曲がり】〖臍曲(が)り〗[名ナ]〈俗〉비뚤어진 심사 ; 또, 심술쟁이. =つむじまがり.

へた【蔕】图 (감·가지 따위의) 열매의 꼭지.

へた【下手】〖ダナ〗(솜씨가) 서투름 ; 서투른 사람. ¶字じが~ 글씨가 서투르다 / ~をすれば 까딱 잘못하면. ↔じょうず. **──の横好ずき** 서투른 주제에 그것을 좋아함.

ベターハーフ 图 베터 하프 ; 좋은 배우자 ; 애처. ▷better half.

へたくそ【下手くそ】〖下手糞〗[名ナ]〈俗〉대단히 서투름.

べたぐみ【べた組】 图 통조판(組版)(자간·행간을 메지 않고 활자를 짜기). = つめくみ.

へだた-る【隔たる】〖距たる〗[五自]①(공간적으로) 떨어지다. ¶(세월이)지나다 ; 경과하다. ¶半世紀はんせいきも~った今日こんにちでも 반세기나 지난 오늘날을 ~. ②사이가 차단되다 ; 가로막히다. ¶川かわで~った村むらはその 강을 사이에 끼고 있는 마을 들. ③소원해지다. ¶二人ふたりの仲なかが次第しだいに~ 두 사람의 사이가 점차 멀어지다. ④차(이)가 있다. ¶実力じつりょくが~ 실력이 차이가 나다.

べたつ-く[五自]①끈끈하게 달라붙다. ¶汗あせで手てが~ 땀으로 손이 끈적거리다. ②교태를 부리며 달라붙다.

へだて【隔て】图①칸막이 ; 경계. =しきり·さかい. ②차별 ; 구별. ¶~ 老若男女ろうにゃくなんにょの~なく 남녀노소의 차별없이. ③격의(隔意).

へだてがまし-い【隔てがましい】-shī 〖形〗서먹하다.

へだ-てる【隔てる】〖距てる〗[下1他]①사이를 때다 ; 사이에 두다. ¶一軒いっけん~てて 한 집 건너서 / 十年じゅうねん~てて 10 년 만에〔사이를 두고〕. ②사이를 막다 ; 가로막다. ¶障子しょうじで~ 장지로 칸을 막다. ③멀리하다 ; 싫어하다. ¶病人びょうにんを~ 환자를 멀리하다. ④사이를 가르다. ¶二人ふたりの仲なかを~ 두 사람 사이를 가르다.

へたば-る[五自]〈俗〉지쳐 버리다 ; 녹초가 되다 ; 지쳐서 주저앉다 ; 늘어지다. ¶べったりと~って立たてない 축 늘어져서 일어설 수 없다.

へたへた 副 힘이 빠져 쓰러지는〔주저앉는〕 모양 : 털썩. ¶~としりもちをつく 힘 없이 털썩 주저앉다.

べたべた 副 ①물건이 들러붙는 모양；끈적끈적. ¶手ﾃが〜だ 손이 끈적끈적하다. ②(끙끙이속이 있어서) 달라붙어 떨어지지 않는 모양；찰싹. ¶上役ﾔﾂに〜する 상사에게 찰싹 달라붙다. ③온통 바르거나 붙이는 모양；처덕처덕. ¶おしろいを〜(と)塗ﾇりたくる 분을 처덕처덕 뒤바르다.

べたべた 副 ①맨발로 땅위를 걷는 소리. ②손바닥으로 몸이나 젖은 물건을 때리는 소리；찰싹(찰싹)；찰싹찰싹. ¶〜と背中ﾅﾞを たたく 찰싹찰싹 등을 두드리다. ③연이어 몇 개씩 찍는 모양；도장을 찍는 모양；처덕처덕；온통. ¶こうやくを〜とはりつける 고약을 처덕처덕 붙이다. 参考 'べたべた'보다 가벼운 표현.

べたりと 副 ①끈적끈적 붙는 모양；척；철떡. ¶〜壁ﾍﾞﾆへばりつく 벽에 철떡 들러붙다. ②주저앉는 모양；털썩. ¶〜すわる 털썩 주저앉다.

べたりと 副 ①가볍게 눌러 붙는 모양；또, 그와같이 붙이는 모양；살짝；딱. ¶〜印ﾞﾝを押ﾉﾞす하 도장을 딱 찍다. ②영덩이를 붙이고 앉는 모양；탈싹. ¶〜すわる 탈싹 주저앉다. 参考 'べたりと'보다 가벼운 표현.

ペダル 名 페달；(자전거·피아노 따위의) 발판. ▷pedal.

ペダンチック -chikku ﾀﾞﾅ 페댄틱；현학적(衒學的). ▷pedantic.

ペチカ 名 페치카(러시아식 벽난로). =ペーチカ. ▷러 pechka.

ペチコート 名 페티코트(여성의 속옷의 하나). ▷petticoat.

へちま 【糸瓜】 名 ①植 수세미외. ②하찮은 것(수세미외는 먹지 못하므로). ¶學校ﾞﾂも〜も有ﾙ゙ものか 학교건 나발이건 알게 뭐냐. ─の皮ﾟﾜ 아무 쓸모도 없는 것의 비유.

べちゃくちゃ bechakucha 副 〈俗〉 시끄럽게 지껄이는 모양；석둑석둑. ¶〜(と)おしゃべりばかりしている 석둑석둑 수다만 떨고 있다.

ぺちゃくちゃ pechakucha 副 〈俗〉 'べちゃくちゃ'보다 가벼운 느낌을 나타내는 말；재잘재잘. ¶〜しゃべる 재잘재잘 재잘 지껄이다.

ぺちゃんこ pechan- ﾀﾞﾅ 〈俗〉①눌려 납작해진 모양. ¶家ﾞﾆが〜につぶされた 집이 납작하게 짜부라졌다. ②완전히 압도(패배)당한 모양. ¶〜に負ﾏﾞける 형편 없이 졌다. 注意 힘줄말은 'ぺっちゃんこ'.

*べつ 【別】 一 名 ①구별，차이. ¶男女ﾀﾞﾝｼﾞﾖの〜 남녀의 구별. ②별도；따로. ¶〜にしよう 따로 합시다. ③특별. ¶〜にかかわりない 특별히(별로) 변한 것은 없다. ④제외. ¶〜にして五人ﾆﾝ 先生ﾝﾞﾊﾞを〜にして 선생님을 제외하고 5 명입니다. 二 ﾀﾞﾅ 다름. ¶〜な方法ﾎﾟｳ 三 다른 방법/〜の問題ﾀﾞﾝ 다른 문제. 三 接頭 별…. ¶〜だ다름. ¶〜問題ﾀﾞﾝ 다른 문제. ②특별. ¶〜あつらえ 특별 주문(품). 四 接尾 …別. ¶能力ﾘﾖﾞ〜 능력별.

べつあつらえ 【別あつらえ】 【別誂え】 名 ﾞﾀ 특별 주문；또, 그 물건.

べついん 【院】 名 별원. ①본산(本山)의 출장소. ②칠당 가람(七堂伽藍) 외에 중의 거처로 지은 별채.

べつえん 【別宴】 名 송별연.

べっかく 【別格】 名 bekka- 별격；특별. ¶〜扱ﾄﾞﾂい 특별 취급.

べっかん 【別館】 名 bekkan 별관. ↔本館ﾝﾞ.

べっき 【別記】 名 bekki 별기. ¶〜のように 별기와 같이.

べつぎ 【別儀】 名 〈老〉 다른 일；별다른 일. ¶〜でもございらぬ 별다른 일은 아니오나.

べっきょ 【別居】 名 ﾞﾀ 별거. ¶〜生活ﾂ 별거 생활. ↔同居ﾖ.

べつぎょう 【別業】 -gyō 名 ①별장(別莊). ②다른 직업·사업.

べつくち 【別口】 名 ①다른 종류；다른 루트. ¶これはまた〜の話ﾅﾞだが 이것은 또 따 이야기지만. ②다른 거래 [계좌(計座)].

べっけ 【別家】 bekke 名 ﾞﾀ ①분가(分家). ↔本家ﾞﾆ. ②점원이 독립하여 주인집의 옥호(屋號)로 새 가게를 차림；또, 그 점포.

べっけい 【別揭】 bekkei 名 ﾞﾀ 별게；따로 게시함. ¶〜のように 별게한 바와 같이.

べつげん 【別言】 名 ﾞﾀ 달리 말함；환언(換言). ¶〜すれば 환언하면.

べっこ 【別個】 【別箇】 bekko 名ﾀﾞ 별개. ¶〜の問題ﾀﾞﾝ/〜に扱ﾂﾞう 별개로 취급하다.

べつご 【別後】 名 헤어진 뒤.

べっこう 【別項】 名 별항. ¶〜にかかげる 별항에 게시하다.

べっこう 【鼈甲】 名 대모갑(玳瑁甲). ¶〜色ﾞ 반투명의 황색(황갈색). ─ 호.

べつごう 【別号】 -gō 名 별호；다른 칭.

べっこん 【別懇】 bekkon 名ﾞﾄ 각별(各別)히 친함. ¶〜の間柄ﾞﾀﾞﾗ 각별히 친한 사이.

べっさつ 【別冊】 bessa- 名 별책. ¶〜付録ﾂ 별책 부록.

ペッサリー pessarī 名 페서리(피임을 위해 쓰는 기구). ▷pessary.

べっし 【別使】 besshi 名 별사. ①다른 사자(使者). ②특별한 사자.

べっし 【別紙】 名 별지.

べっし 【蔑視】 besshi 名 멸시.

べつじ 【別事】 名 특별한 일；별일. ¶〜無ﾅﾞく暮ﾞﾗす 별일 없이 지내다.

べつじ 【別辞】 名 송별사；작별 인사. ¶〜を述ﾉﾞべる 작별 인사를 하다.

べっしつ 【別室】 名 별실；특별실. ¶〜하리. ─とりわけ.

べっして 【別して】 副 특히；특.

べっしゅ 【別種】 besshu 名 별종；다른 종류.

べっしょう 【別称】 besshō 名 별칭.

べっしょう 【蔑称】 besshō 名 멸칭.

べつじょう 【別条】 -jō 名 보통과 다른 사항；별일. ¶〜無ﾅﾞく暮ﾞﾗす 별고 없이 지내다.

べつじょう 【別状】 -jō 名 다른 상태；보통과 다른 모양；이상한 모양. ¶命ﾉﾞﾆ〜はない 생명에 별이상은 없다.

べつじん 【別人】 名 별인；딴 사람. ─の観ﾞﾝ 아주 딴 사람같이 보임.

べっせい【別製】bessei 图 별제 ; 특제.

べっせかい【別世界】besse- 图 별세계 ; 색다른 세계. =別天地ᵗᵉⁿⁿᵒ.

べっせき【別席】besse- 图 ①별석 ; 다른 좌석. ②다른 방 ; 별실.

べっそう【別荘】bessō 图 별장.

べっそう【別送】bessō 国他 별송 ; 따로 보냄.

へったくれ hetta- 图《俗》 시시하게 생각한다는 것을 나쁘게 하는 말 : …이전 뭐전〔나발이전〕. ¶勉強ᵏʸᵒ̄も──もあるものか 공부전 뭐전 다 필요없다.

べったり bettari 副 ①끈적끈적 달라붙는 모양 : 척 ; 찰싹. ¶──(と)血ᵏᵉᵗがついている 피가 끈적하게 묻어 있다 / 体制ᵗᵃⁱᵉ̄に──だ 체제에 찰싹 밀착되어 있다. ②전면(全面)에 붙어있는〔적혀있는〕모양. ¶紙面ᵐᵉ̃いっぱいに──書ᵏᵃいてある 지면 전체에 빈틈없이 적혀 있다. ③지처서 주저앉는 모양. ¶──(と)縁側ᵉⁿᵍᵃʷᵃにすわる 털썩 툇마루에 주저앉다.

べったり pettari 副 'べったり' 보다 조금 가벼운 표현.

べつだん【別段】 ─ 一图乊 보통과 다름 ; 특별 ; 각별. ¶──の扱ᵃᵗⁱかいをする 특별한 취급을 하다. ─ 二副《뒤에 否定의 말을 수반하여》별반 ; 별로 ; 특별히. ¶──変ᵏᵃʷった事ᵏᵒᵗもない 별반 달라진 것도 없다.

べっちょう【別丁】betchō 图 별장(別張)《본문 용지와는 다른 종이에 인쇄하여 덧붙인 지면》.

へっつい【竃】hettsui 图 부뚜막. =かまど.

べってい【別邸】bettei 图 별저. =別邸ᵗᵉⁱ.

ヘッディング heddin- 图 헤딩. ①(기사의) 표제. = 見出ᵈᵃᵗⁱⁿᵘ̃し. ②(축구에서) 공을 머리로 받는 일. ▷heading.

べってん【別添】betten 图乊他 별첨.

べつでん【別電】betsuden 图 별전 ; 따로 친〔딴데서 온〕전보.

べってんち【別天地】betten- 图 별천지 ; 별세계.　　　　　　「 vet.

ヘット hetto 图 요리에 쓰는 쇠기름. ▷

ヘッド heddo 图 헤드. ①머리. ②우두머리 ; 수령 ; 수석. ¶──コーチ 헤드 코치. ③전방. ④(녹음기・녹화기 따위에서) 테이프가 접촉하여 녹음・녹화의 재생・소거(消去) 따위를 하는 부분. ▷head. ──ライト 헤드라이트. =テールライト. ▷headlight.

べっと【別途】betto 图 별도. ¶──を選ᵉᵘᵃ̃んで進ᵘᵘᵘᵘ̃む 딴 길을 택해서 나아가다 / ──収入ᵘ̄の計算は別途로 생각하다. 参考 副詞的으로도 쓰임. ¶交通費ᵖⁱ──は支給ᵏʸᵘ̄する 교통비는 별도로 지급하다.

＊ベッド beddo 图 베드 ; 침대. ▷bed. ─ 2인용 침대 / ──ルーム 베드룸 ; 침실. ▷bed.

ペット petto 图 페트 ; 애완용 동물 ; 귀염둥이〔손아래 애인을 가리킬 때도 있음〕. ▷pet.

べっとう【別当】bettō 图 ①옛날, 친왕(親王)・섭정(摂政)・대신(大臣)의 집안이나 절・신사(神社) 등의 특별 기관에 두었던 장관 ; 특히, 検非違使ᵉᵇⁱⁱ̃관청의 장관. ②황후 제가(諸家)의 직원의 수석. ③장님의 관위(官位)의 하나 《検校ᵏʸᵒ̄의 아래》. ④마부(馬夫). =馬丁ᵗᵉⁱ.　　　　　　「图 별동대.

べつどうたい【別動隊・別働隊】-dōtai 图 별동대.

べっとり bettori 副 끈적거리는 것이 온통 붙는 모양. ¶脂汗ᵃᵘᵃⁱ̃が──(と)かく 진땀을 흠뻑 흘리다.

＊べつに【別に】 副 ①《뒤에 否定을 수반해서》별로 ; 특별히. =とりたてて. ¶──困ᵏᵒᵐᵃらない 별로 곤란하지 않다. 参考 '何ᵗᵃ̃か有ᵃʳⁱ̃ませんか(=뭐 없습니까)'라는 물음에 대하여 '別に'로 대답할 때에는 '別に無ᵘᵃⁱ̃い(=별로 없다)'의 뜻을 포함하는 경우가 많음. ②따로. ¶──もう一つ 따로 하나 더 / ──申ᵐᵒ̄し上ᵃᵍᵉ̃げます 별도로 말씀드리겠습니다.

べつのう【別納】-nō 图乊他 별납 ; 별도 납입. ¶料金ᵏⁱⁿ──郵便ᵇⁱⁿ 요금 별납 우편.

べっぴょう【別表】beppyō 图 별표.

へっぴりごし【へっぴり腰】heppiri- 图《俗》①구부정하고 엉거주춤한 자세. =及ᵒʸᵒᵇⁱ̃腰ᵍᵒˢⁱ. ②자신이 없고 불안한 모양.

へっぴりむし【へっぴり虫】〔屁っ放り虫〕heppiri- 图 방귀벌레・노린재 따위와 같이 잡으면 악취를 내는 벌레의 속칭. =へひりむし.

べつびん【別便】图 별편 ; 다른 인편〔차편〕. ¶──でお送ᵒᵏᵘ̃りします 별편으로 보내겠습니다.　　　　　「（美人）.

べっぴん【別嬪】beppin 图《俗》 미인.

べっぷう【別封】beppū 图 별봉.

＊べつべつ【別別】乊乊 따로따로 ; 각각. ¶──に行ᵏᵘ 따로따로 가다 / ──の仕事ᵏᵒᵗᵒ̃ 각각 다른 일.

へっぽこ【屁っ鉾】heppo- 图《俗》 재주 없는〔쓸모 없는〕 사람을 깔보아 일컫는 말 : 돌팔이 ; 풋내기. ¶──医者ᵗᵃ̃ 돌팔이 의사.

べつま【別間】图 별실 ; 딴 방. =別室.

べつむね【別棟】图 별동 ; 딴 채.

べつめい【別名】图 별명. =べつみょう.

べつめい【別命】图 별명 ; 별도의 명령. ¶──有ᵃʳᵘ̃までは 별명이 있을 때까지는.

べつめん【別面】图 별면 ; 다른 페이지.

べつもの【別物】图 ①다른 것 ; 딴것 ; 별개. ¶これとそれとは──だ 이것과 그것은 딴 것이다. ②예외 ; 특별 취급할 사람〔물건〕. ¶彼ᵏᵃ̃だけは──の 그만은 예외이다.

べつもんだい【別問題】图 별문제.

べつよう【別様】-yō 乊 다른 모양 ; 다른 양식. ¶──の考ᵏᵃⁿ̃え方 다른 생각.

へつらう【諂う】国他 아첨하다 ; 알랑거리다. = おもねる・こびる.

べつり【別離】图 이별. ¶──の涙ᵃᵈᵃ̃ 이별의 눈물.　　　　　「vétéran.

ベテラン 图 베테랑 ; 노련가. ▷

ペてん 图《俗》 속임 ; 속임수 ; 사기. ¶──にかかる 속임수에 넘어가다. ── 师 사기꾼.

へど【反吐】图 토한 것 ; 게움 ; 구역질. ¶──を吐ᵃ̃く 게우다 ; 토하다.

べとつく 国自 끈적거리다 ; 끈적끈적 붙다.

へとへと 〖ダ〗 몹시 지쳐서 힘이 없는 모양. ¶～になる 녹초가 되다.

べとべと 끈적거리는 모양; 끈적끈적함. ¶手ₜₑが～する 손이 끈적거리다.

べとべと 끈적거리는 모양; 끈적끈적함. 〖參考〗'べとべと'보다 가벼운 표현.

へどもど 〖副〗(말이 막히든든가 해서) 당혹 절매는 모양; 당황하여 어쩔 줄 모르는 모양: 갈팡질팡. ¶～して答えられない 당황해서 대답을 못하다.

へどろ 처리치 않은 하수(下水)와 공장의 폐액(廢液) 따위가 해변가에 질척질척하게 굳어진 것.

ベトン 〖名〗비통; 콘크리트. ▷프 bḗton.

へなちょこ 〖埴猪口〗-choko 〖名〗①못내기; 애송이. ②곁에는 마귀, 안쪽에는 복신(福神)을 그린 막치 사기 술잔.

へなへな 〖副〗〖ダ〗①물썩〔풀싹〕맥없이 주저앉는〔쓰러지는〕모양. ¶～(と)くずおれる 풀썩〔맥없이〕주저앉다. ②성격이 맹도 못함; 줏대 없음; 물릴흫렁렁. ¶맥없이 (휘청휘청) 휘어지는 모양. ¶～のブリキ板が 휘청거리는 양철판.

ペナルティー -tī 〖名〗페널티; 경기에서, 반칙에 대한 벌칙. ¶～キック 페널티킥. ▷penalty.

ペナント 〖名〗페넌트. ①길고 좁은 삼각형의 기(旗). ②〖野〗우승기; 전하여, 우승; 패권. ¶～レース 페넌트레이스. ▷pennant.

べに 〖紅〗〖名〗①잇꽃의 꽃잎 따위로 만든 적색 염료(顔料)(화장품·염료·식품착색에 씀). ②연지. 주홍색. =くれない. 〖색〗

べにいろ 【紅色】〖名〗홍색; 선홍색; 주홍.

べにおしろい 【紅おしろい】〖紅白粉〗〖名〗연지와 가루분; 전하여, 화장.

べにかね 【紅かね】〖紅鉄漿〗〖名〗연지와 おはぐろ(=이를 검게 물들이는 액체); 전하여, 화장. ¶～をつける 화장하다.

ペニシリン 〖名〗페니실린. ¶～ショック 페니실린 쇼크. ▷penicillin.

べにすずめ 【紅雀】〖名〗〖鳥〗 단풍새.

べにぞめ 【紅染(め)】〖名〗붉게 물들임; 또, 물들인 것. 〖대비색.

べにてんぐたけ 【紅天狗茸】〖名〗〖植〗광

べにばな 【紅花】〖紅藍花〗〖名〗〖植〗잇꽃. =べに・すえつむはな.

べにふで 【紅筆】〖名〗입술 연지 바르는 붓. 〖魚〗=べにさけ.

べにます 【紅鱒】〖名〗〖魚〗홍송어 (紅松

べニヤいた 【ベニヤ板】〖名〗베니어판; 합판. =ベニヤ. ▷veneer.

へのかっぱ 【屁の河童】-kappa 〖俗〗①아무 것도 아님; 대수롭지 않게 생각함; 예사. ②간단히 할 수 있는 일.

へばりつく 【へばり付く】〖自〗찰싹 달라붙다. ¶一日中ひゃうꜜꜜ机ᵹᵤᵉに-いている 하루 종일 책상에 달라붙어 있다.

へば-る 〖五自〗아주 지치다; 녹초가 되다. =へたばる. ¶すっかり～った 아주 녹초가 되었다.

へび 【蛇】〖名〗[動] 뱀. 〖參考〗큰 것은 'おろち'. 〖成句〗～の生殺なめ 죽일 것도 아니오, 서서히 괴롭히는 것의 비유.

ヘビー 헤비. 〖造〗①막판의 분발. ¶ラスト～ 마지막 분발. 〖造〗接頭①정도나 심한. ¶～スモーカー 헤비 스모커; 독하게 담배를 피우는 사람. ②강한; 센. ¶～バッター 강타자(强打者). ③무거운. ▷heavy. ──を掛ける 최후의 분발을 하다; 안간힘을 쓰다. ──きゅう 【─級】-kyū 헤비급.

ベビー 베이비. ①유아; 젖먹이. ¶～服 아깃옷. ②소형(小型)의 것. ¶～カメラ 소형 사진기. ▷baby.

へびいちご 【蛇苺】〖名〗〖植〗뱀딸기.

へびとんぼ 【蛇とんぼ】【蛇蜻蛉】-tombo 〖名〗〖蟲〗뱀잠자리.

へびむし 【へび虫】【屁放り虫】〖名〗〖蟲〗☞へっぴりむし.

ペプシン 〖名〗펩신(위액(胃液) 속의 단백질을 분해하는 효소). ▷도 Pepsin.

ヘブライズム 〖名〗헤브라이즘; 기독교적 세계관. ▷Hebraism.

べべ 〈兒〉옷. ¶お～ 옷.

へべれけ 〖ダ〗〈俗〉고주망태가 된 모양. ¶～に酔う 고주망태가 되도록 취하다.

へぼ 〈俗〉①서투름. ¶～将棋しゃうꜜꜜ 풋장기. ②(과일 따위의) 미숙함. ¶～きゅうり 덜 익은 오이.

ヘボンしき 【ヘボン式】〖名〗헤본식; 미국인 헤본이 고안한 일본어의 로마자 철자법의 하나('フ'를 fu, 'シ'를 shi, 'ジ·ヂ'를 ji로 표기함). =ヘボン式ローマ字ロꜜꜜꜛ字와 対・標準式ひゃうꜜꜜ式. ▷Hepburn.

へま 〖名ダ〗〈俗〉①똑똑치 못하고 눈치가 없음; 얼간; 바보짓. ¶～野郎ᵉᵉᵉ 얼뜨기 녀석. ②실패. ¶～をする〔やらかす〕실패를 하다〔실수를 저지르다〕.

へめぐ-る 【経巡る】【経回る】〖五自〗여기저기 두루 돌아다니다; 편력(遍歴)하다. 〖moglobin.

ヘモグロビン 〖名〗헤모글로빈. ▷도 Ha-

へや 【部屋】〖名〗①방. ¶大ꜛꜛꜛへや 큰방; 子供こꜛꜛへや 어린이 방. ②헛간; 광. ¶炭すꜛへや 숯광. ③①궁중에서 궁녀(宮女)가 거처하는 방. =つぼね. ①하녀(下女)로서 첩(妾)이 되어 방을 하나 받은 신분. ¶お～樣さꜛ 귀인의 첩(높임말); 작은집. ④씨름판의 대기소; 전하여, 그 제자 일동이 속하는 계통. ⑤江戸ꜛꜛ 시대의, 大名だいꜛꜛ의 江戸저택의 남자 하인·일꾼 등의 대기소. ──ぎ 【─着】〖名〗실내복. ──ずみ 【─住(み)】〖名〗맞아들이 아직 가독 상속을 받지 않았을 때의 신분; 또, 가독 상속을 받지 않는 차남 이하의 사람. ──わり 【─割(り)】〖名ス自〗(여관 따위에서) 방을 배당하는 일.

へら 【箆】〖名〗(줄을 긋거나 풀 따위를 개고 바르는) 주걱(구둣주걱 모양의 것).

べら 【遍羅】〖名〗〖魚〗놀래기.

へら-す 【減らす】〖五他〗줄이다; 감하다. ¶人ひꜛを～ 사람을 줄이다; 감원하다/予算ꜛꜛを～ 예산을 줄이다. ↔ふやす.

へらずぐち 【減らず口】〖名〗지는 줄이 분해서 당치 않은 말을 자꾸 함. ¶～を たたく (지지 않으려고) 억지부리다; 생떼거리를 쓰다.

へらぶな 【箆鮒】〖名〗〖魚〗주걱붕어.

へらへら 副 ①실없이 자꾸 웃는 모양：실실. ¶～笑かい 실실 웃는 웃음. ②경솔하게 지껄이는 모양：실실；하릴없는 통.

べらべら 副 ①입심 좋게 잘 기질여 대는 모양；외국어를 잘 지껄이는 모양：줄줄；술술. ¶～(と)まくしたてる 줄줄 지껄여 대다. ②물건이 얇고 약한 모양：흐르르. ¶～した布ゖ 흐르르한 천. 参考 'べらべら의 힘줌말.

べらべら 副 ①거침없이 잘 지껄이는 모양；특히, 외국어를 잘 지껄이는 모양：술술；줄줄. ¶彼ゖは英語ガゖが～だ 그는 영어를 술술 잘 한다. ②종잇장 같은 것을 연달아 넘기는 모양：펄럭펄럭. ③얇고도 약한 모양：흐르르. ¶～の人柄ガゖ 흐르르한 인견.

べらぼう【箆棒】-bō 名ダナ〈俗〉①(정도가) 몹시 심한 모양. ¶～に暑あつい 엄청나게 덥다. ②터무니 없음. ¶～な値段だん 엄청난 값／そんな～な話はゕがあるものか 그런 터무니없는 말이 어디 있어. ──め【──奴】 남을 욕할 때 쓰는 말：바보；병신. ¶～、気きをつけろ 병신 같은 녀석, 조심해.

ベランダ 名 베란다. ▷veranda(h).

べらんめえ -rammē 名〈俗〉東京ゖサ 사람들이 남을 욕할 때 쓰는 말. =ばかめ. ──くちょう【──口調】-chō 名東京ゖ사 소(小) 상공업 지역 장인(匠人)들의 활기(活氣) 있는 어조(語調).

*へり【縁】名 ①가장자리；언저리；가. =ふちゕじ. ¶机つくの～ 책상가. ②테를 두른 천；가선. ¶～をとる 가선을 두르다(대다). ③모자에 두른 형겊. ¶～つきの帽子ゕ 헝겊 테를 두른 모자. ▷준말.

ヘリ 名 'ヘリコプター(=헬리콥터)'의 준말.

ヘリウム heryū- 名【化】헬륨. ▷Helium.

ペリカン 名【鳥】펠리컨；사다새. ▷pelican.

へりくだる【謙る・遜る】5回 겸양하다；자기를 낮추다. ¶～った言いゕ方かゎ 겸손한 말씨.

へりくつ【へ理屈】【屁理屈】名 (당치 않은) 억지 이론；생떼 같은 억지；강변(強辯). ▷ter.

ヘリコプター 名 헬리콥터. ▷helicopter.

へりとり【縁取り】名 테를 두름；가선 두른 물건；전하여, 가장자리만 빛이 다른 꽃잎이나, 가선 두른 돗자리 따위.

ヘリポート 名 헬리포트；헬리콥터용의 비행장. ▷heliport.

＊へ–る【減る】5自 ①줄다；적어지다. ¶数量すゔが～ 수량이 줄다／口くゖの～らない奴やつだ 수다스러운 놈이다. ↔増ふえる. ②〈腹はゔが～の꼴로〉허기지다；배고파지다；배고프다. ③닳다；마멸(磨滅)하다. ¶砥石とゖが～ 숫돌이 닳다.

＊へる【経る】【歴る】下1自 ①(때가) 지나다；경과하다. ¶なす事なゕもなく日ひを～ 하는 일도 없이 날을 보내다. ②(장소를) 지나다；통과하다；거치다；거쳐 가다. ¶東京とゖを経てアメリカに帰きする 東京을 거쳐 미국으로 돌아가다. ③거쳐 (과정을) 거치다. ¶審議ガゖを～ 심의를 거치다／次官ガゕを経て 次官을 거쳐

大臣だゖになる 차관을 거쳐 대신이 되다.

＊ベル 名 벨；종；방울；초인종. ¶非常ガゖ～ 비상 벨. ▷bell.

ヘルスセンター 名 보양지(保養地)；보양을 위한 시설. ▷일 health center.

ヘルツ 名【理】헤르츠(주파수·진동수의 단위). ▷도 Hertz.

ヘルツすい【ヘルツ水】名 벨츠수；피부가 거칠어지는 것을 방지하는 화장수. ▷도 Bälz.

＊ベルト 名 ①벨트；띠. ②피대(皮帶). ③지대(地帶). ¶グリーン～ 그린 벨트；녹지대. ▷belt. ──コンベヤー -kombeyā 名 벨트 컨베이어；전송대(傳送帶). ¶～システム 벨트 컨베이어 시스템；전송대 작업 방식. ▷belt conveyer.

ヘルニア 名【醫】헤르니아；탈장(脫腸). ▷라 hernia.

ベルベット -betto 名 벨벳. ☞ビロード. ▷velvet.

ヘルメット -metto 名 헬멧. ▷helmet.

ベレー 'ベレー帽ゕゖ'의 준말；베레；베레 모자.

ベレーぼう【ベレー帽】名 베레；베레 모자. ▷프 béret.

ヘレニズム 名 헬레니즘；그리스(사상)풍의 세계관. ↔ヘブライズム. ▷Hellenism.

べろ 名〈俗〉혀. =舌した.

ヘロイン 名 헤로인(모르핀으로 만드는 마약). ▷도 Heroin.

へろへろ 名〈俗〉약하고 힘이 없음；맥빠진 모양. ¶～矢や 맥빠진 화살.

べろべろ 副 ①혀로 핥는 모양：할짝할짝. ¶～(と)皿さらをなめる 할짝할짝 접시를 핥다. ②〈～に의 꼴로〉몹시 술취한 모양：곤드레만드레. =べろんべろん. ¶～に酔よう 곤드레만드레 취하다.

ぺろぺろ 副 ①혀를 자주 내미는 모양：날름날름. ¶～(と)舌したを出だす 날름날름 혀를 내밀다. ②혀로 자주 핥는 모양：할짝할짝. ¶금방 다 먹어 치우는 모양：늘름늘름. ¶～(と)平らげる 늘름늘름 먹어 치우다.

べろりと 副 ①혀를 내미는 모양：날름. ②날름 혀를 내밀고 핥는 모양：할짝.

ぺろりと 副 ①혀를 재빨리 내미는 모양：날름. ⑦혀로 빨리 핥는 모양：쓱. ②빨리 먹어 버리는 모양：늘름. ¶一皿さらを～平らげる 한 접시를 늘름 먹어 치우다.

べろんべろん 名 곤드레만드레. ¶～に酔よう 곤드레만드레 취하다.

へん【辺】名 ①(數) 변. ②근처；부근. =あたり. ¶東京とゖ～では 東京 부근에서는. ③정도. =くらい. ¶この～で酔よってやれ 이 정도에서 용서해 주어라.

＊へん【変】名 ①변. ②변화. ¶海海うゕゖの～ 창상지변(滄桑之變). ②난；난리(동란動亂)·병란(兵亂)·내란 따위；큰 사건；정변(政變). ③【樂】플랫(flat)(기호：♭). ↔嬰えい. 三ダナ 보통이 아님；이상함. ¶～なやつだ 이상한 놈이다.

へん【偏】名 (한자의) 변. ↔つくり.

へん【編】【篇】 편. 一名 ①편집；편찬；

編曲。¶国語学会ぶんがっかい~ 국어학회 편.
②작품(作品)을; 또, 그 일부분. ¶近世
きんせい~ 근세편. 三接尾語적 시문(詩文)을 세
는 말. ¶詩じ二~ 시 2편.

べん 【弁】图①(辯) 변. ⑦말; 변설. ¶
大臣だいじん就任しゅうにんの~ 대신 취임의 변.
⑥接尾語적으로) 말씨. ¶熊本くまもと
熊本 말씨. ¶2(瓣) 판. ⑦꽃잎. ¶弁を
開くひらく 밸브를 열다. 参考接尾語적으
로도 씀. ¶安全あんぜん~ 안전판. ⑥화판
(花瓣) ¶五~の花びら 오판화. ─が
立たつ 능변이다; 강연・연설 따위를 잘
하다.

***べん** 【便】图①변; 대소변. ¶~がゆ
るい 변이 무르다. ②편의; 편리.
¶交通こうつうの~のよい所ところ 교통편이 좋
은 곳.

ペン 图 펜. ▷pen. **─を折おる** 중도에
서 집필을 그만두다; 或, 문필 활동을
그만두다. **─が 【─画】** 图 펜화.
──さき 【─先】 图 펜촉. **──じく**
【─軸】 图 펜대. **──ネーム** 图 페네
임; 필명(筆名); 아호(雅號). ▷pen
name. **──パル** 图 펜 팔. ＝ペンフレン
ド. ▷pen pal. **──フレンド** 图 펜프
렌드; 펜 팔. ▷pen-friend.

へんあい 【偏愛】图 편애. ¶長男
ちょうなんを~する 장남을 편애하다.
へんあつ 【変圧】图【理】변압. **──き**
【─器】 图 변압기.

へんい 【変位】图 [ス自] 변위.
へんい 【変異】图 [ス自] 변이; 이변; 변
동. ¶突然とつぜん~ 돌연 변이.
へんい 【変移】图 변이; 변화하
여 옮김(옮아감).
べんい 【便意】图 변의; 용변하고 싶은
생각. ¶~を催もよおす 용변을 보고 싶
다. 《ちぎれ雲ぐも》
へんうん 【片雲】图 편운; 조각 구름. ＝
ちぎれ雲. 《便船べんせん》
べんえき 【便益】图 편익. ＝便利べんり.
へんおんどうぶつ 【変温動物】-dōbutsu
图 변온 동물. 参考'冷血動物れいけつ
どうぶつ(＝냉혈 동물)'의 고친 이름. ↔定温動
物ていおん~.
へんか 【返歌】图 반가; 딴 사람이 보내
온 和歌わかに 답하여 읊는 和歌. ＝かえ
しうた.
***へんか** 【変化】图 [ス自] 변화. ¶~を起
おこす 변화를 일으키다. **──きゅう**
【─球】-kyū 图【野】변화구. ↔直球
ちょっきゅう.
へんか 【変改】图 [ス他自] 변개.
***べんかい** 【弁解・辯解】图 [ス他] 변해;
변명. ＝言いわけ. ¶~がましい 변
명하는 것 같다.
へんがえ 【変換(え)・変替(え)】图〈老〉
변개; 변경. ＝変換へんかん.
へんかく 【変革】图 [ス自] 변혁.
へんかく 【変格】图 변격; 변칙(變則).
↔正格せいかく. **──かつよう 【─活用】**-yō
图【文法】변격 활용.
べんがく 【勉学】图 [ス他] 면학; 공부.
¶~にいそしむ 면학에 힘쓰다.
ベンガラ 『弁柄・紅殻』图 ①철단(鐵
丹); 황토(黃土)를 구워서 만든 안
료. ＝べにがら. ②べんがら縞じまの 준
말; 날이 견사(絹絲)이고 씨가 무명인
줄무늬의 직물. ▷네 Bengala.

へんかん 【返還】图 [ス他] 반환.
へんかん 【変換】图 [ス他自] 변환; 전환.
べんぎ 【便宜】图 편의; 요강.
***べんぎ** 【便宜】图【ダナ】편의. ¶あらゆ
る~を与あたえる 모든 편의를 제공하다.
──しゅぎ 【─主義】-shugi 편의주
의. **──じょう 【─上】**-jō 圖 편의상.
ペンキ 图 뺑끼; 페인트. ＝ペイント. ¶
~ぬりたて '뺑끼 주의'(게시)한다.
へんごう 【変記号】-gō 图【楽】변기
호; 내림표; 플랫(♭). ↔嬰記号えいき
ごう.
へんきゃく 【返却】-kyaku 图 [ス他] 되
돌려 줌; 반환. 《卞けい》.
へんきょう 【辺境・辺疆】-kyō 图 변
경.
へんきょう 【偏狭・偏狭】-kyō 图【ナ】편
협; (토지나 사람의 도량이) 좁음.
***べんきょう** 【勉強】-kyō 图 [ス自他] ①
(학업・일 따위에) 열심히 힘을 기울임;
공부. ¶一家いっか 열심히 공부하는(노력
하는) 사람. ②(장래의 대성을 위한)
쓰라린 경험; 시련. ¶いい~になった
좋은 경험이 되었다. ③(俗)(값을) 싸
게 해서 팖; 할인. ¶本日ほんじつ, 大だい~ 오
늘 대할인 (판매).
へんきょく 【編曲】-kyoku 图【楽】
편곡. 《려줌〔갚음〕》.
へんきん 【返金】图 [ス他] 반금; 돈을 돌
ペンギン 【鳥】图 펭귄. ▷penguin.
へんくつ 【偏屈・偏窟】图【ナ】편굴; 고
벽; 성질이 외곬으로 쏠림.
ペンクラブ 图 펜 클럽. ▷P.E.N. club.
P.E.N.은 Poets, Playwrights, Editors,
Essayists and Novelists의 약자.
へんげ 【変化】图 괴물; 요괴(妖怪); 화
신(化身). 参考 신불(神佛)이 임시로
사람의 모습을 하고 나타나는 일에도
씀.
へんけい 【変形】图 [ス他自] 변형.
へんけい 【弁慶・辨慶】图 ①강자(強
者). ¶うち~ 아랫목 대장. ②군데군
데 구멍을 뚫은 대통으로, 부채나 부
엌 도구를 꽂아 두는 물건. ③죽근자.
④ ☞ べんけいじま. 参考 弁慶는 平
安へいあん 시대의 무장(武将) 源義経みなもと
のよしつね의 심복이었던 장사. **──の立たち所しょ**
(弁慶 같은 장사도 채이면 운다는 데
서) 정강이(뼈). **──じま 【─縞】**
같은 빛깔의 농담(濃淡)으로 나타낸 큼
직한 격자무늬. ＝べんけい. **──そう 【─草】**-sō 图
【植】꿩의비름.
へんげん 【変幻】图 변환; 종잡을 수
없이 빠른 변화.
へんげん 【片言】图 편언.
***べんご** 【弁護】图 [ス他] 변호. **──し**
【─士】 图 변호사.
***へんこう** 【変更】-kō 图 [ス他] 변경. ¶
予定よていの~ 예정 변경.
へんこう 【偏向】-kō 图 편향; 한쪽으
로 치우침; 또, 그런 경향.
へんこうせい 【変光星】-kōsei 图【天】
변광성.
へんさ 【偏差】图【数】편차.
へんざい 【辺際】图 변제; (토지나 사
물의) 끝; 한계.
へんさい 【返済】图 [ス他] 반제.
へんさい 【変災】图 변재; 재난.
へんざい 【偏在】图 [ス自] 편재; 한 곳에
치우쳐 있음. ¶富とみの~ 부의 편재.

へんざい【遍在】名自 편재 ; 두루 퍼져 있음.

べんさい【弁才】【辯才】名 변재 ; 말재주 ; 구변 ; 또, 말로 속이는 재간.

べんさい【弁済】【辨済】名自 변제 ; 채무를 변상함 ; 특히, 법적으로 채무를 이행해서 소멸시킴.

べんざいてん【弁才天・弁財天・辯才天・辯財天】【佛】 변재천(인도의 여신으로, 변설·음악·재복(財福)·지혜를 맡음 ; 칠복신(七福神)의 하나).=べざいてん・べんてん.

へんさん【編纂】名他 편찬.

へんし【変死】名自 변사.

へんじ【片時】名 잠시.=かたとき.

＊へんじ【返事】【返辭】名自 대답 ; 담장 ; 응답. ¶すぐ～を出すず 곧 담장을 내다.

へんじ【変事】名 변사 ; 이변. ¶～を聞いてかけつける 이변을 듣고 달려가[오]다.

べんし【弁士】【辯士】名 변사. ①구변 좋은 사람. ②연설·강연하는 사람. ③무성 영화 시대에 화면 설명을 직업으로 하던 사람.

へんしつ【変質】名自 변질. ─名 이상한 성질(성격). ¶～的な男 변질적인 사나이.　「執」

へんしゅ【偏執】名 ☞へんしゅう【偏執】

へんしゃ【編者】-sha 名 편자(「編纂者・編集者」의 준말).=へんじゃ.

へんしゅ【変種】-shu 名他 변종.↔原種

へんしゅ【偏取】-shu 名他 편취.

へんしゅう【偏執】-shū 名自 편집 ; 외고집.=片意地. ¶～狂 편집광.

＊へんしゅう【編修】-shū 名他 편수.

＊へんしゅう【編集】【編輯】-shū 名他 편집 ; 편차. ¶～部 편집부 / ～者 편집자.　「신.」

へんしょ【返書】-sho〈老〉답장 ; 답신.↔往信

＊べんじょ【便所】-jo 名 변소 ; 뒷간.=かわや・せっちん.

へんじょう【返上】-jō 名他 반려 ; 반환 ; 반납. ¶日曜日～ 일요일 반납.

べんしょう【弁証】【辯證・辨證】-shō 名他 변증. ──ほう【─法】-hō 名 변증법.　「변상.」

べんしょう【弁償】【辨償】-shō 名他 변상.

へんしょく【変色】-shoku 名自 변색함 ; 또, 변색시킴.　「식.」

へんしょく【偏食】-shoku 名自 편식.

へん-じる【変じる】名1自他 ☞へんずる【変─】.

べん-じる【弁じる】名1他自 ☞べんずる【弁─】.

ペンシル名 펜슬 ; 연필(흔히, 샤프펜슬을 가리킴). ▷pencil.

へんしん【返信】名 답서 ; 회신. ¶～用はがき 회신용 엽서.↔往信

へんしん【変心】名自 변심.=心変わり.

へんしん【変身】名自 변신 ; 몸·모습을 바꿈 ; 또, 바뀐 모습.

へんじん【変人】【偏人】名 괴짜 ; 좀 별난 사람.=変わり者.

ベンジン【石油精】名 벤진('石油精ベンジン(=석유 벤진)'의 준말).▷benzine.

へんすう【辺境】-sū 名 변추 ; 외딴 시골 ; 나라의 변경.=かたいなか.

へんすう【変数】-sū 名【數】 변수.↔定数じょう.

へんずつう【偏頭痛】-tsū 名【醫】 편두통.　「기울다.」

へん-する【偏する】サ変自 치우치다.

へん-ずる【変ずる】サ変自他 변화하다 ; 바뀌다 ; 변경하다 ; 바꾸다.

べん-ずる【便ずる】サ変自 편리하게 하다 ; 유용하게 하다.

べん-ずる【弁ずる】── サ変自他 ①말하다. ㉠이야기하다. ㉡변명하다. ¶友のために～ 친구를 위해서 변명하다. 注意 본디는 '辯ずる'. ②㉠구별하다. ¶是非善悪ぜんあくを～ 시비 선악을 구별하다. ㉡처리하다 ; 조처하다. ── サ変自 ①끝나다. ¶用が～ 용무가 끝나다. ②정리되다. 注意 ──② 와 ──는 본디 '辨ずる'.

へんせい【変成】名自他 변성. ──がん【─岩】名 변성암.

へんせい【変声】名 변성. ──き【─期】名 변성기.

へんせい【編成】名他 편성. ¶予算ぎ～ 예산 편성.

へんせい【編制】名他 편제.

へんせつ【変節】名自 변절. ¶～漢かん 변절자.

べんぜつ【弁舌】【辯舌】名 변설 ; 구변.

＊へんせん【変遷】名自 변천. ¶時代じだいの～ 시대의 변천.

ベンゼン名 벤젤.=ベンゾール. ▷benzene.

へんそう【返送】-sō 名他 반송.

へんそう【変装】-sō 名他 변장.

へんぞう【変造】-zō 名他 변조 ; 위조.

へんそうきょく【変奏曲】-sōkyoku 名 변주곡.=バリエーション.

ベンゾール名 벤졸.=ベンゼン. ▷Benzol.　「변칙적.」

へんそく【変則】名ナ 변칙. ¶～的で

へんそく【変速】名自 변속. ¶～装置そう 변속 장치.

へんたい【変態】名 변태. ──せいよく【─性欲】名 변태 성욕.

へんたい【編隊】名 편대.

へんたいがな【変体仮名】名 보통의 平仮名がなと 다른 초체(草體)의 仮名('あ'를 'お'로 'い'를 'ん'로 쓰는 따위).

べんたつ【鞭撻】名他 편달.

ペンダント名 펜던트. ①목걸이나 귀걸이 등에 다는 보석이나 메달, 또는 석이나 메달이 달린 목걸이.▷pendant.

へんち【辺地】名 변지 ; 벽지.

ベンチ名 벤치. ▷bench. ──を暖あたためる 보결로서 경기에도 못 나가고 벤치에 남아 있다.

ペンチ名 벤찌. ▷pinchers.

へんくつり【偏屈り】【偏窟り】〈俗〉이상야릇한 모양 ; 괴이함.=へんてこ. ¶～なことを言う 괴상한 말을 하다.

ベンチャー ビジネス benchā- 名 벤처 비지니스 ; 모험 산업. ▷venture business.　「편저자.」

へんちょ【編著】-cho 名 편저. ¶～者

へんちょう【変調】名自他 변조. ①상태가 바뀜 ; 상태를 바꿈 ; 또, 그 상태.↔正調せい. ②【樂】 이조(移調) ; 조옮김. ③몸·머리 따위가 정상이

아님. ¶頭^{がに}に～をきたした 머리에 이상이 생겼다.

へんちょう 【偏重】 -chō 图他 편중.

ベンチレーター 图 벤틸레이터;환기 장치. ▷ventilator.

ぺんつう 【便通】 -tsū 图 변통;용변. ＝通じ.

へんてこ 【変挺】 ダナ 〈俗〉이상〔기묘〕한 모양. ¶二人^{たり}の間^だが～になった 두 사람 사이가 묘하게 되었다.

――りん ダナ ☞へんてこ.

へんてつ 【変哲】图『～もない』색다를 것이 없다;특별난 것도 없다;평범하다.

へんてん 【変転】图自 변전. ¶～きわまりない 변전 무상하다.

へんでん 【返電】图 반전;답전.

べんてん 【弁天】〔辯天・辨天〕图①〔佛〕'べんざいてん'의 준말. ②미인(美人). ¶～娘^{むすめ} 아주 아름다운 처녀.

へんでんしょ 【変電所】-sho 图 변전소.

へんど 【辺土】图 변토;벽촌. ＝かたいなか・ど地^ち.

へんとう 【返答】-tō 图自 대답;회답.

へんどう 【変動】-dō 图自 ①변동. ¶相場^{そうば}の～ 시세의 변동. ②(세상의) 소동;사변.

***べんとう** 【弁当】〔辨当〕-tō 图 도시락. ¶仕出^だし～ 맞출 도시락 / ～箱^{ばこ} 도시락(그릇).

へんとうせん 【扁桃腺】hentō- 图〔生〕편도선. ¶～炎^{えん} 편도선염.

へんに 【変に】副 기묘하게;이상하게.

へんにゅう 【編入】-nyū 图他 편입. ¶～試験^{しけん} 편입 시험.

へんねんし 【編年史】图 편년사;편년체로 쓴 역사.

へんねんたい 【編年体】图 편년체(연대순으로 사실을 적는 역사 편찬의 한 방법). ↔紀伝体^{きでんたい}. 〔유.

へんのうゆ 【片脳油】hennō- 图 편뇌유.

へんのう 【返納】-nō 图自 반납.

へんぱ 【偏頗】hempa 图自 편파. ¶～な考^{かんが}え 편파적인 생각.

へんぱい 【返杯】〔返盃〕hempai 图自 술잔을 돌려줌.

へんぱつ 【弁髪】〔辮髪〕bempa- 图 변발(옛 중국인의 머리 풍습).

へんぴ 【辺鄙】hempi 图ナ 변비;벽촌. ¶～な所^{ところ} 아주 외진 곳.

べんぴ 【便秘】bempi 图自 변비.

へんぴん 【返品】hempin 图他 반품.

へんぶつ 【変物】〔偏物〕hembu- 图 변물;괴짜. ＝変^{かわ}り者^{もの}・変人^{へんじん}.

へんぺい 【偏平】〔扁平〕hempei 图ナ 편평;평평함;납작함. ――そく 【――足】图 편평족;마당발.

べんべつ 【弁別】〔辨別〕bembe- 图他 변별;분별;구별;식별.

ベンベルグ bembe- 图〔商標名〕벤베르크(부드럽고 얇은 인조견). ▷도 Bemberg.

へんぺん 【片片】hempen トタル ①얇으며 내용도 변변치 못한 모양: 알팍함. ②조각조각 가볍게 흩날리는 모양:편편.

べんべん 【便便】bemben トタル ①살이

써 배가 뚱뚱한 모양. ¶～たる太鼓腹^{たいこばら} 뚱뚱한 올챙이배. ②빈둥빈둥 허송 세월하는 모양. ¶～だらり 副 시간만 끌고 매듭이 지어지지 않는 모양. ＝のんべんだらり.

ぺんぺんぐさ 【ぺんぺん草】pempen- 图〔植〕냉이. ＝なずな. 一が生^はえる 집 따위가 황폐해짐을 이르는 말.

へんぼう 【変貌】hembō 图自 변모.

へんぽう 【返報】hempō 图自 보답함;앙갚음함;보복.

べんぽう 【便法】bempō 图 편법. ¶～を講^{こう}ずる 편법을 강구하다.

へんぽん 【返本】hempon 图他 책의 반품.

へんぽん 【翻翻】hempon トタル 편번;나부끼는 모양.

べんまく 【弁膜】〔瓣膜〕bemma- 图〔生〕판막.

べんむかん 【弁務官】〔辨務官〕bemmu- 图 판무관.

べんむけいやく 【片務契約】hemmu- 图〔法〕편무 계약. ↔双務契約^{そうむけいやく}.

へんめい 【変名】hemmei 图一 변명;본명을 숨기고 달리 내세운 이름. 二 图 이름을 갈.

べんめい 【弁明】〔辨明〕bemmei 图 변명;사물의 시비가 분명해짐. 注意 본디는 '辯明'. 二 图 图他 변명(辯明). 弁解^{べんかい}. ¶～書^{しょ} 변명서. 注意 본디는 '辯明'.

べんもう 【鞭毛】bemmō 图〔生〕편모. ――うんどう 【――運動】-dō 图 편모 운동. ――しょくぶつ 【――植物】-shokubutsu 图 편모 식물. ――ちゅう 【――虫】-chū 图〔動〕편모충.

へんよう 【変容】-yō 图自 변용;변모;모습이 달라짐.

へんらん 【変乱】图 변란.

べんらん 【便覧】图 편람. ＝ハンドブック. ＝びんらん.

べんり 【弁理】〔辨理〕图 변리. ――こうし 【――公使】-kōshi 图 변리 공사. ――し 【――士】图 변리사.

＊＊べんり 【便利】图 편리. ¶使^{つか}うに～だ 쓰기에 편리하다. ↔不便^{ふべん}. ――や 【――屋】图 심부름 센터(물품 배달·전언(傳言) 등의 잔심부름을 해 주는 것을 직업으로 하는 사람).

へんりゅう 【偏流】-ryū 图 편류.

へんりん 【片鱗】图 편린. ¶才能^{さいのう}の～を示^{しめ}す 재능의 편린을 보이다〔나타내다〕.

ヘンルーダ 【芸香】图〔植〕헨루더;운향(芸香). ▷네 wijnruit.

へんれい 【返礼】图自 답례.

へんれい 【返戻】图自 반려. ＝返戻^{へんれい}.

べんれい 【勉励】图自 면려;열심히 힘씀. ¶刻苦^{こっく}～ 각고 면려.

へんれき 【遍歴】图自 편력. ¶人生^{じんせい}～ 인생 편력.

へんろ 【遍路】图 순례(巡禮)〔四国^{しこく}에 있는 弘法^{こうぼう}大師^{だいし}(대사(大師)의 유적 88개처를 순배(巡拜)하는 일;또, 그 사람).

べんろん 【弁論】〔辯論〕图自 변론. ¶～大会^{たいかい} 변론 대회 / 法廷^{ほうてい}での最終^{さいしゅう}～ 법정에서의 최종 변론.

ほ　ホ

① 五十音図の 'は行'의 다섯째 음.[ho] ②【字源】'保'의 초서체(かたかな 'ホ'는 '保'의 오른쪽 아래).

*ほ【帆】图 돛. ¶得手に～を上げる 자신 있는 일을 신이 나서 하다／尻に～を掛ける 쏜살같이 도망치다.

ほ【歩】图 ─图① 걸음；보조. ¶～を進める 걸음을 내딛다〔옮기다〕. ②보병(歩兵). 二接尾 …보；걸음의 횟수를 재는 단위. ¶一歩二歩 한 발짝 두 발짝.

*ほ【穂】图① 이삭. ②이삭 모양의 것. ¶筆の～の先 붓끝. ─に出る ①이삭이 열매를 맺다. ②생각하고 있는 것이 외면에 나타나다.

ホ 图【樂】마(장음계(長音階) 다조(調)의 '미'에 해당되는 음；E음).

-ほ【補】…보；겸습；후보. ¶判事～ 판사보.

ぼ【戊】图【つちのえ】무；천간(天干)의 다섯째.

ほあん【保安】图 보안. ─官 보안관／～処分【法】 보안 처분.

ほい【布衣】图 포의. ①(관복이 아닌) 사복；평복. ②평민；…ふい. ─より身を起こす 평민에서 출세하다.

ほい【補遺】图 보유；(문장·글에서) 빠진 것을 보충하는 일；또, 그렇게 한 부분.

ほい 感① 잘못을 느끼거나 놀랐을 때 내는 말：아이쿠；저런；이런. ②짐을 들거나, 밀고 끌고 할 때 내는 소리.

ぼい 副 가볍게 버리는〔던지는〕 모양：덜렁. ¶～と捨てる 휙〔하고〕 버리다.

-ぼい 접미 …っぽい.

ぼいき【墓域】图 묘역；묘지로 구획된 【구역】.

ほいきた【ほい来た】連語〔感動詞적으로〕 가볍게 떠맡을 때의 응답하는 말：이거 됐다；마침 됐다.

ほいく【保育】图 ス他 보육. ①어린아이를 돌보아 기름. ②(본디, 어미가 젖을 주어 새끼를 기름.) ──えん【─園】图 보육원. ──き【─器】图(미숙아를 위한) 보육기.

ボイコット -kotto 图 ス他 보이콧. ①불매 동맹(不買同盟). ②어떤 세력가를 공동으로 배척함. ③노동자가 단결하여 작업을 거부함.

ホイッスル hoissu- 图 휘슬；호각. ＝ホイスル. ▷whistle.

ほいっぽ【歩一歩】-ippo 連語 일보일보；한걸음 한걸음；조금씩. ¶～快方に向かう 조금씩 차도가 있다.

ボイラー 图 보일러；기관(汽罐). ▷boiler.

ボイル ス他 보일. ①끓임；삶음；데침. ¶～油 보일유＋(건성유(乾性油)의 하나). ▷boil.

ぼいん【母音】图 모음；홀소리. ＝ぼおん. ＋子音.

ぼいん【拇印】图 무인；지장；손도장.

ポインセチア 图【植】포인세티아；성성목(猩猩木). ▷poinsettia.

ポインター 图【動】포인터(사냥개의 일종). ▷pointer.

ポイント 图 포인트. ①특정의 개소(箇所)；요점. ②チャーム；매력점. ③수；득점. ¶～をあげる 득점을 올리다. ③레일의 전철기(轉轍機). ④(트럼프의) 수. ⑤활자 크기의 단위. ＝ポ. ¶九～の活字 9포인트 활자. ⑥소수점. ＝以下 소수점 이하. ▷point. ──を稼ぐ 점수를 따다.

ほう【方】图①방면. ①방향. 左の～ 왼쪽／東の～ 동쪽. ②분야；계통；…관계. ¶その～ではますいな 그 방면에서는 지지 않는다／私の職業は事務の～です 내 직업은 사무 계통입니다. ②편. ①어떤 가운데에서 하나를 가리키는 말：쪽. ¶ほくよりは君の～が悪い 나보다는 네 편이 나쁘다／君の～が上 네 쪽이 연상이다. ②(비교) 부류·성향(性向)을 가리키는 말. ¶彼は怒りっぽい…다 그는 화를 잘 내는 편이다.

ほう【法】hō 图①법칙；규칙. ¶～に触れる 법에 저촉되다. ②방법；수단. ¶そんな～があるか 그런 방법이 있는가. ③예의；예법；관례. ¶～にかなうふるまい 예의 바른 행동. ④【數】제수(除數). ↔实. ⑤불법(佛法)；불교. ¶～を説く 설법하다. ⑥프랑스의 화폐 단위 '프랑(franc)'의 음역. 二接尾①법률；법안. ¶～国際法. ②(하는) 방법；방식. ¶救急～ 구급법. ③【文法】문장의 표현 형식. ¶仮定～ 가정법.

ほう【苞】hō 图【植】포；화포(花苞)：(싹이나 화관(花冠) 밑에 붙은 비늘 모양의 잎).

ほう【砲】hō 图 포；대포；화포.

ほう【袍】hō 图(주로 平安 시대의) 옛 조정에서 공사를 볼 때 관복(官服)의 겉에 입었던 조복(朝服). ＝うえのきぬ. 参考 문관·무관용이 있으며 위계에 따라 복색이 다름；지금은 '神主(＝신관)'가 입음.

ほう【報】hō 图①응보；보답. ¶前世の～ 전세의 과보. ②소식；기별. ¶父の死の～に接して 아버지가 돌아가셨다는 소식에 접하다.

ほう hō 感 감탄하거나 놀라서 내는 소리：허어；저런.

ぼう【叩】图 표；십이지(十二支)의 넷째. ＝う.

ぼう【坊】bō 二图①중이 거처하는 집. ¶～に泊まる 절에서 머무르다. ②승려；중. ¶おーさん 스님. ③남자 아이. ¶～や 아가. 二接尾①애칭 또는 조롱해서 쓰는 말. ¶あまえん－ 응석받이／けちん－ 구두쇠. ②남자 아이 이름에 붙여 친밀감을 나타내는 말. ¶二男 둘째 아기.

ぼう【某】bō 图 모. ①아무개. 二接頭 어떤. ¶～校長 모 교장.

ぼう〔旁〕bō 图 한자 자형(字形)의 오른쪽 부분；방. ＝つくり. ↔偏.

ぽう【望】bō 图 망. ①만월;보름달. ②음력 보름날(밤). ¶三月%%の～ 삼월 보름.⇔朔ξ.

‡ぼう【棒】bō 三 图 ①몽둥이;막대기. ¶～でたたく 몽둥이로 때리다. ②멜대. ¶～をかつぐ 멜대를 메다. ③(그린) 직선;줄. ¶～を引いて消す"를 그어 지우다. ④봉술(棒術);또, 거기서는 막대기. ¶～の達人ξ 봉술의 달인. 三接尾…봉;막대기. ¶鉄5~ 철봉. ―に振る (이제까지의 노력 등을) 헛되게 하다;무로 돌리다. ―を折る 중도에서 실패하다.

ぼう【暴】bō 图 ①사나움;난폭함. ②횡포;불법. ¶～をもって～にむくい 폭력으로써 폭력에 보복하다.

ぼう-【亡】bō 图 망…;죽은;사랑한. ¶～祖父ξ 망조부. ―等산모.

-ぼう【帽】bō 图 …모;모자. ¶登산모.

ぼうあく【暴悪】bō- 名 ポ악. ¶～な犯人ξな 흉악한 범인.

ぼうあみ【棒編み】bō- 图 2 개 이상의 뜨개질 바늘을 사용하여 짬 ;바느질하여 모심.

ぼうあん【奉安】hō- 图 他 봉안;안치.

ぼうあん【法案】hō- 图 법안;법률안.

ぼうあんき【棒暗記】bō- 图 ス他 이해도 못 하면서 기계적으로(무턱대고) 욈.=丸暗記ξ る.

ぼうい【法衣】hō- 图 【佛】법의. 注意 'ぼうえ'가 바른 말씨.

ぼうい【包囲】hōi 图 ス他 포위. ¶～攻撃ξ 포위 공격.

ぼうい【方位】hōi 图 방위. ①방향. ②오행 천간(五行天干)에 의하여 판단하는 방향의 좋고 나쁨. ¶～を占ξ る 방위를 점치다.

ほうい hōi 感 멀리 있는 사람을 부를 때 내는 소리:어어이.

ぼうい【暴威】bōi 图 폭위;맹위. ¶台風ξな～をふるう 태풍이 맹위를 멸치다.

ほういがく【法医学】hōi- 图 【医】법의학.

ほういつ【放逸・放佚】hō- 图 방일;멋대로 함;방종.

ほういん【法印】hō- 图 ①【佛】불법이 참되고 불변 부동함을 나타내는 표지. ②【佛】'法印大和尚ξξ'의 준말(최고의 승위(僧位)). ③江戸ξ 시대에의 사・화가・連歌師ξξ 등에 준 칭호. ④⇒やまぶし(山伏)③④.

ぼういん【暴淫】bō- 图 ス自 폭음;방사(房事)를 지나치게 함.

ぼういん【暴飲】bō- 图 ス自 폭음. ¶暴食ξξ 폭음 폭식.

ぼうう【暴雨】bōu 图 폭우.

ほうえ【法会】hōe 图 【佛】법회. ¶설법(說法)을 위하여 사람을 모음;또, 그 모임. ②죽은 사람의 추선(追善)・공양(供養)을 함;또, 그 모임;법사(法事).=法事ξ・法要ξξ.

ほうえ【法衣】hōe 图 〈老〉법의.=ほうい・僧衣ξ.

ほうえい【放映】hō- 图 ス他 방영.

플로써 보호되고 있는 이익.

‡ぼうえき【貿易】bō- 名 ス自 무역. ¶～自由化ξ% 무역 자유화 / ～外ξ収支 무역외 수지. ―じり【―尻】图 수출입의 결산액. ―ふう【―風】-fū 图 무역풍.=恒信風ξξ.

ぼうえき【防疫】hō- 图 ス他 【医】방역.

ほうえつ【法悦】hō- 图 【佛】법열;전하여, 황홀한 기분.=エクスタシー.

ほうえん【方円】hō- 图 네모와 원(圓). ¶水ξは～の器ξξに従ξに 물은 그릇에 따라 모양이 변한다;전하여, 사람은 주위 환경에 따라 달라진다.

ほうえん【豊艶】hō- 图 풍염;풍만하고 아름다움. ¶～원정.

ぼうえんきょう【望遠鏡】bōenkyō 图 망원경.

ほうおう【法王】hōō 图 법왕. ①(가톨릭교의) 교황(教皇).=教皇ξ. ②【佛】여래(如來)의 딴이름.

ほうおう【法皇】hōō 图 【佛】법황;불문에 들어간 상황(上皇).

ほうおう【訪欧】hōō 图 ス自 방구;유럽을 방문함.

ほうおう【鳳凰】hōō 图 봉황.

ほうおん【報恩】hō- 图 보은.=恩返ξξ し.

ぼうおん【忘恩】bō- 图 망은. ¶～のるまい 배은 망덕한 짓.

ぼうおん【防音】bō- 图 ス他 방음. ①소음을 방지(차음ξ)함. ¶～装置ξξ 방음 장치. ②소음이 나지 않게 함. ¶～法 방음법(소음 방지법).

ほうか【下】hō- 图 ス他 투하(投下)함;던져 버림;던짐. 三図【田楽ξ(=농악(農樂)에서 발달한 무악(舞樂))에서 전화(轉化)된 곡에의 일종.

ほうか【放火】hō- 图 ス自 방화. ¶～罪ξ 방화죄.⇔失火ξ. ―과 후.

ほうか【放課】hō- 图 ス他 방과. ¶～後ξ 방과 후.

ほうか【放歌】hō- 图 ス自 방가;큰 소리로 노래를 부름. ¶～高吟ξξ 방가 고음(매우 떠드는 모양).

ほうか【法科】hō- 图 ①법률에 관한 학과. ②법학부(法學部).

ほうか【邦貨】hō- 图 방화;자기 나라의 화폐.⇔外貨ξ.

ほうか【砲火】hō- 图 포화(흔히 전쟁이나 전투를 말함). ¶～のさまた 전쟁터 / ～を交えξる 교전하다. ―림.

ほうが【奉賀】hō- 图 ス他 축하를 드림.

ほうが【萌芽】hō- 名 맹아;싹이 틈;전하여, 사물의 시작.=めばえ・きざし.

ほうが【邦画】hō- 图 방화. ①자기 나라의 그림. 국산(國産) 영화. ②[映] 국산 영화.⇔洋画ξ. ―館ξ 방화관(국산 영화만을 상영하는 극장).⇔洋画ξ.

-ぼうか【防火】hō- 图 방화. ¶～壁ξ 방화벽 / ～地帯ξ 방화 지대.

ぼうが【忘我】bō- 图 망아. ¶～の境ξ 무아의 경지.

ほうがい【法外】hō- 图 ①도리에 벗어남;불합리. ②[ダナ] 터무니없음;도가 지나침. ¶～な言ξいがかり 당치 않은 트집 / ～な値ξ 터무니없이 비싼 값.

‡ぼうがい【妨害・妨碍】bō- 图 ス他 방해.=じゃま. ¶営業ξξ〔交通ξξ〕～ 영업(교통) 방해.

ほ

ぼうがい【望外】bō-[名] 의외 ;기대하던 이상임. ¶～の栄誉ᅡᆼ誉ᄒᆞ 뜻밖의 영예.

ほうかいせき【方解石】hō-[名][鑛] 방해석(유리 비슷한 무색 투명의 광석).

＊ほうがく【方角】hō-[名] ①방위(方位). ¶～が悪ᅟ~い 방위가 나쁘다. ②방향. ──ちがい【──違い】[名] 짐작[대중]이 틀림. ＝見当ᅡᆼ違い.

ほうがく【法学】hō-[名] 법학. ¶～者ᅡ~ 〔博士ᅟᅡ~〕법학자(박사).

ほうがく【邦楽】hō-[名] 방악 ;나라 고유의 음악. ↔洋楽ᅡᆨ.

ほうかちょう【奉加帳】hōgachō[名] 시주한 물목이나 시주자의 명단을 적은 장부. ¶～を回ᅥᆸす 기부금을 모으다.

ほうかつ【包括】hō-[名][ス他] 포괄. ──てき【──的】[ダナ] 포괄적. ¶～に述ᅥたのべれば 포괄적으로 말[진술]하면.

ほうかん【幇間】bō-[名] 방한 ;귀한(貴函). ＝貴簡ᆫᅟᅡᆫ・尊翰ᅟᆫ.

ほうかん【砲艦】hō-[名] 포함(주로 연안 경비를 맡음).

ほうかん【法官】hō-[名] 법관 ;재판관. ＝裁判官ᅡᆫ.

ほうがん【判官】hō-[名] ①옛 관제에서, 四等官ᅟᅡᆫ의 第 3 위. ＝判官ᅟᅡᆫ(尉ᅟᅵ ;尉ᅟᅵ). ②특히, 検非違使ᅟᅵᆫの 尉ᅟᅵ(＝3등관). ③源義経ᅟᆫᅟᆫ의 尉였기 때문에). ──びいき【──贔屓】-bīki ☞ はんがんびいき.

ほうがん【包含】hō-[名][ス他] 포함.

ほうがん【砲丸】hō-[名] 포환. ①포탄(砲彈). ②투척환(投척丸)에 쓰는 쇠공. ──なげ【──投げ】[名] 투포환.

ほうかん【傍観】hō-[名][ス他] 방관. ──者ᅟ~ 방관자. ──てき【──的】[ダナ] 방관적. ──態度ᅟᅩ 방관적 태도.

ぼうかん【暴漢】bō-[名] 폭한.

ぼうかん【防寒】bō-[名] 방한. ──服ᅟ~ 방한복. ↔防暑ᅟᅩ.

ほうがんし【方眼紙】hō-[名] 방안지 ;모눈종이. 「き 대비.

＊ほうき【箒・帚】hō-[名] 비. ¶竹ᅡ~箒ᅟ~.

＊ほうき【放棄・抛棄】hō-[名][ス他] 포기. ¶戦争ᅟᅩᆫ～ 전쟁 포기.

＊ほうき【法規】hō-[名] 법규. ¶交通ᅟᅩ~ ～ 교통 법규. 「年」.

ほうき【芳紀】hō-[名] 방기 ;방년(芳年).

ほうき【蜂起】hō-[名][ス自] 봉기.

ぼうぎ【謀議】hō-[名] 모의. ¶～に加ᅡ~わる 모의에 가담하다.

ほうきぐき【ほうき草】〔箒草・帚草〕hō-[名][植] 대싸리.

ほうきぼし【ほうき星】〔箒星・帚星〕hō-[名] ☞すいせい(彗星).

ぼうきゃく【忘却】bōkya-[名][ス他] 망각 ;잊어버림. ¶酔ᅟ~の前後ᅟᅩ を～する 술에 취하여 제 정신을 잃다. ↔記憶ᅡᆨ.

ぼうぎゃく【暴虐】bōgya-[名] 포학. ¶～君主ᅟ~ 포학한 군주.

＊ほうきゅう【俸給】hōkyū [名] 봉급. ＝サラリー・給料ᅡᆼ. ¶～生活ᅟ~ 봉급 생활.

ほうぎょ【崩御】hōgyo [名][ス自] 붕어 ;天皇ᅟ~・皇后・황태후가 세상을 떠남 ;승하(昇遐).

ぼうきょ【暴挙】bōkyo [名] 폭거. ①무

모한 계획 ;난폭한 행동. ¶～に出ᅥる 난폭한 행동으로 나오다. ②폭동.

ぼうぎょ【防禦・防禳】bōgyo [名][ス他] 방어. ¶～体制ᅟᅵᆯ 방어 체제／～率ᅟ~ 〔野〕방어율.

ぼうきょう【望郷】bōkyō [名] 망향.

ぼうくう【防空】bō-[名] 방공. ¶～政策ᅟ~ 방공 정책. ↔容共ᅡᆼ.

ほうぎょく【宝玉】hōgyo-[名] 보옥 ;보석. 「ぎょ(っ)ᆺ共ᄒ.

ぼうぎれ【棒切れ】bō-[名] 나무 토막. ＝

ぼうぐ【防具】bō-[名] (검도에서) 얼굴・몸통에 대는 방어용의 도구.

ぼうくう【防空】bōkū [名] 방공. ¶～演習ᅟ~ 방공 연습. ──ごう【──壕】-gō [名] 방공호.

ぼうぐみ【棒組(み)】bō-[名][印] (조판(組版)에 있어서) 매단(段)의 자수・행수・행간 따위만을 임시로 맞추어 짜는 일 ;또, 그 조판. ＝本組ᅟᅵ.

ぼうグラフ【棒グラフ】bō-[名] 막대 그래프. ▷graph.

ぼうくん【傍訓】bō-[名] 한자 옆에 다는 토. ＝振ᅡ~りがな・ルビ.

ぼうくん【暴君】bō-[名] 폭군 ;비유적으로, 멋대로 행동하는 난폭한 사람 ;된 주인(사람). ¶～ネロ 폭군 네로.

ほうけい【包茎】hō-[名] 포경 ;우멍거지. ¶～手術ᅟ~ 포경 수술.

ほうけい【方形】hō-[名] 방형 ;사각형 ;네모. ¶～陣ᅟ~ 방형진.

ぼうけい【傍系】bō-[名] 방계. ¶～姻族ᅟ~ 방계 인족(姻族). ↔直系ᅟ~・正系ᅟᅡᆨ. ──がいしゃ【──会社】-sha [名] 방계 회사.

ほうけい【亡兄】hō-[名] 망형 ;죽은 형.

ほうげき【砲撃】hō-[名][ス他] 포격.

ほうげつ【某月】bō-[名] 모월 ;어느 달. ¶～某日ᅟ~ 모월 모일.

ほう-ける【惚ける・呆ける】[下1自] ①멍해지다. ＝ぼける. ¶病ᅟ~み 오래 앓아서 기력이 없다. ②열중하다. ¶遊ᅡ~び～ 노는 데 정신이 팔리다.

ほうけん【宝剣】hō-[名] 보검.

ほうけん【封建】hō-[名] 봉건. ¶～思想ᅟᅩᆼ 봉건 사상. ②封建制度ᅟᅩ~'의 준말. ──じだい【──時代】[名] 봉건 시대. ──しゅぎ【──主義】-shugi [名] 봉건주의. ──てき【──的】[ダナ] 봉건적. ¶～な考ᅡ~え 봉건적인 생각. ↔民主的ᅟᅟ~・近代的ᅟᆫᅟ~.

ほうげん【放言】hō-[名][ス自] 방언 ;멋대로〔무책임하게〕 지껄임 ;또, 그 말.

＊ほうげん【方言】bō-[名] 방언 ;사투리. ¶関西ᅡᆫ～ 관서 지방 방언. ↔標準語ᅡᆫ・共通語ᅟ~.

＊ぼうけん【冒険】bō-[名][ス自] 모험. ¶～旅行ᅟᅩ~〔小説ᅟ~〕모험 여행〔소설〕.

ほうけん【剖検】bō-[名][ス他] 부검 ;해부하여 검사함.

ぼうけん【望見】bō-[名][ス他] 망견 ;먼 데서〔멀리서〕 바라봄.

ほうげん【妄言】hō-[名] 망언 ;주책없고 근거 없는 말. ＝もうげん. ──多謝ᅟ~ 망언 다사 ;망언을 사과함(흔히 편지에서 씀).

ほうげん【暴言】bō-[名] 폭언.

ほうこ【宝庫】hō-[名] 보고 ;전하여, 좋

은 산물(産物)이 많이 나는 지방.
ぼうご【防護】bō- 图 [ス他] 방호；막아
서 지킴. ¶～服[ぷく][壁ぐ] 방호복[벽].
ほうこう【奉公】hōkō 图 [ス自] ①봉공；
몸을 바쳐 공적인 일에 봉사함. ¶滅私
かっ～ 멸사 봉공. ②주인에게 봉사함；
고용살이함. ¶でっち奉公かっ 상점의
고용살이[연소자에만 해당함]. ──に
ん【──人】고용인(입주한 정원의
구칭).
ほうこう[咆哮] hōkō 图 [ス自] 포효；짐
승이 으르렁거림.
ほうこう【彷徨】hōkō 图 [ス自] 방황；헤
맴. ¶原野な～を-する 들판을 방황하
다.
ほうこう【放校】hōkō 图 [ス他] 방교；퇴
학(<退學>)처분. ¶～処分しょ 퇴학[출
학] 처분.
ほうこう【方向】hōkō 图 방향. ¶～転
換てん 방향 전환 /～探知器たんちき 방향 탐
지기 / 逆ぎゃくの～ 반대 방향.
ほうこう【砲口】hōkō 图 포구；포문.
ほうこう【芳香】hōkō 图 방향；향기로
운(좋은) 냄새. ↔悪臭あく.
ほうこう【縫合】hōgō 图 [ス他] 봉합.
ほうごう【法号】hō- 图 [佛] 법호；수
계(受戒) 때나 사후(死後)에 주어지는
법명(法名). =戒名かいみょう.
ほうこう【暴行】hōkō 图 [ス自] 폭행；강
간；난폭한 행위；폭력을 가함. ¶～を
はたらく 폭행을 하다.
ぼうこう[膀胱] bōkō 图 [生] 방광；오
줌통. ¶～炎えん 방광염.
ほうこく【報告】hō- 图 [ス他] 보고. ¶
経過かいか～ 경과 보고 / 中間ちゅうかん～ 중간
보고. ──ぶん【──文】图 보고문. =
レポート. ¶……一사 보국.
ほうこく【報国】hō- 图 보국.
ほうこく【亡国】hō- 图 망국. ①망한
나라. ②～の民み 망국의 백성. ¶～死
を망た 망치다. ③奢侈しゃ～論 사치 망국론.
ぼうこく【某国】bō- 图 모국；어떤 나
라.
ぼうこく【母国】bō- 图 모국；어떤 나
라.
ぼうこん【亡魂】bō- 图 망혼；망령(亡
靈).
ぼうさい【亡妻】bō- 图 망처；(얼마 전
에) 죽은 아내. ↔亡夫ぼうふ.
ぼうさい【防災】bō- 图 방재；재해를
방지함. ¶～対策たい 방재 대책 /～セ
ンター 방재 센터.
ぼうさい【防塞・防塞】bō- 图 방색；바
리케이드. =とりで.
ぼうさき【棒先】bō- 图 ①막대기 끝.
②가마채의 끝(을 메는 사람).
ほうさく【方策】hō- 图 방책. ¶万全
ばんぜんの～を立てる 만전의 방책을 세우
다 /～を見いだす 방책을 찾아내다.
ほうさく【豊作】hō- 图 풍작. ↔不作
ふ・凶作きょう. ──ききん【──飢饉】图
풍년 기근. ¶豊作貧乏びんぼう=豊年びょう貧
乏.
ぼうさつ【忙殺】bō- 图 [〈혼히,
'～される'의 꼴로 써서〉 망쇄；매우 분
주함；일에 쫓김. ¶仕事しごとに～されて
일에 쫓기어[몹시 바빠서].
ぼうさつ【謀殺】bō- 图 [ス他] 모살. ↔故
殺こさつ.
ほうさん【ほう酸】[硼酸] hō- 图 [化]
붕산. ¶～水すい 붕산수 /～軟こう 붕
산 연고.

ほうさん【放散】hō- 图 [ス自] 방산；발
산；특히, 한 곳에 생긴 아픔이 여러 곳
으로 퍼지는 듯이 느낌.
ぼうさん【坊さん】bō- 图 중을 친숙하
게 부르는 말. ¶お～ 스님.
*****ほうし**【奉仕】hō- 图 [ス自] 봉사. ①국
가나 사회 또는 윗사람에게 전력(盡力)
함. ¶無料むりょう～ 무료 봉사. ②값을 싸
게 하여 팖. =サービス. ¶～品ひん 봉사
품. ¶～に(に) 모심.
ほうし【奉祀】hō- 图 [ス他] 봉사；(사당
에) 모심.
ほうし【放恣・放肆】hō- 图[ナ] 방자.
ほうし【法師】hō- 图 ①[佛] 법사；승
려(僧侶). ②〈…ほうしの꼴로〉그런
상태에 있는 사람·사물을 가리킴. ¶
やせ～ 말라깽이 /一寸法師いっすん 난쟁
이 / 影法師かげ한 사람 그림자.
ほうし【胞子】hō- 图 [植] 포자. ¶
～植物ぶつ 포자 식물.
ほうし【芳志】hō- 图 방지(남의 후의
(厚誼)에 대한 높임말).
ほうじ【法事】hō- 图 [佛] 재(齋). =法
会ほうえ.法要よう.
ほうじ【邦字】hō- 图 자기 나라 문자.
¶～新聞しん 국어로 적은 신문.
ぼうし【亡師】bō- 图 돌아가신 선생
〔스승〕.
*****ぼうし**【帽子】bō- 图 ①모자. ¶～掛かけ
모자걸이. ②긴 물건의 끝부분에 둘러
씌우는 것. ¶筆ふでの～ 붓두껍.
ぼうし【某氏】bō- 图 모씨；어떤 분.
ぼうし【紡糸】bō- 图 방사；실을 자음；
또, 그 실.
ぼうし【防止】bō- 图 [ス他] 방지. ¶
～策さくを練ねる 방지책을 강구하다.
ほうしき【方式】hō- 图 방식.
ほうしき【法式】hō- 图 법식. =のり.
おきて. ¶礼儀れいぎ～ 예의 범절.
ぼうじしゃく【棒磁石】bōjishaku 图 막대
자석.
ほうじちゃ【ほうじ茶】[焙じ茶] hōji-
cha 图 볶아서 다린 (엽)차.
ほうしつ【亡失】bō- 图 [ス自他] 망실；잃
어버림；없어짐. ¶～届とどけ 망실계.
ほうしつ【忘失】bō- 图 [ス他] 망실；아
주 잊어버림. 「방습제.
ぼうしつ【防湿】bō- 图 방습. ¶～剤ざい
ぼうじつ【某日】bō- 图 모일；어떤 날.
¶某月ぼうがつ～ 모월 모일.
ぼうじつ【望日】bō- 图 망일；보름날.
ほうしゃ【ほう砂】[硼砂] hōsha 图
[化] 붕사.
ほうしゃ【放射】hōsha 图 [ス自] 방사. ¶
～状じょう 방사상. ──せい【──性】图
[理] 방사성. ¶～同位元素どうい 방사성
동위 원소. ──せん【──線】图 [理]
방사선. ¶～障害しょう 방사선 장
애 /～療法ほう 방사선 요법. ──のう
【──能】-nō 图 [理] 방사능. ¶～汚
染せん 방사능 오염.
ぼうじゃくぶじん【傍若無人】bōja-
[ナ] 방약 무인.
ほうしゅ【法主】hōshu 图 [佛] 법주.
①한 종파의 우두머리[특히 真宗しんで에
서]. ②법회(法會)의 주인역. 注意
'ほっしゅ・ほっす'라고도 함.
ほうしゅ【砲手】hōshu 图 포수.
ぼうじゅ【傍受】bōju 图 [ス他] 방수；무
전(無電)을 제3자가 수신함.

*ほうしゅう【報酬】hōshū 名 보수. ＝お礼^{れい}・返礼^{へんれい}.

ほうしゅう【放縦】hōjū 名［ダナ］방종. ＝ほうしょう・わがまま.

ぼうしゅう【防臭】bōshū 名 방취. ¶～剤^{ざい} 방취제.

ぼうしゅう【防銹】bōshū 名 방수；금속이 녹스는 것을 방지함. ＝防錆^{ぼうせい}・さびどめ.

ほうしゅく【奉祝】hōshu- 名［ス他］ 봉축.

ほうしゅく【豊熟】bōshu- 名［ス他］ 봉축；천이 줄어들지 않게 함. ¶～加工^{こう} 봉축 가공.

ほうしゅつ【放出】hōshu- 一名［ス他］방출. ¶～物資^{ぶっし} 방출 물자. 二名［ス自］세차게 내뿜음.

ほうじゅつ【豊術】hōju- 名 포술.

ぼうじゅつ【棒術】bōju- 名 봉술；몽둥이를 무기로 쓰는 기술.

ほうじゅん【芳純】hōjun 名ダ 방순；(술이) 향기가 높고 맛이 좋음；훈감함. ¶～の酒^{さけ} 향기가 높은 미주. 注意 '芳純'으로 씀은 대용 한자.

ほうじゅん【豊潤】hōjun 名ダ 풍윤；풍부하고 윤택함.

ほうしょ【奉書】hōsho 名（'奉書紙^{がみ}'의 준말；닥나무로 만든 고급 종이〔奉書②〕를 쓰는 데 썼음〕.②상의(上意)를 받들어 명령을 전달하는 문서；특히, 무가(武家) 시대, 将軍^{しょうぐん}의 명령을 전달하던 문서.

ほうじょ【幇助】hōjo 名［ス他］방조；(죄가 될 만한 일을) 거들어 도와 줌. ¶自殺^{じさつ}～罪^{ざい} 자살 방조죄.

ぼうじょ【防除】bōjo 名［ス他］방제；재해를 막고 제거함.

ほうしょう【奉唱】hōshō 名［ス他］봉창；삼가 노래를 부름. ¶国歌^{こっか}～ 국가 봉창.

ほうしょう【報奨】hōshō 名［ス他］보장；보답하고 장려함. ¶～金^{きん} 보장금.

ほうしょう【報償】hōshō 名［ス自］보상. ¶①손실의 변상. ¶～金^{きん} 보상금. ②보복(報復).

ほうしょう【法相】hōshō 名 법상；법무대신. ＝法務大臣^{ほうむだいじん}.

ほうしょう【褒賞】hōshō 名 포상. ¶～授与^{じゅよ} 포상 수여.

ほうしょう【褒章】hōshō 名 포장.

ほうじょう【放生】hōjō 名【佛】방생；사람에게 잡힌 동물을 놓아 줌. ¶～会^え 방생회；(음력 8월 15일에 행하는 방생의 의식).

ほうじょう【方丈】hōjō 名 ①1 장(丈)〔10 척(尺)〕사방(의 방). ②절 안에 있는 주지(住持)의 방；전하여, 주지(住持) 스님. ¶～さん 주지 스님.

ほうじょう【褒状】hōjō 名 포장.

ほうじょう【豊穣】hōjō 名 풍양；오곡이 풍성하게 익음.

ほうじょう【豊饒】hōjō 名ダ 풍요. ¶～な社会^{しゃかい} 풍요한 사회.

ぼうしょう【傍証】bōshō 名 방증.

ぼうしょう【帽章】bōshō 名 모표.

ぼうしょう【棒状】bōshō 名 봉상；막대기 모양.

ほうしょく【奉職】hōsho- 名［ス自］봉직（좁은 뜻으로는 교원(教員)이 되는 것을 가리킴〕.

ほうしょく【飽食】hōsho- 名［ス自］포식. ¶～暖衣^{だんい} 포식 난의(아무런 부족이 없는 풍족한 생활).

ぼうしょく【暴食】bōsho- 名［ス自］폭식. ¶暴飲^{ぼういん}～ 폭음 폭식.

ぼうしょく【紡織】bōshō 名［ス他］방직. ¶～工業^{こうぎょう} 방직 공업.

ぼうしょく【防蝕】bōsho- 名 방식；금속의 녹스는 것을 방지함. ¶～剤^{ざい} 방식제.

ほう−じる【焙じる】hō− 上1他（불에 쬐어) 말리다；볶다. ¶茶^{ちゃ}を～ 찻물 말리다.

ほう−じる【報じる】hō− 上1自他 ☞ほうずる（報）.

ほう−じる【奉じる】hō− 上1他 ☞ほうずる（奉）.

ほう−じる【崩じる】hō− 上1自 ☞ほうずる（崩）.

ほうしん【方針】hō− 名 방침. ¶施政^{しせい}～ 시정 방침 ／～を固^{かた}める 방침을 굳히다.

ほうしん【砲身】hō− 名 포신.

ほうしん【放心】hō− 名 방심；명함；정신을 차리지 못함. ¶～の態^{てい} 방심 상태.

ほうしん【放心・放神】hō− 名［ス自］방심；방념；안심. ¶どうぞご−下^{くだ}さい 아무쪼록 안심하십시오.

ほうしん【芳信】hō− 名 ①꽃 소식；화신(花信)＝花信^{かしん}. ②방한(芳翰)；혜한(惠翰).

ほうじん【法人】hō− 名 법인. ¶学校^{がっこう}～ 학교 법인 ／財団^{ざいだん}～ 재단 법인. ↔自然人^{しぜんじん}. ──ぜい【──税】名 법인세.

ほうじん【邦人】hō− 名 방인；자기 나라 사람. ¶残留^{ざんりゅう}～ 잔류 방인. ↔外人^{がいじん}.

ぼうじん【防塵】bō− 名 방진；먼지가 들어감을 막음. ¶～装置^{そうち} 방진 장치.

*ぼうず【坊主】bō− 名 ①(절의 주지인) 중. ②중처럼 민 머리；또, 그러한 상태(사람). ¶～頭^{あたま} 중대가리／丸^{まる}～ 까까중／乱杙^{らんぐい}で山^{やま}が～になる 남벌로 산이 민둥산이 되다／～刈^がり 머리를 빡빡 깎다. ③사내아이의 애칭. ¶いたずら～ 장난꾸러기／うちの～ 우리집 꼬마 녀석. ④茶坊主^{ちゃぼうず}(＝무가에서 다도(茶道)를 맡아 보던 사람)'의 준말. ⑤화투에서 20 끗짜리 되는 공산 명월. ¶一僧^{いちぼう}けりゃ袈裟^{けさ}まで憎^{にく}い 중이 미우면 가사도 밉다；머느리가 미우면 손자까지 밉다. ──丸^{まる}僧^{ぼう}け 밑천 안 들이고 이득을 봄. ──や ま【──山】名 민둥산. ＝はげやま. ──よみ【──読み】名 중이 염불하듯 뜻도 모르고 그저 읽기만 함.

ほうすい【方錐】hō− 名 방추. ¶①네모진 송곳. ②方錐形^{ほうすいけい}(＝방추형)'의 준말.

ほうすい【放水】hō− 名［ス自］방수. ¶①물을 끌어 흐르게 함. ¶～路^ろ 방수로. ②(소화(消火)를 위해서) 호스로 물을 세차게 뿌림. ¶～一噴^{いっぷん}. ＝鐘^{かね}.

ぼうすい【紡錘】bō− 名 방추；물레의 가락.

ぼうすい【防水】bō− 名［ス他］방수. ¶～加工^{かこう} 방수 가공 ／～布^{ぬの} 방수포.

ほうすう【鳳雛】hōsū 名 봉추；장래 뛰어난 인물이 될 아이.

ほう-ずる【封ずる】hō- サ変他 (영주(領主)로) 봉하다.

ほう-ずる【報ずる】hō- サ変自他 보답하다;갚다;보복하다. ¶御恩に～은혜에 보답하다/国に～나라에 이바지하다. □ サ変他 알리다;보도하다. ¶新聞にの－ところ 신문이 보도하는 바.

ほう-ずる【奉ずる】hō- サ変他 ①바치다;올리다. ¶復命書を～봉명－복명서를 올리다. ②분부를 받들어 좇다;봉명(奉命)하다. ¶命を～분부를 받든다.③신봉하다. ¶キリスト教を～기독교를 신봉하다. ④받들어 모시다. ¶幼君を～어린 군주를 모시다. ⑤받들어 들다;삼가 들다;공손히 받다. ¶校旗を～교기를 받들어 들다.「御」[승하]하시다.

ほう-ずる【崩ずる】hō- サ変自 붕어(崩御)하다.

ほうせい【方正】hō- 名ナ 방정. ¶品行～품행 방정.

ほうせい【法制】hō- 名 법제;법률과 [법률상의] 제도.

ほうせい【法政】hō- 名 법정.

ほうせい【砲声】hō- 名 포성;대포 소리. ¶殷々たる～은은한 포성.

ほうせい【縫製】hō- 名ス他 봉제. ¶品～봉제품／～業～봉제업.

ぼうせい【暴政】bō- 名 폭정.

ほうせき【宝石】hō- 名 보석. ¶～商보석상.

ぼうせき【紡績】bō- 名ス他 방적. ①실을 자음. ¶～工場방적 공장. ②紡績糸(ぼうせきいと)(=방적사)'의 준말.

ぼうせつ【防雪】bō- 名 방설;눈·눈사태를 막음. ¶～林～방설림.

ほうせん【奉遷】hō- 名 신체(神體) 등을 다른 곳으로 옮김.

ほうせん【法線】hō- 名 数 법선.

ほうせん【傍線】hō- 名 방선;밑줄.

ほうせん【棒線】hō- 名 ①곧바로 그은 줄. ②굵은 줄.

ぼうせん【防戦】bō- 名ス自 방전.

ぼうぜん【呆然·茫然】bō- トタル 망연;어리둥절함;멍함;어이 없어함. ¶倒産(とうさん)に見舞(みま)われ～と立ちつくす 도산을 당하여 멍하니 서 있다.

ぼうぜん【茫然】bō- トタル 망연. ①넓고도 먼 모양. ②종잡을 수 없음;막연함. ¶～自失(じしつ)망연 자실.

ぼうぜん【惘然】bō- トタル 망연;어리둥절함;어이 없어함. ¶意外(いがい)の返事(へんじ)に～の体(てい)뜻밖의 대답에 그저어리둥절한 모양.

ほうせんか【鳳仙花】hō- 名 植 봉선화. =つまくれない·つまべに.

ほうせんきん【放線菌】hō- 名 生 방선균(세균과 곰팡이의 중간인 미생물).

ほうそ【ほう素】【硼素】hō- 名 化 붕소.

ほうそう【包装】hōsō 名ス他 포장. ¶～紙～포장지.

‡**ほうそう**【放送】hōsō 名ス他 방송. ¶実況(じっきょう)～실황 방송／～劇(げき)방송극. ──きょく【──局】-kyoku 방송국. ──だいがく【──大学】 방송 통신대학.

ほうそう【奉送】hōsō 名ス他 봉송;고귀한 사람을 전송하다. ↔奉迎(ほうげい).

ほうそう【法曹】hōsō 名 법조. ¶～界(かい)법조계.

ほうそう【疱瘡】hōsō 老 포창;천연두;마마. =天然痘(てんねんとう).

ほうぞう【包蔵】hōzō 名ス他 포장;내부에 가지고 있음;싸서 감추고 있음.

ぼうそう【房総】bōsō 名 地 安房(あわ) 및 利根川(とねがわ) 이남의 上総(かずさ) 및 下総(しもうさ)땅. 지금의 千葉県(ちばけん). 「もうそう.

ぼうそう【妄想】bōsō 名 老 망상. =

ぼうそう【暴走】bōsō 名ス自 폭주. ①난폭하게 달림. ②운전자 없는 차가 내달림. ③엉뚱한(무모한) 짓을 함. ──ぞく【──族】名 폭주족(엔진 소리를 요란스럽게 내며 맹렬한 속도로 오토바이를 모는 젊은이들.

*‡**ほうそく**【法則】hō- 名 법칙. ¶万有引力(ばんゆういんりょく)の～만유 인력의 법칙／～に合(あ)ったやり方(かた) 법칙에 맞는 방식.

*‡**ほうたい**【包帯·繃帯】hō- 名 붕대. ¶～を巻(ま)く붕대를 감다. 注意 '包帯'라쓰면 대용 한자.

*‡**ほうだい**【放題】hō- 名 接尾 (動詞의 連用形이나 助動詞'たい'에 붙여서)마음껏(마음대로) 하이~하는 것을 나타내는 말. ¶彼(かれ)はしたい～の〔な〕事(こと)をしている 그는 자기 하고 싶은 대로 하고 있다／取(と)り～손에 잡히는 대로／食(く)い～마음껏 먹음.

ほうだい【砲台】hō- 名 포대.

*‡**ほうだい**【膨大·尨大】hō- 名ナ 방대. ¶～な予算(よさん) 방대한 예산.

ほうだい【膨大】hō- 名ス自 팽대;부풀어 올라 커짐.

ほうだおし【棒倒し】bō- 名 (학교 운동회 등에서) 장대눕히기.

ぼうたかとび【棒高跳(び)】【棒高飛(び)】bō- 名 봉고도. ¶장대높이뛰기.

ぼうだち【棒立ち】bō- 名 막대 모양으로 곧추 섬;우뚝 섬. =竿立(さおだ)ち. ¶馬(うま)が驚(おどろ)いて～になる 말이 놀라서 뒷발로 곧추 서다.

ぼうだら【棒だら】【棒鱈】bō- 名 대구포의 한 가지;대구를 세 갈래로 째서, 머리와 등뼈를 잘라내고 말린 것.

ほうたん【放胆】hō- 名ナ 방담;매우 대담함. ¶～なやり方(かた)대담한 방법.

ほうだん【放談】hō- 名ス自 방담. ¶新春(しんしゅん)～ 신춘 방담.

ほうだん【砲弾】hō- 名 포탄.

ぼうだん【防弾】bō- 名 방탄. ¶～チョッキ 방탄 조끼.

ほうち【報知】hō- 名ス他 보지;알림. ¶火災(かさい)～機(き) 화재 경보기.

*‡**ほうち**【放置】hō- 名ス他 방치. ¶怪我人(けがにん)を～する 부상자를 방치하다.

ほうち【法治】hō- 名 법치.

ほうちぎり【棒ちぎり】【棒乳切(り)】bō- 名 몽둥이로 타락;막대기. =棒ちぎれ·棒っきれ. ¶②:추발.

ほうちく【放逐】hō- 名ス他 방축;내쫓.

ぼうちゅう【傍注】【旁注】bōchū 名 방주;본문 옆에 단 주석. ¶～をつける방주를 달다.

ぼうちゅう【忙中】bōchū 名 망중;바쁜 가운데. ¶～の閑(かん) 망중한. ↔閑中(かんちゅう). 「～剤(ざい) 방충제.

ぼうちゅう【防虫】bōchū 名 방충. ¶

*ほうちょう 【包丁】(庖丁) hōchō 图 ① 식칼. ¶～を入れる 칼질을 하다. ② 요리(인); 또, 그 솜씨. ¶～の冴え を見せる 멋진 요리 솜씨를 보이다／～人 요리인; 숙. 注意 '包丁'로 씀은 대용 한자. ¶～一席 요리법 설서.

ぼうちょう 【傍聴】bōchō 图 ㅈ他 방청.

*ぼうちょう 【膨張·膨脹】bōchō 图 ㅈ自 팽창. ¶気体の～ 기체의 팽창／人口の～ 인구(의) 팽창.

ぼうちょう 【防諜】bōchō 图 방첩.

ぼうちょうてい 【防潮堤】bōchō- 图 방조제; 방파제(防波堤); 둑.

ぼうっと bōtto 副 ①(안개 낀 것처럼) 희미하게 보이는 모양. ¶山が～かすむ 산이 뿌옇게 흐려 보이다. ②명한 모양. ¶～して、返事を忘れる 명해 있어 대답을 잊다. ③갑자기 소리 내며 불붙는 모양. ¶～燃え上がる 확 타오르다.

ぼうっと pōtto 副 ①명한 모양; 희미한 모양. ¶寝不足で頭が～している 잠이 모자라 머리가 땅하다. ②발그레한 모양. ¶目の縁が～色づく 눈언저리가 발그레해지다; 상기되다.

ほうてい 【捧呈】hō- 图 ㅈ他 봉정; 손으로 받들어 올림.

ほうてい 【法定】hō- 图 법정. ¶～金利 법정 금리／～代理 법정 대리／～相続人 법정 상속인. ━任意·約定(━貨幣) 법정화폐. ━でんせんびょう 【━伝染病】-sembyō 图 법정 전염병.

*ほうてい 【法廷】hō- 图 법정. ¶～闘争 법정 투쟁.

ほうていしき 【方程式】hō- 图 ①〔數〕방정식. ¶～を解く 방정식을 풀다. ②'化学方程式(=화학 방정식)'의 준말.

ほうてき 【放擲·抛擲】hō- 图 ㅈ他 방척; 던져 버림; 내버려 둠. ¶万事を～して専念する 만사를 버려 두고 전념하다.

ほうてき 【法的】hō- 图ナ 법적. ¶～根拠 법적 근거／～措置 법적 조치.

ほうてん 【宝典】hō- 图 보전; 귀중한 서적. ¶育児～ 육아 보전.

ほうてん 【法典】hō- 图 법전. ¶法律～.

ほうでん 【放電】hō- 图 ㅈ自 방전. ①축전지나 축전기에 저장된 전기를 방출하는 현상. ↔充電する. ②두 양극간에 전압을 높이어 그 전극 사이에 전류가 흐르게 하는 일. ¶火花～ 불꽃 방전／空中～ 공중 방전.

ぼうてん 【傍点】bō- 图 방점.

ほうと 【方途】hō- 图 방도; 방법; 나아갈 길. ¶～を失う 방도를 잃다.

ほうど 【封土】hō- 图 봉토; 영지(領地). =知行地.

ぼうと 【暴徒】bō- 图 폭도.

ぼうと 【茫と】bō- 副 멍하니. ¶頭が～する 머리가 멍해지다.

ほうとう 【宝刀】hō- 图 보도.

ほうとう 【放蕩】hōtō 图 ㅈ自 방탕. ¶～息子 방탕한 아들／～者 방탕한 자.

ほうとう 【朋党】hō- 图 붕당.

ほうとう 【法統】hō- 图〔佛〕법통; 불교(불문)의 전통.

*ほうどう 【報道】hōdō 图 ㅈ他 보도. ¶～員 보도원／新聞～ 신문 보도. ━じん 【━陣】 图 보도진.

ぼうとう 【冒頭】bōtō 图 모두. ¶陳述（형사 소송에서）모두 진술／～に掲げる 모두에 싣다.

ぼうとう 【暴投】bōtō 图 ㅈ自〔野〕폭투. =ワイルドピッチ.

ぼうとう 【暴騰】bōtō 图 ㅈ自 폭등. ¶～する物価 급등하는 물가. ↔暴落.

*ぼうどう 【暴動】bōdō 图 폭동. ¶～を起す 폭동을 일으키다.

ほうとく 【報徳】hō- 图 보덕; 은덕을 갚음. ¶～が人 읽음.

ほうどく 【奉読】hō- 图 ㅈ他 봉독; 삼가 읽음.

ぼうとく 【冒涜】bō- 图 ㅈ他 모독. ¶神を～する 신을 모독하다.

ぼうどく 【防毒】bō- 图 방독. ━めん 【━面】 图 방독면. =防毒マスク.

ほうにょう 【放尿】hōnyō 图 ㅈ自 방뇨; 함부로 소변을 봄.

ほうにん 【放任】hō- 图 ㅈ他 방임. ¶～主義 방임주의.

ほうねつ 【放熱】hō- 图 ㅈ自 방열. ¶～器 방열기.

ぼうねつ 【防熱】bō- 图 방열; 밖의 열을 막음. ¶～装置 방열 장치.

ほうねん 【豊年】hō- 图 풍년. ↔凶年. ━むし 【━虫】 图〔蟲〕풍년충; 논·연못·늪에서 사는 15 mm 정도의 곤충（많이 생기면 풍년이 든다고 함）. =豊年蝦.

ぼうねん 【忘年】bō- 图 망년. ①그 해의 괴로움을 잊음. ¶～会 망년회. ②나이를 잊음. ¶～の友 망년지우.

ほうのう 【奉納】hōnō 图 ㅈ他 봉납; 신불(神佛)에게 헌상함.

ほうばい 【傍輩·朋輩】hō- 图 붕배; 동료; 친구. ①같은 집에서 고용살이하는 사람. ②같은 주인·스승을 섬기는 동아리.

ぼうはく 【傍白】bō- 图〔劇〕방백; 청중에게는 들리나 무대 위에 있는 상대 방에게는 들리지 않는 것으로 약속하고 말하는 대사(臺詞).

ぼうばく 【茫漠】bō- タル 망막. ①넓고 아득함. ¶～たる平原 망막한 평원. ②종잡을 수 없음; 막연함. ¶～たる前途 망막한 전도.

ぼうはつ 【暴発】bō- 图 ㅈ自 폭발. ①돌발. ②오발. ¶ピストルの～ 권총의 오발.

ぼうはてい 【防波堤】bō- 图 방파제.

ぼうばり 【防針】bō- 图 ━編み 대바늘 뜨개질. ↔かぎ針編.

ほうはん 【防犯】bō- 图 방범. ¶～週間 방범 주간／～協会 방범 협회.

ほうひ 【放屁】-hō- 图 ㅈ自 방비; 방귀（를 뀜）. =おなら.

*ほうび 【褒美】bō- 图 칭찬하는 표시로 주는 금품；포상(褒賞). ¶～を与える〔もらう〕상을 주다〔받다〕.

ぼうび 【防備】bō- 图 ㅈ他 방비; 방위.

ぼうびき 【棒引き】bō- 图 ㅈ他 말소(抹消)함; 꺾자놓음. =帳消し.

ぼうひょう【妄評】bōhyō 名 ス他 망평; (자기의) 망평된 비평. =もうひょう. ¶—多罪ミ 망평 다죄.

ほうふ【抱負】hō- 名 포부. ¶—を語る 포부를 말하다.

*ほうふ【豊富】hō- 名 ナ 풍부. ¶—な資源ミ 풍부한 자원 / —な見識ミ 풍부한 견식.　　「↔亡妻ミ.

ぼうふ【亡夫】bō- 名 망부; 죽은 남편.

ぼうふ【亡父】bō- 名 망부; 돌아가신 아버지. ↔亡母ミ.　　「부제.

ぼうふ【防腐】bō- 名 방부. ¶—剤ミ 방부제.

ぼうふう【防風】bōfū 名 방풍; 바람을 막음. ¶—林ミ 방풍림.

ぼうふう【防風】【植】①방풍나물. ②개방풍. =浜防風ミ.

*ぼうふう【暴風】bōfū 名 폭풍. ——う【—雨】 폭풍우. =あらし.

ほうふく【報復】hō- 名 ス自 보복; 앙갚음. =仕返ミ.

ほうふく【法服】hō- 名 法服. ①법관 등의 제복. ②【佛】 법의(法衣).

ほうふくぜっとう【抱腹絶倒】hōfuku-zettō 名 ス自 포복 절도.

ほうふつ【彷彿・髣髴】hō- 一 ト・タル ス自 ①방불; 거의 비슷함. ¶昔日ミを—させる 지난 날을 방불케 하다. ②생생히 떠오름; 눈에 선함. ¶父ミのおもかげが—とする 아버지의 모습이 눈에 선하다. 二 ト・タル 보일 듯 말 듯이 령롱한 모양. ¶水天ミミ—たる 하늘과 물이 맞닿은 곳 같이 보이는 곳; 수평선.

ほうぶつせん【放物線】【抛物線】hō- 名 포물선. 注意 '放物線'이라 씀은 대용한자.

ぼうふら【孑孑・孑子】bō- 名 蟲 장구벌레(모기의 유충). =ぼうふり.

ほうぶん【邦文】hō- 名 국문. ¶—タイプライター 국문 타자기. ↔欧文ミ.

ほうぶん【法文】hō- 名 법문. ¶—の解釈ミ 법문의 해석.

ほうへい【砲兵】hō- 名 포병. ¶—の掩護射撃ミ 포병의 엄호 사격.

ほうべき【防壁】hō- 名 방벽.

ほうべん【方便】hō- 名 방편; 수단. ¶うそも—거짓말도 방편; 거짓말도 하나의 수단이다.

ぼうぼ【亡母】bō- 名 망모; 돌아가신 어머니. ↔亡父ミ.

*ほうほう【方法】hōhō 名 방법. ¶—はどうでもよい 방법은 어떻든 좋다. ——ろん【—論】 방법론.

ほうほう【這這】hōhō 副 ¶—の体ミ 당황하여 가까스로 도망치는 모양; 허둥지둥. ¶—の体ミで引ミき下ミがる 허둥 지둥 물러나다.

*ほうほう【ほうほう・方方】hōbō 名 여기저기; 여러 곳. =あちこち. ¶—で行ミう 여기저기서 행하다 / —を捜ミす 여러 군데를 찾다.

ほうぼう【鯒鰤】hōbō 名 魚 성대.

ぼうぼう【某某】bōbō 名 모모; 누구누구; 아무개. ¶—のしわざだ 모모의 짓이다.

ぼうぼう【茫茫】bō- ト・タル 넓고 아득한 모양; 또, 종잡을 수 없고 명백하지 않은 모양; 망망. ¶—たる大海原ミ 망망 대해.

ぼうぼう bōbō 副 ①(풀・수염 등이) 아무렇게나 자란 모양; 더부룩이; 텁수룩이. ¶庭ミに草ミが—生ミえる 뜰에 풀이 더부룩하게 자라다. ②불이 세차게 타는 모양; 활활. ¶火ミが—燃ミえ上ミがる 불이 활활 타오르다.

ほうぼく【放牧】hō- 名 ス自他 방목.

ほうまつ【泡沫】hō- 名 포말; 물거품. =泡ミ.あぶく. ¶—会社ミ 포말 회사 (생겼다가 곧 망해서 없어지는 회사) / —のように消滅ミする 물거품처럼[덧없이] 사라져 없어지다.

ほうまん【放漫】hō- 名 ナ 방만; 방종(放縱); 방일(放逸). ¶—な生活ミ 방일한 생활 / —経営ミ 방만한 경영.

ほうまん【豊満】hō- 名 풍만; 풍성. ¶—な色彩ミ 풍성한 색채 / —な肉体美ミ 풍만한 육체미.

ほうまん【飽満】hō- 名 ス自 포만; 배불리 먹음.

ほうみょう【法名】hōmyō 名 법명. ①승명(僧名). ②계명(戒名). ↔俗名ミ.

ほうむ【法務】hō- 名 법무; 법률에 관한 사무. ¶—大臣ミ 법무 대신(법무부 장관에 해당). ——しょう【—省】 -shō 名 법무성(법무부에 해당).

*ほうむ-る【葬る】hō- 5他 매장하다. ¶墓地ミに—무덤에 매장하다 / 事件ミをやみに—사건을 얼버무려 덮어 버리다.

ほうめい【芳名】hō- 名 방명. ①남의 이름에 대한 높임말. ¶—録ミ 방명록. ②좋은 평판.

*ぼうめい【亡命】bō- 名 ス自 망명. ¶—政権ミ 망명 정권.

*ほうめん【放免】hō- 名 ス他 방면; 석방. ¶無罪ミ—무죄 방면 / 仕事ミから—される 일에서 풀려나다.

*ほうめん【方面】hō- 名 방면. ①그 근방. ¶東京ミ—동경 방면. ②분야. ¶あらゆる—で 모든 방면에서.

ほうもう【法網】hōmō 名 법망. ¶—をくぐる 법망을 뚫다.

ぼうもう【紡毛】bōmō 名 방모. ①짐승의 털을 방적함. ②'紡毛糸ミ(=방모사)'의 준말.　　「もの.

ほうもつ【宝物】hō- 名 보물. =たから

ほうもん【砲門】hō- 名 포문; 포구(砲口). ¶—を開ミく 포문을 열다(포격ミ공격을 개시하다).

*ほうもん【訪問】hō- 名 ス他 방문. ¶—客ミ 방문객 / —着ミ 나들이 옷(일본 여자들의 약식 예복) / —販売ミ 방문 판매.

ぼうや【坊や】bō- 名 ①사내 아이를 귀엽게 부르는 말; 아가. ¶—, こっちへおいで 아가 이리 온. ②〈俗〉 철없는 젊은 사나이; 철부지. =ぼっちゃん.

ほうやく【邦訳】hō- 名 방역; 국역(國譯).　　「ぼち. =ともだち.

ほうゆう【朋友】hōyū 名 붕우; 친구.

ほうよう【包容】hōyō 名 포용. ¶—力ミ 포용력.

ほうよう【抱擁】hōyō 名 ス他 포옹; 얼싸안음. ¶—して泣ミく 얼싸안고 울다. ¶—法会ミ.

ほうよう【法要】hōyō 名 법요. =法事

ほうよう【茫洋・芒洋】bōyō ト・タル 넓

고 넓서 끝이 없는 모양；또, 갈피를
잡을 수 없는 모양：망양. ¶～たる海
ﾊ゙ら 망망한 바다／～とした人柄ﾞら (무어라)
종잡을 수 없는 인품.

ほうよく【豊沃】hō-名ㅈ 비옥(肥沃)；
땅이 기름짐.

ぼうよみ【棒読み】bō- 名 ㅈ他 ①한문
을 음독(音讀)으로 내리 읽음. ②구두
점이나 억양을 무시하고 단조(單調)롭
게 읽어내림.

ほうらい【蓬萊】hō- 名 봉래. ①蓬萊
山ﾞﾊﾝの 준말. ②대만(臺灣)의 딴이
름. ③蓬萊飾ﾞり의 준말. ④「蓬萊盛ﾞり」
의 준말. ――かざり【――飾り】섣
에 소반처럼 생긴 제기(祭器)에 쌀을
담고 전복 말린 것・새우・다시마・굿감・
귤・모자반 등으로 장식한 것. ――さん
【――山】봉래산；중국의 전설로 동
해에 있으며 신선이 산다는 영산(靈
山). 参考 일본에서는 이를 富士山ﾞ゙ﾝ
을 가리킨 말이라고도 생각하기도.
――だい【――台】일본에서, 봉래산
의 모양을 본떠서 만들어 송죽매(松竹
梅)・학・거북 따위 길(吉)한 것을 장식
한 대(臺).

ほうらく【崩落】hō- 名 봉락. ①
허물어져 떨어짐. ②〔商〕시세라 폭락
함. 　‖騰ﾄﾞ.

ぼうらく【暴落】bō- 名 ㅈ自 폭락. ↔暴
騰. ‖騰ﾄﾞ.

ほうらつ【放埒】hō- 名 ㅈ ﾅ 방날；멋
대로 놀아남；방종함；주색에 빠짐. ¶
～な男ﾄﾞ 방탕한 사나이.

ほうり【法理】hō- 名 법리. ¶～論ﾝ
〔学ﾞﾝ〕법리론〔학〕.

ぼうり【暴利】bō- 名 폭리. ¶～をむさ
ぼる 폭리를 탐하다.

ほうりこ‐む【ほうり込む】〔放り込む・
抛り込む〕五他 (아무렇게나) 넣
다. ¶なんでもかんでも一緒ﾞﾖに引出
しの中ﾞﾆに～ 이것저것 할 것 없이 모
두 서랍 속에 처넣다.

***ほうりだ‐す**【ほうり出す】〔放り出す・
抛り出す〕五他 ①(밖으로) 내팽개
치다. ¶かばんを～して遊ﾞﾋﾞに行
く 책가방을 내팽개치고 놀러 가다. ②
내쫓다；추방〔배척〕하다. ¶会社ﾞﾔを
～された 회사를 쫓겨났다(해고당했
다). ③중도에서 단념하다. ¶学問ﾓﾝ
を～ 학문을 집어치우다.

****ほうりつ**【法律】hō- 名 법률. ¶～違
反ﾊﾝ 법률 위반／～を守ﾏﾓる 법률을 지
키다. ――がく【――学】법률학.

ぼうりゃく【謀略】bōrya- 名 모략. ¶た
くらみ 　‖宣伝ﾃﾞﾝ 모략 선전.

ほうりゅう【放流】hōryū 名 ㅈ他 방류.
①(양식하기 위하여) 어린 물고기를 강
에 놓아 줌. ②(막았던) 물을 터놓음.

ほうりょう【豊漁】hōryō 名 풍어. ＝大
漁ﾘﾖ. ¶～でにぎわう 풍어로 북적거
리다(흥청거리다).

***ぼうりょく**【暴力】bōryo- 名 폭력. ¶
～団ﾀﾞﾝ 폭력단／～政治ﾁﾞ 폭력 정치／
～を振ﾌﾞﾙう 폭력을 휘두르다. ――かく
めい【――革命】폭력 혁명. ‖平和ﾜ
革命.

***ほう‐る**【放る・抛る】五他 ①멀리
내던지다. ¶石ﾂﾞを～ 돌을 내던지다.
②집어치우다；단념하다. ¶仕事ﾄﾞﾎﾞを
～ってテレビを見ﾙﾞ 일을 팽개치고

하지 않고) 텔레비전을 보다. ③
「～っておく」(돌보지 않고) 내버려
두다；방치하다. ¶～っておいて相
手ﾃﾟにしない 내버려 두고 상대하지
않다.

ほうれい【法令】hō- 名 법령.

ぼうれい【亡霊】bō- 名 망령；유령. ¶
～を慰ﾅｸﾞめる 망령을 위로하다(달래
다).

ほうれつ【放列】hō- 名 ①방렬；사격할
수 있도록, 대포를 가로로 늘어세운 대
형(隊形). ②죽 늘어선 대열(隊列).

ほうれんそう【菠薐草】hōrensō 名〔植〕
시금치.

ほうろう【放浪】hōrō 名 ㅈ自 방랑. ＝
さすらい. ¶～生活ﾂﾞ 방랑 생활／
～癖ﾍﾞ 방랑벽.

ほうろう【琺瑯】hōrō 名 법랑. ¶～の
なべ 법랑 냄비／～質ﾂ 법랑질.

ぼうろう【望楼】bōrō 名 망루. ＝物見
やぐら.

ほうろく【俸禄】hō- 名 봉록；녹봉(祿
俸)；무사가 大名ﾖ゙로부터 받던 녹
봉. ＝扶持ﾁ. 　‖＝ほうじ.

ほうろく【焙烙・炮烙】hō- 名 질냄비.

ぼうろん【暴論】bō- 名 폭론；도리에
벗어난 난폭한 의론.

ほうわ【法話】hō- 名〔佛〕법화；설법.
＝法語(法語)；설교.

ほうわ【飽和】hō- 名 ㅈ自 포화. ¶～
量ﾘﾖ 포화량／～蒸気ﾂﾞ〔溶液ﾃﾞﾎ〕포
화 증기〔용액〕／～人口ﾂﾞ 포화 인구.

ほえづら【吠え面・吠え顔】名〔俗〕우
는 얼굴；울상. ＝泣ﾅきつら・泣ﾅき顔ﾞ.
――をかく 울상을 짓다.

ポエム名 포엠；시；운문(韻文). ▷
poem, 프 poème.

ほ‐える【吠える・吼える】下1自 ①(개・
짐승 따위가) 짖다；으르렁거리다. ¶
ライオンが～ 사자가 으르렁거리다／
～犬ﾇﾞはかまない 짖는 개는 물지 않는
다. ②〔俗〕㉠사람이 큰 소리로 울다.
¶고함지르다. ＝どなる.

ほお【朴】hō 名〔植〕후박나무. ＝ほお
のき・ほおがしわ.

***ほお**【頬】hō 名 볼；뺨. ＝ほっぺた. ¶
～を赤ﾒﾞめる 볼을 붉히다. ――が落ﾄ
「ちそう 기막히게 맛있다. ――をふくら
ます (골이 나서) 부루퉁하다.

ボーイ名 보이. ①사환. ＝ウエーター.
②소년. ¶―フレンド 보이프렌드. ↔
ガール. ＝boy. ――スカウト 보이 스
카우트；소년단. ↔ガールスカウト. ▷
Boy Scouts.

ポーカー名 포커；카드 놀이의 한 가지.
▷미 poker. ――フェース -fēsu 名 포커
페이스；무표정을 가장한 얼굴. ▷
poker face.

ほおかぶり【頬被り】hō- 名 ①수
건 따위로 (얼굴이 가려지도록) 쌈. ¶
手拭ﾇﾞﾋﾞで～(を)して 수건으
로 얼굴을 가린 도둑. ②모르는 체함.
¶～をきめ込ﾞﾙ 시치미 때다. 注意
「ほっかぶり・ほおかむり」라고도 함.

ボーキサイト【鑛】보크사이트；철반
석(鐵礬石). ▷bauxite.

ホーク ☞フォーク. ▷fork.

ほおじろ【頬白】hō- 名〔鳥〕멧새.

ホース名 호스. ▷hose, 네 hoos.

ほ

ポーズ 图 포즈 ; 자세 ; 태도. ¶～を作る (a)자세를 취하다 ; (b)젠 체하다 / あれは―だけだよ 저건 허세에 지나지 않는다네. ▷pose.

ほおずき〖酸漿・鬼灯〗hō- 图①〖植〗꽈리. ②(입으로 부는) 꽈리.

ほおずり〖頰擦り〗图 (애정의 표시로)자기의 볼을 상대방의 볼에 대고 비빔.

ポーター 图①포터 ; 베이스캠프까지 등산하의 짐을 운반하는 (현지의) 인부. ⇨シェルパ. ②(역의) 짐꾼 ; (호텔의) 포터. ▷porter.

ボーダーライン 图 보더라인 ; 경계선 ; 또, 경계가 애매한 지점. ▷borderline.

ボータイ 图 보타이 ; 나비 넥타이. ▷bow tie.

ポータブル 图 포터블 ; 휴대용. ¶～ラジオ 휴대용 라디오. ▷portable.

ポーチ 图 포치(서양식 건축에서 지붕이 있는 현관 앞의 차 대는 곳). ▷porch.

ほおづえ〖頰杖〗hō- 图 팔꿈치를 세우고 손으로 턱을 괴는 일. ¶～をつく (손으로) 턱을 괴다.

ボート 图 보트 ; 레이스 보트 레이스 ; 보트 경기 ; 경조(競漕). ▷boat.
──ピープル 图 보트 피플(베트남·캄보디아 등지에서 보트·소형 선박으로 탈출한 피난민들). ▷boat peoples.

ポートワイン 图 포트 와인 ; 감미(甘味)가 있는 붉은 포도주. ▷port wine.

ボーナス 图 보너스. ①상여금(賞與金). ②주식의 특별 배당금. ▷bonus.

ほおばる〖頰張る〗hō- 5回 볼이 미어지게 음식을 입에 넣고 먹다.

ほおひげ〖頰鬚・頰髯〗hō- 图 구레나룻.

ホープ 图 호프. ①희망 ; 장래가 기대되는 사람 ; 유망주. ▷hope.

ほおべに〖頰紅〗〖頰紅〗hō- 图 볼에 바르는 연지.

ほおぼね〖頰骨〗〖頰骨〗hō- 图 광대뼈 ; 관골(顴骨). =ほおげた.

ホーマー 图〖野〗호머 ; 본루타. =ホームラン. ▷homer.

ホーム 图『プラットホーム(=플랫폼)』의 준말. ▷form.

ホーム 图 홈. ①가정 ; 고향. ②〖野〗본루(本塁). ⇨ホームベース. ¶～イン〖野〗홈 인 ; 생환. ▷home. ──グラウンド 图 홈 그라운드. ①자기 본고장 ; 본거(本據). ②그 팀이 근거지로 삼고 있는 그라운드. ▷home ground. ──シック -shikku 图 향수병 ; 회향병 ; 향수(鄕愁)=ノスタルジア. ▷homesick. ──スパン 图 홈스펀 ; 손으로 짠 올이 굵은 모직물. ▷homespun. ──ソング 图 홈 송 ; 가정에서 부르기 좋은 노래. ▷일 home song. ──ドラマ 图 홈 드라마. ▷일 home drama. ──バー 图 홈바 ; 자기 집에 만든 바. ▷일 home bar. ──メード 图 홈 메이드 ; 자기 집에서 손수 만든 것. ▷homemade. ──ラン 图〖野〗홈런 ; 본루타. =ホーマー. ▷미 home run. ──ルーム 图 홈룸 ; (중·고교에서) 담임 선생과 학생이 (특정한 시간에) 모여서 하는 자율적 교육 활동 ; 또, 그 시간. ▷homeroom.

ボーリング 图 冈他 보링. ①금속에 구멍을 뚫음. ②시굴(試掘). ▷boring.

ボーリング 图 볼링. ▷bowling.

ホール 图①대청. ②회관(會館). ③『ダンスホール(=댄스 홀)』의 준말. ▷hall.

*ボール 图 볼. ①공 ; 구슬. ②〖野〗스트라이크가 아닌 투구(投球). ¶～カウント 볼카운트. ↔ストライク. ▷ball. ──ベアリング 图 볼 베어링. ▷ball bearing. ──ペン 图 볼펜. ▷ball pen ; ball-point pen.

ボール 图 '볼紙(=마분지·판지(板紙))'의 준말. ▷board.

ボール 图 볼 ; (금속제의) 운두가 높은 식기(사발·공기 따위). =ボウル. ▷bowl.

ポール 图 폴. ①가늘고 긴 막대 ; 특히, 전차(電車) 위에 달아서 가선(架線)에서 전기를 취하는 것. ②장대높이뛰기에 쓰는 막대. ③간(間)을 재는 잣자. ④전극(電極), 극점(極點). ▷pole.

ボールド 图 보드 ; 흑판(黑板) ; 칠판. ▷board ; blackboard.

ホールドアップ -appu 图 홀드 업. ①'손들엇·꼼짝 마'의 뜻. ②(권총) 강도. ¶미 hold up.

ほおん〖保温〗图 보온. ¶～装置 보온 장치.

ぼおん〖母音〗图 ⇨ぼいん(母音).

*ほか〖ほか・外〗〖他〗图①다른 것 ; 딴것〔곳〕. ¶～の品を 다른 것을 / その～ 그 외에 / ～に何かないか 그 밖에 무엇이 없는가 / ～でもない 다른 것이 아니다〔다음 말을 특히 강조하는 경우에 씀〕. ②바깥 ; (어느 범위) 밖 ; 외(外). ¶青木さん─五名さん、青木 외 5명 / 恋は思案の～ 사랑은 분별을 넘어서는 것.

*ほか〖他助〗《否定이 따라서》…밖에 ; …외에. ¶待つより～はない 기다리는 수밖에 없다.

ほかく〖捕獲〗图 冈他 포획. ①잡음. ¶～禁止区域 포획 금지 구역. ②노획함. ¶～品 노획물.

ほかく〖補角〗图〖数〗보각.

ほかげ〖火影・灯影〗图①불빛 ; 등불. 등불 빛. ②등영 ; 등불에 비치는 그림자.

ほかげ〖帆影〗图 범영 ; 멀리 보이는 돛배(의 모습).

ほかけぶね〖帆掛け船〗图 범선 ; 돛배.

ぼかし〖暈し〗图 바림(선염(渲染)).

*ぼかす〖暈す〗5回①바림하다 ; 선염(渲染)하다. ②어물거리다 ; 애매하게 말하다. ¶態度を― 애매한 태도를 취하다 / 重要な点を― 중요한 점을 어물어물 얼버무려 버리다.

ぼかっと -katto 剾①때리는 모양〔소리〕의 뜻. ¶～なぐる 딱 때리다. ②(어떤 부분이) 몽당 ; 훌쩍. ¶～穴があく 구멍이 뻥하다.

ほかならない〖他ならない〗連語①다른 것이 아니다 ; 바로 …이다 ; 틀림없다. ¶その行為は罪悪だと～ 그 행위는 분명히 죄악이다. ②남달리 특별한 관계이다. ¶きみの頼みだから 다른 사람 아닌 너의 부탁이니까.

ほかに〖外に〗〖他に〗剾 딴 곳에 ; 이외에 ; (그) 밖에 ; 따로. ¶～寄ょって家

へ帰る 딴 곳에 들렀다가 집에 돌아가다.

ほかほか 副 따스한 느낌을 나타내는 말; 따끈따끈; 후끈후끈. ¶ふかしたてで～のにくまんじゅう 막 쪄낸 따끈따끈한 고기 만두.

ぽかぽか 副 ①따뜻하게 느끼는 모양; 따끈따끈. ¶～してくる 따뜻해지다. ②여기저기 눈에 띄는 모양; 군데군데; 여기저기. ¶～と浮'いている 해파리가 군데군데 떠 있다. ③계속해서 때리는 모양. ¶頭를を～(と)なぐる 머리를 딱딱 때리다.

＊ほがらか【朗らか】 ダ ①(성격이) 쾌활(명랑)함. ¶～に笑う 쾌활하게 웃다. ②(날씨가) 쾌청함. ¶空空が～に晴れて 하늘이 쾌청하게 개어서.

ぽかりと 副 ぽかっと.

ほかん【保管】 名 ス他 보관. ¶～料よ 보관료.

ほかん【補完】 名 ス他 보완.

ぽかん【母艦】 名 모함('航空母艦ぬう'(=항공모함)·潜水艦'母艦(=잠수 모함)' 등의 준말).

ぽかんと 副 ①물건을 세차게 두드리는 모양; 또, 물건이 얻어맞아 빠개지는 〔께지는〕모양; 딱; 짝. ¶スイカが～割れる 수박이 딱 갈라지다. ②입을 크게 벌린 모양; 딱; 떡. ¶～口 を あける 입을 딱〔떡〕 벌리다. ③(할 일 이 없어) 명하니 있는 모양. ¶～した 顔ぉ 명청한 얼굴.

ぽき【簿記】 名 부기. ¶商業ぇ～ 상업 부기 / 単式はう複式ほく'(複式ほく)～ 단식〔복식〕부기.

ぽきぽき 副 《흔히, 'と'를 수반하여 씀》①나뭇가지·뼈 따위가 부러지는 소리: 뚝똑. ②(손가락 따위) 관절을 꺾을 때 나는 소리: 뚝뚝.

ほきゅう【捕球】 -kyū 名 ス自 【野】捕球.

＊ほきゅう【補給】 -kyū 名 ス他 보급. ¶～路き 보급로.

＊ほきょう【補強】 -kyō 名 ス他 보강. ¶チームを～する 팀을 보강하다.

ぽきりと 副 단단한 막대기 모양의 것이 부러지는 소리: 뚝. =ぽきんと.

＊ぽきん【募金】 名 ス自 모금. ¶街頭ぉ～ 가두 모금.

ほきんしゃ【保菌者】 -sha 名 보균자.

ほぐ【反故·反古】 名 ☞ほご(反故).

ぽく【僕】 代 남자의 자칭; 나. 注意 대 등한 사람이나 아랫사람에게 쓰이며 남자의 일반인은 'わたし'가 좋음. ↔君たみ.

ほくア【北阿】 名 북아('北たアフリカ (=북아프리카)'의 준말).

ほくい【北緯】 名 【地】북위. ↔南緯きょ.

ほくおう【北欧】 -kuō 名 【地】북구; 북유럽. ↔南欧たゃ.

ほくが【北画】 名 북화; 동양화의 한 유파(流派). =北宗画しゅう. ↔南画たゃ.

ボクサー 名 복서. ¶拳闘 선수. =②개의 일종(애완용; 경찰견). ▷boxer.

ぼくさつ【撲殺】 名 ス他 박살; 때려 죽임.

ぼくし【牧師】 名 목사. 〔임.

ぼくしゃ【牧舎】 -sha 名 목장에서 기르는 짐승을 넣어두는 우리.

ほくじょう【北上】 -jō 名 ス自 북상. ↔南下なん.

＊ぼくじょう【牧場】 -jō 名 목장. =まきば.〔んん.

ほくしん【北進】 名 ス自 북진. ↔南進

ぼくじん【牧人】 名 목인; 목자(牧者).

ボクシング 名 복싱; 권투. ¶～選手 けん투 선수. ▷boxing.

ほぐ-す【解す】 5他 풀다. =ほぐす. ¶糸いを～ 실을 풀다 / 感情なっのもつれを～ 맺힌 감정을 풀다.

ぼく-する【卜する】 ザ変他 점치다; 점 쳐서 택하다; 정하다. 〔ほ書.

ほくせい【北西】 名 북서. ¶～風ぜ↔南

ぼくせき【木石】 名 목석. ─ならぬ身ひ 인정을 아는 사람.

ぼくせき【墨跡·墨蹟】 名 묵적; 먹자국; 필적(筆跡). 〔ほ초지.

ぼくそう【牧草】 -sō 名 목초. ¶～地じ─地

ほくそえ-む【ほくそ笑む】〔北叟笑む〕 5自 뜻밖의 득意ぬの 미소를 짓다. ¶何んをそんなに～んでいるんだ 무엇이 그리 좋아서 싱글벙글하는 거냐.

ぼくたく【木鐸】 名 목탁; 사회의 지도 자. ¶新聞ぶんは社会ぶんの～ 신문은 사회의 목탁.

ぼくちく【牧畜】 名 목축.

ほくてき【北狄】 名 북적; 북쪽 오랑캐. ↔南蛮なん. 〔피리 (소리).

ぼくてき【牧笛】 名 목적; 목동이 부는

ほくと【北斗】 名 북두('北斗七星ほくせい' = 북두 칠성)'의 준말). 〔せい.

ほくとう【北東】 -tō 名 북동. ↔南西

ぼくとう【木刀】 -tō 名 목도; 목검.

ぼくどう【牧童】 -dō 名 ①목동. ②목 자(牧者).

ぼくとつ【木訥·朴訥】 名 ダナ 목눌; 순 직하고 말재주가 없음(말이 적음).

ぼくねんじん【朴念仁】 名 ①벽창호. = わからず屋ぷ. ②말이 적고 무뚝뚝한 사람.

ほくぶ【北部】 名 북부. ↔南部なん.

ほくへん【北辺】 名 북변; 북쪽 변두리; 북방의 변토.

ほくほく 副 ①뼈서 어쩔줄 모르는 모 양. ¶月給きゅうが上がって～だ 월급 이 올라서 회회 낙낙하다. ②찐 것 고 구마 따위가 먹음직스러운 모양. =ほ かほか. ¶～の芋いも 갓 쪄서 먹음직한 고구마.

ぼくみん【牧民】 名 목민; 백성을 다스 림. ¶～官か 목민관; 지방 장관.

ぼくめつ【撲滅】 名 ス他 박멸. ¶結核かを～運動うんどう 결핵 박멸 운동.

ほくめん【北面】 名 ス自 북면. ①북향 (北向). ②신하(臣下)의 좌위(座位)이; 또는, 신하로서 섬김.

ほくよう【北洋】 -yō 名 북양; 북쪽 바 다. ¶～漁業きょ 북양 어업. ↔南洋なん.

ぼくり【木履】 名 나막신; 목신; 왜나막 신. =きぐつ·げた.げたり.

ほくりくどう【北陸道】 -dō 名 若狭かさ·越前ぜん·加賀が·能登と·越中ちゅう·越後ご·佐渡どの 일곱 지방('지금의 福井い·富山ぞり·石川かゎ·新潟がたの 4 현'). =ほくろうどう·越ろ道どう.

ほぐ-れる〔解れる〕 下1自 풀리다. = とける. ¶結びび目めが～ 매듭이 풀리 다 / 気分ぶんが～ 기분이 풀리다.

ほくろ 图【植】 보춘화. ＝春蘭しゅん.

ほくろ【黒子】 图 흑자 ; 검정사마귀.

ぼけ【木瓜】图【植】 명자나무. 圆.

ぼけ【惚け】图 ①지각이 둔해짐 ; 멍청함 ; 노망함. ¶寝ね～ 잠에 취해서 멍청한 동안은 머리가 원상태로 되지 않음. ¶連れん〔連〕～ 여독병.

ほげい【捕鯨】图 포경 ; 고래잡이.
──せん【──船】图 포경선.

ぼけい【母型】【印】 图 모형 ; 활자를 만들어 내는 거푸집 ; 자모(字母).

ぼけい【母系】图 모계. ¶～制度いど 모계 제도. ⇔父系けい.

ほけきょう【法華経】-kyō 图【佛】 법화경(「妙法蓮華経みょうほうれんげきょう」의 준말).

ほげた【帆げた】【帆桁】 图 (돛대의) 활대.

*ほけつ【補欠】【補闕・補缺】 图 보결 ; 보궐. ¶～選手せんしゅ 보결 선수.

ぼけつ【墓穴】图 묘혈 ; 무덤. ＝はかあな. ¶～を掘ほる 묘혈을 파다.

*ポケット -ketto 图 포켓 ; 호주머니. ＝かくし. ¶～ポン 포켓북 ; 문고본. ¶～マネー 포켓 머니 ; 용돈. ▷pocket.

*ぼ‐ける【惚ける・耄ける】下１自 (감각・의식 등이) 흐려지다. ¶頭あたまが～ 머리가 흐려지다 ; 멍청해지다.

ぼ‐ける【量る】下１自 영상(映像)・색조(色調)가 흐려지다 ; 바래다. ¶色いろが～ 색깔이 바래다.

ほけん【保健】图 보건. ¶～体操そう 보건 체조. ──じょ【──所】-jo 图 보건소. ──ふ【──婦】 图 보건부(일정 지역의 보건 지도를 담당하는 간호원 자격을 가진 여성).

**ほけん【保険】图 ①보험. ¶火災さい～ 화재 보험. ／金きん〔料りょう〕 보험금(료). ②비유적으로, 손해를 보상하는 확실한 보증. ──つき【──付(き)】 图 보험부. ①보험에 들어 있음. ②보험의 보증이 틀림없다고 보증되어 있음.

ほけん【保権】图 모권. ¶～伸張しんちょう 모권 신장. ⇔父権けん.

ほこ【矛】【戈・鉾・鋒】 图 ①쌍날칼을 꽂은 창 비슷한 무기 ; ⇔盾たて. ②ほこだし. ──を収おさめる 싸움을 그만두다.

ほご【反古・反故】图 못 쓰는 종이 ; 휴지 ; 전하여, 소용 없는 물건(일). ＝ほぐ・ほうぐ・ほうご. ¶～入いれ 휴지통. ──にする ①소용없다고 버리다. ②무효로 하다.

**ほご【保護】图 区他 보호. ¶～者しゃ／～林りん 보호림／警察けいさつの～を受うける 경찰의 보호를 받다. ──かんぜい【──関税】 图 보호 관세. ──こく【──国】-koku 图 보호국. ──しょく【──色】-shoku 图 보호색 ; ⇔警戒かいしょく. ──ちょう【──鳥】-chō 图 보호조 ; 금조(禁鳥). ──ぼうえき【──貿易】-bōeki 图 보호 무역.

ほご【補語】图【文法】 보어.

ほこう【歩行】-kō 图 区自 보행. ¶～者しゃ 보행자. ──き【──器】图 보행기.

ほこう【補講】-kō 图 区他 보강.

ぼこう【母校】-kō 图 모교.

ぼこう【母港】-kō 图 모항 ; 배의 근거지로 삼고 있는 항구.

ほこさき【矛先】【鋒・鋒先・鉾先】 图 창끝 ; 전하여, 비난・공격의 방향. ¶～を転てんずる 공격의 화살을 돌리다.

ほご‐す【解す】5他 ☞ ほぐす.

ほこだし【矛山車・鉾山車】图 창 따위를 꽂아 장식한 수레. ＝山鉾ほこ.

ぼこぼこ 副 파진 곳이나 구멍이 많이 뚫려 있는 모양 : 움쏙움쏙 ; 움쑥움쑥 ; 뻥뻥. ¶道みちに穴あなが～(と)あく 길에 구멍이 움쑥움쑥 패이다.

ほこら【祠】图 사당(祠堂).

ほこらか【誇らか】ダナ 자랑스러운(득의 만면한) 모양.

ほこらしい【誇らしい】-shii 彫 자랑스럽다 ; 뽐내고 싶다. ¶～気持きもちになる 자랑스러운 기분이 되다 ; 우쭐해지다.

ほこり【埃】图 먼지. ¶～をかぶる 먼지를 뒤집어쓰다.

ほこり【誇り】图 자랑 ; 긍지(矜持) ; 명예로움. ¶～顔がお 자랑스러운 얼굴 / ～を持もつ 긍지를 갖다 / ～を傷きずつける 명예를 훼손하다.

*ほこ‐る【誇る】5自 자랑하다 ; 뽐내다 ; 자랑으로 여기다. ¶東洋とうよう一いちを～ビルディング 동양 제일을 자랑하는 빌딩.

ほころば‐せる【綻ばせる】下１他 ①(실밥을) 뜯다. ②입을 벌리다 ; 파안(破顔)하다. ¶顔かおを～ 웃음 짓다.

ほころ‐びる【綻びる】上１自 ①(실밥이) 풀리다 ; (꿰맨 자리가) 터지다. ¶袖口そでぐちが～ 소매 끝이 터지다. ②조금 벌어지다 ; (꽃이) 피기 시작하다. ¶つぼみが～ 꽃봉오리가 벌어지기 시작하다 / 口元くちもとが～ (기뻐서) 입이 벌어지다 ; 웃다.

ほさ【補佐】【輔佐】图 区他 보좌. 注意「補佐」로 씀이 대용 한자.

ぼさい【募債】图 区自 모채 ; 공채(公債)나 사채(社債)를 모집함.

ほさき【穂先】图 ①이삭 끝 ; 칼・창・송곳・붓 등의 끝. ←槍やりの～ 창끝.

ほ‐ざく 5他【俗】 (되지 못하게) 지껄이다 ; 씨부렁거리다 ; 뇌까리다. ¶つべこべ～ 이러니 저러니 지껄이지 마라. ¶「墓ぼざく命」 「잡아 죽임.

ほさつ【捕殺】图 区他 포살.

ぼさつ【菩薩】图【佛】 보살.

ぼさっ‐と -satto 副 할 일을 잊고 멍청하니 있거나 외롭거나 한 모양.

ぼさぼさ 副 ①머리가 흐트러진 모양 : 부수수 ; 더부룩히. ¶髪かみの毛けの～(と)した人ひと 머리가 부수수한 사람. ②아무 일도 않고 멍하니 있는 모양. ¶そんな所ところに～してるな 그런 데 멍청하게 서 있지 마라.

ぼさん【墓参】图 区自 성묘(省墓). ＝墓参さんり.

ほし【星】图 ①별. ②세월. ¶～を移うつす 物変ものへんわる 세월이 흐르고 사물이 변하다. ③운수. ¶よい～の下に生うまれる 운수를 잘 타고 나다. ④별표 ; 승부의 표지 ; 과녁에 그려진 검은 동그라미. ¶勝かち星ぼし 이긴 표지(〇)／負まけ星ぼし 진 표지(●)／～取とり表ひょう (씨름의) 승패의 성적표／的まとの～を射抜いぬく 과녁의 표적을 맞히다. ⑤(눈동자의) 삼. ¶目めに～ができる 눈에 삼이 생기다. ⑥표적 ; 용의자 또는 범인. ¶～をあげ

る 법인을[용의자를] 검거하다. —を
いただく 이른 새벽부터 또는 밤 늦게
까지 힘써 일하다. —を嫁ぐ 접수를
따라; 성적을 올리다. —を指す 알아
맞히다; 간파하다.

ほじ【保持】图 ｽ他 보지; 계속 유지
함. ¶選手権を～者 선수권 보유
자.

ぼし【母子】图 ①모자; 어머니와 아들.
②원금과 이자. ③하나로 이어진 것에
서 갈려 온 것과 작은것.

ポジ 图 ☞ポジチブ. ↔ネガ.

ほしあかり【星明(かり)】图 별빛.
¶～の夜 별빛이 밝은 밤.

ほし-い【欲しい】-shi 形 ①…하고 싶
다; 탐나다. ¶酒が～ 술이 마시고 싶
다 / 話상し相手が～ 말 상대가 있으
면 좋겠다. ②('…て～'의 꼴로) 바라
다; 요망하다. ¶連れて行って～ 데
리고 가 주기 바란다.

ほしいい【乾飯】-shii 图 쩐 쌀을 말린
비상 식량 따위. =ほしい.

ほしいまま【縦・恣】hoshi- ダナ 제멋대
로 하는 모양; 방자하게 구는 모양. ¶
権力を～にする 권력을 남용하다.

ほしうお【干し魚】【乾し魚】图 말린 물
고기; 건어(乾魚).

ほしがき【干しがき】【干(し)柿・乾(し)
柿】图 곶감.

ほしかげ【星影】图〈雅〉별빛.

ほし-がる【欲しがる】⑤他 탐내다; 갖
고 싶어하다.

ほしくさ【干し草】【乾し草】图 (사료
용) 건초(乾草); 마른 풀. =ほしぐさ.

ほじく-る【穿る】⑤他 후비다; 쑤시
다; (시시콜콜이) 캐다. ¶鼻을를 を
～り出す 코딱지를 후벼 내다 / あら
を～ 흠을 들춰내다 / ～って聞ぎ出
す 꼬치꼬치 캐물다.

ポジション -shon 图 포지션. ①장소;
위치; 지위. ②〔野〕(선수의) 수비 위
치. ▷position.

ほしぞら【星空】图 별이 총총한 하늘.

ポジチブ 포지티브. =ポジティブ.
ダナ 적극적; 긍정적. 一图 (사진의)
양화(陽畵); 양화용 필름. =ポジ. ↔
ネガチブ. ▷positive.

ほしづきよ【星月夜】图〈雅〉별빛이 달
빛처럼 밝은 밤.

ほしまつり【星祭(り)】图①칠석제(七
夕祭). =七夕祭. ②〔雅〕(음양도
에서 액막이로) 칠요성(七曜星) 가운
데서 그 해에 해당하는 별을 제사하는
일.

ほしもの【干し物】【乾し物】图 볕에 말
린 것; 특히, 세탁물. ¶～을 干す 바지랑
대 / ～をする 빨래를 널다.

ほしゃく【保釈】-shaku 图 ｽ他 보석.
¶～金 보석금.

ほしゅ【保守】图 ｽ他 보수. ㊀ ｽ他 ①政
党을 보수 정당. ↔革新. ㊁ ｽ他
정상 상태를 유지 보존함. ¶線路상の
～ 선로의 보수. ——てき【—的】ダナ
보수적. ↔進歩的な.

ほしゅ【捕手】-shu 图〔野〕포수.

ほしゅう【補修】-shū 图 ｽ他 보수. ¶
河川상の～の工事 하천의 보수 공사.

ほしゅう【補習】-shū 图 ｽ他 보습. ¶
～授業 보충 수업.

ほじゅう【補充】-jū 图 ｽ他 보충.

ぼしゅう【暮秋】-shū 图 모추. ①만추
(晚秋); 늦가을. ②음력 9월의 별칭.

ぼしゅう【募集】-shū 图 ｽ他 모집. ¶
～広告 모집 광고.

ぼしゅうだん【母集団】-shūdan 图 모
집단.

ぼしゅん【暮春】-shun 图 모춘. ①만
춘; 늦봄. ②음력 3월의 별칭.

ほじょ【補助】-jo 图 ｽ他 보조. ¶
～金〔貨〕보조금[인] / ～貨幣 보
조 화폐. ——けいようし【—形容詞】
-yōshi 图 보조 형용사(본래의 뜻과
독립성을 잃고 부속적으로 쓰이는 형
용사; '高くない(=높지 않다)'의 'な
い', '聞いてほしい(=들어주기 바란
다)'의 'ほしい' 따위). ——どうし
【—動詞】-dōshi 图〔文法〕보조 동사
(본래의 뜻과 독립성을 잃고 부속적으
로 쓰이는 동사; 'やってみる(=해 보
다)'의 'みる', '忘れてしまう(=잊어
버리다)'의 'しまう' 따위).

ぼじょ【墓所】-sho 图 묘소; 산소. =
墓場ば.

ほしょう【保唱】-sho 图 보초.

ほしょう【保証】-sho 图 ｽ他 보증. ¶
～金상〔人상〕보증금[인] / ～付상きの品
딩상 보증이 붙어 있는 물건.

ほしょう【保障】-sho 图 ｽ他 보장. ¶
安全상～ 안전 보장.

ほしょう【補償】-sho 图 ｽ他 보상. ¶
～金상 보상금. ¶～는 마음.

ぼじょう【慕情】-jō 图 모정; 그리워하
는 마음.

ほしょく【捕食】-shoku 图 ｽ他 포식;
잡아 먹음. ¶～色상.

ほしょく【補色】-shoku 图 보색. =余
色상.

ほしょく【暮色】-shoku 图 모색; 날이
저물어 가는 어스레한 빛.

ほしん【保身】图 보신; 처신; 처세.

ほ-す【干す】【乾す】⑤他 ①말리다. ¶
せんたくものを～ 빨래를 말리다. ②
바닥이 드러나도록 하다. ¶池상の水
상を～ 못의 물을 말리다. ③쩌다 마셔
버리다. ¶杯상を～ 잔을 내다[비우
다]. ④〈俗〉굶기다; 일거리를 안 주고
애먹이다. ¶腹상を～ 배를 주리다.

ボス 图 보스; 두목; 우두머리. ▷boss.

ポスター 图 포스터. ¶poster. ——カ
ラー 图〔美〕포스터 컬러; 포스터용
그림물감. ▷poster color.

ホステス 图 호스티스. ①(파티 같은 데
서) 접대역의 여주인. ↔ホスト. ②스
튜어디스. ③접대부; 여급. ▷hostess.

ホステル 图 호스텔; 여행자를 위한 간
이 숙박 시설. ¶ユース～ 유스 호스
텔. ▷hostel. ¶ステス. ▷host.

ホスト 图 호스트; 접대역의 주인. ↔ホ
ステス. ▷host.

ポスト 图 포스트. ①우체통; 우체함.
②지위; 직위. ¶重要상な～ 중요한
자리. ③(축구 등의) 골 포스트. ¶
ゴール～ 골 포스트. ▷post. ——カー
ド 图 포스트 카드; 우편 엽서. ▷
postcard. ¶책을 맡기다.

ほ-する【補する】サ変他 보하다; 직
임하다.

ほ-する【保する】サ変他 보증하다.

ほせい【補正】图 보정; 보충하고
바로 고침. ¶애.　父性상.

ぼせい【母性】图 모성. ¶～愛상 모성애.

ほぜい【保税】图〔法〕보세. ¶～工場
じょう〔倉庫상〕 보세 공장[창고].

ぼせき【墓石】图 묘석. =かいし.

ほせつ【補説】图 ㅈ他 보충 설명.

ほせん【保線】图 보선. ¶──工事ʲˊ 보선 공사.

ほせん【補選】图 보선(‘補欠選挙ʲʲ゙ (=보궐 선거)’의 준말).

ほぜん【保全】图 ㅈ他 보전. ¶国土ｃ゙の── 국토의 보전.

ぼせん【母船】图 모선. =おやぶね.

ぼせん【母船】图 ㅈ他 무덤 앞.

ほぞ【臍】图〈老〉배꼽. =へそ. ──を固ゕ゙める 단단히 결심하다. ──をかむ 후회하다.

ほぞ【柄】图【建】장부(笋子).

＊ほそ-い【細い】图 ①가늘다. ¶──線ｅ゙ が 실이 가늘다. ↔太ｔ゙い. ②좁다. ¶가늘다. ↔太ｔ゙い. ②폭이 좁다. ¶──道ｖ゙ 좁은 길 / 目ｍ゙を──くする 눈을 가늘게 뜨다. ③마음이 좁다. ¶神経ゖい が──(a)사람됨이 잘다;(b)신경이 과민하다. ③(양 따위가) 적다. ¶食ゅ゙が──くなる 식욕이 준다. ④여유가 없다;가난하다. ⑤음성이 작다.↔太ｔ゙い. ⑥(힘이) 약하다. ¶ガスの火ｈ゙が ──ガ스 불이 약하다. ──く長ｃ゙く 가늘고 길게. ↔太ｔ゙く短ｋ゙く.

ほそう【舗装〔鋪装〕-sö 图 ㅈ他 포장. ¶──道路ｒ゙ 포장 도로.

ほそおもて【細面】图 갸름한 얼굴. =ほそおもて.

ほそく【捕捉】图 ㅈ他 포착;붙잡음.

ほそく【歩測】图 ㅈ他 보측;보폭으로 거리를 잼.

ほそく【補則】图 보칙;보충한 규칙.

ほそく【補足】图 ㅈ他 보족;보충하여 채움. ¶──字ｊ゙に 보족한 글자.

ほそじ【細字】图 세자;가는 글씨.↔太ｔ゙.

ぼそっと-sotto 副 ①우두커니 있는 모양:우두커니. 오도카니. ¶──立ゃ゙ている 오도카니 서 있다. ②작은 소리로 중얼거리는 모양. ¶──つぶやく 나직이 중얼거리다.

ほそなが-い【細長い】图 길고 가느다랗다;홀쭉하다.

ほそびき【細引(き)】图 가는 삼노끈.

ほそぼそ【細細】副 ①아주 가느다란 모양;또, 풍족함·씩씩함·격식성·활기등이 없는 모양. ¶煙ｋ゙が──と立ゃ゙ちのぼる 연기가 가느다랗게 오르다. ②の찌어찌;이럭저럭. ¶──(と)暮ｃ゙らす 그럭저럭〔근근이〕살아가다.

ぼそぼそ【細細】①작은 소리로 말하는 모양:소곤소곤. ¶すみで──話ゅ゙す 구석에서 소곤소곤 이야기하다. ②수분이 없어서 맛이 없는 모양:퍼석퍼석. ¶このパンは──してうまくない 이 빵은 퍼석퍼석해서 맛이 없다.

ほそめ【細め】图 가늚;좁은 사이〔틈〕. ¶──の筆ｆ゙を가느다란 붓 / ──に切ｋ゙る 가느다랗게 자르다. ↔太ｔ゙め.

ほそめ【細目】图 가는 눈. ¶──を見ｍ゙る 실눈을 뜨고보다. ②(편물의) 코가는 짠 것.

ほそ-める【細める】图 ㅌ 1下 가늘게 하다. ¶目ｍ゙を── (a)눈을 가늘게 뜨다;(b)불이 좋아하다.

ほそ-る【細る】图 5自 가늘어지다;여위다. ¶身ｍ゙が──몸이 여위다 / 食ｌ゙が──식량(食量)이 적어지다.

＊ほぜん【保存】图 ㅈ他 보존. ¶──がきかない 보존이 안 되다.

ほた【榾・柮】图 장작개비;지저깨비. =ほだ. ¶──木ｋ゙ 장작 / ──火ｈ゙ 장작불.

ポタージュ -ju 图【料】포타주;걸쭉한〔되직한〕수프. ↔コンソメ. ▷프 potage.

ぼたい【母体】图 모체. ①해산한 어머니 몸. ②갈려 나온 것의 근본이 되고 있는 것. ¶会社ゃ゙の 회사의 모체.

ぼたい【母胎】图 모태.

ぼだい【菩提】图【佛】보리;번뇌를 끊고 심오한 진리를 깨닫는 일;성불하여 극락 왕생하는 일. ──を弔ｔ゙う 고인의 명복을 빌다. ──じ〔──寺〕 보리사;선조 대대의 위패를 모신 절. =だんなでら. ──じゅ〔──樹〕-ju 图 보리수.

ほだ-される【絆される】图 1下 (인정·애정에) 얽매이다;끌리다;류이다. ¶情ｃ゙けに── 인정에 끌리다.

ほてがい【帆立貝】图【貝】가리비;해선(海扇).

ぼたぼた副 ①물방울이 떨어지는 모양:뚝뚝(‘ぽたぽた(=똑똑)’보다는 좀 무거운 느낌). ¶──(と)血ｃ゙が落ゕ゙ちる 피가 뚝뚝 떨어지다. ②물기가 있어서 부드러운 모양:몰랑몰랑. ¶──した土ｔ゙ 몰랑몰랑한 흙.

ぽたぽた副 물방울이 이어 떨어지는 모양:똑똑；방울방울(‘ぼたぼた’보다는 좀 가벼운 느낌). ¶涙ｎ゙が──(と)落ゕ゙ちる 눈물이 방울방울 떨어지다.

ぼたもち【牡丹餅】图「おはぎ」의 딴이름.

ぼたやま【ぼた山】【硬山】图 탄광에서 선탄(選炭)하고 남은 돌을 쌓아 올린 무더기;버럭더미.

ぽたり副 물이 방울져 떨어지는 모양:똑. ¶しずくが──とおちる 물방울이 똑 떨어지다.

ほたる【蛍・螢】图 개똥벌레;반디.

ほたるいか【蛍烏賊】图【魚】불똥꼴뚜기.

ほたるいし【蛍石】图【鉱】형석.

ほたるがり【蛍狩(り)】图 개똥벌레 잡기 놀이. ¶つゆくさ.

ほたるぐさほたるぐさ・蛍草 图.

ほたるび【蛍火】图 반딧불;또, 약찬 남은 불.

ほたるぶくろ【蛍袋】图【植】초롱꽃.

ぼたん【牡丹】图 ①【植】모란. ②〈俗〉멧돼지 고기의 딴이름. ──ざくら〔──桜〕图 팔겹벚꽃. ──ゆき〔──雪〕图 함박눈. =ぼたゆき. ──こなゆき.

＊ボタン【釦】图 ①단추. ¶金ｋ゙~ 금단추. ▷포 botāo. ②초인종 등의 누름단추. ▷button.

ぼち【墓地】图 묘지. =墓場ば゙.

ぽち【点】〈俗〉①작은 점. =ちょぼ・ほち. ②바둑이(개).

-ぼち〈俗〉부족한 느낌〔적음〕을 나타냄. =ぽっち. ¶これっ──じゃしかたがない 이것만으로는 어쩔 도리가 없다. ▷Hotchkiss.

ホチキス 图 호치키스. =ホッチキス.

ぽちぽち 副〈方〉ぼつぼつ.

ぼちゃぼちゃ bochabocha 副 물을 (크

게) 휘젓는 모양 : 첨벙첨벙.

ぽちゃぽちゃ pochapocha 副 ①통통하고 귀여운 모양 : 보동보동 ; 포동포동. ¶～(と)した, かわいらしい娘 포동포동한 귀여운 처녀. ②물을 가볍게 휘젓는 모양 : 참방참방. ¶～と水をはねかす 참방참방 물을 튀기다.

ほちゅう【補注】(補註) -chū 名 보주 ; 보충 주석.

ほちゅうあみ【捕虫網】hochū- 名 포충망 ; 곤충망.

ほちょう【歩調】-chō 名 보조. ¶～を取る 보조를 맞추다 / 仕事の～をそろえる 일의 보조를 맞추다.

ほちょうき【補聴器】-chōki 名 보청기.

ぼつ【没】㊀名 ①'没書(=몰서)'의 준말. ②(본디, 歿) 죽음 ; 사망. ¶一九六二年～ 1962년 사망 / 陣中に～する 진중〔싸움터〕에서 죽다. ㊁接頭 몰… ; 없는 ; 무관한. ¶～常識 몰상식.

ほつい【発意】名 ス自 발의. ①생각이 남 ; 생각해 냄. =はつい. ②〔佛〕발심. =発心.

ぼっか【牧歌】bokka 名 목가. ¶～調〔的〕 목가조(調)〔적〕.

ぼつが【没我】名 몰아. ¶～境 몰아의 경지.

ほっかい【北海】hokkai 名 북해.

ほっかいどう【北海道】hokkaidō 名〔地〕本州 북부에 있는 큰 섬.

ぼっかく【墨客】bokka- 名 묵객. =ぼっきゃく. ¶文人～ 문인〔시인〕 묵객.

ぽっかり pokka- 副 ①가볍게 뜨는 모양 : 두둥실. ¶雲が～(と)空に浮かぶ 구름이 두둥실 하늘에 뜨다. ②갑자기 갈라지거나 또는 갈라져서 벌어지는 모양 : 딱 ; 떡 ; 짝 ; 뻥 ; 뻐끔히. ¶庭に～(と)穴があく 뜰에 구멍이 뻥 뚫어지다.

ほつがん【発願】名 ス自 발원.

ほっき【発起】hokki ㊀名 ス他 발기. ¶～人 발기인. ㊁名 ス自〔佛〕발심(發心). =発心.

ほっきがい〚北寄貝〛hokki- 名〔貝〕함박조개. =うばがい.

ぼっきゃく【没却】bokkya- 名 ス他 몰각. ¶目的を～する 목적을 몰각하다.

ほっきょく【北極】hokkyo- 名 북극. ¶～海〔圏〕 북극해〔권〕. ↔南極. **──ぐま**〚──熊〛名 북극곰. =白熊. **──せい**【──星】名 북극성.

ぽっきり pokki- ㊀副 (뼈·몽둥이 등이) 힘없이 부러지는 모양 : 뚝 ; 뚝. ¶枝が～と折れた 가지가 뚝 부러졌다. ㊁接尾《數量을 나타내는 体言에 붙어서》 딱〔꼭〕 …임. =かっきり. ¶十人～ (더도 아닌) 꼭 열 사람.

ほっく【発句】hokku 名 ①시가의 첫구. ↔挙句. ②☞はいく(俳句).

ホック hokku 名 훅. ▷hook, 네 hoek.

ボックス bokku- 名 박스. ①㉠상자. ¶アイス～ 아이스 박스 / ブラック～ 블랙 박스. ㉡상자 모양의 물건. ¶電話～ 전화실 / ポリス～ 경찰관 파출소. ▷box. ㉢박스 코트 ; 헐렁하게 만든 코트. ▷box coat. ②복스 ; 복스 카프(무두질한 송아지 가죽). ▷box calf.

ぽっくり pokku- 副 ①힘없이 부러지는 모양 : 뚝. ¶人形の首が～(と)折れる 인형의 목이 뚝 부러지다. ②갑자기 죽는 모양 : 덜컥. ¶脳出血で～死んだ 뇌출혈로 덜컥 죽었다.

ほっけ〚𩸽〛hokke 名〔魚〕임연수어.

ホッケー hokkē 名 하키. ¶アイス～ 아이스 하키. ▷hockey.

ぼっけん【木剣】bokken 名 목검 ; 목도(木刀). =きだち. ↔真剣.

ぼつご【没後】(歿後) 名 몰후 ; 사후.

ぼっこう［勃興］bokkō 名 ス自 발흥 ; 갑자기 일어남.

ぼっこうしょう【没交渉】bokkōshō 名 ダナ 몰교섭 ; 거래 또는 교섭이 없음. =ぼつこうしょう.

ほっこく【北国】hokko- 名 ①북국 ; 북쪽 나라〔지방, 땅〕. ↔南国. ②☞ほくりくどう(北陸道).

***ほっさ**【発作】hossa 名 발작. ¶ぜんそくの～ 천식의 발작 / ～的な行動 발작적인 행동.

ぼっしゅう【没収】bosshū 名 ス他 몰수.

ぼっしょ【没書】bossho 名 몰서 ; 투고(投稿)를 채택하지 않음 ; 또, 그 투고.

ほっしん【発心】hosshin 名 ス自 발심. ①뜻이 생김. ②〔佛〕부처에 대한 믿음이 생김 ; 출가(出家)하여 중이 됨.

ほっしん〚発疹〛hosshin 名 ス自 〈老〉 발진. =はっしん. ¶～チフス〔醫〕발진 티푸스.

ほっ-する【欲する】hossu- サ変他 ①바라다 ; 원하다. ¶救われんと～者は来たれ 구원을 바라는 자는 오라. ②갖고〔하고〕 싶다. ¶～がままに 갖고 싶은 대로 ; 하고 싶은 대로.

ぼっ-する【没する】bossu- ㊀サ変自他 ①가라앉다 ; 침몰하다. ②빠지다 ; 잠기다. ¶ひざを～ぬかるみ 무릎까지 잠기는 진흙탕. ③사라지다. ㉠(틈바구니 속에) 묻히다 ; 안 보이게 되다. ¶群衆の中に姿を～ 군중 속에 묻히다 ; 군중 속으로 사라지다. ㉡잊혀지다. ¶忘却のかなたに～ 망각의 저편으로 사라지다. ④(해가) 지다 ; 저물다. ¶日が西に～ 해가 서산에 지다. ㊁(歿する) サ変自 몰하다 ; 죽다. ㊂サ変他 ①무시하다 ; 숨기다. ¶功を～してはならない 공을 무시해서는〔숨겨서는〕 안 된다. ②몰수하다. ¶田地を～ 전답을 몰수하다.

ぼつぜん【没前】(歿前) 名 생전 ; 죽기 전.

***ほっそく**【発足】hosso- 名 ス自 발족. ①단체 따위의 활동이 시작됨. ②출발. 注意 'はっそく'라고도 함.

ほっそり hosso- 副 홀쪽한 모양 : 호리호리. ¶～(と)した美人 호리호리한 미인. ↔でっぷり.

ほったて【掘(っ)建て·掘(っ)立て】hotta- 名 ①(집을 지을 때) 토대 없이 그대로 땅에 기둥을 박음. ②'掘建小屋(=허술한 집 ; 판잣집)'의 준말.

ほったらか-す hotta- 5他 〈俗〉 내버려두다 ; 방치하다.

ほったん【発端】hottan 名 발단 ; 일의 시초.

-ぽっち potchi 〈俗〉 '-ぽち'의 힘줌말.

ぼっちゃん【坊(っ)ちゃん】botchan 名 ①도련님 ; 도령 ; 아드님. ②세상 물정에 어두운 남자를 희롱하는 투로 일컫는 말 : 철부지. **──そだち**【──育ち】

图 고생을 모르고 자란 남자.

ほっつ-く hottsu- ⑤圓〔俗〕 싸다니다 ; 헤매다 ; 방황하다. ¶~·き回る 싸돌 아다니다.

ぽっつり pottsu- 圓①실 따위가 툭 끊 어지는 모양 : 툭 ; 툭. ¶糸が~と切れた 실이 툭 끊어졌다. ②작은 얼룩 이나 점·구멍 따위가 생기는 모양.

ぽってり botte- 圓①살이 통통하게 찐 모양 : 풍뚱 ; 뚱뚱. ¶~した人 (으)뚱뚱하게 살찐 사람. ②두툼한 모양. ¶~した厚化粧 아주 짙은 화장.

ホット hotto ダナ 핫. ①뜨거움. ¶ ~コーヒー 뜨거운 커피. ↔コールド. ②강렬함 ; 심함. ↔クール. ③생생함 ; 새로움. ▷hot. **——ケーキ** 핫 케이 크. ▷hot cake. **——ドッグ** -doggu 핫 도그. ▷ 미 hot dog. **——ニュース** -nyūsu 핫 뉴스. ▷hot news. **——パンツ** 图 핫 팬츠. ▷hot pants. **——ライン** 图 핫 라인 ; 두 나라 정부 수뇌 전용의 직통 전화선. ▷hot line.

ほっと hotto 圓①한숨 쉬는 모양 : 후유. ¶~息をつく 후유하며 한숨 쉬 다. ②겨우 안심하는 모양 : 후유. ¶聞きあって~した 시간에 대어 안심 했다.

ポット potto 图 포트. ①단지. ¶コーヒー~ 커피포트. ②보온병. ▷ pot.

ぽっと potto 圓①멍한 모양 : 멍하게 ; 멍청히. =ぽうっと. ¶~していた 멍 청히 있었다. ②갑자기 밝아지거나 나 타나는 모양 : 확 ; 번쩍. ¶電灯がぱ ~つく 전등불이 번쩍 들어오다.

ほっとう 〖没頭〗 bottō 图 ス自 몰두.

ほっと-く 〖放っとく〗 hotto- ⑤他 〔俗〕내버려 두다. ¶このまま~いて くれ 이대로 내버려 둬 줘.

ぽっとで 〖ぽっと出〗 potto- 图①〔俗〕 처음으로 도회지에 올라옴 ; 또, 그런 사람 ; 촌뜨기. ¶=おのぼりさん. ②(어 떤 일의) 풋내기.

ぽつにゅう 〖没入〗 -nyū 图 ス自 몰입. ①가라앉음 ; 빠짐. ②몰두. ¶仕事に~する 일에 몰두하다.

ぽつねん 〖没年〗〖歿年〗 图①몰년. =生年. ↔生年월日. ②죽은 때의 나이 ; 향 년(享年). =行年きょう·享年きょう.

ぽつねんと 圓 혼자만 쓸쓸히 있는 모양 : 오도카니. ¶~物思ものおもいにふけっ ている 오도카니 생각에 잠겨 있다.

ぽつぽつ 〖勃発〗 boppa- 图 ス自 발발 ; 갑자기 일어남(일어남).

ほっぴょうよう 〖北氷洋〗 hoppyōyō 图 북빙양('北極海ほっきょくかい(=북극해)'의 구 칭).

ホップ 〖忽布〗 hoppu 图〔植〕 홉(맥주 의 향미제(香味劑)로 쓰임). ▷ 미 hop.

ポップコーン poppu- 图 팝콘(옥수수를 튀긴 식품). =ポップコーン. ▷popcorn.

ポップス poppu- 图 팝스 ; 팝송 ; 미국 의 대중 가요 ; 그 연주 악단. ▷pops.

ほっぺた 〖頰っぺた〗 hoppe- 图〔俗〕 귀싸대기 ; 뺨. =頰ほお.

ほっぽう 〖北方〗 hoppō 图 북방 ; 북쪽. 〔→南方ほう.〕

ぽつぽつ 巨 图①(이곳 저곳에 보이는 작 은) 돌기(突起)나 여드름 같은 것. ¶ いぼのような~がある 사마귀같이 돋

아난 것이 있다. 巨 圓①작은 점이나 구멍이 여기 저기 많은 모양. ②느리 게 일을 행하는 모양 : 슬슬 ; 조금씩. ¶~帰かえろう 슬슬 돌아 가자.

ぽっぴ 〖勃物〗 -타ル 발발 ; 왕성하게 일어나는 모양. ¶闘志が~と湧わき 上がる 투지가 솟아오르다.

ぽっぽと poppo- 圓①김이 세게 나는 모 양 : 폭폭 ; 푹푹. ¶~湯気ゆげを立てる 폭폭 김을 내뿜다. ②불꽃이 솟아오르 는 모양 : 활활 ; 활활. ¶紙きが~燃える 종이가 활활 타다.

ぽつらく 〖没落〗 圓 몰락 ; 영락. ¶~貴族ぞく 몰락(영락)한 귀족.

ぽつり 圓①비·물 등이 한 방울 떨어 지는 모양 : 똑 ; 뚝. ②작은 점·구멍이 하나 생기는 모양 : 뻐끔. =ぽつり. ③ 외따로 혼자 있는 모양 : 오도카니. =ぽ つん. ④뚝 한 마디 하는 모양. ¶실 이 뚝 끊어지는 모양.

ぽつりぽつり 圓①(어떤 일이) 사이를 두고 계속되는 모양. ¶人々が~(と) 集あつまってくる 사람이 하나둘씩 모여 든다. ②빗방울이나 비·물 등이 조금 씩 사이를 두고 떨어지는 모양 : 뚝뚝 ; 똑똑. ¶雨あめが~(と)落おちて来くる 빗방울이 똑똑 떨어지다. ③말 을 조금씩 하는 모양 : 띄엄띄엄. ¶ ~と話はなす 띄엄띄엄 이야기하다. ④ (물건이) 사이를 두고 있는 모양 : 드문 드문. ¶田たの中なかに~と家いえが建たって いる 논 가운데에 드문드문 집들이 서

ほつれ 〖解れ〗 图 풀림 ; 흐트러짐. ¶ ~髪かみ 흐트러진(형클어진) 머리.

ほつ-れる 〖解れる〗 下一自 (가지런한 것이) 풀리다 ; 흐트러지다. ¶縫ぬい 目めが~ 꿰맨 자리가 터지다.

ぽつんと 圓①작은 점·구멍이 하나 생 긴 모양 : 콕 ; 톡. ¶~点てんを打うつ 콕 점을 찍다. ②혼자서 외따로 있는 모 양. ¶~すわっている 오도카니 앉아 있다. ③물 따위가 한 방울 떨어지는 모양 : 똑 ; 뚝. ¶涙なみだが~落おちる 눈 물이 뚝 한 방울 떨어지다.

ほてい 〖布袋〗 图 七福神しちふくじん의 하나 (배가 뚱뚱하며 자루를 메고 있음). **——そう** 〖——草〗-sō 图〔植〕물옥잠. =ほていあおい. **——ばら** 〖——腹〗图 올챙이배 ; 배불뚝이.

ボディー -dī 图 보디. ①신체 ; 몸. ②동 체, 胴동체. ㉠(권투에서) 동부(胴部). ¶~を打うつ 동부를 치다. ㉡(물체의) 동체에 해당되는 부분. ¶自動車じどうしゃの ~ 자동차의 차체. ▷body. **——ガード** 图 보디가드 ; 신변을 호위하는 사람 ; 경호원. =bodyguard. **——ビル** 보디 빌딩 ; (아령 따위로) 튼튼한 신체를 만 드는 것, 그 운동. ▷body building.

ポテト 图〔植〕 포테이토 ; 감자. ¶~フ ライ 감자 튀김／~チップ 포테이토 칩. ▷potato.

ほて-る 〖火照る·熱る〗 ⑤自 (몸·얼굴 이) 화끈해지다 ; 달아오르다. ¶恥はず かしさでからだじゅうが~った 수치 심으로 온 몸이 화끈거리다.

ホテル 图 호텔. ▷hotel.

ほてん 〖補塡〗 他 보전 ; 보충.

ほど 〖程〗 图 圓助 ①(거기서 그쳐야 할

행동의) 한계；한도；분수. ¶~を過すごす 한도를 넘다／身みのを知しらない 자기 분수를 모르다. ②가치；가치 있는 것；필요. ¶用事じょうという ─のものは無ない 용건이라고 할 만한 것은 없다 ③정도；쯤；만큼. ¶十日とおか前まえ 열흘쯤 전／これ─うれしい 事ことは無ない 이처럼 기쁜 일은 없다／きのう~寒さむくない 어제만큼은 춥지 않다／年としの~ 나이는 34, 5 세 정도. ④여부. ¶真偽しんぎの~は分わからだが 진위 여부는 모르지만. ⑤(시간적・공간적) 범위. ¶間あいだの~ 동안；간안／~も無なく 기다릴 사이도 없이. ○こうる；무렵；때. ¶宵よいの~ 초저녁 무렵. ○거리. ¶道みちの~ 도정(道程). ⑥좀；조금. ¶一経いっけいて 조금 지나서. ⑦「…する~に」「…は…の」의 끝꼴。~이「하」면 ¶[할]수록. ¶多おければ多おいい─いい 많을수록 좋다. 参考 보통 副助詞로 되는 것은 ③⑦. ─がある 유분수다；한도가 있다. 一の事ことは無ない 그렇게 할 만큼의 가치가 [필요가] 있다.

ほどあい【程合(い)】 〔名〕 알맞은 정도；ころあい. ¶遊あそびも~にしておけ 노는 것도 정도껏 하여라.

*ほどう【歩道】** -dō 〔名〕 인도(人道). ¶横断おうだん~ 횡단 보도. ↔車道しゃどう

*ほどう【舖道】【鋪道】** -dō 〔名〕 포도；포장 도로. =ペーブメント.

*ほどう【補導】【輔導】** -dō 〔名〕▽他 보도. ¶職業しょくぎょう~ 직업 보도.

ほどう【母堂】 -dō 〔名〕 자당(慈堂).

*ほどく【解く】** 〔五他〕①풀다；뜯다. ¶着物きものを~いて仕立したてなおす 옷을 뜯어서 새로 [마름질하여] 고치다. ②(神仏しんぶつ에 대한) 기원(祈願)의 기간이 끝나서 그만두다.

*ほとけ【仏】** 〔名〕①부처；불타；불상. ②고인(故人)；사자(死者). ③정직하고 착한 사람；자비로운 사람. 一つくって魂たましいれず 가장 중요한 것을 빠뜨림의 비유. 一の顔かおも三度さんど 아무리 착한 사람도 거듭 심하게 하면 끝내 화를 냄의 비유.

ほとけごころ【仏心】 〔名〕 불심.

ほとけのざ【仏の座】 〔名〕①수미단(須彌壇). ②[ほとけのざ]【植】 광대나물. =たびらこ.

ほど-ける【解ける】 〔下1自〕 (저절로) 풀어지다. ¶結むすび目めが~ 매듭이 풀어지다.

*ほどこ-す【施す】** 〔五他〕①베풀다. ⑤(계획 따위를) 세우다. ¶策さくを~ 방책을 세우다. ⑥(솜씨를) 입히다；임히다. ⑥행하다；가하다(「行こうう」의 격식 차린 말씨). ¶仁政じんせいを~ 선정을 베풀다／手ての~・しようがない 손쓸 도리가 없다. ②주다；[肥料ひりょうを] 비료를 주다. ③(체면 등을) 세우다；드러내다. ¶面目めんぼくを~ 면목을 세우다[드러내다].

ほどちか-い【程近い】 〔形〕 (거리가) 가깝다；그리 멀지 않다. ¶~所ところ 그리 멀지 않은 곳.

ほどとお-い【程遠い】 -tōi 〔形〕 좀 멀다；걸맞지 않다. ¶~からぬ所ところ 그다지 멀지 않은 곳／英雄えいゆうと呼よぶには~

영웅이라고 부르기에는 좀 무엇하다.

ほととぎす 【時鳥・杜鵑・子規・不如帰・蜀魂】 〔名〕불여귀；두견；자규.

ほどなく【程無く】 〔連語〕《副詞적으로》 머지않아；이윽고；곧. ¶~参まいりましょう 곧 곧~[갈] 것입니다.

ほとばし-る 【迸る・进る】 〔五自〕 용솟음치다；샘솟다；내뿜다. ¶~ような情熱じょうねつ 솟구치는 정열.

ほと-びる【潤びる】 〔上1自〕 (물에) 붇다；불어서 물렁해지다. =ふやける.

ほどへて【程経て】 〔副〕 조금 지나서.

ほとほと【殆と】 〔副〕정나미가 떨어질 모양；몹시；되게；아주；정말이지. ¶~困こまった 몹시 난처하다／~手てをやく 몹시 애먹다.

ほどほど【程程】 〔名〕 적당；알맞은 정도. ¶~にする 알맞게 하다；정도껏 하다／~にくらす 분수에 맞게 살다.

ぽとぽと 〔副〕 물방울이 계속해서 떨어지는 모양；즉즉；똑똑. ¶汗あせを~(と)おとす 땀을 죽죽 흘리다.

ほとぼり【熱】 〔名〕 열기. ①(불을 끄고 난 다음의) 여열(餘熱)；잔열(殘熱). ②(사건이 끝난 다음에도 한동안 남는) 감정・흥분 등의 여세(餘勢). ¶よい~がさめてから話はなした方ほうがよい 좀 열기[분기]가 사그러질 때에 이야기하는 편이 좋다. ③(사건 등에 대한) 세상의 관심(關心). ¶騒動そうどうの~がさめる 소동의 관심이 식다.

ほどよ-い【程よい】【程好い】 〔形〕 알맞다；적당하다. ¶~温度おんど 적당한 온도.

ぼとり【근・畔】 〔名〕 근처；부근. ¶村むらの~ 마을 근처／川かわの~ 냇가；강가.

ぽとりと 〔副〕 물방울・물건 등이 떨어지는 모양；똑. ¶球たまを~落おとす 공을 똑 떨어뜨리다.

‡**ほとんど【殆と】** ㊀〔名〕 대부분；거의；대략. ¶解決かいけつは~不可能ふかのうだ 해결은 거의 불가능하다. ㊁〔副〕 하마터면. =すんでに. ¶~死しぬところだった 하마터면 죽을 뻔했다.

ほなみ【穂波】 〔名〕 이삭의 물결치는 일；또, 그런 이삭.

ボナンザグラム 〔名〕 보난자그램；크로스워드 비슷한 퀴즈의 일종. ▷bonanzagram.

ほにゅう【哺乳】 -nyū 〔名〕▽自 포유. ¶~期 포유기. ──どうぶつ 【哺乳動物】 -dōbutsu 〔名〕 포유 동물.

ほにゅう【母乳】 -nyū 〔名〕 모유. └はん쪽.

ほの【帆布】 〔名〕 범포；돛에 쓰는 천. =はんぷ.

‡**ほね【骨】** 〔名〕①뼈. ¶腰こしの~ 허리뼈. ↔身みの~ ②(기물(器物)의) 뼈대；살. ¶傘かさの~ 우산 살. ③(사물의) 핵심；중심. ¶論文ろんぶんの~になる部分ぶぶん 논문의 골자가 되는 부분. ④기골(氣骨). ¶~のある人ひと 기골이 있는 사람. 一と皮かわ 말라서 피골이 상접한 모양. 一に染そみる 사무치도록 심하다. ¶~に染そみる寒さむさ 뼛속까지 스미는 추위. ②마음 깊이 느끼다. 一に徹てっする 뼈에다 사무치게 하다. 一でしゃぶる 뼈까지 빨다(남을 철저히 이용해 먹다). 一をうずめる ①뼈를 묻다；죽다. ②그 일에 일생을 바치다. ③평생

을 거기서 살다. ━を拾ふ ①화장한 뼈를 줍다. ②사후 처리를 하다. ③남이 다 하지 못하고 죽은 사업의 뒤를 떠맡다.

‡ほね【骨】图 노력；수고. ━がおれる 힘들다；성가시다. ━を惜しむ 수고를 아끼다；게으름을 피우다. ━をおる 수고하다；애쓰다. ＝ほねおる.

ほねおしみ【ほね惜しみ】〖骨惜しみ〗图区自 수고를 아낌；꾀부림.

ほねおりぞん【ほねおり損】〖骨折り損〗图 수고한 보람이 없음. ━のくたびれもうけ 도로 아미 타불；고생만 하고 애쓴 보람이 없음.

ほねお-る【骨折る】⑤自 진력하다；힘을 들이다；애쓰다.

＊ほねぐみ【骨組(み)】图 뼈대；얼개；얼거리. ¶文章ﾊﾞﾝﾁﾞﾌの━ 문장의 뼈대／計画ケｲｶｸの━ 계획의 골자／建物ﾀﾃﾓﾉの━ 건물의 얼거리.

ほねつぎ【骨接ぎ・骨継ぎ】〖整骨〗图 정골《整骨》；접골；접골의《接骨醫》.

ほねっぷし【骨っ節】honeppu- 图①마디. ②기골《氣骨》；기개. ¶━の强つよい人ﾋﾄ 기골이 찬 사람.

ほねっぽ-い【骨っぽい】-neppoi ①《생선 따위에》잔뼈《가시》가 많다. ②기골이 있다.

ほねなし【骨なし・骨無し】图①뼈가 없음；줏대가 없음；또, 그런 사람. ②등뼈가 물러서 서지 못하는 불구자.

ほねぬき【骨抜き】图①골자《알맹이》를 뺌. ¶原案ｹﾞﾝｱﾝ は━にされた 원안의 골자가 모두 빠져 버렸다. ②《요리하기 위하여》뼈를 발라 냄；또, 그렇게 한 것.

ほねば-る【骨張る】⑤自①뼈가 앙상하다. ¶━った手ﾃで뼈가 앙상한 손. ②고집을 부리다. ¶━った事ｺﾄを言いう 고집센 소리를 하다.

ほねみ【骨身】图골신；뼈와 살；몸. ¶ありがたさが━に染しみる 고마움이 뼛골에 스미다. ━にこたえる 뼈에 사무치다. ━を削けずる 뼈를 깎다《고생하며 열심히 하다》.

ほねやすめ【ほね休め】〖骨休め〗图区自 쉼；휴식；휴게.

＊ほのお【炎】〖焔〗图 불꽃；불길. ＝ほむら. ¶蠟燭ﾛｳｿｸの━ 촛불의 불꽃／嫉妬ｼｯﾄの━ 질투의 불길.

ほのか【仄か】〖ﾅﾅ〗분명히 분간할 수 없는 모양；아련한 모양；어렴풋한 모양；은은한 모양. ¶な愛情ｱｲｼﾞｮｳ 아련한 애정／～な香りｶｵﾘ 은은한 향기／～に見ﾐえる光ﾋｶﾘ 어슴푸레하게 보이는 빛.

ほのぐら-い【ほの暗い】〖仄暗い〗形 어두컴컴하다；어슴푸레하다. ¶～明ｱｹの け方ｶﾞﾀ 어슴푸레한 새벽／～電灯ﾃﾞﾝﾄｳ의 희미한 전등.

ほのじろ-い【ほの白い】〖仄白い〗形 어렴풋하게 회다；희읍스름하다.

ほのじろ-い【仄仄】〖仄々〗副 어렴풋한 모양；약간 밝은 모양. ¶～と夜ﾖがあける 어슴푸레 밤이 새다. ②따스하게 느껴지는 모양. ¶～とした人情ﾆﾝｼﾞｮｳ 따스한《흐뭇한》인정미.

ほのめか-す【仄めかす】⑤他 암시하다；넌지시 말하다《비추다》. ¶決意ｹﾂｲ를

を～ 결의를 넌지시 말하다.

ほのめ-く【仄めく】⑤自 희미하게 보이다；은연중에 나타나다. ¶雲間ﾋﾞﾂ하から月影ﾂｷｶｹﾞが～ 구름 사이로 달빛이 어른거리다.

ほばく【捕縛】图区他 포박. 「ﾄ.

ほばしら【帆柱】〖檣〗图 돛대. ＝マス

ほはば【歩幅】〖歩巾〗图 보폭.

ほひ【墓碑】图 묘비. ¶～銘ﾒｲ 묘비명.

ほひつ【補筆】图区自 보필.

ポピュラー -pyurā 〖ﾅﾅ〗 포퓰러；대중적. ¶～ソング 대중 가요. ¶強敵ｷｮｳﾃｷに～ 강적을 물리치다. ②《적을》도륙《屠数》하다；몰살하다；전멸시키다. ¶敵ﾃｷ を一挙ｲｯｷｮに～ 적을 일거에 전멸시키다. ③《새나 짐승 따위를》잡다；도살《屠殺》하다. ¶牛ｳｼを～ 소를 잡다.

ぽひょう【墓表・墓標】-hyō 图 묘표.

ほふく【葡匐】图区自 포복.

ポプラ【植】 포플러；미루나무. ▷ poplar.

ほふ-る【屠る】⑤他①《경기에서》상대를 물리치다；이기다. ¶強敵ｷｮｳﾃｷに～ 강적을 물리치다. ②《적을》도륙《屠数》하다；몰살하다；전멸시키다. ¶敵ﾃｷ を一挙ｲｯｷｮに～ 적을 일거에 전멸시키다. ③《새나 짐승 따위를》잡다；도살《屠殺》하다. ¶牛ｳｼを～ 소를 잡다.

ほへい【歩兵】图 보병.

ぽへい【募兵】图区自 모병. ¶～に応ｵｳずる 모병에 응하다.

ボヘミアン图 보헤미안；방랑자. Bohemian.

ほほ【頬】图 'ほお《＝頬》'의 새로운 말

ほほ感 여자의 가볍고 얄밉게 웃는 소리；호호. ¶～と笑わらう 호호 웃다.

ほぼ【保母】〖保姆〗图 보모《保姆》.

ほぼ【略・粗】副 거의；대부분；대개. 대강. ＝おおかた；およそ. ¶一片ｶﾞﾀ いた 거의 처리되었다.

ほほえまし-い【ほほ笑ましい】〖頰笑ましい・微笑ましい〗-shii 形 호감이 가다；흐뭇하다；저절로 미소짓게 되다. ¶～光景ｺｳｹｲ 흐뭇한 광경.

ほほえみ【ほほ笑み】〖頰笑み・微笑み〗图 미소. ¶口元ｸﾁﾓﾄに～を浮うかべる 입가에 미소를 띠우다.

ほほえ-む【ほほ笑む】〖頰笑む・微笑む〗⑤自 미소짓다；비유적으로, 꽃망울이 좀 벌어지다. ¶にっこりと～ 빵긋이 웃다／草花ｸｻﾊﾞﾅが～ み始ﾊｼﾞめた 화초의 꽃망울이 벌어지기 시작했다.

ほほじろ【頰白】〖鳥〗 'ほおじろ《＝멧새》'의 새로운 말씨.

ポマード图 포마드. ▷pomade.

ほまえせん【帆前船】图 서양식 대형 범선. ＝帆船ﾊﾝｾﾝ.

ほまれ【誉れ】图 명예；영예；자랑거리. ¶秀才ｼｭｳｻｲの～が高たかい 수재로 이름이 높다.

ほむら【炎・焔】图〈雅〉 ☞ほのお.

ほめそや-す【褒めそやす】〖誉めそやす〗⑤他 격찬하다；높이 칭찬하다；자꾸 추어 올리다. ＝ほめちぎる.

ほめた-える【褒めたたえる】〖誉め称える・褒め称える〗下1他 극구 칭찬하다. ＝ほめそやす.

ほめちぎ-る【褒めちぎる】〖誉めちぎる〗⑤他 《본인이 부끄러울 정도로》극구 칭찬하다. ＝ほめそやす.

‡ほ-める【褒める】〖誉める・賞める・賛め

る）【下1他】칭찬하다；찬양하다. ¶～べき行為ぶ 칭찬할 만한 행위.

ホモ 名 호모. ①사람；인간. ▷라 homo. ②〈俗〉(남자의) 동성애；또, 그 사람. ←レズ. ▷homosexuality. ──サピエンス 호모 사피엔스；인류. 라 Homo sapiens. 〔영어〕멍게.

ほや【保夜・海鞘・老海鼠】名〘動〙우렁.

ほや【火屋】名 ①(남포의) 등피. ②향로(香爐)・(손을 쬐는) 작은 화로 등의 뚜껑.

ぼや【小火】名〈俗〉작은 불〔화재〕.

ぼやか-す 五他 ☞ぼかす.

ぼや-く 五自他〈俗〉투덜거리다；불평하다. ¶何ぞを～・いているのか 무엇을 투덜거리고 있느냐.

ぼや-ける 下1自 희미해지다；부예지다. ＝ぼける. ¶写真しゃが～ 사진이 바래지다／頭あが～ 머리가 멍해지다.

ぼやっと -yatto 副 ☞ぼんやり.

ほやほや 名 ①갓 만들어 따끈따끈하고 말랑말랑한 모양. ¶～のパン 갓 만들어 말랑말랑하고 따뜻한 빵. ②그 상태가 된 지 얼마 안 되는 모양. ¶大学出だいがくの～ 대학을 갓나온 애송이.

ぼやぼや 副 알아차리지 못했거나 또는 할 줄을 몰라서 멍하고 있는 모양；어리둥절. ¶何ぞを～しているんだ 왜 멍청히 서 있는 게야.

ほゆう【保有】-yū 名ス他 보유. ¶～米まい(농가의) 보유미／核かく～国ごく 핵보유국.

*ほよう**【保養】-yō 名ス自 ①보양；건강을 위하여 심신을 쉼. ＝養生じょう ②위로하여 즐김. ¶目めの～になる 눈요기가 되다.

ほら【洞】名〈老〉굴；동굴. ＝洞穴けつ.

ほら【法螺】名 ①'ほらがい'의 준말. ②허풍을 욺；과장해서 말함；또, 그런 이야기. ──を吹ふく 허풍을 떨다.

ほら 感 급히 주의를 환기시킬 때 내는 소리；이봐；얘；자봐. ¶～見みてごらん 이봐 봐.

ほら【鯔】名〔魚〕숭어. 1자, 봐라.

ほらあな【洞穴】名 동굴. ＝洞穴ほら.

ほらがい【洞貝】【法螺貝】名①〔ほらがい〕조라고동. ②소라고동의 뾰족한 쪽에 구멍을 내어, 불어서 소리를 내게 만든 것(싸움터의 신호나 山伏やまぶし 등이 썼음)；소라；나각(螺角).

ほらふき【ほら吹き】【法螺吹き】名 ①허풍선이；떠버리. ＝うそつき. ②소라를 부는 사람.

ポラロイドカメラ 名〔商標名〕폴라로이드 카메라(찍고 1분 후면 사진이 나옴. ▷Polaroid camera.

*ほり**【堀】【濠】名①땅을 파서 만든 수로(水路). ＝ほりわり. ②(성 둘레에 판) 해자(垓字).

ほり【彫り】名 조각함；조각한 모양；조각한 것 같은 요철(凹凸). ¶～の深ふかい顔だち 윤곽이 뚜렷한 얼굴.

ポリエステル 名〘化〙폴리에스테르(합성 수지의 일종). ▷polyester.

ポリエチレン 名〘化〙폴리에틸렌(합성 수지의 일종). ▷polyethylene.

ほりおこ-す【掘り起(こ)す】五他 ①파 일구다；개간하다. ¶土つちを～ 땅을 파 일구다. ②(묻힌 것을) 파내다. ③개

발하다；발굴하다. ¶才能ざいを～ 재능을 개발하다.

ほりかえ-す【掘(り)返す】五他 ①파서 일구다. ¶畑はたを～ 밭을 일구다. ②다시 파다；(묻힌 것을) 파내다. ¶墓はかを～ 묘를 파내다.

ほりさ-げる【掘(り)下げる】下1他 ①파내려 가다. ②(사물을) 깊이 파고 들다. ¶問題もんを～ 문제를 파고 들다.

ポリス 名 폴리스；경관；순경；경찰. ▷police.

ほりだしもの【掘(り)出し物】名 우연히 얻은 진귀한 물건；의외로 싸게 산 물건.

ほりだ-す【掘(り)出す】五他 ①파내다. ②우연히 진귀한 것을 찾아내다；의외로 좋은 것을 싸게 사다. ¶古本屋ふるほんやで珍本ちんを～ 헌 책방에서 진본을 입수하다.

ほりつ-ける【彫(り)付ける】下1他 파서 형태를 새기다.

ほりぬきいど【掘(り)抜(き)井戸・掘抜井戸】名 땅을 깊이 판 우물.

ほりばた【掘端】名 도랑의 바로옆；도랑가.

ぼりぼり 副 ①딱딱한 것을 섭는 소리；어적어적；우두둑우두둑. ②손톱으로 물건을 긁는 소리；북북.

ほりほり 副 'ぼりぼり'보다 가벼운 느낌을 나타내는 말；아작아작；박박. ¶～ピーナツを食たべる 땅콩을 오도독오도독 섭어 먹다.

ほりもの【彫(り)物】名①문신(文身)；먹실 넣기. ＝いれずみ. ②조각.

*ほりゅう**【保留】-ryū 名ス他 보류；유보. ¶発表はっを～する 발표를 보류하다／態度たいを～する 태도를 유보하다.

ほりゅう〔蒲柳〕-ryū 名 포류. ①체질이 약함. ②〈植〉갯버들의 딴이름. ──の質しつ 선병질(腺病質).

ボリューム -ryūmu 名 볼륨. ①분량；양(量). ＝かさ. ¶～の有ある女おんな〈俗〉볼륨이 있는(뚱뚱한) 여자. ②음량；성량(聲量). ¶～の有ある声こえ 성량이 좋은 음성. ③양감(量感). ▷volume.

ほりょ【捕虜】-ryo 名 포로. ＝とりこ. ¶～収容所しゅう 포로 수용소.

ほりわり【掘割り・掘割】名 (땅을 파서 만든) 수로；물길. ＝ほり.

‡**ほ-る**【掘る】五他 ①파다；구덩을 틀다. ¶穴あなを～ 구멍을 파다. ②(묻힌 것을) 파내다. ¶石炭せきを～ 석탄을 캐다.

‡**ほ-る**【彫る】五他 (칼로) 새기다. ①조각하다. ¶仏像ぶつを～ 불상을 조각하다. ②판목(版木)에 새기다. ③문신을 넣다. ▷polka.

ポルカ 名 폴카；2 박자의 춤(곡).

ホルスタイン 名 홀스타인(네덜란드 원산 젖소의 일종). ▷도 Holstein.

ホルダー 名 홀더. ①받치는 물건. ②펜・펜대；펜꽂이. ③보유자. ¶レコード～ 기록 보유자. ▷holder.

ボルト 名 볼트；굵은 나사못. ↔ナット. ▷bolt. 1위. ②volt.

ボルト【電】볼트；전압의 실용 단위.

ボルドーえき【ボルドー液】名 보르도액；농약의 일종(황산동(黄酸銅)과 생석회(生石灰)를 물에 탄 살충제). ▷フ

Bordeaux.

ポルノ 图 포르노('ポルノグラフィー(=성행위를 중심으로 한 그림·영화·소설 따위)'의 준말). ▷porno.

ホルマリン 图 포르말린(소독제·방부제의 하나; 본디, 상표명). ＝フォルマリン. ▷도 Formalin.

ホルモン 图 호르몬. ▷도 Hormon.

ホルン 图 〔樂〕호른. ①금속제 관악기의 일종. ②▷horn.

ほれこ‐む【惚れ込む】〔惚れ込む〕⑤自 홀딱 반하다；매우 호의를 갖다. ¶彼彼の人物にには──よ 그의 인물에는 홀딱 반하겠다.

ほれぼれ【惚れ惚れ】〔亠ㄷ自〕홀딱 반한 모양. ¶～と〔と〕ながめる 반한〔황홀한〕눈으로 보다.

ほ‐れる【掘れる】〔下1自〕패어지다；파지다. ¶雨にだれて軒先のきが～ 낙숫물로 추녀 밑의 땅이 패다.

ほ‐れる【惚れる】〔下1自〕①(이성에게)반하다. ¶～れた仲なか 서로 반한 사이. ②〔動詞의 連用形에 붙여서〕넋을 잃다；열중(熱中)하다. ¶聞きき～ 넋을 잃고 듣다.

ボレロ 图 볼레로. ①단추 없는 스페인식의 짧은 여자용 자켓. ②4분의 3박자의 스페인의 댄스；또, 그 곡. ▷ bolero.

ほろ【幌】 图 (마차·인력거 등의)포장；덮개.

ほろ【母衣】 图 옛날 갑옷 뒤에 덮어씌워서 화살을 막던 포대자루와 같은 천.

*ほろ**【襤褸】 图 ①넝마；누더기. ¶～を着た人ちと 누더기를 걸친 사람／～一切いれ 넝마 조각. ②낡은 것；고물. ¶～家ゃ 낡아빠진 집. ③허술한 데；결점. ¶～を隠かくす 결점을 감추다. **──を出だす** 결점을 드러내다；실패하다.

ぼろ－ 대단히 많음；또, 정도가 높음〔심함〕. ¶～もうけ 엄청나게 이익을 봄／～勝がち 낙승(樂勝).

ぼろ‐い〔俗〕 ①든 밑천·수고에 비하여 이문이 썩 많다. ¶～もうけ 수월한 돈 벌이〔이득〕. ②일이 엉성하고 값싸다. ¶～まい 싸구려 책.

ほろう【歩廊】-rō 图 ①두 줄의 기둥 사이에 낸 복도의 통로. ＝回廊かい. ②플랫폼의 옛 이름.

ぼろくそ【襤褸糞】 图〔俗〕데데하고 시시하다；또, 그러하다고 마구 욕하는 모양. ＝くそみそ. ¶～にけなされる 형편없이 욕을 먹다／～にやっつける 여지없이 해치우다.

ほろにが‐い【ほろ苦い】〔微苦い〕 ①씁쓸하다；쌉쌀하다. ¶ビールの～味み 맥주의 쌉쌀한 맛. ②좀 아프다. ¶～思いぃ出で 좀 쓰라린 추억.

ポロネーズ 图 폴로네즈(템포가 느린 폴란드 특유의 가곡이나 무용). ▷프 polonaise.

ほろばしゃ【ほろ馬車】〔幌馬車〕-sha 图 포장(을 씌운)마차.

*ほろ‐びる**【滅びる】〔亡びる〕〔上1自〕①멸망하다；망하다. ②없어지다；사라지다；쇠하다. ¶～びゆく大自然だいし 스러져가는 대자연.

*ほろぼ‐す**【滅ぼす】〔亡ぼす〕〔5他〕멸망시키다；망치다. ¶身みを～ 신세를 망치다.

ほろほろ 副 ①(눈물이나 꽃 따위의)가볍고 작은 것이 조용히 떨어지는 모양. ¶涙なを～と(と)こぼす 소리 없이 눈물을 흘리다／花がが～と散ちる 꽃이 폴폴 떨어지다. ②호각 소리, 꿩·산새들의 울음 소리 등을 형용하는 말.

ぼろぼろ □〔ダ자〕①물건·천 등이 형편없이 해어진 모양：너덜너덜하다. ¶～の着物ぬ 너덜너덜 해진 옷. ②(낱 따위가)잘기〔물기〕가 적어 낱낱이 흩어지는 모양：호슬부슬함. 二 副 ①물건이 흐르듯 떨어지거나 벗겨지는 모양. ¶豆まを～とこぼす 콩을 주르륵 흘리다／壁なが～と(と)はがれる 벽이 호슬부슬 벗겨지다.

ぼろぼろ〔ダ副〕'ぼろぼろ二②,□'보다는 가벼운 느낌을 주는 상태：뚝뚝；주르르；부슬부슬. ¶涙なを～と(と)こぼす 눈물을 주르르 흘리다.

ほろほろちょう【珠鶏·ほろほろ鳥】-chō 图 뿔닭.

ほろよい【ほろ酔い】〔微酔〕 图 (술이)얼근히 취함；거나함.

ほろりと 副 ①눈물이 절로 나는〔떨어지는〕모양. ②～させる話はな 눈물을 뜨겁게 하는 이야기. ②가볍게 취하는 모양. ¶～酔ゅう 얼근히 취하다. ③가볍게 떨어지는 모양. ¶～花はが散ちる 가볍게 꽃이 지다.

ぼろりと 副 맥없이 떨어지는〔무의식적으로 떨어뜨리는〕모양. ¶ボタンが～取とれる 단추가 뚝 떨어지다.

ホワイト 图 화이트. ①흰 빛；백색(의 그림물감). ②～で消けす 화이트로 지우다. ②백인(白人). ▷ white. **──カラー** 图 화이트 칼라；정신 노동자. ↔ブルーカラー. ▷미 white-collar worker. **──ハウス** 图 화이트 하우스；백악관(白堊館). ▷ White House.

*ほん**【本】 □ 图 ①책；서적. ¶～を読よむ 책을 읽다. ②연극·연극의 각본·대본. ¶役者やくはそろったが～が心にあわない 배우는 다 모였는데 대본이 덜되었다. 二 接頭 書…. ①정식의. ¶～建築けく 본건축. ↔仮なり. ②주된. ¶～通とうり 주요 통로；본도(本通). ③(문제의)바로 그것；이. ¶～事件じけ 본사건. ②(자기의 뜻으로)당(當). ¶～研究所けんきに 본연구소. 三 接尾 가늘고 긴 것을 세는 말：자루；개비. ¶ふで二ふ 붓 두 자루／鉛筆えぴる六本ろっ 연필 여섯 자루. ❷유도·검도 등 승패를 세는 말. ¶三本勝負さんぼ 3대 세 판 승부.

ホン 图〔理〕폰；음의 크기의 단위(주로 소음(騒音)을 측정하는 데 씀). ＝フォン. ▷phon.

ほん【凡】〔ダナ〕보통임；평범. ¶～ならざる人物ぬ 범상치 않은 인물. ↔非凡いなる.

*ぼん**【盆】 图 ①(목제·금속제의)쟁반. ¶～にのせて出だす 쟁반에 얹어서 내놓다. ②うらぼん.

ほんあん【翻案】 图〔ㄷ他〕번안. ¶～小説せつ 번안 소설.

ほんい【本位】 图 본위. ①(생각·행동의 중심이 되는 기준. ¶お客ゃく～ 손님 본위(위주)／自己じこ～ 자기 본위.

ⓛ화폐 제도의 기초. ¶金ὲ~ 금본위.
②이전의 지위·위치. ¶~に復ᕆする 원위치로 복귀하다. ──へい【─幣】图 본위 화폐. ──きごう【─記号】-kigō 图 본위 기호;제자리표(♮)。=ナチュラル。

ほんい【本意】图 본의. ¶私ᕆの~でない 나의 본의가 아니다／~を明ᕆかにする 본 뜻을 분명히 하다.

ほんい【翻意】图 ᕆ 번의.

ぼんおどり【盆踊(り)】图 음력 7월 15일 밤에 남녀들이 모여서 추는 윤무(輪舞)(본래는 정령(精靈)을 맞이하여 위로하는 뜻으로 행한 행사임).

ほんか【本歌】图 ①모방·번안한 작품에 대하여, 그 전거(典據)가 되는 和歌。②狂歌ᕆ·俳諧ᕆ에 대하여, (본식의 것으로서의) 和歌.

ほんか【本科】图 ①本科;↔予科ᕆ。②이 과(科);당과(當科).

ほんかい【本会】图 본회.

ほんかい【本懐】图 본회;숙원. ¶~をとげる 숙원을 이루다.

ほんかいぎ【本会議】图 본회의.

ほんかく【本格】图 본격. =本式ᕆ.
──は【─派】본격파／~小説ᕆ 본격 소설.
──てき【─的】ᕆナ 본격적.

ほんかん【本館】图 ①주된 건물. ↔新館ᕆ·別館ᕆ。②이 건물.

ほんがん【本願】图 본원. ①본래의 소원;본회;숙원. ②【佛】중생을 구제하기 위한 부처의 서원(誓願). ③【佛】그 절의 창립자.

ボンかん【ボン柑】图【植】뽕깡;귤의 하나(인도 원산으로 달고 향기로움). ▷중 椪柑·凸柑.

*ほんき【本気】图ᕆナ 본마음;진심;본정신. ¶~で言ᕆっているのか 진심으로 말하는 것이냐／~でやる 열의를 갖고 하다／~のきたprobumabi 제 정신으로 한 짓은 아니겠지／その話ᕆを~にする 그 이야기를 곧이 듣다.

ほんぎ【本義】图 본의. ①문자나 말 등의 본래의 의미. ↔転義ᕆ。②근본이 되는 가장 중요한 의의.

ほんぎまり【本決(ま)り】【本極(ま)り】图 정식으로 결정됨. ↔内定ᕆ.

ほんきゅう【本給】-kyū 图 본급;본봉.

ほんきょ【本拠】-kyo 图 본거;근거.

ほんぎょう【本業】-gyō 图 본업. =本職ᕆ. ↔副業ᕆ·兼業ᕆ.

ほんきょく【本局】-kyoku 图 본국. ①중심이 되는 국. ↔支局ᕆ。②국(局);(바둑이나 장기 등의) 이 대국(對局).

ぼんぐ【凡愚】图 범우;세상에 흔히 있

ほんぐう【本宮】-gū 图 그 제신(祭神)을 본디부터 모신 신사. ↔新宮ᕆ·別宮ᕆ.

ほんぐみ【本組(み)】图【印】교정 끝난 가조판을 정식 규격 크기로 조판하는 일;또, 그 조판. ¶~棒組ᕆ.

ぼんくら【名 ｜】〈俗〉멍텅구리;바보;얼간이. =まぬけ. ¶あんな~には頼ᕆめない 저런 멍청이에게는 부탁할 수 없다.

ぼんくれ【盆暮(れ)】图 우란분재(盂蘭盆齋)와 연말. ¶~のつけとどけ 우란

분재와 연말 때의 선사품.

ほんけ【本家】图 ①본가;종가(宗家). ↔分家ᕆ。②유파의 종가;(상점의) 본점;원조(元祖). ↔一爭ᕆい 원조(元祖)【정통】경쟁. 「今)].

ほんげつ【本月】图 본월;이 달;금월(

ほんけん【本件】图 본건;이 건;이 사건(事件). 「人絹ᕆ).

ほんけん【本絹】图 본견;순견(純絹).

ほんげん【本源】图 본원;근원;근본. =おおもと.

ぼんご【梵語】图 범어;고대 인도의 문장어. =サンスクリット.

ほんこう【本校】-kō 图 본교. ①본교가 되는 학교. ↔分校ᕆ。②이 학교;우리 학교.

ほんこく【翻刻】图 ᕆ 번각;책을 내용 그대로 인쇄하여 출판함.

ほんごく【本国】图 본국. ①그 사람의 국적이 있는 나라. ②식민지가 아닌 본래의 영토. ③선조 또는 부모가 난 나라;모국. ③고향.

ほんごし【本腰】图 본격적인(진지한) 마음가짐;제대로 마음을 씀. ↔本気ᕆ。──を入ᕆれる 진지해지다;마음먹고 일하다. ¶~をすえる 본격적인 채비를 하다;마음을 다잡다.

ぼんさい【凡才】图 범재;평범한 재능이나 소질(의 사람).

ほんさい【本妻】图 본처;정실.

ぼんさい【凡材】图 평범한 재능(의 사람).

ぼんさい【盆栽】图 분재;화분에 심은 관상용 화초·나무.

ぼんさく【凡作】图 범작;평범하고 시시한 작품. ↔秀作ᕆ.

ほんざん【本山】图 ①【佛】본산;본사. ◯일종 일파(一宗一派)를 통괄하는 사찰. ↔末寺ᕆ。◯이 절. =当山ᕆ。②사물을 통괄하는 중심. =もとじめ.

ほんし【本旨】图 본지;본래의 취지.

ほんし【本紙】图 본지. ①(호의 등에 대해서) 본지면. ②이 신문. 「지).

ほんし【本誌】图 본지;본잡지;이 잡

ほんじすいじゃく【本地垂迹】-jaku 图 본지 수적(일본의 신(神)들은 모두가 인도의 부처가 일본인을 구하기 위하여 나타난 것이라고 하는 중세의 설법).

ほんじ【本字】图 본자. ①한자(漢字). ↔かな. ②약자나 속자가 아닌 정식 한자. =略字ᕆ。③어떤 한자의 기본이 된 한자.

*ほんしき【本式】图ᕆナ 본식;정식. ¶~に英語ᕆを習ᕆう 정식으로 영어를 배우다.

ほんしけん【本試験】图 본시험.

*ほんしつ【本質】图 본질. ¶~を見誤ᕆる 본질을 잘못 보다. ──てき【─的】ᕆナ 본질적. ¶~に違ᕆう 본질적으로 다르다. ↔現象ᕆ的.

ほんじつ【本日】图 본일;금일;오늘. ↔후ᕆ。──休業ᕆ 금일 휴업.

ほんしゃ【本社】-sha 图 본사. ①회사의 본점 사업소. ↔支社ᕆ。②이 회사. ③主ᕆ とする 신사(神社). =本社ᕆ.

ほんしゅう【本州】-shū 图【地】본주;일본 열도의 주되는 가장 큰 섬. =本土ᕆ.

ほんしょ 【本初】 -sho 图 본초；근본.
＝基㊉. ¶～子午線㍿ぅ 〔天〕 (영국 그리
니치 천문대를 지나는) 본초 자오선.

ほんしょ 【本所】 -sho 图 본소. ①여
기；이 사무소. ＝当所㍿. ②근본이 되
는 곳. ＝支所㍿.　　　　　　「이 문서.

ほんしょ 【本書】 -sho 图 본서；이 책.

ほんしょ 【本署】 -sho 图 본서. ①본서
(主)된 서(경찰서·소방서 따위). ↔支
署㌔·分署㍿. ②이 서；당서(當署).

ほんしょう 【本性】 -shō 图 본성. ①본
래 타고난 성질. ＝ほんせい. ¶それが
彼㌔の～だ 그것이 그의 본성이다. ②
본정신；제정신. ＝正気㌔. ¶酒㌔を
飲㌔んでも～を失㌔わない 술을 마셔
도 제정신을 잃지 않다.

ぼんしょう 【梵鐘】 图 범종；종루
에 매다는 종.

ほんしょく 【本職】 -shoku 본직. 🖃图
①그 일에 전문적인 직업인. ＝くろう
と. ¶～の大工㌔ 본직(전문적)인 목
수. ②본직무；본업. ↔兼職㍿. 🖃代
관리의 자칭；본관(本官).

ほんしょく 【本色】 图 본색. ①
원색깔. ②타고난 성질；본성.

ほんしん 【本心】 图 본심. ①진심；본마
음. ¶～を明㌔かす 본심을 밝히다. ②
타고난(천성의) 바른 마음；양심. ¶
～に立㌔ち返る 본심으로 돌아오다.

ほんじん 【本陣】 图 ①본진；본영(本
営). ②江戸㌔ 시대의 역참에서, 大名
㌔ 등이 숙박하던 공인된 여관.

ぼんじん 【凡人】 图 범인；범부(凡夫)；
보통 사람.

ほんすじ 【本筋】 图 ①본줄거리；본론.
¶話㌔が～からはずれる 이야기가 본
론에서 빗나갔다. ②정당한 방식〔수
단〕. ¶そうするのが～だ 그렇게 하는
것이 옳은 방식이다.

ほんずり 【本刷り】 〔印〕 교정을 다
끝내고 하는 정식 인쇄；또, 그 인쇄
물. ↔下刷㌔り.

ほんせい 【本姓】 图 본성. ①(남의 집
에 입적(入籍)하여 성이 바뀐 사람의)
생가(生家)의 성. ②필명(筆名)이나
변성(變姓)이 아닌 진짜의 성.

*ほんせき 【本籍】 图 본적. ＝原籍㍿. ¶
～地㌔ 본적지.

ほんせん 【本船】 图 본선. ①(소속선에
대한) 주(主)가 되는 배；모선. ＝もと
ぶね. ②이 배. ──わたし【──渡し】
图 본선 인도(引渡)；에프오비(FOB).

ほんせん 【本線】 图 본선. ①간선인 철
도 노선. ↔支線㌔ぅ. ②(교차 등 따위
의) 중심이 되는 주된 차선(車線). ③
이 선.

ほんせん 【本選】 图 본선. ↔予選㌔ぅ.

ほんぜん 【本然】 图 본연. ＝ほんねん.
¶～の姿㌔ず 본연의 모습〔자태〕.

ぼんせん 【凡戦】 图 범전；보잘것 없는
(평범한) 싸움.

ほんそう 【奔走】 -sō 图 🖃自 (일이 잘
되도록) 분주하게 뛰어다님；또, 여러
가지로 애씀. ¶国事㌔の為㌔に～する
국사를 위해 동분서주하다.

ぼんぞく 【凡俗】 图 범속；통속적임；
또, 그 사람；속인.

ほんぞん 【本尊】 图 본존. ①법당 중앙
에 모신 가장 으뜸되는 불상(佛像)；주

불. ↔脇立㌔. ②일의 중심적 역할을
하는 인물；장본인. ③(약간 농조로)
당사자(當事者).

ぼんだ 【凡打】 图 🗵直他 〔野〕 범타.

ほんたい 【本体】 图 ①정체；실
체. ②〔哲〕존재의 근본적 실체. ＝本
質㌔. ↔現象㌔ぅ. ③(기계 따위의) 중
심이 되는 부분. ④신상(神像)의 신체
(神體)；또, 절의 본존(本尊).

ほんたい 【本隊】 图 본대；중심이 되는
대(隊)；주력 부대. ↔支隊㌔.

ほんだい 【本代】 图 책 값.

ほんだい 【本題】 图 본제；주제.

ほんたく 【本宅】 图 본댁；본집；항시
사는 집. ＝本邸㌔. ¶別宅㌔は～妾宅
㌔㌔.　　　　　　　　　　　　「だて.

ほんたて 【本立(て)】 图 책꽂이. ＝書
んだな.

ほんだな 【本棚】 图 서가(書架). ＝書
棚㌔.

ほんだわら 【馬尾藻・神馬藻】 图 〔植〕
모자반. ＝なのりそ.

ぼんち 【盆地】 图 분지.

ほんちょう 【本庁】 -chō 图 본청. ①주
되는 관청. ↔支庁㌔. ②당청(當廳).

ほんちょう 【本朝】 -chō 图 본조. ①자
기 나라의 조정. ↔異朝㌔ぅ. ②정통
(正統) 조정. ↔偽朝㌔.

ほんちょうし 【本調子】 图 본조. ①소리
가락이 나옴；정상〔본격〕적이 됨；전하
여, 일이 제대로 잘 되어감. ¶やっと
～になる〔もどる〕 겨우 정상적인 상태
로 되다(되돌아가다)；겨우 제 페이스
를 찾다. ②三味線㌔㌔의 기본이 되는
가락.

ほんてい 【本邸】 图 본댁；본저.
↔別邸㌔.　　　　　　　　　「店㌔ん.

*ほんてん 【本店】 图 본점. ↔支店㌔·分

ほんでん 【本殿】 图 본전；(신사에서)
신령을 모시는 주된 신전(神殿). ＝正
殿㌔.　　　　↔拝殿㌔.

ほんと 🖙ほんとう(本当).

ほんど 【本土】 图 본토. ①본국. ¶英
国㌔～ 영국 본토. ②(속국(屬國)이나
섬에 대하여) 주된 국토. ③🖙ほん
しゅう(本州).

ぼんと 圖 ①손으로 가볍게 치는 소리·
모양；탁；톡. ¶～肩㌔をたたく 어깨
를 톡 치다. ②마개 등을 뽑는 소리·
모양；펑；뻥. ¶～コルクを抜㌔く 펑
하고 코르크 마개를 따다. ③대수롭지
않게 또는 기세 좋게 하는 모양；쾌；
툭；却；아낌없이. ¶～一万円㌔㌔出㌔
す 척 1만 엔을 내놓다.

ポンド 图 파운드. ①〔封度〕파운드[영
의 무게의 단위(기호：lb). ②〔磅〕영
국의 화폐 단위(기호：£). ▷pound.

*ほんとう 【本当】 -tō 图 진실；정말；진
짜. ＝ほんと. ¶～を言㌔うと 정말을
말하면 /～の革㌔ 진짜 가죽 /～の寒
㌔さ 본격적인 추위 / 彼㌔のからだは
ま だ～ではない 그의 몸〔건강〕은 아직 정
상이 아니다〔시원찮다〕. ──に 圖
정말이요；실로；참으로. ¶～頼㌔むか
진정으로 부탁하네 / ～あ
りがとう 정말(이지) 고맙네.

ほんとう 【本島】 图 본도；군도(群
島)나 열도(列島) 중의 주된 섬.

ほんどう 【本堂】 -dō 图 〔佛〕본당；법
당；대웅전(大雄殿).

ほ

ほんどう【本道】-dō 名 본도. ①본가로(本街路). ↔間道ホラ. ②(한방에서) 내과(內科). ③바른 길;정도(正道). ¶人間ホン としての～を踏ゴ み外ゴ す 인간으로서의 정도를 벗어나다.

ほんに【本に】副 정말로;진실로;참으로;실로. ¶～困ホ ったことは 정말이지 곤란한[난감, 난처]한 일이다.

ほんにん【本人】名 본인;당자(當者).

ほんね【本音】名 본음색(本音色);전하여, 본심에서 우러나온 말. ¶～を吐ホ く il토하다／～を聞ホ く 진심을 듣다. ↔たてまえ.

ボンネット -netto 名 보닛. ①여성·아동용 모자의 하나(앞에 넓은 차양이 달리고, 리본을 턱 밑에 매게 되어 있음). ②자동차의 엔진 덮개. ▷bonnet.

ほんねん【本年】名 본년;금년;올해. ¶=今年 コト ;当年 コト . ¶一度ホ 금년 도.

ほんの【本の】連体 ①그저 명색뿐인;정말 그 정도밖에 못 되는. ¶～おしるしです 그저 표시일 뿐이니다 ¶약소합니다／～少ホ し 아주 조금. ②정말의. ¶～こどもだましで 진짜 아이를 속임수다.

*ほんのう【本能】-nō 名 본능. ¶～生活コ 본능 생활／母性ョ ～ 모성 본능. ──てき【─的】ダナ 본능적. ↔理性的コ .

ほんのう【煩悩】-nō 名【佛】번뇌.

ほんのり 副 희미하게 나타나는 모양;희미하게;어렴풋이;아련하게. ¶～(と)顔ホ が赤ホ らむ 살짝 얼굴이 붉어지다.

ほんば【本場】homba 名 ①본장소. 본바닥;본고장;본산지. ②본고장의 어물／～仕込ゴ みの英語ホ 본바닥에서 익힌 영어. ③(거래소에서) 전장(前場). 〔자;책제.

*ほんばこ【本箱】homba- 名 책장;책상.

ほんばしょ【本場所】hombasho 名 씨름꾼의 순위·급료 등을 정하기 위해서 벌이는 흥행(興行)(해마다 15 일씩 여섯 번 행함).

ほんばん【本番】homban 名 ①(영화·텔레비전 등에서) 연습이 아닌 정식의 연기·방송. ②당번 차례;담당 부서.

ぼんびき【ぼん引き】pombi- 名〈俗〉①등치기;야바위. ②사창가에서 손님을 끄는 자;유객꾼.

ほんぶ【本部】名 본부. ¶大学ガ ～ 대학 본부. ↔支部コ .

ほんぷ【本譜】hompu 名 본보. ↔略譜ャ .

ぼんぷ【凡夫】bompu 名 ①보통 평범한 사람. ②〔佛〕중생(衆生). ¶～のあさましき 중생의 한심한 모습.

*ポンプ【喞筒】pompu 名 펌프. ▷네 pomp, 영 pump.

ほんぷく【本復】hompu- 名 완쾌;쾌유. ¶～祝ホ い 완쾌 축하.

ほんぶたい【本舞台】hombu- 名 ①歌舞伎ョ 극장의 정면 무대. ②본(격적) 무대;정식 자국.

ほんぶり【本降り】hombu- 名 비가 본격적으로 내림. ↔小降ホ り.

ほんぶん【本分】hombu- 名 본분. ¶学生ガ の～ 학생의 본분／～を怠ゴ る

본분을 게을리[태만히]하다.

ほんぶん【本文】hombun 名 본문. ¶条約ャ の～ 조약의 본문. ⇨ほんもん.

ほんぶん【梵文】bombun 名 범문. ①범어로 기록된 문장·경문(經文). ②인도의 고대 문학(古代文學).

ボンベ bombe 名 봄베(고압(高壓) 기체 등을 수송·저장하는 데 쓰는 원통형의 내압(耐壓)용기). ▷도 Bombe.

ほんぽ【本舗】【本鋪】hompo 名 ①본가게. ②특정 상품의 제조·판매원(販賣元).

ほんぽう【奔放】hompō 名 ダナ 분방. ¶自由ョ な生活ュ 자유 분방한 생활.

ほんぽう【本俸】hompō 名 본봉;기본(봉)급. =本給ゴ . ↔加俸ョ ·手当ホ .

ほんぽう【法】hompō 名 본법.

ほんぽう【本邦】hompō 名 본방;이 나라;우리 나라. ¶～初演ョ 본방 초연.

ぼんぼり【雪洞】bombori 名 단면이 육각(六角)이고 위가 벌어진 틀에 종이를 발라 불을 켜는 작은 등롱(燈籠).

ボンボン bombon 名 봉봉(겉을 설탕으로 굳히고, 속에 과즙·위스키·브랜디 따위를 넣은 과자). ▷프 bonbon.

ぽんぽん pompon 副 ①연달아 세게 치는[터지는] 소리;빵빵;탕탕;펑펑;둥둥. ¶鉄砲ョ を～撃ホ つ 총을 탕탕 쏘다／花火ゴ が～と上ホ がる 불꽃이 펑펑(터져) 오르다／数ホ を～打ホ つ 복을 둥둥 치다. ②기탄없이 말하는 모양;툭툭;빵빵;탕탕. ¶一言ゴ う(마음속에 있는) 말을 빵빵 해대다. ③증기선이 달릴 때 내는 소리;통통;둥둥. 二名〈兒〉배. ⇨ぽんぽ·おなか. 一じょうき【蒸気】-jōki 名 작은 증기선;통통배.

ボンボンダリア pompon 名【植】품종 달리아(달리아의 변종). ▷pompon dahlia.

ほんま【本真】homma 名【関西方】정말;진짜. =ほんとう. ¶～に涼ゴ しい 정말 시원하다.

ほんまつ【本末】homma- 名 본말. ¶～転倒ホ 본말 전도／～を誤ホ る 본말을 그르치다.

ほんまる【本丸】homma- 名 성(城)의 중심이 되는 건물(보통, 중앙에 天守閣ホンュ ゥ ゥ 를 짓고 그 둘레에 해자(埃字)를 팜);본성;아성.

ほんみょう【本名】hommyō 名 본명;실명. =ほんめい. ↔仮名ホ .

ほんむ【本務】hommu 名 본무. 본래의 직무. ¶兼務ホ ＝ . ↔兼務.

ほんめい【奔命】hommei 名 바쁘게 뛰어다님[일함].

ほんめい【本命】hommei 名 ①본명;태어난 해의 육십갑자. =ほんみょう. ②(경마·경륜(競輪) 등에서) 우승 후보 선수(말).

ほんもう【本望】hommō 名 본망;숙원(소원을 이루어 만족함). ¶～をとげる 숙원을 이루다／さぞ～だろう 정녕 더할 나위 없이 만족하겠지.

ほんもと【本元】hommoto 名 근원;본바탕. ¶本家ホン ～ 대종가(大宗家);대종(大宗) 총본산／～から買ホ う 본가

닥에서 사다.

＊ほんもの 【本物】 hommono 图 진짜. ¶ ～と偽物とを見分ける 진짜와 가짜를 분간하다. ↔にせ物。

ほんもん 【本文】 hommon 图 ①본문. ＝ほんぶん. ②〔주석 등의〕 원문(原文). ＝テキスト. ③전거(典據)로 사용되는 고서(古書)의 글.

ほんや 【本屋】 图 ①책방 (주인); 서점 (주인). ②출판사. ③안채. ＝母屋も。 ↔下屋した.

＊ほんやく 【翻訳】 图 又他 번역. ¶～小説せっ 번역 소설 / 同時どうじ～ 동시 번역. ――くちょう【―口調】-chō 图 번역 티가 나는 표현〔문체〕. ――けん 【―権】 图 번역권.

＊ぼんやり -yo 图 副 ①뚜렷하지 않은 모양: 어렴풋이; 어렴풋. ¶～見みえる 어렴풋이 보이다 / ～としか覚おぼえていない 어렴풋이 기억하고 있을 뿐이다. ②의식의 상태가 흐린 모양: 멀거니; 멍청히; 멍하니. ¶～(と) 考かんがえ込こむ 멀거니 생각에 잠기다 / ～するな 멍청하게 있지 마라〔정신 차려라〕. ③图 멍텅구리(인 상태). ¶うす～ (a) 얼간이; (b) 부주의(한 사람) / この～め이 멍청아.

ぼんよう 【凡庸】 图 形動 범용; 평범; 평범한 사람; 범인(凡人). ↔非凡ひぼん.

ほんよさん 【本予算】 图 본예산.

ほんよみ 【本読み】 图 ①독서(가). ②상연 전에 작자·연출가가 출연자에게

극본을 읽어 줌; 또, 배우가 맡은 사를 서로 읽음. ＝読よみ合あわせ.

＊ほんらい 【本来】 图 副 본래. ¶～無一物むいち 본래 무일물. ②당연(히 그래야함); 도리(道理). ¶～ならば (a)〔굳이〕 따져서 말한다면; (b) 엄밀하게 따진다면.

ほんりゅう 【奔流】 -ryū 图 분류; 격류. ＝急流きゅう·早瀬せ.

ほんりゅう 【本流】 -ryū 图 본류; 주류(主流). ①강의 원줄기. ↔支流しりゅう. ②주가 되는 유파(流派).

ほんりょう 【本領】 -ryō 图 본령. ①본래의 특성〔본질〕. ¶文学がくは文학의 본령이다 / ～を発揮はっきする 본령〔본래의 특색〕을 발휘하다. ②본분(本分). ¶裁判官さいばんの～ 재판관으로의 본분. ③대대로 내려오는〔본래의〕 영지(領地).

ほんるい 【本塁】 图 ①본거; 본거지. 또는 성채(城砦); 전하여, 본거지(本據地); 근거지. ②〔野〕 홈베이스. ¶――打だ 본루타; 홈런.

ほんろう 【翻弄】 -rō 图 又他 번롱; (마음대로) 가지고 놂; 농락함. ¶船ふねが波なみに～される 배가 파도에 까불리다 / 若わかい女じょを～する 젊은 여자를 농락하다.

ほんろん 【本論】 图 본론; 주가 되는 이론·논의. ¶～にはいる 본론으로 들어가다. ↔序論じょろん.

ほんわか 【俗】 편안해져 기분 좋은 모양. ¶～と酔よう 기분좋게 취하다.

ま マ

①五十音図ごじゅうおんずの 'ま行ぎょう'의 첫째 음, [ma] ②〔字源〕 '末'의 초서체(かたかな 'マ'는 '万'의 생략).

ま 【真】 一 图 정말; 진실; 참말. 接頭 진실의; 진짜의; 참다운. ¶～心ごろ 진심. ②〔곧〕 바른; 순수한. ¶～水みず 순수한 물; 담수 / 新あたらしい 아주 새롭다. ③완전히; 정확히. ¶～上うえ 바로 위. ④동류(同類)의 생물 중 가장 표준적인 것. ¶～アジ 전갱이. ――に受うける 참으로 믿다; 곧이듣다.

＊ま 【間】 图 一 ①공간적인 간격. ¶一いちメートルずつ を置おく 1미터씩 사이를 떼다. ①〔시간적인〕 동안; 겨를; 짬. ¶知しらぬ～に어느 새〔틈〕에; 부지중에. ②틈; 기회; 제로; 〔마침좋은〕 때. ¶～をうかがう 틈을 〔때를〕 엿보다. ①운; 재수. ¶～よく運うんよく 〔도〕. ③방. ¶～を借かりる 방을 빌다. ④〔음악·무곡(舞曲)에서의〕 가락; 전체적인 리듬감(感). ¶～を取とる 가락을〔박자를〕 맞추다. ――が抜ぬける ①박자가〔가락이〕 맞지 않다. ②얼빠지다. ③사물의 가장 진한 것이 빠지다. ――が悪わるい ①계제가 나쁘다; 좋지 않은 때다. ②운이〔재수가〕 나쁘다. ③거북〔어색〕하다; 멋적다.

ま 【魔】 图 一 图 마. ①악마. ¶殺人さつじん～ 살인마. ②생명을 빼앗는 위험한 곳. ¶～の踏切ふみきり 마의 건널목. ――が差さす 마가 끼다; (마가 든 듯) 순간적으로 나쁜 마음을 일으키다.

まあ mā 一 副 지금으로서는; 그럭저럭; 어쨌든; ～としても どうやら. ②～やりくりがついている 이럭저럭 (어떻게) 꾸려 나가고 있다. 二 副 ①자기 또는 상대의 말을 가볍게 제지하거나 무엇을 권하거나 할 때 쓰는 말: 자; 뭐; 어때; 좀; 당치말자면. ¶～一杯いっぱい자 한잔 / ～そう怒おこらないで 무어 그렇게 화는 내지 말고. ②잠시; 우선. ¶～ちょっと待おまち ちなさい 잠깐 기다리시오. 三 感 〔女〕 놀랄 때의 말: 어머; 어머나; 정말. ¶～すてきな, 멋져.

まあい 【間合(い)】 图 ①짬; 틈; 사이; 간격; 타이밍. ¶～を取とる 간격을 잡다 / ～を見みはからう 때를 가늠하다.

マーガリン 图 마가린; 인조(人造) 버터. ▷margarine.

マーガレット -retto 图 〔植〕 마거리트(국화과에 속하는 다년생 식물로 여름에 흰 꽃이 핌). ＝もくしゅんぎく. ▷marguerite.

マーキュロクローム mākyu- 图 〔商標名〕 머큐러크롬. ＝マーキュロ·赤あかチン. ▷Mercurochrome.

マーク 마크. 一 图 ①표; 표장(標章); 상표. ②기록. ¶第三位だいさんいを～する 제 3위를 기록하다. ②어떤 사람의 활동을 계속 감시하는 일. ▷mark.

マーケット māketto 图 마켓；시장(市場)；판로. ▷market.

まあじ【真鯵】图〈魚〉전갱이.

マージャン -jan 图 마작. ▷중 麻雀.

マージン 图 차액. ①차액；(상업상의)이문. ¶～を取る＝마진을 먹다. ②주식 매매의 증거금. ▷margin.

マーチ 图 행진；행진(곡). ▷march.

まあまあ māma □ 副 ①상대방의 마음을 달래거나 누그러뜨릴 때 씀：자자；그저；그럭저럭. ¶～そう言゙わずに자자 그러지 말고. ②불충분하지만 그 정도로서 만족할 수 있음을 나타냄：그저 그런 정도。¶～の成績゙゙그저 그런 성적. □ 感〈女〉어머나.

まい【助動】《五段活用動詞の終止形・連体形、その他の動詞の未然形、文語サ変・ザ変では終止形にも）、動詞型活用の助動詞の未然形や形容詞的語尾‘か’る’に付く》①否定的な推測を示す：…않을 것이다；않겠지. ¶まだ雨はは降る～ 아직은 비는 오지 않을 것이다. ②否定的な意志を示す：…않겠다；…않을 작정이다. ¶二度と行く～ 두 번 다시 가지 않겠다. ③言う他の人の動作を推定、断定、適当かどうか判断するのを示す：…(해)서는 안 되다；할리(수)가 없다. ¶あろう事かあ～ことが有り得る일인가 있을 수 없는 일인가. ④‘…ではある～’의 꼴로〈때로, 비록〉…かも知れないけれど：…(이)긴 해도. ¶娘゙゙ではある～し、そんな赤い着物゚゚゚は着られない 딸이긴 하니 그런 빨간 옷은 입을 수 없다.

まい【舞】图 무용；춤。＝おどり。¶獅子゚゚～ 사자춤 / ～を舞う 춤을 추다.

まい【毎】매…；그때마다. ¶～秒゚゚゚매초 / ～土曜゙゙ 매토요일.

-まい【枚】①…매；…장(종이・널 따위 얇고 평평한 것을 세는 말). ②논을 세는 말：자리. ¶水田゙゙ 五゚゚～ 논 다섯 자리.

まいあがる【舞い上がる】 五自 날아 올라가다；공중 높이 떠오르다.

まいあさ【毎朝】图 매일 아침；아침마다.

まいおうぎ【舞扇】 -ōgi 图 춤출 때 쓰는 부채.

マイカー 图 마이 카；자기 소유의 승용차. ¶～族゙ 마이카 족. ▷my car.

まいき【毎期】图 매기；기마다.

まいきょ【枚挙】-kyo 图 他 매거；하나 하나 셈. ¶～にいとまがない너무 많아서 일일이 셀 수가 없다.

マイク 图 ‘マイクロホン’의 준말. ▷mike.

マイクロ 图 마이크로. ①아주 작은 것. ＝ミクロ. ②‘マイクロバス’‘マイクロフィルム’의 준말. ▷micro-. **──ウェーブ** -wēbu 图 마이크로웨이브；극초단파(파장 1 m 이하의 전자파). ▷microwave. **──バス** -basu 图 마이크로버스；소형 버스. ▷microbus. **──フィルム** -firumu 图 마이크로필름(서적・서류 따위를 축소 복사하여 장기 보존하는 35 밀리 필름). ▷microfilm. **──ホン** 图 마이크로폰. ＝マイク. ▷microphone. **──メーター** 图 마이크로미터；측미기(測微機). ＝ミクロメーター. ▷micrometer.

まいげつ【毎月】图 매월；달마다. ＝まいつき.

まいこ【舞子】【舞妓】图 (특히, 京都の祇園゙゙などで서)연회석에서 춤을 추는 동기(童妓). ＝半玉゙゙はん.

*_**まいご**_【迷子】【迷児】图 미아；길잃은 아이. ＝まよいご.

まいこつ【埋骨】图 ス自 매골；화장한 뼈를 묻음.

まいこむ【舞(い)込む】 五自 ①날아 들어(어 오)다. ②예기치 않은 곳에(예기치 않은 것이) 난데없이 나타나다. ¶幸運゙゙が～ 행운이 날아 들다.

まいじ【毎次】图 그 매차마다；매회.

まいじ【毎時】图 매시；시간마다；시간에.

まいしん【邁進】图 ス自 매진. ¶勇往゙゙～ 용왕 매진.

まいす【枚数】-sū 图 매수；장수.

まいせつ【埋設】图 ス他 매설.

まいそう【昧爽】-sō 图 이른새벽；여명(黎明)；미명. ＝よあけ・あかつき.

まいそう【埋葬】-sō 图 他 매장. **──りょう**【──量】-ryō 图 매장량.

まいちもんじ【真一文字】图 일직선；한일자처럼 똑바름. ＝一文字゙゙ひ. ¶口゙゙を～に結゙゙ぶ 입을 한일자로[꽉] 다물다.

まいつき【毎月】图 매월；달마다. ＝まいげつ・月月゙゙.

まいど【毎度】图 매번；항상；번번이. ¶～同゙゙じ事を言゙゙ 매번 같은 말을 하다.

まいない【賄賂】图 ①사례로 선사함. 또, 그 선물. ②〈雅〉뇌물. ＝わいろ.

*_**マイナス**_ マイナス. □ 图 ス自 감함. 또, 그기호(－). ①음수(陰數)；음성(陰性). ②전기의 음극；음성. ¶～の電極゙゙ 마이너스의 전극. ③비유적으로, 부족(되는 수량)；손실；결손；적자；불리. ＝プラス. □ 图 마이너스의；음의. ¶～び・日゙゙ごと. minus.

*_**まいにち**_【毎日】图 매일；날마다. ＝ひごと.

まいねん【毎年】图 매년；해마다. ＝毎年゙゙.

まいばん【毎晩】图 매일 밤；밤마다. ＝毎夜゙゙.

まいひめ【舞姫】图〈雅〉무희. ＝まいこ・おどりこ.

まいふく【埋伏】图 ス自他 매복.

まいぼつ【埋没】图 ス自 매몰. ①파묻힘. ②세상에 알려지지 않음. ¶業績゙゙が世゙゙に～する 업적이 세상에서 매몰되다.

まいまい【毎毎】图 副〈老〉매번；항상. ¶～言゙゙っているように 항상 말하듯이.

まいまい【舞舞】图 ①〈蟲〉‘みずすまし’(＝물매암이)의 딴이름. ②〈方〉달팽이. ＝かたつむり.

まいもどる【舞い戻る】 五自 (원래의 곳으로) 되돌아오다. ¶古巣゙゙に～ (정들었던 곳으로) 되돌아오다.

まいゆう【毎夕】-yū 图 저녁마다；매일 밤. ＝まいせき・まいばん.

まいよ【毎夜】图 매일 밤；밤마다.

*_**まいる**_【参る】 五自 ①‘行゙゙く(＝가다)’‘来゙゙る(＝오다)’의 겸사말. ¶寺゙゙〔墓゙゙〕に～ 절〔산소〕에 (참배하러)

가다(이 경우는 '詣る'로도 썼음). ②상대방에게 우위를 빼앗기다. ⑦(승부에) 지다;항복하다. ⑤━━本ぽん━━った한 판 졌다;(내가) 완전히 졌다. ⑥맥을 못추다;질리다. ¶この暑あつさには～이런 더위에는 질린다. ⑫《흔히 '～っている'의 꼴로》마음을 빼앗기다;홀딱 반하다. ¶あれに出来できている 그 여자에게 홀딱 빠져 있다. ⑦(쇠)약해지다. ¶あれ以来いらい,体からだも～ってしまった 그 이래 몸도 쇠약해져 버렸다.

マイル 【哩】 名 마일(약 1.6 km). ▷[mile.]

まいわし 【真鰯】 名 정어리.

ま━う 【眩う】 5自 현기증이 나다. ¶目めが～ 어지럽다.

ま━う 【舞う】 5自 ①떠돌다;흩날리다. ¶雪ゆきが～ 눈이 흩날리다. ②춤추다. ¶舞まいを～ 춤을 추다.

まうえ 【真上】 名 바로 위. =真下した. ↔真下した.

マウンド 名 《野》 마운드;투수가 서는 곳. ▷mound.

ま━え 【前】 名 ①(공간적인) 앞. ¶家いえの～ 집 앞. ↔後うしろ·横よこ. ②(시간적인) 앞;앞서;(이)전. ¶三年さんねん～の事ごと 3년 전의 일. ↔あと·のち. ⑦(순서상의) 앞;먼저. ¶～から来きて～に出でる 나중(뒤)에 와서 먼저 나가다. ↔あと. ②전과(前科)가 있다. ¶～が有あるやつ 전과가 있다. ⑤《名詞 밑에 붙어》 ⑦맞먹는 것;몫;분(分). ¶三人さんにん～の料理りょうり 3인분의 요리. ⓒ(내보일 만한) 훌륭한 인품[기량]. ¶腕うで～ 솜씨. ⑤여랑/男おとこ～ 남자다움.

まえいわい 【前祝(い)】 名 ス自 미리 축하함.

まえうしろ 【前後ろ】 名 ①앞과 뒤;전후. =ぜんご. ②앞과 뒤가 반대로 되어 있음. =うしろまえ. ¶～に着きる 앞이 뒤로 가게 입다.

まえうり 【前売り】 名 ス他 예매. ¶～券けん 예매권. ↔当日売とうじつうり.

まえおき 【前置き】 名 ス自 서론;머리말. =序文じょぶん;서두.

まえがき 【前書き】 名 서언(序言);머리말;서론. ↔あと書がき.

まえかけ 【前掛(け)】 名 앞치마. =前まえだれ·エプロン.

まえがし 【前貸(し)】 名 ス他 선대(先貸);가불해 줌. =さきがし. ↔前借まえがり.

まえがしら 【前頭】 名 幕内まくうち 가운데 横綱よこづな과 三役さんやく 이외의 씨름꾼.

まえかた 【前方】 副 일찌이;미리. =前まえもって·あらかじめ.

まえがみ 【前髪】 名 ①앞머리. ↔後うしろ髪がみ. ②(여자나 관례(冠礼)전의 사내아이가 이마 위에 따로 얹은 머리) 관례전의 아이. ¶～盛さかりの 머리 땋을 시절;한창 때의 소년 시절.

まえがり 【前借り】 名 ス他 전차(금);(봉급 따위의)가불. =ききがり·ぜんしゃく. ↔前貸まえがし.

まえかんじょう 【前勘定】 -jō 名 대금 선불;선급(先給).

まえきん 【前金】 名 전도금;선금. =ぜんきん. ↔後金あとがね.

まえくち 【前口】 名 신청·접수 등의 순서가 빠른 일. =先口さきくち. ↔あと口ぐち.

まえげい 【前芸】 名 《주공연에 앞서 잠간 하는》 짧은 맛뵈기 연예(演藝).

まえげいき 【前景気】 名 어떤 일이 시작되기 전의 경기. ¶～をあおる 사전 경기를 돋우다.

まえこうじょう 【前口上】 -kōjō 名 본론에 들어가기 전의 서두. =まえおき.

まえだおし 【前倒し】 名 예정·예산 따위를 앞당겨 씀.

まえだて 【前立て】 名 ①투구 앞면에 꽂는 장식물(초승달·꿩이 모양 따위의 쇳조각). =まえだてもの. ②앞·표면에 내세우는 사람. =まえだち.

まえだれ 【前垂れ】 名 《장사치나 짐꾼들이 두르는》 앞치마;행주 치마. =まえかけ.

まえどおり 【前通り】 -dōri 名 ①(시가지의) 큰 거리;큰길. =表通おもてどおり. ↔裏通うらどおり. ②지금까지와 같음;전과 같음. ¶～に繰返くりかえす 전과 같이 되풀이하다.

まえば 【前歯】 名 ①앞니. =門歯もんし. ↔奥歯おくば. ②왜나막신의 앞굽.

まえばらい 【前払(い)】 名 ス他 선불. =まえばらい. 「날. =ぜんじつ.

まえび 【前日】 名 그 날의 전날. =(こ)前日ぜんじつ.

まえぶれ 【前触れ】 名 ①예고. ②전조(前兆);조짐. ¶地震じしんの～ 지진의 전조.

まえまえ 【前前】 名 이전;오래 전. ¶～から 오래 전부터. ↔あとあと·のち·のち.

まえみごろ 【前身頃·前裙】 名 옷의 앞길. ↔後うしろ身みごろ.

まえむき 【前向き】 名 ①정면으로 향함. ②사고 방식이 발전적·적극적임. ¶～の人生観じんせいかん 발전적[적극적]인 인생관. ⇔後うしろ向むき.

まえもって 【前もって】 《前以って》 -motte 連語 미리;앞서;사전에. =あらかじめ·かねがね. ¶～通告つうこくする 미리 통고하다.

まえやく 【前厄】 名 액년[남자의 42세, 여자의 33세 따위]의 전 해[액년 다음으로 조심해야 하는 해]. ↔後厄あとやく.

まえわたし 【前渡し】 名 ス他 ①전도;기일 전에 줌. =さき渡わたし. ②예약금;계약금. ¶～手金てきん·手付金てつけきん. ③선대(先貸);가불해 줌.

まおう 【麻黄】 maō 名 《植》 마황.

まおう 【魔王】 maō 名 마왕.

まおとこ 【間男】 名 ス自 ①서방질. ¶～をする 서방질하다. ②샛서방. =間夫まぶ·情夫じょうふ.

まがいもの 【まがい物·紛い物】 名 《老》 모조품;유사품;가짜. =にせもの.

ま━がう 【紛う】 5自 《위섞여 있거나 모양이 비슷비슷하여》 착각하다;혼동하다;잘못보다. 《雅》 틀리다;혼잡하다. ¶人ひとの繁しげく～へば 많은 사람들이 들끓기 때문에. 一方いっぽう ない 틀림없다.

まが━える 【紛える】 下1他 ①착각하게 하다;틀리다. ¶見～ 잘못 보다. ②비슷하게 하다. ¶本物ほんものに～·えて作つくる 진짜 비슷하게 만들다.

まがお 【真顔】 名 진지한 얼굴;정색(正色). ¶～になる 정색을 하다.

まがき 【籬垣】【籬】 名 대나무나 나뭇가

지 따위로 조잡하게 엮은 울타리;장
리;바자울. ＝ませ(がき).
まがごと【禍事】图 흉사(凶事);재앙.
＝わざわい. ↔善事.
まがし【間貸(し)】图 区틴 셋방을 줌. ↔
マガジン 图 매거진. ①잡지. ②카메라
의 필름 감는 원통형의 기구. ▷maga-
zine.
まか-す【任す】【委す】 5他 ⇒ まかせ
まか-す【負かす】 5他 지우다;이기
다. ＝勝つ. ¶相手を～ 상대를 이
기다.
‡**まか-せる**【任せる】【委せる】下1他 ①
맡기다. ¶人のするにに～ 남이 하는
대로 내버려 두다／運を天に～ 운을
하늘에 맡기다. ②…(있)는 대로 …하
다;기화로 삼다. ¶足に～せて행く
발길 닿는 대로 걷다.
まがたま【曲玉·勾玉】图 고대 장신구
(裝身具)의 하나(끈에 꿰어 목에 거는
구부러진 옥돌);곡옥.
まかない【賄い】图 식사를 준비하고 시
중을 듦;또, 그 역할을 담당한 사람(식
모·요리사).
*＊**まかな-う**【賄う】 5他 ①마련해 공급
하다;조달하다. ¶少ない費用で～
～ 적은 비용으로 조달하다. ②밥을 먹
게 해주다;식사를 마련해 내다. ¶三
食さとも下宿さで～ってくれる
세 끼니를 하숙에서 먹여 준다. ③경
비를 맡아 처리하다;꾸려 가다. ¶国
の財政さを～ 나라의 재정을 맡아처
리하다.
まがなすきがな【間がなすきがな】(間
がな隙がな)連語《副詞的으로》(잠시
라도) 틈만 있으면;언제나;끊임없이;
늘.
まがね【真金】图《雅》철;무쇠. ＝
まがまがし-い【禍禍しい】【枉枉しい·
曲曲しい】-shi 形 화가 미칠 것 같다;
꺼림칙하다;불길하다.
まがも【真鴨】图〔鳥〕물오리. ＝あお
まがり【間借り】图 区自他 (셋) 방을
빌림. ¶～生活さをする셋방살이를 한
다. ↔間貸し.
まがりかど【曲(が)り角】图 길 모퉁이;
전환점;분기점. ＝かわりめ. ¶人生
の～ 인생의 분기점.
まが-りく ね-る【曲(が)りくねる】 5自
꼬불꼬불 구부러지다.
まかりこ-す【まかり越す】(罷り越す)
5自 가다;오다;찾아뵈다. ＝行く·
参る.
まがりこんじょう【曲(が)り根性】-jō
图 비뚤어진 근성.
まかり-でる【まかり出る】(罷り出る)
下1自 ①(귀인 앞에서) 물러가다;퇴
출(退出)하다. ②(뻔뻔스럽게) 사람
앞에 나서다.
まかりとお-る【まかり通る】(罷り通
る) -tōru 5自 (주위 사정에 아랑곳
하지 않고) 태연하게 지나가다;버젓이
통과하다(통용되다). ¶不正さが～世
の中さ 부정이 통하는 세상.
まがりなり【曲(が)りなり】图 구부러
진 모양;불완전한 모양. ¶にも～(불완
전하나마) 이럭저럭;그럭저럭;어떻
게든.
まかりまちが-う【まかり間違う】(罷り

間違う) 5自 (자칫) 잘못하다;실수
〔실패〕하다. ¶～と命さがない 까딱
잘못하면 목숨이 없다.
まか-る【罷る】 5自 ①〔連用形에 따른 動
詞를 계속시켜〕그 행동의 겸양·장중
(莊重) 또는 강조의 뜻을 나타냄. ¶
～·りまちがえば (자칫) 잘못하면／
～·りならぬ안 된다.
まか-る【負かる】 5自 값을 싸게 할〔깎
일〕 수 있다.
‡**まが-る**【曲(が)る】 5自 ①구부러지
다. ⑦굽다. ¶道さが～ 길이 구부러
지다. ①방향을 바꾸다;돌다. ¶角さ
を～ 모퉁이를 돌다. ②기울다. ¶身
代さが～ 가산(家産)이 기울어지다／
柱さが～ 기둥이 기울다. ③흔히 'た
'ている'를 덧붙여〕⑦비뚤어지다. ＝
ひねくれる·ねじける. ¶性質さが～
っている人さ 성질이 비뚤어진 사람.
①바르지 않다. ¶～·った行さい올바
르지 않은 행위.
まがれい【真鰈】图〔魚〕참가자미.
マカロニ 图 마카로니. ▷〈伊〉maccheroni.
まき【巻】图 ①서화의 두루마리;
전하여, 서적. ②서적의 구분;권. ¶
～の三 권지삼(卷之三).
まき【薪】图 장작;땔나무. ＝たきぎ.
まき【槇·槙】图〔植〕①마키나무(일본
특산의 상록 교목). ②(まき로도)〔集
合的으로〕 곧은 나무라는 뜻으로) 노송나무·삼목
(杉木) 등의 총칭.
まきあ-げる【巻(き)上げる】【巻(き)揚
げる·捲(き)上げる】下1他 ①말아 올
리다;감아 올리다. ②빼앗다;등치다;
우려내다. ＝せしめる. ¶金さを～ 돈
을 등치다.
まきあみ【巻(き)網】【旋網】图 고기 떼
를 둘러싸서 잡는 그물(旋網).
まきえ【まき絵】【蒔絵】图 금·은가루로
칠하고(漆器) 표면에 무늬를 놓는, 일본
특유의 미술 공예.
まきおこ-す【巻(き)起(こ)す】 5他 (어
떤 것이 계기가 되어 예상 밖의 일을)
일으키다;야기하다.
まきがい【巻(き)貝】图〔貝〕고둥(소
라·우렁이 따위). ↔二枚貝にに.
まきかえ-す【巻(き)返す】 5他 ①되감
다. ②반격하다.
まきがみ【巻紙】图 ①두루마리(반절의
종이를 이어서 만 종이로서, 붓글씨
용);주지(周紙). ②(물건을) 마는 종
이.
まきがり【巻(き)狩り·巻狩】图 몰이
사냥.
まきぐも【巻き雲】【捲き雲】图 권운;
(새) 털구름.
まきごえ【まき肥】【蒔き肥·播き肥】图
기비(基肥);밑거름.
まきこ-む【巻き込む】【捲(き)込む】 5他
말려들게 하다. ①휩쓸리게 하다. ②
연루되게 하다;끌어 넣다;연좌(連坐)
시키다. ¶紛争さに～まれる 분쟁에
말려들다.
まきじた【巻(き)舌】图 혀끝을 말듯이
힘차게 발음하는 어조(語調). ＝べらん
めえ口調さ.
マキシマム 图 맥시멈. ＝マクシマム.
①최대한;최대. ②〔数〕극대(極大).
↔ミニマム. ▷maximum.
まきじゃく【巻(き)尺】-jaku 图 줄자;

まきずし【巻きずし】〔巻(き)鮨〕名 만초밥(김초밥 따위).

まきせん【巻線】〔捲(き)線〕名 ☞ コイル.

まきぞえ【巻(き)添え】名 남의 죄·사건에 말려들어 골탕먹음;연좌(連坐)함;연걸;후림불.=まきぞい. ¶~を食くう 후림불 먹다.

まきたばこ【巻きたばこ】〔巻き煙草〕名①궐련.=かみまき·シガレット.②엽궐련. ▷タ tabaco.

まきつけ【まき付け】〔蒔き付け·播き付け〕名 파종(播種).

まきとりし【巻(き)取り紙】名 (신문 따위 인쇄에 쓰는) 큰 종이 두루마리.=取場とりりがみ.

まきば【牧場】名 ☞ ぼくじょう.

まきひげ【巻きひげ】〔巻(き)鬚〕名【植】권수;덩굴손.=けんしゆ.

まきもの【巻物】名①권축(卷軸);두루마리.②축(軸)에만 피륙.

まきょう【魔境】-kyō 名 마경;신비로운 세계.=魔界まかい.

まきょうず【ま行】-gyō 五十音図ごじゅうおんず의 일곱째 줄.

まきらかす【紛らかす】5他 ☞まきらす.

＊まぎらす【紛らす】5他①얼버무리다;숨기다. ¶悲かなしみを笑わらいに~슬픔을 웃음으로 얼버무리다.②마음을 딴 데로 돌려서 달래다. ¶退屈たいくつを~지루함을 달래다.

＊まぎらわしい【紛らわしい】-shi 形 비슷해서 혼동하기 쉽다;헷갈리기 쉽다. ¶本物ほんものと~にせもの 진짜와 혼동하기 쉬운 가짜.

まぎらわ・す【紛らわす】5他 'まぎらす'의 힘줌말.

まぎ・る【間切る】5自①배가 파도를 헤치고 나아가다.②(돛배가) 바람을 빗받으며 지그재그형으로 나아가다.

まぎれ【紛れ】名 헷갈림.〔二接尾〕《심정을 나타내는 形容詞 語幹·動詞連用形에 붙어서 名詞를 이룸》마음의 부담·중압을 달리 어떻게 할 수 없는 상태;…한 나머지. ¶苦くるし~괴로운 나머지. ―もない事実を~틀림없는 사실.

まぎれこ・む【紛れ込む】5自 (혼잡한 틈을 타서) 잠입하다;(잘못) 섞여 들다.

＊まぎ・れる【紛れる】下1自①(뒤섞여) 헷갈리다;(비슷해서) 분간 못 하다;혼동되다. ¶~べくもない色いろ 혼동될 염려가 없는 빛깔.②딴것에 마음을 빼앗겨서 시름을 잊다. ¶悲かなしみが~슬픔이 잊히다.

＊まぎわ【間際】〔真際〕名①(일이 일어나려는) 직전;막 …하려는 찰나. ¶出発しゅっぱつ~막 떠날 직전.②바로 곁.

まきわり【まき割り】〔薪割り〕名①장작 패기.②장작 팰 때의 연장(도끼 따위).

＊ま・く【巻く】〔捲く〕5他自①감다.⑦말다.⑥(어르다)다. ¶ねじを~나사를 틀어 죄다.②(소용돌이) 치다;서리다. ¶うずを~소용돌이치다.③싸다;둘러싸다;포위하다. ¶城しろを~성을 포위하다.⇒管くだ·舌した,とぐろを)まく.

＊ま・く【蒔く·播く】5他①(씨를) 뿌리다;파종하다.②(칠기(漆器)에)은·금가루로 무늬를 놓다. ・かぬ種たねは生はえぬ 뿌리지 않은 씨는 나지 않는다(원인이 없이 결과가 생길 리가 없다).

＊ま・く【撒く】5他 뿌리다;살포하다. ¶水みずを~물을 뿌리다.②동행자·미행자 따위를 (중도에서) 교묘하게 따돌리다. ¶追手おっての~추적자를 따버리다.

＊ま・く【幕】名①막.⑦가리거나 칸막이로 하는 넓은 천. ¶~を張はる막을 치다/~があがる막이 오르다.⑥(연극 등의) 일단락. ¶二に幕物まくもの 2막짜리.②장면;경우;때. ¶おまえの出でる~ではない네가 나설 때(장소)가 아니다.③끝;종국;종결. ¶のべつ~なし 끊임없이 계속되고 있다. ▶(씨름의) 幕内まくうちの 일원을. ―が開あく막이 열리다. ¶上映·연극이 시작되다.③(일이 시작되다. ―が下おりる막이 내리다;만사가 끝나다. ―となる 사물이 끝나다;종결되다.

＊まく【膜】名 막. 「간.

まくあい【幕あい】〔幕間·幕合〕名 막

まくあき【幕開き】名 (연극에서의) 개막;전하여, 일을 시작하는 일; 또, 그 때.=まくあけ.↔幕切まくぎれ.

まくうち【幕内】名 씨름꾼의 계급의 하나;대전표의 맨 윗단에 이름이 씌어지는 씨름꾼(前頭まえがしら이상).=幕まくの内うち.↔幕下まくした.

まくぎれ【幕切れ】名 극의 한 막이 끝남;전하여, (일의) 끝.↔幕開まくあき.

まぐさ【馬草·秣】名 (마소에 주는) 꼴; 여물.=かいば.

まくしあ・げる【まくし上げる】〔捲し上げる〕下1他 걷어 올리다.=まくりあげる.

まくした【幕下】名 씨름꾼의 계급의 하나(대전표의 제2단에 이름이 씌어지는 씨름꾼 중에서 十両じゅうりょう을 제외한 사람).↔幕内まくうち.

まくした・てる【まくし立てる】〔捲し立てる〕下1他 위세좋게 잇따라 지절열대다;강한 어조로 계속해서 말하다.

まくしつ【膜質】名 막질. 「ん.

まぐそ【馬糞】名 말똥;마분.=ばふ

まぐち【間口】名①토지·가옥 따위의 정면의 폭;내림. ¶三間さんげん 내림 삼간.↔奥行おくゆき.②비유적으로, 지식·사업·연구 영역의 넓이. ¶~が広ひろい人 폭이 넓은 사람.

まくつ【魔窟】名 마굴;비유적으로, 부랑자·창녀의 소굴.

マグナカルタ【史】마그나카르타(1215년 제정된 영국의 헌법);대헌장. ▷ Magna Charta.

マグニチュード -chūdo 名 마그니튜드;지진의 크기의 단위(기호:M). ▷ magnitude.

マグネシウム -shūmu 名【化】마그네슘. ▷magnesium.

マグネット -netto 名 마그넷;자석(磁石). ▷magnet.

まくのうち【幕の内】名①☞まくうち.②(연극 막간에 먹는) 주먹밥에 반찬을 곁들인 도시락.=幕の内弁当まくのうちべんとう.

マグマ 图 마그마; 암장(岩漿). ▷ magma.

まくら【枕】图 ①베개. ¶～をする 베개를 베다／～につく 자다. ②밑에 받쳐 지탱함; 또, 그것. ¶～木 침목. ③머리말로 하는 짧은 이야기. 一を交わす 남녀가 동침하다. 一をそばだてる 자리에 누워서 무엇인가에 귀를 기울이다. 一を高くして寝る 베개를 높이 하고 자다. ①안심하고 자다. ②마음놓고 살다. 一を並べて 나란히; 모조리. ¶～を並べて落選する 모조리 낙선하다. 一をぬらす 베개를 적시다; 혼자 잠자리에서 울다.

まくらがたな【枕刀】图 머리맡에 두는 호신용 칼.

まくらぎ【枕木】图 침목.

まくらぎょう【枕経】-gyō 图 입관하기 전 죽은 사람의 머리맡에서 하는 독경(讀經).

まくらことば【枕詞】图 (주로 和歌에서) 습관적으로 일정한 말 앞에 놓는 4[5]음절의 일정한 수식어('そらみつ'가 'やまと'를 'ひさかたの'가 '光'을 'そら'를 수식하는 따위).

まくらびょうぶ【枕屛風】-byōbu 图 머릿병풍.

まくらもと【まくら元・まくら元】【枕元・枕許】图 머리맡; 베갯머리. ＝まくらべ・まくらがみ.

まくり【海人草・海仁草】图 ①【植】해인초. ②해인초로 만든 회충 구제약.

まく-る【捲る】【巻る】⑤他 ①(소매 따위를) 걷다; 걷어 올리다. ②떼다; 벗기다; 넘기다. ¶ページを～ 책장을 넘기다. ③〈動詞 連用形에 붙여서〉마구〔심하게〕…하다; 계속 …하여 대다. ¶書き～ 마구 갈겨쓰다.

まぐれ【紛れ】图 ①헷갈림. ②우연; 요행. ¶～で合格する 우연히 합격하다.

まぐれあたり【まぐれ当(た)り】【紛れ当(た)り】图 우연히〔어쩌다가〕얻어맞음〔목적을 이룸〕; 요행수. ¶～にあたる 우연히〔어쩌다〕얻어맞다.

まく-れる【捲れる】下一自 (저절로) 걷어 올려지다〔걷어진〔벗겨진〕상태가 되다. ＝めくれる. ¶風で～ 바람에 옷자락이 걷어지다.

マクロ 图 마크로; 거시(巨視)적으로 봄. ↔ミクロ. ▷ド Makro.

まぐろ【鮪】图【魚】다랑어.

まぐわ【馬鍬】图 써레. ＝うまくわ・まんが.

まくわうり【真桑瓜・甜瓜】图 참외. ＝まくわ.

まけ【負け】图 ①【敗け】짐; 패배(敗北). ¶体力が～(실력이 있으나) 체력에 짐／～が込むた 진 횟수가 많아지다. ↔勝ち. ②『お～』값을 깎아 줌; 에누리; 또, 경품; 덤으로 주는 물건. ¶百円ぬお～します 백엔 에누리해 드립니다.

まげ【髷】图 상투; 틀어 올린 머리. ＝わげ. ¶～を結う 머리를 틀어 올리다.

まけいくさ【負け戦】【負け軍】图 싸움에 지는 일; 진 싸움. ↔勝ち戦い.

まけいぬ【負(け)犬】图 싸움에 져서 기가 죽어 꽁무니를 빼는 개; 어떤 경쟁에 진 쪽의 비참함을 형용할 때도 씀.

まけおしみ【負け惜しみ】图 (지거나 실패한 것을 인정하지 않고) 억지를 쓰는 일; 지기가 싫어 좀처럼 억념을 안 쓰다. ¶～を言う 〔지고도〕억지를 쓰다.

まけぎらい【負け嫌い】图 유달리 지기 싫어함; 오기(傲氣). ＝まけずぎらい・まけん気き.

まけこ-す【負(け)越す】⑤自 패한 횟수가 이긴 횟수보다 많아지다. ↔勝ち越す.

まけじだましい【負けじ魂】-shī 图 지지 않으려는 정신; 투지(鬪志).

まけずおとらず【負けず劣らず】連語《副詞的으로》서로 우열이 없이 비슷한 모양; 막상막하(莫上莫下)(로); 호각(互角)(으로). ¶どちらも～の力量 서로 막상 막하의 역량.

まげて【枉げて】副 무리하게라도; 억지로; 부디. ¶～お聞きいただきます 아무 부디 청을 들어 주시기를.

まけぼし【負(け)星】图 (씨름에서) 졌다는 표시로 찍는 검은 점. ＝黒星くろ. ↔勝ち星.

ま-ける【負ける】㊀下一自 ①【敗ける】지다; 패하다. ＝やぶれる. ↔勝つ. ②옻타다; 피부가 …에 약하다. ＝かぶれる. ¶うるしに～ 옻을 타다. ③양보하다; 생각해 주다; 봐주다. ¶身うちの所に～・けておく 오늘만은 양보하다. ㊁下一他 ①값을 깎아 주다. ¶百円ひゃく～ 백 엔 깎아주다. ②덤〔경품〕으로 주다. ¶いわし一匹いっぴき～・けておこう 정어리 한 마리 덤으로 주기로 하지. 一が勝かち 지는 것이 이기는 것. ⇔にげるがかち.

ま-げる【曲げる】【枉げる】下一他 ①(곧은 것을) 구부리다; 굽히다. ¶腕うでを～ 팔을 구부리다／足あしを～ 다리를 굽히다. ↔伸のばす. ②(뜻・사실・주의 따위를) 굽히다; 바꾸다. ¶志こころを～ 뜻을 굽히다／～・げてお引うけください 억지로라도 맡아 주십시오. ③〈俗〉(물건을) 전당 잡히다; 훔치다.

まご【孫】图〈人事〉손자. ②대(代)를 한 번 거른 관계. ¶～弟子でし 제자의 제자.

まご【馬子】图 마부. ＝うまかた. 一にも衣裳いしょう 옷이 날개.

まごい【真鯉】图【魚】(몸 빛깔이 검은) 보통 잉어. ↔ひごい.

まごこ【孫子】图 ①손자와 아들. ②자손. ¶～の代だいまで 자손 대대까지.

まごころ【真心】【真・実】图 진심; 성심; 참마음. ¶～こめた贈り物もの 정성어린 선물.

まごたろうむし【孫太郎虫】-rōmushi 图【蟲】뱀잠자리의 애벌레. ②물방게의 애벌레.

まごつ-く⑤自 (어찌해야 좋을지 몰라) 당황하다; 망설이다; 갈피를 못잡다; 갈팡질팡하다. ＝うろたえる. ¶道みちに～ 길을 몰라 갈팡대다.

まこと【誠】【真・実】㊀图 ①진실; 사실. ¶～の話はなし 사실 이야기. ②참됨; 진심; 성의; 정성. ¶～をつくす 정성을 다하다. ㊁【まこと】副《흔히 '～に'의 형으로》참말로; 정말로; 전하

여, 대단히. ¶~にりっぱだ 참말로 훌륭하다.

まことしやか 【誠しやか・真しやか・実しやか】 ⑦[ナ] 참말[진짜] 같음 ; 그럴 듯함. ¶~なうわさ 정말 같은 소문.

まことに 【誠に・真に・実に】 圖 ⇨まことと □.

まごのて 【孫の手】 图 (끝이 손처럼 된) 등을 긁는 도구 ; 등긁이.

まごびき 【孫引き】 图 [ス他] 다른 책에 인용된 것을 그대로 또 인용함.

まごまご 圖 망설이는 모양 ; 우물쭈물. ¶~しないできっと 歩ける 우물쭈물하지 말고 빨리빨리 걸어라.

まごむすめ 【孫娘】 图 손녀 (孫女).

まこも 【真菰】 图 [植] 줄. =はながつみ.

***まさか** 【真逆】 圖 《보통, 다음에 否定과 推測의 말을 수반하여》 ① 그런 일은 도저히 있을 수 없거나 할 수 없다는 기분을 나타내는 말 : 설마 ; 아무리 그렇다고 하더라도 ; 만일 : ~よもや. ¶~そんなことはあるまい 설마 그런 일이야 없겠지. ──の時 [特] 만일의 경우 ; 여차하면.

まさかり 【鉞】 图 큰 도끼.

まさき 【正木・柾】 图 [植] 사철나무.

まさぐ‐る 【弄る・真探る】 ⑤他 만지작거리다. ──【*라*.

まさご 【真砂】 图 《雅》 고운 모래 ; 잔모래.

まさしく 【正しく】 圖 바로 ; 틀림없이 ; 확실히. =まさに・たしかに. ¶~彼の声だ 바로 그의 목소리다.

***まさつ** 【摩擦】 图 [ス自他] 마찰. ──を生ずる 마찰을 일으키다《분쟁이 생기다》. ──おん 【──音】 图 마찰음.

***まさに** 【方に】 圖 지금 바로 ; 마침. ¶~今がその時だ 바로 지금이 그 때다.

***まさに** 【正に】 圖 바로 ; 틀림없이 ; 확실히 ; 정말로 ; 꼭. ¶~その通りだ 바로 그대로다.

***まさに** 【当に】 圖 《뒤에 べし・べきだ・べく 등의 말이 와서》 당연히 ; 마땅히. ¶~行くべし 당연히 가야 한다.

***まさに** 【将に】 圖 《~……んとする '……うとする'의 형으로》 바야흐로 ; 《이제》막 ; 하마터면. ¶~始まらんとする 바야흐로 시작되려고 하다 / ~死ぬ所だった 하마터면 죽을 뻔했다.

まざまざ 圖 똑똑히 ; 또렷이. =ありあり. ¶~(と)思い出す 똑똑하게 기억해 내다.

まさむね 【正宗】 图 ① 잘 드는 칼 ; 명도 (名刀). ② 정종 (正宗) 《고급 일본술》.

まさめ 【正目・柾目】 图 똑바로 곧은 나뭇결. ↔板目だ.

まさゆめ 【正夢】 图 사실과 부합되는 꿈 ; 맞는 꿈. ↔逆夢ざ. そら夢だ.

***まさ‐る** 【勝る】【優る】 ⑤自 (보다 더) 낫다 ; 우수하다. =すぐれる. ¶健康ぱ は富みに── 건강은 부보다 낫다. ↔劣ざる. ──とも劣らない 나으면 낫지 못하지 않다.

***まさ‐る** 【増さる】 ⑤自 (점차로) 붇다 ; 늘다 ; 많아지다 ; 더해지다. ¶川ぱの水 ざかさが── 냇물이 붇다.

***まざ‐る** 【混ざる・交ざる】【雑ざる】 ⑤自 섞이다. =まじる. ¶米ぶに石じが~っ

ている 쌀에 돌이 섞여 있다.

***まし** 【助動】 《雅》《特殊活用. 動詞・助動詞의 未然形에 붙음》불가능한 것이나 사실에 반(反)하는 것을 상상해서 말하는 기분을 나타냄 : かせ ……한다면 …… 일 것이다 : かせ ……라면 ……일 것을 〔텐데〕. ¶急がずは濡れざら~ を 서두르지 않았더라면 비에 젖지 않았을 것을.

まし 【増し】 图 ① 증가 ; 늘음 ; 많아짐. ¶~刷ずり 증쇄 / 日~に~ 날이 감에 따라. □ 【ます】 ⑦[ナ] 더 나음 ; (그 편이) 더 좋음. ¶~に思う (그 편이) 더 낫다고 생각하다 / ないより は~だ 없느니 보다는 낫다. □ 【接尾】 증가. ¶一割いち~ 1 할 증가.

まじ‐える 【交える】 ⑤(下一他) ① 《본디 雑える로도》 섞다 ; 끼게 하다. ¶子供ぎ を~えて 아이를 끼워서 / 私情じ を~ 사사로운 정을 끼게 하다. ② 교차시키다 ; 맞대다. ¶ひざを~えて話を しあう 무릎을 맞대고 이야기하다. ③ 서로 나누다 ; 주고받다. ¶意見けんを~ 의견을 주고 받다.

ましかく 【真四角】 图[ナ] 정사각형.

まじきり 【間仕切り】 图 [ス他] 방 사이를 칸막이 함 ; 또, 그 칸막이.

ました 【真下】 图 직하 ; 바로 아래. ↔真上うえ.

マジック majikku 图 매직 ; 마술 ; 요술 ; 마법. ¶~インク 매직 잉크. ⇨magic. ──アイ 【商標名】 图 매직 아이 《라디오 따위의 다이얼을 돌릴 때 녹색을 나타내는 주파수가 맞았을 때 녹색을 나타내는 진공관 ; 동조 지시관(同調指示管)》. ▷Magic Eye.

まして 【況して】 圖 더구나 ; 하물며 ; 황차(況且). =なおさら. ¶男おとこの力ざ でも動かかないのに、~女おんなの動けるか 남자의 힘으로도 움직이지 않거늘, 하물며 여자가 움직일 수 있겠는가.

まじない 【呪い】 图 주술(呪術) ; 주문.

まじな‐う 【呪う】 ⑤他 ① 주술을 부리다 ; 주문을 외다. ② 《주술을 부리어》 병을 고치다.

まじまじ (と) 정면으로 계속 응시하는 모양 : 말똥말똥 ; 말끄러미 ; 찬찬히. ¶~(と)人との顔かおを見みる 뚫어지게 〔말끄러미〕 남의 얼굴을 쳐다보다.

ましま‐す 【坐す・在す】 ④自 《雅》 계시다 《'ます'를 한층 높여서 하는 말씨》. = いらっしゃる. ¶天てんに~神かみ 하늘에 계신 하느님.

ましめ 【増し目】 图 (편물에서) 콧수를 늘려서, 폭을 넓힘. ↔へしめ.

***まじめ** 【真面目】 ⑦[ナ] 진실 ; 진정 ; 진지함. ¶~な顔かおをする 진지한 얼굴을 하다 / ~に考かんがえる 진지하게 생각하다. ② 착실함 ; 성실함. ¶~に働はたらく 성실하게 일하다. ──くさ‐る ⑤自 근실한 〔진지한〕 체하다.

ましゃく 【間尺】 -shaku 图 ① 공사(工事)의 척수. ② 비율 ; 계산. ──に合あわ ない 계산이 〔수지가〕 맞지 않다 ; 손해다.

ましゅ 【魔手】 -shu 图 마수. ¶~を伸 のばす 마수를 뻗치다.

まじゅつ 【魔術】 -jutsu 图 마술 ; 요술.

まじょ【魔女】-jo 图 마녀；여자 마법사；또, 악마처럼 못된 여자.

ましょう【魔性】-shō 图 마성；악마처럼 사람을 현혹시키는 성질. ¶ ~の女 마성의 여자.

ましょう【魔障】-shō 图 【佛】마장；마회(魔戱)；불도의 수도를 방해하는 악마의 소행[장애].

ましょう-shō 連語《動詞連用形에 붙음》말하는 이(글쓴이)의 추측 또는 의지를 공손하게 나타내는 말；…합시다. ¶ きぁ行こう ~ 자, 갑시다.

ましょうじき【真正直】-shōjiki 圧ナ순수하게 정직함；정직하기만 함. =まっしょうじき.

ましょうめん【真正面】-shōmen 图 바로 정면. =まむかい.

ましら【猿】【雅】원숭이. =さる.

まじらい【交じらい】图《雅》교제；사귐. =つきあい・交際㊟.

まじりけ【混じり気・交じり気】【雑じり気】图 섞임；섞인 것；불순물.

まじりもの【混じり物・交じり物】【雑じり物】图 섞인 물건；섞음질한 것；혼합물. =混ざり物㊟.

まじる【混じる・交じる】【雑じる】图 ⑤自 ①섞이다；혼입(混入)하다. =まざる. ¶ 水と油は よく・らない 물과 기름은 잘 섞이지 않는다. ②【交じる】사귀다；교제하다. ¶ 大ぜいと～ 여러 사람과 사귀다.

まじろ‐ぐ【瞬ぐ】⑤自 눈을 깜빡이다. =まばたく.

まじわり【交わり】图 ①교재；사귐. ¶ 君子の～ 군자의 사귐. ②성교.

まじわ‐る【交わる】⑤自 ①교차(交叉)하다；엇걸리다；만나다. ¶ 道が～ 길이 교차하다. ②【交際】하다；사귀다；어울리다. ¶ 友と～ 친구와 사귀다. ③성교(性交)하다. ④뒤섞이다.

ましん【麻疹・痲疹】图 ☞はしか.

マシン图 머신；기계. ☞machine.

ま‐す【増す】【益す】□ 自图 ①(수・양・정도가) 커지다；많아지다；늘다；불다. ¶ 水が～ 물이 불어나다…해지다；더 한층…하다. ¶ それにも～して迷惑㊟なのは 그보다 더 한층성가신 것은. ⇔減る. □ ⑤他 ①(수・양・정도를) 많게[크게] 하다；보태다；늘리다. ¶ 人数を～ 인원수를 늘리다. ②(양적・질적으로) 더하다；정도를 높이다. ¶ 威厳を～ 위엄을 더하다. ⇔減らす.

ます助動《動詞나 動詞型活用의 助動詞의 連用形에 붙음》말하는 이(글쓴이)가 듣는 사람에 대한 공손한 마음을 나타냄；또, 자기의 소지을 유지하는 말로서도 씀；…입[합]니다. ¶ よく降り㊟りの (비가, 눈이) 잘 내립니다 그려／お供え㊟～ 같이 가졌습니다／始めまし ょう 시작합시다／～来ました 지금 왔습니다.

ます【升・桝】图 ①(곡물・액체의 양을 되는 그릇；흡・되・말). ¶ 一升㊟～ 한 되들이 되／一合㊟～ 한 홉(들이) 되. ②말・되 로 됨；두량(斗量). ③되 모양 (으로 생긴 것). =ますがた. ④연극이나 씨름의 흥행장에서 되로 칸막은 관람석. =ます席㊟.

ます【鱒】图【魚】송어.

マス图 매스. ①집단；모임. ②다수；대량. ☞mass. ──ゲーム图 매스 게임. ☞mass game. ──コミ图 매스컴；매스커뮤니케이션；대중 전달. =マスコミュニケーション. ¶～に乗る 매스컴을 타다. ☞mass communication. ──プロ图 매스프로덕션；대량 생산. =マスプロダクション. ☞mass production. ──メディア图 매스미디어；대중 매체. ☞mass media.

ま‐ず【先ず】图 ①최초에；첫째로；먼저. ¶ ～お茶を一杯 먼저(우선) 차부터 한 잔. ②대체로；아마도；하여간；거의. ¶～まちがいない 거의 틀림없다／彼女のことだから～成功㊟するだろう 그 사람의 일이니까 하여간 성공할 게다.

まずい【麻酔・痲睡】图 마취. ¶～をかける 마취시키다.

まず‐い【不味い】厖 ①맛이 없다. ↔うまい・おいしい. ②(본디는 拙い) 서투르다；졸렬하다. ¶ この絵はどうみても～ 이 그림은 아무리 보아도 서투르다. ↔うまい. ③못생기다；아름답지 않다. ¶～面㊟ 못생긴 얼굴, 재미없다；거북하다；좋지 않다；일이 잘못되다. ¶ 父に知㊟れると～ 부친에게 알려지면 재미없다.

ますかき【升かき】【枡掻(き)】图 평미레；평목(平木). =斗搔き㊟.

マスク图 마스크. ①가면；탈. ②야구의 포수나 펜싱하는 사람이 쓰는 안면보호구. ③방독면；세균・먼지 따위를 막기 위한 입가리개. ④'데스마스크'(=데스 마스크)'의 준말. ⑤얼굴 생김새；용모. ¶ いい～をしている 잘생긴 얼굴이다. ☞mask.

ますぐみ【升組(み)】【枡組】图【建】(장지・난간 따위의 살을) 네모꼴로 짬；또, 그렇게 짠 물건.

マスコット-kotto 图 마스코트；행운을 가져다 준다고 믿는 ㊣(인형・동물 따위). ☞mascot.

まずし‐い【貧しい】-shī 厖 ①가난하다. ¶～くらし 가난한 살림. ②적다；빈약하다. =とぼしい. ¶～才能㊟ 빈약한 재능.

マスターマスター. □图【大】(長); 선장；난간・대학의 주인. ☞master(碩士). □图 ㊀他 숙달함；완전히 습득함. ¶ 英語㊟を～する 영어를 마스터하다. ☞master. ──キー图 마스터 키；결쇠. ☞master key.

マスト图 마스트；돛대. =ほばしら. ☞mast.

まずは【先ずは】-wa 圖 (편지에서) 다른 일은 제쳐 두고；우선；일단；하여튼. =ひとまず・とにかく. ¶～まで 우선은 사례의 말씀만 (드립니다).

ますます【益々・増々】圖 점점(더)；더욱 더. =いよいよ. ¶～高㊟くなる 점점 높아지다.

まずまず【先ず先ず】圖 ①우선 무엇보다、；これからかたづける 우선 이것부터 (해) 치우자. ②만족스럽 지는 못하나 그만하면 아쉬운 대로 괜찮다고 생각되는 모양：그저 그런；그

런 대로；어쨌든；그럭저럭. ＝まあまあ・どうやら. ¶〜の成績貰
ぎ 그저 그만한 성적.

ますめ【升目】【枡目】 名 ①두량(斗量)；되로 된 양(量). ¶〜をごまかす 되를 속이다.

まずもって 【先ず以て】 -motte 連語
《副詞的으로》 우선 (무엇보다). ¶〜おめでとう 우선 축하드립니다.

ますらお【丈夫·益荒男】 名〈雅〉 대장부；헌헌 장부；훌륭한 남자. ＝ますたけお. ▶たおやめ.

まーする【摩する】 サ変他 ①닦다；문지르다；비비다. ②접근하다；접하다. ¶天ゟを〜 하늘에 닿을 정도로 높다.

マズルカ 名【樂】 마주르카；3 박자의 쾌활한 리듬의 폴란드 국민 무용(곡). ▶폴 maz(o)urka.

ませ 助動 'ます'의 命令形으로 공손한 말씨. ＝まし. ¶お上ゟがりなさい〜 올라 오십시오；드십시오.

ませ【籬】 名〈雅〉①대나무·잡목을 조잡하게 결어서 만든 낮은 울타리；장리；바자울. ＝まがき・ませがき. ②극장 관람석의 사각형으로 된 칸막이.

まぜあわーせる【混ぜ合(わ)せる】
(각각 다른 것을) 한데 섞다；혼합하다.

まぜおり【交ぜ織り】 名 교직(물). ＝こうしょく.

まぜかえーす【混ぜ返す】【雑ぜ返す】
五他 ＝まぜっかえす.

まぜっかえーす【混ぜっ返す】【雑ぜっ返す】 mazekka- 五他 ①몇 번이고 뒤섞다. ②말참견이나 농을 지껄여서 남의 진지한 말을 혼란시켜 망쳐 놓다. ＝まぜかえす.

まーせる【老成る】 下一自 (나이에 비해서) 조숙하다；자깝스럽다；깜찍하다；어른스럽다. ¶〜・せた口ゟをきく 깜 찍한 말을 하다.

まーぜる【交ぜる】【雑ぜる】 下一他 섞(어 넣)다. ¶糸ゟを〜 실을 섞다.

まーぜる【混ぜる】【雑ぜる】 下一他 ①넣어 (뒤)섞다；혼합하다. ¶酒ゟに水ゟを〜 술에 물을 타다. ②말참견하다；남의 말허리를 꺾어 혼란시키다.

ません 連語 'ない(＝…않다)'의 공손한 말씨(격식 차린 말씨로는 'ませぬ'). ¶あり〜 없습니다 / 分ゟり〜 모르겠습니다.

まそん【摩損·磨損】 名 ス自 마손(損)；닳음.

***また**【又·亦】【復·亦】 一 名 ①다른 것；다음. ②〜の機会ゟに 다른 기회. ¶〜貸ゟし 전대(轉貸) / 〜聞ゟき 간접으로 들음. 二 副 ①〔본디 '復'로 도〕또；(또)다시；또 한번；재차. ¶〜彼ゟに会ゟった 또 그를 만났다. ②〔본디 '亦'로도〕똑같이；역시；또한. ¶それも〜よかろう 그것도 역시 좋겠지. ③또；도대체(놀라움이나 강조, 강한 의문을 나타냄). ¶これは〜どうした ことか 이것은 또 어떻게 된 일이냐. ④接 달리 진술할 것이 있어 그것을 계속해서 말할 때에 씀；그 위에도 또；한；게다가；또는. ¶山ゟも〜山 산 (너머) 또 산；첩첩 산중 / 外交官ゟゟゟで もあり、〜詩人ゟゟでもある 외교관이

기도 하고 또 시인이기도 하다.

***また** 名 ①〔본디 叉〕끝이 두 갈래로 갈라진 모양；곳；가지；갈래. ▶木ゟの─나뭇 가지의 아귀〔갈래〕. ②〔본디 股〕(다리) 가랑이；살. ＝またぐら. ③〔본디 岐〕道ゟの三ゟつ〜 (길의) 삼거리. ――にかける 여기저기 두루 돌아다니다.

***まだ**【未だ】 一 副 ①아직(도). ㉠계속；여태까지；여지껏；지금까지도. ¶〜見ゟぬ母ゟ 아직 보지 못한 어머니. ㉡겨우；가까스로. ¶〜始ゟまってから一一時間ゟゟ余ゟりだ 시작해서 겨우 한 시간 좀 더 된다. ②그외에도 더；더욱；또(한편). ¶理由ゟは〜ある 이유는 또〔아직 더〕 있다. ③차라리；오히려；그런 대로. ¶この方ゟが〜ましだ 이쪽이 오히려 낫다. ④〈뒤에 否定이 와서〉아직 …아니다；겨우 …밖에 안되다. ¶〜三ゟキロも歩ゟかない 아직 3킬로도 못 걷다. 二 ダナ 아직 시기가 이름을 나타냄；아직. ¶手続ゟゟゟは〜な人ゟは急ゟいでください 수속이 아직 안 끝난 사람은 서둘러 주세요.

まだい【真鯛】 名【魚】 참돔.

まだい【間代】 名 방세. ＝部屋代ゟゟ.

またいとこ【又従兄弟·又従姉妹】 名 육촌；재종 형제나 자매. ＝ふたいとこ・はとこ.

またがし【又貸(し)】 名 ス他 전대(轉貸)；꾸어(빌려) 온 것을 다시 남에게 꾸어(빌려) 줌.

またがり【又借(り)】 名 ス他 전차(轉借)；남이 빌린 것을 다시 빌림.

***またがーる**【跨る·股がる】 五自 ①두 다리를 벌리고 올라 타다；걸터 타다. ¶馬ゟに〜 말에 올라 타다. ②걸치다. ＝わたる. ¶五年ゟゟに〜計画ゟゟ 5 년간에 걸친 계획.

またぎ【又木·叉木】 名 두 갈래로 갈라진 나무.

またぎき【又聞(き)】【復聞(き)】
ス他 간접적으로 들음.

***またーぐ**【跨ぐ】 五他 가랑이를 벌리고 서다(넘다). ¶敷居ゟゟを〜 문지방을 넘다；방문하다. ▶また.

またぐら【股ぐら】 名 살；다리 가랑이.

まだけ【真竹·苦竹】 名【植】 참대；왕대. ＝からたけ・にがたけ・くれたけ.

まだこ【真章魚·真蛸】 名 낙지.

またしても【又しても】 連語 《副詞的으로》 또다시；재차；거듭. ¶〜やって来ゟた 또(다시) 왔다.

まだしも【未だしも】 副 아직 그래도 (낫지) 않으나；(아직) 그래도；그런 대로 (괜찮으나)；(…면) 또 모르되. ¶このほうが〜よい 이쪽이 그래도 낫다 / 一度ゟゟなら〜、二度目ゟゟとは 한 번이면 또 모르되 두 번째라니 / 千円ゟゟゟなら〜、二千円ゟゟゟは高ゟい 천 엔이면 또 모르되 2천 엔은 비싸다.

またずれ【また擦れ】【股擦れ】 名 ス自 살(의 살갗)이 쓸림.

またーせる【待たせる】 下一他 기다리게 하다. ＝またす.

まただぞろ【又候·復候】 副 〈老〉 또다시；거듭；재차. ＝またもや・またしても.

またたーく【瞬く】 五自 깜박이다. ①눈을 깜박이다. ＝まばたく. ②반짝이다.

다. ＝きらめく・ひらめく. ¶星が~・
별이 깜박이다.
またたくまに【瞬く間に】|連語| 순식간
에 ; 눈깜짝할 사이에. 「む.
またたび【木天蓼】|图|【植】개다래.
またたび【また旅】〖股旅〗|图| 도박꾼의
유랑(생활). **――もの**【―物】|图| 도
박사의 유랑(생활)을 주제로 한 영화
나 소설 따위.
またとない【又とない】|連語| 다시 없
다 ; 둘도 없다. ¶~・楽しさ 다시 없
는 즐거움.
またの【又の】|連体| ①다른 ; 딴. ②다
음의. **――名**' 별명 ; 일명. **――日**' ①다
음(뒷날)날. ②후일 ; 뒷날.
****または**【又は】-wa|接| 또는 ; 혹은 ; 그게
아니면. ＝あるいは. ¶父ら~が来
る 아버지 혹은 어머니가 온다.
またまた【又又】|副| 또다시 ; 거듭. ＝ま
たしても・かさねて. ¶~の大げんか
거듭되는 큰 싸움.
まだまだ【未だ未だ】|副| ①'まだ'의 힘
줌말. ¶山頂までは~だ 산정까지
는 아직도 멀었다. ⇒まだ. ②(어느 편
이냐 하면)그래도. ¶~このほうが
よい 그래도 이쪽이 낫다.
マダム|图| 마담. ①부인 ; 안주인. ②술
집·다방 따위의 여주인. ＝ママ・おか
み. ▷madam.
またもや【又もや】|副| 다시금 ; 또다
시. ＝またまた. ¶~失敗した 또다
시 실패했다.
まだら【斑】|图| 얼룩 ; 반점(斑點). ＝ぶ
ち. ¶~雪 드문드문 쌓인(녹다 남
은)눈. **――うま**【―馬】|图| 얼룩말. ＝
しまうま.
まだら【真鱈】|图|【魚】대구. 「い.
まだる-い【間怠い】|形| ＝まだるっこ
まだるっこ-い【間怠っこい】-rukkoi
|形|(보고서 안타까울 정도로)굼뜨다 ;
미적지근(흐리멍덩)하다. ¶~くて
見ていられない 답답해서 보고 있을
수 없다.
まだれ【麻垂れ】|图| 한자 부수의 하나 :
엄호밑('広''店' 따위의 '广'의 이름).
****まち**【町】|图| ①집이 많이 군집하여 있
는 곳 ; 도회. ↔いなか. ②지방 단체의
하나인 町' (한국의 읍(邑)에 해당
함). ＝市' ③市·구는 구성되는
작은 구획(한국의 동(洞)에 해당함).
****まち**【街】|图| 상가(商家) 따위가 밀집
된 곳 ; 번화한 거리. ¶~の紳士ら 거
리의 신사(특히 깡패) / ~の女ら 거리의
여자 ; 가창(街娼).
まちあい【待合(い)】|图| ①약속하고
서로 기다림 ; 사람이나 차례를 기다림 ;
또, 기다리는 곳. ②待合室ようの 준
말. ③요릿집 ; 남자가 기생을 불러들여
유흥하는 곳. ＝待合茶屋よう. ④다실
(茶室)에 들어가기 전에 기다리는 곳.
――しつ【待合室】|图| 대합실.
まちあぐ-む【待ちあぐむ】【待ち倦む】
|5他| 기다리다 지치다 ; 질력이 나도록
오래 기다리다. ＝まちあぐねる.
****まちあわ-せる**【待ち合(わ)せる・待合
せる】|下1自| 시각·장소를 미리 정하고
거기서 만나기로 하다.
まちい【町医】|图| 개업의. ＝町医者ら
まちう-ける【待(ち)受ける】|下1他| 오

│

기를 기다리다 ; 채비를 하고 기다리다.
****まぢか**【間近】|图・副|(시간이나 거리가)
아주 가까움. ¶入試らが~に迫るよ
입시가 박두하다. ↔間遠よう.
****まちがい**【間違い】|图| ①틀림 ; 잘못 ; 잘
수. ¶~を犯すよ 잘못을 저지르다. ②
싸움 ; 사고 ; 말썽. ¶~が起こってら一
騒ぎらした 말썽이 일어나서 한 소동
벌였다.
まぢか-い【間近い】|形|(시간·거리가)
아주 가깝다 ; 임박하다. ↔間遠よう.
****まちが-う**【間違う】|5自他| 잘못되다 ;
틀리다 ; 잘못이 일어나다. ¶~・った
行ないよ 잘못된 행위 / 計算をら~ 계
산을 틀리다.
****まちが-える**【間違える】|下1他| ①잘못
하다 ; 실수하다. ¶計算をら~ 셈을
~ 계산을 틀리다. ②다른 것으로 착
각하다 ; 잘못 알다. ＝とりちがえる.
¶奥ささんを女中と~・と~ 부인을 식모로
착각하다.
まちか-ねる【待(ち)兼ねる】|下1他|
①기다리다 못하다 ; 더 기다릴 수 없
다. ¶~・ねて帰るよ 기다리다 못해 돌
아가다. ②(이제나 저제나 하고)고대
하다.
まちかま-える【待(ち)構える】|下1他|
(준비를 다하고)기다리고 ; 대기하다 ;
기대하다. ＝待ちもうける. ¶機会をら
が来るのを~ 기회가 오기를 기다리
다.
まちこうば【町工場】-kōba|图| 시내에
있는 공장.
まちこが-れる【待ち焦(が)れる】|下1他|
애타게[초조히] 기다리다 ; 고대하다 ;
손꼽아 기다리다.
まちつ-ける【待ちつける】|下1他| 만
날[때가 올] 때까지 기다리다 ; 기다려
만나다.
まちどうじょう【町道場】-dōjō|图| 시
중(市中)에 있는 (무예)도장.
まちど-お【待ち遠】-dō|ダナ| 오래 기
다리는 모양. ¶お~さま 오래 기다리
셨습니다.
まちどおし-い【待(ち)遠しい】-dōshī
|形|(이제나 저제나 하고)오래 기다리
다 ; 빨리 왔으면 하고 기다려지다. ＝ま
ちどおい. ¶お正月よらが~ 설이 몹시
기다려진다.
まちなか【町中】|图| 시내 ; 시중 ; 시가
지 ; 번화가.
まちなみ【町並み】|图| 시내에 집·상점
따위가 늘비하게 서 있는 모양(곳). ¶
~がよくそろっている 거리의 집들이
잘 정렬되어 있다.
まちにまった【待ちに待った】-matta
|連語| 기다리고 기다리던 ; 오랫동안 기
다리던.　　　「프 matinée.
マチネー-nē|图| 마티네 ; 주간 흥행. ▷
まちはずれ【町外れ】|图| 시외 ; 변두리.
まちはば【街幅】|图| 시가(市街)(가로
의 폭.
まちばり【待ち針】|图|【裁】가봉(假
縫)바늘. ＝こまちばり. ↔ぬい針よ.
まちびと【待ち人】|图| 기다려지는 사
람. ＝まちうど. ¶~きたらず 기다리
는 사람은 오지 않다.
まちぶぎょう【町奉行】-gyō|图|【史】江
戸幕府らの 직제(江戸を・大阪を・駿

府繁(＝静岡繁) 등지에 두고 시중의
행정·사법·소방·경찰 따위의 직무를
맡아보았음).

まちぶせ【待(ち)伏せ】图[ス自]매복
(埋伏)하고 기다림. ¶敵을〜하는 매
복하고 적을 기다리다.

まちぶ-せる【待(ち)伏せる】[下1他]
(기습을 위해) 매복하고 기다리다.

まちぼうけ【待ちぼうけ】(待(ち)惚け】
-bōke图①기다리다 못하여 열이 빠
짐. ②기다리던 사람이 영 오지 않음.
¶〜を食う기다리다가 허탕치다.

まちまち【区区】[グナ]구구; 각기 다
름. ¶〜の意見 / 報告繁が〜だ보고가 제각기 다르
다.

**まちもう-ける【待(ち)設ける】(待儲け
る】**-mōkeru[下1他]①대비하고 기다
리다. =待ちもうける. ②예기하다;
기대하다.

まちやく【町役】江戸 시대에 町奉行
繁 지배 밑에서 시중(市中) 주민에
관한 사무를 맡아 보았던 사람[신분은
관리가 아님]. =町役人繁にん.

まちやっこ【町やっこ】(町奴】-yakko
图江戸 시대, 江戸 시중의 협객(侠
客).

**まちわ-びる【待ちわびる】(待ち侘び
る】**[上1他]애타게 기다리다; 고대하
다.

＊ま-つ【待つ】[5他]기다리다. ①(사
람·사물·사태가) 빨리 오거나 실현되
기를 바라다. ¶機会を〜기회를 기
다리다. ②채비를 하고 맞이하다. ¶
客を〜손님을 기다리다. ③기한을
연기하다. ¶返済まの期日を〜っ
てもらう변제의 기일을 연기해 받다.

ま-つ【俟つ】[5他]①기대하다. ¶君
繁の自覚まに〜너의 자각에 기대다
/ 言語を〜たない매할 필요도 없
다. ②대비하다. ¶〜あるを頼みなる대
비함을 믿는다.

ま-つ【松】图①소나무. ②〈雅〉횃불.
＝たいまつ. ③かどまつ[＝설날 대문
앞에 장식으로 세우는 소나무]'의 준말;
또, 이것을 세워서 축하하는 기간.

まつ【末】图①가루; 분말(粉末). ¶
甘草繁の〜감초 가루. ②[接尾]말.
『学期繁』 끝마침.

ま-っ-【まっ·真っ】mak, map, mas, mat
'ま(真)'가 파열음·마찰음의 조성 부분
(造成部分)에 이어질 때의 꼴. ¶〜最
中繁한창인 때 / 〜裸繁알몸.

まつい【末位】图 말위. ①맨 아래의
지위. ＝首位繁. ②[数]끝자리.

まつえい【末裔】图 말예; 후예; 자손.
＝ばつえい·子孫繁.

＊まっか【真っ赤】makka[名ナ]새빨감.
①진한 빨강. ¶〜になる새빨개지다.
②완전함; 전연. ¶〜なうそ새빨간
[순]거짓말.

まつかさ【松かさ】(松傘·松笠】图 솔
방울. ＝まつぼっくり.

まつかざり【松飾(り)】图 설날, 대문
에 장식하는 소나무. ＝かどまつ.

まつかぜ【松風】图①송풍(松
籟);소나무에 부는 바람; 또, 그 소
리. ＝松籟繁. ②차(茶) 끓는 소리.

질로 되어 있는 책의 끝권. ↔首巻繁.

まき【末期】makki 图 말기. ↔初期
繁·中期繁.

まつぎ【末技】图 말기. ①말초적[지엽
적] 기예. ②말단의 기술.

＊まっくら【真っ暗】makkura[名ナ]아주
컴컴함; 암흑. ＝真ぜのやみ. ¶〜やみ
칠흑 같은 어둠[밤).

＊まっくろ【真っ黒】makkuro[名ナ]새까
망; 시커멈. ＝真ぜの雲繁 시커먼 구름.
――け[グナ]〈俗〉새까맘. ＝まっくろ.

まっくろ-い【真っ黒い】makku-图 새
까말다; 시커멓다.

まつげ【睫·睫毛】图 속눈섬.

まつご【末期】图 말기; 일생의 최후;
임종. **――のみず【――の水】**图 임종하
는 사람의 입에 넣어 주는 물.

まっこう【抹香】(末香】makkō 图①말
향; 붓순나무의 껍질과 잎으로 만든 가
루향(분향 때 쓰임). ＝まっこうくじ
ら'의 준말. **――くさ-い【――臭い】**形
불교 냄새가 풍기다; 중내 나다. **――く
じら【――鯨】**图[動]향유고래.

まっこう【真っ向】makkō 图①바로
정면(正面). ＝まむかい·まとも. ②이
마 한가운데.

まつざ【末座】图 말좌; 말석. ＝しも
ざ. ↔上座繁じょう·かみ. 「massage.

マッサージmassāji 图 마사지. ▷프

**まっさいちゅう【まっさいちゅう·真っ
最中】**massaichū 图 한창…할 때. ＝
まっさかり·ただなか.

まっさお【真っ青】massao 图 새파람.
¶顔繁が〜になる얼굴이 새파래지
다.

まっさかさま【真っ逆様】massa-[グナ]
완전히 거꾸로 됨. ¶〜に落ちる곤
두박이로 떨어지다.

まっさかり【真っ盛り】massa-图 한창
(때). ＝まっさいちゅう. 「맨 먼저.

まっさき【真っ先】massaki 图 맨 앞.

まっさつ【抹殺】massa-图[ス他]말살.
①지움. ②사실·존재를 인정하지 않
음; 무시함. 「子).

まっし【末子】masshi 图 ☞ばっし(末

まつじ【末寺】图[佛]말사; 본산의 지
배하에 있는 절. ↔本山繁·本寺繁.

まっしぐら【驀地】massi-[副]맥진(驀
進)하는 모양; (무서운 기세로) 곧장;
쏜살같이. ＝いちもくさん. ¶〜に突
進繁する무서운 기세로 돌진하다.

まつじつ【末日】图 말일.

まっしゃ【末社】massha 图①말사; 본
사에 부속된 신사(神社). ②たい
こもち. ③〈方〉부하(部下).

まっしょう【抹消】masshō 图[ス他]말
소; (먹칠해서) 지워 버림. ＝消去繁.

まっしょう【末梢】masshō 图 말초. ①
(나무) 가지의 끝. ＝さきっちょ. **――しん
けい【――神経】**图 말초 신경. **――てき
【――的】**[グナ]말초적; 하찮음. ②
자잘함.

まっしょうじき【真っ正直】masshō-图
[グナ]①☞ましょうじき. ②곧이곧대
로 받아들임.

まっしょうめん【真っ正面】masshō-图
바로 정면[정공법(正攻法)으로 일을
처리함에 비유되기도 함]. ＝ましょう
めん.

*まっしろ【真っ白】masshiro 名형 새하얌. ¶～な雪 새하얀 눈. ↔まっ黒。

まっしろ-い【真っ白い】masshi- 형 새하얗다; 눈부시게 희다.

*まっすぐ【真っ直ぐ】massugu 형動 ①쭉 곧음; 똑바로; 곧장. ¶～な線 쭉 곧은 선; 직선／～(に)家'に帰'る 곧장 집으로 돌아가다[오다]. ②숨김이 없음; 솔직함; 정직함; 올곧음. ¶～な人間'성 정직한 인간.

まっせ【末世】masse 名 말세. ①〔佛〕말법(末法)의 시대; 불도가 쇠한 시대. ②도의가 땅에 떨어져 어지러운 세상. =すえのよ。

まっせき【末席】masseki 名 말석; 전하여, 하위의 지위. =ばっせき. ↔上席'』』. ¶～を汚'す 말석을 더럽히다(자기가 그 자리를 차지하는 겸사말).

まっせつ【末節】masse- 名 ①(본줄기에서 떨어진) 하찮은 부분. ¶枝葉'』～ 지엽 말절.

まった【待った】matta 名感 (바둑·장기·씨름 따위에서) 잠깐 기다려 달라는 일; 또, 그 때에 지르는 소리. ¶～をする (씨름에서) 잠깐 기다려 달라고 하다; (바둑·장기에서) 한 번 둔수(手)를 무르다／工事'』に～をかける 공사 중단을 요구하다.

まった-い【全い】mattai 형 완전하다. ¶～思想'』 완전한 사상.

まつだい【末代】matsudai 名 말대; 후세. ¶～物'』 아주 오래 쓸 수 있는 물건.

*まったく【まったく·全く】mattaku 副 ①완전히; 아주; 전적으로; 전혀. ¶～違'う 전혀 다르다[틀리다]. ②(주로 ～の·～だ의 형태로) 정말; 참. ¶～よかった 참으로 좋았다. ─のところ 정말이지; 참말이지.

まつたけ【松茸】〔植〕송이(버섯).

まっただなか【真っただ中】matta- 名 ①한가운데; 한복판. ②한창…할 때; 고비. =まっさいちゅう。

*まったん【末端】mattan 名 말단.

まつど【真土】〔農〕名 경작에 썩 좋은 흙; 상토(上土).

*マッチ【燐寸】〔英〕名 성냥. ¶～棒'』 성냥개비. ▷match。─ばこ【─箱】名 성냥갑.

*マッチ matchi 名 매치. ─名 スヒ 일치; 조화. ¶顔'だちに─した髪型'』용모에 어울리는 머리 모양. ─名 경기; 시합. ¶タイトル─ 타이틀 매치. ▷match。

まっちゃ【抹茶】〔末茶〕matcha 名 녹차를 갈아서 분말로 한 고급차; 가루차. =ひきちゃ. 注意'末茶'로 씀은 대용 한자.

マット matto 名 매트; 마루 따위에 까는 깔개. ▷mat。

まっとう【真っ当·真っ当】mattō 형動〔俗〕정직; 성실; 진지. =まとも. ¶～な人 성실한[정직한] 사람.

まっとう-する【全うする】mattō- サ変他 완수하다. ¶天寿'』を～ 천수를 다하다.

まつのうち【松の内】名 설에 門松'』』을 세워 두는 동안(설날에서 7일 혹은 15일까지). =しめのうち。

マッハ mahha 名 마하; 초음속을 재는 단위. ▷도 Mach。

まつば【松葉】名 솔잎; 송엽. ─ぎく【─菊】〔植〕솔잎채송화. ─づえ【─杖】名 협장(脇杖); 목발. ─ぼたん【─牡丹】〔植〕채송화.

まっぱだか【真っ裸】mappa- 形動 발가벗음; 알몸. =まるはだか.

まつび【末尾】matsubi 名 말미; 끝. =おわり. ↔起首'』·冒頭'』。

まっぴつ【末筆】mappi- 名 편지의 끝에 쓰는 문구. ¶～ながら皆様'』』に[へ]よろしく 끝으로 여러분께 안부 전해 주십시오.

まっぴら【まっぴら·真っ平】mappira 副〔俗〕①전적으로; 그저; 오로지; 절대로. ¶～おゆるしください 제발 용서해 주십시오. ②전적으로 싫은 모양. ¶それは～だ 그것은 딱 질색이다.

まっぴるま【真っ昼間】mappi- 名 대낮; 한낮; 백주(白晝). =まひる. ↔まよなか.

まっぷたつ【真っ二つ】mappu- 名 딱 절반; 딱 두 동강이. ¶～になる 딱 두 동강 나다.

まつぶん【末文】名 말문. ①글의 끝부분. ②편지 끝에 쓰는 형식적인 문장('まずは右'』御礼'』まで(=여불비례(餘不備禮))' 따위).

まっぽう【末法】mappō 名 말법. ①〔佛〕'末法時'』』(=말법시)'의 준말. ②말세; 요계(澆季).

まつぼっくり【松ぼっくり】〔松毬〕-bokkuri 名 〔兒〕→まつかさ.

まつむし【松虫】〔動〕名 청귀뚜라미.

まつやに【松やに】〔松脂〕名 송진; 송진(松津).

まつよう【末葉】-yō 名 ①말엽; 말기. ②말손(末孫). =末孫'』』. 注意'ばつよう'라고도 함.

*まつり【祭(り)】名 ①제사. ②축제(祝祭); 잔치. ¶港'』～ 항구제.

まつり【茉莉】〔植〕名 말리(물푸레나뭇과에 속하는 상록 관목).

まつりあ-げる【祭り上げる】下1他 ①추대하다; 떠받들다. ¶委員長'』』に～ 위원장으로 추대하다. ②치켜 세우다; 치켜 올리다. =おだてあげる.

まつりごと【政】名 정사(政事); 정치.

まつりゅう【末流】-ryū 名 말류. ①끝의 흐름. ②자손. =子孫'』. ③끝머리의 보잘 것 없는 유파; 또, 그에 속하는 제자. 注意'ばつりゅう'라고도 함.

まつ-る【纏る】5他 (천 끝이 풀리지 않도록 실로) 감치다; 공그르다.

*まつ-る【祭る·祀る·齋る】5他 ①제사 지내다(넓은 뜻으로는 불사(佛事)도 가리킴). ¶祖先'』』の霊'』を～ 선조의 혼령에 제사 지내다. ②혼령을 [신으로] 모시다. ¶戦死者'』』を～ 전사자의 혼령을 모시다.

まつろ【末路】名 말로. ①길의 끝. ②일생의 끝; 비극적인 최후. ¶英雄'』』の～ 영웅의 말로.

*まつわ-る【纏わる】5自 ①휘감기다. =からみつく. ¶すそが足'』に～ 옷자락이 발에 휘감기다. ②달라붙다(어떨어지지 않다); 따라[붙어] 다니다. =つきまとう. ¶母'』のひざに～子

엄마 곁을 떠나지 않는 아이. ③얽히다;관련되다. ¶地名??に～伝説?? 지명에 얽힌 전설.

まで【迄】副助 ①때의 흐름・공간적 이동・상태・동작이 미치는 한계점을 나타냄. ~까지. ¶ここ…おいて 여기까지 오너라 / わかる～話?す 알아들을 때까지 이야기하다. ⓐ또 ‘まで’는 기간(期間)을, ‘までに’는 기한(期限)을 나타냄. ¶五時??から六時??～待?つ 다섯 시부터 여섯 시까지 기다리다 /三時??に帰?る 세 시까지 돌아온다[간다]. ⓛ(’～もない’의 형태로)…할 필요가 없다;…할 것까지도 없다. ¶言?う～もなく 말할 것도 없이. ②극단의 예를 들어 그 밖엣것은 암시에 그칠 때는(…에게)까지도;(…에게)조차.＝さえ(も). ¶ぼくに～隠?すか 내게까지도 숨기는가. ③정도가 그 이상에는 미치지 않는다는 뜻을 나타냄. ⓐ만;따름;뿐.＝だけ・ばかり. ¶いやならやめる～だ 싫으면 그만둘 뿐이다. ⓛ(‘も’가 따르고 흔히 앞에 否定하는 말이 와서)…지언정;…더라도;…(할)망정. ¶全部??といわない～も半分??ぐらいは 전부는 아니더라도 절반쯤은.

まてがい【馬刀貝・蟶貝】名【貝】긴맛.＝まて・かみそりがい.

マテリアリズム名【哲】마테리알리즘;물질주의;유물론.▷materialism.

まてんろう【摩天楼】-ró 名 마천루;(하늘에 닿을 듯이) 높은 건물.

まと【的】名①과녁. ¶～にあてる 과녁에 맞히다 /～を射?"た批評?? 정곡을 찌른 비평. ②목표;대상. ¶あこがれの～ 동경의 대상.

まど【窓】名 창;창문. ¶目?は心??の～ 눈은 마음의 창. ②학창(學窓). ¶学び?の～ 학교;학창.

まどあかり【窓明(り)】名 창문으로 비치는〈들어오는〉밝은 빛.

まとい【纏い・纏】名①옛날 장수의 진치를 표시하던 표지(表幟)〈장대 끝에 여러 가지 장식을 달고 그 밑에 가느다란 술을 늘어뜨렸음〉.＝馬?じるし. ②소방대의 반(班)이; 또, 그것을 든 사람.＝まといもち.

まどい【惑い】名 미혹(迷惑).＝まよい. ¶心??の～が募?る 마음의 미혹이 더해지다.

まどい【団居・円居】名ス自①둘러앉음;원좌(圓座).＝くるまざ. ②즐거운 모임;단란(團欒).＝だんらん.

まとう【纏う・纏】自他 얽히다;달라붙다;감기다.＝まきつく・からまる. ¶～いつく 착 감기다. 他①걸치다;(몸에) 걸치다;입다.＝まきつける・からませる. ¶晴着??を～ 나들이옷을 걸치다.

まどう【惑う】自他①갈팡거리다;어쩔 바를 모르다;망설이다. ¶道??に～ 길을 잃고 갈피다/逃?げ～ 도망칠 바를 몰라 갈팡질팡하다/四十??にして～わず 사십에 불혹. ②잘못 생각하다. ¶(좋지 않은 데에) 빠져 헤어나지 못하다;빠지다. ¶女子??に～ 여자에게 빠지다.

まどう【魔道】madō 名 마도. ①【佛】

악마의 세계. ②이단(異端)의 길;타락의 길. ¶～におちる 타락의 길로 빠지다.

まどお【間遠】madō グナ ①(거리・시간적으로) 사이가〈동안이〉뜸. ¶人?の通行??が～になる 사람의 통행이 뜸해지다.↔間近?? ②바느질이나 뜨개질의 눈이 성긴 모양.

まどおい【間遠い】madōi 形 (거리・시간적으로) 떨어져 있다.

まどか【円か】グナ①둥그런 모양. ¶～な月?? 둥근 달. ②평온함;원만함. ¶～な人物?? 원만한 인물.

まどぐち【窓口】名 창구. ¶三番??の～ 3번 창구로.

まとはずれ【的外れ】名ナ 빗나감. ①화살이 과녁을 벗어남. ②(발언이) 요점을 벗어남.＝見当??はずれ. ¶～の質問?? 빗나간 질문.

まどべ【窓辺】名 창변;창가.

まとまり【纏まり・纏り】名 통합;합침;정리;결착(決着).

まとま-る【纏まる・纏る】五自①뿔이 된 것이 하나로 정리되다;하나로 뭉치다〈합쳐지다〉;한 덩어리가 되다. ¶意見??が～ 의견이 통일되다 /～った金?? 목돈. ②바람직한 상태로 정리되다. ⓐ결정〈결말〉이 나다. ¶話合??いが～ 이야기가 결정되다. ⓛ해결되다. ¶争議??が～ 쟁의가 타결되다. ⓒ완성되다. ¶論文??が～ 논문이 완성되다.

まと-める【纏める・纏る】下1他 뿔이 되어 있는 것을 하나로 정리하다. ①한데〈하나로〉모으다;합치다;통합〈정리〉하다. ¶意見??を一つに～ 의견을 하나로 모으다. ②바람직한 상태로 하다. ⓐ결말〈매듭〉짓다. ¶交渉??を～ 교섭을 매듭짓다. ⓛ완결하다. ¶論文??を～ 논문을 완성하다. ⓒ(분쟁 등을) 해결하다. ¶けんかを～ 싸움을 해결하다.

まとも【真面・正面】名グナ①정면. ＝真正面??. ¶～にぶつかる 정면으로 부딪치다. ②착실;성실;정상. ¶～な商売?? 건실한 장사.

マドモアゼル名 마드모아젤;아가씨;영양(令孃)；…양. ▷ mademoiselle.

まどり【間取(り)】名 방의 배치.

マドロス名 마도로스;뱃사람;선원. ▷네 matroos.——パイプ 名 마도로스 파이프. ▷일 matroos pipe.

まどろ-む【微睡む】五自 졸다;겉잠들다.

まどわ-す【惑わす】五他①생각을 헷갈리게 하다;어지럽히다;혼란시키다. ¶生徒??を～問題?? 학생을 헷갈리게 하는 문제. ②유혹하다;꾀다;속이다. ¶外見??に～されるな 외견에 속지 마라.

まな-【愛】귀여운;사랑하는. ¶～娘?? 귀여운 딸.

マナー名 매너;예의 범절;태도;몸가짐. ▷ manner(s).

まないた【まな板】【俎・爼板・真菜板】名 도마. ——にのせる 화제로 삼다.

まながつお【真魚鰹】名【魚】병어.

まなこ【眼】名〈雅〉①눈알;눈.＝めだま・め. ②시계(視界);안계(眼界). ¶～が広?い 시계가 넓다. ③요점;안

목(眼目).

まなざし〖眼差し・目差し・目指し・眼指し〗**名**①눈의 표정；눈빛. ¶不安ᇂᇂの～ 불안한 눈. 〈雅〉눈길；시선. =視線ᇂᇂ. ¶～を伏ᇂせる 눈을 내리깔다；시선을 피하다.

まなじり〖眼尻・眦・眥・眴〗**名** 눈초리. =目ᇂじり. ¶～を決ᇂする 눈에 힘을 주며 두 눈부릅뜨다；눈을 딱 떠서 결의를 보이다.

まなつ〖真夏〗**名** 한여름；성하(盛夏). ↔真冬ᇂᇂ

まなづる〖真鶴・真名鶴〗**名**〈鳥〉재두루미.

まなでし〖まな弟子〗〖愛弟子〗**名** 애제자.

まなびや〖学びや〗〖学舎〗**名**〈雅〉학교.

まな-ぶ〖学ぶ〗**5他** 배우다. ¶〔학문・기술 따위를〕 익히다. ¶運転ᇂを～ 운전을 배우다. ②공부하다；학문을 배우다. ¶よく～びよく遊ᇂべ 열심히 공부하고 마음껏 놀아라. ③경험해서 알다. ¶人生ᇂᇂを～ 인생을 배우다.

まなむすめ〖まな娘〗〖愛娘〗**名** 귀여워하는 딸.

マニア名 마니아；열광자；…광(狂). ¶切手ᇂ～ 우표 수집광. ▷mania.

まにあ-う〖間に合う〗**5自**①제 때(시각)에 대다. ¶汽車ᇂに～ 기차 시간에 대다. ②급한 대로 〔아쉬운 대로〕쓸 수 있다；족하다. ¶千円ᇂあれば～ 천 엔이 있으면 그런 대로 쓸수 있다. ③〈～っている〉의 꼴로〉충분히 있다. ¶今ᇂは～っている 지금은 충분하다〔모자라지 않다〕.

まにあわせ〖間に合わせ〗**名** 급한 대로 대용(代用)하는 일；임시 변통；또, 그렇게 하는 것. =当座ᇂᇂしのぎ；一時ᇂᇂしのぎ. ¶～の修繕ᇂᇂ 임시적인 수선.

まにうける〖真に受ける〗**連語** 곧이듣다；참말로 알다. ¶じょうだんを～ 농담을 곧이듣다.

マニキュア -kyua **名** 매니큐어；손톱 화장. ▷manicure.

まにまに〖随に・任に・随意に〗**連語**〈'…(の)～'의 꼴로 副詞的으로〉하는 〔되는〕대로 맡기는 모양；하는 대로. =ままに. ¶風ᇂの～漂ᇂう 바람부는 대로 떠돌다.

マニラあさ〖マニラ麻〗**名**〖植〗마닐라삼. ▷Manila.

まにんげん〖真人間〗**名** 참사람；성실한 사람.

＊まぬか-れる〖免れる〗**下1他**(モ) 면하다；피하다；벗어나다. =のがれる. ¶死ᇂを～ 죽음을 면하다.

まぬけ〖間抜け〗**名**형 얼간이〔투미한〕짓을 함；또, 그 사람；멍청이. =とんま.

＊まね〖真似〗**名**①흉내. ¶気違ᇂᇂいの～をする 미친 체하다. ②〈俗〉〔바보같은〕짓・동작. ¶変ᇂな～の 이상한 짓을 하다.

マネー名 머니；돈. ▷money. **──ビル名**(주식이나 채권 등에 의한) 이식(利殖)；재산 증식. =ᇂᇂᇂ il money building.

マネージメント名 매니지먼트；경영관리；또, 경영자. ▷management.

マネージャー -ja **名** 매니저；지배인；감독；관리인. ▷manager.

まねき〖招き〗**名**①초대；초청；초빙.

マネキン名 마네킹. ¶①옷을 입혀서 진열하는 실물 크기의 인형. =マネキン人形ᇂᇂ. ②최신 유행의 복장이나 의장을 손님 선전 또는 판매를 하는 사람. =マネキンガール. ▷mannequin.

＊まね-く〖招く〗**5他**①손짓하여 부르다. =手招ᇂᇂく. ¶ボーイを～ 보이를 손짓하여 부르다. ②불러오다. ¶医者ᇂを～ 의사를 불러오다. ③초대(초빙)하다. ¶教授ᇂᇂとして～ 교수로(서) 초빙하다. ④초래하다. ¶誤解ᇂᇂを～ 오해를 가져오다.

まねごと〖真似事〗**名**①흉내내어 함. =ものまね. ②자신의 하고 있는 일을 겸손해서 일컫는 말. ¶ほんの商売ᇂᇂの～です 그저 장사치라 흉내내고 있죠.

＊ま-ねる〖真似る〗**下1他** 흉내내다；모방하다. ¶人ᇂの声ᇂを～ 남의 목소리를 흉내내다.

まのあたり〖目の当(た)り〗〖面の当り・眼の当り〗**名**直 눈앞；목전；또, 〔제 눈으로〕직접；친히. ¶～(に)見ᇂる 눈앞에 보다／～(に)聞ᇂく 직접 듣다.

まのび〖間延び〗**名**自 어딘지 느슨함；새가〔동안이〕떠서 김빠짐. ¶～(が)した顔ᇂ 멍청한 얼굴.

まばしら〖間柱〗**名** 간주；두 기둥 사이의 좀 작은 기둥. ¶=またたき.

まばたき〖瞬き〗**名**自 눈을 깜빡임.

まばた-く〖瞬く〗**5自** 〔눈을〕깜빡거리다. =またたく.

まばゆ-い〖目映い・眩い〗**形**〈雅〉①눈부시다. =まぶしい. ②눈부시게 아름답다. ¶～ばかりの宮殿ᇂ 눈부시게 아름다운 궁전. ③부끄럽다；열없다.

まばら〖疎ら〗**ナ形**①(새가)성김；드문드문함. ¶人家ᇂが～だ 인가가 드문드문 있다.

まひ〖麻痺・痲痺〗**名**自 마비. ¶～した良心ᇂᇂ 마비된 양심.

まび-く〖間引く〗**5他**①솎아 내다. =うろぬく. ②〈江戸ᇂ시대, 양육이 어려워〕산아(産児)를 죽이다. ③〈俗〉사이에 있는 것을 없애다. ¶電車ᇂᇂを一割ᇂᇂ～ 운행을 1할 줄이다.

まびさし〖目庇〗**名**①철모・모자 따위의 차양. ②창문 위의 좁은 차양.

まひる〖真昼〗**名** 한낮；대낮；백주. =まっぴるま.

まぶか〖目深〗**ナ形** (모자 따위를)눈이 가릴 정도로 깊이 눌러 씀. ¶帽子ᇂを～にかぶる 모자를 깊이 눌러 쓰다. ¶ᇂᇂᇂ o)섬.

まぶし〖蔟・蚕簿〗**名** 잠족(蚕蔟). 〔누에〕

＊まぶし-い〖眩しい〗 -shi **形** 눈부시다. =まばゆい. ¶～ほど美ᇂᇂ! しい女 눈부시게 아름다운 여자.

まぶ-す〖塗す〗**5他** (가루 따위를)온통 처바르다. =まぶ로.

＊まぶた〖目蓋・瞼〗**名** 눈꺼풀. ¶~に浮ᇂᇂぶ 눈에 선하다. ¶ᇂ의 母 (어렸을 적에 헤어져) 눈에 어른거리는 기억 속의 어머니의 모습.

まふゆ〖真冬〗**名** 한겨울；엄동. ↔真夏ᇂᇂ

マフラー名 머플러；목도리. ▷muffler.

まほ〖真帆〗**名** 돛에 가득 바람을 받음；

순풍에 단 돛. ¶—かけて走'る 순풍
에 돛을 달고 달리다. ↔片帆'は.
まほう【魔法】 mahō 图 마법 ; 요술 ; 마
술. **——つかい【—(使(い)】** 图 마법사 ;
마술사. **——びん【—瓶】** 图 보온병.
マホガニー 图【植】마호가니(단향과의
상록 교목(喬木)). ▷mahogany.
マホメット教きょう【マホメット教】 —met-
tokyō 图【宗】마호메트교. =回教きょう.
▷Mahomet.
まぼろし【幻】 图 ①환상(幻像) ; 환영
(幻影). ¶—を追'う 환상을 좇다. ②
즉시 사라지는 것 ; 덧없이 사라지는
것. **—の世'よ** 덧없는 세상.
*****まま【儘・随】** 图 ①되는 대로 말김 ; …
대로. ¶—したい'のにさせておく 하고
싶은 대로 내버려 두다. ②(그 상태)
그대로 ; …채. ¶—見'たまま'を書'かく 본
그대로를 쓰다. ③뜻대로 ; 생각대로 ;
자유롭게. ¶意'の—になる 뜻대로 되
다.
まま【間間】 副 간간이 ; 간혹 ; 때(때)
로 ; 가끔.
ママ 图【児】엄마. =おかあさ
ん. ↔パパ. ②술집 마담. ▷ma(m)ma.
ままおや【まま親】【継親】 图 계친 ; 계
부 또는 계모.
ままきょうだい【まま兄弟】【継兄弟】
-kyōdai 图 이복(이부) 형제.
*****ままこ【まま子】【継子】** 图 의붓자식.
=まま'こ. **——実子'じっこ** **——あつかい**
【—扱い】 图 区他 의붓자식 취급(유
별나게 따돌림).
ままごと【飯事】 图 소꿉질.
ままちち【まま父】【継父】 图 계부 ; 의
붓아비 ; 계아비. =けい'ふ. ↔実母'ぼ.
ままならぬ【儘ならぬ】 連語 뜻대로 안
되는. **——いは.** ↔実母'ぼ.
*****ままはは【まま母】【継母】** 图 계모. =け
い'ぼ. ↔実母'ぼ.
ままよ【儘よ】 感 멋대로 돼라 ; 될 대
로 돼라. ¶ぬれようと—だ 젖든 말든
될대로 되어라.
まみ【猫・猫】 图【動】오소리의 딴이름.
まみ・える【見える】 下1自 ①(윗사람
을) 뵈러 찾다 ; 배알(拜謁)하다. ¶
—日'のも近'い 만나 뵐 날도 가깝다. ②
만나다 ; 대면하다. ③섬기다. ¶忠臣
ちゅう二君'に—・えず 충신은 두 임금
을 섬기지 않는다.
まみず【真水】 图 ①담수(淡水) ; 단물.
②음료수.
まみ・れる【塗れる】 下1自 투성이가 되
다. ¶—敗'に—일패 토지(一
敗塗地)하다.
まむかい【真向(か)い】 图 바로 맞은
편 ; 정면. =真向'むき. ¶—になって話
はなをする 마주 보고 이야기하다.
まむき【真向き】 图 ①바로 정면으로 향
함 ; 정면. ¶—に座'る 마주 앉다. ②
선미(船尾)의 정면. =真艫'まとも.
まむし【蝮】 图【動】살무사. =くちば
み. **——⌐たて結び】**
まむすび【真結び】 图 =こまむすび.
*****まめ【豆】** 图①【植】콩. ②콩알의 딴
이름. =ひなきき. ③(接頭語적으로)
소형의 것. **——自動車どう** 소형 자동
차／**—電車でんしゃ** 图 소형 전차.
まめ【肉刺】 图 (콩알 같은) 물집.
*****まめ【忠実】** 图 ダナ ①진실 ; 성실. =ま

じめ・ほんき. ¶—な人'ひと 성실한 사람.
②귀찮아하지 않음 ; 부지런함 ; 충실
함. ¶—につとめる 충실히 근무하다.
③몸이 건강함. =すこやか. ¶—に暮'
らす 몸 성히 지내다.
まめかす【豆粕】 图 콩깻묵 ;
두박.   `「콩대 ; 콩깍지.
まめがら【豆がら】【豆幹】 图 콩가지 ;
まめがら【豆炭】 图 조개탄.
*****まめつ【摩滅・磨滅】** 图 区自 마멸.
まめほん【豆本】 图 휴대용의 작은 책.
まめまき【豆まき】 图①【豆撒き】입춘
전날 밤, 액막이로 콩을 뿌리는 일. =
まめうち・おにやらい. ②【豆蒔き】밭
에 콩을 심는 일.
まめまめし・い【忠実しい・実実しい】
-shī 肜 (귀찮아하지 않고) 충실하고 부
지런하다.
まめめいげつ【豆名月】 图 음력 9월 13
일 밤의 달(청대콩을 바치고 제사 지
냄). =くり名月げつ. ↔いもめいげつ.
まめやか【忠実やか】 ダナ ☞まめ(忠
実)①②.
まもなく【間も無く】 連語 副詞的으
로) 이윽고 ; 곧 ; 머지않아. =やがて・
ほどなく. ¶—春'はるが来'る 머지않아
봄이 온다.
まもの【魔物】 图 마물 ; 악마 ; 요물.
¶女'おんなは—だ 여자는 요물이다.
まもり【守り】【護り・衛り】 图①지킴 ;
방비 ; 단속 ; 수호 ; 수비. ¶—刀がた 호
신용 칼／—が堅'かたい 수비가 단단하다.
②수호신. =まもりがみ. ②**——おまもり
まもり.**
まもりがみ【守り神】 图 수호신.
まもりほんぞん【守り本尊】 图 수호신
으로 믿는 부처님.
*****まも・る【守る】【護る・衛る】** 区他 지키
다. ①소중히 하다 ; 어기지 않다. ¶約
束やくを—약속을 지키다. ↔破'やぶる. ¶
수호[방비]하다 ; 보호하다 ; 유지하다.
¶国こく[身み』を—나라를[몸을] 지키
다. ↔攻'せめる.
まやか・す【瞞す】 区他 ①혼동시키다 ;
혼미시키다. ②속이다.
まやく【麻薬】【痲薬】 图 마약.
まゆ【繭】 图 고치 ; 누에고치.
*****まゆ【眉】** 图①눈썹. =まゆげ. ②눈썹
그리는 먹. =まゆずみ. ¶—を引'く
눈썹을 그리다. **——につばを塗'る[つ
ける]** 속지 않도록 조심하다. **——に火
'がつく** 눈썹에 불이 붙다 ; 초미(焦
眉)(매우 다급하게 됨). **——をひそめる**
눈살을 찌푸리다. **——を開'ひらく** 눈살을
펴다.
*****まゆげ【まゆ毛】【眉毛】** 图 눈썹. =眉
まゆ. **——を読'まれる** 자기의 내심을 남이
알아채다.   `「그리는 먹.
まゆずみ【まゆ墨】【眉墨・黛】 图 눈썹
まゆだま【繭玉】 图 버드나무나 댓가지
따위에 누에고치 모양의 과자 따위를
단 (설날 등의) 장식. =まゆだんご.
まゆつばもの【まゆつば物】【眉唾物】
图 속지 않도록 조심해야 되는 것 ; 의
심스러운 것 ; 수상한 것. =まゆつば.
まゆね【まゆ根】【眉根】 图 눈썹 머리.
¶—をひそめる 눈썹을 찌푸리다.
まゆみ【檀】 图【植】참빗살나무.
まよい【迷い】 图①(갈피를 잡지 못하

여) 헤매는 일; 또, 그런 상태; 미혹. ¶~の夢 미몽 / 心の迷惑 마음의 미혹. ②〔佛〕성불(成佛)에 방해가 되는 죽은 사람의 망집(妄執). ③도를 깨닫지 못하는 일.

**まよ─う 【迷う】5自①갈피를 못 잡다; 결단을 내리지 못하다(고 망설이다). 選択に~ 선택을 망설이다. ②헤매다. ⑦방황을 잃다. 道に~ 길을 잃다. ⑥〔佛〕죽은 사람의 영혼이 성불(成佛)하지 못하고 이승을 방황하다. ③혹(惑)하다; (나쁜 길에) 빠지다; 미혹(迷惑)되다. ~女に~ 여색(女色)에 빠지다. ④깨닫지 못하다.

**まよけ 【魔よけ】【魔除け】图①마귀를 쫓음. ②마귀를 쫓는 물건; 부적. =お まもり

**まよこ 【真横】图 바로 옆.

**まよなか 【真夜中】图 한밤중; 심야(深夜). =夜ふけ.

**マヨネーズ 图〔料〕마요네즈; 마요네즈 소스. ▷프 mayonnaise.

**まよわ─す 【迷わす】5他 미혹시키다; 현혹시키다. =まどわす. ¶心を~ 마음을 미혹시키다.

**マラソン 图 마라톤 (경주). =マラソン レース. ▷ marathon. ──きょうそう 【──競走】-kyōsō 图 마라톤 경주.

**マラリア 图 말라리아; 학질. =おこり. ▷프 Malaria.

**まり 【毬・鞠】图 공. ▷라 Maria.

**マリア 图 마리아;그리스도의 어머니.

**マリオネット -netto 图 마리오네트;인형극에 쓰는 인형. =あやつり人形. ▷프 marionnette.

**まりも 【毬藻】图〔植〕녹조류(綠藻類)의 하나(푸른 빛이 나는 공 같은 모양의 해초; 北海道阿寒湖의 것은 천연 기념물).

**まりょく 【魔力】图 마력. =まりき.

***ま─る 【丸・円】(マロ도)图①동그라미; 공; 둥근 것. ②일본말의 마침표·반탁음의 부호(。). ¶~をつけ온점을 치다(적다). ↔ちょん. ③전체; 통째일; 온통; 만(滿). ¶~もうけ 고스란히 벌. ~のまま온통 그대로; 통째로. ④성곽(城郭)의 내부. ¶本 성의 본채. (マロ도)图〕돈의 은어. ¶~オクレ 돈 부쳐라(전문(電文)). 〔接尾〕(童子·배·칼·개 따위의) 이름에 붙이는 말. ¶牛若~ 源義経의 어릴 때 이름 / 金剛~ 금강호(배)의 이름.

**まるあらい 【丸洗い】图〔ス他〕(일본) 옷을 뜯지 않고 그대로 세탁함. ↔解き 洗い.

***まる─い 【丸い】形①(円い로도) 둥글다. ¶目を~くする (놀라움에) 눈을 휘둥그렇게 뜨다. ②포동포동 살찌다. ¶~からだ 포동포동 살찐 몸. ③원만하다; 온전하다. ¶~感じの人柄 모나지 않은 느낌을 주는 사람.

***まる─い 【円い】形 둥글다; 원형 또는 구형(球形)의. ¶~月 둥근 달.

**まるうち 【丸打ち】图 실 따위를 엮어 둥근 끈을 만드는 일; 또, 그런 것. ↔平 打ち.

**まるえり 【丸襟】【丸衿】图①둥글게 한 깃. ②짠 그대로의 포폭(布幅)으로 만

든 羽織의 깃.

**まるおび 【丸帯】图 천의 폭을 두 겹으로 접어 만든 (여자 옷의) 폭이 넓은 띠.

**まるがかえ 【丸抱え・丸抱え】图①기생의 생활비를 주인이 전부 부담함. ↔自前. ②비용을 전부 대줌.

**まるき 【丸木】图 통나무. =まるた. ──ばし 【──橋】图 외나무 다리. =丸橋. ──ぶね 【──舟】图 통나무배; 마상이; カヌー.

**マルキシスト 图 마르크시스트; 마르크스주의자. =マルキスト. ▷Marxist.

**マルキシズム 图 마르크시즘; 마르크스주의. =マルクシズム. ▷Marxism.

**まるきり 【丸きり】副《다음에 흔히 否定하는 말을 붙여서》전연; 전혀; 아주. =まるっきり. ¶~知らない 전혀 모르다.

**マルク 【馬克】图 마르크; 독일의 화폐 단위. ▷도 Mark.

**マルクスしゅぎ 【マルクス主義】-shugi 图 마르크스주의; 사회주의. =マルキシズム. ▷Marx.

**まるくび 【丸首】图 셔츠 따위의 목을 동그랗게 판 것.

**まるごし 【丸腰】图①무사가 칼을 차지 않고 있음. ②전혀 무기(군비)를 갖지 않음; 무방비.

**まるごと 【丸ごと】副 통째로; 통거리로. ¶~かじる (껍질 따위를 벗기지 않고) 통째로 먹다.

**まるざい 【丸材】图 껍질만 벗긴 통나무 재목. ↔角材.

**マルサスしゅぎ 【マルサス主義】-shugi 图 맬서스주의. ▷Malthus.

**まるぞめ 【丸染め】图〔ス他〕옷 따위를 뜯지 않고 그대로 염색함; 또, 그렇게 염색한 것.

**まるぞん 【丸損】图 전손(全損); 손해만 봄. ¶~になる 완전히 손해를 보다. ↔丸もうけ.

***まるた 【丸太】图 (껍질만 벗긴) 통나무. =まるたんぼう.

**まるだし 【丸出し】图 숨김 없이 노출함; 본래 그대로 나타냄. =むきだし. ¶方言~で話す 순 사투리로 말하다.

**まるっきり 【丸っ切り】 marukkiri 副 ☞まるきり.

**まるっこ─い 【丸っこい】 marukkoi 形 〈俗〉동그스름하다. =まるい.

**まるつぶれ 【丸つぶれ】【丸潰れ】图 완전히 부서짐(얽어버림). ¶面目~ 체면이 말이 아님.

***まるで 【丸で】副①마치; 꼭. =さながら. ¶~夢のようだ 마치 꿈 같다. ②《아래 否定하는 말이 따라서》전연; 전혀; 통. =まるきり. ¶~違う 전혀 다르다.

**まるてんじょう 【丸天井】-jō 图①둥근 천장. =ドーム. ②하늘; 창공.

**まるどり 【丸取り】图〔ス他〕 전부 차지함; 통째로 가짐.

**まるね 【丸寝】图〔ス自〕옷을 입은 채로 잠. =まろね·ごろね.

**まるのみ 【丸のみ】【丸呑み】图〔ス他〕 씹지 않고 삼킴; 통째로 삼킴. ¶蛇が かえるを~にする 뱀이 개구리를 통

째로 삼키다. ②이해하지 못한 채 욈;
무조건 받아들임. ＝うのみ.
まるはだか【まる裸・丸裸】图 ①맨몸;
알몸; 발가숭이. ＝まっぱだか・すはだ
か. ②무일푼; 빈털터리.
まるはば【丸幅】图 짠 그대로의 천의
폭. ＝半幅{はんはば}.
まるぼうず【丸坊主】-bōzu 图 ①빡빡 깎
은 머리; 중대가리; 비유적으로, 민둥
산.
まるぼし【丸干し】图他 (생선·고구
마·무 따위를) 통째로 말림; 또, 그
렇게 한 것.
まるぽちゃ【丸ぽちゃ】-cha 图〈俗〉
(여자 얼굴이) 오동통하고 귀여움.
まるほん【丸本】图①전권(全巻)이 갖
추어짐; 전질; 온책. ＝完本{かんぽん}.
↔端本{はほん}・欠本{けつぽん}. ②전편(全編)이 하나
로 今록된 浄瑠璃{じょうるり}의 대본. ＝院本
{いんぽん}・まるほん. ↔抜本{ぬきほん}.
まるまげ【丸髷】(丸髻) 图 (일본의)
부인의 머리형의 하나.
まる-まる【丸まる】五自 둥글게 되다.
¶～って寝{ね}る 몸을 둥그리고 자다.
まるまる【丸丸】副 ①모조리; 전부; 온
통. ¶～損{そん}する 깡그리 손해보다. ②
통통하게 살찐 모양. ¶～太{ふと}る 포동
포동 살이 찌다.
まるみ【丸み・円み】图 둥그스름한 모
양(느낌); 또, 원만한 느낌. ¶～をお
びる 둥그스름해지다 / 人間{にんげん}に～が
ある 인품이 원만하다.
まるみえ【まる見え・丸見え】图 다 드러
보임; 환히 다 보임. ¶～になる 환히
다 보이다.
まるむぎ【丸麦】图 통보리. ↔おし麦{むぎ}.
まるめこ-む【丸め込む】五他 ①말아서
〈뭉치〉넣다. ②교묘하게 설복하다; 구
워삶다; 구슬리다. ＝言{い}いくるめる.
¶反対派{はんたいは}に～・まれた 반대파에게
말려들어갔다.
***まる-める**【丸める】下一他 ①둥글게 하
다; 뭉치다. ¶背{せ}を～〈둥근 몸〉을 구부
리다. ② ＝まるめこむ ②. ③머리를
깎다; 삭발하다. ¶頭{あたま}を～ 머리를
깎고 중이 出家{しゅっけ}〈속죄〉하다. ④수치
계산에서 사사 오입하다.
マルメロ 图〈植〉마르멜로; 장미과에
속하는 낙엽 교목. ▷포 marmelo.
まるもうけ【丸もうけ】【丸儲け】-mōke
图五自 깡그리 이득 봄; 고스란히 법.
↔丸損{まるぞん}.
まるやき【丸焼(き)】图 통구이; 또, 그
렇게 구운 것.
まるやけ【まる焼け・丸焼け】图 전소;
몽땅 타버림. ＝全焼{ぜんしょう}.
***まれ**【希・稀】图 드묾; 희소(稀少)
함. ¶近年{きんねん}～な暑{あつ}さ 근년에 (보기)
드문 더위 / ～に見{み}る天才{てんさい}だ 드물
게 보는 천재다.
まろうど【客人・賓】marōdo 图〈雅〉손
님. ＝客人{まれびと}・客{きゃく}. ▷
rōnnier.
マロニエ 图〈植〉마로니에. ▷프 mar-
まろやか【円やか】(形動) ①둥근 모
양. まろらか. ②맛 따위가 순하고 부
드러움. ¶～な味{あじ} 순한 맛.
まわし【回し】(廻し) 图 ①몸에 둘러서
입는 것. ①(본디) 褌{ふんどし}로도》(씨름꾼의)
샅바. ①'まわしガッパ(＝소매 없는 비

옷)'의 준말; 망토. ②둘러 가면서 함.
①모임을 윤번제로 함. ①한 창녀가 하
룻밤에 여러 손님을 받음.
まわしもの【回し者】图 염탐꾼; 첩자;
간첩; 스파이. ＝間者{かんじゃ}・いぬ.
***まわ-す**【回す】(廻す) 五他 ①돌리다.
①회전시키다. ¶こまを～ 팽이를 돌
리다. ①차례로 돌리다〈보내다〉. ¶
杯{さかずき}を～ 잔을 돌리다. ②(다른 용도
에) 전환시키다. ¶通信費{つうしんひ}を旅費
{りょひ}に～ 통신비를 여비로 돌리다. ③다
른 위치에 놓다. ¶敵{てき}に～ 적으로 돌
리다. ②두르다. ¶屏風{びょうぶ}を～ 병풍
을 두르다. ③손을 쓰다; 수배하다. ¶
事前{じぜん}に手{て}を～・しておく 사전에 손
을 써 두다. ④돈을 굴리다. ¶一割
{いちわり}に～ 1할로 이자로 돌리다.
まわた【真綿】图 풀솜; 설면자(雪綿
子)。＝もめん綿{わた}. ¶―で首{くび}を絞{し}める
풀솜으로 목을 조르다(은근히 골탕을
먹임의 비유).
***まわり**【回り】(廻り) 图 ①돎. ①차례
로 방문함. ¶お得意{とくい}～ 단골집 돌기
〔순방〕. ①회전. ②옮겨가는 길. ＝ま
わり道{みち}. ¶幾{いく}らか遠{とお}～になる (길
을) 얼마간 돌게 된다. ②작용이 미침.
¶酒{さけ}の～が遅{おそ}い 술기운의 돎이 느리다.
¶頭{あたま}の～が遅{おそ}い 머리 회전이 느리다.
③(接尾語的으로) 어떤 지역이나 둘레
를 도는 횟수를 세는 말. ¶公園{こうえん}を
一{ひと}～する 공원을 한 바퀴 돌다. ②(周
り로도) 주변; 둘레. ¶身{み}の～ 신변.
③(接尾語的으로) 작업에 관해서, 그
것을 중심으로 생각한 각 계통의 관계
범위. ¶水{みず}～の工事{こうじ} 물 줄기 관계
의 공사(주방·욕실·변소 등의 공사).
④(接尾語的으로) 전체를 일순한 크
기. ¶(지지 地支)의 의해서) 12년을
일기(一期)로 한 나이의 차. ¶長兄{ちょうけい}
{は私{わたし}より一{ひと}～上{うえ}です 맏형은
나보다 열두 살 위입니다. ①굵기·크
기의 차이를 막연히 나타내는 말. ¶
ひと～小{ちい}さい皿{さら} 한결 작은 접시.
***まわり**【周り】(回り로도) 图 사물의 둘
레; 주위; 주변. ¶池{いけ}の～ 연못의 둘
레.
まわりあわせ【回り合(わ)せ】图 자연
히 돌아오는 운명; 운수. ＝めぐりあわ
せ. ¶～がよい 운수가 좋다.
まわりくどい【回りくどい】(回り諄
い) 形 (말 따위를) 빙 둘러서 하다;
에두르다; 번거롭다. ¶～く言{い}うな
에둘러 말하지 마라.
まわりどうろう【回りどうろう】(回り
灯籠)-dōrō 图 회전등(롱); 주마등. ＝
走馬灯{そうまとう}.
まわりぶたい【回り舞台】图 회전 무
대.
まわりみち【回り道】(回り路)图五自
길을 돌아서 감; 또, 그 길.
まわりもち【回り持ち】图 차례로 담
당함(맡음). ¶当番{とうばん}を～(する) 당
번을 차례로 돌려 가며 맡다.
***まわ-る**【回る】(廻る) 五自 ①돌다. ①
회전하다; 돌레를 돌다. ¶こまが～ 팽
이가 돌다 / 湖面{こめん}を～ 호수를 돌다. ①
차례로 돌다〈가다〉. ¶～・って来{く}다 순
차로 돌아가다. ⑤반대쪽으로 이동하다.
¶建物{たてもの}の後{うし}ろに～ 건물 뒤쪽으로
돌다. ②꺾어서 가다; 방향을 바꾸다.

¶風ぷが南なへ〜 바람이 남쪽으로 바뀌다. ⑤어지럽다. ¶目めが〜 눈이 (핑핑) 돌다. ⑥돌아서 가다；에워 가다. ¶急いそがば〜・れ 급하면 돌아서 가라. ⑧(구석구석까지) 미치다；작용이 미치다. ¶酒さけが〜 술기운이 돌다. ¶頭あたまが〜 머리가 잘 돌다. ⑩잘 움직이다. ¶舌したが〜・らない子こ 혀가 잘 돌지 않는 아이. ⑫들르다. ¶友人ゆうじんの家いえに〜・って帰かえる 친구 집에 들러 오다. ③이제까지와는, 또는 의도했던 바와는 다른 일이나 국면으로 옮겨지다. ¶支店勤務してんきんむに〜 지점 근무로 옮겨지다. ④이익이 생기다. ¶もうけが〜 이익이 일 할이 생기다. ⑤(시각이) 좀 지나다. ¶もう三時さんじを〜・った 벌써 세 시가 지났다. ⑯(接尾語적으로) (일정한 범위를) 이동하다. ¶歩あるき〜 걸어다니다.

＊＊まん【万】 图 만. ①천의 십 배；일만. ②수가 많음. ¶一巻いっかんの書しょ 수많은 책.

まん【満】 图 만. ①(나이를 셀 때) 온 일년을 한 살로 하기. ¶年齢ねんれいを〜で十二歳じゅうにさい 만으로 열두 살￫かぞえ. ②연월(年月)을 셀 때, 일순(一巡)함을 1로 하기. ¶三年ねん 만 3년. ↔足あしかけ. ─を持もす 활을 잔뜩 당겨, 화살이 곧 시위를 떠나서 될 상태를 이룸. ③준비를 충분히 하고 그 기회의 비유. ─を引ひく ①활을 팽팽하게 잡아당기다. ②잔에 술을 찰랑찰랑 부어서 단번에 마시다.

＊まんいち【万一】 图 《副詞적으로》 만일；만에 하나；만약. ＝まんがいち. ¶〜に備そなえる 만일에 대비하다／〜困こまったときは 만약 어려울 때에는.

＊＊まんいん【満員】 图 만원. ¶〜御礼おんれい 만원 사례／超ちょう〜 초만원.

まんえつ【満悦】 图 ㋈自 만족하여 기뻐함. ¶ご〜の体てい 매우 만족하는 모양.

まんえん【蔓延】 图 ㋈自 만연. ˪함.
＊まんが【漫画】 图 만화.
まんかい【満開】 图 ㋈自 만개；만발. ＝はなざかり. ¶桜さくらが〜だ 벚꽃이 만발이다.

まんがいち【万が一】 图 만에 하나. ☞まんいち.

まんかん【満干】 图 간만；만조(満潮)와 간조(干潮)．＝みちひ.

まんがん【満願】 图 만원；일수를 정하여 신불(神仏)에 발원한 그 기한이 참. ＝結願けちがん. ˪「Mangan.
マンガン【滿俺】 图 《化》 망간. ▷도
まんかんしょく【満艦飾】-shoku 图 (축하의 표지로) 군함이 만국기·전등 따위로 장식함；전하여, 여성의 화려한 몸치장. ¶〜の女おんな 화려하게 차린 여성.

まんき【満期】 图 만기.
まんきつ【満喫】 图 ㋈他 만끽. ¶勝利しょうり感かんを〜する 승리감을 만끽하다.
まんきん【万金】 图 만금；천금；많은 돈.
まんげきょう【万華鏡】-kyō 图 만화경. ＝にしきめがね.
＊まんげつ【満月】 图 만월；보름달. ＝もちづき. ↔新月しんげつ.
まんこう【満腔】-kō 图 만강；전신；온몸. ¶〜の敬意けいいを 만강의 경의를.

マンゴー 图 《植》 망고(옻나무과에 속하는 상록 교목). ▷mango.
まんざ【満座】 图 만좌；그 자리에 있는 사람 모두.
まんさい【満載】 图 ㋈他 만재.
まんざい【万歳】 图 ①만세；영구(永久). ②신년에, 에보시(＝모자의 일종)를 쓰고 집집마다 돌아다니며 하의 말을 하고 작은 장고를 치면서 추는 사람. ＝まんざい(漫才).
まんざい【漫才】 图 둘이 주고 받는 익살스러운 재담；만담(万歳まんざい이 현대화된 것임). ＝かけあいまんざい.
まんさく【満作】 图 풍작. ¶豊年ほうねん〜 풍년 풍작. ˪「나무.
まんさく【万作·金縷梅】 图 《植》 조록
＊まんじ【漫罵】 圖 《俗》 《아래에 否定하는 말이 따라서》 반드시는；그다지；아주. ¶〜捨すてたものでもない 아주 버릴 것도 아니다. ─でもない 아주 마음에 없는 것도(마음이 내키지 않는 것도) 아니다. ②그다지 나쁜 것도 아니다.
まんざん【満山】 图 만산；온산. ¶〜の桜さくら 만산의 벚꽃.
まんじ【卍】 图 만자；卍의 모양·무늬.
まんじどもえ【卍巴】 图 서로 뒤섞인 모양；뒤죽박죽. ＝まんじともえ. ¶〜に入いり乱みだれて戦たたかう 서로 어지러이 뒤섞여 싸우다.
まんじゅう【饅頭】-jū 图 만두；찐빵.
まんじゅしゃげ【曼珠沙華】-jushage 图 《植》 ☞ひがんばな.
まんじょう【満場】-jō 图 만장. ─いっち【──一致】-itchi 图 만장 일치.
マンション-shon 图 맨션；큰 저택；전하여, 고급 아파트. ▷mansion.
まんじり 副 《보통 否定하는 말이 따라서》 깜빡 조는 모양；잠깐 눈을 붙이는 모양. ─ともしない 한 잠도 못 자다；뜬 눈으로 밤을 새다.
まんしん【慢心】 图 ㋈自 만심；자만심. ＝うぬぼれ.
まんしん【満身】 图 만신；온몸；전신. ─そうい【──創痍】-sōi 图 만신 창이.
＊まんせい【慢性】 图 만성. ↔急性きゅうせい.
まんせい【蔓生】 图 만생；줄기가 덩굴이 되어 자람. ＝つるだち.
まんぜん【漫然】 ㋫タル 만연；막연한 모양；명(명)한 모양. ¶〜とながめる 멍하니 바라보다.
＊＊まんぞく【満足】 图 ㋈自 ㋫ナ 만족. ①완전함；부족함이 없음. ¶〜な答こたえ 만족한 답. 注意 수학에서는 他動詞로 쓰임. ¶方程式ほうていしきを〜するXえっくすの値あたい 방정식을 만족시키는 X의 값. ②바람이 충족되어 불평 불만이 없음. ¶〜に思おもう 만족하게 여기다.
まんだら【曼陀羅·曼荼羅】 图 만다라. ①색채가 선명한 그림. ②《佛》 부처의 세계나 극락을 그린 그림. ˪「──げ
[──華] 《佛》 만다라화；흰 연꽃.
まんだん【漫談】 图 만담.
まんちゃく【瞞着】-chaku 图 ㋈他 만착；속여 넘김.
まんちょう【満潮】-chō 图 만조. ＝みちしお·あげしお. ↔干潮かんちょう.
まんてん【満天】 图 만천. ¶〜の星ほし

온 하늘에 가득한 별.
まんてん【満点】图 만점. 「상.
まんてんか【満天下】图 만천하；온 세
まんと【満都】图 ①만도；도시 전체.
②東京都[とうきょうと](=동경도)' 전체.
マント 图 망토；소매 없는 외투. ▷프
manteau. ――**ひひ**【―彿彿】图〔動〕
망토비비. 「場].
まんどう【満堂】-dō 图 만당；만장(満
まんどう【万灯】-dō 图 ①만등；
수많은 등불. ②초롱；등롱. ――**え**
【―会】'万灯'을 켜고 공양(供養)
하는 법회.
まんどころ【政所】图 ①정치를 행하
는 곳；정청(政廳)；또, (귀족의) 집안
일을 다루던 곳. ②北政所[きたのまんどころ](=섭
정(攝政)・관백(関白)의 처의 높임말)'
의 준말.
マンドリン【樂】图 만돌린. ▷mando-
lin(e). 「か.
‡**まんなか**【真ん中】图 한가운데. ――**まな**
マンネリズム图 매너리즘；천편 일률.
=マンネリ. 「～におちいる 매너리즘
에 빠지다. ▷mannerism.
まんねん【万年】图 만년；영구. ――**き**
【―青】图〔植〕만년청의비름과의 다
년초(多年草). ――**だけ**【―茸】
〔植〕영지(霊芝)；모균류에 속하는 버
섯. =霊芝[れいし]・さいわいたけ. ――**どこ**
【―床】图 밤낮으로 편 채로 있는 이
부자리. ――**ひつ**【―筆】图 만년필.
――**ゆき**【―雪】图 만년설.
まんのう【万能】-nō 图 ①⇔まぐわ.
②⇔ばんのう.
まんば[嚙屬] mamba 图 만바；갈
보고 용맹.
まんびき【万引(き)】mambiki 图他
후무리기；물태치기；물건을 사는 체하
고 훔치는 일；또, 그 사람. 「필.
まんぴつ【漫筆】mampi 图 만필；수
まんびょう【万病】mambyō 图 만병.
まんぴょう【漫評】mampyō 图他 만
평；제멋대로의 비평.
まんぷく【満幅】mampuku 图 만폭；전
체의 폭；전폭. ――**の信頼**[しんらい]**をお**
く 전폭적인 신뢰를 하다.
まんぷく【満腹】mampuku 图自 만
복；배가 부름. ↔空腹[くうふく].
まんぶん【漫文】mambun 图 만문.
まんべんなく【万遍なく・満遍無く】
mamben-圖 구석구석까지；미치지 않
은 곳 없이；남김 없이；모조리. 「国

マンボ mambo 图 맘보. ▷ス mambo.
まんぽ【漫歩】mampo 图自 만보；
목적 없이 한가롭게 걸음. =そぞろあ
るき.
マンホール图 맨홀. ▷manhole.
まんまえ【真ん前】mammae 图<ロ> 정
면；바로 앞.
まんまく【幔幕・帳幕】mammaku 图
만막；식장・회장 따위의 주위에 치는
장막.
まんまと mammato 圖 감쪽같이. 「
～だまされた 감쪽같이 속았다.
‡**まんまる**【真ん丸・真ん円】mammaru
图 아주 동그람. 「～のお月様[つきさま] 쟁
반같이 둥근 달.
まんまん【満満】mamman [ラ] 만만；
차서 넘치는 모양. 「～と水[みず]をたたえ
る 넘치도록 물을 담다.
まんまん【漫漫】mamman [ラタル] 만만；
끝없이 화 넓은 모양.
まんまんいち【万万一】mamman-图
'万一[まんいち](=만일)'의 힘줌말.
マンマンデー mammandē [タナ] 만만
디；천천히[느리게] 하는 모양. ↔カイ
カイデー. ▷중 慢慢的.
まんめん【満面】mammen 图 만면.
まんもく【満目】mammoku 图 만목；눈
에 들어오는 것 모두. 「～荒涼[こうりょう]った
野原[のはら]만 황량한 들판.
マンモス mammosu 图 매머드. 「～都
市[とし] 거대 도시. ▷mammoth.
まんゆう【漫遊】-yū 图自 만유. 「
諸国[しょこく]を～する 여러 나라를[지방을]
만유하다.
まんよう【万葉】-yō 图 '万葉集[まんようしゅう]'
의 준말. =まんにょう. ――**がな**【―
仮名】图 한자의 음훈(音訓)을 빌려서
일본어의 음을 적은 문자(文字)(우리
나라의 이두(吏頭)와 같음). ――**しゅ**
う【―集】-shū 图 일본에서 가장 오
래 된 시가집(詩歌集)(20권；奈良[なら]시
대 말엽에 이루어짐).
まんりき【万力】图 바이스. =バイス.
まんりょう【満了】-ryō 图自 만료.
「任期[にんき]が～する 임기가 만료되다.
まんりょう【万両】-ryō 图〔植〕백량
금.
まんるい【満塁】图〔野〕만루；풀 베이
스. =フルベース. 「無死[むし]～ 무사 만
루 / ホーマー 만루 홈런.

み ミ

①五十音図[ごじゅうおんず]'ま行[ぎょう]'의
둘째 음. [mi] ②〔字源〕'美'의
초서체(かたかな'ミ'는'三'의
초서체).

み【三】图 셋；세；석. =さん・みつ・み
っつ. 「ひ, ふ, ～, よ 하나, 둘, 셋,
넷 / 一月[ひとつき] 석 달.
‡**み**【実】图 ①열매；과실. 「～がなる
열매가 열리다. ②씨；종자. 「～を
まく 씨를 뿌리다. ⇔タネ 건더기. ④
알맹이；내용. =なかみ. 「～のない
話[はなし]내용 없는 이야기. ――**が入**[い]**る** 과
실이 익다；여물다；열매를 맺다. ――**を**

結[むす]**ぶ** ①열매를 맺다. ②성과가 나타
나다. 「努力[どりょく]が～を結ぶ 노력이 좋
은 결과로 나타나다.
‡**み**【身】图 一图 ①몸. ⑦신체；제몸；자
기 자신. 「危険[きけん]から～を守[まも]る 위험
에서 몸을 지키다 / ～を清[きよ]める 몸을
깨끗이 하다 / 목욕 재계하다 / ～を持[も]
す 처신하다 / 목욕 재계하다 / ～を捨[す]てて
일신을 회생하여. ⑤신세. 「～の不

運慶の一身上의 불운. ②(물고기나 짐승의) 살; (나무의) 줄기. ¶さかなの～ 생선의 살. ③힘; 능력. ④분수. ¶～のほどを知らない 분수를 모르다. ¶①입장; 처지. 親戚の～한 부모의 처지가〔몸이〕되다. ⑥마음; 정성. ¶～の入った仕事を 정성을 들일 일을. ⑦(뚜껑·집에 대해) 넣는 부분. ↔さや·ふた.

　──⊟《老》나; 자기. ¶～ども 우리들. 一が入る 정성을 쏟아〔열심히〕하다. 一が入らない仕事を; 건성으로하는 일. 一が立つ 면목이 서다. 一から出たさび 제 잘못으로 인한화; 자업 자득. 一に余る〔過ぎる〕분(수)에 넘치다; 과분하다. 一に染みる 몸에 베다; 사무치게 느껴지게 느끼다. 一につく 지식·기술 따위가 제것이 되다. 一につける ①①몸에 붙게 하다〔입다〕. ⓑ몸에 지니다. ⓒ배워 익혀서 제것으로 지니다. ¶教養を～につける 교양을 갖추다. 一になる ①살이 되다; 몸·마음에 좋다. ②그 사람의 처지가〔입장이〕되다. 一の振り方 처신. ¶～の振り方に困する 처신에 애먹다. 一の回り 신변(의 물건). ¶～の回りを整理する 신변을 정리하다. 一もふたもない 지나치게 노골적이라 맛도 정취도 없다. 一も世もない 체면이고 무어고 없다; 절망적이다. 一を誤まる 몸을 그르치다〔타락하다. 一を入れる (일에) 마음〔정성〕을 쏟다; 열심히 하다. 一を落とす 영락하다. 一を固める ①결혼하여 가정을 이루다. ②일정한 직업을 갖다. 一を砕く 몸시 고생하며 애를 쓰다. 一を削る 살을 깎아 내듯 심한 고통을 겪들하다. 一を焦がす (사랑 따위에) 몹시 애태우다〔번민하다〕. 一を粉にする 분골 쇄신하다. 一を立てる 입신 출세하다. 一を投げる 몸을 던지다; 투신(자살)하다. 一を任せる 몸을 맡기다; 상대방이 하자는 대로 내맡기다. 一を持ち崩す 몸가짐을 그르치다; 타락하다. 一を持って ①몸으로(써). ¶～を持って守る 몸으로써 지키다. ②가까스로. 一を持って逃げれる 가까스로 모면하다. 一をやつす 수척하게 하다; …에 애를 태우다.

み【巳】图 사; 뱀; 지지(地支)의 여섯째.

み【未】图 미. ⑧③양; 지지(地支)의 여덟째. ＝ひつじ. ⑧③接頭 미…; 아직…되지 않음. ¶一完成かん 미완성. 既もぁ～. 불다.

み【箕】图 키. ¶～であおる 키로 까미 図《樂》미; 장음계의 셋째 음; 마음(音). ▷도 mi.

み-【御】接頭 존경이나 공손한 마음을 표현하는 데 쓰이는 말. ¶一～世せ 치세·位くらゐ 至位).

み-【深】 구조(句調)를 고르거나 아름답게 표현하는 데에 쓰는 말. ¶一山やま·一雪ゆき 눈·一空そら 하늘.

-み【味】图形容詞語幹 등에 붙어 名詞를 만듦. ①정도·느낌 등을 나타냄. ¶一あま～ 단 정도·단 느낌·ありがた～ 고마움·この絵には深かみ～がある 이 그림에는 깊이가 있다. ②장소 따위를

보임. ¶一弱よわ～ 약한 곳; 약점·木きのしげ～ 나무가 우거진 곳.
-み【味】图 ①…나은 맛. 人間にんげん～ 인간미·人情にんじゃう～ 인정미. ②설질로서의 맛. ¶一甘あま～ 단 맛·辛から～ 매운 맛; 짠맛.

みあい【見合(い)】图 맞선; 맞선 봄. ¶一二人ふたりは～で結婚した 두 사람은 맞선보고 결혼했다. ②균형〔잡힘〕. ＝つりあい. ③수급きふう의…급의 균형. ──けっこん【見合結婚】-kekkon 중매 결혼. ↔恋愛けんあい結婚.

みあう【見合う】⊟⊟固 균형이 맞다〔잡히다〕; 알맞다. ¶支出ししゅつに～収入にふう 지출에 어상반がうはんした 수입/実情じふに～った裁定さいてい 실정에 알맞은 재정. ──⊟他 서로 마주하다〔살펴〕보다.

みあかし【御灯·御灯明】图 신불(神佛)에게 올리는 등불. ＝お灯明みゃう.

みあきる【見飽きる】⊟⊟固 (여러 번 보아) 보기에 싫증이 나다.

*みあげる【見上げる】⊟⊟他 ①우러러보다; 올려다 보다; 쳐다보다. ↔見おろす. ②('～げたの꼴로》(인물·역량 등이) 훌륭하다고 생각하다; 감탄하다. ¶一～げた人物ぶつ 우러러 볼 만한 인물·一～げたものだ 훌륭하다〔장하다〕이다. ↔見下さげる·見下げる.

みあたる【見当(た)る】⊟固 (찾던 것이) 발견되다; 눈에 띄다; 보이다. ¶一～り次第しだい 눈에 띄는 대로/探たしもの物ものが～ 찾던 것이 발견되다.

みあやまる【見誤る】⊟他 잘못 보다; 오인하다; 착각하다. ¶一時刻表けう表の信号しんがうを～ 시각표〔신호〕를 잘못 보다.

*みあわせる【見合(わ)せる】⊟⊟他 ①서로 마주 보다. 顔がほを～ 얼굴을 마주 보다. ②비교해 보다; 대조하다. ¶原本ほんと～ 원본을 대조하다/原價げんかと～ 원가와 비교하다. ③(사정을 고려하여) 실행을 미루다; 보류하다. ¶一出発しゅっぱつを～ 출발을 미루다.

みいだす【見いだす】【見出す】⊟他 찾아내다; 발견하다. ¶意義ぎを～ 의의를 찾아내다/活路くわつろを～ 활로를 찾아내다/才能のうを～ 재능을 발견하다.

ミーティング -tingu 图 미팅; 회합. ¶一～ルーム 미팅 룸; 응접실. ▷meeting.

ミート 图 미트; 콜드 미트. ¶一コールド～ 콜드 미트; 냉동육. ▷meat.

ミート 图 미트; 모임; 집회. ▷meet.

ミイラ【木乃伊】图 미라. ▷포 mirra. ──一取とりが～になる 미라를 파내려 간 사람이 미라가 되다; 함을 차시리다.

みいり【実入り】图 ①열매가 여묾(익음); 결실. ¶米こめの～が悪わるい 벼의 결실이 나쁘다. ②수입(收入). ¶一～がいい 수입이 좋다.

みいる【見入る】⊟固 ①열심히 보다; 넋을 잃고 보다. ＝みとれる. ②주시(注視)하다.

みいる【魅入る】⊟固 (귀신 따위가) 씌다; 들리다; 홀리다. ＝魅みする. 悪魔まに～られる 악마에게 홀리다.

みうけ【身請け】【身受け】图⊟他 (기생·창기 등의 빚을 갚아 주고) 낙적(落籍)시킴.

みう-ける【見受ける】下一他 보다 ; 보고 판단하다. ¶お～けしたところ 뵙건대 / ときどき～人だ 가끔 보는 사람이다.

みうごき【身動き】名ㅈ自 몸을 움직임. ¶～が取れない 꼼짝(도) 못하다 ; 운신을 못 하다.

*みうしな-う**【見失う】五他 보던 것을 (시야에) 놓치다. ¶連れを～ 일행 (동행)을 잃다.

*みうち**【身内】名 ①온 몸 ; 전신. ¶～がしまる 온몸이 긴장해지다. ②가족 ; 집안 ; 일가. ¶家族の精실 인사 /～のけんか 집안 싸움. ③(협객·노름꾼 사회에서) 한패 ; 패거리 ; 같은 무리 ; 부하.

みうり【身売り】名ㅈ自 몸을 팖. ¶娼婦などに～する 창녀로 몸을 팔다.

*みえ**【見え】名 ①외양 ; 외관 ; (겉)보기. ¶～に構わない 외관에 무관심하다. ②(見栄) 허식 ; 겉치레 ; 허세. ¶～で寄付をする 허영심에서 기부하다. ③(見得) (연극에서) 배우가 최고조에 달한 장면을 보여, 유달리 눈에 띄는 표정이나 동작을 하는 일. —も外聞もない 겉치레나 세상 소문 따위는 상관할 바 아니다. —を切る 배우가 유다른 표정·제스처를 부리다 ; 짐짓 자기를 과시(과장)하는 태도를 취하다. —を張る (남을 의식하여) 겉을 꾸미다 ; 허세를 부리다.

みえがくれ【見え隠れ】名ㅈ自 보였다 안 보였다 함 ; 나타났다 숨었다 함. ¶川の水に～に流れる 강이 보였다 안 보였다 하면서 흐르다.

みえす-く【見え透く】五自 ①속까지 환히 비쳐 보이다. ¶～ガラス 투명한 유리. ②(마음 속이) 빤히 들여다보이다 ; 속보이다. ¶～いたうそ 빤한 거짓말.

みえっぱり【見えっ張り】名 (見栄っ張り) -eppari 名 ☞みえぼう.

みえぼう【見栄坊】(見栄坊) -bō 名 허세 부리는 사람 ; 겉치레꾼 ; 허영꾼. =みえっぱり.

*みえ-る**【見える】下一自 ①보이다. ㉠눈에 들어오다(띄다). ¶山が～ 산이 보이다 / 目に～ 눈으로 볼 수 있을 눈에 띄게 좋아지다. ㉡볼 수 있다. ¶夜でも～ 밤에도 보인다. ㉢보이지 않게 되다. ¶目が～ 눈이 안 보이게 되다. ㉣『～に～に』의 꼴로. ～처럼 느껴지다. ¶～に～로 보이다. ¶解決した らしかに～ 해결된 것처럼 보이다. ②간취되다 ; 엿보이다. ¶工夫の跡が～ 궁리한 흔적이 엿보이다. ②(『…と～』의 꼴로) 같이 해석(생각)되다. ¶～に気が～ 인것 같다. ¶오시다(来る』의 높임말). ¶先生が～た 선생님이 오셨다. —え隠された 보였다 안 보였다.

みお【澪·水脈】名 (해안·강가 가까이 의) 수맥 ; 수로(水路).

みおくり【見送り】名ㅈ他 송별 ; 배웅 ; 전송. ☞出迎える.

*みおく-る**【見送る】五他 ①배웅하다 ; 송별하다. ¶盛んに～ 성대하게 전송하다. ↔出迎える. ②장송(葬送)하다. ③죽을 때까지 돌봐 주다. ¶親の死を～ 부모 죽을 때까지 돌봐 드리다. ④뒷모습을 좇다 ; 지켜보다. ¶渡り鳥を～ 철새가 가는 것을 지켜보다. ⑤보기만 하고 그냥 보내다 ; 손을 대지 않다. ¶機会を～ 기회를 그냥 보내다. ⑥(다음 기회를 기다려) 보류하다 ; 미루다. ¶採用を～ 채용을 보류하다.

みおさめ【見納め】【見収め】名 마지막으로 봄 ; 보는 마지막 (기회). ¶この世の～ 이승의 작별.

みおつくし【澪標】名 〈雅〉 수로표(水路標) 〈얕은 강이나 바다에 세움.

みおと-す【見落(と)す】五他 간과(看過)하다 ; 못보고 넘기다 (빠뜨리다). =みすごす. ¶誤字を～ 오자를 못 보고 넘기다 / 駅名をつい～ 역 이름을 그만 못보고 말다.

みおとり【見劣り】名ㅈ自 (…만) 못해 보임 ; 빠짐. ¶～のある品よ 못해 보이는 물건. ↔見ばえ.

みおぼえ【見覚え】名 본 기억. ¶～がない 본 기억이 없다.

みおぼ-える【見覚える】下一他 ①보고 기억하다. ¶犯人らしい顔を～·えている 범인의 얼굴을 기억하고 있다. ②(기억에 등을) 보면서 익히다. ③전부터 알고 있다. ¶～·えた顔 면식 (面識)이 있는 얼굴.

みおも【身重】名 임신. ¶～のからだ 임신한 몸 /～になる 임신하다. ↔身軽.

*みおろ-す**【見下ろす】五他 내려다 보다. ①아래를 보다 ; 굽어보다. ¶山から～ 산에서 내려다 보다. ↔見上げる. ②얕보다 ; 깔보다. =みさげる·みくだす.

*みかい**【未開】名 미개. ¶～社会らに 미개 사회 /～の土地よ 미개지.

みかいけつ【未解決】名 미해결.

みかいたく【未開拓】名 미개척. ¶～の荒野を 미개척의 황야 /～の分野を 미개척적 분야 [분야].

みかいはつ【未開発】名 미개발.

みかえし【見返し】名 ①뒤돌아봄. ②(책의) 면지(面紙) ; 보닛장. ③(裁) 깃따위의 꺾은 부분 ; 안단. ¶持ち出し. ④(일본옷의) 소맷부리 따위의 마무리(하는 천).

みかえ-す【見返す】五他 ①뒤돌아보다 ; 돌아보다. ②다시(거듭) 보다. ¶答案を～ 답안을 거듭 보다. ③되받아 보다. ¶平気で～ 예사롭게 마주치아 보다. ④멸시받은 앙갚음으로, 성공해 보이다.

みかえり【見返り】名 ①되돌아봄. ②담보나 보증으로 내놓음 ; 또, 그 물건. ¶～資金 담보 [담보]금 ; 대충 자금.

みかえ-る【見返る】五他 뒤돌아보다.

みがき【磨き】【研き】名 닦아 깨끗하게 하는 일 ; 또, 닦아서 낸 윤(광택). ¶歯～ 이닦기 ; 또, 치약 / くつ～ 구두 닦기.

みがきあ-げる【磨き上げる】下一他 닦아서 마무리하다 ; 충분히 닦다.

みがきた-てる【磨き立てる】下一他 ①자꾸 닦다. ②아름답게 몸치장을 하다.

みかぎ-る【見限る】五他 단념[포기]하다 ; (정이 떨어져) 관계를 끊다. =見はなす. ¶師匠よ～ほどの弟子

스승도 포기할 정도의 제자.

*みかく【味覚】 图 미각. ¶~をそそる 미각을 자아내다(돋구다).

‡みがく【磨く】【研く】 5他 ①(문질러) 닦다. ②윤을 내다. ¶~つを ─ 구두를 닦다. ⓛ손질하여 아름답게 하다 ; 깨끗이 하다. ¶はだを ─ 피부를 손질하다. ②(숫돌 등에) 갈다. ¶刀ᅭを ─ 칼을 갈다. ③갈고 닦다. ¶技ᅭを ─ 기술을 연마하다.

みかくにん【未確認】 图 미확인.

*みかけ【見かけ】【見掛け】 图 외관 ; 겉보기 ; 우わせ. ¶~に似合ᅭらぬ 겉보기와는 달리 ; は丈夫ᅭそうだ 보기에는 건강해 보인다 / ~は大きい 보기보다는 남자답다. ―によらぬ 겉보기와(는) 다르다. ¶~によらぬ やさしい男だ 겉보기와는 달리 상냥한 사나이다. ―だおし【─倒し】 图헛보기 ; 겉(모양)만 번드르르 함. ¶~の品物ᅭ 굴통이 / ~の料理ᅭ 보기만하여 듯하고 실속 없는 요리 / それは─だ 그건 빛 좋은 개살구다.

みかげいし【御影石】 图 화강암(花岡岩).

*みかける【見かける】【見掛ける】 下1他 ①눈에 띄다 ; 가끔 보다 ; 만나다. ¶よく~顔ᅭ 종종 보는 얼굴. ②보기 시작하다. ¶언뜻 보다.

*みかた【味方】【身方・御方】 一图 자기편 ; 아군 ; 우군. ¶敵ᅭ ─ 적과 아군. 二图自 편들다 ; 가세(加勢)함.

*みかた【見方】 ①보는 방법 ; 보기. ②견해 ; 생각. ¶の相違ᅭ 견해 차이. ③견지(見地) ; 관점. ¶それは─による 그것은 보기에 달려 있다.

みかづき【三日月】 图 (음력) 초사흘달 ; 초승달 ; 또, 그런 모양.

みがって【身勝手】【身勝手】 -gatte 图 グ 老 방자(放恣) ; 염치 없음. ¶~なわがまま 방자 함 / ~な 한 남자 / ~を言ᅭう 방자한(분수없는) 말을 하다.

みかど【御門・帝・皇】 图 〈雅〉①天皇ᅭᅭ ; 황제. ②황실(皇室).

みかねる【見かねる・見兼ねる】 下1他 ①(차마) 볼 수 없다 ; 보다 못하다. ¶見ᅭるに~ねて 보다 못해 / 仲裁ᅭᅭにはいった 보다 못해 중재에 나섰다. ¶見ᅭ兼ねる 볼 수 없다.

*みがまえ【身構え】 图 공격·방어를 위한 자세(를 갖춤) ; 대세. ¶攻撃ᅭᅭの ─ 공격 자세.

みがら【身がら・身柄】 图 ①신병 ; 몸. ¶~を引きとる 신병을 인수하다. ②신분 ; 분수. ¶~をわきまえている 자기 분수를 알고 있다.

*みがる【身軽】 图 グ 老 경쾌함. ①몸이 가벼움. ¶~な人ᅭ 몸이 가벼운 사람. ②몸이 홀가분함 ; 간단함. ¶~なひとり者ᅭ 홀가분한 독신자 / ~な身ᅭじた 간편한 몸차림. ③홀산하여 몸이 가볍고 편함. ↔身重ᅭᅭ.

みかわす【見交わす】 5他 서로 상대를 보다 ; 서로 시선을 주고 받다. ¶意味ᅭありげに目ᅭを ─ 의미 있는 시선을 주고 받다.

みがわり【身代(わり)】【身替(わり)】 图 대신 ; 대역. ¶~を立ᅭてる 대역을 세

우다.

みかん【未刊】 图 미간. ↔既刊ᅭᅭ.
みかん【未完】 图 미완. ¶~の大器ᅭ 미완의 대기. ↔完ᅭ.
*みかん『蜜柑』 图 귤나무 ; 귤.
みかんせい【未完成】 图 미완성. ¶~交響楽ᅭᅭ 미완성 교향악.

‡みき【幹】 图①나무의 줄기. ↔根ᅭ・枝ᅭ. ②사물의 주요 부분. (祭酒)

みき【神酒】【御酒】 图 술(미정) ; 제주

*みぎ【右】 图①오른쪽 ; 우측. ↔左ᅭ. ―側ᅭ通行ᅭᅭ 우측 통행. ↔左ᅭᅭ. ②세로 쓴 문장에서 '이상(以上)'의 뜻. ¶~のとおり 이상과 같이 ; (사상·정치상의) 우익. ↔左ᅭᅭ. ②좋은 쪽, 나은 쪽. ―から左ᅭᅭへ 오른쪽에서 왼쪽으로((a)받은 금품 따위를 곧 남에게 넘김 ; (b)그날그날을 잔신히 살아감). ―と言ᅭ えば左ᅭ 성질이 비뚤어져서 무엇에나 반대함. ―に出ᅭる 우위에 서다 ; 능가하다.

みぎうで【右腕】 图①오른 팔. ↔左ᅭ. ②오른쪽의 팔. ↔左腕ᅭᅭ. ②심복 부하.

みぎがわ【右側】 图 우측 ; 오른쪽. ↔左ᅭᅭがわ.

みぎきき【右聞き】 图 ス他 보고 들음 ; 견문(見聞).

みぎきき【右利き】 图 오른손잡이. ↔左ᅭᅭ.

ミキサー【mixer】 图믹서. =ミクサー. ▷mixer.

みぎて【右手】 图①오른쪽. ¶~に見ᅭえる家ᅭ 오른쪽에 보이는 집. ↔左手ᅭᅭ.

みぎひだり【右左】 图①좌우. ②그 자리에서 즉각 주고받음 ; 우에서 좌, 좌우를 뒤바꿈. ¶位置ᅭᅭが─が 위치가 반대다.

みきり【見切(り)】 图 단념(断念)함 ; 포기함. ¶~品ᅭ 투매품 ; 떨이. ―をつける 가망 없는 것으로 단념(포기)하다.

みぎり【砌】 图①때 ; 시절. ¶厳寒ᅭᅭの ─ 엄한지제(厳寒之際). ②〈古〉석계 ; 석계(石階).

みき-る【見切る】 5他 ①끝까지 다 보다. ¶一日ᅭᅭでは~れない 하루로는 다 볼수 없다. ②확인하다 ; 끝까지 지켜보다. ¶ようすを ─ 상태를 끝까지 지켜보다. ③가망 없다고 보고 단념(포기)하다. ¶ああなまけては─ほかない 저렇게 게으러서는 단념할 수밖에 없다. ④상품을 투매하다.

みぎれい【身ぎれい】【身綺麗・身奇麗】 グ グ 몸차림이나 신변이 깨끗함. ¶~にする 몸차림을 단정히 하다.

みぎわ【汀・渚】 图〈雅〉물가 ; =なぎさ. ¶~で遊ᅭぶ 물가에서 놀다.

みきわ-める【見極める】 下1他 ¶끝까지 지켜보다 ; 확인하다. ¶結果ᅭᅭを ─ 결과를 확인하다[지켜보다] / 大勢ᅭᅭを ─ 대세를 지켜보다. ②(사물의 본질 따위를) 궁구(窮究)하다. ③진위를 판별하다 ; 판별하다.

みく-す【見下す】 5他 내려다보다. ①깔보다 ; 멸시하다 ; 얕보다. =見ᅭさげる. ¶~した態度ᅭᅭ 깔보는 태도. ②아래를 굽어보다. ¶下ᅭを ─ 아래를 내려다보다.

みくだりはん【三くだり半・三下り半】【三行半】 图 아내에게 주는 이혼장 ;

세. 參考 본디, 석 줄 반으로 쓴 데서.

*みくび-る【見くびる】【見縊る】 5他 깔〔얕〕보다 ; 업신여기다. =見下みさげる・見下みくだす. ¶病気びょうきを～ 병을 대수롭지 않게 여기다 / 腕うでを～ 능력을〔솜씨를〕 얕보다.

みくら-べる【見比べる】（見較べる） 下1他 비교해 보다. ¶二ふたつの案あんを～ 두 개의 안을 비교해 보다.

*みぐるし-い【見苦しい】-shī 形 보기 흉하다 ; 모양 사납다 ; 볼꼴 사납다. =みっともない. ¶～身みなり 보기 흉한 옷차림 / ～態度たいど 꼴 사나운 태도. ↔見みよい.

みぐるみ【身ぐるみ】图 몸에 입고 있는 것 전부. ¶～はぎとられる 몸에 걸친 것을 몽땅 털리다.

ミクロ 图 미크로. ↔マクロ. ▷도 Mikro ; 영 micro. ―コスモス 图〔哲〕미크로코스모스 ; 소우주. ↔マクロコスモス. ▷도 Mikrokosmos.

ミクロン 图 미크론 ; 미터법의 단위 ; 100만분의 1미터. ▷프 micron.

みけ【三毛】图 갈색·흑색·갈색이 섞인 털 ; 또, 그런 털의 고양이.

みけいけん【未経験】名 미경험. ¶～者しゃ 미경험자.

みけつ【未決】名 미결. ¶～監かん 미결감 / ～の書類しょるい 미결 서류 / ～囚しゅう 미결수. ↔既決きけつ.

みけん【眉間】名 미간 ; 눈썹과 눈썹 사이. ¶～を割わられる 미간에 상처를 입다.

みこ【巫女・神子】名 ①신이나 신사（神社）에 봉사하는 미혼 여성. =かんなぎ. ②무녀 ; 무당.

みこし【御輿・神輿】名 ①（제례（祭禮）때의）영여（靈輿）; 신련（神輦）. 니나. ¶腰こしを据すえ〔=허리를〕의 높임말（농으로 하는 말）. ―を上あげる ①밀질기게 앉아있던 사람이 천천히 일어나다. ②드디어 일에 착수하다.

みこし【見越し】图 넘어다 봄 ; 건너다 봄 ; 또, （앞일을）내다봄 ; 예측함. ―がい【―買い】名 시세 등귀를 예측해서 상품을 미리 사는 일.

みごしらえ【身ごしらえ】【身拵え】图 몸（의）차림. ¶～に時間じかんがかかる 옷차림에 시간이 걸리다.

みこ-す【見越す】 5他 ①（장래를）예측하다 ; 내다보다 ; 전망하다. ¶インフレを～하고 인플레를 예측하고. （간격·칸막이）너머로 보다.

みごたえ【見ごたえ】【見応え】名 볼 만한 가치. ¶～がある〔する〕 볼 만하다.

＊みごと【見事·美事】 ダナ ①훌륭함 ; 멋짐 ; 뛰어남 ; 볼 만함. ¶～な演技ぎ 뛰어진 연기. ②완전함. ¶～に負まける 완전히 패하다.

みことのり【詔】【勅】名 조칙（詔勅）.

みごなし【身ごなし】【身小なし】名 행동거지. ¶柔やわらかい～ 부드러운 거동거지.

みこみ【見込み】（み）名 ①장래성 ; 가망 ; 희망. ¶～のある青年ねん 유망한 청년. ②예상 ; 전망 ; 예정. 見越みこし. ¶商売しょうばいの～はどうですか 장사（의）전망이 어떻습니까 / ～が立たたない 전망이 서지 않다.

*みこ-む【見込む】 5他 ①유망〔확실〕하다고 보다 ; 기대하다 ; 신용하다고 보다. ¶成功せいこうを～ 성공을 기대하다고〔確実かくじつだと～んで金かねを出だすと ~ 확실하다고 보아 돈을 내다. ②내다보다 ; 예상하고（미리）계산（고려）에 넣다. ¶あらかじめ損失そんしつを～ 미리 손실을 예상하다 / 収入しゅうにゅうを～ 수입을 예상하다. ③㉠집요하게 달라붙다. ¶悪魔あくまに～まれる 마귀가 들리다〔씌다〕. ㉡노리다 ; 눈독들이다. ¶あの男おとこに～まれたら最後さいごだ 저 남자에게 점찍히면 끝장이다.

みごも-る【身ごもる】【身籠もる】 5自 （아이를）배다 ; 임신하다. =はらむ.

みごろ【見ごろ】【見頃】名（꽃 따위를）보기에 바로 좋은 시기.

みごろし【見殺し】名 못 본 체함. ①죽게 내버려 두다 ; 또, 보고도 구할 수 없음. ②어려운 처지에 있는 사람을 모른 체함.

みこん【未婚】图 미혼. ↔既婚きこん.

ミサ【彌撒】名〔宗〕①미사. =ミサ聖祭せいさい. ②미사곡. ¶鎮魂ちんこん～ 위령 미사곡. ▷라 missa.

みさい【未済】图 미제 ; 미결. ¶～事件けん 미제 사건. ↔既済きさい.

ミサイル 名 미사일 ; 유도탄. ▷missile.

みさお【操】图 지조 ; 절개. ¶学者しゃとしての～ 학자로서의 지조. ②정조（貞操）. ¶～を守まもる 정조를 지키다.

みさかい【見境】名 분별 ; 판별 ; 구별. =みわけ. ¶前後ぜんごの～もなく 앞뒤（의）분별도 없이.

みさき【岬】【崎】图 갑 ; 곶. =さき. ¶～の灯台だい 갑의 등대.

みさげはてた【見下げ果てた】連体 경멸〔멸시〕할（만한）. ¶～男おとこ 한심한 사나이.

みさ-げる【見下げる】 下1他 멸시〔경멸〕하다 ; 업신여기다. ¶金かねがないので～げられる 돈이 없어 멸시당하다.

みさご【鶚・雎鳩・睢・雎】名〔鳥〕물수리. =うみたか.

みささぎ【陵】名 능. =御陵ごりょう.

みさだ-める【見定める】 下1他 보고 정하다〔확인하다〕; 확정하다. =見みきわめる. ¶目標もくひょうを～ 목표를 잘 보다〔확인하다〕.

*みじか-い【短い】 形 ①짧다. ㉠길이가 길지 않다. ¶～帯おび 짧은 띠 / ～距離きょり 짧은 거리. ㉡시간적으로 길지 않다. ¶～期間きかん 짧은 기간. ②키가 작다. ¶背せが～ 키가 작다. ③모자라다. ¶才おさいが～ 재주가 모자라다. ④성미가 급하다. ¶気きが～ 성급하다. ↔長ながい.

みじたく【身支度・身仕度】名〔又自〕치장 ; 몸차림. =みごしらえ. ¶～を整ととのえる 몸차림을 갖추다.

みしぶ【水渋】名〔雅〕물때. =水みずかね.

みじまい【身仕舞】名〔又自〕몸차림（특히, 여성의）몸치장. =みじたく・身みごしらえ.

みしみし 副（널빤지 따위가）삐걱거리는 소리. 삐걱삐걱. ¶廊下ろうかを～歩あるく 복도를 삐걱삐걱 소리내며 걷다.

*みじめ【惨め】 ダナ 비참함 ; 참혹함. ¶

～な生活誉　비참한 생활.
みしゅう【未収】-shū 图 미수. ¶～金蕊 미수금.
*みじゅく【未熟】-juku 图 미숙. ①덜 됨;덜 익음.⇔成熟恕.・完熟恕. ②첫두릅. ¶～な腕前 미숙한 솜씨.
みしょう【未詳】-shō 图 미상. ¶原因蕊～인〔作者ぶ〕미상.
みしらず【身知らず】〔身不知〕图子 분수를 모름. ¶～の男 분수를 모르는 남자. ②몸을 돌보지 않음. ¶～な まねはやめなさい 몸에 무리한 짓을 마라.
みしらぬ【見知らぬ】運体 알지 못하는;낯섬. ¶～男誉 낯선 사나이.
みしり【見知り】图①보고 앎;알아봄. ¶人と～ 낯가림. ②면식(面識)이 있음;또, 그 사람. ¶顔恕～ 안면 있는 사람.——ごし【一越し】图 전부터 알고 있음〔안면〕이 있음.
みし-る【見知る】5他 면식이 있다. ¶～らぬ人誉 안면이 없는 사람.
みじろぎ【身じろぎ】〔身動き〕图 몸을 조금 움직임;꿈지럭. ¶～もしな い 몸을 달싹도 않다.　「machine.
ミシン【―】图 미싱; 재봉틀.　「sewing
みじん【微塵】图 미진. ①작은 먼지; 전하여, 미세(微細)한 것. ¶木こっ端蕊～に砕ける 산산 조각으로 깨지다. ②잘게 썲;또, 그것. ¶たまねぎを～に切る 양파를 잘게 썰다.——こ〔一子・水蚤〕图【動】물벼룩.——こ〔一粉〕图 찹쌀 미숫가루.——ぎり 図〔뒤에 否定이 와서〕조금도;추호도. ¶だ ます考がんえは～ない 속일 생각은 추호도 없다.
みす【御簾】图①비단 따위로 선을 두른 고운 발(궁정・신사 등에서 씀). ②〈古〉발〔놀임말〕.
ミス【―】图国国 실패;잘못됨. ¶球誉を～する 야구를 실패하다. ▷miss.
㊁图 「ミステーク(=미스테이크)」의 준말. ¶～を犯誉す 미스를 범하다.
ミス【―】图 미스. ①아가씨;독신 여성. ¶まだ～でいる 아직 미스로 있 다. ⇔ミセス. ②대표적 미인. ¶～日本蕊 미스 일본. ⇔ミスター. ▷Miss.
㊀㊀みず【水】图①물. ¶飲のみ～ 음료수/雨ま～ 빗물/～が飢 饉遜蕊す 물 기근(一)이 심하다/~が絶えず 물이 끊이지 않다/～でゆすぐ 물로 헹구다. ㊁홍수; 시위. ¶～がつく 물이 져서 침수되다. ㊂물 상태의 것;또, 수분이 많은 것. ¶～あめ 물엿/ はな～ 콧물. ¶(의성어)～の준말. 《溝す ば魚誉すます 물이 맑으면 고기가 놀지 않는다(사람이 너무 결백하면 사람이 따르지 않음의 비유).——で割める 물을 타 묽게 하다. ¶ウイスキーを～で割る 위스키에 물을 타(서 묽게 하).——に〔と〕油誉を流ます 물에〔과〕기름.——にさ からう 흐름과 반대 방향으로 나아가다.——に流誉す 물에 흘려버리다(지나 간 일은 없었던 것으로 하다).——は方 円蕊の器うつわに従たがう 물은 그 담긴 그 릇에 따라 모양을 바꾸는 데서, 사람 은 그 사귀는 교우(交友) 관계에 따라 좋게도 나쁘게도 됨의 비유.——も漏 らさぬ 图(경계・공격 등이) 물샐 틈

없는. ¶～も漏らさぬ警戒慕蕊 물샐 틈 없는 경계. ②매우 친함. ¶～も漏ら さぬ仲誉 매우 친한 사이.——を開ける 경쟁 상대를 크게 떼어 놓다.——を打 ったよう 쥐죽은 듯이 조용한 모양.——を差誉す 방해하다;훼살놓다. ② 친한 사이를 갈라 놓다.——を向むける 상대가 관심을 갖도록 유도하다.
みずあか【水垢】〔水垢〕图 물때.
みずあげ【水揚(げ)】图①양륙(揚陸). =りくあげ. ②어획(량)(漁獲(量)). ③(유흥 업소 따위의) 매상 (고);벌이. ④(꽃꽂이에서) 꽃이 물을 가게 물을 잘 올수시킴. ⑤〈俗〉기생・창기가 처음으로 손님을 받는 일.
みずあび【水浴び】图区直①물을 끼얹음;미역 감음. =水浴慕. ②〈老〉수 영;해욕. 注水泳.
みずあめ【水あめ】【水飴】图 조청.　「씻음〔깖〕.
みずあらい【水洗い】图区他 맹물로만
*みすい【未遂】图 미수. ¶殺人誉～ 살 인 미수. ↔既遂誉.
みずいらず【水入らず】【水不入】图(남이 끼지 않은) 집안끼리. ¶～の暮くらし〔集らり〕식구끼리의 오붓한 살림살이〔모임〕.
みずいり【水入り】图(씨름에서) 두 선 수가 승부가 나지 않고 지쳐있을 때, 씨름판에서 내려와 잠깐 쉬게 함. =みず.　「빛.
みずいろ【水色】图图 엷은 남빛;옥색;물
*みずうみ【湖】图 호수.
みずえ【水絵】图 수채화(水彩畫).
みずえのぐ【水絵の具】图 물에 풀어서 쓰는 그림 물감;수채화 물감.
みす-える【見据える】下一他①눈여겨 보다;응시(凝視)하다. ¶相手誉を～ 상대를 뚫어지게 바라보다. ②확실히 (잘) 보다;똑똑히 확인하다. ¶行ゆく えを～ 행방을 확인하다.
みずおち【鳩尾】图 명치. =みぞおち.
みずかき【水掻き】图 수면에 모습이나 침〔모습을 비추어 봄〕;또, 그 수면.
みずかき【水搔・蹼】图 물갈퀴.
みずがき【みず垣】〔瑞垣・水垣〕图〈雅〉 신사(神社)의 울타리. =玉垣慕.
みずかけろん【水掛(け)論】图 쌍방이 서로 이론만 내세우고 결말이 나지 않 는 의론. ¶結局慕～あれは～に終 わった 결국 그것은 입씨름으로 끝났 다.　「(품).
みずかげん【水加減】图 물대중(을 맞 춤).
みずかさ【水かさ】【水嵩】图(강물 등 의) 수량. ¶～が増ます 물이 붇다.
みずがし【水菓子】图 과일. =くだもの.　「～屋 과일 가게.
みすかす【見透かす】5他①…을 격 해서 보다. …속을 차비쳐 보다. 《②(을) 꿰뚫어 보다.=みぬく. ¶足元ぎを～ 남의 속을 빨히 들여다보다.
みずぎわ【水ぎわ】【水際・水涯】图 물동 이;물독.
*みずから【自ら】【みずから・自ら】〔躬ら〕スス 로. ㊀副 몸소;자신이;친히. ¶～手 てをくだす 몸소 손을 대다/～名乗誉る スス로 이름을 대다/～実行誉する 몸 소 실행하다. ㊁图〈雅〉자기;자신. ¶～を高たしとする スス로를 높이다.

―おごる者は久しからず スススで 교만한 자는 오래 가지 못한다(앞이 뻔하다). ―持 자존 자중(自尊自重)하다. ―墓穴を掘る 스스로 무덤을 파다.

みずガラス【水ガラス】【水硝子】图【化】물유리. ▷ね glas.

みずがれ【水がれ】【水涸れ】图 (우물·논·강·못 따위가) 물이 말라 버림.

みずぎ【身過ぎ】图 생활; 생업. 처지. ¶─世渡り 세상살이.

みずぎ【水着】图 수영복. ＝海水着

みずききん【水ききん】【水飢饉·水饑饉】图 물 기근.

みずぎわ【水際】图 물가. ＝みぎわ.
　──だーつ【──立つ】匧 한층 두드러지게 눈에 띄다. ¶─った演技を〔美ろしさ〕아주 두드러지게 눈에 띄는 연기〔아름다움〕. 「そう.

みずくき【水草】图 수초; 물풀. ＝すい

みずくさーい【水くさい】【水臭い】囮① 수분이 많다; 싱겁다. ＝水っぽい. ¶─酒 싱거운 술 / おかずが〜 반찬이 싱겁다. ②남 대하듯 하다. ¶─態度 서먹서먹한 태도.

みずぐすり【水薬】图 물약. ＝すいやく. ↔粉薬ぐすり·錠剤じょう. 「しゃ.

みずぐるま【水車】图 물방아. ＝すい

みずけ【水け】【水気】图 수분; 물기. ─しめりけ. ¶─が多い 수분이 많다 / 〜を取る 물기를 빼다; 말리다.

みずけむり【水煙】图 물안개. ①물보라. ＝水しぶき. ②수면 위의 자욱한 안개.

みずごけ【水蘇】图【植】물이끼.

みずーごーす【見過ごす】匧①보고도 그냥 두다〔지나치다〕; 못본 체하다; 간과(看過)하다. ¶こんどだけは〜してやる 이번만은 눈감아 주겠다. ②〈老〉빠뜨리고 보다. ＝見のがす·見落とす. ¶うっかり〜 깜빡 빠뜨리고 보다.

みずごり【水ごり】【水垢離】图 목욕 재계(沐浴齋戒). ＝こり. ¶〜を取る 목욕 재계하다. 「すいこう.

みずさいばい【水栽培】图 물재배.

みずさかずき【水杯】【水盃】图 재회(再會)를 기약하기 어려운 때 등에 술 대신 물로 작별의 잔을 나눔. ¶〜をかわす 물로 작별의 잔을 나누다.

みずさき【水先】图①물이 흘러가는 방향. ②물길; 배의 진로. ──あんない【──案内】图 물길 안내; 도선(導船). 또, 물길 안내원. ＝パイロット.

みずさし【水差し】【水指し】图 물병; 물주전자(다른 그릇에 물을 따르기 위하여 물을 넣어 두는 그릇).

みずしごと【水仕事】图 진일; 물일. ¶〜で手が荒れる 진일로 손이 거칠어지다.

みずしぶき【水しぶき】【水飛沫】图 물보라. ＝しぶき.

みずしょうばい【水商売】-shōbai 图 물장사; 접객업; 손님의 인기나 경기에 따라서 수입이 크게 좌우되는 견실치 못한 장사(요정·바·카바레 따위).

みずしらず【見ず知らず】图 일면식도 없음.

みずすじ【水筋】图 수맥(水脈).

みずすまし【水澄まし】图【蟲】①물매암이. ＝まいまい(むし). ②〈俗〉소금쟁이. ＝あめんぼ. 「攻ぜめ.

みずぜめ【水攻め】图 수공(水攻). ↔火

みずぜめ【水責め】图 물 고문(拷問). ↔火ひぜめ. 「いでん.

みずた【水田】图 수답(水畓); 무논. ＝ミスター【Mister】图 미스터. ①mr.; Mister.

みずたま【水玉】图 물방울. ①이슬 방울. ¶〜が飛ぶ 물방울이 튀다. ②水玉模様ように(물방울 무늬)의 준말. ③유리 구슬 속에 물을 넣은 것.

みずたまり【水たまり】【水溜り】图 웅덩이.

みずちゃや【水茶屋】-chaya 图 江戸えど 시대에, 엽차 따위를 대접하며 나그네를 쉬게 하던 길가의 가게. ＝みずぢゃや.

みずっぱな【水っぱな】【水っ洟】-zuppa-na 图〈口〉콧물. ＝水ぱな. 「うを する 콧물을 훌쩍이다.

みずっぽーい【水っぽい】-zuppoi 囮 수분이 많다; 묽다; 싱겁다. ¶〜酒 싱거운 술 / お汁しるが〜 국이 묽다[멀겋다].

みずてっぽう【水鉄砲】-deppō 图 물총. ミステリー【mystery】图 미스테리. ①신비(神秘)；이상함; 괴기(怪奇). ②추리(괴기)소설. ▷mystery.

＊みすーてる【見捨てる】【見棄てる】匤下一他 내버려 둔 채〔관계를 끊고〕 돌보지 않다. ＝見はなす. ¶恋人こいびとを〜 연인을 버리다 / 困こまっている友人ゆうじんを〜 곤경에 처해 있는 친구를 내버려 두다. 「刻とき.

みずどけい【水時計】图 물시계. ＝漏

みずとり【水鳥】图 물새; 수금(水禽). ＝みずどり.

みずな【水菜】图【植】①순무의 한 품종. ＝きょうな. ②쐐기풀.

みずなぎどり【水凪鳥】图【鳥】섬새.

みずのあわ【水の泡】【水の沫】图 ①물거품; 수포. ¶せっかくの苦心くしんも〜となる 모처럼의 고심도 물거품이 되다.

みずのえ【壬】图 임; 천간(天干)의 아홉째(오행(五行)으로 수(水)). ⇒じっかん(十干).

みずのと【癸】图 계; 천간(天干)의 열째(오행(五行)으로 수(水)). ⇒じっかん(十干).

みずのみ【水飲み】【水呑み】图①물을 마심; 또, 그 그릇. ②물 마시는 장소. ──びゃくしょう【──百姓】-byaku-shō 图〈卑〉빈농(貧農)(조롱해서 하는 말).

みずはけ【水はけ】【水捌け】图 배수(排水); 물이 흐르는[빠지는] 정도. ＝水みずはき. ¶〜のよい土地とち 배수가 잘 되는 토지.

みずばしょう【水芭蕉】-bashō 图【植】천남성과의 다년생 식물.

みずばしら【水柱】图 물기둥. ¶〜が立つ 물기둥이 솟다(오르다).

みずばな【水ばな】【水洟】图 ☞みずっぱな.

みずばら【水腹】图 물배; 물로 배를 채움; 또, 그 때의 배의 상태.

みずひき【水引】图 가는 지노 여러 개를 합쳐 풀을 먹여 굳히고, 중앙에서

색을 갈라 염색한 끈(선물 포장에 두르되, 축하 때에는 홍백·금은 따위, 흉사에는 흑백·남색 따위를 씀).

みずひき 【水引】 名【植】 이삭여뀌.

みずびたし 【水浸し】 名 침수(浸水) ; 물에 잠김.

みずぶくれ 【水ぶくれ・水脹れ】【水腫れ・水脹れ】 名 수종(水腫)(이 생김) ; 물집.

ミスプリント 名【印】 미스프린트 ; 오식(誤植). ＝ミスプリ. ▷misprint. 「ん.

みずべ 【水辺】 名 수변 ; 물가. ＝すいへ

みずぼうそう 【水ぼうそう】【水疱瘡】 -bōsō 名 수두(水痘) ; 마마. ＝すいとう (水痘).

*みずぼらし-い 【見窄らしい】 -shi 形 초라하다 ; 빈약하다. ¶～家〔服装〕 초라한 집(복장).

みずまくら 【水まくら】【水枕】 名 물베개 ; 물[얼음]을 넣은 고무 베개.

みずまし 【水増し】 名ス自他 ①물을 타서 양을 늘림. ¶～した酒 물을 타서 양을 불린 술. ②실질(實質)을 속여서 실제 이상으로 불리는 일. ¶～して請求する 실제보다 불려서 청구하다. ③규정보다 양을 늘림. ④물이 불음. ¶～入学 정원외 입학.

みす-ます 【見澄ます】 5他 정신 차려서 잘 보다 ; 확인하다. ¶人のいないのを～して忍び込む 사람이 없는 것을 확인하고 잠입하다.

みすみす 【見す見す】 副 뻔히 보면서, 빤히 알고 있으면서. ¶～損をする 눈 뜨고 손해보다.

みずみずし-い 【瑞瑞しい】 -shi 形 윤이 나고 싱싱하다. ¶～若葉 싱싱한 어린 잎 / ～顔 젊고 싱싱한 얼굴.

みずむし 【水虫】 名①【蟲】 물벌레. 속칭「フウセンムシ」. ②무좀. ¶～ができた 무좀이 생겼다.

みずめがね 【水眼鏡】 名 물안경.

みずもの 【水物】 名①마실 것 ; 물기가 많은 것. ②운에 좌우되기 쉬워서 예상할 수 없는 것. ¶選挙は～だ 선거는 예상할 수 없는 것이다.

みずや 【水屋】 名①(신사나 절에서) 참배인이 손을 씻는 곳. ＝みたらし. ②다실(茶室)에 딸린, 차 그릇을 씻는 곳. ③음료수를 파는 사람. ④여름철에, 빙수 따위를 파는 가게. ⑤(식기·찻잔·차器)를 넣는 장롱 같은 가구 ; 찬장.

みす-る 【魅する】 サ変他 (이상한 힘으로) 사람을 혹하게 만들다 ; 매혹하다 ; 반하게 하다. ¶悪魔に～・せられる 악마에 홀리다 / 美声に～・せられる 아름다운 목소리에 매혹되다.

みずろん 【水論】 名 (논물 때문에 일어나는) 물싸움. ＝水争い.

みずわり 【水割り】 名ス他 ①물을 타서 묽게 함 ; 또, 물을 타서 묽게(마시기 수월하게) 한 것. ¶～酒 물탄술. ②양을 늘려서 내용·질을 떨어뜨림.

*みせ 【店】 名【店舗】 가게 ; 상점 ; 점포. ¶～を出す 가게를 내다. ¶～を畳む 가게(장사)를 걷어치우다. ¶～を張る ①가게를 차려 장사를 하다. ②장녀가 유곽 앞에 지켜 서서 손님을 기다리다.

みせいねん 【未成年】 名 미성년. ¶～者 미성년자. ＝成年者.

みせかけ 【見せかけ】【見せ掛け】 名 외

관 ; 겉보기 ; 겉치레 ; 눈비음. ＝うわべ. ¶～はりっぱだ 겉보기는 훌륭하다 / ～ばかりの同情 겉뿐인 동정이다.

みせか-ける 【見せかける】【見せ掛ける】 下1他 겉으로만 그럴싸하게 보이게 하다 ; 겉을 꾸미다. ¶病気のように～する 앓는 것처럼 가장하다 / 病気のように～꾀병하다.

みせがまえ 【店構え】【見世構え】 名 점포의 구조(규모). ¶堂々とした～ 당당한 점포의 규모.

みせさき 【店先】 名 점두(店頭) ; 가게 앞. ¶品物を～に並べる 물품을 가게 앞에 벌여 놓다.

みせじまい 【店仕舞】 名ス自他 ①(그날의 영업을 마치고) 가게를 닫음(드림). ②폐업(폐점)함. ¶～売出し 폐업 대매출. ⇔店開き.

みせしめ 【見せしめ】 名 본때(를 보임) ; 본보기(로 징계(懲戒)함). ＝こらしめ. ¶～のために処刑する 본보기로 처벌하다.

ミセス 名 미세스 ; 기혼 여성. ↔ミス・ミスター. ▷Mrs. 《mistress.

みせつ-ける 【見せつける】【見せ付ける】 下1他 일부러 드러내 보이다 ; 여봐란 듯이 보이다 ; 과시하다.

みせに 【見せ金】 名 자담금(自擔金) ; 자기돈. 一を切る (남 또는 공용을 위해) 제돈을 들이다. ¶～を切って招待される 제돈을 들여 초대하다.

みせば 【見せ場】 名 특히 남에게 보이고 싶은 곳 ; 볼 만한 장면 ; 연극 따위에서 배우가 가장 하는 연기를 보이는 장면. 「보는 사람. ¶～を作る. 《見세物。

みせばん 【店番】 名 가게를 지킴 ; 가게 지킴이.

*みせびらか-す 【見せびらかす】 5他 자랑스럽게 내 보이다 ; 과시하다. ＝見せつける.

みせびらき 【店開き】 名ス自他 개점 ; 개업. ↔店じまい.

みせもの 【見せ物】【見世物】 名①(곡예나 요술 따위) 흥행. ¶～小屋 가설 흥행장. ②구경거리. 一にされる (뭇사람의) 웃음거리가 되다.

*み-せる 【見せる】 下1他 보이다. ①㉠남에게 보도록 하다. ¶本또는～ 책을 보이다 / ちょっと～・せてくれ 잠깐 보자. ㉡나타내다. ¶姿を～ 모습을 나타내다. ②상태를 겉모습으로 드러내다. ¶興味を～ 흥미를 보이다. ③겉을 꾸미다. ¶美しく～ 아름답게 보이(게 하)다. ④실태가 어떤 것인가를 들이다. ¶痛い目を～・せてやろう 뜨끔한 맛을 보여 주자. ⑤일부러 그렇게 행동하다. ¶～せる(‘…して～’의 꼴로》 (강한 의지를 나타내거나 시범 따위를) 해 보이다. ¶合格して～ 합격해 보이다. ⑥진찰을 받다. ¶医者に～・せた方が良いではないか 의사에게 보이는 것이 좋지 않은가. ⑦…が見える(＝볼 수 있다)’의 他動詞적 표현. ¶きざしを～ 조짐을 보이다.

みぜん 【未然】 名 미연. ¶～に防ぐ 미연에 방지하다. 一けい 【─形】 形 【文法】 미연형 ; 활용어의 활용형 제 1

단(특정한 조사·조동사에 접속하여 가
정·추량·부정 등을 나타냄).

*みそ【味噌】图 ①된장. ¶くそ~に言
"う 남을 나쁘게 말하다. ②된장 비슷
한 것. ¶かにの~ 게의 장／脳^の~ 골.
③자랑거리；특색. ¶手前^^~ 자기
자랑／~を上^げる 자기 일을 자랑하
다. ―をする 된장을 개다. ―をつける 실수
하다；체면을 잃다；얼굴에 똥칠하
다.

*みぞ【溝】图 ①개천；도랑；수채. =ど
ぶ. ②홈. ¶~を掘^る 홈을 파다. ③
사람 사이를 떼어 놓는 감정적 거리；
틈；장벽. =ギャップ. ¶二人^の間
^に~ができる 두 사람 사이가 벌어
지다.
　　　　　　　　　　　　〔처음임〕
みぞう【未曾有】-zo 图 미증유；역사상

みぞおち【鳩尾】图 ☞みずおち.
みそか【三十日・晦日】图 그믐날. =つ
ごもり. ¶~ばらい 월말 지불. ↔ついたち.

みそぎ【禊】图 ⌐五风他 목욕 재계.

*みそこな・う【見損なう】图 5他 ①잘못 보
다. ㉠헛보다；틀리게 보다. =見^あや
まる. ¶信号^を~ 신호를 잘못 보
다. ㉡평가를 잘못보다. ¶権能を~な
나를 허투로 보지 마라. ②볼 기회
를 놓치다；못 보다. =見^はずす. ¶
美術展^を~ 미술전을 못 보다.

みそさざい【鷦鷯】图〔鳥〕굴뚝새.
みそしる【味噌汁】图 된장
국. =おつけ・おみおつけ.

みそすり【味噌擂り】图 ①된장을 갬；
또, 그 사람. ②아첨함；알랑거림；또,
그 사람. =へつらい. ―ぼうず【―
坊主】-bōzu 图 ①잡목하니, 중을 경
멸하여 이르는 말.

みそっかす【味噌っ滓】-sokkasu 图
〈俗〉①된장 찌꺼기. ②쓸모 없는 사
람·물건. ③동무들한테서 따돌림을 당
한 아이.

みそっぱ【味噌っ歯】〔味噌っ歯〕mi-
soppa 图 아이들의 충치로 검게 썩
은 이빨.
　　　　　　　　　　〔'花'=みそはぎ.
みそはぎ【溝萩・千屈菜】图〔植〕부처꽃
みそひともじ【三十一文字】图〈雅〉단
가(短歌). 参考 5·7·5·7·7로 31자.
みそまめ【味噌豆】图〔삶은〕
메주콩.
みそ・める【見初める】图⌐下1他 ①처음 보
다；처음 만나다. ②첫눈에 반하다.
みそら【見空】图 ①신세；신상；몸. ¶
~に 若^き~で 젊은 몸으로.
みぞれ【霙】图 진눈깨비.
みそ-れる【見それる】〔見逸れる〕
⌐下1他 ①알아보지 못하다；못 보다보
다. ¶お~れしました 알아뵙지 못했습니
다.
みだ【彌陀】图〔佛〕미타('阿彌陀^を
(=아미타)'의 준말).
-みたい〈俗〉《体言 또는 活用語의 終
止形에 붙어서》(마치) …같다；…비슷
하다；…싶다. ¶ねこ~な犬 고양이
같은 개／まるで~さ~ね 마치 거짓말
같군요／子供^~な事を言^う 어
린애 같은 소리 마라／かぜをひいた
~だ 감기 든 것 같다／リンゴに赤^
い 사과처럼 붉다.
みたけ【身丈】图 ①(옷깃에서 끝단까

지의) 옷 길이. ②〈老〉키；신장.
みだし【見出し】图 ①표제(標題)；표
제어. ¶新聞記事の~ 신문의 표제. へッ
ドライン. ②색인(索引)；차례. ③발탁
(拔擢). ¶お~にあずかる 발탁되다.
　――ご【―語】图 표제어.
みだしなみ【身だしなみ】〔身嗜み〕图
①(복장·언어·태도 등의) 단정한 몸가
짐；차림새. ¶~がいい (옷차림이) 단
정하다. ②지도적 제종의 사람에게 요
구되는 상당한 교양이나 예능.
*みた・す【満たす】【充す】5他 채우다.
①가득히 채우다. ¶腹^を~ 배를 채
우다. ②만족(충족)시키다. ¶欲望を
~ 욕망을 채우다(충족시키다).
*みだ・す【乱す】【紊す】5他 어지럽히
다. ①흩뜨리다；어지럽히다. ¶列^を~
열을 흩뜨리다. ②혼란시키다.
みた・てる【見立てる】⌐下1他 ①보고 판
단하다. ㉠보고 선정(選定)하다；고르
다. ¶いい柄^を~ 좋은 무늬를 고르
다. ㉡감정(鑑定)하다. ¶本物^のだと
~ 진짜라고 감정하다. ②(…에) 비
기다；(…으로 보다). ㉠가정하다. =な
ぞらえる. ¶枝^の雪を花^に~ 가지
의 눈을 꽃에 비기다.
みたま【み霊】【御霊】图 (신이나 귀인
의) 영혼(높임말). ――や【―屋】图
묘(墓)／영묘(靈廟). =みたまや.
みため【見た目】图 ①눈에 비치는 모
습[모양]；겉보기；볼품. ¶~が悪い
볼품이 없다. ②분간(함)；판단.
みだら【淫ら・猥ら】ダナ 음란(淫乱,
난잡, 추잡)한 모양. ¶~な話^は음란
[추잡]한 이야기.
みだり【妄り・濫り・猥り】ダナ 사리에
어긋남；마구(함부로) 행동함；또, 분
별없음. ¶~なふるまい 분별없는 행
동.
みだりに【妄りに・濫りに・猥りに】副
함부로；멋대로. ¶~欠席^するな 함부
로 결석하지 마라.
みだれ【乱れ】图 ①흐트러짐；어지러
움；혼란. ¶世^の~ 세상의 어지러
움. ②(能楽^에서) 잦은 속도로 변화
하는 춤；또, 그 반주.
みだればこ【乱れ箱】图 벗은 의류(衣
類) 따위를 넣는 투껑 없는 상자. =み
だれかご.
*みだ-れる【乱れる】⌐下1自 어지러워지
다；흐트러지다；혼란[문란]해지다. ¶
髪^が~ 머리가 흐트러지다／国^が
~ 나라가 어지러워지다／心^がちち
に~ 마음이 천갈래로 흐트러지다(냉
정을 잃다).
*みち【道】【路・途・径】图 ①길. ㉠도로.
¶~無^き~ 길 없는 길／~に迷^う
길을 잃다. ㉡도중. ¶学校^へ行^く
~で 학교 가는 길에. ㉢도정(道程)；
거리. ¶~は遠^い 길은 멀다. ②인생
의 길(으로…걸어온[걸어가는] 길；출세의 길. ¶
いばらの~ 가시밭길／成功^への~
성공에의 길／~を誤^る (인생의) 길
을 잘못 들다. 전망；방도. ¶
生^きる~ 살아갈 길／助^ける~ 도와
줄 길. ㉣목표로 하여 걷는 길；진로. ¶
~を決^する 나아갈 길(방향)을 결정
하다. ㉤일의〔전문〕분야；방면. ¶芸
術^の~ 예도／その~の達人^だ 그 방면

み

〔길〕의 전문가. ②도덕·윤리적인 길; 도리; 진리. ¶人の～にそむく 인륜에 어긋나다. ⇒みちならぬ. **—がつく** 길이 트이다. ①길이 나다〔생기다〕. ②방도가 서다. ③실마리가 트이다. **—の者** 그 길에 뛰어난 사람; 명인.

みち【未知】名 미지. ¶～数 미지수 / ～の世界 미지의 세계. ↔既知.

みちあんない【道案内】名 길잡이. ①도표(道標); 이정표. =道しるべ. ②길 안내; 또, 길라잡이. ¶～を頼む 길 안내를 부탁하다.

*__みぢか__【身近】ダナ ①신변. ¶～に置く 몸 가까이 두다 / ～に迫る 신변에〔가까이〕 다가오다. ②자신에게 관계가 깊은 모양. ¶～に感ずる 친근하게 느끼다.

みちが-える【見違える】下1他 잘못 보다; 몰라보다. =見誤る. ¶～ほど変わった 몰라볼 만큼 변했다.

みちくさ【道草】(路草) 名 ①길가의 풀; 노방초(路傍草). ②길가는 도중에 딴짓으로 지정거림. **—を食う** (도중에서) 지정거리다.

みちしお【満ち潮】(満ち汐) 名 만조; 밀물. =上げ潮. ↔引き潮.

みちじゅん【道順】-jun 名 목적지로 가는 길의 순서.

みちしるべ【道しるべ】(道標) 名 ①길잡이. =道案内. ㉠도표; 이정표. ㉡지침. ②【みちしるべ】〔蟲〕☞はんみょう.

みちすがら【道すがら】(道次) 副 〈老〉 길을 가면서; 가는 도중. =道道. ¶～話をする 길을 가면서 이야기하다.

みちすじ【道筋】名 ①지나가는 길; 코스. =とおり道. ¶～の風景 연도(沿道)의 풍경. ②사물의 도리; 조리(條理); 이치. =すじみち. ¶～が立たない 조리가 닿지 않다.

みちづれ【道連れ】名 동행(자); 길동무; 반려자(伴侶者).

みちならぬ【道ならぬ】連体 도덕〔윤리〕에 어긋나는. ¶～恋 불륜의 사랑; 사련(邪戀).

みちのべ【道の辺】名 〈雅〉 노변(路邊); 길가.

みちのり【道のり】(道程) 名 도정; 행정(行程); 거리. ¶～が遠い 길이〔거리가〕 멀다 / 大した～ではない 대단한 거리는 아니다.

みちばた【道端】名 길의 주변; 길가; (넓은 뜻으로는) 길. =路傍. ¶～で遊ぶ 길(가)에서 놀다.

みちひ【満ち干】名 간만(干滿). =干満. ¶潮の～が激しい 조수의 간만이 심하다.

みちびき【満(ち)引(き)】名 (조수의) 간만(干滿).

みちびき【導き】名 인도; 지도; 유도; 안내.

**__みちび-く__【導く】5他 인도하다; 이끌다. ①길잡이를 하다; 데리고 가다. ②지도하다; 가르치다. ③어떤 일이 그렇게 되게 하다. ¶交渉を有利に～ 협상을 유리하게 이끌다.

みちぶしん【道普請】名 도로(의 개설이나 보수) 공사.

みちみち【道道】副 길을 (걸어) 가면서. =みちすがら. ¶～話をして歩く 길을 가면서 이야기하다.

みちゃく【未着】-chaku 名 미착; 미도착. ↔既着.

*__み-ちる__【満ちる】(充ちる) 上1自 차다. ①그득 차다. ¶水が～ 물이 차다 / 活力〔自信〕に～·ちた 활력〔자신〕에 찬 / 諧謔に～·ちた 해학이 넘치는. ↔欠ける·乏しい. ②(달이) 둥글어지다. ¶月が～ 달이 차다. ↔欠ける. ③완전해지다; 충족되다. ¶条件が～ 조건이 충족되다. ④(기한이) 다 되다; (기한에) 달하다. ↔余る·残す. ⑤만조(滿潮)가 되다.

みつ『蜜』名 꿀. =はちみつ.

みつ【三つ】名 〈雅〉 ①셋. ②세 살. 注意 'みっつ'라고도 함.

みつ【密】ダナ ①비밀. ②빽빽함; 꽉 들어참; 조밀함. ↔疎. ¶人口が～だ 인구가 조밀하다. ③잘 미침; 긴밀. ¶連絡を～にする 연락을 긴밀히 하다. ↔粗. ④밀접; 친밀. ¶～な間柄 친밀한 사이. ↔疎.

みつうん【密雲】名 밀운; 짙은 구름.

__みっか__【三日】mikka 名 ①초사흘. ②사흘. ¶～間 3일간. **—にあげず 사흘이 멀다 하고; 매일처럼. **——ぼうず**【——坊主】-bōzu 名 무엇에나 곧 싫증을 냄; 또, 그런 사람.

みっかい【密会】mikkai 名 ス他 밀회.

**__みつか-る__【見つかる】5自 발견되다. ①들키다; 발각되다. ¶先生に～ 선생님에게 들키다. ②(찾던 것을) 찾게 되다. ¶迷子〔解決策〕が～ 미아가〔해결책이〕 발견되다 / 本が～·らない 책이 발견되지 않다.

みつぎ【密儀】名 참가자를 한정해서 행하는 비밀〔비공개〕 의식.

みつぎ【密議】名 밀의. ¶～をこらす 밀의를 (거듭)하다.

みつぎもの【貢ぎ物】(調ぎ物) 名 공물; 조공.

みっきょう【密教】mikkyō 名 〔佛〕 밀교. ↔顕教.

みつ-ぐ【貢ぐ】(献ぐ) 5他 ①공물〔조공〕을 바치다; 헌상(獻上)하다. ②금품을 보내다〔보태 주다〕.

ミックス mikku- 名 ス他 믹스; 혼합; 혼성. ▷mix.

みつくち【三つ口】(兎唇) 名 언청이. =いぐち.

みづくろい【身繕い】名 ス自 몸치장; 몸차림. =みじたく·みごしらえ.

みつくろ-う【見繕う】5他 (물품 따위를) 보고 적당한 것을 골라 갖추다; 적당한 것으로 정하다. =見はからう.

みつげつ[蜜月] 名 밀월. ¶～旅行 밀월 여행.

**__みつ-ける__【見つける】下1他 ①찾(아내)다; 발견하다. ¶仕事を～ 일을〔일자리를〕 찾아내다 / 糸口を～·け出す 실마리를 찾아내다. ②늘 보다; 자주 보아서 눈에 익다. ¶あまり～·けない顔だ 그다지 눈에 익지 않은 얼굴이다.

みつご【三つ子】(三つ児) 名 ①세 쌍둥이. ②세살된 아이. **—の魂, 百まで** 세 살 적 버릇이 여든까지 간다.

みっこう【密行】mikkō 名 ス自 밀행; 미행(微行).

みっこう【密航】mikkō 名 ス自 밀항. ¶～船 밀항선.

みっこく【密告】mikko- 名 ス他 밀고.

¶警察^{けいさつ}に〜する 경찰에 밀고하다.
みっし【密使】 misshi 图 밀사.
みっしつ【密室】 misshi- 图 밀실.
***みっしゅう【密集】** misshū 図 ス自 밀집. ¶〜部隊^{ぶたい}는 밀집 부대.
みっしょ【密書】 missho 图 밀서.
ミッション misshon 图 미션. ①사절단. ②(기독교의) 전도 단체. ③ミッションスクール(=미션 스쿨)'의 준말. ▷mission.
みっしり misshiri 副 ①착실히. ②충실히 ; 열심히. ¶〜勉強^{べんきょう}する 착실히 공부하다. ⓑ많이 ; 충분히 ; 흠씬. ¶〜ため込^こむ 돈을 착실히 모으다. ②호되게. ¶〜しかる 호되게 꾸짖다. ②꽉 ; 빽빽이 ; 잔뜩. =びっしり.
みっせい【密生】 missei 图 ス自 밀생.
***みっせつ【密接】** misse- 一접. 一ス自 빈틈없이 꼭 붙음. 二ダナ 관계가 매우 깊은 모양. ¶〜な関係^{かんけい}にある 밀접한 관계에 있다.
みっそう【密葬】 missō 图 ス他 밀장. ①몰래 장사를 지냄. ②집안끼리 모여 장례를 지냄 ; 또, 그 장의. ↔本葬^{ほんそう}.
みつぞう【密造】 -zō 图 ス他 밀조. ¶〜酒^{しゅ} 밀주.
みつぞろい【三つぞろい】(三つ揃い) 图 세 벌 갖춤 ; (특히, 양복의) 세 갖춤.
みつだん【密談】 图 ス自 밀담. ¶〜を重^{かさ}ねる 밀담을 거듭하다.
***みっちゃく【密着】** mitchaku 图 ス自 밀착. "비밀의 조치.
みっちょく【密勅】 图 밀칙 ;
みっちり mitchiri 副〈口〉☞みっしり. ¶〜教^{おし}え込^こむ 착실히〔철저히〕가르치다.　　　　　　　　　　「つ).
‡**みっつ【三つ】** mittsu 图 ☞みっつ(三).
みっつう【密通】 图 ス自 밀통. ①내통. ②사통. =私通^{しつう}. ¶他^たの男^{おとこ}と〜する 다른 사내와 밀통하다.
みってい【密偵】 mittei 图 밀정. ①스파이 ; 잔첩. ②비밀 탐정.
ミット mitto 图 미트. ▷mitt.
***みつど【密度】** 图 밀도. ¶人口^{じんこう}〜 인구 밀도 / 〜の高^{たか}い話^{はなし} 밀도 높은 이야기.
みつどもえ【三つどもえ】(三つ巴) 图 ①바깥쪽으로 도는 소용돌이 모양이 셋 있는 무늬. ②삼파 ; 셋이 대립하여 서로 되얽힘 ; 정립. ¶〜の戦^{たたか}い 一争^{あらそ}い 삼파전.
***みっともな-い** mitto- 厖 ①보기 흉하다 〔싫다〕 ; 꼴불견이다. =見苦^{みぐる}しい. ¶〜まね 꼴사나운 짓. ②창피하다. ¶〜話^{はなし} 창피한 이야기.
みつにゅうこく【密入国】 -nyūkoku 图 ス自 밀입국. =みつにゅうごく.
みつば【三葉】 图 ①세잎. ②【植】파드득나물. =みつばぜり.
みつば【密葉】 〔植〕
みつばち【蜜蜂】 图【蟲】 밀봉 ; 꿀벌.
みっぷう【密封】 mippū 图 ス他 밀봉. ¶〜した手紙^{てがみ} 밀봉한 편지.
みっぺい【密閉】 mippei 图 ス他 밀폐. ¶〜して保存^{ほぞん}する 밀폐하여 보존하다.
みつぼう【密謀】 -bō 图 ス他 밀모 ; 은밀히 꾀함.　　　　　　　　　　　「역.
みつぼうえき【密貿易】 -bōeki 图 밀무

みつまた【三つまた】(三つ叉・三つ股) 图 (강·길 따위가) 세 갈래로 갈라짐 ; 또, 그렇게 된 곳 ; 삼거리. ¶〜の道^{みち} 세 갈랫길.
みつまた【三椏】 图【植】삼지닥나무.
みつまめ【みつ豆】(蜜豆) 图【料】삶은 완두콩에 골패짝같이 썬 무를 넣고 꿀을 친 음식.
みつみつ【密密】 副 ①몰래 ; 비밀히 ; 은밀히 ; 살짝. ¶〜の相談^{そうだん}은 은밀한 상의. ②친밀한 모양. ③밀착〔밀집〕한 모양.
***みつ-める【見詰める】** 下一他 응시하다 ; 주시하다. ¶人^{ひと}の顔^{かお}を穴^{あな}のあくほど〜 남의 얼굴을 뚫어지게 보다.
***みつもり【見積(も)り】** 图 어림 ; 견적. ¶〜書^{しょ}〔価格表^{かかくひょう}〕 견적서〔가격〕 / 〜を取^とる 어림하다.
***みつも-る【見積(も)る】** 5他 (눈)어림하다 ; 대중잡다 ; 견적·평가하다 ; 또, 예정·추측하다. ¶内輪^{うちわ}に〜 좀 적게 어림잡다 ; 줄잡다 / 予算^{よさん}を〜 예산을 잡아보다〔어림하다〕.
みつやく【密約】 图 ス自他 밀약.
みつゆ【密輸】 图 ス他 밀수. ¶〜船^{せん} 밀수선.
みつゆしゅつ【密輸出】 -shutsu 图 ス他 밀수출. ↔密輸入^{みつゆにゅう}.
みつゆにゅう【密輸入】 -nyū 图 ス他 밀수입. ↔密輸出^{みつゆしゅつ}.
みづら-い【見づらい】(見辛い) 厖 ①보기 흉하다〔딱하다〕 ; 바로〔눈뜨고〕볼 수가 없다. ②잘 보이지 않다 ; 보기 어렵다. =みにくい.
みつりょう【密漁】 -ryō 图 ス他 밀어. ¶〜船^{せん} 밀어선.
みつりょう【密猟】 -ryō 图 ス他 밀렵. ¶〜者^{しゃ} 밀렵자.
みつりん【密林】 图 밀림. =ジャングル. 一地帯^{ちたい} 밀림 지대. ↔疎林^{それん}.
みつろう【蜜蠟】 -rō 图 밀(랍). 황랍.
***みてい【未定】** 图 미정. ¶行先^{ゆきさき}は〜だ 행선지는 미정이다. ↔既定^{きてい}.
みてくれ【見てくれ】(見て呉れ) 图〈俗〉외관 ; 겉모양 ; 겉모습. =うわべ. ¶〜かけ. ¶〜がわるい〔よい〕 외관이 나쁘다〔좋다〕.
みてと-る【見て取る】 5他 간파〔간취〕하다 ; 알아채다. =見^みやぶる·見^みぬく. ¶やる気^きがないことを〜 할 마음이 없음을 알아채다.
みとう【未到】 -tō 图 미도 ; 미답(未踏) ; 아직 아무도 이르지 않음.
みとう【未踏】 -tō 图 미답 ; 아직 아무도 밟지 않음.
みとう【味到】 -tō 图 ス他 〔내용을〕충분히 맛봄 ; 잘 음미함. =味得^{みとく}.
みどう【み堂】(御堂) -dō 图 불상을 안치한 당집. お미どう.
***みとおし【見通し】(見透し)** mitō- 图 ①전망. ②멀리까지 내다봄 ; 또, 훤히 트임. ¶〜のいい道^{みち} 앞이 툭 트인 길. ⓑ앞일을 내다봄 ; 장래의 예측. ¶(景気^{けいき}の)〜は明^{あか}るい (경기) 전망은 밝다 / 〜が立^たつ〔つく〕 전망이 서다 / 先^{さき}の〜が利^きく 앞일을 내다보다. ②꿰뚫어 봄 ; 환히 앎〔내다봄〕. ¶何^{なに}もかも(お)〜だ 무엇이건 다 알고 있다. ③처음부터 끝까지 봄.

みとお-す【見通す】【見透す】-tōsu ⑤他 ①(처음부터 끝까지) 모두 보다. ②내다보다. ⊙멀리까지 한눈에 보다. ¶林ⁿ의 向ⁿ쪽까지 ~ 숲 저쪽까지 멀리 내다보다. ⓒ꿰뚫어 보다; 간파하다. ¶相手ﾃ의 計略ﾘ을 ~ 상대의 계략을 꿰뚫어보다. ⓒ(장래의 일까지) 미리 예견[예측]하다. ¶将来ﾗ을 ~ 장래를 내다보다.

みとが-める【見とがめる】【見咎める】下1他 ①(불심) 검문하다. ¶警官ﾝ에게 ~められる 경관에게 불심 검문당하다. ②보고 비난하다.

みとく【味得】图 ᄌ他 음미하여 이해함. =味得ﾃ하ᄂ다.

みどく【未読】图 미독; 아직 읽지 못함.

*みところ【見どころ・見所・見処】【見処】图 ①볼 만한 곳[대목]. ¶この映画ﾜ의～ 이 영화의 볼 만한 대목. ②장래성; 장점. ¶～がある 장래성이 있다.

*みとど-ける【見届ける】下1他 끝까지 보고 확인하다; 마지막까지 지켜보다. ¶主人ﾝ의 出ﾃ かける을 ~ 주인의 외출을 봄(직접 보고) 확인하다. ¶最期ﾞ를 ~ 임종[죽음]을 지켜보다.

みとめ【認め】图 ①인정함. ②みとめいん의 준말.

みとめいん【認め印】图 (막) 도장; 인정하는 증거로 찍는 도장. =実印ﾝ.

‡**みと-める**【認める】下1他 인정하다. ①인정하다. ¶異常ﾞ を ~ 이상을 인정하다. ②판단하다. ¶異議ﾞなしと ~ 이의 없는 것으로 인정[간주]하다. ③적당하다고(이유 있다고) 보다. ¶役所ﾈ としては～わけには行ⁿかない 관청으로서는 인정할 수가 없다. ④좋게 평가하다.

みども【身ども・身共】图〈雅〉자기를 [자기들을] 가리키는 말: 나; 우리.

みとり【見取り】图 ①보고 베낌. ③ ☞みとりざん. —ざん【見取算】图 (주산의) 보고놓기 셈. —ず【見取図】图 겨냥도.

‡**みどり**【緑】【翠】图 ①녹색; 초록(빛). ¶～いろ 녹색. /～したたる五月ﾂ の新록이 우거지는 5월. ②〈雅・方〉나무의 새싹. ③〈雅〉소나무의 새잎. ④〈雅〉푸른색; 청색. —のおばさん 소학교 학생의 등하교 때 교통 정리를 하는 여성; 녹십자 아주머니. —の黒髪ﾐ (젊은 여성의) 윤이 나는 검은 머리의 비유. —の週間ﾝ〈法〉녹화 운동을 우한 매년 4월 1일부터 7일까지의 1주일 간. —の太陽ﾖ〈物〉녹색의 태양(해돋이와 해가 질 때에 단시간 볼 수 있는 반원형의 녹색 태양 섬광).

みどり【見取り】图 둘러보아 마음대로 고름. 「이. =えいじ.

みどりご【嬰児】图〈雅〉젖먹이; 젖먹

みと-る【見取る】⑤他 ①보고 알아 차리다; 보다. ②あやしいと～ 수상하다고 보다. ②보고 베끼다.

みと-る【看取る】⑤他 병 시중을 들다.

‡**みと-れる**【見とれる】【見惚れる】【見惚れる】下1自 정신없이 보다; 넋 잃고 보다. ⇔聞ﾈ きとれる.

=みどろ《名詞に付いて》…투성이. =…まみれ. ¶血ﾁ ～ 피투성이 /汗ﾞ～ 땀투성이.

─────

‡**みな**【皆】图 다; 모두; 전부. ¶～集ﾂ まる 모두가 모이다. —が—모두; 낚김없이; 모조리. —になる 다 되다; 바닥(동)이 나다. =尽ﾂ きる.

みな【皆】一代 모두들. ¶～は、きょうはよくやった 모두들 오늘은 잘 했다. 二副 모두; 전부. ¶～くれてしまった 모두 주어 버렸다.

みなお-す【見直す】⑤他 ①(처음부터) 다시 보다. 「터) 다시 보다. ②答案ﾝ을 ~ 답안을 다시 보다. ②보고 다시 평가하다. ¶わが子ﾞを ~ 내 자식을 다시 보다. 二回①(병이나 경기가) 나아지다; 회복[호전]하다. ¶病人ﾝ は~ して ᄐた 환자는 차차 나아졌다.

みなかみ【水上】图〈雅〉①강위쪽; 상류. —川上ﾐ. ⇔水下ﾓ 도. ②기원(起源); 근원(根源). =みなもと.

*みなぎ-る【漲る】⑤自 넘치(게 되)다. ①물이 그득 차다[차란차란해지다]. ②넘쳐 흐르다. ¶～若ﾂ さ 넘치는 젊음 /闘志ﾈ が ~ 투지가 넘치다. =投身ﾝ する.

みなげ【身投げ】图ᄌ自 투신 (자살); 몸을 던짐. =投身ﾝ する.

みなごろし【皆殺し】【皆】图 몰살(沒殺). ¶一家ﾝ～になる 한집안 식구가 몰살되다.

みなさま【皆様】代 여러분(경어). 參考口語형은 ‘みなさん’.

みなしご【孤・孤児】【孤児】图 고아. =孤児ﾞ. ¶～を引ﾋ く 고아를 떠맡다.

*みな-す【見做す・看做す】⑤他 간주하다; 보다; 가정하다. ¶返事ﾞ の ない者ﾓ は賛成ﾝ と~ 대답이 없는 자는 찬성으로 간주하다.

みなづき【水無月】图〈雅〉음력 6월.

‡**みなと**【港】【湊・水門】图 항구.

みなとまち【港町】图 항구 도시.

みなのか【三七日】图 사람이 죽은 뒤 21일 째; 삼칠재(三七齋). =みなぬか; さんしちにち.

みなのしゅう【皆の衆】-shū 图〈俗〉모든 사람; 모두들. =みなな. ¶～、よく聞ﾅ け 모두들 잘 들어라.

みなみ【南】图 남; 남쪽; 남부. ¶～の国 남쪽 나라; 남쪽; 마파람. ¶～が強ﾂ い 마파람이 세다. ⇔北ﾀ.

みなみかいきせん【南回帰線】图 남회귀선. 「가다. ⇔北ﾀ する.

みなみ-する【南する】⑤自 남쪽으로가다.

みなみな【皆皆】图副 모두; 전부; 죄다. —さま【皆様】代 여러분.

みなみはんきゅう【南半球】-kyū 图 남반구. ⇔北半球ﾀ.

みなもと【源】图 ①수원(水源). =水源ﾞ. ②기원; 근원. =おこり・水上ﾓ. ¶事件ﾝ の~ 사건의 근원.

みならい【見習(い)】图 견습; 수습. ¶～期間ﾝ 수습 기간. —こう【見習工】-kō 图 견습공; 수습공.

*みなら-う【見習う】【見倣う】⑤他 ①본받다. ¶少ﾆ し彼女ﾖを～え 그를 좀 본받아라. ②보고 배우다[익히다]; 수습(견습)하다. ¶家事ﾞを ~ 가사를 보고 익히다.

*みなり【身なり】【身形】图 옷차림. ¶～をかまわない 옷차림에 무관심하다.

みな-れる【見慣れる】【見馴れる】下1自 (늘) 보아서 익숙하다; 눈ﾒ 낯

익다. ¶～･れね人々 낯선 사람.
ミニ＝ 미니…;소형의 것. ¶～コン 소
형의 전자 계산기. ▷mini.

*みにく-い【見にくい】形 보기 나쁘다･보기 어렵다. ¶～席は 보기 나쁜 좌석 /～活字が 알아보기 힘드는 활자.

*みにく-い【醜い】形 추(악)하다;보기 흉하다;못생기다. ¶～女等 못생긴 여자;추녀 /～行為等 추악한 행위.

*みぬ-く【見抜く】5他 알아차리다;간파하다;꿰뚫어 보다;통찰하다. ¶うそを～ 거짓을 간파하다 /人々の才能等がある 사람의 재능을 알아보는 힘이 있다.

みね【峰】【峯・嶺】图 ①봉우리. ②一つづき 봉우리의 연속. ③칼등. ④물건의 봉우리처럼 높게 된 부분.

みの【美濃】图 도롱이. ＝完納等.

みのう【未納】-no 图 미납. ＝既納等.

みのうえ【身の上】图 ①신상;일신의 처지〔환경〕. ¶～ばなし 신상 이야기. ②운명. ¶～判断等る 운명 판단.

みのがさ【蓑笠】图 도롱이와 삿갓.

みのが-す【見逃す】【見遁す】5他 ①못 보고〔그 빠뜨리〕다;놓치다. ¶～おことす.〔一字等を～ 한 자를 빠뜨리고 보다 /チャンスを～ 찬스를 놓치다.〕②묵인하다;눈감아(보아) 주다. ¶過失等を～ 과실을 묵인하다.

みのがみ【美濃紙】图 미농지.

みのがめ【蓑亀】图 ①등딱지에 이끼･말이 붙어 도롱이를 입은 것 같은 남생이(상서롭게 첨음). ②[動]'しょうがくぼう'의 딴이름.

みのかわ【身の皮】图 몸에 걸친 옷.
──をはぐ ①(입은) 옷을 벗다. ②〈俗〉살아가기 위해 입은 옷까지 팔다.

みのけ【身の毛】图 몸의 털. ──がよだつ 소름이 끼치다.

みのしろ【身の代】图 ①재산;가산(家産). ②'みのしろきん'의 준말. ──きん【──金】图 (기생･창녀로 팔 때나 인질의) 몸값. ¶～丈. ＝せたけ.

みのたけ【身の丈】【身の長】图 키;신장.

みのほど【身の程】图 (자신의) 분수. ＝分際等. ¶～をわきまえる〔知る〕 분수를 알다. ──しらず【──知らず】图 (자신의) 분수를 모름; 또, 그런 사람.

*みのまわり【身の回り】图 ①늘 몸에 지녀가 곁에 두고 쓰는 신변의 물건. ¶～を整える 신변물을 정리하다. ②신변의 일;個人の일. ¶～のことは自分々でする 제 일은 스스로 한다.

みのむし【蓑虫】【蟲】图 도롱이벌레.

みのり【実り】【稔り】图 결실;소득;성과. ¶～の秋等 결실의 가을 /～の多等い話等을 얻는 바가 많은 이야기.

みばえ【見栄え】【見映え】图 볼품이 좋음;보기에 좋음. ¶～がする 돋보이다 /～がしない 보기에 좋지 않다.

みはから-う【見計らう】5他 가늠보다〔하다〕;적당히 고르다. ＝みつくろう.

みはつぴょう【未発表】-happyō 图 미발표. ¶～の論文等 미발표의 논문.

みはな-す【見放す】【見離す】5他 단념〔포기〕하다. ＝見々すてる. ¶お医者等に～される 의사에게 (가망이 없다고) 버림받다.

みはらい【未払い】图 미불. ＝既払等い.

みはらし【見晴らし】图 전망. ¶～がいい 전망이 좋다.

みはら-す【見晴らす】5他 ①전망〔조망〕하다;멀리 바라보다. ¶遠く海等を～ 멀리 바다를 바라보다. ②目等を～ 주목케 하다.

*みはり【見張(り)】图 망(보기);지켜봄;파수(꾼). ¶一番等 파수꾼이다 /～を置等く 파수꾼을 두다.

みは-る【見張る】5他 ①瞳る (눈을) 크게 뜨다. ¶目等を～ 눈을 크게 뜨다. ②망보다;파수하다;지키다. ¶国境等を～ 국경을 경비하다.

みびいき【身びいき】【身贔屓】区他 가까운 사람만 편들어(돌봐)줌.

みひとつ【身一つ】图 제몸 하나;자기 혼자. ¶～で暮等らす 혼자서 지내다.

みひらき【見開き】图 책･잡지･신문 위를 폈을 때, 마주 보는 좌우 양페이지(의 인쇄면). 〔다.

*みひら-く【見開く】5他 눈을 크게 뜨.

*みぶり【身振(り)】图 몸짓. ＝手振等り 몸짓 손짓.

みぶるい【身震い】区自 몸을 떪;몸이 떨림;몸서리. ¶聞々いただけで～する 듣기만 해도 몸서리쳐진다.

‡みぶん【身分】图 ①신분. ㉠사회적 지위. ¶いやしい～ 천한 신분. ㉡신분이 다르다. ②[法] 법률상의 지위. ¶～を保証等する 신분을 보증하다 (약간 비꼬는 투로) 처지;신세;팔자. ¶いい～ですね 팔자 좋군요.

みぼうじん【未亡人】-bōjin 图 미망인;과부. ＝ごけ. ¶戦争等の～ 과부가 되다 /戦争等の～ 전쟁 미망인.

みほ-れる【見ほれる】【見惚れる】下1自 넋을 잃고 보다;보고 흘딱 반하다. ＝見々とれる. ¶～ような美人等 흘딱 반할 만한 미인.

*みほん【見本】图 견본;겨냥;표본. ＝サンプル. ¶～一組等 견본(시험) 조판 /─刷等 견본(시험)쇄 /～と違等う 견본과 다르다. ──いち【──市】图 견본시(상품 견본을 진열하여 선전･소개하는 행사). ¶国際等～ 국제 견본시.

みまい【見舞】图 ①문안;문병;위문. ¶病気等～ 문병 /～客等 문안〔문병〕객 /～品等 위문품 /～に行等く 문안〔문병〕가다. ②(비유적으로) 상대방에게 타격을 주는 일. ¶一発等お～するか 한 대 먹여볼까.

*みま-う【見舞う】5他 ①(병)문안하다;위문하다. ¶病人等を～ 환자를 문병하다. ②(갑작지 않은 것이) 닥쳐오다;덮치다. ¶災難等に～われる

재난을 당하다. ③타격을 가하다. ¶
げんこつで～ってやるぞ 한 주먹 먹
일테다.

みまが-う【見まがう】【見紛う】⑤他 잘
못 보다; 오인하다. ¶誤認する; ¶雪
を～花と 눈으로 잘못 볼 만큼 흰 눈.

みまちが-える【見間違える】下1他 잘
못 보다. ¶〃.

みまね【見まね】【見真似】名 보고 흉내
냄.

みまも-る【見守る】⑤他 지켜보다. ¶
成行ゆきを～되어 가는 추세를 지켜
보다. ¶변을 둘러보다.

みまわ-す【見回す】【見廻す】⑤他 (주
위를) 둘러보다; 순찰; 또, 그 사람. ¶工場こうじょうの～をする 공
장 안을 돌아보다.

*__みまわ-る__【見回る】【見廻る】⑤自 (순
찰이나 구경하기 위해) 돌아보다;
(아다니다). ¶夜よるの町まちを～ 밤거리
를 돌아다니다. ¶세 미만.

*__みまん__【未満】名 미만. ¶六歳さい～ 6

みみ【耳】名 귀. ¶듣는 기관. ¶～が
大おおきい 귀가 크다／～をふさぐ 귀를
막다／～をほじる 귀를 후비다／～に
残のこる 한 말이 잊혀지지 않다／～を聾
ろうするような 귀가 먹먹해지는／～が
さとい【鋭さとい】 귀가 예민하다; 잘든
다. ¶귀 모양의 것. 냄비의 손잡이·
족자리·針はりの～ 바늘귀. ¶종이·직
물 등 평평한 것의 ～. 紙かみの～ 가장
자리. ¶ぞえる 종이의 귀를 맞추다. ～が痛
いたい 귀가 아프다(남의 말이 자기의 약
점을 찔러서 듣기 거북하다). ～が遠
とおい 귀가 어둡다(먹다). ～が早はや
い 소문 따위를 듣는 것이 빠르
다. ～に逆さからう／～に障さわる 귀에 거
슬리다. ¶忠言ちゅうげんは～に逆らう 충언
은 귀에 거슬린다. ～にする 듣다. ¶
うわさを～にする 소문을 듣다. ～に
たこができる 귀에 못이 박히다. ～に
つく ①듣는 말이 잊혀지지 않는다. ～に
入はいる 귀에 들어오다; 역겨게 들
리다. ～に挟はさむ 언뜻(얼핏) 듣다.
～を覆おおって鈴すずを盗ぬすむ；～を掩おおっ
て鐘かねを盗ぬすむ 귀막고 방울 도둑질한
다. ～を貸かす 귀를 기울이다; 남의 이
야기를 듣다. ～を傾かたむける 귀를 기울
이다. ～を澄すます；～をそばだてる
신경을 집중해서 듣다; 귀를 기울여 듣
다. ～をそろえる ①우수리를 채워서
목으로 만들다. ②여럿이 모여서 이야
기를 듣다. ¶귀.

みみあか【耳あか】【耳垢】名 귀에지.

みみあたらし-い【耳新しい】-shī 形 듣기
시 초문이다; 귀에 새롭다. ¶～な話だ
だ 처음 듣는 이야기다.

みみうち【耳打(ち)】【耳打】⑤自 귓속말.
=みみこすり. ¶そっと～(を)する 살
짝 들려주다. ¶~개.

みみかき【耳かき】【耳掻き】名 귀이개.

みみがくもん【耳学問】名 귀동냥; 어깨
넘어글; 얻어들은 지식.

みみかざり【耳飾(り)】名 귀걸이; 귀
고리. =イヤリング. ¶밝다.

みみざと-い【耳ざとい】【耳敏い】形 밝다.

みみざわり【耳触り】 귀로 들었을
때의 느낌. ¶～がよい 듣기가 좋다.

みみざわり【耳障り】名 귀에 거슬
림. ¶～な話だ 귀에 거슬리는 얘기.

みみず【蚯蚓】名【動】지렁이.

みみずく【木菟】名【鳥】부엉이·수리
부엉이 등의 총칭.

みみずばれ【蚯蚓脹れ】名 피부의 곪
힌 자리가 지렁이처럼 길게 부어오름;
또, 그 곳. ¶불.

みみたぶ【耳たぶ】【耳朶】名 이타; 귓
불.

みみっち-い -mitchī 俗 인색하다;
다랍다; 째째하다; 좀스럽다. ¶～事
ことをする 다라운 짓을 하다.

みみどお-い【耳遠い】-dōi 形 ①귀먹
다; 귀가 어둡다. ②귀설다. ¶～は耳とおく
ない. ¶～話ばなし〔ことば〕귀에 선 이야
기〔말〕.

みみなり【耳鳴り】名 이명; 귀울음.

みみな-れる【耳慣れる】【耳馴れる】
下1自 귀에 익다. ¶～聞きかなれる. ¶
～れぬ音ね 귀선 소리.

みみもと【耳もと】【耳元】名 귓
전. ¶～でささやく 귓전에 대고 속삭
이다.

みみより【耳寄り】名 (듣고) 솔깃해
지는 모양; 듣고 알아 둘 만함. ¶それ
は～な話だ その それ 반가운〔괜찮은〕이
야기군.

みみわ【耳輪】【耳環】名 귀고리; 이
환. =イヤリング.

みむき【見向き】名 (그쪽으로) 돌아다
봄. ──もしない 돌아다〔거들떠〕보지
도 않다.

みむ-く【見向く】⑤他 (그 쪽으로) 얼
굴을 돌리다; 돌아다보다.

みめ【みめ・見目】名①겉모양;
외관; 외모. ¶～は女性じょせい 용모가
단정한 여성. ②면목; 명예; 체면. ¶
～をはばかる 체면을 거리다.

みめい【未明】名 미명. ¶八日ようか～に
出発しゅっぱつする 8일 미명에 출발하다.

みめかたち【みめかたち・見目形】名 얼
굴과 자태.

みめよ-い【みめよい・見目良い】【見目
好い】形 용모가 아름답다; 잘생기다.

ミモザ【植】①미모사; 함수초(含羞
草). ②俗 꽃아카시아. ▷mimoza.

みもだえ【身もだえ】【身悶え】名又名
몸부림.

みもち【身持(ち)】名①몸가짐; 품행.
¶～の悪わるい男おとこ 품행이 나쁜 남자.
②임신함. =身重みおも. ¶～になる 임신
하다.

*__みもと__【身もと・身元】【身許】名 신원.
¶～不明ふめい 신원 불명／～証明しょうめい
〔引ひき受うけ〕신원 보증／～が割われる
신원이 밝혀지다〔드러나다〕.

みもの【見物】名 볼 만한 것. ¶この
試合しあいは～だ 이건 볼 만한 경기다.
=けんぶつ. ¶대 미문.

みもん【未聞】名 미문. ¶前代ぜんだい～ 전

みや【宮】名①신사(神社). ②(お)～
参まいり 신사 참배. ②(宮의 칭호를 받고
분가한) 황족(집안)의 높임말. ¶～
さん 황족님. ¶〃雅〕궁성.

みやいりがい【宮入貝】名【貝】고둥의
일종. =かたやまがい.

*__みゃく__【脈】myaku 名①맥; 맥박. ¶
～をとる 맥을 짚다／～を見みる 맥박을
(짚어) 보다／～を打うつ 맥이 뛰다.
②사물의 가망성·희망. ③어떤 연결
〔관계〕; 기맥(氣脈). ¶かげで～を引

いている 내밀히 기맥을 통하고 있다.
―が上がる ①맥박이 멎다；죽다. ② 가망(희망)이 없어지다；절망적이 되다. **―がある** ①살아 있다. ②아직 회 망이 있다.

みゃくどう【脈動】myakudō 名 又直 맥 동. ¶新時代の～ 새 시대의 맥동.

みゃく【脈拍·脈搏】myaku- 名 맥 박. =みゃく. ¶～が早い 맥박이 빠 르다. 注意「脈拍」는 대용 표기.

みゃくみゃく【脈脈】myakumyaku ┣タル┫ ①계속되며 끊어 지지 않는 모양；면면 (綿綿). ¶―とつたわる伝統 면면 히 전해 오는 전통. ②맥박치듯 힘차 게 느껴지는 모양.

みゃくらく【脈絡】myaku- 名 맥락. ① 〔生〕혈맥；혈관. =膜 맥락막. ② 연관；연결；관련. ¶～のない文章 문맥이 통하지 않는 문장／前後의 ～ 앞뒤의 연관.

***みやげ**【土産】名 ①여행지에서 가족· 친지를 위해 선물로 사가지고 가는 토 산물. ②남의 집을 방문할 때의 선 물. =手土産. ¶～を手にさげる.

みやげばなし【土産話】名 여행 중에 견 문한 이야기；여행담.

***みやこ**【都】〔京〕名 ①서울；수도；도읍 지. =京. ②번화한 중심 도시. ③무언가를 특징으로 하고 있는 도시. ¶水の～ 베니스 물의 도시 베니스. ④살기 좋은 곳. ¶住めば～ 정들면 고향.

みやこおち【都落ち】名 又直 낙향(落 鄉). ¶生活難で～をする 생활난으 로 낙향하다. ↔都入り.

みやこ-する【都する】サ変直 도읍지로 정하다.

みやこそだち【都育ち】名 도시에서 자 람；또, 그 사람.

みやこどり【都鳥】名 ①유리카모메 (=붉은부리갈매기)의 딴이름. ②검은머 리물떼새.

みやこわすれ【都忘れ】名 植 과꽃의 재배 품종의 하나(봄에 짙은 보라색의 꽃이 피며 높이 30 cm 가량). =あずま ぎく.

みやす-い【見やすい】〔見易い〕形 ①보 기 좋다. ⑦보기 편리하다〔쉽다〕. ⓒ 깨끗하고 알아보기 쉬운 글자. ↔見にくい. ⓒ보기 흉하지 않다. ¶～服装 보기좋은 복장. ② 알기 쉽다.

みやづかえ【宮仕え】名 又直 ①궁중 또 는 귀인 밑에서 일함. ②무사살이；사 관(仕官). ③(널리) 고용살이；월급쟁이 노릇. ¶すまじきものは～ 못할 것은 고용살이.

みやびやか【雅やか】ダナ 풍치 있고 우아한 모양；고상하고 풍아한 모양.

***みやぶ-る**【見破る】5他 간파하다；꿰 뚫어보다. ¶本心を～ 본심을 간파 하다.

みやま【深山】〔雅〕名 ①심산；깊은 산. =奥山. ↔端山. —きりしま〔―霧島〕名 九州의 고산(高山)에 자생 (自生)하는 진달래의 일종. —ざくら〔―桜〕名 植 ①산개버찌나무. ② 깊은 산에 피는 벚꽃.

みやまいり【宮参り】名 又直 ①신사 에 참배함. ②'お'의 꼴로〉아기의 백일 또는 111일·15일에 하는 七五三 等의 축하 때 그 아이를 데리고 그 고 장 수호신에게 참배하는 일. =うぶす なまいり.

みやもうで【宮もうで】〔宮詣〕(宮詣) -mōde 名 又直 ⇒みやまいり.

みや-る【見やる】〔見遣る〕5他 ①먼 곳을 바라보다. ②그쪽을 향해 보다. ¶～りもせずに過ぎる 눈길도 돌리 지 않고 지나가다.

ミュージカル myū- 名 뮤지컬. ①음악 의. ¶～ドラマ 뮤지컬 드라마. ②벌 레스크와 경(輕)가극을 혼합한 대중적 인 연극·영화. ▷musical. 「sic.

ミュージック myūjikku 名 뮤직. =mu-

みよ【み代】〔御代·御世〕名 임금의 치 세(治世)；성대(聖代).

みよ-い【見よい】〔見好い〕形 보기 좋 다. ①보기 흉하지 않다. ↔格好 보기 좋은 모양. ↔苦苦しい·醜 い. ②보기 쉽다；잘 볼수 있다. ¶ ～席 보기 편한 좌석. ↔見づらい.

みよう【見よう】〔見様〕-yō 名 보기；견 지(見地). ——さまね ⇒みまね.

(——見真似) 보고 흉내내는 중에 저 절로 터득함.

***みょう**【妙】myō 묘. ㊀ 名 절묘함；신 묘함. ¶造化の〔自然の〕の～ 조화 자 연의 묘. ㊁ダナ 묘함；이상함. ¶ ～な人間 묘한 인간／～におそいな 이상하게 늦군.

みょう-【明】myō 명…；다음. ¶～年 명년／～朝 내일 아침.

みょうあき【明朝】myō- 名 내일 아침； 명조. =みょうちょう.

みょうあん【妙案】myō- 名 묘안. ¶ ～がない 묘안이 없다／～が浮かぶ 묘안이 떠오르다.

みょうが【冥加】myō- 名子 명가. ① (은연중에 입는) 신불(神佛)의 가호. =おかげ·冥利. ②행운. ¶命の～ なやつ 운 좋게 목숨이 진놈. ③⇒ みょうがきん. ——金〔――金〕名 명가금(명가를 빌며, 또 보답으로 봉납하는 돈). =冥加金(獻金).

みょうが【茗荷·蘘荷】myō- 名 植 양 하(蘘荷).

みょうぎ【妙技】myō- 名 묘기. =美技. ¶～をふるう 묘기를 부리다.

みょうけん【妙見】myō- 名 묘견.

みょうご【冥護】myō- 名 명호；(눈에 안 보이는) 신불의 가호. =冥加. ¶神明の～を祈る 신명의 가호를 빌다.

みょうご-【明後】myō- 명후；모레의； 다음 다음의. ——にち〔――日〕名 명 후일；모레. =あさって. ——ねん〔― 年〕名 내후년. =さらいねん.

みょうごう【名号】myōgō 名子 佛 명 호. ①아미타불의 칭호. ②나무아미타 불을 욀；열불.

みょうさく【妙策】myō- 名 묘책.

***みょうじ**【名字·苗字】myōji 名 성씨 (姓氏)；성(姓). ——たいとうごめん 〔――帶刀御免〕-tō gomen 名 江戸 시 대에 (공이 있는) 평민에게 특별히 허 용해서 성씨(姓氏)를 쓰고 칼을 차게

한 일(明治ぢの 유신 이전에 평민은 성
이 없었음).

みょうしゅ 【妙手】 myōshu 묘수.
명수;명인. ¶射撃ぢの—の 사격의 명
수. ②(바둑·장기 따위에서) 썩 뛰어
난 수. 「미가 있는 곳.

みょうしょ 【妙処】 myōsho 묘소;묘

みょうじょう 【明星】 myōjō 명성. ①
【天】샛별;금성. ¶宵ぢの— 개밥바라
기;태백성. ②어떤 사회에서 인기가
있고 뛰어난 사람. ＝スター.

みょうだい 【名代】 myō- 名 (윗사람의)
대리;대리인.

みょうちきりん 【妙ちきりん】 myō-
ダリ 〈俗〉기묘함;이상함;괴상함. ¶
—なかっこう 기묘한 모양 /～な人間
ぢ 괴상한 사람.

みょうちょう 【明朝】 myōchō 名 명조;
내일 아침. ＝みょうあさ.

みょうに 【妙に】 myō- 副 이상(묘)하
게. ¶—静かだ 이상하게 조용하다.

*__みょうにち 【明日】__ myō- 名 명일;내일
(약간 격식 차린 말씨). ＝あした·あ
す. 「昨夜ぢ.

みょうねん 【明年】 myō- 名 명년(약간
격식차린 말씨). ＝来年ねん.↔昨年ねん.

みょうばん 【明晩】 myō- 名 내일 밤.
↔昨晩ぢ.

みょうばん 【明礬】 myō- 名 명반.

みょうみ 【妙味】 myō- 名 묘미. ＝妙趣
しゅ. ¶—のある商売ばい 묘미 있는
〔많이 남는〕 장사 /—を味わう
ぢ の 묘미를 맛보다.

みょうもく 【名目】 myō- 名 〈老〉①명
목;명칭. ＝めいもく. ¶—上ぢの社
長ちょう 명목상의 사장. ②표면상의 이
유;구실. ¶頭痛ぢ—で 두통을 이
유로.

みょうやく 【妙薬】 myō- 名 묘약;(비
유적으로) 묘책. ¶インフレ防止ぢの
— 인플레이션 방지의 묘책.

みょうり 【冥利】 myō- 名 ①은혜(음
중에 입는 신불의 은혜;그 밖의 것으
로는 누릴 수 없는 만족〔행복감〕. ¶お
とこ(男)みょうり 〔佛〕 선행의 결
과로 보답받는 행복.

みょうれい 【妙齢】 myō- 名 묘령. ¶
—の婦人ぢん 묘령의 여인.

みよがし 【見よがし】 連語 여봐란 듯이
행동함. ＝見ゃよがし.

みよし 【舳·船首】 名 (소형 목조선의)
선수(船首). ＝へさき. ＝とも.

みより 【身寄り】 名 〈老〉 친척. ¶—と
言ぢえば叔母ぢ一人ぢ 친척이라곤 숙모
한 사람.

みらい 【未来】 名 ①미래. ¶—の妻ぢ
미래의 아내. ↔現在ぢ·過去ぢ. ②래일
의 세계 ;내세. 「官球.

みらい 【味蕾】 名 【生】미뢰. ¶味球ぢ

みられる 【見られる】 下一自 ①남에게
(그렇게) 보이다;볼 수 있다. ¶あら
ぬ目ぢで—터무니 없는 의심을 받다 /
足元ぢを—약점〔허점〕을 보이다. ②
보이다. ¶努力ぢの跡ぢが— 노력한
흔적이 보인다.

ミリ 밀리. ▷프 milli. ——**グラム**
〖耗〗名 밀리 그램(기호：mg). ▷프
milligramme. ——**は** 〔——波〕名 밀리
파；EHF(＝extremely high frequency).

——**バール** 名 밀리바(기호：mb). ▷
millibar. ——**メートル** 〔耗·耗〕名 밀리
미터(기호：mm). ▷프 millimètre.

みりみり 副 물건이 깨지거나 부서지는
소리;우지직.

みりょう 【未了】 -ryō 名 미료;미필.
¶審議ぢ— 심의 미료.↔完了かん.

みりょう 【魅了】 -ryō 名 매료;마
음을 사로잡음;매혹함.

*__みりょく 【魅力】__ miryo- 名 매력. ¶
～にひかれる 매력에 끌리다 /～に欠
かける 매력이 없다.

みりん 【味醂】 名 미림;조미료로 쓰는
달콤한 술의 일종(소주에다 찐 찹쌀과
쌀누룩을 가해서 양조함).

＊みる 【見る】 上1他 ①보다. ㉠눈으로
파악·확인하다. ㉠테레비를 ～ 텔레비
전을 보다 /本ぢを ～ 책을 보다 /私ぢ
のみた所ぢでは 내가 본 바로는;法
律的ぢからみれば 법률의 관점에서 보
면 /—のあたり(に)～ 눈앞에 보다 /
～ともなく 우연히 보다 /今ぢにみ
ろ 어디 두고 보자 /木ぢをみて森ぢをみ
ぬ 나무를 보되 숲을 안 보다. 注意 본
다 ‘覧る·視る·観る'로도 썼음. ㉡조
사하다. ¶答案ぢを～ 답안을 보다.
㉢다루다;처리하다. ¶政務ぢを～ 정
무를 보다. ㉣시작果 아니라 널리 감
각으로 판단하다;평가하다 ;관찰하
다. ¶味ぢを～ 맛을 보다 /なりゆきを
～ 추세를 보다 /手相ぢを～ 손금을
보다 /医者ぢにみてもらう 의사에게
진찰을 받다 /敵ぢの動ぢきを～ 적의 동
태를 살피다 /どの点ぢからみても 어
느 점으로 보나 /事態ぢを重ぢくみ 사
태를 중대하게 보다. 注意 진찰의 뜻
일 때에는 ‘診る', 간호의 뜻일 때에는
‘看る', 점치다의 뜻일 때에는 ‘相る'로도
썼음. ㉤‘…と～'의 형태로) …라고 생
각하다;추정〔어림〕하다. ¶この絵ぢ
を虎ぢと～, 猫ぢと～か 이 그림을 호
랑이로 보느냐 고양이로 보느냐 /遭難
者ぢは死ぢんだものと～ 조난자는
죽은 것으로 보다 /出来ぢないものと
～ 할 수 없는 것으로 보다. ㊀실제로
경험하다. ¶史上ぢ まれに～ 사상 드
물게 보는. ㉠보살피다;보살펴 주다. ¶
子供ぢを～ 어린아이를 〔돌〕 보다 /年寄
ぢを～ 노인을 보살피다. ③당하다;
겪다. ¶ばかを～ 쓸데없는 일을 당하
다;헛된 일을 겪다 /痛ぢい目ぢを～ 혼
나다. ④보게 되다;내다. ¶多ぢくの犠
牲者ぢを～ 많은 희생자를 보게 되다
〔내다〕. ⑤【みる】(動詞의 連用形에
‘て'가 붙는 꼴로 써서) ㉠(시험삼아)
…하다;一해 보다. ¶食ぢべて～ 먹어
て～ 한 입 먹어 보다 /考ぢえてみ
ろ 생각 좀 해 보아라. ㉡‘…して～と'
‘…してみたら'‘…してみれば'의 꼴로)
…(해)보니. ¶…(해)보았더니. ¶私ぢ
として～ 내 입장으로서 보면 /朝ぢ
起ぢきてみたら銀世界ぢ…だった 아
침에 일어나 보니 은세계였다. みてみ
ぬふり 보고도 못 본 체함. …に忍ぢび
ない;―に堪ぢえない 차마 눈뜨고 볼
수 없다. 一間ぢに過ぎ去ぢる 순식간에 지나간다.
一物ぢ こじき 보는 것 마다 탐을 냄;
또, 그런 사람.

*みる【診る】 [上1他] 진찰하다. ¶脈ポを～ 맥을 보다.

みる【水松·海松】[名][植] 청각채.

みるがい【海松貝】[名][貝] 왕우럭조개. =みるくい.

みるかげもない【見る影もない】[連語] (지난날의 모습을 찾아볼 수 없을 정도로) 볼품 없다 ; 처참하다. ¶見る影もなくやせる 몰라볼 정도로 여위다.

みるからに【見るからに】[連語] 보기만 해도 ; (언뜻) 보기에. ¶～いやなやつだ 보기만 해도 싫은 놈이다.

*ミルク [名] 밀크. ①우유. ¶～キャラメル 밀크 캐러멜. ②コンデンスミルク (=연유(練乳))'의 준말. ▷milk.

みるべき【見るべき】[連体] 볼 만하다. ¶～ものが無ない 볼 만한 것이 없다.

みるみる【見る見る】[副] 보고 있는 동안에 ; 순식간에. ¶山火事ジゴは一広がった 산불은 삽시간에 번졌다. 一うちに ☞みるみる.

みるめ【見る目】[名] ①보고 있는, 남의 눈 ; =はた目め. ¶～も構かまわず泣なき つづける 남의 눈도 개의치 않고 울부짖다. ②감식안 ; 안목. ¶人ジを～がある 사람을 보는 눈이 있다[안목이 있다].

みるも【見るも】[連語] 보기만 해도. ¶～いたましい姿セゕが 보기만 해도 애처로운 모습.

*みれん【未練】[名] 미련. ¶～を断たち切きる 미련을 끊다 / ～を残のす 미련을 남기다. 一がましい -shi [形] (단념 못하고) 아쉬워하다 ; 연연해하다. ¶～ ことを言いう 아쉬운 듯한 소리를 하다.

みろく【彌勒】[名][佛] 미륵. 〔다.

みわく【魅惑】[名][ス他] 매혹. ¶男ゕを～ する 남자를 매혹하다 / ～的ゕゝな目ゕ 매혹적인 눈.

みわけ【見分け】[名] 분별 ; 분간. ¶～が つかない 분간할 수가 없다.

*みわける【見分ける】[下1他] 분별[분간]하다 ; 가리다. ¶事ゕの真相ゕゕを～ 일의 진상을 가리다.

みわすれる【見忘れる】[下1他] ①(본지 오래 되어) 몰라보다. ¶～ほど変ゕる 몰라볼이만큼 변하다. ②볼 것을 잊고 못보다.

みわたし【見渡し】[名] 전망. ¶～のよい所ジ 전망이 좋은 곳.

*みわたす【見渡す】[5他] 멀리 바라다 보다 ; 전망하다. ¶あたりの山ゕを～ 근처의 산을 바라보다 / ～した所ジ를 살펴보건대.

みんい【民意】[名] 민의. ¶選挙ゕで～ を問とう 선거로 민의를 묻다.

みんえい【民営】[名] 민영. ¶国営ゕを～ に切きり替かえる 국영을 민영으로 바꾸다. ↔国営ゕゝ·官営ゕゝ·公営ゕゝ.

みんか【民家】[名] 민가.

*みんかん【民間】[名] 민간. ¶～人ジ 민간인 / ～企業ゕ 민간 기업 / ～信仰ゕゝ 민간 신앙 / ～療法ゕゕ 민간 요법.

ミンク【動】밍크. ¶～のコート 밍크 코트. ▷mink.

みんげい【民芸】[名] 민예 ; 민중 예술. ¶～品ゕ 민족 예술. 〔자유 민권.

みんけん【民権】[名] 민권. ¶自由ゕゝ～ みんじ【民事】[名] 민사. ¶～事件ゕゝ 민

사 사건. =裁判ゕゝ(訴訟ゕゝゝ) 민사 재판(소송). →刑事ゕゝゝ

みんしゅ【民主】-shu [名] 민주. ¶～社 会ゕゝ 민주 사회. 一しゅぎ【――主義】 -shugi [名] 민주주의. =デモクラシー. ↔全体ゕゝ主義. ¶～的ゕゝ 민주적. =デモクラチック. ↔独裁的ゕゝゕ·封建的ゕゕゝ.

みんじゅ【民需】-ju [名] 민수. ¶～品ゕ 민수품. ↔官需ゕゕ.

*みんしゅう【民衆】-shū [名] 민중. ¶～娯楽ゕゝ 대중 오락. 一えき【――駅】 [名] 민중역(민간과 국유 철도 공사의 공동 출자로 세워진, 상점 등이 함께 있는 역). =駅ビル.

みんじょう【民情】-jō [名] 민정. ¶～視察ゕゝ 민정 시찰 / ～に通つうじる 민정에 정통하다.

みんしん【民心】[名] 민심. ¶～が動揺 ゕゝしている 민심이 동요하고 있다.

みんせい【民生】[名] 민생. ¶～が安定ゕゝ する 민생이 안정되다. 一いいん 【――委員】[名] 민생 위원(빈곤자에 대한 생활 보조 따위 업무를 위하여 지방 자치 단체가 민간인에게 위촉한 직원).

みんせい【民政】[名] 민정. ↔軍政ゕゝゝ.

みんせん【民選】[名][ス他] 민선. ↔官選 ゕゝゝ. ¶～議員ゕゝゝ 민선 의원.

みんそ【民訴】[名] 민소('民事訴訟ゕゝゝ゛ (=민사 소송)'의 준말). →刑事訴ゕゝ.

みんぞく【民俗】[名] 민속. ¶独特ゕゝの ～ 독특한 민속.

*みんぞく【民族】[名] 민족. ¶少数ゕゕ～ 소수 민족 / ～意識ゕゕ(自決ゕゝ) 민족 의식(자결).

みんだん【民団】[名] 민단('居留ゕゝ民団 (=거류민단)'의 준말).

みんたん【民譚】[名] 민담 ; 민간 설화.

みんちょう【明朝】-chō [名] 명조 ; 명나라 조정(朝廷). ¶一体ゕゝ(활자의) 명조체. 「鉄ゕゝ=国鉄ゕゝ.

みんてつ【民鉄】[名] 민영의 철도. ↔国

みんど【民度】[名] 민도. ¶～が低いい 민도가 낮다.

*みんな【皆】[代副]〈口〉☞みな. ¶～私 たゕが悪わるい 모두가 내 잘못이다 / ～あげるよ 다 주지 / ～賛成ゕゝした 모두 찬성했다.

みんぱく【民泊】mimpa- [名][ス自] 민박 ; 민가에 숙박하는 일.

みんぺい【民兵】mimpei [名] 민병. ¶～ を組織ゕゝする 민병을 조직하다.

*みんぽう【民法】mimpō [名] 민법.

みんぽう【民放】mimpō [名] 민방 ; '民間放送ゕゝ(=민간 방송)'의 준말.

みんぽんしゅぎ【民本主義】mimpon-shugi [名] 민본주의 ; 민주주의.

みんみんぜみ【民民蟬】mimmin- [名][蟲] 참매미. =みんみん.

みんやくせつ【民約説】[名] 민약설 ; 사회 계약설. ¶～家ゕ.

みんゆう【民有】-yū [名] 민유. ¶～林 민유림. ↔官有ゕゝ·国有ゕゝ.

みんよう【民謡】-yō [名] 민요.

みんりょく【民力】-ryoku [名] 민력 ; 국민의 경제력.

みんわ【民話】[名] 민화 ; 민중 속에 전해 내려온 설화. ¶～劇ゕ 민화극.

む　ム

①五十音図(ごじゅうおんず)の‘ま行(ぎょう)’의 셋째 음. [mu] ②〖字源〗‘武’의 초서체(かたかな ‘ム’는 ‘牟’의 윗부분).

む【六】〘名〙육 ; 여섯. ¶いつ、〜、なな、や 다섯, 여섯, 일곱, 여덟 / 〜月(つき) 여섯 달.

む【無】 ⊟〘名〙없음. ¶〜から有(う)を生(しょう)ずる 무에서 유를 낳다. 〜に帰(き)する ; 보람없음. ¶努力(どりょく)が〜になる 노력이 헛일이 되다 / 人(ひと)の誠意(せいい)を〜にする 남의 성의를 헛되이하다. ⊜〘接頭〕없음 ; 무면허.

む〘感〙감동할 때나, 말이 막혔을 때 내는 소리 ; 저 ; 음.

むい【無位】〘名〙무위 ; 지위가 없음.

——かん【——無冠】〘名〙무위 무관.

むい【無為】〘名〙①자연 그대로 두어 인위를 가하지 않음. ¶〜人為(じんい). ②〖佛〗생멸·변화하지 않는 것. ↔有為(うい). ③하는 일이 없음. ¶〜徒食(としょく) 무위 도식 / 〜にすごす 하는 일 없이 지내다. ——にして化(か)す 무위이화(無為而化) ; 정치가의 덕이 높으면 백성은 자연히 감화되어 잘 다스려진다는 노자(老子)의 사상.

むいか【六日】〘名〙6일 ; 엿새. ——のあやめ〖——の菖蒲〗〘連語〙엿샛날[단오 뒷날]의 창포(시기가 늦어 소용 없음의 비유).

むいぎ【無意義】〘名〙〘ダ〕무의의 ; 무의미. ¶〜な生活(せいかつ) 무의미한 생활. ↔有意義(ゆういぎ).

むいしき【無意識】〘名〙〘ダ〕무의식. ¶〜状態(じょうたい) 무의식 상태.

むいそん【無医村】〘名〙무의촌.

むいちもつ【無一物】〘名〙무일물. =むいちぶつ. ¶〜になる 빈털터리가 되다.

むいちもん【無一文】〘名〙무일푼. =一文(いちもん)なし. ¶〜になる 무일푼이 되다.

むいみ【無意味】〘名〙〘ダ〕뜻이 없음 ; 넌센스. ¶〜なことを言(い)う 무의미한 말을 하다. ⊜〘名〙〘ダ〕가치가 없음 ; 헛됨. ¶〜に時(じ)を費(つい)やす 무의미하게[헛되이] 시간을 낭비하다.

むいん【無韻】〘名〙무운. ——の詩(し) ①무운시. ②회화(繪畫).

ムード〘名〙①기분 ; 분위기. ¶〜音楽(おんがく) 무드 음악 / 〜を盛(も)り上(あ)げる 무드를 돋구다. ②양식(樣式). ③〖文法〗법(法). ▷mood.

むえき【無益】〘名〙무익. =むやく. ¶〜な論争(ろんそう) 무익한 논쟁. ↔有益(ゆうえき).

むえん【無煙】〘名〙무연. ——かやく〖——火薬〗〘名〙무연 화약. ——たん〖——炭〗〘名〙무연탄.

むえん【無縁】〘名〙①인연이 없음, 관계가 없음. ¶政治(せいじ)には〜だ 정치와는 인연이 없다. ↔有縁(うえん). ②연고자가 없음. ——ぼとけ〖——仏〗〘名〙무주 고혼(無主孤魂). ¶〜者(しゃ) 무주(無主)의 죽은 자 ; 무주 고혼(無主孤魂).

むが【無我】〘名〙무아. ——の境(きょう) 무아(지)경. ——むちゅう〖——夢中〗-muchū〘名〙어떤 일에 열중하여 자신을 잊

むかい【向(か)い】〘名〙마주 봄 ; 정면 ; 맞은편 ; 건너편. ¶〜の家(いえ) 맞은편 집 / 〜がわ 맞은쪽. 특히, 맞은편 집을 가리키는 수가 있음. ¶お〜さん 맞은편 집 분.

＊むがい【無蓋】〘名〙무개. ¶〜貨車(かしゃ) 무개 화차. ↔有蓋(ゆうがい).

むがい【無害】〘名〙무해. ¶人畜(じんちく)に〜の薬品(やくひん) 인축에 무해한 약품. ↔有害(ゆうがい).

むかいあ－う【向(か)い合う】〘5自〙마주 보다 ; 마주 대하다. ¶マ주 봄.

むかいあわせ【向(か)い合(わ)せ】〘名〙마주 봄.

むかいかぜ【向(か)い風】〘名〙맞바람 ; 역풍. ↔追(お)い風(かぜ).

むかび【向(か)い火】〘名〙맞불.

＊むか－う【向かう】〘5自〙㋐면하다. ¶海(うみ)に〜 바다에 면하다 / 正面(しょうめん)に〜て座(ざ)る 정면을 향해 앉다. ㋑(마주)보다 ; 대하다. ¶〜て左側(ひだりがわ)에 마주 보아 왼쪽 / 鏡(かがみ)に〜 거울을 대하다[보다]. ㋒(향해) 가다 ; 떠나다. ¶米国(べいこく)に〜 미국으로 향하다[떠나다]. ㋓거슬러 가다(바람 따위를) 안고 가다. ¶風(かぜ)に〜 바람을 안고 가다. ㋔다가오다, 향하다. ¶春(はる)に〜 봄이 다가오다. ㋕맞서다 ; 대항하다. ¶大敵(たいてき)に〜 대적과 대항하다. ㋖(경향·추세 따위를) 보이다 ; …해 가다. ¶快方(かいほう)に〜 (병이) 차도를 보이다.

むかえ【迎え】〘名〙맞이함 ; 마중. ¶医者(いしゃ)を〜に行(ゆ)く 의사를 맞으러[부르러] 가다 / 〜の車(くるま)を出(だ)す 마중하러 차를 보내다 / お〜が来(く)る 맞이하러 오다 (부처나 정토(淨土)가 맞으러 오고 오다, 곧 죽음이 임박함의 뜻으로도 씀).

むかえう－つ【迎え撃つ】〖邀え撃つ〗〘5他〙요격(邀撃)하다 ; 맞아 치다.

むかえざけ【迎え酒】〘名〙해장(술).

むかえび【迎え火】〘名〙우란분(盂蘭盆)의 행사의 하나(음력 7월 13일 밤에 조상의 혼백을 영접하려 집 밖의 문전에서 삼대를 피움 ; 또, 그 불). ↔送(おく)り火(び).

むかえみず【迎え水】〘名〙마중물.

＊むか－える【迎える】〘下1他〙①맞이하다. ㋐(사람·때를) 맞다 ; 마중하다. ¶客(きゃく)を〜 손님을 맞다 / 嫁(よめ)を〜 아내[며느리]를 맞(이)하다 / 春(はる)を〜 봄을 맞(이)하다. ㋑부르다 ; 모셔 오다. ¶医者(いしゃ)を〜 의사를 불러 오다. ㋒대하다 ; 모시다. ¶彼(かれ)を会長(かいちょう)に〜 그를 회장으로 맞이하다. ②〖邀える〗맞아 싸우다 ; 요격하다. ¶敵(てき)を腹背(ふくはい)に〜 적을 앞뒤로 맞아 싸우다. ③영합(迎合)하다. ¶社長(しゃちょう)の意(い)を〜 사장의 뜻에 영합하다.

むがく【無学】〘名〙무학. ——もんもう〖——文盲〗-mommō〘名〙무학 문맹.

むかご【零余子】 名 【植】 주아(珠芽); 특히, 참마의 액아(腋芽).

‡**むかし**【昔】 名 ①옛날; 예전. ¶~の面影❘かげない 옛 모습이 없다. ↔今❘いま. ②10년의 세월. ¶二❘ふた~ほど前❘まえ한 20년쯤 전. ─とった杵柄❘きねづか 예전에 익힌 솜씨.

むかしかたぎ【昔かたぎ】【昔気質】 名❘ナ 옛(날) 기질; 예스럽고 고지식한 기질.

むかしがたり【昔語り】【昔じかたり】 名 옛날이야기(를 함). =むかしばなし. ¶それも~では──となった 그것도 이제는 옛이야기가 되었다.

むかしながら【昔ながら】 副 옛날 그대로 (변함이 없는 모양). ¶~の風俗❘ふうぞく 옛날 그대로의 풍속.

むかしなじみ【昔なじみ】【昔馴染み】 名 옛날에 친하게 지냈음; 또, 그 사람; 옛친구. =古❘ふるなじみ.

むかしばなし【昔話】 名 옛날이야기. ①옛날을 말하거나, ②옛날부터 전해오는 이야기나 전설. =おとぎばなし.

むかしふう【昔風】-fū 名❘ナ 예스러움; 고풍(古風). ¶~な建物❘たてもの 고풍스러운 건물. 　　　　　　　　　　「大昔❘おおむかし.

むかしむかし【昔昔】 名 大昔. ─

むかつく 五自 울컥거리다. ①메슥거리다. ¶胸❘むね가 ~ 속이 메슥거리다. ②화가 치밀다.

むかっ-katto 副 갑자기 구역질이 나는[화가 치미는] 모양: 벌컥; 울컥.

むかっぱら【むかっ腹】【向かっ腹】-kappara 名 俗 공연히 버럭버럭 화를 냄. ¶~をたてる 버럭버럭 화를 내다.

むかで【百足·蜈蚣】 名 【動】 지네.

むかむか ▷五自 ①욕지기가 나는 모양: 메슥메슥. ¶胸❘むね가 ~ 속이 울컥거리다. ②화가 울컥 치밀어 오르는 모양.

むかん【無冠】 名 무관. ─の帝王❘ていおう 무관의 제왕(언론인).

むかんがえ【無考え】 名❘ナ 생각이 얕음; 분별이 없음. ¶~なふるまい 지각 없는 짓.

むかんかく【無感覚】 名❘ナ 무감각. ¶~になる 무감각해지다.

*‌**むかんけい**【無関係】 名❘ナ 무관계. ¶これとは~の(な)話❘はなし 이것과는 무관한 이야기.

*‌**むかんしん**【無関心】 名❘ナ 무관심. ¶政治❘せいじに~な人❘ひと 정치에 무관심한 사람.

*‌**むき**【向き】 名 ①방향. ¶南❘なみの部屋❘へや 남향의 방 / ~を変❘かえる 방향을 바꾸다. ②관심 따위가 향하는 곳(쪽). ㉮방면; 면. ¶表❘おもて~の口実❘こうじつ 표면상의 구실. ㉯취지. ¶御用❘ごよう~の~に よっては 용건의 취지에 따라서는. ㉰경향. ¶彼❘かれには何事❘なにごとも悲観的❘ひかんてきに見❘みる~がある 그에게는 무슨 일이든 비관적으로 보는 경향이 있다. ③(그 방면의) 사람(들). ¶御希望❘ごきぼうの~には 희망하시는 분에게는. ④관계 당국. ¶その~に届❘とどける 관계 당국에 신고하다. ─になる (사

─────

소한 일에) 정색하고 대들다(화내다).

むき【無機】 名 '無機物❘ぶつ' '無機❘き化学❘かがくの 준말. ↔有機❘ゆうき. ─【──化学】 名 무기 화학. ↔有機化学❘ゆうきかがく. ──ごうぶつ【──化合物】-kagō-butsu 名 【化】 무기 화합물. ──ぶつ 【──物】 名 무기물.

むき【無期】 名 무기. ①기한이 없음. ↔有期❘ゆうき. ②'無期懲役❘ちょうえきの '(=무기징역)'의 준말.

*‌**むぎ**【麦】 名 【植】 보리·밀 등 맥류의 총칭. ¶~を打❘うつ 보리를 타작하다.

むきあ-う【向き合う】 五自 마주 보다(향하다); 마주 대하다. ¶~って座❘すわる 마주 보고 앉다.

むぎあき【麦秋】 名 ☞ばくしゅう.

むぎうち【麦打ち】 名 ①보리타작. ② ☞からざお.

*‌**むきげん**【無期限】 名 무기한. ¶~スト 무기한 파업.

むぎこ【麦粉】 名 맥분; 보릿가루; 특히, 밀가루. 　　　　　　「가루.

むぎこがし【麦焦(が)し】 名 보리 미숫

むきず【無傷】【無疵】 名 흠이(상처가) 없음; 결점·죄·실패·패배 따위가 없음. ¶~のリンゴ 흠집 없는 사과 / ~で勝❘かち進❘すすむ 무패로 이겨 나가다.

むきだし【むき出し】【剥き出し】 名 ①드러냄; 노출함. =まるだし. ¶~にする 노출하다. ②드러냄; 공공연함; 노골적임. =あらわ. ¶~の表現❘ひょうげん 노골적인 표현.

むきだ-す【むき出す】【剥き出す】 五他 드러내다; 노출시키다. ¶歯❘はを~ 이를 드러내다. =むきだし.

むぎちゃ【麦茶】-cha 名 맥차; 보리차.

むきどう【無軌道】-dō 무궤도. ㊀ 名 궤도가 없음. ¶~電車❘でんしゃ 무궤도 전차. ㊁ 名❘ナ 상궤(常軌)를 벗어난 행동. ¶~な生活❘せいかつ 무궤도한 생활. ──ぶり 무궤도한 행동; 또, 그 정도.

むきなお-る【向き直る】 五自 방향을 바꾸다; 몸을 돌리다; 돌아서다.

むぎばたけ【麦畑】【麦畠】 名 보리밭.

むぎぶえ【麦笛】 名 보리 피리.

むぎふみ【麦踏み】 名 보리밟기.

むきみ【剥き身】 名 조갯살.

むきむき【向き向き】 名 각자의 취향(趣向)[적성]. ¶~に応❘おうじて適所❘てきしょにふり分❘わける 적성에 따라 적소에 배치하다.

むきめい【無記名】 名 무기명. ¶~投票❘とうひょう 무기명 투표. ↔記名❘きめい.

むぎめし【麦飯】 名 보리밥.

むぎゆ【麦湯】 名 ☞むぎちゃ.

むきゅう【無休】-kyū 名 무휴. ¶年中❘ねんじゅう~ 연중 무휴. 　　　　　　　「限.

むきゅう【無窮】-kyū 名 무궁. =無限❘むげん.

むきゅう【無給】-kyū 名 무급; 무보수. ¶~副手❘ふくしゅ 무급 보조원. ↔有給❘ゆうきゅう.

むきりょく【無気力】-ryoku 名❘ナ 무기력. ¶~な生活❘せいかつ 무기력한 생활.

むぎわら【麦わら】【麦藁】 名 맥고; 보릿짚; 밀짚. ──とんぼ【──蜻蛉】-tombo 名 【蟲】 밀잠자리의 암컷. ──ぼうし【──帽子】-bōshi 名 밀짚

モ자. =むぎわらぼう.

＊**むく**【向く】[5自] ①향하다. ㉠(얼굴을) 돌리다 ; 보다. ¶横ﾖｺﾞを〜を — 옆을 보다 / 右ﾐｷﾞ〜·け右 우향우. ㉡면(面)하다. ¶海ﾋﾟﾐに〜·いた家ﾔﾋﾟ 바다에 면한 집. ②(마음이) 쏠리다 ; 내키다. ¶気ｷﾞが〜 마음이 내키다. ③적합하다. (알)맞다 ; 어울리다. ¶若ﾜｶい人ﾋﾟﾄに〜·仕事ﾞﾌﾟﾄﾞﾊ 젊은 사람에게 알맞은 일. ④나아지다 ; 좋아지다. ③적합하다. 方ﾎｳﾞﾆに〜 병이 나아지다[차도나 있다] / 運ﾝﾞが〜 운이 열리다[快ﾌﾟ](방향이).

＊**むく**【剝く】[5他] (껍질 따위를) 벗기다 ; 까다. ¶りんごﾞの(皮ｶﾞを)〜 사과 껍질을 벗기다 / 目ﾒﾞを — 눈을 크게 뜨다 ; 눈을 부라리다 / 牙ｷﾞﾊﾞを — 엄니를 드러내다 ; 으름장거리다.

むく【無垢】[名] 무구. ①(佛)(번뇌에서 벗어나) 깨끗함. ②순수함. ¶金ｷﾞ〜 순금. ③무지(無地)의 염색하지 않은 온옷 ; 특히, 흰옷 ; 白ﾋﾟ〜 흰옷. ④순결함 ; 티없음. ¶〜なむすめ 순결한 처녀. [参考]②의 뜻으로는 '〜な'의 꼴을 쓰지 않음.

＊**むくい**【報い】[酬い] [名] 과보 ; 보답 ; 보수. ¶前世ﾌﾟﾉの〜 전세의 과보 / 怠ﾀﾞけた〜で落第ﾗﾋﾟﾀする 게으름피운 과보로 낙제하다.

むくいぬ【むく犬】[尨犬] 삽살개.

＊**むく-いる**【報いる】[酬いる] [上1自他] 대갚음하다. ①보답하다. ¶恩ﾞﾝﾞに〜 은혜에 보답하다. ②보복하다 / 앙갚음하다. ¶一矢ﾌﾟﾆﾞを〜 반격을 가하다.

むくげ【むく毛】[尨毛] (짐승의) 털수록한 털. ¶〜の犬ﾇ 삽살개.

むくげ【木槿】[名] [植] 목근 ; 무궁화 ; 근화(槿花). = もくげ.

＊**むくち**【無口】[名] 과묵(寡默) ; 또, 그러한 사람.

むくどり【椋鳥】[名] ①[鳥] 찌르레기. = 椋ﾚﾞさん. ③(俗)(거래에서) 속이기 쉬운 초심자.

むくのき【椋の木】[名] [植] 푸조나무. = 椋ﾚﾞ. 「어오름.

むくみ【浮腫】[名] 부종 ; 부종(浮腫)가.

むく-む【浮腫む】[5自] 몸이 부어오르다. ¶顔ｶﾞが〜 얼굴이 붓다.

むくむく[副] ①겹쳐서 솟아오르는 모양 ; 뭉게뭉게. ¶雲ｸﾞﾓﾞが〜(と)もりあがる 구름이 뭉게뭉게 피어오르다. ②일어서는[일어나는] 모양 ; 쑥 ; 부스스. ③통통하게 살찐 모양 : 포동포동. ¶〜(と)太ﾌﾟ太った赤ﾞﾝﾞ坊ﾟﾎﾞ 포동포동(하게) 살찐 아기.

むぐら【葎】[名] [植] 살같이 우거지는 덩굴류의 총칭. ──の宿ﾟﾄﾞ 황폐한 집이나 가난한 집의 비유.

むく-れる【剝れる】[下1自] ①껍질이 벗겨지다. ②(俗)부루통[뾰로통]해지다.

むくろ【軀·骸】[名] 특히, 시체. ②속이 텅 빈 물건(특히, 수간나무).

むくろじ【無患子·木槵子】[名] [植] 무환자나무. = むく.

-むけ【向け】(…쪽으로) 향해서 함 ; …을 대상으로 함 ; …용. ¶一般ﾞﾊﾟ用 / アメリカ〜の輸出ｼﾞﾊﾟ 미국으로의 수출.

むげ【無下】[名] ①그보다 아래는 없음 ; 고려할 점이 전연 없음. ②(〜に'の꼴로)함부로 ; 딱 잘라 ; 아주. ¶〜に断ﾞﾄﾞわるわけにもいかない 함부로[딱 잘라] 거절할 수도 없다.

むけい【無形】[名] 무형(의 물건). ↔有形ﾞﾖﾞ. ──**ぶんかざい**【──文化財】[名] 무형 문화재.

むげい【無芸】[名] 무재주 ; 재주가 없음. ¶完全 완전 무결 ; 완전 무결.

むけつ【無欠】【無缺】[名] 무결 ; 흠이 없음. ¶完全ﾞ 완전 무결.

むけつ【無血】[名] 무혈. ¶〜革命ｶﾞﾒ 무혈 혁명.

＊**む-ける**【向ける】[下1他] ①향하다. ㉠(방향을) 돌리다. ¶音ﾞﾄﾞのする方ﾎﾟﾆ顔ｶﾞを — 소리 나는 쪽으로 얼굴을 돌리다 / ロンドンに〜·けて出発ﾞﾄｼした 런던을 향하여 출발했다. ㉡돌려 쓰다 ; 충당하다. ¶工業用ﾌﾟﾖﾟに — 공업용으로 돌리다. ②(마음을) 쏟다 ; 기울이다. ¶注意ﾒﾟﾖﾟを — 주의를 기울이다. ②보내다 ; 파견하다. ¶代理ﾞﾒﾞの者ﾞﾉﾞを — 대리인을 보내다.

む-ける【剝ける】[下1自] 벗겨지다. = はがれる. ¶皮ｶﾞﾞが〜 껍질이 벗겨지다.

＊**むげん**【無限】[名∙ナ] 무한. ¶〜の喜ﾖﾟび — 無限ﾞ. = きどう ──**きどう**【──軌道】-kido [名] 무한 궤도. ──**だい**【──大】[名] 무한대.

＊**むげん**【夢幻】[名] 몽환. ①꿈과 환상. ②무상(無常)함의 비유.

＊**むこ**【婿】[壻∙聟] [名] ①사위. ↔嫁ﾞﾒﾞ. 「한 백성.

むこ【無辜】[名] 무고. ¶〜の民ﾞﾐﾞ 무고

＊**むごい**【惨い·酷い】[形] ①비참하다. 끔찍하다 ; 애처롭다. ¶〜姿ﾞﾂﾞが비참한 모습. ②잔혹하다 ; 무자비하다. ¶〜仕打ﾞﾁﾞちだ 잔인한 처사다.

むこいり【婿入り】[名] [3自] 데릴사위로 들어감.

＊**むこう**【向こう】(こ)う] -ko [名] ①저쪽. ¶山ﾞﾏﾞの〜 — 산너머 (저쪽). ②맞은편 ; 건너편. ¶〜の家ﾞﾊﾞ 맞은편 집 / お〜さん 맞은편 댁 (사람). ③행선지. ¶〜着ﾞﾂﾞいてから知ﾞﾗﾞせる 거기 도착하고 연락하겠다. ④이후 ; 향후(向後). ¶〜一週間ﾞﾊﾟﾖﾟﾝ 향후 1 주일. ⑤상대(방). ¶〜の言ﾞい分ﾞﾝﾞも聞ﾞﾄﾞこう 이쪽이야기[주장]도 듣자 / 新鋭ﾞﾂﾞを〜に回ﾞﾏﾞして戦ﾞﾄﾞう 새 신예를 상대로 싸우다. ──**をは**る (당당히) 대항하다.

＊**むこう**【無効】[名] 무효. ¶〜投票ﾞﾖﾟ 무효 투표. ↔有効ﾞﾖﾟ.

むこういき【向う意気】mukō [名] 경쟁심 ; 남에게 지기 싫어하는 마음.

むこうがわ【向(こ)う側】mukō [名] 저쪽. ①반대쪽. ¶山ﾞﾏﾞの〜 — 산너머 저쪽. ②상대편. ¶〜の意見ﾞﾝﾞ 저쪽의 의견.

むこうきず【向(こ)う傷】[向(こ)う疵】mukō [名] 몸의 앞면(특히, 이마나 얼굴)에 입은 상처. ↔後ﾞﾄﾞﾞﾞﾞ傷ﾞﾞ.

むこうずね【向(こ)うずね】[向(こ)う脛】mukō [名] 정강이.

むこうはちまき【向(こ)う鉢巻】(き)】mukō [名] 머리에 수건을 두르는 방법의 하나(앞이마에 매듭을 지음). ⇨う

しろはちまき.

むこうみず【向(こ)う見ず】mukō-〔ダナ〕あと先生え 生覚なく前後先を顧みず考え後先生えなく前後後え考えなく大損いな事ん;無謀.無鉄砲テッッパ. ¶～なことをして大損気をする 無謀な事をして大損害をする.

むこがね【婿がね】图 신랑감〔사윗감〕으로 정해 둔 사람.

むごし【無腰】图 칼을 몸에 지니고 있지 않음.=まるごし.

むごたらしい【惨たらしい・酷たらしい】〔形〕☞むごい. ¶～殺人 참 끔찍한 살인.「메밀사위.

むこようし【婿養子】-yōshi 图 서양자.

むこん【無根】图 무근. ¶～の事実 사실 무근.

むごん【無言】图 무언. ¶～の行ギ 무언의 계행(戒行). ――げき【―劇】图 무언극.=黙劇モクゲキ・パントマイム.

むさ-い〔形〕〈俗〉더럽다;지저분하다;누추하다.

むざい【無罪】图 무죄. ¶～放免ホウ 무죄 방면.「위 무책.

むさく【無策】图 무책. 「無為無策.

むさくい【無作為】图 무작위.=ランダム. ¶～にえらび出ダす 무작위로 골라내다.

むさくるし-い【むさ苦しい】-shī〔形〕너절하고 더럽다;누추하다. ¶～部屋 ヘヤ 누추한 방.

むさきび【鼯鼠】【動】하늘다람쥐.

むさつ【無札】图 무찰. ¶～入場ニュウ 무찰〔무료〕 입장.

むさべつ【無差別】图〔ダナ〕무차별.↔差別サ. ――ばくげき【―爆撃】图 무차별 폭격.

*むさぼ-る『貪る』〔5他〕탐내다;탐하다;욕심부리다. ¶暴利ボウリを～ 폭리를 탐하다／～ように〔〜.り〕読むよ 탐독하다.

むざむざ〔副〕①호락호락;어이없이. ¶～(と)ひっかかる 호락호락 넘어가다. ②섭사리;아낌없이.=あっさり. ¶～やめてしまうわけにはいかない 섭사리 그만 둘 수는 없다.

むさん【無産】图 무산.①무직(無職). ②자산(資産)이 없음. ¶～の窮民 の 궁민. ――かいきゅう【―階級】-kyū 图 무산 계급.=プロレタリアート.↔有産ユウサン階級.

むさん【霧散】图〔ス 自〕무산;안개처럼 흩어져 없어짐.

むざん【無残・無惨】图〔ダナ〕①끔찍함;잔혹(残酷). ②무참(無惨). ¶～な最期ゴを とげる 무참한 최후를 마치다. ③無慙・無慚【佛】무참(無慚);죄를 짓고도 수치를 모름.

*む**し**【虫】图①벌레.⑦곤충 따위. ¶～の音ネ 벌레 소리／～が食った 本キン 벌레〔좀〕 먹은 책. ⓒ기생충;특히, 회충. ¶～を くだす 회충을 없애다(구충 하다). ⓒ(어떤 일에) 지독히 파고드는 사람. ¶本キンの～ 책 벌레／勉強キョウの～ 공부 벌레. ②감정;기분;예감. ¶ふさぎの～ 우울증. ③신경질;특히, 어린아이의 경기.=虫気シキ・疳カン. ¶～の薬 경기에 먹는 약／～を 起コす 짜증을 내다. ④接尾語的에 로〕 걸핏하면 …하는 사람. ¶泣なく～

우지;울보. ――がいい 뻔뻔스럽다;염치같다. ――がかぶる ①복통이 나다. ②진통이 일어나다. ――が知ラらせる 어쩐지 예감이 들다. ――が好かない 까닭이 싫다;주는 것 없이 밉다. ――がつく ①벌레가 먹다. ②딸자식에게 탐탁하지 않은 애인이 생기다. ――の居所ドコ 어떤 기분이 언짢다. ――も殺コサぬ 아주 온화한 성품의 비유. ¶～も殺さぬ顔をして 착한데다 착한 얼굴을 하고. ――を殺コす 감정을 죽이다;화를 억누르다.

*む**し**【無視】图〔ス 他〕무시. ¶信号ゴウ을 ～ 신호 무시／少数ショウ意見ケン을 ～する 소수 의견을 무시하다.

むし【無私】图〔ナ〕무사. ¶公平コウへ～ 공평 무사.

むし【無死】图〔野〕무사.=ノーダウン・ノーアウト. ¶～満塁マンルイ 무사 만루.

むじ【無地】图 무지. ¶～の布地キジ 무지의 천.

むしあつ-い【蒸(し)暑い】〔形〕무덥다. ¶～夏ツの夜ヨ 무더운 여름 밤.

むしかえ-す【蒸(し)返す】〔5他〕①되찌다. ②(일단 결말이 난 것을) 다시 문제삼다;다시 되풀이하다.

むしかく【無資格】图〔ダナ〕무자격. ¶～の者モの 무자격자.

むじかく【無自覚】图〔ダナ〕무자각.

むしかご【虫かご】〔虫籠〕图〔벌레를 기르는〕벌레집(欌).

むしがれい【虫鰈】图〔魚〕물가자미.

むしき【蒸(し)器】图 찜통;시루.

むしく-い【虫食い】图 벌레 먹음;또, 그 자리. ¶この栗クりは～が多オい 이 밤은 벌레 먹은 것이 많다.

むしぐすり【虫薬】图 어린아이의 경기를 고치는 약.「제.

むしくだし【虫下し】图 회충약;구충

むしけら【虫けら】〔虫螻〕图①벌레의 낮은말. ②벌레 같은 인간.=一同動ドン 다 벌레나 다를 바 없다;아무짝에도 쓸모가 없다.

むしけん【無試験】图 무시험. ¶～入学ガク 무시험 입학.

むじこ【無事故】图 무사고. ¶～運転テン 무사고 운전.

むしず【虫ず】〔虫酸・虫唾〕图 신물. ¶～が走はしる 신물이 나다;몹시 역겹다.

むじつ【無実】图 무실;사실이 없음;억울함. ――の罪ツミ 억울한 죄.

むしとりすみれ【虫取(り)菫】图〔植〕벌레잡이제비꽃.

むしとりなでしこ【虫取(り)撫子】图〔植〕끈끈이대나물.

むじな【貉・狢】图【動】①'あなぐま'(=오소리)의 딴이름. ②'たぬき(=너구리)'의 딴이름.

むしなべ【蒸しなべ】〔蒸し鍋〕图 찜통;찜냄비.

むしのいき【虫の息】图 다 죽어가는 숨. ¶医者シャが来たときは～であった 의사가 왔을 때는 숨이 거의 넘어 가고 있었다.

むしば【虫歯】〔齲歯〕图 충치.=齲歯ウシ.

むしば-む【蝕む・虫食む】〔5他〕좀먹다;침식하다;해치다. ¶～んだ衣服イフ 좀먹은 의복／童心シンを～ 동심을 해치다.

むしばら【虫腹】图 거위배 ; 회충 따위
로 인한 배앓이.

むじひ【無慈悲】图ダナ 무자비.

むしピン【虫ピン】图 표본을 만들기
위하여 곤충을 꽂아 두는 핀 ; 바늘핀.
▷pin.

むしぶろ【蒸しぶろ】〖蒸し風呂〗图 증
기욕 ; 한증(汗蒸) ; 터키탕 따위.

むしへん【虫へん】图 한자 부수(部首)
의 하나 ; 벌레충변('蚊'·'蛇'따위의'虫'
의 이름).

むしぼし【虫干し】图 (삼복(三伏) 때)
옷·책 따위를 곰팡이가 나지 않고 좀
먹지 않게 햇볕에 쬐고 바람에 쐼. =
土用干ゼ゚し.

むしむし【蒸し蒸し】剛 무더운〔푹푹
찌는〕모양. ¶ ──する暑ぁつい日ひ 푹푹
찌는 무더운 날.

むしめがね【虫眼鏡】图 확대경 ; 화경 ;
돋보기. =ルーペ.

むしゃ【武者】musha 图 무사. ¶ 若わか─
젊은 무사. ──しゅぎょう【─修行】
-shugyō 图 무사가 무예를 닦기 위해여
러 곳을 돌아다님. ──ぶり【─振り】
图 투구·갑옷을 입은 용감스러운 모습 ;
무사다운 모습. ──ぶるい【─震い】
图ズ自 흥분으로 마음이 설레어 몸이
떨림.

むしやき【蒸し焼き】〖蒸し焼(き)〗图料 찜구
이. ¶ 鶏とりの~ 닭찜구이.

*むじゃき【無邪気】-jaki 图ダナ 천진
함 ; 순진함 ; 악의 없음. ¶ ~な笑わらい
천진 난만한 웃음.

むしゃくしゃ mushakusha 剛①마음이
답답함〔개운치 않음〕; 기분이 언짢음.
¶しゃくにさわって~(と)する 속상
해서 짜증이 나다. ②텁수룩함.

むしゃぶりつく【武者ぶりつく】mu-
sha- 五自 맹렬하게 달라 붙다.

むしゃむしゃ mushamusha 剛 입을
벌리고 체면 없이 먹는 모양 ; 게걸스럽
게 ; 우적우적.

むしゅう【無臭】-shū 图 무취.

むじゅう【無住】-jū 图 절에 주지가 없
음. ¶ ~寺ゼ゚ 주지가 없는 절.

むしゅく【無宿】-shuku 图 무숙. ①
살 집이 없음. =やどなし. ②집 없음〔호
籍〕. ──もの【─者】图 무숙자 ; 방랑
자. ¶"ミ"無風流.

むしゅみ【無趣味】-shumi 图名ダ 무취

*むじゅん【矛盾】-jun 图ズ自 모순. ¶
~した発言はつげん 모순된 발언. ──どう
ちゃく【[─撞着]】-dōchaku 图ズ自 자기 모
순 당착.

むしょう【無償】-shō 图 무상 ; 무료. =
ただ. ¶ ~奉仕ゼ゚ 무료 봉사 / ~の愛
あい 보상 없는 사랑 / ~交付ゼ゚ 무상 교
부. ↔有償ゼ゚.

むじょう【無上】-jō 图 무상 ; 최상. ¶
~の光栄ぎ゚ 무상의 영광.

むじょう【無常】-jō 图ダナ 무상. ①〔佛〕
생멸 변전(轉變)하여 일정하지 않음.
↔常住ゼ゚. ②덧없음. ¶ ~の世ゼ゚に生ぃ
きる 덧없는 세상을 살아가다. 参考
속용(俗用)으로 '~な'의 꼴로 쓰이 때
도 있음.

むじょう【無情】-jō 图名ダ 무정 ; 비정.
¶ ~の雨あ゚ 무정한 비 / ~な人ゼ゚ 무정
한 사람.

*むじょうけん【無条件】-jōken 图 무조
건. ¶ ~降伏ゼ゚ 무조건 항복 / ~で受
入れゼ゚る 무조건 받아 들이다.

むじょうに【無性に】-shōni 剛 몹시 ;
공연히 ; 까닭 없이 ; 무턱대고. =むや
みやたらに. ¶ ~腹ゼ゚が立たつ 공연히
화가 나다 / ~ほしがる 몹시[무턱대
고] 탐내다.

*むしょく【無色】-shoku 图①무색〔흰
색도 말함〕. ¶ ~の生地ぜ゚ 흰 옷감/
~透明ゼ゚ 무색 투명. ↔有色ゆ゚の ②중
립. ¶ ~の立場ゼ゚ 중립적인 입장.

むしょく【無職】-shoku 图 무직(좁은
뜻으로는 실직을 가리킴). ¶ ~者ゼ゚ 무
직자.

むしよけ【虫よけ】〖虫除け〗图①해충
을 구제함 ; 또, 그 장치나 방충제·구
충제. ②독충의 해를 방지한다는 부적.

むしょぞく【無所属】musho- 图 무소
속. ¶ ~議員ゼ゚ 무소속 의원.

むし-る【毟る·挘る】五他①(쥐어) 뜯
다 ; 잡아뽑다. ¶ 毛ゼ゚を~ 털을 잡아뽑
다 / 草ゼ゚を~ 풀을 뽑다. ②(생선 등의
뼈에서) 살을 발라 내다.

むしろ【筵·蓆】图①왕골·짚·대 등으
로 엮은 깔개의 총칭 ; 자리 ; 거적 ; 특
히, 멍석. ②〔雅〕좌석.

むしろ【寧ろ】剛 차라리 ; 오히려. ¶
名ゼ゚よりも~実ゼ゚を選ぇらぶ 명분보다 오
히려 실리를 택하다 / 恥はずかしめを
受うけるなら~死しんでしまおう 수치
를 당할 바에야 차라리 죽어버리다.

むしろばた【むしろ旗】〖筵旗·蓆旗〗图
거적 따위로 만든 기(농민들의 폭동·
데모 때 사용함).

むしん【無心】图①무심 ; (열중하
여) 아무 생각이 없음. ②사심(邪心)
이 없는 순진함. =むじゃき. ──
一图①증심이 없음. ¶ ~曲線きゅ゚ 무
심 곡선. ②(連歌에서) 해학을 주로
하며 말을 골라 꾸미지 않음 ; 또, 그
런 連歌. ③連歌에서, 서투름. ↔有心
ゼ゚. ③──【─者】〔狂歌〕⇒有心ゼ゚.
──图ズ他 염치 없이 금품을 요구함.
¶ お金ゼ゚を~する 염치 없이 돈을 달라
고 하다 / あなたに御~があ゚る 당신
에게 부탁이 있소.

むじん【無人】图 무인. =むにん. ¶
~島ゼ゚ 무인도.

むじん【無尽】图①다하여 그치
지(없어지지) 않음. ②금전 상호 융통
조직 ; 계(契). =頼母子ゼ゚講ゼ゚ = も
う【──講】-zō 图 무진장계. ¶ ~な資
源ゼ゚ 무진장한 자원.

むしんけい【無神経】-jō图ダナ 무신경.
¶ ~な(の)男ぎ゚ 무신경한 사나이.

むしんろん【無神論】图 무신론. ──者
ぎ゚ゃん 图 무신론자.

む-す【産す·生す】五自〔雅〕생기다 ;
나다. ¶ こけの~まで 이끼가 길 때까
지.

*む-す【蒸す】──五自 무덥다. ¶ 今夜
こ゚んやはひどく~ 오늘 밤은 몹시도 찐다.
──他 찌다. =ふかす. ¶ 御飯はんを~
밥을 찌다.

むすい【無水】图〔化〕무수. ¶ ~塩ぇん
무수염.

*むすう【無数】-sū 图ダナ 무수. ¶ ~の
細菌ぎ゚ 무수한 세균.

＊むずかし-い【難しい】 -shī 形 ①어렵다. ⑦곤란하다. ¶〜立場にっ 어려운 입장／〜試験にけ 어려운 시험／優勝しっう は 〜 우승은 어렵다. ↔やさしい. ⓛ고치기 힘들다. ¶〜病気びょう의 병. ②까다롭다. 번거롭다；귀찮다. ¶〜手続つづき 까다로운 절차. ↔やさしい. ⓗたやすい. ⓒ투정이 많다. ¶〜人っ 까다로운 사람／食物たべ もの に〜 음식물에 까다롭다. ③(얼굴이)못마땅하다. ¶〜顔かおをする 못마땅한 얼굴을 하다. 注意 'むつかしい'라고도 함.

むずがゆ-い【むず痒い】 形 근질거리다；근질근질하다；무렵다.

むずか-る【憤る】 5自 (어린아이가)정얼거리다；보채다. =むつかる.

＊むすこ【息子】 名 아들. =せがれ・子息むすこ. ¶〜娘むすめ.

むずと 강한 힘을 주는 모양：꽉. =むんずと. ¶〜引ひき摑つむ 꽉 잡아쥐다. ②거리낌없이. ¶〜すわる 거리낌없이 앉다.

むすび【結び】 名 ①맺음；매듭. ¶緣えん〜 결연(結緣). ②끝맺음；결말(의 부분). ¶〜の言葉ことば 끝맺는 말. ③【文法】구말(句末)·문말(文末)을 받아서 쓴 말과 호응(呼應)시키는 일. ④【結飯】'結むすび飯めし'의 준말；주먹밥. =握むすび飯めし. ¶お〜 주먹밥.

むすびあわ-せる【結(び)合(わ)せる】 下1他 하나로 묶다；결합하다.

むすびつ-く【結び付く】 5自 결부되다；함께되다；결탁하다. ¶政治家せいじ に〜 정치가와 결탁하다.

むすびつ-ける【結び付ける】 下1他 ①연결시키다；결부하다；묶다；매다. ¶木きに〜 나무에 묶다. ②결합시키다. ¶両者りょうを密接みっに〜 양자를 밀접하게 결합시키다.

むすびめ【結びめ・結び目】 名 매듭.

＊むす-ぶ【結ぶ】 5他自 ①잇다. ¶二点にてんを〜直線ちょくせん 두 점을 잇는 직선. ②매다；묶다. ¶東たばに〜 다발로 묶다. ↔解とく. ③맺다. ⑦관계를 맺다. ¶敵てきと〜 적과 결탁하다／緣えんを〜 인연을 맺다／契約けいやくを〜 계약을 체결하다. ⓛ끝맺다. ¶論文ろんぶん話はを〜 논문을[이야기를] 끝맺다. ⓒ결과를 맺다. ¶實みを〜 열매를 맺다／露つゆが〜 이슬이 맺다. ④잡다；쥐다. ¶手てを〜 (a)손잡다(사이가 좋다). ¶口くちを堅かたく〜 입을 꼭 다물다. ⑤다물다. ¶口くちを堅かたく〜 입을 꽉 다물다. ⑥모양을 짓다. ¶印いんを〜 (a)결인하다(b)전하여, 둔갑술사가 주문을 외다.

むすぼ-れる【結ぼれる】 下1自 ①맺혀서 풀어지지 않다. ¶糸いとが〜 실이 엉키다. ②(이슬 등이)맺히다. ③〈老〉마음이 맺히다. ¶思おもいが〜 마음이 우울해지다.

むずむず 副 ①근질근질. ¶背中せなかが〜する 등이 근질거리다. ②좀이 쑤시는 모양：근질근질. =うずうず. ¶行ゆきたくて〜する 가고 싶어서 못 견디다.

＊むすめ【娘】【女・嬢】 名 ①딸(자식). ¶〜を片付かたづける 딸을 시집 보내다. ↔むすこ. ②처녀. ¶〜らしい 처녀답다.

むすめごころ【娘心】 名 처녀의 순정.

むすめざかり【娘盛り】 名 처녀의 한창 아리따운 나이.

むせい【無性】【生】 무성. ↔有性ゆうせい.
──せいしょく【──生殖】 -seishoku 名【生】무성 생식. ↔有性ゆうせい 생식.

むせい【無声】 名 무성. ↔有声ゆうせい.
──えいが【──映画】 名 무성 영화. ＝トーキー. ──おん【──音】【言】무성음. ↔有声音ゆうせいおん.

むぜい【無稅】 名 무세. ¶〜の品しな 면세품. ↔有稅ゆうぜい.

むせいげん【無制限】 名 ダナ 무제한. ¶〜に発行はっこうする 무제한 발행하다.

むせいふ【無政府】 名 무정부. ──しゅぎ【──主義】-shugi 名 무정부주의；아나키즘. ＝アナーキズム.

むせいぶつ【無生物】 名 무생물.

むせいらん【無精卵】 名 무정란.

むせかえ-る【むせ返る】 【噎せ返る】 5自 ①숨이 꽉꽉 막히다. ¶〜暑あつさ 숨 막히는 더위. ②몹시 흐느껴 울다.

＊むせきにん【無責任】 名 ダナ 무책임. ¶〜な行為こうい[人物じんぶつ] 무책임한 행위[인물].

むせびな-く【むせび泣く】 【噎び泣く】 5自 흐느껴 울다.

む-せぶ【咽ぶ・噎ぶ】 5自 ①목이 메다. =むせる. ②울다. ¶涙なみだに〜 목메어 울다. ③바람소리 따위가 흐느끼듯이 들리다. ¶夜風よかぜに〜 밤바람에 흐느끼듯 불다.

む-せる【噎せる】 下1自 ①목이 메다；숨이 막히다. =むせぶ. ¶〜ような花はなのかおり 숨막힐 듯이 자욱한 꽃향기／煙けむりに〜 연기에 숨이 막히다. ②(슬픔으로)가슴이 막히다.

＊むせん【無線】 名 무선. ¶〜無線電話でんわ・無線電信でんしんの 준말. ↔有線ゆうせん.
──そうじゅう【──操縱】-sōjū 名 무선 조종. ──でんしん【──電信】 名 무선 전신. ──でんわ【──電話】 名 무선 전화.

むせん【無錢】 名 무전. ¶〜旅行りょこう 무전 여행／〜飲食いんしょく 무전 취식.

むそう【無雙】 -sō 名 ①무쌍. ＝無二にの・無類むるいの. ¶天下てんかに〜 천하 무쌍. ②의복·기구 따위의 안팎을 같은 재료로 만듦.

むそう【無想】 -sō 名 무상；일체의 생각을 없앰. ＝無心しん. ¶無念むねん〜 무념 무상.

むそう【夢想】 -sō 名 スル 自 ①몽상；공상. ＝空想くうそう. ¶〜家か 몽상가／〜だにしなかった事件じけん 꿈에도 생각지 않았던 사건. ②꿈 속에서 신불(神佛)의 계시가 있음. ¶ご〜 신불의 계시.

＊むぞうき【無造作・無雜作】 -zōsa 名 ダナ 손쉬운 모양；대수롭지 않게 여기는 모양. ¶〜な人柄ひとがら 소탈한 인품／〜に書かく 아무렇게나 쓰다／〜にやってのける 어렵지 않게 해치우다.

＊むだ【無駄・徒】 名 ダナ 쓸데없음；헛됨. ¶〜づかい 낭비／〜な話はなし 쓸데없는 이야기／〜になる 헛되이 되다／出費しゅっぴの〜を省はぶく 출비의 낭비를 없애다.

むだあし【無駄足】【徒足】 スル 自 헛걸음. ¶〜を運はこぶ[踏ふむ] 헛걸음하다.

むたい【無体】 □图【法】무체;무형. ¶~財産穀 무형 재산. □图【ダナ】 무리;무법. ¶~に 힘으로;강제로.

むだい【無代】图 무대;무료=ただ·無料だ. ¶~進呈ど 무료 진정.

むだい【無題】图 무제. ①(시가에서) 제목이 없음. ↔題詠穀 ②(문장·그림에서) 제목이 없음.

むだぐい【無駄食い・徒食い】图【又自】①간식(間食)=あいだぐい. ②무위도식(無爲徒食)=としょく.

むだぐち【無駄口・徒口】图 쓸데없는 말.=むだ言ざ. ¶~をたたく 쓸데없이 지껄이다.

むだごと【無駄事・徒事】图 쓸데없는 일;헛된 일.

むだづかい【無駄遣い・むだ使い】【徒遣い】图【又他】낭비;헛되이 씀. ¶予算ぎを~する 예산을 낭비하다. ¶費用ぎを慎むむ 낭비를 삼가다.

むだばな【無駄花】【徒花】图 헛꽃;수꽃.=あだばな.

むだばなし【無駄話・徒話】图 잡담.=おしゃべり. ¶~に時ぎを移うす 잡담으로 시간을 보내다.

むだぼね【無駄骨・徒骨】图 헛수고;도로(徒勞).=むだぼねおり. ¶~を折るる 헛수고하다.

*むだん【無断】图 무단. ¶~侵入ど 무단 침입. ¶~外出むで 무단 외출.

むち【鞭・策・笞】图①채찍;회초리;매. ¶~を加ぬえる 채찍질하다;편달하다. ②지시봉;지휘봉.

むち【無知】【無智】图ナ 무지. ①지식이 없음. ¶~文盲ど 무지 문맹. ②어리석음;지혜가 없음. ¶~な人ど 무지한 사람.

むち【無恥】图ナ 무치;염치를 모름. ¶厚顔於~ 후안 무치.

むちうちしょう【むち打ち症】【鞭打ち症】-shö 图 자동차의 충돌·추돌(追突) 때의 충격으로 머리가 앞뒤로 강하게 흔들려 생기는 장애(두통이나 마비 따위 후유증이 나는 경우가 많음).

むちう-つ【むち打つ】【鞭打つ・鞭つ】□自 채찍질하다. ①채찍을 가하다. ②격려〔편달〕하다.

*むちゃ【無茶】-cha 图ダナ ①사리에 닿지 않음;터무니〔턱〕없음;당치 않음.=めちゃ. ¶~をする 엉뚱한〔턱없는〕 짓을 하다 /~に安きい 턱없이 싸다 /~な事とを言うう 당치않은 소리 마라. ②영망진창;심함;지독함.=むやみ. ¶~に暑ずい 지독하게 덥다 /──くちゃ【──苦茶】-cha 图ダナ 'むちゃ'의 힘줌말.=めちゃくちゃ. ¶~に寒きい 지독하게 춥다 /~に飲のむ 마구 마시다 /~にあばれる 마구 날뛰다 /~に勉強なする 덮어놓고〔무턱대고〕 공부하다.

*むちゅう【夢中】-chū □图 몽중;꿈속.=夢裏む. □图ナ 열중함;몰두함. ¶遊あびに~だ 노는 데 정신이 없다 /~になって戦なう 필사적으로 싸우다.

むちん【無賃】图 무임. ¶~乗車じょう 무임 승차 /~配達だっ 무료 배달.

むつ【六つ】图①〈雅〉여섯;여섯 살.=ろく. ②옛날의 시각의 이름;오전·오후 6시쯤.

むつ【鯥】图【魚】게르치.

むつう【無痛】-tsū 图 무통. ¶~手術ょうt 分娩どう〕 무통 수술〔분만〕.

むつかし-い【難しい】-shï 圏 ☞むずかしい.

むつき【睦月】图〈雅〉음력 정월.

むっくと mukku- 圖 갑자기 일어나는 모양;벌떡.=むっくり. ¶~起っき上あがる 벌떡 일어나다.

むっくり mukku- 圖 ① ☞ むっくと. ②봉긋한 모양. ③살찐 모양.

むつごと【睦言】图 다정하게 주고받는 이야기;특히, 남녀가 잠자리에서 하는 이야기.

むつごろう【鯥五郎】-rö 图【魚】짱뚱어(망둥어과의 물고기).=ほんむつ.

むっちり mutchiri 圖 살이 쪄서 탄력이 있는 모양;포동포동. ¶~(と)太っった体からつき 포동포동 살찐 몸매.

‡**むっつ**【六つ】muttsu 图 여섯;여섯 살;여섯 개;여섯 쎄.=むつ.

むっつり muttsuri 圖 말수가 적고 무뚝뚝한 모양. ¶~한 사람 /~助や 점잖은 호색가.

むっと mutto 圖①불끈 치미는 것을 꾹 참는 모양. ②갑자기 화가 나서 입을 다무는 모양. ¶~した表情ぎ 부루퉁한 얼굴. ③열기나 냄새로 숨이 막힐 듯한 모양;후텁지근한 모양. ¶~する 部屋ぎ 후텁지근한 방.

むつまじ-い【睦まじい】-jï 圏 사이가 좋다;의가 좋다;정답다. ¶夫婦かぶ~く暮くらす 부부가 의좋게 산다.

むつみあ-う【むつみ合う】【睦み合う】国自 서로 의좋게 지내다.

むていけい【無定形】图 무정형. ¶~炭素ぎ 무정형 탄소.

むていけい【無定型】图 무정형. ¶~詩し 무정형시.

むていこう【無抵抗】-kö 图ナ 무저항.

むてき【無敵】图ナ 무적. ¶~艦隊かん 무적 함대 /天下いか~ 천하 무적.

むてき【霧笛】图 무적.=きりぶえ. ¶~信号どう 무적 신호.

むてっぽう【無鉄砲】-teppö 图ダナ ☞むこうみず.

むでん【無電】图 무전('無線電信ぜんん(=무선 전신)' '無線電話ぜんん(=무선 전화)'의 준말).

むどう【無道】-dö 图 무도.=非道だう. ¶悪逆がく~ 악역 무도.

むとうひょう【無投票】-hyö 图 무투표. ¶~当選ぜん 무투표 당선.

むどく【無毒】图ナ 무독;독이 없음. ↔有毒だく.

むとくてん【無得点】图 무득점. ¶~に終おわる 무득점으로 끝나다.

むとどけ【無届(け)】图 신고하지 않음. ¶~欠勤どん 무단 결근 /~集会どう 무신고 집회.

*むとんじゃく【無頓着】-jaku 图ダナ 무관심;무심함;대범함. ¶身みなりに~な人ど 몸차림에 무관심한 사람.

むないた【胸板】图①가슴통;앞가슴. ¶~をたたく 앞가슴을 치다. ②갑옷의 전면의 제일 윗부분(앞가슴을 가리

는 부분).

むなぎ【棟木】图 마룻대로 쓰는 목재. ⇨ぬき(貫)·はり(梁).

むなくそ【胸くそ】【胸糞】〈俗〉'胸㌔(=가슴)'의 힘줌말；가슴속；기분. ＝むねくそ. ¶~が悪㌔い 기분 나쁘다；불쾌하다.

むなぐら【胸ぐら】【胸倉】图 멱살. ¶~をつかむ 멱살을 잡다.

むなぐるし-い〔胸苦しい〕-shī 彫 가슴이 답답하다. 〔새.

むなぐろ【胸黒】〔鳥〕검은가슴물떼

むなさき【胸先】图 앞가슴；가슴패기. ＝むなもと.

むなさわぎ【胸騒ぎ】图 (근심거리·불길한 예감 등으로) 가슴이 두근거림；설렘. ¶何とsuch く~がする 웬 일인지 가슴이 설레다.

むなざんよう【胸算用】-yō 图 ☑直㊙ 복산；속셈；꿍꿍이셈. ＝むなづもり·むなづもり.

むなし-い〔空しい·虚しい〕-shī 彫 ① ㋠허무하다；덧없다. ¶~人生㌔ 허무한 인생. ㋡공허하다；내용이 없다. ¶演説㌔의 内容㌔이 ~ 연설에 내용이 없다. ②헛되다；보람 없다. ¶~努力㌔·苦心㌔·からず成功㌔した 애쓴 보람이 있어 성공했다. ③㋠이 세상에 없다；죽고 없다. ㋡回생하다. —くなる ①죽다. ②헛되이 되다.

むなびれ【胸鰭】图 가슴지느러미.

むなもと【胸もと·胸元】图 앞가슴；가슴. ＝むなさき. ¶~をとらえる 가슴패기를 잡다.

むに【無二】图 무이；둘도 없음. ¶~の親友㌔ 둘도 없는 친구.

むにする【無にする】[連語] 헛되게 하다；저버리다. ¶好意㌔を~ 남의 호의를 저버리다.

むにゃむにゃ -nyamunya 副〈俗〉뜻모를 소리를 입속에서 중얼거리는 모양；중얼중얼. ¶~言㌔う 중얼거리다.

むにん【無人】图 무인. ＝むじん. ¶~の境㌔ 무인지경.

むにんしょ【無任所】-sho 图 무임소. —だいじん【—大臣】图 무임소 대신(장관).

むね【旨】图 취지；뜻. ¶その~を伝㌔える 그 취지를 전하다.

むね【宗·旨】图 가장 으뜸으로 취급하는 것. ¶節約㌔を~とする 절약을 제일로 하다.

むね【棟】㊀图 ①용마루. ②마룻대. ＝むなぎ. ㊁接尾 가옥을 세는 助数詞；동；채. ¶二㌔·2 동；두 채.

＊**むね**【胸】图 ①가슴. ¶~を張㌔る 가슴을 펴다 / ~がどきどきする 가슴이 두근거리다 / ~が張㌔り 裂㌔ける 〔슬퍼서〕가슴이 찢어질 것 같은 느낌. ②마음；심금(心琴). ¶~に秘㌔める 마음에 품다 / ~のうちを明㌔かす 심중을 털어 놓다. ③폐. ¶~をやられる 폐병에 걸리다. —が裂㌔ける 〔너무 슬퍼서〕가슴이 찢어질 것 같다〔에어지는 듯하다〕. —がすく 가슴〔속〕이 후련해지다. —が焼㌔ける 속이 보께하다. —が〔胃㌔가〕쓰리다. —に当㌔たる 짐작이 가다；마음에 짚이다.

—に一物㌔㌔ 마음속에 어떤 계략을 품고 있음. ¶~に一物㌔ある人㌔ 내심 계략〔엉큼한 생각〕을 품고 있는 사람. —に迫㌔る 가슴속 깊이 느끼다. —に量㌔る 〔내색을 않고〕가슴속 깊이 간직해 두다. ＝胸㌔に納㌔める —を痛㌔める 몹시 걱정하다. —を打㌔つ ①〔슬픔·한탄·원통 따위로〕 몹시 가슴을 치다. ②감격시키다. ③놀라다. —を焦㌔がす 애태우다；초조해하다. ②몹시 그리워하다. —をさする ①한시름 놓다；안심하다. ②노여움을 삭이다. —をなでおろす 가슴을 쓸어내리다〔안심하다〕. —を弾㌔ませる 〔기쁨·기대 따위로〕가슴이 설레다〔두근거리다〕. —を割㌔る 마음속〔흉금〕을 탁 털어놓다. ＝むねさ·터놓다.

むね『刀背·鈍』图 ①칼의 등. ＝みね.

むねあげ【棟上げ】图 상량(上樑)；또, 상량식(上樑式). ＝上棟㌔·建㌔て前㌔. ¶~式㌔ 상량식.

むねん【無念】图 ①무념；아무 생각이 없음. ②원통함；분함. ¶~の涙㌔をのむ 원한의 눈물을 삼키다 / ~を晴㌔らす 원한을 풀다.

＊**むのう**【無能】图 -nō 무능. ＝無才㌔. ¶~무능 무재 / ~な者㌔ 무능한 자. ↔有能㌔.

むのうりょく【無能力】-nōryoku 图㋔ 무능력. ¶~者㌔ 무능력자.

むはい【無配】图 무배；무배당. ＝無配当㌔. ↔有配㌔.

むはい【無敗】图 무패. ¶~を誇㌔る 무패를 자랑하다.

むひ【無比】图 무비；무쌍(無雙). ＝無双㌔·無二㌔·無類㌔. ¶痛烈㌔~ 통렬 무비.

むひはん【無批判】图㋔ 무비판. ¶~に受㌔け入㌔れる 비판 없이 받아들이다.

むひょう【霧氷】-hyō 图 무빙；빙점하에서 안개가 낄 때, 나뭇가지나 물건에 붙는 얼음.

むびょう【無病】-byō 图 무병.

むひょうじょう【無表情】 -hyōjō 图 ㋒아 무표정. 〔무풍 상태. むふう【無風】-fū 图 무풍. ¶~状態㌔

むふんべつ【無分別】-fumbetsu 图 무분별. ¶~な行㌔い 분별 없는 행동. ↔上分別㌔.

むべ【郁子】图〔植〕멀굴. ＝ときわあ　　〔けび.

むほう【無法】-hō 图㋒아 무법. ¶~者㌔ 무법자 / ~地帯㌔ 무법 지대.

むぼう【無謀】图㋒아 무모. ¶~な計画㌔ 무모한 계획.

むぼうび【無防備】-bōbi 图 무방비. ¶~地帯㌔ 무방비 지대.

むほん【謀反】【謀叛】图 ☑直 모반；반역. ¶~人㌔ 모반자 / ~を起㌔こす 모반〔반역〕을 일으키다.

むま【夢魔】图 가위. ¶~に襲㌔われる 가위 눌리다.

むみ【無味】图 무미. ¶~乾燥㌔な話㌔ 무미 건조한 이야기.

むむ 國 입을 다문 채로 내는 소리(감동했거나 알았을 때 따위)；으음.

むめい【無名】图 무명. ①이름이 없음；이름을 쓰지 않음. ¶~の答案㌔ 무명의 답안 / ~の投書㌔ 무명의 투서. ②

이름을 알지 못함. ¶〜の勇士^{ゆう} 무명의 용사. ③유명하지 않음. ¶〜作家^{さっか} 무명 작가. ④대의 명분이 서지 않음. ¶〜の師^しを起^おこす 명분 없는 군사를 일으키다.──し【─指】图 무명지; 약손가락. =くすりゆび.

むめい【無銘】图 무명; 서화(書畫)·칼·기물(器物) 따위에 작자의 이름이 없음; 또, 그 작품. ↔在銘.

むめんきょ【無免許】-kyo 图 무면허. ¶〜運轉^{うんてん} 무면허 운전.

&**むやみ**【無闇·無暗】ダナ ①앞뒤를 생각하지 않고[함부로, 덮어놓고] 하는 모양. ¶〜に木^きをきる 함부로 나무를 베다 / 〜に約束^{やくそく}するな 함부로 약속을 마라 / 〜に飲^のむ[食^たべる] 무턱대고 마시다[먹다] / 〜に急^{いそ}ぐ 공연히 서두르다 / 〜に欲^ほしがる 덮어놓고 탐내다 / 〜に褒^ほめる 무턱대고 칭찬하다. ②과도한 모양; 터무니[턱]없음; 지나침. ¶〜な 덮어놓은 턱없이 비싸다. 〜やたら【──矢鱈】ダナ'むやみ'의 힘줌말.=むちゃくちゃ. ¶〜と書^かきなぐる 마구 휘갈겨 쓰다.

むゆうびょう【夢遊病】-yūbyō 图【醫】몽유병.=夢中遊行症^{むちゅうゆうこうしょう}.──離魂病^{りこんびょう}──患者^{かんじゃ}图 몽유병 환자.

*むよう【無用】-yō 图 ①무용. ①쓸데 없음; 필요 없음. ¶〜の心配^{しんぱい}をする 쓸데없는 걱정을 한다 / 〜の混乱^{こんらん}を 避^さける 쓸데없는 혼란을 避한다. =有用^{ゆう}. ②해서는 안 됨; 금지. ¶立^たち入^いり── 출입 금지 / 小便^{しょうべん}── 소변 금지. ──のちょうぶつ【──の長物】-chōbutsu 連語 무용지물.

むよく【無欲】【無慾】图 무욕; 욕심이 없음. ↔貪欲^{どんよく}·大欲^{たいよく}.

*むら【斑】图 ①얼룩; 채. =まだら. ¶色^{いろ}に〜が出来^{でき}る 빛깔이 고르지 못해 얼룩지다. ②고르지[한결같지] 않음. ¶〜のある性質^{せいしつ} 변덕스러운 성질 / 成績^{せいせき}に〜がある 성적이 고르지 못하다.

&**むら**【村】图 ①마을; 촌락; 시골. =村里^{むらざと}. ¶〜に帰^{かえ}る 시골로 돌아가다; 귀향하다. ②행정 구역으로서, 郡^{ぐん}의 하부 단위. =村^{そん}. ③⫏接頭語的으로⫐ 시골풍의; 촌스러운. ¶〜芝居^{しばい} 시골 연극 / 〜すもう 촌씨름.

*むらがる【群がる】【叢る·簇る】 5目 떼지어 모이다; 군집(群集)하다. ¶一民衆^{みんしゅう}が 운집하는 민중 / 鳥^{とり}が〜 새가 떼지어 모이다.

むらき【むら気】【斑気】图 변덕스러움; 또, 그 마음. =むらき. ¶〜の〔男〕 男^{おとこ} 변덕스러운 사나이.

むらくも【群雲】【叢雲】图 ⫏和歌 따위에서⫐ 떼구름. ¶月^{つき}に〜花^{はな}に風^{かぜ} 달에는 떼구름, 꽃에는 바람⫏호사 다마(好事多魔)란 뜻⫐.

*むらさき【紫色】①图 자색; 보랏빛. ②古代^{こだい}よ〜 남색이 짙은 보랏빛. ②【植】지치. ③しょうゆ(=간장)'의 딴이름.

むらさきいろ【紫色】图 자색; 보랏빛. むらさきうに【紫海胆】图【動】보라성게.

むらさきしきぶ【紫式部】图【植】작살나무.
むらさきつゆくさ【紫露草】图【植】자주달개비.

주닭의장풀.

むらざと【村里】图 마을; 촌. =村里^{そんり}. ¶寂^{さび}しい〜 적적한 촌동네 / 離世^{りせい}た所^{ところ}〜 마을에서 떨어진 곳; 인적 드문 곳. ↔都会^{とかい}.──「う:驟雨^{しゅうう})」

むらさめ【村雨】【叢雨】图 소나기; 취.
むらしぐれ【村時雨】【叢時雨】图 한 차례 내리고 지나가 버리는 가을 비; 가을 소나기.

むらすずめ【群すずめ】【群雀】图 참새 떼; 떼를 지은 참새.

むらだつ【群立つ】【叢立つ】 4目【雅】떼지어 날다[서다]. =むれたつ. ¶すずめが〜 참새가 떼지어 날다.

むらはずれ【村外れ】图 마을의 변두리; 동구 밖.

むらはちぶ【村八分】图 ①마을의 법도를 어긴 사람과 그 가족을 마을 사람들이 의논[의논한]해서 따돌림. ②⫏일반적으로⫐ 한패에서 따돌림. ¶〜にされる 따돌림을 당하다.

むらびと【村人】图 마을 사람.

むらむら 副 감정이 솟구쳐 오르는 모양; 걷잡을 수 없이; 불끈불끈. ¶怒^{いか}りが〜(と)こみあげて来^くる 화가 불끈불끈 치밀어오르다.

*むり【無理】ダナ 무리. ①도리가 아님; 이유가 없음. ¶〜な要求^{ようきゅう}[願^{ねが}い] 무리한 요구[부탁] / 怒^{おこ}るのも〜はない 화내는 것도 무리는 아니다. ②어거지; 억지; 강제. ¶〜に行^いかせる 억지로 가게 하다 / 〜を通^{とお}す 억지를 세우다 / 〜を重^{かさ}ねる 무리를 거듭하다. ③곤란. ¶今^{いま}は〜だ 지금은 곤란하다 / 君^{きみ}には〜だよ 네게는 무리다. ④무릅쓰고[돌보지 않고] 함.──が通^{とお}れば道理^{どうり}が引^ひっ込^こむ 억지가 통하면 도리가 물러선다⫏힘이 활개치면 정의가 물러선다⫐.──もない 무리도 아니다; 당연하다.──おし【──押し】图 억지로 밀고 나아감; 강행(強行). ¶〜をする 억지로 밀고 나아가다.──からぬ 連体 무리가 아닌; 일리 있는. ¶〜こと 있을 수 있는 일. ¶〜さんだん【──算段】图 무리지로 변통함. ¶〜をしても買^かう 기어코 사고야 만다.──しんじゅう【──心中】-jū 图又回 억지 정사(情死).──すう【──数】图【數】무리수. ↔有理数^{ゆうりすう}.──なんだい【──難題】图 생트집. ¶〜をふっかける 생트집을 잡다.──むたい【無体】ダナ 무리로 어거지; 강제. ¶〜に連^つれていく 강제로 데리고 가다.──やり【──遣り·──矢理】副 억지로 강행하려는 모양. ¶〜(に)押^おしつける 어거지로 떠맡기다.──「图:물이해.

むりかい【無理解】图ダナ 이해가 없음.
むりし【無利子】图 무이자. =無利息^{りそく}. ¶〜で金^{かね}を借^かりる 무이자로 돈을 빌리다.

*むりょう【無料】-ryō 图 무료. =ただ; 無代^{むだい}. ¶入場^{にゅうじょう}── 입장 무료; 무료 입장. ↔有料^{ゆうりょう}.

むりょう【無量】【無料】-ryō 图 무량; 무한. ¶感慨^{かんがい}〜 감개 무량 / 〜の意味^{いみ}がある 무한한 뜻이 있다.

むりょく【無力】-ryoku 图 무력. ¶〜感^{かん} 무력감 / 敵^{てき}の攻撃^{こうげき}に対^{たい}し

て～である 적의 공격에 대해서 무력하다. ↔有力.
むるい【無類】名 ダナ 무류；비길〔비할〕데 없음. ＝無比. ¶～の好人物 비길 데 없는 호인.
***むれ**【群(れ)】名 떼；무리；동아리. ¶雁〔渡り鳥〕の～ 기러기〔철새〕떼／浮浪者の～ 부랑자 떼／～をなして飛ぶ 떼지어 날다.
む-れる【群れる】下1自 떼를 짓다；군집(群集)하다. ¶鳥が～·れて飛ぶ 새가 떼지어 날다／羊が～ 양이 떼를 짓다.
む-れる【蒸れる】下1自 ①뜸들다. ¶ごはんが～ 밥이 뜸들다. ②찌다；무덥다；물쿠다. ¶部屋が～ 방이 무덥다. ③물크러지다.
むろ【室】名 ①외기를 막고 내부 온도를 일정하게 유지시키는 구조물. ¶こうじ～ 누룩을 띄우는 방／氷～ 빙고(氷庫). ②산허리의 암실(岩室). ＝いわや·いわむろ. ③〈雅〉승방(僧房).
むろあじ〖室鰺〗名〔魚〕갈고등어《전갱이과의 바닷물고기》.
むろざき【室咲き】名 온실에서 꽃을 피움；또, 그 꽃.
むろまちじだい【室町時代】名〔史〕足利씨가 정권을 잡았던 시대(1338-1573).
むろん〖無論〗副 무론；물론. ＝もちろん. ¶～賛成だ 물론 찬성이다.
むんずと 副 'むずと'의 힘줌말.
むんむん 副 무더운 모양；또, 강한 열기나 취기가 꽉 차서 후텁지근한 모양. ¶人いきれで部屋が～(と)する 사람 훈기로 방안이 후텁지근하다.

め メ

①五十音図 'ま行'의 넷째 음. [me] ②〖字源〗'女'의 초서체《かたかな 'メ'는 '女'의 초서체의 생략》.

め【女】名〈雅〉①여성；여자. ＝おんな. ¶～のわらわ 소녀／～神 여신. ②《妻》아내. ⇔男.
****め**【目】(眼) ㊀名 ①눈(알). ¶青い～ 파란 눈／～を開く 눈을 뜨다《(a) 깨닫다；(b)글을 읽을 수 있게 되다》／～がつぶれる 눈이 멀다／はたから変な～で見られる 주위에서 이상한 눈으로 보다／お～に掛かる 뵙다《'合う(＝만나다)'의 겸사말》. ②안목；안식；통찰력. ¶専門家の～ 전문가의 눈. ③시선；시력. ¶～をそらす 시선을 딴 데로 돌리다／～が弱い 시력이 약하다. ④눈에 보이는 모양；외모；겉모양. ¶見た～ばかりよくて実質は悪い 겉모양만 좋고 실속은 나쁘다. ⑤어떤 일을 겪음；경험；체험. ¶ひどい～に合う 지독한 일을 당하다. ⑥눈에 비유되는 것. ¶網の～ 그물의 눈／くしの～ 빗살／台風の～ 태풍의 눈／～が細かい板 결이 고운 판자. ⑦㉠저울·자 따위의 눈금；전하여, 수량. ¶はかりの～ 저울눈／～がかかる 무게가 꽤 나가다／いい～が出る (주사위에서) 큰 숫자가 나오다. ㉡'もんめ(＝돈쭝)'의 딴이름. ¶二〇〇～ 200 돈쭝. ㊁接尾【め·目】①순서를 나타낼 때 붙이는 말: 째. ¶二番～の娘 둘째 딸. ②점이나 선처럼 되어 다른 것과 구별되는 곳. ¶結び～ 매듭／境～ 경계선. ③사물의 고비가 되는 상태. ¶勝ち～がない 이길 가망이 없다. ④【め】《양·정도에 관한 形容詞 語幹에 붙어서》그러한 성질을 지닌다는 뜻을 나타냄. ¶細～の糸 가느스름한 실.
—がいい ①잘 보이다. ②통찰력이 있다. **—が利く** 분별력이 있다. **—がくらむ** ①현기증이 나다. ②넋을 잃고 올바르게 판단하지 못하게 되다. **—が肥える** 안식이 높아지다. **—が覚める** ①잠을 깨다. ②미망(迷妄)에서 깨나다；정신 차리다. ③놀라는 모양의 비유；매우 아름다움의 비유. **—が据わる** 몹시 노하거나 취하여 눈알이 움직이지 않다. **—が高い** 안식이 높다. **—がない** 열중하다；매우 좋아하다. **—が回る** ①눈이 핑핑 돌다. ②매우 바쁘다. **—から鼻へ抜ける** 빈틈없고 약빠르다. **—から火が出る** 눈에서 불이 번쩍 나다《머리를 세게 부딪쳤을 때의 형용》. **—と鼻の間** 엎드러지면 코 닿을 데. **—に余る** 눈꼴사납다；묵과할 수 없다. **—に一丁字もない** 글을 전혀 모르다；불학 무식하다. **—に懸ける** 보살피다；돌보아 주다. **—に角を立てる** 눈에 쌍심지 켜다. **—に立つ** 눈에 띄다；두드러지다. **—につく** 눈에 띄다. **—に見えて** 눈에 띄게. **—に物(を)見せる** ①뼈저리게 느끼게 하다. ②혼내 주다. **—の上の(たん)こぶ** 눈 위의 혹《지위나 실력이 한 수 위여서 활동의 장애가 되는 사람；눈엣가시》. **—の黒いうち** 살아 있는 동안. **—も当てられない** 심해서 차마 볼 수 없다. **—もくれない** 거들떠 보지도 않다. **—を疑う** 제 눈을 의심하다. **—を奪う** 넋을 잃고 보게 하다. **—を掛ける** ①돌보아 주다. ②총애하다. **—を凝らす** 응시하다. **—を三角にする** 눈을 세모로 뜨다《눈을 부라리다；눈에 쌍심지를 켜다》. **—をそばめる** 바로 못보고 곁눈질〔외면〕하다. **—を着ける** 주목하다；눈여겨 보다. **—をつぶる** ①눈감다；묵인하다. ②참다；단념하다. ③〈婉曲〉눈감다；죽다. **—を通す** 대강 훑어 보다. **—を留める** 주의하여 보다. **—を盗む** 남의 눈을 피해 몰래 하다. **—を引く** 눈을 끌다. **—を細める**〔細くする〕 기쁘거나 귀여운 것을 보고 웃음 짓는 모양. **—を回す** ①크게 놀라다. ②몹시 바빠 쩔쩔매다. ③기절하다. **—をむく** 눈을 부라리다.
****め**【芽】名 ①싹. ¶～をふく 움이 트다. ②달걀의 알눈；배반(胚盤). ③새

로 생겨서 장차 발전하려는 것. ¶惡^ぁの～ 악의 싹. **─が出^でる** ①싹이 돋다. ②행운이 찾아오다 ; 성공의 징조가 나타나다. **─のうちに摘^つむ** ①싹이 어릴 때 잘라내다. ②일이 커지기 전에 처리하다. 「암소. ↔雄牛^{をうし}·牡^を.

め【雌】(牝) 图 암컷. =めす. ¶～牛^{うし}

め【海布·海藻】〔植〕해조(海藻) ; 바닷말 ; 식용이 되는 해초의 총칭.

-め【奴】 图 〔体言에 붙어서〕한층 낮추어보는 뜻을 나타냄 ; 또, 자신에 대한 겸양의 뜻을 나타내는 말 ;…놈. ¶ばか ～ 바보 같은 놈 / わたくし～の落度^{おちど}です 제 잘못입니다.　　　「に.

めあか【目垢】 图 눈곱.

めあかし【目明かし】〔江戸^{えど}시대, 与力^{よりき}·同心^{どうしん} 아래의 하급 포리(捕吏). =岡^{をか}っ引^ぴき.

めあき【目明き】 图 ①눈뜬 사람. ②글을 아는 사람 ; 또, 사리를 아는 사람. ↔盲^{めくら}. **一千人^{せんにん}の盲^{めくら}千人^{せんにん}めくら**(盲).

めあたらし-い【目新しい】-shi 形 새롭다 ; 신기하다 ; 진기하다.

***めあて【目あて·目当て】** 图 목적 ; 목표. ¶持参金^{もちさんきん}を～に지참금을 노린 결혼 / 山^{やま}を～に歩^{ある}く 산을 목표로(하여) 걷다.

めあわ-せる【娶わせる·妻わせる】下1他 결혼시키다 ; 짝지어 주다.

めい【命】 图 ①명령. ②수명. =いのち. ¶～を絶^たつ 목숨을 끊다. ②명령. ¶～により 명에 의하여. ②운명. **一、且夕^{たんせき}に迫^{せま}る** 목숨이 경각에 달려 있다. **一は天^{てん}にあり** 명재천(命在天) ; 인명 재천.

めい【明】 图 ①명 ; 분명함 ; 밝음. **─と暗^{あん}** 명암. ②식견(眼識) ; 통찰력. ¶先見^{せんけん}の～ 선견지명. ③시력. ¶～を失^{うしな}う 시력을 잃다.

***めい【姪】** 图 질녀 ; 조카딸. ↔甥^{をひ}.

***めい【盟】** 图 맹약 ; 동맹. ¶～を結^{むす}ぶ 결맹(結盟)하다.

めい【銘】 图 명. ①금석(金石) 따위에 새기는 글 ; 명문. ②완성품에 새긴 제작자의 이름. ③교훈의 말. ¶座右^{ざゆう}の～ 좌우명.

めい【名】㊀接頭 명… ; 유명한 ; 훌륭한. ¶～監督^{かんとく} 명감독. ㊁接尾 …명. ①인원수를 나타내는 말. ¶一^{いち}～ 일명. ②이름. ¶學校^{がっこう}～ 학교명.

めいあん【名案】 图 명안. ¶～が浮^うかぶ 명안이 떠오르다.

めいあん【明暗】 图 ①밝음과 어두움. ¶人生^{じんせい}の～ 인생의 명암. ②〔美〕색채의 농담(濃淡)·강약의 정도. ¶～法^{ほう} 명암법.

めいい【名医】 图 명의.

めいう-つ【銘打つ】〔五自〕물건에 이름을 붙이다〔새겨넣다〕 ; 전하여, 그런 명목을 붙여 선전하다. ¶特産^{とくさん}と～ 특산이라는 명목을 내세우다.

めいうん【命運】 图 명운 ; 운명.

めいおうせい【冥王星】 meiō- 图 〔天〕명왕성.

めいか【名花】 图 명화. ①이름난 꽃 ; 아름다운 꽃. ②아름다운 여성 ; 미녀.

めいか【名家】 图 명가. ①명문. ¶～の出^で 명문 태생. ②그 길에서 뛰어난 사

람 ; 명사(名士).

めいか【名菓】 图 명과 ; 이름난〔맛있는〕 과자.

めいか【名歌】 图 명가 ; 유명한〔애창되는〕 노래.

めいか【銘菓】 图 명과 ; 특별히 이름을 붙인 이름난 과자.　　　　「〔영화〕.

めいが【名画】 图 명화 ; 이름난 그림

めいかい【明解】 图 간결하고 요령 있는 해석.

めいかい【冥界】 图 명계 ; 저승 ; 명토.

めいかい【明快】〔ダ∙ナ〕명쾌. ¶～な答^{こた}え 명쾌한 답변.

***めいかく【明確】**〔ダ∙ナ〕명확. ¶責任^{せきにん}の所在^{しょざい}を～にする 책임 소재를 명확히 하다.

めいがら【銘柄】 图 ①상품의 상표. ②〔종목 ; 거래하는 주식의 종류. ¶信用^{しんよう}～ 〔증권에서〕 신용 거래 종목. ㊁거래 물건의 품목(品目). ③품질이 우수하여 유명한 상품.

めいかん【名鑑】 图 ①명부(名簿) ; 인명록. ②물건의 이름을 모은 책.

めいき【名器】 图 명기.　　　「씀.

めいき【明記】 图 他 명기 ; 똑똑히

めいき【銘記】 图 [ス]他 명기 ; 명심.

***めいぎ【名義】** 图 명의. ①서류 따위에 쓰는 표면상의 이름. ¶～人^{にん} 명의인 / ～変更^{へんこう} 명의 변경. ②명분. ¶～が立^たたない 명분이 서지 않는다.

めいきゅう【迷宮】-kyū 图 미궁. ¶～にはいる 미궁에 빠지다 / ～入^いり (사건 등이) 미궁에 빠짐.

めいきゅう【盟休】-kyū 图 맹휴 ; '同盟休校^{どうめいきゅうこう}(=同盟 휴교)'의 준말.

めいきょうしすい【明鏡止水】 meikyō- 图 명경지수 ; 잠념이 없는 고요한 심정.

めいきょく【名曲】-kyoku 图 명곡.

めいきん【鳴禽】 图 명금. ¶～類^{るい} 명금류.

めいぎん【名吟】 图 ①뛰어난 시가·俳句^{はいく}. ②훌륭한 음영(吟詠).

めいく【名句】 图 명구. ①유명한〔훌륭난〕 俳句^{はいく}·詩^し·글귀. ②그 분야에 적합한 즉흥적인 경구(警句)·명언(名言).

めいくん【名君】 图 명군 ; 선정을 베푸는 훌륭한 군주.

めいくん【明君】 图 명군 ; 현명한 군주.

めいげつ【名月】 图 명월. ①음력 8월 보름달. ②음력 9월 13일 밤의 달.

めいげつ【明月】 图 명월. ①밝고 둥근 달. ②보름달.

めいげん【名言】 图 명언 ; 금언. ¶～を吐^はく 명언을 하다.　　　「말함.

めいげん【明言】 图 [ス]他 명언 ; 분명히

めいこう【名工】-kō 图 명공 ; 명장(名匠).

めいコンビ【名コンビ】-kombi 图 명콤비.

***めいさい【明細】**〔ダ∙ナ〕명세 ; 자세함. ¶～に説明^{せつめい}する 자세히 설명하다. **─しょ【─書】**-sho 명세서. =めいさいがき.

めいさく【名作】 图 명작.

***めいさつ【名刹】** 图 명찰 ; 유명한 절.

めいさつ【明察】 图 [ス]他 명찰 ; 밝히 헤아림. 参考 상대방의 추찰에 대한 경어로도 쓰임. ¶御^ご～の通^{とほ}りです 명찰하신 대로입니다.

***めいさん【名産】** 图 명산. =名物^{めいぶつ}.

めいざん【名山】 图 명산.

めいし 【名士】 图 명사.

*めいし 【名刺】 图 명함. ──ばん 【──判】 图 명함판.

めいし 【名詞】 【文法】 图 명사.

めいじ 【名辞】 图【哲】 명사; 개념을 말로써 나타낸 것.

めいじ 【明示】 区他 명시.

めいじつ 【名実】 图 명실. ──相&かなう; 一相伴なう; ──共に 명실 공히. ¶──共に 명실 공히.

めいしゃ 【目医者】(眼医者) -sha 图【과 의사.

めいしゅ 【名手】-shu 图①명수; 명인. ②(바둑·장기에) 멋진 수.

めいしゅ 【名主】-shu 图 명주; 훌륭한 군주.

めいしゅ 【名酒】-shu 图 명주; 유명한 술.

めいしゅ 【明主】-shu 图 명주; 명군(明君).

めいしゅ 【盟主】-shu 图 맹주. [主].

めいしゅ 【銘酒】-shu 图 명주; 특별한 이름을 붙인 좋은 술.

*めいしょ 【名所】-sho 图 명소; 명승지. ¶──案内ホん 명소 안내 //──旧跡 &ゥせき 명소 구적(古蹟).

めいしょう 【名匠】-shō 图①명장; 뛰어난 솜씨로 유명한 장인(匠人). ②훌륭한 예술가·학자.

めいしょう 【名相】-shō 图 명상; 이름난〔훌륭한〕 재상.

めいしょう 【名将】-shō 图 명장.

めいしょう 【名称】-shō 图 명칭. =よび名&な·名前ぇ. 「지. =名所しょ.

めいしょう 【名勝】-shō 图 명승.

めいしょう 【明証】-shō 区他 명증. ①명확한 증거. ②똑똑히 증명함.

めいじょう 【名状】-jō 区他 상태를 말로 표현함. ¶──しがたい惨状さんぢ 이루〔뭐라고〕 말할 수 없는 참상.

めいしょく 【明色】-shoku 图 명색; 밝은 빛깔. ↔暗色あん.

*めい──じる 【命じる】上1他 ☞めいずる(命). 「る(銘).

めい──じる 【銘じる】上1他 ☞めいず

めいしん 【名臣】 图 명신; 훌륭한 신하.

*めいしん 【迷信】 图 미신. ¶──家か 미신가.

*めいじん 【名人】 图 명인. ①그 분야에서 솜씨가 뛰어난 사람. =達人たつ·名手しゅ. ②(바둑이나 장기에서, 최고위의 칭호의 하나). ¶──位ぃ争奪戦そうだつせん 명인위 쟁탈전. ──かたぎ 【──気質】 图 명인 (특유의) 기질. ──はだ 【──肌】 图 재주가 뛰어난 사람에게 흔히 있는 여느 사람과는 다른 완고한 면.

めいすう 【名数】-sū 图 명수. ①(항상 일정한 수를 붙여서 부르는 것의 이름 〔삼강(三綱)·오륜(五倫)·사천왕(四天王) 따위〕. ②【数】수치(数値)에 단위 명을 붙인 것.

めいすう 【命数】-sū 图①수명; 천명; 운수. ¶──が尽っきる 수명이 다하다. ②어떤 수에 이름을 붙임. ¶十進しん法 ──法 십진 기수법.

めい──する 【銘する】サ変他 금석(金石)에 문자를 새겨 두다.

めい──ずる 【銘ずる】サ変他 마음속에 깊이 새기다; 명심하다. ¶肝きもに── 깊이 명심하다.

*めい──ずる 【命ずる】サ変他 ①명하다; 명령하다; 임명하다. ¶良心りょうしんの~

ところで 양심이 명하는 바 / 課長かちょうに ~ぜられる 과장에 임명되다. ②명명（命名）하다; 이름짓다.

めいせい 【名声】 图 명성; 명망.

めいせき 【明晳·明皙】 [名ナ] 명석; 분명하고 확실함. ¶頭脳のうの~ 두뇌 명석.

めいせん 【銘仙】 图 꼬지 않은 실로 거칠게 짠 비단(옷감·이불감 등으로 씀).

めいそう 【名僧】-sō 图 명승; 고승.

めいそう 【瞑想·冥想】-sō 区自 명상. ¶~的てき 명상적 / ~にふける 명상에 잠기다.

めいそうしんけい 【迷走神経】 meisō- 图【生】 미주 신경.

めいぞく 【名族】 图 명족; 명문.

めいだい 【命題】 图【論】 명제.

めいたがれい 【目板鰈】 图【魚】 도다리. =めいた.

めいだん 【明断】 图 区他 명단; 선악을 명확히 판단함. ¶~を下くだす 명단을 내리다. 「지혜.

めいち 【明知】(明智) 图 명지; 뛰어난

めいちゃ 【銘茶】-cha 图 특별한 명칭이 있는 고급차(茶).

めいちゅう 【命中】-chū 图 区自 명중. =的中ちゅう. 「いむし.

めいちゅう 【螟虫】-chū 图【虫】 ☞ず

めいちょ 【名著】-cho 图 명저.

めいちょう 【明澄】-chō 图ナ 명징; 맑고 밝음.

めいちょう 【迷鳥】-chō 图 미조; 길 잃은 철새.

めいてい 【酩酊】 图 区自 명정; 몹시 취함.

めいてつ 【明哲】 图 명철; 재지(才知)가 뛰어나고, 사리에 깊이 통달함; 또, 그런 사람. ¶~保身ほしんの術じゅつ 명철 보신의 술.

めいど 【明度】 图【美】 명도.

めいど 【冥土·冥途】 图 명토; 저승. ──の旅たびに出でる 저승길로 떠나다; 죽다. 「룡한 칼.

めいとう 【名刀】-tō 图 명도; 명검; 훌

めいとう 【名答】-tō 图 명답. ¶御ご~です 명답이십니다. ↔愚答ぐとう.

めいとう 【明答】-tō 图 区自 명답; 확답. 「대답.

めいとう 【迷答】-tō 图〈俗〉 엉뚱한

めいどう 【鳴動】-dō 图 区自 명동. ¶大山たいざん──してねずみ一匹ぴき 태산 명동에 서일필.

めいにち 【命日】 图 명일; 죽은 날에 해당되는 매해·매달의 그 날; 기일(忌日). 「日].

めいば 【名馬】 图 명마. [

*めいはく 【明白】 [名ナ] 명백; 분명. ¶~な事実じつ 명백한 사실.

めいび 【明媚】(明娟) [名ナ] 명미. ¶風光こうう~ 풍광 명미. 注意「明美」는 대용한다.

めいひつ 【名筆】 图 명필; 훌륭한 필적이나 그림; 또, 서화에 뛰어난 사람.

めいひん 【名品】 图 명품.

めいびん 【明敏】 [名ナ] 명민. ¶頭脳ずのう~ 두뇌 명민.

めいふ 【冥府】 图 명부. ①저승. =めいど. ②염마청(閻魔廳).

めいふく 【冥福】 图 명복. ¶~を祈いのる 명복을 빌다.

*めいぶつ 【名物】 图 명물. ①유명한 것. ¶──教授きょうじゅ 명물 교수. ②그 고장의

명산물；특히, 식품을 이름. ③뛰어난 다구(茶具). ——にうまいものなし 명물치고 맛 좋은 것 없다；소문난 잔치에 먹을 것 없다.

めいぶん 【名分】图 명분. ¶~大義ぎ~ 대의 명분 / ~が立たない 명분이 서지 않다.

めいぶん 【名文】图 명문. ①훌륭한 문장. ¶~家 유명한 문장. ②유명한 문장.

めいぶん 【名聞】图 명문；세상의 평판. =みょうもん. ¶~をはばかる 세상의 평판을 꺼리다.

めいぶん 【明文】图 명문；명시된 조문(條文). ——か〔——化〕图ス他 명문화.

めいぶん 【銘文】图 명문；명(銘)으로서 금석(金石)의 기물에 새겨진 글.

めいぼ 【名簿】图 명부.

*＊**めいほう** 【名宝】-hō 图 명보；유명한 보물.

めいほう 【盟邦】-hō 图 맹방；동맹국.

めいぼう 【名望】-bō 图 명망. ¶~家 명망가.

めいぼう 【明眸】-bō 图 명모；맑고 아름다운 눈동자. ——こうし〔——皓歯〕-kōshi 图 명모 호치《맑고 아름다운 눈과 희고 고운 이》；미인의 형용.

めいぼく 【名木】图 ①유명한 나무；유서 있는 나무. ②훌륭한 향목(香木).

めいぼく 【銘木】图 형상・색택・나뭇결・재질(材質)이 진기하고 특수한 풍취가 있는 비싼 목재.

めいみゃく 【命脈】-myaku 图 명맥；목숨. =いのち. ¶どうにか~を保たつ 겨우 목숨을 이어가다(부지하다).

めいむ 【迷夢】图 미몽. ¶~からさめる 미몽에서 깨어나다.

めいめい 【命名】图ス自 명명；이름을 붙임. ¶~式 명명식.

*＊**めいめい** 【銘銘】图 각자；제각기；각각. ¶~の判断にまかせる 각자의 판단에 맡기다. ——ざら〔——皿〕图 노느매기 접시.

めいめいはくはく 【明明白白】图ナ〔トタル〕 명명백백('明白ぷ'의 힘줌말).

めいめつ 【明滅】图ス自 명멸. ¶ネオンの~ 네온의 명멸.

めいもく 【名目】图 명목. ①이름；명색. ②구실；이유. ¶~が立たない 구실이 서지 않다. 注意 'みょうもく'라고도 함. ——ちんぎん〔——賃金〕图 명목 임금. ↔実質賃金じっしつ.

めいもく 【瞑目】图ス自 명목. ①눈을 감음. ②편안히 죽음.

めいもん 【名門】图 명문=名家がん. ¶~校 명문교 / ~の出で 명문 출신.

めいやく 【名訳】图 명역；훌륭한 번역〔해석〕.

めいやく 【盟約】图ス他 맹약. ¶~を結むぶ 맹약을 맺다.

めいゆう 【名優】-yū 图 명우；유명한 배우.

めいゆう 【盟友】-yū 图 맹우；동지.

*＊**めいよ** 【名誉】图 ①영예；명예. ¶一門いちの~ 일문의 명예. ②자존심；체면. ¶個人ぉの~に関かんすること 개인의 명예에 관한 일. ③《接頭語的に》공적을 기리기 위해 수여되는 칭호로 쓰는 말. ¶~教授きょう 명예 교수.

——きそん〔——毀損〕〔——毀損〕图 명예 훼손. ——しょく〔——職〕-shoku 图 명예직.

めいり 【名利】图 명리；명예와 이익. =みょうり.

めいりゅう 【名流】-ryū 图 명류；명사. ¶~婦人ぷ 여류 명사.

*＊**めいりょう** 【明瞭】-ryō ダナ 명료；명백；똑똑함. ¶な事実じつ 명료〔명백〕한 사실.

めい-る 【滅入る】五自 ①기가〔풀이〕 죽다；우울해지다. =ふさぐ. ¶気きの~話はぁ 우울해지는 이야기. ②（쑥）빠져 들다. =めりこむ.

*＊**めいれい** 【命令】图 명령. ——解散かぃ 해산 명령 / ~を下くだす 명령을 내리다 / 行政ぎょう~ 행정 명령.

めいろ 【目色】图 안색；눈빛；눈짓. ¶目めつき. ¶~を変ゕえる 안색이 변하다 / ~で知しらす 눈짓으로 알리다.

めいろ 【迷路】图 미로. ①홀림길. ②〔生〕내이(內耳).

*＊**めいろう** 【明朗】-rō ダナ ①명랑. ¶~な青年ねん 명랑한 청년. ②거짓이 없고 공정함〔밝음〕. ¶~な会計けい 속임이 없는 회계.

めいろん 【名論】图 명론. ¶~卓説たく 명론 탁설.

*＊**めいわく** 【迷惑】图ナ ス自 귀찮음；성가심；괴로움；폐. ¶人ひとに~をかける 남에게 폐를 끼치다 / ~な話はなだ 귀찮은 이야기이다.

*＊**めうえ** 【目上】图 지위・나이가 위임；또, 윗사람. =年長ちょう者. ¶~に対たいする礼儀ぎ 윗사람에 대한 예의. ↔目下した.

めうし 【雌牛】图 암소. ↔雄牛うし.

めうつり 【目移り】图ス自 다른 것에 끌려 그쪽으로 눈이 쏠림〔관심이 감〕. ¶新あたらしい品しなに~（が）する 새 물건에 눈이 쏠리다.

メーカー 图 메이커. ①제조（업）자. ②유명한 제조 회사. ¶~品ひん 유명 메이커 제품. ▷maker.

メーキャップ -kyappu 图ス自 메이크업；（출연 배우의）얼굴 화장. =メーキャップ・メークアップ. ▷make-up.

メーター 【米】图 미터. ①자동 계기（計器）. ②길이의 단위. =メートル. ▷meter.

メーデー 图 메이데이；노동절. ▷May Day.

メード 图 메이드；하녀；가정부. ▷maid.

*＊**メートル** 【米・米突】图 미터. ①미터법에서, 길이의 기본 단위. ②자동식 계（량）기. ▷프 mètre. ——を上ぁげる 술주정 큰소리 치다；기염을 토하다.

——せい〔——制〕图 미터제. ①미터법을 쓰는 제도. ②계기의 눈금에 따라 요금을 정하는 일.

メーン- 메인…；주요한. =メイン. ▷main. ——イベント 메인 이벤트；본 시합《권투 경기 등의》. =メーンイベント. ▷ main event. ——スタンド 图 메인 스탠드；경기장의 정면 관람석. ▷ main stand. ——テーブル 图 메인 테이블；회의・연회장의 정면 중앙의 좌석. ▷ main table. ——ポール 图 메인 폴；《경기장의》중앙의 국기 게양대. ▷ main pole.

めおと 〔女夫・夫婦〕图 〈雅〉 부부. =みょうと.

めがお【目顔】图 눈; 눈 표정; 눈짓.

めかくし【目隠し】图 ㉳圎①형겊 따위로 눈을 가림; 또, 그 형겊; 눈가리개. ②가막잡기. ③집의 내부가 밖에서 보이지 않도록 가리어 막음; 또, 그 막는 담·울타리 따위). ¶～を作(つく)る 가리개를 하다. ↔本妻(ほんさい).

めかけ【妾】图 첩. ¶～をかこう 첩을

*__めが-ける__【目がける・目掛ける】【目懸ける】㉳圎① 목표로 하다; 노리다. ＝ねらう・めざす.

-__めかし-い__ -shi …답다[같다]; …스럽다; …처럼 보이다. ¶古(ふる)～ 낡아 보이다 / 今更(いまさら)～ 새삼스럽다.

めかしこ-む【粧し込む】⑤圎 한껏 모양을 내다; 멋을 부리다.

めがしら【目頭】图 눈구석. ↔目(め)じり. ─が熱(あつ)くなる 눈시울이 뜨거워지다.

めか-す【粧す】⑤圎 멋을 부리다; 모양을 내다. 参考 '色(いろ)めかす'의 준말. 二【めかす】接尾 《名詞·語根 등의 밑에 붙어서》…처럼 꾸미다[차리다]; …답게 보이도록 하다. ¶親切(しんせつ)～ 친절한 척하다 / ほの～ 암시하다.

めかた【目方】图 무게; 중량. ¶～が かかる 무게가 나가다 / ～がふえる 몸무게가 늘다 / ～で売(う)る (무게로) 달아 팔다 / ～が切(き)れる 근수가 모자라다

めかど【目角】图 『～を立(た)てる』 무서운 눈으로 노려보다; 눈에 쌍심지를 켜다.

メカニズム 图 메커니즘. ①(기계) 장치; 구조; 기구(機構). ②〔哲〕기계론. ▷mechanism.

めがね【鑑識・眼鏡】图 감별[감식]안; 감식력; 감정(鑑定). ─にかなう 《윗사람의》 눈에 들다.

*__めがね__【眼鏡】图 ①안경. ②쌍안경; 망원경. ──ばし【─橋】图 아치형의 다리; 홍예 다리. ──へび【─蛇】图 コブラ.

メガホン 图 메가폰; 입에 대고 말하는 확성 나팔. ＝メガフォン. ¶～を握(にぎ)る 메가폰을 잡다(감독하여 영화를 만들다). ▷megaphone.

めがみ【女神】图 여신. ↔男神(おとこがみ).

メガロポリス 图 메갈로폴리스; 광역 도시; 거대 도시. ▷megalopolis.

めきき【目利き】图 ㉳圎 (서화·도검·골동품 따위를) 감정[감식]함; 또, 그 사람.

めきめき 圖 두드러지게 성장[진보]하는 모양; 눈에 띄게; 두드러지게; 무럭무럭; 부쩍부쩍. ¶～と(と)上達(じょうたつ)する (솜씨 따위가) 두드러지게 늘다.

-__めく__《名詞·副詞 등에 붙어 五段活用 動詞를 만듦》…다워지다; …다워지다; …경향을 띠다; …같이[처럼] 보이다. ¶皮肉(ひにく)～ 빈정대는 듯한 말투 / 春(はる)～ 봄다워지다.

めくぎ【目釘】图 칼이 칼자루에서 안 빠지도록 꽂아는 못.

めくじら【目くじら】图〈俗〉눈구석. ＝目角(めかど). ─を立(た)てる 《남의》 흠을 잡다; 남을 흠뜯다.

めぐすり【目薬】图 안약; 안약. ¶～물로 주는 극히 적은 금품. ¶～をきかす 극히 적은 뇌물을 쓰다.

めくそ【目くそ】【目糞・目屎】图 눈꼽. ＝めやに.

めくばせ【目くばせ・目配せ】图 ㉳圎 눈짓. ＝めくわせ・めまぜ.

めくばり【目配り】图 ㉳圎 사방을 주의하여 둘러봄.

*__めぐ-れる__【恵まれる】下㉑圎 혜택받다. ①베풂을 받다. ②많다; 풍족하다; 행복하다. ¶資源(しげん)に～ 자원이 풍족하다 / 家庭的(かていてき)に～·れない 가정적으로 불우하다. ③잃게(갖게) 되다; 또, 타고나다. ¶健康(けんこう)[才能(さいのう)]に～ 건강[재능]을 타고나다.

めぐみ【恵み】图 은혜; 은총. ¶神(かみ)の～によって 신의 은총으로. ②인정; 자비. ¶～をたれる 자비를 베풀다. ③동냥. ¶～を乞(こ)う 동냥하다; 구걸하다. ④혜택. ¶自然(しぜん)の～ 자연의 혜택. ⑤雨(あめ)の～ 단비; 자우(慈雨).

めぐ-む【芽ぐむ】【萌む】⑤圎 싹트다; 움트다.

めぐ-む【恵む】【恤む】⑤㉗圎 은혜를 베풀다. ①인정을 베풀다. ②금품을 주다; 구제하다.

*__めくら__【盲】图 ①장님. ②눈이 보이지 않음; 또, 그 사람. 注意 지금은 '目(め)の見(み)えない人(ひと)'(=눈이 보이지 않는 사람)'이라고 함. ¶めくら 장님. ¶あき──ひるめくら (a)문맹자; 까막눈; (b)청맹과니. ②눈뜬 소경; 일자무식. ↔目明(めあ)き. ──千人(せんにん) → 目明(めあ)き千人(せんにん) 사리에 밝은 사람도 많고 어두운 사람도 많다. ──蛇(へび)におじず 장님이 뱀을 무서워할까; 하룻강아지 범 무서운 줄 모른다.

めぐら-す【巡らす】【回らす・廻らす】⑤㉗① 돌리다. ①뒤로 돌리다; ¶きびすを～ 발걸음을 돌리다. ②두르다. ¶庭(にわ)に垣(かき)を～ 뜰에 울타리를 두르다. ③《마음 속에》 이리저리 두루 생각하다. ④머리를 짜내다. ¶知恵(ちえ)を～ 지혜를 짜내다. ◯꾸미다. ¶計略(けいりゃく)を～ 계략을 꾸미다.

めくらへび【めくら蛇】【盲蛇】图①《くらへび》【動】소경뱀. ②사지를 몰라 무모함(盲(くら)蛇(へび)におじずの준말》.

めくらめっぽう【盲滅法】-meppō ㉑圎ナ 조금도 짐작이 안 감; 무턱대고 함; 되는 대로 함. ＝やみくも; でたらめ. ¶～に突進(とっしん)する 무턱대고 돌진하다.

めぐり【巡り】【回り・廻り・周り】图①돎; 돌기. ㉠한 바퀴 돎; 순환. ¶血(ち)の～ 혈액 순환. ㉡여기저기 돌름; 순회; 편력. ②둘레; 주위; 주변. ¶池(いけ)の～ 연못의 주위.

めぐりあ-う【巡り会う・巡り合う】⑤圎 오랜만에 우연히 만나다; 해후(邂逅)하다.

めぐりあわせ【巡り合(わ)せ】图 《자연히 그렇게 될》 운명; 운. ＝まわりあわせ. ¶不思議(ふしぎ)な～ 이상한 운명[인연].

*__めく-る__【捲る】⑤㉗① 넘기다; 젖히다. ¶ページを～ 책장을 넘기다. ② 벗기다; 뜯다; 떼다. ¶瓦(かわら)を～ 기와를 벗기다[걸어 내다].

*めぐ-る【巡る】②回る・廻る・周る・繞る》⑤自①〔ぐるぐる〕めぐって，ぐるぐる回る。¶〜年月を〜：세월이 돌고 도는 세월。¶여기저기 돌다；돌아다니다。¶関西지방을 한바퀴 돌다。㉠돌러〔에워〕싸다。㉡위요（圍繞）하다。¶彼女を〜五人しの女性に①그를 둘러싼 5명의 여성／賞品品を〜って찬우를 둘러싸고。㉢돌려 있다。¶堀ぼりが〜 해자가 둘러 있다。――因果かが 돌고 도는 인과；인과 응보。

め-げる下①【方》이지러지다；깨어지다；부서지다。¶箱こが〜 상자가 부서지다。②약해지다；기가 죽다〔꺾이다〕。¶困難かんに〜・げず 곤란에 끄떡〔꺾이지〕않고。

めこぼし【目溢し】【目澄し・目零し】②돈눈감아줌；관대히 봄；묵인함。¶どうぞお〜を願ねがいます 제발 눈감아 주시기 바랍니다。

*めさき【目先】【目前】②①눈앞；목전。㉠눈의 앞。㉡현재；당장。¶〜の利益えき 앞앞의 이익。②앞〔의 일〕；장래。¶〜が真まっ暗くらだ 앞이 캄캄하다〔한가닥 희망도 없다〕。③앞〔의 일을 내다〕봄；선견（先見）。④의견（外見）；취향（趣向）。¶〜が変わっていている 겉모양〔취향〕이 색다르다。一が利きく①앞일을 잘 내다본다。②재치가 있다。

めざし【目刺し】②절어리 따위의 눈을 짚어나무로 꿰어서 말린 식품。

*めざ-す【目指す】【目差す】⑤他지향하다；목표로 하다；노리다。＝ねらう。¶大学だいを〜して勉強きょうする 대학을 목표로 공부하다。

めざ-す【芽差す】【芽差す】⑤自 싹트다。
めざと-い【目敏い】【目聡い】形①〔보는〕눈이 빠르다；재빠르다。¶〜く見つける 재빨리 발견하다。②잠귀가 밝다。＝いまさとい。¶老人かんは〜 노인은 잠귀가 밝다。

めざまし【目覚まし】②①잠을 깸；잠을 깨게 함；졸음을 떨어버림。②〔아이들이〕잠에서 깨었을 때 받는 과자；양남이。＝おめざ。③目覚まし時計どけいの 준말。――どけい【――時計】②자명종；괘종。

めざまし-い【目覚（ま）しい】-shī 形눈부시다；놀랍다。¶――な進歩ぽ 눈부신 진보。

*めざ-める【目覚める】下①自 눈뜨다。①잠을 깨다；깨어나다。¶朝あさ早はやく〜 아침 일찍 잠을 깨다。②〔본능 등이〕싹트다；자각하다。¶性せいに〜 성에 눈뜨다。③깨닫다。¶現実げんに〜 현실에 눈뜨다；현실을 깨닫다／悪あくから〜 악에서 눈을 뜨다。

*めざわり【目障り】②눈에 거슬림；또，그런 것。¶〜なやつぢ〔看板ばん〕눈에 거슬리는 녀석〔간판〕。

*めし【飯】②밥；식사。＝ごはん。¶朝あさ〜 아침밥〔식사〕／米こめの〜 쌀밥／〜をたく 밥을 짓다／〜にする 식사하기로 하다／…で〜を食くう …으로 먹고 살다；…으로 밥벌이를 유지하다。――の食くい上あげ 생계의 길이 막힘；밥줄이 끊어짐。¶の種たね 생계의 수단。

めじ ☞めじまぐろ〔siah.〕
メシア②메시아；구세주。☞그Mes-

*めしあが-る【召（し）上がる】⑤他〔飲のむ＝마시다〕‘食たべる＝먹다〕의 높임말。¶たんと〜・れ 많이 드세요。

めしあ-げる【召（し）上げる】下①他①몰수하다；빼앗다；거두다。¶財産산を〜 재산을 몰수하다。②부르다；불러내다〔올림〕。

めしかか-える【召（し）抱える】下①他①불러〔들여〕부하로 쓰다。②사람을 들이다；고용하다。¶運転手てをひとり〜 운전수 한 사람 들이다。

めしじょう【召（し）状】-jō ②소환장；호출장。¶目上うえ。

めした【目下】②아랫사람；손아래。↔

めしたき【飯炊き】②밥을 지음；취사；또，밥짓는 사람。¶녀。

めしつかい【召使】②머슴；하인；하녀。

めしつぶ【飯粒】②밥알。＝ごはんつぶ。¶〜大だい 밥알 크기。

めしと-る【召し捕る】⑤他죄인 등을 잡다；체포〔포박〕하다。

めしびつ【飯びつ】【飯櫃】②밥통。＝おひつ；おはち。¶〜べ。

めしべ【雌蕊】②자예；암꽃술。↔おし

めじまぐろ【めじ鮪】【魚】다랑어의 새끼。＝めじ。

めしよう【目性】-shō ②눈；눈의 질（質）〔시력 등〕。¶〜が悪わるい 눈이 나쁘다。

めじり【目じり】【目尻】②눈초리。¶〜にしわが寄よる 눈가에 주름이 생기다。¶目頭がしら。――を下さげる 여자에게 넋을 잃다；여자에 빠지다。

*めじるし【目印】【目標】②안표；표지；표적。¶〜をつける 안표를 하다。

めじろ【目白・眼白】②【鳥】 동박새。――おし【――押し】【ナ】①많은 사람이 밀치락달치락 늘어섬。②많은 아이들이 서로 밀고 노는 밀치기놀이。

め-す【召す】⑤他①‘呼よび寄せる＝불러 들이다〕‘取とり寄せる＝가져〔보내〕오게 하다〕의 높임말。②‘食くう＝먹다〕‘飲のむ＝마시다〕‘着きる＝입다〕‘乗のる＝타다〕따위의 높임말；드시다；입으시다；타시다。¶おかぜを〜 감기에 걸리시다／風呂ろをお〜しなさい 목욕하십시오。《動詞 連用形に 붙여서》존경의 뜻을 나타내는 말。¶きこし〜 들으시다。

*め-す【雌】【牝】②짐승의 암컷。＝め。めん。↔お；おん；雄ゆう。

メス②메스；해부・수술 따위에 쓰는 칼。☞네 mes.――を入いれる②수술하다。②화근을 뽑기 위해 단호한 처분을 내리다。

*めずらし-い【珍しい】-shī 形①드물다。㉠희귀〔희한〕하다；（진）귀하다。¶〜味あじのくだもの 희한한 맛의 과일／〜〜勉強きょうしているね 희한하게도 공부를 다하는구려／〜品しなを いただく 귀한 선물을 받다。㉡이상하다。¶彼かが おくれるのは〜・くない ユ가 늦는 것은 이상한 일이 아니다。②새롭다；신기하다。¶〜デザインの車くるま 새로운 디자인의 차／見みるもの聞きくもの皆みな〜 보는 것 듣는 것이 모두 신기하다。

メゾソプラノ②【樂】메조소프라노。☞이 mezzo-soprano.

めそめそ 副 소리 없이 또는 낮은 소리로 우는 모양；걸핏하면 우는 모양：훌짝훌짝. ¶～した女앞에 걸핏하면 훌짝거리는 여자.

めたい【女鯛】图 图 돔돔의 딴이름.

めだか【目高】图 图 송사리.

めだき【雌滝·女滝】图 가까워 두 개의 폭포가 있을 때 물살이 약하고 작은 쪽의 폭포. ↔雄滝.

めだけ【雌竹·女竹】图 图 시대． 해장죽(海藏竹)． ＝おなごだけ·なよたけ.

めだ-つ【芽立つ】图 싹트다.

＊めだ-つ【目立つ·目立つ】图 图 눈에 띄다；두드러지다. ¶～에 잘 띄는 복장.

めだって【目立って】-datte 副 눈에 띄게；두드러지게；현저하게. ～きわだって. ¶～良く쟌 눈에 띄게 좋아지다.

めたて【目立て】图 图 날 세우기；톱이나 줄칼 따위의 날을 세움.

めだま【目玉】图 ①눈알；안구(眼球). ＝まなこ. ②야단 맞음；꾸지람을 들음. ¶お～を食う 야단을 맞다. ¶～が飛び出る 눈알이 나오다(크게 야단 맞음). ¶～の黒いうち 살아 있는 동안 ＝〔商品〕-shōhin 【백화점 등에서의】싼거리〔손님을 끌기 위한 특매품(特賣品)〕. ¶～やき【──焼(き)】두 개의 달걀을 깨어 풀지 않고 나란히 팬에 놓아 지진 프라이〔한 개의 경우도 가리킴〕.

メタル 图 메탈. ①금속(金屬). ②메달（「メダル」의 전와）. ▷metal.

メダル 图 메달. ¶金～ 금메달. ▷medal.

メタン 图 【化】메탄；탄화 수소의 일종. ▷도 Methan.

めちがい【目違い】图 그릇 봄；잘못 봄.

めちゃ【目茶·滅茶】-cha 图 [ダナ]〈俗〉이치에 닿지 않는 모양；당치 않음；부당함；터무니〔턱〕없음. ＝むちゃ. ¶～な値段앞 턱도 없는 값/～を言う 당치 않은 소리를 하다/～をする 터무니없는 짓을 하다. ──くちゃ【──苦茶】-kucha [ダナ]〈俗〉엉망（진창）；마구 하는 모양（「めちゃ」의 힘줌말）. ¶～な値段앞 터무니 없는 값/計劃앞が～になる 계획이 엉망으로 되다. ──めちゃ【目茶目茶·滅茶滅茶】-mecha [ダナ]〈俗〉엉망（진창）；뒤죽박죽；뒤범벅（「めちゃ」의 힘줌말）. ¶～にこわす 산산히 부수다.

めちょう【雌蝶】【雌蝶】图 mechō 암나비. ↔雄蝶「おちょう」.

メチルアルコール 图 메틸알코올；목정(木精). ＝メタノール. ▷도 Methylalkohol.

メッカ mekka 图 메카. ①사우디아라비아의 옛 서울(마호메트의 출생지로서 회교의 성지). ②(그 방면의) 중심지；발상지. ▷Mecca.

めっかち mekka- 图〈俗〉애꾸눈. ②짝눈；짝짝이눈.

＊めつき【目付き·目付き】图 눈(의 표정)；보는 눈모습. ¶～が悪い 눈매가 고약하다.

めっき【鍍金·滅金】mekki [ス他] ①

도금. ＝ときん. ②〈俗〉겉만 번지르르하게 꾸밈；겉바름；또, 그것. ＝てんぷら. ¶～がはげる 정체가〔본색이〕 드러나다.

めっきゃく【滅却】mekkaku- [ス自他] 멸각. ¶心頭を滅却すれば火もまた涼し 무념 무상(無念無想)의 경지에 이르면 불도 시원해진다(어떤 고통과 고난도 정신력으로 극복할 수 있다).

めっきり mekkiri 副 두드러지게 변화하는 모양：뚜렷이；현저히；제법. ¶～(と)春らしくなった 제법 봄다워졌다.

めっきん【滅菌】mekkin [ス自他] 멸균.

めつけ【目付】图 무가(武家) 시대에, 무사의 위법을 감찰하던 직명.

めっけもの【目付け物】mekke- 뜻밖에 얻은 행운을〔횡재〕. ＝掘出し물.

めっし【滅私】messhi 图 멸사. ¶～奉行도 멸사 봉공.

めっしつ【滅失】messhi- 图 [ス自] 멸실；망하여 없어짐.

めっ-する【滅する】messu- [サ変他自] 멸망시키다；멸망하다；없애다；없어지다.

メッセージ messēji 图 메시지. ¶～する 메시지를 보내다. ▷message.

メッセンジャー messenjā 图 메신저；사자(使者)；배달인. ¶～ボーイ 메신저 보이. ▷messenger.

めっそう【滅相】messō [ナ] 당치도 않음；터무니없음. ¶～もない 당치도 않다；터무니없다.

めった【滅多】metta [ダナ] 분별 없음；마구 함；함부로 함. ＝やたら·むやみ. ¶～なことをいうものではない 분별 없는 말을 하는 것이 아니다. ──に 副《아래에 否定이 따라서》거의；좀처럼. ¶彼れは～来ない 그는 좀처럼 오지 않는다. ──やたら【──矢鱈】[ダナ] 무턱대고 함부로 하는 모양(「めった」의 힘줌말). 參考 단독으로 副詞的으로 씀.

メッチェン metchen 图〔學〕메첸；소녀；미혼 여성. ▷도 Mädchen.

めつぶし【目つぶし】【目潰し】图 모래나 재 따위를 던져 상대의 눈을 못 뜨게 하는 일；또, 그 모래나 재.

めっぷう【滅風】图 [ス自] 멸풍.

めっぽう【滅法】meppō 副〈俗〉정도가 지나친 모양：굉장히；대단히；터무니없이. ¶～に強い 대단히 세다；대단히 강하다. 注意 'な'를 붙여 쓰기도 함. ¶～なことを言う 터무니없는 소리를 한다.

めづもり【目積(も)り】图 [ス他] 눈대중.

めつれつ【滅裂】图 멸렬. ¶支離～ 지리 멸렬.

めて【馬手·右手】图 말고삐를 잡는 손；오른손；오른쪽. ↔弓手앞.

メディア -dia 图 미디어；매개물；수단；매체(媒體). ¶マス～ 매스 미디어. ▷media.

＊めでた-い【目出度い·芽出度い】形 ① 경사스럽다；축하할 만하다. ¶合格앞して何よりも～ 합격해서 무엇보다 경사스럽다. ②(모든 일이) 순조롭다；좋다. ¶～く終わる 순조롭게 끝나다. ③(사람이) 순진하다；호인(好人)이다. ¶お～男도앞(人)호인. ④〈俗〉「～くなる」'死ぬ(＝죽다)'의 기(忌)하는 말.

めでたし 【名】 결과가 좋게 끝남;해피엔드. ¶『その映画^{が}』は〜で終^{わ}る 그 영화는 해피엔드로 끝난다.

め-でる 【愛でる】 下1他 ①사랑하다;귀여워하다;완상(玩賞)하다. ¶花^{か}を〜 꽃을 즐기다. ②(본디, 賞^{しょう}로도) 칭찬하다;탄복하다.

めど 【目処】 【名】 지향하는 곳;목적;목표. ¶完成^{かんせい}の〜がつく 완성의 전망이 서다.

めど 【針孔】 【名】 바늘귀. [이 서다.

めどおし 【目通し】 -dōshi 【名】ス他 한번 대충 훑어봄.

めどおり 【目通り】 -dōri 【名】①알현(謁見);배알;접견. ¶〜を許^{ゆる}す 접견을 허락하다. ②(나무 등의) 눈 높이에서 잰 나무의 굵기(『目通り直径^{ちょっけい}』의 준말). ¶〜幅^{はば}3尺^{じゃく} 눈 높이의 나무통 둘레가 5척.

めどはぎ 【著莪】 【名】【植】비수리.

めと-る 【娶る】 五他 장가 들다;아내로서 맞아들이다.

メドレー 【名】 메들리. ①혼합곡(混合曲);혼성곡. ② ☞ メドレーリレー;medley. ──**リレー** 【名】 메들리 릴레이. ①(육상 경기에서) 뛰는 사람의 거리가 각각 다른 릴레이;혼계주. ②(수영에서) 혼영(混泳) 릴레이;혼계영. ＝medley relay.

メトロノーム 【樂】 메트로놈;박절기(拍節器). ▷도 Metronom.

メトロポリス 【名】 메트로폴리스;수도(首都);대도시. ▷metropolis.

めなだ 【赤目魚・眼染太】 【名】【魚】 가숭어. ＝あかめ.

めな-れる 【目慣れる】【目馴れる】 下1自 눈에 익다;보는 눈에 익다. ＝見^{み}なれる.

メニュー -nyū 【名】 메뉴;식단(食單);차림표. ▷ menu.

メヌエット -etto 【樂】 메뉴엣;4분의 3박자의 전아(典雅)한 무용곡;또, 그에 맞추어 추는 사교 댄스. ＝ミヌエット. ▷이 menuetto.

めぬき 【目抜き】 【名】 제일 눈에 잘 띄는 것〔곳〕;요소. ──**どおり** 【──通り】 -dōri 【名】 번화가;중심가.

めねじ 【雌ねじ】【雌捻子・雌螺子・雌螺旋】 【名】 암나사. ↔雄^{お}ねじ.

めのう 【瑪瑙】 -nō 【名】 마노(석영(石英)의 하나).

めのかたき 【目の敵】 【名】 눈엣가시. ¶〜にする 눈엣가시로 여기다;항상 미워하다. [산;개산(檟算).

めのこざん 【目の子算】 【名】 어림셈;암

めのたま 【目の玉】【眼の玉】 【名】 눈알;안구. ＝めだま. ¶〜の黒^{くろ}いうち를 살아 있는 동안.

めのと 【傅】 〈雅〉 귀인의 자식을 양육하는 소임(을 맡은 사람).

めのと 【乳母・乳母・乳女】 【名】〈雅〉 유모;젖어머니. ＝うば.

*****めのまえ** 【目の前】 【名】 목전;눈앞. ¶人^{ひと}を〜でほめる 사람을 면전에서 칭찬하다 / 試験^{しけん}が〜にせまる 시험이 목전에 다가오다.

めばえ 【芽生え】 【名】 ①싹틈;움틈;발아. ②실생(實生);씨가 터서 싹이 나서 자람;또, 그 식물. ③사물의 시작. ＝きざし. ¶愛^{あい}の〜 사랑의 움틈.

めば-える 【芽生える】 下1自 싹트다;

움트다;사물이 일어나기 시작하다. ¶草木^{くさき}が〜 초목이 싹트다 / 友情^{ゆうじょう}が〜 우정이 싹트다.

めはし 【目端】 【名】 눈치;재치. ¶〜がきく 재치가 있다.

めばち 【魚】 눈다랑어(열대성 물고기로 길이 약 2 m이며 눈이 큼).

めはちぶ 【目八分】 【名】①눈을 높이보다 조금 낮추어 물건을 듦. ②용량(容量)의 10분의 8쯤. ③「〜に見^{み}る」 거만한 태도로 남을 내려다 봄. [注意 『めはちぶん』이라고도 함.

めはな 【目鼻】 【名】①눈과 코. ②얼굴의 생김새;이목구비. ＝顔^{かお}だち. **──がつく** 윤곽이 잡히다;구체화하다. **──をつける** 사물의 대강의 결말을 내다. **──だち** 【──立ち】 이목구비;얼굴의 생김새. ¶〜の整^{ととの}った顔^{かお} 이목구비가 번듯한 얼굴.

めばな 【雌花】 【植】 암꽃. ↔雄花^{おばな}.

めばや-い 【目早い・目速い】 形 눈치가 빠르다;보는 눈이 빠르다. ＝めざとい.

めばり 【目張り】【目貼り】 ス他①틈새에 종이 따위를 발라서 봉하는 일. ②눈을 크게 보이게 하기 위하여 눈가를 칠하는 화장법. [어〔눈이 큼).

めばる 【眼張・目貼】 【魚】 볼락;천징

めぶ-く 【芽吹く】 五自 (초목이) 싹트다;눈이 트다.

めぶんりょう 【目分量】 -ryō 【名】 눈어림;눈대중. ＝目積^{もく}もり.

めべり 【目減り】 【名】ス自 흘리거나 새거나 해서 분량·무게가 줄어듦.

めへん 【目偏】 한자 부수(部首)의 하나:눈목변(『眼·眠』 따위의 『目』의 이름). [름).

めぼ 【名】〈俗〉 눈다래끼. [름).

めぼし 【目星】 【名】①목표;표적. ②(눈동자의) 삼. **──をつける** (범죄 수사 등에서) 점찍다;목표로 삼다.

めぼし-い -shī 形 유달리 눈에 잘 두드러지다;값 나가다. ¶〜人物^{じんぶつ} 두드러진 인물 / 〜ものだけ整理^{せいり}する 값진 것만 정리하다.

めまい 【眩暈・目眩】 【名】ス自 현훈;현기증;어질함. ¶〜がする 현기증이 나다.

めまぐるし-い 【目紛しい】 -shī 形 어지럽다;눈이 아찔하다;눈이 핑핑 돌다. ¶〜く変^{か}わる世^{よ}の中^{なか} 어지럽게 변하는 세상.

めまつ 【雌松・女松】 【名】【植】 적송(赤松). ＝アカマツ.

めみえ 【目見え】 【名】ス自 ☞おめみえ.

めめし-い 【めめしい・女女しい】 -shī 形 연약하다;계집애 같다;사내답지 못하다;기개가 없다. ¶〜ふるまい 사내답지 못한 행동. ↔雄雄^{おお}しい.

メモ 【名】ス他 메모;비망록;각서(覺書). ¶〜をとる 메모하다. ▷memo.

めもあやに 【目もあやに】 〔連語〕 찬란하게;눈이 부실 정도로 화려하게.

めもと 【目もと・目元】 【目許】 【名】 눈언저리;눈매. ＝目^{め}つき.

めもり 【目盛(り)】 【名】ス他 (계량기의) 눈금. ¶〜を読^{よ}む 눈금을 읽다.

*****めやす** 【目安】 【名】 목표;대중;표준;기준. ¶〜をつける 대중을 잡다 / 〜がつく 대충 짐작이 가다 / 〜を高^{たか}いところにおく 목표를 높은 데에 두다.

めやに【目やに】《目脂・眼脂》 图 눈
곱. =めくそ.

メラニン 图 멜라닌 ; 동물의 피부에 있
는 흑색 또는 흑갈색의 색소(色素).
melanin.

めらめら 副 불꽃이 타오르는 모양 ; 활
활 ; 이글이글. ¶一瞬ﾞ的の間ﾞに─
(と)燃やえてしまう 삽시간에 활활 타
버리다.

メランコリー 图 멜랑콜리 ; 우울 ; 우수
(憂愁) ; 우울증. ▷melancholy.

メリーゴーラウンド 图 메리 고라운드 ;
회전 목마. ▷merry-go-round.

めりかり【減り・乙甲】 图 음(音)의 고
저 ; 억양(抑揚). =めりはり.

メリケン【米堅】 图 ①아메리카(의
것). ─松ﾞ 미송 ; 미국재. ②외국제. ¶─
針ﾞ 외제 바늘. ③권투 ; 주먹(질). ─粉
─粉ﾞ 图 (정제한) 밀가루.

めりこ-む【めり込む】《減り込む》 五自
눌려서 깊이 들어가다 ; 박히다. ¶車ﾞが
泥道ﾞどに─ 차가 흙탕길에 깊이
빠지다.

メリット -ritto 图 메릿. ¶이점(利點으
가치 ; 장점. ②공적(功績). ⇔デメリッ
ト. ▷merit.

めりはり【乙張り・減り張り】 图 늦춤과
당김 ; 특히, 음율의 고저 ; 또, 음성의
억양. ¶せりふに─をつける 대사에
억양을 붙이다.

めりめり 副 부러지거나 무너지는 소리.
우지끈 ; 우지직 ; 와르르.

メリヤス【莫大小】 图 메리야스. ▷
medias ; 포 meias. ─あみ【─編み】
(대바늘뜨기에서) 메리야스뜨기 ; 겉뜨
기.

メリンス 图 메린스 ; 모슬린 ; 얇고 부드
럽게 짠 모직물. =モス(リン). ▷
merinos.　　　　　　　　「merci.

メルシー 圖 메르시 ; 고맙습니다. ▷프

めろう【女郎】-rō 图 ①계집 아이.
②〈俗〉여자를 욕하는 말 : 년.

メロディー -dī 图 멜로디 ; 선율(旋律).
=ふし. ▷melody.

メロドラマ 图 멜로드라마 ; 대중적·통
속적인 극. ▷melodrama.

めろめろ 一 副 뒤끝이 트릿해서 보기
에 흉한 모양. 二 副 ☞めらめら.

メロン 图 【植】멜론(서양 참외). ▷
melon.

‡めん【面】一 图 면. ①얼굴. ¶─とむ
かう 얼굴을 마주 대하다 / お─がいい
〈俗〉얼굴이 잘 생기다. ②탈 ; 가면.
¶─をかぶる 탈을 쓰다 / ─を打ﾞつ 탈
을 만들다. ③㋑(검도나 야구에서) 얼
굴을 가리는 방호구(防護具). ㋺【野】
포수의 마스크. ④(건축에서) 각재의
모서리를 후려서 새로 생기는 목귀.
¶─をとる 목귀를 내다. ⑤【數】(대면
체 등의) 평면. ⑥부면 ; 방면. ¶不備
なﾞ─をなおす 불비한 면을 고치다.
⑦지면(紙面). ¶この─はふだん読ﾞま
ない 이 면은 평소 읽지 않는 면이
다. 三 接尾 평면·거울·테니스·코
트 등 평평한 것을 세는 말. ¶テニス
コート六ﾞ─ 테니스 코트 6면.

めん【綿】 图 면 ; 무명. ¶─の仕事着
ﾞっき 면 작업복.

めんえき【免役】 图 면역 ; 복역〔병역〕

*めんえき【免疫】 图 면역. ¶─性ﾞ 면
역성 / 親父ﾞの小言ﾞには─になった
아버지의 잔소리에는 면역이 되었다.
──けっせい【──血清】-kessei 图 면역
혈청. ──げん【─元】 图 면역원.
──たい【─体】 图 면역체.

めんおりもの【綿織物】 图 면직물.

めんか【綿花】《棉花》 图 면화 ; 목화.

めんかい【面会】《面会》 图 ㅈ自 면회. ¶─日
ﾞ 면회일 / ─謝絶ﾞっぜ 면회 사절.

めんかやく【綿火薬】 图 【理】면화약 ;
솜화약.

めんかん【免官】 图 ㅈ他 면관 ; 면직.
¶依願ﾞっ─ 의원 면관〔면직〕.

めんきつ【面詰】 图 ㅈ他 면힐 ; 맞대놓
고 힐난함 ; 면책(面責).

*めんきょ【免許】-kyo 图 ㅈ他 ①면허.
¶運転ﾞ─ 운전 면허. ②스승이 제자
에게 그 도(道)의 오의(奧義)를 전수
함. ──かいでん【─皆伝】 스승이
제자에게 오의를 모두 전수함. ──しょ
う【─証】-shō 图 면허증. ──じょ
う【─状】-jō 图 면허장 ; 자격증. ¶
教員ﾞっ─ 교사 자격증.

めんくい【面食い】 图 〈俗〉얼굴이 고
운 사람만을 좋아하는 사람 ; 용모만을
탐내는 사람.

めんくら-う【面食らう・面喰らう】 五自
①당황하다 ; 허둥대다. ¶突然ﾞ英語
ﾞ゙で話ﾞしかけられたので少なから
ず─った 갑자기 영어로 말을 걸어 와
서 적이 당황했다. ②연이 공중에서 뺑
뺑 돌다.

めんざい【免罪】 图 면죄 ; 사죄(赦罪).
──ふ【─符】 图 면죄부.

めんし【綿糸】 图 면사 ; 무명실. =木綿
糸ﾞいと. ¶─紡績ﾞ 면사 방적 ; 면방.

めんしき【面識】 图 면식. ¶─がある
면식(안면)이 있다.　　　　　　「유.

めんじつゆ【綿実油】《棉実油》 图 면실
めんしゅう【面囚】-shū 图 면수 ; 형기
를 마치고 출감한 사람.

めんじゅうふくはい【面従腹背】menjū-
图 面종 복배.

*めんじょ【免除】-jo 图 ㅈ他 면제. ¶
授業料ﾞりょ─ 수업료 면제.

めんじょう【免状】-jō 图 ①면(허)장.
②졸업 증서.

めんしょく【免職】-shoku 图 ㅈ他 면
직. ¶─処分ﾞ 면직 처분.　　「る.

めんじる【免じる】 上一 ☞めんずる.

メンス 图 〈俗〉멘스 ; 월경. =メンゼ
ス. ▷ Menstruation.

めん-する【面する】 サ変自 (당)면하
다 ; 향하다 ; 마주 대하다 ; 인접하다.
¶池ﾞいに─した料亭ﾞっ 연못을 향하
있는 요정 / 危機ﾞに─ 위기에 직면하
다 / 死ﾞに─ 죽음에 임해서.

めん-ずる【免ずる】 サ変他 ①면제하
다. ¶税ﾞを─ 세를 면제하다. ②(그
공에 따라서) 용서하다 ; (관계자의 체
면을 보아서) 용서하다. ¶親ﾞに─して
許ﾞす 부모 체면을 보아서 용서하
다. ③면하다 ; 직에서 해임하다.

めんぜい【免税】 图 ㅈ他 면세. ¶─措
置ﾞ 면세 조치.　　　　　　　「물.

めんせいひん【綿製品】 图 면제품 ; 직

‡めんせき【面積】 图 면적. ¶土地ﾞの

～ 토지의 면적.

めんせき【面責】②他 면책；마주보
며 책망함.

めんせき【免責】②他 면책.

めんせつ【面接】②自 면접. ¶～試
驗ん 면접 시험.

めんぜん【面前】② 면전. ＝目前ぜん.

めんそ【免訴】②自他 면소；조세를
면제함.

めんそ【免訴】②他 면소；형사 피고
인에 대하여 불기소 결정을 함.

めんそう【面相】-sō ②①면상；용모.
¶～を變へて怒りゅ出すて 안색을 변
하여서 화를 내다. ②붓끝이 가늘고 중
간 부분이 빵빵한 화필(畫筆).

めんたい【明太】②魚①명태('すけ
とうだら'의 한국어 이름). ②명란젓.

メンタルテスト② 멘탈 테스트；지능
검사. ▷mental test.

めんだん【面談】②自 면담. ¶委細
ぃ～ 자세한 것은 만나서 이야기함.

めんちょう【面疔】-chō②医 면정；
얼굴에 난 정(疔).

メンツ【面】② 체면；면목. ¶～を重んず
る 체면을 존중하다. ▷중 面子.

めんてい【面体】②면체；얼굴 생김새；용모；
면상(좋은 뜻으로는 쓰지 않음).

メンデリズム②生 멘델리즘；멘델의
법칙. ▷medelism.

＊**めんどう**【面倒】-dō②①번잡하고
성가심(거찮음). ¶～な問題る 성가신
문제／～をかける 폐를 끼치다. ②
돌봄；보살핌. ¶～を見る 돌보아 주
다. ―くさい【―臭い】形 아주 귀
찮다；몹시 성가시다. 注意 'めんどく
さい'라고도 함.

めんどおし【面通し】-dōshi ② 대질；사
건의 용의자를 관계자에게 보여 범인
여부를 확인함. ＝面割わり・首ん実検
ん.

めんとむかって【面と向かって】-katte
連語 맞대면해서；맞대놓고.

めんどり【めんどり・めん鳥】【雌鳥】②
①날짐승의 암컷. 【雌鷄】 암탉. ⇔お
んどり. ―歌へば家へ滅ぶ 암탉이
울면 집안이 망한다. ―勵っめておん

鳥ん時ゝをつくる 아내의 주장에 따라
남편이 움직인다.

めんないちどり【めんない千鳥】②
〈兒〉까막잡기.

めんば【面罵】memba ②他 면매；면
전 매도；면욕[面辱].

メンバー membā ② 멤버；단체의 일원.
▷member.

めんぴ【面皮】mempi ② 면피；낯가죽；
세상에 대한 체면. ―をはぐ 뻔뻔한
자의) 낯가죽을 벗기다.

めんぷ【綿布】mempu ② 면포；무명.

めんぺき【面壁】mempeki ② 면벽；면
벽；벽을 면(面)하여 좌선(坐禪)함. ¶
～九年ん 면벽 9년.

めんぼう【めん棒】【麵棒・餠棒】membō
② 밀방망이. ¶～＝おつうを.

めんぼう【面貌】membō ② 면모；용모.

めんぼう【綿棒】membō ② 면봉；귀나
코 속에 약을 바르기 위해 가느다란 막
대 끝에 솜을 감은 것；솜방망이.

めんぼう【綿紡】② 면방；면방(綿糸
紡績ぼう)＝(면사 방적)'의 준말).

＊**めんぼく**【面目】membo- ②면목；체
면；명예. ＝めんもく. ¶～が立たな
い 면목이 서지 않다／～を一新しっる
면목을 일신하다. ―を施す 면목을
세우다. ―しだい【―次第】②¶～
もない』참으로 면목이 없다. ―ない
形 면목 없다；대할 낯이 없다；남부끄
럽다.

＊**めんみつ**【綿密】memmi- ダナ 면밀.
¶～な計画かく 면밀한 계획.

めんめん【面面】memmen ② 면면；각
자；제각기. ＝おのおの. ¶重役ゃくの
～ 중역의 면면.

めんめん【綿綿】memmen トタル 면면；
끊이지 아니하고 길없이 이어 짐. ¶
～として絶えない 면면히 끊이지 않음.

＊**めんもく**【面目】memmo- ② ☞めん
ぼく. 「じ.

めんよう【綿羊】【緬羊】-yō② ☞ひつ

めんるい【めん類】【麵類・餠類】② 면
류；국수 종류.

めんわり【面割り】② ☞めんどおし.

も　モ

①五十音図ごう 'ま行ぎょう'의 다
섯째 음(音). [mo] ②[字源]
'毛'의 초서체(かたかな 'モ'는
'毛'의 생략(省略).

も【喪】②상；복. ¶～に服する 거상
〔居服〕을 입다／～が明ける 탈상하다.

も【藻】② 말；수초・해초의 총칭.

も副〈口〉＝もう. ¶～一つ 하나
더.

も㊀係助①㋐동류 중에서 하나를, 또
는 동류인 것을 몇 가지 늘어놓고 표
시하는 데 씀：…도. ¶菊ぎ～かおる季
節ぎ 국화도 향기로운 계절／海ぎ～山
ぎ～一杯ぱいだ 바다도 산도 사람으
로 가득하다. 参考'さえ(＝일지라도；
조차)''まで(＝까지도)'와 같은 뜻으로
해석하면 잘 들어맞을 때가 있음. ¶
さる～木ぎから落ぎちる 원숭이도 나무
에서 떨어진다. ㋑양보한 조건을 표시

하는 일도 있음. ¶三等ぎで～よい 3
등이라도 좋다. ㋒〈不定을 나타내는 体
言에 붙어서〉전면적인 긍정 또는 부
정을 나타냄：…도；…이나；조차.
¶どれ～ぼくの物ぎだ 어느 것이고 (모
두) 내 것이다／何ぎ～知らない 아무
것도 모른다. ②영탄(詠嘆)・감동을 나
타내며 강조해서 어조(語調)를 고르는
데도 씀：…까지도；…하게도；…만큼
이나. ¶雪ぎが一ぎメートル～つもった
눈이 1m나 쌓였다／ろくに読ぎ～し
ないで 제대로 읽지도 않고서／飛ぎ～
飛んだり, 新記錄だ 잘도 뛰었도
다, (놀랍게도) 신기록. ③그 일의 경
우를 일단 긍정함을 나타냄：…도.

飯がく〜飯だが，まず酒がも밥도 밥이지만 우선 술이다. ④대략의 정도를 나타냄; …(이)나，이면. ¶十円ぴんの〜出せば買える 10엔 정도만 내면 살 수 있다. 二 接助 ①〔動詞，動詞型活用 助動詞의 連体形에 붙어서〕앞뒤의 뜻을 바꾸어 접속함을 나타냄; 지만. ¶語などりあいし〜 이야기를 주고받고 있지만. ②후세(後世)의 文語에서, 더 널리 活用語의 連体形을 받아서〕'ども(=라 하더라도)' 'とも(=라여도)'와 같은 뜻으로 씀. ¶遅をく〜三日ぴ〔 あればできる 늦어도 사흘이면 된다. 接助 助·でも 係助

もう [蒙] mō 名 도리를 모름；무지(無知). —をひらく (무지한 사람을) 계몽하다.

*もう mō 副 ①벌써；이미；이제. 二す에. ¶〜だめだ 이제 틀렸다/〜一間あに合あわない 이제 늦다/〜正午しょうだから 벌써 오정인가. ②더；이 위에 또. 二更さらに. ¶〜一度どう 한 번 더/〜少もち待まて 조금 더 기다려. ③곧；머지않아；이제. ¶〜間まもなく이제. ¶〜すぐ다らない 이제곧 가마.

もうあ [盲啞] mōa 名 맹아；장님과 벙어리. ¶〜者しゃ 맹아자.

もうあい [盲愛] mōai 名他 맹목적으로 사랑함；또，그 사랑. 二溺愛できあい.

もうい [猛威] mōi 名 맹위. ¶台風たいふうが〜を振ふるう 태풍이 맹위를 떨치다.

もうか [猛火] mōka 名 맹화；세차게 타오르는 불；큰불.

もうがっこう【盲学校】mōgakkō 名 맹학교.

*もうかる【儲かる】mōkaru 五自 벌이가되다；이가 남다. ¶千円ぬほん〜 천엔 벌게되다.

もうかん [毛管] mō- 名 모관. ①〔理〕☞もうさいかん. ②〔生〕☞もうさいけっかん.

もうきん【猛禽】mō- 名 맹금. ¶〜類るい 맹금류.

*もうけ【儲け】mō- 名 벌이；이익. ¶〜は山分やまわけ 이익은 반분/〜がない 벌이가[이익이] 없다. ↔損損そ.

もうけ【設け】mō- 名 준비；마련함. ¶〜の特別席とくべつせき 특별석의 준비.

もうげき【猛撃】mō- 名他 맹격. ¶〜を加くわえる 맹격을 가하다.

もうけぐち【儲け口】mō- 名 벌이가 되는 일거리. ¶何なにかよい〜はないかね 무슨 좋은 돈벌이거리 없을까.

もうけもの【儲け物】mō- 名他 횡재.

**もうける【儲ける】mō- 下1他 ①벌다. ¶이익을 보다. ¶骨折ほねおって〜った金かね빠지게 번 돈. ⓒ덕을 보다. ¶一番いちばん〜けたのはあいつだ 가장 덕을 본 것은 저 녀석이다. ②자식을 얻다. ¶一男二女いちなんにじょを〜 1남 2녀를 두다.

**もうける【設ける】mō- 下1他 ①마련하다；베풀다. ¶酒席しゅせきを〜 술자리를 마련하다. ②만들다. ¶設せっ席せきを〜 관람석을 만들다. ⓑ제정하다. ¶規則きそくを〜 규칙을 만들다. ⓒ붙이다. ¶口実こうじつを〜けて断だことわる 구실을 붙여 거절하다. 「개.

もうけん【猛犬】mō- 名 맹견；사나운 개.

もうげん【妄言】mō- 名 망언；망설；망

발. ＝ぼうげん. ¶〜多謝たしゃ 망언 다사 (자기의 글·편지의 겸손한 말씨).

もうこ【猛虎】mōko 名 맹호.

もうこう【猛攻】mōkō 名他 맹공. ¶敵てきの〜に屈くっする 적의 맹공에 굴복하다. 「아반(兒斑).

もうこはん [蒙古斑] mō- 名 몽고반；

もうこん【毛根】mō- 名 모근；털이 피부에 박힌 부분.

もうさいかん【毛細管】mō- 名 모세관. ＝毛管もうかん. ¶〜現象げんしょう 모세관 현상.

もうさいけっかん【毛細血管】mōsaikekkan 名生 모세 혈관.

もうしあげる【申(し)上げる】mō- 下1他 여쭈다. ¶先日せんじつ〜げた通とおり 일전 (에) 말씀드린 바와 같이. ②〔お(ご)…する의 꼴로〕…해 드리다. ¶御案内ごあんないを〜 안내해 드리다/おいとま〜 작별을 고하다. 参考 '申もうす(=말하다)' いたす(=하다)'보다 높임의 정도가 큰 높임말.

もうしあわせ【申(し)合(わ)せ】mō- 名 합의. ¶〜事項じこう 합의 사항.

もうしあわせる【申(し)合(わ)せる】mō- 下1他 상의해서 정하다；또，약속하다；합의하다. ¶〜せた時間じかんに 약속한 시간에.

もうしいで【申し出で】mō- 〈老〉☞もうしで.

もうしいれ【申(し)入れ】mō- 名 신청；의사의 표시. ¶妥協だきょうの〜 타협의 신청.

*もうしいれる【申(し)入れる】mō- 下1他 제의하다〔제기〕하다；(의견이나 희망을) 자진하여 말하다；표시하다.

もうしうける【申(し)受ける】mō- 下1他 ①신청받아 받다；청구하다 받다. ②삼가 받다；부여받다. ＝うけたまわる.

もうしおくり【申(し)送り】mō- 名 상대방에 말하여 줌. ②(사무·명령 따위의 내용을) 다음 사람에게 전달〔인계〕함. ¶〜事項じこう 전달 사항.

もうしかねる【申(し)兼ねる】mō- 下1他 ①말하기가 곤란하다. ¶私わたくしの口くちからは〜ねますが 제 입으로는 말씀드리기가 곤란합니다만. ②무어라고 말하기가 어렵다. ¶はっきりとは〜ねますが 분명하게는 말씀드릴 수 없습니다만.

もうしきかせる【申(し)聞かせる】mō- 下1他 말하여 들려 주다；말씀 전해 드리다. ¶主人しゅじんにもきよう〜せ ます 주인께도 그렇게 말씀 전해 드리겠습니다.

もうしご【申し子】mō- 名 점지해 주신 아이(신불에 치성드려 얻은 자식).

もうしこし【申し越し】mō- 名 (편지나 심부름꾼을 통하여) 말을 전함. ¶お〜の件けんは 말씀하신 건은.

もうしこみ【申(し)込(み)】mō- 名 신청. —しょ【申込書】-sho 신청서；신청 용지.

**もうしこむ【申(し)込む】mō- 五他 ①신청하다. ¶一泊旅行いっぱくりょこうの参加さんかを〜 일박 여행의 참가를 신청하다/結婚けっこんを〜 결혼을 신청하다. ②말하다.

¶抗議ぎ~を~ 항의의 뜻을 표시하다.
もうした-てる【申(し)立てる】 mō-
⎿⏌他⏌①강경히 진술하다 ; (의견이나
희망을) 주장하다 ; 건의하다 ; 내세우
다. ¶異議ぎを~ 이의를 제기하다. ②
진언(進言)하다 ; 상신하다.
もうしつけ【申(し)付け】 mō- 图 ①명
령 ; 분부. ②주문.
もうしつ-ける【申(し)付ける】 mō-
⎿⏌他⏌(윗사람이) 명령하다 ; 분부하
다. ¶なんなりとお~けください 무
엇이든지 분부만 내리십시오.
もうし-で【申(し)出】 mō-图 신청 ; (의
견·희망 등을) 말함 ; 의사 표시. =もう
しいで.
もうし-でる【申(し)出る】 mō- ⎿⏌他⏌
(의견·요구·희망 등을) 스스로 말하
다 ; 신청하다 ; 신고하다. ¶辞任にんを
~ 사임을 자청하다.
もうしひらき【申(し)開き】 mō- 图 변
명하는 일 ; 해명(解明). ¶~が出来ない
ない 변명할 수가 없다.
もうしぶん【申(し)分】 mō- 图 할 말.
①(흔히 '~(が)ない'의 꼴로) 나무랄
데 ; 더할 나위. ¶~のない 성적 나무랄
데 없는 성적. ②주장 ; 불평 불만.
¶先方ぼうの~を聞く~ 상대방의 주장
을 듣다.
もうじゃ【亡者】 mōja 图 망자. ①사자
(死者) ; 특히, 죽어서 성불(成佛)하지
못한 자. ②사물 (특히 금전 따위)에
대한 집념에 사로잡힌 사람. ¶財利の
利ぼり~ 제 이익만 채우려는 수전노.
もうしゅう【妄執】 mōshū 图 망집 ; 헛
된 생각을 버리지 못하고 있는 집념. =
もうじゅう.
もうしゅう【猛襲】 mōshū 图⏌又他⏌맹
습 ; 맹렬한 습격(을 함).
もうしゅう【猛獣】 mōjū 图 맹수.
もうじゅう【盲従·妄従】 mōjū 图⏌又自⏌
맹종.
もうしょう【猛将】 mōshō 图 맹장.
*__もうしわけ__【申し訳】 mō- 图 변
명 ; 말막음.＝申し開き・言い訳が.
¶~ばかりの賃金ぎん (얼마 안 되는)
명색뿐인 임금.――ない形 변명할 여
지가 없다 ; 미안하다.
もうしわた-す【申(し)渡す】 mō- ⎿⏌他⏌
(아랫 사람에게) 분부하다 ; 명령하다 ;
언도하다. ¶立たち退のきを~ 퇴거를
명령하다 / 死刑だを~される 사형
을 언도받다.
もうしん【盲信·妄信】 mō- 图⏌又他⏌맹
신 ; 망신. 무턱대고 믿음.
もうしん【猛進】 mō- 图⏌又自⏌맹진, 세
찬 기세로 나아감.
もうじん【盲人】 mō- 图 맹인 ; 장님 ; 소
경.
*__もう-す__【申す】 mō- ⏌5他⏌①言う(＝
말하다)’ 語じる(＝말하다)’ 告つげる
(＝고하다)’ 唱とえる(＝외치다)’의 겸
사말. ¶青葉城ばぎと~城こ～ございま
す 青葉城이라는 성이 있습니다 / よく
世間けんで~しますが 흔히 세상에서
말을 합니다만. ②원하다 ; 신청하다 ; 부
탁하다. ¶~し受うける 부탁[청구]
해서 받다. ③…을 해드리다(남을 위
하여 무엇인가를 함의 겸손한 말)를
いたす. ¶後ほどお知らせ~しま

す 잠시 후에 알려드리겠습니다 / ご相
談だん~します 의논하겠습니다 / お願
ねがい~します 부탁드립니다.
もうせい【猛省】 mō- 图 맹성.
¶~を促がす 맹성을 촉구하다.
もうせん【毛氈】 mō- 图 모전 ; 양탄자.
＝フェルト.――ごけ【―苔】图【植】
끈끈이주걱.
もうぜん【猛然】 mō- 副⏌卜タル⏌맹렬한
모양 ; 사납게 ; 기운차게. ¶~(と)反
対はんする 맹렬히 반대하다.
もうそう【孟宗】 mōsō 图【植】맹종죽 ;
죽순대(「孟宗竹じゅ」의 준말).
もうそう【妄想】 mōsō 망상.＝もうぞう.⏌二图⏌
⏌又他⏌(心)망상. ①망상. 마음에 대해 병적 원인
으로 품는 잘못된 판단(확신). ¶誇大
だい~ 과대 망상.
*__もうだ__【猛打】 mōda 图⏌又自⏌【野】맹
타. ¶~を浴びせる 맹타를 퍼붓다.
もうちょう【盲腸】 mōchō 图 맹장.
　――えん【―炎】图 맹장염 ; 충양 돌기
염(의학에서는 충수염).
もう-てる【詣でる】 mō- ⏌下1自⏌신전·
불전에 참배하다.
もうてん【盲点】 mō- 图 맹점. ①시신
경과 접속하는 망막상의 점. 「~에는
있는 보이지 않게 된다. ②주의가 미치
지 못하는 곳. ¶~ 법의 맹점.
もうとう【毛頭】 mōtō 副《다음에 否
定을 수반하여》털끝만큼도 ; 조금도 ;
전혀. ＝少しも. ¶~いつわりはない
조금도 거짓이 없다.
もうどう【盲動·妄動】 mōdō 图⏌又自⏌
망동 ; 분별 없이 함부로 날뜀. ¶軽挙
きょ~ 경거 망동.
もうどうけん【盲導犬】 mōdō- 图 맹도
견 ; 장님의 길을 안내하는 개.
もうどく【猛毒】 mō- 图 맹독 ; 맹렬히
작용하는 독.
もうばく【猛爆】 mō- 图⏌又他⏌맹폭.
もうはつ【毛髪】 mō- 图 모발 ; 머리털.
＝かみのけ.
もうひつ【毛筆】 mō- 图 모필 ; 붓. ↔硬
もうひとつ『もう一つ』 mō- 副《아래
에 否定을 수반하여》조금 더 ; 약간. ¶
~説明ぼうがたりない 약간 설명이 부족
하다.
もうひとつ【もう一つ】 mō- 連語 하나
더. ¶~が하나 더 어떻습니까.
*__もうふ__【毛布】 mō- 图 모포 ; 담요.
もうぼ【孟母】 mō- 图 맹모.――三遷
せんの教ぶえ 맹모 삼천지교.――断機
きの教ぶえ 맹모의 단기지교.
もうまい【蒙昧】 mō- 图 몽매.
もうまく【網膜】 mō- 图 망막.――に
写るる 망막에 비치다 ; 보이다.
もうもう【濛濛·朦朦】 mōmō ⏌卜タル⏌몽
몽 ; 연기·수증기·먼지 따위가 자욱한
모양. ¶~たる砂塵じん 자욱한 모래.
もうもく【盲目】 mō- 图 맹목. ①먼
눈 ; 장님 ; 소경. ②이성을 잃고 상태를
벗어남.――てき【―的】⏌ナ⏌맹목적.
¶~な愛情じょう 맹목적인 애정.――ひ
こう【―飛行】-kō 图 맹목 비행 ; 계
기 비행.
もうら【網羅】 mō- 图⏌又他⏌망라.
*__もうれつ__【猛烈】 mō- ⏌ナ⏌맹렬 ; 정도
가 심함. ¶~なタックル 맹렬한 태

크 / 〜に眠(ねむ)い 굉장히 졸립다.

もうろう〖朦朧〗mōrō [ㅏ タル] ①몽롱; 흐릿하고 희미한 모양. ¶意識(いしき)〜の 식 몽롱. ②사물의 내용·실체가 확실치 않은 모양. ¶〜会社(がいしゃ) 유령 회사.

*__もうろく__ 〖耄碌〗mō- 图 [스自] 늙어 빠짐; 망령 부림.

もえあがる〖燃え上がる〗[5自] 타 오르다(감정이 끓어 오르는 데도 비유됨). 〔[재]

もえがら〖燃え殻〗图 타고 남은 찌꺼기.

もえぎ〖萌黄·萌葱〗图 연둣빛; 노란 색을 띤 파란색. 〔[시개]

もえくさ〖燃え種·燃え草〗图 불쏘시개.

もえさかる〖燃え盛る〗[5自] 한창 타다; 불붙다. ¶〜火(ひ)の手(て) 한창 타는 불길.

もえさし〖燃えさし·燃え止し〗图 ①중도까지 타다가 맒. =燃(も)え かけ. ②타지 않고 남은 것. =燃(も)え残(のこ)り. ¶マッチの〜 타다 남은 성냥개비.

もえた-つ〖燃え立つ〗[5自] ①활활 타오르다; (불길이) 솟구치다. ②(감정 등이) 치밀다.

もえつ-く〖燃え付く〗[5自] 불이 붙다. ¶なかなか薪(まき)に〜·かない 좀처럼 장작에 불이 댕기지 않는다.

＊も-える〖燃える〗[下1自] ①타다; 불길이 일다. ¶〜ような バラの花(はな) 타는 듯한 장미꽃 / 学校(がっこう)が〜 학교가 불타다. ②타는 것 같은 상태가 되다. ①피어 오르다. ¶かげろうが〜 아지랑이가 피어 오르다. ②정열이 솟아 오르다. ¶向学心(こうがくしん)に〜 향학심에 불타다.

＊も-える〖萌える·萌芽える〗[下1自] 싹트다. =芽(め)ぐむ·きざす. ¶若草(わかくさ)が〜 春(はる)の野(の)の 새 싹이 싹트는 봄의 들.

モーション-shon 图 모션; 행동; 동작. ¶スロー〜 슬로 모션. ▷motion. ――を かける (俗)모션을 걸다(작용을 미치게 하려 하다; 추파를 던지다).

モーゼルじゅう〖モーゼル銃〗-jū 图 모제르총(모제르가 고안한 연발총). ▷ Mauser.

*__モーター__ 图 모터. ①발동기. ②전동기. ③자동차. ▷motor. ――バイク 图 모터바이크; 소형의 보조 발동 엔진을 장치한 자전거. ▷motorbike. ――プール 图 (日本)주차장(駐車場). ▷motorpool. ――ボート 图 모터보트; 발동선. ▷motorboat.

モーテル 图 모텔; 자동차 여행자를 위한 숙소. ▷motel.

モード 图 모드; 유행(의 형식). ¶〜雑誌(ざっし) 모드 잡지 / 今年(ことし)の〜 올해의 모드. ▷프 mode.

モーニング 图 모닝. ①아침; 오전. ¶〜サービス 모닝 서비스. ②「モーニングコート」의 준말. ▷morning. ――コート 图 모닝 코트(남자의 서양식 주간(晝間) 예복). ▷morning coat.

モーメント 图 모멘트. ①(理)능률; 적률(積率). ②『モーメント①②. [注意] 'モメント'라고도 함. ▷moment.

モールスふごう〖モールス符号〗-fugō 图 모르스 부호; 전신용의 부호. ▷ Morse.

---

*__もが-く__〖踠く〗[5自] ①바르작거리다; 발버둥이치다. ¶〜·いば〜·ほど足(あし)に藻(も)がからまる 바르작거리면 바르작거릴수록 다리에 말이 얽힌다. ②초조해 하다; 안달하다.

もぎ〖模擬〗〖摸擬〗图 모의. ¶〜試験(しけん) 모의 시험 / 〜国会(こっかい) 모의 국회. ――てん〖―店〗图 모의점(원유회 등에서 손님 접대용의 값이 음식점).

もぎどう〖没義道〗-dō 图 [ダナ] (俗)비도(非道); 잔인.

もぎと-る〖もぎ取る〗〖捥ぎ取る〗[5他] 잡아[비틀어] 떼다(다).

もぎ-る〖捥る〗[5他] 비틀어 떼다(따다). ¶入場券(にゅうじょうけん)を〜 입장권의 한 쪽을 떼다.

もぎ-れる〖捥れる〗[下1自] ①비틀어져서 떨어지다[떼어지다]. ②満員(まんいん)バスでボタンが〜 만원 버스에서 단추가 떨어지다. 〔[담배]

も-く 图 (俗)담배 (꽁초). ¶洋(よう)〜 양담배.

もく〖木〗图 ①나무. ②나뭇결. ¶きれいな〜 고운 나뭇결. ③木. ④五行(ごぎょう)의 하나. ⑤칠요(七曜)의 하나.

もく〖目〗图 ①목. ②①조항. ②생물 분류학상의 한 단위(강(綱)의 아래, 과(科)의 위). ③예산 편성상의 한 단위(항(項)의 아래, 절(節)의 위). [接尾] 바둑에서, 집의 수를 세는 말. ¶三(さん)〜の勝(か)ち 삼목승(勝); 세 집 승(勝).

も-ぐ〖捥ぐ〗[5他] 비틀어 떼다(따다). =もぎる. ¶リンゴを〜 사과를 비틀어 따다.

もくぎょ〖木魚〗-gyo 图 (佛)목어; 목탁. 〔[でく]

もくぐう〖木偶〗-gū 图 목각 인형. =

もくげい〖目迎〗[ス他] 목영; 오는 사람을 가까이 올 때까지 바라보며 마중함. ↔目送(もくそう).

*__もくげき__〖目撃〗[ス他] 목격. ――しゃ 〖―者〗图 목격자.

もくげき〖黙劇〗图 목극; 무언극. =パントマイム.

もくげんじ 〖木槵子·木患子·木欒子〗图 (植) 모감주나무.

もぐさ〖艾〗图 ①약쑥. ②(植)쑥.

もぐさ〖藻草〗图 = も(藻).

*__もくざい__〖木材〗图 목재; 재목. ――パルプ 图 목재 펄프. ▷pulp. 〔[짱]

もくさく〖木さく〗〖木柵〗图 목책; 울.

もくさく〖木酢〗〖木醋〗图 (化)목초; 목재를 건류(乾溜)하여 얻은 초산(醋酸)(방부제로 씀).

もくさつ〖黙殺〗图 [ス他] 묵살. ¶反対(はんたい)意見(いけん)を〜する 반대 의견을 묵살하다.

もくさん〖目算〗图 [ス他] ①눈어림; 견적; 대충 잡음. ②예기한 계획; 예정. =もくろみ. ¶〜がはずれる 예정에 빗나가다[어그러지다].

もくし〖黙視〗图 [ス他] 묵시; 입을 다물고 지켜봄. ¶〜できない 묵시할수 없다.

もくし〖黙示〗图 ①묵시; 말없이 은 중에 생각·뜻을 알림. ②(기독교에서) 신(神)이 사람에게 진리를 알림; 계시 (啓示). ――録(ろく) 계시록. [注意] 'もくじ'라고도 함.

もくじ【目次】图 목차 ; 차례.

もくしつ【木質】图 목질. ¶～繊維$_{せん}$ 목질 섬유 / ～部$_{ぶ}$ 목질부.

もくず【藻屑】图 바다 속에 있는 말부스러기. ¶海$_{うみ}$のーとなる 바다에 빠져 죽다.

もく-する【目する】サ変他 보다. ①목격하다. ②지목하다 ; 주목하다 ; 인정하다 ; 간주하다. ¶彼$_{かれ}$を最大級$_{さいだいきゅう}$の敵$_{てき}$と—— 그를 최대의 적으로 보다[지목하다].

もく-する【黙する】サ変自 침묵하다 ; 잠잠하다. ¶～して語$_{かた}$らず 묵묵히 말이 없다.

もくせい【木星】图【天】목성.

もくせい【木犀】图【植】목서 ; 물푸레나무. ¶☞ きんもくせい.

もくせい【木精】图 목정. ①나무의 정령(精霊). ＝木霊$_{だま}$. ②☞ メチルアルコール.　　　　　　「제품.

もくせい【木製】图 목제. ——品$_{ひん}$ 목

もくぜん【目前】图 목전 ; 눈앞. ＝眼前$_{がんぜん}$. ¶～に迫$_{せま}$る 목전[눈앞]에 닥치다.

もくぜん【黙然】[トタル] 묵연 ; 잠자코 있는 모양. ＝もくねん. ¶～と座$_{ざ}$っている 잠자코 앉아 있다.

もくそう【目送】——sō 图又他 목송 ; 보이지 않을 때까지 바라봄[전송함]. ¶目迎$_{むか}$え～목영 목송. ↔目迎$_{むか}$え.

もくそう【黙想】——sō 图又自 묵상. ¶しばし～にふける 잠시 묵상에 잠기다.

*** もくぞう**【木造】——zō 图 목조. ¶～家屋$_{かおく}$ 목조 가옥.

もくぞう【木像】——zō 图 목상 ; 나무로 만든 상(像). ＝木彫 인형.

もくそく【目測】图サ他 목측. ¶～を誤$_{あやま}$る 목측을 잘못하다.

もくたん【木炭】图 목탄 ; 숯. ——画$_{が}$【——画】图 목탄화. ——し【——紙】图 목탄지 ; 목탄화를 그리는 종이.

もくちょう【木彫】——chō 图【美】목조 ; 나무에 조각함 ; 또, 그 조각.

*** もくてき**【目的】图 목적. ＝あてと. ¶～地^{ち} 목적지 / ～のための手段$_{しゅだん}$を果$_{は}$たす 목적을 달성하다. ——しき【——意識】图 목적 의식. ——ご【——語】图 목적어 ; ＝客語$_{きゃく}$. ——ろん【——論】图【哲】목적론.

もくとう【目睹】图サ他 목도 ; 목격.

もくとう【黙禱】——tō 图サ自 묵도 ; 묵묵히 기도를 드림.

もくどく【黙読】图サ他 묵독. ↔音読$_{どく}$.

もくにん【黙認】图サ他 묵인. ¶～がたい 묵인하기 어렵다. ↔公認$_{にん}$.

もくねじ【木ねじ】【木捻子】图 나사못.

もくねん【黙然】[トタル] 묵연. ¶～と老$_{ろう}$ 묵연[또, 말 없음 ＝もくぜん.

もくば【木馬】图 목마. ①나무로 만든 말 모양의 물건. ②나무로 만든 말 모양의 체조 용구.

もくはん【木版】图 목판 ; 나무에 조각한 인쇄용·판화용(版画用)의 판 ; 또, 그것으로 인쇄한 것. ——が【——画】图 목판화. ——ぼん【——本】图 목판본.

もくひ【黙秘】图 묵비. ——けん【——権】图【法】묵비권.

*** もくひょう**【目標】——hyō 图 목표. ＝め

あて·ねらい·まと. ¶攻撃$_{こうげき}$の～ 공격 목표 / ～額$_{がく}$を突破$_{とっぱ}$する 목표액을 돌파하다 / ～をきめる 목표를 정하다.　　　　　　　　「みぎれ.

もくへん【木片】图 목편 ; 나뭇조각.

もくほん【木本】图【植】목본 ; 목질(木質)의 줄기를 가진 식물(나무). ↔草本$_{そう}$.　　　　　　　　　　　「ち.

もくめ【木目】图 나뭇결 ; 목리. ＝木理

もくもく【黙黙】[トタル] 묵묵 ; 아무 말이 없음. ¶～と(して)働$_{はたら}$く 묵묵히 일하다.

もくもく副 연기 따위가 많이 솟아오르는 모양 ; 뭉게뭉게 ; 펑펑. ¶煙$_{けむり}$が～(と)出$_{で}$る 연기가 뭉게뭉게 솟아오르다.

もぐもぐ副 ①입을 벌리지 않고 섞거나 중얼거리는 모양 ; 우물우물. ¶～食$_{た}$べる 우물우물 섬다 / 何$_{なに}$か～(と)言$_{い}$う 무엇인가 우물우물 말하다. ②위에서 무엇이 덮어 씌워진 듯 같은 상태로 움직이는 모양 ; 꾸물꾸물 ; 꿈적꿈적 ; 꿈틀꿈틀. ¶ふとんの中$_{なか}$で～(と)動$_{うご}$いている 이불 속에서 꾸물꾸물 움직이고 있다.

もくやく【黙約】图 묵약 ; 묵계.

*** もくよう**【木曜】——yō 图 목요(일). ¶～日^{び} 목요일.

もくよく【沐浴】图サ自 목욕. ＝斎戒$_{さいかい}$ ——もち 목욕 재계.

もぐら【土竜·鼴鼠】图【動】두더지. ＝

もぐり【潜り】图 ①잠수(潜水) ; 자맥질. ②허가[면허]없이 몰래 하는 짓 ; 또, 그 사람. ¶～の医者$_{いしゃ}$ 무면허 의사. ③진짜가 아님 ; 또, 그런 사람. ¶彼$_{かれ}$の名$_{な}$を知$_{し}$らないようでは～だ 그의 이름을 모른다면 가짜다.

*** もぐ-る**【潜る】[自五] ①잠입하다. ㉠자맥질하다 ; 잠수하다. ㉡숨어들다. ¶地下$_{ちか}$に～ 지하에 잠입하다(비합법적인 정치 활동을 하다). ②기어 들다. ¶ふとんに～ 이불 속으로 기어들다. ③무슨 일을 숨어서 몰래 하다.

もくれい【目礼】图サ自 목례 ; 눈인사.

もくれい【黙礼】图サ自 묵례. ¶～をかわす 묵례를 나누다.

もくれん【木蓮·木蘭】图【植】자(紫)

もくれんが【木れんが】【木煉瓦】图 목연와(나무로 벽돌 모양으로 만든 것 ; 건축·포장용). ＝きれんが

*** もくろく**【目録】图 목록. ¶図書$_{としょ}$～ 도서 목록 / 財産$_{ざいさん}$の～をつくる 재산 목록을 만들다. ②스승이 문하생에게 예도(芸道)·무예를 전수하고 그 명목(名目)을 적어서 주는 문서. ③싸서 남에게 주는 돈.

もくろみ【目論み·目論見】图 계획 ; 의도 ; 목적. ¶～書^{しょ} 계획서.

もくろ-む【目論む】[五他] 계획하다 ; 기도하다 ; 꾀하다. ¶大事業$_{だいじぎょう}$を～ 대사업을 계획하다.

*** もけい**【模型】图 모형. ①실물을 본뜬 것. ＝ひながた. ②이론 탐구의 대상, 대상(현실)을 추상화하여 문제의 골자를 알 수 있도록 설정한 것. ¶大脳$_{だいのう}$の数学的$_{すうがくてき}$な～ 대뇌의 수학적 모형[체계]. ＝모델. ——論·——数$_{すう}$ 추상적 이론 체계의 실례가 되는 것 ; 추상군.

も-げる【捥げる】[下一自] ①(붙었던 것

이) 떨어지다. ¶人形쎃の首쎃が~ 인형의 목이 떨어지다. ②잡아 뗄〔딸〕수가 있다.

もこ【模糊】[トタル] 모호；희미하게 보이는 모양. ¶あいまい~ 애매 모호.

もごもご 圖 ☞もぐもぐ.

もさ【猛者】图 《俗》맹자；수완가. ¶水泳쎃の~だ 수영의 맹자〔명수〕다 /業界쎃の~ 업계의 수완가.

モザイク【─】图 모자이크. ▷mosaic.

もさく【摸索·摸索】图 [ス他] 모작；남의 작품을 본떠서 쓰거나 만듦. [注意] '摸作'로 씀은 대용 한자.

もさく【摸索·摸索】图 [ス他] 모색. 暗中쎃~ 암중 모색. [注意] '摸索'로 대용 한자.

もさっと -satto 圖 《俗》 멍청한 모양；얼빠진 모양；메멜어진 모양. =もっきり.

もし【若し】圖《뒤에'ば'たら'なら''ても'를 수반하여》모양；만일；혹시. ¶~費用쎃を出쎃せば行쎃ってもいい 만약 비용을 낸다면 가도 좋다 /~君쎃が女쎃なら 만일 네가 여자라면 /~試合쎃に負쎃けたら 만약 시합에 진다면.

もし感《老》사람을 부를 때의 말：여보세요《申쎃し의 준말》. ¶もし, もし.

もじ【文字】 一图 ①〔글자〕문자；문자. =もんじ. ¶目쎃に~がない 무식하다. ②문장；말. ¶~の上쎃で知쎃っている 문자상으로 알고 있다. 二〔接尾〕①もじこ とばに덧붙이는 말. ②〔각기 다른〕글자의 수. ¶アルファベット二十六쎃쎃字쎃 ~알파벳 26 자. ──ことば【一言葉】图【一ことば·一言葉】〔词〕옛날, 궁중의 여관(女官) 따위가 어떤 것을 완곡하게 말하기 위해서, 그 뒷부분을 생략하고, 그 부분에 '文字쎃'를 붙여서 사용한 말〔보기：かもじ 머리털(=かみ), すもじ 초밥(=すし) 따위〕. ──づら【一面】图 문자가 배열된 모양；또, 그 모양이나 배열에서 받는 느낌. =字面쎃쎃. ──どおり【一通り】-dōri 圖 문자 그대로. ¶~足쎃のふみ場쎃もない 문자 그대로 발 디딜 곳도 없다. ──ばん【一盤】图 문자반〔시계·타이프라이터 따위의〕.

もしか【若しか】[連語]①실제로 일어날 수 있다고 가정하는 뜻을 나타내는 말：혹시. ¶~負쎃けたら… 혹시 진다면…. ②의문을 품은 추측을 나타내는 말：혹(시)；어쩌면. ¶~わが子쎃ではないかと… 어쩌면 내 자식이 아닐까 하고…. ──したら 어쩌면('もしか'의 힘줌말). ──すると 어쩌면('もしか'의 힘줌말).

もしくは【もしくは·若しくは】-wa 接 또는；혹은；그렇지 않으면. ¶国電쎃쎃~地下鉄쎃쎃が便利쎃쎃です 국철 전차 또는 지하철이 편리합니다.

もじずり【摸摺り】图《植》타래난초. =ねじばな.

もしそれ【若し夫れ】接《老》그럼, 다음 일은 어떨까 하는 뜻으로 다시 논조를 바꿀 때에 쓰는 말. ¶~をいどまるに, たちまち大戦쎃쎃とならん 그건 그렇다 치고 싸움을 걸다가는 순식간에 대전이 될 것이다.

もしも【若しも】[連語] 만약；만일의 경우('もし'의 힘줌말). ¶~当選쎃쎃したら 만약 당선한다면. ──のこと 만약의 일；예기치 않은 일〔특히, 죽음〕.

もしもし【もし'의 힘줌말】圖전화 통화시 흔히 씀. ¶~田中쎃쎃さんでしょうか 여보세요. 田中씨입니까. [参考] 전화 통화시 흔히 씀. ¶~田中쎃쎃さんでしょうか 여보세요. 田中씨입니까.

もじゃ【若しゃ】[連語] ☞もしか.

もしゃ【摸写·摸写】-sha 图 [ス他] 모사；어떤 것을 본떠서 베낌；또, 그 베낀 것. ¶声帯쎃~ 성대 모사. [注意] '摸写'로 씀은 대용 한자.

もしゃもしゃ -shamosha 圖 ☞もじゃもじゃ.

もじゃもじゃ -jamoja 圖 [ダ쎃] 털 따위가 많이 난 모양：덥수룩이；더부룩히. ¶ひげが~(と)はえる 수염이 덥수룩이 나다 /髪쎃の毛쎃を~させる 머리털을 덥수룩이 하다.

もしゅ【喪主】-shu 图 상주.

もしょう【喪章】-shō 图 상장. ¶~をつける 상장을 달다.

もじ-る【捩る】[5他]①비틀다；비꼬다. ②〔유명한 고가(古歌) 등을〕풍자적으로 비꼬아서 표현하다；어조(語調)를 흉내내다.

もーす【燃す】[5他]《方》태우다；타게 하다. =もやす.

モス【毛斯】图 'モスリン'의 준말.

もず【鵙·百舌】图〔鳥〕때까치. ──の早쎃にえ 때까치가 잡아 나뭇가지에 꿰어 놓은 개구리 따위의 먹이.

もずく【水雲·海蘊·海雲】图〔植〕큰실말〔해초의 하나로 식용〕.

もそこし【も少し】圖《口》좀더；조금더. ¶~옷자락.

もすそ【裳裾】图 치맛자락；〔여자의〕옷자락.

モスリン【毛斯綸】图 머슬린. ☞メリンス. ▷muslin.

も-する【摸する】【摸する·摹する】[ザ変쎃쎃] 본뜨다；모방하다；흉내 내다. [注意] '摸する'로 씀은 대용 한자.

もぞう【摸造·摸造】-zō 图 [ス他] 모조. ¶~真珠쎃쎃 모조 진주 /~品쎃 모조품. [注意] '摸造'로 씀은 대용 한자. ──し【一紙】图 모조지. ¶こし.

もぞっと -sotto 圖《老》좀더. =もうすっ.

もぞもぞ 圖①작은 벌레 따위가 느릿느릿 자꾸 움직이는 모양을 보는 거기서 받는 느낌：굼질굼질；스멀스멀. ¶虫쎃が~と動쎃く 벌레가 꿈질거린다. ②침착성 없이 움직이는 모양. ¶さっきから, 何쎃を~しているんだ 아까부터 뭘 안절부절 못하고 있는 거야. ③활발하지 않고 조금씩 움직이는 모양：느릿느릿. ¶~と動쎃く 느릿느릿 나오다. ¶양：느리게；굼뜨게.

もそりと -sorito 圖 조금 움직이는 모양.

もだ-える【悶える】[下1自] 번민하다. ①몸시 고민하다. ¶恋쎃に~ 사랑에 번민하다. ②괴로워서 몸부림치다. ¶苦痛쎃쎃に身쎃を~ 괴로워서 몸을 뒤틀다.

もた-げる【擡げる】[下1他] 쳐들다；머

リを들다;대두하다. ¶頭^{あたま}を～ 머리를 쳐들다;대두하다.

*も**た-せる**【持たせる】下1他 ①가지게 하다. ¶所帯^{しょたい}を～ 살림을 차리게 하다／気を～（행여나 하고）기대를 가지게〔걸게〕하다. ②보존하다;지탱하다. ¶注射^{ちゅうしゃ}で～ 주사로（목숨을）부지해 나가다. ③부담시키다. ¶費用^{ひよう}を～ 비용을 부담시키다. ④가지고 가게 하다;줘서 보내다. ¶おくりものを～ 선물을 주어〔들려〕보내다. ⑤돌리다. ¶花^{はな}を～ 명예를〔영광을〕돌리다.

も**たもた** 副〔俗〕①행동·태도가 확실하지 않은 모양;어물어물;우물쭈물. ¶～するな 어물거리지 마라. ②사물이 막혀서 순조롭게 진행되지 않는 모양. ¶工事^{こうじ}が～してはかどらない 공사가 순조롭게 진척되지 않는다.

も**た-らす**【齎す】五他 가져가다;가져오다;초래하다. ¶幸福^{こうふく}を～ 행복을 가져오다.

も**た-れる**【凭れる·靠れる】下1自 ①기대다;의지하다. ②〈俗〉먹은 것이 잘 삭지 않고 위(胃)에 남다;트릿하다. ¶胃^いが～ 위가（체한 듯）트릿하다.

モ**ダン**【ダナ】 모던;현대식.＝モダーン. ▷ modern.

も**ち**【餅】 图 떡. ¶～を～ 떡을 치다. —はもち屋^や 떡은 떡집（사물에는 제작기 전문이 있는 법）.

も**ち**【黐】 图 ①끈끈이. ＝鳥^{とり}もち. ②〔植〕＝もちのき.

も**ち**【持ち】 图 ①가짐. ㉠소유. ¶力^{ちから}～ 힘이 셈;장사／婦人^{ふじん}～ 여성용. ㉡지닌 사람;가진 사람. ¶病気^{びょうき}～ 병이 있는 사람. ㉢담당. ¶～番^{ばん}～ 담당할 차례. ㉣부담. ¶主催者^{しゅさいしゃ}側^{がわ}の～ 그 주최측의 부담이다. ②（保ち）오래감;오래 지탱함. ¶この食品^{しょくひん}は～がいい 이 식품은 오래 간다（저장 기간이 길다）. ③〔雅〕（바둑이나 장기 따위 승부에서）비김;무승부.＝引^ひき分^わけ·持^じ. ¶この碁^ごは～になった 이 바둑은 비겼다.

も**ち** 副〈女·俗〉'もちろん'의 준말;물론. ¶～よ 물론이요.

*も**ち-あが-る**【持（ち）上がる】五自①솟아오르다. ¶地面^{じめん}が～ 지면이 솟아오르다. ②（귀찮은）일이 일어나다. ¶事件^{じけん}が～ 사건이 일어나다. ③학생이 진급될 때까지 담임으로 계속 맡다. ¶三年^{さんねん}まで～ 3학년까지 계속 담임을 맡다.

*も**ち-あげる**【持（ち）上げる】下1他①들어 올리다;쳐들다. ¶荷物^{にもつ}を～ 짐을 들어 올리다／頭^{あたま}を～ 머리를 쳐들다（대두하다）. ②〈俗〉치켜세우다.

も**ち-あじ**【持ち味】 图 본디 지닌 맛;전하여（작품·성격 등의）독특한 맛〔멋〕;특색. ¶～を生^いかした料理^{りょうり} 본맛을 살린 요리／君^{きみ}の～を生^いかせ 자네 특색을 살려라.

も**ちあわせ**【持ち合（わ）せ·持合せ】 图

마침 갖고 있는 것;특히, 돈. ¶あいにく～がない 마침 갖고 있는 돈이 없다.

*も**ちあわ-せる**【持（ち）合わせる·持合せる】下1他 마침 갖고 있다. ¶たまたま～せていた金^{かね} 때마침 갖고 있던 돈.

モ**チーフ** 图 모티프. ①동기;계기. ②예술적 표현 활동의 주제(主題);또, 음악 구성의 최소 단위의 선율. ▷프 motif.

もち-いる**【用いる】上1他 ①쓰다;사용하다;이용하다. ¶下剤^{げざい}を～ 하제를 쓰다. ②신경을 쓰다;배려하다. ¶意^いを～ 마음을 쓰다(배려하다). ③채용하다;채택하다. ¶新人^{しんじん}を～ 신인을 쓰다〔등용하다〕／あの意見^{いけん}を～ 그 의견을 채택하다〔쓰다〕.

も**ちうた**【持（ち）歌】 图 〈가수가〕자기 노래로 가지고 있는 곡.＝レパートリー.

も**ちか-ける**【持ちかける·持（ち）掛ける】下1他 말 따위를 꺼내다;말을 걸다. ¶うまく～けてだます 교묘하게 말을 걸어서 속이다／相談^{そうだん}を～ 의논을 꺼내다.

も**ちがし**【もち菓子·餅菓子】 图 떡·찹쌀·갈분·메밀 따위를 원료로 하여 만든 과자.

も**ちかぶ**【持（ち）株】 图〔經〕소유주(所有株). —がいしゃ【持株会社】 -sha 图 지주(持株) 회사.

も**ちきり**【持（ち）切り】【持ち切り】图（한동안）그 상태나 화제가 계속됨;자자함. ¶そのうわさで～だ 온통 그 소문으로 자자하다.

も**ちき-る**【持ちきる】【持ち切る】五自 ①끝까지 지니다;지탱〔유지〕하다. ¶援軍^{えんぐん}が来^くるまで城^{しろ}は～れない 원군이 올 때까지 성을 지탱할 수 없다. ②시종 같은 상태가 계속되다;온통 … 하다. ¶そのうわさで～っている 온통 그 소문으로 화제가 되고 있다.

も**ちぐさ**【餅草】 图（쑥떡에 넣는）쑥의 다른 새칭.

も**ちぐされ**【持（ち）腐れ】图 가지고 있을 뿐 이용〔활용〕하지 못함. ¶宝^{たから}の～ 보물을 가지고도 썩임（훌륭한 재능을 활용하지 못함）.

も**ちくず-す**【持（ち）崩す】五他 몸을 잘 못 가지다;신세를 망치다;타락하다. ¶身^みを～（주색에 빠져서）신세를 망치다.

も**ちこ-す**【持（ち）越す】五他 넘기다;미루다. ¶去年^{きょねん}から～した仕事^{しごと} 작년부터 미루어 온 일.

も**ちこた-える**【持ちこたえる】【持ち堪える】下1他 계속 유지〔지탱〕하다;버티다;견디다. ¶一年間^{いちねんかん}は～がある 1년간은 견딜 수 있는 식량이 있다.

も**ちごま**【持ちごま】【持（ち）駒】图（일본 장기에서）이 편에서 잡은 상대방의 말〔필요에 따라 이 편에서 쓸 수 있음〕;비유적으로, 자기 마음대로 쓸 수 있는 사람이나 물건.

も**ちこ-む**【持（ち）込む】五他 ①가지고 들어오다〔가다〕. ¶危険物^{きけんぶつ}を～ 위험물을 가지고 들어오다. ②（의논·제

안 등을) 해오다. ¶相談（そうだん）ごとを～ 의논을 해오다. ③미해결인 채 다음 상태로 넘기다. ¶訴訟（そしょう）に～ 소송으로 몰고 가다.

もちごめ【もち米】【糯米・餠米】图 찹쌀. ↔うるち.

***もちだ-す**【持（ち）出す】【他】①가지고 나오다. ¶반출하다; 끌어내다. ¶家財（かざい）を～ 가재를 끌어내다. ⓒ훔치다. ¶売上金（うりあげきん）を～ 매상금을 훔치다. ②말을 꺼내다; 제기하다. ¶話（はなし）を～ 이야기를 꺼내다. ③(부족되는 비용을) 자기가 부담하다. ¶費用（ひよう）は結局（けっきょく）～・しになった 비용은 결국 자기 부담이 되었다. ④갖기 시작하다. ¶自信（じしん）を～ 자신을 갖기 시작하다.

もちつき【餠搗き】图 떡을 침; 또, 그 사람.

もちづき【望月】图 망월; 만월（滿月）; 음력 보름달.

***もちなお-す**【持（ち）直す】【自他】①본래의 상태로 돌아가다; 회복하다; 전하려 되다. ¶病人（びょうにん）が～ 병자가 회복되다 / 景気（けいき）が～ 경기가 회복되다. □【他】(손을) 바꾸어 잡다（들다）. ＝持（も）ちかえる. (荷物（にもつ）を～ 짐을 바꾸어 들다.

もちにげ【持（ち）逃げ】图【ス他】가지고 달아나다. ¶公金（こうきん）を～する 공금을 가지고 도망치다. 　　　　　　　　　　〔임자〕

***もちぬし**【持（ち）主】图 소유자（主）.

もちのき【黐の木】图【植】감탕나무.

もちば【持（ち）場】图 부서（部署）; 담당한 장소; 또, 점유하고 있는 장소. ¶～を守る 담당 부서를 지키다.

もちはこ-ぶ【持（ち）運ぶ】【他】들어 나르다; 운반하다. ¶～びのできる物（もの） 들어 나를 수 있는 물건.

もちはだ【もち肌】【餠膚・餠肌】图 매끈하고 포동포동한 (흰) 살갗. ↔さめはだ.

もちぶん【持（ち）分】图 지분. ①(배당된 자기의) 몫. ②(공유 재산·권리 등에 대하여) 각자가 소유·행사하는 비율. ③합자 회사 따위의 사원의 출자비율.

もちまえ【持（ち）前】图 ①타고난 성질; 천성. ¶～の短気（たんき）で 타고난 급한 성미. ②☞もちぶん.

もちまわり【持（ち）回り】图 (여기저기) 가지고 다님; 관계되는 사람에게 돌림. ¶～閣議（かくぎ） 회의를 열지 않고 안건을 각 장관에게 돌려서 정하는 약식각의. 　　　　　　　　　　　　〔물.

もちもの【持（ち）物】图 소지품; 소유

もちや【もち屋】【餠屋】图 떡가게; 떡장수.

もちゅう【喪中】-chū 图 상중.

もち-よる【持（ち）寄る】【五他】각자가 가지고 모이다; 추렴하다. ¶材料（ざいりょう）を～ 재료를 가지고 모이다.

***もちろん**【勿論】副 물론; 말할 것도 없이. ¶～口外（こうがい）しない 물론 입 밖에 내지 않는다. 〔参考〕보통, 아래에 단정을 나타내는 말이 옴. 또, 「ぼくが悪（わる）いのは～だが」(＝내가 나쁜 것은 물론이지만)처럼 위에 말한 것을 받는 경우에도.

***も-つ**【持つ】□【他】①쥐다; 들다. ¶

荷（に）を～ 짐을 들다 / 月（つき）を～ 편들다; 지지하다. ②가지다. ⓐ소유하다. ¶家（いえ）を～ 집을 갖다. ⓑ지니다. ¶大金（たいきん）を～って出（で）かける 많은 돈을 가지고 외출하다. ⓒ품다. ¶恨（うら）みを～ 원한을 품다. ⓓ타고나다. ¶～って生（う）まれた性質（せいしつ） 타고난 성질. ⓔ지다. ¶責任（せきにん）を～ 책임을 지다. ③갖다. ⓐ開（ひら）く. ¶会談（かいだん）を～ 회담을 갖다（열다）. ⓑ관련을 맺다. ¶関係（かんけい）を～ 관계를 갖다. ③살림을 차리다. ¶所帯（しょたい）を～ 결혼하다. ④담당하다; 담당하다; 맡다. ¶一年生（いちねんせい）を～ 1학년생을 담당하다. ⑤부담하다. ¶学資（がくし）は国（くに）で～ 학자금을 나라에서 부담한다. □【自】어떤 상태가 오래 가다; 지속되다. ⓐ지탱하다; 견디어 나가다. ¶からだが～・ない 몸이 견디지 못하다 / この服（ふく）はずいぶん長（なが）く～った 이 옷은 꽤 오래 입었다. ──ち 持（も）つ 서로 돕는 관계에 있는 모양.

もつ【臓・臓物】图（俗）(짐승·새의 요리에서) 내장（內臓）.

もっか【目下】mokka 图 목하; 현재; 지금. ¶～の急務（きゅうむ） 당장의 급한 용무.

もっか【黙過】mokka 图【ス他】묵과.

もっかん【木管】mokkan 图 목관. ①나무로 만든 관（대롱）. ¶～楽器（がっき） 목관 악기. ②(방적기계의) 실을 감을 때 쓰는 관. ＝ボビン.

もっきん【木琴】mokkin 图 목금; 실로폰. ＝シロホン.

もっけ【勿怪・物怪】图『～の幸（さいわ）い』뜻밖의 행운; 천만 다행.

もっけい【黙契】mokkei 图 묵계. ¶二人（ふたり）の間（あいだ）には～がある 두 사람 사이에는 묵계가 있다.

もっこ【畚】mokko 图 삼태기의 일종 (새끼를 그물처럼 엮어 네귀퉁이에 끈을 단 것으로 흙 따위를 나르는 데 사용함).

もっこう【木工】mokkō 图 목공. ①나무로 물건을 만듦; 목공예. ¶～所（しょ） 목공소. ②목수.

もっこう【黙考】mokkō 图【ス自】묵고; 숙고（熟考）. ¶沈思（ちんし）～ 침사 묵고; 심사 숙고. 　　　　　　〔향나무.

もっこく【木斛】mokko- 图【植】후피

もっこつ【木骨】mokko- 图 목골; 건축의 뼈대가 목조인 것; 또, 그 뼈대. ＝鉄骨（てっこつ）.

もっさり mossari 副（俗）①세련되지 못하고 우둔한 모양; 메떨어지게; 메부수수히; 뒤웅스레. ＝もさっと. ¶～した男（おとこ） 메떨어진（뒤웅스런） 사나이. ②～した 털이 많이 난 모양.

もっしょくし【没食子】mossho- 图 몰식자. ＝ぼっしょくし.

もっそう【物相・盛相】mossō 图 1인분씩의 밥을 담는 그릇. ──めし【──飯】图【物相】에 담은 밥; 특히, 감옥에서 주는 밥. ¶～を食（く）う 감옥에 갇히다; 콩밥 먹다.

もったい【勿体・物体】mottai 图 거드름부리는（젠 체하는） 모양. ──をつける 젠체하다. ──ない 形 황송하다. ①황송하다; 과분하다; 고맙다. ¶～お言葉（ことば）を賜（たまわ）る 과분한 말씀을 주시다. ②죄스럽다. ⓐ(함부로 써

서) 아깝다. ㉠捨*てるのは～ 버리는 것은 아깝다. ㉡불길스럽다. ¶親を あざむいては～ 부모를 속여서는 죄스럽다. ――ぶる[[―振る]] ⑤自 (짐짓) 젠 체하다 ; 점잔빼다 ; 거드름 피우다 ; 재다. ――らし-い -shi 形 대수롭다 ; 어마어마하다 ; 홍감부리다.

もって【以て】motte ①〈'を～'의 꼴로 格助詞처럼 사용함〉㉠…을 써서, …로써, …으로. ㉡…을 가지고…하다 ; …한 서면으로 통지하다 / 百*ぴゃくを―数かぞえる 백으로써〔백을 단위로 해서〕수를 세다. ㉡…의 이유로, …때문에. 老齢れいを～引退いんたいする 노령을 이유로 은퇴하다 / おかげをもちまして 덕택으로. ㉢…을 시점으로 일단 끊어서 ; 로써. ¶本日ほんじつ午後ごご四時じを―締しめ切きる 오늘 오후 네 시로 마감한다. ㉣'を'를 장중(莊重)하게 말하는 말씨. ¶これを―第一位だいいちいとする 이것을 제1위로 한다. ②〈接續助詞・接續詞처럼 사용해서〉㉠그리고 ; 또, …. ㉡〈利用ようで〉…顔かたちもいい 똑똑하고 얼굴도 잘 생겼다. ㉢그것에 의하여 ; 따라서. ¶～つぎのとおり結論けつろんする 따라서 다음과 같이 결론짓는다. ㉣그것에 대하여, ¶貴殿きでん～いかんとなす 대은 그것에 대하여 어떻게 생각하오. ③〈接尾詞的으로〉副詞를 만들. ¶前まえ―미리 / 今いま～ 아직껏 / なお―더욱 더. ――しても ～에 의해서도. ――すべし 그것으로 안심하고 죽을 수 있을 것이다 ; 그것으로 만족해야 할 것이다.

もってうまれた【持って生(ま)れた】motte- 連語 타고난. ¶～性質せいしつ 타고난 성질.

もってこい【持って来い】motte- 連語 꼭 알맞음 ; 안성맞춤. ¶彼かれに―の仕事しごとがある 그에게 딱 알맞은 일이 있다.

もってのほか【以ての外】motte- 連語 뜻하지 않음 ; 의외 ; 당치도 않음 ; 언어 도단. ¶～の立腹ぷく 의외에 화를 냄 ; 당치도 않은 화 / 教育上じょう～だ 교육상 언어 도단이다.

もってまわった【持って回った】motte mawatta 連語 에두른. ¶～言い方かた 에둘러하는 말씨.

**もっと motto 副 더 ; 더욱 ; 좀더 ; 한층. ＝更さらに・なお. ¶～右みぎの方ほうへ 좀더 우측으로 / ～ください 좀더 주시오.

モットー motto 名 모토 ; 표어 ; 좌우명. ▷motto.

*もっとも【尤も】motto- ① ㉠ 지당함 ; 사리에 맞음. ¶～な意見けん 지당한 의견. ② 맞음 그렇다고 하지만 ; 단지 ; 다만 ; 단(但)...다. ――としても ¶～例がれいが無ない わけではない 하긴 예외가 없는 것은 아니다. ――らし-い -rashī 形 그럴 듯하다 ; 그럴싸하다. ¶～意見けんらし 그럴 듯한 의견 / ～顔かおつき 그럴 듯한 얼굴 표정.

**もっとも【最も】(尤も) motto- 副 (무엇보다도) 가장. ¶～大おおきな事件けん 가장 큰 사건.

*もっぱら【専ら】moppara 副 오로지 ; 한결같이 ; 전혀. ¶～勉強べんきょうばかりする 오로지 공부만 하다 / 権力けんりょくを～にする 권력을 독점하다.

もつやき【もつ焼(き)】【臓焼(き)・臓物焼(き)】名 〈조류・짐승의〉내장구이.

*もつやく【没薬】名 몰약.

*もつ-れる【縺れる】下1自 ①뒤얽히다. ¶엉클어지다 ; 얽히다. ¶糸いとが～ 실이 엉클어지다. ㉡복잡해지다. ¶事件けんが～ 사건이 복잡해지다. ②분규를〔갈등을〕보이다. ¶感情じょうが～れて仲なかがこじれる 감정의 갈등으로 사이가 나빠지다. ③언어・동작이 뒤틀리다 ; 꼬이다. ¶舌したが～ 혀가 꼬부라지다.

もて-【持て】말 뜻을 강하게 하는 말. ¶～はやす 극구 칭찬하다.

*もてあそ-ぶ【玩ぶ・弄ぶ・翫ぶ】⑤他 ①가지고 놀다 ; 장난하다. ②위안물로서 사랑하다 / 완상(玩賞)하다. ¶骨董こっとうを～ 골동품을 완상하다 / 俳句はいくを～ 俳句를 즐기다. ③마음대로 조종하다 ; 농락하다. ¶女おんなを～ 여자를 농락하다. ④농(弄)하다 ; 부리다. ¶策略さくりゃくを～ 책략을 부리다.

もてあま-す【持て余す】⑤他 처치 곤란해 하다 ; 힘에 겨워하다 ; 주체스러워하다. ¶時間かんを～ 시간이 남아 주체 못하다 / だだっ子こを～ 떼쟁이 아이를 주체스러워하다.

もてなし【持て成し】名 대접 ; 환대. ¶手厚てあつい～を受うける 극진한 대접을 받다.

*もてな-す【持て成す】⑤他 ①대접하다 ; 환대하다. ¶一家かをあげて～ 온 가족이 환대하다. ②대우하다. ¶珍客ちんきゃくとして～ 진객으로서 대우하다.

もてはや-す【持て囃す】⑤他 〈흔히 受動形으로〉극구 찬양하다 ; 입을 모아 칭찬하다 ; 인기가 있다. ¶若わかい人ひとたちの間あいだで～されている 젊은이들 사이에서 인기가 있다.

も-てる【もてる・持てる】下1自 ①인기가 있다. ¶女おんなに～ 여자에게 인기가 있다. ②〔가질〕수 있다. ¶持もつ들〔가질〕수 있는 만큼 들〔갖〕. ③견딜 수 있다 ; 유지할 수 있다.

*モデル 名 모델 ; 본보기 ; 모범. ¶ファッション―패션 모델 / 業ぎょう―모델 업 / 小説しょうせつ―모델 소설 / スクール―모델 스쿨. ▷model. ――ケース 모델 케이스 ; 전형적・표준적인 사례 ; 대표적인 사례. ▷model case.

モデルノロジー 名 고현학(考現學). ▷ 일 modernology.

もと【下・許】名 ①곁 ; 슬하. ¶親おやの～を離はなれる 부모 슬하를 떠나다. ②㉠밑. ¶旗はたの～ 깃발 아래 / 松まつの木きの～ 소나무 밑 / 勇将ゆうしょうの～に弱卒じゃくそつなし 용장 밑에 약졸 없다 / …の指揮しきの～に …의 지휘 아래. ㉡지배・영향이 미치는 것을 表現함. ¶学会がっかいの主催しゅさいの～に 학회 주최 아래.

**もと【元】(原)【本】① 本 ㉠ 本 사물의 시작 ; 처음 ; 기원. ¶この習ならわしを―さぐると 이 관습의 기원을 더듬다. ↔末すえ. ②㉠본디 ; 본래. ¶～にもどる 본디 상태로 되돌아가다 / ～の家いえ 전의 집. ③원인. ¶けんかの싸움의 원인 / ～をただせば 원인(근원)을 밝힌다면. ④원금 ; 자본 ; 밑천 ; 본전 ; 원

가. ¶~がかかる商売ﾆ゙ゃ 밑천이 드는
장사 / ~が取ﾁれない 본전도 찾지 못
하다 / ~を切って売る 밑지고 팔
다. ↔子ﾈ. ¶~ 内력;출신. ¶身ﾐ~ 신
원. ¶~ (어떤 일이나 작용의) 근원. ¶
製造芥ﾞ~ 제조원 / 電気ﾃ゙ﾝ の~を切る
전원을 끊다. 㠃 連体 본체] ;전직;
원(元). ¶~首相芥ﾞ 전 수상. 一のき
やに収まﾏる 이혼한 또는 반목하던 사
이가 다시 이전의 관계로 되돌아가다.
一も子ﾆ も無ﾅくなる 본전(本錢)도 이
자도 없어지다 ;이익은 고사하고 본전
까지 날리다.

*もと 【本】 图 ①시초;근본. 一本本
~と末ズを混同ﾄ゙する 본말을 혼동
하지 마라. ↔末ズ. ②나무의 줄기·뿌
리. ③수를 나타내는 순수 일어(日語)
에 붙는 말] 그루;포기. ¶一ﾋﾄ~の桜ﾗ
한 그루의 벚나무.

もと 【基】 图 근본;토대;기초. =もと
い. ¶農ﾉ゙は国ﾆ の~ 농사는 나라의 근
본.

*もと 【素】 图 원료;밑;특히, 누룩.
¶かびを~にして作ﾂ た薬ﾘ゙ 곰팡이를
원료로 해서 만든 약.

もとい 【基】 图 토대;기초;기반;근
본. =元ﾓ・本ﾓ・基ﾓ.

もとうけ 【元請(け)】 图 주문 당사자로
부터 직접 일을 도급맡음;또, 그 업
자. ↔下請ﾊﾞけ.

もとうた 【本歌】 -shi ☞ほんか(本歌).

もどかしい -shi 厖 초조하다;
애가 타다. ¶時間ﾆ゙ の立ﾀ つの
が~ 시간 가는 것이 안타깝다(더디다
는 뜻으로도 됨). ②더디다 ﾃ゙[답답]하다;
굼뜨다. ¶~仕事ﾆ゙ ぶり 답답하다(굼
뜬] 일솜씨.

-もどき 【擬き】 ⦅体言 に붙어서⦆ 그것
에 비슷히 만듦;닮은것. ¶芝居ﾆ゙゙~ 연
극조(調).

もときん 【元金】 图 ①자본금;밑천;본
전. =もとで. ②원금(元金). =がんきん.
¶~と利息ﾘ゙ 원금과 ────────「이자.

もとこ 【元子】 图 원리(元利) ;원금과
이자.

もとごえ 【元肥・基肥】 【本肥】 图 기비
(基肥);밑거름. ↔追ﾂ゙ 肥ﾟ .

もとじめ 【元締(め)】 图 회계나 경리 따
위를 총괄하는 역(役);전하여, 노름꾼
등의 두목.

*もと-す 【戻す】 5他 ①되돌리다;갚
다. ¶借ﾘ た金ﾈ を~ 꾼 돈을 갚다 /
白紙ﾊ゙に~ 백지로 (되) 돌리다. ②토
하다;게우다.

もとだか 【元高】 图 본디의 금액(원금
이나 원가 따위).

もとだね 【元種】 图 원료;재료.

もとちょう 【元帳】 -chō 图 원장. =原
簿ﾎ゙.

*もとづく 【基づく】 5自 기초를 두다;
의거하다;기인하다. ¶憲法ﾎ゙に~ 헌
법에 의거하다 / 誤解ﾆ゙に~にけんか 오
해에 기인한 싸움.

もとづける 【基づける】 下1他 기초를
두게 하다;의거하게 하다.

もとづめ 【元詰め・本詰め】 图 〔병
조림 등을〕 제조원에서 담음;또, 그
것.

*もとで 【元手】 图 자본;밑천;본전. ¶
からだ1が~だ 몸이 밑천이다.

もとどおり 【元どおり】 【元通り】 -dōri
图 副 본디 상태로〔원래〕대로임.

もとなり 【本生り・本成り】 图 덩굴이나
줄기의 밑둥치 가까운 곳에 열매가 열
림;또, 그 열매. ↔うらなり.

もとね 【元値】 图 구입 가격;원가. ↔
売ﾘ゙ 値ﾈ . ¶~が切ﾟ れると 값이 원
가보다 싸서 손해보다.

もとのもくあみ 【元の木阿弥・元の李阿
弥】 連語 도로아미타불;본래의 좋지
않은 상태로 되돌아감.

もとめ 【求め】 【需め】 图 요구;주문;수
요. ¶~に応ﾗﾞ ずる 요구에 응하다.

もとめて 【求めて】 連語 副詞的으로】
일부러;자진하여. ¶~苦労ﾆ゙ する 사
서 고생하다.

*もと-める 【求める】 下1他 ①구하다.
㉠바라다. ¶平和ﾜﾞ を~ 평화를 바라
다 / 職ﾖﾞ を~ 직업을 구하다. ㉡요구
하다;(요)청하다. ¶助ﾀ けを~ 도움
을 청하다. ¶早ﾊﾞ く お~め
くださいい 빨리 사주십시오. ②자초하
다;스스로 불러들이다. ¶わざわいを
~ 화를 자초하다.

もともと 【元元・元本】 图 (본래와)
같음;손해도 이득도 없음;본전치기. ¶
失敗ﾊ゙しても~だ 실패해도 본전치기
다.

もともと 【元元・本本】 副 본디부터;원
래. ¶あの人ﾋﾞ は~忘ﾜｽ れっぽい 저 사
람은 본래 건망증이 심하다.

もとより 【固より・素より・元より・本よ
り】 副 ①처음부터;원래;본디. ¶そ
れは~承知ﾁ゙ している 그것은 원래
부터 알고 있다. ②물론;말할 것도 없
이. ¶~出席ﾕ゙ します 물론 출석합니
다.

もどり 【戻り】 图 ①되돌아감〔옴〕. ㉠
본디 상태로 복귀함. ㉡귀가(歸家);귀
로(歸路). ¶~がおそい 귀가가 늦다.
↔行ﾕき. ㉢시세가 회복됨. ②(낚시·
뜨개바늘의) 바늘 끝의 미늘.

もどりがけ 【戻りがけ】 【戻り掛け】 「길.
돌아오는 도중ﾁ゙[길].

もどりみち 【戻り道】 图 돌아가ﾓ[오]는
もと-る 【悖る】 5自 사리에 어긋나다;
어그러지다. ¶道理ﾘﾞ に~ 도리에 어
긋나다.

*もど-る 【戻る】 5自 되돌아가ﾓ[오]다.
¶席ﾆﾞ へ~ 자리로 되돌아오다 / 病状
ﾋﾞ は以前ﾆ゙ の~ ってしまった 병세
는 이전 상태로 되돌아가고 말았다 / よ
りが~ (틀어졌던 두 사람 사이가) 본래
의 관계로 되돌아가다.

もなか 【最中】 图 ①찹쌀가루 반죽을 얇
게 밀어 구운 것에 팥소를 넣은 과자.
②(雅) 한복판;한창. 一の月ﾂ゙ 음력 보
름밤의 달.

モニター 图 모니터. ①라디오나 신문
따위에서 그 내용에 대해서 의견이나
비판을 하는 사람. ②송신·녹음 따위
를 조정하는 장치;또, 그 조정 기술
자. ▷monitor.

もぬけ 【裳抜け・蛻】 图 (뱀·매미 등이)
허물을 벗음;탈피(脫皮)함. 一のから
一一の空・一の殻】 連語 ①뱀 따위의
허물;탈피한 껍질. ②사람이 탈출한
뒤;(사람이 이미 빠져나간 뒤의) 잠자
리·집 따위. ③혼이 (떠)나간 시체.

‡**もの**【物・者】 □图 ①것；물건；물체；물질. ¶…を大切ᇔにする 물건을 소중히 하다. ↔事ᇎ. ②[もの] 무엇；어떤；일；말；물질；사리(어떤 일·대상을 막연하게 하는 말). ¶平和ᇂという～ 평화라는 것 /～の道理ᇋ 사물〔일〕의 도리 /～につけ事ᇎに触れ〔ぜる〕事ᇎ 일에다(사전견) /～を思ᇎう무엇을 (막연히) 생각하다 /～の本ᇂに書ᇎいてある (어떤) 책에 씌어 있다 /～には順序ᇂというものがある는 순서라는 것이 있다. ③물건；인물；문제(특별한 일 또는 훌륭한 상태). ¶～の数字ᇎにもはいらない (물건) 축에도 들지 못하다 /～にして見ᇎせる 물건다운 것으로 만들어 보겠다. ④요괴(妖怪)；혼；귀신. ¶～につかれる 귀신 들리다. ⑤[もの]《'～が'의 꼴로》 ㉠…하는 것이 보통이다；해야 하다(당연히 또는 보편적으로 그렇게 됨을 나타냄). ¶…とけいがとまっていた～だから遲刻ᇂした 시계가 섰기 때문에 지각했지. ㉡…싶다；…한 걸；…했었지(감동이나 회망·회상을 표시함). ¶いやな～だ 정말 싫은 걸 /よ うしたい～だ 그렇게 하고 싶은 걸 /よ く行ᇎった～だ 곧잘 가곤 했(었)지 / 女ᇂというものは强ᇂい…だ 여자란 强하구나. ⑥[もの]《'～がある'의 꼴로》…하는 바다；…한 것이다. ¶友情ᇂというものはまことにうるわしい～がある우정이란 참으로 아름다운 것이다. ⇒ものか・もので・ものの・もの. □接頭《形容動詞 따위, 상태·심정을 나타내는 말 앞에 붙여》 어쩐지；어딘지. ¶～さびしい 어쩐지 쓸쓸하다. □接尾 ①것；거리；…물；하기. ¶買ᇎい～ 물건사기 /見ᇎ～ 구경거리 /アクション～ 액션물. ②이상한 체험에 관한 상태를 나타냄. ¶ひやひや～ 아슬아슬하게 하는 것(극·영화 따위). 드릴물.

─言ᇎう花ᇂ 미인. ─言ᇎわぬ花ᇂ 초목(草木)의 꽃. ─が分ᇎかる 사리를 [물정을] 잘 알다. ─ともしない 문제로도 삼지 않다；아무렇지도 않게 여기다. ─にする 제것으로 만들다. ㉠손에 넣다；또, 정복하다(여자를). ㉡익혀 숙달하다. ─だ 뜻대로의 어엿한 물건으로 만들다. ─になる ①어엿한 인물이 되다；버젓한 솜씨(의 소유자)가 되다. ②자기 뜻대로 되다；성공하다. ─の上手ᇂ 어떤 경우의 소용；그런 사람. ─の用ᇂ 어떤 경우의 소용；소모；=物ᇎの役ᇎ. ─は相談ᇎ ①어려운 일도 서로 의논해 보면 좋은 결과를 얻을 수 있다. ②의논해 보자고 상대방에게 요청할 때의 말. ¶～は相談だが의논 좀 해보고 싶은데. ─は試ᇎし 일은 해보지 않아야 안다. ─も言ᇎいよう 말은 하기 나름이다. ─を言ᇎう 말하다. ①말을 하다. ②힘이 되다；효과를 나타내다. ¶經驗ᇎが─を言う 경험이 말을 하다. ③증거가 되다；증명하다. ─を言ᇎわせる 위력을 발휘하게 하다；활용하다.

‡**もの**【者】 图 자；사람；것. ¶…～どうし …사람끼리 /私ᇎのような～ 저와 같은 것〔사람〕 /十八歲ᇔ～未満

の～ 18세 미만의 사람들 /男ᇂらって そういう～ 남자란 그런 거야.

‡**もの**【終助】《女·兒》《活用語의終止形을, 또 形容動詞·助動詞의 "だ"에는 連体形도 받아》불만·원망 따위 기분을 담아서 변명이나 이유를 말할 때 씀；…한 걸(요). ¶知ᇎらなかった～ 몰랐는 걸요 /だってきらいなんだ～ 그렇지만 싫은 걸요. 參考 'もん'의 꼴로도 씀.

ものあらいがい【物洗い貝】 图【貝】 명주우렁이.

ものあらそい【物争い】 图 다툼.

ものあわれ【物哀れ】 图 [ダナ] 어딘지(모르게) 가엾은 모양；서글픔；처량함.

ものあんじ【物案じ】 图 걱정함；근심함. ¶～顔ᇎ 수심에 잠긴〔걱정스러운〕 얼굴.

ものいい【物言い】 monoī 图 ①말씨；말(투). =ことばづかい. ¶～が柔ᇎらかだ 말씨가 부드럽다. ②이의를 주장함；그의의. ¶～がつく 이의가 제기되다. ③언쟁. ¶～の種ᇂになる 언쟁〔말다툼〕의 불씨가 되다.

ものいみ【物忌(み)】 图 [ス自] 《불길하다고 사물을》꺼려 피함；금기；특히, 재계(齋戒)함.

ものいり【物入り】【物入り·物要り】 图 출비(出費)；비용이 많이 듦.

ものうーい【物憂い】【懶い】 形 어쩐지 몸이 나른하고 마음이 내키지 않다〔울적하다〕；께느른하다；귀찮다.

ものうり【物売り】 图 도붓장사〔장수〕；행상.

ものおき【物置】 图 헛간；곳간；광. =納屋ᇎ.

ものおじ【物おじ】【物怖じ】 图 [ス自] 겁을 냄(먹음). ¶～しない子ᇎ 겁(이) 없는 아이.

ものおしみ【物惜しみ】 图 [ス自] 남에게 주기를 꺼려함. ¶～もほどにしろ (다랍게) 아끼는 것도 작작 해라.

ものおと【物音】 图 (무슨) 소리. ¶怪ᇎしい～がする 이상한 소리가 나다.

ものおぼえ【物覚え】 图 기억(력). ¶～がいい 기억력이 좋다. ②배워 익힘. ¶～が速ᇎい 배우는 것이 빠르다.

ものおもい【物思い】 图 (걱정으로) 깊은 생각에 잠김；시름；근심；수심.

ものおもーう【物思う】 [5自] ①깊은 생각에 잠기다. ②시름〔煩悶〕하다.

ものか【連語】《連体形에 붙어서》 반문이나 부정을 강하게 나타내는 말：…말이야；…할까보냐；…하나 (두고) 봐라；…할〔일〕게 뭐야. =もんか. ¶あんなやつにやろう～ 그 따위 놈이 할 수있을게 뭐야 /敎ᇎえる～ 가르쳐 주나 봐라 /そんな事ᇎってたまる～ 그런 일이 있어서야 되겠는가.

ものかげ【物陰】 图 가리어서 보이지 않는 곳；그늘.

ものがたーい【物堅い】 形 의리가 굳다；조신하고 예의가 바르다；고지식하다.

‡**ものがたり**【物語】 图 ①이야기(함)；또, 그 내용. ②전설. ¶～で知ᇎられた所ᇎ 전설로 알려진 곳. ③《平安ᇎᇋ時代에서 鎌倉ᇎᇋ時代에 걸쳐서의》산

문의 문학 작품. ¶軍記^{ぐん}〜 군담(軍談) 소설.

ものがた-る【物語る】⑤他 말하다. ① 이야기(를) 하다. ¶体験^{たいけん}を〜 체험을 말하다. ②비유적으로, (어떤 사실이 어떤 뜻을 저절로) 가리키다. ¶老^{ろう}いを白髪^{はくはつ}が〜 白髮를 말해 주는 백발.

ものがなし-い【物悲しい】-shī形 어쩐지 슬프다 ; 구슬프다 ; 서글프다.

ものかは【物かは】-wa 連語 문제가 되지 않는다 ; 아무렇지도 않다. ¶あらしも〜決然^{けつぜん}として出発^{しゅっぱつ}した 폭풍우도 아랑곳하지 않고 결연히 출발하였다.

ものぐさ【物臭・懶】名 귀찮아 함 ; 또, 그런 성질의 사람 ; 게으름쟁이.

ものぐるおし-い【物狂おしい】-shī形 미친 듯하다 ; 또, 미칠 것 같은 심정이다. ≒ものぐわしい.

ものごい【物ごい】【物乞い】名 ⤵旦① 구걸 ; 비럭질. ②거지 ; 비렁뱅이. ≒こじき.

ものごころ【物心】名 철 ; 분별심. ──がつく ころ 철이 들 때 ; 사춘기에 접어들 때.

ものごし【物腰】名 사람을 대하는 말씨(태도) ; 언행. ¶〜の柔^{やわ}らかい人^{ひと} 사근사근한 사람. 参考 좁은 뜻으로는 말씨만을 말한다.

ものごと【物事】名 물건과 일 ; 일체의 사물. ¶〜をいいかげんにやる 일을 아무렇게나 [적당히] 처리하다.

ものさし【物指(し)・物差(し)】名 자 ; 전하여, 척도 ; 기준 ; 표준. ¶考^{かんが}え方^{かた}の〜がちがう 생각의 기준이[척도가] 다르다.

ものさびし-い【物寂しい】【物淋しい】-shī形 어쩐지 쓸쓸하다 ; 호젓하다. ≒うらさびしい.

ものさわがし-い【物騒がしい】-shī形 ①떠들썩하다 ; 소란스럽다. ②(세상이) 어수선하다 ; 뒤숭숭하다. ¶〜世^{よ}の中^{なか} 어수선한 세상.

ものしずか【物静か】ダナ①고요함 ; 조용함. ¶〜な場所^{ばしょ} 조용한 장소. ②(언행이) 침착(차분)함. ¶〜な態度^{たいど}〔女^{じょ}な〕 침착한[차분한] 태도 [여자].

ものしり【物知り】【物識り】名 박식함 ; 또, 그런 사람. ──がお【──顔】名 박식한 체하는 얼굴.

ものずき【物好き】名 ダナ① (짐짓) 유별난 것을 좋아함 ; 또, 그런 사람 ; 호기심. ¶〜にも程^{ほど}がある 호기심에도 정도가 있다 ; 유별나도 분수가 있지.

ものすご-い【物すごい】【物凄い】形 섭다. ①끔찍하다. ¶〜形相^{ぎょうそう} 무서운 형상. ②굉장하다 ; 지독하다. ¶〜人気^{にんき} 굉장한 인기 / 〜暑^{あつ}さ 굉장한 더위.

ものすさまじ-い【物すさまじい】【物凄まじい】-jī形 무섭다 ; 굉장하다.

もの-する【ものする・物する】サ変他 무엇인가를 하다 ; 행하다 ; 특히, 문장을 쓰다. ¶一冊^{いっさつ}の本^{ほん}を〜 한 권 책을 쓰다.

モノタイプ【印】모노타이프 ; 자동 주조 식자기. ▷monotype.

ものだから接助 …하기 때문에 ; …하므

로. ¶うるさく言^{い}う〜 귀찮게 말하므로.

ものたりな-い【物足りない】形 어딘지 불만스럽다 ; 무엇가 부족하다. ¶〜説明^{せつめい} 어딘지 부족한 설명.

もので連語 자기 행위에 대한 이유를 나타냄. …(이)므로 ; …때문에. ¶いなか育^{そだ}ちな〜何^{なに}もわからなくて 시골서 자랐기 때문에 아무 것도 몰라서.

ものとり【物取り】名〔老〕훔침 ; 도둑 ; 노상 강도. ≒どろぼう・おいはぎ. ¶〜強盗^{ごうとう} 노상 강도.

ものなら連語〈連体形에 붙어서〉①가정(仮定)의 조건을 나타냄. …면. ≒なら. ¶そんなことでいい〜だれにでもできる 그런 정도로 좋다면 누구라도 할 수 있다. ②('う(よう)'를 받아서) 그것을 계기로 큰일이 일어날 것을 예상함을 나타냄. …(할) 것 같으면. そんな事^{こと}を言^{い}おう〜, ひどくおこるだろう 그런 말을 한다면 몹시 화를 낼 게다.

ものな-れる【物慣れる】【物馴れる】下1自 익숙해지다 ; 숙달되다 ; 세지(世智)에 능하다.

ものの【物の】連語 ①대개 ; 약 ; 불과 ; 겨우. =およそ・わずか. ¶〜二キ모も歩かないうちに 약[겨우] 2 킬로쯤 걸었을 때 / 〜三年^{ねん}もならえばいい 한 3년쯤 배우면. ¶〜一日もかからず仕上^{しあ}げた 불과 하루도 걸리지 않고 끝냈다 / 〜三人^{にん}も居^{い}ない 불과 세 명도 없다. ②정말 ; 대단히 ; 매우. ¶いかにも・非常^{ひじょう}に…に. ¶〜見事^{みごと}に成功するたび 정말 훌륭하게 성공했다. ③〈連体形에 붙어서〉(어떤 일을)하기는 하였지만 ; 그래도 ; 그렇지만. ¶引^{ひ}き受^{う}けはした〜どうしたらいいのか分^{わ}からない 떠맡기는 했으나 어떻게 하여야 좋을지 모르겠다.

もののあわれ【物の哀れ】名 ①어쩐지 슬프게 느껴지는 일. ②(一般적으로) 자연이나 인간 세상에 관한 무상한 느낌. ③깊숙이 파고드는 정취. 参考 平安^{へいあん} 시대의 문예나 귀족 생활의 이념이었음.

もののかず【物の数】名 특별히 해아릴 만한 가치가 있는 것. ¶〜にはいらない 축에도 못 든다 ; 아무런 값어치도 없다.

もののけ【物の怪・物の気】名 사람을 괴롭히는 사령(死霊)・원령(怨霊) ; 귀신. ¶〜に取^{と}りつかれる 귀신들다.

もののほん【物の本】名 책 ; 그 방면의 책. ¶〜によると 어떤 책에 의하면.

もののみごとに【物の見事に】連語 매우 훌륭하게 ; 멋들어지게. ¶〜出来^{でき}あがる 매우 훌륭하게 되다[완성되다].

ものび【物日】名 축제일 ; 명절. =もんび.

ものほし【物干し】名 빨래를 (널어) 말리는 일[장소]. ¶〜台 빨래 장대 ; 바지랑대.

ものほしそう【物欲しそう】-sō ダナ 몹시 갖고 싶어하는 모양 ; 욕심나하는 모양. =ものほしげ.

ものまなび【物学び】名 학문.

ものまね【物まね】【物真似】名 흉내.

ものみ【物見】图①구경；관광.=け
んぶつ. ②척후；경비. ◇一の兵《척후병.
~の兵《척후병. ②物見やぐら'의 준
말. ――だかい【─高い】圈 호기심
이 많다〔강하다〕. ――やぐら【─櫓】
图 망루〔望樓〕.

ものめずらし-い【物珍しい】-shī 圈 어
딘지 신기하다；진기하다. ¶~そうに
見ゃて歩ゃく 신기한 듯이 보고 다니
다.

ものもち【物持ち】图①재산가；부자.
②물건을 오래 지님〔씀〕. ¶~がいい
물건을 소중히 오래 지니다；지닐성이
좋다.

ものものし-い【物物しい・物々し
い】-shī 圈 위세당당하다；장엄하다；
삼엄하다. =いかめしい. ¶一警戒けい
삼엄한 경계.

ものもらい【物もらい】【物貰い】图①
거지；비렁뱅이；걸인. ②다래끼. =麦
粒腫ばくりゅう.

ものやわらか【物柔らか】ダナ (태도 따
위가) 모나지 않고 부드러움；온화함.
¶~に人がに接がする 부드럽게 사람을
만나다.

モノラル图모노럴；(녹음・레코드 등에
서) 입체 음향이 아닌 보통의 방식. ↔
ステレオ. ▷monaural.

モノレール图모노레일；외가닥레일
에 매달려〔얹혀서〕달리는 철도. ▷
monorail.

モノローグ图【劇】모놀로그.①독백
〔獨白〕.↔ダイアローグ.②혼자 하는
연극. ▷monologue.

ものわかり【物分(か)り】图 사물의 이
해(력). ¶~が速いな 이해가 빠르다.

ものわかれ【物別れ】图 (의견 따위의)
결렬〔決裂〕. ¶~になる 결렬되다.

ものわすれ【物忘れ】图 사물을 잊음；
건망. ¶~が多いな 건망증이 심해
지다.

ものわらい【物笑い】图 조소〔嘲笑〕；비
웃음. ¶~の種だになる 웃음거리가 되
다.

ものを連語①〔문장 끝에 써서〕뉘우
침・애석〔愛惜〕・원망 등으로 탄식하는
말：…련만. ¶早きく来ればいいい~ 빨
리 오면 좋았을 것을.②〔문장 속에 써서〕
①과 같은 기분을 품은 반대되는 구
〔句〕의 접속에 쓰는 말：…것을；…
(인)데. ¶一言ごと言すればいいい~意
地じを張はっている 한 마디 사과하면
좋을 것을 고집을 피고 있다.

もはや【最早】副 벌써；이미；어느새；
이제와서는. ¶~十二時じゅうにだ 벌써
열두 시다／一手遅ておくれだ 벌써 때가
늦었다.

＊もはん【模範】图 모범.=手本ほん. ¶
~を示しめす 모범을 보이다／一的なな青
年ねん 모범적인 청년.　　　　　〔준말.

モヒ图【化】'モルヒネ(=모르핀)'의

もふく【喪服】图 상복；상제옷；문
상객의 예복.　　　　　〔↔創造ぞう.

もほう【模倣】【摸倣】-hō 図他 모방.

もほん【模本】【摸本・摹本】图 모본.①
모사한 책. ②그림본；글씨본.　〔한.

もまた【亦】連語…도 역시；…도 또

もみ【樅】图【植】(왜)전나무.

もみ【籾】图①(겉겨를 안 떨어낸) 벼；

뉘. ¶ごはんの中なに~が交まっている
밥에 뉘가 섞여 있다. ②もみがら
(=겉겨)'의 준말.

もみあ-う【もみ合う】【揉み合う】[5自]
비비대기치다；밀치락달치락하다；특
히, 서로 뒤엉켜 싸우다；논쟁하다. ¶
デモ隊たいと警官かんが~ 데모대와 경관
이 옥신각신하다.

もみあげ【もみ上げ】【揉み上げ】图살
적；귀밑털；빈모〔鬢毛〕.

もみいた【もみ板】【揉み板】图빨래판.

もみがら【もみ殻】【籾殻】图겉겨；왕
겨. =すりぬか・あらぬか.

もみくちゃ【もみ苦茶】-cha 图몹시
구겨짐；꾸깃꾸깃해짐；북새통에 혼남.
=もみくしゃ.

もみけ-す【もみ消す】【揉み消す】[5他]
①(불) 비벼 끄다；비벼 끄다. ¶
煙草だゃの火ひを~ 담뱃불을 비벼 끄다.
②(휘지비지해버리다) 쉬쉬하여 수습하
다. ¶不正事件けんを~ 부정 사건을
얼버무려 치우다.

＊もみじ【紅葉】图①단풍〔丹楓〕.②'か
えで(=단풍나무)'의 딴이름. 一のよ
うな手 아기의 단풍잎〔고사리〕 같은
손. 一を散らす 부끄러움으로 얼굴에
홍조를 띠다〔얼굴을 붉히다〕.

もみじがり【紅葉狩(り)】图 단풍 구경；
단풍놀이.

もみで【もみ手】【揉み手】图 두 손을 비
빔(부탁하거나 사과할 때에 하는 동
작).

＊も-む【揉む】[5他]①비비다.①문질러
비비대다. ¶両手りょうを~ 양손을 비비
(대). ②구기다. ¶紙がを~んで柔
らかくする 종이를 비벼 부드럽게 하
다. ◎돌리다. ¶きりを~ 송곳을 비
벼 돌리다. ②주무르다. ¶肩だを~어깨
를 주무르다. ②비비대기치다. ¶込
んだバスで~まれた 붐비는 버스 속
에서 비비대기쳤다. ②(마음을) 졸이
다. ¶気をを~ 조바심하다. ②격론하
다. ¶原案あんの審議しんで~みつづけ
る 원안 심의에서 격론을 거듭하다.
②〈受動形으로〉시달리다. ¶世の荒波
なに~まれる 험한 세파에 시달리다.
⑤(씨름・승부 따위에) 한 수 가르쳐
주다. ¶一丁いっちょう~んでやろう 그럼
한 수 가르쳐 주지.

もめごと【もめ事】【揉め事】图 다툼
〔질〕；분쟁；내분. =ごたごた・いさか
い・いざこざ. ¶夫婦ふうの間あいだで~が絶たえない
부부 사이에 승강이가 끊이지 않다.

も-める【揉める】[下1自] 분쟁이 일어
나다；분규가 일어나다；승강이하다.
¶また~めてるな 또 옥신각신하고
있구나. ②'気きが~' 근심되어 마음
이 조마조마하다.

＊もめん【木綿】图①무명실；면사. =木
綿糸いと. ②면직물. =木綿織おり. ③
솜. =木綿わた. ↔真綿わた.

モメント图 모멘트.①계기；동기.
②순간. =モ─メント①. [注意'モ─
メント'라고도 함. ▷moment.

もも【桃】图【植】복숭아(나무). ¶
'桃色ぴんく(=분홍빛)'의 준말. 〔腿.

もも【股・腿】图 넓적다리；대퇴(大
たい.

ももいろ【桃色】图 도색；①복숭아빛；
분홍빛. ②〈俗〉남녀의 성질하지 못한

교제. ③《俗》약간 좌익 사상으로 기울어져 있음; 또, 그 사람. ＝ピンク.
──ゆうぎ【──遊戯】-yūgi 图 도색 유회; 젊은 남녀의 불온한 교제.

ももたろう【桃太郎】-rō 图 복숭아에서 태어났다는 동화의 주인공〈개·원숭이·꿩을 거느리고 鬼が島로 도깨비 사냥을 갔다고 함〉.

もものせっく【桃の節句】-sekku 連語 삼짇날(계집아이들을 위해 인형을 장식함). ＝ひな祭り.

ももひき【股引き】图 ①통이 좁은 바지 모양의 (남자용) 의복〈속옷 또는 농부·인력거꾼 등의 작업복〉. ②잠방이. ＝さるまた・さるももひき.

ももわれ【桃割れ】图 16-17 세 가량의 소녀의 머리 모양의 하나(머리채를 좌우로 고리처럼 갈라붙여 뒤꼭지에서 묶고 싶어맨 부분을 부풀림). ¶──にゆう「서.

ももんが【鼯鼠】图 動 날다람쥐; 오모야【霧】❘露❘ 图 연무(煙霧); 아지랑이.

もや【母屋】图 ①집에서 주가 되는 방; 주실(主室). ②집의 중앙의 주된 부분; 몸채. ＝おもや. ③(목수 용어로) 추녀 안.

もやし【萌やし】图 ①곡물(穀物)을 그늘에서 싹틔운 식품(콩나물·숙주나물·엿기름 따위). ②그늘에서 재배한 야채의 싹(파드득나물·아스파라거스·땅두릅 따위).

*__もや・す【燃やす】__ 5他 불태우다; 연소시키다. ¶情熱を──정열을 불태우다.

もやもや ㊀ 副 ①아지랑이가 낀 것처럼 몽롱한 모양; 연기 따위가 엷게 오르는 모양. ¶湯気が──とあがる 김이 무럭무럭 오르다. ②마음이 개운치 않은 멸떠름한 모양. ¶──(と)した気分; 개운치 않은 기분. ③색정(色情)이 무럭무럭 일어나는 모양. ㊁ 图 완전히 해결되지 않은 모양; 개운치 못한 감정; 맺힌 것. ＝わだかまり. ¶ふたりの間には──が残っている 두 사람 사이에는 떠름한 무엇이 남아 있다.

-もよおし【催い】《名詞에 붙어서》사물의 징조가 보임; 낌새; 기미. ¶雨─비가올 낌새.

*__もよう【模様・様子】__-yō 图 ①무늬; 도안. ¶はでな──화려한 무늬. ②모양; 상황; 동정(動静). ③その場その──그 자리(때)의 상황. ③기미; …할 것 같은 기색. ¶荒れ─(날씨 따위가) 거칠어질 기미. **──がえ【──替(え)】**图 사물의 짜임새·생김새를 바꿈. ¶部屋を──する 방의 환경을 바꾸다(주로, 가구 따위의 배치를 바꿈).

もよおし【催し】-yōshi 图 ①주최; 회합; 모임. ¶成人式の──성인식의 모임. ¶雅(어떤 생리 작용이 일어날) 징조; 기미. ②기도(企圖); 계획.

もよおしもの【催(し)物】moyōshi- 图 사람을 모이게 해서 여는 여러 가지 모임이나 여흥의 행사.

もよお・す【催す】-yōsu 5他 ①개최하다; 열다. ¶送別会の会を──송별회를 개최하다. ②㊀불러일으키다. ¶信心を──믿음을 일으키다. ㊁(느끼게) 느끼다. ¶眠気を──졸음이 오다.

㉡마렵다. ¶便意を──변이 마렵다.
㉢자아내다. ¶涙を──눈물을 자아내다. ㊂ 自他 ①일어나려고 하다; 징조가 보이다. ¶酔気が──してきた 취기가 돌기 시작했다.

もより【最寄】图 ①가장 가까움; 근처; 인근. ¶──の薬局; 근처(의) 약국 / ──の駅を가장 가까운 역.

もらい【貰い】图 얻음; 또, 얻은 것; 특히, 부주돈·동냥한 것 따위. ¶──が少ない (구걸해서) 얻은 것이 적다.

もらいぐい【もらい食い】【貰い食い】图 (사지 않고) 얻어먹음.

もらいご【もらい子】【貰い子】图 얻어 기르는 자식; 양자. ＝もらいっこ.

もらいちち【もらい乳】【貰い乳】图 남의 젖을 얻어 먹임; 또, 그 젖; 동냥젖. ＝もらいちち・もらいち. ¶──をする 동냥젖을 얻어먹이다.

もらいて【もらい手】【貰い手】图 얻어가는 사람. ¶嫁に──がない 색시로 데려갈 상대가 없다. ＝くれ手.

もらいなき【もらい泣き】【貰い泣き】图 自 (남의 슬픔을 동정하여) 같이 따라 옮; 덩달아 옮.

もらいみず【もらい水】【貰い水】图 (남의 집에서) 얻어 쓰는 (쓴) 물. ¶──をする 물을 얻어 쓰다.

もらいもの【もらい物】【貰い物】图 남에게서 얻은 물건; 다른 곳에서 보내 온 것.

*__もら・う【貰う】__ 5他 받다; 얻다. ①(선물 등을) 받다; 타다. ¶手紙を──편지를 받다 / 勲章を──훈장을 타다. ②집으로 맞아들이다. ¶嫁を──아내(며느리)를 맞아들이다. ③인수하다; 맡다. ¶身柄を──・い受ける 신병을 인수하다. ④《動詞連用形＋助詞 'て'를 받아》(누구에게서) …을 해 받다. ¶助けて──도움을 받다 / 頭を刈って──・いたい 머리를 깎고 싶다〔깎아 주시오〕 / お前に行って──・おう 네가 가 줬으면 좋겠다. ↔やる.
──物は夏も小そで거저 주는 거라면 제철이 아닌 것이라도 무엇이나 다 좋다.

*__もら・す【漏らす】【洩らす】__ 5他 ①새게 하다. ㊀흘러 나오게 하다. ¶水をも──さぬ警戒 물샐틈없는 경계. ㊁누설하다; 입밖에 내다. ¶不平を──불평을 하다 / 本音を──본심을 말하다. ㊂(오줌을) 싸다. ¶子供が小便を──아이가 오줌을 지리다. ②놓치다. ¶犯人(魚)を──범인(을고기를) 놓치다. ③빠뜨리다; 빼먹다. ¶聞き──빼먹고 든다 / 要点を──요점을 빠뜨리다.

モラトリアム 图 法 모라토리엄; 지불 유예. ▷moratorium.

モラル 图 모럴; 윤리; 도덕. ¶──に欠ける 모럴이 결여돼 있다. ▷morals.

*__もり【森】【杜】__ 图 ①수풀; 삼림. ¶──の都 숲의 도시 / ──の中をさまよう 숲속을 헤매다. ②신사(神社)를 둘러싼 무성한 숲. 「로 쩌르다.

もり【銛】图 작살. ¶──で突く 작살

もり【守(り)】图 지키는 일(사람); 특히, 아기 보는 사람. ¶灯台─등대지기 / 墓─묘지기 / ──をする 아기

を見る.

もり【盛り】图①(器に)盛ること;盛った程度. ¶飯ぷ゚の〜がいい｡盛るべき量を盛る. ¶もりそば｣の略｡↔かけ(そば・うどん).

***もりあが-る**【盛り上がる】圧5自①盛りあがり(盛り上がり)上がる｡¶筋肉ぷ゚が〜った腕ぷが盛り上がる｡¶(声の)高まり｡¶ふんいき(ムード)が〜昂ぷ゚き(ムード)が高ぷぷる,こうじょうする/世論ぷが〜｡

もりあ-げる【盛り上げる】下1他①盛り上げる;昂ぷまる;昂揚する

もりかえ-す【盛り返す】5他(一度おとろえた勢力を)回復ぷ゚させる｡挽回[巻く]する｡¶勢力ぷ゚を〜｡勢力を挽回する｡

もりきり【盛り切り】图①(飯など)盛った分のみで,追加がないこと｡また,その盛った分｡=もっきり｡②盛り切って盛り上げる｡

もりこ-む【盛り込む】5他いろいろ多様の内容を盛る｡¶多様ぷな内容ぷ゚を〜｡盛る｡

もりじ【盛路】图①土路｡

もりそば【盛り蕎麦】图ざる蕎麦(の小さな竹蒸し器)盛った蕎麦ぷそば(つゆぷ゚だけのそば)｡=もり.↔かけそば｡

もりだくさん【盛り沢山】ダナ盛り上がって盛られた;分量が(過剰なほど)多彩である｡¶その〜の行事ぷ゚｡多彩に盛られた行事｡

もりた-てる【盛り立てる｣守り立てる]下1他①盛り立てる;育てる;高い地位につける;ささえ守り立てる｡¶幼若ぷを〜幼い君主などを守りささえ,その地位につける｡②復興させる;会社などを〜会社を盛り立てる｡

もりばな【盛り花｣(花器に)花たてるなどに花を盛って盛る方法;また,その花｡⇒なげいれ｡

もりばん【森番】图山番｡番人｡

モリブデン图【化】モリブデン｡▷独Molybdän.

もりもの【盛り物】图①膳にそなえる食物｡②供物ぷ゚｡神などに供える供物(貢物)・供え物｡祭物ぷ゚(祭物)｡

もりもり副①(かたいもの)力強く食べる様子｡¶〜食べる｡力強く食べる｡②次々と;もりもりとする様子;もくもくと;¶〜(と)実力ぷ゚がつく｡力がもりもりつく｡¶〜勉強ぷする｡精力的に勉強する｡

***も-る**【漏る｣洩る]5自漏れる｡=漏ぷれる｡¶天井ぷ゚から雨ぷ゚が〜｡天井から雨が漏る｡

***も-る**【盛る】5他①(高く)盛り上げる｡②(器に多く)盛る;よそる｡¶飯ぷを〜飯を器に盛りよそる｡③薬を調合して盛る;混ぜて盛る｡¶毒ぷ゚を〜毒薬を盛る｡④(文字などに)意味を盛る｡¶目ぷ゚を〜目を盛る｡

モル图【化】モル｡▷mol.

モルタル图【化】モルタル;セメントと

砂を水で練った物｡▷mortar.

モルヒネ图【化】モルヒネ(阿片ぷに含有された成分ぷ゚)｡=モヒ.¶〜中毒ぷ゚｡モルヒネ中毒｡▷独morphine.

モルモット-motto 图【動】モルモット;きにぐいぷ゚の畜牲(繁殖が容易であり医学実験用(実験用)に使う)｡▷独marmotte.

もれ【漏れ｣洩れ]图①漏れ;漏れること｡漏らすこと｡漏れ;もれ｡¶記ぷ゚記入漏れ｡

もれき-く【漏れ聞く】5他①間接的に漏れ聞く;洩れ聞く｡②〜きく(=聞く)｣の謙称｡

もれなく【漏れなく】副漏れなく;もれなく;残さず;全部｡¶〜する｡漏れなく記入する｡¶〜記入ぷ゚する｡漏れなく記入する｡

***も-れる**【漏れる｣洩れる]下1自①(水・光など)漏れる;洩れる｡¶ガスが〜｡ガスが漏れる｡②漏れ;漏洩する｡¶要点ぷ゚が〜｡要点が漏れる｡③(秘密など)漏れる;洩れる｡¶秘密ぷ゚が〜｡秘密が漏れる｡

***もろ-い**【脆い】形外力(外力)に対する抵抗力が弱い｡¶情ぷに〜｡情にもろい(弱い)｡¶刃ぷ゚が〜刃がもろい｡¶意志ぷ゚が〜｡意志が弱い(もろい)｡

もろ【諸】[諸]【魚】いわ科の淡水魚(背の質も白味,腹も黄;味も良くも煮ても焼いても美味)｡

もろごえ【諸声】[諸声]图【雅】いっせいに鳴く声;呼応する声｡¶〜に鳴ぷく(鳥が)いっせいに鳴く｡

もろこし【唐黍・蜀黍】图【植】もろこし;とうきび｡=もろこしきび・とうきび・こうりゃん｡

もろざし【もろ差し｣諸差し・両差し]图(相撲で)相手の差し両手｡¶〜に差す｡両手を入れて差す;また,その手(手)｡

もろて【もろ手｣諸手・両手]图両手｡

もろとも【諸共】图①ともに;みな一緒に｡②〜と一緒に,いっしょになって｡¶父子ぷ゚が〜(に)検挙ぷ゚される親子が一緒に検挙される｡②名詞と合わせて副詞的に｡そろって一緒に,二人以上で｡¶かけぷ声を〜｡投げげ倒すぷ勢い声もろともに投げ倒す｡

もろに副(俗)①完全に;全面的に｡¶〜負ける｡完全に負ける｡②直接に;まともに｡¶〜ぶつかる｡まともにぶつかる｡

もろは【もろ刃｣諸刃・両刃]图両刃(の刀)｡↔片刃ぷ゚｡

もろはだ【もろ肌｣諸肌・両肌・諸膚・両膚]图両の肩の肌;もろ肩(上半身)の肌｡↔片肌ぷ゚｡一(を)脱ぷ゚ぐ上半身を脱いで裸になること;全力で協力する｡

もろみ【諸味・醪】图どろどろとした酒｡濁り酒;酒・醤油ぷ゚｡

もろもろ【諸・諸諸・庶】图いろいろ;さまざま;多くの物;すべての物｡¶〜の病ぷ゚さまざまな病｡

もん一【終助】(俗)もの]の転ぷ(転訛)｡¶知らぷ゚ないんだ〜｡知らないものだの意｡二(俗)もの(物・者)]の転｡¶怪しい〜だ｡怪しい者のこと｡

もん【文】一图①文;文章｡②呪文ぷ゚(=呪文)・経文ぷ゚(=経文)]の準ぷ゚略｡二【接尾】漢字の音の下語に付いて｡一…文｡①염전・동전などの数・金額・ぷ゚｡②양말・신などの文数｡

もん【紋】图①模様｡②文章(紋章)｡

もん【門】□图문. ①대문; 출입구. ②(사물의) 통과하여야 할 곳. ¶せまき～ 좁은 문. ③생물 분류학상 가장 큰 구별. ¶節足動物�๋ᵊ๋๋～ 절지 동물문. □접尾 문파를 세는 말: …문. ─に入ᵢ๋る 제자가 되다.

もんえい【門衛】图 문지기; 수위. ＝門番ᵦᵢᵢᵢ.

もんおめし【紋お召(し)】【紋御召(し)】图 돈을무늬로 짠 오글 비단.

もんおり【紋織(り)】图 돈을무늬로 짠 피륙.

もんか【門下】图 문하(생); 제자; ＝門人ᵢᵢᵢ. ──せい【──生】图 문하생.

もんか連體〈俗〉ものか. ¶そんな事ᵢᵢ知ᵢᵢる～ 그런 것 알게 뭐냐.

もんがい【門外】图 ①문 밖. ②전문외. ──かん【──漢】图 문외한. ──ふしゅつ【──不出】-shutsu 图 비장의 불출.

もんがまえ【門構え】图 ①대문을 세움; 또, 그 구조. ¶～の家ᵢ 솟을대문 집; ～が立派ᵢᵢだ 대문이 으리으리하다. ②한자 부수의 하나: 문[問･間･間 따위의 「門」의 명칭].

もんがら【紋柄】图 무늬의 모양.

モンキー图 몽키. ①〔動〕원숭이. ②'モンキーレンチ＝몽키 렌치' '몽키스パナ＝몽키 스패너'의 준말. ▷monkey.

もんきりがた【紋切(り)型】【紋切(り)形】图 ①문장(紋章)의 모양을 뜨는 일정한 틀. ②판(틀)에 박힌 양식〔방식〕. ¶～のあいさつ 판에 박은 인사.

*＊**もんく【文句】**图 ①문구. ¶～を練ᵢる 글귀를 다듬다. ②불평(不平); 이의(異議). ¶～が有ᵢるか 할 말 있나; 이의 있나. ──をつける 트집잡다; 시비를 걸다.

もんげん【門限】图 밤에 대문을 닫는 시간; 폐문(閉門) 시각. ¶～までには帰ᵢる 폐문 시간까지는 돌아온다〔간다〕.

もんこ【門戸】图 문호. ①출입구 일가(一家); 자기류; 일파(一派). ¶～を成ᵢす 일가를 이루다. ──かいほう【──開放】-hō 图 문호 개방.

もんざい【問罪】图 ㅈ自 문죄.

もんさつ【門札】图 문패. ＝表札ᵢᵢᵢᵢ.

もんし【門歯】图〔生〕문치; 앞니.

もんし【悶死】图 ㅈ自 민사; 고민하다 죽음.

もんじ【文字】图 문자. ①글자. ＝もじ. ②문장. ¶警世ᵢᵢ๋の～ 경세의 문장.

もんじゅ【文殊】图〔佛〕문수 보살 〔지혜(知慧)를 맡은 보살〕. ＝もんじゅほさつ. ¶三人ᵢᵢ寄ᵢれば～の知恵ᵢ 세 사람이 모이면 문수 보살의 지혜〔가 나온다〕.

もんしょう【紋章】-shō 图 문장〔집이나 단체를 나타내는 일정한 표지〕.

もんしろちょう【紋白蝶】-chō 图〔蟲〕배추흰나비. ¶─ᵢᵢ字ᵢ=弟ᵢᵢ子ᵢ.

もんじん【門人】图 문인; 문하생; 제자. ＝門人ᵢᵢᵢ.

モンスーン【季】图 몬순; 동남 아시아에 부는 계절풍. ▷monsoon.

もんせい【門生】图 문생; 문하생; 제자. ＝門人ᵢᵢᵢ.

もんせき【問責】图 ㅈ他 문책.

もんぜき【門跡】图〔佛〕①한 종파의 으뜸이 되는 절에 살면서, 사제 상전(師弟相傳)의 교의(教義)를 전하여, 그 법통(法統)을 이어가는 중. ②특히, 京都ᵗᵗᵗᵗの 本願寺ʰᵃᵗᵗᵗᵗの 주지. ③황족이나 귀족의 자제가 출가(出家)하여 그 법통을 전하고 있는 절; 또, 그 절의 주지.

もんぜつ【悶絶】图 ㅈ自 괴로워 나머지 〔기절함.

もんぜん【文選】图 문선〔주(周) 나라에서 양(梁)나라에 이르는 천여 동안의 시･문장을 모은 책〕; 양나라 소명 태자(昭明太子)의 撰(찬).

もんぜん【門前】图 문전. ──市ᵢを成ᵢす 문전 성시. ──雀羅ᵢᵢᵢᵢを張ᵢる〔찾는 이가 없이〕 문전에 거미줄을 치다. ──の小僧ᵢᵢᵢ習ᵢᵢわぬ経ᵢᵢを よむ 서당 개 삼 년에 풍월 짓는다. ──ばらい【──払(い)】图 문전 축객. ¶～を くわせる 문간에서 쫓아 버리다. ¶江戸ᵗ 시대에 가장 가벼운 형벌〔관아의 문전에서 추방함〕. ──まち【──町】图 중세(中世) 이후에, 신사(神社)･절 앞에 이루어진 시가(市街).

モンタージュ -ju 图 ㅈ他 몽타주. ①(영화나 사진의) 합성 화법; 혼성화. ②필름의 편집. ▷montage.

*＊**もんだい【問題】**图 문제. ¶試験ᵢᵢ～ 시험 문제 / ～の多ᵢᵢ論文ᵢᵢ 문제가 많은 논문. ──いしき【──意識】图 문제 의식. ──さく【──作】图 문제작.

もんちゃく【悶着】-chaku 图 ㅈ自 말생; 물의; 분쟁. ¶一ᵢᵢ を起ᵢこす 한바탕 말생을 일으키다.

もんちゅう【門柱】-chū 图 문기둥.

もんつき【紋付(き)】【紋附(き)】图 가문(家紋)을 넣은 일본 옷〔예복〕. ＝紋服ᵢᵢᵢ. ¶～子ᵢ子ᵢ人ᵢᵢᵢ.

もんてい【門弟】图 문하생; 제자. ＝弟子ᵢ.

もんていし【門弟子】图 ☞もんてい.

もんと【門徒】图 문도. ①문인(門人); 제자. ②〔佛〕①한 종파에 속한 신도; 절의 단가(檀家). ②門徒宗ᵢᵢᵢ(의 신도). ③〔佛〕門徒宗ᵢ 净土眞宗ᵢᵢᵢ 신자는 아미타불만 의지하고 다른 것을 돌보지 않음을 비웃는 말. ──しゅう【──宗】-shū 图〔佛〕〈俗〉정토진종; ＝真宗ᵢᵢᵢ.

もんとう【門灯】【門燈】-tō 图 문등; 대문에 달아 놓은 등.

もんどう【問答】-dō 图 ㅈ自 문답. ①물음과 답. ②말다툼; 논쟁. ¶─無用ᵢᵢ 문답 무용〔더들 필요가 없다〕.

もんどころ【紋所】图 가문(家紋); 그 집에 정해진 문장. ＝定紋ᵢᵢᵢ.

もんどり【翻筋斗】图 공중 제비; ＝とんぼがえり. ──うつ【──打つ】ᵢ自 공중제비하다.

もんなし【文無し】图 ①빈털터리; 무일푼. ②월능하게 큰 왜버섯.

もんぱ【門派】mompa 图〔佛〕종문(宗門)의 유파(流派).

もんばつ【門閥】momba- 图 문벌. ①가문; 문중. ＝いえがら. ②지체가 좋은 집안; 명문. ¶～や우.

もんばん【門番】momban 图 문지기.

もんぴ【門扉】mompi 图 문비; 문짝; 대문.

もんぴょう【門標】mompyō 图 ☞もんさつ.

もんぶしょう【文部省】mombushō 图 문부성(문교부에 해당).

もんぷく【紋服】mompuku 图 ☞もんつき.

もんぺ mompe 图 (농촌·산촌에서) 밭일·겨울 나들이에 옷 위에 입는 일종의 바지(주로, 여성용). =もんぺい.

もんめ【匁】momme 图 ①돈；돈쭝(관(貫)의 1000분의 1；3.75 g). ≒め. ②일본 옛 돈의 단위(小判金一両로=금화(金貨) 한 냥의 60분의 1).

もんもう【文盲】mommō 图 문맹. ＝あきめくら. ¶〜無学으로 무학 문맹.

もんもん【悶悶】mommon【タル】민민；몸부림치며 괴로워하는 모양. ¶〜と日을 過ごす 번민하면서 날을 보내다.

もんよう【文様・紋様】-yō 图 ①무늬(의 모양). ②문장(紋章)의 모양.

モンローしゅぎ【モンロー主義】-shugi 图 먼로주의. ①1823년 미국 대통령 먼로가 발표한 주의. ②(외교상의) 불간섭주의. ▷Monroe.

や ヤ

①五十音図ごじゅうおんず 'や行ぎょう'의 첫째 음. [ya] ②【字源】'也'의 초서체(かたかな 'ヤ'는 '也'의 초서체의 생략).

や【助動】〈関西方〉〈体言·助詞 'ん'에 붙어서〉…이다；…다. ¶あるん〜 있다／ほんまにそう〜 정말 그렇다.

や【八】图 ①여덟；팔. ¶五"六"七七〜 다섯 여섯 일곱 여덟. ②주로 '여덟'으로도 씀. ¶〜重咲きのばら 천엽 (千葉)장미.

*__や__【矢】【箭】图 화살. 一の如ごとし 매우 빠름의 비유. ¶光陰こういんの〜のごとし 세월은 유수(流水)와 같다. 一の催促さいそく 성화 같은 재촉. 一も楯たてもたまらない 애가 타서 가만히 있을 수 없다.

や【野】图 ①들；벌판. ＝の·野原のはら. ¶〜を開き耕たがやす 들을 개간한다. ②야；민간. ↔朝ちょう. 一にいる 야에 있다；재야(在野)하다. 一に下くだる 하야(下野)하다.

や【嫌】【ヂャ】〈口〉싫음('いや'의 준말). ¶〜になる 싫어지다／〜な女おんな 지긋지긋한 여자.

や【屋】【接尾】〈흔히, 名詞에 붙어서〉①그 직업을 가진 집[사람]；(경멸하는 뜻으로) 전문가. ¶八百やお〜 채소 가게(장수)／政治じ〜 정상배；정치꾼／技術じゅつ〜 기술장이／何でも〜 여러 가지를 취급하는 가게[사람]；만사 도갓. ②남을 갈보아 부를 때에 쓰는 말：쟁이；꾼. ¶やかまし〜 잔소리꾼／わからず〜 고집쟁이；벽창호. ③(舍) 옥호(屋號)·かぶき 배우의 가호(家號)에 붙이는 말：¶木村きむら〜 木村 상점. ④지붕.
-や 사람을 부르는 말 밑에 붙여서 친밀감을 나타낸다. ¶ばあ〜 할멈／坊ぼう〜 아가(남자).

や【感】놀랐을 때, 또는 사람을 부를 때에 내는 말：야. ¶〜、あそこに来くる 야, 저기 온다.

や【一】【副助】〈体言 또는 이에 준하는 'の'(＝몫)'에 붙어서〉열거(列擧)하는 데씀：…며；…이랑；…이나；…(하)다；…나. ¶赤あかいの〜青あおいの빨간 것이랑 파란 것／あれ〜これ〜文句ぶんくを言いう 이러니 저러니 하고 잔소리를 하다. 【二】【終助】①영탄(詠嘆)하는 뜻을 나타냄：야；여；이여. ¶そんな事ごと知らない〜 그런 것 모른단 말야. 注意口語에서는 글 끝에만 쓰며, 連歌れんが·

俳句はいく에서는 흔히 주제(主題)를 나타내는 말에 붙임. ¶名月めいげつや〜池いけをめぐりて夜よもすがら 달이 밝아 연못을 밤새도록 돌았구나. ②(동배(同輩)·수하자에게) 가벼운 권유·재촉의 뜻을 나타냄：…하세；…하지. ¶もう滑すべろう〜 이제 가세／さあ, 行ゆこう〜, 자, 가자꾸나 行ゆけ〜 빨리 가지. ③자신에게 타이르는 듯한 기분을 나타냄：…한데. ¶君きが行かなきゃつまらない〜 네가 가지 않으면 재미가 없는데. ④사람을 부르는 데 씀：아；야. ¶花子はなこ〜 花子야. ⑤가벼운 단정을 나타냄：아；한데. ¶まあいい〜어쩐든 좋아(괜찮아). ⑥틀을 강조함：야말로；바로；틀림없이. ¶今いま情報化時代じだいである 바야흐로 정보화시대다. 【三】【接助】〈動詞 連体形+'いな(いや)'의 꼴로〉…하자 곧…하자마자. ¶それを見みる〜, 泣なきだした この知らせに接せっする〜(いな) 救援きゅうえんに出動しゅつどうした 이 소식에 접하자마자 구원하러 출동했다. ②(어떤 때를) 당해서는. ¶人じんの死しなんどする〜一その言いよし 사람의 죽음을 당해서는 착한 말을 한다.

やあ yā 【感】야. ①사람을 부를 때 또는 놀랐을 때에 내는 말. ¶〜, しばらく や, 이거 오래간만일세. ②지르는 소리. ＝や. ㉠소리치는 소리；함성[고함] 소리. ㉡박자 맞추는[메기는] 소리.

やあい yāi 【感】 조롱하는 뜻으로 멀리서 부르는 소리：야. ¶〜このばか 야, 이 바보야／泣なき虫むし 울보야.

ヤード【碼】图 야드；마(碼)(1야드는 3피트, 약 91.4cm). ¶〜ポンド法ほう 야드 파운드법. ▷yard.

ヤール 图 직물의 길이의 단위：마(碼). 参考 'yard'를 네덜란드어(語)식으로 읽은 음.

やい【感】〈俗〉사람을 막되게 부르는 말. ¶〜, 小僧こぞう や, 꼬마야／〜, だれかいないか 야, (거) 누구 없느냐.

やいのやいの【副】재촉재촉 재촉받는 모양：바짝바짝. ＝やいやい. ¶〜(と)泣なきせびる 우는 소리를 하면서 바짝바짝 보채다[조르다].

やいば【刃】图 ①날붙이 ; 칼 ; 검. =刃物ぶつの。 ¶~にかける 칼로 베어 죽이다. ②칼날 ; 또, 칼날에 나타나는 물결 모양의 무늬. =焼やき刃ば.

やいやい〈俗〉사람을 막되게 부르는 말 : 야야. ¶~、どこへ行くくんだ 야야, 어딜 가느냐. 目圖 ①주위의 사람이 이러쿵저러쿵 말하는 모양. ¶~言いわれて 이러쿵저러쿵 주위 사람의 말을 듣고. ☞やいのやいの.

やいん【夜陰】图 야음. ¶~に乗じょうず 야음을 (틈)타다.

やえ【八重】图 ①여덟 겹으로 겹침 ; 또, 그것. ¶七重ななえのひざを~に折おり 히 부탁하다. ②수없이 겹침 ; 여러 겹. ③~やえざき。──の潮路しおじ 먼 바닷길 ; 긴 항로. =八潮路やしおじ.──ざき【──咲き】图 〔꽃의〕천엽(千葉). =やえ. ──ざくら【──桜】【植】 천엽(千葉)벚나무 : ぼたんざくら. ──ば【──歯】图 덧니. ──むぐら【──葎】图 ①〈雅〉얼키어 뻗은 덩굴풀. ②えむぐら【植】갈퀴덩굴. ①한삼덩굴의 딴이름. =かなむぐら.

やえい【夜営】图自 야영.

やえい【野営】图自 야영. ①뜻밖에 진영을 침 ; 또, 그 진영. =露営ろえい. ②들녘에서의 숙영. =野宿のじゅく.

やお【八百】图 팔백 ; 또, 다수(多數). ──ちょう【──長】-chō 图 짬짜미 ; 미리 짜고서 하는 엉터리 시합. ──や【──屋】图 ①야채 장수 ; 푸성귀 가게. =青物屋あおものや. ②갖가지를 않으나 두루 조금씩 알고 있는 사람. ──よろず【──万】图 수가 아주 많음. ¶~の神かみ 모든 신 ; 뭇신들.

やおもて【矢面】图 화살날이 날아오는 정면 ; 공격〔질문·비난〕이 집중하는 정면 ; 진두(陣頭). ¶~に立たつ (a)진두에 서다. (b)비난·질문 따위를 정면으로 받는 입장에 서다.

やおら 【副】서서히, 조용히, おもむろに. ¶~立たち上あがって 유유히〔천천히〕일어서서.

やかい【夜会】图 야회, 특히, 서양식의 밤의 연회.

やがい【野外】图 ①들 ; 교외. =野原のはら·郊外こうがい. ②옥외(屋外). ¶~音楽堂おんがくどう 야외 음악당 / ~演奏会えんそうかい 야외 연주회.

やがく【夜学】图 야학. ①밤에 수업을 함. ¶夜学校やがっこう '야간 학교'의 준말. ──せい【──生】야학생.

やかた【屋形】图①〔館〕귀인(貴人)의 저택 ; 숙소. ②〔館〕귀인에 대한 높임말. ③~のような~ 귀인을 높여 부르는 말. ¶屋形やかたぶね'의 준말. ──ぶね【──船】지붕이 있는 놀잇배. =屋根船やねぶね.

*やがて【軈て】副 ①얼마 안 있어 ; 머지않아 ; 곧 ; 이윽고, 그럭저럭. ¶~来くるだろう 머지않아서 올테지 / ~一年近いちねんぢかになる 이력저럭 1년이 된다. ②곧 ; 바로, 即すなわち. ¶故郷こきょうを愛あいするの念ねんは─国くにを愛あいするの心こころである 향토를 사랑하는 마음은 곧〔결국〕나라를 사랑하는 마음이다.

**やかまし-い【喧しい】-shi-i ①시끄럽다. ⑦떠들썩하다 ; 요란하다. ¶~、

静しずかにしろ 시끄럽다, 조용히 해라 / ~く宣伝せんでんする 요란하게 선전하다. Ⓛ성가시다 ; 까다롭다. ¶食たべ物ものに~人 음식에 까다로운 사람 / ~く要求ようきゅうする 성가시게 요구하다. ②잔소리가 심하다 ; 꾀까다롭다. ¶~おやじ 잔소리 많은 아버지. ③엄하다. ¶~しつけ 엄한 예의 범절 교육.

やかましや【やかまし屋】【喧し屋】图 잔소리가 심한 사람 ; 까다로운 사람. =うるさがた. ¶有名ゆうめいな~ 유명한 잔소리꾼.

やから【族】图①〔輩〕도배(徒輩) ; 패거리. ¶不逞ふていの~ 불령지배(不逞之輩). ②〔族〕〈雅〉일족 : うから.

・やがーる【動詞】使役·受動의 助動詞의 連用形에 붙여 五段活用動詞를 만듦〕믿거나 멸시하는 자의 동작을 막된 말로 하거나 경멸의 뜻을 나타내는 데송. ¶ぬかす~ 지껄여대다 / 食たべべ~ 처먹다.

*やかん【夜間】图 야간. ¶~営業えいぎょうする 야간 영업. ↔昼間ひるま.

*やかん【薬缶】图 ①주전자. ②やかんあたま(=대머리)의 준말.

やき【焼き】图 ①구움 ; 구운 것〔정도〕. ¶~がいい 잘 구워진〔날붙이의〕불림 ; 담금질. =焼やき入いれ. ──が回まわる (a)〔칼붙이가〕열이 지나쳐서 도리어 무디어지다. ②둔해지다 ; 늙어 빠지다 ; 노쇠하다. ──を入いれる ①(쇠 붙)불리다 ; 담금질하다. ②달구치다 ; 또, 사형(私刑)·고문(拷問)을 가하다.

やき【夜気】图 ①야기 ; 밤의 (찬) 공기. ¶~にあたる 밤공기를 쐬다. ②밤의 조용함 ; 또, 그 기분. ¶~が迫せまる 밤의 정적이 스며들다.

やぎ【山羊·野羊】图【動】염소.

やきあーげる【焼き上げる】【─1他】잘 굽다 ; 구워 만들다.

やきあみ【焼き網】图 석쇠.

やきいも【焼き芋】图 군고구마. =お焼やきいも.

やきいん【焼き印】图 소인 ; 낙인(烙印). =烙印らくいん.

やきうち【焼き討ち·焼き討】【焼打】图 ス他 화공(火攻). =火攻ひぜめ.

やきぐり【焼き栗】图【栗】군밤.

やきごて【焼き鏝】【焼き鏝】图 인두〔바느질·머리 손질·낙서(落書)용〕.

やきざかな【焼き魚】【焼き肴】图 생선구이.

やきそば【焼きそば】【焼き蕎麦】图 삶은 국수를 기름에 튀긴 요리.

やきたて【焼きたて】图 갓 (막)구움. ¶~の魚さかな 갓구운 생선.

やきつ-く【焼き付く】〔五自〕①태우듯〔구운〕흔적이 남다. ②뇌리에 새겨지다 ; 강렬하게 인상지어지다. ¶印象いんしょうが胸むねに~ 인상이 가슴에 깊이〔강하게〕새겨지다. ③늘어붙다. =焦こげつく.

やきつ-ける【焼き付ける】①〔1他〕①〔写〕인화(印畫). =プリント. ②도자기에 유약으로 무늬를 그린 다음 가마에 넣어 굽는 일. ③도금(鍍金)하다. =めっき.

やきとり【焼き鳥】图 꼬챙이구이 새고기.

やきなおし【焼き直し】图 ①다시 구움〔구운 것〕. ②남의 작품이나 자기의

구작(舊作)을 좀 고쳐 신작인 양 가장함; 또, 그 작품.

やきなまし【焼きなまし】(焼(き)鈍し) 名 ス他 (금속·유리 따위 내부의 변형을 바로잡기 위해) 가열했다가 서서히 식히는 처리법; 설담금. ＝焼鈍.

やきにく【焼(き)肉】名 구운 고기; 불고기.

やきば【焼(き)場】名 ①태우는 곳; 소각장. ②화장(火葬)터. ＝火葬場.

やきばた【焼(き)畑】(焼(き)畠) 名 화전(火田). ＝火田・やいばた. ¶～農業 화전 농업.

やぎひげ『山羊鬚・山羊髭』名 염소 수염(을 기른 사람).

やきまし【焼(き)増し】名 ス他〔寫〕복사; 추가 인화(한 사진).

やきめし【焼(き)飯】名 ①(중국 요리에서) 볶음밥. ＝いりめし・チャーハン. ②불에 쬔 주먹밥.

やきもき 副 애가 타서 안달하는 모양: 안달복달. ¶ひとりで～している 혼자서 안달복달하고 있다.

やきもち【焼きもち】(焼(き)餅) 名 ①구운 떡. ②질투; 샘; 시기. **―を焼く** 질투하다. **――やき**【――焼(き)】名 질투가 심한 사람.

やきもの【焼(き)物】名 ①도자기·도깨그릇의 총칭. ¶～師 도공. ②흙으로 구워 만든 미술품. ③(생선·새고기·쇠고기 따위의) 구이 요리. ④벼려 만든 날붙이.

***やきゅう**【野球】-kyū 名 야구. ＝ベースボール. ¶～試合 야구 경기/～場 야구장.

やぎゅう【野牛】-gyū 名〔動〕들소. ＝バイソン.

やぎょう【夜業】-gyō 名 야업; 밤일. ＝よなべ. ¶～手当 야업 수당.

やきょく【夜曲】-kyoku 名 야곡. ☞セレナーデ.

やきん【ヤ金】(冶金) 名 야금. ¶～学 야금학.

やきん【夜勤】名 ス自 야근; 야간 근무. ↔日勤.

****や-く**『妬く・嫉く・焼く』5他 질투하다; 시새우다. ¶～のもほどほどにしろ 질투하는 것도 정도껏 해라.

****や-く**【焼く】(焚く) 5他 ①태우다. ¶ごみを～ 쓰레기를 태우다/日光で背中を～ 햇볕에 등을 그을려 태우다. ②애태우다. ㉠애달아하다. ¶恋に胸を～ 사랑으로 가슴을 태우다; 사랑으로 애를 태우다. ㉡애를 쓰다. ¶手を～ 애먹다. ③㉠불에 굽다. ¶炭を～ 숯을 굽다(만들다)/もちを～ 떡을 굽다/瀬戸物を～ 도자기를 굽다(만들다). ㉡(사진을) 인화(印畫)하다. ④달구다. ¶火ばしをまっかに～ 부젓가락을 새빨갛게 달구다. ⑤지지다; 낙인을 찍다. ⑥볶다. ¶塩を～ 소금을 볶다.

やく【厄】名 ①액; 재난; 재앙. ¶～を払う 액을 물리치다. ②'厄年(＝액년)'의 준말. ¶あと～ 액년의 다음 해.

****やく**【役】㊀名 ①직무; 직책; 소임. ¶～につく 직책에 앉다〔취임하다〕/～を退く 직무를 물러나다. ②역(할); 구실. ¶仲人の～をつとめる 중매역(할)을 하다. ③(연극 등에서) 배우가 분(扮)하는 역; 배역. ¶～を振る 역을 배정하다〔맡기다〕; 배역(配役)하다. ④쓸모; 소용; 도움. ㊁接尾 …역; 그 사람이 지닌 임무·역할·지위 등을 나타내는 말. ¶相談～ 상담역/取締～ 이사(理事). **―に立つ** 쓸모가 있다; 도움이 되다.

***やく**【約】㊀名 ①약속; 약정. ¶～を果たす 약속을 이행하다. ②생략; 줄임. ③〔數〕나눗셈; 약분(約分). ④'約音'의 준말. ⇒約する. ㊁連体 약; 대략. ¶～五か年 약 5 개년.

やく【訳】名 역. ①번역. ¶へたな～だ 서투른 번역이다. ②옛글, 어려운 말을 현대말 또는 알기 쉬운 말로 해석함. ¶現代語～ 현대어 역. ⇒訳する.

やく『葯』名〔植〕약; 꽃밥.

やく【薬】㊀名〈俗〉마약. ¶～が切れた 마약 기운이 떨어졌다. ㊁接尾 …약; 약제. ¶胃腸～ 위장약.

ヤク『犛牛』名〔動〕야크(북인도에서 티베트에 걸쳐 사는 솟과의 짐승). ＝りぎゅう. ▷yak.

***やぐ**【夜具】名 침구(寢具); 이부자리.

やくおん【約音】名 약음; 둘 이상의 음절이 접속할 경우 한 쪽 모음이 탈락하여 음이 줄어지는 현상('とあり'가 'たり'로 되는 따위). ＝約言.

やくがい【薬害】名 약해; 의약품이나 농약에 의한 해.

やくがく【薬学】名 약학.

やくがら【役がら・役柄】名 ①직무의 성질. ¶～上, やむを得ない 직무상 부득이하다. ②직책이 있는 신분; 직책상의 체통. ¶～の者 직책이 있는 자. ③직무; 직분. ¶～を押しつける 직무를 억지로 떠맡기다.

やくぎ【役儀】名〈老〉임무; 직책; 소임. ＝つとめ・役. ¶～がら苦労が多い 직무상 고생이 많다.

やくご【訳語】名 (번)역어. ↔原語.

やくざ 名ナ ①너절함. ②정당한 생활을 하지 않음; 또, 그 사람; 불량배; 깡패; 노름꾼. ¶～者 불량배. ↔かたぎ.

やくざい【薬剤】名 약제. ¶～師 약(제)사.

やくさつ[扼殺] 名 ス他 액살; (손으로) 목을 졸라 죽임.

やくし【薬師】名〔佛〕'薬師如来(＝약사 여래)'의 준말.

やくし【訳詩】名 역시; 시의 번역; 번역시.

やくし【訳詞】名 역사; 가사의 번역; 번역한 가사.

***やくしゃ**【役者】-sha 名 ①배우; 광대. ¶千両～ 천냥짜리 배우; 매우 뛰어난 배우. ②〈俗〉연극〔일〕을 잘하는 사람. ¶なかなかの～だ 대단한 수완가이다. **―が一枚上** 인물·능력 등이 한결 나음〔한 수 윗길임〕. **―がそろう** ①필요한 인물이 다 모이다. ②산전 수전의 노장들이 관계자로서 (한 자리에) 모이다.

やくしゃ【訳者】-sha 名 (번)역자.

****やくしょ**【役所】-sho 名 관청; 관공서. ¶～づとめ 관공서 근무/お～仕事 (a) 관청일; (b) 형식적이고도 늑장 부리는 일처리.

やくしょ【訳書】-sho 名 역서; 번역한 책. ↔原書.

やくじょ【躍如】-jo [ト タル] 약여；생생
함；또렷함. =躍然ネッ.

やくじょう【約定】-jō [名] [他] 약정.
¶～書ッ 약정서.

やくしょく【役職】-shoku [名] 담당 직
무·직무；특히, 관리직(管理職). ¶～
員ィ 임직원.

やくしん【躍進】[名] [自] 약진；눈부시
게 진출함. ¶第一位ィ～する 1 위
로 약진하다.

*やく-す【訳す】[5 他] 번역하다；해석하다
；새기다.

やくすう【約数】-sū [名] [數] 약수.↔倍
数ズ.

やく-する[扼する][サ変他] ①꽉 쥐
다；누르다. ¶腕ゥを～して残念ッネ
る 팔을 부르쥐고 분해하다. ○목을 졸
라 죽이다. ②요소·요충(要衝)을 누르
다(는 곳에 위치하다). ¶重要ョゥな地点
ンンを～ 중요한 지점을 장악하다.

やく-する【約する】[サ変他] ①약속하
다；기약하다. ¶再会ミゥを～ 다시 만날 약
속(기약)하다. ②①요약하다；①요약하다；
갖추리다. ¶条文ジョゥを～ 조문을 요약
하다. ○절약하다. ¶経費ケィを～ 경비
를 절약하다. ③【数】약분하다.

やく-する【訳する】[サ変他] ⇨やく-す.

やくせき【薬石】[名] 약석；여러 가지
약과 치료법. ¶～の効コなく 약석의
보람없이.

やくそう【薬草】-sō [名] 약초. ¶～を
煎ジじる 약초를 달이다. ↔毒草ドッ.

‡**やくそく**【約束】[名] [自他] ①약속. ○언
약. ¶～を果ゃたす 약속을 이행하다. ○
(사회 일반의) 규칙；규정. ②운명；숙
명；인과；인연. ¶前世ゼゥの～ 전세의
인연. ──てがた【──手形】약속어
음. =約手ゥゥ.

*やく-だつ【役立つ·役立つ】[5 自] 쓸모
가 있다；도움이 되다；소용되다；유용
[유익]하다. ¶実際ジゥに～ 실제로 도
움이 되다.

*やく-だてる【役立てる·役立てる】[下 1 他]
유용하게 쓰다.

やくちゅう【訳注】【訳註】-chū [名] 역
주；번역자가 붙인 주석. ↔原注ゲゥ.

やくどう【躍動】-dō [名] [自] 약동.
¶生気ゼを～ 생기 약동.

*やくとく【役得】[名] 직책으로 인한 편
의나 이익[이익]；부수입；국물. ¶
～のある仕事ゴどゥ 특별한 수입[이익]이
있는 일.

やくどし【厄年】[名] 액년. ①일생 중 재
난을 맞기 쉽다고 하는 해(음양도(陰
陽道)에서 남자는 25, 42 세, 여자
는 19, 33 세로 이름)；겸년(劫年). ②
(俗) 재난이 많은 해.

*やくにん【役人】[名] 관리；공무원. ¶
小コ～ 말단 공무원. ／～風ゥを吹フゥかす
관리티를 내다／～根性ョゥ 관리[관
료] 근성.

*やくば【役場】[名] 지방 공무원이 사
무를 보는 곳(町ッ·村ョ=말단 지방
자치 단체)의 사무소 따위). ②(공증
인·사법 서사 등의) 사무소. ¶公証人
コウッーン～ 공증인 사무소. =役所ゥ.

やくはらい【厄払い】(い)[名] 액막
이. =厄落ゥゥとし. ②섣달 그믐날·입
춘 전날밤에 재난을 쫓기 위한 주문을

외며 동냥 다니는 일；또, 그 사람.

やくび【厄日】[名] 액일. ①음양도(陰陽
道)에서, 재앙을 만난다고 꺼리는 날.
②재난이 일어나는 날.

やくびょう【疫病】-byō [名] 역병；악성
열병(전염성이 강함). =えきびょう.
¶～のまじない 역병을 쫓는 주문.
──がみ【──神】[名] ①역귀(疫鬼). ②
돌림쟁이. =えきびょうがみ. ¶町ッの～
동네[마을]의 돌림쟁이.

*やくひん【薬品】[名] 약품.

やくぶつ【薬物】[名] 약물；약품. ¶～中
毒ゥ 약물 중독. ──ちゅうどく
──中毒ドク 통ッッ.

やくぶん【約分】[名] [他] [數] 약분. =

やくぶん【訳文】[名] 역문；번역문. ↔原
文ゲゥ. ──ほん【──原文ゲゥ】.

やくほん【訳本】[名] 역본；번역한 책.

やくまわり【役回り】【役廻り】[名] 배당
된 역[직무]. 「【薬品】.

*やくみ【薬味】[名] ①양념；고명. ②약품
*やくむき【役向き】[名] 직무의 성질；
직무상.

*やくめ【役目】[名] 임무；책임；직무；직
분；구실. ¶親ャの～ 어버이의 책임
[역할]／～を果ゃたす 책임[직분]을
다하다. ──がら【──柄】직무상.
¶～行かねばならない 직무상 가야
한다.

やくよう【薬用】-yō [名] 약용. ¶～せっ
けん 약용 비누／～植物ショゥ 약용 식
물.

やくよけ【厄よけ】【厄除け】[名] 액막이.
=厄払ゥゥい.

やぐら【櫓·矢倉】[名] 〈雅〉나무를 짜
서 높게 만든 대(臺). ①성루(城樓).
○(성문이나 성벽의) 망루(望樓)；망
대(望臺). ¶物見ゥ～ 망루. ②장대(將
臺). ○전망대. ¶火ゥの見ゥ～ 화재 감
시대. ○씨름·연극의 흥행장에서 북을
치는 높은 대. ¶こたつやぐら의 준
말；각로(脚爐) 위에 높고 넓을 씌우
는 틀. ③씨름에서 상대방의 몸을 번
쩍 들어서 던지는 수. =やぐら投ナげ.
④장기의 배진(配陣)법의 하나. ──を
上ゲる ①망루를 세우다. ②(연극·씨
름 등의) 흥행을 시작하다.

*やくり【薬理】[名] 약리. ¶～学ゥゥ 약리
학. ／～作用ゥ 약리 작용.

やぐるま【矢車】[名] ①축(軸)의 둘레에
화살 모양의 살을 방사상(放射狀)으로
박은 것(풍차(風車) 따위의 쓰임). ②화
살을 꽂아 두는 대. ──ぎく【──菊】
[名] [植] 수레국화. ──そう【──草】
-sō [名] [植] 도깨비부채.

やくろう【薬籠】-rō [名] 약농；약상
자. =薬箱ゃゥ. ¶自家ャ～中ゥゥのもの
(자기 집 약상자의 약처럼) 유사시에
언제나 쓸 수 있는 인물[기술].

*やくわり【役割】[名] 역할. ①역을 할당
함；또, 그 사람. ②임무；소임；구실. ¶
～を果ゃたす 구실[소임]을 다하다.

やけ【自暴】[名] 자포 자기. =すてばち·
やけくそ. ¶～を起ォこす 자포 자기하
다. ──のやんばち 자포 자기(「やけ」를
강조하여 의인화(擬人化)한 것).

やけあと【焼け跡】[名] 불탄 자리.

やけあな【焼け穴】[名] (옷·천 따위에 불
이 떨어져서) 탄 구멍.

やけい【夜景】图 야경；＝夜色ょく.

やけい【夜警】图 야경(꾼).

やけいし【焼け石】图 햇볕·불에 달구어진 돌. ─に水ず 언 발에 오줌누기.

やけお-ちる【焼け落ちる】[1][1]自 (건물이) 불에 타서 내려 앉다.

やけくそ【自棄糞】图 〈俗〉'やけ(自棄)'의 힘줌말.

やけざけ【やけ酒】〈自棄酒〉图 홧술.

やけだされ【焼け出され】图 불에 타서 집을 잃음；또, 그 사람. ─空襲ぅゥで ～になる 공습으로 집을 잃다. ¶

やけだ-される【焼け出される】[1][1]自 불에 타서 집을 잃다. 「늘어붙다.

やけつ-く【焼け付く】[1]自 타서〔눌러〕붙다.

やけっぱち【自棄っぱち·自棄八】ya-keppa-〈俗〉'やけ'의 힘줌말. ＝やけくそ.

やけっぱら【やけっ腹】〈自棄っ腹〉ya-keppra〈俗〉자포 자기〔하여 화를 냄〕. ＝やけばら.

＊やけど【火傷】图 ｽ自 화상；뎀；또, 그 상처. ＝かしょう.

やけに【自棄に】副〈俗〉몹시；지독히；매우. ¶～寒さむい 매우 춥다.

やけの【焼け野】图 불탄 들판. ＝野原のゃら. ─のきぎす きぎすのつる 한결같이 극진한 어머니의 사랑〔보금자리가 타버린 꿩이 새끼를 즉이고 밤 두루미가 새끼를 그 날갯속에 감싸듯하는 데서〕. ─がはら【──原】图 ①타버린 벌판. ②(불에 타서) 벌판처럼 된 곳；＝焼け野原.

やけのはら【焼け野原】图 ☞やけの.やけのがはら.

や-ける【妬ける·妬ける·焼ける】[1][1]自 질투나다；샘나다.

＊や-ける【焼ける】[1][1]自 ①타다. ¶家いぇが～ 집이 타다〔불에 타다〕. ②구워지다. ¶サンマの～におい 꽁치 굽는 냄새 / よく～た茶わん 잘 구워진 공기. ③(햇볕·불 따위에) 뜨거워지다. ¶──けた鉄板てっに(불에) 단 철판 / 真まっ赤あかに～けた鉄てっを鍛きたえる 싯뻘겋게 달구어진 쇠를 불리다. ④빨개지다. ⑦눈이 지다. 下しもの空そらがまっかに～ 서쪽 하늘이 빨갛게 물들다. ⑤중독 따위로 쩔들다. ¶酒さけで～けた顔かほ 술에 절어서 벌건 얼굴. ⑤(햇볕·공기 따위에) 바래다. ¶アルバムの表紙ひょうしが日ひに～ 앨범 표지가 (햇볕에) 바래다. ⑥(먹은 것에) 속이 쓰리다；답답하다. ¶胸むねが～ 가슴이 쓰리다；가슴이 쓰리다. ⑦(여러 가지로) 애먹이다. ¶世話せわが～ 손이 많이 가다 / 手てが～ 손이 많이 가다.

やけん【野犬】图 야견；들개. 「충.

やご 图 〖蟲〗수채(水蠆)；잠자리의 유

やこう【夜光】-kō 图 ①어두운 곳에서 빛남；밤에 빛나는 것. ¶～時計どゖ 야광 시계. ②밤하늘의 별빛 이외의 빛. ─の玉たま 야광주；야광주. ──ちゅう【──虫】-chū 图 〖動〗야광충. ──とりょう【──塗料】-ryō 图 야광 도료.

＊やこう【夜行】-kō 图 ｽ自 야행. ①밤에 감. ¶～性せい 야행성. ②'夜行列車れっしゃ(＝야간 열차；밤차)'의 준말.

やごう【屋号】-gō 图 ①옥호；가게의 이름. ②집의 칭호.

やごう【野合】-gō 图 ｽ自 야합. ①(남녀의) 사통(私通). ②불순한 이유로 관계를 맺음.

やさい【野菜】图 야채；채소；푸성귀. ＝あおもの. ¶清浄せいじょう～ 청정 야채 / ～スープ 야채 수프.

やさがし【家捜し·家探し】图 ｽ自 ①집 안을 모조리 뒤짐；집 수색. ②(살) 집을 구함.

やさがた【優形】图 ①(몸매가) 날씬하고 품위 있음. ②상냥함；숙부드러움.

やさかにのまがたま【八尺瓊(の)勾玉·八尺瓊(の)曲玉】图 일본 황실에 전하는 세 가지 신기(神器)의 하나인 곡옥(曲玉).

やさき【矢先】图 ①화살촉. ＝矢やじり. ②화살이 날아오는 전면(前面). ＝矢面やおもて. ─に立たつ 陣頭じんとう(陣頭)에 서다；공격을 정면으로 받다.

やさき【矢先】图 …하려는 참；마침 그 때. ¶出でようとした～に、雨あめがふりだした 막 외출하려는데 비가 오기 시작했다.

＊やさ-し-い【易しい】-shī 形 쉽다. ¶英語えいごが～ 쉬운 영어. ↔むずかしい.

＊やさ-し-い【優しい】-shī 形 ①온순하다；(마음씨가) 곱다；상냥하다. ②정숙하다；숙부드럽다. ¶気立きだての～娘むすめ 마음씨가 고운 처녀 / ～目めつき 상냥한 눈매 / ～心こころづかい 정다운〔고운〕마음씨. ②아름답다；우아하다. ¶～姿すがた 우아한〔아름다운〕모습.

やしな-う【養う】[5]他 ①기르다. ①양육하다. ¶子こを～ 자식을 기르다. ①배양하다. ¶勤労きんろうを～ 근로의 기풍을 기르다. ①보양하다；양성하다. ¶気力きりょくを～ 기력을 기르다. ②부양하다. ¶家族かぞくを～ 가족을 부양하다. ③다루다. ¶女子じょしと小人しょうにんは～いがたし 여자와 소인은 다루기 힘들다. ④양자로 삼다.

やし【椰子】图 〖植〗야자(나무). ¶～油ゆ 야자유.

やし【野史】图 야사；민간에서 지은 역사；야승(野乘). ↔正史せいし.

やし【香具師·野師】图 축제일(祭日) 따위에 번잡한 길가에서 흥행·요술 따위를 하거나 또는 싸구려 물건을 소리쳐 파는 사람. ＝てきや.

やじ【野次·弥次·彌次】图 ｽ自 ¶やじうまの 준말. ②야유(揶揄)；놀림；또, 그 말. ─を飛とばす 야유하다. ──うま【──馬】图 까닭 없이 덩달아 떠들어 대는 일；또, 그 무리. ¶火事かじの現場げんばへ一杯いっぱい야じ 화재 현장에 떠들썩한 구경꾼으로 꽉 찼다.

やしき【屋敷·邸】图 ①대지(垈地). ②집의 부지. ¶─内ないに建てて増ぞ 대지 안에 증축하다. ②저택；특히, 고급 주택. ③무가(武家)의 저택. ──まち【──町】图 ①고급 주택가. ②무가의 저택이 늘어선 거리.

やじきた【彌次喜多】图 〈俗〉①즐거운 만유 여행(漫遊旅行)；뜻 맞는 놀이꾼이 하는 한가로운 여행. ②짝이 맞는 한 쌍의 익살꾼.

やしゃ【夜叉】-sha 图 〖佛〗야차；두억

시니(얼굴이 추악하며 무섭게 생기고,
성질이 사나운 인도의 귀신).

やしゅ【野手】-shu 图【野】야수: 내야
수·외야수의 총칭.

やしゅ【野趣】-shu 图 야취: 자연스럽
고 소박한[시골의] 정취.

やしゅう【夜襲】-shū 图 ス他 야습. =
夜討ゟ゚ち. 〜をかける 야습을 하다.

やじゅう【野獣】yajū 图 야수: 야생의
짐승. 〜を〜狩り 수렵 사냥.

やしょく【夜食】-shoku 图 야식; 밤참.

やじり【矢尻·鏃】图 화살
촉. =矢ゃの根ね.

やじ-る【野次る·弥次る】5他 야유하
다; 놀리다. 〜講演者ゟんを〜り倒
たゔす 강연자에게 야유해서 연설을 못
하게 하다.

やじるし【矢印】图 화살표.　　「(神社).

やしろ【社】图 신을 모신 건물; 신사

＊やしん【野心】图 야심. 〜家 야심
가 / 〜満々ばんを〜をいだく
야심을 품다.

やじん【野人】图 야인. ①시골 사람.
②예의 범절을 모르는 사람; 교양이 없
는 사람; 무식한 사람. ③재야인; 민간
인. ④소박하고 성실한 사람.

やすあがり【安上(がり)】图 (값이) 싸
게 먹힘. ⇔高上ゟ゚がり.

＊やす-い【安い】形 ①(본디, 廉いˤ로도)
(값이) 싸다. 〜運賃ゟんˤ 싼 운임. ⇔
高いˤ. ②(雅)(마음이) 편하다; 평온
하다. 〜からぬ気持ちˤ 편치 않은
마음. ③(俗)〜ˤお゛를 받아 否定을 수
반하여) 남녀 사이가 심상치 않음을 놀
리는 말. 〜おˤ〜くないˤ 보통 사이
가 아닌데. ④경솔하다. 〜く口くˤ引きˤを
受けるˤ 경솔하게 떠맡다.

やす-い【易い】形 ①쉽다; 간단하다.
〜解ˤき〜問題ゟんˤ 풀기 쉬운 문제. ②
《動詞連用形に接ˤして》…하기 쉽
다. 〜なまけ〜 게으르기 쉽다 / こ
われ〜 깨지기 쉽다. ⇔…難いˤ.

やすうけあい【安請(け)合い】图
ス自他 경솔한 (떠) 맡음.

やすうり【安売り】图 ス他 ①싸게 팖.
〜大ˤ大〜 염가 대매출. ②(비유적으로)
무턱대고 베풂; 선뜻 응함. 〜親切ˤˤ
の〜 값싼 친절을 베풂.

やすっぽい【安っぽい】-suppoi 形 값
싸다; 싸구려 같다; 천격스럽다.
〜品ˤ 싸구려 물건 / 〜感傷ゟんˤ 값싼
감상 / 男だ〜【人間ゟんˤ】 저속한 사내
　　　　　　　　　　　　[인간].

やすで【馬陸】图【動】노래기.

やすで【安手】图 ①싸구려임; 품위가
없음. 〜の普請ゟんˤ 싸구려 건축.

やすね【安値】图 ①싼 값; 염가. 〜法
外ゟ゙にˤの〜 턱 없이 싼 값. ②그 날의 주
식 거래에서 그 株(株)의 가장 싼 시
세. ⇔高値ˤˤ.

やすぶしん【安普請】图 날림 공사; 또,
그렇게 지은 집.

やすま-る【休まる·安まる】5自 (심
신이) 편안해지다. 〜気ˤ[体ˤ]が〜
마음[몸]이 편안해지다.

＊やすみ【休み】图 ①쉼. 〜なく 휴식.
〜なく 쉬지 않고 / ひと〜してから 잠
깐 쉬고. ⓛ쉬는 시간. 〜量ˤˤ 점심
때의 쉬는 시간. ②휴가; 휴가. 〜あす

は〜だ 내일은 휴일이다. ③결석; 결
근. 〜あの人ˤは〜です 그 사람은 결
근입니다. ④잠자리에 듦; 취침함. 〜
御主人ゟˤˤˤ゚はもう〜になりました
주인은 벌써 자리에 드셨습니다.

やすみやすみ【休み休み】副 쉬엄쉬엄;
작작. 〜〜歩ゟこ〜 쉬엄쉬엄 걷다 / ばか
も〜言ˤˤ 바보 같은 소리 작작 해라.

＊やす-む【休む】5自他 쉬다. ①활동
을 멈추다. 〜ˤ・まずに 쉬지 않고[끊임
없고]. ②휴식하다. 〜一間ˤˤもない 쉴
사이도 없다. ③자다; 취침하다. 〜お
〜みなさい 편히 쉬세요[주무세요].
④결석·결근하다. ⑤病気ゟˤˤ゚で〜 병
으로 쉬다. ⑥(학교·직장이) 정기적으
로) 놀다. 二日ゟˤˤ続ˤˤいて 이틀 계
속해서 놀다.　　　　　　　　　「付ˤˤˤ.

やすめ【休め】感 쉬어(구령). ↔気ˤを

やすもの【安物】图 값싼 물건; 싸구려.
一貫ˤˤいの銭失ˤ 싸구려를 사서
돈만 버리다(싼 것이 비지떡).

やすやす【安易】副 평온하다 더) 편
안히. 〜(と)眠ˤる 편안히 잠자다.

やすやす【易易】副 거뜬히; 손쉽게; 간
단히. 〜と勝ˤつ 거뜬히 이기다.

やすやど【安宿】图 싸구려 여인숙.

やすら-う【休らう·安らう】5自〈雅〉
쉬다; 휴식하다. =休ˤむ. 〜木々ˤˤに
〜小鳥ˤˤり 나무 저 나무에 쉬고 있
는 새.

やすらか【安らか】[ナ] 편안; 평화로
움. 〜な生活ˤˤ 편안한 생활.

やすら-ぐ【安らぐ】5自 편안해지다;
평온해지다.

＊やすり【鑢】图 ①줄. 〜をかける 줄
질하다 / 〜屑ゟ 줄밥 / 〜紙ˤ 사포(砂
布); 샌드페이퍼. ②やすり板ˤˤ(=줄
판; 등사판)의 준말.

やすん-ずる【安んずる】サ変自他 ①안
심하다; 믿다. 〜じて任せるˤˤ 안심
하고[믿고] 맡기다. ②만족하다. 〜現
状ゟˤˤ゚に〜 현상(태)에 만족하다. ③편
안히 하다; 안심시키다. 〜人心ˤˤを〜
민심을 가라앉히다.

＊やせい【野生】图 ス自 야생. 一植
物ゟˤ 야생 식물. 一代 소생(小生).

やせい【野性】图 야성. 〜的な顔
ˤ 야성적인 얼굴 / 〜美ˤ 야성미.

やせうで【瘦せ腕】图 여윈
팔; 전하여, 연약한 힘[능력]. =細腕
ゟˤˤ. 〜女ゟˤˤ가 〜で家族ˤˤを養ˤˤう 여
자의 연약한 힘으로 가족을 부양하다.

やせおとろ-える【瘦せ衰える】下1自
바싹 여위다; 수척해지
다. 〜えた体ˤˤ 수척해진 몸.

やせがまん【瘦せ我慢】图 ス自 억지로
배김(버팀); 앙버팀; 오기. 〜を張ˤˤ
る 오기를 부리다.

やせこける【瘦せこける】下1自 말라
빠지다; 쪽빠해지다; 앙상하다. 〜類
ˤˤが〜 볼이 홀쪽해지다.　　　　　「땅.

やせち【瘦せ地】【瘦せ地】 메마른

やせほそ-る【瘦せ細る】瘦せ細る）
5自 여위어서 몸이 홀쪽해지다. 〜心
配ˤˤで〜思いˤˤの 걱정 때문에 바싹바
짝 마를 것 같다.

＊や-せる【瘦せる·瘠せる】下1自 ①여

위다；살이 빠지다. ¶病気（びょうき）で～ 병으로 수척해지다. ↔ふとる. ②（땅이）메마르게 되다；토박해지다. ¶～せた土地（とち）메마른 땅. ～肥（こ）える. ──せても枯（か）れても 아무리 몰락했어도；비록 (지금의) 꼴은 이럴 망정.

やせん【夜戦】 图 야전；야간 전투.
やせん【野戦】 图 야전. ¶～病院（びょういん）야전 병원.

ヤソきょう【耶蘇教】〈耶蘇教〉-kyō 图 야소교；기독교；그리스도교.

やそう【野草】-sō 图 야초；들풀. 圀のぐさ.

やたい【屋台】 图 ①작은 집 모양으로 지붕을 달고 이동할 수 있게 만든 대（臺）. ㉠屋台店（やたいみせ）（＝지붕이 있는 이동식의 작은 가게）의 준말. ㉡祭（まつり）祭 때 보조（歩調）를 맞추어가며 천천히 끌고 다니는 수레. ＝山車（だし）. ㉢〔劇〕能楽（のうがく）・연극・무용에서 쓰는 집모양으로 만든 무대 장치. ④'屋台骨（やたいぼね）'의 준말. ¶～が傾（かたむ）く 집안이 기울다. ──ぼね【─骨】 图 ①'屋台'의 뼈대. ②가산（家産）；재산. ③한 집안의 기둥이 되는 사람. ＝大黒柱（だいこくばしら）.

やたけに【彌猛に】 副〈雅〉더욱더 설레어 붙어（설레어）. ¶心（こころ）は～はやれども 마음은 불같이 조급하지만〔타오르건만〕.

やたて【矢立（て）】 图 ①전동（箭筒）. ②전동에 넣어 싸움터에서 휴대하던 작은 벼루（상자）. ③먹통에 붓통이 달린 휴대용（用）문방구.

やたのかがみ【八咫（やた）の鏡】 图 일본 황실의 세 가지 신기（神器）의 하나인 거울；皇大神宮（こうたいじんぐう）의 신체（神體）.

***やたら**【矢鱈】 副〈俗〉함부로（멋대로, 무턱대고, 되는 대로, 마구, 마구잡이로）하는 모양. ¶～にしゃべる 멋대로 지껄이다／～に金（かね）をつかう 마구 돈을 쓰다／～なことはいえない 함부로 말할 수는 없다.

やちよ【八千代】 图〈雅〉오랜 세월. ¶千代（ちよ）に～に 영원 무궁토록.

やちょう【野鳥】-chō 图〈雅〉들새. ¶～保護法（ほごほう）야조 보호법. ↔飼（かい）鳥（どり）.

***やちん**【家賃】 图 집세. ＝たな賃（ちん）. ¶～を払（はら）う 집세를 물다.

やつ【奴】㊀ 图〈俗〉사람・사물을 막되게 부르는 말；놈；녀석；자식；것. ¶～等（ら） 놈들／かわいそうな～ 불쌍한 녀석／よくあんな～の흔히 있는 수법이다／もっと大（おお）きい～ 좀더 큰 것. ㊁代 （俗）자식；그 녀석. ＝きゃつ. ¶～のしわざだ 그 자식의 짓이다.

やつ【八つ】 图 ①여덟 개；여덟 개；또、여덟 살. ＝やっつ・八（や）つ. ②옛날 시각의 이름（지금의 오전（午前）（午後）2시경）. ＝八つ時（やつどき）. ¶お～ 오후 2시쯤에 먹는 간식（전하여, 간식）.

やつ【ㅅ】 感 ①놀라・야유하는 소리；얍. ②놀랐을 때 내는 소리；엇；앗；앗.

やつあたり【八つ当（た）り】 图 ⊠自 무예게나 다 트집대고 분풀이함；영뚱한 화풀이.

***やっかい**【厄介】 yakkai ㊀图形动 ①귀찮음；성가심. ¶～な仕事（しごと） 귀찮은

일／～払（ばら）い 성가신 사람을 내쫓음. ②폐；신세. ¶～をかける 폐를 끼치다. ㊁图 신세；신셋. ¶老人（ろうじん）の～を見（み）る 노인의 시중을 들다. ──になる もの【─者】图 ①귀찮은 존재；애물. ②식객. ＝居候（いそうろう）.

やっかん【約款】 yakkan 图 약관；약・조약 등에 정해진 하나하나의 조항.

やっき【躍起】 yakki〈흔히 '～に' '～と'의 꼴로〉기가 남；기쏠. ──となる；──になる 기를 쓰다. ¶～になって弁解（いいわけ）する 기를 쓰고 변명하다.

やつぎばや【矢継（つ）ぎ早】 グ✓ ①화살을 재빠르게 연달아 갈아 메움. ②연달음；잇따름. ¶～の質問（しつもん）잇따른 질문.

やっきょう【薬莢】 yakkyō 图 약협；탄알의 화약이 들어 있는 금속제의 통.

***やっきょく**【薬局】 yakkyoku 图 약국；약방. ──ほう【─方】-hō 图 약국방；약전（薬典）. ¶日本（にほん）～ 일본 약국방.

やづくり【家造り・家作り】 图 ①집을 지음. ¶～を始（はじ）める 집을 짓기 시작하다. ②집의 구조. ＝家構（いえがまえ）.

やっこ【奴】 yakko 图 ①남자 하인；특히, 江戸（えど）시대의 무가（武家）의 하인（창 따위를 들고 주인을 따라다녔음）. ＝折助（おりすけ）. ②비유적으로, 사로잡힌 몸. ¶恋（こい）の～ 사랑의 노예. ③江戸（えど）시대의 한량（閑良）・협객（侠客）. ㊁代 ①자기의 낮춤말；저 놈. ②남을 낮추어 부르는 말；저 놈. 은 출세할 거야.

やっこう【薬効】 yakkō 图 약효.

やつざき【八つ裂き】 图 갈가리 찢음. ¶～にしても飽（あ）き足（た）りない 갈을 떠도 시원하지 않다.

***やつもっさ**【やっさもっさ】 yassamossa（여럿이 모여）몹시 혼잡함（법석대는）모양；와글와글；시끌시끌；떠들석북적；~てんやわんや. ¶～の大騒動（だいそうどう）をする 시골 법석거림 큰 소동을 벌이다. ②교섭 등이 잘 안 되는 모양；옥신각신하는 모양.

やっす【寠す】 五他 ①초라하게 분장하다；……로 가장（변장）하다. ¶こじき姿（すがた）に身（み）を～ 거지 꼴로 가장（변장）하다；끌통하다；애태우다. ¶恋（こい）に身（み）を～ 이룰 수 없는 사랑에 애태우다.

やっで【八つ手】 图〔植〕팔손이나무.

やって-くる【遣って来る】 yatte-くる ㊀自 ①다가오다；찾아오다. ¶どいいところに～・きた 마침 좋은 때에 와 주었다. ②〔連語〕쭉 지내오다. ¶戦後（せんご）ずっとこの商売（しょうばい）を～・きた 전후 죽 이 장사를 해왔다.

やっつ【八つ】 yattsu 图 여덟；여덟 살. ＝八（や）つ・八つ 개.

***やっつ-ける**【遣っ付ける】 yattsuke-ㄒᆵ他 해치우다. ¶①결과를 생각하고 마구 해치우다（말・힘으로）혼내 주다；홀닥다；지게 하다. ＝負（ま）かす；こらす. ②（초췌해 보일 정도로）번민하다；끌통하다；애태우다. ¶마구잡이로 해치워 버리다／～・けろ 해치워라（때려라）；없애 버려라；죽여라.

***やっと** yatto 副 겨우；가까스로；간신

히;곡작. =かろうじて・ようやく. ¶～のことで 겨우;간신히 / ～でき上がった 겨우 완성되었다.

やっとう yattō 〈俗・老〉검도(본디, 검도(劍道)할 때 지르는 고함소리).

やっとこ 【鋏】 yatto- 〈철사를 꼬부리거나, 뜨거운 쇠 따위를 집는〉집게; 뻰찌.

やつはし 【八つ橋】 图 ①시내 같은 데 몇 장의 좁은 판자를 이어서 놓은 다리(일본식 정원(庭園)에서 볼 수 있음). ②京都 명산의 과자.

やっぱり 【矢っ張り】 yappa- 副 〈俗·口〉☞やはり. ¶～だめ 역시 안 된다. ── 图 장어.

やつめうなぎ 【八つ目鰻】 图【動】칠성장어.

*やつ−れる 【窶れる】 下1自 초라해지다;특히, 여위다;까칠(까칠)해지다. ¶～れ果てた姿 여위어 초라해진 모습.

‡**やど** 【宿】【屋戸】 图 ①사는 집. =住み家. ②숙소;여관. =宿屋. ¶～を取る 여관을 잡다 / ～をかりる 하룻밤 묵다. ③〈老〉아내가 남편을 가리키는 말;주인;바깥 양반. =宅·主人. ④고용살이하는 사람의 본집;또는, 보증인의 집. ⑤に下さがる〈고용살이하는 사람이〉휴가를 얻어 고향에 내려가다.

やとい 【雇(い)】【傭(い)】 图 ①고용함. ¶日～ 날품. ②고용인. =雇い人. ③임시 직원;고원. =雇員.

やといにん 【雇(い)人】 图 고용인. =雇主.

やといぬし 【雇(い)主】 图 고용주. =雇主.

*やと−う 【雇う】【傭う】 5他 고용하다. ¶船員を～ 배를 세내다 / 家政婦を～ 가정부를 고용하다.

*やとう 【野党】 -tō 图 야당. ⇔与党.

やどかり 【宿借り】 图 ①집을 빌려쓰는 삶;또, 그 사람;셋집(셋방)살이. ②동거(同居);식객(食客). =居候. ③宿借り·寄居虫】집게.

やどす 【宿す】 5他 ①잉태하다. ¶품다;내부에 지니다. ¶禍根を～ 화근을 배태하다. ①〈아이를〉배다;임신하다. ¶子を～ 아이를 잉태하다. ②露을～した萩 이슬을 머금은 싸리. ③모습을 비추다.

やどせん 【宿銭】 图 숙박료. =宿賃.

やどちょう 【宿帳】 -chō 图 숙박부.

やどちん 【宿賃】 图 〈老〉숙박료. =宿銭.

やどなし 【宿無し】 图 일정한 주소가 없음;또, 그런 사람;부랑인(浮浪人). ¶～犬 주인 없는 개 / ～子 집 없는 아이.

*やどや 【宿屋】 图 여인숙;여관. =旅館.

やどりぎ 【宿り木】【寄生木】 图【植】다른 나무에 기생하는 나무;특히, 겨우살이;기생목.

やど−る 【宿る】 5自 ①머물다. ㉠깃들이다;어떤 위치에 있다. ¶健全なる精神は健全なる肉体に～ 건전한 정신은 건전한 육체에 깃들인다. ㉡살다;거처로 하다. ¶鳥が軒先さに～ 새가 처마 끝에 둥지를 튼다. ②묵다;숙박하다. =泊る. ¶～家もない 묵을 집도 없다. ¶葉に露つゆが～ 잎에 이슬이 맺히다.

──

に露が～ 잎에 이슬이 맺히다. 신하다;잉태하다. ¶たねが～ 아이를 배다. ④기생하다. ¶回虫が～ 회충이 (인체에) 기생하다. ⑤비치다. ¶池に～月 연못에 비치는 달.

やどわれる 【雇われる】 連語 고용되다.

やなぎ 【柳】 图【植】버드나무(버드나뭇과 식물의 총칭이나 보통으로는 수양버들을 가리킴). ¶～は緑みどり, 花は紅 유록 화홍(柳綠花紅)(봄 경치를 표현한 말). ──に風と受け流す 조금도 거스르지 않고 유연하게 받아넘김. ──の下にいつもどじょうは居ない 버드나무 밑에 늘 미꾸라지는 있지 않다(장마다 망둥이 날까). ──のまゆ 미인의 아름다운 눈썹. =柳眉.

やなぎごうり 【柳行李】【柳行李】 -gōri 图 버들고리.

やなぎごし 【柳腰】 图 유요;버들가지같이 가늘고 나긋나긋한 미인의 허리.

やなみ 【家並み】【屋並(み)】 图 ①집이 늘어선 모양;또, 늘어선 집. ¶～が揃っている 집이 가지런히 늘어서 있다. ②집집마다;집집이. =軒並なみ.

やに 【脂】 图 ①수지(樹脂). ¶松の(の)～ 송진. ㉡〈담뱃대 따위의〉댓진. ②눈곱. =目やに.

やにさが−る 【脂下がる】 5自 신명이 나서 싱글거리다;우쭐해져서 뻥글거리다.

やにっこ−い 【脂っこい】 -nikkoi 形 ①진이 많다;끈적끈적하다. ②끈덕지다;끈질기다;악착같다. =しつこい·くどい.

やにょうしょう 【夜尿症】 yanyōshō 图 야뇨증. =寝小便.

やにわに 【矢庭に】 副 당장;돌연;잡자기. =たちどころに·いきなり. ¶～飛びかかる 잡자기 달려들다.

やぬし 【家主】 图 가주. ①한 집의 주인;가장;가주두. =主ぬし. ②〈셋집 등의〉집주인;집임자. =いえぬし·大家.

‡**やね** 【屋根】 图 지붕;덮개. ¶～板 붕널 / 世界の～ 치베트 세계의 지붕 티베트. ──伝いに逃げる 지붕을 타고 도망치다. ──うら【──裏】 图 ①지붕 밑;지붕속. ②다락방. =屋根裏部屋·アチック.

やのあさって 【彌の明後日】 -satte 图 ①글피. =しあさって. ②(東京등에서) 그글피. =やなあさって.

やば 【矢場】 图 활터. =弓場ゆみば.

やば−い 形 〈俗〉(들키거나 잡힐 염려가 있어) 위태롭다;위험하다. ¶～, 逃げろ 위험하다, 도망쳐라.

*やはり 【矢張り】 副 역시;전과 같이;예상과 같이;결국. ⇒やっぱり. ¶～おかしい 역시 이상하다 / 今いまでも～ここに住んでいますか 지금도 여전히 여기 살고 계십니까. ¶夜中でも～

やはん 【夜半】 图 야반;밤중. =真夜なか.

*やばん 【野蛮】 名ㆍ形動 야만. ¶～人 만인 / ～なふるまい 야만적(인) 행동. ⇔文明めい.

やひ 【野卑】【野鄙】 名ㆍ形動 야비.

*やぶ 【藪】 图 ①덤불;대숲. ②やぶ医者'やぶにらみ'의 준말. ──から棒 아닌 밤중에 홍두깨(엉뚱하게;잡자

기)). ―をついて蛇を出す 덤불을
쑤셔서 뱀을 나오게 하다(자는 범에 코
침주기 ; 긁어 부스럼). =やぶ蛇ガ.

やぶいしゃ【やぶ医者】【藪医者】 -sha
图 돌팔이 의사. =やぶ(い).

やぶいり【やぶ入り】【藪入り】
ス自 정월과 7月 16일 전후해서 고용
살이가 휴가를 얻어 귀향하는 일 ; 또,
그 날. 「宿入り」. 「귀. =しま蚊ガ.

やぶか【やぶ蚊】【藪蚊】 图 【蟲】 각다

やぶからし・烏蘞苺】【植】
거지덩굴. =やぶからし.

やぶ-く【破く】[5他]〈俗〉찢다. 찢다.
破服
+を. ― 웃음을 찢다.

やぶこうじ【藪柑子】-kōji 图 【植】자
금우(紫金牛). =やぶこうじちばな.

やぶさか【吝か】 图 인색함. ― 케치.
―でない 인색하지 않다 ; 쾌(快)히…하
다. ¶過ちを改めるに～でない 자신의
잘못을 고치는 데 인색하지 않다.

やぶさめ【流鏑馬】 图 기사(騎射)의 하
나 ; 말을 달리면서 우는살을 쏘아 과녁
을 맞히는 무예.

やぶじらみ【藪蝨】 图 【植】 사데풀.

やぶつばき【藪椿】 图 【植】 야생 동백
꽃. =山つばき.

やぶにらみ【藪睨み・斜視】 图〈卑〉①
사시(斜視) ; 사팔뜨기. ②얼토당토 않
은 생각[의견].

やぶへび【やぶ蛇】【藪蛇】 图 'やぶをつ
ついて蛇を出す'의 준말. =やぶ蛇ガ.

やぶみ【矢文】 图 문서(편지)를 화살에
묶어서 쏘아 보냄 ; 또, 그렇게 한 것.

‡**やぶ-る【破る】**[5他]①깨다. ㉠깨뜨리
다 ; 부수다 ; 뚫다. ―こわす. ¶壁を～
벽을 부수다[깨다]. ㉡기록을
깨뜨리다 / 敵の囲みを～ 적의 포위
망을 뚫다. ㉢어기다. ¶約束を～
약속을 깨다. ㉣무찌르다 ; 패배시키
다. ¶強敵を～ 강적을 무찌르다
[패배시키다]. ②찢다 ; 째다. ¶表紙
を～ 표지를 찢다.

やぶれかぶれ【破れかぶれ】 [ダ]〈俗〉
자포 자기하는 마음. =すてばち. ¶
～になる 자포 자기가 되다.

‡**やぶ-れる【破れる】**[下一自]①㉠찢어지
다. ¶紙が～ 종이가 찢어지다. ㉡터
지다 ; 뚫어지다. ¶くつ下が～ 양말
이 떨어지다. ②깨지다. ¶記録が～
기록이 깨지다 / つり合いが～ 균형
이 깨지다. ③망하다 ; 패하다. ¶国
～れて山河あり 나라는 멸망해도
산하는 여전하다.

‡**やぶ-れる【敗れる】**[下一自] 지다 ; 패배
하다. ¶いくさに～ 싸움에 지다 / 恋
に～ 실연하다.

やぶん【夜分】 图 밤 ; 밤중. =夜まガ.

やぼ【野暮】 图〈俗〉 멋[풍류]가 없
음 ; 촌스러움 ; 세상 물정에 어두움 ; 또,
그런 사람 ; 촌띠기. ㉠―用っ (취미
나 놀이가 아닌) 사무적인 일 / ～なネ
クタイ 멋이 없는 넥타이. ⇨粋ツ.
↔粋ツ. 「心ツん.

やぼう【野望】 -bō 图 야망. =非望ボ↔

やぼった-い【野暮ったい】 -bottai 圏
〈俗〉 촌스럽다 ; 세련되지 않다.

やぼてん【野暮天】 图〈俗〉 'や
ぼ'의 힘줌말 ; 대단히 촌스러움 ; 또, 그
런 사람. ↔粋人ツ. ⇨通人ツ.

---

‡**やま【山】** 图 ①산. ¶～に登る 산에
오르다. ②광산 ; 전하여, 요행을 바라
고 하는 모험·투기. ⇨～をあてる 노
다지를 찾아 내다 ; 전하여, (시험 따위
에서) 예상이 적중하다. ③산더미 ; 무
더기. ¶リンゴが一～百円 사과
가 한 무더기 백 엔 / ～の波ガ 산더
미 같은 파도. ④절정 ; 정점 ; 고비 ; 클
라이맥스. =とうげ. ¶話ガの～ 이야
기의 절정 / 今にも～が…だ 지금이 고
비다. ⑤쑥 솟은 부분. ¶～の高い帽
子っ 운두가 높은 모자 / タイヤの～
타이어의 뻐죽뻐죽한 부분. ⑥名詞 앞
에 붙어서》야생의 뜻을 나타내는 말. ¶
～いちご 산딸기. ―が見える (곤란
했던 일이) 대충 해결되어》 앞으로의 예
측[전망]이 서다. ―をかける ; ―を
張る 투기를[모험을] 하다 ; (시험·야
구 등에서) 이런 것이[이렇게] 나올 것
이라고 추측하다 ; 전하여, 요행수를 노
리다. ―を踏む 저지르다.

やまあい【山あい】【山間】 图 산간 ; 산
골짜기. =やまかい・谷間び. 「호적.

やまあらし【豪猪・山荒(ら)し】 图 【動】

やまあらし【山あらし】【山嵐】 图 산바
람 ; 산에서 부는 (불어 오는) 거센 바람.

やまい【病】 图 ①병. ¶～の床ガ 병석 /
～をおして出かける 병을 무릅쓰고
외출하다. ②나쁜 버릇 ; 고질. ¶人ツ
の物ガを取る―がある 남의 물건을 훔
치는 나쁜 버릇이 있다. ―(が)改まる
병세가 갑자기 악화되다. ―膏肓
ガに入る 병이 고황에 들다 ; 병이 고
치기 어렵게 되다. ―は気から 병은
마음먹기에 달렸다.

やまいぬ【山犬】 图 ①【動】 승냥이. =
にほんおおかみ. ②【山犬】야생의 개.
=里犬びが.

やまうば【山うば】【山姥】 图 깊은 산
에 살고 있다는 마귀 할멈 ; 귀녀(鬼
女). =やまんば.

やまおく【山奥】 图 산속 ; 깊은 산속.

やまおとこ【山男】 图 ①깊은 산속에 살
고 있다는 남자 괴물. ②산사나이. ㉠
산속에서 사는(일하는) 사나이. ㉡노
력꾼의 ～ 난폭한 산사내. ㉡노련한
등산가.

やまおろし【山おろし】【山颪】 图 내리
부는 산바람 ; 재넘이.

やまが【山家】 图 산가 ; 산속의 집. ¶
～育ちの 산골에서 자란 사람 ; 산골내기.

やまかがし【山棟蛇・赤棟蛇・赤楝蛇】
【動】율모기.

やまかげ【山陰】 图 산 그늘 ; 산 때문에
별이 안 드는 곳.

やまかじ【山火事】 图 산불.

やまがた【山形】 图 ①산과 같이 생긴
모양(의 것). ②활터의 과녁 뒤에 친
장막.

やまがつ【山賤】 图〈雅〉산속에서 사
는 천한 사람(나무꾼 따위) ; 또, 그런
사람이 사는 집. 「이.

やまがら【山雀】 图 【鳥】 산작새 ; 곤줄박

やまがり【山狩(り)】 图 ス自他 ①산에
서 사냥함. ②(산에 숨은 범인을 잡기
위해서) 산을 뒤짐.

やまかん【山勘】 图〈俗〉①사람을 속
이는 (사기꾼 같은) 행동 ; 또, 그런 사

람. ②어린 대중으로 요행수를 바람. =
あてずっぽう. ¶～があたる 요행수가
들어맞다.

やまかんむり【山冠】 -kammuri 图 한
자 부수(部首)의 하나: 메산밑(「崩·岸」
따위의 「屵」의 이름). =山偏읛.

やまき【山気】 图 투기적 모험심; 투기·
모험을 즐기는 기질. =やまぎ·やまけ·
山읇っ気읛. ¶～のある男읐 모험기가
있는 사나이.

やまぎわ【山際】 图 ①산 근처. ②〈雅〉
산의 능선. ¶～からさす朝日읛 능선
에서 비치는 아침 햇살. 「이름.

やまくじら【山鯨】 图 멧돼지 고기의 딴

やまくずれ【山崩れ】 图〈사태; 산
태(山汰).=山津波읐읛. 「로 입구.

やまぐち【山口】 图 산길의 어귀; 등산

やまぐに【山国】 图 산이 많은 지방; 산
간(山間) 지방.

やまけ【山気】 图 ☞やまき.

やまごぼう【山牛蒡】 -bō 图〈植〉자리
공.

やまごや【山小屋】 图 (등산자의 숙박·
휴게·피난 등을 위한) 산속의 오두막
집; 산막. =ヒュッテ.

やまざくら【山桜】 图 ①산에 피는 벚
나무. ②【やまざくら】〈植〉산벚나무.

やまさち【山幸】 ☞やまのさち.

やまざと【山里】 图 산속의 마을; 산골
마을. ◆人里읏.

やまし【山師】 图 ①광맥을 찾는 것을
직업으로 하는 사람. =かねほり. ②산
의 임목의 매매를 직업으로 하는 사람.
③투기·모험을 하는 사람. ④사기꾼.
=さぎ師. 「ち.

やまじ【山路】 图〈雅〉산길. ☞やまみ

やましーい【疚しい·疾しい】 -shī 형 꺼
림칙하다; 뒤가 켕기다; 양심의 가책을
느끼다. =後읐ろ暗읛い. ¶～ことはな
い 양심의 가책을 느낄 일은 없다. ◆
いきぎよ읛. 「山麓읐.

やますそ【山裾】(山裾) 图 산기슭.

やまたかぼうし【山高帽子】 -bōshi 图
중산(中山) 모자(운두가 높고 둥글며
예복용). =山高帽읛읛.

やまだし【山出し】 图 ①산에서 나옴;
산에서 나온 것. ¶～のままの材木읛
산판에서 갓나온 재목. ②도회지로 갓
나온 시골뜨기.

やまづたい【山伝い】 图 산을 타고 감.

やまつなみ【山津波】(山津浪·山海嘯)
图〈사태. =山崩읐れ.

やまて【山手】 图 ①산에 가까운 쪽; 산
쪽. ◆海手읏읐읛; 浜手읛읐. ②☞やまのて
①. ◆下町읐읛.

やまでら【山寺】 图 산사; 산 속에 있는
절.

やまと【大和】(倭·日本)□图〈雅〉①
옛 땅이름으로 지금의 奈良県읐읛. =和
州읛읛. ②일본의 딴이름. □接頭〈名
詞에 붙어서〉일본의 특유한 사물·제
작임을 나타내는 말. ¶～歌읛 和歌읛의
딴이름.

やまとえ【大和絵】(倭絵) 图 ①〈일본에
서의 유파(중국 唐읛 시대에서의 鎌倉읐읛
시대에 걸쳐 형성된 고전적 묘사 양식
으로 土佐읏읛派가 그 중심) 읃읉
うまよえ. ②일본의 사물이나 풍속을
그린 그림. ◆唐絵읐읛.

やまとことば【大和言葉】 图 ①일본

(고유의) 말. =和語읐읛. ◆漢語읛읛·外来
語읛읛읛읛. ②(주로 平安읛읛 시대의) 아어
(雅語). ③〈雅〉和歌읛.

やまとだましい【大和魂】 -shi 图 일본
민족의 고유한 정신; 일본 정신의 진수
(眞髓). ◆和魂읛읛.

やまとなでしこ【大和なでしこ】 图 ①
=やまとなでしこ. ②【植】「ナデシコ(=
패랭이꽃)」의 딴이름. =大和撫子읛. 일
본 여성의 미칭(美稱).

やまどり【山鳥】 图 ①산새. ②【やまど
り】【鳥】일본 특산종의 꿩(온몸이 적
갈색). 「☞やむ읛.

やまない【止まない·已まない】連體

やまなか【山中】 图 산속; 산속.

やまなみ【山並(み)】(山脈) 图 산이 줄
지어 있음; 산줄기; 연산(連山). =山脈.

やまなり【山鳴り】 图〈自〉(분화(噴
火) 따위로 인한) 산울림. ◆海鳴읏り.

やまねこ【山猫】 图 ①들이나 산에 사는
야생(野生)의 고양이. ☞やまねこ】
【動】살쾡이.

やまのいも【山の芋·薯蕷】 图〈植〉참
마. =山芋읛·自然薯읋읛.

やまのお【山の尾】 图 ①산기슭. =山읛
すそ. ②산등성이.

やまのさち【山の幸】 사냥해서 잡은
새·짐승 따위; 또, 산에서 채취한 나
물이나 열매. =山幸읛읛.

やまのて【山の手】 图 ①지대가 높은
곳; 또는, 그 곳에 있는 주택 지구(특
히, 東京읛읛의 文京읛읛区·新宿읛읛 구
(区) 근방 일대의 높은 지대를 이름).
◆下町읐읛. ②☞やまて①.

やまのは【山の端】 图〈雅〉능선; 산마

やまのぼり【山登り】 图〈自〉등산; 산
에 오름.

やまば【山場】 图 고비; 절정. =クライ
マックス. ¶いよいよ～を迎える 드
디어 클라이맥스에 접어들다.

やまはだ【山肌】 图 흙·바위가
노출되어 있는 산의 표면.

やまばと【山鳩】 图【鳥】산비둘기.
②호도애. =きじばと. 「こだま.

やまびこ【山彦】(山びこ·山彦) 图 메아리.

やまひだ【山ひだ】(山襞) 图 산의 능성이
나 골짜기의, 주름처럼 보이는 습곡
(褶曲); 산주름.

やまびらき【山開き】 图 ①해마다 일정
기간에 (산막(山幕) 등을 열어 등산자
를 맞이할 모든 준비를 갖추고) 일반
에게 등산을 허용하는 일. ◆海開읷읛き·
川開읛읛き. ②산을 깎아 길을 만듦.

やまぶき【山吹】 图 ①【やまぶき】【植】
황매화나무. ②山吹色읛읛읛의 준말. =
③금화(金貨). ──**いろ**【──色】읛 (황
색에 가까운) 황금색. =黄金色읛읛.

やまぶし【山伏】(し) 图 ①산야(山野)
에 노숙(露宿)함. ②산속에 숨어 지
냄(지내는 사람). ③修験者읛읛읛의 수
도자(修験者)(팔모 지팡이·소라 등을
갖고, 특정한 산에 올라가 수행함). =
修験者읛읛읛. ④산야에 기거하며 수행
(修行)하는 중. 「무릎.

やまぶどう【山葡萄】 -budō 图【植】왕

やまふところ【山懐】 图 산간의 움푹들
어간 곳. =やまふところ.

やまべ【山辺】 图 산 근처; 산이 있는
곳. ◆海辺읏읛.

やまへん【山偏】图 한자 부수(部首)의 하나: 메산변(「岐・峰」등의 「⻌」의 이름). ⇨山冠

やまぼうし【山帽子】-bōshi 图〔植〕산딸나무.

やまほど【山程】副 산(더미)만큼. ¶金かねなら～ある 돈이라면 산더미만큼〔얼마든지〕있다.

やままゆ【山繭】〔天蚕〕图〔蟲〕멧누에; 천잠(天蠶).

やまみち【山道】【山路】图 산길. =やまじ

やまめ【山女】图〔魚〕산천어(山川魚); 담수어로 자람 송어.「귀나무.

やまもも【山桃・楊梅】图〔植〕양매; 소

やまもり【山盛り】图 고봉으로 담음. ¶～のご飯はん 수북이 담은 밥「을 千円えん 고봉으로 담아서 천 엔.～すり切き切きり.

やまやき【山焼(き)】图 (초봄에 새싹이 잘 돋도록) 산의 마른 풀을 태움.

やまやま【山山】图 많은 산; 이산 저산; 산들. ¶～につつじの花はなが咲さく 이산 저산에 진달래 꽃이 피다.

やまやま【山山】副 (副詞적으로 쓴) 매우 많음. ¶～のほうびの品しな 산더미같이 많은 상품. ②간절함. ¶ほしいのは～だ 갖고 싶은 마음은 간절하다. ③한도를 다내.: 기껏; 고작. 는 넘지 ¶千円えんぐらいが～だ 천 엔 정도가 고작이다.

やまゆり【山百合】图〔植〕산나리.

やまわけ【山分(け)】图〔又他〕산대중으로〔절반씩 또는 인원수에 맞추어)〕똑같이 나눔; 무더기로 나눔. ¶もうけは～だ 이익은 절반씩이다.

*   **やみ**【闇・暗】图①어둠. ¶～にまぎれて逃にげる 어둠을 틈타 도망치다／一すんさきは～の世よ 한 치 앞도 모르는 세상이다. ②사려(思慮)・분별이 없는 상태. ¶恋こいゆえの～に迷まよう 사랑 때문에 분별(이성)을 잃고 갈팡질팡하다. ③어떤(품). =やみ市場いちば. ¶米こめを～で買かう 쌀을 암거래로 사다. ④〔やみ相場ば〕(=暗やみ市場)의 준말.

―から―に葬ほうむる 어둠속에 묻어 버리다〔쉬쉬해 버리다〕.

やみあがり【病み上がり】图 병이 나아 얼마 되지 않은 상태; 또, 그 사람.＝病気びょうき上がり.

やみいち【やみ市】【闇市】图 암시장.

やみうち【やみ討ち】【闇討ち】图①어둠을 타서 사람을 불시에 습격함; 암살. ②기습(으로 남을 놀라게 함). ＝不意ふいを打うつ. ¶人ひとを～にする 남을 불시에 습격하다; 기습을 가하다.

やみくも【闇雲】〔ダ〕图〈俗〉마구(함부로, 아무렇게나, 되는 대로, 닥치는 대로) 하는 모양. ¶～にどなり散ちらす 마구 고함을 지르다. ②불쑥(갑자기) 하는 모양. ¶そんな事こと～に言いい出だされては困こまる 그런 말을 불쑥 꺼내면 곤란하다.

やみじ【やみ路】【闇路】图①〈雅〉어두운 밤길; 비유적으로, 사려 분별 없는 상태. ¶冥土; 황천길. ＝冥土めいど.

やみつき【病みつき】【病み付き】图①(나쁜) 버릇이 들어서〔열중하여〕 고칠 수 없게 됨; 고질이 됨. ¶くちがかーになる 도박에 고질이 되다. ②병듦.

やみとりひき【やみ取引】【闇取引】

ズ他①암거래; 뒷거래. ¶米こめの～をする 쌀의 암거래를 하다. ②〔商〕시장이 휴업하는 날에 이루어지는 매매.

やみながし【やみ流し】【闇流し】图 **ズ他** 물자를 암거래로 파는 일.

やみね【やみ値】【闇値】图 암시세; 암거래의 값. ＝やみ相場ば.

やみや【やみ屋】【闇屋】图 암거래상; 암거래꾼.

やみよ【やみ夜】【闇夜】图 암야; 깜깜한 밤. ＝暗夜あんや. ↔月夜づき. **一に(の)鉄砲てっぽう** ; **一のつぶて** 깜깜한 밤에 쏘는 총〔목표가 없음〕.①목표가 없음. ②맞힐 줄 모름. ③효력이 없음. ④함부로 행동함.

*   **やむ**【止む・已む・罷む】〔5自〕①멈추다. ¶雨あめが～ 비가 그치다. ⓑ그치다. 일이 중단되다. ¶～ことなく発展はってんする 끊임없이 발전하다. ⓒ…してやまないの형으로〕…해 마지 않다(강조하다). ¶…(こと)を期待きたいして～まない …(것)을 기대해 마지 않다.

やむ【病む】〔5自他〕①병들다; 앓다. ¶肺はいを～ 폐를 앓다. ②걱정〔괴로워〕하다. ¶…を気きに～ …을 몹시 걱정하다.

やむ-ない【已む無い】形 부득이하다; 할 수 없다. ¶～事情じじょうにより欠勤けっきんした 부득이한 사정으로 인하여 결석했다.

やむなく【已む無く】副 부득이. ¶～あきらめる 부득이 단념하다.

やむにやまれず【止むに止まれず】《副詞적으로》만부득이해서; 어쩔 수 없어, ¶～けんかを買かって出でる 어쩔 수 없이 싸움을 맡고 나서다.

やむにやまれぬ【止むに止まれぬ】連語 만부득이한; 어쩔 수 없는. ¶～事情じじょう 만부득이한 사정.

やむをえず【已むを得ず】連語 할 수 없이; 어쩔 수 없이. ¶～引ひき受うける 할 수 없이 떠맡다.

やむをえない【やむを得ない】【已むを得ない】連語 할 수 없다; 어쩔 수 없다; 부득이하다. ¶～事情じじょう 부득이한 사정.

やめ【止め・已め・罷め】图 그만둠; 중지. ¶～にした 그만두기로 했다.

*   **やめる**【止める・已める】〔下1他〕그만두다; 중지하다; 끊다. ＝とりやめる. ¶話はなしの／이야기를 중지하다／酒さけを～ 술을 끊다／学校がっこうを～ 학교를 그만두다.

やめる【辞める】【罷める】〔下1他〕(관직 따위를) 그만두다; 사직하다. ¶会社かいしゃを～ 회사를 그만두다.

やめる【病める】【痛める】〔下1自〕①아프다. ¶後腹あとばらが～ 뒷배가 아프다. ②괴로워하다. ¶気きが～ 걱정이 되다.

やもう【夜盲】-mō 图 야맹; 밤소경. ＝鳥目とりめ. ¶～症しょう 야맹증.

やもめ【寡・寡婦・孀】图 과부; 미망인. ＝後家ごけ・未亡人みぼうじん.

やもめ【寡夫・寡男・鰥夫・鰥】图 홀아비. ＝やもお・男やもめ・やもめ.「뱀붙이.

やもり【守宮・壁虎】图〔動〕수궁; 도마

*   **やや**【稍・漸・良・稍稍】副 약간; 얼마

쯤;좀. ¶~寒ぅい 약간 춥다 /~あっ
て 좀 지나서;얼마쯤 있다가.

ややこし-い ─**shi** 形 복잡해서 알기 어
렵다;까다롭다. ¶~問題ぁも 복잡하고
까다로운 문제.

ややもすれば【動もすれば】副 자칫하
면;까딱하면. =ややともすれば·ややと
もすると·ともすれば. ¶夏げは~睡眠
不足ょゞになりがちだ 여름에는 자칫
하면 수면 부족이 되기 쉽다.

やゆ【揶揄】名 ス他 야유함;놀림.

やよい【彌生·弥生】名〈雅〉음력 3월.
──しき【──式】約 약 2천 년 전 일
본의 문화 양식(벼농사를 짓고 금속을
사용하였으며, 질그릇을 만들었음).

やら 一【終助】불확실한 상상을 나타내는
말;…지;…인지. ¶どうしたの~
어떻게 되었는지. 二【副助】①[부정(不
定)을 나타내는 말과 함께 써서] 불확
실한 기분으로 말할 때 씀;…인가. ¶
何んと言ぅっている 무엇인지 말하려고 있
다/來くるの~來ないの~はっきり
しない 올 것인지 안 올 것인지 확실
치 않다. ②열거할 때에 씀;…와[과]
…와[과]; …(이)며 …(이)며. ¶なし
~栗~ 배랑 밤이랑 /泣なく~笑らう
~ 울다 웃다;울다가 웃다.

やらい【夜来】名 어젯밤 이후 (쪽 계
속해서 지금까지); 밤사이. ¶~の雨
ぁ 밤새 내린 비. ↔朝来どゞ.

やらい【矢来】名 대나무 따위를 성기
게 얽어서 임시로 두른 울짱. ¶竹だ~
대나무 울짱.

やらか-す 5他〈俗〉하다;저지르다. =
する·やる·しでかす. ¶大失敗だぃゝを
~ 큰 실수를 저지르다.

やら-せる【遣らせる】下1他 시키다;
하게 하다. =させる·やらす.

やら-れる【遣られる】下1自 ①당하
다. ⑦속다. ¶とうとう~れた 결국
당했다. ⓛ얻어맞다. ¶不良ゝ~に
깡패한테 얻어맞다. ⓒ殺ころされる 살해
되다;상처를 입다. ②지다;패배하다.
②(병에) 걸리다. ¶流感ゝ~に 독감
에 걸리다.

やり【槍·鎗·鑓】名 ①창. ¶~先き 창
끝 /~をしごく 창을 바싹口어 잡아당
기다. ②창술(槍術). ③일본 장기에서
「香車よゞ」를 일컬음. ¶が降ふっても
창이 빗발처럼 날아 오더라도(무슨 일
을 당하여도).

やりあ-う【やり合う】遣り合う】5自
①서로 다투다. ¶販売競争はゝゝを~
다투어 판매 경쟁을 하다. ②말다툼하다.
¶議会ゞゞで両党첄ゞゞ~が 의회에서
양당수가 언쟁하다.

やりかえ-す【やり返す】遣り返す】
5他 ①다시 하다;고쳐 하다. =し直
なゞす. ②되받아 욕박지르다;반박하다.
¶非難なゞされて~ 비난을 받고 (되받
아) 반박하다.

***やりかた**【やり方】遣り方】名 하는 방
식(태도);처사;짓. ¶~がまずい 하
는 (방)식이 서툴다.

***やりきれな-い**【遣り切れない】連語 ①
해낼 수가 없다;끝까지 할 수 없다. ¶
一時間じゝゝでは~仕事ゝゝ 한 시간에는
는 해낼 수 없는 일. ②딱 질색이다.
~ 견디겠다;참을 수 없다. =かなわな

い. ¶こう暑らっくては~ 이렇게 더워서
는 못 해먹겠다.

やりくち【やり口】遣り口】名〈俗〉
(하는) 방식·방법;수법. =やり方だ·
仕方なゞ. ¶きたない~ 더러운[치사스
러운] 수법.

やりくり【遣り繰り】名 ス他 주변;변
통. ¶~がうまい 변통을 잘한다 /イ
ンフレで家計だゞの~がつかない 인플
레로 가계를 꾸려 나갈 수가 없다.

やりこな-す【遣り熟す】5他 (어려운
일 따위를) 적절히 해내다. ¶りっぱ
に~ 훌륭히 해내다.

***やりこ-める**【遣り込める】下1他 (말
로 상대방을) 꼼짝 못 하게 해내다;
끽소리도 못 하게 하다. ¶先生ゞゞを
~ 선생을 끽소리도 못 하게 하다.

やりすご-す【やり過(ご)す】遣り過
(ご)す】5他 ①(뒤에서 온 것을 자기
보다) 앞에 통과시키다. ¶~・してす
とをつける 앞서 가게 해놓고 뒤를 밟
다. ②지나치게 하다;과도하게 하
다. =し過すぎる·やり過すぎる.

やりそこな-う【やり損なう】5他 잘못
하다;실수하다;실패하다. =しそこな
う. ¶手術だゞを~ 수술을 잘못하다.

やりだま【やり玉】槍玉】名 ①창을 공
다루듯이 잘 다룸. ②사람을 창끝으로
찌름. ③(비난이나 공격·희생의) 대
상. 一に上あげる ①창으로 찔러 죽이
다. ②(특히, 공격·비난의 목표를 골
라) 해치우다.

やりっぱなし【遣りっ放し】yarippa-
名 (뒤처리를 하지 않고) 내버려둠;방
치(放置)함.

やりて【やり手】遣り手】名 ①수완가;
민완가. ¶なかなかの~ 상당한 수완
가. ②일을 할 사람. ¶危険だゞなので
~がいない 위험해서 할 사람이 없다.
③(물건을) 줄 사람. ¶もらい手こゞはあ
るが~がいない 받을 사람은 있는데 줄
사람이 없다. =やらい手こゞ.

やりど【やり戸】遣り戸】名 미닫이. =
引ひき戸ど. ↔開あき戸ど.

やりと-げる【やり遂げる】遣り遂げ
る】下1他 완수하다;끝까지 해내다.
(최종 목적을) 실현하다. =し遂とげる.

やりとり【やり取り】遣り取り】名
ス他 주고받음;교환됨. ¶杯さゞゞの~
─ 권커니 작커니 함 /手紙がゞの~ 편지
왕래.

***やりなお-す**【やり直す】遣り直す】
5他 다시 하다;고쳐 하다. ¶試験けゞゞ
を~ 시험을 다시 치다.

やりなげ【やり投げ】槍投げ】名 (육상
경기의) 창던지기;투창(投槍).

やりば【やり場】遣り場】名 가지고 갈
곳;둘 자리. ¶目めの~に困るゞ 눈물
이 없어 낸찍하다.

やりみず【遣り水】名 ①정원의 초목 따
위에 물을 줌. ②(寢殿造ゞゞゞゞゞゞん에서)
뜰에 물을 끌어 흐르도록 한 것.

***や-る**【遣る】5他 ①보내다. ⑦다니게
하다. ¶行ゝかせる. ⓑ大學だゞへ~ 대
학에 보내다. ⓛ(먼데로) 보내다 /또,
파견하다. ¶使つかいを~ 심부름꾼을 보
내다 /一人娘むすめを嫁よめに~ 외동딸을
시집 보내다. ⓒ두다;치우다. ¶ここ
に置おいてあった本ゝゞをどこへ~った

か 여기 있던 책을 어디에 두었나. ②주다. ㉠무엇을 주다. =与える・くれる. ¶お金を~ 돈을 주다 / 花瓶に水を~ 화초에 물을 주다. ↔もらう. ㉡(시선 따위를) ~ 차박으로 눈을 돌리다(주다). ③하다. ㉠(어떤 행위·무엇인가를) 하다. ¶へまを~ 실수를〔바보짓을〕하다 / ~だけ・ってみよう 할 수 있는 데까지 해보자. ㉡(술을) 마시다; 먹다; 피우다. ¶一杯~ 한잔하다. ㉢직업으로 삼다; 경영하다. ¶父は医者を~っている 아버지는 의사를 하고 있다. ㉣연기·상연하다. ¶芝居를 ~ 연극을 하다. ¶(모임 따위를) 열다; 개최하다. ¶クラス会を ~ 학급회를 열다. ④(울적한 기분을) 풀다. ¶気を~ 기분을 달래다. ⑤생활하다; (이력저력) 꾸려나가다. ¶物価高で~っていけない 물가고로 생활은 꾸려나갈 수가 없다. ⑥《動詞連用形+助詞「て」를 받아서》 ㉠(남을 위해 또는 해치기 위해) …해 주다. ¶書いて〔読んで〕~ 써〔읽어〕주다 / なぐって~ろうか 때려 줄까. ㉡여봐란 듯이 해보이다. ¶死んで~から (두고 봐라) 죽어줄〔보일〕 테니까 / 一番偉くなって~ 첫째가 되겠다. ⑦뜻을 세게 하는 데 쓴다. ¶寝も~らず 자지도 않고(서). ⑧《動詞의 連用形에 붙어서》 그 동작의 완료를 나타내는 말: …했다. ¶晴れ~らぬ空を 싹 개지 않는 하늘.

やるかたない【遣る方ない】[連語] 마음을 풀길이 없다.

やるき【遣る気】[名] (…을) 할 마음; 하고 싶은 기분.

やることなすこと【遣る事為す事】[連語] '하는 일(=하는 일)'의 힘줌말. ¶~失敗ばかりする 하는 일마다 실패다.

やるせない【遣る瀬ない】[連語] 기분을 풀 길이 없다; 안타깝다; 시름없다; 쓸쓸〔처량〕하다. =せつない. ¶~思い 안타까운 심정.

やれ [感] ①やれやれ. ②늘어 놓을 때 하는 말: 이번에는…. ¶~映画だ、~芝居だと遊び回る 이번에는 영화다, 또 이번에는 연극이다 하면서 놀아다님.

やれやれ [感] ①매우 감동하여 내는 소리. ¶~かわいそうに 에그 가엾게도. ②안도하거나 실망 또는 피로했을 때 내는 소리: 아이고 맙소사. ¶~まただめか 아이고 또 틀렸나.

やろう【野郎】-rō [名]〈俗〉①남자를 욕

할 때 쓰는 말: 놈; 자식; 새끼. ¶ばか~ 바보 자식 / ~どものしわざだ 놈들의 짓이다 / ~、逃がすな그 놈 놓치지 마라. ↔女郎. ②젊은 남자.

やわ【夜話】[名] 야화. ¶文学~ 문학 야화.

やわら【柔ら】[名] '柔道(=유도)・柔術(=유술)'의 구칭.

*やわらか【柔らか】[ダナ] 부드러운 모양. ①무른〔몰랑한〕 모양. ¶~な御飯 잘 퍼진 밥. ②폭신한 모양. ¶~なふとん 폭신한 이불. ③유연한 모양. ¶~な가혹하지 않은 모양; 온화(온순)한 모양. ¶~な態度で 부드러운 태도 / 事を~に運ぶ 일을 원만하게 처리하다. ¶「연한」 모양. ~に 딱딱하지 않은.

*やわらか【軟らか】[ダナ] 딱딱하지 않은.

やわらか-い【柔らかい】[形] 몰랑하다; 부드럽다; 포근하다. ¶~もち 몰랑한 떡 / ~土 부드러운 흙 / ~ふとん 포근한 이불. ↔堅い.

やわらか-い【軟らかい】[形] ①딱딱하지 않다; 연하다. ¶~話 딱딱하지 않은〔외설스러운〕 이야기. ②硬い. ~온화〔온건〕하다; 숙부드럽다; 유순하다. ¶~態度で 숙부드러운 태도. ↔かたい.

*やわら-ぐ【和らぐ】[自五] 누그러지다; 눅지다; 풀리다; 온화해지다; 조용〔잔잔〕해지다. ¶寒さが~ 추위가 풀리다 / 気分が~ 기분이 가라앉다 / 波が~ 물결이 잔잔해지다 / 痛みが~ 통증이 누그러지다. ②부드러워지다; 완화되다. ¶態度が~ 태도가 누그러지다. ¶しこりが~ 응어리가 풀리다.

*やわら-げる【和らげる】[下一] 부드럽게 하다; 진정시키다; 완화시키다. ¶声を~ 소리를 부드럽게 하다 / 取り締まりを~ 단속을 완화하다.

ヤンキー [名]〈俗〉양키; 미국 사람. [미 Yankee.

やんちゃ -cha [名]〈俗〉(어린아이가) 응석을 부림; 떼를 씀; 또, 그런 아이. =わがまま. ¶~坊主 (~な子) 응석꾸러기. ②장난. =いたずら.

やんま【蜻蜓】yamma [名]〔蟲〕왕잠자리.

やんや [感] 칭찬하는 소리; 갈채. ¶~の喝采を우리들과 같은 갈채.

やんわり [副] 부드럽게; 온화하게; 살며시. ¶~と非難する 부드럽게 〔완곡하게〕 비난하다 / ~と押さえる 살며시 누르다 / ~注意する 넌지시 주의를 줌.

ゆ ユ

①五十音図の 'や行'의 셋째 음. [yu] ②〔字源〕由의 초서체(かたかな 'ユ'는 '由'의 생략).

*ゆ【湯】[名] ①뜨거운 물. ㉠목욕물; 데운 물. ¶~加減 (목욕)물의 뜨거운 정도 / ぬるま~ 미지근한 (목욕)물 / ~をわかす (목욕)물을 데우다. ㉡온천(물). ¶~の町 온천 고장. ②목욕함; 또, (대중) 목욕탕. ¶女~ 여

탕(女湯) / ~に行く 목욕탕에 목욕하러 가다.

ゆあか【湯垢】[名] (주전자·욕조(浴槽) 따위의 안에 끼는) 물때.

ゆあがり【湯上(が)り】[名] ①목욕을 막 치고 나옴; 또, 그 때. ②목욕 후 입

는 홑옷 또는 몸을 닦는 커다란 타월.

ゆあつしき【油圧式】图 유압식.

ゆあみ【湯浴み】图 ㅈ自《雅》목욕. ＝入浴セュ。

ゆいいつ【唯一】图 유일. ＝ゆいつ. ¶～神ネ 유일신. ／～無二セン 유일 무이.

ゆいがどくそん【唯我独尊】图 유아 독존. ¶天上天下ェンヘ～ 천상 천하 유아 독존.

***ゆいごん**【遺言】图 ㅈ他 유언. ＝いごん. ¶～状ジ゚ 유언장.

***ゆいしょ**【由緒】-sho 图 유서；유래；내력. ＝いわれ・来歴ネキ. ¶～をたずねる 유래를 더듬다 ／～ある家柄ネタ 유서 있는 집안；내력 있는 집안／この松ネ゚には～がある 이 소나무에는 내력이〔역사가〕 있다.

ゆいしん【唯心】图 ①유심；마음만이 참존재라고 생각함. ↔唯物セッ. ②〔佛〕일체의 사물은 마음의 표현이므로 그 본체인 마음이 소중하다는 대승(大乘) 불교의 사고 방식. ――ろん【――論】图〔哲〕유심론. ↔唯物論ブッ。

ゆいのう【結納】-nō 图 약혼의 증거로 예물을 교환하는 일；또, 그 물건；납폐(納幣)；납채(納采). ¶～をとりかわす 약혼 예물을 교환하다.

ゆいび【唯美】图 유미. ¶～的ネ 유미적. ／～主義ネ゚ 유미 주의.

ゆいぶつ【唯物】图 유물. ¶～史観カン 유물 사관. ↔唯心シッ. ――てき【――的】ダナ 유물적；이익만을 추구하는 모양. ＝打算的タッニ ¶～三等重役ネゥャッニの～態度ネ゙に閉口クセʊする 평사원 출신 중역의 타산적인 태도에 질리다. ――ろん【――論】图〔哲〕유물론. ↔唯心論シッ。

ゆいしん【結い目】图 매듭；맨 곳.

***ゆ-う**【結う】匚5他〕 매다；묶다；엮다；특히, 머리를 땋다. ¶髮ネ゙を～ 머리를 땋다／垣根ネ゙を～ 울타리를 엮다.

ゆ-う【言う】匚5自他〕☞いう.

ゆう【夕】图《雅》저녁. ＝夕方ネタ. ¶朝ネには～に 아침 저녁으로. ↔朝ネ。

ゆう【尤】图《흔히～なる의 꼴로》매우 뛰어남. ――なるもの 가장 뛰어난 것.

ゆう【優】yū 图 우(좋은 성적을 나타내는 말). ¶～をとる 우를 받다.

ゆう【勇】yū 图 ①용기. ¶～を奮ネう 용기를 내다. ②호용(豪勇). ¶～をもって鳴ネる 호용으로써 이름을 떨치다. ――を鼓ネ゚す 용기를 내다.

ゆう【友】yū 图 ①벗；동무；친구. ②우정；우애. ¶兄弟ネ゙に～に 형제간에 우애 있게.

ゆう【有】yū 囗图 ①유；존재. ¶無ネより～を生ネ゙ずる 무에서 유를 낳다. ↔無ネ. ②소유. ¶A氏ネ゙の～に帰ネす A씨의 소유로 돌아가다. 囗他 또, 또한. ¶十ネゥ五年ネ 십유 오년. ――資格者ネ゙゚ 유자격자. 囗〔接頭〕有…；…이 있는；…을 가지고 있는.

ゆう【雄】yū 图 영웅；결출한 유력자. ¶戦国ゴク の～ 전국의 영웅／斯界シの～ 사계의 유력자.

ゆうあい【友愛】yū- 图 우애；우의(友誼). ＝友情ネ゙。¶～の情ネ゙ 우애의 정／～精神ネ 우애 정신.

ゆうい【優位】yūi 图 우위. ¶～に立

つ 우위에 서다. ↔劣位ネ。

ゆうい【有意】图 유의. ①생각이〔속셈이〕있음. ②뜻이 있음；유의의(有意義).

ゆうい【有為】yūi 图ネ 유위；재능이〔쓸모가〕있음.

***ゆうぎ**【有意義】yū- 图 ダナ 유의의；값어치가 있음. ¶～な人生ネ゙ 의의 있는 인생. ↔無意義ネ。

ゆういん【誘因】图 유인；어떤 작용을 일으키는 원인. ＝도움임.

ゆういん【誘引】图 ㅈ他 유인；끌어당김.

***ゆううつ**【憂鬱】yū- 图 ダナ 우울. ¶～症ネ゙ 우울증. ／～な気分ネ 우울한 기분／～な空ネ 찌무룩한 하늘.

ゆうえい【游泳・游泳】yū- 图 ㅈ自 ①유영；헤엄침. ＝水泳ネ。¶宇宙ネゥ 우주 유영. ②처세. ＝世わたり. ¶～術ネ゚ 처세술.

***ゆうえき**【有益】yū- 图 ダナ 유익. ¶夏休ネタみを～に過ネ゙ごす 여름 방학을 유익하게 보내다. ↔無益ネ。

ユーエスエー【USA】图 유 에스 에이；아메리카 합중국(合衆國)；미국. ＝米国ネ゙。▷United States of America.

ゆうえつ【優越】yū- 图 ㅈ自 우월. ¶～性ネ゙ 우월성. ――かん【――感】图 우월감. ↔劣等感ネ゙ッ。

ゆうえん【幽遠】yū- 图 ダナ 유원；그윽함.

ゆうえんち【遊園地】yū- 图 유원지.

ゆうが【優雅】yū- 图 ダナ 우아. ¶～な文体ネ゙ 우아한 문체.

ゆうかい【融解】yū- 图 ㅈ自他 용해. ¶～点ゲ〔熱ネ゙〕〔理〕용해점〔열〕. ↔凝固セッ。

***ゆうかい**【誘拐】yū- 图 ㅈ他 유괴. ¶～事件ネ 유괴 사건.

***ゆうがい**【有害】yū- 图ネ 유해. ¶～添加物ネ゙ッ 유해 첨가물 ／～無益ネ゙であ る 유해 무익하다. ↔無害ネ。

ゆうがい【有蓋】yū- 图 유개. ¶～貨車ネ゙ 유개 화차. ↔無蓋ネ。¶～車ベ①.

ゆうがお【夕顔】yū- 图〔植〕박. ⇨ふく

ゆうかく【遊郭・遊廓】yū- 图 유곽. ＝色里ネ゙゚；くるわ・遊里ネ゚。

ゆうがく【遊学】yū- 图 ㅈ自 유학；외지・외국에 가서 공부함.

ゆうかげ【夕影】yū- 图《雅》석양；저녁 햇빛. ¶～に映ネ゙える山々ネ゙ 석양에 빛나는 산들. ②석양에 빛나는 모습.

ゆうかしょうけん【有価証券】yūkashō- 图 유가 증권. ¶～風ネ゙。

ゆうがた【夕方】yū- 图 저녁때；해질 녘. ＝夕刻ネ゙。↔朝方ネ゙。

***ゆうがとう**【誘蛾灯・誘蛾燈】yūgatō 图 유아등.

ユーカラ 图 유카르；아이누족(族) 사이에 구두로 전해 내려오는 장편 서사시. ▷아이누 Yukar.

ユーカリ 图〔植〕유칼리. ▷eucalyptus.

***ゆうかん**【夕刊】yū- 图 석간. ↔朝刊ネ゙。¶～「심.ニ痛ネ゙。

ゆうかん【憂患】yū- 图 우환；걱정；근심.

ゆうかん【遊閑】yū- 图 유한. ¶～マ ム 유한 마담.

***ゆうかん**【勇敢】yū- ダナ 용감. ¶～な兵士ネ゙ 용감한 병사. ↔おくびょう.

ゆうかんち【遊閑地】yū- 图 공한지. ＝休閑地ネ゙ッ。

ゆ

**ゆうき【勇気】yū- 图 용기. ¶～百倍
ばい 용기 백배／～のある 용기가 있
는／～をそぐ(くじく) 용기를 꺾다.

ゆうき【有期】yū- 图 유기. ⇔無期.

ゆうき【有機】yū- 图 유기. ¶～肥料
ひ 유기 비료；동·식물질로 된 비료.
⇔無機. ──かがく【──化学】
〖化〗유기 화학. ⇔無機化学. ──か
ごうぶつ【──化合物】-kagōbutsu
〖化〗유기 화합물. ⇔無機化合物. ──
たい【──体】 유기체. ──てき
【──的】〖ダナ〗유기적. ──ぶつ【──物
图 ①유기물. ②有機化合物ごう'의 준
말. ⇔無機物.

ゆうぎ【友誼】yū- 图 우의. =友情じょう.
¶～を結ぶ 우의를 맺다.

*ゆうぎ【遊戯】yū- 图ス自 유희. ──て
き──の時間 유희 시간. =遊びじ. ──て
き【──的】〖ダナ〗유희적；장난삼아 하는
모양.

*ゆうぎ【遊技】yū- 图 유기；오락으로서
행하는 기술(기법). ¶～場じょう 유기장.

ゆうきゅう【悠久】yūkyū 图 유구；영
구. =永久えい. ⇔永遠えん.

ゆうきゅう【有給】yūkyū 图 유급. ¶
～休暇きゅう 유급 휴가. ⇔無給.

ゆうきゅう【遊休】yūkyū 图 유휴. ¶
～物資しゃ【資本】 유휴 물자(자본).

ゆうきょう【遊興】yūkyō 图ス自 유
흥. ¶～飲食税いんしょく／～費 유흥
음식세／～費 유흥비.

ゆうぎり【夕霧】yū- 图 저녁 안개.

ゆうぎん【遊吟】yū- 图ス自 여기저기
거닐면서 시가를 읊음.

ゆうぐう【優遇】yūgū 图ス他 우우；우
대(優待). ⇔冷遇れい.

ゆうぐれ【夕暮(れ)】yū- 图 황혼；해질
녘. =たそがれ·日ひぐれ. ¶～どき 황
혼 때；해질녘. ⇔明あけ方がた.

ゆうぐん【友軍】yū- 图 우군；자기 편
의 군대. ⇔敵軍てきぐん.

ゆうげ【夕げ】(夕餉·夕食)yū- 图 〈雅〉
저녁 식사；저녁밥. =夕食じき·夕飯めし.

ゆうけい【有形】yū- 图 유형. ⇔無形
むけい. ──ざいさん【──財産】图 유형 재
산；유형 재산；財産.

ゆうげい【遊芸】yū- 图 유예；취미로
하는 예능(謠曲きょく·茶道どう·茶の湯
·꽃꽂이·춤·三味線しゃみせん 따위).

ゆうげき【遊撃】yū- 图ス他 유격. ¶
～隊たい 유격대. ②【野】유격수. ──せ
ん【──戦】图 유격전. =ゲリラ戦せん.

ゆうげしき【夕景色】yū- 图 저녁 경치.

ゆうげん【幽玄】yū- 图ダナ 유현；그윽
함. ¶～な境地ち 유현한 경지.

ゆうげん【有限】yū- 图ダナ 유한. ¶
～会社がい【責任にん】유한 회사(책임)／
～花序じょ【植】유한 꽃차례.

ゆうけんしゃ【有権者】yūkensha 图 유
권자.

ゆうこう【友好】yūkō 图 우호. ¶～関
係けい 우호 관계. ──的てき 우호적.

ゆうこう【有功】yūkō 图 유공. ¶～者
しゃ 유공자.

*ゆうこう【有効】yūkō 图ダナ 유효. ¶
～成分ぶん 유효 성분／金かねを～に費や
す 돈을 유효하게 쓰다. ⇔無効むこう.

ゆうごう【融合】yūgō 图ス自 융합. ¶
核かく 핵융합.

ゆうこく【夕刻】yū- 图 〈老〉 저녁때；
저녁 무렵. =夕方がた.

ゆうこく【憂国】yū- 图 우국. ¶～の
士し 우국 지사.

ゆうごはん【夕御飯】yū- 图 저녁 밥. =
夕飯めし.

ゆうこん【雄渾】yū- 图ダナ 웅혼. ¶～な
筆跡せき 웅혼한 필적.

ゆうざい【有罪】yū- 图 유죄. ¶～判
決けつ 유죄 판결. ⇔無罪ざい.

ゆうさん【有産】yū- 图 유산. =金持
もち. ⇔無産さん. ──かいきゅう【──
階級】-kyū 图 유산 계급. =ブルジョア
ジー. ⇔無産階級むさんかいきゅう.

ゆうし【勇士】yū- 图 용사. ¶白衣いの
～ 백의의 용사('傷夷軍人しょういぐんじん
=상이 군인)'의 딴이름). ──し…省.

ゆうし【勇姿】yū- 图 용자；씩씩한 모

ゆうし【雄姿】yū- 图 웅자. ¶富士山
ふじが雲もの上うえに～を現わすがた 富士山이
구름 위에 웅자를 나타낸다.

ゆうし【雄志】yū- 图 웅지；큰 뜻.

ゆうし【有史】yū- 图 유사. ¶～以来
らい 유사 이래／～時代だい 유사 시대；
역사 시대.

ゆうし【有志】yū- 图 유지. ¶～をつ
のる 유지를 모으다.

ゆうし【融資】yū- 图ス自 융자. ¶
～を受うける 융자를 받다.

ゆうじ【有事】yū- 图 유사. ¶一朝
ちょう～の際さいに 일조 유사시에／～に備
そなえる 유사시에 대비하다. ⇔無事じ.

ゆうしき【有識】yū- 图 ①유식. ¶～者
しゃ 유식자. ②고사(故事)·전례(典禮)
를 잘 앎；또는, 그러한 사람. ⇔有職じ.

ゆうしゃ【勇者】yūsha 图 용자；용사.

ゆうしゃ【優者】yūsha 图 ①우수한 사
람. ②우승한 사람；승자(勝者).

ゆうじゃく【幽寂】yūja- 图ダナ 유적；그
윽하고 고요함.

*ゆうしゅう【優秀】yūshū 图ダナ 우수. ¶
～性せい 우수성／～な技術じゅつ 우수한 기
술. ⇔劣悪れつ.

ゆうしゅう【幽愁】yūshū 图 유수；깊은

ゆうしゅう【憂愁】yūshū 图 우수. ¶
～に閉とざされる 우수에 잠기다.

ゆうしゅう【有終】yūshū 图 유종. ¶
～の美び 유종의 미.

ゆうじゅう【優柔】yūjū 图 ①우유；결
단력이 적음. ──ふだん【──不断】
图 우유 부단. ¶～な政策さく 우유 부
단한 정책.

ゆうじょ【遊女】yūjo 图 ①옛
날에 역참(驛站)이나 유곽에 있던 창
녀(娼女). ¶～に身みを落おとす 논다니
〔창녀〕로 전락하다. ②중세의 芸者げい.
=白拍子しらびょうし.

*ゆうしょう【優勝】yūshō 图ス自 우승. ¶
～盃はい 우승배／～旗き 우승기. ──れ
っぱい【──劣敗】-reppai 图 우승 열
패. =生存競争きょう 適者生存てき.

ゆうしょう【勇将】yūshō 图 용장. ──の
下もとに弱卒じゃく弱卒なし 용장 밑에 약졸 없
다.

ゆうじょう【有償】yūshō 图 유상. ⇔無
償しょう.

*ゆうじょう【有情】yūjō 图 유정. =う
じょう①.

ゆうじょう【友情】yūjō 图 우정. ¶
～に厚あつい男おとこ 우정이 두터운 남자.

ゆうしょく【憂色】yūsho- 图 우색；근

심하는 기색. ¶顔に~をたたえる 얼굴에 근심하는 빛을 떠다. ↔喜色な.

ゆうしょく【有色】yūsho- 图 유색. ↔無色な. ──**じんしゅ**【──人種】-shu 图 유색 인종. ↔白色人種など. ──**やさい**【─野菜】 图 유색 야채(빛깔이 짙고 비타민이 많은 채소; 홍당무·토마토·호박 따위).

***ゆうしょく**【夕食】yūsho- 图 저녁밥; 저녁 식사. ⇒朝食など.

ゆうしん【雄心】yū- 图 웅심; 씩씩한 마음.

***ゆうじん**【友人】yū- 图 우인; 친구. =友だち(達な). ¶~とつき合ら 친구와 어울리다.

ゆうじん【有人】yū- 图 유인. ¶~宇宙船なせ 유인 우주선. ↔無人な.

ゆうずい【雄ずい(雄蕊)】yū- 图【植】 웅예; 수술. おしべ. ↔雌蕊な.

ゆうすう【有数】yūsū 名ノ 유수; 굴지(屈指). ¶全国なでも~の大工場たき 전국에도 유수한 큰 공장.

ゆうずう【融通】yūzū スㅎ 융통. ¶~性な 융통성 / ~がきく 융통성이 있다 / 金な を~する 돈을 융통하다.

ゆうすずみ【夕涼み】yū- 图 저녁 (의) 납량(納涼). ¶~をする (시원한) 저녁 바람을 쐬다.

ユース ホステル 图 유스 호스텔(청소년을 위한 간편한 숙박 시설). ▷ youth hostel.

ゆう-する【有する】yū- サ変他 가지다; 소유하다. ¶権利なを~ 권리를 갖다.

ゆうせい【優勢】yū- 名ノ 우세. ¶~に試合なを運ぶ 우세하게 시합을 진행하다. ↔劣勢な. ──**がち**【─勝ち】 图 우세승.

ゆうせい【優生】yū- 图 우생; 좋은 유전으로 자손의 소질을 훌륭한 것으로 하는 일. ──**がく**【─学】 图 우생학. ──**けっこん**【─結婚】-kekkon 图 우생 결혼.

ゆうせい【優性】yū- 名ノ【生】우성; 유전의 성질 중 다음 대에 나타나는 것. ¶~遺伝子なでん 우성 유전자. ↔劣性れ.

ゆうせい【幽棲·幽栖】yū- スㅎ 유서; 세속을 떠나 조용하게 삶.

ゆうせい【有性】yū- 图 유성. ↔無性な. ──**せいしょく**【──生殖】-shoku 图 유성 생식. ↔無性生殖なせい.

ゆうせい【遊星】yū- 图 유성; 행성(行星). =惑星な=恒星な.

ゆうせい【郵政】yū- 图 우정; 우편에 관한 행정. ──**しょう**【─相】-shō 图 우정상(우리 나라의 체신부 장관에 해당). = 郵政大臣なだい. ──**しょう**【─省】-shō 图 우정성(체신부에 해당).

ゆうせい【雄性】yū- 图 웅성. ↔雌性な.

ゆうぜい【遊説】yū- スㅎ 유세. ¶~旅行など 유세 여행. ¶便利な 【便利】なり.

ゆうぜい【郵税】yū- 图 우편 요금. =郵便料金なせ.

ゆうぜい【有税】yū- 图 유세. ↔無税む.

ゆうせいおん【有声音】yū- 图 유성음.

***ゆうせん**【優先】yū- スㅎ 우선. ¶~順位などん 우선 순위 / ~権な 우선권.

ゆうせん【有線】yū- 图 유선. ¶~放

送な 유선 방송. ↔無線せ.

ゆうぜん【友禅】yū- 图 '友禅染などめ' 의 준말; 비단 등에 화려한 채색으로 인물·꽃·새·산수(山水) 따위 무늬를 선명하게 염색하는 일.

ゆうぜん【悠然】yū- 卜ㅣ 유연; 침착하고 여유가 있는 모양. =悠悠なな. ¶~たる態度なで 유연한 태도.

ゆうそう【勇壮】yūsō 夕ナ 용장; 용감하고 씩씩함.

ゆうそう【郵送】yūsō スㅎ 우송. ¶~料な 우송료.

ゆうそく【有職】yū- 图 조정이나 무가(武家)의 예식·전고(典故)。 또, 그에 밝은 사람. ──**こじつ**【──故実】图 고래의 조정이나 무가(武家)의 예식·전고·관직·법령 따위를 연구하는 학문.

ユーターン【U-】yū- 名スㅎ 유턴; (자동차 따위가) U자형으로 돌아서 방향을 반대 방향으로 바꿈. ¶~禁止な 유턴 금지. ▷U-turn.

***ゆうたい**【優待】yū- 名スㅎ 우대. =優遇など. ¶~券な 우대권.

ゆうたい【勇退】yū- 名スㅈ 용퇴; 후진에게 길을 열어 주기 위해 관직 따위에서 물러남.

ゆうたい【郵袋】yū- 图 우편 행낭(行なう囊).

***ゆうだい**【雄大】yū- 夕ナ 웅대. ¶~な眺め 웅대한 조망.

ゆうだち【夕立】yū- 图 (여름 오후의) 소나기. ¶~がきそうな 소나기가 올 것 같다.

ゆうだん【勇断】yū- 名スㅎ 용단. ¶~を下なす 용단을 내리다.

ゆうだんしゃ【有段者】yūdansha 图 (무술·바둑·장기 등의) 유단자.

ゆうち【誘致】yū- 名スㅎ 유치. ¶村らに工場などを~する 마을에 공장을 유치하다.

ゆうちょう【悠長】yūchō 夕ナ 유장; 침착하며 성미가 느릿함; 서두르지 않음. ¶~な態度たで 느긋하고 서두르지 않는 태도.

ゆうづき【夕月】yū- 图 초저녁 달. ¶~夜な 달이 떠 있는 저녁.

ゆうてん【融点】yū- 图【理】용점. =融解点かな.

ゆうと【雄図】yū- 图 웅도; 웅대한 계획. ¶月世界など探険なを~ 달 세계 탐험의 웅도.

ゆうと【雄途】yū- 图 장도(壯途). ¶ヒマラヤ登山なの~に就く 히말라야 등산의 장도에 오르다.

***ゆうとう**【優等】yūtō 图 우등. ¶~生な 우등생. ↔劣等など.

ゆうとう【遊蕩】yūtō 名スㅈ 유탕; 방탕. ¶~児な 방탕아 / ~に耽ける 방탕에 빠지다.

***ゆうどう**【誘導】yūdō スㅎ 유도. ¶~電流なで 유도 전류 / ~尋問なに ひっかかる 유도 신문에 걸리다. ──**だん**【──弾】 图 유도탄. =ミサイル.

ゆうどうえんぼく【遊動円木】yūdōembo- 图 유동 원목(운동 기구의 하나).

ゆうどく【有徳】yū- 图 유덕. =うとく. ¶~の士で 유덕지사.

***ゆうどく**【有毒】yū- 名ノ 유독. ¶~ガス 유독 가스. ↔無毒む.

ユートピア 【名】 유토피아 ; 이상향. ▷ Utopia.

ユートピアン 【名】 유토피아안 ; 공상가 ; 몽상가(夢想家) ; 공상적인 사회 개량가. ▷Utopian.

ゆうなぎ 【夕凪】(夕凪) yū- 【名】 저녁뜸(저녁때, 바다의 풍파가 일시 잔잔해지는 일 ; 또, 저녁때, 해풍과 육지 바람이 교체할 때, 일시 무풍 상태가 되는 일). ↔朝凪.

ゆうなみ 【夕波】 yū- 【名】 저녁 파도. ¶~千鳥 〔雅〕 저녁 파도 위를 나는 물 떼새.

ゆうに 【優に】 【副】 ①우아하게 ; 고상하게. ¶~やさしい 우아하고 상냥하다. ②충분히 ; 좋이 ; 넉넉히. ¶~一万㍍を越える 좋이 1만을 넘는다.

*ゆうのう 【有能】 yūnō 【名ノ】 유능. ↔無能.

ゆうばえ 【夕映え】(夕映) yū- 【名】 석양빛을 반아 반짝이고 빛남 ; 또, 저녁놀. ¶~の空 저녁놀이 진 하늘.

ゆうはつ 【誘発】 yū- 【名】【ス他】 유발. ¶連鎖反応㍉を~する 연쇄 반응을 유발하다.

*ゆうはん 【夕飯】 yū- 【名】 저녁밥. =ゆうはん・晩飯㍉. ↔朝飯㍉.

-ゆうはん 【有半】 yū- …과 그 반(半). ¶一年㍉と~ 1년하고 반년 ; 일년 반.

ゆうひ 【夕日】(夕陽) yū- 【名】 석양(빛). =入り日㍉. ¶~が沈む㍉ 저녁 해가 지다. ↔朝日㍉.

ゆうひ 【雄飛】 yū- 【名】【ス自】 웅비. ¶海外㍉に~する 해외로 웅비하다. ↔雌伏㍉.

ゆうび 【優美】 yū- 【名ダナ】 우미. ¶~に舞㍉う 우아하고 아름답게 춤추다.

**ゆうびん 【郵便】 yū- 【名】 우편. ¶~物㍉ 우편물. ─貯金㍉ 우편 저금. ─け 【─受け】 편지통 따위에 있는). =郵便箱㍉. ─がわせ 【─為替】 【名】 우편환(郵便換). =ゆうびんかわせ. ─きって 【─切手】 -kitte 【名】 우표. ─きょく 【─局】 -kyoku 【名】 우체국. ─しょかん 【─書簡】 -shokan 【名】 봉함 엽서. =ミニレター. ─せん 【─船】 【名】 우편선. =郵船㍉. ─はがき 【─葉書】 【名】 우편 엽서. ─ばこ 【─箱】 -bako 【名】 ①=ゆうびんうけ. ②우체통. ③(회사 따위에서 우편물을 모아 두는) 우편물 상자. ─ばんごう 【─番号】 -gō 【名】 우편 번호. ─や 【─屋】 〔俗〕 우편 집배원.

ゆうふく 【裕福】 yū- 【名ダナ】 유복. ¶~な家庭㍉ 유복한 가정.

ゆうべ 【夕べ】(夕) yū- 【名】 저녁때. ¶~の祈㍉り 저녁 기도. ↔あした.

ゆうべ 【夕べ】(夕) yū- 저녁때부터 시작하는 모임 ; 특정한 모임을 갖는 밤. ¶講演㍉と映画㍉の~ 강연과 영화의 밤.

*ゆうべ 【昨夜】(昨夜) yū- 【名】 어젯 저녁 ; 어젯밤. =昨夜㍉ ; 昨晩㍉.

ゆうへい 【幽閉】 yū- 【名】【ス他】 유폐.

ゆうべん 【雄弁】(雄辯) yū- 【名ダナ】 웅변. ¶~大会㍉ 웅변 대회 / ~を振㍉るう 웅변을 토하다. =訥弁㍉.

ゆうほう 【友邦】 yūhō 【名】 우방.

ゆうぼう 【有望】 yūbō 【名ダ】

~な青年㍉ 유망한 청년.

ゆうぼく 【遊牧】 yū- 【名】【ス自】 유목. ¶~の民㍉ 유목민 / ~人種㍉ 유목 인종.

ゆうまぐれ 【夕まぐれ】(夕間暮れ) yū- 【名】 황혼 ; 저녁 어스름. =夕暮㍉れ.

ゆうめい 【幽明】 yū- 【名】 유명 ; 저승과 이승. ¶~相隔㍉てる ; 一境㍉を異にする 유명을 달리하다.

**ゆうめい 【有名】 yū- 【名】 유명. ¶~税㍉ 유명세 / 一夜㍉の中㍉に~になった 하룻밤 새에 유명해졌다. ↔無名㍉. ─むじつ 【─無実】 유명 무실.

ゆうめい 【勇名】 yū- 【名】 용명(빈정대는 뜻으로 쓰이기도 함). ¶~をはせる 용명을 떨치다.

ゆうめし 【夕飯】 yū- 【名】 저녁밥. =ゆうはん・晩飯㍉. ↔朝飯㍉.

*ユーモア 【名】 유머. ¶~小説㍉う 유머소설 / 巧㍉まざる~ 기교를 부리지 않은(꾸밈 없는) 유머. ▷humor.

ゆうもう 【勇猛】 yūmō 【名ダ】 용맹. ¶~心㍉ 용맹심.

ゆうもや 【夕靄】(夕靄) yū- 【名】 저녁 안개(연무(煙霧)). ¶~がかかる 저녁 안개가 끼다. ↔朝もや. ▷ous.

ユーモラス 【名ナ】 유머러스. ▷humorous.

ユーモリスト 【名】 유머를 이해하는 사람 ; 해학가(諧謔家) ; 유머러스한 작품을 쓰는 작가. ▷humorist.

ユーモレスク 【名】〔樂〕 유머레스크 ; 가벼운 기분의 소곡. ▷㌑ humoresque.

ゆうもん 【幽門】 yū- 【名】〔生〕 유문. ¶~閉塞㍉ 유문 폐색. ↔噴門㍉.

ゆうやく 【勇躍】 yū- 【名】 용약. ¶~して敵地㍉に向㍉う 용약하여 적지로 향하다. 〔参考〕 副詞적으로도 씀. ¶~出発㍉する 용약 출발하다.

ゆうやけ 【夕焼け】(夕焼) yū- 【名】 저녁놀. =夕㍉ばえ. ¶~小焼㍉け 저녁놀이 희미해짐. ↔朝焼㍉け.

ゆうやみ 【夕闇】(夕闇) yū- 【名】 땅거미 ; 박모(薄暮). ¶~は宵㍉やみ. ¶~がせまる 땅거미가 기어 시작하다.

*ゆうゆう 【悠悠】 yūyū 【タル】 유유. ①한가하고 근심 없는 모양 ; 누긋한 모양. ¶~と歩㍉く 유유히 걷다. ②충분히 여유가 있는 모양. ¶~すわれる 넉넉히〔편히〕 앉을 수 있다. ③끝없이 아득한 모양 ; 세월이 아득한 모양. ¶~たる天空㍉う 유유한 천공 ; 유유 창천. ─かんかん 【─閑閑】 【タル】 유유 한한 ; 태평하고 한가로운 모양. ─じてき 【─自適】 유유 자적. ¶~の生活㍉ 유유 자적하는 생활.

*ゆうよ 【猶予】 yūyo 【名】【ス他】 유예. ¶しばらくの~を願㍉う 잠시의 유예를 바라다 / ~なく断行㍉せよ 유예 없이 단행하라.

-ゆうよ 【有余】 yū- 〈수를 나타내는 한자어(漢字語)에 붙어서〉 ~여 ; 남짓. =余㍉り. ¶三年㍉~ 삼 년 유여.

*ゆうよう 【有用】 yū- 【名】 유용. ¶~動物㍉ 유용 동물 / ~ならしむる 유용하게 하다. ↔無用㍉.

ゆうよう 【悠揚】 yūyō 【タル】 태연 자약한 모양.

ゆうよく 【遊弋】 yū- 【名】【ス自】 유익 ; (경

ゆきよけ【雪よけ】【雪除け】图 ①제설(除雪). ②눈을 피함; 또, 그를 위한 설비.

*ゆきわた-る 【行(き)渡る】【行(き)亙る】⑤自 (넓은 범위에) 골고루 미치다; 널리 퍼지다. ¶世界ばじゅうに~ 온 세계에 널리 퍼지다 / 医学がくの知識ちしきが~ 의학 지식이 널리 보급되다.

ゆきわりそう【雪割草】-sō 图【植】 ①노루귀.=三角草そう。②설앵초.

*ゆ-く【行く】【往く】⑤自 ①가다. ⑦네 곳으로 움직여 가다. ¶一足ひと~先さきに~ 한 발 앞서 [먼저] 가다 / 買物かいに~ 장보러 [쇼핑하러] 가다 / ~着つく所ところまで~ 가는 [닿는] 데까지 가다 / 先端さきを~ 첨단을 가다 / 知しらせが~ 통지가 가다. ⓒ떠나가 다. ¶海うみに~ 바다로 가다 / では~こうか 그럼 가 볼까 / 嫁よめに~ 시집(을) 가다. ⓒ(일정한 곳을) 다니다. ¶毎日まいにちに~ 매일 회사에 가다. ⓐ(목적지로・목표로) 향하다. ¶戦地せんちへ~ 싸움터로 가다. ⓒ때가 지나 (가)다. ¶~春はるを惜おしむ 가는 봄을 아쉬워하다.⇔来くる・帰かえる。ⓗ바람직한 상태에 달하다. ¶満足まんぞくが~ 만족이 가다 / 心ここ~ばかり語かたり合あう 서로 충분히[실컷] 이야기를 나누다. ②되다. ⑦(일이) 잘 되어 나가다; 진척되다. ¶うまく~ 잘 되어가다 / はかが~ 일이 진척되다. 〔参考〕 이의 부정 (否定)은 불가능・금지를 나타냄. そうは~かない 그렇게는 안 된다 / 一筋縄ひとすじなわでは~かない 보통 수단으로는 안 된다. ⓒ의지・권유를 나타내는 꼴로는 자진해서 하는 뜻이 됨. ¶軽かるく一杯いっ~・こう 간단히 한 잔 하세. ⓒ어떤 상태가 되다. ¶十分じゅうぶんとまでは~かないが 충분하다고까지는 할 수 없으나. ⓔ나이가 들다. ¶年端としも~かない 아직 어린[젖내나는]. ③〔動詞 連用形は나 その꼴で〕~が붙은 꼴에 붙어서〕 ⑦(계속해서) 해나 가다. ¶生いきて~ 살아가다. ⓒ점점 변해가 그렇게 되다; …쪽 가다. ④そこ へ~と そこに向むかって 예뻐져 가다. 〔参考〕 'いく'라 고도 하며 현대어에서는 'いく'가 일반적이고, 'ゆく'는 약간 딱딱한 감을 주고 문어적임.

ゆ-く【逝く】⑤自 가다. ①흘러 가다. ¶~水みず 흘러 가는 물 / (사람이) 죽다.

*ゆ-く【行方】图 ①행방; 갈 길; 잔 곳. ¶~不明めい 행방 불명 / 一定いってい~歩ぶみ きまわる 정처없이 돌아다니다. ¶~前途ぜんと 장래; 전도(前途). ¶~を案あんじる 장래를 걱정하다.

*ゆくさき【行く先】图 ①행선지; 목적지. ¶~がわからない 행선지를 모르다. ②전도; 장래.=行ゆく末すえ。¶この子この~が心配しんぱいです 이 아이의 장래가 걱정입니다. ──ざき【──先】〔連語〕가는 곳 어디서나; 가는 곳마다. ¶~で歓迎かんげいを受うける 가는 곳마다 환영을 받다.

ゆくすえ【行く末】图 장래; 전도(前途); 앞날; 미래. ¶~が思おもいやられる 장래가[앞날이] 걱정된다.

ゆくて【行く手】图 가는 곳[쪽]; 전방; 전도; 앞길. =行ゆく先さき。¶~をはばむ 앞길을 가로막다[저지하다].

ゆくとし【行く年】图 가는 해. ¶~来くる年とし 가는 해 오는 해.

ゆくゆく【行く行く】副 ①장래(언젠가)는; 끝내는. ¶~は社長しゃちょうになるだろう 장래 언젠가는 사장이 될 것이다. ②가는 도중; 가면서. ¶~考かんがえる 가면서 생각하다.

ゆくりなく 副 뜻하지 않게; 갑자기. = ふと。¶~旧友きゅうゆうに会あう 뜻밖에(도) 옛친구를 만나다.

*ゆげ【湯気】图 ①김; 수증기. ¶~が立つつ 김이 나다. ②목욕하다 일어나는 뇌빈혈. =ゆけ。¶~にあたる 목욕을 오래 해서, 현기증이 나다.

*ゆけつ【輸血】图⑤他 수혈.

ゆこく【諭告】图⑤自 타이름; 또, 그 말.

ゆさぶ-る【揺さぶる】⑤他 (뭐) 흔들다. =ゆすぶる。¶木きを~って実みを落おとす 나무를 흔들어서 열매를 떨어 뜨리다 / 政局せいきょくを~ 정국을 뒤흔들다.

ゆざまし【湯冷(ま)し】图 ①끓여 식힌 물. ②끓인 물을 식히는 데 쓰는 그릇.

ゆざめ【湯冷め】图 목욕 후 한기를 느낌.

ゆさゆさ 副 무거워[육중하게] 뵈는 것이 크게 흔들리는 모양; 흔들흔들.

ゆさん【遊山】图⑤自 유산; 산이나 들에 놀러 나감; 또, 기분 전환으로의 외출. ¶物見ものみ~ (a)구경하며 놀러 다님; (b)구경과 소풍.

ゆし【油脂】图 유지. ¶~工業こうぎょう 유지 공업.

*ゆしゅつ【輸出】-shutsu 图⑤他 수출. ¶~免状めんじょう 수출 면장 / ~品ひん 수출품. ↔輸入にゅう。¶~ちょうか【~超過】-chōka 图 수출 초과. =出超しゅっちょう。↔輸入超過にゅうちょうか。

ゆしゅつにゅう【輸出入】-shutsunyū 图 수출입. ¶~銀行ぎんこう 수출입 은행.

ゆず【柚・柚子】图 [植] 유자(나무).

*ゆす-ぐ【濯ぐ】⑤他 ①헹구다. ¶洗濯物せんたくものを~ 빨래를 헹구다. ②양치질하다; (입을) 가시다. =すすぐ。

ゆすぶ-る【揺すぶる】⑤他 흔들다. =ゆさぶる。¶~木き（나무）.

ゆすらうめ【梅桃・山桜桃】图 [植] 앵두나무.

ゆすり【強請り】图 공갈해서 금품 따위를 강요함; 등침; 또, 그런 사람. ¶~たかりの常習犯じょうしゅうはん 공갈 협박 상습범.

ゆずり【譲り】图 물림; 물려 받음; 양도. ¶親おやゆずりの才能さいのう 부모로부터 물려 받은 재능 / 姉あねゆずりの~ 언니의 후물림.

ゆずりは【譲り葉・杠】图 [植] 굴거리나무.

ゆずりわた-す【譲り渡す】⑤他 양도하다; 물려 [넘겨] 주다.

*ゆす-る【揺する】⑤他 흔들다. ¶~・り起おこす 흔들어 깨우다.

*ゆす-る【強請る】⑤他 공갈해서 금품 따위를 빼앗다. ¶金かねを~ 공갈하여 돈을 강요하다.

*ゆず-る【譲る】⑤他 ①양도하다. ⑦물려주다. ¶~・り受うける 물려 받다 /

양도받다／～・り渡す 양도하다；넘겨〔물려〕주다／位を～ 지위를 물려다；양위(讓位)하다. (L)빼앗기다. ⑦首位の席を～ 수석을 남에게 빼앗기다. (C)婉曲」팔〔아 넘기〕다. =売る. (J)別荘を知人に～ 별장을 친지에게 양도하다. ②양보하다. ⑦道を～ 길을 비켜주다／互に～り合う 서로 양보하다. ③뒤〔후일〕로 미루다. ⑦話は他日に～ 이야기는 후일로 미룬다.

ゆせい【油井】图 유정.

ゆせい【油性】图 유성. ¶～ペイント 유성 페인트.

ゆせん【湯煎】图 중탕(重湯). ¶～なべ 중탕 냄비／～にかける 중탕하다.

ゆせん【湯銭】图《공중 목욕탕의》목욕료. =入浴料.

ゆそう【油層】-sō 图 유층；땅속의 석유층. ¶～パイプ〔管〕 송유관.

ゆそう【油送】-sō 图 송유；석유를 보냄. ¶～パイプ〔管〕 송유관.

ゆそう【輸送】-sō 图 ㄈ他 수송. ¶～計画 수송 계획／～量 수송량／～船 수송선.

ゆそうせん【油槽船】yusō- 图 유조선. =タンカー.

ゆたか【豊か】ダナ ①풍족함；풍부함；풍만함. ¶～な社会 풍요한 사회／～な胸」 풍만한 가슴. ②능히…은 더됨；넉넉함. ¶六尺の～の大男 6척이 넘는 큰 사나이.

ゆだ‐ねる【委ねる】ㅏ下1他 ①맡기다. =まかせる. ¶協商に～全権を～ 협상의 전권을 맡기다. ②바치다. =ささげる. ¶教育に身を～ 교육에 몸을 바치다.

ユダヤ【猶太】图 유태. ¶～教〔宗〕 유태교／～人 유태인. ▷Judea.

ゆだ‐る【茹だる】ㅍ五 ①데쳐지다；삶아지다. =うだる. ②더위 먹다；삶다. ¶温泉に～ 온천의 열기에 느른해지다.

ゆだん【油断】图 ㄈ自 방심；부주의. ¶～のならない世の中 방심하지 못할 세상. ¶一大敵 방심은 가장 무서운 적. ¶一もすきもない 조금도 빈틈이 없다.

ゆたんぽ【湯たんぽ】【湯湯婆】 -tampo 图 탕파(湯湯婆).

ゆちゃく【癒着】-chaku 图 ㄈ自 유착. ①〔生〕 떨어져 있어야 할 기관(器官)따위가 한데 들러붙음. ②저지가 다른 양자가 부정(不正)하게 결탁함. ¶監督官庁と業界との～ 감독 관청과 업계와의 유착.

ユッカ yukka【植】 유카〔북미(北美) 원산의 백합과의 상록 관목의 총칭〕. =いとらん. ▷yucca.

ゆ‐っくり yukku- 剾 ①천천히；서서히. ¶一歩くと 천천히 걷다／時間をかけて～(と)する 천천히 시간을 들여 천천히 만들다. ②넉넉함；충분히. =たっぷり. ¶今からでも～間に合う 지금부터라도 넉넉히 시간에 댈 수 있다／～三人ぐらいすわれる 충분히 세 사람 앉을 수 있다.

ゆづけ【湯漬(け)】图 《밥의》더운 물 말이；더운 물에 만 밥.

ゆったり yutta- 剾 ①헐겁게；낙낙하다.

게. ¶～(と)した上着 낙낙한 윗옷. ②마음 편히；누긋하게. ¶～した気分 누긋한 기분.

ゆでだこ【茹(で)蛸】图 데쳐서 빨개진 낙지；또, 술에 취하거나 목욕탕에 들어가 벌겋게진 얼굴의 형용.

ゆでたまご【ゆで卵】【茹(で)卵】图 삶은 달걀.

*ゆ‐でる【茹でる】ㅏ下1他 ①데치다；삶다. =うでる. ¶野菜を～ 야채를 데치다／卵を～ 달걀을 삶다. ②몸은 데워 열탕으로 찜질하다.

ゆでん【油田】图 유전.

ゆとうよみ【湯桶読み】yutō- 图 두 자로 된 한자 숙어의 윗 글자는 훈(訓)으로, 아래글자는 음으로 읽는 방식〔"手本"」"手製"」"切符"」"雨具"를 見本」消印 따위). ↔重箱読み.

ゆどうふ【湯豆腐】-dōfu 图 물두부；두부를 살짝 데워서 간장을 찍어 먹는 요리.

ゆどの【湯殿】图〔老〕 욕실(浴室)；목욕탕. =ふろば.

*ゆとり 图《공간·시간·마음·체력적인》여유. ¶～のある生活 여유있는 생활／～を持つ 여유를 가지다.

ユニーク ダナ 유니크；특이；독특. ¶～な作品 특이적인 작품. ▷unique.

ユニオン 图 유니언；《노동》조합；연합체. ¶～ユーザー 소비 조합. ▷union. ──ジャック-jakku 图 유니언잭；영국(국기). ▷Union Jack. ──ショップ-shoppu 图 유니언 숍(고용주가 노동조합 가입자만을 고용하거나 안 그러면 해고하기로 하는 노동 협약상의 규정). ▷union shop.

ユニセフ【UNICEF】图 유니세프；국제 연합 국제 아동 긴급 구제 기금. ▷United Nations International Children's Emergency Fund.

ユニット -nitto 图 유닛. ①단위. ②《교육에서》단원(單元). ③부대. ▷unit. ──しき【一式】图 유닛식；조립식. ──じゅうたく【一住宅】-jūtaku 图 유닛 주택；조립식 주택.

ユニバーシアード 图 유니버시아드；국제 대학생 경기 대회. ▷Universiade.

ユニバーシティー -tī 图 유니버시티；종합 대학. ⇒カレッジ. ▷university.

ユニホーム 图 유니폼；제복；특히, 통일된 운동〔작업〕복. ▷uniform.

*ゆにゅう【輸入】-nyū 图 ㄈ他 수입. ¶～禁制品 수입 금제품. ↔輸出. ¶一ちょうか【一超過】-chōka 图 수입 초과. =入超. ↔輸出超過. 過.

ユネスコ【UNESCO】图 유네스코；국제 연합 교육 과학 문화 기구. ▷United Nations Educational, Scientific and Cultural Organization.

ゆのし【湯のし】【湯熨】图 ㄈ他 김을 쐬어서 천의 주름을 폄.

ゆのはな【湯の花·湯の華】图 ①탕화〔온천에 생기는 침전물〕. =ゆばな. ②물때. ⇒ゆあか.

ゆのみ【湯飲み】【湯呑(み)】图 '湯飲み茶わん'의 준말；《작은》찻잔；찻종.

ゆはず【弓筈】图 활고자；활 양끝의 시위를 거는 부분. =ゆみはず.

ゆばな【湯花·湯華】名 ☞ゆのはな.

ゆび【指】名 손〔발〕가락. **——一本差させない** 손가락 하나 까딱 못하게 하다. ①남에게 비난받을 데가 없다. ②비난·간섭을 못 하게 하다. **—をくわえる** 손가락을 입에 물다《탐은 나지만 손은 쓰지 못하고 바라다보고만 있다》. **—を染める** 손을 대다. **—を詰める** (불량배 따위가 맹세·사죄의 표시로) 새끼손가락 끝을 자르다.

ゆびおり【指折り】名 ①손꼽아 헤아림. ¶~数える 손꼽아 헤아리다. ②손꼽을 만큼 뛰어남. =屈指·有数. ¶~の人物 손꼽히는〔굴지의〕 인물.

ゆびきり【指切り】名 ス自 (아이들이 약속의 표시로) 새끼손가락을 마주 걺. =げんまん.

ゆびさき【指先】名 손〔발〕가락 끝.

*__ゆびさ-す__【指さす·指差す】5他 ①손가락질하다; 가리키다. ②뒤에서 손가락질하다〔욕하다〕.

ゆびにんぎょう【指人形】-gyō 名 손가락 인형〔꼭두각시〕《인형 몸통 속에 손을 넣고 손가락으로 놀리는 일; 또, 그 인형》. =ギニョール.

ゆびぬき【指ぬき】《指貫》名 골무.

ゆびわ【指輪】《指環》名 반지; 가락지.

ゆぶね【湯船】《湯槽》名 목욕통; 욕조(浴槽). ¶~につかる 욕조에 몸을 담그다.

*__ゆみ__【弓】名 ①활. ↔矢. ②궁술. ③활 모양의 것; 특히, 악궁(樂弓). ¶バイオリンの~ 바이올린의 활. **—折れ矢尽く** 활은 부러지고 화살은 다하다《참패당하다; 힘이 다 떨어져 어쩔 도리가 없다》.

ゆみがた【弓形】名 궁형; 팽팽한 활 모양. =きゅうけい·弓なり.

ゆみず【湯水】名 ①더운물과 찬물. ¶~ものどを通らなくなる 물도 넘길 수 없게 되다《매우 중태다》. ②흔한 것; 아무 데나 많이 있는 것의 비유. **—のように使う** (돈 따위를) 물쓰듯 하다.

ゆみづる【弓弦】名 활시위; 활줄. =ゆづる.

ゆみとり【弓取(り)】名 ①〈雅〉 활을 손에 듦; 또, 그 사람. ②〈雅〉 활을 잘 쏘는 사람; 무사(武士). ③(씨름에서) 활을 들고 하는 의식; 또, 그것을 하는 씨름꾼.

ゆみなり【弓なり】《弓形》名 궁형; 활과 같이 굽은 형상. =弓形. ¶体が~に反る 몸이 활처럼 젖혀지다.

ゆみはり【弓張(り)】名 ①활 메우는 일; 또, 그 사람. ②'弓張月(=활 모양의 상현달·하현달; 반달)'의 준말. ③'弓張ぢょうちん(=활 모양으로 굽은 대막대기 아래위 양끝에 걸게 된 초롱)'의 준말.

ゆみひ-く【弓引く】5自 활을 쏘다; 전하여, 배반하다; 반항하다.

ゆみや【弓矢】名 ①궁시; 활과 화살. ②무기. ③무도(武道). ④전쟁. **—取る身** 무사의 신분; 무사. **—の道** ①궁술. ②무사도; 무도(武道).

ゆめ【夢】名 ①꿈. ¶新婚の~ 신혼의 꿈/~を追う 꿈〔이상〕을 쫓다/彼の~は大きい 그의 꿈〔희망〕은 크다/~を抱く 희망을 품다/~みたいなことを言う 꿈같은〔헛된〕 이야기를 하다. ②《'~にも' 등의 꼴로, 否定·禁止 표현이 따라서 副詞적으로 쓰여》 꿈에도; 조금도; 결코. ¶~にも知らなかった 꿈에도 몰랐다. **—に—見る心地** 꿈속에서 꿈을 꾸는 듯한 황홀한 기분. **—の間** 꿈꾸는 사이; 잠깐 사이. **—のまた—** (꿈속의 꿈처럼) 아주 덧없음. **—の世** 꿈 같은〔덧없는〕 세상. **—を描く** 미래를〔이상을〕 꿈에 그리다. **—を見る** 꿈꾸다; 이룰 수 없는 희망〔이상〕을 품다. **—を結ぶ** ①꿈꾸다. ②잠들다.

ゆめ〖努〗副《禁止하는 말이 따라서》 꼭; 반드시; 결코. ¶~疑うなかれ 결코 의심하지 마라.

ゆめあわせ【夢合(わ)せ】名 해몽(解夢). =夢うら·夢判じ.

ゆめうつつ【夢うつつ】《夢現》名 비몽사몽(非夢似夢). ¶~にきく 꿈결에 듣다.

ゆめごこち【夢心地】名 꿈을 꾸는 (듯한 황홀한) 기분.

ゆめじ【夢路】名 꿈길. ¶~をたどる 꿈길을 더듬다《꿈을 꾸다; 또, 자다》.

ゆめにも【夢にも】連語《副詞적으로》☞ゆめ②.

ゆめまくら【夢まくら】《夢枕》名 꿈을 꾸는 베갯머리; 꿈 속.

ゆめまぼろし【夢幻】名 몽환; 꿈과 환상.

ゆめみ【夢見】名 꿈(을 꿈). ¶~が悪い 꿈자리가 사납다. **——ごこち**【——心地】名 ☞ゆめごこち.

ゆめ-みる【夢見る】上1自他 꿈꾸다; 공상하다. ¶未来を~ 미래를 꿈꾸다.

ゆめものがたり【夢物語】名 꿈 이야기; 꿈 같은〔덧없는〕 이야기. =夢語り.

ゆめゆめ〖努努〗副 'ゆめ(努)'를 겹쳐서 강조한 말.

ゆもと【湯元·湯本】名 온천이 솟아나는 곳; 온천이 솟는 근원.

ゆや【湯屋】名 공중 목욕탕. =ふろ屋.

ゆゆし-い〖由由しい〗-shī 形 예삿일이 아니다; 중대하다. ¶~問題だ 중대한 문제다.

*__ゆらい__【由来】㊀名 ス自 유래. ¶~書 (사물의) 내력을 적은 기록/~を尋ねる 유래를 더듬다. ㊁副 원래; 본디; 옛날부터. ¶~この寺院は 원래 이 사찰은.

ゆら-ぐ【揺らぐ】5自 전체가 흔들리다; 요동하다. ¶風に~ 바람에 흔들리다/身代が~ 재산이 흔들리다/地位〔決意〕が~ 지위〔결의〕가 흔들리다.

ゆらめ-く【揺らめく】5自 흔들거리다; 출렁이다. ¶波に~月影 물결에 어른거리는 달그림자.

ゆらゆら 副 비교적 가벼운 것이 천천히 흔들리는 모양: 한들한들; 흔들흔들; 하늘하늘. ¶~揺れる 흔들흔들 흔들리다.

ゆらり 副 ①한 번 크게 흔들리는 모양: 출렁. ¶~と揺れる 출렁하고 흔들리다. ②천천히, 경쾌하게 몸을 움직이는 모양. ¶金魚が~と泳ぐ 금붕어가 천천히 헤엄치다.

ゆり〖百合〗名〔植〕 백합; 나리. =リリー.

ゆりうごか-す【揺り動かす】5他 흔들

어 움직이다; 동요시키다. ¶大地(だいち)を～ようなとどろき 대지를 뒤흔드는 것 같은 굉음.

ゆりおこ-す【揺り起(こ)す】[5他] 흔들어 일으키다; 흔들어 깨우다.

ゆりかえし【揺り返し】[名] ①되흔들림. ②큰 지진의 반동으로 엄습하는 약한 지진; 여진(餘震).

ゆりかご【揺りかご】【揺籠】[名] 요람(搖籃). ＝ようらん. **—から墓場(はかば)まで** 요람에서 무덤까지(한평생; 또, 사회 보장 제도가 잘 시행되어 안심하고 살 수 있음의 비유). 「갈매기.

ゆりかもめ〖百合鷗〗[名]【鳥】붉은부리

**ゆる-い【緩い】【弛い】[形] ①느슨하다; 헐겁다. ¶ひもを～·く結(むす)ぶ 끈을 느슨하게 매다 / ズボンが～ 바지가 헐겁다. ↔きつい. ②엄하지 않다. ¶取締(とりしまり)りが～ 단속이 엄하지 않다. ↔きつい. ③완만하다. ¶～カーブ 완만한 커브. ④느리다. ¶～スピード 느린 속도. ⑤부드럽다; 무르다; 묽다. ¶～かゆ 묽은 죽 / 水(みず)で～·くとく 물로 묽게 개다. ↔かたい.

ゆるい【油類】[名] 유류; 기름 종류.

ゆるが-す【揺るがす】[5他] (뒤)흔들다. ¶大地(だいち)を～ 대지를 뒤흔들다.

ゆるがせ〖忽せ〗[名] 소홀함; 허술함. ＝おろそか·なおざり. ¶～にするな 소홀히 하지 마라.

ゆるぎ【揺るぎ】[名] 동요; 흔들림. ¶～ない団結(だんけつ) 공고한 단결.

ゆる-ぐ【揺るぐ】[5自] 흔들리다; 동요하다. ＝ゆれうごく. ¶土台(どだい)が～ 토대가 흔들리다 / 確信(かくしん)が～ 확신이 흔들리다.

ゆるし【許し】[名] ①허가; 인가; 용서. ¶～なく 허가〔허락〕없이 / ～を請(こ)う 용서를 빌다. ②다도(茶道)·꽃꽂이 따위의 예도(藝道)에서 스승이 제자에게 주는 면허 등급의 하나.

**ゆる-す【許す】[5他] ①허가〔허용〕하다; 허락하다. ¶時間(じかん)の～限(かぎ)り 시간이 허락하는 한 / 心(こころ)を～ 마음을 주다 / 気(き)を～ 마음을 놓다; 방심하다. ②(본디, 免す·赦す로도) 용서하다; 면하게 하다. ¶～·し難(がた)い 용서할 수 없는 / 軽(かる)い罰(ばつ)で～ 가벼운 벌로 용서하다 / 税(ぜい)を～ 세금을 면하다. ③멋대로 하게 하다. ¶本塁打(ほんるいだ)を～ 홈런을 허용하다. ④인정하다. ¶自他(じた)共(とも)に～ 자타가 공인하다.

ゆるま-る【緩まる】【弛まる】[5自] 느슨해지다; 풀어지다. ¶警戒(けいかい)が～ 경계가 허술해지다.

ゆるみ【緩み】【弛み】[名] 느슨해짐; 헐거움; 해이(解弛)함; 또, 그 정도. ¶心(こころ)の～ 마음의 해이(방심).

*ゆる-む【緩む】【弛む】[5自] ①느슨해지다; 풀어지다. ¶帯(おび)が～ 띠가 느슨해지다 / 気(き)が～ 마음(의 긴장)이 해이해지다 / 警戒(けいかい)が～ 경계가 허술해지다 / 制限(せいげん)が～ 제한이 완화되다 / 寒(さむ)さが～ 추위가 풀리다 / 便(べん)が～ (대)변이 묽어지다. ②시세가 떨어지다. ⇔締(し)まる.

*ゆる-める【緩める】【弛める】[下1他] 늦추다; 느슨하게 하다; 풀다. ¶糸(いと)の結(むす)び目(め)を～ 실의 매듭을 느슨히 하다 / 警戒(けいかい)を～ 경계를 늦추다 / 取締(とりしま)りを～ 단속을 완화하다 / 傾斜(けいしゃ)を～ 경사를 완만히 하다 / かゆを～ 죽을 묽게 하다.

ゆるやか【緩やか】[ダナ] 완만함; 느릿함; 느슨함. ¶～にカーブする道(みち) 완만하게 구부러지는 길 / ～な処分(しょぶん) 너그러운 처분 / 風(かぜ)が～に吹(ふ)く 바람이 솔솔 불다.

ゆるゆる〖緩緩〗[副] ①서두르지 않는 모양: 천천히; 느릿느릿. ¶～と旅(たび)をする (서두르지 않고) 슬슬 여행하다. ②누긋한 모양: 유유히; 편안히. ¶～(と)温泉(おんせん)につかる 온천에 푹 몸을 잠그다.

ゆるりと〖緩りと〗[副] <老> 유유히; 편안히. ＝ゆっくり.

ゆれ【揺れ】[名] 요동; 흔들림; 또, 그 정도. ¶ひどい～ 심한 요동.

**ゆ-れる【揺れる】[下1自] 흔들리다. ¶～舟(ふね) 흔들리는 배 / 揺(ゆ)れに～ 마구 흔들리다 / 内閣(ないかく)が大(おお)いに～ 내각이 크게 흔들리다.

ゆわ-える【結わえる】[下1他] 매다; 묶다. ¶髪(かみ)にリボンを～ 머리에 리본을 매다 / 束(たば)に～ 다발로 묶다.

ゆわかし【湯沸(か)し】[名] 물을 끓이는 주전자. **—き**【—器】[名] 물 끓이는 용기.

ゆんで［弓手·左手］[名] ①(활 잡는) 줌손; 왼손. ②<雅> 왼쪽. ⇔馬手(めて).

よ

よ ヨ

①五十音図(ごじゅうおんず) 'や行(ぎょう)'의 다섯째 음. [yo] ②〔字源〕'与'의 초서체(かたかな 'ヨ'는 '與'의 오른쪽 윗부분).

*よ【世】[名] ①세상. ㉠사회. ＝世間(せけん)·世(よ)の中(なか). ¶～に知(し)られた名作(めいさく) 세상에 알려진 명작. ㉡때. ㉢현재·과거·미래 가운데의 한 기간. ¶あの～ 저세상; 저승. ㉣나라; 천하. ¶～を治(おさ)める 세상을 다스리다. ②일생; 생애. ¶我(わ)が～の春(はる) 인생 최고의 때. **—が—ならば** 한창 드날리던 때였다면. **—に会(あ)う** 때를 만나다. **—に処(しょ)する** 처세하다. **—に出(で)る** 출세하다; 세상에 알려지다. **—の営(いとな)み** 세상살이. **—を去(さ)る** 세상을 떠나다(죽다). **—を忍(しの)ぶ; —をはばかる** 남의 눈을 피하다. **—を知(し)る** 세상 물정을 알다. **—を捨(す)てる** 세속을 떠나다; 출가(出家)하다. **—を尽(つ)くす** ①일생을 보내다〔마치다〕. ②하고 싶은 대로 하다. **—を逃(のが)れる** 세상을 등지다; 은둔하다. **—を渡(わた)る** 살아가다; 생활하다.

*よ【代】[名] 한 통치자의 치세; 시대; 대. ＝代(だい). ¶明治(めいじ)の～ 明治 시대.

よ【四】[名] 넷. ＝よっつ. ¶～年(ねん) 4 년.

*よ【夜】图 밤. =よる. ¶~がふける 밤이 깊어 가다. 一のまぎれに 어둠〔밤〕을 틈타서. 一の目も寝ずに 밤잠도 자지 않고. 一も日も明けない 어떤 일에 몰두하여 그것이 없으면 잠시도 지낼 수 없을 만큼 몹시 사랑하거나 좋아하는 모양. 一を日に継ぐ 밤낮없이 계속하다.

よ【余】㊀目④여; 나머지; 이상. ¶百ミッ~ 백 이상. ②이외; 그 밖. ¶~の儀ぎではない 다른 일이 아니다/~の人 그 밖의 사람/~は知らず 그 밖의 것은 모르지만. ㊁接尾 …여; …남짓. ¶十年넌~ 10년여.

よ【余·予】图 나. =われ. ¶~は王おなり 여는 왕이니라.

よ 間助 ①부를 때에 쓰는 말: …야; …아; …여. ¶太郎たろ~, しっかりやれ 太郎야 잘 해라/ふるさと~ 고향이여. ②명령이나 부탁, 타이름이나 권유의 뜻을 나타내는 데 씀. ¶早はやく行いけ~ 빨리 가라/ちょっと待まて~ 잠깐 기다려. ③가벼운 감동, 단념의 기분을 나타냄. ¶いやだ~ 싫어요. ④사물을 판단해서 주장하거나 다짐할 때에 씀: …요; …여요. ¶あなたの番ばん~ 당신 차례예요/もう帰かえる~ 이제 돌아간다 막론〔말〕지나 모른다/また来くる~ 또 올께. ⑤의문을 나타내는 말이나 구(句)에 붙어서 의문을 가지고 상대방을 나무라는 뜻을 나타냄: (무엇을)…하는 거요; (무얼)…그래요. ¶それくらい何なに~ 그것쯤 무얼 그래요/何言いってるの~ 무슨 소리를 하고 있는 거니.

よあかし【夜明(か)し】图 ㊈亘 밤샘; 철야. ¶~で仕上しあげる 밤새워 마무리하다.

よあけ【夜明け】图 ①새벽. =あけがた; 暁あかつき. ¶~を待まつ 날 새기를 기다림. ↔日暮ひぐれ. ②새로운 시대의 시작.

よあそび【夜遊び】图 ㊈亘 밤놀이; 밤에 놀러 다님; 야유(夜遊). ¶~に出掛でかける 밤놀이하러 나가다.

よあるき【夜歩き】图 ㊈亘 밤외출; 밤에 나돌아다님.

**よ-い【良い·善い】(好い) 形 ①좋다. ¶~気持きもち 좋은 기분. ㊀(佳い) 뛰어나다; 훌륭하다. ¶成績せいが~ 성적이 좋다. ㊁바람직하다; 바람직스럽다. ¶来くれば~のに 오면 좋겠는데. ㊂정당하다; 바르다. ¶~ことをする 옳은 일을 하다. ¶もっと勉強べんきょうするが~ 더 공부하는 것이 좋다/ほめられて一事だ 칭찬받아 마땅한 일이다. ㊂괜찮다; 상관 없다. ¶酒さけを飲のんでも~ 술을 마셔도 좋다/早はやく行いく~ 빨리 가는 게 좋다. ㊂친하다. ¶仲なかが~ 사이가 좋다. ㊂다행이다. ¶けががなくて~かった 상처가 없어서 다행이었다. ㊂효과 있다. ¶잘 됐다. ¶~~くき薬くすり 잘 듣는 약/~くやった 잘했다/~~こそ잘 오셨습니다. ③(신분이나 값이) 높다. ¶身分みぶんの~の人 신분이 높은 사람. ④(佳い) 길(吉)하다; 경사스럽다. ¶~日をえらぶ

길일을 택하다. ⑤아름답다; 곱다. ¶~けしき 아름다운 경치. ⑥선량(善良)하다; 착하다. ¶~人柄がら 선량한 인품. ⑦적당하다; 알맞다. ¶~ところへ来きた 마침 잘 왔다. ⑧충분하다; 다분히 그러하다. ¶~く注意ちゅうする 십분 주의를 하다/それで~ 그것으로 충분하다. ⑨상당하다. ¶~年ビ をしてなんだ 나잇살이나 먹고서 무슨 꼴이냐. ⑩이를테면. ¶からだに~ 몸에 이롭다. ⑪連用形로〕…을; 자주. ¶~く映画えいがに行いく 자주 영화 구경을 가다. ㊀까딱하면; 자칫하면. ¶~く知しらず 여서〕 어렵지 않다. ~하기 쉽다. ¶飲のみ~薬くすり 먹기 쉬운 약/つきあい~人 붙임성이 있는 사람.

よい【宵】图 ①초저녁; 저녁. =初夜しょや; 初更しょ. ②밤. =夜よる.

よい【酔い】图 (술에) 취함; 취기. ¶えい. ¶~をさます 술을 깨다. 一がまわる 취기가 돌다.

よいごし【宵越し】图 하룻밤을 넘김〔새움〕. ¶夏なつの牛乳ぎゅうは~のできない 여름철 우유는 하룻밤을 넘기지 못한다.

よいさ 感 ①노래 따위의 가락을 맞추거나 흥을 돋우는 장단: 좋다. =よいやさ. ②물건을 주고 받을 때에 장단을 맞추거나 힘을 돋우기 위하여 내는 소리: 이영차.

よいざめ【酔(い)覚め·酔(い)醒め】图 술이 깸; 또, 취기가 가신 데.

よいしょ -sho 感 ☞よいさ.

よいしれ-る【酔いしれる·酔い痴れる】下1亘 고주망태가 되다.

よいっぱり【宵っぱり·宵っ張り】yo-ippari 图ㅈ亘 밤늦도록 안 자고 있음; 또, 그런 사람. =夜よふかし. ↔よいね.

よいつぶ-れる【酔いつぶれる·酔い潰れる】下1亘 만취해서 곤드레만드레가 되다. ¶~れて眠ねむる 곤드레가 되어 자다.

よいね【宵寝】图ㅈ亘 초저녁잠; 초저녁부터 잠. =早寝はやね. ↔よいっぱり.

よいのあき【宵の秋】图 가을의 초저녁; 가을밤.

よいのくち【宵の口】图 땅거미가 질 저녁; 해질녘.

よいのとし【宵の年】图 섣달 그믐날 밤. =除夜じょや.

よいのみょうじょう【宵の明星】-myō-jō 图【天】태백성. =明あけの明星.

よいまちぐさ【宵待草】图【植】금달맞이꽃. =まつよいぐさ. ⇨つきみそう.

よいまつり【宵祭(り)】图 축제일의 전야제. =よいみや.

よいやみ【宵やみ·宵闇】图 ①음력 15일이 지날 무렵의 달이 뜨기 전의 어스름. ②초저녁의 어스름; 또, 그 무렵; 땅거미. =ゆうやみ. ¶~が迫せまる 땅거미가 져오다.

よいん【余韻】图 여운; 여음(餘音); 전하여, 여정(餘情); 뒷맛. ¶鐘かねの~ 종의 여운/~を残のこす 여운을 남기다.

**よ-う【酔う】图 亘亘 ①술에 취하다; 술기가 돌다. ¶彼かれは~と冗談じょうだんを言いう 그는 취하면 농담을 한다. ②(배나 차에) 멀미하다. ③황홀해지다. ¶

妙技ᅲᄀに～ 묘기에 황홀해지다. ④도
취하다. ¶勝利ᅝᄀに～ 승리에 도취하
다. ⑤생선이나 고기에 중독되다. ¶
魚ᅳᄀに～ 생선에 중독되다.

よう yō 助動《五段活用 이외의 動詞
및 助動詞 'せる' 'させる' 'れる' 'られ
る'의 未然形에 붙음》⇨ '助動'. ①의
지(意志)를 나타냄. ¶この本ᅘ을 あげ
～ 이 책을 줄게. ②권유를 나타냄. ¶
さあ, 食ᅙᄇ～, 먹자, ¶もう寝ᅥᄀ～ 이
제 자자. ③완곡한 명령이나 희망을 나
타냄. ¶추량(推量)·상상을 나타냄. ¶
日ᅳ も暮ᅭᄀれ～ 해도 지겠지. ¶완곡
한 단정을 나타냄. ¶このように言ᅡᄀ
～ 이와 같이 말할 수 있으리라. ¶
'～か' 또는 疑問의 말과 호응하여）의
문·질문·반어를 나타냄. ¶だれが保
障ᅭᄀし～か 누가 보장할 것인가. ⑦
대비(對比)하면서 상정(想定)함을 나
타냄. ¶食ᅳᄀべ～ と食ᅳᄀべまいと 먹거나
말거나.

よう 【様】 yō 一 名 ①〖接尾語적으로〗
①모양; 형태; 그런 모양의 것; 생김
새. =ありさま. ¶歯ᅡᄀブラシ～の物ᅳᄀ
칫솔 모양의 것. ②양식; 서풍(書風);
서체. ¶唐ᅡᄀ～に書ᅡᄀく 당풍체(唐風體)
로 쓰다. ②흔히 動詞連用形에 붙어
서） 방법; …(할） 수. ¶言ᅡᄀい～ 말하
는 법〔식〕/直ᅳᄀし～がない 고칠 방법
이 없다. 顧終助詞(用言）의 連体形
에 붙어 마침꼴이 됨;이 경우 흔히 'に'
가 따름》…하도록〔소원·원망(願望)
을 나타냄. ¶うまくいき～ん～に부
디 잘 되도록. ④動詞 또는 ないの
連体形+'～に'의 꼴로》～く 있게;
…になる(목적을 나타냄). ¶病気ᅳᄀに
ならない～に 병들지 않도록 /歩ᅡᄀけ
る～になる 걸을 수 있게 되다.

二 ダナ《体言+の'의 (文語에서는 'が'
도), 動詞의 連体形 따위를 받
고 'だ' 'です' 따위를 수반하여》①서
로 같다, 비슷하다라의 뜻. ¶氷ᅳᄀ의の
～に冷ᅳᄀたい 얼음처럼 차갑다 / まる
で夢ᅵᄀを見ᅳᄀる～だ 마치 꿈을 꾸는 것
같다. ②…과 같이, …처럼의 뜻. ¶
御ᅳᄀ承知ᅤᄀの～に 아시는 바와 같이 /
この～な事件ᅥᄀ이라는 사전. 정확
확실한 또는 완곡(婉曲)한 단정(斷定)
을 표시. ¶みんな寝ᅳᄀた～だ 모두 잠
든 것 같다.

よう 【幼】 yō 名 ①어림 시절; 어
린 아이. ¶～にして力強ᅝᄀい 어려서
부터 힘이 세고. ↔老ᅳᄀ.

よう 【四】 yō 名 넷〔물건을 셀 때에만
씀〕. =よっつ・よ.

*よう 【用】 yō 一 名 ①용도; 소용.
¶～に立ᅳᄀつ 소용되다 /～がない 쓸 데
가 없다. ②용무; 용건; 볼일; 일. ¶
～がある 용건〔볼일〕이 있다. ③대소
변; 용변. 一接尾 …용; …에 쓰이는;
…이 쓰는; 非常ᅳᄀ～ 비상용 / 工業
ᅳᄀ～ 공업용. 一を足ᅳᄀす ①일을 보
다; 용무를 끝내다. ②용변을 보다.
一をなさない 쓸모가 없다; 구실을 하
지 못하다. ¶とけいの～をなさない 시
계 구실을 하지 못하다.

よう 【洋】 yō 양. 一 名 세계를 동서로
나눈 부분. 一接尾 대해; 대양. ¶太
平ᅡᄀ～ 태평양. 一の東西ᅤᄀを問ᅡᄀわず

동서양을 막론하고; 전세계적.

よう 【要】 yō 一 名 ①요령; 요점. ¶
～は 요는; 요점은 /～を得ᅳᄀている 요
령이 있다. ②필요. ¶警戒ᅤᄀ의の～がある
경계할 필요가 있다. 二接頭 요….
¶～注意ᅤᄀ 요주의.

よう 【庸】 yō 名 용; 세법(稅法)의 하나
로 부역 대신 포(布)·쌀 등으로 물납
(物納)하던 일. ⇨租ᅳᄀ·調ᅳᄀ.

よう 【陽】 yō 名 양. ①겉으로 나타남.
¶陰ᅳᄀに～に 음으로 양으로. ②적극적
인 것. ¶～の性格ᅡᄀ 적극적인 성격.
③(역학(易學)에서） 동적(動的)·적극
적인 것. ¶～の気ᅤᄀ 양기. ④〖理〗플
러스. =正ᅳᄀ. ↔陰ᅳᄀ.

よう 【瘍】 yō 名 (머리의） 부스럼. ¶
潰ᅡᄀ～ 궤양. ¶瘇瘍ᅡᄀ.

よう 【癰】 yō 名 〖醫〗용; 악성 종기. =
癰疽ᅡᄀ.

よう 感 ①호칭(呼稱)의 말: 여보세
요. ②응답(應答)의 말: 네; 예. ③감
동의 말: 야. ¶～, しばらく や！오
래간만일세.

ようあん 【溶暗】 yō- 名〖映〗용암. =
フェードアウト. ↔溶明ᅡᄀ.

***ようい** 【容易】 yōi ダナ 용이; 손쉬움.
¶～な仕事ᅡᄀ～を得ᅳᄀる 困難ᅡᄀ도.

#ようい 【用意】 yōi 名 ス自 용의;준
비;주의. =用心ᅤᄀ·支度ᅡᄀ. ¶～周到
ᅡᄀ 용의 주도 / 旅行ᅡᄀの～ 여행 준
비 / まさかの時ᅳᄀの～として 만일의
경우를 위한 준비로서.

よういく 【養育】 yō- 名 ス他 양육. ¶
～費ᅡᄀ 양육비 / ～院ᅡᄀ 양육원.

よういん 【要因】 yō- 名 요인. ¶争議
ᅡᄀ의の～ 쟁의의 요인 / 複雑ᅡᄀな～がか
らむ 복잡한 요인이다.

よういん 【要員】 yō- 名 요원. ¶保安
ᅡᄀ～ 보안 요원.

ようえき 【溶液】 yō- 名〖化〗용액.

ようえき 【用役】 yō- 名〖經〗용역. ¶
～ドル 용역불(弗)

ようえき 【葉腋】 yō- 名〖植〗
엽액; 잎겨드랑이.

ようえん 【妖艶】 yō- 名ナ 요염하다.
姿ᅡᄀ～な 요염한 자태.

ようえん 【遙遠】 yō- 名ナ 요원. ¶前
途ᅡᄀ～ 전도 요원.

ようおん 【拗音】 yō- 名〖言〗한 음절로
서, 'きゃ'·'しゅ'·'にゅ'·'くぉ' 따위와 같
이 'や'·'ゆ'·'よ' 또는 'わ'를 다른 かな의
첨가해서 쓰는 음절〔공은 작은 글자
로 씀〕. ↔ちょくおん(直音).

#ようか 【八日】 yō- 名 초여드렛날; 팔
일; 8일. ¶～後ᅡᄀ 8일 후 / 十月ᅡᄀ～ 시월
초여드레.

ようか 【養家】 yō- 名 양가. ¶～の父
母ᅡᄀ 양가의 부모; 양부모. ↔実家ᅡᄀ.

ようが 【洋画】 yō- 名 ①서양
화; 유화(油畫). ¶～家ᅡᄀ 서양화가. ↔
日本画ᅤᄀ～. ②서양 영화; 외화. ↔邦
画ᅡᄀ.

ようが 【陽画】 yō- 名 양화〔명암이 실제
와 같이 보이는 사진〕. =ポジティブ·
ポジ. ↔陰画ᅡᄀ.

ようかい 【妖怪】 yō- 名 ①요괴; 도깨비.
=化ᅳᄀけ物ᅤᄀ. ¶～変化ᅡᄀが現ᅡᄀわれる
요사스런 도깨비가 나타나다.

ようかい 【容喙】 yō- 名 ス自 용훼; 입
을 놀림; 말참견함. =さしでぐち·横

やり。¶～すべきことではない 참견할 일이 못 된다.

ようかい【溶解】yō- 一名 ㋡自他 용해；(액체에) 녹음；녹임. ¶～液 용해액／～度 [熱] 용해도 [열]／水分に ～する 물에 녹다 [녹이다]. 二 【본디는 鎔解・熔解】名 ㋡自他 용해 (鎔解)；(쇠붙이를) 녹임；녹음. ¶火で～する 불로 용해하다. 注意 '溶解'로 씀은 대용 한자.

ようがい【要害】yō- 名 요해. ①지세가 험하여 적을 방어하기에 적합한 장소；요충지. ¶～の地 요충지. ②요새 (要塞)；성채 (城砦) = とりで. ¶自然 の～ 자연의 요새.

ようがく【洋学】yō- 名 양학；서양의 학문이나 어학. ↔和学ゲ・漢学ゲ.

ようがく【洋楽】yō- 名 양악. ¶～が 好きだ 서양 음악을 좋아한다. ↔邦楽ゲ・和楽ゲ.

ようがさ【洋傘】yō- 名 양산. =こうもりがさ. ¶～をさす 양산을 받다.

ようがし【洋菓子】yō- 名 양과자. = ケーキ. ↔和菓子ゲ.

ようかん【洋館】yō- 名 양관；양옥. = 西洋館ゲ.

ようかん【羊羹】yō- 名 양갱；양갱병.

ようがん【容顔】yō- 名 용안；얼굴. = かおだち・かんばせ. ¶～うるわしく 화색 (和色)이 만면 (満面)하여.

ようがん【熔岩・鎔岩】yō- 名 용암. 注意 '溶岩'으로 씀은 대용 한자.

ようき【妖気】yō- 名 요기. ¶～が漂 ただっている 요기가 감돌고 있다.

ようき【容器】yō- 名 용기；기구를 씀；또, 그 기구. 一が【一画】名 용기화. ↔自在画ゲ.

ようき【陽気】 一名 ㋡ダ 화려하고 왕성한 모양；성질이 밝고 쾌활한 모양. =にぎやか. 二名 기후；날씨. = 時候ゲ. ¶春ゲらしい～ 봄다운 날씨／～のせいだ 날씨 탓이다／～がいい 날씨가 좋다.

*ようき【容器】yō- 名 용기. =うつわ・入れ物ゲ.

ようき【要記】yō- 名 ㋡他 요기；요점을 적음；또, 그 기록.

*ようぎ【容疑】yō- 名 용의；혐의. ¶～を受ける 혐의를 받다／～が濃ゲい 혐의가 짙다／～が晴れる 혐의가 풀리다.

ようきゅう【洋弓】yōkyū 名 양궁. = アーチェリー.

‡**ようきゅう**【要求】yōkyū 名 ㋡他 요구. ¶～に応ずる 요구에 응하다／～を入れる 요구를 받아들이다／～を退ける〔突っぱねる〕 요구를 물리치다 [일축하다].

ようぎょ【幼魚】yōgyo 名 유어；어린 물고기. ¶～を川などに流ゲす 유어를 강에 풀어놓다. ↔成魚ゲ.

ようぎょ【養魚】yōgyo 名 양어. ¶～場ゲ 양어장.

ようきょう【容共】yōkyō 名 용공. ¶～政策ゲ 용공 정책. ↔反共ゲ・防共ゲ.

ようきょう【陽狂】(佯狂) yōkyō 名 양광；거짓으로 미친 체함. ¶ハムレット

の～ 햄릿의 양광.

ようぎょう【窯業】yōgyō 名 요업. ¶～家ゲ 요업가.

ようきょく【謡曲】yōkyo- 名 能楽ゲの 사장 (詞章)에 가락을 붙여서 부름；또, 그 사장 (詞章). = うたい.

ようきょく【陽極】yōkyo- 名 [理] ①양극. =プラス. ②자석의 북극. ↔陰極ゲ. 一せん【一線】名 양극선；양극 방사선. =カナール線ゲ. ↔陰極線ゲ.

ようぎん【洋銀】yō- 名 양은. ①섞음쇠；양백 (洋白). ②양은전 (洋銀錢)；서양의 은화 (銀貨).

ようぐ【用具】yō- 名 용구；도구. ¶運動ゲ～ 운동구.

ようけい【養鶏】yō- 名 양계. ¶～業ゲ 양계업／～場ゲ 양계장.

ようげき【邀撃】yō- 名 ㋡他 요격；적을 맞아서 침. =迎撃ゲ. ¶～機ゲ 요격기.

ようけん【用件】yō- 名 용건. =用事ゲ・用向きゲ. ¶差し迫ゲった～ 절박한 용건／～をすます 용건을 끝내다／御～は何ゲですか 용건은 무엇입니까.

ようけん【要件】yō- 名 요건. ¶資格ゲ～ 자격 요건／～を満ゲたす 요건을 충족시키다.

ようげん【用言】yō- 名 [文法] 용언. ⇒かつようご [活用語]. ↔体言ゲ.

ようご【擁護】yō- 名 ㋡他 옹호. ¶憲法ゲ～ 헌법 옹호.

ようご【養護】yō- 名 양호；(허약 아동 등을) 특별한 보호 밑에서 기름. ¶～施設ゲ 양호 시설. 一きょうゆ【一教諭】-kyōyu 名 양호 교사.

ようご【用語】yō- 名 용어. ¶文法ゲ～ 문법 용어.

ようご【要語】yō- 名 요어；(그 작품・문헌을 이해하는 데) 중요한 말. =重要語ゲ.

ようこう【洋行】yōkō 名 양행. 一名 ㋡自 서양에 여행이나 유학하는 일. 二名 (중국에서) 외국 상사의 칭호. 一えり【一帰り】名 외국에서 갓 돌아온 사람；외국에 갔다 온 적이 있는 사람.

ようこう【要港】yōkō 名 요항. ¶海軍ゲの～ 해군의 요항.

ようこう【要綱】yōkō 名 요강. ¶設立ゲ～ 설립 요강 [취지서].

ようこう【要項】yōkō 名 요항；줄거리. ¶募集ゲ～ 모집 요항.

ようこう【陽光】yōkō 名 양광；햇빛. = 日光ゲ.

ようこうろ【溶鉱炉】(熔鉱炉・鎔鉱炉) yōkō- 名 용광로. 注意 '溶鉱炉'로 씀은 대용 한자.

ようこそ yō- 連語 노고에 대하여 감사의 뜻을 나타내는 말；또, 상대의 방문을 환영할 때 쓰는 말. =よくぞ. ¶～おいでくださった 참 잘 와 주셨소.

*ようさい【洋裁】yō- 名 양재. ¶～学校ゲの 양재 학교. ↔和裁ゲ.

ようさい【要塞】yō- 名 요새；성채 (城砦). = とりで. ¶～地ゲ 요새지.

ようざい【溶剤】yō- 名 용제. ①(본디는 熔剤) 용제 (融剤).

ようざい【用材】yō- 名 용재；사용할 재료 [재목]. ¶建築ゲ～ 건축 용재／

学習^{がく}~ 학습 재료.

ようさいるい【葉菜類】yō- 图 엽채류; 잎이나 줄기를 식용할 수 있는 야채. ↔根菜類^{こんさい}.

ようさん【養蚕】yō- 图 양잠.

ようし【夭死】yō- 图 ㅈ自 요사; 요절(夭折). =わかじに.

ようし【容姿】yō- 图 용자; 얼굴 모양과 몸매. =みめかたち.

ようし【洋紙】yō- 图 양지; 서양 종이. ↔和紙^{わし}・日本紙^{にほん}.

ようし【用紙】yō- 图 용지. ¶答案^{あん}〔原稿^{げんこう}〕~ 답안〔원고〕 용지.

ようし【要旨】yō- 图 요지.

ようし【陽子】yō- 图【理】양자; 프로톤. =プロトン.

* **ようし**【養子】yō- 图 양자. ¶~縁組^{えん} 양자 결연(結緣). ↔実子^{じっし}.

ようじ【幼児】yōji 图 유아. =おさなご. ¶~期 유아기. 　　〔대.

ようじ【幼時】yōji 图 유시; 유년 시

ようじ【楊枝・楊子】yōji 图①이쑤시개. =つまようじ・こようじ. ②칫솔.

ようじ【用字】yōji 图 용자; 사용하는 문자; 또, 문자를 사용함.

‡**ようじ**【用事】yōji 图 용건(用件). =用^{よう}. ¶~を済^すます 볼일을 마치다 / たいした~でもない 대수로운 용건도 아니다.

* **ようしき**【様式】yō- 图 양식. ¶生活^{せいかつ} 생활 양식 / 詩^しの~ 시의 형식.

* **ようしき**【洋式】yō- 图 양식; 서양식. ¶~トイレ 양식 변소. ↔和式^{わしき}.

ようしき【要式】yō- 图 요식. ¶~契約^{けいやく} 요식 계약.

ようしつ【洋室】yō- 图 양실; 서양식 방. =洋間^{ようま}. ↔和室^{わしつ}.

ようしつ【溶質】yō- 图 용질; 용액 속에 녹아 있는 물질. ↔溶媒^{ようばい}.

ようしゃ【用捨】yōsha 图他①용서함. ¶その点^{てん}は御^ご~ください 그 점은 용서해 주십시오. ②형편을 참작함. ¶情^{じょう}け~もなく責^せめる 가차 없이 꾸짖다.

ようしゃ【用捨】yōsha 图他①취사(取捨) 선택. ¶~を誤^{あやま}る 취사를 잘못하다. ②➡ようしゃ(容赦)②. 　　　　〔통.

―ばこ【―箱】서류함(가운데를 둘로 갈라 한 쪽에는 미결 서류, 다른 쪽에는 기결 서류를 넣음).

ようじゃく【幼弱】yōja- 图 ダナ 유약. ¶~な児童^{じどう} 유약한 아동.

ようしゅ【洋酒】yōshu 图 양주; 서양 술. ↔日本酒^{にほんしゅ}.

ようじゅつ【妖術】yōju- 图 요술; 마술. =魔法^{まほう}・幻術^{げんじゅつ}. ¶~を使^{つか}う 요술을 부리다.

ようしゅん【陽春】yōshun 图 양춘; 봄; 음력 정월의 딴이름.

ようしょ【洋書】yōsho 图 양서; 외국〔서양〕 서적; 또, 양장본(洋裝本). ↔和書^{わしょ}・漢書^{かんしょ}.

ようしょ【用所】yōsho 图①용처(用處); 사용처. ②볼일이 있는 곳.

ようしょ【要所】yōsho 图①요소. ¶~に配置^{はいち}する 요소요소에 배치하다. ②요점.

ようじょ【幼女】yōjo 图 유녀; 어린 계집애.

* **ようじょ**【養女】yōjo 图 양녀.

ようしょう【幼少】yōshō 图 유소. ¶~の頃^{ころ}の面影^{おもかげ} 어릴 때의 모습.

ようしょう【要衝】yōshō 图 요충. ¶交通^{こうつう}の~ 교통의 요충.

ようじょう【洋上】yōjō 图 양상; 해상(海上)〔의 배위〕. ¶~作戦^{さくせん} 해상 작전.

* **ようじょう**【養生】yōjō 图 ㅈ自 양생. ①(養生^{ようせい}로도) 섭생(摂生). ↔不養生^{ふようじょう}. ②보양(保養); 조섭. ③(건축 공사 따위의) 파손 방지의 손질.

ようしょく【容色】yōsho- 图 용색; (여성의 아름다운) 얼굴. =顔^{かお}かたち. ¶~が衰^{おとろ}える 얼굴이 수척해지다.

ようしょく【洋食】yōsho- 图 양식; 서양 요리. ↔和食^{わしょく}.

ようしょく【要職】yō- 图 요직. =顕職^{けんしょく}. ¶~につく 요직에 오르다.

ようしょく【養殖】yō- 图 ㅈ他 양식. ¶~漁業^{ぎょう} 양식 어업 / 真珠^{しんじゅ}を~する 진주를 양식하다.

ようしん【養親】yō- 图 양친; 양부모. =養^{やしな}い親^{おや}. ↔養子^{ようし}.

*‡**ようじん**【用心】(用心)yō- 图 ㅈ自 조심; 주의; 경계. ¶火^ひの~ 불조심 / ~を怠^{おこた}る 경계를 게을리하다.

―かい【―深い】图 신중하다; 조심성이 많다. =用心深^{ようじんぶか}い.

―ぼう【―棒】-bō 图①신변 보호용의 곤봉. =ボディーガード. ②신변 보호용의 곤봉. ③(문・창의) 버팀목. =しんばり棒^{ぼう}.

ようじん【要人】yō- 图 요인. ¶政府^{せいふ}の~ 정부 요인.

‡**ようす**【ようす・様子】(容子)yō- 图①모양. ⑦(사물의) 상태; 상황; 정세. ¶~をうかがう 정세를 살피다 / 土地^{とち}の~に明^{あか}るい 고장의 사정에 밝다. ⑥(사람의) 모습; 용자(容姿). ¶~がいい 모양이 멋있다 / 見^みすぼらしい~ 초라한 모습. ②징조; 낌새; 기미. =きざし. ¶夕立^{ゆうだち}が来^きそうな~だ 소나기가 올 듯한 낌새이다. ③눈치; 태도; 기색; 소풍. ¶困^{こま}った~もない 난처한 기색도 없다 / ~がおかしい 태도가 이상하다. ④특별한 이유〔사정〕; 까닭. =子細^{しさい}・わけ. ¶何^{なに}か~がありそうだ 무언가 까닭이 있을 듯하다.

ようすい【揚水】yō- 图 ㅈ自 양수. ¶~機 양수기 / ~ポンプ 양수 펌프.

ようすい【用水】yō- 图 용수. ①어떤 목적에 쓰이는 물. ¶防火^{ぼうか}~ 방화수 / ~桶^{おけ} 방화수 통 / ~路^ろ 용수로. ②물을 씀. ¶~便所^{べんじょ} 수세식 변소. ③용수를 끌어들이는 시설.

ようすこう【揚子江】yōsukō 图【地】(중국의) 양자강.

よう─する【擁する】yō- サ変他①껴안다. ¶相^{あい}~して泣^なく 서로 끌어안고 울다. ②지니다; 가지다; 거느리다. ¶巨万^{きょまん}の富^{とみ}を~ 거만의 재산을 지니다 / 大軍^{たいぐん}を~ 대군을 거느리다. ③옹립하다. =もりたてる. ¶幼帝^{ようてい}を~ 어린 임금을 옹립하다.

* **よう─する**【要する】yō- サ変他①요하다; 필요로 하다. ¶急^{きゅう}を~問題^{もんだい} 긴급을 요하는 문제 / 百万円^{ひゃくまんえん}を~ 백만 엔이 필요하다. ②요약(要約)하다. ③숨어 기다리다.

ようするに【要するに】yō- 連語 ①要つまり；結局。＝つまり。¶～君えの責任にだ 要けんは四に責任がいるがる。②要約すると。¶これを～ これを要約すめ。

ようせい【妖精】yō- 图 ①妖精。②妖怪（妖怪）。

*`ようせい`**【要請】yō- 图 ス他 要請。¶～を受諾だする 要請を受諾する。

ようせい【陽性】yō- 图 陽性。━图ズ 積極的；明朗な性質。━图医 検査の反応が明らかに出ている反応が鮮明に出る。↔陰性けん。

*`ようせい`**【養成】yō- 图 ス他 養成；教養。¶専門家ななを～ 専門家の養成／独立精神どくをの～する 独立精神を含養する。

ようせき【容積】yō- 图 容積。①容量。②体積（体積）。＝かさ。

ようせつ【夭折】yō- 图 ス自 夭折。＝早死にせに・天逝いよう。

ようせつ【溶接（熔接・鎔接）】yō- 图 ス他 溶接。¶～工え 溶接工。注意 '溶接'で 語は 代用 表わな。

ようそ【よう素】【沃素】yō- 图【化】沃素；ようのう＝ヨード・ヨジウム。

*`*`ようそ`**【要素】yō- 图 要素。＝エレメント。¶構成とな する 構成要素／危険なう～を含むな 危険な要素を孕む（おむ）。

ようそう【様相】yōsō 图 様相；模様；状態どう。¶ありきま・状態どる。～な～ 険悪な様相。

ようそう【洋装】yō- 图 ス自 洋装。①洋服を着む。②西洋式 装釘（装幀）。＝洋装とじ・和装わ。↔□。

ようだ【様だ】yō- 助動 ☞よう（様）。

ようだい【容体】yō- 图 ①模様；模容状。②【容態容態】ようたい；病状。¶～が急変きゅうする 病状が急変する。━━ぶる 5回【自】ぶって体裁だる。¶～っ て歩く 偉ぶって歩く。

ようたし【用足し】yō- 图 ①用足し（を 用を 足す）。¶～に行ってく 用足しを 足しに 行く。②大便や小便。＝よ。

ようたし【用足し・用達】yō- 图 ス他 官庁 などに 常に物品を納品する日；また、その用足ちし。⇨ごようたし。

ようだ-つ【用立つ】yō- 5自 役立つ〔用益〕に立つ；役立つ。

ようだ-てる【用立てる】yō- 下1他 ①役立つ 立てる；助けになる〔に立つ〕使ち て〕する。¶この金きでで何をすが立ってくれっかに 要立う金でこの金で何かが役立つように使ってください この金で何か役立つように使ち 恐れます／〔金品 立て替え〕融通 する。¶金きを～ 金を立て替える。

ようだん【用談】yō- 图 ス自 要談；用談〔用件〕に関する 話；¶その件にで～いたしたい その用件で話し合い〔相談〕 したいと思う。

ようだん【要談】yō- 图 ス自 要談。¶～を交える 要談を交わす。

ようち【夜討（ち）】yō- 图 夜襲（夜襲）。＝夜襲しゅう。¶～をかける 夜襲を敢行する。＝朝駆けかけ。

*`*`ようち`**【幼稚】yō- 图ズ 幼稚。①（年齢など） 幼稚。¶～な子供この 幼い幼いな子供／～園えら 幼稚園。②（方法・考え方 など）程度が未熟な。¶～な考えな 幼稚な 考え方。

ようち【用地】yō- 图 用地。¶建築けん～ 建築用地。

ようち【要地】yō- 图 要地。¶交通だうの～ 交通の要地。

ようちゅう【幼虫】yōchū 图【蟲】幼虫。¶がの～ 蛾虫の幼虫。↔成虫ちゅう。

ようちゅうい【要注意】yōchūi 連語 要注意。¶～の人物 要注意の人物。

ようちょう【羊腸】yōchō 一 图 羊の腸の形の。一━图ズ自【医】羊腸；盤状。¶━ たる小道だ 羊腸たる小道；曲がりくねった山道がくねくねした模様。＝つづらおり。¶━たる小道ち 曲がりくねった 狭さの 山道。

ようつい【腰椎】yō- 图【生】腰椎。

ようつぎ【用次（ぎ）】yō- 图 中間で用件を伝（え）ぐ。＝とりつぎ。

*`*`ようてん`**【要点】yō- 图 要点。＝要所ところ。¶～を話せば 要点を話せば 要点を言えば。

ようてん【陽転】yō- 图 ス自【医】陽転。（'陽性転移う（＝陽性 転い）'の 省略。）

ようでんき【陽電気】yō- 图【理】陽電気。＝正電気だん。↔陰電気いん。

ようと【用途】yō- 图 用途。¶～が広ひろい 用途が広い〔広い〕。

ようど【用度】yō- 图 用度。①（会社・官庁 など で）物品 などを供給する日。¶～係え 用度係（員）。②必要な 費用。＝費用ひう。¶～を調達ちょうする 用度を調達する。

ようとう【羊頭】yōtō 图『～を掲げげて狗肉くを売る』～狗肉く 羊頭 狗肉。

ようとじ【洋とじ】【洋綴（じ）】yō- 图 洋式 製本；洋装。¶～の本ね 洋装本。↔和とじ。

ようとして［杳として］yō- 連語《副詞 的に》杳然杳と。¶～消息しょうが分からない 消息が杳として分からない 消息が杳として分からない。

ようとん【養豚】yō- 图 養豚。¶～業ぎ 養豚業。¶～場 養豚場。

ように【陽に】yō- 副 陽に；あからさまに。¶陰ひに～ 陰に陽に。↔陰ひに。

ようにん【容認】yō- 图 ス他 容認。＝認容だ。¶～しがたい 容認されにくい 容認され難い。

ようねん【幼年】yō- 图 幼年。＝幼い時 代だう、幼い時代。

ようは【要は】yōwa 連語 要するに；結局は。¶～勉強べだ 要は 勉強だ 要は 勉強だ。

ようば【用場】yō- 图 便所。

ようはい【遥拝】yō- 图 ス他 遥拝；遠い所から 拝礼する。¶遥拝。

ようばい【溶媒】yō- 图【化】溶媒。↔溶質しつ。

ようはつ【洋髪】yō- 图 洋髪；西洋式の頭の 形。↔日本髪にほん。

*`*`ようび`**【曜日】yō- 图 曜日。¶～を忘ばれる 曜日を 忘れる／何だーでも差支かえない どの 曜日であれ 相関がない。

ようひん【用品】yō- 图 用品。¶日常 にちだ～ 日常 用品。

ようひん【洋品】yō- 图 洋品。¶～店 洋品店。

ようふう【洋風】yōfū 图 洋風。洋式（洋式）。¶～の応接室おうせつ 洋式 応接室。↔和風ふ。

*`*`ようふく`**【洋服】yō- 图 洋服。¶出来 合あいの～ 既製服／～だんす 洋服だんす。〔*原名　府〕

*`*`ようぶん`**【養分】yō- 图 養分；滋養分。¶～を取る 養分を（摂）取する。

よ

ようへい【傭兵】(傭兵) yō- 图 용병. =やといへい. ¶~制度 용병제.

ようへい【用兵】 yō- 图 용병. ¶~学^が(術^{じゅつ}) 용병학(술) / ~に長^{ちょう}ずる 용병에 능하다. 「꼭지.

ようへい【葉柄】 yō- 图 【植】 엽병; 잎

ようべん【用便】 yō- 图 ㅈ自 용변. ¶~をする 용변을 보다.

ようぼ【養母】 yō- 图 양모. ↔実母^{じつ} 生母^{せい}. ⇨義母^ぎ.

ようほう【用法】 yōhō 图 용법; 사용법. =使^{つか}い方^{かた}・用^{もち}い方. ¶~を誤^{あやま}る 용법을 그르치다.

ようほう【養蜂】 yōhō 图 ㅈ自 양봉. ¶~家 양봉가.

ようぼう【容貌】 yōbō 图 용모. =顔^{かお}かたち. ¶~魁偉^{かいい} 용모 괴위.

*ようぼう【要望】 yōbō 图 ㅈ他 요망. =切望^{せつぼう}. ¶~書^{しょ} 요청서 / ~にこたえる(添^そう) 요망에 부응하다(따르다).

ようま【妖魔】 yō- 图 요마; 요귀(妖鬼). =まものばけもの.

ようま【洋間】 yō- 图 서양식 방; 양실(洋室). ↔日本間^{にほん}.

ようみゃく【葉脈】 yōmya- 图 【植】 엽맥; 잎맥.

ようむ【用務】 yō- 图 용무. =用事^{ようじ}. ¶~を帯^おびて 용무를 띠고.

ようむき【用向き】 yō- 图 용건(의 내용). ¶~をたずねる 용건을 묻다.

ようめい【用命】 yō- 图 분부; 하명; 주문(注文). ¶ご~の品^{しな}々 하명(주문)하신 물품 / ご~は何^{なに}でしょうか 분부하실 일은 무엇입니까.

ようめい【幼名】 yō- 图 유명; 아명(兒名). =ようみょう.

ようめいがく【陽明学】 yō- 图 양명학(왕 양명(王陽明)이 창시한 유학(儒學)의 일파). ↔朱子学^{しゅし}.

ようもう【羊毛】 yōmō 图 양모; 양털.

ようもく【洋もく】 yō- 图〈俗〉양담배의 은어.

ようもく【要目】 yō- 图 요목; 주요 항목. ¶教授^{きょうじゅ}~ 교수 요목.

ようやく【要約】 yō- 图 ㅈ他 요약. ¶~して言^いえば 요약해 말하면.

*ようやく【漸く】(漸) 副 ①겨우; 간신히. =やっと・かろうじて. ¶~合格^{ごうかく}した 간신히 합격했다 / ~のことで助^{たす}かる 간신히 살아나다(구조되다). ②차차; 점점; 점차. ¶~春^{はる}らしくなった 차차 봄다워졌다. 「히.

ようやっと yōyatto 副〈俗〉겨우; 간신

ようゆう【溶融】 yō- 图 ㅈ自 용융; 용해. 용해. 注意 '溶融'로 쓰는 대용 한자.

ようよう【要用】 yōyō 图 ①필요; 긴요. ②중요한 용무(일). ¶取^とり急^{いそ}ぎ~のみ 우선 급한 용무만 (아림)(편지 끝에 쓰는 말).

ようよう【揚揚】 yōyō タル 양양; 득의 양양함. ¶意気^{いき}~ 의기 양양. ↔消沈^{しょう}.

ようよう【洋洋】 yōyō タル 양양. ①물이 넘칠 듯이 가득한 모양; 바다가 한없이 넓은 모양. ¶~たる太平洋^{たいへいよう} 양양한 태평양. ②장래가 희망에 차있는 모양. ¶前途^{ぜんと}~ 전도 양양.

ようらん【搖籃】 yō- 图 요람. =ゆりかご. ①젖먹이의 흔들이채롱. ②사물의 발전의 초기 단계. ¶~期^き(時代^{じだい}) 요람기[시대].

ようらん【要覧】 yō- 图 요람. ¶業務^{ぎょうむ}~ 업무 요람.

ようりく【揚陸】 yō- □ 图 ㅈ他 양륙; 뱃짐을 부림. ⇨陸揚^{りくあ}げ・荷揚^{にあ}げ. □ 图 ㅈ自 상륙(上陸). ¶~艦艇^{かんてい} 상륙 함정.

ようりつ【擁立】 yō- 图 ㅈ他 용립. ¶幼帝^{ようてい}を~する 어린 임금을 용립하다.

ようりゃく【要略】 yōrya- 图 ㅈ他 요략; 요약(要約). ¶君^{きみ}の話^{はなし}を~すれば 네 말을 요약하면.

ようりょう【容量】 yōryō 图 용량. ¶熱^{ねつ}~ 열용량. 「용량.

ようりょう【用量】 yōryō 图 용량; 사

*ようりょう【要領】 yōryō 图 요령. ¶~を覚^{おぼ}える 요령을 익히다 / ~が悪^{わる}い 요령이 없다. ―がいい 요령이 좋다; 요령을 잘 부린다. ―を得^えない 요령 부득(不得)이다.

ようりょく【揚力】 yō- 图 【理】 양력; (비행기 따위의) 부양력(浮揚力). ⇨ふりょく〔浮力〕.

ようりょくそ【葉緑素】 yōryo- 图 【植】 엽록소. =クロロフィル.

ようれい【用例】 yō- 图 용례. ¶~の多^{おお}い辞典^{じてん} 용례가 많은 사전 / ~を示^{しめ}す 용례를 보이다.

ようれき【陽暦】 yō- 图 양력; '太陽暦^{たいようれき}'의 준말. =新暦^{しんれき}. ↔陰暦^{いんれき}.

ようろ【要路】 yō- 图 요로. ①중요한 도로. ¶交通^{こうつう}の~ 교통의 요로. ②중요한 지위. ¶~の人^{ひと} 요로의 인물 / ~につく 요직에 앉다.

ようろう【養老】 yōrō 图 양로. ¶~いん【~院】 養老院 =老人^{ろうじん}ホーム. 老人養護施設^{しせつ}.

よえい【余栄】 yō- 图 여영; 사후(死後)에까지 남는 영광[명예]. ¶死^しして~あり 죽은 후에 영광이 있다.

ヨーグルト 图 요구르트. ▷도. Joghurt.

ヨーデル 图 요들; 스위스 알프스 지방에 특유한 민요(의 발성법). ▷도. Jodel.

ヨード【沃度】图【化】요오드. ▷도 Jod. ―チンキ 图 요오드팅크; 옥도 정기. =ヨーチン. ▷도 Jodtinktur.

ヨーロッパ【欧羅巴】yōroppa 图【地】 유럽(주); 구라파. =欧州^{おうしゅう}. ▷포. 네. Europa. 「니다.

よか【予価】图 예정 가격; 예정가. ⇨定

よか【予科】图 예과. ¶旧制^{きゅうせい}大学^{だいがく}の~ 구제 대학의 예과. ↔本科^{ほんか}.

よか【余暇】图 여가; 겨를; 틈; 짬. =ひま・レジャー. ¶~を利用^{りよう}する 여가를 이용하다.

ヨガ 图 요가. =瑜伽^{ゆが}. ▷범 Yoga.

よかく【余角】图【数】여각.

よがけ【夜駆け】图 ㅈ他 야습. =夜討^{ようち}. ↔朝駆^{あさが}け.

よかぜ【夜風】图 밤바람. ¶~に当^あたる 밤바람을 쐬다.

よがたり【夜語り】图 밤에 이야기함; 또, 그 이야기. ¶冬^{ふゆ}の~ 겨울 밤에 하는 이야기.

よかつ【余割】图【数】여할; 코시컨트. =コセカント.

よがなよっぴて【夜がな夜っぴて】
-yoppite [連語] 온밤; 온 하룻밤. ↔日ひがな一日いちにち.

よからぬ【良からぬ】[連体] 좋지 못한;
나쁜. ¶～企くわだて 못된 계획.

よかりそう【よかりそう・善かりそう・
良かりそう】-só [連語] 좋을 듯. =よさそう.

よが-る【善がる】[5自] 좋아하다; 만족
히 여기다; 기뻐하다. ¶つまらぬ絵え
を一人ひとりで~ 하찮은 그림을 혼자서
좋아하다.

よかれ【よかれ・善かれ・良かれ】[連語]
좋으라〔잘 되라〕(고 바라듯). ¶～と
思おもうてしたこと 잘 되라고 생각해서
한 일.

よかれあしかれ【善かれ悪しかれ】[連語]
좋든 궂든〔나쁘든〕; 잘 됐든 못 됐든;
어찌되었든; 하여튼 以外ほか에나니
좋은 나쁜든 할 수밖에 없다.

よがわり【世変かわり】[名] 세상이 바뀜,
시대의 변천.

*よかん**【予感】[名] [ス他] 예감. =虫むしのし
らせ. ¶死しの~ 죽음의 예감.

よかん【余寒】[名] 여한; 늦추위. ¶春
はるとはいえなお~がきびしい 봄이라고는
하나 아직 여한이 맵다.

よき【佳き】【雅語形容詞'よし'の
連体形】축하할; 축복스런; 경사로운.
¶きょうの~日ひに 오늘 같은 경사스
런 날에.

よき【予期】[名] [ス他] 예기. ¶～した通
とおり 예기한 대로.

よぎ【夜着】[名] ①이불. =ふとん. ②솜
을 둔 옷 모양의 이불. =かいまき.

よぎ【余技】[名] 여기. ¶～として絵えを
描えがく 여기로 그림을 그리다.

よぎしゃ【夜汽車】-sha [名] 밤기차; 야
간 열차. =夜行列車やこうれっしゃ.

よぎない【余儀無い】[形] 어쩔 수 없다;
부득이하다. ¶～を承知しょうちする 어
쩔 수 없이 승낙하다／それも~事ことと
それを부득이한 일이다.

よきょう【余興】-kyó [名] 여흥. ¶～に
移うつる 여흥으로 옮기다.

よぎり【夜霧】[名] 밤안개. ↔朝霧あさぎり.

よぎ-る【過ぎる】[5自] ①지나가다; 스
쳐가다. ¶前まえを~ 앞을 지나가다. ②
지나가는 길에 들르다.

*よきん**【預金】[名] [ス自他] 예금. ¶～通
帳つうちょう 예금 통장／～口座こうざ 예금 계
좌／～を引ひき出だす 예금을 찾다.

よく【欲】(慾) [名] ①욕심. ¶～をかく
욕심이 없다. ②[接尾語的에의]욕. ¶
知識ちしき~ 지식욕. ～が深ふかい 욕심이
많다. ～と相談そうだん 욕심과의논함(욕심
을 앞세워 생각함). ～に目めがくらむ
욕심에 눈이 어두워지다. ―の皮かわが
突つっぱる 욕심 덩어리다. ―を言いわ
ば 욕심을 말하자면 (부리자면).

よく【翼】[名] ①날개. ¶～をふるう(비
행기가) 날개를 훈들다. ②본대(本隊)
의 좌우. ¶敵軍てきぐんの右みぎの~を突つく
적군의 우익을 치다.

よく【良く・善く】(能く) [副] ①잘; 충분히. ¶
～わからない 잘 모르다／~考かんがえる
잘〔곰곰〕생각하다／～見みる 잘〔자세
히〕보다／字じを~書かく 글씨를 잘 쓰
다／～おいで下くださいました 잘 오셨

습니다. ②잘잘; 걸핏하면; 자주; 흔
히. ¶～聞きく話はなし 자주 듣는 이야기.
③흔히. ~なる 좋아지다. ④매우;
대단히. ～似にている 꼭 닮았다.

よく【克く・能く】(能) [副] 능히. ②용
케. ~ぞ[も] 잘도; 용케도／~やっ
た 참 잘 잘도(훌륭하게, 멋있게) 했다.
[注意] 반어적(反語的)으로도 씀. ¶
～ぞやった 잘도 해 먹었군; 감히 그
렇게 하니／~ぞ[も]だましたな 나
를 속였겠지.

よく-【翌】 다음 [접사]의; 이튿. ¶～十
日とおか 그 이튿날인 10일.

よくあさ【翌朝】[名] 이튿날 아침; 다음
날 아침. =よくちょう.

よくあつ【抑圧】[名] [ス他] 억압; 억누름.
¶～が加くわえられる 억압이 가해지다.

よくいにん【薏苡仁】[名] [漢薬] 의이인;
율무쌀.

よくかい【欲界】[名] [佛] 욕계. =よっ
かい.

よくげつ【翌月】[名] 익월; 다음 달. ¶～
くつき~に回まわす 다음달로 돌리
다. ↔前月ぜんげつ.

よくご【浴後】[名] 욕후; 목욕 후. =湯
あがり.

よくし【抑止】[名] [ス他] 억지; 억제; 제
지. ¶～力りょく 억지력／進行しんこうを~す
る 진행을 억지하다. 「どの.

よくしつ【浴室】[名] 욕실. =ふろば・ゆ

よくじつ【翌日】[名] 익일; 이튿날; 다음
날. ¶その~ 그 이튿날. ↔前日ぜんじつ.

よくしゅう【翌週】-shú [名] 익주; 다음
주; 내주. ¶～に延期えんきする 다음주로
연기하다. ↔前週ぜんしゅう.

よくじょう【欲情】-jó [名] 욕정. ①정
욕. ②欲おそわれる 욕정에 사로잡
히다. ②욕심. ¶金かねに対たいする~ 돈에
대한 욕심.

よくじょう【浴場】-jó [名] 욕장. ①목욕
탕; 공중 목욕탕. =ふろや・銭湯せんとう. ②
(여관・기숙사 등의) 욕실. =ふろば.

よくしん【欲心】[名] 욕심. =欲気よくけ・欲
念よくねん. ¶～を起おこす 욕심을 일으키다.

よく・する【良くする・善くする・能くす
る】[サ変他] 잘하다; 능하게 하다; 역량
이 있다. ¶文ぶんを~ 글을 잘할 줄 안다.

よく・する【浴する】[サ変自] ①입욕(入
浴)하다. ①미역감다; 목욕하다. ①죄
다. 日光にっこうに~ 햇빛을 쬐다. ②입
다; 받다. ¶恩恵おんけいに~ 은혜를 입다. ¶
은혜를 입다.

よくせい【抑制】[名] [ス他] 억제. ─さい
ばい【―栽培】[名] [農] 억제 재배. 尾尾
促成栽培そくせいさいばい.

よくせき【よくせき】(俗) 만부득이; 오죽하면;
어쩔 수 없이. =よくよく.

よくぞ【連語】①잘했다고 칭찬하는 말;
잘. ～やった 참 잘했다. ② よく참
うこそ. ～おいでくださった 잘 와
주셨소.

よくそう【浴槽】-só [名] 욕조; 목욕
통. =ゆぶね・ふろおけ.

よくちょう【翌朝】-chó [名] 익조; 다음
날 아침. =よくあさ.

よくど【沃土】[名] 옥토; 기름진 땅. =沃
地よくち・肥土ひど. ↔瘠地やせち.

よくとく【欲得】[名] 이득을 탐냄; 이욕
(利慾) 타산(打算). ¶～を離はなれて
타산을 떠나서. ──ずく【―尽く】[名]
타산적임. ¶これは~でできるもので

はない　이것은 이욕을 따져서는 안되
는 것이다.

よくとし【翌年】图 ⇨よくねん.

よくねん【翌年】图 익년; 다음해.

よくばり【欲張り】图 욕심이 많음;
욕심꾸러기. ¶～(の)爺さん 욕심쟁
이 영감.

よくば-る【欲張る】⑤自 지나치게 욕
심을 부리다; 탐내다. ¶余りーもの
ではない 너무 욕심부리는 것이 아니다.

よくばん【翌晩】图 다음날 밤.

よくぼう【欲望】-bō 图 욕망. ¶～を
満たす[押足す] 욕망을 채우다(억
제하다].

よくめ【欲目】图 자기 좋을 대로 생각
함; 자기 욕심; 호의적인 눈. =ひいき
目. ¶親めので 부모의 욕심으로.

よくも【克くも・能くも・良くも・好く
も・善くも】圓【よく(克)の②の反語
的 용법】남의 부당한 행위를 놀라거
나 비꼬거나 하는 기분을 나타내는 말: 용케
도; 감히. ¶～言ったな 감히 그따위
말을 했것다.　　　　　　〔야 천리〕

よくや【沃野】图 옥야. ¶～千里ぼ 옥

よくよう【抑揚】-yō 图 억양. =イント
ネーション. ¶～をつける 억양을 붙
이다.

よくよう【浴用】-yō 图 목욕용. ¶～
せっけん 목욕(용) 비누.

よくよく【善く善く・能く能く】圓【よく
どか[정성이] 대단한 모양: 잘; 차근차
근히; 꼼꼼히. ¶～考える 차근차근
히 생각하다. ②잡시; 더할 나위 없이.
¶～のばかさ 어지간한 바보다. ③어
쩔 수 없이; 만부득이. ¶～の事情
만부득이한 사정.

よくよく【翼翼】タル 존경하고 삼가
는 모양; 전전 궁궁하는 모양. ¶小心
しょう～として 너무 소심하여.

よくよく-【翌翌-】다음다음. ¶～年ど
다음다음 해 /～月び 다음다음 달.

よくりゅう【抑留】-ryū 图 ス他 억류.
¶～生活び 억류 생활.

-よけ【除け】…막이. ¶魔ま-ー 액(厄)
막이 /霜じ-ー 서리막이.

よけい【余計】圓【ダナ】①물건이 남아
돌아감; 여분(餘分). ¶～の物 나머지
의 물건. ②더욱; 한층 더. ¶～(に)
悪るい 더욱 나쁘다 /人びより～に働
はたく 남보다 더 많이 일하다. ③(정도
가 지나쳐) 쓸데없음; 불필요함. ¶
～なことを言うな 쓸데없는 말을 하
지 마라. ──なお世話ぜ 쓸데없는 (말)
참견. ──の[一も] 귀찮은 존
재; 애물.

＊よ-ける【避ける】下1他 피하다; 옆으
로 비키다; (피해를) 방지하다. ¶水
みたまりを～けて通とる 물구덩이를
비켜서 가다.

＊よ-ける【除ける】下1他 (피해를) 방지
하다; 면하다; 막다.

よけん【与件】图 여건; 부여된 조건. =
所与よ.

よけん【予見】图 ス他 예견. =先見ざ.

よげん【予言】图 ス他 예언. ¶～があ
たる 예언이 들어맞다.

よげん【預言】图 ス他 (기독교에서)예

＊よこ【横】图①가로. ㉠가로. ¶幅ば 가
로의 너비 /～に書かく 가로 쓰다 /

~に歩あるく 모로 걷다. ↔縦ぎ. ㋺측면.
¶～顔が 옆얼굴. ㋩비스듬함. ¶帽子
ぼうを～にかぶる 모자를 비스듬히 쓰
다. ㋥쓰러진 형태. ¶からだを～にす
る 몸을 눕히다; 가로 눕다. ②곁. ¶
～から口を出すす 곁에서 말참견하
다 /～目をつかう 곁눈질하다. ↔縦ぎ.
③부정(不正). =よこしま. ¶～を取ぎり
새치기; 횡령. ──から見ても縦から
見ても 어느 모로 보나. ──になる (가
로) 눕다; 자다. ──を向むく 못마땅해
하다; 무시하다.

よご【予後】图【醫】예후.

よこあい【横合い】图①옆쪽; 측
면. =よこて. ¶行列ぎつの～から割わ
り込むむ 행렬의 옆쪽에서 끼어드는
일. ②국외(자); 제3자; 곁. ¶～から口
を出すす 곁에서 말참견하다.

よこいと【横糸・緯糸】图 횡사; 씨
실. =ぬきいと. ↔縦糸ぎ.

よこう【予行】图 ス他 예행. ¶
～演習しゅう 예행 연습.

よこう【余光】-kō 图 여광. ①(해가 진
뒤의) 잔광(殘光). ¶日没後ぼっごの～の
일몰후의 여광. ②선인(先人)의 음
덕. =余徳ど. ¶親めの～で 돌아가신 어
버이의 덕(분)으로.

よこがお【横顔】图①본 얼굴; 옆얼굴.
¶～の美うつしい 옆 얼굴이 고
운. ②사람의 그다지 알려지지 않은 일
면; 프로필. ¶名士びの～ 명사의 프
로필.

よこがき【横書(き)】图 횡서; 가로 쓰
기. ↔縦書ぎき.

よこがみやぶり【横紙破り】图 사리·관
습에 벗어난 일을 억지로 하려 함; 또,
그런 사람.

よこぎ【横木】图①횡목; 가로목; 가로
대; 가로장. =バー. ②빗장으로 쓰는
나무.

＊よこぎ-る【横切る】⑤他 가로지르다;
횡단하다. ¶道路ろうを～ 도로를 횡단
하다.

よこく【予告】图 ス他 예고. ¶～編へん
예고편 /新刊ぼの～ 신간 예고.

よこぐみ【横組(み)】图【印】횡조; 활
자의 가로 짜기. ↔縦組ぎみ.

よこぐるま【横車】图 수레를 옆으로 밀
어, 이치에 맞지 않는 일을 억지로 하
는 일; 생떼지. ¶～を押おす 억지를
쓰다.

よこざま【横様・横方】㊀图 옆
쪽; 옆으로 향함. =よこむき. ㊁图ナ
⇨よこしま.

よこしま【邪】图ナ 부정(不正)(함);
사곡(邪曲)됨. ¶～な考んがえ 부정한
생각.

＊よこ-す【寄越す・遣す】⑤他 ①보내
(오)다; 넘겨 주다. ¶その金びを～
に··せ 그 돈은 이리 내. ②[動詞連
用形＋'て'를 받아] 어떤 행위를 해오
다. ¶言って 말해 오다 /送おくって
～ 보내 오다.

＊よご-す【汚す】⑤他 ①더럽히다. ¶着
物ぎを～ 옷을 더럽히다 /面めを～よ
うな振舞ぶり 체면이 깎일 행동. ②무
사귀를 무치다. =あえる. ¶みそで～ 된
장을 무치다.

よこずき【横好き】图 못하는 주제에 덮

어놓고 좋아함. ¶へたの～ 못하는 주
제에 무엇을 덮어놓고 좋아함.

よこすじ【横筋】图 ①가로줄; 횡선. ¶
～を引くく 가로줄을 긋다. ②옆길; 딴
길. ＝よこみち. ¶話はゞが～にそれる
이야기가 옆길로 새다.

よこすべり【横滑り・横ごり】图 Ｚ自
옆쪽으로 미끄러짐. 가로 미끄러짐. ¶
スケートが～す 스케이트가 옆으로 미끄러지다.

よこた─える【横たえる】下1他 ①몸을
눕다; 수평으로 놓다. ¶からだを～몸
을 눕히다. ②(칼 따위를) 옆으로 차다.

よこたわ─る【横たわる】五自 ①(가로)
눕다. ↔起きあがる. ②가로놓이다
(비유적으로 가로막다). ¶前途ゝゝに
は多ǎくの困難なゝが～・っている 전도
에는 많은 곤란이 가로막고 있다.

よこちょう【横町】-chō 图 골목(길).
¶三つめの～ 세째번 골목.

よこづけ【横付け】图 Ｚ他 선박・자동차
등의 측면을 목적하는 장소에 직접 갖
다 댐.

よこっちょ【横っちょ】-kotcho 图《俗》
옆쪽이; 측면. ¶帽子ぼゝ子を～にかぶる
모자를 삐딱하게 쓰다.

よこっつら【横っ面】-kottsura 图《俗》
따귀; 귀싸대기. ¶～を張はり飛ばす
〔ひっぱたく〕따귀를 후려 치다.

よこづな【横綱】图 ①씨름꾼의 최고
위; 또, 그 씨름꾼이 성장(盛裝)할 때
허리에 두르는 참바로 된 띠. ②제1
인자; 왕자. ¶多額納税者なゝゝゝゝの～
고액 납세자 중의 왕자.

よこて【横手】图 옆쪽; 측면.

よごと【夜ごと】【夜毎】图 副 밤마다;
매일밤. ＝毎晩さゝ. ¶～にあらわれる
밤마다 나타나는 ＝日ひごと.

よこどり【横取り】图 Ｚ他 가로챔; 옆
에서 빼앗음; 새치기; 횡령. ¶遺産ゝを
～をする 유산을 가로채다 / 列れつの～
をする 새치기해서 끼어들다.

よこながし【横流し】图 Ｚ他 횡류. ¶
～を取り締る 부정유출을 단속하다.

よこなぐり【横殴り】【横擲り】图 ①옆
으로 세게 때림. ②(풍우가) 옆으로 들
이침.

よこなみ【横波】图 선박 따위의 옆으
로 부딪치는 파도. ↔縦波なゝゝ.

よこばい【横ばい】【横這い】图 Ｚ自 ①
모로 김. ¶かにの～が(의 옆)걸음. ②
시세가 별로 변동이 없음; 보합(保
合) 시세. ¶よこばい【蝗】번개매미.

よこはば【横幅】图 폭; 나비. ¶m.

よこばら【横腹】图 옆구리. ＝わきばら・よこっぱら.

よこぶえ【横笛】图 저; 적(笛). ¶～を
吹くく 저를 불다. ＝縦笛なゝ.

よこみ【横見】图 곁눈질; 한눈 팖. ＝ロ

よこみち【横道】【横路】图 ①샛길; 간도
(間道). ②본줄거리에서 벗어
난 사항; 지엽(枝葉). ＝末節なゝ. ¶話
はゞが～にそれる 이야기가 본 줄기에서
벗어나다. ③부정한 방법(짓). ¶～に
おちいる 나쁜 길로 빠지다.

よこむき【横向き】图 옆으로 향함; 옆
을 향한 상태. ↔前むき. ¶～に座すわ
모로 앉다 / ～に寝ねる 옆으로 눕다.

よこめ【横目】图 ①곁눈; 곁눈질. ¶
～を使つゝう 곁눈질하다. ②인쇄 용지의

결이 가로임(제본 때 주름이 생김). ↔
縦目たゝゝ.

よこもじ【横文字】图 가로 쓰는 글자;
특히, 서양 글자(말).

よこやり【横やり】【横槍】图 옆에서 창
으로 찔러 들어옴; 전하여, 곁에서 말
참견함; 간섭함. ――を入れる 곁에서
말참견하다.

よこゆれ【横揺れ】图 Ｚ自 (배・비행기
등의) 옆질. ↔縦揺なゝれ.

よごれ【汚れ】图 오점; 더러움. ¶
～物ゝの 오물; 더러워진 옷.

よご─れる【汚れる】下1自 더러워지
다. ¶～れたお金なゝ 부정한 돈 / ～・れ
た田ゝ 오염된 강.

よさ【よさ・良さ・善さ】图 좋은 점;
좋은 정도; 좋을 정도. ¶内容なゝの～
내용의 좋은 점.

よざい【余罪】图 여죄. ¶～を追及ゝゝ
する 여죄를 추궁하다.

よざくら【夜桜】图 밤(놀이)의 벚꽃.

よさむ【夜寒】图 야한; 특히, 늦가을
밤 추위; 또, 그 계절. ＝よさむ. ¶
～の秋空なゝ 차가운 늦가을의 밤하늘.

よさん【予算】图 예산. ¶～編成なゝゝゝ
예산 편성 / ～を立たてる 예산을 세우
다 / ～が狂くるう 예산이 틀어지다.

よし【由】图 ①(그럴 만한) 유래; 연
유; 까닭. ＝わけ. ¶～もなく反対たゝゝ
する 까닭도 없이 반대하다. ②수단;
방법. ¶知るゝ～もない 알 방법이 없
다. ③〔…の～の 꼴로〕㉠…이라니
…하더니 / …라는 말숲ゝ〔消息〕. ＝儀ゝ.
¶お元気ゝゝの～ 何くよりです 전재
하시다니, 무엇보다도 기쁩니다. ②말
한 내용; 취지. 뜻. ¶その～を伝つたゝ
えてくれ 그런 취지를 전해 주게.

よし【葦・蘆・葭】图 植 갈대. ＝あし.

よし【止し】图 그만둠. ¶もう～にし
よう 이제 그만두자.

よし 感 승인・승낙・결의를 나타내고, 또
상대방의 말에 응하여, 알았다는 뜻으
로 내는 말: 알았어; 좋아. ¶～, そこ
まで 좋아, 거기까지 / ～, 許ゆるして
ろう 좋아, 용서해 주마.

よしあし【善し悪し】图 ①좋고 나쁨;
선악; 양부(良否). ¶品ゝゝの～を調べ
る 물건의 좋고 나쁨을 조사하다. ②
《～だの 꼴로》좋은 점도 있고 나쁜
점도 있다; 한 마디로 좋다 나쁘다 말
할 수 없다; 좀 생각해 볼 문제다. ¶
それも～だ 그것도 한 마디로 좋다 나
쁘다 말할 수는 없다 / 正直しょすぎる
のも～だ 지나치게 정직한 것도 생각
해 볼 문제다.

よしありげ【由ありげ】デ汇 까닭이〔연
유가〕있는 듯한 모양. ¶～な言葉ゝゝ
연유가 있는 듯한 말투.

よしきた【よし来た】連語 알았다; 좋
다(상대방의 주장 따위에 즉시 응할 때
하는 말). ¶～, 相手にゝゝになってやろ
う 좋아, 상대해 주지.

よしきり【葦切・葦雀】图 鳥 개개
비(휘파람새과의 작은 새). ＝ぎょう
ぎょうし・よしわらすずめ.

よじげん【四次元】图 4 차원. ＝しじげ
ん. ¶～の世界ゝゝゝ 4차원의 세계.

よしごい【葦五位】图 鳥 덤불백
로. ＝あしごい.

よしず【葦簾·葭簀·蘆簀】名 갈대발.

よしな-い【由ない】【由無い】形 ①(뚜렷한) 이유〔근거〕가 없다. ¶～ことを言＇い張る 당치도 않은 말을 우겨대다. ②방법이 없다；할 수 없다；수단이 없다.＝せんない. ¶～く言＇いなりになる 하는 수 없이 하자는 대로 하다. 対할곳다；신통치 않다. ¶～わざ 신통치 않은 재주.

よしなに副【宜】좋도록；잘；좋게.＝いいように；よろしく. ¶～たのむ 잘 부탁하네／～取り計らう 좋도록 조처해라.

よしのざくら【吉野桜】名【植】①'そめいよしの(＝왕벚나무)'의 오칭. ②吉野山ᄝᄀ의 벚나무〔산벚나무가 주를 이룸〕. 「魚〕=ごり.

よしのぼり【葦登】名【魚】밀어(密

よじ-のぼ-る【攀じ登る】自5回 기어 오르다. ¶木の～ 나무에 기어 오르다.

よしみ【好しみ·誼】名 친분；정의(情誼)；인연. ¶～を結ぶ 친분을 맺다.

よしや【縦しや】副 설령 …라 하더라도. ¶～死ぬ事があっても 설령 죽는 한이 있더라도. ⇒よしんば.

よしゅう【予習】-shū 名又他 예습. 対復習ᄀᄀ. 「ば.

よじゅう【夜中】-jū 名【老】밤새；온밤.

よじょう【余剰】-jō 名 잉여.＝余まり；残ᄀり. ¶～農産物ᄀᄀ 잉여 농산물.

よじょう【余情】-jō 名 여정；여운(餘韻)；(시나 문장의) 깊은 맛. ¶～溢れる詩＇ 여정이 넘치는 시.

よしょく【余色】-shoku 名 여색；보색(補色).

よしよし感 ①승낙·허가의 뜻을 나타냄；알았다 알았다. ②어린애를 달랠때 쓰는 말：좋아좋아. ¶泣＇くな、～ねんねしな オ오야 울지 말고 코 자거라.

よじ-る【捩る】他5回 비틀다；꼬다；비꼬다.＝ねじる·ひねる. ¶からだを～って笑う 몸을 꼬면서 웃다／ひもを～～ 끈을 꼬다.

よ-じる【攀じる】自上1回 오르려고 달라붙다；더위잡고 기어 오르다.

よじ-れる【捩れる】自下1回 비틀어지다；뒤틀리다；뒤틀리다.＝ねじれる·よれる.

よしん【余震】名 (큰 지진 뒤의) 여진.＝ゆりかえし. ¶～が収まる 여진이 멎다.

よじん【余人】名 다른 사람；타인.＝よにん. ¶～はいざ知らず 다른 사람은 어떤지 모르지만.

よじん【余燼】名 여신；화재에서 타다 남은 불.＝もえさし.

よしんば【縦しんば】-shimba 副【仮定】(仮定)의 조건을 나타냄；가령.＝たとえ·よしや. ¶～彼＇が謝＇＇ったとしても 설령 그가 사과를 했다 하더라도.

よ-す【止す·廃す】他5回 중지하다；그만두다. ＝やめる. ¶けんかは～せ 싸움은 그만두어라.

よすが【縁】名 인연고；기댈곳. ¶～を求ᄀめて就職ᄀᄀする 연고를 찾아서 취직하다. ②자그마한 인연；조금이라도 관계될 만한 것. ¶思＇い出での～ 추억의 실마

리. ③의지；의지할 사람.

よすがら【夜すがら】【終夜】副 밤새도록.＝よもすがら. ¶～仕事ᄀをする 밤새도록 일을 하다. ↔日＇すがら.

よす-ぎる【良過ぎる】自上1回 보통 이상으로(아주) 좋다.

よすてびと【世捨(て)人】名 속세를 떠난 사람(중이나 은자)。俗語.

よすみ【四隅】名 네 구석；네 모퉁이.＝しぐう. ¶へやの～ 방의 네 구석.

よせ【寄せ】名 ①밀려듦；밀어닥침. ¶～手 공격군；공격대. ②손님·관객을 끌어모음. ③바둑·장기의 종반전. ¶～に入る 종반전에 접어들다.

よせ【寄席】名 '寄席せ席ᄀᄀ'의 준말；사람을 모아 돈을 받고 만담·야담 등을 들려 주는 대중적 연예장.＝寄席せ場ᄀ·席亭ᄀᄀ. ¶～芸人ᄀᄀᄀ 만담〔재담〕가.

よせあつめ【寄せ集め】名 급한 대로 그러모은 사람들；오합지졸. ¶～の人数ᄀᄀ 어중이떠중이；오합지졸／～のチーム 오합지졸로 이루어진 팀.

よせあつ-める【寄せ集める】他下1回 모으다；그러모으다.

よせい【余勢】名 여세. ¶～を駆って 여세를 몰아.

よせい【余生】名 여생. ¶～を送る 여생을 보내다.

よせがき【寄せ書き】名又他 여럿이 한 장의 종이에 서화를 쓰는 일；또, 그렇게 해서 쓴 것.

よせか-ける【寄せかける·寄せ掛ける】他下1回 ①기대게 하다；기대어 세우다. ¶からだを壁ᄀᄀ～ 몸을 벽에 기대다. ②쳐들어가다. ¶敵＇の大軍ᄀᄀが～ 적의 대군이 쳐들어오다.

よせぎ【寄(せ)木】名 나무 토막을 짜맞춰서 만든 물건；특히, '寄木ᄀ細工ᄀᄀ'의 준말. ──ざいく【──細工】名 쪽매붙임.＝うめきざいく·モザイク.

よせざん【寄せ算】名 덧셈.＝たし算ᄀ. ↔引き算ᄀ.

よせつ-ける【寄せつける·寄せ付ける】他下1回 다가오게 하다；접근시키다. ¶～けて討＇つ 다가오게 접근시켜서 치다.

よせて【寄せ手】名 공격해 오는 군세(軍勢)；공격군. 「냄비.

よせなべ【寄せなべ·寄せ鍋】名 모둠

＊よ-せる【寄せる】自下1回 밀려오다. ¶～・せ来る敵兵ᄀᄀ 밀려오는 적병. ──下1他 ①바싹 옆에 대다；옆에 가까이 붙이어 대다. ¶車を隅ᄀᄀに～ 차를 바싹 구석으로 대다. ②의지하다. ¶身ᄀを～·親類ᄀᄀ一つ＇ない 의지할 친척 하나 없다. ③마음을 붙이다；모으다. ¶一筋ᄀᄀひそかに心ᄀᄀを～ 남몰래 정을 두다. ④한군데로 모으다. ¶仲間ᄀᄀを～·せてはばくちをうつ 한패거리들을 불러 모아서는 도박을 한다. ⑤〈自動詞的으로〉빗대어 말하다；비유하다；핑계하다. ¶花ᄀᄀに～恋ᄀ 꽃에 비유해서 말하는 사랑／病気ᄀᄀに～・せてなまける 병을 핑계 삼아 게으름 피우다. ⑥오게 하다；들르게 하다. ⑦보내다. ¶たよりを～ 편지를 보내다. ⑧더하다；가하다. ¶二ᄀに三ᄀを～ 2에 3을 더하다.

*よせん【予選】图他 ⊼他 예선. ¶～を通過する 예선을 통과하다. ↔本選など・決選など.

*よそ【余所・他所】图 ①딴 곳;남의 집. 타처. ¶～から 타관 사람/～から来た人 타처에서 온 사람/～で買などうともっと安い 딴 집에서 사면 더 싸다. ②전연 자기와 상관없는 일. ¶～事 남의 일. ――にする 소홀히 하다;버리다. ¶勉強などを～にして 공부는 뒷전에 두고. ――の見る目 남이 보는 눈;남의 눈. ――はため.

よせゆき【よせ行き】【余所行き・他所行き】图 ☞よそゆき.

よそ・う【装う】 ⑤自 ①〈口〉 ☞よそおう. ②밥이나 국을 그릇에 담다. ¶御飯などを茶などわんに～ 밥을 공기에 담다.

*よそう【予想】-sō 图 ⊼自他 예상. ¶～どおり 예상대로/～がはずれる 예상이 빗나가다. ――がい【――外】【ア}【外】 예상외;뜻밖. ¶～の成功など 예상밖의 성공.

よそおい【装い】图 ①치장;단장;옷차림;모양. ¶夏などの―― 여름 치장;여름 옷차림/外出などの―― 외출 차림.

よそお・う【装う】 ⑤他 ①치장하다;옷차림을 하다. ¶晴れ着などを着～ 나들이옷으로 치장하다. ②가장하다;그런 체하다. ¶客などを～ 손님을 가장하다.

*よそく【予測】图 ⊼他 예측. ¶～を許などさない 예측을 불허하다.

よそごと【余所事・他所事】图 남의 일;(자기와) 관계 없는 일. ¶～とは思えない 남의 일 같지 않다.

よそながら【余所ながら・他所ながら】 副 멀리서나마;나타나고 상관은 없는 일이나. ¶～御成功などを祈などる 멀리서나마 성공하시기를 빕니다. ②음지리;간접으로;은연 중.

よそみ【余所見・他所見】图 ⊼自 ①한눈 팖;옆을 봄;곁눈질. =わきみ. ¶～をするな 한눈 팔지 마라. ②☞よそめ①.

よそめ【余所目・他所目】图 ①남의 눈;남이 봄;남보기. =はた目;人目など. ¶～に羨などましい友情など 남보기에 부러운 우정/～が悪など 남보기가 흉하다. ②☞よそみ①.

よそよそ・しい【余所余所しい】-shī 形 (전과 달리) 쌀쌀하다;서먹서먹하다;데면데면하다. ¶――態度など 서먹서먹.

よぞら【夜空】图 밤하늘. ¶한 ател.

よたか【夜鷹】图【鳥】 쏙독새;토문교(吐蚊鳥);밤매(晨鷹).

よたく【預託】图 ⊼他 예탁.

よだち【夜立ち】图 ⊼自 밤에 출발함. ¶～の旅など行など 列車など 東京など行き 난 열차. ↔朝立などち.

よだ・つ【弥立つ】 ⑤自 소름이 끼치다. ¶身などの毛などが～ 소름이 끼치다.

よだつ【与奪】图 여탈. ¶生殺などの～権など 생살 여탈권.

よたもの【与太者】图 ①게으름뱅이. ②불량배;불량 소년. ③바보;못난이.

よたよた 副 비척비척;비틀비틀. ¶酒などに酔などって～(と)歩などく 술에 취하여 비틀비틀 걷다. ¶～歩か 가다.

よた・る【与太る】 ⑤自 〈俗〉 불량자짓

*よだれ【涎】图 (흘리는) 침;군침. ――が出る 군침이 돌다. ――を垂などらす;――を流などす 군침을 흘리다.

よだれかけ【よだれ掛け】【涎掛け】 图 (갓난애의) 턱받이.

よだん【予断】图 ⊼他 예측. ¶～を許などさない 예측을 불허하다.

よだん【余談】图 여담. ¶～ですが 여담입니다만.

よだんかつよう【四段活用】-yō 图【文法】 動詞活用 종류의 하나;文語など 역사적 かなづかい의 口語로에 어미가 五十音図などのア・イ・ウ・エ 4단으로 활용되는 것.

よち【余地】图 여지;여유. ¶家などを建てる～はある 집을 지을 여지는 있다/立錐などの―もない 입추의 여지도 없다.

よちよち 副 어린애나 무거운 짐을 진 사람 또는 쇠약한 사람 등이 걷는 모양;아장아장;비척비척;비실비실.

よつ【四つ】图 ①넷;네 살;넷째. =よん・よっつ. ②(씨름에서) 쌍방이 서로 맞붙음. =よつみ. ¶～にわたる 서로 양손으로 맞붙잡다.

よつあし【四つ足】图 네 발(가진 것);(소・돼지 따위의) 네발 짐승. ¶～の肉など 네발 짐승의 고기.

*よっか【四日】yokka 图 4일;나흘;초나흘날. ¶～間などの旅など 4일간의 여행(旅行).

よっかい【欲界】yokkai 图【佛】욕계.

よっかく【浴客】yokka 图 욕객. =よっきゃく. ¶温泉場などのなんの～ 온천장의 욕객.

*よつかど【四つ角】图 ①네 귀;네모퉁이. ¶～に旗などを立てる 네 모퉁이에 기를 꽂다. ②네거리;십자로. =よつつじ.

よつぎ【世継】【世嗣など】图 대를 이음;또, 그 상속인;후사(後嗣). =跡取などり. ¶～がない 대를 이을 사람이 없다.

*よっきゅう【欲求】yokkyū 图 ⊼他 욕구. ¶生などの～ 생의 욕구/不満など 욕구 불만.

よつぎり【四つ切り】图 寫) 4절판(약 25.5cm×30.5cm). =四つ切判など.

よっこらしょ yokkorasho 感 일어설때 따위에 내는 소리;어이차.

よったり【四人】【四人】yotta- 4인;네 사람. =よにん. ¶兄弟などが～ 형제.

よっつ【四つ】yottsu 图 ☞よつ(四) ①. ¶～め 넷째;네 번째.

よつつじ【四つ辻】图 네거리;십자로('よつかど'의 구칭). ¶町などの～ 거리의 네거리.

よって【因って・依って・由って・仍て・

拠って】yotte 連語《接続詞的で》だ
らして；それゆえに；これに。＝ゆえに。¶その
功績は大だなり，これを賞与すこの
功的が行む。これに表彰する。━━来た
る（それが）原因になる。

よってたかって【寄ってたかって】
〔寄って集って〕yottetakatte 連語 여러
사람이 달라 붙어서〔합세해서〕；여럿이
서。¶～いじめる 여럿이 몰려들어 괴
롭히다〔못살게 굴다〕.

ヨット yotto 名 요트。▷yacht.

よっぱらい【酔っ払い】yoppa- 名 술
취한 사람；술주정꾼；취한（醉漢）。＝
よいどれ.

よっぱらーう【酔っ払う】yoppa-
5自 몹시 취하다.

よっぴて【夜っぴて】yoppi- 副〈俗〉밤
새도록。＝よっぴいて。¶夜がなー
온밤；온 하룻밤／～遊び歩く 밤새
도록 놀러 다니다.

よっぽど【余っ程】yoppo- 副〈俗〉'よ
ほど'의 힘줌말.

よつめがき【四つ目垣】 대를 성기게
엮어 칸살이 네모난 울타리.

よつゆ【夜露】名 밤이슬。¶～にぬれ
る 밤이슬에 젖다.

よづり【夜釣（り）】名 ス他 밤낚시

よつわり【四つ割り】名 4 등분.

よつんばい【四つんばい】〔四つん這い〕
yotsunbai 名 납죽 엎드림；네 손발로
김；또，그 모양；부복（俯伏）。¶
～になる 납죽 엎드리다／～に倒れ
る 넉장거리로 넘어지다.

よてい【予定】名 ス他 예정。¶～通
り 예정대로／～表 예정표／～が狂
う 예정이 틀어지다.

よど【淀・澱】名 물이 흐르지 않고 괸
곳；물구덩이；웅덩이。＝よどみ。¶川
の～ 강의 물구덩이.

＊よとう【与党】-tō 名 여당。↔野党.

よとうむし【夜盗虫】yotō- 名 스[蟲]밤
도둑（밤나방의 유충）；거염벌레。＝よ
とう.

よどおし【夜通し】yodō- 名・副 밤새도록；
철야。¶一晩じゅう。¶～看病かん
する 밤새도록 병구완하다.

よとく【余徳】名 여덕；죽은 뒤에도 남
은 은덕；여택。¶先祖の～ 선조의
음덕（蔭德）.

よどみ【淀み・澱み】名（1）(물이) 됨；웅
덩이。¶溝みの～の 도랑（개천）의 물웅덩
이。(2)(말이) 막힘。¶～なくしゃべる
쉴새없이 지껄이다.

よどーむ【淀む・澱む】5自（1）(물이) 괴
다；흐르지〔움직이지〕 않다。¶～ん
だ水が 괸 물／空気が～ 공기가 탁하
다。(2)정체하다；막히다。¶仕事が
～んではかどらない 일이 정체되어
진척이 잘 안되다。(3)바닥에 가라앉아
괴다。＝沈澱する.

＊よなか【夜中】名 한밤중。¶真ーに
家へ帰る 한밤중에 집에 돌아오다.

よなが【夜長】名 밤이 긺；또，그런
가을의 계절。¶秋のー 가을의 긴 밤；
장장 추야。¶日長とー.

よなーげる【淘げる】下1他 (물로) 일
다 (일어서) 가려내다.

よなべ【夜なべ】〔夜鍋・夜業〕名 ス自
야업；밤일。¶～に針仕事はりを する

야업으로 삯바느질을 하다.

よなよな【夜な夜な】副 매일 밤；밤마
다。＝よごと。¶～お化けが出ると
いう 밤마다 도깨비가 나온다고 한다.
↔朝な朝な.

よなーれる【世慣れる】〔世馴れる〕
下1自 (1)세상 물정에 익숙해지다；세
정에 밝다。¶～れた人 세정에 밝은
사람。(2)정사（情事）에 통하다.

よにげ【夜逃げ】名 ス自 야반 도주；밤
도망。¶借金しゃっきんで～(を)する 빚을 지
고 야반 도주하다.

よにも【世にも】副（1）{否定의 표현이
따라서} 결코。(2)유달리；각별히；대단
히；참으로；정말。＝取分とりわけ。¶～不
思議ぎな 참으로 이상한.

よねつ【余熱】名 여열；남은 열기；ほ
とぼり。¶アイロンの～を利用りょうする
다리미의 여열을 이용하다.

よねん【余念】名 여념；잡념。一がな
い 여념이 없다。¶練習れんしゅうに～がない
연습에 여념이 없다。↜른 것.

よの【余の】連体 다른；딴。¶～物とめ 다
른 것.

よのかぎり【世の限り】連語 생명이 있
는 한；일생；일평생。↜판.

よのきこえ【世の聞え】連語 세상의 평

よのためし【世のためし】〔世の例〕連語
세상의 관례；재래의 관습.

よのつね【世の常】連語（1）세상의 예상
사（例常事）。(2)세상의 관습；세습(世
習)。━の道みち 세상 도리.

＊＊よのなか【世の中】名 세상。①〔①〕인간
세계；세간；사회。¶物騒ぶっそうなー 시끄
러운 세상。②〔②〕시대。¶もう～が変わっ
た 이젠 세상이 변했다／今なの～は実
力りょくのーだ 지금 세상은 실력의 시대
다。③속세；또，세상사（例常事）.

よのならい【世の習い】連語 세상의 통
례；예상사。¶栄枯盛衰えいこせいすいは～ 흥
망 성쇠는 예상사.

よのめ【夜の目】連語 ¶～も寝ねずに 자
지도 않고；잘 자지도 아까워서。¶
～も寝ねずに心配しんぱいする 밤잠도 못 자
고 걱정하다.

よは【余波】名 여파；여세；영향。¶事
件じけんの～ 사건의 영향（여파）.

よはく【余白】名 스페이스。¶
～に書込かきこみをする〔書込む〕 여백에
써넣다.

よばたらき【夜働き】名 ス自（1）밤일
(을 함)。(2)〈俗〉밤도둑（질을 함)。＝
夜盗ようとう.

よばなし【夜話】名 밤에 하는 이야기；
밤에 한가로이 담소（談笑）함。＝やわ。
夜語ようかたり.

よばなーれる【世離れる】下1自 탈속하
다。¶～れた生活せいかつ 탈속한 생활.

よばーれる【呼ばれる】下1自 불리다.
(1)일컬어지다；…라고 하다。(2)초청되
다；초대를 받다。¶宴会えんかいに～ 연회
에 초대받다.

よばわり【呼ばわり】〔一〕名 부름；부르
는 일。〔二〕接尾 자못 그렇다는 듯이 빙
방하여 부름；지칭함。¶どろぼう～ 도
둑이란 부름.

よばわーる【呼ばわる】〔喚ばわる〕5自
큰 소리로 부르다；외치다。¶荒野こうや
に～ 황야에서 외치다.

よばん【夜番】名 야번；밤에 지킴；또，

그 사람 ; 야경(夜警). =やばん.

*よび【予備】⑧①예비. ┃殺人ミン~ 살인 예비 / ~工作ポ 예비 공작 / ~知識ポ 예비 지식. ②予備役グ(=예비역)'의 준말.

よびあ-げる【呼(び)上げる】下一他 ①큰 소리로 부르다. ②사물의 이름을 차례로 말하다. ┃名前ポを~ 차례로 호명하다.

よびあつ-める【呼(び)集める】下一他 불러 모으다.

よびい-れる【呼(び)入れる】下一他 불러들이다. =呼び込む.

よびおこ-す【呼(び)起こす】5他 ①불러 일으키다. ①불러서 깨우다. ②환기(喚起)하다 ; 일깨우다. ┃興味ポを ~ 흥미를 불러일으키다.

よびかけ【呼びかけ・呼(び)掛け】⑧(소리 질러) 부름. ┃相手ポの~に答ェえる 상대방의 부름에 응답하다.

*よびか-ける【呼びかける・呼(び)掛ける】下一他 ①소리를 지르다 ; 부르다. ┃道ミ行ュく人ェを~ 길 가는 사람을 (소리 내어) 부르다. ②의견의 찬동을 구하다 ; 호소하다. ┃全国ゼンに~ 전국에 호소하다.

よびかわ-す【呼(び)交わす】5他 서로 부르다. ┃名ェを~ 서로 이름을 부르다.

よびこ【呼(び)子】⑧ 호루라기 ; 호각. =よぶこ. ┃~を鳴ェらす 호각을 불다.

よびごえ【呼(び)声】⑧①부르는(외치는) 소리. ②(임명(任命)이나 인선 등에 관한) 평판 ; 소문. =うわさ. ┃~が高ェい 소문이 자자하다.

よびこ-む【呼(び)込む】5他 ①불러 들이다. =呼びいれる. ②끌어들이다

よびさま-す【呼(び)覚ます】(呼醒す)5他 ①불러 깨우다. ②상기시키다. ┃記憶ポを~ 기억을 상기시키다.

よびす-て【呼(び)捨て】⑧ 경칭을 붙이지 않고 이름을 막 부름. =よびずて.

よびす-てる【呼(び)捨てる】下一他 경칭을 붙이지 않고 성명을 막 부르다.

よびだし【呼(び)出し・呼出】⑧ 호출 ; 소환(召喚). ┃警察ポからの~ 경찰로부터의 호출.

よびだ-す【呼(び)出す】5他①호출하다 ; 불러 내다. ┃友達ポを~ 친구를 불러내다. ②부르기 시작하다.

よびつ-ける【呼びつける・呼(び)付ける】下一他 ①불러 (그 곳에) 오게 하다 ; 불러오다. ┃~けてしかる 불러내서 꾸짖다. ②불러오어 입에 익다. ┃~けた名前ポを呼ぶ 늘 부르는 이름으로 부르다.

よびと-める【呼(び)止める】下一他 불러서워 세우다. ┃通行人ッ~を~ 통행인을 불러 세우다.

よびな【呼(び)名】⑧ 보통 불리고 있는 이름 ; 특히, 통명(通名) ; 통칭. =通ッり名ェ.

よびな-れる【呼び慣れる】(呼(び)馴れる)下一自 늘 불러서 익숙해지다.

よびね【呼(び)値】⑧ (거래에서) 매매 물건의 단위 수량의 가격 ; 부르는 값 ; 호가(呼價).

よびみず【呼(び)水】⑧①(펌프의) 마

중물(을 붓는 일). ②어떤 것의 계기가 되는 것 ; 실마리. ┃投書ポが~となって 투서가 계기가 되어서.

よびもど-す【呼(び)戻す】5他 불러서 되돌아오게 하다 ; 귀환시키다.

よびもの【呼(び)物】⑧ (모임이나 연예에서) 인기를 끄는 것 ; 평판이 좋은 것. ┃~の映画ポ 인기 있는 영화.

よびょう【余病】yobyō ⑧ 여병 ; 합병 증. ┃~を併発ポする 여병을 병발하다.

よびよ-せる【呼(び)寄せる】下一他 불러 오다 ; (가까이) 불러 들이다 ; 불러 모으다.

よびりん【呼びりん・呼(び)鈴】⑧ 초인 종.

*よ-ぶ【呼ぶ】5他①부르다. ①소리내어 부르다. ┃~べば答ェえる距離ッ 부르면 대답할 거리 ; 지호지간. ②큰 소리로 외치다. ┃助ゲけを~ 구조를 외치다. ⑤불러오게 하다. ┃医者ゼを~ 의사를 부르다. ②초대하다. ┃夕食セュクに~ 저녁 식사에 초대하다. ⑤이름 짓다 ; 일컫다. ┃太郎ッと~ 太郎라고 부르다[호칭하다]. ⑤호가하다. ┃高値ダカを~ 비싼 값을 부르다. ②끌다 ; 불러 일으키다. ┃人気ンキを~ 인기를 끌다[모으다] / 波乱ンを~ 파란을 불러일으키다.

よふか-い【夜深い】⑱ 야심하다 ; 밤이 깊다.

よふかし【夜更(か)し】⑧ス自 밤 늦게까지 자지 않음. ┃読書ッを~をする 밤늦게까지 독서를 하다. ⇨よあかし.

よふけ【夜更け】⑧ 밤이 깊어짐 ; 또, 야심(夜深). ┃~の町ェ 야심한 거리.

よぶこどり【呼(び)子鳥】⑧ 'かっこう(=뻐꾸기)'의 딴이름.

*よ-ぶん【余分】⑧ 여분. ①나머지 ; 우수리. =のこり. ②덤 ; 더 이상(보다). ┃~に上ェげよう 덤으로 (더) 드리지 / 人ェより~に働ポく 남보다 더 일하다.

よほう【予報】⑧ス他 예보. ┃天気ポ~ 일기 예보.

よぼう【与望】(興望)-bō ⑧ 여망. ┃~をになう 여망을 짊어지다. 匡意 'う望'로 씀은 대용 한자.

*よぼう【予防】-bō ⑧ス他 예방. ┃火災ゼ~ 화재 예방 / ~接種ゼ 예방 접종. ――せん【―線】⑧ 예방선 ; 방패막이. ┃~を張ェる 예방선을 치다(미리 방패막이를 하다.

*よほど【余程】⑪①상당히 ; 대단히 ; 꽤 ; 어지간히 ; 훨씬. ┃~困ッっているようだ 상당히 곤란해 하고 있는 모양이다 / ~の寒ェさ 상당한 추위 / この方ェが~いい 이쪽이 훨씬 좋다. ②꼭 ; 단호히. ┃~やってみようと思ェった 꼭 해 보려고 마음 먹었었다.

よぼよぼ ⑪ス自 쇠약해진 모양 ; 걸음걸이를 위태롭게 걷는 모양 ; 비칠비칠.

よま-せる【読ませる】下一他 (재미나서 저절로) 읽히다. =読ます. ┃なかなか~ね 꽤 읽히는데[읽을 만하데].

よままわり【夜回り】(夜廻り)⑧ス自 야경돌. 또, 야경꾼. ┃よみし.

よみ『黄泉』⑧ 황천 ; 저승 ; 저 세상. =

よみ【読み】⑧①읽기. ①(책 따위의) 읽기. ┃~書ェき 읽기 쓰기. ⑤(바둑

장기 등에서) 수읽기. ⓒ(한자(漢字)의) 훈독；음독. ②앞을 내다봄；(비유적으로) 선견지명；통찰력. **―が深**ぶ**い** 선견지명이 있다；통찰력이 있다.

よみあ-げる【読み上げる】下1他 ① 소리를 내어 읽다. ②(끝까지) 다 읽다；독파(読破)하다.

よみあわせ【読み合(わ)せ・読合せ】名 ①(원고와 교정쇄 따위를) 서로 읽어 맞추어 봄. ②(劇) 연출 전에 배우가 모여 각자의 대사를 읽어 맞추어 보는 연습；본읽기. 국본(劇本) 읽기. =本読ぶ**み**.

よみあわ-せる【読み合(わ)せる・読合せる】下1他 (초안과 정서, 원고와 교정쇄 따위를) 서로 읽어 가며 맞추어 보다.

よみか-える【読(み)替える】(訓(み)**替える)**下1他 ①(法) 법령・규정 따위의 어느 조문에서 그와 같은 조건의 다른 어구를 대체(代替)하여 (새 조문을 만듦이 없이) 그대로 적용하다. ②하나의 한자를 다른 음으로 읽다.

よみがえ-る【蘇る・甦る】五自 되살아나다；소생하다. ¶**三日目**ぶ**に**～ 사흘 만에 되살아나다.

よみかき【読み書き】名(ス他) ①(글자를) 읽고 쓰는 기능. ②실용적인 공부〔학문〕.

よみかた【読み方】名 ①읽는 법；읽기. ②문장 내용을 이해하기. ¶**古文**ぶ**の**～ 고문의 독해법. ③독본；이전에, 소학교 국어 교과의 하나.

よみがな【読(み)仮名】名 한자음을 읽기 위해 붙인 仮名도. =振ぶ**り仮名**도.

よみきり【読(み)切り・読切】名 ①다 읽음. ②(잡지 등에 실린) 1회로 끝내는 단편물. ↔連載도.

よみき-る【読(み)切る】五他 끝까지 읽다；독파하다. ¶**ひと晩**ぶ**で**～ 하룻밤에 다 읽다.

よみくだ-す【読(み)下す】五他 ①(처음부터 끝까지) 내리읽다；대충 훑어보다. ¶**広告文**ぶ**を**ざっと～ 광고문을 대강 훑어보다. ②한문을 일본말 어순(語順)으로 고쳐서 읽다.

よみこな-す【読みこなす】五他 읽고 내용을 충분히 이해하다.

よみさし【読みさし】名 읽다가 중단함；또, 그런 것. =読**みかけ**. ¶**の本**ぶ 읽다 만 책.

よみさ-す【読みさす】五他 읽다가 중단하다. =読**みかける**. ¶**小説**도**を** ～したまま外出ぶする 소설을 읽다 말고 외출하다.

よみせ【夜店】【夜見世】名 야시(夜市). =夜市도. ¶～**が出**ぶ**る** 야시장이 서다.

よみち【夜道】名 밤길(을 걸음). ¶～ **はこわい** 밤길은 무섭다 / ～**をする** 밤길을 걷다.

よみて【読(み)手】名 ①읽는 이(사람). ↔書**き手**・聞**き手**. ②(가루타의 = 카드놀이의 하나)'의 글귀 읽는 사람. ↔取ぶ**り手**.

よみて【詠(み)手】名 和歌・俳句はの 작자(作者). =詠ぶ**み人**ぶ.

よみで【読みで】名 읽을 만함；읽을 만한 분량. ¶～**がある** 꽤 읽을 만하다.

よみと-おす【読み通す】-tōsu 五他 (책 따위를) 끝까지 다 읽다；통독하다.

よみと-る【読(み)取る】五他 독해(読解)하다；읽고 이해하다. 간파하다. ¶**人**ぶ**の心**도**を**～ 남의 마음을 알아채다.

よみなが-す【読(み)流す】五他 ①죽죽 읽어 내리다. ②줄줄 읽어 내리다.

よみな-れる【読(み)慣れる】下1自 읽는 데 익숙해지다.

よみにく-い【読みにく-い】形 읽기 어렵다. =読**みづらい**.

よみびと【詠(み)人】名 시가(詩歌)의 작자. ¶～**知**ぶ**らず** 작자 미상(불명).

よみふ-ける【読みふける】【読(み)耽る】五自他 탐독하다；열중해서 읽다.

よみふだ【読(み)札】名 歌도かるた의 읽는 쪽의 패. ↔取ぶ**り札**도.

よみほん【読(み)本】名 江戸도시대 후반기의 소설의 하나(다소 내용이 복잡한 전기적(傳奇的)・교훈적 소설).

よみもの【読(み)物】名(名ぶ일종) 읽을 거리. ¶**何**ぶ**かよ～はないか** 무슨 읽을 거리는 없는가 / 連載도**～** 연재물. ②읽을 만한 문장・기사. ¶**なかなかの～だ** 꽤 읽을 만한 문장이다.

****よ-む【読む】**五他 ①（소리내어） 읽다. ¶**経**도**を**～ 경문을 읽다. ⓑ보고 이해하다. ¶**グラフを~** 도표를 보고 알다 / **目盛**ぶ**り~** 눈금을 보고 알아차리다. ¶**作戦**도**を~まれる** 작전이 탐지되다. ⓒ(바둑・장기에서) 앞수를 내다보다. ¶**手**ぶ**を~** 수를 읽다〔내다보다〕. ②(문장・시가 따위를) 읊다；講談도をする. ③세다. ¶**票**ぶ**を** ～ 표를 세다. ④(본디는 訓と**む**) 한자를 훈독하다. ↔書**く**. ¶**よめる**.

****よ-む【詠む】**五他 시가(詩歌)를 짓다；――としいる.

****よめ【嫁】**名 ①며느리. ②신부. ――**としいる** 며느리로 시어머니. ②신혼 여성. ¶**花**도**・新婦**. ②결혼 상대로서의 여성；아내. ¶**～を迎**ぶ**える** 장가 들다 / **～に行**ぶ**く** 시집가다. ¶**嫁**도.

よめ【夜目】名 밤에 봄；밤눈. ¶**～が利**ぶ**く** 밤눈이 밝다.

よめい【余命】名 여명；여생(餘生). ¶ **～いくばくもない** 여생이 얼마 남지 않은. ¶**一生**도**・一期**도.

よめいり【嫁入り】名(ス自) 시집감；또, 婚礼. =嫁ぶ**ぎ入**り. ¶**の**～ 嫁ぶ**の高**い 말.

よめご【嫁御】名 嫁ぶの 높임말.

よめな【嫁菜】名(植) 쑥부쟁이. =のぎく・はぎな.

よ-める【読める】下1自 ①읽을 수 있다；읽을 만하다. ¶**ちょっと～小説**도**うだ** 꽤 읽을 만한 소설이다. ②이해되다；알다. ¶**彼**도**の腹**ぶ**の中**도**が～めた** 그의 심중(心中)을 알았다. ③(바둑・장기에서) 상대의 수를 알다.

よも【四方】名(雅) 동서 남북의 사방；전후 좌우；전하늘, 주위；여러 곳. ¶ **～のけしき** 사방의 경치. **――の海**ぶ ①사해(四海). ②천하.

よも副 ☞**よもや**.

よもぎ【蓬・艾】名(植) 쑥. =もちぐさ.

よもすがら【夜もすがら】【終夜・終宵・通宵】副 밤새껏；밤새도록. =夜ぶ**どおし**・夜ぶ**もや**. ¶**何**ぶ**を思**ぶ**う** 밤새 무엇을 생각하다. ↔ひねもす・日ぶ**もすがら**.

よもや副《否定的인 추량(推量)의 형

(形)을 수반하여〕설마. ＝まさか. ¶
～知°るまい 설마 모를 테지.

よもやま【四方山】图 ①여러 가지 ; 잡다(雜多). ¶～話゚ 여러 가지 이야기. ②세간(世間) ; 세상.

よやく【予約】图 ㋜他 예약. ¶～席゚ 예약석 /～金゚ 예약금.

よゆう【余裕】-yū 图 여유. =ゆとり. ¶～のある生活゚ 여유 있는 생활.

よよ【代々・世世】图 대대 ; 대를 거듭함. ¶ 〔佛〕과거・현재・미래.

よよと【代々と】图 흐느껴 우는 모양 : 흑흑. ¶～泣゚く 흐느껴 울다.

より【縒り・撚り】图 꼼 ; 또, 꼰 것. ━が戻゚る 사물이 원상태로 된다. ━をかける 가일층 전력하다. ━を戻゚す 본디의 관계로 되돌아가다 ; 특히, 한 번 이별했던 남녀가 다시 합치다.

より副 보다 ; 한결 ; 더욱더. ¶～よい生活゚ 보다 나은 생활 /～正確゚に言゚えば 보다 정확하게 말하면.

より格助 동작・작용의 기점・경로를 나타내는 데 씀. ①출발점을 가리킴 ; 으로부터. ＝から. ¶ A駅゚～出発゚ A역에서 출발. ②비교의 기준을 가리킴 ; 보다. ¶ 去年゚～寒゚い 작년보다 춥다. ③〔否定を伴゚って〕'그 이외에는 없다'의 뜻으로 한정하는 데 씀 : …수밖에. ＝しか. ¶ そうする～ほかにない 그렇게 하는 수밖에 〔별도리가〕없다.

よりあい【寄(り)合い・寄合】图 모여듦 ; 모임 ; 회합 ; 집회. ¶村゚の～に出゚る 마을 회합에 나가다. ━━じょたい【━━所帯】-jotai 图 ①한 곳에 여러 세대가 모여 사는 집. ②통일이 없는, 잡다한 사람들의 모임.

よりあつま－る【寄(り)集まる】国他 (많은 것들이) 한데 모여 들다 ; 모이다. ¶テーブルの周囲゚に～ 테이블 주위에 모이다.

よりあわ－せる【より合(わ)せる】【縒(り)合(わ)せる・撚(り)合(わ)せる】下1他 (몇 가닥을) 합쳐서 꼬다 ; 꼬아 합치다.

よりいっそう【より一層】-issō 副 더한층 ; 보다 더욱 더. ¶～苦゚しくなる 더한층 괴로워지다.

よりいと【より糸】【縒糸・撚糸】图 연사 ; 꼰 실.

*よりかか－る【寄(り)掛かる】【倚掛る・凭掛る】国他 ①몸을 의지하여 실리다. ¶壁゚に～ 벽〔난간〕에 기대다. ②의존하다 ; 의지하다. ¶親゚に～って生活゚する 부모에게 의지해서 생활하다.

よりけり【因りけり】連語 …에 따라 다르다〔달려 있다〕; 나름이다. ¶じょうだんも時゚に～だ 농담도 때에 나름이다.

よりごのみ【より好み】【選り好み】图 ㋜他 ☞ えりごのみ.

よりすが－る【寄りすがる】【寄(り)縋る・倚(り)縋る】国他 ①바짝 붙다 ; 매달리다. ②믿고 의지하다 ; 기대다.

よりすぐ－る【選りすぐる】国他 ☞ えりすぐる.

よりそ－う【寄(り)添う】国他 바싹〔짝 라) 붙다 ; 다가붙다. ¶友達゚と～って道゚を歩゚く 친구와 바싹 붙어서서

길을 걷다.

よりだ－す【より出す】【選り出す】国他 골라내다 ; 가려내다.

よりつ－く【寄(り)付く】国他 ①(곁에) 다가가다 ; 접근(接近)하다 ; 가까이하다. ¶～けない 가까이할 수 없다 ; 人゚が～かない 사람이 가까이하지 않다〔경원하다〕. ②(거래소에서) 그 날 첫 매매 거래가 성립하다.

*よりどころ【より所・拠】**图 ①근거(根據). ¶～のないうわさ 근거 없는 풍문. ②믿을〔의지할〕곳・곳 ; 의지 ; 기반. ¶生活゚の～を失゚う 생활의 의지〔기반을〕잃다.

よりどり【より取り】【選り取り】图 ㋜他 마음대로 고름 ; 골라잡기. ＝えりどり. ¶～一゚つ十円゚ 골라잡아 한 개 십엔.

よりぬき【より抜き】【選り抜き】图 ☞ えりぬき.

よりぬ－く【より抜く】【選り抜く】国他 골라 뽑다 ; 선발하다. ＝えりぬく.

よりみち【寄(り)道】图 ㋜他 가는〔지나는〕길에 들름 ; 또, 돌아서 가는 길.

よりも格助 'より'의 힘줌말.

よりよい【より良い・より良い】形 〔より よい・より良い〕보다 더〔더욱, 보다〕좋다. ¶～方法゚ 보다 좋은〔나은〕방법.

よりよく【余力】-ryoku 图 여력 ; 남은 힘〔역량〕; 여유. =ゆとり.

よりより【寄り寄り】图 때때로 ; 수시로 ; 이따금. ¶～相談゚する 이따금 모여서 의논하다.

よりわ－ける【より分ける】【選り分ける】下1他 ☞ えりわける.

*よ－る【依る】**国他 ①의하다. ¶レーダーに～観測゚ 레이더에 의한 관측 / 労働゚に～所得゚ 노동에 의한 소득. ②의존하다 ; 의지하다. ¶信仰゚に～らなければは救゚われない 신앙에 의하지 않고서는 구원 받지 못한다.

*よ－る【由る】**国他 ①의하다 ; 따르다. ¶事情゚に～り 사정에 의하여〔따라〕/ 時゚と場合゚に～ 때와 경우에 따르다 / 実験゚の結果゚に～結論゚ 실험 결과에 의한〔따른〕결론. ②〔縁る로도〕관계하다 ; 달리다. ¶努力゚の如゚んに～ 노력 여하에 달려 있다.

*よ－る【拠る】**国他 ①(거)하다. ¶聖書゚に～れば 성서에 의하면 / 規程゚に～って処理゚する 규정에 따라〔의해〕처리한다. ②웅거(雄據)하다.

*よ－る【よる・因る】**国他 (기)인하다 ; 말미암다 ; 원인이 되다 ; 의하다. ¶漏電゚に～火災゚ 누전으로 인한 화재 / 成功゚は勤勉゚に～ 성공은 근면에 의한다.

よ－る【寄る】国他 ①접근하다 ; 다가가다. ¶船゚は岸゚に～ 배가 해안에 다가오다. ②(생각이) 미치다. ¶思゚いも～らず゚ 생각지도 않게 ; 뜻밖에. ③～に立゚ちも寄゚る ④겹치다 ; 닿아지다. ¶しわが～ 주름이 잡히다 / 年゚が～ 나이가 들다. ⑤밀리다. ¶波゚が～ 파도가 밀리다. ⑥의지하다 ; 기대다. ¶壁゚に～ 벽에 기대다. ⑦(씨

름에서) 상대방의 살바를 잡고서 뒤로 떠밀치다. ⑧한 장소로 모이다. ¶三人^{にん}・・・れば文殊^{もんじゅ}の知恵 세 사람이 모이면 문수 보살의 지혜. ⑨(거래소에서) 그 날 시초(始初)의 매매 거래가 성립되다. 一と触^{ふ}ると 여러 사람이 모이기만 하면, 의례 기회만 있으면.

よ-る【縒る・撚る】⑤他 (실·끈 따위를) 꼬다. ¶綱^{つな}を～ 새끼를 꼬다 / こよりを～ 지노를 꼬다.

よ-る【選る】⑤他 고르다；가리다；선택하다. ¶よいものを～ 좋은 것을 고르다 / 種^{たね}を～ 종자를 가려내다.

‡**よる**【夜】⑧ 밤. ¶～昼^{ひる}なく 밤낮／～になる 밤이 되다／～おそくまで 밤 늦게까지／～に乗^{じょう}じて〔夜陰〕을 틈타(서). ↔昼^{ひる}. ―の調^{しら}べ 세레나데；야곡. ―のとばり 밤의 장막. ―も昼^{ひる}も 밤낮으로.

よる〜【寄る辺】⑧ 의지할 데(사람)；기댈 데. ↔～ない身^{み} 의지할 데 없는 몸；사고 무친의 몸. ¶よな.

よるよる【夜夜】⑧ 밤마다. =よな^{よる}

よれよれ〔デ〕옷 따위가 낡고 헐어 구겨진 모양：구깃구깃. ¶～の着物^{きもの}의 낡고 헐어빠진 옷.

よ-れる【縒れる・撚れる】下1自 꼬이다；비틀리다. ¶ひもが～ 끈이 꼬이다. ②뒤얽히다. ¶糸^{いと}が～ 실이 엉키다〔꼬이다〕.

よろい【鎧・甲・冑・具】⑧ 갑옷. ¶～かぶとに身^{み}を固^{かた}める 갑옷 투구로 무장하다／…の～がちらつく …의 본심이 엿보이다.

よろいど【よろい戸】〔鎧戸〕⑧ ①미늘창. ②말아 올릴 수 있는 쇠살문；셔터. ¶～をおろす 셔터를 내리다.

よろいどおし【よろい通し】〔鎧通し〕-dōshi ⑧ 단도(短刀)의 하나；백병(白兵)의 단검. =馬手差^{めてざ}し.

よろく【余禄】⑧ ①〈俗〉여록；자기의 수입. ¶～が多^{おお}い職務^{しょくむ} 정규의 수입 외에 임시 수입이 많은 직무. ②어떤 일에 부수하여 찾아 오는 복. ¶善行^{ぜんこう}の～ 선행의 결과로 받는 복.

よろ-ける【蹌踉ける・蹣跚ける】下1自 허둥거리다；비틀거리다；비슬(비치적)거리다. ¶石^{いし}につまずいて～ 돌부리에 채어 비틀거리다.

よろこばし-い【喜ばしい】(悦ばしい)-shi 形 경사스럽다；기쁘다；즐겁다. ¶～音信^{たより} 기쁜 소식／～日^{ひ} 경사스러운 날이다. ↔悲^{かな}しい.

よろこば-せる【喜ばせる】(悦ばせる)下1他 기쁘게 하다；즐겁게 하다.

よろこび【喜び】〔欣び・歓び・悦び〕⑧ ①기쁨. ¶～を語^{かた}る 기쁨을 이야기하다. ↔悲^{かな}しみ. ②경사；경사스럽게 여기는 마음(을 나타내는 말). ¶隣^{となり}にお～があるらしい 이웃집에 경사가 있다. ③축하함；또, 그 말. ¶新年^{しんねん}の～ 신년 축하 (인사). ④만족스러움；흐뭇한 여김. ¶～の色^{いろ}を浮^{う}かべる 만족한 빛을 띄우다.

‡**よろこ-ぶ**【喜ぶ】〔歓ぶ・悦ぶ〕⑤他 ①즐거워하다；기뻐하다；좋아하다. ¶合格^{ごうかく}を～ 합격을 기뻐하다. ↔悲^{かな}しむ. ②(본디 慶ぶ로도) 경하하다. ¶

結婚^{けっこん}を～ 결혼을 경하하다. ③달갑게 받아들이다；기꺼이 받아들이다. ¶忠告^{ちゅうこく}を～ ばない 충고를 달갑게 여기지 않다. ④('～んで〜(する)'의 형으로) 기꺼이 (…하다). ¶～んで引き受^{う}けよう 기꺼이 떠맡겠소.

*よろし-い【宜しい】-shi 形 ①'よい'의 격식 차린 말로：좋다；나쁘지 않다；괜찮다. ②적절하다；알맞다. ¶ちょうど～ 아주 적절하다；꼭 알맞다. ③되다；해도 되다. ¶帰^{かえ}っても～ 돌아가도 좋다. ④'よい(=좋다)'의 공손한 말씨. ¶このほうが～と存^{ぞん}じます 이쪽이 괜찮다고 생각합니다. ↔いけない.

*よろしく【宜しく】連語 ①적당히；적절히. ¶～やってくれ 적절히 해주게. ②잘〔도록〕 부탁합니다('よろしく願^{ねが}います'의 준말). ¶どうぞ～ 잘 부탁합니다. ③…에게 잘〔안부〕 전해 주십시오；말씀 잘 드려 주십시오('よろしくお伝^{つた}え下^{くだ}さい'의 준말). ¶ほかの方^{かた}にも～ 다른 분에게도 안부 전해 주십시오. ④(뒤에 'べし·べき'를 수반해서) 마땅히；반드시；모름지기. ¶～反省^{はんせい}すべきだ 마땅히 반성해야 한다. ⑤(名詞 뒤에 붙어서 副助詞적으로) …연하여(대개는, 뽐내는 모양을 나타냄). ¶俳優^{はいゆう}～と演技^{えんぎ}する 마치 배우같이 연기하다.

*よろず【万】⑧ ①〈雅〉만；수가 매우 많음. ¶～の神^{かみ} 수많은 신. ②《副詞적으로》 (무슨 일이나) 모두；무엇이나；전부；온갖；만사. ¶～に心得^{こころえ}ている 만사 알고 있다.

よろずや【万屋】⑧ ①만물상(萬物商). ②만물 박사；만능 선수. =なんでも屋^{や}.

よろずよ【万代・よろず世】〔万代・萬世〕⑧ 만대；영구함.

*よろめ-く【蹌踉めく・蹣跚めく】⑤自 ①허둥거리다；비슬거리다；쓰러질 듯하다. ②〈俗〉(흔들흔들) 유혹에 넘어가다；바람이 나다. ¶女^{おんな}に～ 여자에게 빠지다.

よろよろ 副 비틀거리는 모양：비틀비틀；비슬비슬. ¶足^{あし}が～する 다리가 비틀거리다.

*よろん【輿論】⑧ 여론. =世論^{せろん}. ¶～調査^{ちょうさ} 여론 조사／～に訴^{うった}える 여론에 호소하다.

よわ【余話】⑧ 여화；여적(餘滴)；여록(餘錄)；여담. =こぼれ話^{ばなし}. ¶財界^{ざいかい}～ 재계 여화.

‡**よわ-い**【弱い】形 약하다；모자라다. ¶～風^{かぜ} 여린 바람／力^{ちから}が～ 힘이 약하다〔모자라다〕／脳^{のう}が～ 머리가 모자라다〔어리석다〕／気^{き}が～ 소심하다／酒^{さけ}に～ 술에 약하다. ↔強^{つよ}い.

よわい【齢・歯】⑧ 나이；연령. =とし^{齢}·年齢^{ねんれい}. ¶～を重^{かさ}ねる 나이를 먹다.

よわき【弱気】⑧ ①무기력함；곧잘 우는(약한) 소리를 함. ¶～を出^{だ}す 약한 소리를 하다；용기를 잃다. ②(거래소에서) 시세의 약세；또, 그렇게 보는 사람이 많음. ¶市場^{しじょう}は～だ 시

세는 약세이다. ⇔強気²キ.

よわごし【弱腰】 名 ①허리의 잘록한 부분 ; 옆구리. ¶~をけとばす 옆구리를 걷어 차다. ②약한 태도 ; 저자세 ; 소극적인 태도. ¶~外交ガイ저 자세외교.

よわたり【世渡り】 名 ス自 처세 ; 세상살이. =世過ぎ. ¶~がうまい〔へただ〕 처세가 능하다〔서투르다〕.

よわね【弱音】 名 힘없는 소리 ; 나약한 말. ¶~を吐く 약한 소리〔못난 소리〕를 하다.

よわまーる【弱まる】 5自 약해지다 ; 수그러지다. ↔強よまる.

よわみ【弱み】【弱味】 名 ①취약점 ; 약점. ¶人²トの~を握ギる 남의 약점을 쥐다. ②〔經〕 (시세의) 내림세 ; 약세. ↔強²よみ.

よわむし【弱虫】 名 나약자 ; 겁쟁이. =弱²ミそ. ¶~なんて~だろう 원 저리도 못났을까.

よわ-める【弱める】 下1他 약하게 하다 ; 약화시키다. ¶ガスの火ビを~ 가

스불을 약하게 하다 / 刺激ゲを~ 자극을 약하게 하다. ↔強²める.

よわよわ-しい【弱弱しい】 -shī 形 (아주) 약하디 약하다 ; 섬약〔허약〕하다. ¶~子 섬약〔허약〕한 아이.

よわりは-てる【弱り果てる】 下1自 ①매우 약해지다 ; 대단히 쇠약해지다. ②몹시 곤란을 겪다 ; 몹시 난처해지다.

よわりめ【弱り目】 名 난처〔곤란〕한 때 ; 불운한 경우〔때〕. ¶~にたたり目 엎친데 덮치기 ; 설상 가상(雪上加霜). =泣²き面ゴに蜂ガ.

*よわ-る【弱る】 5自 ①약해지다. ¶からだが~ 몸이 쇠약해지다. ②곤란해지다 ; 난처해지다. ¶~った事ゴにになった 곤란하게〔난처하게〕 되었다.

よん【四】 名 사 ; 넷 ; 네. ¶~回 4회 ; 네 번 / ~番 4번.

よんじゅう【四十】 -jū 名 사십 ; 마흔. ¶~年 40년.

よんどころな-い【拠ん所ない・拠無い】 形 부득이하다 ; 어쩔 수 없다 ; 하는 수 없다. ¶~用事ゴ 부득이한 볼일.

ら ラ

①五十音図ゴジュウオン ズ 'ら行ギョウ'의 첫째 음. [ra] ②〔字源〕'良'의 초서체(かたかな 'ラ'는 '良'의 윗부분).

ラ 名 【樂】 라. ①장음계의 여섯째 음. ②가(A)음의 이탈리아 음명. ▷ la.

-ら ra【等】 ①주로 사람에 관한 体言ゲン에 붙어서) 복수를 나타내는 말 ; 등 ; 들 ; 따위. ¶子供ゲも~ 아이들 / 君ギ~ 자네들 / これ~ 이것들. ⇒たち·など. ②대강의 상태를 나타냄. ¶ここ~の 근처 ; 이 근방 ; 이 쯤. ▷lard.

ラード 名 라드 ; 요리용의 돼지 기름.

ラーメン 名 라면 ; 중국식 면요리의 하나. ¶バタ─ バター 버터 라면.

らい【癩】 名 〈卑〉 ☞ハンセンびょう (病). ¶~救キュウ~事業ギョウ 구라 사업.

らい【雷】 名 천둥 ; 번개. =かみなり.

ライ 名 【植】 라이 ; 호밀. ¶~パン 호밀빵. ──麦【──麦】 名 【植】 라이보리 ; 호밀. =黒麦ゲ.

らい【来】 □接頭 내… . □~年度ネン 내년도. □接尾 …래. ¶十年ド~の研究ゲン 10년래의 연구.

らいい【来意】 名 내의 ; 찾아온 뜻. ¶~を告ゲげる〔聞く〕 온 뜻을 알리다〔묻다〕.

らいう【雷雨】 名 뇌우. ¶山中ゲゥで~に出会ゲう 산중에서 뇌우를 만나다.

らいうん【雷雲】 名 뇌운 ; 적란운 ; 소나기구름. =積乱雲ゲラン.

らいえん【来演】 名 ス自 그 곳에 와서 연기(演技)·연주함.

らいえん【来援】 名 ス自 내원 ; 와서 도움. ¶~をたのむ 내원을 부탁하다.

ライオン【獅】 名 라이온 ; 사자. ▷lion.

らいか【雷火】 名 뇌화. ①낙뢰에 의한 화재. ②번개불. =いなびかり.

らいかい【来会】 名 ス自 내회. ¶ご~

のみなさま 모임에 참석하신 여러분.

らいかん【来簡】【来翰】 名 내한 ; 보내온 편지. =~봄.

らいかん【来観】 名 ス他 내관 ; 와서 봄.

らいかん【雷管】 名 뇌관. ¶砲弾ゲンの~ 포탄의 뇌관.

らいきゃく【来客】 -kyaku 名 내객. ¶ご~ですね 손님오셨군요.

らいぎょ【雷魚】 -gyo 名 【魚】 뇌어 ; 가물치.

*らいげつ【来月】 名 내월 ; 다음 달. ↔先月ゲ.

らいこう【来光】 -kō 名 ① ☞ 御来光ゴ. ② ☞ 御来迎ゴ.

らいこう【来寇】 -kō 名 ス自 내구 ; 외국의 침략. ¶元ゲンの~ 원나라의 내구.

らいこう【来校】 -kō 名 ス自 내교.

らいこう【来航】 -kō 名 ス自 내항. ¶ペルリ─ 페리(1853년 화친 조약을 맺으러 일본에 온 미국인 해군) 내항.

らいこう【来貢】 -kō 名 ス自 내공 ; 외국 사신이 와서 조공을 바침. =朝貢チョゥ.

らいごう【来迎】 -gō 名 ス自 【佛】 내영. 임종 때에 부처나 보살이 극락 정토로 맞이하러 옴. ② ☞ごらいごう(御来光).

らいさん【礼賛】【礼讃】 名 ス他 예찬. ①고맙게 여겨 기림. ②부처를 예배하여 그 공덕을 찬양함.

らいしゃ【来社】 -sha 名 ス自 내사. ¶~の珍客ゲ 내사로한 진객.

らいしゃ【来車】 -sha 名 ☞来駕ゲ.

らいしゅう【来襲】 -shū 名 ス自 내습.

*らいしゅう【来週】 -shū 名 내주 ; 다음 주. ↔今週ゲゥ·先週ゲ.

らいしゅん【来春】 -shun 名 ①내춘 ; 내년 봄. =明春ゲゥ. ↔今春ゲン·昨春キク. ②내년 정월. 注意 'らいはる'라

고도 함.

らいじょう【来場】-jō 图 ㅈ自 그 장소〔회장〕에 옴. ¶ご~の皆様숭늘 이 곳에 오신 여러분.

らいじょう【来状】-jō 图 내서(來書); 내신(來信).

らいしん【来信】图 내신; 내서.=来書

らいしん【来診】图 ㅈ自 왕진.

らいじん【雷神】图 뇌신; 천둥을 일으키다는 신.

らいしんし【頼信紙】图 뇌신지; 전보 용지. 参考 '発信紙항상선(=전보 용지)'의 구칭.

ライス图 라이스. ①밥. ¶チキン~ 치킨 라이스. ②쌀. rice. ¶~カレー ☞カレーライス. ▷일 rice curry.

らいせ【来世】图【佛】내세; 후세. ↔前世겐・現世렌.

ライセンス图 라이센스; 수출입 기타 대외 거래의 허가(증). 또, (운전 따위의) 면허(증). ▷license.

ライター图 라이터. ¶ガス ~ 가스라이터. ▷lighter.

ライター图 라이터; 저작가; 작가. ¶シナリオ ~ 시나리오 작가. ▷writer.

らいだん【来談】图 ㅈ自 내담하러 옴. ¶~を請う 내담을 바람.

らいちょう【来朝】-chō 图 ㅈ自 내조; 외국인이 이 나라에 찾아옴. ⇨きちょう(帰朝).

らいちょう【来聴】-chō 图 ㅈ他 내청; 들으러 옴. ¶~歓迎겓 내청 환영.

らいちょう【雷鳥】图〔鳥〕뇌조.

らいてん【来店】图 ㅈ自 내점. ¶ご~のみなさま 내점하신 여러 손님.

らいでん【来電】图 ㅈ自 내전; 입전.

らいでん【雷電】图 뇌전; 천둥과 번개.

ライト图 라이트. ①가벼움. ¶~級 경량급. ②간편함; 손쉬움. ¶~ランチ 간단한 런치. ▷light. ──バンライト 밴(좌석 따위에 짐을 신도록 된 승용차). ▷일 light van.

ライト图 라이트. ①빛; 광선; 조명. ¶~をあてる 조명을 비치다. ②조명등; 전등. ¶ヘッド~ 헤드라이트. ③밝음. ¶~ブルー 밝은 하늘색. ▷light.

ライト图 라이트. ①오른쪽(손). ②〔野〕라이트 필드(필드); 우익(수). ¶~フライ 라이트 플라이. ↔レフト. ▷right.

らいどう【雷同】-dō 图 ㅈ自 뇌동. ¶付和~ 부화 뇌동.

ライナー图 라이너. ①〔野〕지면과 거의 평행(平行)으로 날아가는 타구(打球). ¶~を飛ばす 라이너를 날리다. ↔フライ. ②정기(定期) 화물선. ▷liner.

らいにち【来日】图 ㅈ自 내일; 외국인이 일본에 옴. ¶~して五年늘 일본에 와서 5년. ↔離日긎.

らいねん【来年**图 내년; 명년. ↔去年늘・昨年늘. ──のことを言うと鬼が笑う 내년 말을 하면 귀신이 웃는다(장래 일은 미리 알 수 없다).

ライノタイプ图 라이노타이프(키를 누르면 자동적으로 일행분(一行分)의 활자가 주조・식자되는 기계).=リノタイプ. モノタイプ. ▷linotype.

らいはい【礼拝】图 ㅈ他 예배; 부처를 예배함. 参考 기독교에서는 'れいはい'.

らいはる【来春】图 ㅈ自 ⇨らいしゅん.

ライバル图 라이벌; 경쟁 상대(좁은 뜻으로는, 연적(戀敵)을 가리킴). ¶恋~ 연적. ▷rival.

らいびょう【癩病】图〔癩病〕〔卑〕나병('ハンセン病늘'(=한센병)의 구칭).

らいひん【来賓】图 내빈. ¶~席늘 내빈석.

ライフ图 라이프. ①생명. ¶~ジャケット 구명 재킷. ②일생. ▷life. ──ボート 구명보트. ▷life boat. ──ワーク 라이프워크; 필생의 사업; 대표작. ▷lifework.

ライブ图 실연(實演); 생연주(生演奏). ▷live.

ライブラリー图 라이브러리. ①도서관(실). ②총서; 문고. ¶英文学늘~ 영문학 총서. ③장서(藏書). ▷library.

ライフルじゅう【ライフル銃】-jū 图 라이플총; 선조(旋條)총. =ライフル. ▷rifle.

らいほう【来訪】图 ㅈ自 내방. ¶~者늘 내방자. ↔往訪긎.

らいめい【雷名】图 뇌명; 세상에 멸친 명성. ¶~をとどろかす 명성을 멸치다.

らいめい【雷鳴】图 뇌명; 우레 소리. ¶~がとどろく 천둥 소리가 울리다.

らいもん【雷文】图 뇌문; 번개무늬.

らいらく【磊落】图 ㅈ자 뇌락; 마음이 활달해 작은 일에 구애하지 않음. ¶~な性格늘 활달한 성격.

ライラック-rakku 图〔植〕뇌랑(락); 자정향(紫丁香). =リラ. ▷lilac.

らいれき【来歴】图 내력; 유래. ¶故事늘~ 고사 내력 / ~をただす 내력을 캐다.

ライン图 라인. ①선. ②열; 줄. ¶~ダンス 라인 댄스. ③수준; 레벨. ¶合格늘~ 합격선. ②항(공)로. ¶トンコン~ 홍콩 항로. ▷line. ──アップ-appu 图 라인업. ①정렬(整列); 진용(陣容). ②〔野〕타격순. ▷lineup. ──ズマン 图 라인즈 맨; 선심(線審). ▷linesman.

ラウドスピーカー图 라우드 스피커; 확성기. ▷loud speaker.

ラウンジ图 라운지; (호텔의) 사교실; 휴게실. ▷lounge.

ラウンド图 라운드. ①일주(一周); 순환. ②(권투 따위의) 시합 회수. ¶最終늘~ 마지막 라운드. ▷round.

ラガー图 러거; 럭비(선수). ▷rugger.

らかん【羅漢】图【佛】나한; 완전히 깨달고 공덕을 갖춘 소승 불교의 수도자. =あらかん.

らがん【裸眼】图 나안; 육안; 맨눈(의 시력). ¶~視力늘 나안 시력.

らぎょう【ラ行】-gyō 图 ら행; 五十音図늘의 아홉째 줄.

らく【楽】 一图 ㅈ자 ①편안함; 안락함. ¶~なくらし 편안한 생활 / どうぞお~に 편안히 앉으세요〔쉬세요〕/ 生活늘が~になる 생활이 편해지다. ↔苦늘. ②용이함; 쉬움. ¶~に

できる 쉽게 할 수 있다 / ～に勝った 쉽게 이겼다. 二名①『千秋楽ホラネ』(=(씨름·연극 따위 흥행의) 마지막 날)'의 준말. =楽日ホネ゙. ②『楽febvre゙き'의 준말. ―あれば苦ィあり 낙이 있으면 괴로움[고생]도 있다. ―は苦*の種 苦は楽の種 낙은 고생의 씨, 고생은 낙의 씨.

らくいん【烙印】名 낙인. =焼き印ネ. ―を押ホす 낙인이 찍히다.

らくいん【落胤】名 귀인의 사생아. =おとしだね.

らくいんきょ【楽隠居】-kyo 名 세상사를 잊고 편안하게 삶; 또, 그런 사람(흔히, 가사를 자식에게 맡기 늙은이를 가리킴). ¶～の身ネ 편안히 은거 생활하는 급.

らくえん【楽園】名 낙원. =パラダイス·楽土ネ゙. ¶地上ネ゙ゥの～ 지상의 낙원.

らくがき【落書(き)】【楽書(き)】名『他 낙서. =らくしょ. ¶璧ネに～する 벽에 낙서하다.

らくご【落後】【落伍】名『自 낙오. 社会ネゥの～者ネ 사회의 낙오자. 注意 '落後'로 씀은 대용 한자(代用漢字).

らくご【落語】名 만담. =おとしばなし. ¶～家ネ 만담가.

らくさ【落差】名『理』 낙차; 전하여, 일반적으로 높낮이의 차. ¶文化ネゥの～ 문화의 낙차.

らくさつ【落札】名『他』 낙찰. ¶請負工事ネゥゥゥゥゥは私たちに～した 도급 공사는 내게 낙찰되었다.

らくじつ【落日】名 낙일; 지는 해; 낙양(落陽). =いりひ.

らくしょう【楽勝】-shō 名『自 낙승. ⇔辛勝ネゥゥ.

らくしょう【落掌】-shō 名『他 입수함; 편지 따위를 손에 넣음. =落手ネゥゥゥ.

らくしょう【落照】-shō 名 낙조; 석양; 저녁 햇빛.

らくじょう【落城】-jō 名 낙성; 성이 함락함(흔히, 설득당하여 승낙함의 비유). ¶～の恥辱ネゥゥ 낙성의 치욕.

らくせい【落勢】名『經』 낙세; 하락세; 물가 따위가 떨어질 기세. ¶銀行株ネゥゥゥゥが～にある 은행주가 하락세에 있다.

らくせい【落成】名『自 낙성; 준공. ¶～式ネゥ 낙성식. ⇒起工ネゥゥ.

らくせき【落石】名『自 낙석; 산 위에서 돌이 떨어짐; 또, 그 돌. ¶～事故 낙석 사고.

らくせき【落籍】名 낙적. 一名『自 호적(戶籍)에서 빠짐. 二名『他 창녀의 몸값을 치르고 기적(妓籍)에서 뺌. =身ゥゥゥゥ.

***らくせん【落選】**名『自 낙선. ¶～の苦杯ネゥゥ 낙선의 고배. ⇔当選ネゥゥ·入選.

らくだい【落第】名『自 낙제; 불합격;

또, 유급(留級). ¶～坊主ゥゥ 낙제꾸러기 / ～点ネ 낙제점 / ～生ネゥ 낙제생; 유급생. ⇒及第ネゥゥゥ·合格ネゥ.

らくたん【落胆】名『自 낙담. =力落ゥゥゥゥし. ¶～失望ネゥする 낙담 실망하다.

らくちゃく【落着】-chaku 名『自 낙착. ¶紛争ネゥゥが～する 분쟁이 낙착되다.

らくちゅう【洛中】-chū 名①도성의 안; 서울 장안. ②京都ネゥゥゥ 시내. =洛内ネゥゥゥ. ⇔洛外ネゥゥ.

らくちょう【落丁】-chō 名 낙장(落張); 책의 빠진 책장. ¶～や乱丁ネゥゥ 낙장이나 난장(亂丁). ⇒らんちょう.

らくちょう【落潮】-chō 名①낙조. =ひきしお. ②썰물이 되어 감. =おち시ゥ. ③(거래에서) 주(株)의 시세가 하락세를 보임.

らくてん【楽天】名 낙천. ¶～家ゥ 낙천가 / ～的な考ネゥゥゥゥゥゥゥゥ方ゥゥゥ 낙천적인 사고〔생각〕. ――しゅぎ【――主義】-shugi 名 낙천주의. =オプチミズム. ¶一生ネゥゥゥゥを～で通じた 일생을 낙천주의로 살았다. ⇔厭世主義ネゥゥゥゥ.

らくど【楽土】名 낙토; 낙원.

らくない【洛内】名 낙내. =らくちゅう.

らくに【楽に】副①편안히. ②쉽게. =たやすく. ⇔らくに三.

らくね【楽寝】名『自 편안하게 잠; 안면(安眠). ¶～農ゥゥゥ゙.

らくのう【酪農】-nō 名 낙농. ¶～事業ネ 낙농 사업.

らくば【落馬】名『自 낙마. ¶～して怪我ゥゥをした 낙마해서 다쳤다.

らくばん【落盤】【落磐】名『自 낙반. ¶～事故ネゥ 낙반 사고.

らくび【楽日】名 (씨름·연극 등) 흥행 기간의 최종일.

ラグビー 名 럭비. ▷Rugby football.

らくめい【落命】名『自 낙명; 목숨을 잃음; 죽음.

らくやき【楽焼(き)】名①손으로 만든 석유로 도자기. ②애벌구이 도자기에 손으로 하여금 그림을 그리게 한 다음 그 자리에서 구워 내는 도자기.

らくよう【洛陽】-yō 『地』①낙양(중국 고도(古都)의 이름). ②京都ネゥゥゥ의 딴이름. ―の紙価ゥゥを高ゥゥめる 낙양의 지가를 올리다(책이 불티나듯 팔림).

らくよう【落葉】名『自 낙엽. =おちば. ¶～松ネゥ 낙엽송. ――じゅ【――樹】-ju 名 낙엽수. ⇔常緑樹ゥゥゥゥゥゥゥ゙.

らくよう【落陽】-yō 名 낙일(落日). =いりひ.

らくらい【落雷】名 낙뢰.

らくらく【楽楽】副①편(안)한 모양; 편안히. ¶～とくらす 편안히 지내다 / ～(と)寝ゥそべる 편안하게 드러눕다. ②쉬운 모양; 손쉽게; 가볍게. ¶～と解ゥける問題ネゥゥ 쉽게 풀 수 있는 문제 / ～と勝かつ 쉽게 이기다.

らくるい【落涙】名『自 낙루; 눈물 흘림. ¶思わず～する 자신도 모르게 낙루하다.

ラケット-ketto 名 라켓. ¶～で打ゥつ 라켓으로 (공을) 치다. ▷racket.

らし【螺子】名 나사; 나사못. =ねじ.

らしい-shi 一助動『形容詞型 活用』体言 및 그에 준하는 것에, 또 動詞·形容詞 및 助動詞의 終止形, 形容動詞의 語

幹, 助詞의 'の' 등에 붙어서》진술하는 사항이 말하는〔글쓴〕이의 어느 정도 확실한 추측에 의한다는 기분을 나타내는 말; 전(轉)하여, 단정적인 말투를 피하고 완곡하게 표현하는 데 씀: …,…ㄴ 것 같다; …(인) 것 같다. ¶天気らしくなる～ 날씨가 갤 듯하다 / 相当そうとうな～ 꽤 튼튼한 것 같다 / どうやら事実らしい～ 아무래도 사실인 것 같다 / ぼくの～ 내 것인 것 같다 / 静かな～ 조용한 것 같다 / 外そとは暑あつい～밖은 더운 모양이다 / どこかへ行いく～ 어딘가 가는 것 같다. ②〔形〕앞의 말을 받아서 확실히 그 판단이 성립한다는 뜻을 나타낸다. ¶きょうは欠席けっせきかな？ うん, ～ね 오늘은 그 사람 결석인가. 응, 그런것 같네.

-らしい -shī〔形容詞型 活用;体言에 붙여 形容詞를 만듦〕…답다. ¶男おとこ～人 남자다운 사람. ②…인 것 같다; …느낌이 들다. ¶馬鹿ばかな話はなし바보 같은 이야기 / いや～ 아이 싫어〔징그러워〕/ 好いた―お方かた 멋진〔매력 있는〕분.

ラジウム raju-〔化〕라듐. ▷radium.

ラジエーター 라디에이터. ①난방기; 방열기. ②(자동차의) 엔진 냉각기. ▷radiator.

＊ラジオ 라디오. ¶～体操たいそう라디오 체조 / ～ドラマ 라디오 드라마; 방송극. ▷radio. ――ゾンデ 라디오존데; 기구(気球)에 달아서 띄우는 대기 측정(測定) 기계. ▷Radiosonde. ――ドクター 라디오 닥터; 라디오 방송에서 병의 해설이나 보건 상담을 담당하는 의사. ▷radio doctor. ――ビーコン 라디오 비컨; 전파에 의한 항로 표지. ▷radio beacon.

ラジカリズム 래디컬리즘; 급진주의. ▷radicalism.

ラジカル〔ダナ〕래디컬. ①근본적. ¶～な問題もんだい근본적인 문제. ②급진적. ¶～な考かんがえ 급진적인 생각. ▷radical.

らししょくぶつ〔裸子植物〕名〔植〕나자〔겉씨〕식물. ↔被子ひし植物しょくぶつ.

ラシャ〔羅紗〕-sha 名 나사(모직물의 하나). ▷포 raxa. 〔노출ろしゅつ〕

らしゅつ〔裸出〕-shutsu 名 スᴵ自 나출.

ラショナリズム rasho- 래셔널리즘. ①합리주의. ②이성론(理性論). ▷rationalism.

らしん〔裸身〕名 나신; 나체; 알몸. ¶～の群像ぐんぞう 나체의 군상. 〔ㄴばん〕

らしんぎ〔羅針儀〕名 나침의. ☞らしんばん.

らしんばん〔羅針盤〕-shimban 名 나침반; 컴퍼스. =羅針儀らしんぎ.

ラスト 名 ①라스트; 최후; 최종; 끝. ¶～シーン 라스트 신 / ～イ(ン)ニング〔野〕라스트 이닝; 마지막 회(回). ▷last. ――スパート 名 라스트 스퍼트; 최후의 역주(力走). ¶～をかける 마지막 역주를 하다. ▷スタートダッシュ. ▷last spurt.

らせん〔螺旋〕名 나선. ¶～모양. ¶～状じょう 나선상 / ～階段かいだん 나선〔나사〕계단. ☞ねじ.

らぞう〔裸像〕-zō 名 나상. ¶～の彫

刻ちょうこく 나선상의 조각.

らせつ〔邏卒〕名 나졸. ①순라의 병졸. ②〔巡査じゅんさ〕(=순경)의 구칭.

らたい〔裸体〕名 나체; 알몸. =裸身らしん. ¶～画が 나체화.

らち〔埒〕名 ①사물의 단락·구분·한계. ②(마장(馬場)·목장(牧場)의) 울타리. ¶～を越こえる (a)울타리를 넘다; (b)법·규칙을 어기다. ――があかない 결말〔해결〕이 나지 않다; 진척이 안 되다. ――もない 두서 없다; 칠칠치 못하다; 하찮다.

らち〔拉致〕名 スᴵ他 납치. =らっち.

らちがい〔埒外〕名 울타리 밖; 허용된 일정 범위〔한계〕의 밖; 테밖. ↔らち内ない.

らちない〔埒内〕名〔埒内〕〔데〕안; 허용된 일정 범위〔한계〕의 안. ↔らち外がい.

らっか〔落下〕名 スᴵ自 낙하. ――きん〔―傘〕名 낙하산. =パラシュート.

らっか〔落花〕rakka 名 낙화. ¶～流水りゅうすい 낙화 유수. ――らんじ難枝し(한번 깨진 남녀 사이는 다시 되돌릴 수 없음의 비유). ――せい〔―生〕名〔植〕낙화생; 땅콩. =ナンキンマメ.

ラッカー rakka 名 래커(칠)(섬유소·합성 수지 용액에 안료를 섞은 도료). ▷lacquer.

＊らっかん〔楽観〕rakkan 名 スᴵ他 낙관. ¶～的てき 낙관적 / ～は禁物きんもつ 낙관은 금물. ↔悲観ひかん.

らっかん〔落款〕rakkan 名 낙관. ¶～を捺おす 낙관을 찍다.

ラッキー rakkī〔ダナ〕러키; 행운. ¶～な事ことには 다행하게도 / ～ボーイ 행운아 / ～ゾーン〔野〕러키 존. ▷lucky. ――セブン 名〔野〕러키 세븐; 득점하기 쉬운 7회째 공격. ▷lucky seventh.

らっきょう〔辣韭・薤〕rakkyō 名〔植〕염교; 채지(菜芝); 교자(藠子). =らっきょ.

ラック rakku 名 랙; 랙칠(재목에 칠하는 도료의 하나; 랙깍지진디의 암컷이 분비한 수지 모양의 물질을 따위로 녹인 것). =シェラック. ▷lac.

らっけい〔落慶〕rakkei 名 낙성(神社·사찰의 신축·개축 공사가) 낙성된 기쁨. ¶～式しき(신사·절의) 낙성식.

らっこ〔猟虎〕rakko 名〔動〕해달(海獺). ▷アイヌ rakko.

ラッシュ rasshu 名 러시. ①돌진; 혼잡; 쇄도. ②광분; 벼락 경기. ¶ゴールドラッシュ 골드러시. ③ラッシュアワー의 준말. ▷rush. ――アワー 名 러시 아워. ▷rush hour.

らっする〔拉する〕rassu- サᴵ変他 납치하다; 강제 연행하다.

ラッセル rasse- 러셀. 一名 スᴵ自 (등산에서) 눈을 헤치고 나아감. 二名 'ラッセル車しゃ'의 준말. ▷일 russel. ――しゃ〔―車〕-sha 名 러셀차; 제설차(除雪車). ▷(라la)(拉致らっち).

らっち〔拉致〕ratchi 名 スᴵ他 ☞らち拉致.

＊らっぱ〔喇叭〕rappa 名 나팔. ¶～管かん 나팔관 / ～ズボン 나팔 바지 / 起き

床^{ゆか}。～ 기상 나팔. **━を吹く** ①나팔을 불다. ②허풍 떨다; 큰소리 치다.
━のみ【━飲み】图 【又他】 병을 입에 대고 마심; 【ビールを～する 맥주를 병째로 마시다. **━ふき【━吹き】**图 ①나팔을 붊; 또, 그 사람. ②허풍을 떪; 큰소리 침; 또, 그 사람.

ラップタイム rappu-图 랩타임.(경주·경영 따위에서) 전 코스의 일정 구간마다의 소요 시간; 도중 게시(途中揭示). ¶折返^{おりかえ}し点^{てん}での～ 반환점에서의 랩타임. ▷lap time.

らつわん【辣腕】图 민완; 놀라운 솜씨. ＝敏腕^{びんわん}. ¶～をふるう 민완을 발휘하다.

ラテン【羅甸・拉丁】图 라틴. ①라틴어. ②라틴 민족. ▷ Latin. **━おん【━音楽】**图 라틴(중남미) 음악 (룸바·탱고 따위).

らでん【螺鈿】图 나전; 자개. ¶～細工^{ざいく} 나전(자개) 세공.

ラドン【化】图 라돈; 희가스류(類)의 방사성 원소의 하나. ▷radon.

らば【騾馬】图【動】 노새.

ラバ【地】图 라바; 용암(熔岩); 화산암. ▷i lava.

ラバー图 러버; 애인; 연인. ▷lover.

ラバー图 러버; 고무. ▷rubber.

ラビリンス图 래버린스; 미궁(迷宮); 미궁에 빠진 사건. ▷labyrinth.

らふ【裸婦】图 나부; 벌거벗은 여자.

ラフグナ 러프; 거칠; 조잡. ¶～な着^きこなし【装^{よそお}い】 러프한 옷차림/ ～なタッチの絵^え 거친 터치의 그림/ ～な感じ 거친 느낌. ▷rough.

ラブ图 ①연애. ¶～シーン 러브 신/～レター 러브 레터; 연애 편지. ②(테니스에서) 무득점. ¶～ゲーム 러브게임(한쪽이 0점인 경우). ▷love. **━アフェア** -afea 图 러브 어페어; 연애 사건; 정사(情事). ▷love affair.

ラプソディー -sodi 图【樂】 랩소디; 광시곡(狂詩曲); 광상곡(狂想曲). ▷rhapsody.

ラベル图 라벨; 레테르. ＝レッテル. ¶品質保証^{ほしょう}の～ 품질을 보증하는 상표. ▷label.

ラベンダー图【植】 라벤더(꿀풀과에 속하는 상록 관목; 꽃은 향수의 원료). ▷lavender.

ラボ图 'ラボラトリー' 'ランゲージラボラトリー'의 준말.

ラボラトリー图 래버러토리; 연구실; 실험실. ▷laboratory.

ラマ【喇嘛・刺麻】图【宗】 라마(교의 중). ¶～僧^{そう} 라마승. ▷i blama; 영 lama. **━きょう【━教】**-kyō 图 라마교.

ラミー图【植】 라미; 모시풀(섬유는 선박용 밧줄‧어망 등에). ▷ramie.

ラム图 럼; 럼주(酒)(당밀에 물을 가하여 발효시켜 만든 증류주(酒)). ▷rum.

ラムネ图 라무네. ①레모네이드; 레몬수(水)(청량 탄산수에 시럽·향료를 가미한 음료의 한 가지). ②(俗) '月賦^{げっぷ}(＝월부)'의 변말. 参考 라무네를 마시면 트림(＝げっぷ)이 나오므로. lemonade.

ラリー图 랠리. ①(탁구·테니스 따위에서) 서로 놓치지 않고 맞받아 치기를 계속함. ②(자동차·오토바이의) 내구(耐久) 경주 대회. ▷rally.

ラルゴ图【樂】 라르고; 아주 느리게; 표정을 풍부하게 서서히. ▷i largo.

られつ【羅列】图【又他加】 나열. ¶月書^{がきしょ}を～する 직함을 나열하다.

られる助動《下一段型活用; 五段 이외의 動詞와 'せる' 'させる'의 未然形에 붙음》図れる.

ラワン图【植】 라완; 나왕(羅王)(열대 지방산의 상록 교목). ▷말레이 lauan.

らん【乱】图 난; 난리. ¶応仁^{おうにん}の乱 1467-77년에 京都를 중심으로 하여 일어난 큰 내란; 治^{おさ}まって～を忘^{わす}れず 편안할 때에 오히려 난세를 잊지 않다.

らん【卵】图 난. ①난자(卵子); 알. ¶受精後^{じゅせいご}の～ 수정후의 난. ②《接尾語的》…란. ¶受精^{じゅせい}～ 수정란.

*らん【欄】图 ①난간. ¶～によるもたれる 난간에 의지하다(기대다). ②(신문·잡지의) 난; 칼럼(接尾語的으로도 씀). ¶所定^{しょてい}の～に記入^{きにゅう}せよ 소정란에 기입하라/投書^{とうしょ}～ 투서란.

らん【蘭・闌】图 난; 난초. ②和蘭^{オランダ}(＝네덜란드)'의 준말.

ラン图 런. ①흥행이 계속됨; 흥행의 순서. ¶ロング～ 롱런; 장기 흥행/ セカンド～ 세컨드 런; 재(再)개봉. ②【野】득점; 주자. ¶ツー～ホーマー 투 런 호머. ▷run.

らんい【蘭医】图 江戸^{えど} 시대에, 화란(和蘭) 곧 네덜란드 의학을 공부한 의사. ↔漢方医^{かんぽうい}.

らんうん【乱雲】图 난운; 어지러이 뒤섞여 떠도는 구름; 비구름. ¶～みだれとぶ 난운이 어지러이 흩어져 떠돎.

らんおう【卵黄】 ranō 图 난황; 노른자위. ＝黄身^{きみ}. ↔卵白^{らんぱく}.

らんかい【卵塊】图 난괴; (물고기·곤충 따위의) 알의 덩어리.

らんがい【欄外】图 난외. ¶～に註^{ちゅう}を書^かき入^いれる 난외에 주를 써넣다.

らんかく【卵殻】图 난각; 알 껍질.

らんかく【乱獲・濫獲・濫穫】图【又他】 남획. ¶～を禁^{きん}ずる 남획을 금하다.

らんがく【蘭学】图 화란학; 江戸^{えど} 중기 이후에 네덜란드어(語)의 서적을 통해서 서양 학술을 연구한 학문.

らんかつ【卵割】图【生】 난할; 난(卵) 분할. 「(輸卵管)

らんかん【卵管】图【生】 난관; 수란관(輸卵管).

らんかん【欄干】图 난간. ＝手^てすり. おばしま. ¶～にもたれる 난간에 기대다.

らんぎゃく【乱逆】 -gyaku 图 반역(反逆); 모반. ¶～の輩^{やから} 반역의 무리.

らんぎょう【乱行】 -gyō 图 난행; 행패. ＝不行跡^{ふぎょうせき}. ¶酒^{さけ}を飲^のんで～にまで及^{およ}ぶ 술을 마시고 행패에까지 이르다.

らんぎり【乱切り】图 (요리에서) 난도질. ¶～にする 난도질하다.

らんきりゅう【乱気流】 -ryū 图【氣】 난기류.

ランキング 图 랭킹; 순위; 등급. ¶~を決める 랭킹을 정하다. ▷ranking.

ランク 图 他 랭크; 순위. 순위를 정함. ¶第三位 だい さん いに〜される 제3위에 랭크되다. ¶〜を落 お とす 순위를 떨어뜨리다. ▷rank.

らんぐい 【乱ぐい】〖乱杙・乱杭〗图 무질서하게 박은 말뚝(쳐들어오는 적의 장애물로 이용). ¶〜ば〖一歯〗图 가지 런하지 못한 치열.

らんけい 【卵形】图 난형; 달걀 모양. =たまごがた.

ランゲージ 图 랭귀지 =language. ——ラボラトリー 图 랭귀지 래버러토리; (외국어 교육에서) 격리된 칸막이 교실에서 학습하는 언어 훈련 교실. =(ランゲージ)ラボ. ▷language laboratory.

らんげき 【乱撃】图 他 난격; 겨냥 없이 마구 쏨. ¶乱射 らん しゃ 〜 난사 난격.

らんご 【蘭語】图 네덜란드어(語).

らんこう 【乱交】-kō 图 혼음(混淫).

らんこん 【乱婚】图 난혼; 잡혼. 난혼婚. ¶〜時代 じ だい 난혼 시대.

らんさいぼう 【卵細胞】-bō 图 난세포. ☞らんし(卵子).

らんさく 【乱作】〖濫作〗图 他 남작; 함부로 만들어냄.

らんざつ 【乱雑】〖名〙 난잡. ¶〜に押 お し込 こ む 마구 밀어 넣다; 쑤셔 넣다.

らんし 【乱視】图〖生〗난시. ¶〜用 よう のめがね 난시용 안경.

らんし 【卵子】图〖生〗난자; 자성(雌性)의 생식 세포. ↔精子 せい し.

ランジェリー -jeri 图 란제리; 여성의 양장용 속옷. ▷lingerie.

らんしゃ 【乱射】-sha 图 他 난사. ¶ピストルを〜する 권총을 난사하다.

らんじゃこう 【蘭麝香】-ja 图 난사; 난꽃 향기와 사향(麝香)의 향기(대단히 좋은 냄새의 비유).

らんじゅく 【爛熟】-juku 图 他 난숙. ¶桃 もも が〜する 복숭아가 무르익다.

らんじゅくじだい 【爛熟時代】ranju- 图 진학 경쟁의 격화로 학원(學院) 따위가 난립하는 시대.

らんしょ 【蘭書】-sho 图 네덜란드 서적.

らんしょう 【濫觴】-shō 图 남상; 시초; 기원(起源). =始 はじ まり・源 みなもと.

らんしん 【乱心】图 自 미침; 발광(發狂). ¶〜者 もの 미친 사람.

らんしん 【乱臣】图 난신; 반역하는 신하. ¶〜賊子 ぞく し 난신 적자; 불충 불효한 자.

らんすい 【乱酔】〖濫酔〗图 自 난취; 형편 없이 취함. =泥酔 でい すい.

らんすうひょう 【乱数表】-sūhyō 图 난수표. ¶〜を引 ひ く 난수표를 찾다.

らんせい 【卵生】图〖生〗난생. ¶〜の動物 どうぶつ 난생 동물. ↔胎生 たい せい.

らんせい 【乱世】图 난세. ¶〜の雄 ゆう 난세의 영웅. ↔治世 ち せい.

らんせん 【乱戦】图 난전. ①혼전. =乱軍 らん ぐん. ②승부가 쉽게 결정되지 않는 싸움(시합). ¶試合 し あ いは一模様 ひと も よう だ 시합은 난전인 듯하다.

らんそう 【卵巣】-sō 图〖生〗난소. ¶〜ホルモン 난소 호르몬.

らんぞう 【乱造】〖濫造〗-zō 图 他 남조; 남제. ¶粗製 そ せい 〜 조제 남조.

らんそううん 【乱層雲】-sōun 图〖氣〗난층운; 비구름. =あまぐも 乱雲 らん うん.

らんぞく 【乱賊】图 난적; 나라를 어지럽히는 반역자.

らんだ 【乱打】图 他 난타; 마구 때림. ¶警鐘 けい しょう を〜する 경종을 난타하다(세차게 세상에 경고하다).

ランダム 图 랜덤. ①무작위(無作爲). ②ランダムサンプリング의 준말. ▷random. ——サンプリング -sampuringu 图 랜덤 샘플링; 무작위(임의) 추출(법). ▷random sampling.

ランタン 图 랜턴; 각등(角燈); 제등(提燈). =ランターン. ▷lantern.

ランチ 图 란치. 작은 증기선. =はしけ. ▷launch.

ランチ 图 런치; 간단한 서양 식사(점심). ▷lunch.

らんちきさわぎ 【らんちき騒ぎ】〖乱痴気騒ぎ〗图 ①(술을 마신다든가 해서) 야단 법석을 떠는 일. =どんちゃんさわぎ. ②(남녀간의) 치정 싸움. =痴話 ち わ げんか.

らんちゅう 〖蘭虫・蘭鋳〗-chū 图〖魚〗 난금붕어. =まるこ.

らんちょう 【乱丁】-chō 图 난정; 책의 페이지 순서가 뒤바뀜. ⇨落丁 らくちょう.

らんちょう 【乱調】图 난조. =乱調子 らん ちょう し. ①흐트러진 가락; 또, 그런 형편. ¶〜を来 きた す 가락이(상태가) 흐트러지다. ②〖經〗시세 변동이 심함.

ランデブー 图 랑데부; 밀회(密會). =あいびき. ▷rendez-vous.

らんとう 【乱闘】-tō 图 自 난투. ¶〜の場面 ば めん 난투 장면.

らんどく 【乱読】〖濫読〗图 他 남독; 닥치는 대로 책을 읽음. ↔精読 せい どく.

ランドセル 图 란도셀; 소학생용 배낭. ▷ransel.

らんどり 【乱取】〖乱捕〗图 (유도에서) 자유 대련(각자가 자유로이 연습함). ▷runner.

ランナー 图 러너; 주자(走者).

らんにゅう 【乱入】〖濫入〗-nyū 图 自 난입. ¶〜してくる 난입하여 오다.

ランニング 图 러닝. ①경주. ②ランニングシャツ(=러닝 셔츠)'의 준말. ▷running.

らんばい 【乱売】〖濫売〗rambai 图 투매; 덤핑; 싸구려로 팖. =投 な げ売 う り. ¶〜合戦 かっ せん 투매 경쟁.

らんぱく 【卵白】rampa- 图 난백; 흰자위. ↔卵黄 らん おう.

らんばつ 【乱伐】〖濫伐〗ramba- 图 他 남벌. ¶〜を禁 きん ずる 남벌을 금하다.

らんぱつ 【乱髪】ramba- 图 난발; 흐트러진 머리(털). =みだれがみ.

らんぱつ 【乱発】〖濫発〗rampa- 图 他 남발. ¶紙幣 し へい の〜 지폐의 남발.

らんはんしゃ 【乱反射】-sha 图 自〖理〗난반사.

らんぴ 【乱費】〖濫費〗rampi 图 他 남비; 낭비. =むだづかい.

らんぴつ 【乱筆】rampi- 图 난필. ①난잡하게 쓴 필적. ②자기 필적의 겸칭. ¶〜ごめん下 くだ さい 난필을 용서해 주십시오.

らんぶ 【乱舞】rambu 图 自 난무.

狂喜ᵏᵘᵘⁿ~する 광희 난무하다.

ランプ rampu 图 램프. ①남포. ②전등. ¶~シェード 전등 갓. ▷lamp.

ランプ rampu 图 램프(웨이) ; 고속 도로에 들어가기 위한 연결용 경사로. ＝ランプウエー. ▷ramp.

‖**らんぼう** 【乱暴】 rambō 난폭. (二巧) [ダナ]①앞뒤 생각 없이 충동적으로 하는 모양. ¶金ᵏᵃⁿを~に使ᵗᵘ돈을 마구 [헤프게] 쓴다. 돈을 거칠어 호감을 못 사는 모양. ¶~な字ᵏ 마구 쓴 글씨. ¶な計画ᵏᵃⁿ을 무모한 계획 ¶な言葉ᵏᵗᵘかい 거친 [무례한] 말씨. ¶~(なこと)をする 난폭한 [무례한] 짓을 한다. ↔丁寧ᵏᵃⁿ. 日国区団 완력을 휘둘러 폐를 끼침. ¶~を働ᵏᵃᵗᵘ 난동을 부리다 ; 행패부리다 ; 婦人ᵏ⁽ⁿに~(を)する 여성에게 난폭한 짓을 하다.

らんま 【乱麻】 ramma 난마. ¶快刀ᵏᵃⁿ~を断ᵗᵘ 쾌도 난마를 자르다(복잡

한 일을 시원스럽게 잘 처리하다).

らんま 【欄間】 ramma 图【建】문·미달이 위의 상인방(上引枋)과 천장과의 사이에 통풍과 채광을 위하여 교창(交窓) 따위를 붙여 놓은 부분.

らんまん 【爛漫】 ramman [トダル] 난만. ①꽃이 만발해서 밝은 감을 주는 모양. ¶百花ᵏᵏ~백화 난만. ②밝게 빛나는 모양. ¶天真ᵏᵃ~ 천진 난만.

らんみゃく 【乱脈】 rammyaku 图 난맥. ¶~な経理ᵏᵃ 엉망인 경리.

*らんよう 【乱用·濫用】 -yō 图区他] 남용. ¶職権ᵏᵃ~ 직권 남용.

らんらん 【爛爛】 ranran [トダル] 형형(炯炯) ; 반짝반짝 빛나는 모양. ¶~たる眼光ᵏᵃ 형형한 안광.

らんりゅう 【乱流】 -ryū 图团 난류.

らんりつ 【乱立·濫立】 图区団 난립. ¶候補者ᵏᵃⁿ~ 후보자의 난립.

らんる [襤褸] 图 남루 ; 누더기.

り リ

①五十音図ᵏᵃⁿᵏᵘ‘ら行ᵏᵘ’의 둘째 음. [ri] ②【字源】‘利'의 초서체(かたかな‘り'는‘利'의 우측).

り 【利】 图 ①유리 ; 이로움. ¶地ᵗᵃの~を占ᵗᵘめる 유리한 지점을 차지하다. ②벌이 ; 이문. ¶~にさとい 잇속에 밝다. ↔害ᵏᵃ. ③이자. ¶~が~を生ᵗᵘ 이자가 이자를 낳는다.

り 【里】 图 거리의 단위(一里ᵏᵃⁿ=일리)는 약 3.9 km).

り 【理】 图 ①법칙 ; 원리. ¶不滅ᵏᵃᵗᵘの~ 불멸의 법칙. ②이유 ; 이치 ; 도리. 一が非ᵏでも でも 무슨 수를 써도. 一に落ᵗᵘᵗᵘちる 말이 이론에 치우치다 ; 이치만 따지다. 一に詰ᵗᵘまる 이론이 막히어 ; 말에 지다. 一の当ᵗᵘ치우쳐 묘하게 되다 ; 말에 ①이론이 치우쳐 묘하게 되다. 말에 지다 ; ②이론에 치우쳐 묘하게 되다. 이론이 막히어 ; 말에 지다.

-り 【人】 사람 수를 나타내는 말. ¶ひと~의 한 사람.

リアー エンジン 图 ☞リヤエンジン.

りあい 【利合い】 图 이익[벌이]의 정도 ; 이득 ; 벌이.

リアカー 图 ☞リヤカー.

リアスしきかいがん 【リアス式海岸】 图 【地】리아스식 해안. ▷ᵈ rias.

リアリスティック -tikku [ダナ] 리얼리스틱. ①사실적. ②현실(주의)적. ▷ᵈ realistic.

リアリスト 图 리얼리스트. ▷realist.

リアリズム 图 리얼리즘. ▷realism.

リアル [ダナ] 리얼. ①현실적. ②사실적. ¶~な描写ᵏᵃ 사실적인 묘사. ▷real.

リーグ 图 리그 ; 연맹. ▷league. 一せ ん 【─戦】 ᵏᵃ 리그전.

リース 图 장기간의 임대차(특히, 컴퓨터·사무 관계의 기기(機器)·자동차 따위의 임대료를 일컬음). ¶~産業ᵏᵃᵏᵘ 리스 산업 ; 무엇이나 빌려주는 영업. ▷lease.

リーダー 图 리더 ; 지도자 ; 수령(首領). ▷leader. ─シップ -shippu 리더십. ▷leadership.

リーダー 图 리더. ①독자. ②독본. ③마이크로 필름 등을 읽기 위한 기계.

▷reader.

リード 图 区直他 리드. ①지도 ; 선도(先導). ②(경기 등에서) 선두(先頭)에 섬 ; 상대방보다 득점이 많음. ¶三点ᵏᵃᵏᵘᵏᵘ~ 3 점의 리드. ③【野】러너가 베이스에서 떨어져 섬. ¶大ᵏᵃきく~を取ᵗᵘる 리드를 크게 잡다. ▷lead.

リード 图 【楽】 리트 ; (독일풍의) 가요 ; 가곡(歌曲). ▷ᵈ Lied.

リーフレット -retto 图 리플릿 ; 한 장짜리의 선전용 인쇄물(흔히 접은 것을 가리킴). ＝ちらし. ▷leaflet.

リーベ 图 리베 ; ①연애 ; 사랑. ②(여자) 애인. ▷ᵈ Liebe.

リール 图 릴. ①낚싯줄·녹음 테이프·필름 따위를 감는 둥근 얼레. ②영화 필름의 한 권. ▷reel.

りうん 【利運】 图 호운(好運) ; 행운. ↔非運ᵏᵃ.

*りえき 【利益】 图 이익. ↔損失ᵏᵏ. ──しゃかい 【──社会】-shakai 图 이익 사회 ; ＝共同社会ᵏᵃᵏᵘ社会.

りえん 【梨園】 图 이원 ; 극단(劇団) ; 연예계 ; 특히, 歌舞伎ᵏᵃ가 배우들의 사회. ＝劇壇ᵏᵃ.

りえん 【離縁】 图区他 이연 ; 부부 또는 양자(養子)의 인연을 끊음 ; 절연. ──じょう 【──状】-jō 图 절연장 ; 이혼장.

りか 【李下】 图 ¶~に冠ᵏᵃᵗᵘを正ᵗᵃさず 이하 부정관(李下不整冠)【남에게 의심받을 짓을 말라는 말】.

*りか 【理科】 图 이과. ↔文科ᵏᵃⁿ.

*りかい 【理解】 图区他 이해. ¶~が早ᵏᵃい 이해가 빠르다.

りがい 【理外】 图 ¶~の理ᵏᵃ 상식으로는 추측할 수 없는 불가사의한 도리.

*りがい 【利害】 图 이해. ──かんけい 【──関係】 图 이해 관계.

りかがく 【理化学】 图 이화학 ; 물리학과 화학.

りがく 【理学】 图 이학. ①자연 과학 ;

특히, 물리학. ②정주학(程朱學);성리학(性理學). ③철학의 구칭.

りかん 【罹患】 图 이환;병에 걸림. =罹病²².

りかん 【離間】 图 ス他 이간.

りき 【力】 图 ①힘. =ちから. ¶～が有°る 힘이 있다〔장사다〕. ②【佛】공덕(功德)·발원(發願) 등의 효험. ③'車力²²(=짐수레꾼)'의 준말.

りき 【利器】 图 이기. ①잘 드는 칼;예리한 무기. ↔鈍器²². ②쓸모 있는 편리한 기계. ¶文明²²의 ～ 문명의 이기.

りきえい 【力泳】 图 ス自 역영;힘을 다해서 헤엄침.

りきえん 【力演】 图 ス自 열연(熱演).

りきがく 【力学】 图 【理】 역학.

りきさく 【力作】 图 역작.

りきし 【力士】 图 ①씨름꾼. =すもうとり. ②【佛】'金剛力士(=금강 역사)'의 준말;인왕(仁王). =仁王².

りきしゃ 【力車】 -sha 图 '人力車²²²²²(=인력거)'의 준말.

りきせつ 【力說】 图 ス他 역설.

りきせん 【力戰】 图 ス自 역전;힘껏 싸움. =力鬪²².

りきそう 【力漕】 -sō 图 ス自 역조;(보트 따위를) 힘껏 저음.

りきそう 【力走】 -sō 图 ス自 역주.

りきてん 【力点】 图 역점. ①【理】 지레의 힘이 걸리는 점. ↔支点²². ②주안점(主眼點);중점(重點).

りきとう 【力投】 -tō 图 ス自 역투;힘껏 던짐. ¶～ん【力戰】.

りきとう 【力鬪】 -tō 图 ス自 ☞りきせん.

りきむ 【力む】 -mu 图 ス自 ①힘을 모으다. ②힘 있는 체하다;허세를 부리다. =いばる. ¶絶対²²に負°けないぞと～んで見°せる 절대로 지지 않는다고 뽐내어 보이다.　　　　　　　　「(別宮)

りきゅう 【離宮】 rikyū 图 이궁;별궁

りきゅういろ 【利休色】 rikyū- 图 검은 빛을 띤 녹색.

リキュール -kyūru 图 리큐르〔정제(精製)알코올에 설탕·향료를 섞은 혼성주(混成酒)의 일종〕. ▷프 liqueur.

りきょう 【離京】 rikyō 图 ス自 이경;서울을 떠남. ↔上京²²²²·帰京²².

りきょう 【離郷】 rikyō 图 ス自 이향;고향을 떠남. ↔帰郷²².

りきりょう 【力量】 -ryō 图 역량.

りきん 【利金】 图 이금. ①이자. ②이익.　　　　　「물의 왕자²².

***りく** 【陸】 图 뭍;육지. ¶～の王者²²²²²

りくあげ 【陸揚げ·陸上げ】 图 ス他 뱃짐을 올림;양륙(揚陸). ↔海運²².

りくうん 【陸運】 图 육운;육상의 운송.

リクエスト rikwe- 图 ス他 리퀘스트;라디오·텔레비전 따위에서, 시청자나 청취자의 요구(要求). ▷request.

りくかぜ 【陸風】 图 ☞りくふう(陸風).　　　　　　　　　　「(軍²².

***りくぐん** 【陸軍】 图 육군. ↔海軍²²²²·空

りくけい 【六経】 图 육경(易經)·서경(書經)·시경(詩經)·춘추(春秋)·예기(禮記)·악기(樂記)〔주례(周禮)의 육경.

りくげい 【六芸】 图 육예;고대 중국 교육의 여섯 과목(예(禮)·악(樂)·사(射)·서(書)·어(御)·수(數)).

りくごう 【六合】 -gō 图 육합;천지와 사방. =宇宙²².

りくしょ 【六書】 -sho 图 ①육서;한자의 성립과 사용에 대한 여섯 가지 종별(種別)〔상형(象形)·지사(指事)·회의(會意)·형성(形聲)·전주(轉注)·가차(假借)〕. ②☞りくたい(六体).

***りくじょう** 【陸上】 -jō 图 육상;육지. ↔海上²²·水上²²²². ──きょうぎ 【──競技】-kyōgi 图 육상 경기. ↔水上競技²²²²²².

りくせい 【陸生·陸棲】 图 ス自 육서;육지에서 삶. ↔水生²². 注意 '陸生'로 씀은 대용 한자.

りくせん 【陸戰】 图 육전;육상에서의 전투. ↔海戰²²²²·空中戰²²²². ──たい 【──隊】 图 육전대;해병대.

りくそう 【陸送】 -sō 图 ス他 육송;육상 수송. ↔海送²².

りくぞく 【陸続】 トタル 육속. ¶～と集²²まって来°る 속속 모여 들다.

りくたい 【六体】 图 육체〔한자의 여섯 가지 서체(書體)〕.

りくだな 【陸棚】 图 ☞たいりくだな.

***りくち** 【陸地】 图 육지. =陸²².

***りくつ** 【理屈·理窟】 图 도리;이치. ①(자기 주장을 합리화하려는) 이론이나 이유;구실;핑계. ¶～に合°う話²²가 이치에 맞는 얘기 / ～をつける 이유를 붙이다;핑계대다. ②억지. ──っぽい -ppoi 形 쓸데없이 모든 일에 이론만 캐다.

りくつづき 【陸続き】 图 육지가 연속되어 있음;바다 따위로 막히지 않음. ¶あそこへは～で行°ける 저곳에는 육지로 갈 수 있다.　　　　　　「(田²².

りくでん 【陸田】 图 밭. =はたけ. ↔水

りくとう 【六韜】 图 육도;중국 주나라의 태공망(太公望)이 찬(撰)했다는 병서(兵書). ──さんりゃく 【──三略】-ryaku 图 ①육도 삼략;태공망이 찬(撰)한 육도와, 황석공(黄石公)이 찬한 삼략. ②☞とらのまき.

りくとう 【陸稲】 -tō 图 【農】 육도;벼. =おかぼ. ↔水稲²².

りくなんぷう 【陸軟風】 -nampū 图 육연풍. =陸風²². ↔海軟風²²²²².

りくふう 【陸風】 -fū 图 육풍;밤에 육지에서 바다로 부는 바람. =りくかぜ. ↔海風²². 陸軟風²²²².

リクライニング シート 图 리클라이닝 시트;(비행기·버스·열차 따위의) 뒤로 젖힐 수 있는 좌석〔의자〕. ▷reclining seat.

りくり 【離離】 トタル 이리;빛이 반짝반짝 빛나는 모양. ¶光彩²²²~ 광채가 반짝임.

リクリエーション -shon 图 ☞レクリエーション.　　　　「²²·水路²²²².

りくろ 【陸路】 图 육로. ↔海路²²·空路

りけん 【利劍】 图 이검;예리한 도검(刀劍). ¶降魔²²の～ 항마검;악마를 항복시키는 예리한 검.

りけん 【利権】 图 이권. ──や 【──屋】 图 ①중개업;거간;브로커. ②이권을 밝히는 사람.

りげん 【俚言】 图 이언. ①(里言) 방언;사투리. ②속어(俗語). ↔雅言²².

りげん 【俚諺】 图 이언;속담. =ことわざ.

りこ【利己】图 이기. ¶～心ど 이기심. ↔利他. ──しゅぎ【──主義】图 이기주의. ↔利他主義だ.

＊りこう【利口・利巧】riko 图ダナ ①영리함；똑똑함. ──な子供ど 영리한 아이. ②요령이 좋음；(생각·행동이) 빈틈 없음. ¶～に立ちまわる 요령있게 처신하다；약게 굴다.

りこう【履行】riko 图他 이행.

りこう【離合】rigo 图자他 이합. ──しゅうさん【──集散】图 이합 집산.

リコール 图자他 리콜；소환(召還)；해직(解職) 청구. ¶～制ど 리콜제；해직(면직) 청구제. ▷recall.

＊りこん【離婚】图자他 이혼.

リザーブ 图他 리저브；잡아 둠；보류；예약. ▷reserve.

りさい【罹災】图자 이재＝被災ど. ¶～民ど 이재민.

りざい【理財】图 이재；재산을 유리하게 운영함. ──か【──家】图 이재가；경제가.

リサイタル 图【樂】리사이틀；독주회；독창회. ▷recital.

りきつ【利札】图【商】이표(利票)；(채권에 붙이는 이자 또는 배당 지불의 상환 증서). ＝りふだ. 「익금.

りざや【利ざや】【利鞘】图 매매 차

りさん【離散】图자 이산；헤어짐. ¶一家ど～ 일가 이산.

＊りし【利子】图 이자. ¶～が元金ど。をま。する 이자가 원금을 웃돌다.

りじ【理事】图 이사.

りじ【履耳】图 이이；세상 사람들의 귀；속이(俗耳). ──に入りやすい 세인의 귀에 들어가기 쉽다；속인들이 알아듣기 쉽다.

りしゅう【履修】rishū 图他 이수.

りしゅう【離愁】rishū 图 이수；이별의 슬픔. 「け.

りじゅん【利潤】rijun 图 이윤. ＝もう

りしょう【利床】图他 이상；잠자리를 떠남.

りしょう【離礁】rishō 图자 이초；좌초했던 배가 암초에서 떨어져 다시 뜸. ↔座礁ど.

りしょく【利殖】图자 이식.

りしょく【離職】图자 이직. ①직무에서 떠남. ②실직(失職).

りじん【利刃】图 예인(鋭刃)；잘 드는 칼.

りす【栗鼠】图【動】다람쥐. ＝きねず「み.

りすい【利水】图 이수；수리(水利). ──組合ど 수리 조합.

りすい【離水】图 이수；수상 비행기가 수면에서 떠오름. ↔着水ど。

りすう【理数】risū 图 이수；이과(理科)와 수학(數學).

りすう【里数】图 이수；거리를 이(里)의 단위로 측정한 수.

リスク 图 리스크；(사업 상 내다 보이는) 위험. ▷risk.

＊リスト 图 리스트；목록；명부；표(表). ¶ブラック～ 블랙리스트. ▷list.

リズミカル ダナ 리드미컬；율동적；음률적(音律的).

＊リズム 图 리듬；율동；운율. ▷rhythm. ──する【ザ変する】이롭다；이득을 보다. ¶外遊ど～所ど が大きい 외유는 얻는 바가 크다. 二 サ変他 ①

이롭게 하다；편리를 도모해 주다. ¶敵ど を～ 적을 이롭게 하다. ¶地勢ど を～ 지세를 이용하다.

＊りせい【理性】图 이성. ↔感情ど・感性ど。──てき【──的】ダナ 이성적.

りせき【離籍】图【法】이적；호주가 가족을 호적에서 뺌(구민법 용어).

りせん【離船】图자 이선；승무원 등이 배를 떠남.

＊りそう【理想】risō 图 이상. ↔現実だ。──か【──化】图자他 이상화. ──きょう【──郷】-kyō 图 이상향；유토피아. ──しゅぎ【──主義】图 이상주의. ──てき【──的】ダナ 이상적.

リゾートウェア -wea 图 리조트 웨어；산·바닷가 등 행락지에서 입는 옷. ▷resort wear.

リゾール 图【商品名】크레졸 비눗물. 「▷도 Lysol.

りそく【利息】图 이식. ☞り し.

りそん【離村】图자 이촌；살던 마을을 떠나 도회로 감.

りた【利他】图 이타. ↔利己ど。──しゅぎ【──主義】-shugi 图 이타주의.

リターンマッチ -matchi 图 리턴 매치；(권투 등에서) 선수권 탈환 시합. ▷return match. 「達).

りたつ【利達】图 입신 출세；영달(榮

りだつ【離脱】图자 이탈.

りち【理知】【理智】图 이지；이성과 지혜. ──てき【──的】ダナ 이지적.

リチウム richū- 图【化】리튬；알칼리 금속 원소의 하나. ▷도 Lithium.

りちぎ【律儀・律義】ダナ 의리가 두터움；성실하고 정직함. ──者ど の子ど は三人ど 실직(實直)한 사람은 다른 놀이도 없으므로 자연히 자식이 많다.

りちゃくりく【離着陸】richa- 图자他 이착륙；이륙과 착륙.

りつ【律】㊀图①법률；특히, 형법；형률(刑罪). ②소리의 가락. ¶～を合わせる 가락을 맞추다. ③동양 음계의 양(陽)의 음. ↔呂ど。④율시(律詩). ㊁接尾【率】율；규칙；법칙. ¶黄金ど ～ 황금률.

＊りつ【率】图 율；비율. ＝わりあい・ぶあい. ¶合格ど ～が高ど い 합격률이 높다.

りつあん【立案】图자他 입안；계획을 세움；원안(초안)을 만듦.

りっか【立夏】rikka 图 입하(양력 5월 6일경). ↔立冬ど。

りつがん【立願】图자他 신불(神佛)에게 소원을 기원함. ＝がんかけ.

りつき【利付き】图 이자부. ¶五分ど～債券ど 5푼 이자부 채권.

りっきゃく【立脚】rikkyaku 图자──てん【──点】图 입각점；입각지. 「る다리.

りっきょう【陸橋】rikkyō 图 육교；구

りっけん【立憲】rikken 图 입헌. ──せいじ【──政治】图 입헌 정치. ──せいたい【──政体】图 입헌 정체.

りつげん【立言】图자他 입언；의견을 분명히 함. 「어；운문(韻文).

りつご【律語】图 율어；운율을 가지는 언

りっこう【力行】rikkō 图자他 역행；힘써 행함. ¶苦学ど ～の士ど 고학 행의 선비. 「입후보.

りっこうほ【立候補】rikkōho 图자他

りっこく【立国】rikkoku 图 입국. ①새로 국가를 세움；건국. ②나라를 번영시킴. ¶工業_{こうぎょう}～ 공업 입국.

りっし【律師】risshi 图【佛】율사. ①계율을 지키고 덕망이 높은 승려(僧侶). ②승관(僧官)의 하나(僧都^{そうず}의 아래). 〖日.

りっし【律詩】risshi 图 율시. ⇨ぜっく

りっし【立志】risshi 图 입지；뜻을 세움. ¶～伝^{でん} 입지전.

りっしゅう【立秋】risshū 图 입추(양력 8월 8일경). ↔立春

りっしゅん【立春】risshun 图 입춘(양력 2월 4일경). ↔立秋 〖중.

りっしょう【立証】risshō 图ス他 입증；그것을 기록함. =立^{りっ}しょく

りっしょく【立食】risshoku 一图ス他 식탁에 차린 음식을 자유로이 먹으며 다니게 된 서양식 연회. 二图 입식；서서 먹음. =立^{りっ}ちぐい

りっしん【立身】risshin 图ス自 입신；영달. ──しゅっせ【──出世】-shusse 图ス自 입신 출세.

りっしんべん【立心偏】risshimben 图 한자 부수(部首)의 하나：심방변('性' '慣' 따위의 '忄').=忄^{りっしんべん} 따위의 '忄'.

りっすい【立錐】rissui 图 입추；송곳을 세움. ──の余地^{よち}もない 입추의 여지도 없다.

りっ─する【律する】rissuru サ変動 율하다；어떤 기준에 맞추어서 조처하다；다루다. ¶自分^{じぶん}の好^{この}みで人^{ひと}を～ことはできない 자기의 취향으로 남을 다룰 수는 없다.〖이 끼치는 모양.

りっぜん【慄然】〖トル〗 겁이 나서 소름끼치는 모양.

りっぞう【律蔵】-zō 图【佛】율장(경장(經藏)·논장(論藏)과 더불어 삼장(三藏)의 하나.

*りつぞう【立像】-zō 图 입상. ↔座像

*りったい【立体】rittai 图 입체. ──おんがく【──音楽】-ongaku 图 입체 음악. ──てき【──的】〖ダナ〗 입체적. ──平面的^{へいめんてき}. ──は【──派】图【美】입체파.=キュービズム.──印象派^{いんしょうは}.

りっち【立地】ritchi 图 입지. ¶工場^{こうじょう}～ 공장 입지. ──じょうけん【──条件】-jōken 图 입지 조건.

りっとう【立刀】rittō 图 한자 부수(部首)의 하나：선칼도('刊' '利' 따위의 '刂'의 이름).

りっとう【立冬】rittō 图 입동(양력 11월 8일경). ↔立夏

りつどう【律動】-dō 图ス自 율동；리듬.=リズム. ──てき【──的】〖ダナ〗 율동적. =リズミカル.

リットル【立】rittoru 图 리터；미터법의 용적 단위(기호：l). ⇨プ litre.

*りっぱ【立派】rippa 〖ダナ〗 훌륭함；더 말할 나위 없음；정당함；충분함. ¶～な成績^{せいせき} 훌륭한 성적／～に生活^{せいかつ}している 훌륭히(충분히) 생활하고 있다／～な体格^{たいかく} 당당한 체격.

リップ rippu 图 립；입술. ⇨ lip. ──サービス 립 서비스；입에 발린 말. ⇨lip service. ──スティック -tikku 图 립스틱. ⇨lipstick.

りっぷく【立腹】rippuku 图ス自 역정(성)을 냄；화를 냄.

りっぽう【立方】rippō 图 ①입방；세제곱.=三乗^{さんじょう}. ②'立方体^{りっぽうたい}'의 준

말. ──こん【──根】图【數】입방근；세제곱근. ──たい【──体】图【數】입방체；정육면체.

りっぽう【立法】rippō 图 입법. ↔司法^{しほう}·行政^{ぎょうせい}. ──けん【──権】图 입법권. ──ふ【──府】图 입법부.

りっぽう【律法】rippō 图 율법. ①법률. ②【佛】계율.

りづめ【理詰(め)】图 끝까지 이론으로 밀고 나아감；이치로 따짐. ¶～で考^{かんが}える 이치로 따져 생각한다／～ではうまくいかない 이론만으로는 안 된다.

りつりょう【律令】-ryō 图 율령；율과 영(令)；특히, 奈良^{なら}·平安^{へいあん} 시대의 법률로, 그것을 기록한 것. ──せい【──制】图 율령제(大化^{たいか}의 改新^{かいしん}(645년) 때부터 적용된, 律令을 기본으로 한 고대 일본의 중앙 집권적 정치 제도；무가(武家) 정치가 시작될 때까지 존속함).

りづれい【立礼】图 입례；기립해서 경례함；또, 그 경례.↔座礼^{ざれい}.

りつろん【立論】图ス自 입론；의론의 순서·취지 따위를 세움；또, 그 이론.

りてい【里程】图 이정；행정(行程).=みちのり. ¶～標^{ひょう} 이정표.

りてき【利敵】图 이적. ──こうい【──行為】-kōi 图 이적 행위.

りてん【利点】图 이점.〖이두.

りと【吏吐】【吏道·吏読】图 (한국의)

りとう【離島】ritō 一图 이도；외딴섬；낙도.=はなれじま. 二图ス自 섬을 떠남.〖ひ^離이도 쇄신.

りどう【吏道】ridō 图ス自 이도. ⇨離新^{りしん}

りとく【利得】图 이득；이익.=もうけ. ¶～に走^{はし}る 이득을 좇는다.

リトマスしけんし【リトマス試験紙】图【化】리트머스 시험지. ▷litmus.

りどん【利鈍】图 이둔. ①날카로움과 무딤. ②영리함과 어리석음. ③행운과 불운.〖이〗 일본을 떠남.

りにち【離日】图ス自 이일；(외국인이)

りにゅう【離乳】rinyū 图ス自 이유；젖떼기.=ち(乳)ばなれ. ──き【──期】图 이유기. ──しょく【──食】-shoku 图 이유식.

りにょう【利尿】rinyō 图 이뇨；오줌이 잘 나오게 함. ──ざい【──剤】图 이뇨제.

りにん【離任】图ス自 이임. ¶～式^{しき} 이임식. ↔就任^{しゅうにん}.〖ア.

りねん【理念】图 이념.=イデー·イデア

リネン【麻】图 리넨. ⇨プ linen.

りのう【離農】rinō 图ス自 이농.

リノリウム -ryūmu 图 리놀륨(건성유와 수지(樹脂)·고무·코르크 가루 따위를 섞어 천에 바른 것으로서 마루 깔개 등에 씀). ▷linoleum.

リハーサル 图 리허설；방송·연극·영화 촬영·음악 연주 따위의 무대 연습；총 연습. ▷rehearsal.

りはつ【利発】图形動 영리함；똑똑함. ¶～な少年^{しょうねん} 똑똑한 소년.

りはつ【理髪】图ス自 이발.=散髪^{さんぱつ}·調髪^{ちょうはつ}. ──し【──師】图 이발사. ──てん【──店】图 이발소. =とこや.

リハビリテーション -shon 图 리허빌리테이션(신체 장애자 등의 사회 복귀를 위한 직업 지도나 심리 의학적 훈련)

사회 복귀 요법. ▷rehabilitation.

りばらい【利払い】图 이자 지불.

りはん【離反】【離叛】图 区自 이반；배반. 「喜喜 시비 곡직.

りひ【理非】图 이비；시비. ¶ ～曲直

りびょう【罹病】ribyō 图 区自 이병；병에 걸림.

リビング 图 리빙；생활. ¶ ～ルーム 리빙 룸；거실. ▷living. ――キッチン -kitchin 图 리빙 키친；거실로도 쓰게 된, 식당과 부엌이 연결된 방. ▷リビング キチン. ▷ living kitchen.

リファイン -fain 图 区他 리파인；세련 되게 함；우아；정제(精製). ▷refine.

りふじん【理不尽】图 ダナ 불합리(不合理)；무리함；억지. ¶ ～な要求 불합리[무리]한 요구.

りふだ【利札】图 ☞りさつ.

リフト 图 리프트. ①승강기；스키장(場)의 등산 장치. ②기중기(起重機). ▷lift.

リフレーン 图 리프레인；후렴(後斂). ＝リフレイン. ▷refrain.

リベート 图 리베이트；①지불 대금이나 이자 등의 일부를 돌려 줌；또, 그 돈. ＝割り戻し(金). ②수수료；구전. ▷rebate.

りべつ【離別】图 区自 이별. ②이혼.

リベット ribetto 图 리벳；금속판을 연결하는 정. ▷rivet.

リベラリスト 图 리버럴리스트；자유주의자. ▷liberalist.

リベラリズム 图 리버럴리즘；자유주의. ▷liberalism.

リベラル 图 리버럴. ㊀ ダナ ①자유로움. ②자유주의적. ㊁图 자유주의자. ▷liberal.

りべん【利便】图 편리；편의. ＝便宜. ¶ ～をはかる 편의를 도모하다.

りほう【理法】rihō 图 ①이법；도리에 맞는 법칙. ¶ 自然의 ～ 자연의 이법.

リポート 图 리포트. ①연구·조사 보고(서). ②(신문 따위의) 보고 기사；보도. ③(학생이 학교에 내는) 논문. ＝レポート. ▷report.

リボかくさん【リボ核酸】图 리보 핵산. ＝RNA. ▷RNA.

リボルバー 图 리볼버；(탄창이 회전식인) 연발 권총. ▷revolver.

リボン 图 리본. ▷ribbon.

りまわり【利回り】【利週り】图 이율(利率). ¶ ～のよい株 이익 배당률이 좋은 주.

りめん【裏面】图 이면. ＝うらがわ. ¶ ～工作 이면 공작. ＝表面.

リモートコントロール 图 리모트 컨트롤；원격 조작(遠隔操作). ▷remote control. 「'ル'의 준말.

リモコン 图 区他 '리モート コントロール'

リヤエンジン 图 리어엔진(차체 뒤쪽에 단 엔진). ▷rear engine.

リヤカー 图 리어카. ＝リアカー. ▷ rear car.

りやく【利益】【佛】①공덕(功德). ¶ ～を施す 공덕을 베풀다. ＝利生 님의 은혜. ＝利生. ¶ 御～を受ける 부처님의 은혜를 입다. ▷りえき.

りやく【略】rya- 图 ¶ ～줄거리；개략. ¶ 生涯의 物語의 ～ 평생 이야기

의 줄거리. ②줄임；생략. ¶ 用例의 ～ 용례는 생략. 「그런 그림.

りゃくが【略画】rya- 图 약화；간단히

りゃくぎ【略儀】rya- 图 ¶りゃくしき 上げます 격례를 무릅쓰고 서면으로 여쭙니다.

りゃくご【略語】rya- 图 약어；준말.

りゃくごう【略号】ryakugō 图 약호.

りゃくじ【略字】rya- 图 약자. ↔正字. 「式나.

りゃくしき【略式】rya- 图 약식. ↔正

りゃくしゅ【略取】【掠取】ryakushu 图 区他 약취；탈취.

りゃくじゅつ【略述】ryakuju- 图 区他 약술. ¶ 詳述하다. 「약칭.

りゃくしょう【略称】ryakushō 图 区他

りゃくしょう【略章】ryakushō 图 약장；약식 훈장(기장).

りゃく-す【略す】rya- 图 区 他 간단히 하다；생략하다. ㊀ サ変自他 《本디 略す로도》 ①약취(略取)하다；공략(攻略)하다. ②유괴하다；후무리다.

りゃくず【略図】rya- 图 약도.

りゃく-する【略する】rya- 图 サ変他 ☞りゃくす.

りゃくせつ【略説】rya- 图 区他 약설；개설(概說). ↔詳説.

りゃくそう【略装】ryakusō 图 약장；약식 복장. ↔正装.

りゃくたい【略体】rya- 图 区他 약체. ①간략히 한 체재(體裁). ②간략하게 한 자체(字體)；약자. ↔正体. 「異体字.

りゃくだつ【略奪】【掠奪】rya- 图 区他 약탈.

りゃくでん【略伝】ray- 图 약전；소전(小傳)；간추린 전기. ↔詳伝.

りゃくひつ【略筆】rya- 图 区自 약필；요점 이외를 생략해서 씀.

りゃくふ【略譜】rya- 图 약보. ①간단히 요점만 기록한 계보(系譜). ②숫자로 나타낸 간략한 악보. ↔本譜.

りゃくふく【略服】rya- 图 약복；약식 복장；약장(略装).

りゃくぼう【略帽】ryakubō 图 약모. ①약식의 모자. ②전투모. ↔正帽.

りゃくほんれき【略本暦】rya- 图 약본력；일상 생활에 유용한 사항만을 간추려 만든 달력. ↔本暦.

りゃくれき【略歴】rya- 图 약력.

りゃっかい【略解】ryakkai 图 区他 약해；골자만 추려 간략히 해석함；또, 그 해석. ↔詳解.

りゃっき【略記】rya- 图 区他 약기. ↔詳記.

リャンコ ryan- 图 ①두 개；둘. ②〈俗〉 무사(武士)〈江戸 시대의 변말〉. ＝二本差し. ▷中 両個.

りゆう【理由】riyū 图 이유. ＝わけ. ¶ ～の無い非難 이유[근거] 없는 비난 / かぜを ～に欠勤 감기를 이유[구실]로 결근했다.

りゅう【竜】ryū 图 ＝たつ.

-りゅう【流】ryū …류. ①전통적인 기예·무술 따위의 계통. ¶ 一刀～ 검술의 한 유파. ②방식；스타일. ¶ 自己～ 자기류 / 日本～ 일본식.

りゅうあん【硫安】ryūan 图 'りゅうさんアンモニウム'의 준말；유안.

りゅうい【留意】ryūi ㊀直 유의.

*りゅういき【流域】ryūiki ㊂ 유역.

りゅういん【溜飲】ryūin 〔漢醫〕유음(음식물이 위 속에 괴어서 신물이 나오는 증상). ──がさきる ①가슴〔속〕이 후련해지다. ②불안·불만이 가셔지다.

りゅうおう【竜王】ryūō ㊂ ①용왕. ②(일본 장기에서)玉将 $\frac{x_{\lambda}}{x_{\lambda}}$의 자격도 아울러 갖게 된 飛車 $\frac{x_{\lambda}}{x_{\lambda}}$.

りゅうか【硫化】ryūka ㊂直〔化〕황화(黄化). ──水素$\frac{z}{z}$ 황화 수소.

りゅうかい【流会】ryūkai ㊂ 유회.

*りゅうがく【留学】ryū- ㊂直 유학. ──せい〔─生〕 유학생.

りゅうかん【流感】ryū- ㊂ '流行性感冒 $\frac{y_{\lambda}y_{\lambda}y_{\lambda}}{y_{\lambda}y_{\lambda}y_{\lambda}}$의 준말.

りゅうこう【流行】ryū- ㊂ 유행.──る 땀.──淋漓$\frac{y_{\lambda}}{y_{\lambda}}$ 유한 임리;비오듯 땀이 흐르는 모양.

りゅうがん【竜眼】ryū- ㊂〔植〕용안.──にく〔─肉〕㊂〔漢醫〕용안육(용안의 가종피(假種皮)).

りゅうがん【竜顔】ryū- ㊂ 용안;천안(天顔);임금의 얼굴. =りょうがん.

りゅうき【隆起】ryū- ㊂直 융기.↔沈下$\frac{y_{\lambda}}{y_{\lambda}}$.沈降$\frac{y_{\lambda}}{y_{\lambda}}$.

りゅうぎ【流儀】ryūgi ㊂ 어떤 사람·가문·유파가 가진 기능·예술 따위의 독특한 방법〔격식〕.

りゅうきへい【竜騎兵】ryū- ㊂ 용기병.

りゅうぐう【竜宮】ryūgū ㊂ 용궁.──城$\frac{z_{\lambda}}{z_{\lambda}}$ 용궁성.

りゅうけい【流刑】ryū- ㊂ 유형;귀양.=るけい·流罪 $\frac{z_{\lambda}}{z_{\lambda}}$·島流 $\frac{z_{\lambda}z_{\lambda}}{z_{\lambda}}$し.

りゅうけつ【流血】ryū- ㊂ 유혈.

りゅうげん【流言】ryū- ㊂ 유언;뜬소문.=うわさ·デマ.──ひご〔─飛語〕──蜚語$\frac{z}{z}$ 유언 비어.

りゅうこ【竜虎】ryūko ㊂ 용호.──相打$\frac{z}{z}$つ 용호 상박(相搏)하다.

**りゅうこう【流行】ryū- ㊂直 유행.──最新$\frac{x_{\lambda}z_{\lambda}}{x_{\lambda}}$─の服 최신 유행복.──歌〔─歌〕 유행가.──せいかんぼう〔─性感冒〕=kambō 유행성 감기;독감.=インフルエンザ.

りゅうこつ【竜骨】ryū- ㊂ 용골;선골(船骨);킬.=キール.

りゅうさん【硫酸】ryū- ㊂ 황산.──アンモニウム=ammonyūmu ㊂ 황산암모늄;유산(硫安).▷ammonium.

りゅうさん【流産】ryū- ㊂直 유산.

りゅうし【粒子】ryū- ㊂ 입자.──が あらい 입자가 굵다.

りゅうしつ【流失】ryū- ㊂直 유실.──家屋$\frac{x_{\lambda}}{x_{\lambda}}$ 유실 가옥.

りゅうしゃ【流砂】ryūsha ㊂ 유사.=りゅうさ. ①물에 밀려 내리는(흐르는) 모래. ②(중국 서부의) 대사막.

りゅうしゅつ【流出】ryūshu- ㊂直 유출.↔流入$\frac{y_{\lambda}y_{\lambda}}{y_{\lambda}}$.

りゅうしょう【隆昌】ryūshō ㊂ 융창;융성.=つよばひょう.

りゅうじょう【粒状】ryūjō ㊂ 입상;알맹이 모양.

りゅうじょうこはく【竜攘虎搏】ryūjō- ㊂ 용양 호박.

りゅうしょく【柳色】ryūsho- ㊂ 유색;푸르른 버드나무의 빛깔.──青青$\frac{z_{\lambda}z_{\lambda}}{z_{\lambda}z_{\lambda}}$ 유색 청청.

りゅうしょく【粒食】ryūsho- ㊂ 곡식을 가루로 만들지 않고 그냥 그대로 조리해 먹음.↔粉食$\frac{z_{\lambda}z_{\lambda}}{z_{\lambda}}$.

りゅうじん【竜神】ryū- ㊂ 용신;용왕.

りゅうず【竜頭】ryū- ㊂ 용두.①팔뚝시계·회중 시계의 태엽을 감는 꼭지.②조종(釣鐘)을 매다는 용머리 모양의 꼭지.

りゅうすい【流水】ryū- ㊂ 유수.──行雲$\frac{z_{\lambda}z_{\lambda}}{z_{\lambda}}$ 행운 유수／落花$\frac{z_{\lambda}z_{\lambda}}{z_{\lambda}}$ 낙화 유수.↔静水$\frac{z_{\lambda}}{z_{\lambda}}$·止水$\frac{z_{\lambda}}{z_{\lambda}}$.

りゅうせい【流星】ryū- ㊂ 유성;별똥별.=ながれぼし.

りゅうせい【隆盛】ryū- ㊂ 융성.

りゅうせつ【流説】ryū- ㊂ 유설;떠도는 소문.=るせつ·流言$\frac{z_{\lambda}z_{\lambda}}{z_{\lambda}}$.

りゅうぜつらん【竜舌蘭】ryū- ㊂〔植〕용설란.

りゅうせんけい【流線型】ryū- ㊂ 유선형.=りゅうせんがた.

りゅうそく【流速】ryū- ㊂ 유속;흐르는 물의 속도.

りゅうぞく【流俗】ryū- ㊂ 유속.①일반의 풍속·습관;세속.②속세;속인.

りゅうたい【流体】ryū- ㊂ 유체(기체와 액체의 총칭).──りきがく〔─力学〕㊂〔理〕유체 역학.

りゅうだん【榴弾】ryū- ㊂ 유탄;탄체(彈體) 안에 작약(炸藥)을 다져 넣은 포탄.=榴散弾$\frac{z_{\lambda}z_{\lambda}z_{\lambda}}{z_{\lambda}}$.

りゅうだん【流弾】ryū- ㊂ 유탄;빗나간 탄환.=ながれだま·それだま.

りゅうち【留置】ryū- ㊂他 유치.──じょう〔─場〕-jō 유치장.=ぶたばこ.

*りゅうちょう【流暢】ryūchō 〔ダナ〕유창.──な話方$\frac{z_{\lambda}}{z_{\lambda}}$ 유창한 말씨.

りゅうちょう【留鳥】ryūchō ㊂ 유조;텃새.↔候鳥$\frac{z_{\lambda}z_{\lambda}}{z_{\lambda}}$·渡り鳥$\frac{z_{\lambda}}{z_{\lambda}}$.

*りゅうつう【流通】ryūtsū ㊂直 유통.──かへい〔─貨幣〕 유통 화폐.──きこう〔─機構〕-kō 유통 기구.

りゅうてい【流涕】ryū- ㊂直 유체;체읍;눈물을 흘리며 욺.

りゅうと ryūto 〔副〕복장 따위가 훌륭하여 돋보이는 모양;말쑥하게.──した身$\frac{z_{\lambda}}{z_{\lambda}}$なりの紳士$\frac{z_{\lambda}}{z_{\lambda}}$ 늘씬한 옷차림의 신사.

りゅうどう【流動】ryūdō ㊂直 유동.──しきん〔─資産〕 유동 자산.↔固定資産$\frac{z_{\lambda}z_{\lambda}z_{\lambda}}{z_{\lambda}}$.──しほん〔─資本〕 유동 자본.↔固定資本$\frac{z_{\lambda}z_{\lambda}z_{\lambda}}{z_{\lambda}}$.──しょく〔─食〕-shoku 유동식.──てき〔─的〕 유동적.──ぶつ〔─物〕 유동물.↔固形物$\frac{z_{\lambda}z_{\lambda}z_{\lambda}}{z_{\lambda}}$.

りゅうとうえ【流灯会】【流燈】ryūtōe ㊂ 신불(神佛)을 위해 얇은 판자 위에 촛불을 켜서 물에 떠내려 보내는 행사.=とうろう流$\frac{z_{\lambda}}{z_{\lambda}}$し.

りゅうとうだび【竜頭蛇尾】ryūtō- ㊂ 용두 사미.──に終わる 용두 사미로 끝나다.

りゅうにち【留日】ryū- ㊂直 외국인이 일본에 머뭄.=滞日$\frac{z_{\lambda}}{z_{\lambda}}$.

りゅうにゅう【流入】ryūnyū ㊂直 유입.↔流出$\frac{z_{\lambda}z_{\lambda}}{z_{\lambda}}$.

りゅうにん【留任】ryū- ㊂直 유임.↔辞任$\frac{z_{\lambda}}{z_{\lambda}}$·転任$\frac{z_{\lambda}}{z_{\lambda}}$.

り

りゅうねん【留年】ryū-【名自】〖學〗(대학의)유급(留級); 낙제. ──せい【──生】名 유급생.

りゅうのう【竜脳】ryūnō 名 용뇌; 용뇌수에서 채취한 백색 결정으로 향료 및 약품의 원료; 또, 용뇌수. ──じゅ【──樹】-ju 名 〖植〗용뇌수.

りゅうのひげ【竜の鬚】名 〖植〗소엽맥문동(小葉麥門冬). =じゃのひげ. ▷〖分派〗.

りゅうは【流派】ryū- 名 유파; 분파

りゅうび【柳眉】ryū- 名 유미; 미인의 아름다운 눈썹. ──を逆立てる 유미를 곤두세우다(미인이 몹시 성내는 모양). 「비유.

りゅうびじゅつ【隆鼻術】ryūbiju- 名 용

りゅうひょう【流氷】ryūhyō 名 유빙; 성엣장.

りゅうへい【流弊】ryūhei 名 유폐; 널리 세상에서 행해지는 나쁜 풍습.

りゅうほ【留保】ryū- 名他 유보.

りゅうぼう【流亡】ryūbō 名自 유랑(流浪). =るぼう・さすらい.

りゅうぼく【流木】ryū- 名 유목. ①떠내려가는 나무. ②산에서 벌목해 강에 띄워 흘려 보내는 나무.

リューマチ ryū- 名 〖醫〗류머티즘. =ロイマチス・リューマチス. ▷rheumatism.　　　　　　「민.

りゅうみん【流民】ryū- 名 유민; 유랑

りゅうめ【竜馬】ryū- 名 용마. ①준마(駿馬). =りょうめ・駿馬じゅん. ②〖장기에서〗玉将ぎょくの 자격도 아울러 갖게 된 角かく.

りゅうよう【柳腰】ryūyō 名 유요; 날씬한 미인의 허리. =やなぎごし.

りゅうよう【流用】ryūyō 名自他 유용; 「予算ぎ の～ 예산의 유용.

りゅうり【流離】ryū- 名自 유리; 유랑(流浪). ──の悲みなしみ 유랑의 슬픔.

りゅうりゅう【隆隆】ryūryū トタル ①기세가 왕성한 모양. ──たる勢いおい 왕성한 기세. ②〖힘살이〗울퉁불퉁 나온 모양. ¶──たる筋肉きんにく 울퉁불퉁 튀어나온 근육.

りゅうりゅうしんく【粒粒辛苦】ryūryū- 名言 온갖 고생을 쌓음; 아주 힘든 고생(수고). ¶──の結晶けっしょう 각고 정려(刻苦精勵)의 결정.

りゅうりょう【流量】ryūryō 名 유량(단위 시간에 통과하는 유체(流體)의 양). ¶──計けい 유량계.

りゅうりょう【瀏亮・嚠喨】ryūryō トタル 유량; (관악기의) 음색이 거침 없고 맑은 모양. ¶──たる喇叭らっぱの音ね 유량한 나팔 소리.

りゅうれい【流麗】ryū- ダナ 유려; 글・말이 유창하고 아름다움. ¶──な文章ぶんしょう 유려한 문장.

りゅうろ【流露】ryū- 名自 유로; 그대로 (숨김없이) 나타남. ¶真情しんじょうの～した手紙てがみ 진정이 어린 편지.

*リュックサック ryukkusakku 名 륙색; 등산용 배낭. =ルックサック・リックサック. ▷도. Rucksack.

＊りよう【利用】riyō 名他 이용. ──かち【──価値】名 이용 가치.

りよう【理容】riyō 名 이용. ¶～師し 이용사.

りよう【里謡】(俚謡) riyō 名 민요; 속요(俗謡). =さとうた.

りょう【了】ryō 名他 ①앎. ¶～とする 잘 알다. ②끝남. ¶四月一日しがつついたち ～ 4월 1일 끝남 ／～になる 끝나다.

りょう【令】ryō 名 영; 奈良なら・平安へいあん 시대에, '律りつ'와 함께 중심을 이룬 일본의 법전. ▷りつりょう.

りょう【両】ryō 名 ①둘로 한 쌍이 되는 것; 양쪽. ¶～の手で 양손으로. ○〈俗〉☞えん(円)(2). ○옛날 화폐의 단위(한 両는 四分ぶん(=4 歩ぶ). ¶千せん～箱ばこ 천냥들이 상자. 接頭 양 …; 두. ¶～首脳しゅのう 양수뇌.

りょう【良】ryō 名 ①좋음; 양호. ¶天候てんこうは～ 날씨는 양호. ②성적 평어(評語)의 하나.

りょう【料】ryō 名 ①재료; 용품. ¶研究けんきゅうの～にする 연구 재료로 삼다. ②대금; 비용. ¶旅りょの～ 여비; 노자.

りょう【涼】ryō 名 서늘함; 시원함. ～をいれる〔とる〕서늘한 바람을 쐬다; 납량(納涼)하다.

りょう【猟】ryō 名 사냥; 수렵. =狩かり. ¶～に出かでける 사냥하러 가다.

＊りょう【量】ryō 名 ①양; 분량; 수량・무게・부피의 총칭. ¶～が多おおい 양이 많다. ↔質しつ. ②마음의 크기; 도량. ¶～の広ひろい人ひと 도량이 큰 사람. ③정도. ¶～を過すごす 정도를 지나치다.

りょう【漁】ryō 名 고기잡이. ¶～に出でる 고기잡이하러 나가다.

りょう【領】ryō 名 영역; 영토. ¶隣国りんごくの～を侵おかす 이웃 나라의 영역을 침범하다.

＊りょう【寮】ryō 名 ①律令りつりょう제(制)에서, 성(省)에 속한 궁중의 관아(官衙). ②보양・요양을 위해 쓰이는 별도의 건물; 요양소. ¶会社かいしゃの～ 회사의 合양소; 회사료. ③기숙사. ¶大学だいがくの～ 대학 기숙사.

りょう【諒】ryō 名 진실; 진실을 의심치 않음. ～とする 옳다고 인정하다; 양해(승낙)하다.

りょうあん【良案】ryō- 名 양안; 명안(名案); 좋은 생각.

＊りょういき【領域】ryō- 名 영역.

りょういん【両院】ryō- 名 양원; 상원과 하원.

りょううで【両腕】ryō- 名 양완; 양팔(어떤 사람의 일을 전적으로 돕는 사람에도 비유됨). ¶主人しゅじんの～となって働はたらく 주인의 양팔이 되어 일하다.

りょうえん【良縁】ryōen 名 양연; 좋은 연분[인연].

りょうえん【遼遠】ryōen ダナ 요원. ¶前途ぜんと～ 전도 요원.

りょうか【寮歌】ryōka 名 기숙사 노래. 「うけ.

りょうか【良家】ryōka 名 양가. =りょう

りょうか【良貨】ryōka 名 양화; 실질 가치가 있는 화폐. ↔悪貨あっか.

りょうが【陵駕・凌駕】ryōga 名他 능가.

＊りょうかい【了解】(諒解) ryō- 名自他 양해. ──じこう【──事項】-jikō 名 양해 사항. 「海かい.

りょうかい【領海】ryō- 名 영해. ↔公

＊りょうがえ【両替】ryō- 名他 ①환전

（換錢）；돈을 바꿈. ¶ドルに～する 달러로 바꾸다. ②유가 증권을 돈으로 바꿈. ——や【—屋】ryō- 图 환전상（換錢商）.

りょうかく【稜角】ryō- 图 능각；다면체의 뾰족한 모서리.

りょうがわ【両がわ・両側】ryō- 图 양측；양편. →片側ら「편의 군함.

りょうかん【僚艦】ryō- 图 요함；자기

りょうかん【猟官】ryō- 图 엽관. ¶——運動⅌⅍ 엽관 운동.

りょうかん【量感】ryō- 图 양감；볼륨. ↔質感⅍⅍. 「의」양쪽 기슭.

りょうがん【両岸】ryō- 图 양안；（강 의）양쪽 기슭.

りょうがん【両眼】ryō- 图 양안；양눈. 「한 공기.

りょうき【涼気】ryōki 图 시원〔서늘〕한 공기.

りょうき【猟奇】ryōki 图 엽기. ——てき【—的】ryōki 엽기적.

りょうき【猟期】ryōki 图 엽기. ①어떤 새·짐승이 잘 잡히는 시기. ②수렵（狩獵）이 허락된 시기. 「期）.

りょうき【漁期】ryōki 图 ☞ぎょき（漁

りょうきょく【両極】ryōkyo- 图 ①양극；남극과 북극；음극과 양극. ②りょうきょくたん. 「양극단.

りょうきょくたん【両極端】ryōkyo- 图

りょうきん【料金】ryō- 图 요금.

りょうくう【領空】ryōkū 图 영공.

りょうけ【両家】ryōke 图 양가.

りょうけ【良家】ryōke 图 ☞りょうか（良家）. 「책（計略）.

りょうけい【良計】ryō- 图 양계；좋은

りょうけい【量刑】ryō- 图 양형；형벌의 정도를 정함.

りょうけん【了見・料簡・了簡】ryō- 一图 （좋지 않은） 생각；마음. 一狹⅍い～ 좁은 생각（소견）／悪⅍い～をおこす 나쁜 마음을 일으키다. ¶～してくれ 용서해 줘.

りょうけん【猟犬】ryō- 图 엽견；사냥개.

りょうげん【療原】ryō- 图 요원；불이 난 벌판. ¶——の火 요원의 불길（세력이 대단해서 막을 수 없음의 비유）.

りょうこ【両虎】ryō- 图 양호. ¶～相搏⅍つ 양호 상박하다.

りょうこう【良好】ryōkō 图[名ノ] 양호.

りょうこう【良工】ryōkō 图 양공；솜씨 좋은 장색（공인（工人）.

りょうこう【良港】ryōkō 图 양항.

りょうごく【両国】ryō- 图 양국.

りょうごく【両国】ryō- 图 （제후의）영지（領地）；영토.

りょうさい【良妻】ryō- 图 양처；좋은 아내. ——けんぼ【—賢母】-kembo 图 현모양처.

りょうざい【良材】ryō- 图 양재. ①좋은 건축 재료. ②좋은 인재. ¶天下⅍⅍の～を求める 천하의 양재를 구하다. 「策.

りょうさく【良策】ryō- 图 양책；좋은

りょうさつ【了察・諒察】ryō- 图[ス他] 양찰. ¶なにとぞご～下さい 아무쪼록 양찰해 주십시오.

りょうさん【両三】ryō- 图 두셋. ¶～度⅍ 두세 번／～日⅍⅍ 이삼 일.

りょうさん【量産】ryō- 图[ス他] 양산；대량 생산（'大量生産⅍⅍⅍⅍⅍'의 준말）.

りょうざんぱく【梁山泊】ryōzampaku

图 양산박（호걸이나 야심가들이 모이는 곳）.

りょうし【料紙】ryō- 图 용지（用紙）.

*りょうし【猟師】ryō- 图 사냥꾼. =かりゅうど.

りょうし【量子】ryō- 图【理】양자. ——りきがく【—力学】图 양자 역학. 「부. ——ろん【—論】图 양자론.

*りょうし【漁師】ryō- 图 고기잡이；어부.

りょうじ【両次】ryōji 图 양차；1차와 2차；두 번. ¶～にわたる 양차에 걸침.

りょうじ【令旨】ryōji 图 영지；황후·황태자·황족의 말씀（명령서）. ——れい⅍し.「료.

りょうじ【療治】ryōji 图[ス他]〈老〉치

りょうじ【領事】ryōji 图 영사. ——かん【—館】图 영사관.

りょうしき【良識】ryō- 图 양식.

りょうしつ【良質】ryō- 图 양질；좋은 성질（품질）. ↔悪質⅍⅍·低質⅍⅍.

りょうじつ【両日】ryō- 图 양일；이틀；2 일. 「사람.

りょうしゃ【両者】ryōsha 图 양자；두

りょうしゃ【良種】ryōshu 图 양종；좋은 씨〔품종〕. ¶～を選定⅍⅍する 양종을 선정하다.

りょうしゅ【領主】ryōshu 图 영주. ①영지（領地）·장원（莊園）의 소유주. ②江戸⅍⅍ 시대에 성（城）을 갖지 않는 大名⅍⅍·小名⅍⅍.

りょうしゅう【涼秋】ryōshū 图 양추. ①서늘한 가을. ②음력 9월의 딴이름.

りょうしゅう【領収】ryōshū 图[ス他] 영수. ——しょう【—証】-shō 图 영수증. 「=かしɡ.

りょうしゅう【領袖】ryōshū 图 영수.

りょうじゅう【猟銃】ryōjū 图 엽총.

りょうしょ【良書】ryōsho 图 양서. ↔悪書⅍⅍.

りょうじょ【諒恕】ryōsho 图[ス他] 양서；용서하여 책망하지 않음；용서.

*りょうしょう【了承・諒承】ryōshō 图[ス他] 사정을 짐작하여 승낙함；납득함.

りょうしょう【諒承・領掌】ryōshō 图[ス他] 들어줌；승낙함；동의함.

りょうじょうのくんし【梁上の君子】ryōjō- 图 양상 군자. ①도둑. ②쥐.

りょうしょく【猟色】ryōshoku 图 엽색；여색（女色）을 탐하는 일.

りょうしょく【糧食】ryōshoku 图 양식；식량. =食糧⅍⅍⅍·かて.

*りょうしん【両親】ryō- 图 양친；부모；어버이. ¶～を失⅍う 양친을 여의다.

*りょうしん【良心】ryō- 图 양심. ——てき【—的】[ダナ] 양심적.

りょうじん【猟人】ryō- 图 엽인；사냥꾼. =かりゅうど. 「=夫⅍⅍.

りょうじん【良人】ryō- 图 남편；부군.

りょうすい【量水】ryō- 图 양수. ¶～計⅍⅍ 양수계.

りょう-する【了する】ryō- [サ変自他] ① 끝내다；마치다. =おわる·すむ. ②깨닫다. =さとる. ③결정하다.

りょう-する【諒する】ryō- [サ変他] 양해

하다 ; 이해하다.

りょう-する【領する】 ryō- <u>サ変他</u> ① (자기 것으로) 소유하다. ②자기 영토로 하다 ; 영유[지배]하다. ③받다 ; 영수하다. ④납득하다 ; 승낙하다.

りょうせい【良性】 ryō- 名 양성. ──**せいしょく【──生殖】** -shoku 名 양성 생식.

りょうせい【両生】【両棲】 ryō- 名 양서. ──**るい【──類】** 名 <u>動</u> 양서류.

りょうせい【寮生】 ryō- 名 기숙사생.

りょうせいばい【両成敗】 ryō- <u>ス他</u> 쌍방을 같이 처벌하는 일. ¶けんか〜 싸움한 양쪽을 똑같이 처벌함.

りょうせん【稜線】 ryō- 名 능선 ; 산등성이.

りょうぜん【瞭然】 ryō- <u>トタル</u> 똑똑히 잘 깨닫는 모양.

りょうぜん【瞭然】 ryō- <u>トタル</u> 요연. ¶一目〜だ 일목 요연하다.

りょうぞく【良俗】 ryō- 名 양속.

りょうたん【両端】 ryō- 名 ①양단. ─ りょうはし. ②처음과 끝 ; 본말(本末). ──**を持す(る)** 양다리 걸치다.

りょうだん【両断】 ryō- <u>ス他</u> 양단. ¶一刀に〜する 단칼에 두 쪽을 내다.

りょうち【了知】【諒知】 ryō- <u>ス他</u> 양지(諒知).

りょうち【領地】 ryō- 名 영지. ①봉토 (封土). ②영토.

りょうち【領置】 ryō- 名 <u>法</u> 영치(압수의 하나).

りょうて【両手】 ryō- 名 양수 ; 두 손. ═もろて. ↔片手. ──**に花** 양손에 꽃(두 개의 좋은 것을 독차지함의 비유). ¶理屋

りょうてい【料亭】 ryō- 名 요정. ═料理屋

りょうてい【量定】 ryō- <u>ス他</u> 양정 ; 헤아려서 정하는 일. ¶刑の〜 형량을 정함. 「質的な.

りょうてき【量的】 ryō- <u>ダ</u> 양적. ↔

りょうてんびん【両てんびん】【両天秤】 ryōtembin 名 ①천평칭(天平秤). ②<俗> 양다리를 걸침. ¶〜を(に)かける 양다리를 걸치다. <u>注意</u> 「両天びん」이라고도 함.

***りょうど【領土】** ryō- 名 영토.

りょうとう【両刀】 ryōtō 名 양도. ①무사가 찬 대소(大小)의 칼. ②「両刀づかい」의 준말. ──**づかい【──遣(い)】** 名 ①양손에 칼을 쥐고 싸우는 검술 ; 쌍수도(雙手刀) ; 또, 그 사람 ; 쌍칼잡이. ②두 가지 일을 동시에 할 수 있음 ; 또, 그 사람. ③<俗> 술과 과자를 다같이 즐김 ; 또, 그런 사람. <u>注意</u> 「両刀使い」라고도 함.

りょうとう【両頭】 ryōtō 名 양두. ¶〜政治 양두 정치 / 〜のへび 양두사(両頭蛇).

りょうどう【糧道】 ryō- 名 (군대의) 양도 ; 양식을 수송하는 길.

りょうどうたい【良導体】 ryōdō- 名 양도체. ↔不良導体.

りょうとうのいのこ【遼東の豕】 ryotō- <u>連語</u> 요동시 ; 견식이 좁아 독선적임 ; 우물 안 개구리.

りょうとく【両得】 ryō- 名 양득 ; 이중의 이익. ¶一挙〜 일거 양득.

りょうどなり【両隣】 ryō- 名 자기 집의 좌우 양쪽 이웃집.

りょうば【両刃】 ryōba 名 양쪽에 날이

있음 ; 또, 그런 물건. ═もろば. ↔片刃.

りょうば【猟場】 ryōba 名 사냥터. ═かりば.

りょうば【漁場】 ryōba 名 어장. ═ぎょじょう.

りょうひ【良否】 ryōhi 名 좋고 나쁨. ═よしあし.

りょうびょう【療病】 ryōbyō 名 「병 치료.

りょうびらき【両開き】 ryō- 名 (문짝이) 양쪽으로 열림 ; 쌍바라지.

りょうひん【良品】 ryō- 名 양품 ; 우량품 ; 좋은 물품.

りょうふ【両夫】 ryōfu 名 두 사람의 남편. ¶貞女は〜にまみえず 열녀는 불경이부(不更二夫).

りょうふう【涼風】 ryōfū 名 양풍 ; 선들바람. ═すずかぜ.

りょうふう【良風】 ryōfū 名 양풍 ; 좋은 풍습·풍속. ¶一美俗 미풍 양속. ↔悪風. 「═二分.

りょうぶん【両分】 ryō- <u>ス他</u> 양분.

りょうぶん【領分】 ryō- 名 ①영지(領地) ; 소유지 안. ②세력 범위. ═なわばり. ¶人の〜をおかす 남의 세력권을 침범하다.

りょうぼ【寮母】 ryōbo 名 기숙사 따위에서 기숙하는 사람을 돌보아 주는 여자. 「みささぎ.

りょうぼ【陵墓】 ryōbo 名 능묘 ; 능. ═

***りょうほう【両方】** ryōhō 名 양방 ; 쌍방 ; 양자(両者). ↔片方.

りょうほう【療法】 ryōhō 名 요법.

りょうまい【糧米】 ryō- 名 양미 ; 식량미.

りょうまえ【両前】 ryō- 名 (양복 저고리의) 더블. ═ダブル(プレスト). ↔片前 ; シングル.

りょうまつ【糧秣】 ryō- 名 양말 ; (군대에서) 사람과 말의 식량. ¶〜の補給 양말(糧秣) 보급.

りょうみ【涼味】 ryōmi 名 시원한 맛.

りょうみん【良民】 ryō- 名 양민.

りょうめ【量目】 ryōme 名 (저울에 단) 중량 ; 무게. ═かけめ.

りょうめん【両面】 ryō- 名 양면. ①앞면과 뒷면. ②두 방면. ¶〜作戦 양면 작전.

りょうやく【良薬】 ryō- 名 양약. ──**は口に苦し** 양약은 입에 쓰다 ; 전하여, 진정한 충고는 귀에 거슬린다.

りょうゆう【療友】 ryōyū 名 요우 ; 동료.

りょうゆう【良雄】 ryōyū 名 양웅. ──**ならび立たず** 양웅은 병립(並立)못 한다. 「友.

りょうゆう【良友】 ryōyū 名 양우 ; 유익한 벗 ; 좋은 친구. ↔悪友.

りょうよう【両用】 ryō- 名 양용 ; 겸용. ¶水陸〜の構えの戦車 수륙 양용의 전차.

りょうよう【療養】 ryōyō 名 <u>ス自</u> 요양. ──**じょ【──所】** -jo 요양소.

りょうよく【両翼】 ryō- 名 양익. ①좌우 양쪽의 날개. ②진형·대형(隊形) 또는 야구에서 외야의 좌익과 우익.

りょうら [綾羅] ryō- 图 능라.

りょうらん [撩乱・繚乱] ryō- [トタル] 꽃이 어지럽게 핀 모양. ¶百花ウョゥ～ 백화난만.

*りょうり [料理] ryōri 图 [ス他] ①요리; 음식을 만듦; 또, 음식. ¶～屋ャ 음식점; 요릿집. ②사물을 잘 처리함; 또, 상대를 제압함. ¶国政ゼを～する 국정을 요리하다.

りょうりつ [両立] ryō- 图 [ス自] 양립.

りょうりゅう [両流] ryōryū 图 양류. ①두 수류(水流). ②두 개의 유파.

りょうりょう [嘹喨] ryōryō [トタル] 주악(奏樂)의 명랑한 소리; 낭랑. ¶～たるらっぱの音ネ 낭랑한 나팔 소리.

りょうりょう [寥寥] ryōryō [トタル] 요요. ①쓸쓸한 모양. ②수가 극히 적은 모양. ¶聴衆ウェシは～たるものだ 청중은 손가락으로 헤아릴 정도다.

りょうりょう [稜稜] ryōryō [トタル] 어기차며 늠름한 모양. ¶～たる気骨ネッ 늠름한 기골; 불굴의 기상.

りょうろん [両論] ryō- 图 양론.

りょがい [慮外] ryo- 图ダ ①의외(意外); 뜻밖임. =意外ッ. ②무례함; 버릇없음. =ぶしつけ. ¶～千万数な 무례하기 짝이 없음.

りょかく [旅客] ryo- 图 여객. =りょきゃく. ──き [──機] 图 여객기. ──せん [──船] 图 여객선.

*りょかん [旅館] ryo- 图 여관. =やどや. 「かく.

りょきゃく [旅客] ryokya- 图 ☞りょよく [利欲] ryo- 图 이욕.

-りょく [力] ryo- …력; 힘; 능력. ¶経済ザで── 경제력.

りょくいん [緑陰・緑蔭] ryo- 图 녹음; 나무 그늘. =こかげ.

りょくか [緑化] ryo- 图 [ス他] 녹화. =りょっか. ¶～運動ケャ 녹화 운동.

りょくぎょく [緑玉] ryokugyo- 图 녹옥; 에메랄드; 취옥(翠玉). =エメラルド.

りょくしゅ [緑酒] ryokushu 图 녹주. ①녹색 술. ¶紅灯ケゥ～ 홍등 녹주. ②미주(美酒).

りょくじゅ [緑樹] ryokuju 图 녹수; 잎이 무성한 나무.

りょくじゅうじ [緑十字] ryokujū- 图 녹십자. ¶녹화 사업을 상징하는 녹색의 십자 표지. ──うんどう [──運動] -dō 图 녹십자 운동(식목 운동).

りょくそう [緑藻] ryokusō 图 [植] 녹조. ──るい [──類] 图 녹조류.

りょくち [緑地] ryo- 图 녹지. ──たい [──帯] 图 녹지대.

りょくちゃ [緑茶] ryokucha 图 녹차. ↔紅茶ガ.

りょくちゅうぎょく [緑柱玉] ryoku-chūgyo- 图 에메랄드; 취옥.

りょくど [緑土] ryo- 图 ①녹토; 초목이 무성한 강산. ②근해 침전물(近海沈澱物)인 녹색의 흙(규산 광물질을 포함하고 있기 때문에 녹색임); 녹니(緑泥).

りょくないしょう [緑内障] ryokunai-shō 图 [醫] 녹내장. =あおそこひ.

りょくひ [緑肥] ryo- 图 녹비; 풋거름. =草クごえ.

りょくべん [緑便] ryo- 图 녹변; 푸른 똥. 「마적의 딴이름).

りょくりん [緑林] ryo- 图 녹림(도둑·

りょけん [旅券] ryo- 图 여권. =パスポート. 「=たび.

*りょこう [旅行] ryokō 图 [ス自] 여행.

りょしゅう [旅愁] ryoshū 图 여수. =客愁ネャ. 「로. =とりこ.

りょしゅう [虜囚] ryoshū 图 노수; 포로.

りょしゅく [旅宿] ryoshu- 图 여숙; 여인숙. =やどや.

りょじょう [旅情] ryojō 图 여정. =旅ごころ. ¶～を慰サめる 여정을 위로하다[달래다].

りょそう [旅装] ryosō 图 여장. =旅ガレたく. ──を解とく 여장을 풀다.

りょだん [旅団] ryo- 图 [軍] 여단.

りょっか [緑化] ryokka 图 ☞りょくか. 「정.

りょてい [旅程] ryotei 图 여정; 여행 일

*りょひ [旅費] ryo- 图 여비.

*りょよう [旅用] ryoyō 图 [老] 여비. 「자. =旅費ピ. 「プ lilas.

リラ [植] rira 라라. ▷ライラック. ▷

ライト rairaito [ス他] 리라이트; 문장을 고쳐 씀. ▷rewrite.

リラックス rirakkusu [혼히, '～する'의 꼴로] 릴랙스; 긴장을 풀고 쉼. ▷relax. 「り. ▷lily.

リリー [植] rirī 릴리; 백합(百合). =ゆ

リリーフ rirīfu. □き[ス他] [野] 구원(救援)함. □图 ①'リリーフピッチャー'의 준말. ②[美] 돋을새김; 부조(浮彫). =うきぼり・レリーフ. ▷relief.

リリカル [ダナ] ririkaru; 서정(시)적(抒情(詩)的). ▷lyrical.

りりく [離陸] ririku 图 [ス自] 이륙. ↔着陸ダク. 「다; 섞석하다.

りりし-い [凛凛しい] -shi 形 늠름하

リリシズム ririshizumu 图 리리시즘; 서정주의(抒情主義). ▷lyricism.

りりつ [利率] riritsu 图 이율.

リリヤン ririyan; 인견사(人絹絲)로 가늘고 동그랗게 짠 끈(수에 재료). =八千代ッ゙ひも・リリアン. ▷lily yarn.

リレー rirē图. □き[ス他] 중계(中繼); 교체. ¶～放送ボケ 중계 방송/投手ズ ～ 투수 교체. □き[ス自] ①'リレーレース'의 준말. ②계전기(繼電器). ¶～回路ロ 계전기 회로. ──レース 图 릴레이 레이스; 계주(繼走); 또, 계영(繼泳). ▷relay race.

*りれき [履歴] rireki 图 이력. =経歴ゲイ. ──しょ [──書] -sho 图 이력서.

りろ [理路] riro 图 이로; (이야기나 의론 따위의) 줄거리; 조리. ──せいぜん [──整然] [トタル] 이로 정연.

**りろん [理論] riron 图 이론. ──家ゕ 이론가/~物理学ブッ゚ 이론 물리학. ──てき [──的] [ダナ] 이론적.

りん [厘] rin 图. ①화폐 단위; 1 엔(円)의 1000분의 1; 1 전의 10분의 1. ②길이의 단위; 1척(尺)의 1000분의 1, 1분의 10분의 1. ③중량의 단위; 한 의 100분의 1. ④1할의 100분의

りん【燐】 图 ①〔化〕 인(비금속 원소의 하나). ②☞りんか(燐火).

りん【鈴】 图 ①방울. ¶~を鳴らす 방울을 울리다. ②종; 초인종. ＝ベル. ③〔佛〕 경을 읽을 때 치는 경쇠.

-りん【輪】 图 ①꽃을 세는 말. ¶梅一りん~ 매화 한 송이. ②차바퀴를 세는 말. ②オート三りん~ 삼륜차(자동차).

-りん【林】 …림; 숲. ¶原始りん~ 원시림.

りんう【霖雨】 图 임우; 장마. ＝ながあめ.

りんか【燐火】 图 인화; 도깨비불. ＝おにび・きつねび.

りんか【輪禍】 图 윤화; 교통 사고. ¶~に会う 윤화를 당하다.

りんか【隣家】 图 인가; 이웃집.

りんかい【臨海】 图 임해; 바다 가까이 있음. ──がっこう【──学校】-gakkō 图 임해 학교.

りんかい【臨界】 图 〔理・化〕 임계. ──おんど【──温度】 图 임계 온도.

──かく【輪郭・輪廓】 图 윤곽.

りんかん【林間】 图 임간. ──がっこう【──学校】-gakkō 图 임간 학교.

りんかん【輪姦】 图 ス他 윤간.

りんき【悋気】 图 ス自 남녀간의 투기; 질투. ＝やきもち.

りんき【臨機】 图 임기. ¶~の才 〔処置〕 임기(응변)의 재치〔조처〕. ──おうへん【──応変】-ōhen 图 임기 응변. ¶~の处せ.

りんぎ【稟議】 图 ス他 품의. ¶~書.

りんきゅう【臨休】-kyū 图 임휴; '臨時休業りんじきゅうぎょう(=임시 휴업)' '臨時休校りんじきゅうこう(=임시 휴교)' '臨時休暇りんじきゅうか(=임시 휴가)'의 준말.

りんぎょ【臨御】-gyo 图 ス自 임어; 天皇てんのうが 그 자리에 임함. ＝臨幸りんこう.

りんぎょう【林業】-gyō 图 임업.

りんきん【りん菌】【淋菌・痳菌】 图 〔醫〕 임균.

リンク 링크. 一 图 ス自他 연결(함). 二 图 ①リンク制せいの 준말. ②링크스. ③아드 파운드법(法)의 길이의 단위(약 20.12cm). ▷link. ──せい【──制】 图 (무역에서) 링크제.

リンク 图 링크; 스케이트장. ＝アイスリンク. ▷rink.

リング 图 링. ①고리. ②반지. ③권투 〔프로레슬링〕 경기장. ④イヤリング(=귀걸이)'의 준말. ▷ring.

リンクス 图 링크스; 골프장. ▷links.

りんけい【輪形】 图 윤형; 바퀴 모양. ＝わがたち. ¶~動物ぶつ 윤형 동물.

りんけい【鱗茎】 图 〔植〕 인경; 비늘꼴 줄기. 「＝うみづき.

りんげつ【臨月】 图 임월; 산월(産月).

リンゲルえき【リンゲル液】 图 〔藥〕 링게르액. ＝リンゲル(ようえき)・リンガー液. ▷Ringer.

りんけん【臨検】 图 ス他 임검.

*りんご【林檎・苹果】 图 〔植〕 사과나무; 사과.

りんこう【りん光】【燐光】-kō 图 인광.

りんこう【りん鉱】【燐鉱】-kō 图 〔鑛〕 인광.

りんこう【臨幸】-kō 图 ス自 ☞りんぎょ.

りんこう【輪講】 图 ス他 윤강; 한 책을 여럿이 분담하여 차례로 강의함.

りんこうせん【臨港線】-kōsen 图 임항선; 하역을 위해서 부두까지 뻗어 있는 철도 선로.

りんごく【隣国】 图 인국; 이웃 나라. ＝隣邦りんぽう.

りんざいしゅう【臨済宗】-shū 图 〔佛〕 임제종(선종(禪宗)의 일파).

りんさく【輪作】 图 ス他 윤작. ＝輪栽りんさい. ↔連作れんさく.

りんさん【林産】 图 임산.

りんさん【りん酸】【燐酸】 图 〔化〕 인산. ──カルシウム -shūmu 图 〔化〕 인산칼슘. ＝りん酸石灰せっかい. ▷calcium. ──せっかい【──石灰】-sekkai 图 인산 석회. ──ひりょう【──肥料】-ryō 图 인산 비료. ＝燐肥りんぴ.

**りんじ【臨時】 图 임시. ¶~休業きゅうぎょう 임시 휴업 ／~職員しょくいん 임시 직원 ／~国会こっかい 임시 국회.

りんしつ【りん疾】【淋疾・痳疾】 图 〔醫〕 임질. ＝りん病びょう.

りんしつ【隣室】 图 옆방; 이웃방.

りんしゃ【臨写】-sha 图 ス他 임사; 견본〔원본〕을 보고 베낌. 「にぎわう.

りんじゅう【臨終】-jū 图 임종. ＝死しに.

りんしょ【臨書】-sho 图 ス他 임서; 원본을 보고 그대로 씀.

りんしょう【臨床】-shō 图 임상. ──いがく【──医学】 图 임상 의학.

りんしょう【輪唱】-shō 图 ス他 〔樂〕 윤창. ＝ラウンド.

りんじょう【臨場】-jō 图 ス自 임장; 임석. ¶御ご~の皆みなさん 임석하신 여러분.

りんじょう【輪状】-jō 图 윤상; 윤형(輪形); 바퀴 모양.

りんじょう【鱗状】-jō 图 인상; 비늘 모양. ＝うろこ形がた.

りんしょく【吝嗇】-shoku 图 ダ上 인색. ＝けち・しみったれ. ──か【──家】 图 인색가; 구두쇠. ＝けちんぼう.

りんじん【隣人】 图 인인; 이웃 사람. ──あい【──愛】 图 이웃에 대한 사랑.

りんず【綸子】 图 고운 생사로 무늬 있게 짠 윤이 나는 고급 견직물.

りんせい【林政】 图 임정; 임업에 관한 행정.

りんせき【臨席】 图 ス自 임석.

りんせき【隣席】 图 인석; 옆자리.

りんせつ【隣接】 图 ス自 인접.

りんせん【林泉】 图 임천; 숲과 샘 따위가 있는 정원. 「しま.

りんせん【臨戦】 图 ス自 임전. ¶~態勢たいせい 임전 태세.

りんぜん【凜然】 トルタル 늠연. ①추위가 심한 모양. ¶寒気かんき~ 한기 늠연. ②늠름한 모양.

りんそう【林相】-sō 图 임상; 삼림(森林)의 모양(형태).

りんち【林地】 图 임지; 삼림이 있는〔삼림을 만들〕 땅.

リンチ 图 ス他 린치; 사형(私刑). ¶~を加くわえる 린치를 가하다. ▷lynch.

りんてん【輪転】 图 ス自 윤전. ──き【──機】 图 윤전기.

りんと【凜と】 圖 ①늠름한 모양. ¶~した態度たいど 늠름한 태도. ②추위가 심한 모양.

りんどう【林道】-dō 图 임도; 산간의

임산물을 운반하는 길.

りんどう〖竜胆〗-dō 图〖植〗용담.

りんどく〖輪読〗图 ㅈ他 윤독；차례로 돌려 가며 읽음；책을 번차례로 읽고 토의·연구함.

りんね[輪廻·輪回] 图 ㅈ自 〖佛〗윤회. ＝流転. [linière].

リンネル 런네르. ＝リネン. ▷

リンパ〖淋巴〗rimpa 图〖生〗'リンパ液''リンパ腺'의 준말. ▷ Lymphe. **──えき**〖──液〗图 림프액. **──せつ**〖──節〗图 림프절. **──せん**[──腺] 图 림프선；림프샘('リンパせつ'의 구칭·속칭).

りんばつ〖輪伐〗rimba 图 ㅈ他 윤벌；삼림의 나무를 맨년 돌려 가며 베는 일.

りんばん〖輪番〗rimban 图 윤번. ＝まわり番. ¶～制 윤번제.

りんぴ〖燐肥〗rimpi 图 인비('燐酸肥料(＝인산 비료)'의 준말).

りんびょう〖りん病〗[淋病·痲病] rimbyō 图〖醫〗임병；임질. ＝りん疾.

りんぶ〖輪舞〗rimbu 图 ㅈ自 윤무.

りんぷん〖鱗粉〗rimpun 图 인분；나비나 나방 따위의 날개에 붙은 비늘과 같은 가루. [조각.

りんぺん[鱗片] rimpen 图 인편；비늘

りんぽ〖隣保〗rimpo 图 인보；이웃(사람)；또, 이웃끼리 서로 돕기 위한 조직. [나라.

りんぽう〖隣邦〗rimpō 图 인방；이웃

りんもう〖厘毛〗rimmō 图 극소；아주 적음；추호(秋毫). ¶～の狂いもない 추호의 차질도 없다.

りんもう[鱗毛] 图〖植〗인모；비늘 모양으로 줄기·잎 등의 거죽을 덮어 보호하는 잔털.

りんや〖林野〗图 임야.

りんらく〖淪落〗图 ㅈ自 윤락. ¶～の女あ 윤락 여성.

りんり〖倫理〗图 윤리. ①인륜；도덕. ¶政治きょ～ 정치 윤리. ②'りんりがく'의 준말. **──がく**〖──学〗图 윤리학.

りんもう[淋漓] [タル] 임리；땀·피가 뚝뚝 떨어지는 모양. ¶流汗ぷが～ 유한 임리；땀이 줄줄 흘러 내림.

りんりつ〖林立〗图 ㅈ自 임립；숲의 나무처럼 늘어섬. ¶～する煙突といっ 임립하는 굴뚝.

りんりん〖凜凜〗[タル] 늠름. ①태도가 늠름한 모양；용감하고 썩씩한 모양. ¶～たる青年誌 늠름한 청년／勇気ぷ～ 용기 만만(滿滿)；아주 용기가 있음. ②추위가 혹심한 모양.

る ル

①五十音図じゅうおんの'ら行ぎ'의 셋째 음. [ru] ②〖字源〗'留'의 초서체(かたかな의 'ル'는 '流'의 우측 아래).

るい〖累〗图 누；폐(弊). **──を及ぼぼす** 누를 끼치다.

るい〖塁〗图 누. ①성채(城砦)；보루(堡壘). ②〖野〗베이스. ¶～に出でる 진루(進塁)하다／～をぬすむ 도루(盗塁)하다.

るい[誄] 图 뇌；죽은 이의 생전의 공(功)을 칭송하고 그 죽음을 애도하는 말. ＝誄詞きし・しのびごと.

るい【類】图 유. ①종류；같은 부류. ¶～を分ける 종류를 구분하다. ②같은 동아리；닮은 것；같음. ¶世界誌に～を見ゃない 세계에 유례를 볼 수 없다. ③〖接尾語的으로〗류. ㉠같은 종류(부류)의 것. ¶文房具ぎんぽう～ 문방구류. ㉡생물 분류상 동식물의 강(綱)과 목(目)의 관용어. ¶哺乳ぽ～ 포유류. **──は友を呼よぶ** 유유 상종(類類相従)；끼리끼리 모이다. **──を以もって集あつまる** 비슷한 사람끼리 모이다.

るいいご〖類意語〗图 유의어；뜻이 비슷한 말.

るいえん〖類縁〗图 유연. ①친척；일가. ②생물의 모양이나 성질이 닮아서로 가까운 관계에 있음. [「라이.

るいか〖累加〗图 ㅈ自他 누가.

るいがいねん〖類概念〗图〖論〗유개념. ↔種概念しゅがい.

るいかん〖涙管〗图〖生〗누관.

るいぎご〖類義語〗图 유의어；동의어. ＝類語ご.

るいく〖類句〗图 ①유구；비슷한 구. ②뜻과 표현이 비슷한 俳句はい''. ③和歌·俳句はい'' 등의 첫 구절 따위를 いろ は 차례나 五十音図じゅうおん 차례로 배열한 찾아보기.

るいけい〖類型〗图 유형. ¶文章しょうの～ 문장의 유형. **──てき**〖──的〗[ダナ] 유형적. ¶～で新あらしみがない 유형적이어서 새로운 맛이 없다.

るいけい〖累計〗图 ㅈ他 누계. ＝累算さん. ¶経費ぴの～ 경비의 누계.

るいげん〖累減〗图 ㅈ自他 누감；차차 줄어짐. ¶～税 누감세. ↔累増ぞう·累加.

るいご〖類語〗图 유어. ＝類義語ぎ''.

るいじ〖累次〗图 누차. ¶～の忠告ちゅうを無視する 누차의 충고를 무시하다.

＊るいじ〖類似〗图 ㅈ自 유사. ¶～品ひ 유사품／～点で 유사점.

るいじ〖類字〗图 유자；비슷한 글자('瓜'와 '爪', '己'와 '巳' 따위).

るいしょ〖類書〗-sho 图 ①유서；비슷한[같은 종류의] 책. ＝類本ぼん. ②사항별로 분류·편집한 서적.

るいしょう〖類焼〗-shō 图 ㅈ自 유소；연소(延焼). ＝類火か. ¶～を免ぬがれる 연소를 면하다.

るいじょう〖累乗〗-jō 图 ㅈ他 누승；거듭곱. ⇨連乗じょう. ¶～根こん〖數〗누승근；거듭제곱근.

るいしん〖累進〗图 ㅈ自 누진. ¶～課税ぜい 누진 과세／～税ぜ 누진세.

るいしん〖塁審〗图〖野〗누심. ＝ベースアンパイア.

るいじんえん〖類人猿〗图〖動〗유인원. ＝エイプ·ひとにざる.

＊るいすい〖類推〗图 ㅈ他 유추. ＝類比

び・アナロジー. ¶一部から全体を～する 일부에서 전체를 유추하다.

るい・する【類する】[サ変自] ①닮다;비슷하다. ¶これに～品物 이것과 비슷한 물건. ②비견(比肩)하다. ¶これに～作品はない 이것에 비견할 만한 작품은 없다.

*****るいせき**【累積】[名][ス自他]누적. ¶～赤字 누적 적자. ②누승(累乗)함;또, 누승한 곱.

るいせん【涙腺】[名]누선. ¶～が弱い 누선이 약하다;눈물을 잘 흘린다.

るいぞう【累増】-zō [名][ス自他]누증. =逓増. ↔累減.

るいだい【累代】[名]누대;여러 대대. =代代・累世.

るいじ【類似】[名]유제. ①유사한 문제. ②和歌や俳句 따위를 유사한 제목에 따라 분류하여 모은 것.

るいはん【累犯】[名][法]누범. ¶～者 누범자.

るいべつ【類別】[名][ス他]유별. =分類.

るいほん【類本】[名]내용이 비슷한 책;유서(類書).

るいらん【累卵】[名]누란;매우 불안정하고 위태로운 상태. ―の危うき ―の危うさ 누란의 위기.

るいるい【累累】[タル]겹치어(겹겹이)쌓이는 모양. ¶～たる死体 겹겹이 쌓인 시체.

るいれい【類例】[名]유례. ¶他に～がない 달리 유례가 없다.

るいれき【瘰癧】[名][医]나력;경부(頸部) 림프선(腺)의 종기. =ぐりぐり.

ルーキー【名】[野]루키;신인 선수. ▷rookie.

ルージュ -ju [名]루즈;입술 연지. =口べに. ▷프 rouge.

ルーズ [ダナ]루스;칠칠치 못함;헐렁함. ¶～な仕事 허술한 작업 태도. ▷loose. ――**リーフ** [名]루스 리프(종이를 마음대로 빼었다 끼웠다 할 수 있는 노트나 장부). ▷loose-leaf.

ルート【名】[数]루트;근(根). ▷root.

ルート【名】루트;경로;통로;길;연줄. ¶密輸の～ 밀수 루트/侵入に～を封鎖する 침입로를 봉쇄하다. ▷route.

ルーフ【名】루프. ①지붕. ②옥상. ▷roof. ――**ガーデン** [名]루프 가든;옥상(屋上) 정원. ▷roof garden.

ループ【名】루프. ①고리. ②'ループ線'의 준말. ③'ループアンテナ'의 준말. ④비행기의 공중제비. ▷loop. ――**アンテナ** [名]루프 안테나. ▷loop antenna. ――**せん**【―線】[名]루프선;경사가 심한 곳에서, 터널 따위를 파고 환상(環状)으로 철로를 깔아 오르기 위한 철도 선로.

ルーフィング -fingu [名]루핑;아스팔트로 가공한 방수지. =ルーヒング. ▷roofing.

ルーブル【留】[名]루블;소련의 화폐 단위. =ルーブリ. ▷ル rubl;영・프 rouble.

ルーペ [名]루페;확대경;돋보기. =むしめがね. ▷도 Lupe.

ルーム [名]룸;방. ¶～ライト 룸 라이트;자동차(의) 내부 전등. ▷room. ――**クーラー** [名]룸쿨러;실내(室內) 냉

방 장치. ▷일 room+cooler.

*****ルール** [名]룰. ①규칙. ¶会議の～ 회의의 규칙. ②자. ¶スライド～ 계산척(計算尺). ▷rule.

るけい【流刑】[名] ☞りゅうけい.

るげん【流言】[名]유언. =りゅうげん.

ルゴールえき【ルゴール液】[名][薬]루골액(液)(편도선 약). ▷Lugol.

るざい【流罪】[名]유죄;귀양. =流刑.

‡**るす**【留守】【留主】[名] ①외출하고 집에 없음;부재중(不在中). ¶午後3時から～にする 오후3시부터 (외출하고)집을 비우다. ②집안 사람들이 부재중 집을 지킴;또, 그 사람. =るす番・るす居. ¶～を頼む 집보기를 부탁하다. ③《흔히 'お'를 붙여》(다른 데 정신이 팔려서)할 일을 하지 않음. ¶勉強がお～になる 공부가 소홀하게 되다. ―を使う 집에 있으면서 없는 척하다. =居留守を使う. ―ね【―寝】[名][ス自]집을 지키며 하는데 잠을 잠. ―ばん【―番】[名][ス自] ☞るす②.

るせつ【流説】[名]유설;유언(流言);낭설.

ルック rukku [名]루크;모드;스타일;…식(式). =風ル. ¶ミリタリー～ 군대식 옷. ▷look.

るつぼ【坩堝】[名]감과;도가니. ¶興奮の～と化す 흥분의 도가니가 되다.

るてん【流転】[名][ス自]유전. ①[佛]윤회(輪廻). ¶生生～ 생생 유전;만물이 끊임없이 바뀌어 유전 윤회함. ②끊임없이 변함.

るにん【流人】[名]유인;유배된 사람.

ルネッサンス -nessansu [名]르네상스;문예 부흥. =ルネサンス. ▷프 Renaissance.

ルビ【仮】[印]루비;7호 활자(ふりがな(=한자 옆에 다는 토)用(用)의 작은 활자);전하여, 振りがな. ¶総ルの本 모조리 ふりがな를 달아 놓은 책/～を付ける 토를 달다. ▷ruby.

ルビー [名]루비;홍옥(紅玉). ▷ruby.

るふ【流布】[名][ス自]유포. ¶世間に～した学説 세간에 유포된 학설.

ルポ [名]르포;'ルポルタージュ'의 준말. ¶現地～ 현지 르포. ――**ライター** [名]르포 라이터;현지 취재 기자;탐방 기자. ▷프 reportage+영 writer.

ルポルタージュ -taju [名]르포르타주;현지 보고(報告);보고[기록] 문학. =ルポ. ▷프 reportage.

るまた [父]한자 부수(部首)의 하나;갖은등글월문('殺''殿' 따위의 '殳'의 이름). =ほこつくり.

るみん【流民】[名]유(랑)민.

るり【瑠璃】[名]유리. ①칠보(七寶)의 하나인 청보석. ②ガラス의 옛이름. ③'るり色''るり鳥'의 준말. ――**いろ**【―色】[名]자색을 띤 남색. ――**ちょう**【―鳥】-chō [名]유리새.

るる【縷縷】[副] ①자세히 말하는 모양;누누이. ¶～説明する 누누이 설명하다. ②가늘고 길게 계속되는 모양. ¶山腹を～としてはう道 산허리를 끼고 가늘고 길게 뻗어 있는 길.

るろう【流浪】 -rō 图 [ㅈ自] 유랑. ¶〜
の民ﾐﾝ 유랑민.
ルンバ rumba 图 【樂】룸바; 쿠바의 민
속 무용곡; 또, 그 곡(曲)에 따르는 경

쾌한 댄스. ▷rumba.
ルンペン rumpen 图 룸펜; 부랑인(浮
浪人); 실업자. ¶〜生活ﾔﾂ 룸펜 생
활. ▷도 Lumpen.

れ レ

①五十音図ｺﾞｼﾞ 'ら行ｷﾞﾖ'의 넷
째 음. [re] ②【字源】'礼'의 초
서체(かたかな 'レ'는 '礼'의 오
른쪽).

レア 图 비프스테이크 등의 설구움; 설
구운 것. =生焼ﾔﾈ き. ↔ウェルダン・ミ
ディアム. ▷rare.
れい【令】 □ 图 영. ①명령. ¶攻撃ｺﾞｷ
の〜を下ｸﾀ る 공격 명령이 내려지다. ②
법령. ¶恩赦ｵﾝﾔ の〜 은사령. 二[接頭]
각…; 남의 가족의 경칭. ¶〜夫人ﾌﾆﾝ
영부인 / 〜妹ﾏｲ 영매. 三[接尾]…령; 명
령·법령의 뜻. ¶戒厳ｶｲｹﾞﾝ 〜 계엄령.
*れい【例】 图 예. ①선례; 전례. ¶今ｲﾏ
まで〜がない 지금까지 예가 없다.
②표준이 되는 사항; 본보기. ¶〜を
引ｲく〔あげる〕예를 들다. ③관례.
正月ｼﾖｳｶﾞﾂ の〜 설날의 관례. ④늘; 언제
나; 여느. ¶の通ﾄﾞ り 언제나처럼;
여느 때와 같이 / の話ﾊﾅ 예의 그 이
야기. ──ならず ① 여느 때와 다르다.
②병에 걸려있다. ¶の例ﾚｲ…. ──によっ
て──のごとし 여느 때와 마찬가지로;
구태 의연히.
*れい【礼】 图 ①예; 예의; 경의. ¶〜を
つくす 예를 다하다. ②인사; 절. ¶
〜をする 절하다 / 〜を返ｶｴ す 답례를
하다. ③감사의 뜻. ¶お〜を述ﾉべる
사의(謝意)를 표하다. ④사례(謝禮)
(금품). ¶〜をおくる 사례품을 보내
다. ⑤의식. ¶即位ｿｸｲ の〜 즉위식.
*れい【零】 图 제로; 영.
れい【霊】 图 ① 图 영. ①정신; 영혼. ¶〜と
肉ﾆｸ 영과 육. ②죽은 사람의 혼(魂).
¶祖先ｿｾﾝ の〜を祭ﾏﾂ る 조상의 혼을 모
시다. ③신(神); 이상한 힘을 지닌 정
기(精氣); 신비적인 것. ¶山ﾔﾏの
〜 산신령 / 森ﾓﾘ の〜 숲의 정령(精靈).
レイ 레이; 하와이 등지에서 목에 걸어
주는 화환. ▷하와이 lei.
レイアウト 图 레이아웃. =割付ﾜﾘﾂ け.
▷layout.
れいあんしつ【霊安室】 图 (병원 따위의)
「의」영안실.
れいあんぽう【冷罨法】
-ampō 图 【醫】냉엄법; 냉찜질. ↔温罨
法ｵﾝｱﾝ.
れいいき【霊域】 图 영역; 사찰(寺刹)
따위가 있는 신성한 지역.
れいえん【冷延】 图 '冷間圧延ﾚｲｶﾝ(=
냉간 압연)'의 준말. =熱延ﾈﾂ.
れいおん【冷温】 图 냉온. ①차고 더움.
¶〜両用ﾘﾖｳ 냉온 양용〔겸용〕. ②찬
〔낮은〕온도. ¶〜で貯蔵ﾁﾖｿﾞする 낮은
온도로 저장하다.
れいか【冷夏】 图 냉하; 예년과 같이 덥
지 않은 여름.
れいか【冷菓】 图 빙과(氷菓)
れいか【零下】 图 영하. ¶〜十度ｼﾞﾕｳﾄﾞ
영하 10도.
れいかい【例会】 图 예회; 정례회.
れいかい【霊界】 图 영계. ①영혼의 세

계. ②정신계. ⇔界ｶｲ.
*れいがい【例外】 图 예외. ¶ほとんど
〜なしに 거의 예외없이.
れいがい【冷害】 图 냉해. ¶〜に見舞
ﾐﾏわれる 냉해를 입다.
れいかく【冷覚】 图 냉각; 피부가 느끼
는 차가운 감각. ↔温覚ｵﾝ.
れいがく【礼楽】 图 예악. ①예법과 음
악. ②경서(經書)의 예기(禮記)와 악
기(樂記).
れいかん【霊感】 图 영감. ¶〜によっ
て 영감에 의해 / 神仏ｼﾝﾌﾞ に〜したか,
嵐ｱﾗ しがやんだ 신불도 감응(感應)하였
는지 폭풍이 잠잠해졌다.
れいがん【冷眼】 图 냉안; 차가운 눈초
리; 멸시하는 눈. ¶〜視ｼ する 냉안시
하다.　　　　　　　　　　　　　「증.
れいかんしょう【冷感症】-shō 图 냉감
れいき【冷気】 图 냉기. ¶秋ｱｷ の夜ﾖ の
〜 가을 밤의 냉기.
れいき【霊気】 图 영기; 영묘한 기운.
*れいぎ【礼儀】 图 예의. ¶〜作法ｻﾎｳ 예
의 범절 / 〜にかなう 예의에 어긋나지
않다 / 〜正ﾀﾀしい 예의 바르다.
れいきゃく【冷却】-kyaku 图 [ㅈ自他] 냉
각. ¶〜装置ｿｳﾁ 냉각 장치 / 〜期間ｷｶﾝ
(분쟁·감정 등의) 냉각 기간.
れいきゅう【霊柩】-kyū 图 영구. ¶
〜車ｼﾔ 영구차.
れいきん【礼金】 图 사례금.
れいぐう【冷遇】 图 [ㅈ他] 냉우; 냉
대; 푸대접. ¶〜に甘ｱﾏ んずる 냉대를
달게 받다. ↔優遇ﾕｳ・優遇ﾕｳ.
れいぐう【礼遇】-gū 图 [ㅈ他] 예우. ¶
〜を受ｳける 예우를 받다.
れいけつ【冷血】 图 냉혈. ¶〜漢ｶﾝ 냉
혈한. ──どうぶつ【──動物】-dōbu-
tsu 图 냉혈 동물 ['変温動物ﾍﾝｵﾝ'의 구
칭). ↔温血動物ｵﾝｹﾂ.
れいげつ【例月】 图 예월(月例);
매월. ¶〜の集会ｼﾕｳ 월례 집회.
れいげん【例言】 图 예언; 범례(凡例);
일러두기.
れいげん【冷厳】 图 [ㅈﾌﾞ] 냉엄. ¶〜な
態度ﾀｲ 냉엄한 태도.
れいげん【霊験】 图 영험; 영검. =れい
けん. ¶〜あらたか 영험이 뚜렷함.
れいご【例語】 图 예어; 예로 드는 말.
れいこう【励行】-kō 图 [ㅈ他] 여행; 힘
써 함. ¶〜列ﾚﾂ 일렬 여행; 한결 같
로 서기.
れいこく【冷酷】 图 [ㅈﾌﾞ] 냉혹. ¶〜な
仕打ｼｳ ち 냉혹한 처사. ↔慈悲ｼﾞﾋ.
れいこん【霊魂】 图 영혼. =魂ﾀﾏｼﾋ.
¶〜不滅ﾌﾒﾂ 영혼 불멸.
れいさい【例祭】 图 예제; 시제(時祭).
↔臨時祭ﾘﾝｼﾞ.

れいさい【零細】[名ゲ] 영세. ¶～企業ₐ̆ょ̆ 영세 기업 / ～農ゔ 영세농.

れいざん【霊山】[名] 영산 ; 신불을 모신 신성한 산 ; 또, 신사(神社)·절의 영역(靈域)인 산.

れいし【茘枝】[名] ①[植] ㉠여주. =つるれいし. ㉡여지 ; 무환자과(無患子科)에 속하는 상록 교목(常緑喬木). ②[貝] 두드럭고둥(굴의 해적(害敵)).

れいじ【例示】[名] [ス他] 예시.

れいじ【零時】[名] 영시.

れいしき【礼式】[名] 예식 ; 예법.

れいしつ【令室】[名] 영실 ; 영부인. =令夫人ₐ̆ん.

れいじつ【例日】[名] 여느 날 ; 정례로 되어 있는 그날. ¶～の通ゔり 여느 날과 마찬가지로.

れいじゅう【霊獣】-jū [名] 영수 ; 상서로운 짐승 ; 영물. ⇨ れい에서체.

れいしょ【隷書】-sho [名] 예서. ¶～体ₐ̆

れいしょう【例証】-shō [名] 예중. ㊀[名] [ス他] 예를 들어 증명함. ㊁[名] 증거로서 드는 예.

れいしょう【冷笑】-shō [名] [ス他] 냉소. =あざわらい. ¶～を口許ₐ̆に浮ゔかべて 입가에 냉소를 띠고 / ～を浴ゔびせる 냉소를 퍼붓다.

れいじょう【令嬢】-jō [名] 영양 ; 영애(令愛) ; 따님.

れいじょう【令状】-jō [名] 영장. ¶～による逮捕ₐ̆ 영장에 의한 체포. 「지.

*れいじょう【礼状】-jō [名] 예장 ; 사례 편

れいじょう【礼譲】-jō [名] 예양 ; 예를 차려 겸양함. ¶国際ₐ̆～ 국제 예양.

れいじょう【霊場】-jō [名] 영지(靈地) ; 신불의 영험이 현저한 곳.

れいしょく【佞色】-shoku [名] 영색 ; 남에게 아첨하려고 좋게 짓는 얼굴 빛. ¶巧言ₐ̆～ 교언 영색.

れいしょく【冷色】-shoku [名] 냉색 ; 한색(寒色). ↔温色ₐ̆·暖色ₐ̆く.

れいじん【麗人】[名] 여인(麗人).

れいすい【冷水】[名] 냉수. ¶～を浴ゔびる 냉수를 끼얹다[뒤집어쓰다] / ～浴ₐ̆ 냉수욕. ——まさつ【——摩擦】 냉수 마찰.

れい-する【令する】[サ変自] 명령하다 ; 분부하다. =命令めいする.

*れいせい【冷静】[名] [ダナ] 냉정. ¶～な判断ₐ̆ 냉정한 판단.

れいせい【霊性】[名] 영성 ; 인간의 정신 ; 또, 정신성(精神性).

れいせつ【礼節】[名] 예절. ¶～を守ₐ̆る 예절을 지키다 / 衣食ₐ̆く足ₐ̆りて～を知ₐ̆る 의식이 족해야 예절을 안다.

れいせん【冷戦】[名] 냉전. ↔熱戦ₐ̆く.

れいぜん【霊前】[名] 영전. ¶～にぬかずく 영전에 엎드리다.

れいぜん【冷然】[ㅏナ] 냉연함 ; 냉담한 모양. ¶～たる態度ₐ̆で 냉연한 태도.

れいぞう【礼装】-sō [名] 정식 복장 ; 예복.

れいぞう【冷蔵】-zō [名] [ス他] 냉장. ¶～温度ₐ̆ん 냉장 온도. ——こ【——庫】 [名] 냉장고. ¶電気ₐ̆～ 전기 냉장고.

れいぞく【令息】[名] 영식. ↔令嬢ₐ̆く.

れいぞく【隷属】[名] [ス自] 예속 ; 종속.

れいだい【例題】[名] 예제.

*れいたん【冷淡】[名] [ダナ] 냉담. ¶～な

目ₐ̆で見ゔる 냉담한 눈으로 보다 / 政治ₐ̆に～だ 정치에 냉담하다.

れいだんぼう【冷暖房】-danbō [名] 냉난방 ; 냉방과 난방. ¶～完備 ᵇ 냉난방 완비. 「霊域ₐ̆き.

れいち【霊地】[名] 영지 ; 영역(靈域). =

れいちゃ【冷茶】-cha [名] 냉차.

れいちょう【霊長】-chō [名] 영장. ¶人間ₐ̆は万物ₐ̆の～ 인간은 만물의 영장. ——るい【——類】 [名] 영장류.

れいちょう【霊鳥】-chō [名] 영조 ; 신비스러운 새 ; 신성한 새(특히, 봉황을 이름).

れいてき【霊的】[ダナ] 영적 ; 영혼이나 정신에 관한 일. ¶～世界ₐ̆ 영적 세계. ↔肉的ₐ̆き.

れいてん【零点】[名] 영점. ¶試験ₐ̆で～を取ₐ̆る 시험에 영점을 받다.

れいとう【冷凍】[名] [ス他] 냉동. ¶～船ₐ̆ん 냉동선 / ～肉ₐ̆[食品ₐ̆ん] 냉동육[식품] / ～室ₐ̆ 냉동실. ↔解凍ₐ̆う.

れいにく【冷肉】[名] 냉육. =コールドミート.

れいにく【霊肉】[名] 영육 ; 영혼과 육체.

*れいねん【例年】[名] 예년. ¶～通ゔり 예년과 같이.

れいの【例の】[連語] [連体詞的으로] 예의. ¶～とおり 여느 때처럼, 예와 같이 / ～場所ₐ̆で 예의 그 장소에서 / ～如ₐ̆く 예와 같이 예년처럼.

れいはい【礼拝】[名] [ス他] 예배. ¶～堂ゔ 예배당. ⇨ らいはい.

れいはい【零敗】㊀[名] [ス自] 영패. =スコンク·ゼロ敗ₐ̆. ¶辛ₐ̆うじて～をまぬかれる 가까스로 영패를 면하다. ㊁[名] 무패. ¶三勝ₐ̆～二分ゔけ 3승무패 2무승부.

れいばい【霊媒】[名] 영매 ; 신령이나 망자(亡者)의 영과 의사를 통하게 하는 매개자. ——じゅつ【——術】-jutsu [名] 영매술. =かみおろし.

れいびょう【霊廟】-byō [名] 영묘 ; 사당. =みたまや.

れいふく【礼服】[名] 예복. ¶～を着用ₐ̆する 예복을 입다. ↔平服ₐ̆く.

れいふじん【令夫人】[名] 영부인 ; 남의 아내의 높임말. =令室ₐ̆つ.

れいぶん【例文】[名] 예문. ¶～を挙ₐ̆げる 예문을 들다.

れいほう【礼法】-hō [名] 예법 ; 예의 범절. ¶～にかなう 예법에 맞다.

れいほう【礼砲】-hō [名] 예포.

れいほう【霊峰】-hō [名] 영봉 ; 신성시하는 산.

*れいぼう【冷房】-bō [名] [ス他] 냉방. ¶～病ₐ̆く 냉방병 / ～装置ₐ̆ち 냉방 장치. ↔暖房ₐ̆う.

れいまいり【礼参り】[名] [ス自] ①사례[감사]의 인사참. ②(俗) ⇨ おれいまいり②.

れいまわり【礼回り】【礼廻り】 [名] [ス自] 사례차 돌아다님.

れいみょう【霊妙】-myō [名] 영묘. ¶～不可思議ₐ̆ 영묘 불가사의.

れいめい【令名】[名] 영명 ; 명성(名聲). ¶～が高ₐ̆い 영명[명성]이 높다.

れいめい【黎明】[名] 여명. =夜明ゔけ·明ₐ̆け方ゔ. ¶文芸復興ₐ̆うの～期ₐ̆ 문예 부흥의 여명기.

れ

れいもつ【礼物】图 예물.

れいやく【霊薬】图 영약.

れいよう【羚羊】-yō 图 영양. ①'かもしか'의 딴이름. ②산양.

れいらく【零落】图 ⊠自 영락함; 몰락함. =落魄.

れいれいし-い【麗麗しい】-shī 사람 눈을 끌도록[여봐라 듯이] 꾸며져 있다; 번지르르하다. ¶～く看板恐を だす 요란하게 간판을 내걸다.

れいれいと【麗麗と】副 남의 눈을 끌도록 꾸민 모양; 번지르르하게. ¶～う え八百恐を並なび立たてる 번지르르하게 온갖 거짓말을 늘어놓다.

れいろう【玲瓏】-rō タル 영롱. ①밝고 빛나는 모양; 낭랑. ¶～たる月影쑠 영롱한 달빛. ②구슬 따위가 아름답고 맑은 소리를 내는 모양; 낭랑. ¶～とした声べ 낭랑한 목소리.

れいわ【例話】图 예화; 예를 들어 하는 이야기.

レーザー 图【理】레이저〈광선이 대단히 강력하여 초원거리(超遠距離)에도 달하므로 우주 통신용 따위에 사용됨〉. ¶～光線恐〔通信뇨〕레이저 광선(통신). ▷LASER; laser. ──メス 图 레이저 메스〈레이저 광선을 이용한 수술용 메스〉. ▷laser mess.

レース 图 레이스. ¶袖口恐に～をつける 소매 끝에 레이스를 달다. ▷lace.

レース 图 레이스; 경주; 경영(競泳); 경조(競漕). ¶ボート～ 보트 경조 / オート～ 오토바이 경주. ▷race.

レーダー 图 레이더; 전파 탐지기. ▷radar.

レート 图 레이트; 비율; 율(率); 문수. =歩合恐. ¶為替恐～ 환율(換率). ▷rate.

レーヨン 图 레용; 인조 견사. =人絹恐. ▷rayon.

レーンジャー 图 레인저. ①국립공원의 관리인. ②미국의 삼림(森林) 경비대원. ③유격대원. ▷미 ranger.

*****レール** 图 레일; 궤도; 철길. ¶モノ～ 모노 레일 / ～を敷くう 레일을 깔다. ▷rail.

レーン 图 레인; 비. ▷rain. ──コート 图 레인 코트; 비옷. =レインコート ▷rain coat. ──シューズ -shūzu 图 레인 슈즈; 우화(雨靴); 비신. ⊙일 rain shoes. ──ボー 图 레인보; 무지개. =レインボー ▷rainbow.

-れき【暦】…레. ¶グレゴリオ～ 그레고리오력 / 太陽恐～ 태양력.

れきがく【暦学】图 역학.

れきがん【れき岩〔礫岩〕】图 역암〈작은 이 돌이흙이나 모래에 섞여 약어진 수성암(水成岩)〉. 〔치어 죽임.

れきさつ【轢殺】图 ⊠他 역살; 〔차로〕

*****れきし**【歴史】图 역사. ¶～家〔観〕 역사가〔관〕 / ～学 역사학 / ～あって 以来쑠 역사가 있은 이래; 유사 이래. ──てき【-的】ダナ 역사적. ¶～(な)事件恐 역사적(인) 대사건. ──てきかなづかい【-的仮名遣(い)】图 仮名쑠를 쓰기에 있어서, 平安쑠시대 초기의 표기법을 기준으로 한것('おうぎ(扇)'을 'あふぎ'로 쓰는 따위).

れきし【轢死】图 ⊠自 역사; 차에 치어 죽음.

れきじつ【暦日】图 역일; 세월의 흐름; 또, 달력. ¶山中쑠~無なし 산중 무력일(山中無暦日)〈산속에서는 세월이 가는 줄을 모른다〉.

れきせい【瀝青】图 역청〈아스팔트·석유·천연 가스 따위〉. =チャン. ¶～炭た 역청탄; 흑탄(黒炭).

れきせん【歴戦】图 역전. ¶～の勇士 역전의 용사.

れきぜん【歴然】タル 역연; 분명함; 또렷[뚜렷]함. =歴歴恐. ¶～たる証拠쑠 뚜렷한 증거.

れきだい【歴代】图 역대. =歴世恐.

れきにん【歴任】图 ⊠他 역임.

れきねん【暦年】图 역년. ①달력상으로 정한 일 년. ②연륜; 세월.

れきねん【歴年】图 역년; (오랜) 세월이 흐름. ¶～の功쑠 다년의 공.

れきねんれい【暦年齢】图 달력으로 계산한 나이. =生活年齢쑠. ↔精神年齢쑠쑠쑠.

れきほう【暦法】-hō 图 역법; 달력 만드는 방법; 달력에 관한 법칙.

れきほう【歴訪】-hō 图 ⊠他 역방.

れきゆう【歴遊】-yū 图 ⊠自 역유; 순유(巡遊)〈각처를 유람하고 다님.

レギュラー -gyurā 图 레귤러. ①〖接頭語적으로〗통례(通例)·정규(正規)의; 규칙적인. ¶～バウンド (공의) 규칙적인 반동. ②〖레귤러 멤버〗의 준말. ▷regular. ──メンバー -membā 图 레귤러 멤버. ①(스포츠의) 정규 선수. =補欠쑠의 ②(어느 프로의) 고정 출연자. ↔ゲスト. ▷regular member.

れきらん【暦覧】图 ⊠他 역람; 두루 봄.

れきれき【歴歴】─タル 역력. =歴然쑠쑠. ¶激戦쑠의 跡쑠が～と残のる 격전의 자취가 역력히 남다. 二图『お～』(신분이나 격이) 높은 사람(들). ¶政界쑠의お～ 정계의 거두들.

*****レクリエーション** -ēshon 图 레크리에이션. =リクリエーション. ▷recreation.

れこ 代〈俗〉그것; 그 일; 그 사람(정부(情婦)·금전·상사 따위를 암시할 때 쓰는 말). 参考 'これ'를 거꾸로 한 말.

レコーディング -dingu 图 레코딩; 녹음. ▷recording.

レコード 图 레코드. ①(경기 동의) (최고) 기록. ¶～破やり 기록 돌파; 기록을 깸. ②음반(音盤). ▷record. ──プレーヤー 图 레코드 플레이어; 음반의 소리를 재생하는 부분. ▷record player. ──ホルダー 图 레코드 홀더; (최고) 기록 보유자. ▷record holder.

レザー 图 레더; 피혁; 무두질한 가죽. ¶～装びの本쑠 피혁 장정(装幀)의 책. ▷leather.

レシート 图 리시트; 영수증〈특히 레지스터로 금액 등을 적은 것〉. ▷receipt.

レシーバー 图 리시버. ①수화기; 수신기; 특히, 귀에 대고 듣는 것. ②서브를 받는 사람. ↔サーバー. ▷receiver.

レシーブ 图 ⊠自 리시브. 〈테니스 따위에서〉 공을 받아 넘김. ↔サーブ. ▷receive.

レジスター 图 레지스터; 금전 등록기; 전하여, 금전 출납계(係). =レジ. ▷register.

レジスタンス 图 레지스탕스 ; 권력 따위에 대한 저항(운동). ▷프 résistance.

*__レジャー__ -jā 图 레저 ; 여가 ; 여가를 이용한 휴식이나 행락(行樂). ¶―ルーム 레저 룸. ▷leisure. ――さんぎょう 【―産業】 -gyō 图 레저 산업.

レストラン 图 레스토랑 ; 서양 요리점. ▷프 restaurant.

レスリング 图 레슬링. ▷wrestling.

レセプション -shon 图 리셉션 ; 환영회 〔연〕 ; 초대회. ▷reception.

レター 图 레터. ①편지. ¶ラブ~ 연애 편지. ②로마자(字)의 자모. ¶キャピタル~ 캐피털 레터 ; 대문자. ▷letter. ――ペーパー 图 레터 페이퍼 ; 편지지. =びんせん. ▷letter paper.

レタス 图 레터스 ; 양상추. =ちしゃ. ▷lettuce.

＊__れつ__ 【列】 图 ⊟ ①열 ; 행렬. ¶~をつくる 열을 짓다. ②신분·지위 따위의 상하 관계의 단계 ; 반열 ; 축. ¶正選手きゃの~に入るる 정선수 축에 끼다. 〔접사〕 ⇔れっする 【列する】.

れつあく 【劣悪】 图 名ㄱ 열악 ; 몹시 질이 낮음. ↔優良ゆう.

れっか 【烈火】 图 열화 ; 맹렬히 타오르는 불. ¶~のごとく怒きる 열화 같이 성을 내다.

レッカーしゃ 【レッカー車】 rekkāsha 图 레커차. ▷wrecker.

れっき 【列記】 rekki 图 ス他 열기.

れっきと 【歴と】 副 ①버젓하게 ; 당당하게. ¶~した家柄がらの 어엿한 〔훌륭한〕 가문 / ~した夫ばっのある女なな 버젓이 남편이 있는 여자. ②분명히 ; 틀림없이. ¶~したセザンヌの絵え 분명한 세잔느의 그림.

れっきょ 【列挙】 rekkyo 图 ス他 열거.

れっきょう 【列強】 rekkyō 图 열강.

れっこく 【列国】 rekko- 图 열국 ; 여러 나라 ; 제국(諸國).

れっしかんだんけい 【列氏寒暖計】 resshi- 图 열씨 온도계.

＊__れっしゃ__ 【列車】 ressha 图 열차. ¶急行ぎょう【貨物かっ】~ 급행〔화물〕 열차 / 上のり~ 상행 열차.

れっしょう 【裂傷】 resshō 图 열상 ; 피부가 찢어진 상처.

れつじょう 【劣情】 -jō 图 열정 ; 추잡한 정욕(情慾) ; 탐색, 성욕.

れっする 【列する】 ressu- サ変ㅣ 참석하다 ; 열석(列席)하다. ¶式しきに―する(会)에 참석하다 ; ②나란히 서다 ; 축에 끼다. ¶五大強国ごきこくに~ 5대 강국에 끼다. 二 サ変ㅣ 늘어놓다 ; 나란히 세우다. ¶名なを~(명단에) 이름을 올리다 ; 연명(連名)하다.

レッスン ressun 图 레슨 ; 개인 교수 ; 일과(日課). ¶ピアノの~ 피아노 레슨. ▷lesson.

れっせい 【劣勢】 ressei 图 열세. ↔優勢ゆう.

れっせい 【劣性】 ressei 图 生 열성 (멘델 법칙에 따라 유전되는 형질(形質) 중 우성이 아닌 쪽). =潜性せん. ↔優性ゆう. ▷遺伝いん【―性】=優性ゆう.

れっせき 【列席】 resse- 图 ス自 열석 ; 참석 ; 출석. ≐列座ざ.

レッテル rette- 图 레테르 ; 상표 ; 전하여, 어떤 인물이나 사물에 대한 평가. ▷네 letter. ――を張はる 일반적으로 평

가해 버리다. ¶怠なまけ者ものの~を張る 게으름뱅이로 낙인 찍다.

れつでん 【列伝】 图 열전. ¶史記しの~ 사기 열전. ↔本紀ほん. ――たい 【―体】 图 열전체.

れっとう 【列島】 图 열도. ¶日本ほん~ 일본 열도.

れっとう 【劣等】 rettō 图 名ㄱ 열등. ↔生ゆう 열등생. ↔優等ゆう. ――かん 【―感】 图 열등감. =優越感ぜっえつ.

れっぱい 【劣敗】 reppai 图 열패 ; 약한 것·못한 것이 패함.

れっぱく 【裂帛】 reppaku 图 열백 ; 비단을 찢는 듯이 소리가 날카롭고 새됨. ¶~の気合あい 새됨 기합 소리.

れっぷう 【烈風】 reppū 图 열풍(풍속 15~29 m로 나무 줄기가 흔들림).

れつれつ 【烈烈】 图 タ儿 열렬 ; 기세·기백·추위 따위가 매서운 모양. ¶~たる愛国心んっ 열렬한 애국심.

レディー redī 图 레이디 ; 귀부인 ; 숙녀. ⇔ジェントルマン·ゼントルマン. ▷lady. ――ファースト -fāsuto 图 레이디 퍼스트. ▷lady first.

レディーメード redī- 图 레디 메이드 ; (양복 따위의) 기성품 ; 기제품. ↔オーダーメード. ▷ready made.

レバー 图 레버 ; 지렛대 ; 지레. =てこ. ¶変速そく~ 변속 레버. ▷lever.

レバー 图 리버 ; (특히, 식용으로서의 소·닭 따위의) 간(肝). =きも·レバ. ¶~料理りょう 간요리. ▷liver.

レパートリー 图 레퍼토리 ; 연주 곡목 ; 공연 제목. ▷repertory.

レビュー -byū 图 레뷰 ; 무용과 음악을 중심으로한 쇼. ▷프 revue.

レフェリー -ferī 图 레퍼리 ; (축구·농구·권투 등의) 심판원 ; 주심. =レフリー. ¶~ストップ 레퍼리 스톱 ; 아르 에스 시(R.S.C.). ▷referee.

レフト 图 레프트. ①왼쪽(손). ②(野) 좌익(수). ↔ライト. ▷left.

レベル 图 레벨. ①수준 ; 정도 ; 표준. ¶~アップ 레벨 업. ②수준기(水準器) ; 수평기(水平器). ▷level.

レポーター 图 리포터. ①보고자 ; 연락자. ②보도 기관의 취재 기자. ③특파원. ④좌익 운동의 연락(원). =レポ·リポーター. ▷reporter. ▷report.

レポート 图 리포트 ; 보고 ; 보고서. =レポ. ▷report.

レモン 图 【植】 레몬. ¶~水すい 레몬수우 / ~ティー 레몬티. =レモン. ▷lemon.

__れる__ 助動 《五段活用動詞의 未然形에 붙음 ; 上一·下一·カ変動詞에는 「られる」를 씀 ; サ変에서는 흔히 전체가 「される」의 꼴이 됨》①수동(受動)의 뜻. ㉠상대방의 동작·작용을 직접 받는 입장에 있음을 나타내는 말. ¶みんなによく歌われた歌だ 모든 이에게 곧잘 불려진 노래 / 足あしを踏ふまれる 발을 밟히다 / 腹部ぶを刺さされた 복부를 절렸다 / 人ひとに笑わらわれる 남에게 웃음을 사다. ㉡상대방의 동작이나 작용에 의하여 피해를 입는 것을 나타내는 말. ¶父ちに死しなれて困こっている 부친이 돌아가서 곤란을 받고 있다. ②하고자 하지 않으나 자연히 그렇게 되는 것을 나타내는 말. ¶故郷きょうのことが思おもわれる 고향(의) 일이 생각나다 / 吉報

るが待たれてならない 길보가 기다려져서 못 견디겠다. ③가능의 뜻을 나타내는 말. ¶一日に三十キロは行かれる 하루에 30킬로는 갈 수 있다 / 読もうにも読まれない 읽을래야 읽을 수 없다. ③현재 ③의 뜻으로 얘기할 때는 '行ける'読める'의 꼴로 말하는 경우가 많다. ④그 동작·작용을 하는 주체를 존중하여 나타내는 말. ¶これから先生が話されます 이제부터 선생님께서 말씀하십니다 / 先生が渡米される 선생님께서 도미 / 渡米される 벌써 돌아가시겠습니까.

れん 【連】 [名] ①경마 등에서 '連勝式'의 준말. 〔본디 聯〕 ㉠주련(柱聯). ¶~を掛ける 주련을 걸다. ㉡율시(律詩)의 대구(対句). 〔接尾〕①…동아리. ¶若者~ 젊은 패거리. ②한 묶음의 것을 세는 말. ¶かつぶし一~ 가다랑어 한 두름. ③〔본디 연〕인쇄 용지를 세는 단위. ¶キロ~ 킬로 연(전지 1천장).

*れんあい 【恋愛】 [名] 연애. ¶~結婚 연애 결혼. ¶~至上主義 연애 지상주의.

れんか 【廉価】 [名] 염가. =安価. ¶~販売 염가 판매. ↔高価.

れんか 【恋歌】 [名] 연가; 사랑을 노래한 시가(詩歌); 특히 和歌. =こいうた.

*れんが 【煉瓦】 [名] 연와; 벽돌. ¶赤~ 붉은 벽돌 / ~を畳み上げる 벽돌을 쌓아 올리다. ──づくり 【─造り】 [名] 벽돌을 쌓아 만듦; 또, 그 건조물.

れんか 【連歌】 [名] 두 사람 이상이 和歌의 상구(上句)와 하구(下句)를 서로 번갈아 읽어 나가는 형식의 노래. ¶~師 전문적인 連歌 작가. ↔俳諧.

れんかん 【連関·聯関】 [名][自] 연관; 관련. =関連.

れんき 【連記】 [名][他] 연기; 이름을 잇대어 적음. ↔単記.

れんきゅう 【連休】 -kyū [名] 연휴. ¶飛び石~ 하루 걸러 이어지는 연휴.

れんぎょう 【連翹】 -gyō [名] 〔植〕 개나리.

れんきんじゅつ 【錬金術】 -jutsu [名] 연금술.

れんく 【連句】 [名] 連歌·俳諧에서 길게 연속하는 구(句).

れんく 【連句】 [名] 연구. ①두 사람이 한 두구(句)씩 지어 전체로써 한 편(編)의 한시(漢詩)로 함. =聯詩. ②한자(漢字)의 율시(律詩)의 대구(対句).

れんげ 【蓮華】 [名] ①연화; 연꽃. ¶~の上の仏 연꽃 위의 부처(성불(成佛)함을 뜻함). ②=れんげそう. ──そう 【─草】 -sō [名] 〔植〕 자운영. =げんげ. ¶~を掛ける 「제휴.

れんけい 【連携】 [名][自] 연휴(連携).

れんけい 【連係·聯繫】 [名] 연계; 밀접한 관계(를 맺음). =つながり. ¶~動作 연계 동작.

れんけつ 【連結】 [名][他] 연결. ──き 【─器】 [名] 〔철차 따위의〕 연결기.

れんけつ 【廉潔】 [名·ナ] 염결; 청렴 결백함.

れんこ 【連呼】 [名][他] 연호; 되풀이하여 외 「침.

れんご 【連語】 [名] 연어. ①복합어(複合語). ②둘 이상의 단어가 연결되어 복합된 관념을 나타내며 한 단어와 동등한 자격을 갖는다고 인정되는 것('できない''してやられる' 따위).

れんこう 【連行】 -kō [名][自他] 연행.

*れんごう 【連合·聯合】 -gō [名][自他] 연합. ¶~軍 연합군 / 国際~ 국제 연합. 「옥.

れんごく 【煉獄】 [名] (가톨릭교에서) 연

れんこだい 【連子鯛】 [名] 〔魚〕 황돔. =黄鯛.

れんこん 【蓮根】 [名] 연근; 연뿌리.

れんさ 【連鎖】 [名] 연쇄. ¶~状~球菌 연쇄상 구균. ──てん 【─店】 -ten 연쇄점. ──はんのう 【─反応】 -hannō 연쇄 반응.

れんざ 【連座·連坐】 [名][自] 연좌; 연루; 남의 죄에 말려들어 처벌받음. =巻き添え.

*れんさい 【連載】 [名][他] 연재. ¶~小説 연재 소설. ↔読み切り.

れんさく 【連作】 [名][他] 연작. ①한 땅에 같은 곡식을 해마다 심음. ↔輪作. ②한 사람의 작가가 지은 일련의 短歌·俳句 따위. ③몇 사람의 작가가 각기 일부분씩 맡아 쓰는 작품.

れんざん 【連山】 [名] 연산; 연하여 잇대어 있는 산. =連峰.

レンジ 레인지. ¶ガス~ 가스 레인지. ▷range.

れんじつ 【連日】 [名] 연일. ¶~連夜 연일 연야 / 忙しくて~夜勤する 바빠서 연일 야근하다.

れんじゃく 【連雀】 -jaku [名] 〔鳥〕 연작; 여새과에 속하는 새의 총칭.

れんじゅ 【連珠·聯珠】 -ju [名] 연주. ①구슬을 꿰었음; 줄에 꿴 구슬. ②오목 바둑. =五目ならべ. ③아름다운 시문(詩文)의 형용; 또, 대구(対句).

*れんしゅう 【練習】 -shū [名][他] 연습. ¶~帳 연습장 / ~曲 연습곡.

れんじゅう 【連中】 -jū [名] ①한 패; 동아리; 일당; 그 패들. ¶~に聞いてみよう 그 패들에게 물어보자. ②음곡(音曲)이나 연예를 하는 일단의 사람들; 패; 단(團). ¶竹本~ 竹本 공연단. 〔注意〕れんちゅう라고도 함.

れんしょ 【連署】 -sho [名] 연서.

れんしょう 【連勝】 -shō [名][自] 연승. ①잇따라 이김. ↔連敗. ②(경마나 사이클 경기에서) 1착과 2착을 알아맞히는 일. =連式. ¶~式 연승식. ↔単勝.

れんじょう 【連乗】 [名][他][数] 연승; 다른 수·식(式)을 거듭 곱함. 〔参考〕 같은 수·식을 거듭 곱하는 경우는 보통, '累乗'(=거듭 제곱)'라고 함.

れんじょう 【連声】 -jō [名][言] 連声의 음절이 'ン' 또는 'チ' 'ツ'일 경우 'ア行' 'ヤ行' 'ワ行'의 음에 연속하면 'ナ行' 'マ行' 또는 'タ行'의 음으로 변하는 현상(カンノン 〔観音 kwan-on→kwan-non〕, サンミ 〔三位 sam-wi→sammi〕, インネン 〔因縁 in-en→in-nen〕 따위).

れんじょう 【恋情】 -jō [名] 연정. =恋心.

*レンズ 【レンズ】 [名] 렌즈. ¶眼鏡の~ 안경 알. ▷lens.

*れんせい 【練成·錬成】 [名][他] 연성;

(심신을) 단련하여 훌륭하게 만듦. =
錬磨育成┆┆.

れんせん【連戦】 名 ス自 연전. ¶～連
勝┆┆. 연전 연승.

*れんそう【連想】(聯想)-sō 名 ス他
연상.

*れんぞく【連続】(聯続) 名 ス自他 연속. ¶～
殺人┆┆〔연쇄〕살인.

れんだ【連打】 名 ス他 연타. ¶ドアを
～する 문을 연거푸 두드리다 / 半鐘
┆┆を～する (이변(異變)을 알려) 경
종을 연타하다.

れんたい【連帯】(聯帯) 名 ス自 연대.
① 2인 이상이 함께 책임을 짐. ¶～責
任┆┆〔보증〕연대 책임[보증]. ② 국유 철도와 사유 철도가 연합하여 한
장의 통용 차표로 여객을 운송함. ¶
～切符┆┆. 연대 통용 차표.

れんたい【連隊】(聯隊) 名 연대. ¶～
長┆┆ 연대장.

れんたい【連体】 名 【文法】① 체언(體
言)을 수식하는 일. ¶～連体形┆┆┆┆의
준말. ——けい【——形】 名 【文法】 연
체형┆┆의 활용형의 하나; 주로 체
언(體言)을 수식함. ——し【——詞】
【文法】 연체사(체언만을 수식함; 'わ
が·あらゆる·あの' 따위). ——
しょくご【——修飾語】-shūshokugo 名
【文法】 연체 수식어('大きな川┆┆(=큰
강)'의 '大きな' 따위).

れんだい【蓮台】 名 옛날에, 내를 건너
는 손님을 태우던 가마(판자에 채를 두
개 달고 인부(人夫)가 멤).

レンタカー 名 렌터카; 세(貰) 자동차.
▷rent-a-car.

れんたく【連濁】 名 ス自 일본말에서 두
말이 결합해서 한 말이 될 때, 밑에 오
는 말의 최초의 음이 청음에서 탁음으
로 되는 일('草'와 '花┆┆'가 합해서 'く
さばな'가 되고, 또, '傘┆┆'가 '雨┆┆'와 결
합할 때 'あまがさ'로 변하는 따위).

れんたつ【練達】 名 ス自 연달; 숙달.

れんたん【練炭·煉炭】 名 연탄. ¶～
火鉢┆┆ 연탄 화로.

れんたん【連弾】(聯弾) 名 ス他 연탄;
하나의 악기를 동시에 두 사람이 켜거
나 치는 일.

レンチ 名 렌치; 스패너. ▷wrench.

れんちゃく【恋着】-chaku 名 ス自 연
착(戀着); 깊이 사랑하여 잊지 못함.

れんちゅう【連中】-chū ☞れんじゅ
う.

れんちょく【廉直】-choku 名 염직;
결백하고 정직함.

れんてつ【練鉄·錬鉄】 名 연철. ① 탄소
를 0.2~0.02 % 정도 함유한 연철(軟
鉄); 철선·못 등의 원료); 단철. ② 잘
단련된 쇠.

れんどう【連動】(聯動)-dō 名 ス自 연
동; 한 부분을 움직이면 그와 연결된 일
련의 장치가 함께 움직임. ¶～装置┆┆
연동 장치.

レントゲン 名 뢴트겐. ① レントゲン
線┆┆(=뢴트겐선)'의 준말; 엑스선. ¶
～撮影┆┆〔写真┆┆〕 뢴트겐 촬영〔사
진〕. ② 엑스선·감마선의 세기를 나타
내는 단위. ▷독 Röntgen.

れんにゅう【練乳】(煉乳)-nyū 名 연
유. =コンデンスミルク.

れんねん【連年】 名 연년 ; 계속해서 매

년. =毎年┆┆.

れんぱ【連破】 名 ス他 연파; 싸
울 때마다 연속하여 무찌름.

れんぱ【連覇】 rempa 名 ス自 연패; 연
승. ¶三年┆┆～を遂げる 3 년 연패하
다.

れんばい【廉売】 rembai 名 ス他 염가
판매; 싸게 팖. =安売り┆┆. ¶～品┆┆
싸구려 물건.

れんぱい【連敗】 rempai 名 ス自 연패;
잇따라 패배함. ↔連勝┆┆.

れんぱつ【連発】 rempa- 名 ス自他 연
발. ¶事故┆┆が～ 사고 연발 / 六┆┆の拳
銃┆┆ 육연발의 권총; 육혈포. ↔単発
┆┆·散発┆┆.

れんばんじょう【連判状】 rembanjō 名
연판장. =れんばんじょう.

れんびん【憐憫·憐愍】 rembin 名 연민.
¶～の情┆┆を催す┆┆ 연민의 정을 자아
내다.

れんぶ【練武】 rembu 名 연무; 무예를
단련함.

れんぺい【練兵】 rempei 名 연병; 군사
를 훈련함. ¶～場┆┆ 연병장.

れんぼ【恋慕】 rembo 名 ス自 연모. ¶
～の情┆┆をいだく 연모의 정을 품다.

れんぽう【連峰】 rempō 名 연봉; 죽 이
어져 있는 산봉우리. =連山┆┆.

れんぽう【連邦】(聯邦) rempō 名 연
방; 연합 국가. ¶イギリス～ 영(英)
연방.

れんま【練磨·錬磨】 remma 名 ス他 연마.

れんめい【連名】 remmei 名 연명.

*れんめい**【連盟】(聯盟) remmei 名 연
맹. ¶国際┆┆～ 국제 연맹.

れんめん【連綿】 remmen タル 연면;
길게(오래) 연속되어 끊이지 않음. ¶
～たる伝統┆┆ 연면한 전통.

れんや【連夜】 名 연야; 매일 밤. =毎
夜┆┆·毎晩┆┆. ¶連日┆┆～ 연일 연야.

れんよう【連用】-yō 名 ス他 연용;
같은 것을 계속해서 씀. 曰薬┆┆を～す
る 약을 연용하다. 曰[文法] 용언
(用言)에 이어지는 용법. ——けい
【——形】 名 【文法】 활용어의 활용형(活
用形)의 하나(용언(用言)을 수식하고
문장을 일시 중단하는 외에, 명사(名
詞)꼴로도 씀). ——しゅうしょくご
【——修飾語】-shūshokugo 名 【文法】 연
용 수식어(용언을 수식하는 문절(文
節); 'こんなに大きい┆┆(=이렇게 크다)'
의 'こんなに' 따위).

*れんらく**【連絡】(聯絡) 名 ス自他 연락.
¶～事務所┆┆ 연락 사무소 / ～を絶┆┆
つ 연락을 끊다 / このバスは特急┆┆
に～する 이 버스는 특급에 연결된다 /
～を取┆┆る 연락을 취하다 / ～を密┆┆に
する 연락을 긴밀히 하다.

れんりつ【連立】(聯立) 名 ス自他 연립.
¶～方程式┆┆┆┆ 연립 방정식. ——ない
かく【——内閣】 名 연립 내각.

れんれん【恋恋】 タル 연연. ① 연모하
여 단념할 수 없는 모양. ¶～たる[の]
情┆┆ 연연한 정. ② 아쉽거나 미련이 남
아서 단념 못하는 모양. ¶いまだ先
日┆┆の地位┆┆に～とする 아직도 전날
의 지위에 연연(해)하다.

れんれん【漣漣】 タル 눈물이 하염없
이 흐르는 모양.

れ

ろ 口

①五十音図ゔ゙ぅ゙゙゙゙゙゙゙゚ 'ら行ゔゖ゙' の다섯째 음. [ro] ②〔字源〕'呂'의 초서체《かたかな 'ロ'는 '呂'의 생략).

ろ【炉】図 노(爐). ①방바닥에 네모로 박은 화로. ＝いろり. ¶〜を切る 방바닥에 노(화로)를 박아 만들다. ②난로. ③接尾語적으로) 로 ; 물질을 가열하여 반응을 일으키게 하는 장치. 溶鉱ぅゔ゙~용광로 / 原子炉ゔ~원자로.

ろ【絽】図 올을 성기게 짠 하복지(夏服地)로 쓰는 견직물의 일종 ; 사(紗). ＝ろ織をり.

ろ【櫓・艪】図 노. ¶〜をこぐ 노를 젓다.

ろ【露】図 'ロシア(＝러시아)'의 준말 ; 노. ¶〜語ー노어 ; 러시아어.

ろ【艫】図 ①(배의) 이물 ; 선수(船首). ＝へさき・みよし. ②(배의) 고물 ; 선미(船尾). ＝とも. ↔軸じ.

ロ【呂】図 (장음계(長音階)의 다 조(調)에서 시(si)에 해당하는 음] B음.

ロイヤル[名] 로열 ; '황실의・국왕의'의 뜻. ＝ローヤル. ▷royal. —**ゼリー**図 로열 젤리. ▷royal jelly. —**ボックス** -bokkusu 図 로열 박스 ; (극장・경기장 등의) 귀빈석 ; 특별석. ▷royal box.

ロイヤルティー -ti 図 로열티. ①왕의 존엄성. ②특허권(저작권) 사용료. ＝ロイヤリティー. ▷royalty.

ろう【労】図 노동 ; 수고 ; 노력. ¶〜をいとわない 수고를 마다 않다. —**多し**くて**功**ゔ゙なし 수고(고생)에 비해 얻은 것이 적다.

ろう【牢】図 옥(獄). ¶〜に入れる 감옥에 집어넣다 ; 수감하다.

ろう【廊】図 건물과 건물, 방과 방을 잇는 복도 ; 회랑(回廊). ¶〜をめぐらす 회랑을 [복도를] 내다[두르다].

ろう【楼】図 누 ; 이 층 이상의 높은 건물 ; 누각. ▷砂上じ゙の〜 사상누각. —接尾 ・・・루 ; 높은 건물의 이름이나 요릿집・여관 등의 옥호에 붙이는 말. ¶摩天ん〜 마천루 / 観湖ゔ゙~ 관조루.

ろう【齢】図 연공(年功)(을 쌓음). ¶〜を積む 연공을 쌓다.

ろう【隴】図 ¶『〜を得て蜀ゞ゙を望むむ 등룡 망촉 ; 말 타면 경마 잡히고 싶다.

***ろう**【蠟】図 납 ; 밀. ¶板に〜を引く 판자에 밀을 먹이다. —**をかむよう** 밀 씹는 맛이다(시문(詩文) 등이 시시하다 ; 음식 맛이 없다).

ろうあ【聾啞】図 농아. ¶〜教育ゔゔ 농아 교육 / 〜者ゔ 농아자.

ろうえい【朗詠】図 ー図 図他 낭영 ; 시가(詩歌)에 가락을 붙여 소리 높이 읊음. ②平安んじ 중기에, 성행하던 うたい物しゔ.

ろうえい【漏洩・漏泄】図 ー図 図自他 누설. ¶機密の〜 기밀을 누설하다 / ガスが〜する 가스가 새다. [参考] 'ろうせつ'의 관용음(慣用音).

ろうえき【労役】rō- 図 노역. ＝力仕事をこ.

＊＊ろうか【廊下】rō- 図 낭하 ; 복도. ¶渡わたり〜 두 건물을 잇는 복도.

ろうか【老化】rō- 図図自 노화. ¶〜現象じゔ 노화 현상 / ゴムが〜する 고무가 노화하다.

ろうかい【老獪】rō- 図〔ナ〕노회 ; 경험이 많아 교활함. ¶〜きわまる人物ぶっ 교활하기 짝이 없는 인물.

ろうがい【労咳・癆痎】rō-〔漢醫〕폐결핵.

ろうかく【楼閣】rō- 図 누각. ＝たかどの・楼台. ¶金殿ぎん〜 금전 옥루(玉樓) / 空中ゔ゙う〜 공중 누각.

ろうがっこう【聾学校】rōgakkō 図 농학교 ; 농아 학교. ＝聾唖ゔあ学校.

ろうがみ【ろう紙・蠟紙】rō- 図 납지 (방습용).

ろうがん【老眼】rō- 図 노안. ＝老視ゔ゙. ¶〜鏡ゔ 노안경 ; 돋보기.

ろうきほう【労基法】rōkihō 図 '労働基準法ゔゔゔゔゔゔ(＝노동 기준법)'의 준말.

ろうきゅう【籠球】rōkyū 図 농구. ＝バスケットボール.

***ろうきゅう**【老朽】rōkyū 図 図自 노후. ¶〜化か 노후화 / 〜を淘汰たゔ゙する 낡은 것을 도태시키다. ↔若わこ若ゞ゙し.

ろうきょう【老境】rōkyō 図 노경 ; 노년. ¶〜ぶし.

ろうきょく【浪曲】rōkyo- 図 なにわ節ぶし.

ろうぎん【朗吟】rō- 図 図他 낭음 ; 낭영(朗詠).

ろうく【労苦】rō- 図 노고 ; 수고. ＝苦労ゔ゙. ¶〜に報いる 노고에 보답하다.

ろうく【老軀】rō- 図 노구. ¶〜にむちうつ 노구를 채찍질하여 애쓰다.

ろうくみ【労組】rō- 図 '労働組合ゞゔゔ(＝노동 조합)'의 준말. ＝ろうそ.

ろうけつ【﨟纈・蠟纈】rō- 図 납결 ; 염색의 한 가지(백랍과 수지(樹脂)를 섞은 것으로 천에 무늬를 그려 염료(染料)에 담근 후 그 납을 제거하여 그 부분만 백색으로 남기는 방식). ＝ろうけち・ろう染ぞ゙め・ろうけち染ぞ゙め.

ろうご【老後】rō- 図 노후 ; 노년. ¶〜のたのしみ〔心配じ゙〕노후의 낙〔걱정〕.

ろうこう【老公】rōkō 図 노공 ; 연만한 귀인에 대한 높임말.

ろうこう【老巧】rōkō 図〔ナ〕노교 ; 노련(老練). ¶〜なやり口ぢ 노련한 수법. 「더러운 거리.

ろうこう【陋巷】rōkō 図 누항 ; 좁고.

ろうごく【牢獄】rō- 図 뇌옥 ; 감옥. ＝牢屋ゞ・牢じ.

ろうこつ【老骨】rō- 図 노골. ①노체(老體). ¶〜にむちうつ 늙은 몸에 채찍질하여 분발하다. ②노인이 자기를 낮추어 하는 말.

ろうざいく【ろう細工】(蠟細工) rō- 名
蠟細工.

ろうさく【労作】 rō- 名 노작. 白名 노력; 노동. ¶ ＝教育的̈ 신체적·정신적 작업을 위주로 하는 아동 교육. 白名 애써 만든 것.

ろうし【労使】 rō- 名 노사; 근로자와 고용주. ¶ ＝の紛争̈ 노사 분쟁.

ろうし【浪士】 rō- 名 섬길 영주를 잃은 무사. ＝浪人̈.

ろうし【牢死】 rō- 名自 뇌사; 옥사.

ろうし【老子】 rō- 名 노자.

ろうし【老師】 rō- 名 노사; 나이 많은 스승; 또, 나이 많은 중. 「眼).

ろうし【老視】 rō- 名 노시; 노안(老

ろうじゃく【老弱】 rōja- 노약. ¶ 늙은이와 어린이. ¶ ＝をいたわる 노인과 어린이를 위로하다(보살피다). 白ナ名 늙어서 쇠약함. ¶ ＝なからだ 노쇠한 몸.

ろうじゃく【老若】 rōja- 名 노약; 노소 (老少). ＝ろうにゃく. ¶ ＝を問わず 노소를 불문하고.

ろうじゅ【老儒】 rōju 名 노유; 학식이 뛰어난 늙은 유생(儒生); 또, 널리 학자를 일컬음.

ろうじゅ【老樹】 rōju 名 노수; 늙은 나무; 고목. ＝おいき.

ろうじゅう【老醜】 rōshū 名 노추; 늙어서 추함. ¶ ＝をさらす 늙어서 추한 꼴을 보이다.

ろうしゅう【陋習】 rōshū 名 누습; 나쁜 습관(버릇). ¶ 旧来̈ の～ 구래의 누습.

ろうじゅう【老中】 rōjū 名 江戸̈ 幕府̈ 에서, 将軍̈ 에 직속하여 정무를 총리하고 大名̈ 를 감독하던 직책(사람)(정원 4-5 명). ＝ろうちゅう·閣老̈ .

ろうじゅく【老熟】 rōju- 名自又 노숙; 노련; 원숙. ¶ ＝した演技̈ 노련한 연기. 「出; 새어 나옴.

ろうしゅつ【漏出】 rōshu- 名自他

ろうじょ【老女】 rōjo 名 ①노녀; (곱게) 늙은 여자. ②무가(武家) 시대에, 将軍̈ 이나 제후의 부인에게 시중을 던 시녀의 우두머리.

ろうしょう【労相】 rōshō 名 노동 대신 〔장관〕. ＝労相大臣̈ .

ろうしょう【老少】 rōshō 名 노소. ＝老若̈ . ¶ ＝を問わず 노소를 불문하고. —ふじょう【—不定】-fujō 名 〔佛〕 노소 부정(사람의 수명은 노소를 불문하고 어느 쪽이 먼저 죽을지는 알 수 없음).

ろうしょう【朗唱】(朗誦) rōshō 名 낭송; 낭독; 소리 높여 읊음.

ろうじょう【籠城】 rōjō 名自 농성. ①성 안에 머물러 적을 막음. ②성 안에만 들어박힘. ¶ ＝闘争̈ 농성 투쟁. 〔다시〕 위.

ろうじょう【楼上】 rōjō 名 누상; 망루

ろうじょう【老嬢】 rōjō 名 노처녀. ＝オールドミス·ハイミス.

ろうしん【老臣】 rō- 名 노신. ①나이 많은 신하. ②신분이 높은 신하; 중신 (重臣). ＝家老̈ .

✳ろうじん【老人】 rō- 名 노인. ＝年寄̈ り. ¶ ＝性̈ 痴呆̈ 노인성 치매 /

～扱かい 노인 취급. —ご【—語】名 중년층 이상에서 일상적으로 쓰이고 있어 사어(死語) 또는 고어(古語)로 취급할 수 없는 말. —のひ【—の日】名 '敬老̈ の日'(＝경로일)의 구칭(9월 15일). —ホーム 名 '養老院̈ (＝양로원)'의 고친 이름. ▷home.

ろうすい【漏水】 rō- 名自 누수; 물이 샘; 그 물.

ろうすい【老衰】 rō- 名 노쇠.

ろう-する【労する】 rō- 白サ変 애쓰며 일하다. ¶ ～して공̈ なし 애만 쓰고 공이 없다. 白サ変 피로하게 하다; 번거롭게 하다. ¶ 心身̈ を～ 심신을 피곤하게 하다 / 人手̈ を～ 남을 번거롭게 하다.

ろう-する【弄する】 rō- 白サ変 농하다. ①마치 그것이 목적인 양 공연히 무엇인가 하다. ②駁弄̈ 을 ～ 실없이 지껄이다. ②목적을 위하여 그릇된 방법을 쓰다. ¶ 策̈ を～ 술책을 부리다.

ろう-する【聾する】 rō- 白サ変 귀먹게 〔먹게하게〕 하다. ¶ 耳̈ を～ばかりの爆音̈ 귀가 먹먹해질 정도의 폭음.

ろうせい【老成】 rō- 名自又 노성. ①경험을 쌓아 원숙해짐. ¶ ～した技術̈ 노련한 기술. ②젊은데도 언어·행동에 어른티가 남. ¶ ～ぶる 어른인양 언행을 하다.

ろうせき【ろう石】(蠟石) rō- 〔鑛〕 납석(곱돌 따위).

ろうぜき【狼藉】 rō- 名 ①낭자; 어지러이 흩어져 있음; 어수선한 모양. ¶ 落花̈ の～ 낙화 낭자(물건이 어지러이 흩어져 있음). ②난폭한 짓; 행패. ¶ ～を働く̈ 행패를 부리다. —もの【—者】名 난폭한 자.

ろうそう【老荘】 rōsō 名 노장; 노자 (老子)와 장자(荘子). ¶ ～思想̈ 노장 사상.

ろうそう【老僧】 rōsō 名 노승; 늙은 중. ↔老尼̈ .

✳ろうそく【蠟燭】 rō- 名 초; 양초. ¶ ～立̈ 촛대 / ～が尽̈ きる 초가 다 타다.

ろうたい【老体】 rō- 名 노체. ¶ 婉曲̈ 노인. ¶ 御̈ ～ 노인장; 늙으신네 / ～をいたわる 노인을 공경하다(위로하다). ②늙은 몸. ¶ ～にむちうって働く̈ 늙은 몸에 채찍질하여 일하다.

ろうたい【陋態】 rō- 名 누태; 보기 흉한 모양.

ろうだい【楼台】 rō- 名 누대; 누각(楼閣). ＝たかどの.

ろうたいか【老大家】 rō- 名 노대가.

ろうた-ける【﨟長ける】 rō- 下1自 ①(여자가) 세련되어 기품이 있다. ¶ ～けた面差̈ し 아름답고 기품 있는 용모; 세련된 용모. ②경험을 쌓다; 나이가 들어 능숙하게 되다.

ろうだん【壟断】 rō- 名自他 농단; 독점. ¶ 利益̈ を～する 이익을 농단〔독점]하다.

ろうちん【労賃】 rō- 名 노임. ＝労銀̈ . ¶ ～が高くつく 노임이 비싸게 먹히다.

ろうでん【漏電】 rō- 名自又 누전.

ろうと【漏斗】 rō- 名 깔때기. ＝じょうご.

✳ろうどう【労働】 rōdō 名自又 노동.

¶〜災害ホ͏ハ 노동 재해；산업 재해／〜
条件ホ̤ハ 노동 조건／〜問題サ͏ン 노동
문제／重ヂ͏ウ〜 중노동／肉体サ͏ク〜 육체
노동. ──いいんかい【──委員会】名
노동 위원회，労委ロ͏ウ. ¶中央サ͏ク〜〔地
方ホ͏ウ〕── 중앙〔지방〕노동 위원회.
──うんどう【──運動】-dō 名 노동
운동. ──かんけいちょうせいほう
【──関係調整法】-chōseihō 名 노동 관
계 조정법〔우리 나라의 노동 쟁의 조
정법에 상당〕.＝労調法ロ͏ウテ͏ウ. ──き
じゅんほう【──基準法】-kijunhō 名
노동 기준법〔우리 나라의 근로 기준법
에 상당〕.＝労基法ロ͏ウキ. ──きほんけ
ん【──基本権】名 노동 기본권. ──
きょうやく【──協約】-kyōyaku 名 노
동 협약.＝団体キ͏ン協約. ──くみあい
【──組合】名 노동 조합.＝労組ロ͏ウソ. ──
さんぽう【──三法】-sampō 名 노동 삼법〔노
동 조합법・노동 관계 조정법・노동 기준
법〕. ──しゃ【──者】-sha 名 노동자；
근로자. ──かいきゅう【──階級】명 노
동자 계급. ↔使用者キ͏ユ͏ウ. ──しゃさい
がいほしょうほけん【──者災害補償
保険】-sha saigai hoshō hoken 名 노동
자 재해 보상 보험〔우리 나라의 산업
재해 보상 보험에 상당〕.＝労災ロ͏ウサ͏イ保
険・労災. ──しょう【──省】-shō 名
노동성〔우리 나라의 노동부에 상당〕.
──そうぎ【──争議】-sōgi 名 노동 쟁
의. ──だいじん【──大臣】名 노동 대
신〔우리 나라의 노동부 장관에 상
당〕.＝労相ロ͏ウシ͏ヤウ. ──りょく【──力】
-ryoku 名 노동력.

ろうどう【郎等・郎党】rōdō 名 鎌倉カ͏マクラ・
室町マ͏チ 시대에, 주인과 혈연 관계가 없
고 영지〔領地〕에 있는 무가〔武家〕의 가
신〔家臣〕.＝ろうとう・郎従ジ͏ユ͏ウ. ¶一
族ゾ͏ク〜を引き連れて 일족과 가신들
을 거느리고. 参考 정당 실력자의 부
하를 측근자에 비유되기도 함.

*ろうどく【朗読】rōdoku 名 又他 낭독. ¶
〜演説ゼ͏ツ 낭독 연설〔써 온 원고를 읽
는 연설〕.

ろうとして【牢として】rō- 連語 副詞
적으로〕 뿌리가 꽉 박혀 움직일 수 없
는 모양. ¶〜抜けがたい信念シ͏ン 꽉
박혀〔뿌리〕 뽑기 어려운 신념.

ろうとする【労とする】rō- 連語 수고
한 것을 알아주다；위로하다.

ろうなぬし【牢名主】rō- 名 江戸エ͏ド 시
대에, 뽑히어 동료 죄수를 다스리던 고
참 죄수；감방장〔監房長〕.

ろうに【老尼】rō- 名 늙은 여승. ↔老
僧ソ͏ウ.

ろうにゃく【老若】rōnya- 名〈老〉노소
〔老少〕.＝ろうじゃく. ¶〜男女ナ͏ンニ͏ョ 남
녀 노소.

ろうにん【浪人】rō- 又自 ①〔본디
牢人ニ͏ンで도〕 낭인〔주로 무가〔武家〕에
녹을 잃고 매인 데 없이 떠돌던 무사.＝
浪士ロ͏ウ. ②〈俗〉실직자；실업자. ③
〈俗〉재수생. ¶大学ガ͏ク〜 대학 재수
생.

ろうねん【老年】rō- 名 노년；노령；노
경. ¶〜の境サ͏カ͏イに入る 노경〔늙그막〕
에 접어들다. ↔若年ジ͏ヤクネン・壮年ソ͏ウネ͏ン.

ろうのう【労農】rōnō 名 노농；노동자

와 농민.

ろうのき【蠟の木】rō- 名〔植〕황로
〔黄櫨〕；거망옻나무.＝はぜのき.

ろうば【老婆】rō- 名 노파ロ͏ウ. ──
しん【──心】名 노파심.

ろうはい【老廃】rō- 又自 노폐. ¶
〜成分ブ͏ン 노폐 성분／〜物ブ͏ツ 노폐물.

ろうばい【狼狽】rō- 名 당황；허
둥지둥함. ¶周章シ͏ユ͏ウ〜 크게 당황함／
〜の色イ͏ロを見ミ͏せる 당황한 기색을 보이
다.

ろうばい【蠟梅・臘梅】rō- 名〔植〕납
매.＝唐梅ウ͏メ.

ろうばん【牢番】rō- 名 옥지기；옥졸；
간수〔看守〕.

*ろうひ【浪費】rō- 又他 낭비.＝むだ
づかい. ──癖ヘ͏キ 낭비벽.

ろうひ【老婢】rō- 名 노비；늙은 여종.
＝老僕ボ͏ク.

ろうびょう【老病】rōbyō 名 노쇠
하여 생기는 병.

ろうふ【老父】rō- 名 노부；늙은 아버
지. ↔老母ボ͏.

ろうふじん【老婦人】rō- 名 노부인；노
파.

ろうへい【老兵】rō- 名 노병. ¶〜は
死シ͏なず，ただ消キ͏ゆえゆのみ 노병은
죽지 않고 다만 사라질 뿐〔이다〕.

ろうほ【老舗】(老鋪) rō- 名 노포；대
대로 이어오는 점포.＝しにせ.

ろうぼ【老母】rō- 名 노모；늙은 어머
니. ↔老父ロ͏ウ.

ろうほう【朗報】rōhō 名 낭보；기쁜 소
식.＝快報カ͏イ・吉報キ͏チ. ↔悲報ヒ͏.

ろうぼく【老僕】rō- 名 노복；늙은 남
자 종. ↔老婢ロ͏ウ.

ろうまんしゅぎ【浪漫主義】rōmanshugi
名 낭만주의.＝ロマンチシズム・ロー
マン主義.＝写実シ͏ツ主義.

ろうむ【労務】rō- 名 노무. ¶〜課カ͏ 노
무과. ──かんり【──管理】名 노무
관리. ──しゃ【──者】名 노무
자. ¶日雇ひ͏やとい〜 날품팔이 노무자.

ろうもん【楼門】rō- 名 누문；누각〔다
락집〕의 문.

ろうや【牢屋】rō- 名 뇌옥〔牢獄〕；감
옥.

ろうや【老爺】rō- 名 노야；노옹；늙은
이. ↔老婆バ͏. 　　　　　　　　〔교도관.

ろうやくにん【牢役人】rō- 名 옥지기；

ろうやぶり【牢破り】rō- 名 又自 탈옥
〔脱獄〕；또, 탈옥수.

ろうゆう【老友】rōyū 名 노우；함께 늙
은 벗.

ろうよう【老幼】rōyō 名 노유. ¶〜を
問わず 노유를 불문하고.

ろうらく【籠絡】rō- 又他 농락；잘
구슬림. ¶〜して承諾ショ͏ウさせる 잘 구
슬러서 승낙시키다.

*ろうりょく【労力】rōryo- 名 노력. ①
수고. ¶〜をはぶく 수고를 덜다／む
だな〜 헛수고. ②일손；품.＝人手ヒ͏ト.
¶〜が足りない 일손이 모자라다.

ろうれい【老齢】rō- 名 노령；고령；노
년. ──艦カ͏ン 노후함〔老朽艦〕.

ろうれん【老練】rō- 名 ダ͏ナ 노련.＝
老巧ロ͏ウコ͏ウ.

ろうろう【浪浪】rō- 名 ①정처없이
떠돎；유랑. ②직업이 없어 놀고 있음.
¶〜の身ミ͏ 일정한 직업 없이 놀고 있
는 몸.

ろうろう【朗朗】rōrō [ト・タル] 낭랑. ① 목소리가 크고 맑은 모양. ¶ 音吐ﷺ~ 목소리가 맑고 거침없이 나옴. ② 빛 따위가 밝고 맑은 모양. ¶ ~たる明月ﷺ 낭랑한 명월. ‖「諳ﷺ」.

ろえい【露営】 名 ㋥自 노영 ; 야영(野).

ロー 名 로. ①(자동차의) 저속. ¶ ~ギア로 기어 ; 저속 기어. ② (接頭語적으로) 낮은. ¶ ~ヒール로 힐〔굽낮은 여자 구두〕.⇔ハイ. ▷low. ──ティーン -tin 名 로 틴 ; 13-15세의 연배(年輩).⇔ハイティーン. ▷low teens.

ローカル 名形 로컬 ; 지방적 ; 지방의. ¶ ~線ﷺ 지선(支線) / ~放送ﷺ 지방 방송. ▷local. ──カラー 名 로컬 컬러 ; 지방색(色) ; 향토색. ▷local colo(u)r. ──ニュース -nyūsu 名 지방 소식. ▷local news.

ローション -shon 名 로션. 로화. ▷lotion.

ロース 名 로스트 ; 로스 ; 소・돼지 따위 의 어깨에서 허리까지의 상치 고기. ▷roast.

ローズ 名 로즈 ; 장미(빛). ▷rose.

ロースト 名 로스트 ; 불고기 ; 구이. ¶ ~ビーフ로스트 비프 ; 쇠고기 오븐 구이. ▷roast.

ローズマリー【植】로즈메리(지중해 원산의 상록 관목 ; 잎・가지에서 나는 기름은 약용).⇒まんねんろう. ▷rosemary.

ロータリー 名 로터리. ①회전기 ; 윤전기. ②시가지의 십자로에 원형으로 낮게 쌓아 올린 곳(차량 회전을 도움). ▷rotary. ──クラブ 名 로터리 클럽. ▷Rotary Club.

ローテーション -shon 名 로테이션. ① 【野】투수의 등판(登板) 순위. ②배구에서 서브를 넣는 팀의 선수가 차례로 시계 방향으로 자리를 옮김. ③(농업의) 윤작. ④차례를 좇아 일을 함. ▷rotation.

ロードショー -shō 名 로드 쇼 ; 특정 영화관에서 행하는 독점 개봉(開封) 흥행. ▷road show.

ロープ 名 로프 ; 줄. ▷rope. ──ウエー -wē 名 로프 웨이 ; 삭상 철도(鋼索鐵道) ; 케이블 카.⇒ケーブルカー. ▷rope way.

ローマ【羅馬】名 로마. ①고대 유럽의 나라 이름. ②이탈리아의 수도. ▷라 Roma. ──は一日ﷺにして成らず로마는 하루아침에 이루어진 것이 아니다. ──カトリックきょう【──カトリック教】-rikkukyō【宗】(로마) 가톨릭교 ; 천주교.=ローマ教ﷺ. ──きょうこう【──教皇】-kyōkō 名 로마 교황. ──じ【──字】로마자. ──じつづり【──字つづり】【──字綴り】로마자 표기(表記). ──すうじ【──数字】-sūji 名 로마 숫자(Ⅰ・Ⅱ・Ⅴ・Ⅹ・L〔50〕・C〔100〕따위). ──ほうおう【──法王】-hōō 名 ⇒ローマ教皇ﷺ.

ローマナイズ 名形 로마나이즈 ; 로마자로 씀. ▷Romanize.

ローヤル 名形 ⇒ロイヤル.

ローラー 名 롤러. ①원통형의 구르는 물건. ②땅 고르는 기계. ¶ ~をかける 롤러로 땅을 고르다. ③인쇄할 때 잉크칠을 하는 원통형의 방망이. ──ルーラー・ロール. ▷roller. ──スケート 名 롤러 스케이트. ▷roller skate.

ローリング 名㋥自 롤링. ①회전. ②배나 비행기가 좌우로 열질함.=横ﷺれ・ロール. ↔ピッチング. ③(수영에서) 몸을 좌우로 기울임. ▷rolling.

ロールバック -bakku 名 롤백 ; 다시 감음 ; 되감음 ; 반격. ¶ ~政策ﷺ 롤백 〔반격〕정책. ▷rollback.

ロールパン 名 롤빵 ; 돌돌 말아 구운 빵.=巻ﷺきパン.⇒rolled+포 pão.

ローン 名 론. ①잔디. ②테니스 론 테니스. ②한랭사(寒冷紗)〔처럼 가공한 천〕. ¶ ~ハンカチ 론〔한랭사〕손 수건. ▷lawn.

ローン 名 론. ①대부(금). ¶ 住宅ﷺ~ 주택 자금 대부. ②신용 거래. ▷loan.

ろか【蘆花】 名 노화 ; 갈꽃.

ろか【濾過】 名㋥他 여과. ¶ ~器ﷺ 여과기. ──せいびょうげんたい【──性病原体】-byōgentai 名 여과성 병원체.

ろかい【蘆薈】【植】노회(잎은 약용).⇒アロエ.

ろかく【鹵獲】 名㋥他 노획.=分捕ﷺり. ¶ ~品ﷺ 노획품.

ろかた【路肩】 名 ①벼랑길의 가장자리.=ろけん. ¶ ~軟弱ﷺにつき注意ﷺ 벼랑가의 흙이 무르므로 주의(를 요함)(도로 표지). ② ☞ 路側帯ﷺ.

ロカビリー 名 로커빌리 ; (미국에서 시작된) 광속도(光速度)의 재즈 음악 ; 또, 거기에 맞추어 추는 춤. ▷미 rock-a-billy.

ろぎん【路銀】 名〈老〉여비 ; 노자.=路用ﷺ.

‡ろく【六】 名 육 ; 여섯.

ろく【碌】 名〈~に・~な・~で〉의 꼴로 否定에 따라〉사물의 상태가 정당함 ; 본격적임. ¶ ~に字ﷺも書ﷺけない 제대로 글씨도 못 쓰다 / ~なやつじゃない 변변찮은 놈이다 / ~にあいさつもしない 인사도 제대로 안 하다.⇒ろくに. ¶ ~くに.

ろく【禄】 名 녹 ; 봉록. ──を盗むﷺ 어울리지 않게 많은 녹봉을 받다(비웃는 말). ──をはむ 녹을 먹다. ¶ ~をはむ身ﷺ 봉급 생활자 ; 관직자 ; 大名ﷺ를 섬기는 몸.

~ろく【録】…록 ; 기록. ¶ 議事ﷺ~ 의 사록 / 芳名ﷺ~ 방명록.

ログ【數】 名 로그.⇒log ; logarithm.

‡ろくおん【録音】 名㋥他 녹음. ¶ 街頭ﷺ~ 가두 녹음 / ~機ﷺ〔テープ〕녹음 기(테이프). ──ほうそう【──放送】-hōsō 名 녹음 방송.

ろくが【録画】 名㋥他 녹화. ¶ ~中継ﷺ 녹화 중계 / ~撮りﷺ 녹화기.

‡ろくがつ【六月】 名 6월. 參考 아명(雅名)은 みなづき.

ろくざい【肋材】 名 늑재 ; 선박의 늑골 재(肋骨材).

ろくさんせい【六三制】 名 육삼제(소학교 6년, 중학교 3년의 의무 교육 제도).

ろくじ【録事】 名 녹사 ; 서기 ; 옛날에 기록・문서를 맡던 관직.

ろくじっしんほう【六十進法】-jisshinhō 名 60 진법(시간・각도에 쓰이는 六十分法ﷺﷺ(=60분법)도 여기서 나

왔음).

ろくじゅう【六十】-jū 图 육십 ; 60세. ¶─の三つ児 늙으면 아이 된다. ──の手習い 60이 되어 학문을 시작함의 뜻으로, 만학(晚學)의 비유. ──よしゅう【─余州】-yoshū 图 옛날에, 일본 전국을 일컫던 말(畿內호... 七道호의 66개 지방에 壱岐호·対馬호를 합한 68개 지방).

ろくしょう【緑青】-shō 图 녹청 ; 동록(銅綠)(녹색 그림물감의 원료). ¶─が吹く 동록이 슬다.

ろくしん【六親】图 육친(부·모·형·제·처·자, 또는 부·자·형·제·부(夫)·부(婦)의 친족). ⇒りくしん.

ろくすっぽ【碌すっぽ】-suppo 副《俗》《否定이 따라서》제대로 ; 변변히. ⇒ろくに·ろくすっぽう. ¶─あいさつ〔返事〕もしない 제대로 인사〔대답〕도 않다 / ─知らないくせに 제대로 알지도 모르면서.

ろく‐する【録する】サ変他 기록하다 ; 쓰다. ＝記する.

ろくだいしゅう【六大州】【六大洲】-shū 【地】육대주 ; 육대륙.

ろくだか【禄高】图 무가(武家) 시대의 녹봉의 액수. ＝石高☆.

ろくでなし【碌で無し】图《俗》녹록한〔변변치 않은〕사람 ; 쓸모없는 사람. ＝のらくら者☆. ¶この─め 이 병신 같은 놈～る【碌】.

ろくでもない【碌でも無い】連体 대단치도〔변변치도〕않다 ; 쓸데도 없다. ＝つまらない. ¶─話☆をする 쓸데 없는 이야기를 하다 ～る【碌】.

ろくな【碌な】連体《否定을 수반해서》제대로 된 ; 쓸 만한. ¶─ことはない 변변한 일은 없다 / ─ものは持っていない 쓸 만한 것은 갖고 있지 않다. ⇒ろく【碌】.

ろくに【碌に】副《否定을 수반해서》제대로 ; 충분히 ; 변변히. ¶─仕事も できない 일도 제대로 못 한다 / ～食べていない 변변히 먹지도 못했다 ～ろく【碌】.

ろくぬすびと【禄盗人】图 무능하거나 직무에 태만하면서도 월급만 타 먹는 사람. ＝月給☆どろぼう.

ろくはらたんだい【六波羅探題】图 鎌倉幕府가 京都☆ 六波羅(京都☆의 지명)에 주재시켜 궁궐의 경호와 近畿☆·関西☆ 지방의 정무를 총괄시켰던 기관.

ろくぶんぎ【六分儀】图【理】육분의. ＝ろっぶんぎ.

ろくぼく【肋木】【肋木】图 늑목(운동기구의 하나).

ろくまい〔祿米〕图 녹미. ＝ろくべい・扶持米☆.

ろくまく【肋膜】【肋膜】图 늑막. ①흉막. ②'肋膜炎☆'의 준말. ──えん【─炎】【醫】늑막염('胸膜☆炎☆(＝흉막염)'의 구칭).

ろくめんたい【六面体】图【數】육면체.

ろくろ【轆轤】图 녹로. ①고패 ; 도르래. ②우산 자루 위 끝의 개폐 장치. ③'ろくろ首' ·'ろくろがな'의 준말. ──がな【─鉋】图 녹로대패(날이 붙은 축을 돌려 물체를 둥글

게 깎는 대패). ＝ろくろがんな. ──くび【─首】图 목이 매우 길고 자유로이 신축하는 괴물 ; 또, 구경거리 ; 拔け首☆. ──ざいく【─細工】图 녹로세공 ; 갈이 대패로 나무를 깎아 기구를 만드는 일 ; 또, 그 기구. ──だい【─台】图 녹로대(원형의 도자기를 만들 때 쓰는 목제의 회전 원반인 圓盤台☆) ; 물레.

ろくろく【碌碌】㊀副《본디는, 陸陸》《否定을 수반하여》변변히 ; 제대로. ＝ろくに. ¶─本☆も読めない 제대로 책도 못 읽는다 / ～おかまいしませんで 변변히 대접도 못해 드려서 (죄송합니다). ⇒ろく【碌】. ㊁【ﾀﾙ】별로 쓸모가 없는 모양 ; 게으름 피우거나 우물쭈물하는 모양. ¶─として世☆をすごす 아무 일도 하지 않고 살아가서.

ロケーション -shon【映】로케이션 ; 야외 촬영. ＝ロケ. ⇔セット. ▷ location.

ロケット rokettо 图 로켓(사진 따위를 넣어, 쇠줄을 달아 목에 거는 여자 장신구의 하나). ▷locket.

＊ロケット rokettо 图 로켓. ¶月☆～ 달 로켓 / ～弾☆〔砲☆〕로켓탄〔포〕. ▷ rocket.

ろけん【露見・露顕】图 ｽﾞ自 노현 ; 비밀이나 나쁜 일이 드러남.

ロココ 图 로코코 ; 18세기, 프랑스에서 유행한 미술·건축의 장식 모양 ; 또, 그러한 미술 전반(섬세하고 복잡한 장식이 많은 곡선 무늬와 화려한 색채를 띰). ¶～式☆ 로코코식. ▷ﾌ rococo.

ロゴス 图 로고스. ①언어 ; 의미. ②이성 ; 논리. ↔パトス. ③【哲】만물을 통일하는 법칙 ; 또, 그것을 인식하는 이성(理性). ④그리스도(의 신성(神性)). ▷그 logos.

ロゴタイプ 图 로고타이프 ; 신문·잡지명, 사호(社號), 상표 따위를 고유한 자체(字體)로 나타낸 것. ▷logotype.

＊ろこつ【露骨】图 ｽﾞﾀﾞﾙ 노골. ¶～な態度☆ 노골적인 태도 / あの絵☆はあまり～だ 저 그림은 너무 노골적이다〔추잡하다〕.

ロザリオ图 로사리오 ; 〔천주교에서〕묵주 ; 또, 묵주의 기도 = ロザリ호. ▷포 rosario.

ろし【濾紙】图 여지 ; 여과지 ; 거름종이. ＝こしがみ.

ろじ【路次】图《老》노정(路程) ; 가는〔오는〕길 ; 도중(途中) ＝道☆すがら·道ゆき☆.

ろじ【路地】图 ①골목 길. ¶～裏☆に住む 골목 안에 살다. ②〔露地〕대문 안이나 뜰의 통로.

ろじ【露地】图 ①노지 ; 한데 땅. ②다실(茶室)의 뜰. ＝露路☆·露庭☆.

ロシア【露西亜·魯西亜】【地】러시아 ; 지금의 소비에트 연방(의 구칭). ¶～革命☆ (1917년의) 러시아 혁명. ▷러 Rossiya, 영 Russia.

＊ろしゅつ【露出】-shutsu ㊀图 ｽﾞ自他 노출. ㊀图 ｽﾞ自他 밖으로 드러남(드러냄). ¶鉱脈☆が～している 광맥이 노출되어 있다. ㊁图 ｽﾞ自他【写】셔터를 눌러 적당한 양의 빛을 쬠. ＝露光☆. ¶～不足☆ 노출 부족. ──けい【─計】图

노출계.

ろじょう【路上】-jō 名 노상; 길위; 한길. =みちばた. ¶ ~運転試験(うんてんしけん) 노상 운전 시험 / ~で遊(あそ)ぶ 노상에서 놀다.

ロス 名 로스; 손실; 낭비. ¶ ~タイム 로스 타임 / ~が出(で)る 로스가 생기다. ▷loss.

ろせいのゆめ [盧生の夢] 連語 노생의 꿈. =邯鄲(かんたん)の夢(ゆめ).

ろせん【路線】名 노선. ¶バス~ 버스 노선 / 平和(へいわ)~ 평화 노선.

ろそくたい【路側帯】名 노측대; 도로가에 마련된 띠 모양의 부분《보도(步道)가 없는 도로에서는 보행자 통행용, 고속 도로에서는 고장차 대피용》. =路肩(ろかた).

ろだい【露台】名 노대. ①발코니. ②지붕이 없는 대(臺). ③노천 무대. ④노점에서 물건을 놓는 대(臺).

ろちょうこつ [顱頂骨] rochō- 名〔生〕노정골《두개골의 중심에 있는 좌우 한 쌍의 평평하고 네모진 뼈》. =頭頂骨(とうちょうこつ).

***ロッカー** rokkā 名 로커. ①(회사 등의) 자물쇠가 달린 서류장(欌). ②개인 소지품을 넣어 두는 자물쇠 있는 장롱. ¶コイン~ 코인로커《(정거장 등에 있어) 소정의 동전을 넣으면 일정 시간 동안 그 사람만 사용할 수 있게 된 로커》. ▷locker.

ろっかせん【六歌仙】rokka- 名 平安(へいあん) 시대초의 和歌(わか)의 여섯 명인《在原業平(ありわらのなりひら)·僧正遍昭(そうじょうへんじょう)·喜撰法師(きせんほうし)·大伴黒主(おおとものくろぬし)·文屋康秀(ふんやのやすひで)·小野小町(おののこまち)》.

ろっかん【六感】rokkan 名 '第(だい)六感(ろっかん)(=제육감)'의 준말.

ロック rokku 名 ス他 록; 자물쇠를 채움; 또, 자물쇠. ¶ドアを~する 문을 잠그다. ▷lock. **──アウト** 名 ス他 록아웃; 노동 쟁의에서 사용주가 대항하기 위하여 취하는 공장이나 작업소의 폐쇄. =締(し)め出(だ)し. ▷lockout.

ロッククライミング rokku- 名 록클라이밍; (등산에서) 암벽 등반. ▷rock-climbing.

ロックンロール rokkun- 名〔樂〕로큰롤. ▷rock'n'roll.

ろっこつ【ろっ骨】(肋骨) rokko- 名 늑골. ①갈비뼈. =あばらぼね. ②선체(船體)의 뼈대.

ろっこんしょうじょう【六根清浄】rokkonshōjō 名 ①〔佛〕육근 청정. ②'寒参(かんまいり)(=한중(寒中)에 매일 밤 행하는 신불(神佛) 참배)'나 신앙적인 산행을 할 때 외는 기원의 문구.

ロッジ rojji 名 로지; 산막(山幕); 산에 있는 간이 숙박소. ▷lodge.

ろっぽう【六法】roppō 名〔法〕육법. ¶~全書(ぜんしょ) 육법 전서.

ろてい【路程】名 노정. =みちのり. ¶一日(いちにち)の~ 하루의 노정; 하룻길.

ろてい【露呈】名 ス他 노정; 드러냄.

ろてん【露天】名 노천. =野天(のてん). ¶~ぶろ 한데에 있는 욕탕(에서 하는 목욕). **──しょう**【──商】-shō 名 노점상. **──ぼり**【──掘り】名 노천굴(露天掘). =おか掘(ぼ)り. ↔坑内掘(こうないぼ)り.

ろてん【露店】名 노점. ¶~商人(しょうにん) 노점 상인.

ろてん【露点】名〔理〕노점; 이슬점(點).

ろとう【路頭】-tō 名 노두; 한길; 길거리. =みちばた. **──に迷(まよ)う** 길거리를 헤매다《직업도 사는 집도 없이 몹시 곤란을 겪다》.

ロハ 名 〈俗〉 공짜; 무료. =ただ. ¶~で旅行(りょこう)する 무전 여행하다 / 芝居(しばい)を~で見(み)る 연극을 공짜로 보다.

ろば『驢馬』名 당나귀. =うさぎうま.

ろばた【炉端】(炉辺) 名 노변(爐邊); 화로〔난로〕가. =いろりばた.

ろばん【路盤】名 노반; 도로의 지반(地盤).

ロビー 名 로비. ①(호텔·집회소 따위의) 넓은 휴게·담화용 홀. ②국회 등에서 의원이 원외(院外) 사람들과 만나는 데. ③미국 의회에서, 특정 단체·그룹을 대표하여 압력을 가하는 원외 단체. ▷lobby.

ロビイスト robī- 名 로비스트; (미국 의회의) 원외(院外) 단체의 운동원. ▷lobbyist.

ろぶつ【露仏】名 노불; 한데서 비바람을 맞는 불상(佛像). =ぬれぼとけ.

ろへん【炉辺】名 노변. =ろばた.

ろへん【路辺】名 노변; 길가. =みちばた.

ろぼ [鹵簿] 名 노부; 임금이 거둥할 때의 행렬.

ろぼう【路傍】-bō 名 노방; 길가. =みちばた. **──の人(ひと)** 길가의 사람《자기와 아무 관계 없는 사람》.

ロボット robotto 名 로봇. ①인조 인간; 또, 자동적으로 움직이는 기계 장치. ¶~販売機(はんばいき) 자동 판매기 / 産業用(さんぎょうよう)~ 산업용 로봇. ②허수아비; 괴뢰. ▷robot.

ロマネスク 名 로마네스크; 10세기 전후, 서부 유럽에서 일어난 미술·건축상의 양식《고대 로마의 요소에 동양 취미를 가미함》. ¶~建築(けんちく) 로마네스크 양식의 건축. ▷Romanesque.

ロマン 名 로망; 파란 만장의 장편 소설. ¶血(ち)湧(わ)き胸(むね)踊(おど)る一大(いちだい)~ 피끓고 가슴이 뛰는 일대 로망. ▷프 roman.

ロマンス 名 로맨스. ▷romance. **──グレー** 名 로맨스 그레이; (매력 있는) 희끗희끗한 머리의 중년 남자. ▷일 romance gray. **──ご**【──語】名 로망스어; 라틴어 계통 언어의 총칭. ▷Romance.

ロマンチシスト 名 로맨티시스트; 낭만주의자; 공상가. ↔リアリスト. ▷romanticist.

ロマンチシズム 名 로맨티시즘; 낭만주의. ↔リアリズム. ▷romanticism.

ロマンチック -chikku ダナ 로맨틱; 낭만적. =ロマンティック. ¶~な考(かんが)え 낭만적인 생각. ↔リアリスチック. ▷romantic.

ろめい【露命】名 이슬 같은 목숨. **──をつなぐ** 근근히 살아가다.

ろめん【路面】名 노면.

ろよう【路用】-yō 名 여비; 노자. =路銀(ろぎん)·路費(ろひ). ¶~にあてる 노자에 보태다.

ろれつ『呂律』名 〈俗〉 말씨; 말하는 투. =調音(ちょうおん). **──が回(まわ)らない** (술에 취하거나 병 때문에) 혀가 잘 돌지 않

ろ

아 말하는 것이 분명하지 않다.

*ろん【論】图 논. ①사리가 분명한 설명；이론. ¶～を立^たてる 이론을 (내)세우다. 〔参考〕接尾語적으로도 씀. ¶歴史^{れきし}～ー역사론 / 集合^{しゅうごう}～ 집합론. ②의견；견해. ¶～を曲^まげない 소신을 굽히지 않는 / 이러니저러니의 ～があ 여러 가지 의견이 있다 / 同日^{どうじつ}の～でない 차이가 심하다. ¶～より証拠^{しょうこ} 말보다 증거(의론하는 것보다 증거가 유력하다). ¶～をまたない 논할 여지도 없다；물론이다.

ろんがい【論外】图名 논외. ¶～の問題^{もんだい}는 논외의 문제 / ～の沙汰^{さた}는 논할 거리도 못 되는 일〔문제〕.

ろんかく【論客】图 논객. ＝ろんきゃく. ¶ユニークな～ 독특한 논객.

ろんぎ【論議】图名也他 논의. ＝議論^{ぎろん}. ¶～の的^{まと}は 논의의 대상.

ろんきゅう【論及】-kyū 图名自 논급；언급.

ろんきょ【論拠】-kyo 图 논거. ¶この結論^{けつろん}は～があいまいだ이 결론은 논거가 애매하다.

ロング rongu 图 롱. ①긴. ¶롱. ¶～スカート 롱 스커트. ↔ショート. 'ロングショット'의 준말. ▷ long. ──シュート -shūto 图名 롱 슛. ──ショット -shotto 图 롱 숏. ①(영화·텔레비전에서) 원사(遠寫)；원거리 촬영. ↔クローズアップ. ②(골프에서) 장타(長打). ▷ long shot. ──ラン 图 롱 런；(연극·영화의) 장기 흥행. ▷ long run.

ろんご【論語】图 논어. ¶～読^よみの～知^しらず 논어를 읽되 논어를 모르다(책의 뜻만 알았지 실천은 못 한다는 뜻으로 학자의 통폐를 지적한 말).

ろんこう【論功】-kō 图 논공. ──こうしょう【──行賞】-kōshō 图 논공 행상.

ろんこく【論告】图名他〔法〕논고.

ろんざい【論罪】图名自 논죄.

ろんし【論旨】图 논지. ¶～をまとめる 의론의 요지를 정리하다.

ろんしゃ【論者】-sha 图名 논자.

ろんじゅつ【論述】-jutsu 图名他 논술. ¶～テスト 논술 시험.

ろんしょう【論証】-shō 图名他 논증. ¶～をかさねて真理^{しんり}に近^{ちか}づく 논증을 거듭하여 진리에 다가가다. 『る.

ろんじる【論じる】上1他 ☞ろんず

ろんじん【論陣】图名 논진. ──を張^はる 논진을 펴다；의론을 전개하다.

*ろんずる【論ずる】サ変他 논하다. ＝ろんじる. ──に足^たらない 족히 논할 거리가 못 되다.

ろんせつ【論説】图名 논설. ¶～委員^{いいん} 논설 위원 / ～文^{ぶん} 논설문.

ろんせん【論戦】图名自 논전；논쟁. ¶～を交^{まじ}える 논쟁을 벌이다.

*ろんそう【論争】-sō 图名自 논쟁.

ろんだい【論題】图名 논제.

ろんだん【論壇】图名 논단. ①비평가·평론가 등의 사회·언론계. ¶～の雄^{ゆう}は 논단의 원로. ②언단；강단. 「판단력.

ろんだん【論断】图名自 논단；논하여

ろんちょう【論調】-chō 图名 논조. ¶新聞^{しんぶん}の～ 신문의 논조.

ろんてい【論定】图名他 논정；의론(議論)하여 (이것이라고) 단정함.

ろんてき【論敵】图名 논적；논쟁·논란의 상대.

ろんてん【論点】图名 논점；의론의 중심점. ¶～がずれる 논점이 흐려지다.

ロンド【論舞】图名 론도. ①윤무(輪舞)；윤무곡(輪舞曲). ②회선곡(回旋曲). ¶～形式^{けいしき} 론도 형식. ▷이 rondo.

ろんなく【論なく】副 논할 것도 없이；물론；이러쿵저러쿵 말할 것도 없이. ¶～認^{みと}められた 아무 논란 없이 인정되었다. 「論語^{ろんご}.

ろんなん【論難】图名他 논란；논박. ＝

ろんぱ【論破】rompa 图名他 논파.

ろんぱく【論駁】romba- 图名他 논박. ＝反論^{はんろん}. 「평.

ろんぴょう【論評】rompyō 图名他 논

*ろんぶん【論文】rombun 图名 논문. ¶～集^{しゅう} 논문집 / 卒業^{そつぎょう}～ 졸업 논문 / ～形式^{けいしき}の試験^{しけん} 논문 형식의 시험.

ろんぽう【論法】rompō 图名 논법. ¶三段^{さん}～ 삼단 논법 / 春秋^{しゅんじゅう}の～を もってすれば 춘추의 논법으로써 한다면.

ろんぽう【論鋒】rompō 图名 논봉；논조. ¶～鋭^{するど}く詰^つめ寄^よる 예리한 논조(論調)로 따지고 들다.

*ろんり【論理】图名 논리. ①의론의 조리. ¶～の飛躍^{ひやく} 논리의 비약 / 形式^{けいしき}～ 형식 논리. ②'論理学^{がく}'의 준말. ──がく【──学】图名 논리학. ＝ロジック. ──てき【──的】ダナ 논리적. ＝ロジカル. ¶～な考^{かんが}え方^{かた} 논리적인 사고 방식. ↔非^ひ論理的.

わ ワ

①五十音図^{ごじゅうおんず}'わ行^{ぎょう}'의 첫째 음. 〔wa〕②〔字源〕'和'의 초서체('かたかな'의'ワ'는'輪^わ(＝고리)'의 부호인'〇'에서).

わ【和】一图①화목. ¶人^{ひと}の～ 인화. ②화해. ¶～を結^{むす}ぶ 강화를 맺다. ③〔數^{すう}〕합계. ¶～を求^{もと}める 합을 구하다. ↔差^さ. ④(본디 倭로도) 일본. 왜(倭). ¶～の国^{くに} 일본. 二接頭 일본(식)의. ¶～服^{ふく} 일본 옷.

*わ【輪】一图①(본디 環로도) 고리；원형. ¶耳^{みみ}に～をかける 귀에 귀고리를 끼다. ②바퀴. ¶車^{くるま}の～ 수레바퀴.

③테；테두리. ＝たが. ──をかける ①(이야기의 내용을) 과장하다. ②한층 더 심하다.

-わ【羽】새·토끼 따위를 세는 말；마리. ¶五^ご～のすずめ 참새 다섯 마리.

-わ【把】묶은 것을 세는 말；다발；뭇；단；묶음. ¶大根^{だいこん}二^に～ 무 두 단 / まき五^ご～ 장작 닷 단.

わ 國 감탄·놀람 따위를 나타내는 말：

아；앗.＝わあ. ¶～, びっくりした 아이고, 깜짝이야.

わ 終助《活用語의 終止形에 붙음》①가벼운 영탄·감동의 뜻을 나타냄. ¶いいお天気だ～ 좋은 날씨네요／来る～来る～ 온다 와. ②어이없고 놀라는 기분을 나타냄. ③〈女〉가벼운 결의·주장·다짐을 나타냄. ¶わたしは行かない～よ 나는 안 갈래요／存じません～ 모르겠어요／知らない～ 몰라요.

わあ wā ㊀感 뜻밖의 경우나 놀란 경우에 내는 소리：어이구. ¶～そりゃ大変 어이구 그것 큰일 났구나. ㊁副 우는 소리：엉엉；와.＝わっ.

ワーク 名 워크；일；사업. ▷work. **──ショップ** -shoppu 名 워크숍；(교사들의) 연구 집회；연구 발표회. ▷workshop. **──ブック** -bukku 名 워크북；학습장；수련장；연습 문제집. ▷workbook.

ワースト 名 최하위의 몇몇. ¶～テン 하위의 열 사람〔개〕. ▷일 worst.

ワールド 名 월드；세계. ¶ミス～ 미스 월드. ▷world. **──シリーズ** 名〔野〕월드 시리즈；(미국의) 프로 야구 선수권 대회. ▷World Series.

わあわあ wāwā 副 ①심하게 우는 소리：엉엉. ②요란하게 떠들어대는 소리〔모양〕：와글와글.

わい 終助〈老〉《活用語의 終止形에 붙음》영탄의 뜻을 나타냄. ¶ひどく寒いことだ～ 지독한 추위로군／大変な事になった～ 큰일이 났구먼／まずいことになった～ 난처하게 됐는걸.

ワイエムシーエー [YMCA] 名 와이엠시에이；기독교 청년회. ▷Young Men's Christian Association.

わいきょく [歪曲] -kyoku 名 ス他自 왜곡. ¶事実を～する 사실을 왜곡하다.

わいざつ [猥雑] 名 ダナ 외잡；추잡；난잡. ¶～な感じ 추잡한 느낌.

ワイシャツ -shatsu 名 와이셔츠. ▷white shirt.

わいせつ 『猥褻』 名 ダナ 외설.＝淫猥·エロ. ¶～罪〔文学〕 외설죄〔문학〕／～な話 추잡한 이야기.

ワイダブリューシーエー [YWCA] -ryūshīē 名 와이더블류시에이；기독교 여자 청년회. ▷Young Women's Christian Association. 「한 이야기.

わいだん [猥談] 名 음담(淫談)；음란

ワイド 名 와이드；(폭이) 넓음. ▷wide. **──スクリーン** 名〔映〕와이드 스크린. ▷wide screen. **──ばんぐみ【──番組】** 名 와이드 프로；라디오·텔레비전의 장시간 프로.＝ワイドプロ.

ワイフ 名 와이프；아내. ↔ハズ·ハズバンド. ▷wife.

ワイヤ 名 와이어. ①철사. ②전선. ③악기의 금속현(弦). ▷wire. **──グラス** 名 와이어 글라스；철망 유리. ▷wire glass. **──レス** 名 와이어리스；무선(無線)임；무선 전신〔전화, 전보〕. ▷wireless. **──ロープ** 名 와이어로프；강삭(鋼索)；삭조(索條). ▷wirerope.

ワイルドピッチ -pitchi 名〔野〕와일드 피치；폭투(暴投). ▷미 wild pitch.

わいろ 『賄賂』 名 회뢰；뇌물.＝そでの下·まいない. ¶～で買収する 뇌물로 매수하다／～を使う 뇌물을 쓰다.

わいわい 副 ①여럿이 시끄럽게 떠들어대는 모양：왁자지껄；와글와글. ¶群衆が～(と)騒ぐ 군중이 왁자지껄 떠들다. ②시끄럽게 재촉하는 모양. ¶～言われてやっと出かける 시끄럽게 재촉을 받고서야 겨우 떠나다.

ワイン 名 와인. ①포도주. ¶～リスト (레스토랑 등의) 와인 리스트. ②양주(洋酒). ▷wine.

わえい【和英】 名 일본어와 영어. **──じてん【──辞典】** 名 일영 사전.

わおん【和音】 名 ①〔樂〕화음.＝かおん. ¶三～ 삼화음. ②(한자음의) 漢音·呉音·唐音에 대하여 일본식으로 변화한 관용음(慣用音).

わか【和歌】 名 일본 고유 형식의 시(詩). ①長歌·短歌·旋頭歌 따위의 총칭.＝やまとうた. ↔漢詩. ②특히, 단가(短歌)《5·7·5·7·7의 5구 31음의 단시》.＝みそひともじ.

わか-【若】 젊음；젊은이. ¶～夫婦 젊은 부부／～向き 젊은 사람에게 맞음. ↔老·大.

わが【我が】《吾が》連体 나의；우리의. ¶～国 우리 나라／～家 내 집；우리 집／～子 내 아들. **──田に水を引く** 아전 인수(我田引水).

わか-い【若い】 形 ①젊다. ¶～人 젊은 사람／～者 젊은이／気だけは～ 마음만은 젊다. ②어리다. ¶ぼくより三つ～ 나보다 세 살 어리다. ③미숙하다；덜 익다. ¶芸が～ 재주가 미숙하다／このかきは～くて渋い 이 감은 덜 익어서 떫다／お前の考え方は～ 네 사고 방식은 미숙하다. ④(순번이) 이르다. ¶～番号 이른 번호／数字の～方 숫자가 적은 쪽.

わかい【和解】 名 ス自 화해. ¶わだかまりが解けて～する 맺혀 있던 감정이 풀어져 화해하다.

わがい【我が意】《吾が意》連語 자기 기분〔뜻〕. **──を得る** 만족하다；자기 뜻과 같다.

わかいつばめ【若いつばめ】《若い燕》連語 연상(年上)의 여자의 젊은 정부(情夫)；제비족.＝つばめ.

わかがえ-る【若返る】 5自 ①(되)젊어지다；젊음을 되찾다. ↔老い込む. ②(담당자·구성원이) 전보다 더 젊은 사람〔층〕으로 바뀌다.

わかき【若き】 連語 ①젊은 사람. ¶老いも～も 늙은이도 젊은이도. ②젊은. ¶～血にもえる 젊은 피가 끓다.

わかぎ【若木】 名 어린 나무. ↔老い木.

わかぎみ【若君】 名 ①군주의 아들.＝若様. ②자기가 섬기는 젊은 군주.＝幼君.

わがく【和楽】 名 일본 고유의 음악.＝邦楽. ↔洋楽.

わかくさ【若草】 名 어린 풀.

わがくに【我(が)国】 名 우리 나라.

わかげ【若げ】《若気》㊀名 젊은 혈기〔패기, 기질〕. ¶～のあやまち 젊은 혈

기가 빚은 잘못 / ~의 至^り 젊은 소치
[탓]. 二 ［ダナ］ 젊은 모양[티]. ¶いか
にも~に見^みえる 자못 젊어 보이다.

わかき【若気】图 젊음. ¶~にものを
言^いわせる 젊음을 힘으로 삼다[이용하
다] / ~を保^{たも}つ 젊음·余^{あま}り.

わかさぎ【公魚·若鷺·鰙】图〔魚〕빙
菓子^{かし}.

わがし【和菓子】图 일본식 과자. ↔洋

わかに【若死に】图 ×자 ［ズ自 요절; 젊
어서 죽음. =早死^{はやじ}に. ↔長生^{ながい}き.

わかしらが【若白髪】图 새치; 젊어서
희머리가 남. =福白髪^{ふくはくはつ}.

***わか-す【沸かす】**〔5他〕①데우다; 끓이
다. ¶ふろを~ 목욕물을 데우다 / お
茶^{ちゃ}を~ 찻물 끓이다 / 湯^ゆを~ 물을
끓이다. ②열광 [흥분]시키다. ¶観衆^{かんしゅう}
を~ 관중을 열광시키다. ③금속
따위를 녹이다. =とろかす. ④발효시
키다; 띄우다; 삭히다. ¶こうじを~
누룩을 띄우다.

わかまず【分かまず】連語 가리지 않고; 구
별 없이. ¶昼夜^{ちゅうや}を~ 밤낮을 가리
지 않고. ──편 [난궁].

わがせ【我が夫·我が背】图〔雅〕내 남

わか-せる【沸かせる】〔1他〕끓게 하
다; 열광 [흥분]시키다. ¶血^ちを~ 피
를 끓게 하다 / 観衆^{かんしゅう}を~ 관중을 열
광시키다.

わかぞう【若造·若僧】-zō 图 젊은이;
애송이; 풋내기. ¶~のくせになまい
きだ 풋내기 주제에 건방지다.

わかだんな【若旦那】图 주
인집 장남의 높임말; 큰 도련님. =若主
人^{しゅじん}. ↔大旦^{おおだん}な.

**わかち-あう【分かち合う】【別ち合
う】**〔5他〕서로 나누어 가지다. =分かち
持^もつ·分け合う. ¶苦労^{くろう}を~
고생을 함께 하다 / 責任^{せきにん}を~ 책임을
분담하다.

わかちがき【分かち書き】【別ち書き】
图 ①띄어쓰기. =分別^{ぶんべつ}書法^{しょほう}. ②
¶わりがき.

***わか-つ【分かつ】【別つ】**〔5他〕①나누
다. =分ける; 구분하다. ¶色^{いろ}を~
빛깔을 구분하다 / 生徒^{せいと}を四組^{よくみ}に
~ 생도를 네 반으로 나누다 / 昼夜^{ちゅうや}
を~·たず 밤낮을 가리지 않고. 〔頭
로도〕. ⓑ분배하다. ¶利益^{りえき}を~ 이익을
분배하다 / 形見^{かたみ}を~ 유품을 나누어
주다. ②가리다. =わきまえる. ¶理
非^{りひ}を~ 시비를 가리다. ¶二人^{ふたり}の仲
^{なか}を~ 두 사람 사이를 갈라 놓다 / た
もとを~ 이별하다; 인연을 끊다.

わかづくり【若作り】图 (여자가) 나이
보다 젊게 보이도록 꾸민 화장·옷차림.
¶~の未亡人^{みぼうじん} 젊게 차린 미망인.

***わかづま【若妻】**图 젊은 아내; 새색
시. =新妻^{にいづま}.

わかて【若手】图 한창때의 젊은 사람.

わかどしより【若年寄】图 ①〔史〕江戸
幕府^{えどばくふ}의 직명의 하나(老中^{ろうじゅう}의 다
음 지위로, 将軍家^{しょうぐんけ}에 직속되어 旗本
^{はたもと}에 참여하고 旗本^{はたもと}을 통할했음). ②
〈俗〉노인처럼 기개가 없는 젊은이; 애
늙은이.

わかな【若菜】图 ①봄나물. ¶~をつ
む 봄나물을 뜯다. ②봄의 일곱 가지

나물의 총칭.

わかば【若葉】图 새잎; 어린 잎. ¶
~の頃^{ころ} 신록의 계절.

わがはい【我が輩】〔吾が輩〕代 남
자의 제1인칭. ①나; 본인; 이 사람. =
わし·おれ·余^よ. ②우리들. =われわ
れ·われら.

わかはげ【若はげ】【若禿げ】图 젊어
서 대머리가 짐; 또, 그 사람.

わかまつ【若松】图 어린 소나무. =小
松^{こまつ}. ↔老^{おい}松^{まつ}.

***わがまま【我がまま】【我が儘】**
［ダナ］제멋대로 굶; 버릇 없음; 방자.
¶~気まま·身勝^{みが}って. ¶~かってにす
る 제멋대로 굴다 / ~に育^{そだ}つ 버릇 없
이 자라다.

わがみ【我が身】連語 ①자기 몸. ②
자기 자신(의 처지). ¶~に照^てらして
자기 처지에 비추어 보아 / ~に火^ひの
粉^こがふりかかる 제 발등에 불이 떨어
지다.

わかみず【若水】图 (설날이나 입춘 날
아침에 일찍 긷는) 정화수; 또, 그것을
긷는 행사.

わかみどり【若緑】图 ①새 솔잎처럼,
신선한 녹색; 신록(新緑). ②어린 솔
잎.

わかむき【若向き】图 젊은이용(用);
젊은이에게 맞음[알맞음]. ¶~の洋
服^{ようふく} 젊은이에게 어울리는 양복.

わかめ【若布·和布】图〔植〕미역.

わかめ【若芽】图 새싹. =新芽^{しんめ}.

わかもの【若者】图 젊은이; 청년. =わ
こうど·青年^{せいねん}. ¶血気^{けっき}にはやる ~
혈기에 날뛰는 젊은이.

わがもの【我が物】图 내 것. ──がお
【──顔】图［ダナ］①남의 것을 제 것
인 양 행세하는 것. ②제 세상인 양
거리낌없이 굶; 젠체함. ¶~にふるま
う 제 세상인 양 행동하다.

わがや【我が家】連語 자기 집; 내 집.

わかやか【若やか】ナリ 나이가 젊어 화
려한[싱싱한] 모양; 젊음이 드는 모양.

わかや-ぐ【若やぐ】〔5自〕젊어지다; 젊
어진 듯하다. ↔老^おいる. ¶気持^{きも}ちが
~ 마음이 젊어지다.

わからずや【分からず屋】【没分暁漢】
图 도리를 모르는 일; 또, 그 사람; 벽
창호. ¶あの男^{おとこ}は~だ 저 사나이는
벽창호다 / ~を言^いって困^{こま}る 억지 소
리를 해서 난처하다.

わかり【分かり】【解り·判り】图 이해;
납득; 깨달음. =のみこみ·会得^{えとく}. ¶
~が速^{はや}い 이해가 빠르다.

わかりきった【分かり切った】-kitta
連語 충분히 알고 있는; 당연한; 빤
한. =決^きまり切^きった. ¶~ことを聞
^きくな 빤한 일을 묻지 마라.

***わか-る【分かる】【判る·解る】**〔5自〕
①알다. ⓐ판명되다. ¶犯人^{はんにん}が~ 범
인이 판명되다. ⓑ판단·이해할 수 있
다. ¶味^{あじ}の~人^{ひと} 맛을 아는 사람 / 音
楽^{おんがく}が~ 음악을 알다[이해하다] / わ
けが~らない 영문을 알 수 없다 / 一
目^{ひとめ}で~ 한 눈에 알 수 있다. ②(상
대의 입장·사정을) 잘 헤아리다. ¶
~った人^{ひと} 트인 사람 / ~ってくれ
よ 이해해 주게 / ~らん人^{ひと}だな 담담
한 사람이군 / それなら話^{はなし}は~ 그렇